LA BIBBIA

QUESTA EDIZIONE DELLA BIBBIA È DI

JOSEPH + ROSA QUATELA

DONATA DA

BILLY LYNN

IN OCCASIONE

ANNIVERSARIO

SAN PAOLO

DIO HA PARLATO,
HA MOSTRATO SE STESSO

*T*utta l'evangelizzazione è fondata sulla Parola di Dio, ascoltata, meditata, vissuta, celebrata e testimoniata. La Sacra Scrittura è fonte dell'evangelizzazione. Pertanto, bisogna formarsi continuamente all'ascolto della Parola. La Chiesa non evangelizza se non si lascia continuamente evangelizzare. È indispensabile che la Parola di Dio «diventi sempre più il cuore di ogni attività ecclesiale». La Parola di Dio ascoltata e celebrata, soprattutto nell'Eucaristia, alimenta e rafforza interiormente i cristiani e li rende capaci di un'autentica testimonianza evangelica nella vita quotidiana.

Abbiamo ormai superato quella vecchia contrapposizione tra Parola e Sacramento. La Parola proclamata, viva ed efficace, prepara la recezione del Sacramento, e nel Sacramento tale Parola raggiunge la sua massima efficacia.

Lo studio della Sacra Scrittura dev'essere una porta aperta a tutti i credenti. È fondamentale che la Parola rivelata fecondi radicalmente la catechesi e tutti gli sforzi per trasmettere la fede. L'evangelizzazione richiede la familiarità con la Parola di Dio e questo esige che le diocesi, le parrocchie e tutte le aggregazioni cattoliche propongano uno studio serio e perseverante della Bibbia, come pure ne promuovano la lettura orante personale e comunitaria. Noi non cerchiamo brancolando nel buio, né dobbiamo attendere che Dio ci rivolga la parola, perché realmente «Dio ha parlato, non è più il grande sconosciuto, ma ha mostrato se stesso». Accogliamo il sublime tesoro della Parola rivelata (*Evangelii gaudium* 174-175).

Papa Francesco

CENTO ANNI DI IMPEGNO
NELLA DIFFUSIONE DELLA BIBBIA

Un costante impegno biblico

«Dare la Bibbia! È il centro dell'apostolato paolino»: così si esprimeva il beato Giacomo Alberione, fondatore della Famiglia Paolina. Il carisma paolino, dal suo sorgere nel 1914, si è caratterizzato per un costante e inventivo impegno biblico. Ricordando i suoi primi passi nell'apostolato biblico nel 1907, Don Alberione scrive: «In quegli anni si leggeva raramente, e solo da qualche persona, il Vangelo... vi era anche una specie di persuasione che non si potesse dare al popolo il Vangelo, tanto meno la Bibbia». In questo delicato contesto Don Alberione è sensibile a un atteggiamento opposto che matura nella comunità ecclesiale grazie al sapiente magistero sugli studi biblici dei papi Leone XIII, Pio X e dei successori.

Un'azione efficace e creativa

Attorno alla Società San Paolo e alla Famiglia Paolina Don Alberione sviluppa una varietà di iniziative per la diffusione e la lettura della Bibbia: la stampa e la diffusione del Vangelo al prezzo di una lira; la celebrazione delle Giornate del Vangelo; la partecipazione attiva alla celebrazione del Congresso del Vangelo; il culto esterno alla Bibbia con l'intronizzazione negli ambienti familiari e di lavoro; un'edizione tascabile perché possa essere por-

tata indosso; l'avvio di una Società Biblica, divenuta nel 1960 Società Biblica Cattolica Internazionale con un'attività mondiale caratterizzata dalla diffusione di milioni di copie di Bibbie e Vangeli in numerose lingue; la cura di scuole bibliche per corrispondenza; edizioni del Vangelo con note adeguate a diverse categorie sociali; la realizzazione nel 1957 della lussuosa Bibbia Saie illustrata con capolavori dell'arte; la sorprendente iniziativa della *Bibbia per la Famiglia* a 1000 lire; la creazione di collane bibliche per lo studio e la comprensione della Sacra Scrittura; la realizzazione di una versione cinematografica della Bibbia e la registrazione su disco della lettura di tutta la Bibbia.

A distanza di 100 anni

Anche dopo la scomparsa del Fondatore, fedeli all'esempio e alle direttive del beato Alberione, la Società San Paolo e la Famiglia Paolina, ormai presenti nei cinque continenti, hanno proseguito con determinazione e creatività l'apostolato biblico.

Riprendendo un'espressione della lettera di San Gregorio Magno a Teodoro, Don Alberione definisce la Bibbia come «la lettera che Dio ha inviato a tutte le creature»; il compito di Paolini e Paoline è di tradurre in ogni lingua questo testo e di trovare tutti i mezzi per farlo arrivare ad ogni persona. Uno dei criteri ispiratori dell'apostolato biblico paolino è la preoccupazione "pastorale". Nella *Presentazione* della Bibbia a 1000 lire, Don Alberione, spiegando il carattere pastorale di un'edizione della Bibbia, sottolinea che si deve «tener conto di tutti i lettori, a qualsiasi classe appartengono: La Bibbia è il libro dell'umanità. In modo particolare vanno ricordate le masse».

Il criterio editoriale del carisma paolino è la dimensione teologica dell'in-

carnazione; facendo propria una frase, diretta ai giornalisti cattolici, dell'allora arcivescovo di Milano, card. Giovanni Battista Montini, Don Alberione la applica con piena condivisione al carisma paolino: «Voi prendete la Parola di Dio e la rivestite di inchiostro, di carattere, di carta, e la mandate nel mondo così vestita. Voi date agli uomini Dio incartato come Maria ha dato agli uomini Dio incarnato. *Incartato* e *incarnato* per certi aspetti si corrispondono».

Don Giacomo Alberione
fondatore della Famiglia Paolina

LA BIBBIA

NUOVA VERSIONE DAI TESTI ANTICHI

SAN PAOLO

Referenze iconografiche, I parte
Icone di Marie-Paul Farran/Monastère des Bénedéctines du Mont des Olivers, Gerusalemme:
  copertina (*Discepoli di Emmaus*) e p. 4 (*San Paolo*);
Per gentile concessione del Servizio fotografico de L'Osservatore Romano: p. 2-3;
Archivio storico Società San Paolo: p. 5;
Shutterstock.com: p. 6, 9, 10, 12-13, 15, 16, 17, 20, 21, 22, 23, 24, 25, 26, 27, 28, 29, 30,
  32, 33, 34, 35, 36,
Foto Stone/Getty Images: p. 11
Max Mandel: p. 18
Photoshot/Olycom: p. 19

Referenze iconografiche, II parte
Shutterstock.com: p. 1, 4, 5, 7, 8, 10, 11, 12, 13, 15, 17, 18, 19,
Michela Ameli/Glifo Design: cartine Atlante biblico, p. 21-35

Testo biblico: Nuova versione dai testi antichi, 2010

Fuoritesto a colori di don Marco D'Agostino

Progetto editoriale di Pino Occhipinti, Giacomo Perego

Progetto grafico di Angelo Zenzalari, Giordano Redaelli

Copertina di Ink Graphics Communication, Milano

© EDIZIONI SAN PAOLO s.r.l., 2014
  Piazza Soncino, 5 - 20092 Cinisello Balsamo (Milano)
  www.edizionisanpaolo.it
  Distribuzione: Diffusione San Paolo s.r.l.
  Piazza Soncino, 5 - 20092 Cinisello Balsamo (Milano)

© Periodici San Paolo s.r.l., 2014
  Via Giotto, 36 - 20145 Milano
  www.famigliacristiana.it
  www.credere.it

Allegato a Famiglia Cristiana di questa settimana
Direttore responsabile: Antonio Sciortino
Settimanale registrato presso il Tribunale di Alba il 7/9/1949 n. 5
P.I. SPA - S.A.P. - D.L. 353/2003 L. 27/02/04 N. 46 - a.l c.l DCB/CN

Allegato a Credere di questa settimana
Direttore responsabile: Antonio Rizzolo
Settimanale registrato presso il Tribunale di Alba il 23/10/2012, n. 4/12

IL LIBRO

LA BIBBIA

POZZO A CUI FERMARSI E DISSETARSI

I libri sacri non hanno bisogno di alcuna presentazione. La Bibbia, da sempre, si presenta e si difende da sola. Il suo Autore sa impiegare le parole adeguate per farsi capire. È l'uomo che, talvolta, non sa quali espressioni usare per affermare che ha capito cosa Dio chiede, dove lo sta portando, quale strada sta tracciando per il popolo che cammina nelle tenebre

e può vedere, se alza la testa, una grande luce (cfr. Isaia 9,1). Se questo ascolto si realizza, anche oggi la gioia si moltiplica e il cuore riparte a battere.

Il Magistero della Chiesa saprà leggere le richieste della Parola di Dio, gli studiosi proveranno a illuminarne il senso, le comunità cristiane vorranno mettersi alla sua scuola, le famiglie si sentiranno accompagnate dalla sua luce, ma nessuno riuscirà a esaurirne il senso pieno, la fre-schezza sgorgante, il beneficio del bere... Quella fonte, ogni volta, regalerà solo il desiderio di tornare.

Colpisce fortemente come, nel vangelo di Giovanni, nel dialogo con la donna di Samaria, alla richiesta della donna: «Signore, dammi quest'acqua, perché io non abbia più sete e non continui a venire qui ad attingere acqua» (4,15) Gesù non risponda direttamente e non dica: "Non tornare più". Se la metafora tiene, la donna deve tornare, ma a un nuovo pozzo, Gesù, fonte d'acqua nuova, dal quale attingere senza stancarsi, grazie al quale bere ed estinguere la sete interiore ed esteriore.

Avere la grazia di essere davanti a un Dio che parla, nei 73 libri della Scrittura, nell'Antico e nel Nuovo Testamento, significa non dimenticare la strada per arrivare a quel pozzo. E, una volta arrivati, non aver fretta di ripartire. Non pensare che ci siano altre cose più importanti da sbrigare (cfr. Luca 14,16-20). Al contrario, occorre sostare al pozzo, ascoltare il "rumore" di quella Parola che disseta, darsi tempo per riflettere, pregare su quella Parola che nutre, permettere che l'incontro col Dio vivo ci renda vivi.

La Bibbia che hai davanti, pratica, a portata di mano, da sottolineare e da sfogliare, sia tenuta vicino, in casa, sul comodino, nella borsa del lavoro o nello zaino. Fonte che disseta e fa diventare ciascuno acqua che zampilla e porta vita (cfr. Giovanni 4,14).

LA BIBBIA

PERLA PREZIOSA
IN CERCA DI MERCANTI

Il significato di un termine

La parola *Bibbia* deriva dal greco *tà Biblìa*, "i libri". Il nome neutro *biblion* indica genericamente ogni tipo di *scritto*: si chiamava *Biblo* anche il porto fenicio di Gebal (40 km a nord di Beirut), centro commerciale del papiro, pianta da cui si ricavavano i fogli per scrivere. Il termine è ancora usato in parole come *biblio*teca (luogo dove si custodiscono i libri), *biblio*grafia (elenco di libri), *biblio*filo (amante dei libri). Antichi autori cristiani presero a chiamare *Biblìa* la raccolta delle *Sacre Scritture*: il più antico documento al riguardo è una lettera scritta intorno al 150 d.C. da Clemente Alessandrino, uno dei primi Padri della Chiesa. Successivamente il nome divenne titolo della raccolta e sinonimo di *libro sacro*.

È bello pensare che "aprire la Bibbia" significhi, in fondo, *srotolarla*, anche se oggi papiri e pergamene non sono più i materiali fondamentali su cui scrivere il testo sacro. Su quei rotoli si dispiega:
- tutta la storia di Dio che si mette dalla parte dell'uomo e gli propone un percorso di libertà e di verità;
- tutta la storia dell'uomo, con le sue cadute e le sue decisioni di bene, la sua supponenza nel voler fare da solo e il suo pentimento nel voler tornare da Dio, «buono verso tutti, la cui tenerezza si espande su tutte le creature» (Salmo 145,9);
- tutte le parole che Dio ha voluto consegnare e deporre nel grembo umano, fino all'ultima Parola, quella definitiva, quella che, per l'ascolto docile di Maria

(cfr. Luca 1,38) e la giusta obbedienza di Giuseppe (cfr. Matteo 1,24) divenne carne e iniziò a porre la sua tenda in mezzo a noi (cfr. Giovanni 1,14).

Il tempo raccontato in quei rotoli della Bibbia diventa tempo di salvezza perché sempre, ogni momento, è tempo favorevole per accogliere con frutto le grazie e i doni che Dio ci concede (cfr. 2Corinzi 6,2). È il tempo della vita a disposizione di ciascuno perché ciò che abbiamo ricevuto sia trafficato, speso, fatto fruttare (cfr. Matteo 25,14-30) e, compreso il suo valore autentico, sia cercato con tutte le nostre forze, anche a costo di rinunce.

In questo sta la preziosità della Bibbia: è Parola di un Dio che fa sgorgare la vita, continuamente; è Parola che consola e riapre porte di speranza; è Parola che accompagna, asciuga le lacrime e fa intravedere, nella fede, nuove strade e nuovi inizi, che non facciano intristire e regredire; è Parola che vale più di tutto e tutti, che si fa cercare e chiede nuovi mercanti del Regno (cfr. Luca 12,32-33) che abbiano il coraggio e la coerenza di avere il cuore nello stesso luogo ove hanno trovato il loro tesoro.

Un testo che non lascia mai uguali

I 73 rotoli della Bibbia, in ogni epoca storica, hanno ispirato le opere di pittori, letterati, scultori, musicisti, artisti e uomini di cultura, credenti e non. Tutti hanno potuto, nel tempo, accostare il testo biblico da un certo punto di vista.

Ciascuno, anche oggi, può studiarlo, leggerlo e far tesoro dei suoi contenuti. Come si è dipinto Ovidio e le sue *Metamorfosi* sui soffitti delle ville di mezza Europa, così si possono scolpire, dipingere e musicare i personaggi e le storie bibliche. Tuttavia c'è una sostanziale differenza tra usare la Bibbia come un testo che ispira e usarla come un testo ispirato.

Ciascuno può leggere la Bibbia, ed è anche buona cosa che lo faccia. Chi vuole può parlare di Davide, dipingere il passaggio del Mar Rosso, scrivere la sceneggiatura per il ritorno da Babilonia, scolpire Mosè, musicare la storia del re Nabucodonosor, trovare le valenze semantiche di tutti i termini ellenistici nel Prologo di Giovanni. Ma solo chi crede considera i testi biblici, li ascolta e li segue come Parola di Dio, si fa da essi interpellare, richiamare e convertire.

La Bibbia, se letta nella fede della Chiesa, non ci lascia uguali a prima. Ogni volta riapre la strada dell'esodo attraver-

so il deserto, luogo di presenza divina nel quale l'uomo è messo a contatto con la Parola che salva e guida. La Bibbia consegna gli annunci profetici, carichi di speranza e di appelli alla conversione, ricrea le condizioni per accogliere la salvezza e riconsegna le parole luminose del Maestro perché ancora illuminino e diano sapore alla vita.

Se la Bibbia è la Parola di Dio significa che il suo ascolto orante e meditato chiama continuamente la nostra vita alla piena comunione con lui attraverso il suo Figlio. Ogni volta che Dio ci parla, la nostra vita viene interrogata e ci viene chiesto, con amore ma con precisione, quanto ci lasciamo amare da Colui che attende ogni passo del nostro ritorno a casa.

Un solo scalpello per 73 statue

La Bibbia non è un libro nel senso stretto del termine; è piuttosto *una raccolta di libri* di generi letterari differenti. Unico autore è lo Spirito di Dio che ha

coinvolto gli autori di ogni epoca perché fossero docili alla sua voce e ha scalpellato il marmo secondo le caratteristiche di ogni singolo autore.

La **Bibbia ebraica** comprende 39 libri, scritti tutti prima di Cristo. Tradizionalmente è suddivisa in tre grandi sezioni:

1. La *Torah* o *Legge* comprende i primi cinque libri: Genesi, Esodo, Levitico, Numeri, Deuteronomio;
2. I *Profeti* detti *anteriori*: corrispondenti ai libri di Giosuè, Giudici, 1-2Samuele, e 1-2Re; i *Profeti* detti *posteriori*: Isaia, Geremia, Ezechiele e i dodici profeti "minori" da Osea a Malachia;
3. Gli *Scritti*: Salmi, Proverbi, Giobbe, Cantico dei Cantici, Rut, Lamentazioni, Qohèlet, Ester, Daniele, Esdra, Neemia, 1-2Cronache.

La **Bibbia** cristiana riprende la Bibbia ebraica, aggiungendo alcuni libri antichi, scritti prima di Cristo (*Antico Testamento*) e completando la storia salvifica con gli scritti redatti nel I secolo d.C. (*Nuovo Testamento*). La Chiesa cattolica, complessivamente, conta 73 libri.

La prima parte della Bibbia cristiana, l'Antico Testamento, comprende 46 libri, tradizionalmente suddivisi in quattro grandi sezioni:

1. Il *Pentateuco* (cioè *i cinque rotoli*) corrispondente alla *Torah* della Bibbia ebraica, i primi cinque libri.
2. I *libri storici*, corrispondenti ai *Profeti anteriori* della Bibbia ebraica, con l'aggiunta dei libri di Rut, 1-2Cronache, Esdra, Neemia, Tobia, Giuditta, Ester e 1-2Maccabei.
3. I *libri sapienziali*, corrispondenti ai libri di Giobbe, Salmi, Proverbi, Qohèlet, Cantico dei Cantici, Sapienza e Siracide.
4. I *libri profetici*, corrispondenti ai *Profeti posteriori* della Bibbia ebraica, con l'aggiunta di Baruc e alcune parti del libro di Daniele.

La seconda parte della Bibbia cristiana, il Nuovo Testamento, comprende 27 libri, tradizionalmente suddivisi in tre sezioni:

1. I *quattro Vangeli*, a cui si aggiungono gli *Atti degli Apostoli* che formano un tutt'uno con il vangelo di Luca.
2. Le *tredici lettere* attribuite a Paolo, a cui si aggiungono lo scritto agli *Ebrei*, e le *sette lettere* dette *cattoliche* (perché indirizzate a tutta la cristianità) attribuite una a Giacomo, due a Pietro, una a Giuda e tre a Giovanni.
3. L'*Apocalisse*, attribuita a Giovanni.

Le Bibbie protestanti, per quanto riguarda l'Antico Testamento, seguono la *Bibbia ebraica* (39 libri), aggiungendo gli altri scritti a parte, come in appendice. Per il Nuovo Testamento le Bibbie protestanti sono uguali a quelle cattoliche.

Capitoli e versetti

Nei manoscritti antichi la Bibbia si presenta in "scrittura continua", senza spaziature, spesso con caratteri solo maiuscoli. Per facilitare la divisione dei brani nel XIII secolo fu introdotta la divisione in *capitoli*, mentre dal 1528 si cominciò a numerare le righe o le frasi (*versetti*). Per la comodità dei rimandi, questa suddivisione è stata accolta universalmente: i numeri dei capitoli vengono scritti in grande e quelli dei versetti in piccolo, come esponente al testo.

Le **Citazioni** bibliche seguono una grafia convenzionale:
- abbreviazione del libro biblico (p. es., Gen = Genesi);
- numero del capitolo, seguito normalmente da virgola;
- numero dei versetti uniti da un trattino (se vanno letti tutti dal primo all'ultimo) o da un punto (se si intende saltare i numeri intermedi). Le lettere *s – ss* (*seguente/i*) dopo il numero indicano il versetto o i versetti successivi.
  Esempi:
  Gen 2,1-7 = Libro della Genesi, cap. 2, dal versetto 1 al 7 compreso.
  Dt 6,1.5-7 = Deuteronomio, cap. 6, versetto 1, poi dal 5 al 7.
  Gv 1,1s = Vangelo di Giovanni, cap. 1, versetto 1 e seguente.
  Ap 2,1–3,22 = Apocalisse, dal cap. 2 versetto 1 fino al cap. 3 versetto 22.

LA BIBBIA

PAROLA DI DIO
VESTITA DI CARNE

Dio parla ad amici

La Bibbia è un libro storico perché… racconta una storia. La più bella di tutte. La storia di Dio che, nell'Antico Testamento, salva il suo popolo Israele e, nel Nuovo, tutti i popoli in Gesù. È la storia della salvezza, espressa attraverso molteplici linguaggi umani: narrativo, sapienziale, poetico, apocalittico, epistolare. Per questo, quando la si apre, è necessario anche studiarla un po', per lo meno ascoltarla con attenzione, sapere cosa si legge e in che modo viene espresso il contenuto. Non è corretto inventare significati o cre-

dere di sapere, lasciandosi "guidare" dallo Spirito. Lo Spirito Santo non rimpiazza e non scavalca la parte – anche di conoscenza e di studio – che l'uomo è chiamato a compiere.

Pensiamo, per un momento, a una persona che, acquistando un libro di ricette, tentasse di seguirle con attenzione per verificare l'esito, più o meno positivo, dei piatti proposti. Al termine delle prove sarebbe fuori luogo se dovesse esclamare: "Perché sul ricettario non è stampata anche la vita dei santi?". "Per il semplice motivo – risponderebbe l'autore – che è un libro di cucina!".

Nella storia della comprensione e lettura della Bibbia, talvolta, essa è stata usata come un libro di geografia, mappa cartografica grazie alla quale poter trovare e far riemergere dagli scavi antiche città e mondi immaginari che non si sono trovati; altre volte è stata considerata come un'autorevole fonte etnografica per indagare l'esistenza di popoli e antichi imperi, territori e popolazioni contro cui combattere, dai quali guardarsi; altre volte ancora come fonte scientifica per spiegare l'origine dell'universo e dell'uomo, il movimento del sole e della terra. Insomma, come un contenitore infinito di conoscenze da

cui dedurre una serie di teorie infallibili.

La Bibbia può certamente contenere elementi storici, geografici, archeologici, scientifici, ma il comunicarcelo non è il suo primo scopo. Benedetto XVI nella Esortazione Apostolica post-sinodale *Verbum Domini* (n. 7) ha sottolineato come la Sacra Scrittura sia «una sinfonia della Parola, di una Parola unica che si esprime in diversi modi: "un canto a più voci"». Queste voci, oltre alla natura e alle meraviglie che circondano l'uomo, sono anche gli autori stessi dei 73 libri che hanno accolto la chiamata di Dio e l'hanno realizzata, facendosi eco di quell'invito che Dio, nel suo grande amore, rivolgeva loro parlando «come ad amici e intrattenendosi con essi per invitarli e ammetterli alla comunione con Sé» (*Dei Verbum,* n. 2).

Come è stata scritta la Bibbia

La novità della Bibbia non sta nelle notizie umane che ci offre, ma nel comunicare la novità assoluta di un Dio che si fa conoscere all'uomo esplicitamente nel suo dialogo con lui. Per questo il testo biblico è composto, ad ogni tappa, di molte parole umane che esprimono, attraverso forme differenti e variegati generi letterari, adeguati al tempo e alla sensibilità dello scritto, l'unica Parola di Dio che, se ascoltata, sa trovare vie sempre nuove per intrattenersi con gli uomini.

Molteplici sono i modi attraverso cui gli autori sacri hanno raccontato la loro esperienza e i loro sentimenti di gioia o di felicità. Nella Bibbia troviamo avvenimenti espressi in modi diversi: una narrazione storica è differente da un brano poetico; nel primo caso il tono è più aderente alla realtà, nel secondo si dà più spazio alla creatività dell'autore e questi si serve di simboli e di immagini per esprimere il proprio pensiero: entrambi comunicano un contenuto, ma secondo vie differenti. Uno stesso testo, inoltre, può servire a più scopi: ammonire chi legge, incoraggiare, informare, spiegare, consolare. Il genere letterario è la forma o il modo attraverso cui si comunica un determinato contenuto.

«È necessario che l'interprete ricerchi il senso che l'agiografo intese di esprimere ed espresse in determinate circostanze, secondo la condizione del suo tempo e della sua cultura, per mezzo dei generi letterari allora in uso» (*Dei Verbum*, n. 12). In questa interpretazione continua la Chiesa, la liturgia, la catechesi, l'aggiornamento, lo studio, la lettura in famiglia o personalmente, danno a Dio la possibilità – non il permesso! – di parlare ancora e di scendere nuovamente come pioggia in attesa che, ritornando, porti molto frutto (cfr. Isaia 55,10-11).

Libri comuni al servizio del racconto divino

Ogni testo che acquistiamo in libreria, all'edicola della stazione o al Salone internazionale del libro, da quelli letterari più impegnativi a quelli divulgativi da leggersi senza troppa attenzione, ha una forma particolare, un contenuto specifico, un autore singolo e – di solito – un destinatario particolare.

A chi non interessa il romanzo giallo non lo acquista e, al contrario, chi è ap-

passionato di storia e di narrativa ricerca quel tipo di lavoro. E, nel leggerlo, trova spunti per approfondire, situazioni che lo coinvolgono, sottolineature con le quali potersi confrontare. Lettura, argomento e interesse sono un trinomio forte che gli autori biblici stessi hanno sposato.

E così, i 73 libri della Bibbia si presentano a noi, oggi:

a. come un *annuncio* da leggere, cioè da ascoltare mentre viene letta e proclamata la storia della salvezza;

b. come *argomento*, poiché i libri biblici parlano tutti quanti dell'opera meravigliosa di Dio e del suo tentativo continuo di fare alleanza con l'uomo;

c. come testi che suscitano *interesse*, perché la salvezza operata da Dio è una realtà che interessa sempre, tutti, costantemente, soprattutto in particolari circostanze della vita.

Il processo di produzione-scrittura-diffusione dei libri sacri è avvenuto, per ogni libro biblico, in epoche differenti, grazie a persone con una formazione e un'esperienza diversificate, rivolto a una comunità, ebraica o meno, soggiornante in Egitto, nella terra di Canaan o nella Mesopotamia.

Dio non si stanca di parlare

Dio ha parlato molte volte e in modi differenti. E l'uomo ha impiegato molto tempo per fissare quella Parola che Dio aveva pronunciato. E per non perdere «ogni parola che esce dalla bocca del Signore» (Dt 8,3) gli autori sacri, i circoli sapienziali e sacerdotali a cui erano legate le comunità ebraiche e cristiane, gli ambienti vitali in cui i libri si sono formati, hanno prodotto, col tempo, la forma del testo canonico che la Chiesa ha assunto per sé e ha proposto – come *canone,* cioè come regola della vita credente – in quella forma che ci viene consegnata.

La formazione della letteratura biblica ha avuto una storia lunga e complessa in quanto la redazione degli scritti costituisce l'ultimo momento di un processo articolato. La composizione definitiva dei libri, così come appare nelle edizioni a nostra disposizione, è durata molti secoli: dal racconto orale, da padre a figlio, si è passati alla fissazione di storie, racconti, cicli, personaggi chiave.

In un primo tempo, verso il XII-XI secolo a.C., qualche piccola storia o raccolta di leggi. Poi dalla monarchia, verso l'anno 1000 a.C., si è messo per iscritto qualcosa simile agli annali dei re, cioè gli eventi più significativi del regno, scritti l'uno dopo l'altro, insieme ad alcuni salmi e proverbi. I secoli VIII-VII a.C. sono stati il periodo d'oro dei profeti: la loro predicazione, raccolta e completata dai rispettivi discepoli, ha illuminato l'esistenza del popolo. Nel VI secolo a.C. il Pentateuco comincia a ricevere una compiuta sistemazione per mano di redattori finali. Le storie più famose e i cicli più drammatici della storia della salvezza, come la creazione e il peccato, il diluvio e la torre di Babele, l'uscita dall'Egitto e la vita nomade del deserto, sono stati "codificati" definitivamente e, da quel momento, letti in un'unica forma. Infine, verso la fine del II secolo a.C., ad opera dei circoli sapienziali, viene portata a termine l'omonima collezione di libri.

Ogni libro viene redatto in modo da avere una sua logica e un suo messaggio; le singole parti che lo compongono, anche se molto più antiche, ricevono un senso e una funzione dall'insieme in cui sono incorporate.

Il Nuovo Testamento, la cui origine va posta nelle comunità giudaico-cristiane del I secolo d.C., a differenza dell'Antico – la cui narrazione vuole coprire circa 1200 anni – si realizza in meno di un secolo (I sec. d.C.).

LA BIBBIA

PERGAMENA SULLA QUALE PULSA IL CUORE DI DIO

Dio, autore e protagonista della Bibbia

Alberto Soggin, noto biblista, aveva annotato come le fonti, per la storia di Israele e di Giuda «sono costituite, in forma praticamente totale, dai testi biblici per quel che riguarda la preistoria, dunque anteriormente al IX secolo a.C. I testi biblici che trattano della preistoria sono numerosi, ma questo elemento positivo viene neutralizzato dalla loro dubbiosità storiografica, in quanto riecheggiano problematiche di epoche posteriori di molti secoli».

È vero, dunque, che si devono usare – almeno parzialmente – i libri biblici per ricavare alcune notizie di un popolo del quale, diversamente, non si saprebbe nulla. Ma ciò che sappiamo, proprio perché ricavato dal testo biblico, ha sapore di narrazione, di letteratura, di fede e di annuncio. È necessario chiedersi che cosa significhi riflettere sul testo biblico, quale tipo di materiale il credente, lo studioso, la comunità che legge abbia tra le mani.

Anzitutto non sono libri di storia nuda e cruda. E neppure di geografia, benché, dal testo biblico, siano fiorite edizioni splendide di atlanti, carte geografiche letterarie, ricostruite sulla base del testo biblico e che aiutano ad orientarsi. Tra l'altro è bene tenere davanti, durante la lettura, un piccolo atlante, immaginando e seguendo lo spostamento dei patriarchi, o la peregrinazione dell'antico Israele in Egitto, nel deserto fino all'entrata nella terra promessa, oppure gli spostamenti evangelici di Gesù o dell'apostolo Paolo nelle sue lettere o di Pietro nel racconto degli Atti degli Apostoli.

Sotto quella storia e dentro le pieghe di quella geografia regionale pulsa il cuore di Dio che anima la storia e piega la geografia e la stessa scienza a servizio del suo annuncio che salva, libera e attira a sé l'uomo. E così il diluvio spazza via un vecchio mondo, il mare si apre, il cielo si chiude, la carestia finisce, la lebbra scompare alla parola del profeta, Gesù cammina sopra l'acqua sfidando la forza di gravità, il vento e la tempesta tornano al loro posto ridonando la calma, perfino la morte è superata e sconfitta.

L'uomo, autore e protagonista della Bibbia

Nei 73 libri biblici pulsa anche il cuore delle comunità credenti, dalla famiglia di Abramo fino ad oggi. Dio non parla da solo e non parla per se stesso. Non conduce burattini recitanti in un copione che non hanno scritto o esecutori di ordini spogliati di un contesto d'amore. Dio parla all'uomo senza stancarsi perché questi diventi partecipe della sua stessa storia divina. Non è vero che Dio è geloso della sua divinità (cfr. Gen 3,5): Dio è amore e questo amore non lo può che condividere. Ne era segno il giardino, l'armonia del mondo preparato perché l'uomo vi abitasse, la comunione col Creatore e col creato.

La Bibbia è un libro storico perché il suo autore e protagonista, Dio stesso, abita ostinatamente la storia dell'uomo, in tutte le sue parti, e continua a fare appello alla sua libertà perché venga ospitato e accolto.

La Bibbia è anche un libro geografico perché il mondo, fatto in questo modo, è l'habitat naturale nel quale, dall'inizio dei tempi, Dio manderà il suo Figlio a vivere.

La Bibbia è anche un libro di scienza perché la forza risanante di Dio nei racconti di guarigione, di risurrezione, di liberazione svela che c'è un "oltre", un "di più", un qualcosa che "non si vede", uno straordinario che attira l'uomo.

Ma la Bibbia è anche il libro scritto dall'uomo e rivolto a se stesso e a chi lo ascolta, tutti quanti, senza esclusione di sorta. La Bibbia è un appello perché l'uomo risponda e non dica "no" a un progetto meraviglioso che lo vuole coinvolgere. Una Parola che, se ascoltata anche nella notte del vuoto e della tristezza, sa riempire le reti con una forza che fa innamorare (cfr. Luca 5,7).

L'uomo si fidi ancora e si faccia guidare da quella Parola che libera e salva, non costringe, chiede una conversione e propone un'alternativa di vita.

Un Dio innamorato della nostra storia

Gli autori biblici avevano una concezione della storia molto diversa dalla nostra: i dati che essi offrono non possono essere assunti come ineccepibili, rispondenti ai nostri criteri. Del resto, anche oggi, ogni ricostruzione storica porta sempre l'impronta di chi elabora i dati, scegliendo di evidenziare certe cose e di tralasciarne altre.

Più che narrare in maniera accurata una storia, la Bibbia racconta il modo in

mare e con la totale rovina del faraone, con continui doni celesti nel deserto (la manna, le quaglie, l'acqua), fino alla teofania del Sinai e al dono delle tavole della Legge. Questi eventi hanno una radice storica, ma nel racconto tramandato per secoli di padre in figlio diventano *storia sacra*, ripetuta per cantare l'opera di Dio in favore del *suo* popolo.

Nelle pagine della Bibbia trovano spazio le culture più diverse e il loro modo di concepire le realtà umane. Dio scrive la sua storia sulle righe "storte" di un popolo che matura lentamente la propria identità, confrontandosi con i grandi imperi che si avvicendano in Palestina: le tribù nomadi, i Fenici, i Cananei, gli Egiziani,

cui Dio la conduce, per suscitare una risposta di fede e invitare a guardare al futuro con speranza. L'obiettivo primo non è quello di documentare, ordinare, precisare, ma quello di rivelare il senso nascosto degli eventi e il valore che essi hanno agli occhi di Dio.

Facciamo un esempio: secondo gli autori biblici, l'esodo dall'Egitto con il passaggio del «Mare dei giunchi» costituisce uno degli eventi fondanti dell'identità del popolo d'Israele; pertanto è presentato con un contorno di prodigi e «piaghe» dimostrative, con la divisione prodigiosa del

gli Assiri, i Babilonesi, i Greci, i Romani. Per parlare agli uomini, Dio assume la loro storia, sottomettendo la sua Parola ai condizionamenti imposti dalle diverse culture.

Dio si è innamorato della storia umana. Cosa ha guadagnato? Proprio nulla, ma ha capito profondamente, fin dal primo racconto («Non è bene che l'uomo sia solo», Genesi 2,18) che l'uomo ha bisogno di amore. Dell'amore divino e dell'amore umano. Il primo è fedele in eterno. Il secondo sempre bisognoso di conversione. E nonostante le cadute personali, del popolo d'Israele e della comunità cristiana stessa, Dio non sospende i suoi interventi, salva e libera, chiama e strappa dalla morte, accompagna e guida la vita dell'uomo. Spesso, nella sofferenza e nel dolore, l'uomo non sente Dio. Tuttavia Egli non smette di essere «Colui che sono» (Esodo 3,14), cioè Colui che vive e opera per il suo popolo, per la sua salvezza, per la sua vita.

La Bibbia va letta con lenti speciali

Un approccio corretto ai testi biblici chiede di evitare la freddezza. Amare una persona non significa semplicemente scrutare, sapere quanto è alta, quanto pesa, qual è il suo colore preferito. Significa anche conoscere se sta bene e come mai pianga, quali siano le cause della sua

tristezza e della sua gioia, se le lacrime che gli scendono sul viso sono di lutto o per un traguardo finalmente raggiunto. E così nel testo biblico.

Facciamo qualche esempio: l'altare costruito da Abramo, la strada e la legna, l'asino e la tenda, le lenticchie e il capretto cucinato da Giacobbe con cui imbroglia il vecchio padre Isacco, ormai cieco, sono reliquie che non esistono più. Tuttavia ci parlano. Nessun archeologo le troverà mai. Ma così come l'arca di Noè, la scala di Giacobbe, le quaglie, il bastone di Mosè…

Se vado in pellegrinaggio al Santuario di Loreto, c'è la casa della Madonna: è la sua? Chi lo sa. Io lo credo. Non ho bisogno di certezze. Ho bisogno di andarci e di inginocchiarmi davanti. Quelle pietre mi aiutano a pregare. Mi ricordano – sia proprio quella la casa, sia quella una copia, sia essa una leggenda – che Maria di Nazareth è mia sorella, fa parte della famiglia umana a cui appartengo anch'io, è mia Madre nella fede e mi guida per mano nell'essere discepolo del suo Figlio. Entrare in quella casa mi dà pace, mi ricorda la vita nascosta, il silenzio, l'amore e la sofferenza che hanno attraversato la santa famiglia di Nazareth.

Gli storici possono scervellarsi per trovare cause ed effetti del suo trasporto. Sta di fatto che quella casa ha nutrito la fede, ha aiutato la vita, ha fatto piegare le ginocchia di tanti cristiani che là si sono recati per una preghiera, per una supplica, per un pianto.

Non ha fatto la storia del popolo italiano, tuttavia ha scolpito, nel cuore semplice della gente, ricordi, preghiere, sicurezze che non sono scritte da nessuna parte, ma non per questo non sono storiche. E Dio, per farsi sentire, ha bisogno di parlare attraverso segni: la creazione, il diluvio, le piaghe in Egitto, il Mar Rosso, la manna, le quaglie, il cielo chiuso al tempo di Elia, i prodigi di Eliseo, le parole dei profeti che si avverano, Gesù che tocca i malati e guariscono, i gesti della Chiesa. Ma per vedere tutti questi segni servono lenti speciali, pulite, trasparenti che permettano al segno di essere visto e all'occhio non malato di poterlo recepire.

La Bibbia, tutta quanta, è un insieme di parole e di azioni, di gesti e di racconti grazie ai quali la forza dello Spirito e la grazia di Dio chiedono all'uomo contemporaneo di rispondere a questa chiamata che è, solamente, un dono di Dio. Se l'uomo si accorge e, nella sua libertà, dice di "sì", Dio, nuovamente, abita in lui (Giovanni 1,14).

I LIBRI

LA BIBBIA

I DUE POLMONI CON CUI DIO RESPIRA

Quando sfogliamo i 73 libri della Bibbia ci accorgiamo subito che non sono della stessa lunghezza, non hanno lo stesso stile (genere letterario), sono stati ordinati in un certo modo, ci presentano un messaggio con molte sfaccettature.

I due Testamenti (l'alleanza che ha sempre come soggetto Dio e come interlocutore il popolo d'Israele e, in Gesù, tutti i popoli) possono essere suddivisi così: l'Antico Testamento: Pentateuco (cioè i 5 libri della Legge), Libri Storici, Profetici, Sapienziali; il Nuovo Testamento: Vangeli, Atti degli Apostoli, Lettere alle prime comunità cristiane, Apocalisse.

L'Antico Testamento

IL PENTATEUCO – i primi cinque libri della Bibbia (la *Torah*: Genesi, Esodo, Numeri, Levitico e Deuteronomio) – è il racconto che parte dalla creazione del mondo e dell'uomo per arrivare alla morte di Mosè, prima dell'entrata nella terra promessa. L'unità di misura non è il giorno, il mese o l'anno, ma l'intensità con cui Dio ama il suo popolo, lo cura, lo accompagna e lo salva, strappandolo dal cuore indurito di Faraone per farlo riposare nella terra promessa ad Abramo.

Dio è fedele e chiede che anche l'uomo lo sia. Per questo chiama l'uomo dalla terra e, nonostante la sua disobbedienza, lo segue anche nel difficile cammino della fratellanza, nella fondazione di città o nel lavoro. I primi interlocutori di Dio, i Patriarchi Abramo, Isacco, Giacobbe e Giuseppe sono attenti e fedeli alla Parola che ascoltano. Per questo lasciano, camminano, abitano terre, pellegrini in attesa di abitare la promessa del Signore. Si fermano, seppelliti nella terra di Canaan, quale grano marci-

to sottoterra, che riposa per indicare a tutti che sotto quella terra riposa la promessa.

Fedele è Mosè, il servo del Signore a cui si riferiscono le vicende della liberazione dall'Egitto, il passaggio del Mar Rosso, le mormorazioni del popolo contro Dio, i segni nel deserto, la morte sul monte Nebo. È il grande interlocutore di Dio, impareggiabile condottièro e giudice, profeta legislatore, anche della liturgia. Nel libro del Deuteronomio, nel giorno ultimo sulla terra, Mosè mentre si spegne fa ardere la Parola di Dio, la Legge, che lascia come testamento al popolo. Muoiono gli uomini, ma la Parola di Dio rimane per sempre.

I **LIBRI STORICI**, da Giosuè a 2Re, non raccontano semplicemente la storia di Israele e dei suoi sovrani, ma le vicende di quel periodo storico (XI-VI sec. a.C.), dall'ascesa alla distruzione di Gerusalemme, come storia di salvezza e risposta generosa o difficoltosa al patto e alla fedeltà che Dio, continuamente, dimostra. Diversamente non si capirebbe l'entrata nella terra di Canaan, il sorgere dei Giudici e il peccato di Israele, il rifiuto di Saul da parte di Dio, la grandezza e il peccato di Davide, la sapienza e l'insipienza di Salomone per colpa del quale il regno si divide in Samaria-Israele e Giuda.

Ogni personaggio, soprattutto quelli sui quali gli autori sacri si dilungano, è un eroe dell'Antico Testamento e la sua superiorità o debolezza (si pensi, ad esempio, a Sansone o al re Davide) risiedono nell'ascolto o nell'abbandono della Parola divina che lo ha chiamato. Per questo, accanto a questi personaggi, si sviluppa la figura dei profeti. Se dai patriarchi fino a Samuele Dio parlava direttamente con i suoi servi e faceva capire loro la sua volontà, nella monarchia i re vengono affiancati da uno o più profeti che rivelano – soprattutto quando stanno facendo troppo i re, dimenticando di essere pastori che guidano il gregge del Signore – che le vie del Signore sono altre.

Il 721 a.C. segna la fine del regno di Israele (Samaria, regno del Nord) che diventa provincia assira; gran parte della popolazione viene deportata e nuovi abitanti, non israeliti (2Re 17), vengono immessi nel suo territorio. La Bibbia, leggendo gli avvenimenti in chiave religiosa, vede in questa disfatta la punizione per il sincretismo religioso introdotto fin dai tempi successivi alla divisione del regno. Un secolo e mezzo dopo, anche il regno di Giuda con a capo Gerusalemme, dopo un lungo assedio di circa diciotto mesi, cade per mano del re babilonese Nabucodònosor. Le conseguenze sono altrettanto gravi: la città e il tempio vengono distrutti, il re e gli altri notabili imprigionati, parte della popolazione deportata a Babilonia (cfr. 2Re 18–23). Ma Dio, anche nella sofferenza e nella prova, non abbandona nessuno: il messaggio profetico, a tratti anche duro ed esigente, porta nel suo grembo una parola di speranza e di ricostruzione: se Dio sarà rimesso al suo posto, nei cuori e nella storia, la vita ricomincerà.

I profeti custodiscono l'alleanza, invitano alla conversione, stimolano a una vita coerente e giusta. La loro riflessione cerca di spiegare il perché della perdita della terra e della conseguente deportazione in Babilonia.

I **LIBRI PROFETICI**, che portano il nome del protagonista o dell'autore, mettono l'accento sulla volontà di Dio. Il profeta è il ripetitore delle parole divine che debbono ottenere il loro effetto salvifico, sia che il popolo ascolti, sia che fatichi ad ascoltare. Il profeta è, anzitutto, scelto da Dio e mandato al popolo, a volte ben disposto, altre volte duro e chiuso nel suo peccato. Il profeta è anche mandato come segno di ciò che Dio vuole e per questo porta un comando divino, rischiando anche la vita e mettendosi in difficoltà (come nel caso di Geremia), pagando di persona.

Alcuni profeti (per esempio, il secondo Isaia, Ezechiele) sono i profeti dell'esilio e, dunque, il loro messaggio è di grande consolazione per tutto Israele. La Parola, attraverso il profeta, raggiunge il cuore del popolo per rianimarlo, consolarlo, incoraggiarlo e – se c'è bisogno – anche scuoterlo.

I LIBRI SAPIENZIALI offrono al lettore due spaccati: da una parte (Giobbe, Siracide, Proverbi, Sapienza, Qohèlet, Cantico dei Cantici) una riflessione generale sull'esistenza, partendo sempre da una riflessione credente che prende spunto dalla vita comune: la morte, la vita, l'amore, il lavoro, la sofferenza... tematiche a tutto campo che inducono l'ascoltatore a una riflessione attenta, profonda, che snocciola i temi e li dispiega perché vengano messi alla luce della Parola del Signore e possa, essa stessa, illuminarne anche le pieghe più dolorose; dall'altra parte (Salmi) mettono in preghiera tutta la vita e la creazione.

E così ogni salmo, da piccolo componimento, dalla beatitudine iniziale (Salmo 1) alla lode finale di tutti i popoli (Salmo 150) diventa un solo inno di benedizione al Dio della vita che salva e libera, è giusto e misericordioso, lancia fulmini e sostiene, guida per sentieri scoscesi, conforta nel grido di angoscia profonda.

Nella **STORIA CRONISTA** (libri delle Cronache, Esdra e Neemia) gli autori rileggono la storia universale, alla luce della figura del re Davide (Cronache), e si sentono accompagnanti da figure di spicco, religiose e laiche, nella ricostruzione del tempio.

Una storia poco conosciuta – pagine epiche e abbastanza recenti nella composizione dell'Antico Testamento – è quella dei **MACCABEI,** in pieno periodo ellenistico (periodo che comunemente va dalla morte di Alessandro Magno nel 323 a.C. al I sec. d.C., con la distruzione del tempio di Gerusalemme). Il grande Alessandro aveva inglobato nel suo impero la Siria, la Palestina e l'Egitto, aprendo la strada alla diffusione della cultura e della lingua greca. Per i Giudei di Gerusalemme, l'ellenismo – secondo il racconto biblico – fu visto come portatore di una concezione della vita e della religione difficilmente conciliabile con la propria fede.

Dopo la morte di Alessandro Magno il regno viene spartito tra i suoi generali Antigono, Seleuco e Tolomeo: la Palestina si trova contesa tra i Seleucidi e i Tolomei.

La Giudea cade prima sotto il dominio dei Tolomei ma, tra il 200 e il 198 a.C., viene strappata all'Egitto dai sovrani greci della Siria, i Seleucidi. Nel frattempo, a Gerusalemme l'ostilità tra chi apprezza e chi rifiuta la cultura greca si fa sempre più acuta sotto le dipendenze di Roma. Si tratta di anni travagliati, in cui la fede si mescola agli interessi politici, dando origine a movimenti di rinnovamento e di adesione radicale alla legge. Tra questi vanno menzionati i *farisei*, che si propongono una rin-

e lo scontro esplode nel 167 a.C. quando il re Antioco IV, bisognoso di pagare il tributo a Roma, ordina di spogliare il tempio di Gerusalemme di tutti i tesori e di introdurvi la statua di Zeus Olimpo. Tale profanazione provoca l'insurrezione armata dei Maccabei, discendenti dalla dinastia degli Asmonei. Nel 164 il tempio viene riconquistato e, con una solenne celebrazione, rededicato al Dio d'Israele fino a che, nel 63 a.C., per l'intervento del generale romano Pompeo, si conferma agli Asmonei l'autorità religiosa, ma non il potere politico.

Sono anni nuovamente difficili in cui sta per nascere il Figlio di Dio. La Palestina cade novata osservanza della legge, e gli *esseni*, che rifiutano il tempio, ormai caduto in discredito, conducendo una vita austera in spazi deserti. Più vicina al potere è la classe dei *sadducei*, composta prevalentemente da sacerdoti e famiglie di alto rango.

Il Nuovo Testamento

La vicenda di Gesù di Nazareth non è passata totalmente inosservata tra gli storici del I secolo. Può essere utile conoscerne i testi. Lo storico ebreo **Flavio Giuseppe** (37-102 d.C.) nella sua opera *Antichità Giudaiche*, presenta Gesù in questi termini: «Era un uomo sapiente, operò cose mirabili, attirò a sé molti Giudei e molti Greci. Dietro denuncia dei nostri primi cittadini, Pilato lo condannò a morire crocifisso. Coloro che lo avevano amato non desistettero e la comunità di coloro che portano il nome di cristiani non è ancora scomparsa».

Plinio il Giovane, in una lettera indirizzata all'imperatore Traiano nel 111/112 parlando dei cristiani scrive: «I cristiani si riuniscono prima del tramonto in un giorno prefissato della settimana e cantano un inno a Cristo come a un Dio. Tale superstizione si è diffusa dappertutto, non solo nelle città e nei paesi ma anche nelle campagne».

Verso il 116 d.C., **Publio Cornelio Tacito,** descrivendo l'incendio di Roma del 64 d.C., annota: «Nerone fece condannare e suppliziare coloro che la gente chiamava cristiani... Questo nome proviene loro da Cristo, che sotto il regno di Tiberio, il procuratore Ponzio Pilato consegnò al supplizio».

Anche **Caio Svetonio Tranquillo,** nella sua *Vita di Claudio*, pubblicata verso il 120 d.C., scrive: «Claudio espulse i Giudei da Roma, visto che sotto l'istigazione di un certo Chrestos (Cristo) non cessavano di agitarsi». Tale espulsione è menzionata anche nel capitolo 18 degli Atti degli Apostoli.

Di Gesù parla anche un testo autorevole della tradizione ebraica: il *Talmud di Babilonia* (II-V sec.). Vi si legge: «Alla vigilia della Pasqua fu crocifisso Gesù di Nazareth... egli aveva esercitato la magia e sedotto Israele, trascinandolo nella rivolta.... Non si trovò nessuno che lo difendesse».

Nei quattro **Vangeli** la Rivelazione, preparata con pazienza e cura fin dalle promesse ai Patriarchi, giunge al suo culmine. Viene inventato un nuovo modo di presentare il messaggio del Figlio di Dio. Gesù di Nazareth è il Figlio prediletto del Padre, concepito per opera dello Spirito Santo nel grembo della Vergine e per l'obbedienza di Giuseppe, anello di congiunzione con tutta la storia d'Israele.

I Vangeli sono quattro perché differenti sono le caratteristiche, le narrazioni, le comunità a cui Matteo, Marco, Luca e Giovanni si rivolgono, ma il contenuto, il *kèrigma*, l'annuncio pasquale di passione, morte e risurrezione di Gesù è lo stesso. Quell'uomo straordinario, accreditato da Dio «per mezzo di miracoli, prodigi e segni [...] voi, per mano di pagani, l'avete crocifisso e l'avete ucciso». Dio lo ha risuscitato perché non era possibile che la morte lo tenesse tra le sue catene (Atti 2,22-24).

I Vangeli, dunque, alla luce della Pasqua dipingono, con tonalità cromatiche differenti, la vicenda storica del Figlio di Dio fatto uomo. E quella storia si apre, per Matteo e Luca, anche con due capitoli sull'infanzia, anticipo e profezia di ciò che, nel prosieguo della narrazione, avverrà. Come piccole pinacoteche in cui contemplare diverse tele, gli evangelisti ci offrono i fatti, le parole, i miracoli, le parabole, gli incontri che Gesù stesso ha vissuto. I suoi imperativi ancora hanno effetto sulla comunità apostolica e chiedono, con la stessa forza, di essere accolti e vissuti.

È tutta la comunità cristiana, che accoglie e interiorizza la testimonianza vissuta da testimoni diretti (cfr. Luca 1,2), a sentirsi trafiggere il cuore e convertirsi (cfr. Marco 1,15). Ancora oggi la Galilea attende nuovi discepoli (cfr. Matteo 28,7) del Risorto perché lo ascolti-no e, seguendolo, siano nuovi apostoli della stessa *buona notizia* che salva.

Gli **ATTI DEGLI APOSTOLI** sono un libro a sé stante che, simbolicamente continua la narrazione evangelica, soprattutto quella di Luca. È come un secondo capitolo della stessa storia pasquale; un nuovo appunto dei discepoli che – veramente meravigliati di ciò che il Signore va compiendo attraverso di loro – non possono tacere, non possono non obbedire, anche a costo della vita, del martirio, della testimonianza coerente al Cristo Signore che li ha inviati, dopo essersi congedato da loro.

È la comunità stessa che racconta di essere guidata da uomini saggi e generosi, scelti da Dio, come Pietro, nella prima parte del libro, e Paolo nella seconda. È la Chiesa viva, risorta, pasquale, tutta fer-

mento e novità, capace di predicare e di servire, di pregare e di spezzare il Pane, di amare e di non dimenticare i poveri. È la Chiesa che incarna gli stessi misteri-sacramenti del suo Maestro: perdonare, predicare, lenire, confortare, risuscitare, servire. Un'immagine vera di Cristo, resa viva dalla potenza dello Spirito del Risorto (Atti 1,1-4).

Le **LETTERE DI PAOLO** occupano più di un terzo del Nuovo Testamento. Queste, oltre a costituire una corrispondenza eccezionale, sono i primi scritti del Nuovo Testamento in ordine cronologico e ci forniscono i primi dati sulla Scrittura così come veniva utilizzata dai primi cristiani, oltre a uno "spaccato" sulla vita e sulle difficoltà delle comunità a pochi anni dalla Pentecoste.

All'apostolo Paolo le prime comunità cristiane riconoscono il merito di aver por-

tato l'annuncio del vangelo oltre i confini del Giudaismo, toccando nei suoi numerosi viaggi le punte estreme dell'impero romano: dalla Siria all'Italia (forse addirittura alla Spagna), dall'Arabia alla Galazia. Più volte, tuttavia, tale "merito" gli costò caro: la buona notizia porta scompiglio nelle comunità giudaiche e in una società pagana come quella romana, suscitando opposizioni forti e reazioni violente.

Le lettere sono uno strumento di evangelizzazione a distanza, nate dall'esigenza di approfondire l'esperienza di fede, sulla base di richieste o notizie ricevute dall'apostolo. Ne consegue che una lettura attenta del pensiero paolino, per il lettore di oggi, deve passare attraverso la conoscenza dei motivi per cui furono scritte.

Molte riflettono il formulario epistolare dell'epoca: indirizzo, argomento centrale, commiato. Nel Nuovo Testamento tredici lettere sono raccolte sotto il nome di Paolo: Romani, 1-2Corinzi, Galati, Efesini, Colossesi, Filippesi, 1-2Tessalonicesi, 1-2Timoteo, Tito e Filèmone. Solo sette (Romani, 1-2Corinzi, Galati, Filippesi, 1Tessalonicesi, Filèmone) vengono attribuite con certezza a Paolo, tra il 50 ed il 64 d.C. Le altre sono oggetto di discussione circa la paternità letteraria perché presentano differenze di stile, vocabolario e teologia con le precedenti; in ogni caso, anche in queste è forte l'influsso dell'apostolo per cui sono considerate appartenenti alla tradizione paolina e redatte da discepoli di Paolo.

Il Nuovo Testamento ha altre lettere, dette **CATTOLICHE** (cioè universali, non indirizzate ad una comunità circoscritta) e sono la lettera di Giacomo, le due lettere di Pietro, la lettera di Giuda, le tre lettere di Giovanni.

Tra gli scritti del Nuovo Testamento uno si distingue per stile e genere: è l'**APOCALISSE** di Giovanni. Il nome, dalla parola greca *apokalypsis*, "rivelazione", ha dato origine al nome del genere. L'autore (1,11) afferma che le sue parole sono "profezia", espressione che ritornerà anche alla fine dell'opera (22,7.10.18.19). Il testo, ancora oggi, o spaventa per la sua difficoltà – ed è, quindi, messo da parte – o, purtroppo, viene preso come base di un fondamentalismo letterario che vede nei numeri, nei segni e nei simboli qualcosa di concreto, da calcolare, che si avvera nel modo e nel momento precisato. Sono, ambedue, rischi da evitare.

che non passa, lasciando che Cristo stesso "bussi" al cuore della comunità in attesa che gli venga aperta la porta, perché si possa mangiare insieme.

Colpisce il simbolismo delle pagine (7 occhi, 7 spiriti, 7 corna, la simbologia cosmica, gli sconvolgimenti cosmici, il simbolismo degli animali, il simbolismo aritmetico...). Dio è presentato come il Pa-

Il testo potrebbe essere una liturgia festiva dell'eucarestia nella quale il Signore Gesù (l'Agnello) convoca la sua Chiesa (le sette Chiese) e parla al suo cuore. In questo ascolto-risposta la Chiesa è chiamata a divenire, nell'epilogo, da ragazza sposa, per le parole e gli inviti che il fidanzato, l'Agnello, le rivolge. Nel cammino liturgico della Chiesa, tra il "già" che sta vivendo e il "non ancora" che vivrà, la Chiesa celebra il suo Signore. Vivo, come l'Agnello in piedi, forte, a tal punto da sconfiggere il male.

Ma non è un'opera solo del Signore. Anche la Chiesa (raffigurata nelle sette Chiese a cui giungono le lettere del Cristo) è chiamata a non intiepidirsi, a non perdere il suo smalto, la sua freschezza e a rinnovarsi sempre di più, mentre si riavvicina (nella liturgia pasquale) alla vita del Cristo. Ricco di citazioni esplicite o implicite dell'Antico Testamento, l'autore dell'Apocalisse nutre i suoi lettori con la Parola

dre di Cristo (1,6; 2,28; 3,5.21...), il Dio "mio" detto da Cristo (3,2.12) e "Dio nostro" (12,10; 19,1.6...), l'Onnipotente (1,8; 4,8; 11,17...), il Santo (4,8; 6,10), il Giusto (16,5), il Vivente (4,9.10; 7,2; 10,6; 15,7), Colui che era, è e verrà (1,4.8; 4,8; 11,17). Cristo è l'Alfa e l'Omega (1,17; 2,8; 22,13); lo Spirito Santo anima la preghiera della Chiesa (22,17) ed è da ascoltare da parte del credente perché parla alle chiese (2,7.11.17.29; 3,6.13.22).

L'assemblea liturgica radunata nel giorno del Signore, dopo aver ascoltato e vissuto insieme al suo Signore che l'ha chiamata, può ritornare nel mondo per vivere ciò che ha visto e sentito. Un libro, quello dell'Apocalisse, che si apre sul presente, sulla vita della Chiesa di sempre. Un appello all'oggi che si veste di simboli e di immagini. Tolte le quali rimane un messaggio permanente per l'oggi. Un appello irrevocabile alla conversione.

LA BIBBIA

TRE BUONI MOTIVI
PER LEGGERLA

Che la Bibbia non sia un libro qualsiasi, il lettore se ne accorge appena lo apre: non è un libro *da leggere,* ma un libro che *ti legge dentro*. E chi legge e ascolta non è freddo spettatore di fatti o parole che sono avvenute chissà quando, tanto e tanto tempo fa, quasi una storia in un paese di cui non si sa l'esistenza, contornato dalla nebbia, senza tempi e privo di riferimenti. È la storia di oggi che riguarda ciascuno di noi e la Chiesa in cui viviamo.

Dio ha una parola per me, oggi

Le storie bibliche sono vicine, presenti, coinvolgenti. Le parole interrogano, i segni e i prodigi chiedono adesione. Noi diventiamo i personaggi di quella storia che ha solamente bisogno di essere vissuta ancora, riguarda noi, offre spunti di riflessione e di conversione per l'oggi. Non perché i protagonisti affiorino dal testo semplicemente (questo sta alla bravura del narratore, come capita per molti altri testi narrativi) ma perché il suo protagonista e autore è vivo. Dio parla e opera, è fedele e si manifesta, si fa sentire, quando, nuovamente, quei libri, leggendoli, prendono vita. Prodigio, questo, che non capita alle altre storie e agli altri libri che vogliono raccontare una storia avvenuta nel passato.

Se i libri sacri vogliono raccontarci di ieri è semplicemente perché «oggi, nella città di Davide, è nato per voi un Salvatore, che è Cristo Signore» (Luca 2,11), «oggi la salvezza è entrata in questa casa»

(Luca19,9), «oggi con me sarai nel Paradiso» (Luca 23,43). Hanno quindi il sapore di antico, ma sempre nuovo. E la novità è un profumo che ancora attira, scalda il cuore, dona fragranza.

La storia che la Bibbia racconta non è semplicemente "maestra di vita" o ricca di buoni esempi, parabole e racconti sapienziali, proverbi e conoscenze. Leggiamo la Parola di Dio perché Colui che ha fatto quella storia è lo stesso che sta facendo quella in cui viviamo, il medesimo che ha creato e salvato. Quella storia, senza evoluzione, senza origine e senza apparente fondamento, appare nel presente come la storia di sempre. Documenti, città, villaggi, strade, indicazioni storico-geografiche, steli di pietra, tombe, personaggi, guerre, matrimoni, persecuzioni, malattie e morti, parlano ancora.

E questo ci dà la stupenda dimensione dell'incarnazione: Dio non ha parlato da chissà dove, ma si è inserito nella storia dell'uomo per essere al suo fianco, dall'Eden fino a Emmaus.

Per questo la storia biblica ci coinvolge: perché la sentiamo nostra, la sentiamo vera, la sentiamo reale. È tutto, tranne che una lettera morta. Al contrario, è scritta non con l'inchiostro su tavole di pietra, ma con lo Spirito nella carne dei nostri cuori (2Corinzi 3,3). Leggere il testo biblico significa lasciarci coinvolgere da Dio, permettere che Egli, ancora oggi, possa scrivere qualcosa di bello nella nostra vita.

Dio mi consegna il suo lungo diario

Alcuni adolescenti amano ancora scrivere il diario. Anche digitale. Quel diario esprime bene chi sono in quel momento. E quando l'autore va a quelle pagine ricorda i suoi stati d'animo, quell'esperienza particolare, i desideri profondi del suo cuore. I libri della Bibbia sono le pagine specialissime e meravigliose nelle quali il cuore di Dio si apre e si manifesta.

Sembra una cosa impensabile, eppure Dio è l'origine di questi testi, il suo **autore** principale, non dimentichiamolo mai. La Bibbia non racconta la storia degli uomini e delle donne nelle varie epoche, i viaggi dei Patriarchi e i miracoli di Mosè o dei profeti. Non racconta semplicemente neppure la storia di Gesù o la cronaca delle

sue giornate, ma sempre la storia di Dio che cammina e viaggia, pensa e soffre, gioisce e incoraggia l'uomo.

E in Dio non c'è falsità. Fin dalle prime pagine della Genesi egli dice con chiarezza ciò che del giardino si può mangiare e ciò che del giardino non si deve toccare. Non è falso il racconto, ma conduce a verità. Il tentativo di voler essere come Dio fa sciogliere il cuore dell'uomo e lo fa allontanare da Dio. Questa è la verità. Lo nasconde a Dio, a se stesso, all'altro. Quel testo, ancora, annuncia che, al contrario, Dio non vuole imbrogliare o barare. Dio gioca a carte scoperte. Solo quando ci si rivede nudi, allora vengono in mente le sue parole di verità, appena prima dimenticate. La sua verità offuscata dalla nostra meschineria. Quando il gallo canta, Pietro piange con amarezza. Questo la Parola – tutti i 73 libri – annunciano e ricordano. Chi non ricorda la parola ha il cuore pieno di tristezza, come a Emmaus.

Nello stesso tempo Dio è anche il **contenuto** di questi libri. È una "buona notizia". I testi non sono scritti né per minaccia, né per ricatto. Sono scritti perché "crediamo" e credendo abbiamo la vita nel suo nome (cfr. Giovanni 20,31). Dio è, dunque, anche il **fine** del libro sacro: da Lui si parte, attraverso di Lui si vive, a Lui si arriva. «Come la pioggia e la neve» (cfr. Isaia 55,10-11) non ritornano fino a che la loro missione non sia compiuta. Fino a che la loro vocazione di invitare, bagnare e far crescere, non sia conclusa.

La Parola ha questa vocazione: viene dal cielo, bagna la terra, ritorna a Dio carica di frutti. Lo Spirito che ha ispirato quel testo, che ha guidato quel profeta, che ha sostenuto la vita del Cristo, sostiene e ispi-

ra, irriga e feconda anche noi, oggi, che riapriamo il testo. Chiamati ad ascoltare, generare e annunciare la Parola. Dio, nella sua grandezza e onnipotenza, viene a noi, si consegna volontariamente, come nella vita concreta di Gesù.

«Nella notte in cui veniva tradito...»: non è un tradimento che lo consegna o, spogliandolo, lo uccide. È l'amore che fa di lui oggetto e soggetto di salvezza. Gesù diventa strumento affinché tutti gli uomini accedano alla verità, tramite la sua vita. E come nella Cena egli si dona e chi mangia di Lui «fa questo in sua memoria». Così nella Parola Lui si dona con amore. Si consegna nelle mani degli uomini perché la spezzino, la mangino mentre lo ascoltano.

Lui, Dio, si fa uomo. L'Eterno, libro vivo. L'Ineffabile, parola segnata dal limite.

Leggere la Bibbia significa leggere la storia che ci salva, la forza di un Dio che, pur di non perderci, ce lo ha detto – e lo ridice! – in mille maniere.

Dio mi fa ripercorrere la storia della salvezza

La Bibbia racconta la storia della salvezza, da Adamo a Gesù, figlio di Dio che

opera in Palestina (cfr. Luca 3,23-38). Egli, nella pienezza dei tempi, è stato la rivelazione di Dio piena e completa. All'apostolo Filippo, che desidera vedere finalmente il Padre, Gesù risponde: «Da tanto tempo sono con voi, e non mi hai conosciuto, Filippo? Chi ha visto me, ha visto il Padre. Come puoi tu dire: Mostraci il Padre?» (Giovanni 14,9).

Gesù, guidato dallo Spirito, appare in tutto colui che sa capire e interpretare le Sacre Scritture, Colui che cammina con l'uomo spiegandogli il senso della storia. Spiega ciò che, nelle Scritture, si riferisce a lui (Luca 24,27). Anche Gesù è stato un anello di questa Parola. Un anello che ha dato il senso a tutta la catena. In Gesù, tutta la Sapienza divina che era condensata nella Torah, tutta la Parola divina trasmessa fino all'ultimo profeta, è identificata con la sua persona.

Quando riapriamo il testo biblico, guidati dallo Spirito di Gesù, anche a noi Gesù rivela ciò che Dio desidera da sempre. Leggiamo l'Antico Testamento con gli occhi di Gesù: è stata la sua Parola e la sua Bibbia, la Bibbia di Maria e dei primi discepoli. Rileggiamo il Nuovo con gli occhi del profeta antico che sogna, indovina, poetizza sulla rivelazione futura. Attendiamo e contempliamo nel Figlio di Dio ciò che gli occhi di tanti avevano desiderato vedere e non videro e ciò che le orecchie di tanti avrebbero desiderato udire e non udirono (Matteo 13,17).

Per questo Gesù Maestro è Verità, perché la sua vita insegna. Si fa Via, perché chi segue lui non sbaglia, cammina nella luce. Diventa Vita, perché nutre con la sua Presenza di Pane e Parola. Questo si realizza nel tempo della rivelazione piena che, oggi, continua.

L'intento della Rivelazione non è speculativo: i libri sacri non sono stati scritti per un corso di aggiornamento e nemmeno perché le nostre conoscenze si accrescessero o la nostra sapienza fosse come quella di Dio. L'intento dei libri santi è salvifico, cioè Dio vuole "attrarre" dalla sua parte l'uomo. Fa di tutto per non perderlo: gli parla, lo chiama, va a riprenderlo, lo incoraggia, lo sprona, lo rimprovera, ha pazienza, ma nessuna di quelle pecore deve andare perduta (Luca 15,4-7). Dio ci parla perché tutti condividiamo la sua vita e perché la nostra comunione con lui sia vera e perfetta.

*Lampada per i miei passi
è la tua parola,
luce sul mio cammino.*
(Sal 119,105)

LA BIBBIA

Nuova Versione dai Testi Antichi

SAN PAOLO

COLLABORATORI

BERNINI Giuseppe sj: Proverbi, Daniele, Osea, Gioele, Abdia, Giona, Michea, Naum, Abacuc, Sofonia, Aggeo, Zaccaria, Malachia.
BOCCALI Giovanni ofm: Libri di Samuele.
BOSCHI Bernardo op: Esodo, Numeri.
CAVALLETTI Sofia: Levitico, Rut, Ester.
CIPRIANI Settimio: Lettere a Timoteo e a Tito.
COLOMBO Dalmazio ofm: Cantico dei Cantici, Lamentazioni.
CONTI Martino ofm: Sapienza.
CORTESE Enzo: Ezechiele.
DANIELI Giuseppe csj: Esdra - Neemia.
GHIDELLI Carlo: Luca.
LACONI Mauro op: Deuteronomio.
LANCELLOTTI Angelo ofm: Salmi, Matteo, Apocalisse.
LOMBARDI Luigi: Geremia, Baruc.
LOSS Nicolò M. sdb: Amos.
MARTINI card. Carlo M.: Atti degli Apostoli.
MINISSALE Antonino: Siracide.
ORTENSIO da Spinetoli ofm: Lettere ai Tessalonicesi.
PERETTO Elio osm: Lettere agli Efesini, Colossesi, Filippesi, Filemone.
PRETE Benedetto op: Lettere di Giovanni.
ROLLA Armando: Libri dei Re.
ROSSANO Pietro: Lettere ai Corinzi.
SACCHI Paolo: Giudici, Qohelet.
SEGALLA Giuseppe: Giovanni.
SISTI Adalberto ofm: Libri dei Maccabei, Marco.
STELLINI Angelo ofm: Giosuè.
TESTA Emanuele ofm: Genesi.
VANNI Ugo sj: Lettere ai Romani e ai Galati, Lettere di Giacomo, di Pietro e di Giuda.
VIRGULIN Stefano: Isaia, Libri delle Cronache, Tobia, Giuditta, Giobbe.
ZEDDA Silverio sj: Lettera agli Ebrei.

Hanno rivisto: l'Antico Testamento: Gianfranco Ravasi e Primo Gironi
il Nuovo Testamento: Pietro Rossano e Antonio Girlanda

Introduzioni e note a cura di: Antonio Girlanda

Editing di: Gioietta Casella

ABBREVIAZIONI

Libri della Bibbia

Ab	Abacuc
Abd	Abdia
Ag	Aggeo
Am	Amos
Ap	Apocalisse
At	Atti degli Apostoli
Bar	Baruc
Col	Colossesi
1Cor	1 Corinzi
2Cor	2 Corinzi
1Cr	1 Cronache
2Cr	2 Cronache
Ct	Cantico dei Cantici
Dn	Daniele
Dt	Deuteronomio
Eb	Ebrei
Ef	Efesini
Es	Esodo
Esd	Esdra
Est	Ester
Ez	Ezechiele
Fil	Filippesi
Fm	Filemone
Gal	Galati
Gb	Giobbe
Gc	Giacomo
Gd	Giuda
Gdc	Giudici
Gdt	Giuditta
Ger	Geremia
Gio	Giona
Gl	Gioele
Gn	Genesi
Gs	Giosuè
Gv	Giovanni
1Gv	1 Giovanni
2Gv	2 Giovanni
3Gv	3 Giovanni
Is	Isaia
Lam	Lamentazioni
Lc	Luca
Lv	Levitico
1Mac	1 Maccabei
2Mac	2 Maccabei
Mc	Marco
Mic	Michea
Ml	Malachia
Mt	Matteo
Na	Naum
Ne	Neemia
Nm	Numeri
Os	Osea
Pr	Proverbi
1Pt	1 Pietro
2Pt	2 Pietro
Qo	Qohelet
1Re	1 Re
2Re	2 Re
Rm	Romani
Rt	Rut
Sal	Salmi
1Sam	1 Samuele
2Sam	2 Samuele
Sap	Sapienza
Sir	Siracide
Sof	Sofonia
Tb	Tobia
1Tm	1 Timoteo
2Tm	2 Timoteo
1Ts	1 Tessalonicesi
2Ts	2 Tessalonicesi
Tt	Tito
Zc	Zaccaria

Documenti del Concilio Vaticano II

CD	Christus Dominus
DV	Dei Verbum
GS	Gaudium et spes
LG	Lumen gentium
OE	Orientalium Ecclesiarum
PO	Presbyterorum Ordinis
SC	Sacrosanctum Concilium

Altre abbreviazioni

		gr.	greco
		lett.	letteralmente
a.C.	avanti Cristo	ms mss	manoscritto/i
AT	Antico Testamento	NT	Nuovo Testamento
c. cc.	capitolo/i	p par.	parallelo/i
ca.	circa	s.	santo
cfr.	confronta	sec. secc.	secolo/i
d.C.	dopo Cristo	s ss	seguente/i
ebr.	ebraico, in lingua ebraica	v. vv.	versetto/i

ANTICO TESTAMENTO

La parola viva di Dio, che Israele riceveva attraverso i suoi uomini carismatici, si è in seguito cristallizzata in un testo scritto che ancor oggi sta davanti al lettore credente o no. È uno scritto che la tradizione ha definito «Antico Testamento» o «antica alleanza». È uno scritto che si articola in una collezione di 46 «libri santi» (1Mac 12,9) fissati dal *canone* della chiesa.

La parola divina dell'Antico Testamento è stata tradizionalmente distribuita in ambito cristiano su una struttura tripartita comprendente libri storici, libri didattico-sapienziali e libri profetici.

I 46 «libri santi»

Libri storici. Si aprono con la *Tôrah*, cioè la «Legge». È il Pentateuco, letteralmente «i cinque astucci» contenenti i rotoli della Genesi, dell'Esodo, del Levitico, dei Numeri e del Deuteronomio, i libri più cari alla tradizione biblica e giudaica, posti ancor oggi al centro della liturgia sinagogale. Seguono poi le opere che abbracciano l'intero orizzonte storico di Israele dal 1200 al II secolo a.C.: Giosuè, Giudici, Rut, 1 e 2 Samuele, 1 e 2 Re, 1 e 2 Cronache, Esdra, Neemia, Tobia, Giuditta ed Ester (questi tre potrebbero essere definiti «romanzi storici» esemplari) e, infine, 1 e 2 Maccabei che esaltano l'epopea maccabaica del II secolo a.C.

Libri didattico-sapienziali. Accanto al Pentateuco storico la tradizione della Bibbia greca e cattolica ha accostato quello che potremmo definire «il Pentateuco sapienziale» composto da Giobbe, Proverbi, Qohèlet (o Ecclesiaste), Sapienza, Siracide (o Ecclesiastico), espressione spesso irraggiungibile dello svelarsi di Dio anche nei segreti dell'esistenza e nei suoi drammi più laceranti. I Salmi e il Cantico dei Cantici sono collegati a quest'area e, pur conservando una loro funzione e una loro autonomia, costituiscono coi precedenti volumi il settenario sapienziale perfetto.

Libri profetici. Essi sono l'espressione più viva della parola di Dio: se la terminologia *debar-Jhwh*, «parola del Signore», ricorre nell'Antico Testamento 241 volte, essa risuona per 221 volte proprio in collegamento a un profeta. Quattro sono i cosiddetti «grandi profeti»: Isaia, il cui rotolo raccoglie la voce di tre profeti, il classico Isaia dell'VIII secolo a.C. e due profeti anonimi del VI secolo a.C. convenzionalmente indicati come Secondo e Terzo Isaia; il «romantico» Geremia con i due allegati delle Lamentazioni e di Baruc, quest'ultimo in realtà un'antologia di testi disparati; Ezechiele, profeta barocco, e Daniele che, strettamente parlando, è uno scritto apocalittico. Segue una collezione di dodici profeti cosiddetti «minori», di epoche diverse (dall'VIII al III secolo a.C.) e di differente qualità letteraria: Osea, Gioele, Amos, Abdia, Giona, Michea, Naum, Abacuc, Sofonia, Aggeo, Zaccaria e Malachia.

La parola di Dio nella storia del suo popolo

Poiché l'Antico Testamento rispecchia la storia e la vita del popolo ebreo dalle sue origini al I secolo a.C., la conoscenza almeno a grandi linee della sua storia è indispensabile per orientarsi.

Cinque grandi fasi storiche. Proponiamo qui una sintesi essenziale della storia biblica. In essa sono distinguibili cinque grandi fasce di differente qualità storiografica.

La prima raccoglie l'oscuro e arcaico *periodo patriarcale* (1850-1700 a.C.: Gn 12-50). Di esso la Bibbia offre narrazioni e saghe familiari con personaggi tribali spesso emblematici (vedi Giacobbe-Israele). L'archeologia ha confermato i dati generali della vita seminomade di quel periodo, i costumi, i nomi descritti nel libro della Genesi e li ha trovati corrispondenti al modello sociologico dell'Oriente agli inizi del II millennio a.C., così come ci è noto a livello generale.

La seconda fase è quella dell'*esodo dall'Egitto* e la permanenza nel deserto che culmina nell'evento dell'alleanza al Sinai (secolo XIII a.C.). In quell'evento e in quel periodo Israele sembra aver percepito la presenza in assoluto più alta del suo Dio e allora ha cominciato a coagularsi come popolo. L'esodo è stato un avvenimento politicamente complesso comprendente probabilmente un esodo-fuga e un esodo-espulsione. Durante questa fase Israele appare citato per la prima volta in un documento profano, la stele del faraone Mernephtah, scoperta nel 1896 a Tebe e databile tra il 1230 e il 1219 a.C.: «Devastato è Israele, esso è senza seme».

Con la *conquista della Palestina*, attraverso una lenta infiltrazione, oltre che con qualche *blitz* fulmineo, raccontato nel libro di Giosuè, si apre la terza fase contrassegnata a livello politico forse da una struttura federativa cultuale delle varie tribù con centro cultuale a Sichem (secoli XII-XI a.C.). Il governo è affidato ai cosiddetti «giudici»: alcuni sono uomini «carismatici» e «salvatori della patria» (equivalenti al «dittatore» romano), in carica per periodi limitati e di crisi, dotati di poteri eccezionali non solo sulla loro tribù ma anche su coalizioni di tribù, come Debora, Gedeone, Iefte.

La quarta fase storica è rappresentata dal *periodo monarchico*, che si estende dal 1020 circa al 586 a.C. L'esordio di questa importante fascia storica della Bibbia è presentato secondo due versioni: una antimonarchica (1Sam 8,1-22; 10,18-25; 12; 15), l'altra filomonarchica (1Sam 9,1 - 10,16; 11,1-15; 13-14). È la nascita dello stato nazionale ebraico in senso stretto. Esso diviene realtà soprattutto con Davide e Salomone. Si tratta però di un'unità politica fragile e per certi versi artificiosa. Dopo due sole generazioni lo stato unitario si sfascia nella scissione di Sichem (931 a.C.) tra regno d'Israele (dieci tribù settentrionali, con capitale Sichem, poi Samaria) e regno di Giuda (due tribù meridionali con capitale Gerusalemme). Il primo regno sarà spazzato via dalla potenza assira nel 721 a.C.; il secondo si chiuderà con la distruzione di Gerusalemme operata dalle armate babilonesi di Nabucodonosor nel 586 a.C.

Si apre così la quinta fase, l'epoca cosiddetta giudaica, che con alterne vicende vede Israele, dopo l'esilio babilonese (586-538 a.C.), ridotto a una provincia dei vari imperi che si succedono sulla scena politica orientale (Persia, ellenismo siro, Romani). Il potere è gestito da un governo interno di tipo teocratico, organizzato da Esdra e Neemia. Un bagliore di novità sarà la famosa rivolta partigiana maccabaica contro l'oppressione di Antioco IV Epifane (175-164 a.C.) che darà origine a una scialba e inetta monarchia (gli Asmonei). Essa verrà liquidata da un ebreo-idumeo, Erode il Grande (37-4 a.C.). Ma la potenza mondiale è ormai Roma che nel 70 d.C. stronca la rivolta ed elimina definitivamente lo stato ebraico dalla carta politica del Medio Oriente.

PENTATEUCO

La Tôrah d'Israele

La prima grande collezione di libri biblici è chiamata dagli Ebrei la *Tôrah*, parola che significa «legge», ma più ancora «insegnamento» di Dio per eccellenza, e dalla tradizione greca e cristiana è chiamata *Pentateuco*, cioè i «cinque rotoli» (letteralmente: i cinque astucci, contenenti i rotoli), cuore di ogni sinagoga.

I cinque libri del Pentateuco per gli Ebrei non avevano alcun titolo e vengono indicati a tutt'oggi solo con le prime parole del loro testo (*In principio, Questi sono i nomi, Chiamò, Nel deserto, Le parole*). La versione greca detta dei Settanta (III-II secolo a.C.) li ha chiamati *Genesi* (origine), *Esodo* (uscita), *Levitico* (libro della tribù sacerdotale di Levi), *Numeri* (censimenti) e *Deuteronomio* (seconda legge). I cinque libri sono la testimonianza della parola-evento di Dio.

La Genesi, dopo il grande affresco universale della creazione, degli splendori e delle miserie dell'umanità, traccia in tre grandi cicli (Abramo-Isacco, Giacobbe, Giuseppe) gli inizi stessi del popolo di Dio e della rivelazione divina a Israele.

L'Esodo è centrato sulle due grandi manifestazioni della liberazione dalla schiavitù faraonica e dell'incontro con Dio nella solitudine del Sinai, dove si stabilisce l'alleanza tra Dio e Israele.

Il Levitico è una collezione legislativa rigorosamente strutturata su una serie di codici concernenti soprattutto il rituale ebraico.

Il tema della marcia nel deserto fa da sfondo all'intero libro dei Numeri che, in un'abile miscela di racconti e di leggi, descrive l'itinerario d'Israele dal Sinai alle soglie della terra promessa.

Il Deuteronomio, infine, è costituito da un grande codice centrale (cc. 12-26) inquadrato da una serie di omelie messe in bocca a Mosè che si rivelano anche un'intensa proposta di vita per Israele ormai stanziato in Palestina.

Il Pentateuco appare come lo sviluppo di quello che viene chiamato il «piccolo credo» d'Israele.

Ricordiamo la scena che chiude il libro di Giosuè. Israele ha ormai varcato i confini della terra tanto sospirata: a Sichem, futura capitale religiosa della confederazione delle tribù giunte in Palestina, sotto l'ombra verdeggiante del monte Garizim, simbolo della benedizione, e sotto quella del monte roccioso Ebal, simbolo della maledizione, si leva la voce di Giosuè, la guida della conquista della Palestina, il profeta di Dio.

Egli infatti pronuncia a nome di Dio un discorso che è la narrazione storico-religiosa degli interventi compiuti da Dio per Israele, a partire dalla chiamata di Abramo: «Io trassi il vostro padre Abramo di là dal fiume e lo feci andare per tutta la terra di Canaan, moltiplicai la sua discendenza... I suoi figli discesero in Egitto. Mandai quindi Mosè ed Aronne e colpii l'Egitto con quello che feci in esso; poi ve ne feci uscire... Gli Egiziani inseguirono i vostri padri con carri e cavalieri fino al Mar Rosso... e feci scorrere su di loro il mare, che li sommerse... Voi avete dimorato molto tempo nel deserto... poi avete attraversato il Giordano e siete pervenuti a Gerico... Vi ho dato una terra che voi non avete coltivato e città che non avete costruito, eppure vi abitate e mangiate i frutti delle vigne e degli oliveti che non avete piantati» (Gs 24,3-13).

Questo crede Israele del suo Dio, questa è la sua professione di fede messa in bocca a Giosuè, e può essere quasi la sintesi essenziale dell'intero Pentateuco articolato attorno a tre eventi centrali: la vocazione alla fede dei patriarchi, il grande dono della libertà nell'epopea dell'esodo, il meraviglioso segno della terra promessa in cui Israele vivrà la sua storia. Questi eventi, commentati, narrati e meditati dai libri della *Tôrah*, costituiscono la trama fondamentale della storia della salvezza, sono la grande rivelazione vivente di Dio.

Il Sal 136 esprime nella preghiera di lode questa storia di salvezza: elenca infatti gli eventi principali della creazione e della storia d'Israele, ripetendo a ogni versetto: «poiché per sempre è la sua misericordia». È il cosiddetto grande *Hallel*, la grande lode che concludeva la cena pasquale e che hanno cantato anche Gesù e i suoi discepoli dopo l'ultima cena (Mt 26,30).

Preghiera e professione di fede di ogni pio ebreo sono legate a una sintesi essenziale dell'intero Pentateuco, la grande storia della salvezza, vissuta dai padri.

Il Pentateuco
frutto e alimento della fede

Il Pentateuco è opera corale di un popolo illuminato da Dio e guidato dalla figura di Mosè che, oltre ad aver tracciato la via della libertà a Israele schiavo, è stato anche il primo a meditare sulla presenza di Dio nella storia. La Bibbia infatti, più che all'analisi di Dio colto nella sua essenza e nella sua sconfinata entità, è protesa alla ricerca della sua manifestazione concreta, della sua rivelazione nella storia umana. Per il Pentateuco, perciò, l'arco delle vicende storiche è appunto il luogo privilegiato in cui Dio svela il suo volto. Per questo il credo d'Israele, anziché essere un'elencazione intellettualistica delle qualifiche astratte di Jhwh, è il *memoriale* delle sue gesta salvifiche che punteggiano il passato d'Israele e si riattualizzano nel presente (Dt 26,5-11).

Il Pentateuco, dopo aver alimentato la fede d'Israele, è ora anche nel cuore del messaggio cristiano. Cristo, infatti, col suo nuovo «pentateuco» costituito dai cinque discorsi che reggono il vangelo di Matteo, non ha voluto abolire l'antica *Tôrah* ma portarla a compimento e a pienezza: «Non crediate che io sia venuto ad abrogare la legge o i profeti; non sono venuto ad abrogare, ma a compiere. In verità vi dico: finché non passino il cielo e la terra, non uno iota, non un apice cadrà dalla legge, prima che tutto accada» (Mt 5,17-18). E sarà su due testi del Pentateuco che Gesù traccerà la sintesi dell'intero impegno religioso: «Uno di loro, dottore della legge, lo interrogò per metterlo alla prova: "Maestro, qual è il precetto più grande della legge?". Egli rispose: *Amerai il Signore Dio tuo con tutto il tuo cuore, con tutta la tua anima, con tutta la tua mente* (Dt 6,5). Questo è il più grande e il primo dei precetti. Ma il secondo è simile ad esso: *Amerai il prossimo tuo come te stesso* (Lv 19,18). Da questi due precetti dipende tutta la legge e i profeti"» (Mt 22,35-40). Così «la legge è divenuta per noi come un pedagogo che ci ha condotti a Cristo, perché fossimo giustificati dalla fede» (Gal 3,24).

GENESI

*C*on la parola Bere'shît *(In principio) gli ebrei intitolano il primo libro della Bibbia, che noi chiamiamo* Genesi. *Principio della Bibbia, e in particolare del Pentateuco o* Tôrah, *cioè della prima grande rivelazione di Dio; principio dell'essere nella creazione; principio del dialogo tra Dio e uomo, cioè di quella catena ininterrotta di eventi e di parole che è la storia della salvezza; principio che avrà la sua riedizione definitiva nell'*In principio era il Verbo *del vangelo di Giovanni (1,1). Tutto questo fa intuire l'importanza di questo libro.*

Esso è costituito sostanzialmente da due tavole di uno stesso dittico. La prima tavola occupa i cc. 1-11 e ha per protagonista l'Adamo o l'Uomo, quello di tutti i tempi e di tutte le regioni della terra. Dopo il duplice racconto della creazione (cc. 1-2), le narrazioni sono impostate sullo schema delitto-castigo: Adamo ed Eva (c. 3), Caino (c. 4), diluvio (cc. 6-8), figli di Noè (9,20-27), Babele (c. 11). La seconda tavola, che comprende i cc. 12-50, ha per soggetto Abramo (sec. XIX a.C.) e la sua discendenza: la scelta da parte di Dio di quest'uomo e la sua risposta di fede sono la radice da cui si è sviluppato Israele. Delitto e castigo non sono destino eterno dell'umanità; ad esso si contrappone la salvezza offerta da Dio che chiede l'adesione dell'uomo per realizzarla.

LA CREAZIONE DEL MONDO

1 [1]In principio Dio creò il cielo e la terra. [2]Ma la terra era informe e deserta: le tenebre ricoprivano l'abisso e lo spirito di Dio era sulla superficie delle acque.

[3]Dio allora ordinò: «Vi sia la luce». E vi fu la luce. [4]E Dio vide che quella luce era buona. E separò la luce dalle tenebre. [5]E Dio chiamò la luce giorno e chiamò le tenebre notte. E venne sera, poi venne mattina: questo fu il primo giorno.

[6]Dio disse ancora: «Vi sia un firmamento in mezzo alle acque che tenga separate le acque dalle acque». E avvenne così. [7]Dio fece il firmamento e separò le acque che sono sotto il firmamento dalle acque che sono sopra il firmamento. [8]E Dio chiamò il firmamento cielo. E venne sera, poi mattina: secondo giorno.

[9]Dio ordinò: «Le acque che sono sotto il cielo si raccolgano in una sola massa e appaia l'asciutto». E avvenne così. [10]Dio chiamò l'asciutto terra e alla massa delle acque diede il nome di mare. E Dio vide che ciò era buono.

[11]Dio comandò ancora: «La terra faccia germogliare le erbe, le piante che producono seme e gli alberi da frutto, che producano sulla terra un frutto contenente il proprio seme, ciascuno secondo la propria specie». E così avvenne. [12]La terra produsse le erbe, le piante che facevano il seme secondo la propria specie e gli alberi che producevano frutto contenente il proprio seme, ciascuno secondo la propria specie. Poi Dio vide che ciò era buono. [13]E venne sera, poi mattina: terzo giorno.

[14]Di nuovo Dio ordinò: «Vi siano delle lampade nel firmamento del cielo, per separare

1. - 3. Dopo aver accennato alla creazione della materia primordiale, l'autore sacro, in forma logico-poetica, descrive la creazione delle singole cose, compendiando tutto in una settimana, che termina con il riposo del sabato.

11. La narrazione della creazione è divisa in due parti: l'organizzazione del caos primitivo, opera dei primi tre giorni, vv. 3-13; ornamentazione del creato già organizzato, opera degli altri tre giorni, vv. 14-31. Nel terzo giorno, però, è già posta la creazione delle erbe e delle piante perché, aderendo esse al suolo, erano considerate dagli antichi come parte di esso, senza vita propria.

il giorno dalla notte; siano segni per distinguere le stagioni, i giorni e gli anni, ¹⁵e facciano da lampade nel firmamento del cielo, per illuminare la terra». E avvenne così.

¹⁶Dio fece le due lampade maggiori, la lampada grande per regolare il giorno, e la lampada piccola per regolare la notte, e le stelle. ¹⁷Poi Dio le pose nel firmamento del cielo per illuminare la terra, ¹⁸per regolare il giorno e la notte e per separare la luce dalle tenebre. E Dio vide che ciò era buono. ¹⁹E venne sera, poi mattina: quarto giorno.

²⁰Disse poi Dio: «Brùlichino le acque di una moltitudine di esseri viventi e gli uccelli volino sopra la terra, sullo sfondo del firmamento del cielo». E così avvenne. ²¹Dio creò i grandi cetacei e tutti gli esseri viventi guizzanti, di cui brùlicano le acque, secondo le loro specie, e tutti gli uccelli alati, secondo la loro specie. E Dio vide che ciò era buono.

²²Allora Dio li benedisse dicendo: «Siate fecondi, moltiplicatevi, riempite le acque dei mari; e gli uccelli si moltiplichino sulla terra». ²³E venne sera, poi mattina: quinto giorno.

²⁴Di nuovo Dio ordinò: «La terra produca esseri viventi, secondo la loro specie: bestiame e rettili e fiere della terra, secondo la loro specie». E avvenne così. ²⁵Dio fece allora le fiere della terra, secondo la loro specie e il bestiame, secondo la propria specie, e tutti i rettili del suolo secondo la loro specie. E Dio vide che ciò era buono.

LA CREAZIONE DELL'UOMO

²⁶Finalmente Dio disse: «Facciamo l'uomo secondo la nostra immagine, come nostra somiglianza, affinché possa dominare sui pesci del mare e sugli uccelli del cielo, sul bestiame e sulle fiere della terra e su tutti i rettili che strisciano sulla terra».

²⁷ Così Dio creò gli uomini secondo
   la sua immagine;
   a immagine di Dio li creò;
   maschio e femmina li creò.

²⁸ Quindi Dio li benedisse e disse loro:
   «Siate fecondi e moltiplicatevi, riempite
      la terra e soggiogatela,
   e abbiate il dominio sui pesci
      del mare, sugli uccelli del cielo,

sul bestiame e su ogni essere vivente
   che striscia sulla terra».

²⁹Dio disse ancora: «Ecco, io vi do ogni sorta di erbe che producono seme e che sono sulla superficie di tutta la terra, e anche ogni sorta di alberi in cui vi sono frutti che producono seme: essi costituiranno il vostro nutrimento. ³⁰Ma a tutte le fiere della terra, a tutti gli uccelli del cielo e a tutti gli esseri striscianti sulla terra e nei quali vi è l'alito di vita, io do l'erba verde come nutrimento». E così avvenne.

³¹Allora Dio vide tutto quello che aveva fatto, ed ecco era cosa molto buona. E venne sera, poi mattina: sesto giorno.

ORIGINE DEL SABATO

2 ¹Così furono ultimati il cielo e la terra e tutto il loro ornamento.

²Allora Dio, nel giorno settimo, volle conclusa l'opera che aveva fatto e si astenne, nel giorno settimo, da ogni opera che aveva fatto. ³Quindi Dio benedisse il giorno settimo e lo consacrò, perché in esso aveva cessato da ogni opera da lui fatta creando. ⁴ᵃQueste sono le origini del cielo e della terra quando Dio li creò.

L'UOMO NEL GIARDINO DELL'EDEN

⁴ᵇQuando il Signore Dio fece la terra e il cielo, ⁵ancora nessun cespuglio della steppa vi era sulla terra, né alcuna erba era spuntata nella campagna, perché il Signore Dio non aveva fatto piovere sulla terra e non vi era chi lavorasse il terreno ⁶e facesse sgorgare dalla terra l'acqua dei canali per irrigare tutta la superficie del terreno; ⁷allora il Signore Dio plasmò l'uomo con la polvere del suolo

26. *Facciamo*: l'uomo, oggetto di cura speciale da parte di Dio, creato «a immagine di Dio, è capace di conoscere e amare il suo Creatore, e fu costituito da lui sopra tutte le creature terrene, quale signore di esse» (GS 12).
27. «Dio non creò l'uomo lasciandolo solo: fin da principio *maschio e femmina li creò*, e la loro unione costituisce la prima forma di comunione di persone» (GS 12), e insieme, come coppia che nell'amore dona la vita, sono l'immagine più perfetta di Dio.
2. - 7. *Plasmò l'uomo...*: qui non si tratta di un insegnamento scientifico sull'origine del corpo umano; si vuole soltanto dire che l'uomo, come tale, è opera di Dio e che la sua anima viene direttamente da lui.

e soffiò nelle sue narici un alito di vita; così l'uomo divenne un essere vivente.

⁸Poi il Signore Dio piantò un giardino in Eden, ad oriente, e vi collocò l'uomo che aveva plasmato. ⁹Il Signore Dio fece spuntare dal terreno ogni sorta d'alberi, attraenti per la vista e buoni da mangiare, tra cui l'albero della vita nella parte più interna del giardino, insieme all'albero della conoscenza del bene e del male.

¹⁰Un fiume usciva da Eden per irrigare il giardino; poi di lì si divideva e formava quattro corsi. ¹¹Il nome del primo è Pison: esso delimita il confine di tutta la regione di Avila, dove c'è l'oro: ¹²l'oro di quella terra è fine; qui c'è anche la resina odorosa e la pietra d'ònice. ¹³E il nome del secondo fiume è Ghicon: esso delimita il confine di tutta la regione di Etiopia. ¹⁴Il nome del terzo fiume è Tigri: esso scorre ad oriente di Assur. Il quarto fiume è l'Eufrate.

¹⁵Poi il Signore Dio prese l'uomo e lo pose nel giardino di Eden perché lo coltivasse e lo custodisse.

¹⁶Poi il Signore Dio diede questo comando all'uomo: «Di tutti gli alberi del giardino tu puoi mangiare; ¹⁷ma dell'albero della conoscenza del bene e del male non devi mangiare, perché, nel giorno in cui te ne cibassi, tu certamente morirai».

LA CREAZIONE DELLA DONNA

¹⁸Il Signore Dio disse: «Non è bene che l'uomo sia solo: gli voglio fare un aiuto degno di lui». ¹⁹Allora il Signore Dio plasmò dal suolo tutti gli animali della campagna e tutti gli uccelli del cielo e li condusse all'uomo, per vedere come li avrebbe chiamati: in qualunque modo l'uomo avesse chiamato gli esseri viventi, quello doveva essere il loro nome. ²⁰E così l'uomo impose dei nomi a tutto il bestiame, a tutti gli uccelli del

cielo e a tutte le bestie selvatiche; ma, per l'uomo, non fu trovato un aiuto che fosse degno di lui.

²¹Allora il Signore Dio fece cadere un sonno profondo sull'uomo, che si addormentò, poi gli tolse una delle costole e richiuse la carne al suo posto. ²²Il Signore Dio dalla costola, che aveva tolto all'uomo, formò una donna. Poi la condusse all'uomo.

²³Allora l'uomo disse: «Questa volta è osso delle mie ossa e carne della mia carne! Sarà chiamata *isshah* (donna) perché da *ish* (uomo) è stata tratta».

²⁴Per questo l'uomo abbandona suo padre e sua madre e si unisce alla sua donna e i due diventano una sola carne. ²⁵Or ambedue erano nudi, l'uomo e la sua donna, ma non ne avevano vergogna.

IL PECCATO DELL'UOMO

3 ¹Il serpente era il più astuto di tutti gli animali della campagna che il Signore Dio aveva fatto, e disse alla donna: «È vero che Dio ha detto: "Non dovete mangiare di nessun albero del giardino"?».

²La donna rispose al serpente: «Dei frutti degli alberi del giardino noi possiamo mangiare; ³ma del frutto dell'albero che sta nella parte interna del giardino Dio ha detto: "Non ne dovete mangiare e non lo dovete toccare, altrimenti morirete"».

⁴Ma il serpente disse alla donna: «Voi non morirete affatto! ⁵Anzi! Dio sa che nel giorno in cui voi ne mangerete, si apriranno i vostri occhi e diventerete come Dio, conoscitori del bene e del male». ⁶Allora la donna vide che l'albero era buono da mangiarsi, seducente per gli occhi e attraente per avere successo; perciò prese del suo frutto e ne mangiò, poi ne diede anche a suo marito, che era con lei, ed egli ne mangiò.

⁷Si aprirono allora gli occhi di ambedue e scoprirono di essere nudi; perciò cucirono delle foglie di fico e se ne fecero delle cinture.

⁸Poi udirono il rumore dei passi del Signore Dio che passeggiava nel giardino alla brezza del giorno, e l'uomo fuggì con la moglie dalla presenza del Signore Dio, in mezzo agli alberi del giardino. ⁹Allora il Signore Dio chiamò l'uomo e gli domandò: «Dove sei?».

¹⁰Rispose: «Ho udito il tuo passo nel giardi-

---

17. *Albero della conoscenza del bene e del male...*: non si tratta di un albero o di un frutto, ma di una prova a cui fu sottoposto l'uomo, per sollecitare un atto di riconoscimento dell'autorità di Dio, della dipendenza da lui e della fiducia in lui.

3. - 1-5. Sotto le sembianze del serpente si nasconde lo spirito nemico di Dio e dell'uomo, Satana, il quale si presenta all'uomo per indurlo a ribellarsi a Dio.

7. È il primo risveglio della concupiscenza, manifestazione del disordine introdotto dal peccato. L'equilibrio tra senso e spirito fu distrutto.

no, e ho avuto paura, perché io sono nudo, e mi sono nascosto».

[11]Riprese: «Chi ti ha indicato che eri nudo? Hai dunque mangiato dell'albero del quale ti avevo comandato di non mangiare?». [12]Rispose l'uomo: «La donna che tu hai messo vicino a me, mi ha dato dell'albero, e io ho mangiato». [13]Il Signore Dio disse alla donna: «Perché hai fatto questo?». Rispose la donna: «Il serpente mi ha ingannata e io ho mangiato». [14]Allora il Signore Dio disse al serpente:

«Perché hai fatto questo,
maledetto sii tu fra tutto il bestiame
e tra tutti gli animali della campagna:
sul tuo ventre dovrai camminare
e polvere dovrai mangiare
per tutti i giorni della tua vita.
[15] Ed io porrò ostilità tra te e la donna
tra la tua stirpe e la sua stirpe:
essa ti schiaccerà la testa
e tu la assalirai al tallone».

[16] Alla donna disse:

«Moltiplicherò
le tue sofferenze e le tue gravidanze,
con doglie dovrai partorire figlioli.
Verso tuo marito ti spingerà
   la tua passione,
ma egli vorrà dominare su te».

[17]E all'uomo disse: «Perché hai ascoltato la voce di tua moglie e hai mangiato dell'albero, per il quale ti avevo ordinato: "Non ne devi mangiare":

Maledetto sia il suolo per causa tua!
Con affanno ne trarrai il nutrimento,
per tutti i giorni della tua vita.
[18] Spine e cardi farà spuntare per te,
mentre tu dovrai mangiare le erbe
   dei campi.
[19] Con il sudore della tua faccia mangerai
   il pane,
finché tornerai alla terra,
perché da essa sei stato tratto,
perché polvere sei e in polvere
   devi tornare!».

ADAMO ED EVA CACCIATI DAL GIARDINO DELL'EDEN

[20]L'uomo chiamò sua moglie Eva, perché essa fu la madre di tutti i viventi. [21]Poi il Signore Dio fece all'uomo e a sua moglie delle tuniche di pelli e li vestì. [22]Il Signore Dio disse allora: «Ecco, l'uomo è diventato come uno di noi, conoscendo il bene e il male! Ora facciamo sì ch'egli non stenda la sua mano e non prenda anche l'albero della vita così che ne mangi e viva in eterno!». [23]E il Signore Dio lo mandò via dal giardino di Eden, perché lavorasse la terra dalla quale era stato tratto. [24]Scacciò l'uomo, e dinanzi al giardino di Eden pose dei cherubini e la fiamma della spada folgorante per custodire l'accesso all'albero della vita.

CAINO E ABELE

4 [1]Adamo si unì a Eva, sua moglie, la quale concepì e partorì Caino, dicendo: «Ho formato un uomo con il favore del Signore». [2]Partorì poi anche Abele suo fratello. Abele divenne pastore di greggi e Caino coltivatore del suolo.

[3]Dopo un certo tempo, Caino offrì dei frutti del suolo in sacrificio al Signore; [4]e anche Abele offrì dei primogeniti del suo gregge e del loro grasso. E il Signore gradì Abele e la sua offerta, [5]ma non gradì Caino e l'offerta di lui. Perciò Caino ne fu molto irritato e il suo volto fu abbattuto. [6]Il Signore disse allora a Caino: «Perché sei irritato e perché è abbattuto il tuo volto? [7]Non è forse vero che se agisci bene puoi tenere alta la testa? Se invece non agisci bene, il peccato sta alla tua porta: esso si sforza di conquistare te, ma sei tu che lo devi dominare!».

15. La profezia, ancora indeterminata, è il primo raggio di luce, il *protoevangelo*, con cui Dio risollevò gli uomini alla speranza della salvezza. La tradizione cristiana posteriore vedrà nella discendenza della donna il Messia, Gesù Cristo, e nella donna Maria santissima, l'unica creatura che per privilegio speciale di Dio è rimasta immune dal peccato, «immacolata», perché doveva essere la madre del Messia redentore, Figlio di Dio incarnato, perciò «madre di Dio».
23. Dio scaccia Adamo ed Eva dal paradiso terrestre per indicare che essi perdettero con il peccato la familiarità divina cui si accenna nel v. 8.

[8]Ma Caino ebbe da dire con suo fratello Abele. E mentre si trovavano nei campi, Caino si scagliò contro suo fratello Abele e lo uccise. [9]Disse allora il Signore a Caino: «Dov'è Abele, tuo fratello?». Ed egli rispose: «Non lo so. Son forse io custode di mio fratello?». [10]Il Signore riprese: «Che cosa hai fatto? Sento la voce del sangue di tuo fratello che grida a me dal suolo! [11]Sii tu dunque maledetto dalla terra che per mano tua ha spalancato la bocca per bere il sangue di tuo fratello. [12]Quando lavorerai il suolo, esso non ti darà più i suoi frutti, ramingo e fuggiasco sarai sulla terra». [13]Caino disse al Signore: «È troppo grande la mia colpa, per meritare il perdono! [14]Ecco, tu mi scacci oggi da questo luogo e mi dovrò nascondere lontano da te; io sarò ramingo e fuggiasco per la terra, e chiunque mi troverà mi ucciderà». [15]Ma il Signore gli disse: «Non così! Chiunque ucciderà Caino sarà punito sette volte tanto!». Poi il Signore pose su Caino un segno, affinché chiunque lo incontrasse non lo uccidesse.

I DISCENDENTI DI CAINO

[16]E Caino si allontanò così dalla presenza del Signore e si stabilì nel paese di Nod, di fronte a Eden. [17]Caino si unì a sua moglie, che concepì e partorì Enoch. Egli divenne costruttore di una città, che chiamò Enoch, dal nome del figlio suo. [18]Da Enoch nacque Irad; e Irad generò Mecuiael e Mecuiael generò Matusael e Matusael generò Lamech. [19]Lamech

si prese due mogli: una di nome Ada e l'altra di nome Zilla. [20]Ada partorì Iabal; questi fu il padre di quanti abitano sotto le tende, presso il bestiame. [21]Il nome di suo fratello fu Iubal; questi fu il padre di tutti i suonatori di lira e flauto. [22]Zilla partorì, a sua volta, Tubalkain, istruttore di quanti lavorano il rame e il ferro. Sorella di Tubalkain fu Naama.

[23] Lamech disse alle mogli:

    «Ada e Zilla, udite la mia voce;
    mogli di Lamech, ascoltate il mio dire:
    Ho ucciso un uomo per una mia ferita
    e un giovane per un mio livido:
[24]   Caino sarà vendicato sette volte,
    ma Lamech settantasette».

[25]Adamo si unì di nuovo a sua moglie, che partorì un figlio e lo chiamò Set, dicendo: «Dio mi ha dato un altro figlio al posto di Abele, poiché Caino l'ha ucciso». [26]Anche a Set nacque un figlio, che chiamò Enos.
Allora si cominciò ad invocare il nome del Signore (JHWH).

I PATRIARCHI PRIMA DEL DILUVIO

5 [1]Questo è il libro della genealogia di Adamo. Quando Dio creò Adamo, lo fece a somiglianza di Dio. [2]Maschio e femmina li creò; li benedisse e li chiamò «Uomo» quando furono creati. [3]Quando Adamo ebbe centotrenta anni generò un figlio a sua immagine e somiglianza, e lo chiamò Set. [4]E dopo aver generato Set, Adamo visse ancora ottocento anni, e generò altri figli e figlie. [5]L'intera vita di Adamo fu di novecentotrenta anni, poi morì. [6]Quando Set ebbe centocinque anni generò Enos; [7]e dopo aver generato Enos, Set visse ancora ottocentosette anni e generò figli e figlie. [8]L'intera vita di Set fu di novecentododici anni, poi morì. [9]Quando Enos ebbe novanta anni generò Kenan; [10]ed Enos, dopo aver generato Kenan, visse ancora ottocentoquindici anni e generò figli e figlie. [11]L'intera vita di Enos fu di novecentocinque anni, poi morì. [12]Quando Kenan ebbe settanta anni generò Malaleel; [13]e Kenan, dopo aver generato Malaleel, visse ancora ottocentoquaranta

---

4. - 8. Frutto della ribellione dell'uomo contro Dio è la lotta dell'uomo contro l'uomo, in un progressivo allontanamento dell'umanità da Dio.

15. Dio fu sempre rigorosamente contro chiunque spargesse sangue umano (cfr. Es 21,12-17).

23. *Lamech*, discendente di Caino, fu il primo a violare l'unità del matrimonio stabilita da Dio in principio. Il selvaggio canto di questo cainita forse è solo riferito per indicare il crescere della violenza nel mondo.

25-26. Adamo ebbe certamente altri figli: qui viene ricordato solamente Set, perché capostipite di una discendenza che l'autore può voler opporre a quella di Caino.

5. - 2. *Uomo*, in ebraico «Adamo», significa fatto di terra, *adamah*.

5-32. I numeri usati nella Bibbia, come questi indicanti la longevità straordinaria attribuita ai patriarchi anteriori al diluvio, non sono da prendere nel loro valore reale.

anni e generò figli e figlie. [14]L'intera vita di Kenan fu di novecentodieci anni, poi morì. [15]Quando Malaleel ebbe sessantacinque anni generò Iared; [16]e Malaleel, dopo aver generato Iared, visse ancora ottocentotrenta anni e generò figli e figlie. [17]L'intera vita di Malaleel fu di ottocentonovantacinque anni, poi morì.

[18]Quando Iared ebbe centosessantadue anni generò Enoch; [19]e Iared, dopo aver generato Enoch, visse ancora ottocento anni e generò figli e figlie. [20]L'intera vita di Iared fu di novecentosessantadue anni, poi morì. [21]Quando Enoch ebbe sessantacinque anni generò Matusalemme; [22]Enoch camminò con Dio. Enoch, dopo aver generato Matusalemme, visse ancora trecento anni e generò figli e figlie. [23]L'intera vita di Enoch fu di trecentosessantacinque anni. [24]Enoch camminò con Dio e non ci fu più, poiché Dio lo aveva preso.

[25]Quando Matusalemme ebbe centottantasette anni generò Lamech; [26]e Matusalemme, dopo aver generato Lamech, visse ancora settecentottantadue anni e generò figli e figlie. [27]L'intera vita di Matusalemme fu di novecentosessantanove anni, poi egli morì.

NASCITA DI NOÈ

[28]Quando Lamech ebbe centottantadue anni generò un figlio, [29]e lo chiamò Noè, dicendo: «Costui ci consolerà del nostro lavoro e della fatica delle nostre mani, a causa del suolo che il Signore ha maledetto». [30]E Lamech, dopo aver generato Noè, visse ancora cinquecentonovantacinque anni e generò figli e figlie. [31]L'intera vita di Lamech fu di settecentosettantasette anni, poi morì. [32]Noè raggiunse l'età di cinquecento anni, quindi generò Sem, Cam e Iafet.

LA CORRUZIONE DELL'UMANITÀ

6 [1]Quando gli uomini cominciarono a moltiplicarsi sulla terra e nacquero loro delle figlie, [2]i figli di Dio videro che le figlie degli uomini erano piacevoli e si presero per mogli quelle che tra tutte più loro piacquero. [3]Allora il Signore disse: «Il mio spirito non durerà per sempre nell'uomo, perché egli

non è che carne, e la sua vita sarà di centoventi anni».

[4]C'erano i giganti sulla terra a quei tempi, e anche dopo, quando i figli di Dio s'accostarono alle figlie degli uomini e queste partorirono loro dei figli. Sono questi i famosi eroi dell'antichità.

[5]Allora il Signore vide che la malvagità dell'uomo era grande sulla terra e che ogni progetto concepito dal suo cuore non era rivolto ad altro che al male tutto il giorno: [6]di conseguenza il Signore si pentì di aver fatto l'uomo sulla terra e se ne addolorò in cuor suo. [7]Sicché il Signore disse: «Voglio cancellare dalla faccia della terra l'uomo che ho creato: uomo e bestiame e rettili e uccelli del cielo, poiché mi dispiace d'averli creati». [8]Tuttavia Noè trovò grazia agli occhi del Signore.

LA STORIA DI NOÈ

[9]Questa è la storia di Noè. Noè era un uomo giusto, integro tra i suoi contemporanei, e camminava con Dio! [10]Noè generò tre figli: Sem, Cam e Iafet. [11]Or la terra era corrotta al cospetto di Dio e piena di violenza. [12]Dio guardò la terra ed ecco: era corrotta; poiché ogni uomo aveva pervertito la propria condotta sopra la terra.

[13]Allora Dio disse a Noè: «Mi son deciso: la fine di tutti i mortali è arrivata, poiché la terra, per causa loro, è piena di violenza; ecco, io li distruggerò insieme con la terra. [14]Fatti un'arca di legno resinoso. Farai tale arca a celle e la spalmerai di bitume dentro e fuori. [15]Ed ecco come la farai: l'arca avrà trecento cubiti di lunghezza, cinquanta di larghezza e trenta di altezza. [16]Farai all'arca un tetto e un cubito più su la terminerai; di fianco le metterai la porta. La farai a ripiani: inferiore, medio e superiore. [17]Ed ecco che sto per mandare il diluvio delle acque

---

6. - 2. *Figli di Dio* sono i discendenti di Set; *figlie degli uomini* sono le discendenti di Caino; tale, almeno, è l'interpretazione che hanno dato i padri della chiesa a questo testo difficile.

13. La storia del diluvio si basa su un fatto storico, ricordato anche da numerose narrazioni babilonesi: forse si tratta di una delle varie inondazioni della valle del Tigri e dell'Eufrate, che la tradizione ingrandì sino a farne un cataclisma universale.

15. *L'arca* aveva la forma di un enorme cassone rettangolare, perché doveva soltanto galleggiare, non navigare.

sulla terra, per distruggere ogni carne in cui è alito di vita sotto il cielo; tutto quanto è sulla terra dovrà perire. [18]Con te però stabilirò la mia alleanza: entrerai nell'arca tu e i tuoi figli, tua moglie e le mogli dei tuoi figli con te. [19]E di tutto ciò che vive, di ogni carne, fanne entrare nell'arca due fra tutti, per sopravvivere con te; siano un maschio e una femmina: [20]dei volatili, secondo la loro specie, delle bestie, secondo la loro specie, e di tutti i rettili della terra, secondo la loro specié, due tra tutti verranno a te per sopravvivere. [21]Tu pui prenditi ogni sorta di cibo da mangiare e radunalo presso di te, e sarà nutrimento per te e per loro».

[22]E Noè fece tutto come Dio gli aveva comandato.

IL DILUVIO

7 [1]Il Signore disse a Noè: «Entra nell'arca tu e tutta la tua famiglia, poiché ti ho visto giusto dinanzi a me, in questa generazione. [2]D'ogni animale puro prendine sette coppie, maschio e femmina; invece dell'animale impuro un paio: maschio e femmina; [3]anche degli uccelli dei cieli sette coppie, maschio e femmina, sicché la razza sopravviva sulla faccia di tutta la terra; [4]perché fra sette giorni io farò piovere sulla terra per quaranta giorni e quaranta notti e sterminerò dalla superficie della terra ogni creatura che ho fatto». [5]Noè fece tutto come il Signore aveva ordinato.

[6]Noè aveva seicento anni, quando avvenne il diluvio delle acque sulla terra. [7]Entrò dunque Noè e i suoi figli, sua moglie e le mogli dei suoi figli nell'arca per sottrarsi alle acque del diluvio. [8]Degli animali puri e degli animali impuri, degli uccelli e di tutti gli esseri che strisciano sul suolo [9]vennero, a due a due, da Noè nell'arca, maschio e femmina, come Dio aveva comandato a Noè.

[10]E avvenne, al settimo giorno, che le acque del diluvio furono sopra la terra; [11]nell'anno seicentesimo della vita di Noè, nel secondo mese, nel diciassettesimo giorno del mese, proprio in quel giorno, eruppero tutte le sorgenti del grande oceano e le cateratte del cielo si aprirono. [12]E piovve sulla terra per quaranta giorni e quaranta notti.

[13]In quello stesso giorno entrarono nell'arca Noè e Sem, Cam e Iafet, figli di Noè, e la moglie di Noè e le tre mogli dei suoi tre figli; [14]essi, insieme a tutte le fiere, secondo la loro specie, e tutto il bestiame, secondo la sua specie, e tutti i rettili che strisciano sulla terra, secondo la loro specie, e tutti gli uccelli, secondo la loro specie. [15]Vennero dunque a Noè nell'arca, a due a due, d'ogni carne in cui è il soffio di vita. [16]E quelli che venivano, maschio e femmina d'ogni carne, entrarono come Dio aveva loro comandato; poi il Signore chiuse la porta dietro di lui.

[17]Il diluvio venne sopra la terra per quaranta giorni: le acque ingrossarono e sollevarono l'arca che si alzò sopra la terra; [18]e le acque divennero poderose e ingrossarono assai sopra la terra e l'arca galleggiava sulla superficie delle acque. [19]E le acque divennero sempre più poderose sopra la terra e copersero tutti i più alti monti che sono sotto il cielo. [20]Di quindici cubiti di altezza le acque divennero poderose e copersero i monti. [21]E perì ogni essere vivente che si muove sulla terra: volatili, bestiame e fiere e tutti gli esseri brulicanti sulla terra e tutti gli uomini. [22]Ogni essere che ha un alito, uno spirito di vita nelle sue narici, fra tutto ciò che è sulla terra asciutta, morì.

[23]Così fu sterminata ogni creatura esistente sulla faccia della terra, dagli uomini agli animali domestici, ai rettili e agli uccelli del cielo: essi furono sterminati dalla terra e rimase solo Noè e chi stava con lui nell'arca. [24]Le acque restarono alte sulla terra per centocinquanta giorni.

LA FINE DEL DILUVIO

8 [1]Poi Dio si ricordò di Noè, di tutte le fiere e di tutto il bestiame che erano con lui nell'arca. Dio fece allora passare un vento sulla terra e le acque si abbassarono. [2]Le fonti dell'abisso e le cateratte del cielo furono chiuse, la pioggia cessò di cadere dal cielo; [3]le acque andarono gradatamente ritirandosi dalla terra e calarono dopo cen-

---

7. - 11. *Le sorgenti del grande oceano...*: probabilmente il diluvio fu dovuto a due cause simultanee: un cataclisma terrestre e piogge torrenziali.
22-23. Sull'estensione del diluvio è opinione comune che furono distrutti tutti gli uomini, eccetto quelli che erano nell'arca, ma non tutte le bestie; né si estese a tutto il mondo, bensì solo alla terra allora abitata.

tocinquanta giorni. [4]Nel settimo mese, il diciassette del mese, l'arca si fermò sui monti dell'Ararat. [5]Le acque andarono via via diminuendo fino al decimo mese. Nel decimo mese, il primo giorno del mese, apparirono le vette dei monti.

[6]Trascorsi quaranta giorni, Noè aprì la finestra che aveva fatto nell'arca e rilasciò un corvo. [7]Esso uscì, andando e tornando, finché si prosciugarono le acque sulla terra. [8]Allora Noè rilasciò una colomba, per vedere se le acque si fossero abbassate sulla superficie della terra; [9]ma la colomba non trovò un appoggio per la pianta del piede e tornò a lui nell'arca, perché c'erano acque sulla superficie di tutta la terra. Ed egli stese la mano, la prese e la fece rientrare nell'arca.

[10]Attese ancora altri sette giorni e di nuovo rilasciò la colomba fuori dell'arca, [11]e la colomba tornò a lui sul far della sera; ed ecco, essa aveva una foglia di ulivo, che aveva strappata con il suo becco; così Noè comprese che le acque si erano abbassate sulla terra. [12]Aspettò tuttavia ancora sette giorni, poi rilasciò la colomba; ma essa non ritornò più da lui.

[13]Fu nell'anno seicentouno della vita di Noè, nel primo mese, nel primo giorno del mese, che le acque si erano prosciugate sopra la terra: e Noè scoperchiò l'arca, ed ecco che la superficie del suolo era prosciugata. [14]Ma fu nel secondo mese, nel ventisettesimo giorno del mese, che la terra fu secca. [15]Allora Dio disse a Noè: [16]«Esci dall'arca tu e tua moglie, i tuoi figli e le mogli dei tuoi figli con te. [17]Fa' uscire con te tutti gli animali che sono con te, d'ogni carne, uccelli, bestiame e tutti i rettili che strisciano sulla terra, perché possano brulicare sulla terra, siano fecondi e si moltiplichino sulla terra». [18]Uscì dunque Noè e insieme a lui i suoi figli, con sua moglie e con le mogli dei suoi figli. [19]E tutte le fiere, tutti i rettili, tutti gli uccelli, tutto ciò che striscia sulla terra, secondo la loro specie, uscirono dall'arca.

[20]Allora Noè edificò un altare al Signore, prese ogni sorta di animali puri e ogni sorta di volatili puri e offrì olocausti sull'altare. [21]Il Signore ne odorò la soave fragranza e disse in cuor suo: «Io non tornerò più a maledire la terra a causa dell'uomo, perché l'istinto del cuore umano è malvagio fin dall'adolescenza: e non tornerò più a colpire ogni essere vivente come ho fatto. [22]Finché la terra durerà, seme e raccolto, freddo e caldo, estate e inverno, giorno e notte non cesseranno mai».

L'ALLEANZA CON NOÈ E CON L'UMANITÀ

9 [1]Poi Dio benedisse Noè e i suoi figli, e disse loro: «Siate fecondi e moltiplicatevi e riempite la terra. [2]Il timore e il terrore di voi sia in tutte le fiere della terra e in tutti gli uccelli del cielo. Tutto ciò che striscia sul suolo e tutti i pesci del mare sono dati in vostro potere. [3]Ogni rettile che ha vita sarà vostro cibo; tutto questo vi do, come già le verdi erbe. [4]Soltanto non mangerete la carne che ha in sé il suo sangue. [5]Certamente del sangue vostro, ossia della vita vostra, io domanderò conto: ne domanderò conto ad ogni essere vivente; della vita dell'uomo io domanderò conto all'uomo e a ognuno di suo fratello!

[6] Chi sparge il sangue di un uomo,
      per mezzo di un uomo il suo sangue
          sarà sparso;
      perché quale immagine di Dio
      ha Egli fatto l'uomo.
[7] Quanto a voi, siate fecondi e
      moltiplicatevi;
      brulicate sulla terra e soggiogatela».

[8]Poi Dio disse a Noè e ai suoi figli: [9]«Quanto a me, ecco che io stabilisco la mia alleanza con voi e con i vostri discendenti dopo di voi, [10]e con ogni essere vivente che è con voi: con gli uccelli, con il bestiame e con tutte le fiere della terra che sono con voi, da tutti gli animali che sono usciti dall'arca a tutte le fiere della terra. [11]Io stabilisco la mia alleanza con voi: nessun vivente sarà più distrutto a causa delle acque del diluvio, né più verrà il diluvio a devastare la terra». [12]Poi Dio disse: «Questo è il segno dell'al-

8. - 4. *Ararat* è il nome d'una regione montagnosa, identica a quella chiamata Urartu nei documenti assiri e situata nell'Armenia.

20. *Olocausto* era il sacrificio di adorazione, in cui la vittima veniva completamente distrutta, ordinariamente per mezzo del fuoco.

9. - 1. Noè diventa il nuovo capo dell'umanità che ricomincia, e il Signore rinnova a lui le stesse benedizioni date al capostipite Adamo.

leanza che io pongo tra me e voi e tra ogni
essere vivente che è con voi, per tutte le
generazioni future: ¹³io pongo il mio arco
nelle nubi, ed esso sarà un segno di alleanza fra me e la terra. ¹⁴E quando io radunerò le nubi sulla terra e apparirà l'arco
sulle nubi, ¹⁵allora mi ricorderò della mia
alleanza, che è tra me e voi e ogni essere
vivente in qualsiasi carne: le acque non diverranno mai più un diluvio per distruggere
ogni carne. ¹⁶L'arco apparirà nelle nubi e io
lo guarderò per ricordare l'alleanza eterna
tra Dio e ogni essere vivente in ogni carne
che è sulla terra».
¹⁷Poi Dio disse a Noè: «Questo è il segno
dell'alleanza che io ho stabilito tra me e
ogni carne che è sulla terra».

NOÈ E I SUOI FIGLI

¹⁸I figli di Noè che uscirono dall'arca furono:
Sem, Cam e Iafet; e Cam è il padre di Canaan. ¹⁹Questi tre sono i figli di Noè, e da
questi fu popolata tutta la terra. ²⁰Noè incominciò a far l'agricoltore e piantò una vigna.
²¹Bevuto del vino, si inebriò e si scoperse
in mezzo alla sua tenda. ²²Cam, padre di
Canaan, vide il padre scoperto e uscì a dirlo
ai suoi due fratelli. ²³Allora Sem e Iafet presero il mantello, se lo misero ambedue sulle
spalle e, camminando a ritroso, coprirono la
nudità del loro padre: e siccome avevano le
loro facce rivolte dalla parte opposta, non
videro il padre scoperto.
²⁴Quando Noè, risvegliatosi dalla sua ebbrezza, seppe quanto gli aveva fatto il figlio
minore, ²⁵disse:

«Sia maledetto Canaan!
Sia schiavo infimo dei fratelli suoi!».

²⁶ Disse poi:

«Benedetto sia il Signore, Dio di Sem!
Ma sia Canaan suo schiavo!

---

10. - Questo breve capitolo ci dà, in forma di tavola genea-
logica, una breve storia dei popoli che poi saranno lasciati
da parte, per concentrare l'attenzione in un solo semita,
Abramo, con cui comincia la vera storia biblica, che è storia
del popolo eletto. Queste genealogie, redatte in forma popolare, contengono nomi che sono più geografici che personali.

²⁷ Dio dilati Iafet e dimori nelle tende
   di Sem!
Ma sia Canaan suo schiavo!».

²⁸E Noè visse, dopo il diluvio, trecentocin-
quanta anni. ²⁹E l'intera vita di Noè fu di no-
vecentocinquanta anni, poi morì.

LA TAVOLA DELLE NAZIONI

10 ¹Questa è la discendenza dei figli di
Noè: Sem, Cam e Iafet, ai quali nacquero dei figli, dopo il diluvio.
²I figli di Iafet: Gomer, Magog, Madai, Iavan,
Tubal, Mesech e Tiras. ³I figli di Gomer:
Askenaz, Rifat e Togarma. ⁴I figli di Iavan:
Elisa, Tarsis, quelli di Cipro e quelli di Rodi.
⁵Da costoro si suddivisero le popolazioni
delle isole delle genti. Questi furono i figli
di Iafet nei loro territori, ciascuno secondo
la sua lingua, secondo le loro famiglie, nelle
loro diverse nazioni.
⁶I figli di Cam: Etiopia, Egitto, Put e Canaan.
⁷I figli di Etiopia: Seba, Avila, Sabta, Raama
e Sabteca. I figli di Raama: Saba e Dedan.
⁸Ora Etiopia generò Nimrod: costui fu il primo a divenire potente nella regione. ⁹Egli
era un valente cacciatore al cospetto del
Signore, perciò si suol dire: «Come Nimrod,
valente cacciatore al cospetto del Signore».
¹⁰Il nucleo del suo regno fu Babele, Uruch,
Accad e Calne nella terra di Sennaar. ¹¹Di
lì si portò ad Assur e costruì Ninive, Reco-
bot-Ir, Calach ¹²e Resen, tra Ninive e Calach; quella è la grande città. ¹³Egitto generò
quelli di Lud, Anam, Laab, Naftuch, ¹⁴Patros,
Casluch e Caftor, donde uscirono i Filistei.
¹⁵Canaan generò Sidone, suo primogenito,
e Chet ¹⁶e il Gebuseo, l'Amorreo, il Gergeseo, ¹⁷l'Eveo, l'Archita, il Sineo, ¹⁸l'Arvadita,
il Semarita e l'Amatita. In seguito le famiglie
dei Cananei si dispersero. ¹⁹Cosicché il confine dei Cananei fu da Sidone fino a Gerar e
Gaza, poi in direzione di Sodoma, Gomorra,
Adma e Zeboim, fino a Lesa.
²⁰Questi furono i figli di Cam secondo le loro
famiglie e le loro lingue, nei loro territori e
nelle loro diverse nazioni.
²¹Anche a Sem, l'antenato di tutti i figli di
Eber, fratello maggiore di Iafet, nacque
una discendenza. ²²Figli di Sem: Elam, Assur, Arpacsad, Lud, Aram. ²³Figli di Aram:
Uz, Cul, Gheter e Mas. ²⁴Arpacsad gene-

rò Selach e Selach generò Eber. [25]A Eber nacquero due figli: uno fu chiamato Peleg, perché ai suoi tempi fu divisa la terra, e suo fratello fu chiamato Joktan.

[26]Joktan generò Almodad, Selef, Asarmavet, Ierach, [27]Adoram, Uzal, Dikla, [28]Obal, Abimael, Seba, [29]Ofir, Avila e Iobab. Tutti questi furono i figli di Joktan. [30]La loro abitazione fu da Mesa fin verso Sefar, monte dell'oriente. [31]Questi furono i figli di Sem secondo le loro famiglie e le loro lingue, nei loro territori, secondo le loro nazioni.

[32]Queste furono le famiglie dei figli di Noè, secondo la loro genealogia nelle loro nazioni. Da esse si dispersero le nazioni sulla terra, dopo il diluvio.

LA TORRE DI BABELE

11 [1]Tutta la terra aveva una sola lingua e usava le stesse parole. [2]E avvenne che, emigrando dall'oriente, gli uomini trovarono una pianura nel paese di Sennaar, vi si stabilirono [3]e si dissero l'un l'altro: «Su, facciamoci dei mattoni, e cuociamoli al fuoco». Il mattone servì loro al posto della pietra e il bitume al posto della malta. [4]Poi essi dissero: «Su, costruiamoci una città con una torre, la cui cima arrivi al cielo, e facciamoci un nome, per non esser dispersi sulla superficie di tutta la terra». [5]Ma il Signore discese per vedere la città con la torre che stavano costruendo i figli dell'uomo. [6]E il Signore disse: «Ecco, essi sono un solo popolo e hanno tutti una lingua sola; questo è l'inizio delle loro imprese: nessuno potrà impedire tutto ciò che hanno meditato di fare. [7]Su, discendiamo e confondiamo la loro lingua, cosicché essi non comprendano più la lingua l'uno dell'altro».

[8]Il Signore li disperse di là sulla superficie di tutta la terra ed essi cessarono di costruire la città. [9]Per questo il suo nome fu detto Babele, perché là il Signore mescolò la lingua di tutta la terra e di là il Signore li disperse sulla superficie di tutta la terra.

I DISCENDENTI DI SEM

[10]Questa è la discendenza di Sem: Sem aveva l'età di cento anni quando generò Arpacsad, due anni dopo il diluvio; [11]Sem, dopo aver generato Arpacsad, visse cinquecento anni e generò figli e figlie. [12]Arpacsad visse trentacinque anni e generò Selach; [13]Arpacsad, dopo aver generato Selach, visse quattrocentotré anni e generò figli e figlie. [14]Selach visse trenta anni e generò Eber; [15]Selach, dopo aver generato Eber, visse quattrocentotré anni e generò figli e figlie.

[16]Eber visse trentaquattro anni e generò Peleg; [17]Eber, dopo aver generato Peleg, visse quattrocentotrenta anni e generò figli e figlie. [18]Peleg visse trenta anni e generò Reu; [19]Peleg, dopo aver generato Reu, visse duecentonove anni e generò figli e figlie. [20]Reu visse trentadue anni e generò Serug; [21]Reu, dopo aver generato Serug, visse duecentosette anni e generò figli e figlie. [22]Serug visse trenta anni e generò Nacor; [23]Serug, dopo aver generato Nacor, visse duecento anni e generò figli e figlie. [24]Nacor visse ventinove anni e generò Terach; [25]Nacor, dopo aver generato Terach, visse centodiciannove anni e generò figli e figlie. [26]Terach visse settanta anni e generò Abram, Nacor e Aran.

I DISCENDENTI DI TERACH

[27]Questa è la genealogia di Terach: Terach generò Abram, Nacor e Aran. Aran generò Lot. [28]Aran poi morì, durante la vita di suo padre Terach, nella sua terra nativa, in Ur dei Caldei. [29]Abram e Nacor si presero delle mogli; il nome della moglie di Abram era Sarai e il nome della moglie di Nacor era

11. - 4. *Torre, la cui cima arrivi nel cielo:* significa torre altissima. Fa pensare alle famose *ziggurat* della regione di Sennaar, che sono alte torri a gradini, sulla cima delle quali vi era il tempietto del dio della città.

5. Con linguaggio antropomorfico vivacissimo, la Bibbia presenta il castigo di Dio all'orgoglio umano, sempre portato a mirare alla grandezza propria, dimenticando i disegni di Dio.

7. Il vero significato della confusione delle lingue è dato dal Sal 55,10: «Disperdili, Signore, confondi le loro lingue, perché io vedo violenza e contese nella città».

9. *Babele:* per sé significa «porta del dio»; ma, per assonanza con una parola ebraica, viene interpretata popolarmente come «confusione».

29. *Sarai,* che poi si chiamerà Sara (17,15), era figlia di Terach e sorella di Abramo per via di padre, ma non di madre: per questo Abramo la potrà presentare come sua sorella (20,12).

Milca, figlia di Aran, padre di Milca e di Isca. ³⁰Sarai era sterile, non aveva figli.

³¹Poi Terach prese Abram, suo figlio, e Lot figlio di Aran, suo nipote, e Sarai sua nuora, moglie di suo figlio Abram, e li fece uscire da Ur dei Caldei, per andare nella terra di Canaan. Ma arrivato a Carran vi si stabilirono. ³²Il tempo che Terach visse fu di duecentocinque anni, poi morì in Carran.

DIO SCEGLIE ABRAM

12 ¹Il Signore disse ad Abram:
«Vattene dalla tua terra,
    dalla tua parentela
e dalla casa di tuo padre, verso la terra
    che io ti mostrerò.
² Farò di te una grande nazione
    e ti benedirò e farò grande
        il tuo nome,
    e tu diventerai una benedizione.
³ Benedirò coloro che ti benediranno
    e maledirò chi ti maledirà,
    e in te saranno benedette
    tutte le tribù della terra».

⁴Allora Abram partì, come gli aveva detto il Signore, e con lui partì Lot. Abram aveva settantacinque anni quando lasciò Carran. ⁵Abram prese Sarai, sua moglie, e Lot, figlio di suo fratello, e tutti i loro beni che avevano acquistato e le persone che si erano procurate in Carran, e s'incamminarono verso la terra di Canaan. ⁶E Abram attraversò il paese fino al santuario di Sichem, presso la Quercia di More. Allora nel paese si trovavano i Cananei.

⁷Il Signore apparve ad Abram e gli disse: «Alla tua discendenza io darò questa terra». Allora egli costruì là un altare al Signore che gli era apparso. ⁸Poi di là andò verso la montagna, ad oriente di Betel, e rizzò la sua tenda, avendo Betel ad occidente e Ai ad oriente. Ivi costruì un altare al Signore e invocò il nome del Signore.

⁹Poi Abram partì, levando, tappa per tappa, l'accampamento, verso il Negheb.

ABRAM VA IN EGITTO

¹⁰Or venne una carestia nel paese, e Abram discese in Egitto per soggiornarvi, perché la carestia gravava sul paese. ¹¹Quando fu sul punto di entrare in Egitto, egli disse a Sarai, sua moglie: «Certo, tu sai che sei una donna di aspetto avvenente. ¹²Quando gli Egiziani ti vedranno, diranno: "Costei è sua moglie!" e uccideranno me, ma lasceranno te in vita. ¹³Di', dunque, te ne prego, che sei mia sorella, affinché mi trattino bene per causa tua e la mia vita sia salva in grazia tua».

¹⁴Difatti, quando Abram arrivò in Egitto, gli Egiziani videro che la donna era molto avvenente. ¹⁵La osservarono gli ufficiali del Faraone e ne fecero le lodi al Faraone, e così la donna fu presa e condotta nella casa del Faraone. ¹⁶Intanto Abram fu trattato bene per causa di lei; e gli furono dati greggi, armenti e asini, schiavi e schiave, asine e cammelli.

¹⁷Ma il Signore colpì il Faraone e la sua casa con grandi piaghe, per il fatto di Sarai, moglie di Abram. ¹⁸Allora il Faraone chiamò Abram e gli disse: «Che cosa mi hai fatto? Perché non mi hai indicato ch'era tua moglie? ¹⁹Perché hai detto: "Essa è mia sorella!", in modo che io me la sono presa per moglie? Ora eccoti tua moglie; prendila e vattene!». ²⁰Il Faraone diede ordine a suo riguardo ad alcuni uomini, i quali lo accomiatarono con la moglie e tutti i suoi averi.

ABRAM E LOT

13 ¹Dall'Egitto Abram risalì verso il Negheb con la moglie e tutti i suoi averi. Lot era con lui.

²Abram era molto ricco di bestiame, di argento e oro. ³Dal Negheb ritornò sulle sue tappe fino a Betel, fino al luogo dov'era già prima la sua tenda, tra Betel e Ai, ⁴al luogo dell'altare che egli aveva eretto prima; ivi Abram invocò il nome del Signore. ⁵Anche a Lot, che viaggiava con Abram, appartenevano greggi, armenti e tende, ⁶e il territorio

---

12. - 3. Abramo è il capostipite di un popolo nuovo, destinato a una missione spirituale. La promessa fatta ad Abramo è orientata essenzialmente verso il futuro e suppone un piano di salvezza, per ora rimasto nascosto nella mente di Dio. Ma Abramo crede e si affida a Dio, e diventerà padre non solo di un popolo, ma di tutti i credenti.

non bastava ad una loro abitazione comune, perché avevano beni troppo grandi per poter abitare insieme. [7]Ora avvenne una lite tra i pastori del bestiame di Abram e i pastori del bestiame di Lot, mentre i Cananei e i PeriZziti abitavano nel paese. [8]Abram disse perciò a Lot: «Non ci sia discordia tra me e te, tra i miei pastori e i tuoi, perché noi siamo fratelli! [9]Non sta forse davanti a te tutto il paese? Separati da me. Se tu vai a sinistra, io andrò verso destra, ma se vai a destra, me ne andrò verso sinistra». [10]Allora Lot alzò gli occhi e osservò tutta la valle del Giordano, perché era tutta irrigata – prima che il Signore distruggesse Sodoma e Gomorra – come il giardino del Signore, come il paese d'Egitto, fin verso Zoar. [11]E Lot scelse per sé tutta la valle del Giordano e trasportò le tende verso oriente. Così si separarono l'uno dall'altro.

[12]Abram risiedette nel paese di Canaan e Lot risiedette nelle città della valle e acquistò il diritto di pascolare vicino a Sodoma, [13]nonostante che la gente di Sodoma fosse molto cattiva e peccatrice.

PROMESSE AD ABRAM

[14]Il Signore disse ad Abram, dopo che Lot si fu separato da lui: «Alza gli occhi, e dal santuario dove stai spingi lo sguardo verso settentrione e mezzogiorno, verso oriente e occidente. [15]Tutto il paese che tu vedi, io lo darò a te e alla tua discendenza, per sempre. [16]Renderò la tua discendenza come la polvere della terra; se qualcuno può contare la polvere della terra, anche i tuoi discendenti potrà contare! [17]Alzati, percorri il paese in lungo e in largo, perché io lo darò a te!».

[18]Poi Abram acquistò il diritto di pascolare e di andarsi a stabilire alla Quercia di Mamre, che è ad Ebron, e vi costruì un altare al Signore.

LA GUERRA
CONTRO I RE D'ORIENTE

14 [1]Quando Amrafel, re di Sennaar, Arioch, re di Ellasar, Chedorlaomer, re di Elam, e Tideal, re di Goim, [2]fecero guerra contro Bera, re di Sodoma, Birsa, re di Gomorra, Sinab, re di Adma, Semeber, re di Zeboim e contro il re di Bela, cioè Zoar, [3]tutti questi si coalizzarono nella valle di Siddim, che è il Mar Morto.

[4]Per dodici anni essi erano stati sottomessi a Chedorlaomer, ma il tredicesimo anno si erano ribellati. [5]Nell'anno quattordicesimo venne Chedorlaomer insieme ai re che erano con lui, e sconfissero i Refaim ad Astarot-Karnaim, gli Zuzim ad Am, gli Emim a Save-Kiriataim [6]e gli Hurriti nelle loro montagne di Seir fino a El Paran, che è presso il deserto. [7]Poi ritornarono indietro e vennero a En Mispat, che è Kades, e devastarono tutto il territorio degli Amaleciti e anche degli Amorrei che abitavano in Cazazon-Tamar. [8]Allora il re di Sodoma, il re di Gomorra, il re di Adma, il re di Zeboim e il re di Bela, chiamata anche Zoar, uscirono e si schierarono in ordine di battaglia contro di loro, nella valle di Siddim, [9]e cioè contro Chedorlaomer, re di Elam, Tideal, re di Goim, Amrafel, re di Sennaar, e Arioch, re di Ellasar: quattro re contro cinque.

[10]Or la valle di Siddim era piena di pozzi di bitume; messi in fuga, il re di Sodoma e il re di Gomorra vi caddero dentro e i restanti fuggirono sulla montagna. [11]I nemici presero tutti i beni di Sodoma e di Gomorra e tutti i loro viveri e se ne andarono.

[12]Andandosene presero anche Lot, figlio del fratello di Abram, e i suoi beni. Egli risiedeva appunto in Sodoma. [13]Ma un fuggitivo venne ad avvertire Abram l'ebreo, mentre egli era attendato sotto le Querce di Mamre l'amorreo, fratello di Escol e fratello di Aner; questi erano alleati di Abram.

[14]Quando Abram seppe che suo fratello era stato condotto via prigioniero, mobilitò i suoi mercenari, servi nati nella sua casa, in numero di 318, e intraprese l'inseguimento fino a Dan; [15]poi, divise le schiere contro di essi, di notte, lui con i suoi servi li sbaragliò e proseguì l'inseguimento fino a Coba, a settentrione di Damasco: [16]ricuperò così tutta la roba e anche Lot, suo fratello, e i

---

13. - 8. *Fratelli*: termine generico per indicare i parenti. Lot era nipote di Abramo.

15. *Tutto il paese...*: è la seconda parte della promessa divina ad Abramo: prima, una discendenza numerosa, 12,2; poi una terra in possesso.

suoi beni, con le donne e il rimanente personale.

[17]E il re di Sodoma gli uscì incontro, dopo il suo ritorno dalla sconfitta di Chedorlaomer e dei re che erano con lui, nella valle di Save, detta pure la valle del re.

[18]Intanto Melchisedek, re di Salem, fece portare pane e vino. Era sacerdote di Dio altissimo, [19]e benedisse Abram dicendo:

«Sia benedetto Abram
 dal Dio altissimo,
Creatore del cielo e della terra!
[20]E benedetto sia il Dio altissimo,
 che ti ha dato nelle mani
 i tuoi nemici!».

Abram gli diede la decima di tutto.

[21]Poi il re di Sodoma disse ad Abram: «Consegnami le persone, e prendi pure per te i beni». [22]Ma Abram disse al re di Sodoma: «Ho alzato la mano davanti al Signore, Dio altissimo, Creatore del cielo e della terra: [23]né un filo o un legaccio di sandalo, né alcunché di ciò che è tuo io prenderò; sicché tu non possa dire: "Sono io che ho arricchito Abram!". [24]Per me niente, se non quello che i soldati hanno consumato e la parte spettante agli uomini che sono venuti con me, cioè Escol, Aner e Mamre... Essi, sì, riceveranno la loro parte».

DIO PROMETTE UN FIGLIO AD ABRAM

15 [1]Dopo questi fatti, la parola del Signore fu rivolta ad Abram in visione, in questi termini:

«Non temere, Abram!
 Io sono il tuo scudo;
 la tua ricompensa sarà molto grande».

[2]Rispose Abram: «Mio Signore Dio, che cosa mi donerai, mentre io me ne vado senza figli e l'erede della mia casa è Eliezer di Damasco?». [3]Soggiunse Abram: «Vedi che a me non hai dato discendenza e che un mio domestico sarà mio erede?». [4]Ed ecco gli fu rivolto un oracolo del Signore in questi termini: «Non costui sarà il tuo erede, ma colui che uscirà dalle tue viscere, lui sarà il tuo erede». [5]Poi lo fece uscir fuori e gli disse: «Guarda in cielo e conta le stelle, se le puoi contare»; e soggiunse: «Tale sarà la tua discendenza». [6]Egli credette al Signore che glielo accreditò a giustizia. [7]E gli disse: «Io sono il Signore che ti ho fatto uscire da Ur dei Caldei, per darti questo paese in possesso». [8]Rispose: «Signore mio Dio, come potrò conoscere che ne avrò il possesso?».

[9]Gli disse: «Prendi una giovenca di tre anni, una capra di tre anni, un ariete di tre anni, una tortora e un pulcino di uccello». [10]Andò a prendere tutti questi animali, spaccandoli in pezzi, e ne pose un pezzo dinanzi all'altro, non divise però gli uccelli. [11]Subito gli uccelli rapaci calarono su quei cadaveri, ma Abram li scacciò. [12]Quando il sole stava per tramontare, un sonno profondo cadde su Abram ed ecco che un terrore e una grande tenebra l'assalì. [13]Allora il Signore disse ad Abram: «Devi sapere che i tuoi discendenti dimoreranno come forestieri in una terra non loro; là lavoreranno e li opprimeranno per quattrocento anni. [14]Ma io giudicherò la nazione ch'essi avranno servito! Dopo di che essi usciranno con grandi beni. [15]Quanto a te, te ne andrai in pace presso i tuoi padri; sarai sepolto dopo una felice vecchiaia. [16]Alla quarta generazione torneranno qui, perché non è ancora arrivata al colmo l'iniquità degli Amorrei».

[17]Quando il sole fu tramontato ci fu un buio fitto, poi ecco un forno fumante e una fiaccola infuocata passare in mezzo a quelle parti divise. [18]In quel giorno il Signore strinse un'alleanza con Abram, in questi termini: «Alla tua discendenza io do questo paese, dal torrente d'Egitto fino al fiume grande, il fiume Eufrate: [19]i Keniti, i Kenizziti, i Kadmoniti, [20]gli Hittiti, i Perizziti, i Refaim, [21]gli Amorrei, i Cananei, i Gergesei e i Gebusei».

---

14. - 18. *Melchisedek* era *re di Salem* e *sacerdote di Dio*. La parola «Melchisedek» in ebraico significa «re di giustizia» (cfr. Sal 110,4); Salem è il nome di Gerusalemme abbreviato e significa «pace» (cfr. Eb 7,2).

15. - 6. *Credette*: la fede di Abramo è un atto di confidenza e abbandono alle parole di Dio che prometteva una cosa umanamente irrealizzabile.

17. Il fuoco che passa in mezzo alle parti delle vittime indica il passaggio di Dio per confermare la promessa fatta.

LA NASCITA DI ISMAELE

16 [1]Sarai, la moglie di Abram, non gli aveva dato figli, ma aveva una schiava egiziana, di nome Agar. [2]Sarai disse ad Abram: «Ecco, il Signore mi ha impedito di partorire; unisciti alla mia schiava; forse da lei potrò aver figli». E Abram ascoltò la voce di Sarai. [3]Così, Sarai, moglie di Abram, prese l'egiziana Agar, sua schiava, al termine di dieci anni dal suo soggiorno nella terra di Canaan, e la diede in moglie ad Abram, suo marito. [4]Egli si unì ad Agar, che restò incinta. Ma, quando essa si accorse di essere incinta, la sua padrona non contò più nulla per lei. [5]Allora Sarai disse ad Abram: «L'oltraggio fatto a me ricada su di te! Sono stata io a metterti in grembo la mia schiava, ma, da quando si è accorta di essere incinta, io non conto più niente per lei. Il Signore sia giudice tra me e te!». [6]Abram disse a Sarai: «Ecco, la tua schiava è in tuo potere; falle quello che ti par bene». Sarai allora la maltrattò, sì che quella fuggì dalla sua presenza. [7]La trovò l'angelo del Signore presso una sorgente d'acqua, nel deserto, sulla strada di Sur [8]e le disse: «Agar, schiava di Sarai, da dove vieni e dove vai?». Rispose: «Fuggo dalla presenza della mia padrona Sarai». [9]Le disse l'angelo del Signore: «Ritorna dalla tua padrona e sottomettiti al suo potere». [10]Le disse ancora l'angelo del Signore: «Moltiplicherò assai la tua discendenza e non la si potrà contare a causa della sua moltitudine». [11]Soggiunse poi ancora l'angelo del Signore:

«Eccoti incinta: partorirai un figlio
e lo chiamerai Ismaele,
perché il Signore ha ascoltato
la tua afflizione.

[12] Costui sarà come un onagro
della steppa;
la sua mano sarà contro tutti
e la mano di tutti contro di lui;
e abiterà contro tutti i suoi fratelli».

[13]Allora Agar diede questo nome al Signore che le aveva parlato: «Tu sei il Dio della visione», perché diceva: «Qui dunque ho ancora visto, dopo la mia visione?». [14]Per questo quel pozzo si chiamò Pozzo di Lacai-Roi; è appunto quello che si trova tra Kades e Bered. [15]Poi Agar partorì ad Abram un figlio, e Abram chiamò Ismaele il figlio partoritogli da Agar. [16]Abram aveva ottantasei anni quando Agar gli partorì Ismaele.

L'ALLEANZA E LA CIRCONCISIONE

17 [1]Abram aveva novantanove anni quando il Signore gli apparve e gli disse: «Io sono Dio onnipotente: cammina nella mia presenza e sii integro. [2]Stabilirò la mia alleanza tra me e te, e ti moltiplicherò grandemente». [3]Subito Abram si prostrò col viso a terra, e Dio gli disse: [4]«Ecco la mia alleanza con te: tu diventerai padre di una moltitudine di nazioni; [5]e non ti chiamerai più Abram, ma il tuo nome sarà Abramo, perché io ti renderò padre di una moltitudine di nazioni. [6]E ti renderò molto, molto fecondo, di te farò delle nazioni e dei re usciranno da te. [7]Farò sussistere la mia alleanza con te e con la tua discendenza, di generazione in generazione, quale alleanza perenne, per essere il Dio tuo e della tua discendenza. [8]E darò a te e alla tua discendenza la terra dove soggiorni come straniero, tutta la terra di Canaan, quale possesso perenne; e così diverrò vostro Dio».

[9]Inoltre disse Dio ad Abramo: «Da parte tua, tu devi osservare la mia alleanza, tu e la tua discendenza dopo di te, di generazione in generazione. [10]Questa è la mia alleanza che dovete osservare, alleanza tra me e voi e la tua discendenza dopo di te: sarà circonciso ogni vostro maschio. [11]Vi farete cioè recidere la carne del vostro prepuzio. E ciò sarà il segno dell'alleanza tra me e voi. [12]Quando avrà otto giorni sarà circonciso ogni vostro maschio, di genera-

16. - 1-3. Questi versetti ricordano norme del diritto vigente in Mesopotamia. Esso suppone la poligamia, permessa da Dio sino al ritorno del matrimonio alla sua purezza primitiva per opera di Gesù Cristo (cfr. Mt 19,1-12 par.).

17. - 1. Dio insegna ad Abramo la bellissima regola di camminare alla sua presenza, una delle regole più importanti del comportamento umano in ogni tempo.

10-12. La circoncisione era già praticata prima di Abramo, ma Dio la sceglie e la impone al patriarca quale segno sacro, che ricorderà a Dio l'alleanza stabilita. Essa è figura del battesimo, nuovo rito-sacramento, con cui si entra a far parte del nuovo popolo di Dio.

zione in generazione, tanto quello nato in casa come quello comprato con danaro da qualunque straniero che non sia della tua stirpe. [13]Deve essere assolutamente circonciso colui che è nato in casa e colui che viene comprato con danaro; così la mia alleanza sussisterà nella vostra carne quale alleanza perenne. [14]Un incirconciso, un maschio cioè di cui non sia stata recisa la carne del prepuzio, sia eliminato dal suo popolo, perché ha violato la mia alleanza». [15]Poi Dio disse ad Abramo: «Quanto a Sarai, tua moglie, non la chiamerai più Sarai, ma Sara è il suo nome. [16]Io la benedirò e anche da lei ti darò un figlio e lo benedirò e diventerà nazioni; e re di popoli nasceranno da lui». [17]Allora Abramo si prostrò col viso a terra e rise, dicendo in cuor suo: «Ad uno di cento anni nascerà un figlio? E Sara, all'età di novant'anni, potrà partorire?». [18]Poi Abramo disse a Dio: «Che almeno Ismaele viva sotto il tuo sguardo!». [19]Ma Dio rispose: «No, Sara tua moglie ti partorirà un figlio, e lo chiamerai Isacco. Io stabilirò la mia alleanza con lui quale alleanza perenne, per essere il suo Dio e della sua discendenza dopo di lui. [20]Anche riguardo a Ismaele ti ho esaudito; ecco: io lo renderò fecondo e lo benedirò grandemente: dodici capi egli genererà e di lui farò una grande nazione. [21]Ma stabilirò la mia alleanza con Isacco, che Sara ti partorirà, in questo tempo, l'anno venturo». [22]Dio terminò così di parlare con lui e salì in alto, lasciando Abramo.

[23]Allora Abramo prese Ismaele suo figlio e tutti i nati nella sua casa e tutti quelli comprati col suo danaro, ogni maschio tra gli uomini della casa di Abramo e circoncise la carne del loro prepuzio, in quello stesso giorno, come Dio gli aveva detto. [24]Or Abramo aveva novantanove anni quando si fece circoncidere la carne del prepuzio. [25]E Ismaele, suo figlio, aveva tredici anni quando gli si circoncise la carne del prepuzio. [26]In quello stesso giorno ricevettero la circoncisione Abramo e Ismaele suo figlio; [27]e tutti gli uomini della sua casa, i nati in casa e i comprati con danaro dagli stranieri, ricevettero con lui la circoncisione.

18. - 2. *Tre uomini*: emblema antropomorfico di Dio: I padri della chiesa vi hanno visto adombrato il mistero trinitario.

MISTERIOSA VISITA DI TRE UOMINI

18 [1]Poi il Signore apparve a lui alle Querce di Mamre, mentr'egli sedeva all'ingresso della tenda, nell'ora della canicola del giorno. [2]Egli alzò gli occhi ed ecco: tre uomini stavano in piedi presso di lui. Appena li vide, corse loro incontro dall'ingresso della tenda e si prostrò fino a terra, [3]dicendo: «Mio signore, ti prego, se ho trovato grazia ai tuoi occhi, non passar oltre senza fermarti dal tuo servo. [4]Lasciate che vi si vada a prendere un po' d'acqua per lavarvi i piedi e riposatevi sotto l'albero. [5]Permettete che vada a prendere un boccone di pane e rinfrancatevi, e dopo, sì, potrete proseguire, perché è per questo che voi siete passati dal vostro servo». Quelli risposero: «Fa' pure come hai detto».

[6]Allora Abramo andò in fretta nella tenda, da Sara, e disse: «Presto, prendi tre staia di fior di farina, impastala e fanne delle focacce!». [7]All'armento corse egli stesso, Abramo, prese un vitello, tenero e gustoso, lo diede al servo, il quale si affrettò a prepararlo. [8]Prese una bevanda di latte acido e latte fresco, insieme col vitello che aveva preparato, e li depose davanti a loro; e così, mentr'egli stava in piedi presso di loro, sotto l'albero, quelli mangiarono. [9]Poi gli dissero: «Dov'è Sara, tua moglie?». Rispose: «Eccola, nella tenda!». [10]Riprese: «Tornerò da te fra un anno, e allora Sara, tua moglie, avrà un figlio». Intanto Sara stava ad ascoltare all'ingresso della tenda, rimanendo dietro di essa. ([11]Or Abramo e Sara erano vecchi, avanzati negli anni; era cessato di avvenire a Sara ciò che avviene regolarmente alle donne.) [12]Allora Sara rise dentro di sé, dicendo: «Proprio adesso che sono vecchia, dovrò provar piacere, anche il mio signore è vecchio!». [13]Ma il Signore disse ad Abramo: «Perché mai ha riso Sara dicendo: "Davvero potrò partorire, vecchia come sono?". [14]C'è forse qualche cosa che sia impossibile per il Signore? Al tempo fissato, ritornerò da te, fra un anno, e Sara avrà un figlio!». [15]Allora Sara negò dicendo: «Non ho riso!», perché ebbe paura; ma egli rispose: «Hai proprio riso!».

[16]Poi quegli uomini si alzarono di là e andarono a contemplare dall'alto il panorama di

Sodoma, mentre Abramo si accompagnava con loro per accomiatarli. [17]Il Signore diceva: «Forse io nasconderò ad Abramo quello che sto per fare, [18]mentre Abramo diventerà una nazione grande e potente, e in lui si diranno benedette tutte le nazioni della terra? [19]Infatti l'ho scelto, perché comandi ai suoi figli e alla sua discendenza di osservare la via del Signore, agendo secondo giustizia e diritto, in modo che il Signore possa attuare su Abramo quanto gli ha promesso».

[20]Disse allora il Signore: «Il grido che giunge a me da Sodoma e Gomorra è molto grande e il loro peccato è molto grave! [21]Voglio scendere a vedere se proprio hanno fatto il male di cui mi è giunto il grido, oppure no; lo voglio sapere!».

[22]Poi quegli uomini partirono di lì e andarono verso Sodoma, ma il Signore stava ancora davanti ad Abramo. [23]Allora Abramo gli si avvicinò e gli disse: «Davvero stai per sopprimere il giusto con l'empio? [24]Forse vi sono cinquanta giusti nella città; davvero li vuoi sopprimere e non perdonerai quel luogo in grazia dei cinquanta giusti che vi si trovano? [25]Lungi da te il fare tale cosa! Far morire il giusto con l'empio, cosicché il giusto e l'empio abbiano la stessa sorte; lungi da te! Forse che il giudice di tutta la terra non farà giustizia?». [26]Rispose il Signore: «Se a Sodoma io trovo cinquanta giusti nell'ambito della città, per riguardo a loro perdonerò tutta la città!».

[27]Riprese Abramo e disse: «Ecco che ricomincio a parlare al mio Signore, io che sono polvere e cenere... [28]Forse ai cinquanta giusti ne mancheranno cinque. Per questi cinque distruggerai tutta la città?». Rispose: «Non la distruggerò, se ve ne trovo quarantacinque». [29]Abramo riprese a parlare e disse: «Forse là se ne troveranno quaranta...». Rispose: «Non lo farò, per riguardo a quei quaranta». [30]Riprese: «Di grazia, che il mio Signore non voglia irritarsi e io parlerò ancora: forse là se ne troveranno trenta...». Rispose: «Non lo farò, se ve ne troverò trenta». [31]Riprese: «Vedi come ardisco parlare al mio Signore! Forse là se ne troveranno venti...». Rispose: «Non la distruggerò, per riguardo a quei venti». [32]Riprese: «Non si adiri, di grazia, il mio Signore, e lascia ch'io parli ancora una volta sola; forse là se ne troveranno dieci». Rispose: «Non la distruggerò, per riguardo a quei dieci».

[33]Poi il Signore, com'ebbe finito di parlare con Abramo, se ne andò, e Abramo ritornò alla sua abitazione.

DISTRUZIONE DI SODOMA

19 [1]Quei due angeli arrivarono a Sòdoma sul far della sera, mentre Lot stava ancora seduto alla porta di Sodoma. Non appena li ebbe visti, Lot andò loro incontro, si prostrò con la faccia a terra [2]e disse: «Ascoltate, vi prego, miei signori, venite in casa del vostro servo; vi passerete la notte, vi laverete i piedi e poi, domattina per tempo, ve ne andrete per la vostra via». Quelli risposero: «No, ma passeremo la notte sulla piazza». [3]Allora egli insistette tanto presso di essi, che andarono da lui ed entrarono nella sua casa. Egli fece per loro un convito, cosse dei pani senza lievito e così mangiarono. [4]Prima che andassero a dormire, ecco che gli uomini della città di Sodoma s'affollarono intorno alla casa, giovani e vecchi, tutto il popolo al completo, [5]chiamarono Lot e gli dissero: «Dove sono quegli uomini entrati da te questa notte? Portaceli fuori, perché vogliamo abusare di loro!». [6]Allora Lot uscì verso di loro sulla porta e, dopo aver chiuso il battente dietro di sé, [7]disse: «No, fratelli miei, non fate del male! [8]Sentite, io ho due figlie che non hanno ancora conosciuto uomo; lasciate che ve le porti fuori e fate loro quel che vi pare, purché a questi uomini voi non facciate niente, perché sono entrati all'ombra del mio tetto». [9]Ma quelli risposero: «Tirati via!». E aggiunsero: «Costui è venuto qui come straniero e vuol fare da arbitro! Ora faremo a te peggio che a loro!».

E spingendosi violentemente contro quell'uomo, cioè contro Lot, si avvicinarono per sfondare il battente.

[10]Allora, dall'interno gli uomini sporsero le mani, trassero in casa Lot e chiusero il battente; [11]e quanto agli uomini che erano alla porta della casa, li colpirono con un abbaglio accecante, dal più piccolo al più

23-33. Il commovente dialogo-preghiera di Abramo col Signore è un esempio luminoso del valore che hanno presso Dio le preghiere dei buoni e dei santi.

grande, cosicché non riuscirono a trovar la porta. ¹²Poi gli uomini dissero a Lot: «Chi hai ancora qui? Il genero, i tuoi figli e le tue figlie e tutti quelli che hai nella città, falli uscire da questo luogo, ¹³perché noi stiamo per distruggere questo luogo. È grande il grido al cospetto del Signore, e il Signore ci ha mandati per distruggerli». ¹⁴Lot uscì a parlare ai suoi generi, che dovevano sposare le sue figlie, e disse: «Alzatevi, uscite da questo luogo, perché il Signore sta per distruggere la città!». Ma parve ai suoi generi ch'egli scherzasse.

¹⁵Quando apparve l'alba, gli angeli fecero premura a Lot, dicendo: «Su, prendi tua moglie e le tue due figlie ed esci per non essere travolto nel castigo della città». ¹⁶Lot indugiava, ma quegli uomini presero per mano lui, sua moglie e le sue due figlie, per un atto di misericordia del Signore verso di lui, lo fecero uscire e lo condussero fuori della città. ¹⁷Ora, quando li ebbero fatti uscire fuori, uno di essi disse: «Fuggi! Si tratta della tua vita! Non guardare indietro e non fermarti dentro la valle; fuggi sulla montagna, per non essere travolto!».

¹⁸Ma Lot gli disse: «No, mio Signore! ¹⁹Vedi, il tuo servo ha trovato grazia ai tuoi occhi e tu hai dimostrato la tua grande misericordia verso di me salvandomi la vita, ma io non riuscirò a fuggire sul monte, senza che la sciagura mi raggiunga e muoia. ²⁰Vedi questa città, è abbastanza vicina per potermi rifugiare in essa, ed è una piccolezza! Lascia ch'io mi rifugi in essa – non è una piccolezza? – e così la mia vita sarà salva!». ²¹Gli rispose: «Ecco, io ti favorisco anche in questo, di non distruggere la città della quale mi hai parlato. ²²Presto, fuggi là, perché io non posso far nulla finché tu non vi sia arrivato». Perciò il nome di quella città fu Zoar.

²³Al momento in cui il sole sorgeva sulla terra, Lot arrivò a Zoar. ²⁴Allora il Signore fece piovere sopra Sodoma e sopra Gomorra zolfo e fuoco, proveniente dal Signore, dal cielo. ²⁵Distrusse queste città e tutta la valle con tutti gli abitanti della città e la vegetazione del suolo. ²⁶Ora la moglie di Lot si voltò indietro a guardare, e divenne una colonna di sale.

²⁷Abramo andò di mattino presto al luogo dove si era fermato davanti al Signore, ²⁸per guardare dall'alto il panorama di Sodoma e Gomorra e di tutta la regione circostante e vide che saliva un fumo dal paese, come il fumo di fornace. ²⁹Così avvenne che quando Dio distrusse le città della valle, si ricordò di Abramo e fece fuggire Lot di mezzo alla catastrofe, quando distrusse le città nelle quali Lot abitava.

MOABITI E AMMONITI

³⁰Poi Lot salì da Zoar e andò ad abitare sulla montagna, insieme con le due sue figlie, perché temeva di restare a Zoar, e si stabilì in una caverna, lui e le due sue figlie. ³¹Or la maggiore disse alla minore: «Nostro padre è vecchio e non c'è alcun uomo in questo territorio per unirsi a noi, secondo l'uso di tutta la terra. ³²Vieni, facciamo bere del vino a nostro padre e poi corichiamoci con lui, e così faremo sussistere una discendenza da nostro padre». ³³Quella notte fecero bere del vino al loro padre, e la maggiore venne a coricarsi con suo padre; ma egli non se ne accorse, né quando essa si coricò né quando essa si alzò. ³⁴All'indomani la maggiore disse alla minore: «Ecco che ieri mi coricai con nostro padre. Facciamogli bere del vino anche questa notte e va' tu a coricarti con lui, e così faremo sussistere una discendenza da nostro padre». ³⁵Anche quella notte fecero bere del vino al loro padre e la minore andò a coricarsi con lui; ma egli non se ne accorse, né quando essa si coricò né quando essa si alzò. ³⁶Così le due figlie di Lot concepirono dal loro padre. ³⁷La maggiore partorì un figlio e lo chiamò Moab. Costui è il padre dei Moabiti d'oggigiorno. ³⁸La minore partorì anch'essa un figlio e lo chiamò "Figlio del mio popolo". Costui è il padre degli Ammoniti d'oggigiorno.

ABRAMO E SARA A GERAR

20 ¹Abramo levò le tende di là, dirigendosi verso la terra del Negheb; e dimorò tra Kades e Sur, poi venne ad abitare come straniero a Gerar. ²Ora, siccome Abramo disse di Sara, sua moglie: «È mia sorella!», Abimelech, re di Gerar, mandò a prendere Sara.

³Ma Dio venne da Abimelech, nel sogno della notte, e gli disse: «Ecco che stai per morire, a causa della donna che hai preso,

mentr'ella ha un marito». ⁴Abimelech non si era ancora accostato a lei. Disse: «Mio Signore, vuoi far morire gente che è giusta? ⁵Non è stato forse lui a dirmi: "È mia sorella"? E lei stessa ha detto: "È mio fratello!". Con la semplicità del mio cuore e con l'innocenza delle mie mani ho fatto questo!». ⁶Gli rispose Dio nel sogno: «Anch'io so che con la semplicità del tuo cuore hai fatto questo e fui ancora io a preservarti dal peccato contro di me; perciò non ho permesso che tu la toccassi. ⁷Ora restituisci la moglie di quest'uomo: egli è un profeta e pregherà per te, sicché tu conservi la vita. Ma se tu non la vuoi restituire, sappi che dovrai morire con tutti i tuoi». ⁸Allora Abimelech si alzò di mattina presto e chiamò tutti i suoi servi, davanti ai quali riferì tutte queste cose, e quegli uomini si impaurirono molto. ⁹Poi chiamò Abramo e gli disse: «Che cosa ci hai fatto? Che colpa ho io commesso contro di te, perché tu abbia attirato su di me e sul mio regno un peccato tanto grande? Cose che non si devono fare tu hai fatto a mio riguardo!». ¹⁰Poi Abimelech disse ad Abramo: «Che cosa pensavi di fare agendo in tal modo?».

¹¹Rispose Abramo: «Io mi son detto: forse non c'è timore di Dio in questo luogo, sicché mi uccideranno per causa di mia moglie. ¹²Inoltre essa è veramente mia sorella, figlia di mio padre ma non figlia di mia madre, ed è divenuta mia moglie. ¹³Or avvenne che, quando Dio mi fece errare lungi dalla casa di mio padre, io le dissi: questo è il favore che tu mi farai: in ogni luogo dove noi arriveremo devi dire di me: è mio fratello!».

¹⁴Allora Abimelech prese greggi e armenti, schiavi e schiave e li diede ad Abramo e gli restituì la moglie Sara. ¹⁵Poi Abimelech disse: «Ecco davanti a te il mio territorio: dimora dove ti piace!». ¹⁶E a Sara disse: «Ecco, io do mille pezzi d'argento a tuo fratello; questo sarà per te come risarcimento agli occhi di tutti quelli che sono con te… Così tu sei in tutto riabilitata». ¹⁷Abramo pregò Dio, ed egli guarì Abimelech, sua moglie e le sue ancelle, sì che poterono ancora generare. ¹⁸Il Signore, infatti, aveva reso del tutto sterile ogni matrimonio della casa di Abimelech, per il fatto di Sara, moglie di Abramo.

LA NASCITA DI ISACCO

21 ¹Poi il Signore visitò Sara, come aveva detto, e fece a Sara come aveva promesso. ²Sara concepì e partorì ad Abramo un figlio nella sua vecchiaia, nel tempo che Dio gli aveva detto. ³Abramo chiamò Isacco il figlio che gli era nato, che gli aveva partorito Sara. ⁴Poi Abramo circoncise suo figlio Isacco quando questi ebbe otto giorni, secondo quanto Dio gli aveva comandato. ⁵Abramo aveva cento anni, quando gli nacque il figlio Isacco. ⁶Allora Sara disse: «Un sorriso ha fatto Dio per me! Quanti lo sapranno rideranno di me!». ⁷Poi disse: «Chi avrebbe mai detto ad Abramo: "Sara farà poppare dei bimbi?". Eppure gli ho partorito un figlio nella sua vecchiaia».

⁸Il bambino crebbe e fu svezzato e Abramo fece un grande banchetto il giorno in cui Isacco fu svezzato.

⁹Ma Sara vide che il figlio di Agar l'egiziana, quello che essa aveva partorito ad Abramo, derideva suo figlio Isacco. ¹⁰Disse allora ad Abramo: «Scaccia questa schiava e il suo figlio, perché il figlio di questa schiava non deve essere erede con mio figlio Isacco». ¹¹La cosa dispiacque assai ad Abramo, per causa del figlio suo. ¹²Ma Dio disse ad Abramo: «Non ti dispiaccia questo per il fanciullo e la tua schiava; ascolta la voce di Sara in tutto quanto ti dice, perché è attraverso Isacco che da te prenderà nome una discendenza. ¹³Ma io farò diventare una grande nazione anche il figlio della schiava, perché è tua discendenza». ¹⁴Allora Abramo si levò di mattina presto, prese del pane, un otre di acqua e li diede ad Agar, la quale mise tutto sopra le sue spalle; le consegnò pure il ragazzo e la mandò via. Essa partì, vagando per il deserto di Bersabea, ¹⁵finché fu esaurita l'acqua dell'otre. Allora essa abbandonò il ragazzo sotto un arbusto ¹⁶e andò a sedersi dirimpetto, alla distanza di un tiro d'arco, perché diceva: «Non voglio vedere quando il ragazzo morrà!». E quand'essa si fu seduta dirimpetto, tenendosi lontana, egli alzò la sua voce e pianse. ¹⁷Ma Dio udì la voce del ragazzo e un an-

---

21. - 3. *Isacco* significa «colui che ride». È il figlio prodigioso della promessa, finalmente compiuta, il quale riempie di gioia Abramo e Sara.

gelo di Dio chiamò Agar dal cielo e le disse: «Che hai, Agar? Non temere, perché Dio ha ascoltato la voce del ragazzo là dove si trova. [18]Alzati! Solleva il ragazzo e stringi con la tua mano la sua, perché io ne farò una grande nazione!». [19]Dio le aprì gli occhi ed essa vide un pozzo d'acqua. Allora andò a riempire d'acqua l'otre e fece bere il ragazzo. [20]Dio fu col ragazzo, che crebbe, abitò nel deserto e divenne un arciere. [21]Egli abitò nel deserto di Paran e sua madre gli prese una moglie del paese d'Egitto.

L'ALLEANZA CON ABIMELECH

[22]In quel tempo Abimelech con Picol, capo del suo esercito, disse ad Abramo: «Dio è con te in tutto quello che fai. [23]Ebbene, giurami ora per Dio che tu non ingannerai né me né i miei figli e la mia discendenza; come io ho agito amichevolmente con te, così tu agirai con me e col mio paese, nel quale hai soggiornato da forestiero». [24]Rispose Abramo: «Io lo giuro!».

[25]Però, ogni volta che Abramo rimproverava Abimelech per la questione di un pozzo d'acqua che i servi di Abimelech avevano usurpato, [26]Abimelech rispondeva: «Io non so chi abbia fatto questa cosa, né tu me ne hai informato né io ne ho sentito parlare se non oggi».

[27]Allora Abramo prese pecore e buoi e li diede ad Abimelech; e i due stipularono un'alleanza. [28]Abramo poi mise da parte sette agnelle del gregge, [29]e Abimelech gli domandò: «Che ci stanno a fare queste sette agnelle che hai messo da parte?». [30]Rispose: «Tu accetterai queste sette agnelle dalla mia mano, perché ciò mi valga da testimonianza che io ho scavato questo pozzo». [31]Per questo quel luogo si chiamò Bersabea, perché ivi fecero giuramento ambedue. [32]E dopo che ebbero stipulata l'alleanza a Bersabea, Abimelech si alzò con Picol, capo del suo esercito, e ritornarono nel paese dei Filistei.

[33]Poi Abramo piantò una tamerice in Bersabea, ivi invocò il nome del Signore Dio eterno [34]e soggiornò come forestiero nel paese dei Filistei, per molto tempo.

DIO METTE ALLA PROVA ABRAMO

22 [1]Dopo queste cose, Dio mise alla prova Abramo dicendogli: «Abramo, Abramo!». Rispose: «Eccomi!». [2]Riprese: «Su, prendi tuo figlio, il tuo diletto che ami, Isacco, e va' nel territorio di Moria, e offrilo in olocausto su di un monte che io ti indicherò!». [3]Abramo si alzò di mattino per tempo, sellò il suo asino, prese con sé due suoi servi e Isacco suo figlio, spaccò la legna per l'olocausto e si mise in viaggio verso il luogo che Dio gli aveva indicato. [4]Al terzo giorno Abramo, alzando gli occhi, vide da lontano il luogo. [5]Allora disse ai suoi due servi: «Sedetevi e rimanete qui, con l'asino; io e il ragazzo andremo fin là, faremo adorazione e poi ritorneremo da voi».

[6]Abramo prese la legna dell'olocausto e la caricò su Isacco, suo figlio; prese in mano il fuoco e il coltello e s'incamminarono tutt'e due insieme.

[7]Isacco si rivolse a suo padre Abramo e disse: «Padre mio!». Rispose: «Eccomi, figlio mio!». Riprese: «Ecco qui il fuoco e la legna, ma dov'è l'agnello per l'olocausto?». [8]Rispose Abramo: «Dio si provvederà da sé l'agnello per l'olocausto, figlio mio!». E proseguirono tutt'e due insieme. [9]Così arrivarono al luogo che Dio gli aveva indicato e ivi Abramo edificò l'altare, vi depose la legna, legò Isacco suo figlio e lo depose sull'altare sopra la legna. [10]Poi Abramo stese la mano e prese il coltello per immolare il suo figliuolo. [11]Ma l'angelo del Signore lo chiamò dal cielo e gli disse: «Abramo, Abramo!». Rispose: «Eccomi!». [12]Riprese: «Non stendere la mano contro il ragazzo e non fargli alcun male! Ora so che rispetti Dio e non mi hai risparmiato il tuo figliuolo, l'unico tuo figlio!». [13]Allora Abramo alzò gli occhi e guardò; ed ecco un ariete, impigliato con le corna in un cespuglio. Abramo andò a prendere l'ariete e l'offrì in olocausto al posto del suo figliuolo. [14]Abramo chiamò quel luogo «il Signore provvede», perciò oggi si dice: «Sul monte il Signore provvede».

22. - 2. Il comando dato ad Abramo si fonda sul dominio riservato a Dio sui primogeniti; però l'episodio vuole insegnare, oltre la gran fede mostrata da Abramo in quella circostanza, che Dio ripudia i sacrifici umani e vuole che i primogeniti dell'uomo siano riscattati (Es 13,11ss), non sacrificati.

¹⁵Poi l'angelo del Signore chiamò dal cielo Abramo per la seconda volta ¹⁶e disse: «Giuro per me stesso, oracolo del Signore: perché tu hai fatto questo e non hai risparmiato il tuo figliuolo, l'unico tuo figlio, ¹⁷io ti benedirò con ogni benedizione e moltiplicherò assai la tua discendenza, come le stelle del cielo e come la sabbia ch'è sul lido del mare; la tua discendenza s'impadronirà delle città dei suoi nemici ¹⁸e saranno benedette per la tua discendenza tutte le nazioni della terra, perché tu hai obbedito alla mia voce». ¹⁹Poi Abramo tornò dai suoi servi, e insieme si misero in cammino verso Bersabea; e Abramo abitò a Bersabea.

²⁰Dopo queste cose, ad Abramo fu portata questa notizia: «Ecco, Milca ha partorito anch'essa dei figli a Nacor tuo fratello: ²¹il primogenito Uz, suo fratello Buz, Kemuel, il padre di Aram, ²²Chesed, Azo, Pildas, Idlaf e Betuel. ²³Betuel generò Rebecca. Questi otto figli partorì Milca a Nacor, fratello di Abramo. ²⁴Anche la sua concubina, chiamata Reuma, partorì dei figli: Tebach, Gacam, Tacas e Maaca».

MORTE E SEPOLTURA DI SARA

23 ¹Gli anni della vita di Sara furono centoventisette: questi furono gli anni della vita di Sara. ²Sara morì a Kiriat-Arba, cioè Ebron, nella terra di Canaan, e Abramo venne per far lutto per Sara e per piangerla.

³Poi Abramo si staccò dal cadavere di lei e disse agli Hittiti: ⁴«Io sono forestiero e di passaggio in mezzo a voi. Datemi la proprietà di un sepolcro, sotto la vostra autorità, sicché io possa portar via la salma e seppellirla».

⁵Gli Hittiti risposero ad Abramo: ⁶«Ascolta noi, o signore! Tu sei un principe eccelso in mezzo a noi: seppellisci il tuo morto nel migliore dei nostri sepolcri. Nessuno di noi ti proibirà di seppellire il tuo morto nel suo sepolcro». ⁷Ma Abramo si alzò, s'inchinò davanti al popolo del paese, davanti agli Hittiti, e disse loro: ⁸«Se è proprio conforme al vostro desiderio che io porti via il mio morto e lo seppellisca, ascoltatemi e interponetevi per me presso Efron figlio di Zocar, ⁹perché mi venda la sua caverna di Macpela, che è all'estremità del suo campo. Me la ceda per il suo prezzo intero come proprietà sepolcrale in mezzo a voi». ¹⁰Or Efron era presente in mezzo agli Hittiti. Rispose dunque Efron l'hittita ad Abramo, mentre lo ascoltavano gli Hittiti e tutti coloro che entravano per la porta della sua città, e disse: ¹¹«Signor mio, ascolta me: ti vendo il campo; con la caverna che vi si trova, te lo vendo; in presenza dei figli del mio popolo te lo vendo. Seppellisci il tuo morto». ¹²Allora Abramo s'inchinò davanti a lui alla presenza del popolo del paese, ¹³e parlò ad Efron, mentre lo ascoltava la gente del paese, e disse: «Ascoltami, ti prego, io ti darò il prezzo del campo; accettalo da me, così io seppellirò il mio morto». ¹⁴Efron rispose ad Abramo, dicendo: ¹⁵«Ascoltami, signor mio, un terreno di quattrocento sicli d'argento che cosa è mai tra me e te? Seppellisci dunque il tuo morto».

¹⁶Allora Abramo accettò la richiesta di Efron e pesò ad Efron il prezzo che egli aveva stabilito, mentre lo ascoltavano gli Hittiti, cioè quattrocento sicli d'argento, di moneta corrente sul mercato.

¹⁷Così il campo di Efron, che si trovava in Macpela, ad oriente di Mamre, con la caverna che vi si trova e tutti gli alberi che erano dentro il campo e intorno al suo limite, ¹⁸passarono in proprietà di Abramo, alla presenza degli Hittiti e di tutti quelli che entravano nella porta della loro città. ¹⁹Dopo di che Abramo seppellì Sara, sua moglie, nella caverna del campo di Macpela, a oriente di Mamre, cioè Ebron, nel paese di Canaan. ²⁰Fu così che il campo e la caverna che vi si trovava furono trasferiti dagli Hittiti ad Abramo, per uso di sepoltura.

IL MATRIMONIO DI ISACCO

24 ¹Abramo era vecchio, avanzato negli anni e il Signore lo aveva benedetto in ogni cosa. ²Allora Abramo disse al suo servo, il più anziano della

---

23. - 3ss. La scena, interessantissima per conoscere gli usi orientali di quel tempo, si svolge alle porte della città, dove si raduna la gente, per trattare gli affari pubblici e privati, come pure per giudicare.

24. - 2ss. Modo per rendere inviolabile un giuramento attraverso il contatto con le parti vitali. Ogni benedizione era stata data ad Abramo in vista di una discendenza che doveva svilupparsi all'interno della sua famiglia.

sua casa, che amministrava tutti i suoi beni: «Metti la tua mano sotto il femore mio, ³e io ti farò giurare per il Signore, Dio del cielo e della terra, che tu non prenderai per mio figlio una moglie tra le figlie dei Cananei, in mezzo ai quali io abito, ⁴ma che andrai al mio paese e alla mia parentela a prendere una moglie per il figlio mio Isacco». ⁵Gli disse il servo: «Può darsi che quella donna non si senta di seguirmi in questo paese; dovrò forse ricondurre tuo figlio al paese da cui tu sei uscito?».

⁶Gli rispose Abramo: «Guàrdati dal ricondurre là mio figlio! ⁷Il Signore, Dio del cielo e della terra, che mi ha tolto dalla casa di mio padre e dalla terra dei miei padri, che mi ha parlato e mi ha giurato dicendo: "Alla tua discendenza darò questo paese", egli stesso manderà il suo angelo davanti a te, perché tu possa prendere di là una moglie per mio figlio. ⁸Se la donna non si sentirà di seguirti, allora sarai libero dal giuramento a me fatto; soltanto non devi ricondurre là mio figlio».

⁹Allora il servo mise la mano sotto il femore di Abramo, suo padrone, e gli prestò giuramento riguardo a questo impegno.

¹⁰Poi il servo prese dieci cammelli del suo padrone e, provvisto di ogni sorta di cose preziose del suo padrone, si mise in viaggio e andò nel paese dei due fiumi, alla città di Nacor. ¹¹Fece inginocchiare i cammelli fuori della città, presso il pozzo d'acqua, nell'ora della sera, l'ora in cui sogliono uscire le donne ad attingere.

¹²Poi disse: «Signore, Dio del mio padrone Abramo, dammi fortuna quest'oggi, te ne prego, e usa benevolenza verso il mio padrone Abramo! ¹³Ecco, io mi metto ritto presso la fonte dell'acqua, mentre le fanciulle della città escono per attingere acqua. ¹⁴Ebbene, la giovinetta alla quale dirò: "Abbassa, per favore, la tua anfora e lasciami bere" e quella dirà: "Bevi, e anche ai tuoi cammelli darò da bere", sarà quella che tu hai destinato al tuo servo, a Isacco; e da questo conoscerò che tu hai usato benevolenza al mio padrone».

¹⁵Ora egli non aveva ancora finito di parlare, quand'ecco Rebecca, che era figlia di Betuel, figlio di Milca, moglie di Nacor, fratello di Abramo, usciva con l'anfora sulla sua spalla. ¹⁶La giovinetta era assai avvenente

d'aspetto, era vergine e non aveva conosciuto alcun uomo. Essa scese alla sorgente, riempì l'anfora e risalì. ¹⁷Il servo allora le corse incontro e disse: «Fammi bere, per favore, un po' d'acqua dalla tua anfora!». ¹⁸Rispose: «Bevi, signor mio!». Si affrettò a calare la sua anfora sulla mano e lo fece bere. ¹⁹Dopo che ella finì di farlo bere, disse: «Anche per i tuoi cammelli attingerò, finché abbiano bevuto abbastanza».

²⁰In fretta vuotò l'anfora nell'abbeveratoio, poi corse di nuovo ad attingere al pozzo, e attinse per tutti i cammelli di lui.

²¹Intanto quell'uomo la contemplava in silenzio, in attesa di conoscere se il Signore avesse o no fatto riuscire il suo viaggio.

²²Quando i cammelli ebbero finito di bere, quell'uomo prese un anello d'oro, del peso di mezzo siclo, e lo pose alle sue narici e le pose sulle braccia due braccialetti, del peso di dieci sicli d'oro; ²³poi disse: «Di chi sei figlia? Dimmelo, per favore. C'è posto per noi in casa di tuo padre, per passarvi la notte?». ²⁴Gli rispose: «Io sono figlia di Betuel, il figlio di Milca, ch'essa partorì a Nacor». ²⁵Soggiunse: «C'è paglia in quantità da noi, e anche posto per passare la notte». ²⁶Allora quell'uomo si prostrò, adorò il Signore ²⁷e disse: «Sia benedetto il Signore, Dio del mio padrone Abramo, che non ha cessato di usare benevolenza e fedeltà verso il mio padrone! Quanto a me, il Signore mi ha guidato sulla via, fino alla casa dei fratelli del mio padrone!».

²⁸La giovinetta corse a raccontare alla casa di sua madre tutte queste cose. ²⁹Or Rebecca aveva un fratello di nome Labano. Anche Labano corse fuori da quell'uomo alla sorgente. ³⁰Quando infatti ebbe visto l'anello e i braccialetti sulle braccia di sua sorella e quand'ebbe udito le parole di Rebecca, sua sorella, che diceva: «Così mi ha parlato quell'uomo», venne da quell'uomo, che se ne stava in piedi, presso i cammelli, vicino alla sorgente. ³¹Gli disse: «Vieni, o benedetto dal Signore! Perché te ne stai fermo, fuori, mentre io ho preparato la casa e il posto per i cammelli?». ³²Allora l'uomo entrò in casa e quegli tolse il basto ai cammelli, fornì paglia e foraggio ai cammelli e acqua per lavare i piedi a lui e agli uomini ch'erano con lui.

³³Poi gli fu posto davanti da mangiare, ma egli disse: «Non mangerò, finché non avrò

detto le parole che io ho da dire!». Gli risposero: «Di' pure!». ³⁴Disse allora: «Io sono servo di Abramo. ³⁵Il Signore ha molto benedetto il mio padrone, che è diventato potente; gli ha dato greggi e armenti, argento e oro, schiavi e schiave, cammelli e asini. ³⁶Poi Sara, la moglie del mio padrone, ha partorito un figlio al mio padrone, quando ormai era vecchio, ed egli ha dato a lui tutti i suoi beni. ³⁷Il mio padrone mi ha fatto giurare in questi termini: "Non devi prendere per mio figlio una moglie tra le figlie dei Cananei, in mezzo ai quali abito; ³⁸ma andrai alla casa di mio padre, alla mia famiglia, a prendere una moglie per il figlio mio". ³⁹Io dissi al mio padrone: "Può darsi che la donna non mi segua". ⁴⁰Mi rispose: "Il Signore, alla cui presenza io cammino continuamente, manderà con te il suo angelo e farà riuscire il tuo viaggio, cosicché tu possa prendere una moglie per mio figlio dalla mia famiglia e dalla casa di mio padre. ⁴¹Solo allora sarai esente dalla mia maledizione, quando sarai andato alla mia famiglia; anche se non te la daranno, sarai esente dalla mia maledizione". ⁴²Così oggi sono arrivato alla fonte e ho detto: "Signore, Dio del mio padrone Abramo, di grazia, se tu stai per far riuscire il mio viaggio che sto compiendo, ⁴³ecco, io mi metto ritto presso la fonte d'acqua; ebbene, la giovine che uscirà ad attingere, alla quale io dirò: Fammi bere, per favore, un po' d'acqua dalla tua anfora, ⁴⁴e che mi dirà: Bevi tu e anche per i tuoi cammelli io attingerò, sarà quella la moglie che il Signore ha destinato al figlio del mio padrone". ⁴⁵Io non avevo ancora finito di parlare, quand'ecco Rebecca uscire con l'anfora sulla sua spalla; discese alla fonte, attinse e io le dissi: "Fammi bere, per favore!". ⁴⁶Subito essa calò giù la sua anfora e disse: "Bevi; e anche ai tuoi cammelli darò da bere!". Così io bevvi ed essa diede da bere anche ai cammelli. ⁴⁷Allora io la interrogai e le dissi: "Di chi sei figlia?". Mi rispose: "Sono figlia di Betuel, figlio di Nacor, che Milca gli partorì". Allora io le ho posto l'anello alle narici e i braccialetti alle braccia. ⁴⁸Poi mi prostrai, adorai il Signore e benedissi il Signore, Dio del mio padrone Abramo, il quale mi ha guidato per la via giusta a prendere per suo figlio la figlia del fratello del mio padrone. ⁴⁹E ora, se intendete usare benevolenza e fedeltà verso il mio padrone, fatemelo sapere; e se no, fatemelo sapere ugualmente, perché io mi possa rivolgere altrove».

⁵⁰Allora Labano e Betuel risposero: «È dal Signore che la cosa procede; non possiamo parlarti né in male né in bene. ⁵¹Ecco Rebecca davanti a te; prendila e va', e sia la moglie del figlio del tuo padrone, così come ha parlato il Signore». ⁵²Quando il servo di Abramo ebbe udito le loro parole, si prostrò a terra, adorando il Signore. ⁵³Poi il servo tirò fuori oggetti d'argento e oggetti d'oro e vesti e li diede a Rebecca; cose preziose donò pure al fratello e alla madre di lei. ⁵⁴Poi mangiarono e bevvero egli e gli uomini che erano con lui, e passarono la notte. Alzatosi alla mattina, egli disse: «Lasciatemi andare dal mio padrone!».

⁵⁵Ma il fratello di lei e la madre dissero: «Rimanga la giovinetta con noi qualche tempo, una decina di giorni, dopo te ne andrai». ⁵⁶Rispose loro: «Non trattenetemi, perché il Signore ha fatto riuscire il mio viaggio. Lasciatemi partire, affinché io possa andare dal mio padrone!». ⁵⁷Dissero allora: «Chiamiamo la giovinetta per chiedere la sua opinione». ⁵⁸Chiamarono Rebecca e le dissero: «Vuoi partire con quest'uomo?». Essa rispose: «Partirò!».

⁵⁹Allora essi lasciarono partire Rebecca con la sua balia, insieme col servo di Abramo e i suoi uomini. ⁶⁰Benedissero Rebecca e le dissero:

«O tu, sorella nostra, diventa migliaia
di miriadi,
e la tua stirpe conquisti la porta
dei suoi nemici!».

⁶¹Così Rebecca e le sue ancelle si levarono, montarono sui cammelli e seguirono quell'uomo. E il servo prese con sé Rebecca e partì.

⁶²Intanto Isacco era venuto nel deserto di Lacai-Roi; abitava infatti nel territorio del Negheb. ⁶³Isacco uscì, sul far della sera, per accovacciarsi, quand'ecco, alzando gli occhi, vide venire dei cammelli. ⁶⁴Alzò gli occhi anche Rebecca e vide Isacco e subito scivolò giù dal cammello. ⁶⁵Domandò al servo: «Chi è quell'uomo che viene attraverso la steppa, incontro a noi?». Il servo rispose: «È il mio padrone!». Allora essa prese il velo e si coprì. ⁶⁶Poi il servo raccon-

tò ad Isacco tutte le cose che aveva fatto. [67]E Isacco introdusse Rebecca nella tenda ch'era stata di Sara sua madre; poi si prese Rebecca in moglie e l'amò. Così Isacco si consolò dopo la morte della madre sua.

LE ULTIME VICENDE DI ABRAMO E LA SUA MORTE

25 [1]Abramo prese un'altra moglie, che si chiamava Chetura. [2]Essa gli partorì Zimran, Ioksan, Medan, Madian, Isbak e Suach. [3]Ioksan generò Saba e Dedan e i figli di Dedan furono gli Asurim, i Letusim e i Leummim. [4]I figli di Madian furono Efa, Efer, Enoch, Abida ed Eldaa. Tutti questi sono i figli di Chetura. [5]Abramo diede tutti i suoi beni a Isacco. [6]Quanto ai figli che Abramo aveva avuto dalle concubine, diede loro doni e, mentre era ancora in vita, li licenziò mandandoli lontano da Isacco suo figlio, verso l'oriente, nella regione orientale.

[7]La durata della vita di Abramo fu di centosettantacinque anni. [8]Poi Abramo spirò e morì dopo una felice vecchiaia, vecchio e sazio di giorni, e si riunì ai suoi antenati. [9]Lo seppellirono i suoi figli Isacco e Ismaele nella caverna di Macpela, nel campo di Efron figlio di Zocar l'hittita, di fronte a Mamre. [10]È appunto il campo che Abramo aveva comprato dagli Hittiti. Ivi furono sepolti Abramo e Sara sua moglie. [11]Dopo la morte di Abramo, Dio benedisse il figlio di lui, Isacco; e Isacco abitò presso il pozzo di Lacai-Roi.

[12]Questi sono i discendenti di Ismaele, figlio di Abramo, che Agar l'egiziana, schiava di Sara, gli aveva partorito. [13]Questi sono i nomi dei figli di Ismaele, con i loro nomi in ordine di generazione: il primogenito di Ismaele è Nebaiot, poi Kedar, Adbeel, Mibsam, [14]Misma, Duma, Massa, [15]Adad, Tema, Ietur, Nafis, Kedma. [16]Questi sono i figli di Ismaele e questi sono i loro nomi e dei loro villaggi e accampamenti. Sono i dodici principi delle rispettive tribù. [17]E questi sono gli anni di vita di Ismaele: centotrentasette anni; poi spirò e morì e fu riunito ai suoi antenati. [18]Egli abitò da Avila fino a Sur, che è lungo il confine dell'Egitto, in direzione di Assur. Egli si era accampato di fronte a tutti i suoi fratelli.

ESAÙ E GIACOBBE

[19]Questa è la storia della discendenza di Isacco, figlio di Abramo. Abramo aveva generato Isacco. [20]Isacco aveva quarant'anni quando prese per sé Rebecca, figlia di Betuel l'arameo di Paddan-Aram, e sorella di Labano l'arameo.

[21]Isacco supplicò il Signore per sua moglie, perché essa era sterile, e il Signore lo esaudì, cosicché Rebecca sua moglie divenne incinta. [22]Sennonché i figli si urtavano l'un l'altro dentro di lei, ed ella disse: «Se è così, perché vivo?...». E andò a consultare il Signore. [23]Il Signore rispose:

«Due nazioni sono nel tuo grembo
e due popoli dalle tue viscere
  si separeranno.
Un popolo prevarrà sull'altro popolo
e il maggiore servirà il minore».

[24]Quando poi si compì per lei il tempo in cui doveva partorire, ecco che due gemelli le stavano nel grembo. [25]Il primo uscì rossiccio, come un peloso mantello, e lo chiamarono Esaù. [26]Subito dopo uscì suo fratello nell'atto di tenere con la mano il calcagno di Esaù, e lo si chiamò Giacobbe. Isacco aveva sessant'anni alla loro nascita.

ESAÙ CEDE LA PRIMOGENITURA

[27]I fanciulli crebbero. Esaù divenne un uomo assuefatto alla caccia, un uomo della steppa, mentre Giacobbe era un uomo tranquillo, che dimorava sotto le tende. [28]Isacco prese ad amare Esaù, perché la cacciagione era di suo gusto, mentre Rebecca amava Giacobbe. [29]Una volta che Giacobbe aveva fatto cuocere una minestra, arrivò Esaù dalla steppa tutto trafelato. [30]Allora Esaù disse a Giacobbe: «Fammi mangiare un po' di questa minestra rossa, perché sono sfinito!». Per questo fu chiamato "Edom".

---

25. - 30-33. Grandi erano i diritti del primogenito: tra gli altri, doppia parte di eredità e direzione della tribù o del clan. Tra gli Ebrei vi era una promessa ancora maggiore: quella di essere antenato del Messia.

³¹Giacobbe rispose: «Vendimi subito la tua primogenitura». ³²Di rimando Esaù: «Eccomi sul punto di morire, e a che cosa mi serve una primogenitura?». ³³Giacobbe allora disse: «Giuramelo immediatamente!». E quello glielo giurò e vendette la sua primogenitura a Giacobbe. ³⁴Giacobbe diede allora ad Esaù pane e minestra di lenticchie. Quello mangiò, bevve, poi si alzò e se ne andò. Tanto poco stimò Esaù la primogenitura!

LA PROMESSA DI DIO A ISACCO

26 ¹Or ci fu una carestia nel paese, oltre la prima che era avvenuta ai tempi di Abramo, e Isacco andò da Abimelech, re dei Filistei, a Gerar. ²Gli apparve allora il Signore e gli disse: «Non scendere in Egitto. Accampati nella regione che io ti indicherò. ³Rimani in questo paese e io sarò con te e ti benedirò, perché a te e alla tua discendenza io darò tutti questi territori e così manterrò il giuramento che ho fatto ad Abramo tuo padre. ⁴Moltiplicherò la tua discendenza come le stelle del cielo e darò alla tua discendenza tutti questi territori e tutte le nazioni della terra si diranno benedette per la tua discendenza; ⁵per il fatto che Abramo obbedì alla mia voce e osservò ciò che io gli avevo detto di osservare: i miei comandamenti, le mie istituzioni e le mie leggi».
⁶Così Isacco dimorò a Gerar.

REBECCA E ABIMELECH

⁷Gli uomini del luogo lo interrogarono intorno a sua moglie ed egli disse: «È mia sorella!». Infatti aveva timore di dire «mia moglie», pensando che gli uomini del luogo lo uccidessero, per causa di Rebecca, perché essa era avvenente di aspetto. ⁸Quando era già passato un po' di tempo, Abimelech, re dei Filistei, si affacciò alla finestra e vide che Isacco stava accarezzando la propria moglie Rebecca. ⁹Allora Abimelech chiamò Isacco e disse: «Sicuramente questa è tua moglie e come mai tu hai detto: "È mia sorella"?». Gli rispose Isacco: «Perché mi son detto: "Che non abbia a morire per causa

di lei!"». ¹⁰Riprese Abimelech: «Che cosa hai fatto? Poco ci mancava che qualcuno del popolo giacesse con tua moglie e tu attirassi così su di noi una colpa!». ¹¹Allora Abimelech diede ordine a tutto il popolo in questi termini: «Colui che tocca quest'uomo o la sua moglie sarà senz'altro messo a morte!».

PROSPERITÀ DI ISACCO

¹²Poi Isacco fece una semina in quel paese, e raccolse quell'anno una misura centuplicata. Il Signore lo benedisse tanto ¹³che quest'uomo diventò grande e continuò a crescere finché divenne assai ricco, ¹⁴e venne a possedere greggi di pecore e armenti di buoi e numerosa servitù, al punto che i Filistei cominciarono a invidiarlo. ¹⁵Intanto tutti i pozzi che avevano scavato i servi di suo padre, ai tempi di Abramo, suo padre, i Filistei li avevano turati e li avevano riempiti di terra. ¹⁶Allora Abimelech disse ad Isacco: «Vattene via da noi, perché tu sei molto più potente di noi!». ¹⁷Isacco andò via di là, si accampò nel torrente di Gerar e vi si stabilì.

I POZZI DEL TORRENTE GERAR

¹⁸Isacco tornò a scavare i pozzi d'acqua che avevano scavato i servi di Abramo suo padre, e che i Filistei avevano turato dopo la morte di Abramo e li denominò con gli stessi nomi con cui li aveva chiamati suo padre. ¹⁹I servi di Isacco scavarono poi nella valle e vi trovarono un pozzo di acqua viva. ²⁰Ma i pastori di Gerar vennero a contesa con i pastori di Isacco, dicendo: «L'acqua è nostra!». Allora egli chiamò il pozzo Esech, perché quelli avevano litigato con lui. ²¹Scavarono un altro pozzo, ma quelli vennero a contesa anche per questo, allora egli lo chiamò Sitna. ²²Poi si mosse di là e scavò un altro pozzo, per il quale non vennero a contesa: lo chiamò Recobot e disse: «Ormai il Signore ci ha dato spazio libero, così noi possiamo prosperare nel paese».

²³Poi di là egli salì a Bersabea, ²⁴e durante quella notte gli apparve il Signore e disse:

«Io sono il Dio di Abramo, tuo padre:
non temere, perché io sono con te.
Ti benedirò e moltiplicherò
  la tua discendenza
per amore di Abramo, mio servo».

[25]Allora egli costruì là un altare e invocò il nome del Signore. Ivi rizzò la sua tenda, mentre i suoi servi stavano scavando un pozzo.
[26]Nel frattempo Abimelech da Gerar era andato da lui, insieme con Acuzzat, suo amico, e Picol, capo del suo esercito. [27]Isacco disse loro: «Come mai siete venuti da me, mentre voi mi odiate e mi avete cacciato da voi?». [28]Gli risposero: «Abbiamo proprio visto che il Signore è con te e abbiamo detto: Vi sia un giuramento tra di noi: tra noi da una parte e te dall'altra parte, e lascia che concludiamo un patto con te: [29]tu non ci farai del male, come noi non ti abbiamo toccato e non ti abbiamo fatto se non del bene e ti abbiamo lasciato andare in pace. Tu ora sei un uomo benedetto dal Signore». [30]Egli fece allora un convito per loro e mangiarono e bevvero. [31]Alzatisi alla mattina presto, fecero giuramento l'un all'altro, poi Isacco li licenziò e quelli partirono da lui in pace. [32]Or proprio quel giorno arrivarono i servi di Isacco e l'informarono a proposito del pozzo che avevano scavato e gli dissero: «Abbiamo trovato l'acqua!». [33]Allora egli lo chiamò Sibea. Per questo il nome della città fu Bersabea, fino al giorno d'oggi.
[34]Quando Esaù ebbe quarant'anni, prese in moglie Giudit, figlia di Beeri l'hittita, e Basemat, figlia di Elon l'hittita. [35]Esse divennero fonte di amarezza per Isacco e per Rebecca.

L'ASTUZIA DI GIACOBBE

27 [1]Quando Isacco era diventato vecchio e gli occhi gli si erano indeboliti in modo che non vedeva più, chiamò il figlio maggiore Esaù e gli disse: «Figlio mio!». Gli rispose: «Eccomi!». [2]Riprese: «Vedi, io sono vecchio e ignoro il giorno della mia morte. [3]Ora prendi le tue armi, la tua faretra e il tuo arco, esci nella steppa e prendi per me della selvaggina. [4]Poi preparami un piatto di mio gusto e porta-

melo perché io ne mangi, e così ti possa benedire prima di morire».
[5]Ora Rebecca ascoltava, mentre Isacco parlava al figlio Esaù. Andò, dunque, Esaù nella steppa a cacciar selvaggina. [6]Intanto Rebecca disse a Giacobbe suo figlio: «Bada, ho sentito tuo padre che parlava a tuo fratello Esaù in questi termini: [7]"Portami della selvaggina e preparami un piatto da mangiare, poi ti benedirò, davanti al Signore, prima della mia morte". [8]Orbene, figlio mio, obbedisci al mio ordine: [9]Va' al gregge e prendimi due bei capretti, affinché io ne faccia un piatto gustoso per tuo padre, come piace a lui; [10]così tu lo porterai a tuo padre da mangiare in modo che ti benedica prima della sua morte». [11]Rispose Giacobbe a Rebecca, sua madre: «Sai che mio fratello Esaù è un uomo peloso, mentre io sono di pelle liscia. [12]Forse mio padre mi palperà e io farò la figura di uno che si prenda gioco di lui e attirerò sopra di me una maledizione invece che una benedizione!». [13]Ma sua madre gli rispose: «Sia sopra di me la maledizione, figlio mio! Tu obbedisci soltanto e vammi a prendere quanto ho detto».
[14]Allora egli andò a prenderli e li portò alla madre; così la madre sua ne fece un piatto gustoso, come amava suo padre. [15]Poi Rebecca prese i vestiti preziosi di Esaù, suo figlio maggiore, che erano in casa presso di lei e ne vestì Giacobbe, suo figlio minore, [16]mentre con le pelli dei capretti aveva rivestito le braccia di lui e la parte liscia del collo.
[17]Ma mise in mano al suo figlio Giacobbe il piatto gustoso e il pane che aveva preparato.
[18]Così egli venne da suo padre e disse: «Padre mio!». Rispose: «Eccomi; chi sei tu, figlio mio?». [19]E Giacobbe rispose a suo padre: «Io sono Esaù, il tuo primogenito. Ho fatto come tu hai detto. Alzati, dunque, siediti e mangia la mia cacciagione, perché poi mi benedica». [20]Ma Isacco obiettò a suo figlio: «Come hai fatto presto a trovarla, figlio mio!». Rispose: «Il Signore me l'ha fatta capitare davanti». [21]Isacco disse a Giacobbe: «Avvicinati e lascia che ti palpi, figlio mio, per sapere se tu sei proprio mio figlio Esaù, o no». [22]Giacobbe si avvicinò ad Isacco suo padre, il quale lo palpò e disse: «La voce è la voce di Giacobbe,

ma le braccia sono le braccia di Esaù».
²³Così non lo smascherò, perché le braccia di lui erano pelose come le braccia di suo fratello Esaù, e si accinse a benedirlo. ²⁴Gli disse, dunque: «Sei proprio tu il mio figlio Esaù?». Rispose: «Lo sono». ²⁵Allora disse: «Porgimi da mangiare della cacciagione del mio figlio, perché io ti benedica». Quello gliene porse ed egli mangiò; e gli portò del vino ed egli bevve. ²⁶Poi suo padre Isacco gli disse: «Vieni qui vicino e baciami, figlio mio!». ²⁷Gli si avvicinò e lo baciò.

LA BENEDIZIONE DI GIACOBBE

Egli allora aspirò l'odore degli abiti di lui e lo benedisse dicendo:

«Ecco: l'odore del figlio mio
come l'odore d'un campo
che il Signore ha benedetto.
²⁸ Dio ti dia la rugiada dei cieli,
i pingui frutti della terra
e abbondanza di frumento e di mosto.
²⁹ Ti servano i popoli
e si prostrino davanti a te le genti.
Sii padrone dei tuoi fratelli
e si prostrino davanti a te i figli
di tua madre.
Chi ti maledice, sia maledetto
e chi ti benedice, sia benedetto!».

³⁰Quando Isacco ebbe finito di benedire Giacobbe e questi era appena uscito dalla presenza del padre Isacco, ecco che Esaù, suo fratello, rientrò dalla caccia. ³¹Anche lui preparò un piatto gustoso, poi lo portò a suo padre e gli disse: «Si alzi mio padre e mangi della cacciagione di suo figlio, perché tu mi benedica». ³²Gli disse suo padre Isacco: «Chi sei tu?». Rispose: «Io sono il tuo figlio primogenito Esaù». ³³Allora Isacco fu scosso da un fortissimo tremito e disse: «Chi è, dunque, colui che ha preso la cacciagione e me l'ha recata? Io ho mangiato tutto, prima che tu arrivassi, e l'ho benedetto. Anzi, benedetto resterà!». ³⁴Quando Esaù sentì le parole del padre scoppiò in un grido altissimo di dolore. Poi disse a suo padre: «Benedici anche me, padre mio!». ³⁵Rispose: «È venuto tuo fratello con inganno e si è presa la

tua benedizione». ³⁶Rispose: «Certo, a ragione si chiama Giacobbe, perché m'ha soppiantato già due volte. Già si è presa la primogenitura ed ecco ora si è preso la mia benedizione!». Poi soggiunse: «Non hai forse conservato una benedizione per me?». ³⁷Isacco rispose ad Esaù: «Ecco, io l'ho costituito tuo padrone e gli ho dato come servi tutti i suoi fratelli; l'ho sostenuto con frumento e mosto; e per te che cosa mai potrò fare, figlio mio?». ³⁸Esaù disse a suo padre: «Hai dunque una sola benedizione, padre mio? Benedici anche me, padre mio!». Poi Esaù alzò la sua voce e pianse. ³⁹Allora Isacco suo padre prese la parola e gli disse:

«Ecco, senza pingui frutti della terra
sarà la tua sede,
e senza la rugiada del cielo dall'alto!
⁴⁰ Della tua spada vivrai,
ma tuo fratello servirai;
e quando ti ribellerai,
tu spezzerai il suo giogo
dal tuo collo».

⁴¹Esaù prese allora ad osteggiare Giacobbe per la benedizione che suo padre gli aveva dato, e disse nel suo cuore: «Si avvicinano i giorni del lutto per mio padre e allora ucciderò mio fratello Giacobbe». ⁴²Furono riferite a Rebecca le parole di Esaù, suo figlio maggiore, ed essa mandò a chiamare Giacobbe, suo figlio minore, e gli disse: «Bada che Esaù, tuo fratello, vuol vendicarsi di te, uccidendoti. ⁴³Or dunque, figlio mio, obbedisci alla mia voce: fuggi verso Carran, da mio fratello Labano. ⁴⁴Abiterai con lui qualche tempo, finché l'irritazione di tuo fratello si sarà calmata. ⁴⁵Quando si sarà placata la collera di tuo fratello e si sarà dimenticato di quello che gli hai fatto, allora io manderò a prenderti di là. Perché dovrei venir privata di voi due in un sol giorno?».

⁴⁶Poi Rebecca disse ad Isacco: «Mi viene a noia la vita a causa di queste donne hittite; se Giacobbe prende in moglie qualche donna hittita come queste, tra le figlie del paese, a che cosa mi serve la vita?».

ISACCO MANDA GIACOBBE DA LABANO

28 [1]Allora Isacco chiamò Giacobbe, lo benedisse e gli diede questo comando: «Tu non devi prendere moglie tra le figlie di Canaan. [2]Va' in Paddan-Aram, nella casa di Betuel, padre di tua madre, e prenditi di là in moglie qualcuna delle figlie di Labano, fratello di tua madre. [3]Ti benedica Dio onnipotente, ti renda fecondo e ti moltiplichi, sì che tu diventi un'assemblea di popoli. [4]Conceda la benedizione di Abramo a te e alla tua discendenza con te, perché tu possegga la terra dove hai soggiornato come forestiero, quella che Dio ha dato ad Abramo».

[5]Così Isacco fece partire Giacobbe, che andò in Paddan-Aram presso Labano, figlio di Betuel l'arameo, fratello di Rebecca, madre di Giacobbe e di Esaù.

ALTRO MATRIMONIO DI ESAÙ

[6]Esaù vide che Isacco aveva benedetto Giacobbe, l'aveva mandato in Paddan-Aram per prendersi una moglie di là e gli aveva dato un comando in questi termini: «Non prender moglie tra le figlie di Canaan»; [7]e Giacobbe aveva obbedito a suo padre e a sua madre ed era partito per Paddan-Aram. [8]Così Esaù comprese che le figlie di Canaan erano malviste da Isacco, suo padre.

[9]Quindi si recò da Ismaele e si prese in moglie Macalat, figlia di Ismaele, figlio di Abramo, sorella di Nebaiot, oltre le mogli che aveva.

IL SOGNO DI GIACOBBE

[10]Giacobbe partì da Bersabea e si diresse verso Carran. [11]Capitò allora in un certo luogo, dove si fermò per pernottare, perché il sole era tramontato; prese una pietra, se la pose come cuscino del suo capo e si coricò in quel luogo.

[12]E sognò di vedere una scala che poggiava sulla terra, mentre la sua cima raggiungeva il cielo; ed ecco: gli angeli di Dio salivano e scendevano per essa. [13]Ed ecco: il Signore gli stava davanti e disse: «Io sono il Signore, il Dio di Abramo, tuo padre, e il Dio di Isacco. La terra sulla quale tu sei coricato la darò a te e alla tua discendenza. [14]La tua discendenza sarà come la polvere della terra e ti estenderai a occidente e a oriente, a settentrione e a mezzogiorno. Saranno benedette in te e nella tua discendenza tutte le famiglie della terra. [15]Ed ecco che io sono con te e ti custodirò dovunque andrai e poi ti farò ritornare in questo paese, perché non ti abbandonerò se prima non avrò fatto tutto quello che ti ho detto».

[16]Allora Giacobbe si svegliò dal sonno e disse: «Veramente c'è il Signore in questo luogo e io non lo sapevo!». [17]Ebbe paura e disse: «Com'è terribile questo luogo! Questa è proprio la casa di Dio e la porta del cielo». [18]Si alzò Giacobbe alla mattina, prese la pietra che si era posta come cuscino del suo capo e la rizzò come stele sacra e versò olio sulla sua sommità. [19]E chiamò quel luogo Betel, mentre prima il nome della città era Luz.

[20]Giacobbe fece questo voto: «Se Dio sarà con me e mi custodirà in questo viaggio che sto facendo e mi darà pane per mangiare e vesti per vestire, [21]e se ritornerò in pace alla casa di mio padre, allora il Signore sarà il mio Dio. [22]E questa pietra che io ho eretto come una stele sacra sarà una casa di Dio e di tutto quello che mi darai io ti offrirò la decima».

LIA E RACHELE

29 [1]Poi Giacobbe si mise in cammino e andò nel paese degli orientali. [2]Guardò, ed ecco un pozzo nella steppa e vi erano là tre greggi di pecore accovacciate vicino ad esso, perché a quel pozzo solevano abbeverarsi i greggi; ma la pietra sulla bocca del pozzo era molto grande. [3]Si solevano radunare là tutti i greggi e allora i pastori rotolavano via la pietra dalla bocca del pozzo e abbeveravano le pecore; poi riponevano la pietra al suo posto, sulla bocca del pozzo.

---

28. - 13-15. È la prima promessa divina a Giacobbe, dalla discendenza del quale nascerà il popolo eletto.
29. - 1. *Paese degli orientali* qui significa la pianura di Paddan-Aram, nella Mesopotamia superiore.

⁴Giacobbe disse loro: «Fratelli miei, di dove siete?». Risposero: «Siamo di Carran». ⁵Disse loro: «Conoscete Labano, figlio di Nacor?». Risposero: «Lo conosciamo». ⁶Disse loro: «Sta bene?». Risposero: «Bene; ed ecco sua figlia Rachele che viene con le pecore». ⁷Riprese: «Eccoci ancora in pieno giorno; non è tempo di radunare il bestiame. Abbeverate le pecore e andate a pascolare!». ⁸Risposero: «Non possiamo, finché non siano radunati tutti i pastori; allora essi rotoleranno via la pietra dalla bocca del pozzo e noi faremo bere le pecore».

⁹Egli stava ancora parlando con loro, quando arrivò Rachele con il gregge di suo padre, perché era una pastorella. ¹⁰Giacobbe subito vide Rachele figlia di Labano, fratello di sua madre; quindi Giacobbe si avvicinò, rotolò via la pietra dalla bocca del pozzo e abbeverò le pecore di Labano, fratello di sua madre. ¹¹Poi Giacobbe baciò Rachele, alzò la voce e pianse. ¹²Giacobbe rivelò a Rachele che egli era parente di suo padre e che era figlio di Rebecca. Allora essa corse a riferirlo a suo padre. ¹³Quando Labano udì la notizia di Giacobbe, figlio di sua sorella, gli corse incontro, l'abbracciò, lo baciò e lo condusse in casa sua. Ed egli raccontò a Labano tutte queste vicende.

¹⁴Allora Labano gli disse: «Davvero tu sei mio osso e mia carne!». Ed egli dimorò presso di lui per la durata di un mese. ¹⁵Poi Labano disse a Giacobbe: «Forse perché tu sei mio parente, mi dovrai servire gratuitamente? Indicami quale deve essere il tuo salario».

¹⁶Ora Labano aveva due figlie. Il nome della maggiore era Lia e il nome della minore era Rachele. ¹⁷Ma Lia aveva gli occhi smorti, mentre Rachele era bella di forma e di aspetto, ¹⁸perciò Giacobbe amava Rachele. Disse dunque: «Io ti servirò sette anni per Rachele, tua figlia minore». ¹⁹Rispose Labano: «È meglio che la dia a te, piuttosto che darla a un altro uomo. Rimani con me». ²⁰Così Giacobbe servì sette anni per Rachele, e gli sembrarono pochi giorni, per il suo amore verso di lei.

²¹Poi Giacobbe disse a Labano: «Dammi mia moglie, perché il mio tempo è scaduto, e lascia che io mi accosti a lei». ²²Allora Labano radunò tutti gli uomini del luogo e fece un convito.

²³Ma quando fu sera egli prese sua figlia Lia e la condusse da lui ed egli si accostò a lei. ²⁴Labano diede inoltre la propria schiava Zilpa a sua figlia Lia, quale schiava. ²⁵E quando fu mattina... ecco che era Lia. Allora Giacobbe disse a Labano: «Che cosa hai fatto? Non è forse per Rachele che sono stato a tuo servizio? Perché m'hai ingannato?». ²⁶Rispose Labano: «Nel nostro paese non si usa dare la minore prima della maggiore. ²⁷Finisci la settimana nuziale di costei, poi ti darò anche quest'altra, per il servizio che tu presterai, ancora presso di me, per altri sette anni». ²⁸Giacobbe fece così: terminò la settimana nuziale e allora Labano gli diede in moglie la figlia Rachele. ²⁹Inoltre Labano diede a sua figlia Rachele la propria schiava Bila quale schiava di lei. ³⁰Egli si accostò anche a Rachele e amò Rachele più di Lia; e fu ancora a servizio di lui per altri sette anni.

LA NASCITA DEI FIGLI DI GIACOBBE

³¹Or il Signore vide che Lia era trascurata e la rese feconda, mentre Rachele fu sterile. ³²Così Lia concepì e partorì un figlio e lo chiamò Ruben, perché disse: «Il Signore ha guardato la mia afflizione; ora mio marito mi amerà». ³³Poi concepì ancora un figlio e disse: «Il Signore ha visto che io ero trascurata e mi ha dato anche questo». E lo chiamò Simeone. ³⁴Poi concepì ancora e partorì un figlio e disse: «Questa volta mio marito mi si affezionerà, perché gli ho partorito tre figli». Per questo lo chiamò Levi. ³⁵Concepì ancora e partorì un figlio e disse: «Questa volta celebrerò il Signore». Per questo lo chiamò Giuda. Poi cessò di partorire.

I FIGLI DI GIACOBBE

30 ¹Rachele vide che non poteva partorire figliuoli a Giacobbe. Allora Rachele diventò gelosa della sorella e disse a Giacobbe: «Dammi dei figli, se no muoio!». ²Giacobbe si irritò contro Rachele e disse: «Sono forse io al posto di Dio, il quale ti ha negato il frutto del ventre?».

³Allora essa disse: «Ecco la mia serva Bila; accostati a lei, così ch'essa partorisca sulle mie ginocchia e anch'io abbia una

figliolanza per mezzo di essa». ⁴Così gli diede come moglie la propria schiava Bila e Giacobbe si accostò a lei. ⁵Bila concepì e partorì a Giacobbe un figlio. ⁶E Rachele disse: «Dio ha giudicato in mio favore e ha pure ascoltato la mia voce, dandomi un figlio». Per questo lo chiamò Dan. ⁷Poi Bila, la schiava di Rachele, concepì ancora e partorì a Giacobbe un secondo figlio. ⁸E Rachele disse: «Ho combattuto contro mia sorella le lotte di Dio e ho pure vinto!». Onde lo chiamò Neftali.

⁹Allora Lia, vedendo che aveva cessato di partorire, prese Zilpa, la propria schiava, e la diede in moglie a Giacobbe. ¹⁰Giacobbe si accostò a lei ed essa concepì. Zilpa, la schiava di Lia, partorì a Giacobbe un figlio. ¹¹E Lia disse: «Per fortuna!». Onde lo chiamò Gad. ¹²Poi Zilpa, la schiava di Lia, partorì un secondo figlio a Giacobbe. ¹³Lia disse: «Per mia felicità! Perché le figlie mi hanno proclamata felice!». Onde lo chiamò Aser. ¹⁴Al tempo della mietitura del grano, Ruben uscì e trovò nella campagna delle mandragore che portò a Lia, sua madre. Allora Rachele disse a Lia: «Dammi, di grazia, un po' delle mandragore del figlio tuo». ¹⁵Ma Lia rispose: «È forse poco che tu porti via mio marito, che vuoi portar via anche le mandragore di mio figlio?». Rispose Rachele: «Ebbene, si corichi pure, questa notte, con te, in compenso delle mandragore del figlio tuo».

¹⁶Alla sera Giacobbe arrivò dalla campagna e Lia gli uscì incontro e gli disse: «È da me che devi venire, perché io ho pagato il diritto di averti con le mandragore di mio figlio». Così egli, quella notte, si coricò con essa. ¹⁷Allora il Signore esaudì Lia, la quale concepì e partorì a Giacobbe un quinto figlio. ¹⁸E Lia disse: «Dio mi ha dato la mia mercede, per aver dato la schiava mia a mio marito». Perciò lo chiamò Issacar. ¹⁹Poi Lia concepì ancora e partorì un sesto figlio a Giacobbe, ²⁰e disse: «Dio mi ha dotato di una buona dote; questa volta mio marito abiterà con me, perché gli ho partorito sei figli». Perciò lo chiamò Zabulon. ²¹Partorì anche una figlia e la chiamò Dina.

²²Poi Dio si ricordò anche di Rachele, la esaudì e la rese feconda. ²³Essa concepì e partorì un figlio e disse: «Dio ha tolto il mio disonore». ²⁴E lo chiamò Giuseppe, dicendo: «Il Signore mi aggiunga un altro figlio!».

IL TRANELLO DI GIACOBBE

²⁵Dopo che Rachele ebbe partorito Giuseppe, Giacobbe disse a Labano: «Lasciami partire, sicché me ne vada a casa mia, nel mio paese. ²⁶Dammi le mie mogli, per le quali ti ho servito, e i miei bambini, in modo che io possa partire; perché tu stesso conosci il servizio che ti ho prestato».

²⁷Gli rispose Labano: «Se ho trovato grazia agli occhi tuoi... Io ho prosperato e il Signore mi ha benedetto per causa tua». ²⁸Poi aggiunse: «Fissami il tuo salario e te lo darò». ²⁹Gli rispose: «Tu stesso sai come ti ho servito e quanti sono diventati i tuoi beni per opera mia. ³⁰Perché il poco che avevi, prima della mia venuta, è cresciuto in quantità straboccchevole e il Signore ti ha benedetto alla mia venuta. Ma ora, quando lavorerò anch'io per la mia casa?». ³¹Rispose: «Che cosa ti devo dare?».

Giacobbe rispose: «Non mi devi dare nulla; se tu farai per me quanto ti dico, ritornerò ancora a pascolare il tuo gregge. ³²Io passerò quest'oggi in mezzo a tutto il tuo gregge; togli da esso ogni animale punteggiato e chiazzato e ogni animale nero tra le pecore e ogni capo punteggiato e macchiato tra le capre: sarà il mio salario. ³³E, d'ora innanzi, la mia onestà risponderà per me davanti a te; quando tu verrai a verificare il mio salario, ogni capo che non sarà punteggiato o chiazzato tra le capre e di colore nero tra le pecore, se si troverà presso di me, sarà come rubato». ³⁴Labano disse: «Bene, sia come tu hai detto!».

³⁵In quel giorno tolse fuori i capri striati e pezzati e tutte le capre punteggiate e chiazzate, ogni capo in cui v'era del bianco e ogni capo nero tra le pecore. Li affidò ai suoi figli ³⁶e interpose la distanza di tre giorni di cammino tra sé e Giacobbe, mentre Giacobbe pascolava il rimanente gregge bianco.

³⁷Ma Giacobbe prese delle verghe fresche di pioppo, di mandorlo e di platano e ne intagliò la corteccia a strisce bianche, scoprendo il bianco delle verghe.

³⁸Poi mise le verghe che aveva scortecciate nei truogoli e negli abbeveratoi dell'acqua, dove veniva a bere il gregge, proprio in vista delle bestie, le quali si accoppiavano quando venivano a bere. ³⁹Così le bestie si accoppiarono di fronte a quelle verghe

e figliarono animali striati, punteggiati e chiazzati. ⁴⁰Quanto alle pecore, Giacobbe le separò e pose il gruppo delle bestie davanti agli animali striati e a tutti quelli di colore nero che erano nel gregge di Labano. E i branchi che si era così costituito per conto suo non li mise insieme al gregge di Labano.

⁴¹Ogni qualvolta entravano in calore le bestie robuste, Giacobbe metteva le verghe nei truogoli in vista delle bestie, per farle concepire vicino alle verghe. ⁴²Invece, per le bestie più deboli, non le metteva. Così i capi di bestiame deboli diventavano di Labano e quelli robusti di Giacobbe.

⁴³Così egli si arricchì in modo strabocchevole e possedette un gregge numeroso, schiave e schiavi, cammelli e asini.

RITORNO DI GIACOBBE IN CANAAN

31 ¹Ma Giacobbe sentì che i figli di Labano dicevano: «Giacobbe si è preso tutto quello che era di nostro padre e ha messo insieme tutta questa ricchezza con quanto era di nostro padre». ²Giacobbe osservò pure il volto di Labano; si accorse che non era più come prima verso di lui. ³Inoltre il Signore disse a Giacobbe: «Torna alla terra dei tuoi padri, nella tua patria e io sarò con te».

⁴Allora Giacobbe mandò a chiamare Rachele e Lia, perché venissero nella campagna, presso il suo gregge, ⁵e disse loro: «Io vedo che il volto di vostro padre non è più come prima verso di me; ma il Dio del padre mio è stato con me. ⁶Voi stesse sapete che io ho servito vostro padre con tutte le mie forze, ⁷mentre vostro padre mi ha ingannato e ha cambiato dieci volte il mio salario; ma Dio non gli ha permesso di farmi del male. ⁸Se egli diceva: "Le bestie punteggiate saranno il tuo salario", tutto il gregge figliava delle bestie punteggiate; ma se diceva: "Le bestie striate saranno il tuo salario", allora tutto il gregge figliava delle bestie striate. ⁹Così Dio ha sottratto il bestiame di vostro padre e lo ha dato a me. ¹⁰Una volta, al tempo in cui il gregge entrava in calore, io alzai gli occhi in sogno e vidi che i capri in procinto di montare le bestie erano striati, punteggiati e chiazzati. ¹¹E l'angelo di Dio mi disse in sogno: "Giacobbe!". Ri-

sposi: "Eccomi!". ¹²Riprese: "Alza gli occhi e guarda: tutti i capri che montano le bestie sono striati, punteggiati e chiazzati, perché ho visto quello che ti fa Labano. ¹³Io sono il Dio di Betel! Tu ungesti là una stele sacra e mi facesti un voto. Ora, lèvati; parti da questo paese e ritorna al tuo paese natale!"».

¹⁴Rachele e Lia gli risposero: «Abbiamo forse ancora una parte o una eredità nella casa di nostro padre? ¹⁵Forse non siamo state tenute da lui in conto di straniere, dal momento che ci ha vendute e in più si è mangiato la nostra dote? ¹⁶Tutta la ricchezza che Dio ha sottratto a nostro padre è nostra e dei nostri figli. E ora fa' pure quanto Dio ti ha detto!».

¹⁷Allora Giacobbe si levò, caricò i suoi figli e le sue mogli sui cammelli ¹⁸e condusse via tutto il suo bestiame e tutti gli averi che si era acquistato in Paddan-Aram, per andare da Isacco, suo padre, nella terra di Canaan. ¹⁹Intanto Labano era andato a tosare i suoi greggi e Rachele rubò gl'idoli che appartenevano al padre. ²⁰Giacobbe riuscì ad eludere la perspicacia di Labano l'arameo, senza lasciargli capire che stava per fuggire, ²¹e così poté fuggire lui con tutti i suoi averi. Si levò dunque, passò il fiume, e si diresse verso la montagna di Galaad. ²²Al terzo giorno fu riferito a Labano che Giacobbe era fuggito; ²³allora egli prese con sé i suoi fratelli, lo inseguì per sette giorni di cammino e lo raggiunse sulla montagna di Galaad.

²⁴Ma Dio venne da Labano l'arameo in un sogno notturno e gli disse: «Bada di non dire niente a Giacobbe, né in bene né in male!». ²⁵Labano andò dunque a raggiungere Giacobbe, che aveva piantato la sua tenda sulla montagna. Labano aveva pure piantato la sua tenda sulla montagna di Galaad.

²⁶Disse allora Labano a Giacobbe: «Che cosa hai fatto? Hai eluso la mia attenzione e hai condotto via le mie figlie come prigioniere di guerra! ²⁷Perché sei fuggito di nascosto, mi hai ingannato e non mi hai avvertito, in modo che io ti avessi potuto accomiatare con feste e con canti, a suon di tamburelli e di cetre? ²⁸E non mi hai permesso di baciare i miei figli e le mie figlie! Il tuo modo di fare è stato da folle! ²⁹Sarebbe in mio potere farvi del male, ma il Dio di tuo padre mi parlò la notte scorsa dicendo:

"Bada di non dire niente a Giacobbe, né in bene né in male!". ³⁰Certo, tu te ne sei andato perché avevi una grande nostalgia della casa di tuo padre, ma perché mi hai rubato i miei dèi?».

³¹Giacobbe rispose a Labano: «Io avevo paura e pensavo che tu mi avresti tolto con la forza le tue figlie. ³²Ma chiunque sia colui presso il quale avrai trovato i tuoi dèi, egli dovrà morire! Alla presenza dei nostri parenti riscontra quanto vi può essere di tuo presso di me e prenditelo!». Giacobbe non sapeva infatti che li aveva rubati Rachele. ³³Allora Labano entrò nella tenda di Giacobbe, poi nella tenda di Lia e nella tenda delle due serve, ma non trovò nulla. Poi uscì dalla tenda di Lia ed entrò nella tenda di Rachele. ³⁴Ora Rachele aveva preso gli dèi e li aveva messi nella sella del cammello, poi s'era seduta sopra di essi, così Labano frugò in tutta la tenda ma non li trovò. ³⁵Ella disse a suo padre: «Non si offenda il mio signore se io non posso alzarmi davanti a te, perché ho ciò che avviene regolarmente alle donne». Così Labano cercò in tutta la tenda e non trovò gli dèi.

³⁶Allora Giacobbe si adirò e apostrofò Labano dicendogli: «Qual è la legge che ho violato e qual è la mia offesa perché tu ti sia precipitato a inseguirmi? ³⁷Tu hai frugato tutta la mia roba; che hai trovato di tutti gli arnesi di casa tua? Mettilo qui davanti ai miei parenti e ai tuoi e facciano da arbitri tra noi due. ³⁸Vent'anni sono stato con te! Le tue pecore e le tue capre non hanno abortito e gli abbacchi del tuo gregge non li ho mai mangiati. ³⁹Mai ti ho riportato una bestia sbranata; io stesso di tasca mia ne riparavo il danno; e tu reclamavi da me ciò che veniva rubato di giorno e ciò che veniva rubato di notte. ⁴⁰Di giorno mi divorava il caldo e di notte il freddo, il sonno svaniva dai miei occhi. ⁴¹Vent'anni ho trascorso a casa tua! T'ho servito quattordici anni per le tue due figlie e sei anni per il tuo gregge e tu hai cambiato il mio salario dieci volte. ⁴²Se non fosse stato con me il Dio di mio padre, il Dio di Abramo, il Terrore di Isacco, tu ora mi avresti mandato via a mani vuote; ma Dio ha veduto la mia afflizione e la fatica delle mie mani e la scorsa notte egli ha sentenziato!».

⁴³Labano allora rispose a Giacobbe: «Queste figlie sono mie figlie, questi figli sono miei figli, queste pecore sono pecore mie e tutto quello che vedi è mio. E che posso io fare oggi a queste mie figlie e ai loro figli che esse hanno partorito? ⁴⁴Ebbene, vieni, stringiamo un patto io e te; il Signore sia testimone tra me e te».

ACCORDO TRA LABANO E GIACOBBE

⁴⁵Giacobbe prese una pietra e la eresse come stele. ⁴⁶Poi disse ai suoi parenti: «Raccogliete delle pietre!». Quelli presero delle pietre e ne fecero un mucchio, poi su quel mucchio mangiarono. ⁴⁷Labano lo chiamò Iegar-Saaduta, mentre Giacobbe lo chiamò Gal-Ed.

⁴⁸Labano disse: «Questo mucchio sia oggi un testimonio tra me e te». Per questo fu chiamato Gal-Ed ⁴⁹e anche Mizpa, perché disse: «Il Signore starà come vedetta tra me e te, quando noi non ci vedremo più l'un l'altro. ⁵⁰Se tu maltratterai le mie figlie o se prenderai altre mogli oltre le mie figlie, non un uomo sarà con noi, ma Dio sarà testimone tra me e te».

⁵¹Soggiunse Labano a Giacobbe: «Ecco questo mucchio ed ecco questa stele sacra che io ho eretto tra me e te; ⁵²questo mucchio è testimonio e questa stele sacra è testimonio che io giuro di non oltrepassare questo mucchio dalla tua parte e che tu giuri di non oltrepassare questo mucchio e questa stele dalla mia parte, per fare del male. ⁵³Il Dio di Abramo e il Dio di Nacor siano giudici tra noi». Giacobbe giurò per il Terrore di suo padre Isacco.

⁵⁴Poi offrì un sacrificio sulla montagna e invitò i suoi parenti a prendere cibo. Essi mangiarono e passarono la notte sulla montagna.

GIACOBBE SI PREPARA ALL'INCONTRO CON ESAÙ

32 ¹Alla mattina per tempo Labano si levò, baciò i suoi figli e le sue figlie e li benedisse. Poi partì e ritornò a casa sua.

²Mentre Giacobbe continuava il suo cammino, gli si fecero incontro gli angeli di Dio. ³Giacobbe al vederli esclamò: «Questo è

l'accampamento di Dio!», e chiamò quel luogo Macanaim.

⁴Poi Giacobbe mandò dinanzi a sé alcuni messaggeri al fratello Esaù, verso il paese di Seir, la campagna di Edom. ⁵Diede loro questo comando: «Così direte al mio signore Esaù: "Ho soggiornato come forestiero presso Labano e mi ci sono fermato finora; ⁶posseggo buoi, asini e greggi, e schiavi e schiave. Ho mandato ad informare il mio signore, per trovare grazia ai suoi occhi"».

⁷I messaggeri tornarono da Giacobbe e dissero: «Siamo stati da tuo fratello Esaù: egli stesso sta venendo contro di te e ha con sé quattrocento uomini».

⁸Giacobbe si spaventò assai e fu nell'angustia; poi divise in due accampamenti la gente che era con lui, le greggi, gli armenti e i cammelli. ⁹Pensò infatti: «Se Esaù viene contro una delle schiere e l'abbatte, il restante accampamento si salverà». ¹⁰Poi Giacobbe disse: «O Dio di mio padre Abramo, Dio di mio padre Isacco, Signore, che mi hai detto: "Ritorna al tuo paese e alla tua parentela e io ti farò del bene", ¹¹io sono indegno di tutta la benevolenza e di tutta la fedeltà che hai usato col servo tuo. Col mio solo bastone io ho passato questo fiume, ma ora sono divenuto tale da formare due accampamenti. ¹²Salvami, ti prego, dalla mano di mio fratello Esaù, perché io ho paura di lui e temo che venga e mi colpisca, non risparmiando né madri né figli. ¹³Eppure tu hai detto: "Ti farò del bene e renderò la tua discendenza come la sabbia del mare, che non si può contare tanto è numerosa"».

¹⁴Giacobbe passò là quella notte. Poi, di quello che gli capitava tra mano, prese di che fare un dono a suo fratello Esaù: ¹⁵duecento capre e venti capri, duecento pecore e venti montoni, ¹⁶trenta cammelle allattanti coi loro piccoli, quaranta giovenche e dieci torelli, venti asine e dieci asinelli. ¹⁷Egli affidò ai suoi servi i singoli greggi separatamente e disse loro: «Attraversate davanti a me e lasciate un certo spazio fra gregge e gregge». ¹⁸E ordinò al primo: «Quando t'incontrerà Esaù mio fratello e ti domanderà: "Di chi sei tu e dove vai? E a chi appartiene questo gregge che va dinanzi a te?", ¹⁹tu risponderai: "Al tuo servo Giacobbe; è un dono inviato al mio signore Esaù; ed ecco egli stesso viene dietro di noi"». ²⁰Lo stesso ordine diede anche al secondo e al terzo e a tutti quelli che camminavano dietro i greggi, dicendo: «Queste parole voi rivolgerete ad Esaù, quando lo troverete, ²¹e gli direte: "Anche il tuo servo Giacobbe sta venendo dietro di noi"». Pensava infatti: «Lo placherò con il dono che mi precede e in seguito mi presenterò a lui; forse mi accoglierà benevolmente». ²²Così il dono partì prima di lui, mentre egli trascorse quella notte nell'accampamento.

LA MISTERIOSA LOTTA DI GIACOBBE

²³Durante quella notte egli si alzò, prese le sue due mogli, le sue due serve, i suoi undici figli e attraversò il guado dello Iabbok. ²⁴Li prese e fece loro attraversare il torrente e fece passare anche tutti i suoi averi. ²⁵Giacobbe rimase solo, e un uomo lottò contro di lui fino allo spuntar dell'aurora. ²⁶Vedendo che non riusciva a vincerlo, lo percosse nell'articolazione del femore; e l'articolazione del femore di Giacobbe si lussò, mentr'egli continuava a lottare con lui. ²⁷Quegli disse: «Lasciami andare, perché spunta l'aurora». Rispose: «Non ti lascerò partire se non mi avrai benedetto». ²⁸Gli domandò: «Qual è il tuo nome?». Rispose: «Giacobbe». ²⁹Riprese: «Non ti chiamerai più Giacobbe, ma Israele, perché hai combattuto con Dio e gli uomini e hai vinto». ³⁰Giacobbe allora gli chiese: «Dimmi il tuo nome, ti prego!». Gli rispose: «Perché chiedi il mio nome?». E qui lo benedisse. ³¹Allora Giacobbe chiamò quel luogo Penuel, «perché», disse, «ho visto Dio faccia a faccia eppure la mia vita è rimasta salva». ³²Il sole spuntò quando egli ebbe passato Penuel e Giacobbe zoppicava all'anca. ³³Per questo gli Israeliti, fino al giorno d'oggi, non mangiano il nervo sciatico, che si trova nell'articolazione del femore, perché quell'uomo aveva colpito l'articolazione del femore di Giacobbe sul nervo sciatico.

32. - 29. *Israele* significa «Dio è forte». Il cambio del nome significa che *Giacobbe*, uomo, dovrà essere il padre di *Israele*, popolo di Dio. In una prospettiva profetica, questo esempio suggerisce la continuità della benedizione e protezione divina a favore del popolo eletto.

INCONTRO CON ESAÙ

33 [1]Poi Giacobbe alzò gli occhi, e vide arrivare Esaù, che aveva con sé quattrocento uomini. Allora divise i figli fra Lia, Rachele e le due serve; [2]e mise in testa le serve con i loro figli, poi Lia con i suoi figli e ultimi Rachele con Giuseppe. [3]Intanto egli stesso passò dinanzi a loro, si prostrò sette volte fino a terra, mentre andava avvicinandosi a suo fratello. [4]Ma Esaù gli corse incontro, lo abbracciò, gli gettò le braccia al collo e lo baciò. E piansero. [5]Poi alzò gli occhi e vide le donne e i fanciulli e disse: «Chi sono questi con te?». Rispose: «Sono i figli che Dio s'è compiaciuto di dare al servo tuo».

[6]Allora si fecero avanti le serve con i loro figli e si prostrarono; [7]poi si fecero avanti anche Lia e i suoi figli e si prostrarono e infine si fecero avanti Rachele e Giuseppe e si prostrarono.

[8]Domandò ancora: «Che è tutta quella schiera che ho incontrato?». Rispose: «È per trovare grazia agli occhi del mio signore!». [9]Esaù riprese: «Ce n'ho abbastanza, fratello mio, tieni per te quello ch'è tuo». [10]Ma Giacobbe insistette: «No, ti prego, se ho trovato grazia agli occhi tuoi, accetterai dalla mia mano il mio dono, perché è appunto per questo che io sono venuto alla tua presenza, come si viene alla presenza di Dio, e tu mi hai accolto bene. [11]Accetta, ti prego, il mio dono che ti è stato presentato, perché Dio mi ha favorito e io ho di tutto». E insisté tanto che accettò.

[12]Poi quello disse: «Leviamo le tende e marciamo; io camminerò davanti a te». [13]Gli rispose: «Il mio signore sa che i fanciulli sono di tenera età e che ho a mio carico le greggi e le vacche che allattano; se si strapazzano anche un giorno solo, tutte le bestie moriranno. [14]Che il mio signore favorisca precedere il suo servo, mentre io me ne verrò pian piano, secondo il passo di questo bestiame che va davanti e secondo il passo dei fanciulli, finché arriverò presso il mio signore a Seir». [15]Aggiunse allora Esaù: «Permetti almeno che io lasci con te un po' della gente che ho

con me». Rispose: «Ma perché? Basta che io trovi grazia agli occhi del mio signore!». [16]Così, in quello stesso giorno, Esaù ritornò sul suo cammino verso Seir. [17]Giacobbe invece levò le tende alla volta di Succot, dove costruì una casa per sé e per il suo gregge e fece delle capanne. È per questo che quel luogo fu chiamato Succot.

[18]Poi Giacobbe arrivò sano e salvo alla città di Sichem, nel paese di Canaan, quando tornò da Paddan-Aram, e piantò le tende dirimpetto alla città. [19]In seguito comprò dai figli di Camor, padre di Sichem, per cento pezzi d'argento, quella porzione di campagna dove aveva rizzato la sua tenda. [20]Ivi eresse un altare e lo chiamò «El, Dio d'Israele».

LA STRAGE DI SICHEM

34 [1]Dina, la figlia che Lia aveva partorito a Giacobbe, uscì per andare a vedere le ragazze del paese. [2]Sichem, figlio di Camor l'eveo, principe di quella regione, la vide e la rapì, giacque con lei e la violentò. [3]E subito egli si sentì legato a Dina, figlia di Giacobbe; amò quella giovinetta e parlò al cuore di lei. [4]Poi disse a Camor suo padre: «Prendimi in moglie questa ragazza!». [5]Intanto Giacobbe aveva sentito che quello aveva disonorato Dina, sua figlia, ma i suoi figli erano in campagna col bestiame, così che Giacobbe tacque fino al loro arrivo. [6]Venne dunque Camor, padre di Sichem, da Giacobbe per parlare con lui. [7]Frattanto i figli di Giacobbe erano tornati dalla campagna e, sentito l'accaduto, ne furono addolorati, e s'indignarono assai, perché quell'uomo aveva commesso un'infamia in Israele unendosi alla figlia di Giacobbe: così non si doveva fare!

[8]Camor disse loro: «Sichem, mio figlio, è innamorato della vostra figlia: vi prego, dategliela in moglie! [9]Anzi, imparentatevi con noi: voi ci darete le vostre figlie e vi prenderete le nostre figlie. [10]Abiterete con noi e la regione sarà a vostra disposizione; risiedetevi, trafficatevi e acquistate in essa delle proprietà». [11]Poi Sichem disse ancora al padre e ai fratelli di lei: «Possa io trovare grazia agli occhi vostri, e vi darò quel che mi direte. [12]Aumentate pure assai a mio ca-

---

33. - 1-7. Avvicinandosi Esaù, Giacobbe mette al sicuro le persone più amate: Rachele e Giuseppe; poi va a ricevere il fratello e fa atto di sottomissione per cattivarsene la benevolenza.

rico il prezzo nuziale e il valore del dono, e vi darò quanto mi dite; ma datemi la giovane in moglie!».

¹³Allora i figli di Giacobbe risposero a Sichem e a suo padre Camor, ma parlarono con astuzia perché egli aveva disonorato Dina loro sorella.

¹⁴Dissero loro: «Non possiamo fare questa cosa, cioè dare nostra sorella ad un uomo non circonciso, perché ciò sarebbe un disonore per noi. ¹⁵Solo a questa condizione acconsentiremo a voi, se cioè voi diventerete come noi, circoncidendo ogni vostro maschio. ¹⁶Allora noi vi daremo le nostre figlie e ci prenderemo le vostre, abiteremo con voi e diventeremo un sol popolo. ¹⁷Ma se voi non ci ascoltate quanto al farvi circoncidere, allora prenderemo la nostra figliuola e ce ne andremo».

¹⁸Le loro parole piacquero a Camor e a Sichem, suo figlio. ¹⁹Il giovane non indugiò a fare la cosa, perché amava la figlia di Giacobbe, e d'altra parte era il più influente di tutto il casato di suo padre. ²⁰Vennero dunque Camor e suo figlio Sichem alla porta della loro città e dissero agli uomini della città: ²¹«Questi uomini sono gente pacifica con noi: abitino pure nella regione e vi traffichino; tanto, il paese si stende spazioso a loro disposizione; noi potremo prendere per mogli le loro figlie e potremo dare a loro le nostre figlie. ²²Ma questa gente ci mette una sola condizione per abitare con noi e diventare un sol popolo: se cioè ogni nostro maschio tra noi si farà circoncidere come essi stessi sono circoncisi. ²³I loro armenti, la loro ricchezza e tutto il loro bestiame non saranno forse nostri? Accontentiamoli dunque perché possano abitare con noi!».

²⁴Allora tutti quelli che uscivano dalla porta della città ascoltarono Camor e Sichem suo figlio, e tutti i maschi, tutti quelli che uscivano dalla porta della propria città, si fecero circoncidere.

²⁵Or avvenne che al terzo giorno, quand'essi erano sofferenti, i due figli di Giacobbe, Simeone e Levi, fratelli di Dina, presero ciascuno la propria spada, assalirono la città, che si riteneva al sicuro, e uccisero tutti i maschi. ²⁶Passarono così a fil di spada Camor e suo figlio Sichem, portarono via Dina dalla casa di Sichem e uscirono. ²⁷I figli di Giacobbe si buttarono sugli uccisi e saccheggiarono la città, perché quelli avevano disonorato la loro sorella. ²⁸Presero così i loro greggi, i loro armenti, i loro asini e tutto quello che vi era nella città e nella campagna. ²⁹Portarono via come bottino tutte le loro proprietà, tutti i loro piccoli e le loro donne e saccheggiarono tutto quanto v'era nelle case. ³⁰Allora Giacobbe disse a Simeone e a Levi: «Voi mi avete messo in difficoltà rendendomi odioso agli abitanti della regione, ai Cananei e ai Perizziti, mentre io ho pochi uomini; essi si raduneranno contro di me, mi vinceranno e sarò annientato io e la mia famiglia». ³¹Risposero: «Si doveva trattare la nostra sorella come una meretrice?».

GIACOBBE A BETEL

35 ¹Dio disse a Giacobbe: «Lèvati, sali a Betel e là risiedi: costruisci in quel luogo un altare al Dio che ti è apparso quando fuggivi dalla presenza di Esaù, tuo fratello». ²Allora Giacobbe disse alla sua famiglia e a tutti quelli ch'erano no con lui: «Togliete di mezzo gli dèi stranieri che avete con voi, purificatevi e cambiate le vostre vesti. ³Poi leviamoci e saliamo a Betel, dove io voglio fare un altare al Dio che mi ha esaudito al tempo della mia angoscia ed è stato con me nel viaggio che ho fatto». ⁴Essi consegnarono a Giacobbe tutti gli dèi stranieri che possedevano e i pendenti che avevano agli orecchi e Giacobbe li sotterrò sotto la quercia che è presso Sichem.

⁵Poi levarono l'accampamento e un terrore molto forte assalì i popoli che stavano attorno a loro, così che non inseguirono i figli di Giacobbe. ⁶Così Giacobbe giunse a Luz, cioè a Betel, che è nella terra di Canaan, con tutto il popolo che era con lui. ⁷Lì egli costruì un altare e chiamò quel luogo El-Betel, perché là Dio si era rivelato a lui quando fuggiva dalla presenza di suo fratello. ⁸Allora morì Debora, la nutrice di Rebecca, e fu sepolta al di sotto di Betel, ai

---

34. - 30. L'eccidio compiuto dai due figli di Giacobbe non ha nessuna attenuante. La riprensione del padre, com'è questo punto, può sembrare troppo blanda: ma egli si esprimerà con tutta la sua autorità in altra occasione solenne (Gn 49,5-7), quando benedirà i suoi figli.

35. - 2. La famiglia di Giacobbe non era ancora monoteista, ma il comando del patriarca costituisce un atto di fede nel Dio unico, che gli era apparso a Betel.

piedi della quercia, che perciò fu chiamata Quercia del pianto.

⁹Un'altra volta Dio apparve a Giacobbe quando veniva da Paddan-Aram, e lo benedisse. ¹⁰Dio gli disse: «Il tuo nome è Giacobbe; non sarai più chiamato Giacobbe, bensì Israele sarà il tuo nome».

Così lo si chiamò Israele. ¹¹E Dio gli disse: «Io sono Dio onnipotente: sii fecondo e moltiplicati: una nazione, anzi un'accolta di nazioni procederà da te, e dei re usciranno dai tuoi fianchi. ¹²E darò a te la terra che ho dato ad Abramo e a Isacco; e alla tua discendenza dopo di te io darò quella terra». ¹³Poi Dio risalì allontanandosi da lui, nel luogo dove gli aveva parlato.

¹⁴Allora Giacobbe eresse una stele sacra, nel luogo dove gli aveva parlato, una stele di pietra, sulla quale fece una libagione, versando olio sopra di essa. ¹⁵Giacobbe chiamò quel luogo, dove Dio gli aveva parlato, Betel.

LA NASCITA DI BENIAMINO E LA MORTE DI ISACCO

¹⁶Poi levarono l'accampamento da Betel. Quando mancava ancora un tratto di cammino per arrivare ad Efrata, Rachele partorì, ed ebbe un parto difficile. ¹⁷Mentre soffriva per la difficoltà del parto, la levatrice le disse: «Non temere: anche questa volta hai un figlio!». ¹⁸Or mentre esalava l'ultimo respiro, perché stava morendo, ella lo chiamò Ben-Oni, ma suo padre lo chiamò Beniamino. ¹⁹Così morì Rachele e fu sepolta lungo la strada verso Efrata, cioè Betlemme. ²⁰Giacobbe eresse sulla sua tomba una stele. È la stele della tomba di Rachele che esiste ancora oggi.

²¹Poi Israele levò l'accampamento e rizzò la sua tenda al di là di Migdal-Eder. ²²Mentre Israele abitava in quella regione, Ruben andò a unirsi con Bila, concubina di suo padre, e Israele lo venne a sapere.

I figli di Giacobbe furono dodici. ²³I figli di Lia: Ruben il primogenito, poi Simeone, Levi, Giuda, Issacar e Zabulon. ²⁴I figli di Rachele: Giuseppe e Beniamino. ²⁵I figli di Bila, schiava di Rachele: Dan e Neftali. ²⁶I figli di Zilpa, schiava di Lia: Gad e Aser. Questi sono i figli di Giacobbe che gli nacquero in Paddan-Aram.

²⁷Poi Giacobbe venne da Isacco, suo padre, a Mamre, a Kiriat-Arba, cioè Ebron, dove Abramo e Isacco avevano soggiornato. ²⁸Isacco raggiunse l'età di centottanta anni. ²⁹Poi Isacco spirò, morì e fu riunito al suo popolo, vecchio e sazio di giorni. Lo seppellirono i suoi figli Esaù e Giacobbe.

I DISCENDENTI DI ESAÙ

36 ¹Questa è la posterità di Esaù, cioè Edom. ²Esaù prese le mogli tra le figlie dei Cananei: Ada, figlia di Elon l'hittita; Oolibama, figlia di Ana, figlio di Zibeon l'hurrita; ³e Basemat, figlia di Ismaele, sorella di Nebaiot. ⁴Ada partorì ad Esaù Elifaz, Basemat partorì Reuel, ⁵e Oolibama partorì Ieus, Iaalam e Core. Questi sono i figli di Esaù, che gli nacquero nella terra di Canaan.

⁶Poi Esaù prese le mogli e i figli e le figlie e tutte le persone della sua casa, i suoi greggi e tutto il suo bestiame e tutti i suoi beni che aveva acquistato nella terra di Canaan, e se ne andò in un paese lontano da suo fratello Giacobbe. ⁷Infatti i loro possedimenti erano troppo grandi perché essi potessero abitare insieme, e il territorio, dov'essi soggiornavano, non era loro sufficiente a motivo del loro bestiame. ⁸Così Esaù abitò sulla montagna di Seir. Ora Esaù è Edom.

⁹Questa è la posterità di Esaù, padre degli Edomiti, nella montagna di Seir. ¹⁰Questi sono i nomi dei figli di Esaù: Elifaz, figlio di Ada, moglie di Esaù; Reuel, figlio di Basemat, moglie di Esaù. ¹¹I figli di Elifaz furono: Teman, Omar, Zefo, Gatam, Kenaz. ¹²Elifaz, figlio di Esaù, aveva per concubina Timna, la quale ad Elifaz partorì Amalek. Questi sono i figli di Ada, moglie di Esaù. ¹³Questi sono i figli di Reuel: Naat e Zerach, Samma e Mizza. Questi furono i figli di Basemat, moglie di Esaù. ¹⁴Questi furono i figli

---

15. Le teofanie stanno in stretta relazione con la promessa. Con queste manifestazioni divine Dio prende possesso anticipato della terra che ha promesso al popolo che sarà «suo» e la consacrazione dei grandi santuari mediante queste apparizioni divine mostra la continuità della storia salvifica.

36. - 8. *Montagna di Seir*: si trova a sud del Mar Morto e forma la regione montagnosa che dal nome «Edom», dato a Esaù a causa del suo pelo rossiccio, si chiamerà in seguito «Idumea».

di Oolibama, moglie di Esaù, figlia di Ana, figlio di Zibeon; essa partorì a Esaù Ieus, Iaalam e Core.
¹⁵Questi sono i capi dei figli di Esaù. I figli di Elifaz primogenito di Esaù: il capo di Teman, il capo di Omar, il capo di Zefo, il capo di Kenaz, ¹⁶il capo di Core, il capo di Gatam, il capo di Amalek. Questi sono i capi di Elifaz nel paese di Edom: questi sono i figli di Ada.
¹⁷Questi i figli di Reuel, figlio di Esaù: il capo di Naat, il capo di Zerach, il capo di Samma, il capo di Mizza. Questi sono i capi di Reuel nel paese di Edom; questi sono i figli di Basemat, moglie di Esaù.
¹⁸Questi sono i figli di Oolibama, moglie di Esaù: il capo di Ieus, il capo di Iaalam, il capo di Core. Questi sono i capi di Oolibama, figlia di Ana, moglie di Esaù.
¹⁹Questi sono i figli e questi sono i loro capi. Egli è Edom.
²⁰Questi sono i figli di Seir l'hurrita, che abitano il paese: Lotan, Sobal, Zibeon, Ana, ²¹Dison, Eser e Disan. Questi sono i capi degli Hurriti, figli di Seir, nel paese di Edom.
²²I figli di Lotan furono Ori e Emam e la sorella di Lotan era Timna. ²³I figli di Sobal sono Alvan, Manacat, Ebal, Sefo e Onam. ²⁴I figli di Zibeon sono Aia e Ana; questo è l'Ana che trovò le sorgenti calde nel deserto, mentre pascolava gli asini del padre Zibeon. ²⁵I figli di Ana sono Dison e Oolibama, figlia di Ana. ²⁶I figli di Dison sono Emdam, Esban, Itran e Cheran. ²⁷I figli di Eser sono Bilan, Zaavan e Akan. ²⁸I figli di Disan sono Uz e Aran.
²⁹Questi sono i capi degli Hurriti: il capo di Lotan, il capo di Sobal, il capo di Zibeon, il capo di Ana, ³⁰il capo di Dison, il capo di Eser, il capo di Disan. Questi sono i capi degli Hurriti, secondo le loro tribù nel paese di Seir.
³¹Questi sono i re che regnarono nel paese di Edom, prima che regnasse un re degli Israeliti. ³²Regnò dunque in Edom Bela, figlio di Beor, e la sua città si chiama Dinaba. ³³Bela morì e regnò al suo posto Iobab, figlio di Zerach, da Bozra. ³⁴Iobab morì e regnò al suo posto Usam, dal territorio dei Temaniti. ³⁵Usam morì e regnò al suo posto Adad, figlio di Bedad, colui che vinse i Madianiti nelle steppe di Moab; la sua città si chiama Avit. ³⁶Adad morì e regnò al suo posto Samla da Masreka. ³⁷Samla morì e regnò al suo

posto Saul da Recobot-Naar. ³⁸Saul morì e regnò al suo posto Baal-Canan, figlio di Acbor. ³⁹Baal-Canan, figlio di Acbor, morì e regnò al suo posto Adar; la sua città si chiama Pau e la moglie si chiamava Meetabel, figlia di Matred, da Me-Zaab.
⁴⁰Questi sono i nomi dei capi di Esaù, secondo le loro famiglie, le loro località, con i loro nomi: il capo di Timna, il capo di Alva, il capo di Ietet, ⁴¹il capo di Oolibama, il capo di Ela, il capo di Pinon, ⁴²il capo di Kenaz, il capo di Teman, il capo di Mibsar, ⁴³il capo di Magdiel, il capo di Iram. Questi sono i capi di Edom secondo le loro sedi, nel territorio del loro possesso. È appunto questo Esaù il padre degli Edomiti.

LA STORIA DI GIUSEPPE

37 ¹Giacobbe si stabilì nella terra dove suo padre aveva soggiornato. ²Questa è la storia della discendenza di Giacobbe. Giuseppe, all'età di diciassette anni, pascolava il gregge con i suoi fratelli. Siccome era giovinetto, stava con i figli di Bila e i figli di Zilpa, mogli di suo padre. Giuseppe riportò al loro padre la cattiva fama che circolava sul loro conto. ³Israele amava Giuseppe più di tutti i suoi figli, perché era il figlio della sua vecchiaia, e gli fece una tunica con le maniche lunghe. ⁴Ma i suoi fratelli videro che il loro padre amava lui più di tutti i suoi figli, e presero ad odiarlo e non potevano parlargli amichevolmente.
⁵Or Giuseppe fece un sogno e lo raccontò ai fratelli, che lo odiarono ancor di più. ⁶Disse dunque loro: «Ascoltate questo sogno che ho fatto. ⁷Ecco, noi stavamo legando dei covoni in mezzo alla campagna, quand'ecco il mio covone si rizzò e restò diritto, e i vostri covoni stettero tutt'attorno e si prostrarono davanti al mio covone».
⁸Gli dissero i suoi fratelli: «Dovrai tu forse regnare su di noi o dominarci?». E conti-

---

37. - 2. L'autore sacro accenna qui alla *storia di Giacobbe*, ma in realtà comincia con questo capitolo la storia di Giuseppe: storia commovente e delicata nella sua narrazione e importante per l'economia della salvezza. Infatti attraverso il racconto si manifesta chiaramente l'azione della Provvidenza divina, la quale si serve degli uomini e dirige anche i loro perversi disegni verso il fine di essa previsto e al loro stesso bene.

nuarono a odiarlo più che mai, a causa dei suoi sogni e delle sue parole.

⁹Poi fece un altro sogno e lo raccontò ai suoi fratelli e disse: «Ecco, ho fatto ancora un sogno, sentite: il sole, la luna e undici stelle si prostravano davanti a me». ¹⁰Lo narrò a suo padre e ai suoi fratelli, e suo padre lo rimproverò e gli disse: «Che sogno è questo che hai fatto! Dovremo, forse, io e tua madre e i tuoi fratelli venir a prostrarci fino a terra davanti a te?». ¹¹I suoi fratelli furono dunque invidiosi di lui, ma suo padre tenne in mente la cosa.

GIUSEPPE
VENDUTO DAI FRATELLI

¹²Una volta i suoi fratelli andarono a pascolare il gregge del loro padre a Sichem. ¹³Israele disse a Giuseppe: «I tuoi fratelli non sono forse al pascolo a Sichem? Vieni, ti devo mandare da loro!». Gli rispose: «Eccomi!». ¹⁴Gli disse: «Va', per favore, a vedere se i tuoi fratelli stanno bene e se va bene il gregge, e poi torna a riferirmi la cosa». Così lo fece partire dalla valle di Ebron, ed egli arrivò a Sichem. ¹⁵Mentr'egli andava errando per la campagna lo trovò un uomo che gli domandò: «Che cosa cerchi?». ¹⁶Rispose: «Cerco i miei fratelli. Indicami, per favore, dove siano a pascolare». ¹⁷Quell'uomo disse: «Hanno tolto le tende di qui, perché ho sentito dire: "Andiamo a Dotan!"». Allora Giuseppe andò sulle tracce dei suoi fratelli e li trovò a Dotan.

¹⁸Essi lo videro da lontano e, prima che fosse arrivato vicino a loro, complottarono contro di lui per farlo morire. ¹⁹Si dissero l'un l'altro: «Ecco che arriva il sognatore! ²⁰Su, uccidiamolo e gettiamolo in qualche cisterna! Poi diremo: "Una bestia feroce l'ha divorato!". Così vedremo che ne sarà dei suoi sogni!». ²¹Ma Ruben ascoltò e lo volle liberare dalle loro mani; perciò disse: «Non togliamogli la vita». ²²Poi aggiunse: «Non versate del sangue, gettatelo in questa cisterna che è nel deserto, ma non colpitelo di vostra mano!», per liberarlo dalle loro mani e ricondurlo a suo padre. ²³Quando Giuseppe fu arrivato presso i fratelli, essi lo spogliarono della sua tunica, quella tunica dalle maniche lunghe ch'egli aveva indosso; ²⁴poi lo afferrarono e lo get-

tarono nella cisterna: era una cisterna vuota, senz'acqua. ²⁵Poi si sedettero per mangiar pane; quand'ecco, alzando gli occhi, videro una carovana di Ismaeliti proveniente da Galaad, e i loro cammelli erano carichi di gomma, di balsamo e di resina, che andavano a scaricare in Egitto. ²⁶Allora Giuda disse ai suoi fratelli: «Che vantaggio c'è ad uccidere il nostro fratello e a nasconderne il sangue? ²⁷Su, vendiamolo agli Ismaeliti, e non sia la nostra mano a colpirlo, perché è nostro fratello e carne nostra». I suoi fratelli lo ascoltarono.

²⁸Frattanto vennero a passare alcuni mercanti madianiti. Allora essi tirarono su ed estrassero Giuseppe dalla cisterna e per venti sicli d'argento lo vendettero agli Ismaeliti. Così Giuseppe fu condotto in Egitto. ²⁹Quando Ruben ritornò alla cisterna, non trovò più Giuseppe nella cisterna! Allora egli si stracciò le vesti, ³⁰ritornò dai suoi fratelli e disse: «Il ragazzo non c'è più, e io dove andrò?». ³¹Presero allora la tunica di Giuseppe, scannarono un capro e intinsero la tunica nel sangue. ³²Poi fecero pervenire la tunica dalle maniche lunghe al loro padre con queste parole: «L'abbiamo trovata; vedi tu se sia la tunica di tuo figlio o no». ³³Egli la riconobbe e disse: «La tunica di mio figlio! Una bestia feroce l'ha divorato… Giuseppe è stato sbranato!». ³⁴Giacobbe si stracciò le vesti, si pose un cilicio attorno alle reni e fece lutto sul suo figliuolo per molti giorni. ³⁵Allora tutti i suoi figli e le sue figlie vennero a consolarlo, ma egli ricusò d'esser consolato e disse: «No, io voglio scendere in lutto dal mio figlio nella tomba». E il padre suo lo pianse.

³⁶Intanto i Madianiti lo vendettero in Egitto a Potifar, eunuco del Faraone, capo delle guardie.

GIUDA E TAMAR

38 ¹In quel tempo, Giuda si separò dai suoi fratelli e rizzò la sua tenda presso un uomo di Adullam, di nome Chira. ²Qui Giuda vide la figlia di un uomo cananeo, che si chiamava Sua; se la prese in moglie e si unì a lei. ³Essa concepì e partorì un figlio, che egli chiamò Er. ⁴Poi concepì ancora e partorì un figlio, che chiamò Onan. ⁵Ancora un'altra volta partorì un figlio, che chiamò Sela. Essa si trovava in Chezib quando lo partorì.

⁶Giuda prese una moglie per il suo primogenito Er, la quale si chiamava Tamar. ⁷Ma Er, il primogenito di Giuda, era perverso agli occhi del Signore, e il Signore lo fece morire. ⁸Allora Giuda disse a Onan: «Accostati alla moglie di tuo fratello, fa' il dovere di cognato nei suoi riguardi, e assicura così una posterità per tuo fratello». ⁹Ma Onan, sapendo che la prole non sarebbe stata sua, ogni volta che si univa alla moglie di suo fratello, disperdeva per terra, per non dare una posterità a suo fratello. ¹⁰Ciò ch'egli faceva dispiacque agli occhi del Signore, che fece morire anche lui. ¹¹Allora Giuda disse alla nuora Tamar: «Ritorna a casa di tuo padre come vedova, fin quando mio figlio Sela diverrà grande». Perché temeva che anche questi morisse come gli altri fratelli. Così Tamar se ne andò e ritornò alla casa di suo padre.

¹²Passarono molti giorni e morì la figlia di Sua, la moglie di Giuda. Quando Giuda ebbe finito il lutto, salì da quelli che tosavano il suo gregge a Timna, e con lui vi era Chira, il suo amico di Adullam. ¹³Allora fu portata a Tamar questa notizia: «Ecco che tuo suocero sale a Timna per la tosatura del suo gregge».

¹⁴Allora Tamar svestì i suoi abiti vedovili, si coprì con un velo, si profumò, poi si pose seduta alla porta di Enaim, che è sulla strada verso Timna. Aveva visto infatti che Sela era ormai diventato adulto, ma lei non gli era stata data in moglie. ¹⁵Giuda la vide e la credette una prostituta, perché essa si era coperta la faccia.

¹⁶Egli deviò il cammino verso di lei e disse: «Suvvia, permetti che io mi accosti a te!». Non sapeva infatti che quella fosse la sua nuora. Essa disse: «Che cosa mi darai per accostarti a me?». ¹⁷Rispose: «Io ti manderò un capretto del gregge». Essa riprese: «Mi dai un pegno fin quando me lo avrai mandato?». ¹⁸Egli disse: «Qual è il pegno che ti devo dare?». Rispose: «Il tuo sigillo, il tuo cordone e il bastone che hai in mano». Giuda glieli diede, le si accostò, ed essa concepì. ¹⁹Poi si alzò e se ne andò; si tolse di dosso il velo e si rivestì dei suoi abiti vedovili. ²⁰Giuda poi mandò il capretto per mezzo del suo amico di Adullam, per riprendere il pegno dalle mani di quella donna, ma

quello non la trovò. ²¹Domandò agli uomini di quel luogo: «Dov'è quella prostituta che stava in Enaim sulla strada?». Essi risposero: «Non c'è stata qui nessuna prostituta sacra». ²²Così tornò da Giuda e disse: «Non l'ho trovata, e anche gli uomini del luogo dicevano: Non c'è stata qui nessuna prostituta sacra». ²³Allora Giuda disse: «Si tenga per sé il pegno, altrimenti ci esporremo al ridicolo. Vedi bene che le ho mandato questo capretto, ma tu non l'hai trovata». ²⁴Or avvenne, circa tre mesi dopo, che fu portata a Giuda questa notizia: «Si è prostituita tua nuora Tamar, e anzi è incinta in conseguenza della sua prostituzione». Giuda rispose: «Conducetela fuori e sia bruciata!».

²⁵Mentre la si faceva uscire, essa mandò a dire al suocero: «L'uomo, a cui appartengono questi oggetti, mi ha reso incinta». E aggiunse: «Ti prego, riscontra di chi siano questo sigillo, questi cordoni e questo bastone». ²⁶Allora Giuda li riconobbe e disse: «Essa è più giusta di me. Infatti è perché io non l'ho data al mio figlio Sela». E non ebbe più rapporti con lei.

²⁷Quando essa fu giunta al momento di partorire, ecco che aveva nel ventre due gemelli. ²⁸Durante il parto uno di loro mise fuori una mano e la levatrice prese un filo scarlatto e lo legò attorno a quella mano, dicendo: «È questo che è uscito per primo». ²⁹Ma quando questo ritirò la mano, ecco che uscì suo fratello. Allora essa disse: «Come ti sei aperto una breccia?» e lo si chiamò Perez. ³⁰Poi uscì suo fratello, che aveva il filo scarlatto attorno alla mano e lo si chiamò Zerach.

GIUSEPPE IN EGITTO

39 ¹Giuseppe fu condotto in Egitto, e Potifar, eunuco del Faraone e capo delle guardie, un egiziano, lo com-

---

38. - 8. Per impedire l'estinzione delle famiglie, presso gli Ebrei era costume, e poi divenne legge, che, quando un ammogliato moriva senza figli, il suo più prossimo parente ne sposasse la vedova. Il primo figlio nato da questo secondo matrimonio era considerato come primogenito del defunto e suo erede. Si chiama la legge del «levirato».
9-10. Onan voleva per sé la successione del fratello Er; perciò rendeva impossibile che dal suo matrimonio con Tamar nascessero figli.

però da quegli Ismaeliti che l'avevano fatto scendere laggiù. ²Il Signore fu con Giuseppe, così che questi divenne un uomo a cui tutto riusciva, e rimase nella casa dell'egiziano, suo padrone. ³Il suo padrone si accorse che il Signore era con lui e che tutto quello ch'egli faceva, il Signore lo faceva prosperare nelle sue mani. ⁴Così Giuseppe trovò grazia ai suoi occhi e divenne suo servitore personale; anzi egli lo nominò soprintendente della sua casa e gli diede in mano tutti i suoi averi. ⁵E da quando l'ebbe fatto soprintendente della sua casa e di tutti i suoi averi, il Signore benedisse la casa dell'egiziano per causa di Giuseppe e la benedizione del Signore fu su tutto quello che aveva, in casa e nella campagna. ⁶Così egli lasciò tutti i suoi averi nelle mani di Giuseppe e non gli chiedeva conto di nulla, se non del cibo che mangiava. Or Giuseppe era bello di forma e bello di aspetto.

⁷Dopo queste cose, avvenne che la moglie del suo padrone mise gli occhi su Giuseppe e gli disse: «Unisciti a me!». ⁸Ma egli si rifiutò e disse alla moglie del suo padrone: «Vedi, il mio signore non mi chiede conto di quanto è nella sua casa e mi ha dato in mano tutti i suoi averi. ⁹Egli stesso non conta più di me in questa casa; e non mi ha proibito nulla, se non te, per il fatto che sei sua moglie. E come potrei fare questo grande male e peccare contro Dio?». ¹⁰E benché ogni giorno essa ne parlasse a Giuseppe, egli non acconsentì a unirsi a lei, a darsi a lei.

¹¹Un certo giorno egli entrò in casa per fare il suo lavoro, mentre non vi era in casa nessuno dei domestici. ¹²Essa lo afferrò per la veste, dicendo: «Unisciti a me!». Ma egli le abbandonò tra le mani la sua veste, fuggì e uscì fuori. ¹³Allora essa, vedendo che egli le aveva lasciato tra le mani la veste ed era fuggito fuori, ¹⁴chiamò i suoi domestici e disse loro: «Guardate, ci ha condotto in casa un Ebreo, per scherzare con noi! Mi si è accostato per unirsi a me, ma io ho chiamato a gran voce. ¹⁵Allora lui, appena ha sentito che alzavo la voce e chiamavo, ha abbandonato la sua veste presso di me ed è fuggito fuori».

¹⁶Poi essa tenne accanto a sé la veste di lui, finché il suo signore non fu tornato a casa. ¹⁷Allora gli disse le stesse cose in questi termini: «È venuto da me quel servo ebreo, che tu ci hai condotto in casa, per scherzare con me; ¹⁸ma come io ho alzato la voce e ho gridato, ha abbandonato la sua veste presso di me ed è fuggito fuori». ¹⁹Quando il padrone udì le parole di sua moglie che gli parlava in questi termini: «È proprio così che mi ha fatto il tuo servo!», si accese d'ira. ²⁰E il padrone di Giuseppe lo prese e lo mise in prigione nel luogo dove il re detiene i carcerati. Così egli rimase là in prigione.

²¹Ma il Signore fu con Giuseppe e lo rese oggetto di benevolenza, facendogli trovare grazia agli occhi del direttore del carcere. ²²Così il direttore del carcere affidò a Giuseppe tutti i detenuti che erano nella prigione, e tutto quello che si faceva là dentro, lo faceva lui. ²³Il direttore del carcere non badava più a nulla di quanto era affidato a lui, perché il Signore era con lui e quello ch'egli faceva, il Signore glielo faceva riuscire.

GIUSEPPE INTERPRETA I SOGNI

40 ¹Dopo queste cose, il coppiere del re d'Egitto e il panettiere offersero il loro padrone, il re d'Egitto. ²Il Faraone si adirò contro i suoi due eunuchi, contro il capo-coppiere e contro il capo-panettiere, ³e li fece mettere in residenza forzata nella casa del capo delle guardie, nella stessa prigione dove Giuseppe era detenuto. ⁴E il capo delle guardie assegnò loro Giuseppe, perché li servisse. Così essi restarono nella residenza forzata per un certo tempo.

⁵Ora, in una medesima notte, il coppiere e il panettiere del re d'Egitto, ch'erano detenuti nella prigione, ebbero ambedue un sogno, ciascuno il suo sogno, e ciascun sogno aveva un significato particolare. ⁶Alla mattina, Giuseppe venne da loro e li trovò conturbati. ⁷Allora interrogò gli eunuchi del Faraone che erano con lui nella residenza forzata della casa del suo padrone, e disse: «Come mai quest'oggi avete il volto così triste?». ⁸Gli risposero: «Abbiamo fatto un sogno e non c'è chi lo interpreti». Giuseppe disse loro: «Non è forse Dio che ha in suo potere le interpretazioni? Raccontatemi, vi prego». ⁹Allora il capo-coppiere raccontò il suo sogno a Giuseppe e disse: «Nel mio sogno,

ecco che mi stava davanti una vite, [10]e in quella vite vi erano tre tralci, e non appena essa incominciò a germogliare, subito apparvero i fiori, e i suoi grappoli portarono a maturazione gli acini. [11]Io avevo in mano la coppa del Faraone; presi gli acini, li spremetti nel calice del Faraone e diedi il calice in mano al Faraone».

[12]Giuseppe gli disse: «Questa è la sua interpretazione: i tre tralci sono tre giorni. [13]Dopo tre giorni il Faraone solleverà la tua testa e ti restituirà nella tua carica, e tu porgerai la coppa in mano del Faraone, secondo la consuetudine di prima, quando eri il suo coppiere. [14]Ma tu ti vorrai ricordare di me quando sarai felice? Ti prego, fammi questo atto di benevolenza, ricordami al Faraone e fammi uscire da questa casa. [15]Perché io sono stato portato via ingiustamente dal paese degli Ebrei, e anche qui non ho fatto nulla perché mi mettessero in questa fossa».

[16]Allora il capo-panettiere, vedendo che aveva interpretato in senso favorevole, disse a Giuseppe: «Quanto a me, nel mio sogno, mi stavano sulla testa tre canestri di pane bianco, [17]e nel canestro che stava di sopra vi era per il Faraone ogni sorta di cibi, quali vengono preparati dai panettieri. Ma gli uccelli li mangiavano dal canestro che avevo sulla testa». [18]Giuseppe rispose: «Questa è la sua interpretazione: i tre canestri sono tre giorni. [19]Dopo tre giorni il Faraone solleverà la tua testa dalle tue spalle, poi ti impiccherà ad un palo, e gli uccelli ti mangeranno le carni addosso».

[20]Effettivamente il terzo giorno, giorno natalizio del Faraone, egli fece un convito a tutti i suoi ministri, e allora sollevò la testa del capo-coppiere e la testa del capo-panettiere in mezzo ai suoi ministri. [21]E ristabilì il capo-coppiere nel suo ufficio di coppiere, perché desse il calice in mano al Faraone, [22]e invece impiccò il capo-panettiere, conforme all'interpretazione che Giuseppe aveva loro dato.

[23]Ma il capo-coppiere non si ricordò di Giuseppe e lo dimenticò.

I SOGNI DEL FARAONE

41 [1]Al termine di due anni anche il Faraone sognò di trovarsi presso il Nilo. [2]Ed ecco salire dal Nilo sette vacche, belle di aspetto e grasse di carne, e mettersi a pascolare nella macchia di papiro. [3]Dopo quelle, ecco altre sette vacche salire dal Nilo, brutte di aspetto e magre di carne, e fermarsi accanto alle prime vacche, sulla riva del Nilo. [4]Ma le vacche brutte di aspetto e magre di carne divorarono le sette vacche belle di aspetto e grasse. E il Faraone si svegliò.

[5]Poi si riaddormentò e sognò una seconda volta: ecco sette spighe venir su da un unico stelo, grosse e belle. [6]Ma ecco sette spighe, sottili e arse dal vento orientale, germogliare dopo di quelle. [7]E le spighe sottili inghiottirono le sette spighe grosse e piene. Poi il Faraone si svegliò: era un sogno!

[8]Alla mattina il suo spirito era conturbato, perciò mandò a chiamare tutti gli indovini e tutti i sapienti dell'Egitto. Il Faraone raccontò loro il suo sogno, ma non vi fu nessuno in grado di interpretarlo.

[9]Allora il capo-coppiere parlò col Faraone e gli disse: «Io devo ricordare oggi le mie colpe. [10]Il Faraone si era adirato contro i suoi ministri e aveva messo in residenza forzata, nella casa del capo delle guardie, me e il capo-panettiere. [11]Poi noi facemmo un sogno nella stessa notte, io e lui; ma sognammo ciascuno un sogno con un significato particolare. [12]Ora vi era là con noi un giovane ebreo, schiavo del capo delle guardie; noi gli raccontammo i nostri sogni e lui ce li interpretò, dando a ciascuno l'interpretazione del suo sogno. [13]E proprio come ci aveva interpretato, così avvenne: il Faraone ha restituito me nella mia carica e l'altro fu impiccato».

[14]Allora il Faraone mandò a chiamare Giuseppe; fu tratto subito fuori dalla fossa ed egli si rase, si cambiò gli abiti e venne dal Faraone. [15]Il Faraone disse a Giuseppe: «Ho fatto un sogno, e non c'è alcuno che lo interpreti; ora io ho sentito dire di te che ti basta ascoltare un sogno, per subito interpretarlo».

[16]Giuseppe rispose al Faraone: «Io non c'entro: è Dio che darà la risposta per la salute del Faraone!». [17]Allora il Faraone disse a Giuseppe: «Nel mio sogno io stavo sulla riva del Nilo. [18]Ed ecco salire dal Nilo sette vacche, grasse di carne e belle di forma, e pascolare nella macchia di papiro. [19]Ed ecco sette altre vacche salire dopo quelle,

deboli, bruttissime di forma e magre di carne: non ne vidi mai di così brutte in tutta la terra d'Egitto. [20]Poi le vacche magre e brutte divorarono le prime sette vacche, quelle grasse. [21]Queste entrarono nel loro corpo, ma non si capiva che vi fossero entrate, perché il loro aspetto era brutto come prima. E mi svegliai. [22]Poi vidi nel mio sogno sette spighe venire su da un solo stelo, piene e belle. [23]Ma ecco sette spighe secche, sottili e arse dal vento orientale, che germogliavano dopo di quelle. [24]E le spighe sottili inghiottirono le sette spighe belle. Ora io l'ho detto agli indovini, ma non c'è nessuno che mi dia una indicazione».

[25]Allora Giuseppe disse al Faraone: «Il sogno del Faraone è uno solo: quello che Dio sta per fare, egli lo ha indicato al Faraone. [26]Le sette vacche belle sono sette anni; e le sette spighe belle sono sette anni: è un solo sogno. [27]E le sette vacche magre e brutte, che salgono dopo di quelle, sono sette anni; e le sette spighe sottili, arse dal vento orientale, sono sette anni: vi saranno sette anni di carestia. [28]È appunto la cosa che ho detto al Faraone: quello che Dio sta per fare, l'ha fatto vedere al Faraone. [29]Ecco che stanno per venire sette anni, in cui vi sarà grande abbondanza in tutta la terra d'Egitto. [30]Poi a questi succederanno sette anni di carestia, e si dimenticherà tutta quell'abbondanza nella terra d'Egitto, e la carestia consumerà il paese. [31]E non si conoscerà più che vi sia stata l'abbondanza nel paese a causa della carestia che verrà dopo, perché sarà assai dura. [32]E quanto al fatto che il sogno del Faraone si è ripetuto due volte, significa che la cosa è decisa da Dio e che Dio si affretta ad eseguirla. [33]Ora il Faraone pensi a trovare un uomo intelligente e sapiente e lo metta a capo del paese d'Egitto. [34]Il Faraone inoltre costituisca funzionari sul paese per prelevare il quinto sui prodotti della terra d'Egitto, durante i sette anni di abbondanza. [35]Essi radunino tutti i viveri di queste annate buone che stanno per venire, ammassino il grano sotto l'autorità del Faraone e tengano in custodia i viveri nelle città. [36]Questi viveri serviranno al paese di riserva per i sette anni di carestia che verranno nella terra d'Egitto, e così il paese non sarà distrutto dalla carestia».

GIUSEPPE VICERÉ D'EGITTO

[37]La cosa piacque al Faraone e a tutti i suoi ministri. [38]E il Faraone disse ai suoi ministri: «Potremo trovare un uomo come questo, in cui sia lo spirito di Dio?». [39]Poi il Faraone disse a Giuseppe: «Dal momento che Dio ti ha fatto conoscere tutto ciò, non c'è nessuno che sia intelligente e sapiente come te. [40]Tu stesso sarai l'amministratore della mia casa, e ai tuoi ordini l'intero mio popolo obbedirà; per il trono soltanto io sarò più grande di te».

[41]Il Faraone disse a Giuseppe: «Guarda, io ti stabilisco sopra tutto il paese d'Egitto». [42]Il Faraone si tolse di mano il proprio anello e lo pose sulla mano di Giuseppe; lo fece rivestire di abiti di lino fine e gli mise al collo la collana d'oro. [43]Poi lo fece montare sul suo secondo carro e davanti a lui si gridava: «Abrek!». E così lo si stabilì su tutta la terra d'Egitto. [44]Quindi il Faraone disse a Giuseppe: «Sono io il Faraone, ma senza di te nessuno potrà alzare la mano o il piede in tutta la terra d'Egitto». [45]E il Faraone chiamò Giuseppe col nome di Zafnat-Paneach e gli diede in moglie Asenat, figlia di Potifera, sacerdote di On. Poi Giuseppe partì per visitare tutta la terra d'Egitto. [46]Giuseppe aveva trent'anni quando si presentò al Faraone, re d'Egitto. Quindi Giuseppe si allontanò dal Faraone e percorse tutta la terra d'Egitto.

[47]Durante i sette anni di abbondanza la terra produsse a profusione. [48]Egli raccolse tutti i viveri dei sette anni nei quali vi fu l'abbondanza nella terra d'Egitto, e ripose i viveri nelle città, cioè in ogni città ripose i viveri della campagna circostante. [49]Giuseppe ammassò il grano come la sabbia del mare, in grandissima quantità, così da dover cessare di farne il computo, perché era incalcolabile.

[50]Intanto nacquero a Giuseppe due figli, prima che venisse l'anno della carestia; glieli partorì Asenat, figlia di Potifera, sacerdote di On. [51]E Giuseppe chiamò il primogenito Manasse, «perché – disse – Dio mi ha fat-

---

41. - 41-45. Tutta la storia riguardante Giuseppe come primo ministro è descritta in pieno accordo con i costumi egiziani, come li conosciamo dai monumenti.

45. Il faraone cambia il nome a Giuseppe, dandogliene uno egiziano che significa: «Dio dice: egli vive!». *Potifera*, di cui si parla qui, è persona diversa da Potifer di 39,1; era *sacerdote* della città *di On*, dove si adorava il sole.

to dimenticare ogni mio affanno e tutta la casa di mio padre». ⁵²Il secondo lo chiamò Efraim, «perché – disse – Dio mi ha reso fecondo nella terra della mia afflizione». ⁵³Poi finirono i sette anni dell'abbondanza che vi era stata nella terra d'Egitto ⁵⁴e incominciarono a venire i sette anni di carestia, come aveva predetto Giuseppe. Ci fu carestia in tutti i paesi, ma in tutta la terra d'Egitto vi era del pane.

⁵⁵Poi tutta la terra d'Egitto incominciò a sentire la fame, e il popolo gridò al Faraone per il pane. Allora il Faraone disse a tutti gli Egiziani: «Andate da Giuseppe, fate quello che vi dirà». ⁵⁶La carestia dominava su tutta la superficie della terra. Allora Giuseppe aprì tutti i depositi in cui vi era del grano, e vendette il grano agli Egiziani. Ma la carestia s'inasprì nella terra d'Egitto. ⁵⁷E tutti i paesi venivano in Egitto per comperare grano da Giuseppe, perché la carestia infieriva su tutta la terra.

I FIGLI DI GIACOBBE VANNO IN EGITTO

42 ¹Giacobbe seppe che in Egitto vi era del grano, perciò disse ai suoi figli: «Perché rimanete a guardarvi l'un l'altro?». ²E continuò: «Ecco: ho sentito dire che vi è grano in Egitto. Andate laggiù e compratene, affinché noi si possa vivere e non si debba morire». ³Allora i dieci fratelli di Giuseppe scesero in Egitto per comperare grano. ⁴Ma quanto a Beniamino, fratello di Giuseppe, Giacobbe non lo mandò con i fratelli, perché diceva: «Che non gli succeda qualche disgrazia!». ⁵Arrivarono dunque i figli di Israele per comperare il grano, in mezzo agli altri arrivati, perché nella terra di Canaan vi era la carestia. ⁶Or Giuseppe era il governatore del paese ed era lui che vendeva il grano a tutto il popolo del paese. Perciò i fratelli di Giuseppe vennero da lui e si prostrarono davanti a lui con la faccia per terra. ⁷Giuseppe vide i suoi fratelli e li riconobbe, ma fece l'estraneo con loro, anzi disse loro parole dure. Domandò loro: «Da dove siete venuti?». Risposero: «Dalla terra di Canaan, per comperare viveri». ⁸Giuseppe riconobbe dunque i suoi fratelli, mentre essi non lo riconobbero. ⁹Allora Giuseppe ricordò i sogni che aveva avuto a loro riguardo e disse loro: «Voi siete spie! Siete venuti per vedere i punti deboli del paese». ¹⁰Gli risposero: «No, signore; ma i tuoi servi sono venuti per comperare viveri. ¹¹Noi siamo tutti figli di un unico uomo. Noi siamo sinceri. I tuoi servi non sono spie!». ¹²Ma egli disse loro: «No; sono i punti deboli del paese che siete venuti a vedere!». ¹³Allora essi dissero: «Dodici sono i tuoi servi, siamo fratelli, figli di un unico uomo, nella terra di Canaan; ecco, il più piccolo è adesso presso nostro padre, e uno non c'è più!». ¹⁴Giuseppe disse loro: «La cosa sta come vi ho detto: voi siete spie. ¹⁵Perciò sarete messi alla prova: com'è vero che vive il Faraone, non uscirete di qui se non quando sarà venuto il vostro fratello più piccolo. ¹⁶Mandate uno di voi a prendere vostro fratello; quanto a voi, rimarrete prigionieri. Siano così messe alla prova le vostre parole, se la verità è dalla vostra parte. Se no, com'è vero che vive il Faraone, voi siete spie!». ¹⁷Poi li mise tutti insieme in residenza forzata per tre giorni.

¹⁸Al terzo giorno Giuseppe disse loro: «Fate così, e sarete salvi: anch'io temo Dio! ¹⁹Se voi siete sinceri, uno di voi fratelli resti prigioniero nella vostra residenza forzata e voialtri andate a portare il grano necessario alle vostre case. ²⁰Poi mi condurrete qui il vostro fratello più piccolo, affinché le vostre parole siano verificate e non moriate». Essi fecero così. ²¹Allora si dissero l'un l'altro: «Certo su di noi grava la colpa nei riguardi di nostro fratello, perché noi vedemmo la sua angoscia, quando ci supplicava, non lo ascoltammo. È per questo che ci è venuta addosso quest'angoscia». ²²Ruben prese a dir loro: «Non ve lo dissi io: non peccate contro il ragazzo? Ma non mi deste ascolto. Ed ecco che ora ci si domanda conto del suo sangue». ²³Essi non sapevano che Giuseppe li capiva, perché tra lui e loro vi era l'interprete. ²⁴Allora egli si allontanò e pianse. Poi tornò presso di loro e riprese a parlare con essi. Scelse Simeone e lo fece incatenare sotto i loro occhi.

²⁵Poi Giuseppe comandò di riempire di grano i loro sacchi, di rimettere i pezzi d'argento di ognuno nel proprio sacco e dare ad essi provvigioni per il viaggio. E così venne fatto. ²⁶Essi caricarono il grano sui propri àsini e partirono di là. ²⁷Ora, nell'albergo, uno di

loro aprì il suo sacco per dare del foraggio all'asino, e vide il proprio denaro che stava alla bocca del sacco. ²⁸E disse ai suoi fratelli: «Mi è stato restituito il mio denaro: eccolo qui nel sacco!». Allora si sentirono mancare il cuore e tremarono, dicendosi l'un l'altro: «Che cosa è mai questo che Dio ci ha fatto?».

²⁹Poi arrivarono da Giacobbe, loro padre, nella terra di Canaan e gli riferirono tutto quello ch'era loro capitato: ³⁰«Quell'uomo che è signore dell'Egitto ci ha detto parole dure e ci ha trattato come spie del paese. ³¹Allora gli dicemmo: "Noi siamo sinceri; non siamo spie! ³²Noi siamo in dodici fratelli, figli di nostro padre: uno non c'è più e il più piccolo è adesso presso nostro padre nella terra di Canaan". ³³Ma l'uomo, signore del paese, ci disse: "È così che io conoscerò se voi siete sinceri: lasciate qui con me uno di voi fratelli, prendete il grano per le vostre case e andate. ³⁴Poi conducetemi il vostro fratello più piccolo, affinché sappia che non siete spie, ma che siete sinceri; io vi renderò vostro fratello e voi potrete percorrere il paese in lungo e in largo"».

³⁵Or mentre vuotavano i loro sacchi ecco che la borsa del denaro di ciascuno stava nel proprio sacco. Quando essi e il loro padre videro le loro borse di denaro, furono presi dal timore. ³⁶E il padre Giacobbe disse loro: «Voi mi avete privato dei figli! Giuseppe non c'è più; Simeone non c'è più e Beniamino me lo volete prendere. È su di me che tutto questo ricade!».

³⁷Allora Ruben disse a suo padre: «Tu potrai far morire i miei due figli, se non te lo ricondurrò. Affidalo a me, e io te lo restituirò». ³⁸Ma egli rispose: «Il mio figliuolo non scenderà laggiù con voi, perché suo fratello è morto ed egli è rimasto solo. Se gli capitasse una disgrazia durante il viaggio che volete fare, voi fareste discendere i miei bianchi capelli con dolore nell'oltretomba».

BENIAMINO IN EGITTO

43 ¹La carestia continuava a gravare sul paese. ²Quando ebbero finito di mangiare il grano che avevano portato dall'Egitto, il padre disse loro: «Ritornate a comperarci un po' di viveri». ³Ma Giuda gli disse: «Quell'uomo ci ha formalmente

dichiarato: "Non verrete alla mia presenza a meno che il vostro fratello non sia con voi!". ⁴Se tu sei disposto a lasciar partire con noi nostro fratello, noi scenderemo laggiù per comprarti grano; ⁵ma se tu non lo vuoi lasciar partire, noi non scenderemo, perché quell'uomo ci ha detto: "Non verrete alla mia presenza a meno che il vostro fratello non sia con voi!"». ⁶E Israele disse: «Perché mi avete dato questo dispiacere di far conoscere a quell'uomo che avevate ancora un fratello?». ⁷Risposero: «Quell'uomo ci interrogò con insistenza intorno a noi e alla nostra parentela, dicendo: "È ancora vivo vostro padre? Avete qualche fratello?", e noi rispondemmo secondo queste domande. Potevamo noi sapere che egli avrebbe detto: "Conducete qui vostro fratello"?».

⁸Giuda disse a Israele, suo padre: «Lascia venire il ragazzo con me, e poi leviamoci e andiamo, per poter vivere e non morire, noi, tu, e i nostri bambini. ⁹Mi rendo garante di lui: dalle mie mani lo reclamerai. Se non te lo avrò condotto e posto davanti, io sarò colpevole contro di te per tutta la vita. ¹⁰Che se non avessimo indugiato, ora saremmo già di ritorno per la seconda volta».

¹¹Allora Israele, loro padre, disse: «Se è così, fate pure: prendete nei vostri bagagli i prodotti scelti del paese e portateli in dono a quell'uomo: un po' di balsamo, un po' di miele, di gomma e resina, dei pistacchi e delle mandorle. ¹²E riporterete con voi doppio denaro, il denaro cioè che fu rimesso nella bocca dei vostri sacchi lo riporterete indietro: forse si tratta di uno sbaglio. ¹³Prendete pure vostro fratello e partite, ritornate da quell'uomo. ¹⁴Dio onnipotente vi faccia trovare misericordia presso quell'uomo, così che vi rilasci l'altro fratello e Beniamino. Quanto a me, una volta che dovrò essere privato dei miei figli, che ne sia privato».

¹⁵Gli uomini presero dunque questo dono, il doppio del denaro e anche Beniamino, e partirono, discesero in Egitto e si presentarono davanti a Giuseppe.

¹⁶Quando Giuseppe ebbe visto con loro Beniamino, disse al suo maggiordomo: «Conduci questi uomini in casa, macella quanto occorre e prepara, perché questi uomini mangeranno con me a mezzogiorno». ¹⁷Il maggiordomo fece come Giuseppe aveva detto e introdusse gli uomini nella casa di

Giuseppe. [18]Ma i nostri uomini si spaventarono, perché venivano condotti in casa di Giuseppe, e dissero: «È per causa del denaro, rimesso nei nostri sacchi l'altra volta, che noi siamo condotti là: per poterci assalire, piombarci addosso e prenderci come schiavi con i nostri asini!».

[19]Allora si avvicinarono al maggiordomo di Giuseppe e parlarono con lui all'ingresso di casa. [20]Gli dissero: «Scusa, mio signore, noi venimmo qui già un'altra volta per comperare dei viveri. [21]Quando fummo all'albergo, aprimmo i nostri sacchi ed ecco che il denaro di ciascuno si trovava alla bocca del suo sacco: proprio il nostro denaro col suo peso esatto. E allora noi l'abbiamo portato indietro, [22]e per comperare dei viveri abbiamo portato con noi altro denaro. Non sappiamo chi sia stato a mettere nei sacchi il nostro denaro!».

[23]Ma quello disse: «State in pace, non temete! È il vostro Dio e il Dio dei padri vostri che vi ha messo un tesoro nei sacchi; il vostro denaro è già pervenuto a me». E condusse loro Simeone.

[24]Poi quell'uomo li fece entrare nella casa di Giuseppe, diede loro dell'acqua perché si lavassero i piedi, e diede del foraggio ai loro asini. [25]Essi prepararono il dono nell'attesa che Giuseppe arrivasse a mezzogiorno, perché avevano sentito dire che avrebbe mangiato con loro in quel luogo. [26]Quando Giuseppe arrivò a casa, essi gli presentarono il dono che avevano con sé, e si prostrarono davanti a lui con la faccia a terra. [27]Allora egli li salutò e disse: «Sta bene il vostro vecchio padre, di cui mi parlaste? Vive ancora?». [28]Risposero: «Il tuo servo, nostro padre, sta bene, è ancora vivo», e si inginocchiarono e fecero una prostrazione. [29]Poi egli alzò gli occhi e vide Beniamino, suo fratello, il figlio di sua madre, e disse: «È questo il vostro fratello più giovane, di cui mi parlaste?», e aggiunse: «Dio ti dia grazia, figlio mio!». [30]E Giuseppe si affrettò ad uscire, perché si era commosso nell'intimo alla presenza di suo fratello, e sentiva il bisogno di piangere; entrò nella sua camera e lì pianse.

[31]Poi si lavò la faccia, uscì e, facendosi forza, ordinò: «Servite il pasto». [32]Fu servito per lui a parte, per loro a parte e per gli Egiziani, che mangiavano con loro, a parte perché gli Egiziani non possono prendere cibo con gli Ebrei: ciò sarebbe un abominio per gli Egiziani. [33]E si misero a sedere davanti a lui: il primogenito secondo la sua primogenitura e il più giovane secondo i suoi anni giovanili; e gli uomini si guardavano l'un l'altro con meraviglia. [34]Egli fece portare loro delle porzioni prese dalla propria mensa, ma la porzione di Beniamino era cinque volte più grossa di quella di tutti gli altri. E con lui bevvero fino all'allegria.

LA COPPA DI GIUSEPPE

44 [1]Poi egli ordinò al maggiordomo: «Riempi i sacchi di quegli uomini di tanti viveri, quanti ne possono contenere, metti il denaro di ciascuno alla bocca del proprio sacco; [2]e metti la mia coppa, la coppa d'argento, alla bocca del sacco del più piccolo, col denaro del suo grano». Quello fece secondo quanto aveva detto Giuseppe.

[3]Quando si schiarì la mattina, gli uomini furono fatti partire con i loro asini. [4]Ma erano appena usciti dalla città e ancora non erano lontani, quando Giuseppe disse al maggiordomo: «Lèvati, insegui quegli uomini, raggiungili e di' loro: "Perché avete reso male per bene? [5]Non è forse quella la coppa in cui beve il mio signore e della quale si serve per indovinare? Avete fatto male a fare così!"». [6]Quello li raggiunse e ripeté loro queste parole. [7]Allora quelli gli dissero: «Perché il mio signore dice queste cose? Lungi dai tuoi servi il fare una tale cosa! [8]Ecco, il denaro che abbiamo trovato alla bocca dei nostri sacchi te lo abbiamo riportato dalla terra di Canaan, e come potremmo rubare argento e oro dalla casa del tuo padrone? [9]Quello dei tuoi servi presso il quale si troverà, sarà messo a morte; e anche noi diventeremo schiavi del mio signore». [10]Rispose: «Ebbene, come avete detto, così sarà: colui presso il quale si troverà, sarà mio schiavo, e voi sarete innocenti».

[11]Si affrettarono dunque a scaricare a terra ciascuno il suo sacco e ad aprirlo. [12]E quegli li frugò, cominciando da quello del mag-

---

44. - 7-34. I fratelli mostrano di amare Beniamino, perché dal dolore si stracciano le vesti e tornano a chiedere misericordia. Anzi Giuda, con atto eroico che commuove il viceré fin nel più intimo, si offre come schiavo in luogo di Beniamino.

giore a quello del più piccolo, e la coppa fu trovata nel sacco di Beniamino. [13]Allora essi si stracciarono le vesti, ricaricarono ciascuno il suo asino e ritornarono in città. [14]Giuda e i suoi fratelli vennero nella casa di Giuseppe, che si trovava ancora là, e si gettarono a terra davanti a lui. [15]Giuseppe disse loro: «Che azione è questa che avete commesso! Non sapete che un uomo come me è capace d'indovinare?». [16]Giuda disse: «Che cosa diremo al mio signore? Come parlare? Come giustificarci? Dio ha ritrovato la colpa dei tuoi servi... Eccoci schiavi del mio signore, tanto noi quanto colui in possesso del quale fu trovata la coppa». [17]Ma egli rispose: «Dio mi guardi dal far questo! L'uomo in possesso del quale fu trovata la coppa, lui sarà mio schiavo; quanto a voi, ritornate in pace da vostro padre».

[18]Allora Giuda gli si fece innanzi e disse: «Mi scusi il mio signore! Sia permesso al tuo servo di far sentire una parola agli orecchi del mio signore; e non si accenda la tua ira contro il tuo servo, perché tu e il Faraone siete tutt'uno! [19]Il mio signore aveva interrogato i suoi servi in questi termini: "Avete un padre o un fratello?". [20]E noi rispondemmo al mio signore: "Abbiamo un padre vecchio, e un figliuolo ancor piccolo, natogli in vecchiaia; suo fratello è morto ed egli è rimasto il solo dei figli di sua madre, e il padre suo lo ama". [21]E tu dicesti ai tuoi servi: "Conducetelo qui da me, che lo possa vedere con i miei occhi". [22]Noi rispondemmo al mio signore: "Il giovinetto non può abbandonare suo padre; se lascerà suo padre, questi ne morrà". [23]Ma tu dicesti ai tuoi servi: "Se il vostro fratello minore non verrà qui con voi, non potrete più venire alla mia presenza". [24]Quando dunque fummo risaliti dal tuo servo, mio padre, gli riferimmo le parole del mio signore. [25]Poi nostro padre disse: "Tornate a comperare un po' di viveri". [26]E noi rispondemmo: "Non possiamo scendere laggiù; se c'è con noi il nostro fratello minore, andremo laggiù, altrimenti non possiamo essere ammessi alla presenza di quell'uomo senza avere con noi il nostro fratello minore". [27]Allora il tuo servo, mio padre, ci disse: "Voi sapete che due erano quelli che mi aveva partorito mia moglie.

[28]Uno partì da me, e dissi: senza nessun dubbio è stato sbranato, e da allora non l'ho più visto. [29]Se ora mi porterete via anche questo e gli capitasse una disgrazia, voi fareste scendere i miei bianchi capelli con dolore nell'oltretomba!". [30]E adesso, quando io arriverò dal tuo servo, mio padre, e il giovinetto non sarà con noi, mentre la vita dell'uno è legata alla vita dell'altro, [31]appena egli avrà visto che il giovinetto non è con noi, morirà, e i tuoi servi avranno fatto scendere i bianchi capelli del tuo servo, nostro padre, con dolore nell'oltretomba. [32]Siccome il tuo servo si è reso garante del giovinetto presso mio padre, dicendo: "Se non te lo ricondurrò, sarò colpevole verso mio padre per tutta la vita", [33]lascia, di grazia, che rimanga il tuo servo invece del giovinetto come schiavo del mio signore, e il giovinetto ritorni lassù con i suoi fratelli! [34]Perché, come potrei ritornare da mio padre, mentre il ragazzo non è con me? Che io non veda il dolore che opprimerebbe mio padre!».

GIUSEPPE SI FA CONOSCERE

45 [1]Allora Giuseppe non poté più contenersi davanti ai circostanti, e gridò: «Fate uscire tutti dalla mia presenza!». Non restò nessuno con lui, mentre Giuseppe si faceva conoscere ai suoi fratelli. [2]Ma egli alzò la voce piangendo in modo che tutti gli Egiziani lo sentirono e la cosa fu risaputa nella corte del Faraone. [3]Giuseppe disse ai suoi fratelli: «Io sono Giuseppe! Vive ancora mio padre?». I suoi fratelli non potevano rispondergli, perché erano sbigottiti alla sua presenza. [4]Allora Giuseppe disse ai suoi fratelli: «Avvicinatevi a me!». Si avvicinarono. Riprese: «Io sono Giuseppe vostro fratello, che voi avete venduto per l'Egitto. [5]Ma ora non vi addolorate e non vi dispiaccia di avermi venduto quaggiù, perché fu per conservarvi in vita che Dio mi ha mandato avanti a voi. [6]Già da due anni vi è la carestia nel paese, e ancora per cinque anni non vi sarà né aratura né mietitura. [7]Ma Dio mi ha mandato avanti a voi, per assicurare a voi la sopravvivenza nel paese e per salvare in voi la vita di molta gente. [8]Non siete stati voi a mandarmi qui, ma Dio, ed egli mi ha stabilito quale

---

45. - 5. Riconosce e fa riconoscere dai fratelli la mano di Dio in tutto ciò che è avvenuto e come Dio fa servire anche il male a maggior bene dei suoi eletti.

padre per il Faraone, e come signore su tutta la sua corte e governatore di tutta la terra d'Egitto. [9]Affrettatevi a risalire da mio padre per dirgli: "Così dice il tuo figlio Giuseppe: Dio mi ha stabilito come signore di tutto l'Egitto. Scendi quaggiù presso di me e non tardare. [10]Abiterai nella terra di Gosen e starai vicino a me, tu, i tuoi figli e i figli dei tuoi figli, i tuoi greggi, i tuoi armenti e tutto il tuo avere. [11]Là io ti darò il sostentamento; la carestia durerà ancora cinque anni e non vorrei che cadeste nell'indigenza tu, la tua famiglia e tutto il tuo avere". [12]Ecco, i vostri occhi lo vedono e gli occhi di mio fratello Beniamino: è la mia bocca che vi parla! [13]Riferite a mio padre tutta la mia gloria in Egitto e tutto ciò che avete visto, e affrettatevi a condurre quaggiù mio padre».

[14]Allora egli si gettò al collo di Beniamino e pianse. Anche Beniamino piangeva stretto al suo collo. [15]Poi baciò tutti i suoi fratelli e pianse stringendoli a sé. E i suoi fratelli si misero a discorrere con lui. [16]Intanto nella corte del Faraone si diffuse la voce: «Sono arrivati i fratelli di Giuseppe!». Ciò fece piacere al Faraone e ai suoi ministri. [17]Allora il Faraone disse a Giuseppe: «Di' ai tuoi fratelli: "Fate questo: caricate i vostri giumenti e partite e andate nella terra di Canaan. [18]Poi prendete vostro padre e le vostre famiglie e venite da me, che voglio darvi il meglio della terra d'Egitto e mangerete il fior fiore del paese". [19]Ma tu comanda loro: "Fate questo: prendete con voi dalla terra d'Egitto dei carri da carico per i vostri bambini e le vostre donne, mettete su vostro padre e venite. [20]Non abbiate rincrescimento per la vostra roba, perché il meglio di tutta la terra d'Egitto sarà vostro"». [21]Così fecero i figli di Israele. Giuseppe diede loro alcuni carri da carico secondo l'ordine del Faraone e diede loro una provvista per il viaggio. [22]Diede una muta di abiti per ciascuno, ma a Beniamino diede trecento sicli d'argento e cinque mute di abiti. [23]Allo stesso modo mandò a suo padre dieci asini carichi dei migliori prodotti dell'Egitto e dieci asine cariche di grano, di pane e di vettovaglie per il viaggio di suo padre. [24]Poi congedò i suoi fratelli, e mentre partivano disse loro: «Non litigate durante il viaggio!».

[25]Così essi risalirono dall'Egitto e arrivarono nella terra di Canaan, dal loro padre Gia-

cobbe. [26]E subito gli riferirono: «Giuseppe è ancora vivo, anzi è governatore di tutta la terra d'Egitto!». Ma il suo cuore rimase freddo, perché non credeva loro. [27]Quando però essi gli ebbero riferito tutte le parole che Giuseppe aveva detto loro, ed egli vide i carri da carico che Giuseppe gli aveva mandato per trasportarlo, allora lo spirito del loro padre Giacobbe si rianimò. [28]Israele disse: «Basta! Giuseppe, il mio figliuolo, è vivo. Io voglio andare a vederlo prima di morire!».

GIACOBBE-ISRAELE SCENDE IN EGITTO

46 [1]Israele dunque levò le tende con quanto possedeva e arrivò a Bersabea, dove offrì sacrifici al Dio di suo padre Isacco. [2]Dio disse a Israele in una visione notturna: «Giacobbe, Giacobbe!». Rispose: «Eccomi!». [3]Riprese: «Io sono Dio, il Dio di tuo padre. Non temere di scendere in Egitto, perché laggiù io farò di te un grande popolo. [4]Io scenderò con te in Egitto e ti farò anche risalire. E sarà Giuseppe che ti chiuderà gli occhi».

[5]Poi Giacobbe si levò da Bersabea e i figli di Israele fecero montare il loro padre Giacobbe, i loro bambini e le loro donne sui carri che il Faraone aveva mandato per trasportarlo. [6]Essi presero il loro bestiame e tutti i beni che avevano acquistato nella terra di Canaan e vennero in Egitto; Giacobbe cioè e con lui tutti i suoi discendenti, [7]i suoi figli e i figli dei suoi figli, le sue figlie e le figlie dei suoi figli, tutti i suoi discendenti egli condusse con sé in Egitto.

[8]Questi sono i nomi dei figli di Israele che entrarono in Egitto: Giacobbe e i suoi figli, il primogenito di Giacobbe, Ruben. [9]I figli di Ruben: Enoch, Pallu, Chezron e Carmi. [10]I figli di Simeone: Iemuel, Iamin, Oad, Iachin, Socar e Saul, figlio della Cananea. [11]I figli di Levi: Gherson, Keat e Merari. [12]I figli di Giuda: Er, Onan, Sela, Perez e Zerach; ma Er e Onan morirono nel paese di Canaan. Furono figli di Perez: Chezron e Amul. [13]I figli di Issacar: Tola, Puva, Giobbe e Simron.

---

10. La terra di Gosen si trovava nella parte orientale del delta del Nilo, non lontano dalla frontiera. Era regione fertilissima e quanto mai favorevole alla pastorizia.

46. - 4. *Scenderò con te*: Dio stesso si presenta già come condottiero del popolo, come sarà poi durante l'esodo.

[14]I figli di Zabulon: Sered, Elon e Iacleel. [15]Questi sono i figli che Lia partorì a Giacobbe in Paddan-Aram insieme con la figlia Dina; tutti i suoi figli e le sue figlie erano trentatré persone. [16]I figli di Gad: Zifion, Agghi, Suni, Esbon, Eri, Arodi e Areli. [17]I figli di Aser: Imma, Isva, Isvi, Beria e la loro sorella Serach. I figli di Beria: Eber e Malchiel. [18]Questi sono i figli di Zilpa, che Labano aveva dato alla figlia Lia; essa li partorì a Giacobbe: sono sedici persone.

[19]I figli di Rachele, moglie di Giacobbe: Giuseppe e Beniamino. [20]A Giuseppe nacquero, in Egitto, Efraim e Manasse, che gli partorì Asenat, figlia di Potifera, sacerdote di On. [21]I figli di Beniamino: Bela, Becher e Asbel, Ghera, Naaman, Echi, Ros, Muppim, Uppim e Arde. [22]Questi sono i figli che Rachele partorì a Giacobbe; in tutto sono quattordici persone.

[23]I figli di Dan: Usim. [24]I figli di Neftali: Iacseel, Guni, Ieser e Sillem. [25]Questi sono i figli di Bila, che Labano diede alla figlia Rachele, che essa partorì a Giacobbe; in tutto sette persone.

[26]Tutte le persone appartenenti a Giacobbe, uscite dai suoi fianchi, che entrarono in Egitto senza contare le mogli dei figli di Giacobbe, sono sessantasei. [27]I figli di Giuseppe, che gli nacquero in Egitto, sono due persone. Tutte le persone della famiglia di Giacobbe, che entrarono in Egitto, sono settanta.

[28]Ora egli aveva mandato Giuda avanti a sé da Giuseppe, perché lo introducesse nel paese di Gosen. Poi anch'essi raggiunsero la terra di Gosen. [29]Allora Giuseppe fece attaccare il suo carro da parata e salì in Gosen incontro a Israele, suo padre. Appena se lo vide davanti, gli si gettò al collo e pianse a lungo stretto al suo collo. [30]E Israele disse a Giuseppe: «Che io muoia pure, stavolta, dopo aver visto la tua faccia, e che sei ancora vivo!». [31]Allora Giuseppe disse ai suoi fratelli e alla famiglia di suo padre: «Vado ad informare il Faraone e a dirgli: "I miei fratelli e la famiglia di mio padre, che erano nella terra di Canaan, sono venuti da me. [32]Questi uomini sono pastori di greggi perché sono sempre stati gente dedita al bestiame, e hanno condotto i loro greggi, i loro armenti e tutto il loro avere". [33]Quando dunque il Faraone vi chiamerà e vi domanderà: "Qual è il vostro mestiere?", voi rispondete:

[34]"Gente dedita al bestiame sono stati i tuoi servi, dalla nostra fanciullezza fino ad ora, sia noi che i nostri padri". Questo allo scopo di poter risiedere nella terra di Gosen». Perché tutti i pastori di greggi sono un abominio per gli Egiziani.

GLI EBREI SI STABILISCONO IN EGITTO

47 [1]Giuseppe andò quindi ad informare il Faraone dicendo: «Mio padre e i miei fratelli con i loro greggi e armenti e con tutti i loro averi sono venuti dalla terra di Canaan; ed eccoli nella terra di Gosen». [2]Intanto dal gruppo dei suoi fratelli egli aveva preso con sé cinque uomini e li presentò al Faraone. [3]Il Faraone disse ai suoi fratelli: «Qual è il vostro mestiere?». Essi risposero al Faraone: «Pastori di greggi sono i tuoi servi, sia noi che i nostri padri». [4]Poi dissero al Faraone: «È per soggiornare come forestieri nel paese che noi siamo venuti, perché non c'è più pascolo per il gregge dei tuoi servi; infatti è grave la carestia nella terra di Canaan. Permetti che i tuoi servi risiedano nella terra di Gosen!». [5]Allora il Faraone disse a Giuseppe: «Tuo padre e i tuoi fratelli sono dunque venuti da te. [6]Ebbene, la terra d'Egitto è a tua disposizione: fa' risiedere tuo padre e i tuoi fratelli nella parte migliore del paese. Risiedano pure nella terra di Gosen. E se tu riconosci che vi siano tra loro degli uomini capaci, costituiscili sopra i miei averi come capi dei greggi».

[7]Poi Giuseppe introdusse Giacobbe, suo padre, e lo presentò al Faraone, e Giacobbe benedisse il Faraone. [8]Il Faraone domandò a Giacobbe: «Quanti sono gli anni della tua vita?». [9]Giacobbe rispose al Faraone: «Gli anni della mia vita errante sono centotrenta; pochi e tristi sono stati gli anni della mia vita e non hanno raggiunto il numero degli anni dei miei padri, al tempo della loro vita errante». [10]Poi Giacobbe benedisse il Faraone e uscì dalla presenza del Faraone.

[11]Giuseppe fece risiedere suo padre e i suoi fratelli e diede loro una proprietà nella regione d'Egitto, nella parte migliore del paese, nel territorio di Ramses, come aveva

comandato il Faraone. [12]Giuseppe diede il sostentamento a suo padre, ai suoi fratelli e a tutta la famiglia di suo padre, fornendo pane fino all'ultimo pezzetto.

L'AMMINISTRAZIONE DI GIUSEPPE

[13]Ora non c'era pane in tutto il paese, perché la carestia era grave assai: la terra d'Egitto e la terra di Canaan languivano per causa della carestia. [14]Così Giuseppe ammassò tutto il denaro che si trovava nella terra d'Egitto e nella terra di Canaan come prezzo del grano ch'essi comperavano. Giuseppe consegnò questo denaro all'erario del Faraone. [15]Quando fu esaurito il denaro della terra d'Egitto e della terra di Canaan, tutti gli Egiziani vennero da Giuseppe dicendo: «Dacci pane! Perché dovremmo morire sotto i tuoi occhi? Infatti non c'è più denaro». [16]Rispose Giuseppe: «Cedete il vostro bestiame, e io vi darò pane in cambio del vostro bestiame, se è finito il denaro». [17]Allora condussero a Giuseppe il loro bestiame, e Giuseppe diede a loro pane in cambio dei cavalli, delle pecore, dei buoi e degli asini; così in quell'anno li nutrì con pane in cambio di tutto il loro bestiame.

[18]Passato quell'anno, vennero a lui nell'anno seguente e gli dissero: «Non nascondiamo al mio signore che si è esaurito il denaro, e anche il possesso del bestiame è passato al mio signore, non rimane più a disposizione del mio signore se non il nostro corpo e il nostro terreno. [19]Perché dovremmo perire sotto i tuoi occhi, noi e la nostra terra? Acquista noi e la nostra terra in cambio di pane, e diventeremo schiavi del Faraone noi con la nostra terra; ma dacci di che seminare, così che possiamo vivere e non morire, e il suolo non diventi un deserto!». [20]Allora Giuseppe acquistò per il Faraone tutto il terreno dell'Egitto, perché gli Egiziani vendettero ciascuno il proprio campo, tanto infieriva su di loro la carestia. Così la terra divenne proprietà del Faraone. [21]Quanto al popolo, egli lo deportò nelle città da un capo all'altro della frontiera egiziana. [22]Soltanto il terreno dei sacerdoti egli non acquistò, perché i sacerdoti avevano un'assegnazione fissa da parte del Faraone, e si nutrivano dell'assegnazione che il Faraone passava loro; per questo non vendettero il loro terreno.

[23]Poi Giuseppe disse al popolo: «Vedete che io ho acquistato oggi per il Faraone voi e il vostro terreno. Eccovi della semente: seminate il terreno. [24]Ma quando vi sarà il raccolto, voi ne darete un quinto al Faraone, e quattro parti saranno vostre, per la semina dei campi, per nutrimento vostro e di quelli di casa vostra e per il nutrimento dei vostri bambini». [25]Gli risposero: «Ci hai salvato la vita! Ci sia solo concesso di trovare grazia agli occhi del nostro signore, e saremo servi del Faraone!». [26]Così Giuseppe fece di questo una legge, che vige fino al giorno d'oggi sui terreni d'Egitto, per la quale si deve dare la quinta parte al Faraone. Soltanto i terreni dei sacerdoti non divennero del Faraone.

[27]Intanto Israele si stabilì nella terra d'Egitto, nel territorio di Gosen; ebbero dei possedimenti e furono fecondi e si moltiplicarono assai. [28]Giacobbe visse nella terra d'Egitto diciassette anni, e i giorni di Giacobbe, gli anni della sua vita, furono centoquarantasette. [29]Quando fu vicino il tempo della sua morte, Israele chiamò suo figlio Giuseppe e gli disse: «Se ho trovato grazia agli occhi tuoi, metti la tua mano sotto la mia coscia e usa con me bontà e fedeltà: ti prego, non seppellirmi in Egitto. [30]Quando io mi sarò coricato con i miei padri, portami via dall'Egitto e seppelliscimi nel loro sepolcro!». Rispose: «Io farò secondo le tue parole». [31]Riprese: «Giuramelo!». Egli glielo giurò, allora Israele si prostrò sul capezzale del letto.

EFRAIM E MANASSE

48 [1]Dopo queste cose, fu riferito a Giuseppe: «Vedi, tuo padre è ammalato!». Allora egli condusse con sé i suoi due figli Efraim e Manasse. [2]Lo riferirono a Giacobbe, e gli dissero: «Ecco, tuo figlio Giuseppe è venuto da te». Allora Israele raccolse le forze e si pose seduto sul letto. [3]Giacobbe disse a Giuseppe: «Dio onnipotente mi apparve a Luz, nella terra di Canaan, e mi benedisse [4]dicendomi: "Ecco, io ti renderò fecondo e ti moltiplicherò, ti renderò una moltitudine di popoli, e darò questa terra alla tua discendenza, dopo di te, quale possesso

perpetuo". ⁵Sicché ora i tuoi due figli che ti
sono nati nella terra d'Egitto, prima che io
arrivassi da te in Egitto, sono miei: Efraim
e Manasse saranno miei come Ruben e
Simeone. ⁶Invece quelli che tu hai generato dopo di loro, saranno tuoi: col nome
dei loro fratelli saranno chiamati nella loro
eredità. ⁷Quanto a me, mentre io arrivavo
da Paddan, Rachele mi morì nella terra di
Canaan, durante il viaggio, quando mancava ancora un tratto di strada per arrivare ad Efrata, e l'ho sepolta là, lungo la
strada di Efrata, cioè Betlemme».

⁸Poi Israele vide i figli di Giuseppe e disse: «Chi sono questi?». ⁹Giuseppe rispose
a suo padre: «Sono i miei figli che Dio mi
ha dato qui». Riprese: «Portameli, ti prego,
perché io li benedica».

¹⁰Ora gli occhi di Israele erano offuscati
dalla vecchiaia: non poteva più distinguere. Egli allora li fece avvicinare a lui, che li
baciò e li abbracciò. ¹¹Israele disse a Giuseppe: «Io non pensavo di vedere più la tua
faccia, ed ecco, Dio mi ha concesso di vedere anche i tuoi figli!». ¹²Allora Giuseppe li
ritirò dalle sue ginocchia e si prostrò con la
faccia a terra. ¹³Poi Giuseppe prese ambedue, Efraim con la sua destra, alla sinistra
di Israele, e Manasse con la sua sinistra,
alla destra di Israele, e li avvicinò a lui. ¹⁴Ma
Israele stese la sua mano destra e la pose
sul capo di Efraim, che pure era il più giovane, e la sua sinistra sul capo di Manasse,
incrociando le braccia, benché Manasse
fosse il primogenito. ¹⁵E così benedisse i
figli di Giuseppe:

«Dio, davanti al quale camminarono
    i miei padri Abramo e Isacco,
Dio che fu il mio pastore dacché esisto
    fino ad oggi,
¹⁶ l'Angelo che mi ha liberato da ogni male,
    benedica questi fanciulli!
Sopravviva in essi il mio nome
    e il nome dei padri miei Abramo
    e Isacco

e si moltiplichino in gran numero
    in mezzo alla terra!».

¹⁷Giuseppe vide che suo padre aveva posato la destra sul capo di Efraim, e ciò gli
spiacque. Prese perciò la mano di suo padre per levarla dal capo di Efraim e posarla
sul capo di Manasse, ¹⁸e disse a suo padre:
«Non così, padre mio: è questo il primogenito: posa la tua destra sul suo capo!».
¹⁹Ma suo padre ricusò e disse: «Lo so, figlio
mio, lo so: anche lui diventerà un popolo,
anche lui sarà grande, e tuttavia il suo fratello minore sarà più grande di lui e la sua
discendenza diventerà una moltitudine di
nazioni». ²⁰E li benedisse in quel giorno, in
questi termini:

«Di voi si servirà Israele per benedire,
    dicendo:
Dio ti renda come Efraim
    e come Manasse!».

E così pose Efraim prima di Manasse.
²¹Poi Israele disse a Giuseppe: «Ecco, io
sto per morire, ma Dio sarà con voi e vi farà
ritornare alla terra dei vostri padri. ²²Quanto
a me, io do a te, in più che ai tuoi fratelli, un
dorso di monte, che io tolsi dalle mani degli
Amorrei con la mia spada e il mio arco».

LE BENEDIZIONI DI GIACOBBE

49 ¹Poi Giacobbe chiamò i suoi figli e
disse: «Radunatevi, affinché io vi
annunzi ciò che avverrà nei tempi futuri.

² Adunatevi e ascoltate,
    o figli di Giacobbe,
    date ascolto a Israele, vostro padre!
³ Ruben, primogenito mio sei tu,
    mio vigore e primizia della mia virilità,
    esuberante di fierezza ed esuberante
    di forza!
⁴ Bollente come acqua, non avrai
    preminenza,
    perché salisti sul letto di tuo padre;
    allora tu profanasti il giaciglio
    della consorte.
⁵ Simeone e Levi sono fratelli,
    strumenti di violenza son le loro spade.
⁶ Nel loro conciliabolo non entri
    l'anima mia,

48. - 5-6. Giacobbe adotta i due figli di Giuseppe, Efraim e
Manasse. Nella futura divisione della terra promessa essi
avranno ciascuno la propria parte, come figli di Giacobbe.
49. - 1. Giacobbe profetizza quanto avverrà alle tribù, rap-
presentate qui dai suoi figli. Gli oracoli di Giacobbe, che
nella loro presente stesura possono risalire alla monarchia
unita, annunziano la preminenza di Giuda con un complesso
di idee che ricordano la promessa dinastica fatta a Davide
da Natan, 2Sam 7,8-16.

alla loro congrega non si fissi
la mia gloria.
Perché nella loro collera
uccisero uomini
e nella loro arroganza mutilarono tori.
⁷ Maledetta la loro collera,
perché violenta,
e il loro furore, perché crudele!
Io li dividerò in Giacobbe
e li disperderò in Israele.
⁸ Giuda, te loderanno i tuoi fratelli;
la tua mano sarà sulla cervice
dei tuoi nemici;
a te si prostreranno i figli di tuo padre.
⁹ Un giovane leone è Giuda:
dalla preda, figlio mio, tu risali:
si rannicchia, si accovaccia
come un leone
e come una leonessa;
chi lo può disturbare?
¹⁰ Non sarà tolto lo scettro da Giuda
né il bastone di comando
tra i suoi piedi,
finché sia portato il tributo a lui
e sua sia l'obbedienza dei popoli.
¹¹ Egli che lega alla vite il suo asinello,
e a scelta vite il figlio dell'asina sua,
egli che lava nel vino la sua veste
e nel sangue dell'uva il suo manto.
¹² Egli che ha gli occhi lucidi per il vino
e bianchi i denti per il latte.
¹³ Zabulon dimora sul lido dei mari;
egli è sul lido delle navi,
mentre ha il suo fianco sopra Sidone.
¹⁴ Issacar è un asino robusto,
sdraiato fra i tramezzi del recinto.
¹⁵ Vide che il riposo è buono,
e che il paese era ameno,
ha piegato il suo dorso
per portar soma,
è divenuto uno schiavo da fatica.
¹⁶ Dan giudica il suo popolo
come una delle tribù d'Israele.
¹⁷ Dan sarà un serpente sulla strada,
una vipera cornuta sul sentiero
che morde i talloni del cavallo,
sì che il suo cavaliere cade all'indietro.
¹⁸ Da te spero la salvezza, o Signore!
¹⁹ Gad, predoni lo assalteranno,
ma anch'egli li assalirà alle calcagna.
²⁰ Da Aser verrà un pingue pane,
egli fornisce delizie da re.
²¹ Neftali è una cerva liberata;
egli pronuncia graziosi discorsi.

²² Giuseppe è un torello,
un torello presso la fonte;
tra i pascoli saltella il figlio della vacca.
²³ L'hanno provocato e colpito,
l'hanno osteggiato i tiratori di frecce.
²⁴ Rimase saldo per l'Onnipotente
il suo arco,
furon rinforzate le sue braccia
e le sue mani
dalle mani del Potente di Giacobbe,
dal nome del Pastore, Pietra d'Israele.
²⁵ Per il Dio di tuo Padre – ch'egli ti aiuti!
Per il Dio onnipotente – ch'egli ti benedica!
Con benedizioni del cielo dall'alto,
benedizioni dell'abisso nel profondo,
benedizioni delle mammelle
e del grembo.
²⁶ Benedizioni di tuo padre e di tua madre
superiori alle benedizioni
dei monti antichi,
alle attrattive dei colli eterni.
Siano sul capo di Giuseppe,
sulla testa del principe dei suoi fratelli.
²⁷ Beniamino è un lupo rapace:
la mattina divora la preda
e la sera spartisce le spoglie».

²⁸Tutti questi formano le dodici tribù d'Israele; questo è ciò che disse loro il padre, quando li benedisse: ciascuno egli benedisse con una benedizione particolare.
²⁹Poi comandò loro: «Io sto per essere riunito ai miei antenati: seppellitemi presso i miei padri, nella spelonca che è nel campo di Efron l'hittita, ³⁰nella spelonca che si trova nel campo di Macpela di fronte a Mamre, nella terra di Canaan, quella che Abramo comperò col campo da Efron l'hittita, come sepolcro di sua proprietà. ³¹Là seppellirono Abramo e Sara, sua moglie, là seppellirono Isacco e Rebecca, sua moglie, e là seppellii Lia. ³²Il campo e la spelonca che si trova in esso sono un possesso acquistato presso gli Hittiti».

---

8. *Giuda*, ossia la sua tribù, ebbe due primati: civile e religioso. Benché il culto fosse riservato ai leviti, da quando il centro religioso, sotto il re Davide, si stabilì a Gerusalemme e Salomone vi costruì il tempio, i discendenti di Giuda esercitarono su quello il loro alto potere, e la capitale religiosa fu sempre nel regno di Giuda.
10. Profezia messianica: per la prima volta viene precisato che il Messia nascerà nella tribù di Giuda.
13. Le tribù rimanenti sono elencate seguendo il territorio in cui si fissarono.
27. *La mattina* e *la sera*, cioè sempre.

³³Quando Giacobbe ebbe finito di dare questo ordine ai figli, ritirò i suoi piedi nel letto e spirò, e fu riunito ai suoi antenati.

LA SEPOLTURA DI GIACOBBE

50 ¹Allora Giuseppe si gettò sulla faccia di suo padre e pianse su di lui e lo baciò. ²Poi Giuseppe ordinò ai medici ch'erano a suo servizio di imbalsamare suo padre. I medici imbalsamarono Israele, ³e ci vollero quaranta giorni, perché tanti se ne richiedono per l'imbalsamazione. Gli Egiziani lo piansero settanta giorni.

⁴Passati i giorni del lutto, Giuseppe parlò alla corte del Faraone: «Se ho trovato grazia ai vostri occhi, vogliate riferire agli orecchi del Faraone queste parole: ⁵Mio padre mi ha fatto giurare, dicendo: "Ecco, io sto per morire: tu devi seppellirmi nel mio sepolcro che mi sono scavato nella terra di Canaan". Permettimi dunque di salire ora a seppellire mio padre, poi ritornerò».

⁶Il Faraone rispose: «Sali e seppellisci tuo padre com'egli ti ha fatto giurare». ⁷Allora Giuseppe salì a seppellire suo padre e con lui salirono tutti i ministri del Faraone, gli anziani della sua casa, tutti gli anziani della terra d'Egitto, ⁸tutta la casa di Giuseppe e i suoi fratelli e la casa di suo padre: lasciarono nella terra di Gosen soltanto i loro bambini e i loro greggi e i loro armenti. ⁹Con lui salirono pure i carri da guerra e la cavalleria, così da formare una carovana imponente. ¹⁰Giunti all'Aia di Atad, che è al di là del Giordano, vi fecero grandi e profondissimi lamenti e Giuseppe celebrò per suo padre un lutto di sette giorni. ¹¹I Cananei che abitavano il paese videro il lutto all'Aia di Atad e dissero: «È un lutto grave questo per gli Egiziani». Per questo la si chiamò Abel-Mizraim, che si trova al di là del Giordano.

¹²Poi i suoi figli fecero per lui quello che egli aveva ordinato: ¹³lo trasportarono nella terra di Canaan e lo seppellirono nella caverna del campo di Macpela, che Abramo aveva comperato col campo da Efron l'hittita come proprietà sepolcrale, e che si trova in faccia a Mamre.

¹⁴Poi, dopo aver sepolto suo padre, Giuseppe tornò in Egitto insieme con i suoi fratelli e con tutti quelli che erano saliti con lui a seppellire suo padre.

ULTIMI ANNI DI GIUSEPPE

¹⁵Ma i fratelli di Giuseppe incominciarono ad aver paura, dato che il loro padre era morto, e dissero: «Chissà se Giuseppe non ci tratterà da nemici e non ci renderà tutto il male che noi gli abbiamo fatto?». ¹⁶Allora mandarono a dire a Giuseppe: «Tuo padre prima della sua morte ha dato quest'ordine: ¹⁷"Così direte a Giuseppe: Perdona il delitto dei tuoi fratelli e il loro peccato, perché ti hanno fatto del male!". Or dunque perdona il delitto dei servi del Dio di tuo padre!». E Giuseppe pianse quando gli si parlò così. ¹⁸Poi vennero i suoi fratelli stessi e si gettarono a terra davanti a lui e dissero: «Eccoci tuoi schiavi!». ¹⁹Ma Giuseppe disse loro: «Non temete! Sono io forse al posto di Dio? ²⁰Se voi avevate ordito del male contro di me, Dio ha pensato di farlo servire a un bene, per compiere quello che oggi si avvera: salvare la vita ad un popolo numeroso. ²¹Or dunque non temete, io provvederò al sostentamento per voi e per i vostri bambini». Così li consolò e fece loro coraggio.

²²Giuseppe con la famiglia di suo padre abitò in Egitto. E Giuseppe visse centodieci anni. ²³Così egli vide i figli di Efraim fino alla terza generazione, e anche i figli di Machir, figlio di Manasse, nacquero sulle ginocchia di Giuseppe. ²⁴Poi Giuseppe disse ai suoi fratelli: «Io sto per morire, ma Dio verrà certamente a visitarvi e vi farà salire da questa terra alla terra ch'egli ha promesso con giuramento ad Abramo, a Isacco e a Giacobbe». ²⁵Giuseppe fece giurare ai figli di Israele in questi termini: «Dio verrà certamente a visitarvi, e allora voi porterete via di qui le mie ossa». ²⁶Poi Giuseppe morì all'età di centodieci anni; lo imbalsamarono e fu posto in un sarcofago in Egitto.

---

50. - 25. La Genesi termina con la ferma speranza dell'esodo, a cui pensano Giacobbe e Giuseppe. Con esso il popolo ebreo tornerà in Palestina e prenderà possesso di quella terra ripetutamente promessa da Dio ai patriarchi. Così termina la storia religiosa dei patriarchi, amici intimi di Dio. Per tale amicizia essi divennero depositari dei disegni di Dio ed esempio di fede per i loro posteri.

ESODO

Il titolo Esodo *di questo celebre libro biblico definisce il cuore dell'opera che ruota attorno a un uscire, a un grande evento di liberazione da un'opprimente schiavitù e di speranza dipinto come un'epopea cosmica e religiosa. L'esodo dall'Egitto avvenne probabilmente nel XIII secolo a.C. sotto Ramesse II, il faraone dell'oppressione, e Mernephtah, il faraone della fuga.*

Questa vicenda storica è stata un evento fondamentale per la nazione ebraica: all'intervento del Dio dei padri Israele deve la sua stessa esistenza e la sua coscienza di popolo unito e libero.

Dopo l'epopea della liberazione e la marcia nel deserto, al Sinai avviene l'altro grande evento: l'alleanza tra Dio e il suo popolo. Sulla base dello schema orientale di alleanza diplomatico-militare tra un gran re e il suo vassallo si cerca di descrivere il nesso profondo che intercorre tra il popolo e Dio. Esso è limpidamente riassunto dalla formula, frequente nel Pentateuco, che sorge proprio qui al Sinai: «Vi prenderò per me come popolo e sarò vostro Dio» (cfr. Es 6,7). Al dono della libertà offerto e tutelato da Dio si associa l'impegno-risposta d'Israele espresso attraverso il Decalogo (c. 20) e i vari codici che sono collezionati come contenuto della rivelazione di Dio al Sinai (cc. 21-23; 25-31; 35-40).

Essi in realtà sono prevalentemente il sistema socio-giuridico e religioso che reggeva Israele già stanziato nella terra promessa; tuttavia essi vengono riportati al Sinai proprio perché l'intera esistenza dell'Israele libero fosse una risposta d'amore al Dio liberatore.

LA CONDIZIONE DEGLI EBREI IN EGITTO

1 [1]Questi sono i nomi dei figli di Israele che entrarono in Egitto con Giacobbe, ognuno con la propria famiglia: [2]Ruben, Simeone, Levi, Giuda, [3]Issacar, Zabulon, Beniamino, [4]Dan, Neftali, Gad e Aser. [5]La somma di tutti coloro che erano stati generati da Giacobbe era di settanta. Giuseppe era già in Egitto.

[6]Giuseppe morì, con tutti i suoi fratelli e tutta quella generazione. [7]I figli d'Israele prolificarono e crebbero, si moltiplicarono e divennero molto, molto forti, tanto che il paese si riempì di loro.

[8]Ma sorse sull'Egitto un nuovo re, che non aveva conosciuto Giuseppe, [9]e disse al suo popolo: «Ecco, il popolo dei figli d'Israele è più grande e più forte di noi: [10]prendiamo provvedimenti nei suoi confronti, perché non si moltiplichi e se ci sarà una guerra non si aggiunga anch'esso ai nostri nemici, combatta contro di noi e poi se ne vada dal paese».

[11]Gl'imposero perciò dei sovrintendenti ai lavori forzati per opprimerlo con i loro gravami, e così Israele costruì le città-magazzino di Pitom e Ramses per il Faraone. [12]Ma più lo opprimevano, più si moltiplicava e cresceva; perciò gli Egiziani ebbero paura dei figli di Israele.

---

1. - Questo capitolo forma come un'introduzione a tutto il libro. In esso l'autore sacro conserva solo quanto interessa la storia religiosa ch'egli intende scrivere: l'aumento dei discendenti di Giacobbe e l'oppressione da parte degli Egiziani, preludio dell'intervento di Dio che libererà il suo popolo.

8. Il *nuovo re*, di cui si parla e di cui non si dà il nome, pare corrispondere al faraone Ramesse II.

¹³Allora gli Egiziani sottoposero i figli d'Israele a un lavoro massacrante: ¹⁴amareggiarono la loro vita con un duro lavoro nella preparazione dell'argilla e dei mattoni e con ogni genere di lavoro nei campi: lavori ai quali li costrinsero con dura schiavitù. ¹⁵Il re d'Egitto disse alle levatrici ebree, delle quali una si chiamava Sifra e l'altra Pua: ¹⁶«Quando farete partorire le donne ebree, guardate bene tra le due sponde del sedile per il parto: se è un maschio, uccidetelo; se è una femmina, lasciatela in vita». ¹⁷Ma le levatrici ebbero timor di Dio e non fecero come aveva detto loro il re d'Egitto, e lasciarono in vita i bambini. ¹⁸Il re d'Egitto chiamò allora le levatrici e disse loro: «Perché avete fatto questo e avete lasciato in vita i bambini?». ¹⁹Le levatrici dissero al Faraone: «Perché le donne ebree non sono come le egiziane: sono piene di vita. Prima che arrivino da loro le levatrici, hanno già partorito». ²⁰Dio beneficò le levatrici, mentre il popolo si moltiplicò e diventò molto forte. ²¹E poiché le levatrici avevano temuto Dio, egli fece loro avere una famiglia. ²²Ma il Faraone ordinò a tutto il suo popolo: «Ogni figlio maschio che nascerà, gettatelo nel Nilo; lasciate vivere invece le figlie».

LA NASCITA DI MOSÈ

2 ¹Un uomo della famiglia di Levi prese in moglie una figlia di Levi. ²La donna concepì e partorì un figlio: vide che era bello e lo nascose per tre mesi. ³Ma non potendolo più tenere nascosto, prese una cesta di papiro, la cosparse di bitume e pece, vi mise il bambino e lo pose nel canneto sulla riva del Nilo. ⁴La sorella del bambino si appostò a distanza per vedere che cosa gli sarebbe successo. ⁵La figlia del Faraone scese per prendere un bagno al fiume, mentre le sue ancelle se ne andavano lungo la sponda del fiume: vide la cesta in mezzo al canneto e mandò la sua serva a prenderla. ⁶Aprì e vide dentro il bambino: era un fanciullino che piangeva. Ne ebbe compassione e disse: «Costui è un bambino ebreo». ⁷La sorella del bambino disse alla figlia del Faraone: «Vado a chiamarti una donna tra le Ebree che allattano: allatterà per te il bambino». ⁸Le disse la figlia del Faraone: «Va'». La giovane andò a chiamare la mamma del bambino. ⁹La figlia

del Faraone le disse: «Prendi questo bambino e allattalo per me: ti darò il tuo salario». La donna prese il bambino e lo allattò. ¹⁰Quando il bambino fu cresciuto, lo portò alla figlia del Faraone. Fu per lei come un figlio e lo chiamò Mosè, dicendo: «Io l'ho salvato dalle acque».

LA FUGA DI MOSÈ IN MADIAN

¹¹In quei giorni Mosè, cresciuto in età, si recò dai suoi fratelli e si rese conto dei duri lavori a cui erano sottoposti. Vide poi un uomo egiziano colpire un uomo ebreo, uno dei suoi fratelli. ¹²Si voltò in qua e in là, vide che non c'era nessuno e colpì l'Egiziano, nascondendolo poi nella sabbia. ¹³Uscì il giorno dopo, ed ecco che vide due uomini ebrei che litigavano. Disse a quello che aveva torto: «Perché colpisci tuo fratello?». ¹⁴Rispose: «Chi ti ha posto come capo e giudice su di noi? Vuoi forse uccidermi come hai ucciso l'Egiziano?». Mosè ebbe paura e disse tra sé: «Certamente la cosa è risaputa». ¹⁵Il Faraone sentì parlare di questa faccenda e cercò di uccidere Mosè, ma Mosè fuggì via dal Faraone, si stabilì nel paese di Madian, e sedette presso un pozzo. ¹⁶Un sacerdote di Madian aveva sette figlie: vennero ad attingere acqua e a riempire gli abbeveratoi per far bere il gregge paterno. ¹⁷Ma sopraggiunsero dei pastori e le scacciarono: allora Mosè intervenne per difenderle e fece bere il loro gregge. ¹⁸Esse tornarono da Reuel, loro padre, che disse: «Perché tornate così presto oggi?». ¹⁹Risposero: «Un Egiziano ci ha liberato dalla mano dei pastori, ha preso l'acqua per noi e ha dato da bere al gregge». ²⁰Disse alle sue figlie: «Dov'è? Perché avete lasciato là quell'uomo? Chiamatelo, e venga a mangiare». ²¹Mosè accettò di abitare con quell'uomo, che gli diede in moglie Zippora, sua figlia. ²²Costei partorì un figlio, che Mosè chiamò Gherson, perché disse: «Sono stato ospite in un paese straniero». ²³Frattanto, in quel lungo periodo, il re d'Egitto morì. I figli d'Israele gemevano per il lavoro: gridarono, e la loro invocazione di aiuto dall'oppressione salì fino a Dio. ²⁴Dio udì il loro lamento, si ricordò della sua alleanza con Abramo, con Isacco e con Giacobbe. ²⁵Dio vide i figli d'Israele e se ne prese cura.

VOCAZIONE E MISSIONE DI MOSÈ

3 ¹Mosè era pastore del gregge di Ietro, suo suocero, sacerdote di Madian: portò il gregge oltre il deserto e arrivò al monte di Dio, l'Oreb. ²Gli apparve l'angelo del Signore in una fiamma di fuoco, dal mezzo di un roveto. Mosè guardò: ecco che il roveto bruciava nel fuoco, ma il roveto non si consumava. ³Egli disse: «Ora mi sposto per osservare questo spettacolo grandioso: perché mai il roveto non si brucia?». ⁴Il Signore vide che Mosè si era spostato per osservare e lo chiamò dal mezzo del roveto: «Mosè, Mosè!». Rispose: «Eccomi!». ⁵Disse: «Non avvicinarti: togliti i sandali dai piedi, perché il luogo sul quale stai è una terra santa». ⁶E continuò: «Io sono il Dio di tuo padre, il Dio di Abramo, il Dio di Isacco, il Dio di Giacobbe». Mosè si coprì allora il volto perché temeva di guardare Dio.

⁷Il Signore disse: «Ho visto l'oppressione del mio popolo che è in Egitto, ho udito il suo grido a causa dei suoi oppressori, poiché conosco le sue angosce. ⁸Voglio scendere a liberarlo dalla mano dell'Egitto e a farlo salire da quella terra a una terra buona e vasta, a una terra dove scorre latte e miele, nel luogo del Cananeo, dell'Hittita, dell'Amorreo, del Perizzita, dell'Eveo e del Gebuseo. ⁹E ora, ecco, il grido dei figli d'Israele è giunto fino a me, e ho visto pure l'oppressione con cui l'Egitto li opprime. ¹⁰E ora va': ti invio dal Faraone per fare uscire il mio popolo, i figli d'Israele, dall'Egitto».

¹¹Mosè disse a Dio: «Chi sono io, perché vada dal Faraone e faccia uscire i figli d'Israele dall'Egitto?». ¹²Rispose: «Io sarò con te, e questo è il segno che io ti ho inviato: quando avrai fatto uscire il popolo dall'Egitto, servirete Dio su questo monte». ¹³Mosè disse a Dio: «Ecco, io vado dai figli d'Israele e dico loro: "Il Dio dei vostri padri mi ha inviato a voi". Mi diranno: "Qual è il suo nome?". Che cosa risponderò loro?». ¹⁴Dio disse a Mosè: «Io sono colui che sono». E aggiunse: «Così dirai ai figli d'Israele: "Io-sono mi ha inviato a voi"». ¹⁵Dio disse ancora a Mosè: «Così dirai ai figli d'Israele: "Il Signore, il Dio dei vostri padri, il Dio di Abramo, il Dio di Isacco e il Dio di Giacobbe mi ha inviato a voi: questo è il mio nome per sempre, e questo il mio ricordo di generazione in generazione". ¹⁶Va',

riunisci gli anziani d'Israele e di' loro: "Mi è apparso il Signore, il Dio dei vostri padri, il Dio di Abramo, Isacco e Giacobbe, dicendo: Io vi ho visitato e ho visto quello che vi è stato fatto in Egitto, ¹⁷e ho detto: vi faccio salire dall'oppressione dell'Egitto alla terra del Cananeo, dell'Hittita, dell'Amorreo, del Perizzita, dell'Eveo, del Gebuseo, alla terra dove scorre latte e miele". ¹⁸Ascolteranno la tua voce, e tu con gli anziani d'Israele andrete dal re d'Egitto e gli direte: "Il Signore, Dio degli Ebrei, ci è venuto incontro, e ora lasciaci andare per il cammino di tre giorni nel deserto, e sacrificheremo al Signore, nostro Dio". ¹⁹Io so che il re d'Egitto non vi lascerà andare, se non costretto da mano forte. ²⁰Allora stenderò la mia mano e colpirò l'Egitto con ogni prodigio che farò in mezzo ad esso: dopo di ciò vi manderà via. ²¹Farò sì che questo popolo trovi grazia agli occhi degli Egiziani, e quando ve ne andrete non ve ne andrete a mani vuote. ²²Ogni donna chiederà alla sua vicina e a chi abita nella sua casa oggetti d'argento, oggetti d'oro e vesti: ne ricoprirete i vostri figli e le vostre figlie e spoglierete gli Egiziani».

MOSÈ OTTIENE IL POTERE DI COMPIERE PRODIGI

4 ¹Mosè rispose: «E se non mi credono e non ascoltano la mia voce dicendo: "Non ti è apparso il Signore"?». ²Il Signore gli disse: «Che cos'hai in mano?». Rispose: «Un bastone». ³Disse: «Gettalo a terra». Lo gettò a terra e diventò un serpente, davanti al quale Mosè fuggì. ⁴Poi il Signore gli disse: «Stendi la mano e prendilo per la coda». Stese la mano e lo tenne stretto, e nella sua palma diventò un bastone.

---

3. - 1. *Oreb* è il nome del Sinai, gruppo di picchi elevati, nel sud della penisola che ne prende il nome. È detto qui *monte di Dio* per anticipazione.

6. Dopo un lungo, apparente silenzio, durante l'oppressione in Egitto, Dio si presenta come il Dio dei padri, cioè come lo stesso Dio della promessa. È lui che conduce la storia verso un fine particolare, che si va rischiarando progressivamente. 14. *Io sono colui che sono*: come se dicesse: Sono colui che sempre fu, sempre è e sempre sarà, al di fuori e al di sopra del tempo; ma soprattutto colui che è attivamente presente nella storia del suo popolo in ogni tempo.

4. - 2-9. I prodigi, che Dio opera attraverso Mosè, erano necessari affinché il popolo potesse credere all'origine divina della sua missione.

5«Questo perché credano che ti è apparso il Signore, il Dio dei loro padri, il Dio di Abramo, il Dio di Isacco e il Dio di Giacobbe». 6Il Signore gli disse ancora: «Metti la mano nel seno». Mise la mano nel seno: la ritrasse, ed ecco che la mano era ricoperta di lebbra, bianca come neve. 7E disse: «Rimetti la mano nel seno». Rimise la mano nel seno: la ritrasse, ed ecco che era tornata come il resto della sua carne. 8«E se non ti crederanno e non ascolteranno la voce del primo segno, crederanno alla voce del secondo. 9E se non crederanno neanche a questi due segni e non ascolteranno la tua voce, prenderai dell'acqua del fiume e la verserai sull'asciutto: e l'acqua che avrai preso dal fiume diventerà sangue sull'asciutto».

10Mosè disse al Signore: «Quanto a me, Signore, io non sono un parlatore: non lo sono stato mai prima e neppure lo sono ora da quando hai cominciato a parlare al tuo servo, poiché io sono impacciato di bocca e di lingua». 11Il Signore gli rispose: «Chi ha dato la bocca all'uomo, o chi lo rende muto o sordo, veggente o cieco? Non sono forse io, il Signore? 12Ora va', io sarò con la tua bocca, ti istruirò su quello che dovrai dire». 13Mosè disse: «Ti prego, Signore, manda chiunque tu voglia mandare». 14L'ira del Signore si infiammò contro Mosè e disse: «Non c'è forse Aronne tuo fratello, il levita? So che è buon parlatore: egli parlerà. Ed ecco sta venendo incontro a te: ti vedrà e gioirà in cuor suo. 15Gli parlerai e metterai le parole nella sua bocca, e io sarò con la tua bocca e con la sua bocca, e vi istruirò su quello che dovrete fare. 16Sarà lui a parlare per te al popolo: egli sarà per te la bocca e tu sarai per lui un dio. 17E quanto a questo bastone, prendilo nella tua mano: con esso farai prodigi».

18Mosè se ne andò, tornò da Ietro, suo suocero, e gli disse: «Lasciami tornare dai miei fratelli che sono in Egitto, per vedere se sono ancora vivi». Ietro disse a Mosè: «Va' in pace». 19Il Signore disse a Mosè in Madian: «Va', torna in Egitto, perché sono morti tutti gli uomini che cercavano la tua

vita». 20Mosè prese la moglie e i figli, li fece sedere su un asino e tornò in terra d'Egitto. E Mosè prese in mano il bastone di Dio. 21Il Signore disse a Mosè: «Nel ritornare in Egitto, sappi che tu compirai davanti al Faraone tutti i prodigi che ti ho messo in mano, ma io renderò duro il suo cuore e non lascerà partire il popolo. 22E dirai al Faraone: "Così ha detto il Signore: Israele è il mio figlio primogenito. 23Ti avevo detto: Lascia partire mio figlio, perché mi serva, e non hai voluto lasciarlo partire. Ecco, io faccio morire il tuo figlio primogenito"». 24Mentre si trovava in viaggio, durante la sosta notturna, il Signore lo raggiunse e cercò di farlo morire. 25Zippora prese una selce e tagliò il prepuzio di suo figlio, toccò i suoi piedi e disse: «Mio sposo di sangue sei per me». 26E si ritirò da lui. Di qui il detto «sposo di sangue» per le circoncisioni. 27Il Signore disse ad Aronne: «Va' incontro a Mosè nel deserto». Andò e lo raggiunse al monte di Dio e lo baciò. 28Mosè informò Aronne su tutte le parole del Signore, che lo aveva inviato, e su tutti i segni che gli aveva ordinato.

29Mosè e Aronne partirono e riunirono tutti gli anziani dei figli d'Israele. 30Aronne disse tutte le parole che il Signore aveva detto a Mosè e compì i segni agli occhi del popolo. 31Il popolo credette e comprese che il Signore aveva visitato i figli d'Israele e aveva visto la loro miseria. E si inginocchiarono e adorarono.

IL FARAONE OPPRIME DURAMENTE GLI EBREI

5 1Dopo questo, Mosè e Aronne vennero a dire al Faraone: «Così ha detto il Signore, Dio d'Israele: "Lascia andare il mio popolo a celebrare una festa per me nel deserto"». 2Il Faraone disse: «Chi è il Signore, perché io ascolti la sua voce e lasci andare Israele? Non conosco il Signore, né lascio partire Israele». 3Dissero: «Il Dio degli Ebrei ci è venuto incontro: lasciaci andare dunque per il cammino di tre giorni nel deserto per sacrificare al Signore, nostro Dio, perché non ci colpisca con la peste o la spada». 4Il re d'Egitto disse loro: «Perché, Mosè e Aronne, volete distogliere il popolo dalle sue opere? Tornate al vostro lavoro». 5Il Faraone aggiunse: «Ecco, ora il popolo

del paese è numeroso, e voi volete farlo cessare dal suo lavoro?».

[6]In quel giorno, il Faraone ordinò ai sorveglianti del popolo e agli scribi: [7]«Non date più paglia al popolo per fabbricare mattoni, come facevate prima: vadano essi a raccogliere la paglia; [8]ma imporrete loro la stessa quantità di mattoni che facevano prima, senza diminuirla, poiché sono fannulloni. Per questo gridano dicendo: Andiamo a sacrificare al nostro Dio! [9]Si aggravi dunque il lavoro su questi uomini e lo facciano senza dar retta a parole false!».

[10]I sorveglianti del popolo e gli scribi uscirono e dissero al popolo: «Così ha detto il Faraone: "Non vi diamo più paglia". [11]Voi stessi andate, prendetevi la paglia dove la troverete, poiché non vi sarà nessuna riduzione del vostro lavoro». [12]Allora il popolo si sparse in tutto il paese d'Egitto per raccogliere stoppia per la paglia. [13]I sorveglianti li sollecitavano dicendo: «Finite il vostro lavoro di ogni giorno come quando avevate la paglia». [14]Gli scribi dei figli di Israele, preposti al lavoro, furono percossi dai sorveglianti del Faraone, che dicevano: «Perché non avete terminato né ieri né oggi la quantità di mattoni che vi è prescritta?».

[15]Gli scribi dei figli d'Israele vennero a protestare dal Faraone dicendo: «Perché fai così ai tuoi servi? [16]Non si dà più paglia ai tuoi servi e si dice: "Fateci dei mattoni". Ed ecco, i tuoi servi sono percossi, e la colpa è del tuo popolo». [17]Rispose: «Fannulloni siete, fannulloni! Per questo dite: "Andiamo a sacrificare al Signore". [18]E ora andate a lavorare: non vi sarà data paglia, ma consegnerete la stessa quantità di mattoni».

[19]Gli scribi dei figli d'Israele si videro alle strette quando fu loro detto: «Non diminuirete per nulla la produzione giornaliera di mattoni». [20]E quando uscirono dal Faraone, si incontrarono con Mosè e Aronne che stavano ad attenderli [21]e dissero loro: «Il Signore provveda contro di voi e giudichi: voi ci avete resi odiosi agli occhi del Faraone e agli occhi dei suoi servi, mettendo loro in mano la spada per ucciderci».

[22]Mosè tornò dal Signore e disse: «Signore, perché fai del male a questo popolo? Perché dunque mi hai inviato? [23]Da quando sono venuto dal Faraone a parlare in tuo nome, egli ha fatto del male a questo popolo, e tu non liberi il tuo popolo!».

DIO PROMETTE DI LIBERARE IL SUO POPOLO

6 [1]Il Signore disse a Mosè: «Ora vedrai che cosa farò al Faraone, poiché costretto da una mano forte li lascerà andare, costretto da una mano potente li caccerà dalla sua terra».

[2]Dio disse a Mosè: «Io sono il Signore: [3]sono apparso ad Abramo, a Isacco e a Giacobbe come Dio onnipotente, ma il mio nome di Signore non l'ho fatto loro conoscere. [4]Ho anche stabilito la mia alleanza con loro, per dare ad essi la terra di Canaan, la terra delle loro migrazioni, dove essi soggiornarono come forestieri. [5]Sono ancora io che ho udito il lamento dei figli d'Israele che gli Egiziani hanno resi schiavi e mi sono ricordato della mia alleanza. [6]Perciò di' ai figli d'Israele: "Io sono il Signore! Vi farò uscire dall'oppressione degli Egiziani, vi libererò dalla loro servitù e vi riscatterò con braccio teso e con grandi castighi. [7]Vi prenderò per me come popolo e sarò per voi Dio, e saprete che io sono il Signore, vostro Dio, che vi ha fatto uscire dall'oppressione degli Egiziani. [8]Vi condurrò alla terra per la quale ho alzato la mia mano giurando di darla ad Abramo, Isacco e Giacobbe, e ve la darò in eredità: io, il Signore"».

[9]Così Mosè parlò ai figli d'Israele, ma essi non lo ascoltarono, perché ridotti all'estremo per il duro lavoro.

[10]Il Signore disse a Mosè: [11]«Va' a dire al Faraone, re d'Egitto, che mandi via i figli d'Israele dal suo paese». [12]Mosè disse davanti al Signore: «Ecco, i figli d'Israele non mi hanno ascoltato: come potrà ascoltarmi il Faraone, dal momento che sono impacciato a parlare?».

[13]Il Signore parlò a Mosè e ad Aronne, e li mandò dai figli d'Israele e dal Faraone, re d'Egitto, perché facesse uscire i figli d'Israele dalla terra d'Egitto.

LA GENEALOGIA DI MOSÈ E DI ARONNE

[14]Questi sono i capi delle loro famiglie. Figli di Ruben, primogenito d'Israele: Enoch, Pallu, Chezron e Carmi; queste sono le famiglie di Ruben. [15]Figli di Simeone: Iemuel, Iamin, Oad, Iachin, Socar e Saul, figlio della

Cananea; queste sono le famiglie di Simeone. [16]Questi sono i nomi dei figli di Levi, secondo le loro generazioni: Gherson, Keat e Merari. Gli anni della vita di Levi furono centotrentasette. [17]Figli di Gherson: Libni e Simei, secondo le loro famiglie. [18]Figli di Keat: Amram, Isear, Ebron e Uzziel. Gli anni della vita di Keat furono centotrentatré. [19]Figli di Merari: Macli e Musi. Queste sono le famiglie di Levi secondo le loro generazioni. [20]Amram si prese in moglie Iochebed sua zia, che gli partorì Aronne e Mosè. Gli anni della vita di Amram furono centotrentasette. [21]Figli di Isear: Core, Nefeg e Zicri. [22]Figli di Uzziel: Misael, Elsafan e Sitri. [23]Aronne si prese in moglie Elisabetta, figlia di Amminadab, sorella di Nacason, dalla quale ebbe i figli Nadab, Abiu, Eleazaro e Itamar. [24]Figli di Core: Assir, Elkana e Abiasaf. Queste sono le famiglie dei Coreiti. [25]Eleazaro, figlio di Aronne, si prese in moglie una delle figlie di Putiel, e gli partorì Finees. Questi sono i capi dei casati dei leviti, secondo le loro famiglie. [26]Proprio ad Aronne e a Mosè il Signore disse di far uscire i figli d'Israele dalla terra d'Egitto, secondo le loro schiere. [27]Furono essi a parlare al Faraone, re d'Egitto, per far uscire i figli d'Israele dall'Egitto: sono Mosè ed Aronne. [28]Il giorno in cui il Signore parlò a Mosè in terra d'Egitto, [29]il Signore disse a Mosè: «Io sono il Signore: riferisci al Faraone, re d'Egitto, tutto quello che io ti dico». [30]Mosè disse davanti al Signore: «Ecco, io ho la parola impacciata, e come mi potrebbe ascoltare il Faraone?».

LE DIECI PIAGHE D'EGITTO

7[1]Il Signore disse a Mosè: «Vedi, io faccio di te un dio per il Faraone e Aronne, tuo fratello, sarà il tuo profeta. [2]Tu dirai tutto quello che ti ordinerò e Aronne, tuo fratello, parlerà al Faraone, perché lasci andare via i figli d'Israele dalla sua terra. [3]Ma io indurirò il cuore del Faraone e moltiplicherò i miei segni e i miei prodigi in terra d'Egitto. [4]Il Faraone non vi ascolterà, e porterò la mia mano contro l'Egitto e farò uscire le mie schiere, il mio popolo, i figli d'Israele, dalla terra d'Egitto con grandi castighi. [5]Gli Egiziani sapranno allora che io sono il Signore, quando stenderò la mia mano sull'Egitto e farò uscire i figli d'Israele di mezzo a loro». [6]Mosè e Aronne fecero come aveva ordinato loro il Signore: fecero esattamente così. [7]Quando parlarono al Faraone, Mosè aveva ottant'anni e Aronne ottantatré.

[8]Il Signore disse a Mosè e ad Aronne: [9]«Se il Faraone vi parla dicendo: "Fate un prodigio", dirai ad Aronne: "Prendi il tuo bastone e gettalo davanti al Faraone: diventerà un serpente"». [10]Mosè e Aronne vennero dal Faraone e fecero come aveva ordinato il Signore; Aronne gettò il suo bastone davanti al Faraone e davanti ai suoi servi, e diventò un serpente. [11]Ma anche il Faraone chiamò sapienti e incantatori, e anche i maghi d'Egitto coi loro sortilegi fecero così. [12]Ognuno gettò il proprio bastone, che diventò un serpente, ma il bastone di Aronne ingoiò i loro bastoni. [13]Tuttavia il cuore del Faraone restò duro e non li ascoltò, come aveva predetto il Signore.

LA PRIMA PIAGA: L'ACQUA CAMBIATA IN SANGUE

[14]Il Signore disse a Mosè: «Il cuore del Faraone è irremovibile, rifiuta di lasciare andare il popolo. [15]Va' dal Faraone al mattino, proprio quando esce verso l'acqua: mettiti in modo da incontrarlo sulla riva del Nilo, e terrai in mano il bastone che si è cambiato in serpente. [16]Gli dirai: "Il Signore, Dio degli Ebrei, mi ha mandato da te dicendo: manda via il mio popolo, perché mi serva nel deserto; ma tu finora non hai ascoltato. [17]Così dice il Signore: con questo saprai che io sono il Signore: ecco, con il bastone che ho in mano, io colpirò l'acqua che è nel fiume, e si cambierà in sangue. [18]I pesci che sono nel fiume moriranno, il fiume puzzerà e l'Egitto non potrà più bere l'acqua del Nilo"».

7.- 1. *Faccio di te un dio*: cioè ti do il potere che io ho sopra il Faraone: tu non dovrai temere la sua potenza, perché sarà lui che si piegherà dinanzi a te.

14. Le prime nove piaghe sono simili a fenomeni caratteristici dell'Egitto o connessi con l'annuale inondazione del Nilo; ma il tempo, il modo, la celerità e il loro rapido succedersi con un crescendo di potenza impressionante manifestano chiaramente l'intervento del potere divino, che Jhwh aveva comunicato a Mosè nei riguardi del Faraone. L'ultima, poi, spiega e caratterizza tutte le altre nove.

¹⁹Il Signore disse a Mosè: «Di' ad Aronne: "Prendi il tuo bastone e stendi la tua mano sulle acque dell'Egitto, sui suoi fiumi, sui suoi canali, sui suoi stagni e su tutti i loro depositi d'acqua, e diventerà sangue; ci sarà sangue in tutto il paese d'Egitto, nei recipienti di legno e di pietra"». ²⁰Così fecero Mosè e Aronne, come aveva ordinato il Signore: Aronne alzò il bastone e colpì l'acqua che era nel Nilo, sotto gli occhi del Faraone e dei suoi servi, e tutta l'acqua che era nel fiume si cambiò in sangue. ²¹I pesci che erano nel fiume morirono, il fiume puzzò, e gli Egiziani non poterono berne le acque. Vi fu sangue in tutto il paese d'Egitto. ²²Ma anche i maghi egiziani, con i loro sortilegi, fecero la stessa cosa. Il cuore del Faraone si indurì e non li ascoltò, come aveva predetto il Signore. ²³Il Faraone si voltò e rientrò a casa sua e non si curò neppure di questo fatto. ²⁴Tutti gli Egiziani scavarono nei dintorni del Nilo per avere acqua potabile, perché non potevano bere dell'acqua del fiume. ²⁵Trascorsero sette giorni da quando il Signore aveva colpito il Nilo.

²⁶Il Signore disse a Mosè: «Va' dal Faraone e digli: "Così ha detto il Signore: manda via il mio popolo perché mi serva. ²⁷E se tu rifiuti di mandarlo via, ecco, io colpirò tutto il tuo territorio con le rane. ²⁸Il Nilo pullulerà di rane: usciranno e verranno nella tua casa, nella camera dove riposi e sul tuo letto, nella casa dei tuoi servi e tra il tuo popolo, nei tuoi forni e nelle tue madie. ²⁹Contro di te, contro il tuo popolo e contro tutti i tuoi servi usciranno le rane"».

LA SECONDA PIAGA: LE RANE

8 ¹Il Signore disse a Mosè: «Di' ad Aronne: "Stendi la mano con il tuo bastone sui fiumi, sui canali e sugli stagni, e fa' uscire le rane sul paese d'Egitto!"». ²Aronne stese la mano sulle acque d'Egitto: le rane uscirono e coprirono il paese d'Egitto. ³E lo stesso fecero i maghi con i loro sortilegi: fecero uscire le rane sul paese d'Egitto.

⁴Il Faraone chiamò Mosè e Aronne e disse: «Pregate il Signore, perché allontani le rane da noi e dal mio popolo, e io manderò il popolo a sacrificare al Signore». ⁵Mosè disse al Faraone: «Fammi l'onore di comunicarmi quando potrò pregare per te, per i tuoi servi, per il tuo popolo, per far scomparire le rane da te e dalle tue case, e ne restino solo nel Nilo». ⁶Rispose: «Domani». Riprese: «Sarà fatto secondo la tua parola, perché tu sappia che non c'è nessuno come il Signore, nostro Dio. ⁷Le rane si allontaneranno da te, dalle tue case, dai tuoi servi e dal tuo popolo: ne resteranno solo nel Nilo».

⁸Mosè e Aronne uscirono dalla presenza del Faraone, e Mosè supplicò il Signore riguardo alle rane che aveva mandato contro il Faraone. ⁹Il Signore fece secondo la parola di Mosè: le rane morirono nelle case, nei cortili e nei campi. ¹⁰Le raccolsero in mucchi, e il paese ne fu ammorbato. ¹¹Il Faraone, vedendo che c'era un po' di sollievo, si ostinò in cuor suo e non diede loro ascolto, come aveva predetto il Signore.

LA TERZA PIAGA: LE ZANZARE

¹²Il Signore disse a Mosè: «Di' ad Aronne: "Stendi il tuo bastone e batti la polvere del suolo: ci saranno zanzare in tutto il paese d'Egitto"». ¹³Essi fecero così: Aronne stese la mano con il suo bastone e colpì la polvere del suolo, e ci furono zanzare sugli uomini e sulle bestie: tutta la polvere del suolo diventò zanzare in tutto il paese d'Egitto.

¹⁴Allo stesso modo fecero i maghi con i loro sortilegi per far uscire le zanzare, ma non riuscirono e le zanzare infierivano sugli uomini e sulle bestie. ¹⁵I maghi dissero al Faraone: «È il dito di Dio!». Ma il cuore del Faraone si ostinò e non diede ascolto, come aveva predetto il Signore.

LA QUARTA PIAGA: I MOSCONI

¹⁶Il Signore disse a Mosè: «Alzati di buon mattino e presentati al Faraone, proprio quando esce verso l'acqua, e digli: "Così ha detto il Signore: lascia partire il mio popolo perché mi serva. ¹⁷Poiché, se tu non lasci partire il mio popolo, ecco, manderò su di te, sui tuoi servi, sul tuo popolo e nelle tue case dei mosconi: i mosconi riempiranno le case degli Egiziani e anche il suolo su cui stanno. ¹⁸Ma preserverò in quel giorno la terra di Gosen, dove sta il mio popolo, perché non vi siano mosconi, in modo che tu sappia che io sono il Signore in mezzo

al paese. ¹⁹Farò così una distinzione tra il mio popolo e il tuo popolo: questo segno avverrà domani"».

²⁰Il Signore fece così. Vennero in massa i mosconi nella casa del Faraone, nella casa dei suoi servi e in tutta la terra d'Egitto: il paese fu devastato dai mosconi. ²¹Il Faraone chiamò Mosè e Aronne e disse: «Andate a sacrificare al vostro Dio nel paese». ²²Mosè rispose: «Non possiamo certo fare così, poiché quello che noi sacrifichiamo al Signore, nostro Dio, è un abominio per gli Egiziani. Ecco, sacrificando ciò che è un abominio per gli Egiziani sotto i loro occhi, non ci lapideranno forse? ²³Andremo nel deserto, a tre giorni di cammino, e sacrificheremo al Signore, nostro Dio, come ci aveva detto». ²⁴Il Faraone disse: «Io vi manderò a sacrificare al Signore, vostro Dio, nel deserto: solo, non andate lontano. Pregate per me». ²⁵Mosè disse: «Ecco, io parto da te e pregherò il Signore: domani si allontaneranno i mosconi dal Faraone, dai suoi servi, dal suo popolo. Però il Faraone non ci prenda più in giro, non lasciando partire il popolo perché possa sacrificare al Signore».

²⁶Mosè partì dal Faraone e pregò il Signore. ²⁷Il Signore fece secondo la parola di Mosè e allontanò i mosconi dal Faraone, dai suoi servi e dal suo popolo: non ne restò uno. ²⁸Ma il Faraone si ostinò anche questa volta e non lasciò partire il popolo.

LA QUINTA PIAGA: LA MORTE DEL BESTIAME

9 ¹Il Signore disse a Mosè: «Va' dal Faraone e digli: "Così ha detto il Signore, Dio degli Ebrei: lascia partire il mio popolo perché mi serva: ²se tu rifiuti di lasciarlo partire e lo trattieni ancora, ³ecco, la mano del Signore sarà sul bestiame che tu possiedi in campagna, su cavalli, asini, cammelli, sulle mandrie e il gregge: ci sarà una peste gravissima. ⁴Il Signore farà una distinzione tra il bestiame che possiede Israele e il bestiame degli Egiziani: niente morirà di quanto appartiene ai figli d'Israele"».

⁵Il Signore fissò il tempo, dicendo: «Domani il Signore farà questo nel paese». ⁶E il Signore fece questo il giorno seguente: tutto il bestiame posseduto dagli Egiziani morì,

mentre delle bestie dei figli d'Israele non ne morì una. ⁷Il Faraone mandò a vedere: ed ecco, del bestiame d'Israele non era morto neppure un capo. Ma il cuore del Faraone rimase ostinato e non lasciò partire il popolo.

LA SESTA PIAGA: LE ULCERE

⁸Il Signore disse a Mosè e ad Aronne: «Procuratevi a piene mani della fuliggine di fornace, e Mosè la getti verso il cielo sotto gli occhi del Faraone; ⁹diventerà polvere su tutto il paese d'Egitto, e produrrà sugli uomini e sugli animali delle ulcere con eruzioni di pustole in tutto il paese d'Egitto». ¹⁰Presero dunque della fuliggine di fornace, e si posero alla presenza del Faraone: Mosè la gettò verso il cielo ed essa produsse ulcere pustolose con eruzioni su uomini e animali. ¹¹I maghi non poterono stare davanti al Faraone per le ulcere, perché c'erano ulcere sui maghi e su tutti gli Egiziani. ¹²Ma il Signore rese ostinato il cuore del Faraone, che non li ascoltò, come il Signore aveva predetto a Mosè.

LA SETTIMA PIAGA: LA GRANDINE

¹³Il Signore disse a Mosè: «Alzati di buon mattino, presentati al Faraone e digli: "Così ha detto il Signore, Dio degli Ebrei: lascia partire il mio popolo perché mi serva. ¹⁴Poiché questa volta io manderò tutti i miei flagelli contro di te, i tuoi servi, il tuo popolo, perché tu sappia che non c'è un altro come me in tutta la terra. ¹⁵Poiché io avrei potuto stendere la mia mano e percuotere te e il tuo popolo con la peste, e tu saresti stato cancellato dalla terra; ¹⁶e invece proprio per questo ti ho tenuto in piedi: per mostrarti la mia forza e perché si parli del mio nome su tutta la terra. ¹⁷E ancora tu ti opponi al mio popolo per non lasciarlo partire: ¹⁸ecco, domani a quest'ora farò cadere della grandine molto pesante, quale non ci fu mai in Egitto dal giorno della sua fondazione fino ad oggi. ¹⁹E adesso manda al sicuro il bestiame che possiedi e tutto ciò che hai nella campagna: su tutti gli uomini e le bestie che si troveranno nella campagna, e non saranno stati raccolti in casa, cadrà la grandine e moriranno"».

²⁰Chi tra i servi del Faraone temette la pa-

rola del Signore fece riparare in gran fretta nelle case i propri servi e il proprio bestiame; [21]chi non diede retta alla parola del Signore lasciò nella campagna i propri servi e il proprio bestiame.

[22]Il Signore disse a Mosè: «Stendi la mano verso il cielo: ci sarà grandine in tutto il paese d'Egitto, sugli uomini, sugli animali e su tutta l'erba della campagna nel paese d'Egitto». [23]Mosè stese il suo bastone verso il cielo e il Signore mandò tuoni e grandine, con fuoco che guizzò sulla terra, e il Signore fece cadere grandine sul paese d'Egitto. [24]Vi furono grandine e lampi tra la grandine: una grandinata così violenta quale non c'era mai stata in tutto il paese d'Egitto, da quando era diventato nazione. [25]La grandine colpì in tutto il paese d'Egitto quanto c'era nella campagna, uomini e bestie; la grandine colpì tutta l'erba del campo e spezzò tutti gli alberi della campagna. [26]Solo nella terra di Gosen, dove c'erano i figli d'Israele, non ci fu grandine.

[27]Il Faraone mandò a chiamare Mosè e Aronne e disse loro: «Questa volta ho peccato: il Signore è giusto, io e il mio popolo siamo colpevoli. [28]Pregate il Signore: ci sono già stati troppi tuoni e grandine! Vi lascerò partire e non resterete più». [29]Gli disse Mosè: «Quando uscirò dalla città stenderò le mani verso il Signore: i tuoni cesseranno e non ci sarà più grandine, perché tu sappia che la terra è del Signore. [30]Ma io so che tu e i tuoi servi non temerete ancora il Signore Dio».

[31]Ora il lino e l'orzo furono colpiti perché l'orzo aveva la spiga e il lino era in fiore; [32]il grano e la spelta non furono colpiti perché sono tardivi.

[33]Mosè si allontanò dal Faraone e dalla città, stese le mani verso il Signore, e cessarono i tuoni e la grandine, e la pioggia non cadde più sulla terra. [34]Il Faraone vide che era cessata la pioggia, la grandine e i tuoni, e continuò a peccare: si ostinò lui e i suoi servi. [35]Il cuore del Faraone si ostinò e non lasciò partire i figli d'Israele, come il Signore aveva predetto per mezzo di Mosè.

L'OTTAVA PIAGA: LE CAVALLETTE

10 [1]Il Signore disse a Mosè: «Va' dal Faraone, perché sono io che ho reso ostinato il suo cuore e il cuore dei suoi servi, perché io possa compiere questi miei prodigi in mezzo a loro, [2]e tu possa raccontare a tuo figlio e al figlio di tuo figlio come io ho trattato gli Egiziani, con i segni che ho fatto in mezzo a loro, e sappiate che io sono il Signore».

[3]Mosè e Aronne andarono dal Faraone e gli dissero: «Così ha detto il Signore, Dio degli Ebrei: "Fino a quando ti rifiuterai di umiliarti davanti a me? Lascia partire il mio popolo perché mi serva. [4]Poiché se tu rifiuti di lasciar partire il mio popolo, ecco, io manderò domani delle cavallette nel tuo territorio: [5]copriranno la faccia della terra e non si potrà più vedere la terra; mangeranno il resto di quello che è scampato e che vi è rimasto dopo la grandine e divoreranno ogni albero che cresce nella campagna; [6]riempiranno le tue case, le case dei tuoi servi e le case di tutti gli Egiziani: cosa che non videro i tuoi padri e i padri dei tuoi padri dal giorno in cui furono su questo suolo fino a oggi"». Poi si voltarono e uscirono dalla presenza del Faraone.

[7]I servi del Faraone gli dissero: «Fino a quando costui sarà per noi una trappola? Lascia partire questa gente perché serva il Signore, suo Dio; non sai ancora che l'Egitto è perduto?».

[8]Allora Mosè e Aronne furono fatti tornare dal Faraone, che disse loro: «Andate a servire il Signore, vostro Dio: ma chi sono quelli che devono partire?». [9]Mosè rispose: «Andremo con i nostri giovani e i nostri anziani, andremo con i nostri figli e le nostre figlie, con i nostri greggi e i nostri armenti, perché è per noi una festa del Signore». [10]Disse loro: «Il Signore sia con voi, come è vero che io voglio lasciar partire voi e i vostri piccoli. Ma state attenti, perché voi vi proponete dei cattivi disegni! [11]No: andate voi, uomini, a servire il Signore, se è questo ciò che chiedete». E li cacciarono via dalla presenza del Faraone.

[12]Il Signore disse a Mosè: «Stendi la mano sul paese d'Egitto per mandare le cavallette: salgano sul paese d'Egitto e mangino ogni erba della terra, tutto quello che la grandine ha risparmiato». [13]Mosè stese il bastone sul paese d'Egitto, e il Signore diresse un vento d'oriente sul paese tutto quel giorno e tutta la notte. Quando fu mattino, il vento d'oriente aveva portato le cavallette.

¹⁴Le cavallette salirono su tutto il paese d'Egitto e si posarono su tutto il territorio d'Egitto in gran quantità, così che tante non ve n'erano state prima, né vi furono in seguito. ¹⁵Coprirono la superficie di tutto il paese e oscurarono la terra: mangiarono tutta l'erba della terra, ogni frutto degli alberi lasciato dalla grandine; niente di verde restò sugli alberi e delle erbe dei campi in tutto il paese d'Egitto.

¹⁶Il Faraone si affrettò a chiamare Mosè e Aronne e disse: «Ho peccato contro il Signore, vostro Dio, e contro di voi. ¹⁷Ma ora, ti prego, perdona il mio peccato almeno questa volta, e pregate il Signore vostro Dio perché allontani da me questa morte». ¹⁸Egli uscì dal Faraone e pregò il Signore. ¹⁹Il Signore cambiò la direzione del vento e lo fece soffiare dal mare, con molta forza: esso portò via le cavallette e le trascinò verso il Mar Rosso: non restò una cavalletta in tutto il territorio d'Egitto. ²⁰Ma il Signore rese ostinato il cuore del Faraone, che non lasciò partire i figli d'Israele.

LA NONA PIAGA: LE TENEBRE

²¹Il Signore disse a Mosè: «Stendi la mano verso il cielo, e sul paese d'Egitto scenderanno delle tenebre tali che si potranno toccare». ²²Mosè stese la mano verso il cielo e dense tenebre coprirono tutto il paese d'Egitto per tre giorni. ²³Non si vedevano più l'un l'altro e nessuno poté muoversi per tre giorni. Ma tutti i figli d'Israele avevano luce dove abitavano.

²⁴Il Faraone chiamò Mosè e disse: «Andate a servire il Signore: solo restino i vostri greggi e i vostri armenti. Anche i vostri piccoli possono partire con voi». ²⁵Mosè disse: «Anche tu ci metterai a disposizione sacrifici e olocausti per offrirli al Signore nostro Dio. ²⁶Anche i nostri greggi partiranno con noi: non ne resterà un'unghia, perché da quelli prenderemo le vittime per servire il Signore nostro Dio, e noi non sappiamo con che cosa servire il Signore finché non arriveremo laggiù». ²⁷Il Signore rese ostinato il cuore del Faraone, il quale non volle lasciarli partire. ²⁸Il Faraone gli disse: «Va' via da me: sta' attento a non vedere più il mio volto, perché il giorno in cui vedrai il mio volto morirai».

²⁹Mosè rispose: «Hai detto bene: non vedrò più il tuo volto».

L'ANNUNZIO DELLA MORTE DEI PRIMOGENITI

11 ¹Il Signore disse a Mosè: «Ancora una piaga manderò contro il Faraone e l'Egitto: dopo, egli vi lascerà partire di qui. Anzi, quando vi lascerà partire, vi caccerà definitivamente di qui. ²Di' dunque al popolo: ogni uomo chieda oggetti d'oro e d'argento al suo vicino, e ogni donna alla sua vicina». ³Il Signore fece entrare il suo popolo nelle grazie degli Egiziani. Inoltre Mosè era un uomo molto considerato in terra d'Egitto, agli occhi dei servi del Faraone e del popolo. ⁴Mosè riferì: «Così ha detto il Signore: "A metà della notte io uscirò in mezzo all'Egitto, ⁵e morirà ogni primogenito in terra d'Egitto, dal primogenito del Faraone che siede sul trono fino al primogenito della serva che sta dietro alla mola, e ogni primogenito del bestiame. ⁶Ci sarà un grande grido in tutto il paese d'Egitto, come non c'era mai stato e come non si ripeterà più. ⁷Ma contro i figli d'Israele neppure un cane aguzzerà la sua lingua, né contro gli uomini, né contro le bestie, perché sappiate che il Signore fa distinzione tra Egitto e Israele. ⁸Allora tutti quei tuoi servi scenderanno da me, mi adoreranno dicendo: Esci, tu e tutto il popolo che ti segue. Allora io uscirò"». E si allontanò dal Faraone, infiammato di collera.

⁹Il Signore aveva infatti detto a Mosè: «Il Faraone non vi ascolterà, perché i miei prodigi siano numerosi in terra d'Egitto». ¹⁰Mosè e Aronne fecero tutti quei prodigi davanti al Faraone, ma il Signore rese ostinato il cuore del Faraone che non lasciò partire i figli d'Israele dal suo paese.

L'ISTITUZIONE DELLA PASQUA

12 ¹Il Signore disse a Mosè e ad Aronne nel paese d'Egitto: ²«Questo mese per voi sarà l'inizio dei mesi, per voi sarà il primo mese dell'anno. ³Parlate a tutta la comunità d'Israele dicendo: "Il dieci di questo mese ognuno prenda per sé un agnello per famiglia, un agnello per casa. ⁴Se la famiglia è poco numerosa per consumare un agnello, si assocerà a chi abita più vicino alla propria casa secondo il numero delle persone; calcolerete la quantità di agnello che ognuno può mangiare. [5]Sarà un agnello integro, maschio, di un anno, e lo prenderete tra le pecore o tra le capre. [6]Lo conserverete presso di voi fino al quattordicesimo giorno di questo mese, e tutta l'assemblea della comunità d'Israele lo sgozzerà al tramonto. [7]Prenderà poi del sangue e lo metterà sui due stipiti e sull'architrave di quelle case dove lo si mangerà. [8]In quella notte mangerà la carne arrostita al fuoco, mangerà azzimi con erbe amare. [9]Non mangiatene però cruda o bollita nell'acqua, ma solo arrostita al fuoco, con la testa, le zampe e gli intestini. [10]Non ne farete avanzare per il mattino, e quello che sarà rimasto al mattino lo brucerete nel fuoco. [11]Così lo mangerete: con i fianchi cinti, i sandali ai piedi, il bastone in mano. Lo mangerete in fretta. È la Pasqua del Signore.

[12]In quella notte attraverserò il paese d'Egitto e colpirò ogni primogenito in terra d'Egitto, dall'uomo alla bestia, e farò giustizia di tutti gli dèi d'Egitto: io, il Signore. [13]Il sangue sarà per voi un segno sulle case nelle quali siete: vedrò il sangue e vi oltrepasserò e non ci sarà per voi flagello di distruzione, quando colpirò il paese d'Egitto.

[14]Quel giorno sarà per voi un memoriale, e lo festeggerete come festa del Signore: di generazione in generazione lo festeggerete come rito perenne.

[15]Per sette giorni mangerete azzimi. Nel primo giorno farete sparire il lievito dalle vostre case, perché chiunque mangerà del lievitato, dal primo al settimo giorno, quella persona sarà eliminata da Israele.

[16]Nel primo giorno avrete una convocazione sacra, e anche nel settimo giorno avrete una convocazione sacra. Non si farà nessun lavoro: si potrà preparare solo quello che ciascuno mangerà. [17]Osserverete gli azzimi, perché proprio in questo giorno ho fatto uscire le vostre schiere dal paese d'Egitto: osserverete questo giorno di generazione in generazione come rito perenne.

[18]Nel primo mese, il quattordicesimo giorno del mese, alla sera, mangerete azzimi fino al ventunesimo giorno del mese, alla sera. [19]Per sette giorni non si troverà lievito nelle vostre case, perché chiunque mangerà del lievitato, quella persona sarà eliminata dalla comunità d'Israele, forestiero o nativo del paese. [20]Non mangerete nessun genere di lievitato; ovunque abiterete, mangerete azzimi"».

[21]Mosè chiamò tutti gli anziani d'Israele e disse loro: «Andate a procurarvi un animale del gregge per le vostre famiglie e immolate la Pasqua. [22]Poi prenderete un mazzo d'issopo, lo intingerete nel sangue che è nel catino, e spruzzerete l'architrave e i due stipiti con il sangue che è nel catino, e nessuno di voi uscirà dalla porta di casa fino al mattino. [23]Il Signore passerà per colpire l'Egitto, vedrà il sangue che è sull'architrave e sui due stipiti, passerà oltre la porta e non farà entrare lo sterminatore nelle vostre case per colpire.

[24]Osserverete questo comando come una prescrizione per te e per i tuoi figli per sempre. [25]Quando entrerete nella terra che il Signore vi darà, come ha promesso, osserverete questo rito. [26]E quando i vostri figli vi diranno: "Che cos'è questo rito?", [27]direte: "È il sacrificio della Pasqua del Signore, che passò oltre le case dei figli d'Israele in Egitto, quando colpì l'Egitto e risparmiò le nostre case"». Il popolo si inginocchiò e adorò. [28]I figli d'Israele se ne andarono e fecero come il Signore aveva ordinato a Mosè e ad Aronne. Così fecero.

LA DECIMA PIAGA: LA MORTE DEI PRIMOGENITI

[29]A mezzanotte il Signore colpì tutti i primogeniti nel paese d'Egitto, dal primogenito del Faraone, che siede sul trono, fino al primogenito del prigioniero che è in carcere, e tutti i primogeniti degli animali. [30]Il Faraone si alzò di notte, e con lui tutti i suoi servi e tutti gli Egiziani; un grande grido si levò nell'Egitto, perché non c'era casa dove non ci fosse un morto. [31]E chiamò Mosè e Aronne nella notte e disse: «Alzatevi e abbandonate il mio popolo, voi e i figli d'Israele, e andate a servire il Signore, come avete detto. [32]Prendete

12. - 11ss. *La Pasqua del Signore*. «Pasqua» significa «passaggio»: passaggio di Dio vendicatore in Egitto, causa del passaggio felice degli Ebrei attraverso il Mar Rosso verso la libertà e la terra promessa. La festa della Pasqua rimarrà la principale festa ebraica, e dagli Ebrei passerà ai cristiani che celebreranno in essa l'immolazione di Cristo, Agnello di Dio, e la sua gloriosa risurrezione per la redenzione dell'umanità.

anche i vostri greggi e i vostri armenti come avete detto, andate e benedite anche me». ³³Gli Egiziani fecero pressione sul popolo per mandarli via in fretta dal paese, perché dicevano: «Moriamo tutti quanti». ³⁴Il popolo portò via la pasta prima che lievitasse, portando sulle spalle le madie avvolte nei mantelli.

³⁵I figli d'Israele fecero come aveva detto Mosè e chiesero agli Egiziani oggetti d'argento, oggetti d'oro e vestiti. ³⁶Il Signore fece sì che il popolo incontrasse il favore degli Egiziani, che accolsero le loro domande. Così essi spogliarono gli Egiziani.

LA PARTENZA
DEGLI ISRAELITI

³⁷I figli d'Israele partirono da Ramses verso Succot in seicentomila a piedi, solo uomini, senza contare i bambini. ³⁸Anche una gran folla partì con loro, insieme con greggi, armenti e bestiame in gran quantità. ³⁹Fecero cuocere la pasta, che avevano portato via dall'Egitto, in forma di schiacciate azzime, poiché non avevano lievito: li avevano infatti scacciati dall'Egitto e non avevano potuto attardarsi; non si erano procurati neppure le provviste per il viaggio.

⁴⁰Il soggiorno dei figli d'Israele in Egitto fu di quattrocentotrent'anni. ⁴¹Alla fine dei quattrocentotrent'anni, proprio in quel giorno, tutte le schiere del Signore uscirono dalla terra d'Egitto. ⁴²Una notte di veglia fu per il Signore, quando li fece uscire dalla terra d'Egitto: questa deve essere una notte di veglia in onore del Signore per tutti i figli d'Israele, di generazione in generazione.

⁴³Il Signore disse a Mosè e ad Aronne: «Questo è il rito della Pasqua: nessuno straniero ne mangerà. ⁴⁴Ma ogni schiavo acquistato con denaro, dopo essere stato circonciso, potrà mangiarne. ⁴⁵L'avventizio e il mercenario non ne mangeranno. ⁴⁶Si mangerà in una sola casa: non si porterà la carne fuori di casa. Non ne spezzerete alcun osso. ⁴⁷Tutta la comunità d'Israele la celebrerà. ⁴⁸Se un forestiero dimorante presso di te vuol celebrare la Pasqua del Signore, si circoncida ogni suo maschio, e allora si avvicini per celebrarla, e sarà come un nativo del paese: ma nessun incirconciso ne potrà mangiare. ⁴⁹Ci sarà una sola legge per il nativo e per lo straniero che risiede in mezzo a voi». ⁵⁰I figli d'Israele fecero come il Signore aveva ordinato a Mosè e ad Aronne. Fecero esattamente così. ⁵¹Proprio in quel giorno il Signore fece uscire i figli d'Israele dalla terra d'Egitto, secondo le loro schiere.

I PRIMOGENITI
CONSACRATI AL SIGNORE

13 ¹Il Signore disse a Mosè: ²«Consacrami ogni primogenito: ogni primogenito tra i figli d'Israele, sia degli uomini che degli animali, è mio».

³Mosè si rivolse al popolo dicendo: «Ricordati di questo giorno, nel quale siete usciti dall'Egitto, da una casa di schiavitù, perché con mano forte il Signore vi ha fatto uscire di là: non si mangerà del lievitato. ⁴Oggi voi uscite, nel mese di Abib. ⁵Quando il Signore ti avrà condotto nella terra del Cananeo, dell'Hittita, dell'Amorreo, dell'Eveo e del Gebuseo, che ha giurato ai tuoi padri di darti, terra dove scorre latte e miele, farai tale rito in questo mese. ⁶Per sette giorni mangerai azzimi, e nel settimo giorno ci sarà una festa per il Signore. ⁷Nei sette giorni si mangeranno azzimi, e non si vedrà presso di te ciò che è lievitato: non ci sarà presso di te del lievito, in tutto il tuo territorio. ⁸In quel giorno tu istruirai così il tuo figlio: "È per quanto il Signore ha fatto per me quando uscii dall'Egitto". ⁹E sarà per te un segno sulla tua mano e un ricordo tra i tuoi occhi, perché la legge del Signore sia sulla tua bocca, poiché con mano forte il Signore ti ha fatto uscire dall'Egitto. ¹⁰Osserverai questo rito nel tempo stabilito, ogni anno.

¹¹Quando il Signore ti avrà condotto nel paese del Cananeo, come ha giurato a te e ai tuoi padri, e te l'avrà dato, ¹²riserverai per il Signore ogni primogenito del seno materno; ogni primo parto dell'animale che avrai, se è maschio, appartiene al Signore. ¹³Ogni primo nato dell'asino lo riscatterai con un

---

41. *Le schiere del Signore* sono i figli d'Israele, divisi a schiere e guidati da Dio stesso, che perciò fu poi detto sovente «Dio delle schiere» o «degli eserciti».

13. - 2. *Il Signore*, avendo salvato in Egitto i primogeniti degli uomini e degli animali degli Ebrei, aveva su di loro uno speciale diritto. Sicuramente questa legge era più antica: qui le si dà un significato di ricordo storico. In se stessa significa il riconoscimento di Dio come autore e Signore della vita.

animale del gregge; e se non lo potrai riscattare, gli spezzerai la nuca. Ogni primogenito dell'uomo tra i tuoi figli lo riscatterai. [14]E se tuo figlio domani ti domanderà: "Che cos'è questo?", gli dirai: "Con mano forte il Signore ci ha fatto uscire dall'Egitto, dalla casa di schiavitù. [15]E poiché il Faraone si ostinava a non mandarci via, il Signore fece morire tutti i primogeniti in terra d'Egitto, dal primogenito dell'uomo al primogenito dell'animale: per questo sacrifico al Signore ogni maschio che apre il seno materno e riscatto ogni primogenito dei miei figli". [16]E sarà come un segno nella tua mano e come un ornamento tra i tuoi occhi, poiché con mano forte il Signore ci ha fatto uscire dall'Egitto».

VERSO IL DESERTO

[17]Quando il Faraone lasciò partire il popolo, Dio non fu contento che prendessero la strada della terra dei Filistei, benché fosse la più breve, poiché Dio pensava: «Perché il popolo non si penta quando vedrà la guerra e voglia ritornare in Egitto». [18]Dio fece girare il popolo per la strada del deserto verso il Mar Rosso: ben equipaggiati, i figli d'Israele uscirono dalla terra d'Egitto.
[19]Mosè prese le ossa di Giuseppe con sé, perché questi aveva fatto giurare i figli d'Israele così: «Dio vi visiterà; voi allora vi porterete via le mie ossa di qui».
[20]Partirono da Succot e si accamparono a Etam, ai margini del deserto.
[21]Il Signore andava davanti a loro di giorno con una colonna di nube per condurli nella strada, e di notte con una colonna di fuoco per illuminarli, perché potessero andare di giorno e di notte. [22]Né la colonna di nube di giorno né la colonna di fuoco la notte si ritiravano dalla vista del popolo.

IL FARAONE INSEGUE GLI ISRAELITI

14 [1]Il Signore disse a Mosè: [2]«Di' ai figli d'Israele di ritornare e di accamparsi di fronte a Pi-Achirot, tra Migdol e il mare, di fronte a Baal-Zefon: vi accamperete davanti a quel luogo, ai bordi del mare. [3]Il Faraone penserà dei figli d'Israele: "Vagano qua e là nel paese; il deserto li tiene bloccati". [4]Io renderò ostinato il cuore del Faraone,

che li inseguirà, e io dimostrerò la mia gloria contro il Faraone e tutto il suo esercito, e gli Egiziani sapranno che io sono il Signore». Essi fecero così.
[5]Fu annunciato al re d'Egitto che il popolo era fuggito, e il cuore del Faraone e dei suoi servi si rivolse contro il popolo e dissero: «Che cosa abbiamo fatto, lasciando che Israele se ne andasse dal nostro servizio!». [6]Fece preparare il suo carro e prese con sé i suoi uomini. [7]Prese seicento carri scelti e tutti i carri d'Egitto, con sopra i migliori guerrieri. [8]Il Signore rese ostinato il cuore del Faraone, re d'Egitto, il quale inseguì i figli d'Israele, che partivano a mano alzata. [9]Gli Egiziani li inseguirono e li raggiunsero quando erano accampati presso il mare, a Pi-Achirot davanti a Baal-Zefon: c'erano tutti i cavalli, i carri del Faraone, i suoi cavalieri e il suo esercito.
[10]Il Faraone si avvicinava: i figli d'Israele alzarono gli occhi, ed ecco gli Egiziani si muovevano dietro di loro! I figli d'Israele ebbero molta paura e gridarono al Signore. [11]Dissero a Mosè: «Eravamo forse senza tombe in Egitto, per portarci a morire nel deserto? Perché ci hai fatti uscire dall'Egitto? [12]Non era forse questo che ti dicevamo in Egitto: lasciaci stare a lavorare in Egitto, perché è meglio per noi lavorare in Egitto che morire nel deserto?». [13]Mosè disse al popolo: «Non temete: siate saldi e vedrete la salvezza che il Signore opera per voi oggi: poiché gli Egiziani che vedete oggi non li vedrete mai più. [14]Il Signore combatterà per voi e voi sarete tranquilli».

IL PASSAGGIO DEL MAR ROSSO

[15]Il Signore disse a Mosè: «Perché gridi verso di me? Di' ai figli d'Israele di partire. [16]Tu alza il bastone e stendi la mano sopra il mare e dividilo, perché i figli d'Israele pas-

---

14. - 15-31. In questa narrazione del passaggio del Mar Rosso è difficile stabilire ciò che vi sia di strettamente storico e ciò che è frutto di rielaborazione epica. Così pure non è possibile indicare il punto preciso dove avvenne il passaggio stesso. Certo vi è stato un intervento di Dio, il quale, pur servendosi di fenomeni naturali, ha favorito la fuga degli Ebrei, mettendoli al riparo dall'inseguimento degli Egiziani. In tutto l'AT il passaggio del Mar Rosso è considerato come l'evento tipico di ogni liberazione di Dio, e nel NT è considerato ancora come figura della salvezza ottenuta mediante il battesimo.

sino in mezzo al mare all'asciutto. ¹⁷Ecco, io rendo ostinato il cuore degli Egiziani: essi entreranno dietro di loro e io dimostrerò la mia gloria contro il Faraone e tutto il suo esercito, i suoi carri e i suoi cavalieri. ¹⁸Gli Egiziani sapranno che io sono il Signore, quando dimostrerò la mia gloria contro il Faraone, i suoi carri e i suoi cavalieri».

¹⁹L'angelo di Dio, che precedeva l'accampamento d'Israele, si mosse e andò dietro di loro, e anche la colonna di nube si mosse dal davanti e passò dietro: ²⁰venne così a trovarsi tra l'accampamento degli Egiziani e l'accampamento d'Israele. La nube era oscura per gli uni, mentre per gli altri illuminava la notte: durante tutta la notte gli uni non poterono avvicinarsi agli altri.

²¹Mosè stese la mano sopra il mare e il Signore sospinse il mare con un forte vento d'oriente per tutta la notte e rese il mare una terra asciutta. Le acque si divisero. ²²I figli di Israele vennero in mezzo al mare all'asciutto e l'acqua era per loro un muro a destra e a sinistra. ²³Gli Egiziani li inseguirono con tutti i cavalli del Faraone, i suoi carri e i suoi cavalieri, entrando dietro di loro in mezzo al mare.

²⁴Ma nella veglia del mattino il Signore guardò l'accampamento egiziano attraverso la colonna di fuoco e la nube, e lo mise in rotta. ²⁵Frenò le ruote dei loro carri, così che guidavano a fatica. Gli Egiziani dissero: «Fuggiamo da Israele, perché il Signore combatte per loro contro gli Egiziani!».

²⁶Il Signore disse a Mosè: «Stendi la mano sul mare e l'acqua si riversi sugli Egiziani, sui loro carri e sui loro cavalieri». ²⁷Mosè stese la mano sul mare: verso il mattino il mare tornò al suo livello consueto, mentre gli Egiziani, fuggendo, gli si dirigevano contro. Il Signore travolse così gli Egiziani in mezzo al mare.

²⁸L'acqua ritornò e coprì i carri, i cavalieri e tutto l'esercito del Faraone che veniva dietro di loro nel mare: non ne scampò neppure uno. ²⁹Invece i figli d'Israele avevano camminato all'asciutto in mezzo al mare e l'acqua fu per loro un muro a destra e a sinistra. ³⁰Quel giorno il Signore salvò Israele dalla mano dell'Egitto e Israele vide gli Egiziani morti ai bordi del mare. ³¹Israele vide la grande potenza che il Signore aveva usato contro l'Egitto e il popolo temette il Signore e credette in lui e in Mosè, suo servo.

CANTO DI VITTORIA

15 ¹Allora Mosè e i figli d'Israele intonarono questo canto al Signore e dissero:

«Canto al Signore,
perché si è mostrato grande:
cavallo e cavaliere
ha gettato in mare.

² Mia forza e mio canto è il Signore:
è stato la mia salvezza.
Questo è il mio Dio,
lo voglio onorare;
il Dio di mio padre,
lo voglio esaltare.

³ Il Signore è un guerriero,
si chiama "Signore" (JHWH).

⁴ I carri del Faraone, con il suo esercito,
ha gettato in mare;
i suoi capi scelti
sono stati inghiottiti nel Mar Rosso.

⁵ Gli abissi li ricoprono,
sono sprofondati come una pietra.

⁶ La tua destra, Signore,
è gloriosa e potente,
la tua destra, Signore,
annienta il nemico.

⁷ Con la grandezza della tua maestà
abbatti i tuoi avversari;
scateni il tuo furore
e li divori come paglia.

⁸ Al soffio della tua ira
si accumularono le acque;
si innalzarono come un argine
le onde,
e gli abissi si rappresero nel profondo
del mare.

⁹ Il nemico aveva detto:
"Li inseguirò, li raggiungerò,
dividerò il bottino,
la mia brama si sazierà,
sguainerò la mia spada,
la mia mano li conquisterà".

¹⁰ Con il tuo alito hai soffiato:
il mare li ricoprì,
sprofondarono come piombo
nelle acque tumultuose.

¹¹ Chi è come te, tra gli dèi, Signore,
chi come te, magnifico in santità,
tremendo nelle imprese,
operatore di prodigi?

¹² Hai steso la destra
e la terra li ha inghiottiti.

¹³ Con il tuo favore hai guidato
  questo popolo, che hai riscattato.
  Con la tua forza l'hai condotto
  verso la tua santa dimora.
¹⁴ I popoli hanno udito e tremano,
  l'angoscia ha afferrato
  gli abitanti della Filistea.
¹⁵ Già sono sconvolti i capi di Edom,
  i potenti di Moab sono presi
     da fremito,
  tremano tutti gli abitanti di Canaan.
¹⁶ Su di loro cade paura e spavento;
  per la grandezza del tuo braccio
  restano immobili come pietra,
  finché passi il tuo popolo, Signore,
  finché passi questo popolo
  che tu ti sei acquistato.
¹⁷ Lo condurrai e pianterai
  nel monte della tua eredità,
  luogo che hai preparato
  a tua dimora, Signore,
  santuario che le tue mani,
  Signore, hanno preparato.
¹⁸ Il Signore regnerà in eterno
  e per sempre!».

¹⁹Quando, infatti, i cavalli del Faraone, i suoi carri e i suoi cavalieri entrarono nel mare, il Signore fece tornare su di loro l'acqua del mare, mentre i figli d'Israele avevano camminato all'asciutto in mezzo al mare. ²⁰Maria, la profetessa, sorella di Aronne, prese in mano un tamburello, e dietro di lei uscirono tutte le donne con tamburelli e in cortei danzanti. ²¹Maria intonò per loro:

  «Cantate al Signore,
     perché si è mostrato grande:
     cavallo e cavaliere ha gettato
     in mare».

LA SOSTA NELL'OASI DI MARA

²²Mosè fece partire Israele dal Mar Rosso e s'incamminarono verso il deserto di Sur: andarono per tre giorni nel deserto e non trovarono acqua. ²³Giunsero a Mara e non poterono bere l'acqua di Mara, perché amara. Perciò fu chiamata Mara. ²⁴Il popolo mormorò contro Mosè: «Che cosa beviamo?». ²⁵Egli gridò al Signore, che gli mostrò un legno: lo gettò nell'acqua e l'acqua diventò dolce.

Là il Signore gli impose una legge e un diritto e là lo mise alla prova. ²⁶Disse: «Se ascolterai la voce del Signore, tuo Dio, e farai ciò che è retto ai suoi occhi, se presterai orecchio ai suoi ordini e osserverai tutti i suoi decreti, non ti infliggerò nessuno dei flagelli che ho inflitto all'Egitto, perché io sono il Signore che ti guarisce».
²⁷Giunsero a Elim, dove ci sono dodici sorgenti d'acqua e settanta palme: si accamparono presso l'acqua.

IL DONO DELLE QUAGLIE
E DELLA MANNA

16 ¹Partirono da Elim e tutta la comunità dei figli d'Israele arrivò nel deserto di Sin, che è tra Elim e il Sinai, il quindicesimo giorno del secondo mese da quando erano usciti dal paese d'Egitto. ²Tutta la comunità dei figli d'Israele mormorò contro Mosè e Aronne nel deserto. ³I figli d'Israele dissero loro: «Perché non siamo morti per mano del Signore nel paese d'Egitto, quando stavamo presso la pentola di carne e mangiavamo a sazietà? Perché ci avete fatto uscire in questo deserto per far morire di fame tutta questa moltitudine?».
⁴Il Signore disse a Mosè: «Ecco, faccio piovere su di voi pane dal cielo: il popolo uscirà e raccoglierà ogni giorno la razione di un giorno. Voglio infatti metterlo alla prova, se cammina o no nella mia legge. ⁵Ma il sesto giorno, quando prepareranno quello che dovranno prendere per sé, sarà il doppio di quanto raccoglievano ogni altro giorno».
⁶Mosè e Aronne dissero a tutti i figli d'Israele: «Questa sera saprete che è il Signore che vi ha fatto uscire dal paese d'Egitto, ⁷e domani mattina vedrete la Gloria del Signore, poiché egli ha sentito le vostre mormorazioni contro di lui. Noi che cosa siamo perché mormoriate contro di noi?». ⁸Mosè riprese: «Il Signore vi darà alla sera carne da mangiare e al mattino pane a sazietà, poiché il Signore ha ascoltato le vostre mormorazioni contro di lui. Noi infatti che cosa siamo? Non contro di noi sono le vo-

15. - 23. Tutto il viaggio del popolo ebreo attraverso il deserto sarà costellato di mormorazioni e ribellioni. Dimentico degli interventi divini precedenti, il popolo, invece di raccomandarsi e supplicare, mormora e si ribella. Abitudine umana che sovente si ripete nelle relazioni con Dio.

stre mormorazioni, ma contro il Signore».
[9]Mosè disse ad Aronne: «Ordina a tutta la comunità dei figli d'Israele: "Avvicinatevi alla presenza del Signore, poiché ha udito le vostre mormorazioni"».

[10]E mentre Aronne parlava a tutta la comunità dei figli d'Israele, si voltarono verso il deserto, ed ecco che la Gloria del Signore apparve nella nube.

[11]Il Signore disse a Mosè: [12]«Ho udito le mormorazioni dei figli di Israele. Parla loro così: "Al tramonto mangerete carne e al mattino vi sazierete di pane; saprete che io sono il Signore, vostro Dio"». [13]Alla sera salirono le quaglie e coprirono l'accampamento e al mattino ci fu uno strato di rugiada intorno all'accampamento. [14]Quando lo strato di rugiada svanì, ecco che si formò sulla superficie del deserto qualcosa di fine, granuloso, minuto come la brina sulla terra. [15]I figli d'Israele videro e si dissero l'un l'altro: «Man hu: che cos'è?», perché non sapevano che cosa era. Mosè disse loro: «Quello è il pane che il Signore vi ha dato da mangiare. [16]Ecco ciò che il Signore vi ordina: "Raccoglietene quanto ciascuno può mangiarne, prendetene un omer a testa, secondo il numero di quanti abitate sotto la stessa tenda"». [17]I figli d'Israele fecero così e raccolsero chi molto, chi poco. [18]Misuravano a omer, e chi ne aveva raccolto molto non ne aveva di troppo e chi ne aveva raccolto poco non ne mancava: ciascuno aveva raccolto secondo quanto mangiava. [19]Mosè disse loro: «Nessuno ne faccia avanzare fino a domani». [20]Essi non ascoltarono Mosè e alcuni ne presero di più per l'indomani: ma la manna fu invasa dai vermi e si corruppe. Mosè si adirò contro di loro. [21]Essi allora ne raccoglievano ogni mattina, secondo quanto ciascuno ne mangiava: quando il sole cominciava a scaldare, si scioglieva.

[22]Il sesto giorno raccolsero il doppio del pane, due omer ciascuno. Tutti i capi della comunità ne informarono Mosè. [23]Egli disse loro: «È quello che ha detto il Signore: domani è giorno di riposo, un sabato consacrato al Signore: quello che dovete cuocere, cuocetelo, quello che dovete bollire, bollitelo e quanto resta in più riponetelo per conservarlo fino a domani». [24]Lo riposero fino all'indomani, come aveva ordinato Mosè, e non si corruppe e non fu invaso dai vermi. [25]Mosè disse: «Mangiatelo oggi, perché oggi è sabato in onore del Signore: nella campagna non ne troverete. [26]Per sei giorni ne raccoglierete, nel settimo giorno, che è sabato, non ce ne sarà». [27]Alcuni del popolo uscirono il settimo giorno per raccoglierne, ma non ne trovarono. [28]Disse allora il Signore a Mosè: «Fino a quando rifiuterete di osservare i miei ordini e le mie leggi? [29]Vedete: il Signore vi ha dato il sabato, perciò egli vi dà al sesto giorno il pane per due giorni. Ognuno resti in casa sua e nel settimo giorno nessuno abbandoni il proprio posto». [30]Il popolo dunque riposò nel settimo giorno.

[31]La casa d'Israele la chiamò manna: era come seme di coriandolo, bianco, con il gusto di focaccia di miele. [32]Mosè disse: «Ecco quello che ha ordinato il Signore: "Riempitene un omer da conservare per i vostri discendenti, perché vedano il pane che vi ho fatto mangiare nel deserto, quando vi ho fatto uscire dalla terra d'Egitto"».

[33]Mosè disse quindi ad Aronne: «Prendi un vaso, riempilo di un omer di manna e riponilo davanti al Signore, per conservarlo per i vostri discendenti». [34]Come il Signore aveva ordinato a Mosè, Aronne lo pose davanti alla Testimonianza perché fosse conservato. [35]I figli d'Israele mangiarono la manna per quarant'anni, fino a quando giunsero in una terra abitata: mangiarono cioè la manna fino a quando giunsero al confine della terra di Canaan.

[36]L'omer è un decimo dell'efa.

IL DONO DELL'ACQUA

17 [1]Tutta la comunità dei figli d'Israele partì dal deserto di Sin verso tappe ulteriori, secondo l'ordine del Signore, e si accamparono a Refidim: ma non c'era acqua da bere per il popolo.

[2]Il popolo protestò con Mosè e disse: «Dacci dell'acqua, perché possiamo bere!». Mosè disse loro: «Perché discutete con me? Perché mettete alla prova il Signore?». [3]Ma in quel luogo il popolo era veramente assetato, perciò mormorò contro Mosè dicendo: «Perché ci hai fatto uscire dall'Egitto, per far morire di sete noi, i nostri figli e il nostro bestiame?».

[4]Mosè gridò al Signore, dicendo: «Che cosa farò a questo popolo? Ancora un po'

e mi lapiderà». [5]Il Signore disse a Mosè: «Passa davanti al popolo e prendi con te alcuni anziani d'Israele. Prendi in mano il bastone con il quale hai percosso il Nilo e va'. [6]Ecco, io sto davanti a te, là sulla roccia, sull'Oreb: colpirai la roccia: ne uscirà acqua e il popolo berrà». Così fece Mosè sotto gli occhi degli anziani d'Israele. [7]Chiamò quel luogo Massa e Meriba, per la contesa dei figli d'Israele e perché misero alla prova il Signore dicendo: «Il Signore è in mezzo a noi o no?».

LA BATTAGLIA CONTRO AMALEK

[8]Allora Amalek venne a combattere contro Israele a Refidim. [9]Mosè disse a Giosuè: «Scegli per noi alcuni uomini ed esci a combattere Amalek. Domani io starò ritto in cima alla collina, con in mano il bastone di Dio». [10]Giosuè fece come Mosè gli aveva detto per combattere contro Amalek. Mosè, Aronne e Cur salirono in cima alla collina. [11]Quando Mosè alzava le mani, Israele era più forte, e quando le lasciava cadere, era più forte Amalek. [12]Ma le mani di Mosè erano divenute stanche: allora presero una pietra e la misero sotto di lui. Vi si sedette sopra, mentre Aronne e Cur sostenevano le sue mani, uno da una parte e l'altro dall'altra. Così le sue mani rimasero ferme fino al tramonto del sole.

[13]Giosuè finì Amalek e il suo popolo a fil di spada. [14]Il Signore disse a Mosè: «Scrivi questo su un libro come ricordo e dichiara alle orecchie di Giosuè: io cancellerò il ricordo di Amalek sotto il cielo».

[15]Allora Mosè costruì un altare, lo chiamò: «Il Signore è il mio vessillo», [16]e disse:

«Mano al vessillo del Signore!
Vi sarà guerra tra il Signore e Amalek
di generazione in generazione!».

L'INCONTRO DI IETRO CON MOSÈ

18 [1]Ietro, sacerdote di Madian, suocero di Mosè, udì tutto quello che Dio aveva fatto a Mosè e a Israele, suo popolo, come il Signore aveva fatto uscire Israele dall'Egitto. [2]Allora Ietro prese Zippora, moglie di Mosè, che prima egli aveva rimandata, [3]con i suoi due figli. Il nome di uno era Gherson, poiché aveva detto: «Sono stato ospite in terra straniera», [4]e il nome dell'altro Eliezer, perché «il Dio di mio padre è venuto in mio aiuto, e mi ha liberato dalla spada del Faraone».

[5]Ietro, suocero di Mosè, venne dunque da Mosè, con la moglie e i figli di lui, nel deserto dove era accampato, presso il monte di Dio. [6]E fece dire a Mosè: «Sono io, Ietro, tuo suocero, che vengo a te con tua moglie e i tuoi due figli». [7]Mosè uscì incontro a suo suocero, si prostrò e lo baciò. Si informarono vicendevolmente sulla salute ed entrarono nella tenda. [8]Mosè raccontò a suo suocero tutto quello che il Signore aveva fatto al Faraone e agli Egiziani per Israele, tutte le tribolazioni che avevano trovato nel cammino, dalle quali il Signore li aveva liberati. [9]Ietro si rallegrò per tutto il bene che il Signore aveva fatto a Israele, per averlo salvato dalla mano degli Egiziani. [10]Disse Ietro: «Benedetto sia il Signore, che vi ha liberati dalla mano degli Egiziani e dalla mano del Faraone: egli ha salvato questo popolo dalla mano dell'Egitto. [11]Ora so che il Signore è più grande di tutti gli dèi, per quanto ha fatto agli Egiziani, che si comportarono con arroganza contro gli Ebrei». [12]Poi Ietro, suocero di Mosè, offrì un olocausto e un sacrificio di comunione in onore di Dio. Vennero Aronne e tutti gli anziani d'Israele a mangiare il cibo con il suocero di Mosè davanti a Dio.

L'ISTITUZIONE DEI GIUDICI

[13]Il giorno dopo Mosè sedette per rendere giustizia al popolo, e il popolo stette con Mosè dal mattino alla sera. [14]Il suocero di Mosè vide tutto quello che egli faceva al popolo e disse: «Che cos'è tutto questo lavoro che vai svolgendo per il popolo? Perché siedi tu solo, e tutto il popolo sta con te dal mattino alla sera?».

[15]Mosè disse al suocero: «Il popolo viene da me per consultare Dio. [16]Quando c'è qualche questione tra di loro vengono da me, e io giudico tra l'uno e l'altro; faccio conoscere i decreti di Dio e le sue leggi». [17]Il suocero di Mosè gli disse: «Non è bene quello che fai. [18]Ti esaurirai, sia tu che questo popolo che è con te, perché il lavoro è troppo pesante per te: non puoi farlo da

solo. [19]Ora ascoltami: ti consiglio e Dio sia con te! Tu sta' davanti a Dio in nome del popolo e presenta tu a Dio le loro questioni. [20]Informali dei decreti e delle leggi e fa' loro conoscere la via da percorrere e le opere che devono compiere. [21]Invece sceglierai tra tutto il popolo uomini di virtù che temono Dio, uomini integri che odiano il guadagno, e li porrai su di loro come capi di migliaia, capi di centinaia, capi di cinquantine e capi di decine. [22]Essi giudicheranno il popolo in ogni circostanza: a te sottoporranno le questioni più importanti, mentre si riserveranno quelle minori. Così ti alleggerirai ed essi ti solleveranno. [23]Se farai questo, e che Dio te lo ordini, potrai resistere, e anche questo popolo arriverà in pace alla sua meta».

[24]Mosè ascoltò la voce del suocero e fece quello che gli aveva suggerito: [25]scelse da tutto Israele uomini capaci e li costituì come capi sul popolo, capi di migliaia, capi di centinaia, capi di cinquantine e capi di decine. [26]Essi giudicavano il popolo in ogni circostanza: presentavano a Mosè le questioni importanti, mentre essi stessi giudicavano tutte le questioni minori. [27]Poi Mosè congedò il suocero, che ritornò al suo paese.

L'ARRIVO AL SINAI
E LA MANIFESTAZIONE DI DIO

19 [1]Al terzo mese dall'uscita dalla terra d'Egitto, in quel giorno, i figli di Israele arrivarono al deserto del Sinai.

[2]Partirono da Refidim e arrivarono al deserto del Sinai, dove si accamparono. Israele si accampò di fronte al monte.

[3]Mosè salì verso Dio. Il Signore lo chiamò dalla montagna, dicendo: «Così parlerai alla casa di Giacobbe e annuncerai ai figli d'Israele: [4]"Voi avete visto quello che ho fatto all'Egitto e come ho portato voi su ali di aquile e vi ho condotti fino a me. [5]Ora, se ascoltate la mia voce e osservate la mia alleanza, sarete mia proprietà tra tutti i popoli, perché mia è tutta la terra. [6]Voi sarete per me un regno di sacerdoti, una nazione santa". Queste sono le cose che dirai ai figli d'Israele».

[7]Mosè andò a convocare gli anziani del popolo ed espose loro tutte quelle cose che il Signore gli aveva ordinato. [8]Tutto il popolo rispose insieme dicendo: «Tutto quello che il Signore ha detto, noi lo faremo». Mosè riferì le parole del popolo al Signore.

[9]Il Signore disse a Mosè: «Ecco, io vengo verso di te in una densa nube, perché il popolo oda quando io parlerò con te e abbia fiducia in te per sempre». Mosè riferì le parole del popolo al Signore.

[10]Il Signore disse a Mosè: «Va' dal popolo e purificalo oggi e domani; lavino i loro vestiti [11]e siano pronti per il terzo giorno, perché nel terzo giorno il Signore scenderà, alla vista di tutto il popolo, sul monte Sinai. [12]Delimita il monte tutt'intorno e di' al popolo: "Guardatevi dal salire sulla montagna e dal toccarne le estremità: chiunque toccherà la montagna sarà messo a morte. [13]Ma nessuna mano dovrà toccare costui: dovrà essere lapidato o trafitto. Si tratti di animale o di uomo, non dovrà sopravvivere. Quando suonerà il corno, allora soltanto potranno salire sulla montagna"».

[14]Mosè scese dalla montagna verso il popolo: purificò il popolo ed essi lavarono i loro vestiti. [15]Poi disse al popolo: «Siate pronti per il terzo giorno: non unitevi a donna».

[16]Il terzo giorno, al mattino, ci furono tuoni, lampi, una nube densa sulla montagna e un suono molto potente di tromba: tutto il popolo che era nell'accampamento si spaventò.

[17]Mosè fece uscire il popolo dall'accampamento incontro a Dio. Essi stettero in piedi alle falde della montagna. [18]Il monte Sinai era tutto fumante, perché il Signore era sceso su di esso nel fuoco: il suo fumo saliva come il fumo di un forno e tutto il monte tremava molto. [19]Il suono del corno andava sempre più rafforzandosi: Mosè parlava e Dio gli rispondeva con voce di tuono.

[20]Il Signore scese sul monte Sinai, sulla cima del monte, e chiamò Mosè sulla cima del monte. Mosè salì. [21]Il Signore disse a Mosè: «Scendi ad avvertire il popolo che

---

19. - 6. Il popolo ebraico viene qui chiamato *regno di sacerdoti, nazione santa*, in quanto era in modo speciale consacrato a Dio e addetto al suo culto. Il Concilio Vaticano II, sulla scia di 1Pt 2,9, ha attribuito questi titoli al popolo cristiano che rende «la gloria» a Dio, è suo testimone di fronte a tutti gli uomini e in unione con Cristo sacerdote offre a Dio il vero e unico sacrificio. Ciò non esclude, anzi suppone, il sacerdozio di ordine, per il quale i «sacerdoti» sono rappresentanti di Cristo in mezzo ai fedeli.

non si diriga verso il Signore per vederlo, altrimenti molti di loro cadrebbero. ²²Anche i sacerdoti che si avvicinano al Signore si purifichino, perché il Signore non si scateni contro di loro».

²³Mosè disse al Signore: «Il popolo non può salire sulla montagna del Sinai, perché tu ci hai avvertito dicendo: "Delimita la montagna e dichiarala sacra"». ²⁴Il Signore gli disse: «Va', scendi: poi salirai tu e Aronne con te, ma i sacerdoti e il popolo non irrompano per salire verso il Signore, perché non si scateni contro di loro».

²⁵Mosè scese dal popolo e parlò.

I DIECI COMANDAMENTI

20 ¹Dio allora pronunciò tutte queste parole: ²«Io sono il Signore, tuo Dio, che ti ho fatto uscire dalla terra d'Egitto, da una casa di schiavitù.

³Non avrai altri dèi davanti a me.

⁴Non ti farai scultura né immagine di quello che è su in cielo, né di quello che è quaggiù sulla terra, né di quello che è nelle acque sotto terra. ⁵Non ti prostrerai davanti a loro e non li servirai, perché io, il Signore tuo Dio, sono un Dio geloso che punisce la colpa dei padri sui figli, fino alla terza e quarta generazione, per coloro che mi odiano, ⁶ma che usa benevolenza fino a mille generazioni per quelli che mi amano e osservano i miei comandamenti.

⁷Non pronuncerai inutilmente il nome del Signore, tuo Dio, perché egli non lascia impunito chi pronuncia il suo nome inutilmente.

⁸Ricordati del giorno di sabato per santificarlo: ⁹sei giorni lavorerai e farai ogni tuo lavoro, ¹⁰ma il settimo giorno è sabato in onore del Signore, tuo Dio. Non farai alcun lavoro, tu, tuo figlio e tua figlia, il tuo servo e la tua serva, il tuo bestiame, il forestiero che dimora presso di te, ¹¹perché in sei giorni il Signore fece il cielo, la terra, il mare e tutto quello che è in essi, ma il settimo giorno si riposò: perciò il Signore ha benedetto il giorno di sabato e l'ha santificato.

¹²Onora tuo padre e tua madre, perché i tuoi giorni siano lunghi sulla terra che il Signore, tuo Dio, ti dà.

¹³Non uccidere.

¹⁴Non commettere adulterio.

¹⁵Non rubare.

¹⁶Non pronunziare falsa testimonianza contro il tuo prossimo.

¹⁷Non desiderare la casa del tuo prossimo; non desiderare la moglie del tuo prossimo, il suo servo, la sua serva, il suo bue, il suo asino, e tutto quello che appartiene al tuo prossimo».

¹⁸Tutto il popolo percepiva i tuoni, i lampi, il suono del corno e il monte fumante: il popolo ebbe paura e si tenne a distanza. ¹⁹Dissero a Mosè: «Parla tu con noi e ti ascolteremo, ma non ci parli Dio, per non morire». ²⁰Mosè disse al popolo: «Non temete, perché è per mettervi alla prova che Dio è venuto, e perché il suo timore vi sia sempre presente e non pecchiate».

²¹Il popolo si tenne lontano e Mosè si avvicinò alla nube oscura, dove c'era Dio.

²²Il Signore disse a Mosè: «Così dirai ai figli d'Israele: "Avete visto che vi ho parlato dal cielo! ²³Non farete accanto a me dèi d'argento e dèi d'oro: non fatene neppure per voi. ²⁴Farai per me un altare di terra e vi sacrificherai sopra i tuoi olocausti, i tuoi sacrifici di comunione, il tuo gregge e i tuoi armenti; in ogni luogo in cui vorrò ricordare il mio nome, verrò da te e ti benedirò. ²⁵Se farai per me un altare di pietra, non lo costruire con pietra levigata, perché colpendolo con la tua lama lo profaneresti. ²⁶E non salire sul mio altare per mezzo di gradini, perché là non si scopra la tua nudità"».

LA LEGISLAZIONE SOCIALE
DI ISRAELE

21 ¹«Queste sono le leggi che esporrai loro. ²Quando acquisterai uno schiavo ebreo, ti servirà per sei anni e al settimo sarà messo in libertà, senza riscatto. ³Se è venuto solo, solo uscirà; se era

20. - 1. Incomincia qui l'esposizione dei termini dell'alleanza che Dio conclude con il popolo eletto. I cc. 20-24, che li contengono, sono tra i più importanti dell'AT. I fatti qui riferiti, che hanno nella storia precedente il loro preannuncio e la preparazione, segnano un momento capitale e decisivo nella vita del popolo d'Israele e in quella dell'umanità stessa per le loro conseguenze morali e religiose.
3. I dieci comandamenti sono leggi di natura, scritte da Dio creatore nel cuore dell'uomo prima ancora che fossero proclamate sul Sinai e incise su tavole di pietra. I comandamenti contengono precetti d'indole religiosa e morale, e perciò hanno valore universale. Formano il cuore della legge antica e Gesù Cristo li ricorda e li ritiene impegnativi.

sposato, uscirà con la propria moglie. ⁴Se il suo padrone gli ha dato una moglie che gli abbia generato figli e figlie, la moglie e i figli saranno del padrone e lui uscirà solo. ⁵Ma se lo schiavo dice: "Sono affezionato al mio padrone, a mia moglie e ai miei figli, non voglio andarmene in libertà", ⁶allora il suo padrone lo farà avvicinare a Dio, lo farà accostare al battente o allo stipite della porta, e gli forerà l'orecchio con un punteruolo e sarà suo schiavo per sempre.

⁷Se uno vende la propria figlia come schiava, essa non se ne andrà come se ne vanno gli schiavi maschi. ⁸Se essa non piace al suo padrone, che perciò non se la prende come concubina, la lasci riscattare. Non ha comunque il diritto di venderla a un popolo straniero e tradirla. ⁹Se la destina a suo figlio, si comporterà con lei secondo il diritto delle figlie. ¹⁰Se ne prenderà un'altra per sé, non diminuirà alla prima il cibo, il vestiario e la coabitazione. ¹¹Se non farà con lei queste tre cose, ella se ne potrà andare senza versare il denaro del riscatto.

¹²Chi colpisce un uomo a morte, sarà messo a morte. ¹³Se però egli non l'ha ricercato, ma è Dio che glielo ha fatto incontrare, io ti fisserò un luogo dove potrà rifugiarsi. ¹⁴Ma se uno infierisce contro il proprio prossimo per ucciderlo con inganno, lo potrai strappare anche dal mio altare perché sia messo a morte.

¹⁵Chi percuote suo padre o sua madre sarà messo a morte.

¹⁶Chi sequestra un uomo, sia che lo venda, sia che si trovi ancora in mano a lui, sarà messo a morte.

¹⁷Chi maledice suo padre o sua madre sarà messo a morte.

¹⁸Se due uomini entrano in contesa e uno colpisce il suo prossimo con una pietra o un pugno, senza farlo morire, ma che debba mettersi a letto; ¹⁹se poi si alza e se ne va fuori con il bastone, chi lo ha colpito sarà ritenuto innocente; non avrà che da retribuire il suo riposo e procurargli le cure.

²⁰Se uno colpisce il suo schiavo o la sua schiava con un bastone e gli muore sotto la sua mano, si deve fare vendetta. ²¹Se tuttavia sopravvivono un giorno o due, non saranno vendicati, perché sono acquisto del suo denaro.

²²Se due uomini litigano e urtano una donna incinta così da farla abortire, ma non ci sia stato danno, sí esigerà un risarcimento, come lo imporrà il marito della donna, e lo si verserà attraverso i giudici. ²³Ma se ci sarà stato danno, allora pagherai vita per vita, ²⁴occhio per occhio, dente per dente, mano per mano, piede per piede, ²⁵bruciatura per bruciatura, ferita per ferita, piaga per piaga.

²⁶Se uno colpisce l'occhio del suo schiavo o l'occhio della sua schiava e lo rovina, lo manderà in libertà in compenso dell'occhio; ²⁷e se fa cadere un dente del suo schiavo o un dente della sua schiava, lo manderà in libertà in compenso del dente.

²⁸Se un bue cozza a morte con le corna un uomo o una donna, il bue sarà lapidato: la sua carne non si mangerà e il padrone del bue sarà ritenuto innocente. ²⁹Ma se quel bue cozzava già prima con le corna e si era avvertito il suo padrone senza che lo sorvegliasse, e ha causato la morte di un uomo o di una donna, il bue sarà lapidato, ma anche il suo padrone dovrà morire. ³⁰Se gli è imposto un risarcimento, egli dovrà dare in riscatto della propria vita tutto quello che gli è imposto. ³¹Se il bue cozza con le corna un figlio o una figlia, si procederà secondo questa stessa legge. ³²Se il bue cozza con le corna uno schiavo o una schiava, si pagheranno al padrone trenta sicli in denaro e il bue sarà lapidato.

³³Se uno apre una cisterna o scava un pozzo e non lo copre, e vi cade un bue o un asino, ³⁴il padrone del pozzo pagherà l'indennizzo al padrone dell'animale morto e questo gli apparterrà.

³⁵Se il bue di uno ferisce il bue del suo prossimo a morte, venderanno il bue vivo e se ne divideranno il prezzo; si divideranno anche la bestia morta. ³⁶Ma se è noto che quel bue cozzava già da tempo con le corna e il suo padrone non l'ha sorvegliato, dovrà pagare bue per bue e il bue morto gli apparterrà.

³⁷Se uno ruba un bue o un agnello, e poi li ammazza o li vende, risarcirà cinque bovini per un bue, e quattro ovini per un agnello».

21. - 10. La legislazione matrimoniale degli Ebrei, a motivo della «durezza di cuore» (Mt 19,8), è ben lontana dal grado di delicatezza e di perfezione a cui la riportò Gesù.
23-25. La dura legge del taglione, che animò quasi tutte le legislazioni antiche, venne abrogata da Cristo (Mt 5,38).

LEGGI DIVERSE SULLA PROPRIETÀ

22 [1]«Se il ladro viene sorpreso mentre sta facendo una breccia nel muro ed è colpito a morte, non ci sarà per lui vendetta di sangue. [2]Ma se il sole si era già alzato su di lui, vi sarà la vendetta di sangue. Il ladro dovrà pagare, e se non ha di che pagare, lo si venderà in compenso di quanto ha rubato. [3]Se si troverà ancora in vita e in suo possesso quanto ha rubato, sia esso un bue o un asino o un agnello, pagherà il doppio.
[4]Se uno fa pascolare in un campo o in una vigna e lascia pascolare il suo bestiame in un campo altrui, pagherà con il meglio del suo campo e con il meglio della sua vigna.
[5]Se esce fuoco da cespugli spinosi e vengono bruciati i covoni o il grano in spiga o il grano in erba, chi ha provocato l'incendio deve pagare ciò che è stato bruciato.
[6]Se uno dà al suo prossimo denaro e oggetti da custodire e poi nella casa di questo vengono rubati, se si trova il ladro, restituirà il doppio; [7]se non si trova il ladro, il padrone della casa si accosterà a Dio attestando che non ha messo la sua mano sui beni del suo prossimo.
[8]Qualunque sia l'oggetto del furto, si tratti di un bue, di un asino, di un agnello, di un vestito, di ogni cosa smarrita di cui si possa dire: "È questo!", la causa delle due parti andrà fino a Dio: colui che Dio avrà dichiarato reo, dovrà restituire il doppio al suo prossimo.
[9]Se uno dà al suo prossimo un asino o un bue o un agnello o qualsiasi animale da custodire e questo muore o si è prodotto una frattura o è rapito senza che nessuno veda, [10]ci sarà un giuramento del Signore tra le due parti, per dichiarare che il depositario non ha steso la sua mano sui beni del suo prossimo: il padrone accetterà e l'altro non dovrà restituire. [11]Ma se la bestia è stata rubata presso di lui, pagherà al padrone; [12]se la bestia è stata sbranata, gli porterà la testimonianza della bestia sbranata: non dovrà restituire.
[13]Se uno richiede al suo prossimo un animale e questo si ferisce o muore e il suo padrone non è con lui, dovrà pagare. [14]Se il suo padrone è con lui, non paga; se era dato a nolo, gli viene dato il prezzo per il nolo.
[15]Se uno seduce una vergine che non sia fidanzata e dorme con lei, ne pagherà la dote nuziale ed essa diverrà sua moglie.

[16]Se il padre di lei rifiuta di dargliela, egli pagherà in denaro una somma pari alla dote nuziale delle vergini.
[17]Non lascerai vivere colei che pratica la magia.
[18]Chiunque si accoppia con una bestia sarà messo a morte.
[19]Chi sacrifica agli dèi, oltre al solo Signore, sarà votato allo sterminio.
[20]Non molesterai lo straniero né l'opprimerai, perché voi siete stati stranieri nella terra d'Egitto.
[21]Non maltratterai la vedova o l'orfano. [22]Se lo maltratti e grida verso di me, ascolterò il suo grido: [23]la mia ira si infiammerà e vi ucciderò di spada, e le vostre mogli saranno vedove e i vostri figli orfani.
[24]Se tu presti denaro a qualcuno del mio popolo, al povero che è con te, non ti comporterai con lui da usuraio: non gli imporrete alcun interesse.
[25]Se prendi in pegno il mantello del tuo prossimo, glielo restituirai al tramonto del sole, [26]perché quello è la sua sola coperta, è il mantello per la sua pelle, con il quale dormirà: altrimenti, quando griderà a me, lo ascolterò, perché io sono misericordioso.
[27]Non bestemmierai Dio né maledirai un capo del tuo popolo.
[28]Non ritarderai l'offerta di ciò che riempie il tuo granaio e di ciò che cola dal tuo frantoio. Mi darai il primogenito dei tuoi figli. [29]Così farai del tuo bue e della tua pecora: sette giorni resterà con sua madre e all'ottavo giorno lo darai a me.
[30]Sarete per me uomini santi: non mangerete carne sbranata nella campagna, la getterete al cane».

IL CALENDARIO DELLE FESTE

23 [1]«Non spargerai false dicerie; non metterai la tua mano con il cattivo, per essere un testimone perverso. [2]Non seguirai la maggioranza nel fare il male e non deporrai in una contesa giudiziaria per favorire la maggioranza, deviando. [3]Non favorirai nemmeno il debole nel suo processo. [4]Se incontrerai il bue del tuo nemico o il suo asino disperso, glielo riporterai. [5]Se vedrai

---

23. - 4-5. Precetti di delicata carità, che si avvicina a quella evangelica.

l'asino del tuo nemico giacere sotto il suo carico, non abbandonarlo: lo slegherai con lui.

[6]Non farai deviare il giudizio del povero che si rivolge a te nel suo processo. [7]Starai lontano da parola falsa.

Non ucciderai l'innocente e il giusto, perché io non assolvo il colpevole.

[8]Non accetterai regali, perché il regalo acceca chi vede chiaro e perverte le parole dei giusti.

[9]Non opprimerai lo straniero: voi conoscete la vita dello straniero, perché foste stranieri in terra d'Egitto.

[10]Per sei anni seminerai la tua terra e raccoglierai il suo prodotto, [11]ma al settimo non la coltiverai e la lascerai riposare: ne mangeranno i poveri del tuo popolo e le bestie selvatiche mangeranno ciò che resta; così farai per la tua vigna e per il tuo olivo.

[12]Per sei giorni farai il tuo lavoro, ma il settimo giorno smetterai, perché riposi il tuo bue e il tuo asino, e prenda fiato il figlio della tua schiava e lo straniero.

[13]Osserverete tutto quello che vi ho ordinato. Non farete menzione del nome di altri dèi: non si senta sulla tua bocca!

[14]Per tre volte all'anno mi festeggerai.

[15]Osserverai la festa degli Azzimi: per sette giorni mangerai azzimi, come ti ho ordinato, nella data fissata del mese di Abib, perché in quello sei uscito dall'Egitto. Nessuno si presenti davanti a me a mani vuote.

[16]Osserverai la festa della mietitura, delle primizie dei tuoi lavori, di quello che semini nel campo; la festa del raccolto, al termine dell'anno, quando raccoglierai i frutti dei tuoi lavori nel campo.

[17]Tre volte all'anno ogni tuo maschio si presenterà davanti al Signore Dio.

[18]Non offrirai il sangue del mio sacrificio con pane lievitato, e il grasso della vittima per la mia festa non sarà conservato durante la notte fino al mattino.

[19]Porterai alla casa del Signore, tuo Dio, il meglio delle primizie del tuo suolo. Non cuocerai un capretto nel latte di sua madre.

[20]Ecco, io mando un angelo davanti a te, per vegliare su di te nel cammino e farti entrare nel luogo che ho preparato. [21]Sii attento davanti a lui, ascolta la sua voce; non ribellarti a lui, perché non sopporterà la vostra trasgressione, poiché il mio nome è in lui. [22]Se tu ascolti la sua voce e farai tutto

quello che dirò, sarò nemico dei tuoi nemici e avversario dei tuoi avversari: [23]poiché il mio angelo andrà davanti a te e ti porterà dall'Amorreo, dall'Hittita, dal Perizzita, dal Cananeo, dall'Eveo, dal Gebuseo e io li sterminerò. [24]Non ti prostrerai ai loro dèi, non li servirai e non agirai secondo la loro condotta, ma demolirai e spezzerai le loro stele. [25]Servirete il Signore, vostro Dio. Egli benedirà il tuo pane e la tua acqua e allontanerà la malattia da te. [26]Non ci sarà nella tua terra donna che abortisca o che sia sterile. Colmerò il numero dei tuoi giorni.

[27]Manderò il mio terrore davanti a te e metterò in rotta tutti i popoli presso i quali andrai e farò voltare le spalle a tutti i tuoi nemici. [28]Manderò davanti a te i calabroni, e cacceranno l'Eveo, il Cananeo, l'Hittita davanti a te. [29]Non li caccerò davanti a te in un anno solo, perché la terra non diventi desolata e si moltiplichino contro di te le bestie selvagge; [30]a poco a poco li caccerò davanti a te, fino a quando tu non ti sia moltiplicato così da occupare la terra. [31]Fisserò i tuoi confini dal Mar Rosso fino al mare dei Filistei, e dal deserto al fiume, perché darò nelle tue mani gli abitanti della terra e li caccerò dalla tua presenza. [32]Non farai alleanza con loro e con i loro dèi; [33]essi non abiteranno più nella tua terra, altrimenti ti farebbero peccare contro di me; tu infatti renderesti culto ai loro dèi e ciò sarebbe per te una trappola».

IL RITO DELL'ALLEANZA

24 [1]Dio disse a Mosè: «Sali dal Signore, tu, Aronne, Nadab, Abiu e settanta tra gli anziani d'Israele e vi prostrerete da lontano. [2]Mosè si avvicini da solo al Signore, ma gli altri non si avvicinino; il popolo non salirà con lui».

[3]Mosè riferì al popolo tutte le parole del Signore e tutte le leggi, e tutto il popolo rispose a una sola voce: «Faremo tutte le cose che il Signore ha detto».

[4]Mosè scrisse tutte le parole del Signore. Si alzò al mattino e costruì un altare sotto il monte, con dodici stele per le dodici tribù d'Israele. [5]Poi mandò alcuni giovani tra i figli d'Israele e offrirono olocausti e immolarono dei torelli come sacrifici di comunione in onore del Signore. [6]Mosè prese la metà

del sangue e la mise in catini e metà del sangue la versò sull'altare. [7]Prese il libro dell'alleanza e lo lesse alla presenza del popolo. Dissero: «Faremo ed eseguiremo tutto quello che il Signore ha detto». [8]Mosè prese il sangue e lo versò sul popolo e disse: «Ecco il sangue dell'alleanza, che il Signore ha contratto con voi in base a tutte queste parole».

[9]Mosè salì con Aronne, Nadab, Abiu e i settanta anziani d'Israele. [10]Videro il Dio d'Israele: sotto i suoi piedi c'era come un pavimento in piastre di zaffiro, della purezza dello stesso cielo. [11]Non stese la mano contro i privilegiati dei figli d'Israele: essi videro il Signore e tuttavia mangiarono e bevvero.

[12]Il Signore disse a Mosè: «Sali da me sul monte e fermati là: ti darò le tavole di pietra, la legge e i comandamenti che ho scritto per istruirli». [13]Mosè si alzò con Giosuè suo servo e salì sul monte di Dio. [14]Agli anziani disse: «Restate qui fino a quando ritorneremo da voi. Ecco, avete con voi Aronne e Cur: chi avrà qualcosa si rivolgerà a loro». [15]Mosè salì sul monte e la nube coprì il monte. [16]La Gloria del Signore dimorò sul monte Sinai e la nube lo coprì per sei giorni: al settimo giorno il Signore chiamò Mosè dal mezzo della nube. [17]Al vederla, la Gloria del Signore era come fuoco divorante in cima al monte, agli occhi dei figli d'Israele. [18]Mosè entrò nel mezzo della nube, salì sul monte e rimase sul monte quaranta giorni e quaranta notti.

GLI ARREDI DEL SANTUARIO

25 [1]Il Signore disse a Mosè: [2]«Ordina ai figli d'Israele che diano un contributo in mio onore: da ogni uomo dal cuore generoso raccoglierete un contributo in mio onore. [3]Ecco ciò che preleverete da loro: oro, argento e bronzo; [4]porpora viola e porpora rossa, scarlatto, bisso e tessuto di peli di capra; [5]pelli di montone tinte di rosso, pelli conciate e legni d'acacia; [6]olio per illuminazione, balsami per unguenti e per l'incenso aromatico; [7]pietre di onice e pietre da incastonare nell'efod e nel pettorale. [8]Mi faranno un santuario e abiterò in mezzo a loro. [9]Farete ogni cosa in base al progetto della dimora che io ti mostrerò e al progetto di tutti i suoi arredi.

L'ARCA

[10]Faranno un'arca di legno d'acacia, lunga due cubiti e mezzo, larga un cubito e mezzo e alta un cubito e mezzo. [11]La ricoprirai d'oro puro, la ricoprirai dentro e fuori: farai sopra di essa un bordo d'oro, d'intorno. [12]Fonderai per essa quattro anelli d'oro e li porrai ai suoi quattro piedi: due anelli su un lato e due anelli sul secondo lato. [13]Farai delle stanghe di legno d'acacia e le ricoprirai d'oro; [14]introdurrai le stanghe negli anelli ai lati dell'arca per trasportare l'arca. [15]Le stanghe dovranno rimanere negli anelli dell'arca: non verranno tolte. [16]Porrai nell'arca la Testimonianza che io ti darò.

[17]Farai un propiziatorio d'oro puro lungo due cubiti e mezzo e largo un cubito e mezzo. [18]Poi farai due cherubini d'oro massiccio: li farai alle due estremità del propiziatorio. [19]Farai un cherubino da una parte e un altro cherubino dall'altra parte del propiziatorio: farete i cherubini sulle sue due estremità. [20]I cherubini stenderanno le ali verso l'alto, proteggendo con le loro ali il propiziatorio: saranno rivolti l'uno verso l'altro e le facce dei cherubini saranno verso il propiziatorio. [21]Porrai il propiziatorio sopra l'arca e nell'arca porrai la Testimonianza che ti darò. [22]È là che ti incontrerò, e da sopra il propiziatorio, tra i due cherubini che sono sull'arca della Testimonianza, ti dirò tutto quello che ti ordino riguardo ai figli d'Israele.

LA TAVOLA DEI PANI
DELLA PRESENTAZIONE

[23]Farai una tavola in legno d'acacia lunga due cubiti, larga un cubito, alta un cubito e mezzo. [24]La ricoprirai d'oro puro e le farai

---

24. - 8. Siamo qui alla conclusione del patto di alleanza: esso obbligava gli Ebrei a osservare le leggi di Dio e insieme impegnava Dio a dar loro la terra di Canaan e a proteggerli. Evidentemente non è patto tra eguali: Dio prometteva per sua pura bontà, e il popolo si obbligava solamente a quanto già per natura doveva a Dio. Il patto viene ratificato col sangue del sacrificio.

25. - 16s. La Testimonianza sono le due tavole della legge, che esprimono la volontà di Dio e sono il documento dell'alleanza di Jhwh col suo popolo. Il propiziatorio era il coperchio dell'arca: esso forma come il trono di Dio, e di qui egli ascoltava le preghiere del suo popolo e manifestava il suo volere.

intorno un bordo d'oro. 25Le farai intorno dei traversini di un palmo e farai un bordo d'oro intorno ai suoi traversini. 26Le farai quattro anelli d'oro e porrai gli anelli ai quattro angoli che sono ai suoi quattro piedi. 27Accanto ai traversini vi saranno gli anelli per infilare le stanghe che solleveranno la tavola. 28Farai le stanghe in legno d'acacia e le ricoprirai d'oro: con quelle si solleverà la tavola. 29Farai i suoi piatti, le sue coppe, le sue anfore e le sue tazze per le libazioni: li farai d'oro puro. 30Porrai sulla tavola i pani della presentazione, che staranno sempre davanti a me.

IL CANDELABRO

31Farai un candelabro d'oro puro: farai d'oro massiccio il candelabro con il suo fusto e i suoi bracci; avrà i suoi calici, le sue corolle e i suoi fiori. 32Sei bracci usciranno dai suoi lati: tre bracci del candelabro da un lato e tre bracci del candelabro dal secondo lato. 33Tre calici in forma di mandorlo su un ramo, con corolla e fiore, e tre calici in forma di mandorlo sull'altro ramo, con corolla e fiore. Così per i sei bracci che escono dal candelabro. 34Il candelabro avrà nel fusto quattro calici in forma di mandorlo, con le sue corolle e i suoi fiori: 35una corolla sotto i primi due bracci che si diramano da esso, una corolla sotto gli altri due bracci e una corolla sotto gli ultimi due bracci che da esso si diramano: così per i sei bracci che escono dal candelabro. 36Le sue corolle e i suoi bracci formeranno un tutt'uno massiccio d'oro puro.

37Farai le sue sette lampade: le si porranno sopra, in modo da illuminare lo spazio davanti ad esso. 38I suoi smoccolatoi e i suoi portacenere saranno d'oro puro. 39Lo si farà con un talento d'oro puro, esso e tutti i suoi accessori. 40Guarda e fa' secondo il modello che ti è stato mostrato sul monte.

---

30. I *pani della presentazione*, detti anche *di proposizione*, erano dodici pani, uno per tribù, e stavano davanti al Signore una settimana. Al sabato i sacerdoti li sostituivano con altri e li mangiavano nel santuario stesso. Sono figura dell'eucaristia.

LA DIMORA E LE SUPPELLETTILI

26 1Farai la dimora con dieci teli di bisso ritorto, di porpora viola, di porpora rossa e scarlatto: farai i veli con figure di cherubini, lavoro di ricamatore. 2Lunghezza di un telo: ventotto cubiti; larghezza: quattro cubiti per telo; la stessa misura per tutti i teli. 3Cinque teli saranno uniti l'uno all'altro e anche gli altri cinque saranno uniti l'uno all'altro.

4Farai dei cordoni di porpora viola sull'orlo del primo telo, all'estremità delle giunzioni, e così farai all'orlo del telo che è all'estremità della seconda giunzione.

5Farai cinquanta cordoni al primo telo e farai cinquanta cordoni all'estremità del telo che è nella seconda giunzione, mentre i cordoni corrisponderanno l'uno all'altro.

6Farai cinquanta fibbie d'oro e unirai i teli l'uno all'altro con le fibbie. La dimora sarà un tutt'uno.

7Farai dei teli in pelo di capra per la tenda sopra la dimora: ne farai undici. 8Lunghezza di un telo: trenta cubiti; larghezza: quattro cubiti per telo; gli undici teli avranno la stessa misura. 9Unirai cinque teli da una parte e sei teli dall'altra e ripiegherai il sesto telo sulla parte anteriore della tenda.

10Farai cinquanta cordoni sull'orlo del primo telo, che è all'estremità della giunzione, e cinquanta cordoni sull'orlo del telo della seconda giunzione.

11Farai cinquanta fibbie di bronzo e introdurrai le fibbie nei cordoni e unirai la tenda: sarà un tutt'uno. 12La parte pendente che avanza nei teli della tenda, cioè la metà del telo che avanza, penderà sulla parte posteriore della dimora. 13Sia il cubito che eccede da una parte, sia il cubito che eccede dall'altra, nella direzione della lunghezza dei teli della tenda, ricadranno sui due lati per coprirla da una parte e dall'altra.

14Farai una copertura alla tenda di pelli di montone tinte di rosso e una copertura di pelli conciate al di sopra.

ARMATURA DELLA TENDA

15Farai per la dimora le assi in legno d'acacia, che restino in piedi: 16la lunghezza di un'asse sarà di dieci cubiti e la larghezza sarà di un cubito e mezzo. 17Ogni asse avrà due sostegni appaiati uno all'altro: così farai per tutte le assi della dimora. [18]Farai le assi per la dimora: venti assi verso sud, a mezzogiorno. [19]Farai quaranta basi d'argento sotto le venti assi: due basi sotto un'asse per i suoi due sostegni e due basi sotto l'altra per i suoi due sostegni. [20]Per il secondo lato della dimora, verso nord, venti assi; [21]e anche per loro quaranta basi d'argento, due basi sotto un'asse e due sotto l'altra.

[22]Per la parte posteriore della dimora, verso ovest, farai sei assi. [23]Farai due assi per gli angoli della dimora nella parte posteriore. [24]Saranno appaiate perfettamente in basso e saranno perfettamente congiunte in cima, al primo anello. Così sarà per ambedue: saranno ai due angoli.

[25]Ci saranno otto assi e le loro basi d'argento saranno sedici: due basi sotto un'asse e due sotto un'altra.

[26]Farai delle traverse in legno d'acacia: cinque per le assi di un lato della dimora, [27]cinque traverse per le assi del secondo lato della dimora, e cinque traverse per le assi del lato posteriore della dimora, verso occidente. [28]La traversa di centro, in mezzo alle assi, la attraverserà da un'estremità all'altra. [29]Ricoprirai d'oro le assi e farai in oro i loro anelli che riceveranno le traverse, e ricoprirai d'oro le traverse.

[30]Innalzerai la dimora secondo il modo che ti è stato mostrato sul monte.

IL VELO

[31]Farai un velo di porpora viola, di porpora rossa, di scarlatto e di bisso ritorto: sarà ornato artisticamente di cherubini. [32]Lo porrai su quattro colonne d'acacia ricoperte d'oro, con gli uncini d'oro alle quattro basi d'argento. [33]Porrai il velo sotto le fibbie e là, all'interno del velo, introdurrai l'arca della Testimonianza: il velo sarà per voi la separazione tra il Santo e il Santo dei Santi. [34]Porrai il propiziatorio sull'arca della Testimonianza nel Santo dei Santi. [35]Porrai la tavola fuori del velo e il candelabro di fronte alla tavola, sul lato della dimora, a meridione; porrai la tavola sul lato settentrionale. [36]Farai all'ingresso della tenda una cortina di porpora viola e di porpora rossa, di scarlatto e di bisso ritorto, lavoro di ricamatore. [37]Farai per la cortina cinque colonne d'aca-

cia e le rivestirai d'oro: i loro uncini saranno d'oro e fonderai per esse cinque basi di bronzo.

L'ALTARE DEGLI OLOCAUSTI

27 [1]Farai l'altare in legno d'acacia, lungo cinque cubiti e largo cinque: l'altare sarà quadrato e sarà alto tre cubiti. [2]Farai i suoi corni, ai suoi quattro angoli, e faranno un tutt'uno con esso. Lo ricoprirai di bronzo. [3]Farai i suoi recipienti per la cenere, le sue palette e i suoi catini, le sue forcelle e i suoi bracieri: farai tutti gli oggetti in bronzo.

[4]Farai per esso una graticola di bronzo, fatta come una rete, e sulla rete farai quattro anelli di bronzo alle sue quattro estremità. [5]La porrai sotto la cornice dell'altare, in basso, e la rete arriverà fino alla metà dell'altare.

[6]Farai delle stanghe in legno d'acacia per l'altare e le ricoprirai di bronzo. [7]Le sue stanghe si introdurranno negli anelli e le stanghe saranno sui due lati dell'altare per sollevarlo. [8]Lo farai di tavole, vuoto all'interno: come ti è stato mostrato sul monte.

IL RECINTO

[9]Farai il recinto della dimora. Sul lato meridionale, verso sud, il recinto avrà tendaggi di bisso ritorto, della lunghezza di cento cubiti sullo stesso lato. [10]Ci saranno venti colonne con venti basi di bronzo: gli uncini delle colonne e le loro aste trasversali saranno d'argento. [11]Così per il lato settentrionale: tendaggi di cento cubiti di lunghezza, le relative venti colonne con le venti basi di bronzo, gli uncini delle colonne e le aste

---

26. - 33. La parte anteriore della tenda della testimonianza (o dimora o santuario o tabernacolo) era detta *il Santo*, quella posteriore, divisa dalla prima da una prezioso *velo*, il *Santo dei Santi* o *Santissimo*. Nella prima parte, verso il velo, da un lato stava la mensa con i dodici pani della presentazione, dall'altro vi era il candelabro a sette bracci e, in mezzo, il piccolo altare dei profumi su cui si bruciava l'incenso al mattino e alla sera di ogni giorno.

27. - 1. L'*altare* per i sacrifici non era nella tenda, ma fuori all'aperto, nel mezzo dell'atrio o cortile. I quattro corni di bronzo, ai suoi angoli, erano una decorazione molto comune nei templi orientali e stavano a significare la forza e la maestà di Dio.

trasversali d'argento. [12]La larghezza del recinto verso occidente avrà cinquanta cubiti di tendaggi, con le relative dieci colonne e le dieci basi. [13]La larghezza del recinto verso est, a oriente, sarà di cinquanta cubiti: [14]quindici cubiti di tendaggi con le relative tre colonne e le tre basi alla prima ala; [15]alla seconda ala quindici cubiti di tendaggi con le rispettive tre colonne e le tre basi.

[16]La porta del recinto avrà una cortina di venti cubiti, lavoro di ricamatore, di porpora viola, porpora rossa, scarlatto e bisso ritorto, con le rispettive quattro colonne e le quattro basi.

[17]Tutte le colonne intorno al recinto avranno aste trasversali d'argento: i loro uncini saranno d'argento e le loro basi di bronzo. [18]La lunghezza del recinto sarà di cento cubiti, la larghezza di cinquanta, l'altezza di cinque cubiti; di bisso ritorto con le basi di bronzo. [19]Tutti gli oggetti della dimora per tutti i servizi, tutti i suoi picchetti e tutti i picchetti del recinto saranno di bronzo.

[20]Tu ordinerai ai figli d'Israele che si procurino dell'olio puro di olive schiacciate per il candelabro, per tenere accesa la lampada in continuazione. [21]Aronne e i suoi figli la prepareranno nella tenda del convegno al di fuori del velo che sta davanti alla Testimonianza, perché sia davanti al Signore da sera a mattina: rito perenne per i figli d'Israele, di generazione in generazione.

LE VESTI DEI SACERDOTI

28 [1]Tu fa' avvicinare tuo fratello Aronne e i suoi figli con lui, tra i figli di Israele, perché sia mio sacerdote: Aronne, Nadab, Abiu, Eleazaro, Itamar, figli di Aronne. [2]Farai vesti sacre per tuo fratello Aronne, come splendido ornamento. [3]Tu parlerai a tutti gli artigiani, che ho riempito di spirito di saggezza, e faranno le vesti di Aronne

per la sua consacrazione e per l'esercizio del sacerdozio.

[4]Ecco le vesti che faranno: pettorale, efod, mantello, tunica incastonata, turbante e cintura. Faranno vesti sacre per tuo fratello Aronne e per i suoi figli, perché sia mio sacerdote. [5]Essi useranno oro, porpora viola, porpora rossa, scarlatto e bisso.

L'EFOD

[6]Faranno l'efod d'oro, di porpora viola, di porpora rossa, di scarlatto e bisso ritorto, artisticamente lavorati. [7]Avrà due spalline attaccate: sarà attaccato alle sue due estremità.

[8]La cintura che è sopra all'efod sarà della stessa sua fattura: oro, porpora viola, porpora rossa, scarlatto e bisso ritorto.

[9]Prenderai due pietre di onice e inciderai su di esse i nomi dei figli d'Israele: [10]sei dei loro nomi sulla prima pietra e gli altri sei nomi sulla seconda pietra, in ordine di nascita. [11]Seguendo l'arte dell'intagliatore di pietra che incide un sigillo, inciderai le due pietre con i nomi dei figli d'Israele: le farai inserire in castoni d'oro. [12]Metterai le due pietre sulle spalline dell'efod, come pietre-memoriale per i figli d'Israele: Aronne porterà i loro nomi davanti al Signore sulle sue spalle come un memoriale. [13]Farai i castoni d'oro [14]e farai ad essi due catene d'oro puro, in cordoni, con un lavoro d'intreccio: metterai le catene a intreccio sui castoni.

IL PETTORALE

[15]Farai il pettorale del giudizio artisticamente lavorato. Lo farai come il lavoro dell'efod: lo farai con oro, porpora viola, porpora rossa, scarlatto e bisso ritorto. [16]Sarà quadrato, doppio, lungo una spanna e largo una spanna. [17]Lo coprirai di pietre, in quattro file. Prima fila: cornalina, topazio, smeraldo. [18]Seconda fila: turchese, zaffiro, diamante. [19]Terza fila: giacinto, agata, ametista. [20]Quarta fila: crisolito, onice, diaspro. Saranno inserite mediante castoni d'oro. [21]Le pietre corrisponderanno ai nomi dei figli d'Israele: dodici, secondo i loro nomi: saranno incise come sigilli, ciascuna con il nome corrispondente, secondo le dodici tribù.

28. - 6-7. *L'efod* era il vero distintivo del sommo sacerdote: aveva forse la forma di uno scapolare fatto di due pezzi di stoffa: uno scendeva dietro, tra le spalle, e l'altro davanti, sul petto, riuniti ai lati da due bende.

15-16. *Il pettorale* era una borsa quadrata, fatta di due pezzi sovrapposti. È detto *del giudizio* perché il sommo sacerdote di là traeva le risposte per decidere le questioni di maggior importanza mediante due pietre chiamate *urim* e *tummim* (v. 30). Su di esso erano incastonate 12 pietre preziose con i nomi delle 12 tribù d'Israele.

²²Farai sul pettorale catene a cordone, lavoro d'intreccio d'oro puro. ²³Farai sul pettorale due anelli d'oro e metterai i due anelli sulle due estremità del pettorale. ²⁴Metterai le due catene d'oro sui due anelli, alle estremità del pettorale. ²⁵Le due estremità delle due catene le porrai sui due castoni e le metterai sulle spalline dell'efod, nella parte anteriore. ²⁶Farai due anelli d'oro e li metterai sulle due estremità del pettorale, sull'orlo che è sull'altra parte dell'efod, all'interno. ²⁷Farai due anelli d'oro e li porrai sulle due spalline dell'efod, in basso, sul lato anteriore, vicino al suo attacco, al di sopra della cintura dell'efod. ²⁸Si legherà il pettorale con i suoi anelli agli anelli dell'efod con un filo di porpora viola, perché sia sopra la cintura dell'efod e il pettorale non si possa muovere da sopra l'efod.

²⁹Aronne porterà i nomi dei figli d'Israele sul pettorale del giudizio, sul suo cuore, quando entrerà nel Santo in memoriale perpetuo davanti al Signore.

³⁰Porrai nel pettorale del giudizio gli urim e i tummim: saranno sopra il cuore di Aronne, quando entrerà davanti al Signore, e Aronne porterà il giudizio dei figli d'Israele sul suo cuore davanti al Signore in perpetuo.

³¹Farai il mantello dell'efod completamente di porpora viola. ³²Nel suo mezzo ci sarà un'apertura per la testa: intorno all'apertura ci sarà un orlo lavorato in tessitura; sarà come l'apertura di una corazza, che non si lacera.

³³Farai sul suo lembo melagrane di porpora viola, porpora rossa e scarlatto intorno al suo lembo, e in mezzo a esso, all'intorno, campanelli d'oro: ³⁴un campanello d'oro e una melagrana, un campanello d'oro e una melagrana intorno al lembo del mantello. ³⁵Aronne lo userà nell'officiare e il rumore si sentirà quando entrerà nel Santo, davanti al Signore, e quando ne uscirà; così non morirà.

³⁶Farai una lamina d'oro puro e vi inciderai, come su di un sigillo: "Consacrato al Signore". ³⁷L'attaccherai con un cordone di porpora viola al turbante sulla parte anteriore. ³⁸Starà sulla fronte di Aronne, e Aronne porterà la colpa che potranno commettere i figli d'Israele, in occasione delle offerte sacre da loro presentate. E starà sulla sua fronte per sempre, in loro favore davanti al Signore.

³⁹Tesserai la tunica di bisso; farai un turbante di bisso, farai una cintura in lavoro di ricamatore.

⁴⁰Per i figli d'Aronne farai tuniche e cinture: farai loro anche dei copricapo a gloria e decoro. ⁴¹Ne rivestirai tuo fratello Aronne insieme ai suoi figli: li ungerai, li investirai, li consacrerai e saranno miei sacerdoti.

⁴²Farai loro dei calzoni di lino per coprire la carne nuda: arriveranno dai reni alle cosce. ⁴³Aronne e i suoi figli li indosseranno quando entreranno nella tenda del convegno e quando si avvicineranno all'altare per officiare nel Santo: così non porteranno colpa e non moriranno. È una prescrizione perenne per lui e per i suoi discendenti.

LA CONSACRAZIONE DI ARONNE E DEI SUOI FIGLI

29 ¹Ecco quello che farai per consacrarli come miei sacerdoti. Prendi un torello ancora giovane e due arieti integri, ²pane non lievitato, focacce non lievitate intrise con olio e schiacciate non lievitate unte d'olio: le farai con fiore di farina di grano. ³Le porrai in un cesto e le offrirai nel cesto insieme con il torello e i due arieti. ⁴Farai avvicinare Aronne e i suoi figli all'ingresso della tenda del convegno e li laverai con acqua. ⁵Prenderai le vesti e rivestirai Aronne della tunica, del mantello dell'efod, dell'efod, del pettorale e lo cingerai con la cintura dell'efod. ⁶Metterai il turbante sulla sua testa e porrai il diadema sacro sul turbante.

⁷Prenderai l'olio dell'unzione, lo verserai sul suo capo e lo ungerai. ⁸Farai avvicinare i suoi figli e li rivestirai della tunica. ⁹Li cingerai con la cintura e annoderai loro il copricapo. Il sacerdozio apparterrà loro per decreto perenne. Così darai l'investitura ad Aronne e ai suoi figli.

¹⁰Farai avvicinare il torello davanti alla tenda del convegno. Aronne e i suoi figli poseranno le loro mani sulla sua testa. ¹¹Immolerai il torello davanti al Signore, all'ingresso della tenda del convegno. ¹²Prenderai parte del suo sangue e lo porrai con il dito sui corni dell'altare e verserai il resto del sangue alla base dell'altare. ¹³Prenderai tutto il grasso che ricopre gli intestini, quello che eccede nel fegato, i reni con il grasso che vi è sopra e li farai ardere sull'altare.

[14]La carne del torello, la sua pelle e i suoi escrementi li brucerai fuori dell'accampamento: è un sacrificio per il peccato.

[15]Prenderai un ariete. Aronne e i suoi figli poseranno le mani sulla sua testa. [16]Immolerai l'ariete, prenderai il suo sangue e lo aspergerai intorno all'altare. [17]Farai a pezzi l'ariete, ne laverai gli intestini, le zampe e li porrai sui suoi pezzi e sulla sua testa. [18]Farai bruciare tutto l'ariete sull'altare. È un olocausto in onore del Signore, un odore gradevole, un sacrificio di fuoco in onore del Signore.

[19]Prenderai il secondo ariete. Aronne e i suoi figli poseranno le mani sulla sua testa. [20]Immolerai l'ariete: prenderai parte del suo sangue e ne porrai sul lobo dell'orecchio destro di Aronne e sul lobo dell'orecchio destro dei suoi figli, sul pollice della loro mano destra e sull'alluce del loro piede destro, e spargerai il sangue intorno all'altare. [21]Prenderai di questo sangue dall'altare e dell'olio d'unzione e ne aspergerai Aronne e le sue vesti, i suoi figli e le loro vesti. Così sarà consacrato lui e le sue vesti, i suoi figli e le loro vesti.

[22]Dell'ariete prenderai il grasso e la coda, il grasso che ricopre l'intestino e quello che eccede nel fegato, i reni con il grasso che vi è sopra e la coscia destra, poiché è l'ariete dell'investitura. [23]Poi prenderai un pane rotondo, una focaccia all'olio e una schiacciata dal cesto degli azzimi che è davanti al Signore: [24]metterai tutto sulle palme di Aronne e sulle palme dei suoi figli e li presenterai con gesto di agitazione davanti al Signore. [25]Li prenderai dalle loro mani e li farai bruciare sull'altare, sopra l'olocausto, in odore gradevole davanti al Signore. È un sacrificio con il fuoco in onore del Signore.

[26]Prenderai il petto dell'ariete dell'investitura di Aronne e farai il gesto di agitazione davanti al Signore: sarà la tua porzione. [27]Consacrerai il petto dell'agitazione e la coscia dell'elevazione, prelevati dall'ariete d'investitura: saranno la porzione per Aronne e per i suoi figli. [28]Sarà per Aronne e i suoi figli uno statuto perenne da parte dei figli d'Israele: perché è un contributo, cioè un prelievo da parte dei figli d'Israele sui loro sacrifici di comunione, un prelievo dovuto al Signore.

[29]Le vesti sacre di Aronne passeranno ai suoi figli dopo di lui, che le indosseranno per la consacrazione e per l'investitura. [30]Per sette giorni le rivestirà quello dei figli di Aronne che gli succederà nel sacerdozio

ed entrerà nella tenda del convegno per offrire nel Santo.

[31]Prenderai l'ariete dell'investitura e ne cuocerai la carne in luogo santo. [32]Aronne e i suoi figli mangeranno la carne dell'ariete e il pane che è nel cesto all'ingresso della tenda del convegno. [33]Mangeranno di quello che è stato sacrificato per loro espiazione, nel corso della loro investitura e della loro consacrazione. Un profano non ne mangerà, perché sono cose sacre. [34]Se al mattino resta della carne dell'investitura e del pane, brucerai quello che resta nel fuoco: non si mangerà, perché è sacro. [35]Farai così per Aronne e i suoi figli, secondo tutto quello che ti ho ordinato. Per sette giorni farai l'investitura. [36]Ogni giorno offrirai un torello in sacrificio per il peccato; toglierai il peccato dall'altare facendo per esso il sacrificio espiatorio, poi lo ungerai per consacrarlo. [37]Per sette giorni farai il sacrificio espiatorio per l'altare e lo consacrerai: l'altare sarà santissimo e sarà santo tutto quello che toccherà l'altare.

[38]Ecco quello che offrirai sull'altare: due agnelli di un anno ogni giorno per sempre. [39]Un agnello l'offrirai al mattino e il secondo al tramonto. [40]Con il primo agnello offrirai un decimo di efa di fior di farina impastata in un quarto di hin di olio di olive schiacciate e una libazione di un quarto di hin di vino. [41]Offrirai il secondo agnello al tramonto con un'oblazione e una libazione come quella del mattino, in odore gradevole: è offerta consumata dal fuoco in onore del Signore. [42]È l'olocausto perenne per le vostre generazioni, all'ingresso della tenda del convegno, alla presenza del Signore, dove vi incontrerò per parlarti.

[43]In quel luogo incontrerò i figli d'Israele e sarà consacrato per la mia Gloria. [44]Consacrerò la tenda del convegno e l'altare; consacrerò Aronne e i suoi figli come miei sacerdoti. [45]Abiterò in mezzo ai figli d'Israele e sarò il loro Dio. [46]Sapranno che io sono il Signore, loro Dio, che li ho fatti uscire dalla terra d'Egitto per abitare in mezzo a loro: io, il Signore, loro Dio.

L'ALTARE DEI PROFUMI

30 [1]Farai un altare sul quale bruciare l'incenso: lo farai in legno d'acacia. [2]Avrà un cubito di lunghezza e uno di larghezza: sarà quadrato, alto due cubiti, munito dei suoi corni. [3]Ricoprirai d'oro puro il suo ripiano, i suoi lati e i suoi corni: gli farai intorno una bordatura d'oro. [4]Gli farai due anelli d'oro sotto la bordatura, sui due fianchi: li farai sulle sue due parti e serviranno per introdurvi le stanghe con le quali portarlo.

[5]Farai le stanghe in legno d'acacia e le ricoprirai d'oro. [6]Porrai l'altare davanti al velo che nasconde l'arca della Testimonianza, davanti al propiziatorio che è sopra la Testimonianza, dove ti incontro. [7]Su di esso Aronne brucerà l'incenso profumato: lo brucerà ogni mattina, quando metterà in ordine le lampade, [8]e lo brucerà anche al tramonto, quando Aronne riempirà le lampade: incenso perenne davanti al Signore per le vostre generazioni. [9]Non vi offrirete sopra incenso profano né olocausto o oblazione né vi verserete libazione. [10]Aronne farà il rito di espiazione sui corni di esso una volta all'anno: con il sangue del sacrificio per il peccato vi farà sopra, una volta all'anno, il rito espiatorio per le vostre generazioni. È cosa santissima in onore del Signore».

[11]Il Signore disse a Mosè: [12]«Quando farai la rassegna dei figli d'Israele per il censimento, ciascuno pagherà il riscatto per la propria vita al Signore nell'atto del censimento, perché non li colpisca un flagello quando saranno passati in rassegna. [13]Chiunque sarà recensito pagherà un mezzo siclo, valutato al siclo del santuario, cioè il siclo di venti ghera. Questo mezzo siclo sarà un'offerta per il Signore. [14]Ogni recensito, dai vent'anni in su, farà quest'offerta per il Signore. [15]Il ricco non darà di più né il povero di meno di mezzo siclo per soddisfare all'offerta per il Signore, in riscatto delle vostre vite. [16]Prenderai il denaro di questo riscatto dai figli d'Israele e lo impiegherai per il servizio della tenda del convegno: per i figli d'Israele esso sarà come un memoriale davanti al Signore, per il riscatto delle vostre vite».

[17]Il Signore parlò a Mosè, dicendogli: [18]«Farai una vasca di bronzo con il supporto di bronzo per le abluzioni, e la porrai tra la tenda del convegno e l'altare e vi metterai acqua. [19]Aronne e i suoi figli si laveranno le mani e i piedi. [20]Quando entreranno nella tenda del convegno si laveranno con l'acqua e non moriranno: e quando si avvicineranno all'altare per il servizio, per offrire un sacrificio da consumare con il fuoco in onore del Signore, [21]si laveranno le mani e i piedi e non moriranno. È una prescrizione perenne, per lui e per i suoi discendenti in tutte le loro generazioni».

[22]Il Signore disse a Mosè: [23]«Procùrati balsami di prima qualità: cinquecento sicli di mirra fluida, duecentocinquanta sicli, cioè la metà, di cinnamomo odoroso, duecentocinquanta di cannella odorosa, [24]cinquecento sicli di cassia, secondo il siclo del santuario, e un hin di olio d'oliva. [25]Ne farai olio per l'unzione santa, un profumo eccezionale, opera di profumiere: sarà l'olio per l'unzione santa. [26]Ungerai con quello la tenda del convegno e l'arca della Testimonianza, [27]la tavola e tutti i suoi oggetti, il candelabro e i suoi oggetti, l'altare dell'incenso, [28]l'altare dell'olocausto e tutti i suoi oggetti, la vasca e il suo supporto. [29]Li consacrerai e saranno santissimi: chiunque li toccherà sarà santo. [30]Ungerai e consacrerai come sacerdoti Aronne e i suoi figli. [31]Ai figli d'Israele dirai: "Questo sarà per me olio d'unzione santa per le vostre generazioni. [32]Non si verserà su carne umana e non ne farete altro simile a questo: è santo e santo sarà per voi. [33]Chi farà un profumo simile e ne porrà su un estraneo sarà eliminato dal suo popolo"».

[34]Il Signore disse di nuovo a Mosè: «Procurati dei balsami: storace, onice, galbano e incenso puro, in parti eguali. [35]Ne farai incenso profumato, opera di profumiere, salato, puro e santo. [36]Lo pesterai riducendolo in polvere e ne porrai davanti alla Testimonianza, nella tenda del convegno, dove ti incontro. Sarà ritenuto da voi cosa santissima. [37]Dell'incenso che offrirai, non ne farete di simile per voi: sarà per te cosa sacra in onore del Signore. [38]Chiunque ne farà di simile per sentirne il profumo, sarà eliminato dal suo popolo».

GLI ARTEFICI DEL SANTUARIO

31 [1]Il Signore disse a Mosè: [2]«Vedi, ho chiamato per nome Bezaleel, figlio di Uri, figlio di Cur, della tribù di Giuda. [3]L'ho riempito dello spirito di Dio, di sapienza, intelligenza, scienza in ogni genere di lavoro, [4]per far progetti ed eseguirli in oro, argento e bronzo, [5]per scolpire la pietra da incastonare, intagliare il legno e fare ogni opera. [6]Ecco, io gli ho dato Ooliab, figlio di Akisamac, della tribù di Dan. Nel cuore di ogni abile artigiano ho dato la sapienza, e faranno tutto ciò che ti ho ordinato: [7]la tenda del convegno, l'arca della Testimonianza e il propiziatorio che vi è sopra, tutti gli arredi della tenda, [8]la tavola e i suoi arredi, il candelabro d'oro puro e tutti i suoi arredi, l'altare dell'incenso, [9]l'altare dell'olocausto e tutti i suoi arredi, la vasca e il suo supporto, [10]le vesti da cerimonia e le vesti sacre per il sacerdote Aronne e le vesti dei suoi figli per esercitare il sacerdozio; [11]l'olio d'unzione e l'incenso aromatico per il santuario. Faranno secondo tutto quello che ti ho ordinato».

[12]Disse poi il Signore a Mosè: [13]«Riferisci ai figli d'Israele: "Dovrete osservare i miei sabati, perché il sabato è un segno tra me e voi per le vostre generazioni, perché sappiate che sono io, il Signore, che vi santifico. [14]Osserverete il sabato, perché è santo per voi: chi lo profanerà sarà messo a morte, perché chiunque farà in quel giorno un lavoro sarà eliminato dal suo popolo. [15]Per sei giorni lavorerete, ma il settimo giorno è riposo assoluto, sacro al Signore: chiunque farà un lavoro nel settimo giorno sarà messo a morte. [16]I figli d'Israele osserveranno il sabato, festeggiando il sabato nelle loro generazioni come un'alleanza perenne. [17]Tra me e i figli d'Israele esso è un segno perenne, perché in sei giorni il Signore ha fatto il cielo e la terra e nel settimo giorno ha cessato e si è riposato"». [18]Quando il Signore ebbe finito di parlare con Mosè sul monte Sinai, gli diede due tavole della Testimonianza, tavole di pietra, scritte con il dito di Dio.

IL VITELLO D'ORO

32[1]Il popolo, vedendo che Mosè indugiava nello scendere dal monte, si radunò intorno ad Aronne e gli disse: «Facci un dio che vada davanti a noi, perché di quel Mosè, l'uomo che ci ha fatto uscire

dalla terra d'Egitto, non sappiamo che cosa ne sia».

[2]Aronne disse loro: «Staccate gli anelli d'oro pendenti dalle orecchie delle vostre donne, dei vostri figli, delle vostre figlie e portatemeli». [3]Tutto il popolo staccò gli anelli d'oro che pendevano ai loro orecchi e li portarono ad Aronne. [4]Egli li prese dalle loro mani, li fece fondere in una forma e ne ricavò un vitello di metallo fuso. Allora dissero: «Ecco il tuo Dio, Israele, che ti ha fatto uscire dalla terra d'Egitto». [5]Ciò vedendo, Aronne costruì un altare davanti ad esso ed esclamò: «Domani sarà festa in onore del Signore».

[6]L'indomani si alzarono e offrirono olocausti e presentarono sacrifici di comunione: il popolo si sedette a mangiare e bere; poi tutti si alzarono per divertirsi.

[7]Il Signore disse a Mosè: «Va', scendi, perché il tuo popolo, che hai fatto uscire dalla terra d'Egitto, si è pervertito. [8]Si sono allontanati presto dalla strada che avevo loro prescritto; si sono fatti un vitello fuso e si sono prostrati davanti ad esso, gli hanno sacrificato e hanno detto: "Ecco il tuo Dio, Israele, che ti ha fatto uscire dalla terra d'Egitto"».

[9]Il Signore disse inoltre a Mosè: «Ho visto questo popolo, ed ecco è un popolo dalla dura cervice. [10]Ora lasciami fare: la mia ira si accende contro di loro e li divora, mentre di te farò una grande nazione».

[11]Mosè addolcì il volto del Signore, suo Dio, e disse: «Perché, Signore, la tua ira si accende contro il tuo popolo che hai fatto uscire dalla terra d'Egitto con grande potenza e con mano forte? [12]Perché gli Egiziani dovrebbero dire: li ha fatti uscire con malizia, per ucciderli sui monti e per sterminarli dalla faccia della terra? Desisti dall'ardore della tua ira e risparmia il male al tuo popolo. [13]Ricordati dei tuoi servi Abramo, Isacco e Israele, ai quali hai giurato per te stesso e hai detto: "Moltiplicherò la vostra discendenza come le stelle del cielo e darò tutta questa terra, di cui ti ho parlato, ai tuoi discendenti che la erediteranno per sempre"». [14]Il Signore abbandonò il proposito di fare del male al suo popolo.

[15]Mosè si volse e scese dal monte: aveva nella mano le due tavole della Testimonianza, tavole scritte su due lati, da una parte e dall'altra. [16]Le tavole erano opera di Dio,

---

31. - 12. È la terza volta che troviamo la legge del sabato (cfr. Es 16,26; 20,8): prova evidente dell'importanza che vi annetteva il Signore. Qui si aggiunge che il sabato è il distintivo dell'alleanza tra Dio e Israele e che il profanatore era ucciso.

la scrittura era scrittura di Dio incisa sulle tavole.

¹⁷Giosuè udì la voce del popolo che faceva baccano e disse a Mosè: «C'è rumore di guerra nell'accampamento». ¹⁸Mosè rispose:

«Non è la voce di canti di vittoria,
né la voce di canti di sconfitta:
voci di canti alternati io sento».

¹⁹Quando si avvicinò all'accampamento, vide il vitello e le danze: l'ira di Mosè si accese; egli scagliò dalla mano le tavole e le ruppe ai piedi del monte. ²⁰Prese il vitello che avevano fatto, lo bruciò nel fuoco, lo frantumò fino a farlo diventare polvere, lo sparse sulla superficie dell'acqua e la fece bere ai figli d'Israele.

²¹Mosè disse ad Aronne: «Che cosa ti ha fatto questo popolo, per averlo indotto in un grande peccato?». ²²Aronne disse: «Non si accenda l'ira del mio signore: tu sai come il popolo è inclinato al male. ²³Essi mi dissero: "Facci un dio che vada davanti a noi, perché di quel Mosè, l'uomo che ci ha fatto uscire dalla terra d'Egitto, non sappiamo che cosa ne sia". ²⁴E dissi loro: "Chi ha dell'oro se lo tolga". Me lo diedero e lo gettai nel fuoco. Ne uscì questo vitello».

²⁵Mosè vide che il popolo era sfrenato, poiché Aronne l'aveva lasciato sfrenare, così da farne il ludibrio dei loro avversari. ²⁶Mosè si tenne sulla porta dell'accampamento e disse: «Chi è per il Signore, venga da me!». Vicino a lui si radunarono tutti i figli di Levi. ²⁷Disse loro: «Così dice il Signore, Dio d'Israele: "Ciascuno di voi tenga la spada al fianco; passate e ripassate nell'accampamento da una porta all'altra e ognuno uccida il proprio fratello, ognuno il proprio amico, ognuno il proprio parente"». ²⁸I figli di Levi fecero come aveva detto Mosè e caddero in quel giorno circa tremila uomini del popolo. ²⁹Mosè disse: «Ricevete oggi l'investitura dal Signore, perché ognuno di voi è stato contro suo figlio e contro suo fratello, affinché oggi scendesse su di voi la benedizione».

³⁰Il giorno dopo Mosè disse al popolo: «Voi avete commesso un grande peccato, ma ora salirò dal Signore: forse otterrò ancora il perdono del vostro peccato». ³¹Mosè ritornò dal Signore e disse: «Ah, questo po-

polo ha commesso un grande peccato, e si sono fatti per sé un dio d'oro: ³²e, ora, se tu perdonassi il loro peccato! Se no cancellami dal tuo libro che hai scritto». ³³Il Signore disse a Mosè: «Chi ha peccato contro di me, quello cancellerò dal mio libro. ³⁴E ora va', conduci il popolo dove ti ho detto. Ecco, il mio angelo andrà davanti a te; ma nel giorno della mia visita li punirò per il loro peccato».

³⁵Il Signore colpì il popolo, perché aveva fatto il vitello, fuso da Aronne.

MOSÈ INTERCEDE PER IL POPOLO

33 ¹Il Signore disse a Mosè: «Va', parti di qui, tu e il popolo che hai fatto uscire dalla terra d'Egitto, verso la terra che ho giurato ad Abramo, Isacco e Giacobbe dicendo: "La darò alla tua discendenza". ²Manderò davanti a te un angelo e caccerò via il Cananeo, l'Amorreo, l'Hittita, il Perizzita, l'Eveo e il Gebuseo. ³Va' verso la terra dove scorre latte e miele, ma io non verrò in mezzo a te, per non doverti sterminare lungo il cammino, perché sei un popolo di dura cervice». ⁴Il popolo udì questa triste notizia: si rattristarono e nessuno indossò più ornamenti.

⁵Il Signore disse a Mosè: «Di' ai figli di Israele: "Voi siete un popolo di dura cervice. Se per un solo istante io venissi in mezzo a voi, vi sterminerei. Ora togliti i tuoi ornamenti, poi saprò quello che dovrò farti"». ⁶I figli d'Israele si spogliarono dei loro ornamenti dal monte Oreb in poi.

⁷Mosè ad ogni tappa prendeva la tenda e la piantava fuori dell'accampamento, lontano dall'accampamento, e l'aveva chiamata tenda del convegno. Chiunque voleva consultare il Signore usciva verso la tenda del convegno, che era fuori dell'accampamento. ⁸Quando Mosè usciva verso la tenda, tutto il popolo si alzava e ognuno stava all'entrata della propria tenda e seguiva Mosè con lo sguardo finché entrava nella tenda. ⁹Quando Mosè entrava nella tenda, la colonna di nube scendeva e stava all'ingresso della tenda, e il Signore parlava a Mosè.

¹⁰Tutto il popolo vedeva la colonna di nube che stava all'entrata della tenda: tutto il popolo si alzava e ognuno si prostrava al-

l'ingresso della propria tenda. [11]Il Signore parlava con Mosè faccia a faccia, come un uomo parla con il suo vicino, poi tornava all'accampamento. Il suo servo Giosuè, giovane figlio di Nun, non si allontanava dall'interno della tenda.

[12]Mosè disse al Signore: «Vedi, tu mi dici: "Fa' salire questo popolo", ma non mi fai sapere chi manderai con me. Ma tu mi hai detto: "Ti conosco per nome, anzi hai trovato grazia ai miei occhi". [13]Allora, se ho trovato grazia ai tuoi occhi, fammi conoscere la tua via, così che io ti conosca e trovi grazia ai tuoi occhi. Considera che questa nazione è tuo popolo». [14]Rispose: «Io camminerò con voi e ti farò riposare». [15]Gli disse: «Se tu non camminerai con noi, non farci salire di qui. [16]Come si saprebbe qui che ho trovato grazia ai tuoi occhi, io e il tuo popolo? Non è forse perché tu camminerai con noi e così ci distingueremo, io e il tuo popolo, da tutti i popoli che sono sulla terra?».

[17]Disse il Signore a Mosè: «Anche questa cosa che mi hai detto io farò, perché hai trovato grazia ai miei occhi e ti conosco per nome». [18]Gli disse: «Mostrami la tua Gloria». [19]Rispose: «Io farò passare tutto il mio splendore davanti a te e pronuncerò davanti a te il nome del Signore. Farò grazia a chi vorrò fare grazia e avrò pietà di chi vorrò avere pietà». [20]E aggiunse: «Non puoi vedere il mio volto, perché l'uomo non può vedermi e vivere».

[21]Il Signore disse: «Ecco un luogo vicino a me: ti terrai sulla roccia. [22]Quando passerà la mia Gloria, ti metterò nella fenditura della roccia e ti coprirò con la mano fino a quando sarò passato; [23]poi ritirerò la mano e mi vedrai di spalle; ma il mio volto non lo si può vedere».

LE NUOVE TAVOLE DELLA LEGGE

34 [1]Il Signore disse a Mosè: «Scolpisciti due tavole di pietra, come le prime: scriverò sulle tavole le parole che erano sulle prime tavole che hai rotto. [2]Sii

pronto al mattino: sali, al mattino, sul monte Sinai e rimarrai lassù per me, sulla cima del monte. [3]Nessuno salga con te, nessuno si faccia vedere in tutto il monte, né greggi né armenti pascolino intorno a questo monte». [4]Mosè tagliò due tavole di pietra come le prime, poi si alzò di buon mattino e salì sul monte Sinai, come gli aveva ordinato il Signore, con le due tavole di pietra in mano. [5]Il Signore scese nella nube e si tenne là presso di lui ed egli invocò il nome del Signore. [6]Il Signore passò davanti a lui proclamando: «Il Signore, il Signore, Dio di pietà e misericordia, lento all'ira e ricco di grazia e di fedeltà, [7]che conserva la sua grazia per mille generazioni, che perdona la colpa, la trasgressione e il peccato, ma non lascia senza punizione, che castiga la colpa dei padri nei figli e nei figli dei figli, fino alla terza e alla quarta generazione». [8]Mosè si chinò a terra e si prostrò. [9]Poi disse: «Se ho trovato grazia ai tuoi occhi, mio Signore, venga il mio Signore in mezzo a noi, perché quello è un popolo di dura cervice; perdona la nostra colpa e il nostro peccato e fa' di noi la tua eredità».

[10]Il Signore disse: «Ecco, io contraggo un'alleanza di fronte a tutto il tuo popolo: compirò prodigi che non sono mai stati compiuti in tutta la terra e tra tutte le nazioni; tutto il popolo, in mezzo al quale tu sei, vedrà quanto è terribile l'opera del Signore, che io sto per fare con te. [11]Osserva quello che io ti ordino oggi. Ecco, io caccio davanti a te l'Amorreo, il Cananeo, l'Hittita, il Perizzita, l'Eveo e il Gebuseo. [12]Guàrdati dal contrarre alleanza con gli abitanti del paese nel quale stai entrando, perché ciò non diventi una trappola per te. [13]Distruggerete i loro altari, spezzerete le loro stele, taglierete i loro pali sacri. [14]Tu non ti devi prostrare a un altro dio, poiché il Signore si chiama geloso: egli è un Dio geloso.

[15]Non contrarre alleanza con gli abitanti del paese: altrimenti, quando si prostituiranno ai loro dèi e sacrificheranno ai loro dèi, ti chiameranno e tu mangeresti le loro vittime sacrificali. [16]Non prenderai per mogli dei tuoi figli le loro figlie, altrimenti, quando esse si prostituiranno ai loro dèi, faranno prostituire i tuoi figli ai loro dèi.

[17]Non ti farai un dio di metallo fuso.

[18]Osserverai la festa degli Azzimi: per sette giorni mangerai azzimi, come ti ho ordinato,

---

33. - 11. Dio comunica con Mosè come un uomo col suo vicino, cioè con la stessa familiarità e la stessa facilità di comprendersi.

34. - 15-16. Spesso l'AT chiama l'idolatria col nome di prostituzione, fornicazione, adulterio, poiché essa significa l'abbandono del vero Dio, con cui Israele ha stretto alleanza.

nel tempo stabilito del mese di Abìb, perché nel mese di Abìb sei uscito dall'Egitto. [19]Ogni essere che nasce per primo nel seno materno è mio, ogni primogenito maschio, bovino e ovino. [20]Riscatterai il primo nato di un asino con un ovino e se non potrai riscattarlo gli spaccherai la nuca. Riscatterai ogni primogenito dei tuoi figli. Non ti presenterai davanti a me a mani vuote.

[21]Lavorerai per sei giorni, ma al settimo giorno riposerai: durante l'aratura e la mietitura riposerai.

[22]Celebrerai la festa delle Settimane, primizia della mietitura del grano, e la festa del raccolto, al volgere dell'anno.

[23]Tre volte all'anno ogni tuo maschio si presenterà davanti al Signore, Dio d'Israele. [24]Io caccerò le nazioni davanti a te e amplierò le tue frontiere, così che nessuno bramerà la tua terra, quando salirai per presentarti al cospetto del Signore, tuo Dio, tre volte all'anno.

[25]Non immolerai col pane lievitato il sangue della mia vittima sacrificale, e il sacrificio della festa di Pasqua non dovrà rimanere fino al mattino.

[26]Porterai alla casa del Signore, tuo Dio, il meglio delle primizie del tuo suolo. Non farai cuocere un capretto nel latte di sua madre».

[27]Il Signore disse a Mosè: «Scrivi queste parole, perché secondo queste parole ho contratto alleanza con te e con Israele».

[28]Mosè stette con il Signore quaranta giorni e quaranta notti: non mangiò pane né bevve acqua. Scrisse sulle tavole le parole dell'alleanza, le dieci parole.

[29]Quando Mosè scese dal monte Sinai – le due tavole della Testimonianza erano in mano sua mentre scendeva dal monte – non sapeva che la pelle del suo viso era raggiante, per aver parlato con il Signore. [30]Aronne e tutti i figli d'Israele videro Mosè ed ecco la pelle del suo viso era raggiante; ebbero paura di avvicinarsi a lui. [31]Mosè li chiamò, e Aronne, con tutti i capi della comunità, andò da lui. Mosè parlò con loro. [32]Dopo di che, tutti i figli d'Israele si avvicinarono ed egli ordinò loro tutto quello che il Signore gli aveva detto sul monte Sinai.

[33]Quando Mosè ebbe finito di parlare con loro si mise un velo sul volto. [34]Allorché Mosè entrava davanti al Signore per parlare con lui, toglieva il velo fin quando fosse uscito. Una volta uscito, diceva ai figli d'Israele quello che gli era stato ordinato. [35]I figli d'Israele, guardando il volto di Mosè, vedevano che la pelle del suo volto era raggiante. Poi Mosè rimetteva il velo sul suo volto, fino a quando entrava di nuovo a parlare con il Signore.

IL CONTRIBUTO PER IL SANTUARIO

35 [1]Mosè radunò tutta la comunità dei figli d'Israele e disse loro: «Queste sono le cose che il Signore ha ordinato di fare: [2]per sei giorni lavorerete, ma il settimo giorno sarà santo per voi: è riposo assoluto in onore del Signore; chiunque in quel giorno farà un lavoro sarà messo a morte. [3]Non accenderete il fuoco in nessuna vostra dimora in giorno di sabato».

[4]Mosè disse a tutta la comunità dei figli d'Israele: «Ecco che cosa ha ordinato il Signore: [5]"Prelevate su quanto possedete un contributo per il Signore: chiunque è spinto dal proprio cuore porterà al Signore un contributo volontario in oro, argento e bronzo; [6]porpora viola, porpora rossa, scarlatto, bisso e tessuto di peli di cápra; [7]pelli di montone tinte di rosso, pelli conciate e legni di acacia; [8]olio per illuminazione, balsami per l'olio d'unzione e per l'incenso aromatico; [9]pietre d'onice e pietre da incastonare nell'efod e nel pettorale. [10]Tutti gli artisti che sono tra voi verranno e faranno tutto quello che il Signore ha ordinato: [11]la dimora e la sua tenda, la sua copertura, le sue fibbie, le sue assi, le sue traverse, le sue colonne e le sue basi; [12]l'arca e le sue stanghe, il propiziatorio e il velo delle cortine di copertura; [13]la tavola, le sue stanghe, tutti i suoi arredi e il pane di presentazione; [14]il candelabro dell'illuminazione con tutti i suoi arredi, le sue lampade e l'olio dell'illuminazione; [15]l'altare dell'incenso, le sue stanghe, l'olio dell'unzione, l'incenso aromatico, la cortina d'ingresso all'entrata della dimora; [16]l'altare dell'olocausto con la sua graticola di bronzo, le sue sbarre e tutti i suoi arredi; la vasca e il suo supporto, [17]i tendaggi del recinto, le sue colonne, le sue basi e la cortina della porta del recinto; [18]i picchetti della dimora, i picchetti del recinto e le loro corde; [19]le vesti da cerimonia per il servizio del santuario, le vesti sacre per il

sacerdote Aronne e le vesti dei suoi figli per esercitare il sacerdozio"».

²⁰Tutta la comunità dei figli d'Israele si ritirò dalla presenza di Mosè. ²¹Poi quanti erano spinti dalla loro generosità, e mossi dal proprio spirito, portarono l'offerta per il Signore, per la costruzione della tenda del convegno, per tutti i suoi oggetti di culto e per le vesti sacre. ²²Vennero uomini e donne, quanti erano mossi da generosità, e portarono fermagli, pendenti, anelli, collane, ogni sorta di oggetti d'oro: quanti volevano fare un'offerta d'oro al Signore la portarono. ²³E tutti quelli che possedevano porpora viola, porpora rossa, scarlatto, bisso, tessuto di peli di capra, pelli di montone tinte di rosso, pelli conciate, li portarono. ²⁴Chiunque poteva presentare un'offerta in argento e in bronzo, l'offrì per il Signore. Tutti quelli che si trovarono in possesso di legno d'acacia per i lavori da eseguire, lo portarono. ²⁵Tutte le donne esperte filarono con le mani e portarono filati di porpora viola e rossa, di scarlatto e bisso. ²⁶Tutte le donne generose e abili filarono peli di capra. ²⁷I capi portarono pietre d'onice e pietre da incastonare nell'efod e nel pettorale, ²⁸balsamo, olio per l'illuminazione, olio d'unzione e incenso aromatico.

²⁹Tutti, uomini e donne, spinti dal proprio cuore a portare qualcosa per l'opera che il Signore aveva ordinato di fare per mezzo di Mosè, tutti i figli d'Israele portarono la loro offerta volontaria al Signore.

³⁰Mosè disse ai figli d'Israele: «Vedete, il Signore ha chiamato per nome Bezaleel, figlio di Uri, figlio di Cur, della tribù di Giuda. ³¹Lo spirito di Dio lo ha riempito di sapienza, intelligenza, scienza per ogni opera, ³²per progettare artisticamente ed eseguire in oro, argento e bronzo; ³³per scolpire la pietra da incastonare, per intagliare il legno, per fare ogni opera ad arte. ³⁴Ha posto nel suo cuore la facoltà di insegnare, in lui e anche in Ooliab, figlio di Akisamac, della tribù di Dan. ³⁵Li ha riempiti della sapienza del cuore per compiere ogni genere di lavoro di intagliatore, disegnatore, ricamatore con porpora viola, porpora rossa, scarlatto, bisso, e di tessitore: capaci di compiere ogni opera e di progettarla artisticamente».

L'EDIFICAZIONE DEL SANTUARIO

36 ¹Bezaleel, Ooliab e tutti gli artisti a cui il Signore ha dato sapienza e intelligenza, per eseguire i lavori di costruzione del santuario, fecero secondo tutto quello che aveva ordinato il Signore. ²Mosè chiamò Bezaleel, Ooliab e tutti gli artisti a cui il Signore aveva dato sapienza nel proprio cuore, quanti erano portati dal proprio cuore ad affrontare l'esecuzione dei lavori. ³Presero dalla presenza di Mosè ogni offerta che avevano portato i figli d'Israele per l'esecuzione dei lavori del santuario. Ma gli Israeliti continuavano a portare loro ogni mattina offerte volontarie. ⁴Allora tutti gli artisti, che eseguivano i lavori per il santuario, lasciarono il lavoro che stavano facendo ⁵e dissero a Mosè: «Il popolo porta più del necessario per l'opera che il Signore ha ordinato di eseguire».

⁶Mosè allora fece proclamare nell'accampamento: «Nessuno faccia più alcun lavoro come contributo per il santuario». E il popolo cessò di portare altre offerte. ⁷Il materiale era sufficiente per tutta l'opera da eseguire e ne avanzava.

⁸Tutti gli artisti addetti ai lavori fecero la dimora. Bezaleel la fece con dieci teli di bisso ritorto, porpora viola, porpora rossa e scarlatto. Fece pure dei cherubini, lavorati artisticamente. ⁹La lunghezza di un telo era di ventotto cubiti; la larghezza era di quattro cubiti per ciascun telo; una stessa misura per tutti i teli. ¹⁰Unì cinque teli l'uno all'altro e unì anche gli altri cinque teli l'uno all'altro. ¹¹Fece cordoni di porpora viola sull'orlo del primo telo, all'estremità delle giunzioni. Così fece all'orlo del telo che è all'estremità della seconda giunzione. ¹²Fece cinquanta cordoni al primo telo e cinquanta cordoni all'estremità del telo che è nella seconda giunzione, mentre i cordoni corrispondevano l'uno all'altro. ¹³Fece cinquanta fibbie d'oro e unì i teli l'uno all'altro con le fibbie. E la dimora fu un tutt'uno.

¹⁴Fece dei teli in pelo di capra per la tenda sopra la dimora: ne fece undici. ¹⁵La lunghezza di un telo era di trenta cubiti; la larghezza era di quattro cubiti per telo; la stessa misura per gli undici teli. ¹⁶Unì insieme cinque teli da una parte e sei teli dall'altra, ¹⁷e fece cinquanta cordoni sull'orlo del telo all'estremità delle giunzioni e cinquanta

Es

cordoni sull'orlo del telo della seconda giunzione. 18Fece cinquanta fibbie di bronzo per unire la tenda, perché fosse un tutt'uno. 19Fece una copertura alla tenda di pelli di montone tinte di rosso e una copertura di pelli conciate al di sopra.

20Fece per la dimora le assi in legno d'acacia, verticali: 21la lunghezza di un'asse era di dieci cubiti, e la larghezza un cubito e mezzo. 22Ogni asse aveva due sostegni appaiati l'uno all'altro: così fece per tutte le assi della dimora.

23Fece le assi per la dimora: venti assi verso sud, a mezzogiorno. 24Fece quaranta basi d'argento sotto le venti assi: due basi sotto un'asse per i due sostegni e due basi sotto l'altra asse per i due sostegni. 25Per il secondo lato della dimora, verso nord, fece venti assi, 26con le loro quaranta basi d'argento, due basi sotto un'asse e due basi sotto l'altra asse. 27Per la parte posteriore della dimora verso ovest fece sei assi. 28Fece due assi per gli angoli della dimora nella parte posteriore: 29furono appaiate perfettamente in basso e furono perfettamente insieme in cima, al primo anello. Così fece per ambedue, per formare i due angoli. 30Vi erano otto assi con le loro basi d'argento: sedici basi, due basi sotto un'asse e due basi sotto un'altra.

31Fece delle traverse in legno d'acacia: cinque per le assi di un lato della dimora, 32cinque traverse per le assi del secondo lato della dimora, e cinque traverse per le assi del lato posteriore della dimora, verso occidente. 33Fece la traversa di centro, che passava in mezzo alle assi da un'estremità all'altra. 34Ricoprì d'oro le assi e fece anelli d'oro per inserirvi le traverse e ricoprì d'oro le traverse.

35Fece un velo di porpora viola, porpora rossa, di scarlatto e bisso ritorto: lo fece con figure artistiche di cherubini. 36Gli fece quattro colonne d'acacia, le ricoprì d'oro, con i loro uncini d'oro, e fuse per esse quattro basi d'argento.

37All'ingresso della tenda fece una cortina di porpora viola, porpora rossa, scarlatto e bisso ritorto, lavoro da ricamatore, 38e cinque colonne con i loro uncini, e ricoprì d'oro la loro cima e le loro aste trasversali, e fece le loro cinque basi di bronzo.

LA FABBRICAZIONE DEGLI ARREDI DEL SANTUARIO

37 1Bezaleel costruì l'arca con legno d'acacia, lunga due cubiti e mezzo, larga un cubito e mezzo e alta un cubito e mezzo. 2La ricoprì d'oro puro, dentro e fuori, e le fece intorno un bordo d'oro. 3Fuse per essa quattro anelli d'oro ai quattro piedi: due anelli su un lato e due anelli sul secondo lato. 4Fece delle stanghe di legno d'acacia, le ricoprì d'oro 5e introdusse le stanghe negli anelli ai lati dell'arca per trasportare l'arca.

6Fece un propiziatorio d'oro puro, lungo due cubiti e mezzo e largo un cubito e mezzo. 7Fece due cherubini d'oro massiccio: li fece alle due estremità del propiziatorio. 8Fece un cherubino da una parte e un cherubino dall'altra parte del propiziatorio: fece i cherubini sulle sue due estremità. 9I cherubini stendevano le ali verso l'alto, proteggendo con le loro ali il propiziatorio: erano rivolti l'uno verso l'altro e le facce dei cherubini erano rivolte verso il propiziatorio.

10Fece una tavola in legno d'acacia, lunga due cubiti, larga un cubito e alta un cubito e mezzo. 11La ricoprì d'oro puro e le fece intorno un bordo d'oro. 12Le fece intorno dei traversini di un palmo e fece un bordo d'oro intorno ai suoi traversini. 13Fuse per essa quattro anelli d'oro e pose gli anelli ai quattro angoli che sono ai suoi quattro piedi. 14Accanto ai traversini erano gli anelli per contenere le stanghe per sollevare la tavola. 15Fece le stanghe in legno d'acacia e le ricoprì d'oro per sollevare la tavola. 16Fece gli oggetti che erano sulla tavola d'oro puro: i piatti, le coppe, le anfore e le tazze, con cui si fanno le libazioni.

17Fece il candelabro d'oro puro: lo fece d'oro massiccio, con il suo fusto e i suoi bracci; aveva i suoi calici, le sue corolle e i suoi fiori. 18Sei bracci uscivano dai suoi lati: tre bracci da un lato del candelabro e tre bracci dall'altro lato. 19Tre calici in forma di mandorlo erano su un ramo, con corolla e fiore, e tre calici in forma di mandorlo sull'altro ramo, con corolla e fiore. Così per i sei rami che uscivano dal candelabro.

20Il candelabro aveva quattro calici in forma di mandorlo, con le corolle e i fiori: 21una corolla sotto due bracci uscenti da esso, una corolla sotto gli altri due bracci uscenti da esso e una corolla sotto gli ultimi due bracci uscenti da esso: così per i sei bracci che uscivano dal candelabro. ²²Le corolle e i bracci formavano un tutt'uno massiccio d'oro puro. ²³Lo adornò con le sue sette lampade, i suoi smoccolatoi e i suoi portacenere d'oro puro. ²⁴Impiegò un talento d'oro puro per esso e per tutti i suoi accessori.

²⁵Costruì un altare per bruciare l'incenso in legno d'acacia, lungo un cubito e largo un cubito, cioè quadrato, alto due cubiti, munito dei suoi corni. ²⁶Ricoprì d'oro puro il ripiano superiore, i lati intorno e i corni; e gli fece intorno una bordatura d'oro. ²⁷Gli fece due anelli d'oro sotto la sua bordatura, sui due fianchi, cioè sui due lati opposti, per introdurvi le stanghe con le quali portarlo. ²⁸Fece le stanghe in legno d'acacia e le ricoprì d'oro.

²⁹Preparò l'olio dell'unzione santa e l'incenso profumato, puro, opera di profumiere.

LA PREPARAZIONE DI ALTRI ARREDI

38 ¹Costruì l'altare degli olocausti in legno d'acacia, lungo cinque cubiti e largo cinque cubiti, cioè quadrato, alto tre cubiti. ²Fece i corni ai suoi quattro angoli, e i corni erano un tutt'uno con esso. Lo ricoprì di bronzo.

³Fece tutti gli arredi dell'altare: i recipienti, le palette, i catini, le forcelle, i bracieri; tutti questi arredi li fece di bronzo. ⁴All'altare fece una graticola lavorata a forma di rete, in bronzo, sotto la cornice dell'altare, verso il basso, così da giungere sino a metà altezza dell'altare. ⁵Fuse quattro anelli alle quattro estremità della graticola di bronzo per inserirvi le stanghe. ⁶Fece le stanghe in legno d'acacia e le ricoprì di bronzo. ⁷Fece introdurre le stanghe negli anelli ai lati dell'altare per sollevarlo con esse. Lo fece di tavole, vuoto all'interno.

⁸Costruì una vasca di bronzo, con il supporto di bronzo, usando gli specchi delle donne che prestavano servizio all'ingresso della tenda del convegno.

⁹Fece il recinto. Sul lato sud, a meridione, i tendaggi del recinto erano cento cubiti di bisso ritorto, ¹⁰le sue colonne venti, con venti basi di bronzo; gli uncini delle colonne e le loro aste trasversali erano d'argento. ¹¹Sul lato settentrionale c'erano cento cubi-

ti di tendaggi, con le sue venti colonne e le sue venti basi di bronzo, gli uncini delle colonne e le loro aste trasversali d'argento. ¹²Sul lato occidentale c'erano cinquanta cubiti di tendaggi con le relative dieci colonne e le dieci basi, gli uncini delle colonne e le aste trasversali d'argento. ¹³Sul lato est, a oriente, cinquanta cubiti. ¹⁴Quindici cubiti di tendaggi con le relative tre colonne e le basi per la prima ala; ¹⁵per la seconda ala, quindici cubiti di tendaggi con le relative tre colonne e le tre basi: le due ali erano da una parte e dall'altra della porta d'entrata.

¹⁶Tutti i tendaggi intorno al recinto erano di bisso ritorto, ¹⁷le basi delle colonne di bronzo, gli uncini delle colonne e le aste trasversali d'argento, il rivestimento della loro cima d'argento e tutte le colonne del recinto avevano aste trasversali d'argento.

¹⁸Il velo della porta del recinto era opera di ricamatore, di porpora viola, porpora rossa, scarlatto e bisso ritorto, lungo venti cubiti, alto cinque nel senso della larghezza, come i tendaggi del recinto. ¹⁹Le relative quattro colonne e le quattro basi erano di bronzo, i loro uncini d'argento, il rivestimento della loro cima e le aste trasversali d'argento. ²⁰Tutti i picchetti intorno alla dimora e al recinto erano di bronzo.

²¹Questo è il computo dei metalli impiegati per la dimora, la dimora della Testimonianza, redatto per ordine di Mosè dai leviti, sotto la direzione di Itamar, figlio del sacerdote Aronne.

²²Bezaleel, figlio di Uri, figlio di Cur della tribù di Giuda, fece tutto quello che il Signore aveva ordinato a Mosè, ²³e con lui Ooliab, figlio di Akisamac, della tribù di Dan, intagliatore, disegnatore e ricamatore di porpora viola, porpora rossa, scarlatto e bisso. ²⁴Tutto l'oro impiegato per il lavoro, in tutta la costruzione del santuario – oro presentato in offerta –, fu di ventinove talenti e settecentotrenta sicli, secondo il valore del siclo del santuario.

²⁵L'argento raccolto in occasione del censimento della comunità fu di cento talenti e millesettecentosettantacinque sicli, secondo il valore del siclo del santuario: ²⁶un beka a testa, cioè un mezzo siclo, secondo il valore del siclo del santuario, per tutti coloro che furono sottoposti a censimento, dai vent'anni in su. Erano seicentotremilacinquecentocinquanta.

²⁷Cento talenti d'argento servirono per fondere le basi del santuario e le basi del velo: cento basi per cento talenti, un talento per base. ²⁸Con i millesettecentosettantacinque sicli fece gli uncini alle colonne, ricoprì le loro cime e fece le loro aste trasversali. ²⁹Il bronzo presentato in offerta era di settanta talenti e duemilaquattrocento sicli. ³⁰Con esso fece le basi dell'ingresso della tenda del convegno, l'altare di bronzo con la sua graticola di bronzo e tutti gli oggetti dell'altare, ³¹le basi intorno al recinto, le basi della porta del recinto, tutti i picchetti della dimora e tutti i picchetti intorno al recinto.

LE VESTI DEL SOMMO SACERDOTE

39 ¹Con porpora viola, porpora rossa e scarlatto fecero le vesti liturgiche per officiare nel santuario: fecero le vesti sacre per Aronne, come il Signore aveva ordinato a Mosè.
²Fecero l'efod d'oro, di porpora viola, porpora rossa, scarlatto e bisso ritorto. ³Batterono placche d'oro, le tagliarono in strisce per intrecciarle con la porpora viola, la porpora rossa, lo scarlatto e il bisso ritorto: lavoro d'artista. ⁴Gli fecero due spalline che furono attaccate alle due estremità. ⁵La cintura che era sopra al suo efod era della stessa sua fattura: oro, porpora viola, porpora rossa, scarlatto e bisso ritorto, come il Signore aveva ordinato a Mosè.
⁶Lavorarono le pietre d'onice, inserite in castoni d'oro, incise con i nomi dei figli d'Israele, secondo l'arte d'incidere i sigilli. ⁷Le posero sulle spalline dell'efod, come pietre a ricordo dei figli d'Israele, come il Signore aveva ordinato a Mosè.
⁸Fecero il pettorale, lavoro d'artista, come il lavoro dell'efod: oro, porpora viola, porpora rossa, scarlatto e bisso ritorto. ⁹Era quadrato e lo fecero doppio, lungo una spanna e largo una spanna. ¹⁰Lo coprirono con quattro file di pietre. Prima fila: cornalina, topazio, smeraldo. ¹¹Seconda fila: turchese, zaffiro, diamante. ¹²Terza fila: giacinto, agata, ametista. ¹³Quarta fila: crisolito, onice, diaspro. Erano inserite nell'oro, mediante i loro castoni. ¹⁴Le pietre si riferivano ai nomi dei figli d'Israele: erano dodici, secondo i loro nomi incisi come i sigilli, ognuna con il nome corrispondente, secondo le dodici tribù.

¹⁵Fecero sul pettorale catene per legare, opera d'intreccio d'oro puro. ¹⁶Fecero due castoni d'oro e due anelli d'oro e misero i due anelli alle due estremità del pettorale. ¹⁷Posero le due catene d'oro sui due anelli, alle estremità del pettorale. ¹⁸Misero le due estremità delle due catene sui due castoni e le posero sulle spalline dell'efod, nella parte anteriore.
¹⁹Fecero due anelli d'oro e li posero alle due estremità del pettorale, sull'orlo che è sull'altra parte dell'efod, all'interno. ²⁰Fecero due anelli d'oro e li posero sulle due spalline dell'efod, in basso, sul lato anteriore, vicino all'attacco, al di sopra della cintura dell'efod. ²¹Legarono il pettorale con i suoi anelli agli anelli dell'efod, in modo che il pettorale non si possa muovere da sopra l'efod, come il Signore aveva ordinato a Mosè.
²²Fecero il manto dell'efod, lavoro di tessitore, completamente di porpora viola. ²³L'apertura del manto, nel mezzo, era come l'apertura di una corazza; intorno all'apertura c'era un orlo, perché non si lacerasse. ²⁴Posero sui lembi del manto melagrane in porpora viola, porpora rossa, scarlatto e bisso ritorto. ²⁵Fecero campanelli d'oro puro e misero i campanelli in mezzo alle melagrane, intorno ai lembi del manto: ²⁶un campanello e una melagrana, un campanello e una melagrana intorno ai lembi del manto, per il servizio, come il Signore aveva ordinato a Mosè.
²⁷Fecero le tuniche di bisso, opera di tessitore, per Aronne e i suoi figli; ²⁸il turbante di bisso, gli ornamenti dei copricapo di bisso, i calzoni di lino di bisso ritorto, ²⁹la cintura di bisso ritorto, di porpora viola, porpora rossa e scarlatto, opera di ricamatore, come il Signore aveva ordinato a Mosè.
³⁰Fecero una lamina, il diadema di santità, in oro puro e vi incisero sopra, come su di un sigillo: «Consacrato al Signore». ³¹Vi fissarono una striscia di porpora per metterlo sopra il turbante, come il Signore aveva ordinato a Mosè. ³²Così fu terminato tutto il lavoro della dimora e della tenda del convegno. I figli d'Israele fecero secondo tutto quello che il Signore aveva ordinato a Mosè. Fecero proprio così.

LA CONCLUSIONE DEI LAVORI

³³Portarono a Mosè la dimora, la tenda e tutti i suoi arredi: le fibbie, le assi, le traverse, le colonne, le basi; ³⁴la copertura di pelli di montone tinte di rosso, la copertura di pelli conciate, il velo della cortina; ³⁵l'arca della testimonianza, le stanghe, il propiziatorio; ³⁶la tavola e tutti i suoi arredi, il pane della presentazione; ³⁷il candelabro d'oro puro, le lampade, lampade in ordine, e tutti i suoi accessori, con l'olio dell'illuminazione; ³⁸l'altare d'oro, l'olio d'unzione, l'incenso profumato, la cortina d'ingresso della tenda; ³⁹l'altare di bronzo, con la graticola di bronzo, le stanghe e tutti i suoi accessori, la vasca e il suo supporto; ⁴⁰i tendaggi del recinto, le colonne, le basi, la cortina per la porta del recinto, i suoi cordoni, i suoi picchetti e tutti gli arredi del servizio della dimora per la tenda della riunione; ⁴¹le vesti liturgiche per officiare nel santuario, le vesti sacre per il sacerdote Aronne e le vesti dei suoi figli per esercitare il sacerdozio.
⁴²Secondo quanto il Signore aveva ordinato a Mosè, così i figli d'Israele eseguirono ogni lavoro. ⁴³Mosè vide tutta l'opera e riscontrò che era fatta come aveva ordinato il Signore. E Mosè li benedisse.

LA CONSACRAZIONE DEL SANTUARIO

40 ¹Il Signore disse a Mosè: ²«Il primo giorno del primo mese erigerai la dimora, la tenda del convegno. ³Vi metterai l'arca della Testimonianza e coprirai l'arca con il velo. ⁴Porterai la tavola e ne farai la disposizione, porterai il candelabro e vi porrai sopra le sue lampade. ⁵Metterai l'altare d'oro per l'incenso davanti all'arca della Testimonianza e porrai la cortina all'ingresso della dimora. ⁶Metterai l'altare dell'olocausto davanti all'ingresso della dimora della tenda del convegno. ⁷Porrai la vasca tra la tenda del convegno e l'altare e vi metterai l'acqua. ⁸Porrai intorno il recinto e metterai la cortina alla porta del recinto.
⁹Prenderai l'olio dell'unzione e ungerai la dimora e tutto quello che vi si trova, la consacrerai con tutti i suoi arredi: e sarà santa. ¹⁰Ungerai l'altare dell'olocausto e tutti i suoi arredi: consacrerai l'altare e diverrà

cosa santissima. ¹¹Ungerai la vasca e il suo supporto: la consacrerai. ¹²Farai avvicinare Aronne e i suoi figli all'ingresso della tenda del convegno e li laverai con acqua. ¹³Rivestirai Aronne con le vesti sacre, lo ungerai, lo consacrerai e sarà mio sacerdote. ¹⁴Farai avvicinare i suoi figli e li rivestirai con tuniche. ¹⁵Li ungerai come hai unto il loro padre e saranno miei sacerdoti: la loro unzione sarà per essi come un sacerdozio perenne, per le loro generazioni».
¹⁶Mosè fece secondo quanto il Signore gli aveva ordinato.
¹⁷Nel secondo anno, nel primo giorno del primo mese, fu eretta la dimora. ¹⁸Mosè eresse la dimora, pose le sue basi, mise le sue assi, pose le sue traverse, innalzò le sue colonne; ¹⁹distese la tenda sopra la dimora e vi pose sopra la copertura, in alto, come il Signore aveva ordinato a Mosè.
²⁰Prese e pose la Testimonianza nell'arca, mise le stanghe all'arca, pose il coperchio sull'arca, ²¹portò l'arca nella dimora, mise il velo della cortina e coprì l'arca della Testimonianza, come il Signore aveva ordinato a Mosè.
²²Mise la tavola nella tenda del convegno, sul fianco della dimora, a settentrione, all'esterno del velo, ²³dispose su di essa il pane, in focacce sovrapposte, davanti al Signore, com'egli aveva ordinato a Mosè.
²⁴Pose il candelabro nella tenda del convegno, di fronte alla tavola, sul fianco della dimora, a sud, ²⁵vi collocò sopra le lampade davanti al Signore, com'egli aveva ordinato a Mosè. ²⁶Mise l'altare d'oro nella tenda del convegno davanti al velo, ²⁷e vi fece bruciare l'incenso profumato, come il Signore aveva ordinato a Mosè.
²⁸Mise la cortina all'ingresso della dimora, ²⁹pose l'altare dell'olocausto all'ingresso della dimora della tenda del convegno e offrì su di esso l'olocausto e l'oblazione, come il Signore aveva ordinato a Mosè.
³⁰Pose la vasca tra la tenda del convegno e l'altare e vi mise l'acqua per l'abluzione: ³¹con quest'acqua Mosè, Aronne e i suoi figli si lavavano le mani e i piedi; ³²quando entravano nella tenda del convegno e si avvicinavano all'altare si lavavano, come il Signore aveva ordinato a Mosè.
³³Innalzò il recinto intorno alla dimora e all'altare e mise la cortina alla porta del recinto. Così Mosè terminò il lavoro.

³⁴La nube coprì la tenda del convegno e la Gloria del Signore riempì la dimora. ³⁵Mosè non poté entrare nella tenda del convegno perché la nube vi dimorava sopra e la Gloria del Signore riempiva la dimora.
³⁶Quando la nube si alzava al di sopra della dimora, i figli d'Israele si spostavano in tutte le loro tappe; ³⁷e se la nube non si alzava, non si spostavano finché non si fosse alzata. ³⁸Perché di giorno la nube del Signore rimaneva sulla dimora e durante la notte vi era in essa un fuoco, visibile a tutta la casa d'Israele per tutto il tempo del viaggio.

40. - 36. La colonna di nube e di fuoco, che aveva accompagnato gli Ebrei, si posò sulla tenda, come segno della presenza divina. Essa fu sempre guida del popolo eletto fino alla terra promessa, poi scomparve. La tenda invece, seguì gli Israeliti anche nella Palestina, ed ebbe varie sedi, finché, sotto Salomone, fu sostituita dal tempio di Gerusalemme.

LEVITICO

Il titolo Levitico indica che questo libro è in modo particolare il libro dei leviti, cioè dei preti.

A parte la breve appendice finale del c. 27, il Levitico si articola in quattro grandi leggi: 1) La legge dei sacrifici (cc. 1-7): la vasta gamma dei riti sacrificali è unita a un ritratto del sacerdote nelle sue funzioni essenziali. 2) La legge dei sacerdoti (cc. 8-10): la consacrazione e l'investitura del sacerdote ne prepara la funzione sacrificale nella celebrazione della liturgia. 3) La legge di purità (cc. 11-16): un grandioso affresco della purità richiesta a chi vive nell'interno di una comunità consacrata come è Israele. Capitoli fondamentali di purità sono quelli concernenti la sessualità, la lebbra, secondo prospettive tipiche del mondo semitico arcaico. La sezione è conclusa dalla presentazione della celebre solennità del Kippur, il Giorno dell'espiazione e del perdono. 4) La legge di santità (cc. 17-26): la santità che, come dice il termine ebraico qadôsh, indica innanzi tutto separazione, è attributo primario di Dio, ma dev'essere acquisita e vissuta anche dal popolo da lui eletto che deve così separarsi da ciò che è profano o impuro. Si affrontano in particolare tre tipi di santità: quella sociale (cc. 18-20), quella cultuale (cc. 21-22) e quella temporale (cc. 23-25).

La pratica delle osservanze che il Levitico prescrive alla comunità e ai sacerdoti ha uno scopo: disporre Israele all'incontro con un Dio puro, santo. Ma è importante leggere questo libro tenendo continuamente presente la parola di Osea: «Io voglio l'amore, non i sacrifici, la conoscenza di Dio, non gli olocausti» (Os 6,6).

LE NORME PER GLI OLOCAUSTI

1 ¹Il Signore chiamò Mosè e gli parlò dalla tenda del convegno, dicendo: ²«Parla ai figli di Israele e riferisci loro: Quando uno di voi presenterà un'offerta al Signore, potrà farla di bovini o di ovini.

³Se la sua offerta è un olocausto di bovini, l'offra maschio senza difetto; l'offra all'ingresso della tenda del convegno, perché sia gradito alla presenza del Signore. ⁴Imponga la mano sulla testa della vittima, che sarà accettata in suo favore, per fare il rito di espiazione per lui. ⁵Poi immoli l'animale alla presenza del Signore e i sacerdoti, figli di Aronne, offrano il sangue e lo spargano intorno all'altare che sta all'ingresso della tenda del convegno; ⁶scuoi l'olocausto e lo tagli a pezzi. ⁷I sacerdoti, figli di Aronne, mettano il fuoco sull'altare e dispongano la legna sul fuoco; ⁸dispongano i pezzi, compresi testa e grasso, sulla legna e sul fuoco che è sull'altare. ⁹Lavi nell'acqua le viscere e le zampe e il sacerdote bruci tutto ciò sull'altare. È un olocausto, un dono offerto come profumo gradito al Signore.

¹⁰Se la sua offerta per l'olocausto è presa dal bestiame minuto, pecore o capre, l'offra maschio senza difetti. ¹¹Lo immoli dal lato settentrionale dell'altare, alla presenza del Signore e i sacerdoti, figli di Aronne, ne spargano il sangue intorno all'altare. ¹²Lo tagli a pezzi e il sacerdote li disponga, con la testa e il grasso, sulla legna posta sul fuoco che è sull'altare. ¹³Lavi nell'acqua le viscere e le zampe e il sacerdote offra il tutto e lo bruci sull'altare. È un olocausto, un dono offerto come profumo gradito al Signore.

---

1. - 9. Nei sacrifici chiamati *olocausti*, la vittima era interamente bruciata, e nulla veniva riservato né al sacerdote né all'offerente. Era il più solenne dei sacrifici cruenti.

¹⁴Se la sua offerta al Signore consiste in un olocausto di uccelli, offrirà tortore o colombi. ¹⁵Il sacerdote li offra all'altare, ne rompa la testa, che farà bruciare sull'altare, e il sangue sia scolato lungo la parete dell'altare; ¹⁶ne stacchi il gozzo con le piume e lo getti nel lato orientale dell'altare, dove è il luogo delle ceneri. ¹⁷Lo squarti, prendendolo per le ali, senza separarlo, e il sacerdote lo bruci sull'altare, sulla legna che è sul fuoco. È un olocausto, un dono offerto come profumo gradito al Signore.

LE NORME PER LE OBLAZIONI

2 ¹Se qualcuno offre un'oblazione al Signore, la sua offerta sia di fior di farina, sulla quale verserà olio e porrà incenso. ²La porti ai sacerdoti, figli di Aronne; il sacerdote prenda da essa una manciata di fior di farina e di olio, oltre all'incenso, e lo bruci sull'altare, come memoriale. È un dono offerto come profumo gradito al Signore. ³Quello che resta dell'oblazione appartiene ad Aronne e ai suoi figli: è parte santissima tra i sacrifici offerti al Signore.

⁴Se offrirai un'oblazione di pasta cotta al forno, il fior di farina sia preparato in focacce azzime intrise d'olio e in schiacciate azzime spalmate d'olio. ⁵Se la tua oblazione è un'offerta cotta alla piastra, il fior di farina intriso d'olio sia azzimo; ⁶la taglierai in pezzi e vi spargerai sopra dell'olio: è un'oblazione. ⁷Se la tua offerta è un'oblazione cotta in pentola, il fior di farina lo preparerai con olio.

⁸Porterai l'oblazione preparata in tal modo al Signore, la si presenterà al sacerdote ed egli l'offrirà sull'altare. ⁹Il sacerdote preleverà dall'oblazione il memoriale e lo brucerà sull'altare: è un dono offerto come profumo gradito al Signore. ¹⁰Quello che resta dell'oblazione appartiene ad Aronne e ai suoi figli: è parte santissima tra i sacrifici offerti al Signore.

¹¹Nessuna oblazione che offrite al Signore sarà lievitata. Né lievito né miele brucerete come sacrificio in onore del Signore; ¹²li potrete offrire come un'offerta di primizie, ma non saliranno sull'altare come profumo gradito.

¹³Ogni tua offerta di oblazione la salerai e non farai mancare il sale dell'alleanza del tuo Dio nella tua oblazione; sopra ogni tua offerta offrirai sale.

¹⁴Se offrirai un'oblazione di primizie al Signore, offrirai come tua oblazione di primizie spighe tostate al fuoco, di pane d'orzo mondato; ¹⁵aggiungerai dell'olio e vi porrai sopra dell'incenso: è un'oblazione. ¹⁶Il sacerdote brucerà, come memoriale, una parte dell'orzo mondato e dell'olio insieme con tutto l'incenso, come dono al Signore.

LE NORME PER I SACRIFICI DI COMUNIONE

3 ¹Se la sua offerta è un sacrificio di comunione, nel caso che offra bovini, maschio o femmina, questi devono essere offerti senza difetto alla presenza del Signore; ²imponga la mano sulla testa della vittima e la immoli all'ingresso della tenda del convegno; i sacerdoti, figli di Aronne, spargano il sangue intorno all'altare.

³Del sacrificio di comunione offra come dono al Signore il grasso che avvolge le viscere e quello che vi è sopra, ⁴i due reni con il loro grasso, il grasso che è sui lombi e il lobo del fegato, che distaccherà dai reni. ⁵I figli di Aronne bruceranno tutto questo sull'altare sopra l'olocausto posto sulla legna che è sul fuoco: è un sacrificio offerto come profumo gradito al Signore.

⁶Se la sua offerta per il sacrificio di comunione al Signore è di ovini, maschio o femmina, li offra senza difetti.

⁷Se l'offerta che egli fa è di un agnello, lo offra alla presenza del Signore; ⁸imponga la mano sulla testa della vittima e la immoli davanti alla tenda del convegno, e i figli di Aronne ne spargano il sangue intorno all'altare. ⁹Di questo sacrificio di comunione offra come dono al Signore il grasso, l'intera coda, che distaccherà dalla spina dorsale, il grasso che copre le viscere, tutto il grasso che è sopra di esse, ¹⁰i due reni con il loro

---

2. - 3. Si tratta qui di una classe di sacrifici incruenti, detti *oblazioni*: la parte della vittima che non veniva bruciata spettava al sacerdote, che doveva consumarla nel recinto della tenda, e non darla ad altri: essendo stata offerta al Signore, era sacra.

3. - 3. Nei sacrifici detti di *comunione* o pacifici, altra classe di sacrifici cruenti, come l'olocausto, la vittima veniva offerta in ringraziamento o implorazione di grazie o anche in adempimento di un voto. Loro scopo era di conservare e confermare la pace o comunione dell'offerente con Dio.

grasso, il grasso che è sui lombi e il lobo del fegato che distaccherà dai reni. [11]Il sacerdote brucerà tutto questo sull'altare come cibo, dono offerto al Signore.

[12]Se la sua offerta è una capra, la offra alla presenza del Signore, [13]imponga la mano sulla sua testa e la immoli davanti alla tenda del convegno e i figli di Aronne ne spargano il sangue intorno all'altare. [14]Di essa offrirà come dono al Signore il grasso, che avvolge le viscere, con tutto quello che vi è sopra, [15]i due reni con il loro grasso, il grasso che è sui lombi e il lobo del fegato, che distaccherà dai reni. [16]Il sacerdote brucerà tutto questo sull'altare come cibo, dono offerto come profumo gradito. Ogni parte grassa appartiene al Signore.

[17]Questa è una prescrizione perenne per tutte le vostre generazioni, ovunque voi abitate: non mangerete né grasso né sangue!».

LE NORME
PER I SACRIFICI ESPIATORI

4 [1]Il Signore disse a Mosè: [2]«Ordina ai figli d'Israele: Se qualcuno pecca per inavvertenza contro una qualsiasi norma del Signore, facendo qualcosa di proibito:

Per il sacerdote – [3]Se è il sacerdote consacrato che ha peccato, mettendo il popolo in stato di colpa, offra al Signore per il peccato che ha commesso un giovenco senza difetto, come sacrificio espiatorio. [4]Porti il giovenco all'ingresso della tenda del convegno, alla presenza del Signore, imponga la mano sulla testa del giovenco e lo immoli alla presenza del Signore. [5]Il sacerdote consacrato prenda il sangue del giovenco e lo porti nella tenda del convegno; [6]intinga un dito nel sangue e con esso faccia sette aspersioni alla presenza del Signore, di fronte al velo del santuario; [7]bagni con il sangue i corni dell'altare dei profumi, che sta davanti al Signore nella tenda del convegno, e sparga il resto del sangue del giovenco alla base dell'altare degli olocausti, che sta all'ingresso della tenda del conve-

gno. [8]Dal giovenco del sacrificio espiatorio prelevi tutto il grasso: il grasso che copre le viscere, con tutto quello che vi è sopra, [9]i due reni con il loro grasso, il grasso che è sui lombi e il lobo del fegato, che distaccherà dai reni, [10]come si preleva dal toro del sacrificio di comunione. Il sacerdote brucerà tutto questo sull'altare degli olocausti. [11]La pelle del giovenco e tutta la sua carne, con la testa, le zampe, le viscere e gli escrementi, [12]cioè tutto il giovenco, lo farà portare fuori dell'accampamento, in luogo puro, nel deposito delle ceneri, e lo brucerà sulla legna: sia bruciato sul deposito delle ceneri.

Per l'assemblea – [13]Se è tutta l'assemblea d'Israele che ha commesso una inavvertenza, senza che tutta l'assemblea la conosca, benché abbia trasgredito una delle norme del Signore, facendo qualcosa di proibito, si trova in stato di colpevolezza. [14]Quando il peccato commesso sarà conosciuto, la comunità offra in sacrificio espiatorio un giovenco, un capo di bestiame grosso senza difetto, e lo porti alla tenda del convegno; [15]gli anziani dell'assemblea impongano le mani sulla testa del giovenco e lo immolino alla presenza del Signore.

[16]Il sacerdote consacrato porti un po' del sangue del giovenco nella tenda del convegno, [17]intinga un dito nel sangue e asperga il velo per sette volte, alla presenza del Signore; [18]bagni con il sangue i corni dell'altare che è davanti al Signore nella tenda del convegno, e sparga il resto del sangue alla base dell'altare degli olocausti, all'ingresso della tenda del convegno. [19]Prelevi tutte le parti grasse dell'animale e le bruci sull'altare. [20]Tratti questo giovenco come si tratta il giovenco del sacrificio espiatorio, tutto allo stesso modo. Il sacerdote faccia il rito espiatorio per i membri dell'assemblea e sarà loro perdonato. [21]Faccia poi portare il giovenco fuori del campo e lo bruci come ha bruciato il primo giovenco: è il sacrificio espiatorio della comunità.

Per un capo – [22]Se è un capo che ha peccato per inavvertenza e ha trasgredito una delle norme del Signore suo Dio, facendo qualcosa di proibito, egli si trova in stato di colpevolezza. [23]Quando gli sarà noto il

---

4. - 7. *L'altare dei profumi* era posto nel santo, davanti alla cortina che divideva questo dalla parte più interna del santuario detto santo dei santi; *l'altare degli olocausti* era fuori del santuario, davanti all'entrata.

peccato commesso, porti come sua offerta un capro maschio, senza difetto. ²⁴Imponga la mano sulla testa del capro e lo immoli nel luogo in cui si immola l'olocausto, alla presenza del Signore: è un sacrificio espiatorio. ²⁵Il sacerdote prenda con un dito il sangue della vittima espiatoria e lo metta sui corni dell'altare degli olocausti e versi il resto del sangue alla base dell'altare degli olocausti. ²⁶Bruci poi ogni parte grassa, come il grasso del sacrificio di comunione, e il sacerdote faccia per lui il rito espiatorio, per liberarlo dal suo peccato, e gli sarà perdonato.

Per uno del popolo – ²⁷Se è uno del popolo che ha peccato per inavvertenza, trasgredendo una delle norme del Signore, facendo qualcosa di proibito, egli si trova in stato di colpevolezza. ²⁸Quando gli sarà noto il peccato che ha commesso, porti come offerta una capra senza difetto, femmina, in espiazione del suo peccato. ²⁹Imponga la mano sulla testa della vittima espiatoria e la immoli nel luogo dove si offrono gli olocausti. ³⁰Il sacerdote prenda con un dito un po' di sangue e bagni con esso i corni dell'altare degli olocausti, poi sparga il resto del sangue alla base dell'altare. ³¹Prelevi ogni parte grassa dell'animale, come è stato fatto per il sacrificio di comunione, e il sacerdote le bruci sull'altare come profumo gradito al Signore. Il sacerdote compia per lui il rito espiatorio e gli sarà perdonato.

³²Se porta una pecora come offerta per l'espiazione, la porti femmina, senza difetto; ³³imponga la mano sulla testa della vittima espiatoria e la immoli per l'espiazione nel luogo in cui si immola l'olocausto. ³⁴Il sacerdote prenda con un dito un po' di sangue della vittima espiatoria e bagni con esso i corni dell'altare degli olocausti, poi sparga il resto del sangue alla base dell'altare. ³⁵Prelevi ogni parte grassa come si preleva il grasso dell'agnello del sacrificio di comunione, e il sacerdote lo faccia bruciare sull'altare in onore del Signore. Il sacerdote faccia per lui il rito espiatorio per il peccato commesso e gli sarà perdonato.

IL SACRIFICIO ESPIATORIO IN CASI PARTICOLARI

5 ¹Se qualcuno pecca in una di queste cose: se è testimone perché ha visto o saputo qualcosa e non lo riferisce, nonostante abbia sentito la formula di scongiuro, costui deve scontare il suo peccato; ²o se qualcuno ha toccato una cosa impura, come il cadavere di una bestia o di un animale domestico o di un rettile, e non se n'è accorto, è impuro e diventa colpevole; ³o se ha toccato un'impurità umana – una qualsiasi cosa con cui ci si può rendere impuri – e non se n'è accorto, quando lo viene a sapere, diventa colpevole; ⁴o se qualcuno senza saperlo giura con leggerezza – con uno di quei giuramenti che si proferiscono alla leggera – di fare qualche cosa di male o di bene, quando lo viene a sapere, diventa colpevole; ⁵chi si sarà reso colpevole per una di queste cose, confesserà il suo peccato, ⁶e offrirà al Signore, come vittima di riparazione per il peccato che ha commesso, una femmina del gregge, pecora o capra, in sacrificio espiatorio. Il sacerdote compirà il rito espiatorio per lui e lo libererà dal suo peccato.

⁷Se non ha i mezzi per offrire un animale del gregge, offra al Signore, per il peccato che ha commesso, due tortore o due piccioni, uno per il sacrificio espiatorio e uno per l'olocausto; ⁸li porti al sacerdote che offrirà per primo quello per il sacrificio espiatorio. Gli spaccherà la testa dalla parte della nuca senza staccarla; ⁹aspergerà con un po' di sangue della vittima espiatoria la parete dell'altare, e ne verserà il resto alla base dell'altare: è un sacrificio espiatorio. ¹⁰L'altro uccello l'offrirà come olocausto, secondo le norme stabilite. Così il sacerdote offrirà per lui il rito espiatorio liberandolo dal peccato che ha commesso e gli sarà perdonato.

¹¹Se non ha i mezzi per offrire le due tortore o i due piccioni, porti come offerta per il peccato commesso un decimo di efa di fior di farina; non vi aggiunga olio né vi metta sopra incenso, perché è un sacrificio espiatorio. ¹²La porti al sacerdote che ne prenderà una manciata come memoriale, e la brucerà sull'altare in onore del Signore: è un sacrificio espiatorio. ¹³Il sacerdote compia per lui il rito espiatorio per il peccato che ha

commesso in uno di questi casi e gli sarà perdonato. I diritti del sacerdote saranno come nell'oblazione».

[14]Il Signore disse a Mosè: [15]«Se qualcuno commette una frode e pecca per inavvertenza, riguardo alle cose consacrate al Signore, porti come sacrificio di riparazione al Signore un capro del gregge, senza difetto, da valutare in sicli d'argento, in base al siclo del santuario. [16]Quello che ha detratto da ciò che è sacro lo paghi, aggiungendovi un quinto, e lo dia al sacerdote, il quale farà per lui il rito espiatorio con il capro del sacrificio di riparazione e gli sarà perdonato.

[17]Se qualcuno pecca, facendo qualcosa vietata dal Signore, e non se ne accorge, diventa colpevole e deve scontare il suo peccato. [18]Porti al sacerdote come sacrificio di riparazione un montone del gregge, senza difetto, da valutare. Il sacerdote compia per lui il rito di espiazione per la mancanza involontaria che ha commesso e gli sarà perdonato. [19]È un sacrificio di riparazione; costui era certamente responsabile verso il Signore».

[20]Il Signore aggiunse a Mosè: [21]«Se qualcuno pecca e commette una frode contro il Signore ingannando il suo prossimo in materia di depositi, pegni o refurtiva, o se sfrutta il suo prossimo, [22]o ha trovato un oggetto perduto e mente riguardo ad esso e giura il falso circa qualcuna delle cose in cui l'uomo può peccare, [23]se avrà così peccato e si troverà in stato di colpevolezza, restituirà la refurtiva che ha rubato o quanto ha defraudato o il deposito che gli è stato consegnato o l'oggetto perduto che ha trovato, [24]o qualunque cosa per cui ha giurato il falso. Farà la restituzione per intero, aggiungendovi un quinto; lo darà al proprietario il giorno stesso in cui compirà il sacrificio di riparazione. [25]Porterà come sacrificio di riparazione al Signore un montone del gregge, senza difetto, da valutare. [26]Il sacerdote faccia per lui il rito espiatorio, alla presenza del Signore, e gli sarà perdonata qualsiasi mancanza di cui si sia reso colpevole».

---

6. - 1ss. Mentre fin qui si è trattato dei sacrifici dal punto di vista della *materia*, nei cc. 6-7 se ne tratta dal punto di vista delle *funzioni* e dei *diritti* dei sacerdoti.

IL RITUALE PER I SACRIFICI

6 *Per l'olocausto* – [1]Il Signore disse ancora a Mosè: [2]«Ordina ad Aronne e ai suoi figli: Questo è il rituale dell'olocausto: l'olocausto rimarrà sul braciere dell'altare tutta la notte fino al mattino; e il fuoco dell'altare sarà tenuto acceso. [3]Il sacerdote rivesta la tunica di lino e indossi i calzoni di lino; prelevi le ceneri dell'olocausto che il fuoco ha consumato e le metta accanto all'altare. [4]Poi, deposte le sue vesti e indossatene altre, porti le ceneri fuori del campo in un luogo puro. [5]Il fuoco dell'altare che consuma l'olocausto non si spenga; il sacerdote vi aggiunga legna ogni mattina, vi disponga l'olocausto e vi bruci sopra il grasso dei sacrifici di comunione. [6]Un fuoco perenne arda sull'altare; non si lasci spegnere.

Per l'oblazione – [7]Questo è il rituale dell'oblazione: i figli di Aronne la offrano alla presenza del Signore, sull'altare; [8]se ne prelevi una manciata di fior di farina con il suo olio e con tutto l'incenso che sta sull'oblazione, e lo si bruci sull'altare come profumo gradevole, memoriale dell'oblazione al Signore. [9]Quanto resta di essa, preparato come pane azzimo, lo mangino Aronne e i suoi figli in luogo sacro, nel cortile della tenda del convegno. [10]Non si cuocia con lievito la parte che ho dato a loro fra i doni a me offerti: è cosa santissima, come il sacrificio espiatorio e come il sacrificio di riparazione. [11]Ogni maschio tra i figli di Aronne potrà mangiarne: è un diritto perenne per tutte le vostre generazioni sui sacrifici consumati dal fuoco per il Signore! Tutto ciò che verrà a contatto con queste cose sarà sacro».

Per l'offerta del sacerdote – [12]Il Signore disse a Mosè: [13]«Questa è l'offerta che Aronne e i suoi figli offriranno al Signore il giorno della loro unzione: un decimo di efa di fior di farina come oblazione perpetua, metà la mattina e metà la sera. [14]Sia cotta alla piastra con olio; la porterai impastata, l'offrirai in pezzi, come profumo gradito al Signore. [15]Anche il sacerdote che, tra i figli di Aronne, avrà ricevuto l'unzione per succedergli farà quest'offerta; è una prescrizione perenne: sarà bruciata tutta in onore del Signore. [16]Ogni offerta fatta dal sacerdote sarà bruciata tutta; non se ne potrà mangiare».

Per il sacrificio espiatorio – [17]Il Signore aggiunse a Mosè: [18]«Parla ad Aronne e ai suoi figli e di' loro: Ecco il rituale del sacrificio espiatorio: nel luogo in cui s'immola l'olocausto, s'immoli il sacrificio espiatorio, davanti al Signore; è cosa santissima! [19]Lo mangi il sacerdote che compie il sacrificio espiatorio; lo mangi in luogo sacro, nel cortile della tenda del convegno. [20]Qualsiasi cosa toccata dalla carne sarà sacra; se un po' del suo sangue schizza su un vestito, questo sia lavato in luogo sacro. [21]Il recipiente di terra in cui è stato cotto sia rotto, e se è stato cotto in un recipiente di bronzo, questo sia ben ripulito e lavato nell'acqua. [22]Ogni maschio di famiglia sacerdotale potrà mangiarne: è cosa santissima! [23]Non si potrà però mangiare nessuna vittima espiatoria, il cui sangue è portato nella tenda del convegno per fare il rito espiatorio nel santuario: sia bruciata sul fuoco.

SACRIFICIO DI RIPARAZIONE
E DI COMUNIONE

7 [1]Questo è il rituale del sacrificio di riparazione: è cosa santissima! [2]Nel luogo in cui s'immola l'olocausto, s'immoli il sacrificio di riparazione e il suo sangue sia sparso intorno all'altare. [3]Se ne offrirà tutto il grasso, la coda e il grasso che copre le viscere, [4]i due reni con il loro grasso e il grasso attorno ai lombi e al lobo del fegato, che si staccherà sopra i reni. [5]Il sacerdote lo brucerà sull'altare come dono al Signore. È un sacrificio di riparazione. [6]Ogni maschio di famiglia sacerdotale potrà mangiarne; in luogo sacro sia mangiato: è cosa santissima!

[7]Come per il sacrificio espiatorio così si faccia per il sacrificio di riparazione; la norma è unica per ambedue: la vittima con cui il sacerdote ha fatto l'espiazione spetta a lui. [8]Se il sacerdote ha offerto l'olocausto per qualcuno, la pelle dell'olocausto che ha offerto spetta a lui. [9]Ogni oblazione cotta al forno e ogni cosa preparata nella pentola e sulla piastra spettano al sacerdote che le ha offerte. [10]Ogni oblazione impastata con olio o senza spetta a tutti i figli di Aronne in misura uguale. [11]Questo è il rituale del sacrificio di comunione che si offre al Signore: [12]se lo si offre

in ringraziamento, si offrano, oltre al sacrificio di comunione, pani azzimi intrisi d'olio, schiacciate azzime unte d'olio e fior di farina mista con olio.

[13]Si aggiungeranno all'offerta anche focacce di pane lievitato, insieme con il sacrificio di ringraziamento. [14]Di ognuna di queste offerte una parte si presenterà come oblazione prelevata in onore del Signore; essa apparterrà al sacerdote che avrà sparso il sangue del sacrificio di comunione. [15]La carne del sacrificio di ringraziamento, che fa parte del sacrificio di comunione, sia mangiata nel giorno stesso in cui è offerta; non se ne lasci fino al mattino seguente.

[16]Se il sacrificio che si offre è per un voto o per un'offerta spontanea, sia mangiato nel giorno in cui è offerto e il resto dovrà essere mangiato l'indomani; [17]ma quanto sarà rimasto della carne della vittima fino al terzo giorno sia bruciato sul fuoco. [18]Se si mangia carne del sacrificio di comunione il terzo giorno, l'offerente non sarà gradito; non se ne terrà conto a suo vantaggio; è carne avariata e chiunque ne mangerà, sconterà il suo peccato.

[19]La carne che avrà toccato una qualsiasi cosa impura non si potrà mangiare; sarà bruciata con il fuoco. [20]Chiunque è puro può mangiare la carne del sacrificio di comunione, ma chi è in stato d'impurità e mangia la carne del sacrificio di comunione, offerto al Signore, sia eliminato dal suo popolo. [21]Chiunque tocca una qualsiasi cosa impura, sia impurità di uomo o di animale o di qualsiasi rettile, e mangia la carne del sacrificio di comunione offerto al Signore, sia eliminato dal suo popolo».

[22]Il Signore disse ancora a Mosè: [23]«Parla ai figli d'Israele e di' loro: Non mangerete alcun grasso, né di toro, né di montone, né di capra; [24]del grasso di un animale morto o sbranato se ne faccia qualsiasi uso, ma non ne mangerete affatto: [25]chiunque mangia il grasso di un animale che si può offrire in sacrificio in onore del Signore sarà eliminato dal suo popolo. [26]Ovunque voi abitiate, non mangerete sangue né di volatili né di animali. [27]Chiunque

---

7. - 11. I sacrifici di comunione erano di tre specie: sacrificio di lode o di ringraziamento; sacrificio votivo, a cui uno si era obbligato per voto; sacrificio che si offriva spontaneamente per un motivo qualsiasi.

mangerà sangue, sarà eliminato dal suo popolo».

28Il Signore aggiunse a Mosè: 29«Ordina ai figli di Israele: Chi offre un sacrificio di comunione al Signore porterà una parte del suo sacrificio come offerta al Signore. 30Porterà con le proprie mani i doni al Signore: porterà il grasso assieme al petto, il petto per presentarlo con il rito di agitazione davanti al Signore. 31Il sacerdote brucerà il grasso sull'altare e il petto spetterà ad Aronne e ai suoi figli. 32Darete anche come offerta al sacerdote la coscia destra delle vittime dei sacrifici di comunione. 33Essa spetterà, come sua parte, a colui che, tra i figli di Aronne, offre il sangue dei sacrifici di comunione. 34Infatti dai sacrifici di comunione, che i figli di Israele offrono, io prendo il petto della vittima offerta con il rito di agitazione e la coscia della vittima e li do al sacerdote Aronne e ai suoi figli. Questa sarà una legge perpetua per i figli d'Israele! 35Questa è la parte spettante ad Aronne e ai suoi figli tra i sacrifici offerti al Signore, dal giorno in cui eserciteranno il sacerdozio del Signore. 36È quello che il Signore ha comandato di dar loro il giorno in cui li ha consacrati tra i figli d'Israele. Questa sarà una legge perpetua per tutte le vostre generazioni. 37Questo è il rituale dell'olocausto, dell'oblazione, del sacrificio espiatorio, del sacrificio di riparazione e d'investitura e del sacrificio di comunione, 38rituale che il Signore ha prescritto a Mosè sul monte Sinai, quando ordinò ai figli d'Israele di offrire le offerte al Signore, nel deserto del Sinai».

LA CONSACRAZIONE SACERDOTALE

8 1Il Signore si rivolse a Mosè dicendo: 2«Prendi Aronne insieme ai suoi figli, le vesti, l'olio dell'unzione, il giovenco del sacrificio espiatorio, i due capri, il cesto dei pani azzimi, 3e raduna tutta la comunità all'ingresso della tenda del convegno». 4Mosè fece come gli aveva comandato il Signore e tutta la comunità fu radunata all'ingresso della tenda del convegno. 5Mosè disse alla comunità: «Questo è ciò che il Signore ha comandato di fare».

6Mosè fece avvicinare Aronne e i suoi figli e li lavò con l'acqua. 7Rivestì Aronne con la tunica, gli cinse la cintura e gli fece indossare il mantello, gli mise l'efod, gli cinse i legacci dell'efod e glielo strinse con essi. 8Gli mise anche il pettorale e su di esso pose gli urim e i tummim; 9gli mise sul capo il turbante e sul davanti del turbante pose la lamina d'oro, il sacro diadema, come il Signore aveva comandato a Mosè.

10Poi Mosè prese l'olio dell'unzione, unse la dimora e tutti gli oggetti che erano in essa e li consacrò: 11asperse sette volte l'altare con l'olio e unse l'altare e tutti i suoi arredi, la conca e la sua base, per consacrarli. 12Versò l'olio dell'unzione sulla testa di Aronne e lo unse per consacrarlo. 13Mosè fece poi avvicinare i figli di Aronne, li rivestì delle tuniche, li cinse con la cintura e avvolse loro il copricapo, come il Signore aveva comandato a Mosè.

14Fece poi avvicinare il giovenco del sacrificio espiatorio. Aronne e i suoi figli stesero le mani sulla testa del giovenco del sacrificio espiatorio, 15e Mosè l'immolò. Prese il sangue, bagnò con un dito i corni intorno all'altare e purificò l'altare; versò il sangue alla base dell'altare e lo consacrò, compiendo il rito espiatorio su di esso. 16Prese tutto il grasso attorno alle viscere e il lobo del fegato, i due reni e il loro grasso e bruciò tutto sull'altare. 17Il giovenco, la sua pelle, la sua carne e i suoi escrementi li bruciò sul fuoco fuori del campo, come il Signore aveva comandato a Mosè.

18Fece quindi avvicinare il capro dell'olocausto e Aronne e i suoi figli stesero le mani sulla testa del capro. 19Mosè l'immolò e ne sparse il sangue intorno all'altare; 20poi tagliò a pezzi il montone e ne bruciò la testa, i pezzi e il grasso. 21Dopo averne lavato le viscere e le zampe nell'acqua, bruciò tutto il capro sull'altare: era un olocausto di profumo gradito, un dono in onore del Signore, come il Signore gli aveva comandato.

22Fece avvicinare il secondo capro, il capro della consacrazione; Aronne e i suoi figli stesero le mani sul capro. 23Mosè lo immolò, prese un po' del suo sangue e bagnò il lobo dell'orecchio destro di Aronne, il pollice della mano destra e l'alluce del piede destro. 24Fece avvicinare i figli di Aronne e bagnò con quel sangue il lobo del loro orecchio destro, il pollice della mano destra e l'alluce del piede destro. Poi sparse il resto del sangue intorno all'altare. 25Prese il grasso, la coda, tutto il grasso aderente alle viscere, il lobo del fegato, i due reni con tutto il loro grasso e la coscia destra; ²⁶dal cesto dei pani azzimi, che sta alla presenza del Signore, prese una focaccia azzima, una focaccia di pane all'olio e una sfoglia e le unì alle parti grasse e alla coscia destra. ²⁷Mise tutte queste cose nelle mani di Aronne e dei suoi figli e le agitò con l'agitazione rituale alla presenza del Signore. ²⁸Mosè poi le riprese dalle loro mani e le bruciò sull'altare, insieme all'olocausto. Era il sacrificio di consacrazione, di profumo gradevole, in onore del Signore. ²⁹Mosè prese il petto e l'offrì con l'agitazione rituale alla presenza del Signore. La parte spettante a Mosè fu presa dal capro della consacrazione, come il Signore aveva comandato a Mosè.

³⁰Mosè quindi prese l'olio dell'unzione e il sangue che stava sull'altare e lo spruzzò su Aronne e sulle sue vesti, sui suoi figli e sulle loro vesti: così consacrò Aronne e le sue vesti, i suoi figli e le loro vesti.

³¹Mosè disse ad Aronne e ai suoi figli: «Cuocete la carne all'ingresso della tenda del convegno e lì mangiatela con il pane che è nel canestro del sacrificio di consacrazione, come mi è stato comandato: Ne mangeranno Aronne e i suoi figli. ³²Quanto resta della carne e del pane bruciatelo con il fuoco. ³³Per sette giorni non uscirete dalla porta della tenda del convegno, fino a che si compia il tempo della vostra consacrazione. Infatti la vostra consacrazione durerà sette giorni. ³⁴Come si è fatto oggi, così il Signore ha comandato che si faccia per compiere il rito espiatorio su di voi. ³⁵All'ingresso della tenda del convegno rimarrete sette giorni, giorno e notte, osservando il comandamento del Signore perché non moriate, poiché così mi è stato ordinato».

³⁶Aronne e i suoi figli fecero tutto quello che aveva comandato il Signore per mezzo di Mosè.

LE PRIME CELEBRAZIONI DEI SACERDOTI

9 ¹L'ottavo giorno Mosè chiamò Aronne, i suoi figli e gli anziani d'Israele ²e disse ad Aronne: «Prenditi un vitello per il sacrificio espiatorio e un capro per l'olocausto, senza difetti, e offrili al Signore. ³Parlerai ai figli di Israele dicendo: Prendete un capro per il sacrificio espiatorio, un vitello e un agnello, nati nell'anno e senza difetti, per l'olocausto, ⁴un toro e un capro per il sacrificio di comunione per immolarli alla presenza del Signore, e un'oblazione intrisa d'olio, perché oggi il Signore si manifesterà a voi». ⁵Essi portarono davanti alla tenda del convegno quanto Mosè aveva ordinato e tutta l'assemblea si avvicinò e stette alla presenza del Signore. ⁶Mosè disse: «Questo è quanto il Signore ha comandato di fare: fatelo e la gloria del Signore si manifesterà a voi». ⁷Poi Mosè disse ad Aronne: «Avvicinati all'altare e compi il tuo sacrificio espiatorio e il tuo olocausto, compi il rito espiatorio per te e per la tua casa, presenta l'offerta del popolo e compi il rito espiatorio per esso, come ha comandato il Signore».

⁸Aronne si avvicinò all'altare e immolò il vitello del suo sacrificio espiatorio. ⁹I suoi figli gli porsero il sangue, ed egli vi intinse il dito, ne bagnò i corni dell'altare e versò il resto del sangue alla base dell'altare; ¹⁰ma bruciò sull'altare il grasso, i reni e il lobo del fegato della vittima espiatoria, come il Signore aveva comandato a Mosè. ¹¹La carne e la pelle le bruciò col fuoco, fuori del campo.

¹²Poi immolò l'olocausto e i figli d'Aronne gli porsero il sangue ed egli lo sparse intorno all'altare; ¹³gli porsero anche la vittima dell'olocàusto tagliata a pezzi insieme alla testa ed egli bruciò tutto sull'altare. ¹⁴Lavò le viscere e le zampe e le bruciò sull'olocausto, sopra l'altare.

¹⁵Presentò poi l'offerta del popolo: prese il capro del sacrificio espiatorio per il popolo, lo immolò e compì con esso il sacrificio espiatorio come aveva fatto precedentemente. ¹⁶Offrì l'olocausto e compì il rito secondo le regole. ¹⁷Presentò quindi l'oblazione, ne prese una manciata piena e la bruciò sull'altare, insieme con l'olocausto del mattino. ¹⁸Immolò il toro e il capro del sacrificio di comunione per il popolo. I figli di Aronne gli porsero il sangue ed egli lo sparse intorno all'altare. ¹⁹Gli porsero le parti grasse del toro e del capro, la coda e il grasso che ricopre i reni e il lobo del fegato, ²⁰ed egli mise tutte queste parti grasse sui petti e bruciò sull'altare. ²¹I petti e la coscia destra Aronne li agitò davanti al Signore, secondo il rito dell'agitazione delle offerte, come aveva ordinato Mosè.

²²Aronne alzò le mani verso il popolo e lo benedisse, poi, dopo aver offerto il sacrificio espiatorio, l'olocausto e il sacrificio di comunione, scese dall'altare. ²³Mosè e Aronne entrarono nella tenda del convegno, poi uscirono e benedissero il popolo, e la gloria del Signore si manifestò a tutto il popolo. ²⁴Un fuoco uscì dalla presenza del Signore e divorò l'olocausto e le parti grasse. Tutto il popolo vide, eruppe in canti e si prostrò con la faccia a terra.

LA PUNIZIONE DI NADAB E ABIU

10 ¹Nadab e Abiu, figli di Aronne, presero ciascuno un braciere e vi misero il fuoco, vi posero sopra l'incenso e offrirono al Signore un fuoco non conforme alle prescrizioni del Signore. ²Allora un fuoco uscì dalla presenza del Signore e li divorò, ed essi morirono davanti al Signore.

³Mosè disse ad Aronne: «Di questo il Signore parlava, quando mi disse: A coloro che si avvicinano a me manifesto la mia santità, e davanti a tutto il popolo manifesto la mia gloria». Aronne tacque.

⁴Mosè chiamò Misael e Elsafan, figli di Uziel, zio di Aronne, e disse loro: «Avvicinatevi e portate questi vostri fratelli lontano dal santuario, fuori del campo». ⁵Essi si avvicinarono e li portarono via con le loro tuniche, come aveva detto Mosè.

⁶Mosè disse ad Aronne, a Eleazaro e a Itamar, suoi figli: «Non scompigliatevi i capelli e non stracciatevi le vesti, perché non moriate e il Signore non si adiri contro tutta la comunità d'Israele. Ma i vostri fratelli e tutta la casa d'Israele piangano e facciano lutto sopra gli arsi vivi dalla mano del Signore. ⁷Non vi allontanate dall'ingresso della tenda del convegno, affinché non abbiate a morire, perché l'olio dell'unzione del Signore è su di voi». Essi fecero come aveva detto Mosè.

⁸Il Signore disse ad Aronne: ⁹«Quando entrate nella tenda del convegno non bevete vino o bevanda inebriante, né tu né i tuoi figli, perché non moriate. Questa sarà una prescrizione perenne per tutte le vostre generazioni. ¹⁰Dovete distinguere il sacro dal profano e l'impuro dal puro, ¹¹e insegnare ai figli di Israele tutte le leggi che il Signore

vi ha prescritto per mezzo di Mosè». ¹²Poi Mosè disse ad Aronne e ai suoi figli superstiti, Eleazaro e Itamar: «Prendete la parte rimasta dell'oblazione offerta al Signore e mangiatela senza lievito accanto all'altare, perché è cosa sacrosanta. ¹³Dovete mangiarla in luogo sacro perché è la parte che spetta a te ai tuoi figli, tra i sacrifici offerti al Signore: così mi è stato comandato. ¹⁴Il petto della vittima offerta da agitare secondo il rito e la coscia da elevare secondo il rito li mangerete in luogo puro tu, i tuoi figli e le tue figlie, perché è la parte dei sacrifici di comunione dei figli di Israele che spetta a te e ai tuoi figli. ¹⁵Essi presenteranno, insieme con le parti grasse da bruciare, la coscia della vittima da elevare secondo il rito e il petto della vittima da agitare secondo il rito, perché siano graditi al Signore. Queste parti della vittima appartengono a te e ai tuoi figli per diritto perenne, come ha ordinato il Signore».

¹⁶Mosè s'informò accuratamente del capro del sacrificio espiatorio, e seppe che lo avevano bruciato. Egli si adirò contro Eleazaro e Itamar, figli superstiti di Aronne, e disse: ¹⁷«Perché non avete mangiato la vittima del sacrificio espiatorio in luogo sacro, trattandosi di cosa sacrosanta? Essa vi è stata data per togliere l'iniquità della comunità e compiere su di essa l'espiazione davanti al Signore. ¹⁸Poiché il sangue della vittima non è stato portato all'interno del santuario, dovevate mangiarla nel santuario, come avevo comandato». ¹⁹Aronne allora disse a Mosè: «Ecco, oggi essi hanno offerto il loro sacrificio espiatorio e l'olocausto alla presenza del Signore, poi mi sono accadute le cose che sai. Se oggi avessi mangiato la vittima d'espiazione del peccato, sarebbe piaciuto al Signore?». ²⁰Mosè, udito ciò, rimase persuaso.

ANIMALI PURI E IMPURI

11 ¹Il Signore disse a Mosè e ad Aronne: ²«Riferite ai figli d'Israele: Questi sono gli animali che potrete mangiare fra tutti quelli che sono sulla terra. ³Potrete mangiare d'ogni quadrupede che ha lo zoccolo spaccato e l'unghia divisa da una fessura, e che rumina. ⁴Ma fra i ruminanti e fra gli animali che hanno lo zoccolo spaccato non mangerete i seguenti: il cammello, perché è ruminante ma non ha lo zoccolo spaccato, lo considererete immondo; [5]l'irace, perché è ruminante ma non ha lo zoccolo spaccato, lo considererete immondo; [6]la lepre, perché è ruminante ma non ha lo zoccolo spaccato, la considererete immonda; [7]il maiale, perché ha lo zoccolo spaccato e l'unghia divisa ma non è un ruminante, lo considererete immondo. [8]Non mangerete la loro carne e non toccherete i loro cadaveri; li considererete immondi.

[9]Fra tutti gli animali che si trovano nell'acqua potrete mangiare quelli che hanno pinne e squame, sia nei mari, sia nei fiumi. [10]Ma di tutti gli animali che si muovono nelle acque, sia nei mari, sia nei fiumi, quelli che non hanno pinne e squame li terrete in abominio. [11]Essi sono abominevoli e non mangerete della loro carne e terrete in abominio i loro cadaveri. [12]Tutti gli animali acquatici che non hanno pinne e squame sono un abominio per voi.

[13]Tra gli uccelli, questi considererete immondi e non mangerete perché sono un abominio: l'aquila, l'ossifraga e la strige, [14]il nibbio e le varie specie di rapaci; [15]le varie specie di corvi; [16]lo struzzo, la civetta, il gabbiano e le varie specie di sparvieri; [17]il gufo, l'alcione e l'ibis; [18]il cigno, il pellicano e la fòlaga; [19]la cicogna, le varie specie di aironi, l'upupa e il pipistrello.

[20]Considererete abominevole anche ogni insetto alato che cammina su quattro zampe. [21]Ma fra tutti gli insetti alati che camminano su quattro zampe potrete mangiare quelli che hanno due zampe sopra i piedi per saltare sulla terra. [22]Fra di essi potrete mangiare: ogni specie di locuste, ogni specie di cavallette, ogni specie di grilli e ogni specie di acridi. [23]Ogni altro insetto alato che ha quattro zampe lo terrete in abominio.

[24]Da questi animali contrarrete impurità: chiunque toccherà il loro cadavere sarà immondo fino alla sera [25]e chiunque solleverà il loro cadavere dovrà lavare le sue vesti e sarà immondo fino alla sera.

[26]Tutti gli animali che hanno lo zoccolo spaccato, ma la cui unghia non è divisa e non sono ruminanti, sono impuri per voi; chiunque li tocca contrae impurità.

[27]Fra i quadrupedi, qualsiasi animale che cammina sulla pianta dei piedi è impuro per

voi; chiunque ne tocca il cadavere sarà immondo fino alla sera. [28]Chiunque ne solleva il cadavere dovrà lavare le sue vesti e sarà immondo fino alla sera. Tali animali sono impuri per voi. [29]Fra gli animali che strisciano per terra riterrete impuri: la talpa, il topo e ogni specie di lucertola; [30]il geco, il topo-ragno, il ramarro, la tartaruga e il camaleonte. [31]Questi sono gli animali striscianti che dovete ritenere impuri. Chiunque li tocca, quando sono morti, sarà immondo fino alla sera.

[32]Qualsiasi cosa su cui cadrà morto qualcuno di essi sarà impura: si tratti di utensili di legno o di vesti o pelle o sacco o di qualsiasi utensile con cui si lavora; sia messo nell'acqua e sarà immondo fino alla sera e poi sarà considerato mondo.

[33]Se qualcuno di questi animali cade in un vaso di argilla, quanto vi è dentro diverrà immondo e voi spezzerete il vaso.

[34]Anche il cibo sul quale cadrà quell'acqua è immondo, e ogni bevanda di cui si fa uso, in qualsiasi recipiente si trovi, è impura.

[35]Qualsiasi oggetto su cui cada il cadavere di uno di essi diverrà immondo. Forno e fornello siano distrutti: sono impuri e tali li dovete ritenere. [36]Però le fonti, i pozzi e i bacini d'acqua saranno puri. Chi tocca i loro cadaveri diventa impuro. [37]Se un loro cadavere cade su una qualsiasi specie di semente da seminare, la semente resta pura; [38]ma se è stata versata dell'acqua sulla semente e cade su di essa un loro cadavere, la semente è impura per voi.

[39]Se muore un animale di cui vi potete cibare, chi ne tocca il cadavere è impuro fino alla sera. [40]Chi mangia di questo cadavere si laverà le vesti e resterà immondo fino alla sera. Anche colui che trasporta quel cadavere si laverà le vesti e resterà impuro fino alla sera.

[41]Ogni animale che striscia sulla terra è un abominio: non mangiatelo. [42]Tutti gli animali che camminano sul ventre, che camminano su quattro o più zampe o che strisciano sulla terra non mangiateli, perché sono un abominio. [43]Non rendetevi abominevoli con

11. - I cc. 11-15 contengono norme sul «puro» e l'«impuro», le quali indicano ciò che, secondo la mentalità ambientale, rende impura una persona (o una cosa) e perciò indegna di stare alla presenza di Dio, specie nelle celebrazioni cultuali, finché non si sia purificata. Tale indegnità non è causata da colpe morali di per sé.

uno qualsiasi di questi animali che strisciano e non contaminatevi con essi così da diventare impuri. ⁴⁴Io infatti sono il Signore Dio vostro! Santificatevi e siate santi, perché io sono santo! Non contaminatevi con qualsiasi animale strisciante sulla terra. ⁴⁵Perché io sono il Signore che vi ha fatto uscire dalla terra d'Egitto per essere il vostro Dio. Siate santi, perché io sono santo! ⁴⁶Questa è la legge relativa alle bestie terrestri, agli uccelli e a ogni animale che si muove nell'acqua e a ogni animale che striscia sulla terra. ⁴⁷Ciò ha lo scopo di separare l'impuro dal puro, gli animali che si possono mangiare da quelli che non è lecito mangiare».

LA PURIFICAZIONE DOPO IL PARTO

12 ¹Il Signore disse a Mosè: «Parla ai figli d'Israele e di' loro: ²Se una donna è stata fecondata e partorisce un maschio, sarà impura per sette giorni, come nel tempo delle sue regole. ³L'ottavo giorno si circonciderà il bambino, ⁴ed ella continuerà a purificarsi dal sangue per trentatré giorni; non toccherà alcunché di sacro e non entrerà nel santuario finché non siano compiuti i giorni della sua purificazione. ⁵Se ha partorito una femmina, sarà impura per due settimane come nel tempo delle sue regole, e per sessantasei giorni resterà a purificarsi dal sangue. ⁶Quando saranno compiuti i giorni della sua purificazione, sia che si tratti di un figlio o di una figlia, porterà al sacerdote all'ingresso della tenda del convegno un agnello per l'olocausto e un colombo o una tortora per il sacrificio di espiazione. ⁷Il sacerdote li offrirà alla presenza del Signore e farà per lei il sacrificio di espiazione ed ella sarà purificata dal flusso del suo sangue. Questa è la legge per la donna che partorisce un maschio o una femmina. ⁸Se non ha mezzi sufficienti per offrire un agnello, prenda due tortore o due colombi, uno per l'olocausto e uno per il sacrificio di espiazione; il sacerdote faccia per lei il sacrificio espiatorio, ed ella sarà purificata».

LE DIVERSE SPECIE DI LEBBRA

13 ¹Il Signore disse ancora a Mosè e ad Aronne: ²«Quando sulla pelle di qualcuno si forma un gonfiore o un eczema o una macchia che faccia sospettare un caso di lebbra, costui venga portato dal sacerdote Aronne o da uno dei suoi figli sacerdoti. ³Il sacerdote esamini la piaga sulla pelle: se sulla piaga il pelo è diventato bianco e la piaga appare incavata, nella pelle, è un caso di lebbra. Esaminato ciò, il sacerdote lo dichiari impuro. ⁴Se la macchia sulla pelle è bianca, ma non appare incavata nella pelle e il pelo su di essa non è diventato bianco, il sacerdote isolerà per sette giorni l'uomo colpito dalla piaga.

⁵Al settimo giorno il sacerdote lo esamini ancora: se la piaga gli appare stazionaria e non si è diffusa sulla pelle, il sacerdote isoli l'uomo colpito dalla piaga per altri sette giorni. ⁶Al settimo giorno lo riesamini: se la piaga è diminuita e non si è diffusa sulla pelle, il sacerdote dichiarerà quell'uomo puro: è un eczema. Egli si laverà le vesti e diverrà puro. ⁷Se l'eczema si è diffuso sulla pelle dopo che il malato è stato esaminato dal sacerdote e dichiarato puro, si presenti di nuovo al sacerdote. ⁸Il sacerdote lo esamini: se l'eczema si è diffuso sulla pelle, il sacerdote lo dichiari impuro: è lebbra.

⁹Quando appare su un uomo una macchia di lebbra, costui venga portato dal sacerdote. ¹⁰Il sacerdote lo esamini: se c'è un gonfiore biancastro sulla pelle e il pelo è diventato bianco e c'è una zona di carne viva sul gonfiore, ¹¹è lebbra inveterata sulla pelle, il sacerdote lo dichiari impuro. Lo isoli, perché è impuro.

¹²Se la lebbra si diffonde sulla pelle e copre tutta la pelle dell'uomo, dalla testa ai piedi, dovunque il sacerdote osservi, ¹³questi esamini il paziente; se la lebbra ha coperto tutta la sua carne, allora dichiari puro l'uomo colpito dalla piaga: essendo diventato tutto bianco, è puro.

¹⁴Ma nel giorno in cui ricomparisse in lui un'ulcera, è impuro. ¹⁵Il sacerdote esamini l'ulcera e lo dichiari impuro: l'ulcera è cosa impura, è lebbra.

¹⁶Se invece l'ulcera si restringe e diventa bianca, egli vada dal sacerdote ¹⁷e il sacerdote lo esamini se la piaga è diventata bian-

ca, il sacerdote dichiari puro l'uomo colpito dalla piaga: è puro.

¹⁸Quando si è prodotto sulla pelle di qualcuno un ascesso, che è guarito, ¹⁹e al posto dell'ascesso c'è un gonfiore biancastro o una macchia bianca rosseggiante, il malato si mostri al sacerdote. ²⁰Il sacerdote lo esamini; se la piaga è incavata nella pelle e il pelo è diventato bianco, il sacerdote lo dichiari impuro: è una piaga di lebbra che si diffonde sull'ascesso.

²¹Se il sacerdote esamina l'ascesso e non vede in esso il pelo bianco, se non è più incavato nella pelle e si è attenuato, il sacerdote isoli il malato per sette giorni. ²²Se la piaga si allarga sulla pelle, il sacerdote dichiari impuro il malato: è lebbra. ²³Se la macchia è rimasta nello stesso punto senza diffondersi, è la cicatrice di un ascesso, e il sacerdote lo dichiari puro.

²⁴Se sulla pelle di qualcuno c'è un'ustione e la piaga dell'ustione è una macchia bianca e rossastra o soltanto bianca, ²⁵il sacerdote la esamini; se il pelo è diventato bianco sulla macchia ed essa appare incavata nella pelle, è lebbra che si diffonde nella parte ustionata. Il sacerdote dichiari il malato impuro: è un caso di lebbra. ²⁶Ma se il sacerdote, esaminandola, vede che non c'è pelo bianco sulla macchia e che essa non è incavata sulla pelle, e va attenuandosi, allora egli isolerà il malato per sette giorni. ²⁷Al settimo giorno il sacerdote lo esaminerà: se la macchia si è diffusa sulla pelle, il sacerdote dichiari il malato impuro: è un caso di lebbra. ²⁸Ma se la macchia è rimasta nello stesso punto senza diffondersi sulla pelle, e si attenua, è un gonfiore dovuto alla scottatura; il sacerdote dichiari quell'uomo puro, perché si tratta di una cicatrice della scottatura.

²⁹Se un uomo o una donna hanno una piaga sulla testa o sul mento, ³⁰il sacerdote esamini la piaga; se appare incavata nella pelle e in essa il pelo è giallastro e sottile, il sacerdote lo dichiari impuro: è tigna, cioè lebbra della testa o del mento.

³¹Quando il sacerdote esamina la piaga della tigna, e non appare incavata nella pelle e il pelo in essa non è giallastro, il sacerdote isoli per sette giorni la persona colpita da piaga di tigna. ³²Al settimo giorno il sacerdote esamini ancora la piaga; se la tigna non si è diffusa e non c'è in essa pelo giallastro e la parte colpita dalla tigna non appa-

re incavata nella pelle, ³³il malato si raderà, ma non raderà la parte colpita dalla tigna; il sacerdote lo terrà isolato per altri sette giorni. ³⁴Al termine dei sette giorni il sacerdote esamini la piaga; se la tigna non si è diffusa sulla pelle e la parte colpita non appare incavata nella pelle, il sacerdote lo dichiari puro; il malato lavi le sue vesti e sarà puro.

³⁵Se la tigna si è diffusa sulla pelle dopo che il malato è stato dichiarato puro, ³⁶il sacerdote lo esamini; se la tigna si è diffusa sulla pelle, il malato è impuro; il sacerdote non stia a osservare se il pelo è giallastro. ³⁷Se la tigna gli appare nello stesso punto ed è spuntato in essa un pelo scuro, il malato è guarito: è puro, e il sacerdote lo dichiarerà tale. ³⁸Se sulla pelle di un uomo o di una donna si producono delle macchie biancastre, ³⁹il sacerdote le esamini; se sulla pelle ci sono delle macchie chiare, biancastre, è un esantema che si è diffuso sulla pelle; il malato è puro.

⁴⁰Se un uomo perde i capelli del capo è calvo, ma è puro. ⁴¹Se perde i capelli dalla parte della fronte è calvo davanti, ma è puro. ⁴²Se sulla calvizie del capo o della fronte si produce una piaga bianco-rossastra, è lebbra che si diffonde sul suo capo o sulla sua fronte. ⁴³Il sacerdote lo esamini: se nella calvizie del capo o della fronte c'è un gonfiore bianco-rossastro, simile alla lebbra della pelle del corpo, ⁴⁴quell'uomo è un lebbroso, è impuro. Il sacerdote lo dichiari impuro. La lebbra è sul suo capo.

⁴⁵Il lebbroso colpito dalla lebbra porti le vesti strappate e il capo scoperto. Si copra la barba e vada gridando: Impuro! Impuro! ⁴⁶Sarà impuro finché avrà la piaga, ed essendo impuro, vivrà isolato e abiterà fuori dell'accampamento.

⁴⁷Quando una macchia di lebbra apparirà su un vestito di lana o di lino, ⁴⁸o su un tessuto di lino o di lana, o su una pelliccia o un oggetto di cuoio, ⁴⁹se la macchia sul vestito o sul cuoio, o sul tessuto o su qualsiasi oggetto di cuoio, è verdastra o rossastra, si tratta di una macchia di lebbra e va mostrata al sacerdote. ⁵⁰Il sacerdote esamini la macchia e rinchiuda per sette giorni l'oggetto colpito dalla macchia. ⁵¹Al settimo giorno esamini la macchia; se essa si è diffusa sul vestito o sul tessuto, o sulla pelliccia o sul cuoio, o su qualunque oggetto confezionato con cuoio, è lebbra contagiosa. ⁵²Bruci quel

vestito o il tessuto, o il manufatto di lana o di lino, o qualsiasi oggetto di cuoio in cui si trovi la macchia; perché è lebbra contagiosa, siano bruciati nel fuoco.

[53]Se il sacerdote esamina la macchia ed essa non si è diffusa sul vestito o sul tessuto, o sulla pelliccia o su qualsiasi oggetto di cuoio, [54]egli comandi che si lavino gli oggetti su cui si trova la macchia e li rinchiuda per altri sette giorni. [55]Il sacerdote esamini la macchia dopo che è stata lavata; se non ha mutato colore, anche se non si è diffusa, è cosa impura: sia bruciata col fuoco, perché corrosa nel rovescio e nel diritto.

[56]Se il sacerdote, esaminandola, vede che la macchia, dopo essere stata lavata, si è attenuata, la strappi dal vestito o dal cuoio, o dal manufatto o dal tessuto. [57]Se poi riappare sul vestito o sul manufatto, o sul tessuto o su qualsiasi oggetto di cuoio, allora è un focolaio di infezione: l'oggetto infetto sia bruciato col fuoco.

[58]Il vestito o il tessuto, o il manufatto o qualsiasi oggetto di cuoio da cui è sparita la macchia dopo la lavatura, sia lavato una seconda volta e sarà puro.

[59]Questa è la legge relativa alla macchia di lebbra di un vestito di lana o di lino, o di un tessuto o di un manufatto, o di qualsiasi oggetto di cuoio, quando si tratti di dichiararli puri o impuri».

LA PURIFICAZIONE DEL LEBBROSO

14 [1]Il Signore disse poi a Mosè: [2]«Questo è il rituale per il lebbroso nel giorno della sua purificazione: lo si conduca dal sacerdote [3]e il sacerdote esca dall'accampamento e lo esamini. Se la piaga della lebbra è guarita nel lebbroso, [4]ordini che si prendano per la persona da purificare due uccelli vivi e puri, legno di cedro, panno scarlatto e issopo. [5]Il sacerdote ordini che uno degli uccelli sia immolato su un vaso d'argilla con acqua corrente. [6]Poi prenda l'uccello vivo, il legno di cedro, il panno scarlatto e l'issopo e li immerga, con l'uccello vivo, nel sangue dell'uccello immolato sull'acqua corrente. [7]Asperga sette volte colui che deve essere purificato dalla lebbra, e lo dichiari puro; poi lasci libero nella campagna l'uccello vivo.

[8]Colui che viene purificato, lavi le vesti, si rada tutti i peli, si lavi nell'acqua e sarà puro; dopo rientrerà nell'accampamento ma resterà per sette giorni fuori della sua tenda. [9]Al settimo giorno si rada tutti i peli, il capo, la barba, le sopracciglia; deve radersi tutti i peli, poi si lavi nell'acqua corrente e sarà puro.

[10]All'ottavo giorno prenda due agnelli senza difetti e un'agnella di un anno senza difetti, tre decimi di efa di fior di farina intrisa d'olio, come oblazione, e un log d'olio. [11]Il sacerdote che compie la purificazione presenterà l'uomo che deve essere purificato e le cose suddette davanti al Signore, all'ingresso della tenda del convegno. [12]Il sacerdote prenda uno degli agnelli e il log d'olio, li offra come sacrificio di riparazione da agitare secondo il rito alla presenza del Signore. [13]Immoli poi l'agnello nel luogo in cui vengono offerti il sacrificio espiatorio e l'olocausto, cioè in un luogo sacro, perché come il sacrificio espiatorio, il sacrificio di riparazione appartiene al sacerdote: è cosa sacrosanta.

[14]Il sacerdote prenda un po' di sangue del sacrificio di riparazione e bagni il lobo dell'orecchio destro di colui che deve essere purificato, il pollice della mano destra e l'alluce del piede destro. [15]Il sacerdote prenda poi un po' del log di olio e lo versi sulla palma della mano sinistra; [16]intinga il dito della mano destra nell'olio che ha nella sinistra e con il dito asperga sette volte quell'olio alla presenza del Signore. [17]Con quanto resta dell'olio che ha nella palma della mano il sacerdote bagnerà il lobo dell'orecchio destro di colui che deve essere purificato, il pollice della mano destra e l'alluce del piede destro, sopra il sangue del sacrificio di riparazione.

[18]Quanto gli resta dell'olio che ha nella palma, il sacerdote lo verserà sulla testa di colui che deve essere purificato: così avrà compiuto per lui il rito espiatorio alla presenza del Signore. [19]Poi il sacerdote offrirà il sacrificio espiatorio e compirà l'espiazione per colui che deve essere purificato dalla sua impurità, quindi immolerà l'olocausto. [20]Dopo aver offerto l'olocausto e l'oblazione sull'altare, il sacerdote compirà il rito espiatorio e il malato sarà puro.

[21]Se il malato è povero e non ha mezzi sufficienti, prenda un agnello come sacrificio

di riparazione da offrire con il rito dell'agitazione per compiere il rito espiatorio per lui, un decimo di efa di fior di farina intrisa nell'olio come oblazione e un log di olio. ²²Prenda anche due tortore o due colombi, secondo i suoi mezzi: uno sia destinato al sacrificio di riparazione e l'altro all'olocausto. ²³L'ottavo giorno li porti per la sua purificazione al sacerdote, all'ingresso della tenda del convegno, alla presenza del Signore. ²⁴Il sacerdote prenda l'agnello del sacrificio di riparazione e il log di olio e li agiti come offerta da agitarsi secondo il rito alla presenza del Signore. ²⁵Immoli l'agnello del sacrificio di riparazione, prenda un po' del sangue del sacrificio di riparazione e bagni il lobo dell'orecchio destro di colui che deve essere purificato, il pollice della mano destra e l'alluce del piede destro. ²⁶Il sacerdote versi un po' di quell'olio sulla palma della mano sinistra ²⁷e con il dito della sua destra asperga sette volte quell'olio che tiene nella palma sinistra alla presenza del Signore. ²⁸Poi con l'olio che tiene nella palma bagni il lobo dell'orecchio destro di colui che deve essere purificato, il pollice della mano destra e l'alluce del piede destro, nel punto in cui ha messo il sangue del sacrificio di riparazione. ²⁹Quanto gli resta dell'olio nella palma della mano, lo versi sulla testa di colui che deve essere purificato per compiere il rito espiatorio per lui alla presenza del Signore. ³⁰Poi offrirà una delle tortore e uno dei colombi che ha potuto procurarsi: ³¹con uno farà il sacrificio espiatorio e con l'altro l'olocausto, insieme con l'oblazione. Il sacerdote avrà compiuto così il rito espiatorio per colui che deve essere purificato.

³²Questo è il rituale per colui che è affetto da piaga di lebbra e non ha mezzi per procurarsi quanto è richiesto per la sua purificazione».

³³Il Signore disse ancora a Mosè e ad Aronne: ³⁴«Quando arriverete nella terra di Canaan, che io sto per darvi in possesso, se io colpirò con una piaga di lebbra una casa del paese che voi possedete, ³⁵il proprietario della casa vada ad informare il sacerdote dicendo: Una specie di lebbra è apparsa nella mia casa. ³⁶Il sacerdote ordini di sgomberare la casa prima di entrarvi per esaminare la macchia, perché non diventi impuro nulla di ciò che c'è in casa. Dopo questo, il sacerdote entri per esaminare la casa.

³⁷Esamini la macchia: se la macchia sui muri della casa ha l'aspetto di cavità verdastre o biancastre, che appaiono più profonde della superficie del muro, ³⁸il sacerdote esca dalla casa verso l'ingresso e la faccia chiudere per sette giorni. ³⁹Al settimo giorno il sacerdote vi torni e se vede che la macchia si è diffusa sui muri della casa, ⁴⁰il sacerdote ordini di togliere le pietre intaccate dalla macchia e di gettarle fuori della città, in un luogo impuro. ⁴¹Farà raschiare la casa tutt'intorno e farà gettare la polvere raschiata fuori della città, in un luogo impuro. ⁴²Prenderanno altre pietre e le metteranno al posto delle prime e prenderanno altro intonaco per intonacare la casa.

⁴³Se la macchia torna e si diffonde nella casa dopo che sono state tolte le pietre e dopo che la casa è stata raschiata e reintonacata, ⁴⁴il sacerdote venga ad esaminarla. Se la macchia si è diffusa, nella casa vi è lebbra pericolosa, la casa è impura. ⁴⁵La casa sia demolita; le pietre, il legname e l'intonaco della casa siano portati fuori della città, in un luogo impuro. ⁴⁶Chi entrerà in quella casa mentre è chiusa, diventa impuro fino alla sera. ⁴⁷Chi dormirà o mangerà in quella casa, si laverà le vesti. ⁴⁸Se invece il sacerdote riscontra che la macchia non si è diffusa nella casa dopo che è stata reintonacata, dichiari la casa pura, perché la macchia è risanata.

⁴⁹Per compiere il sacrificio di purificazione per la casa si prendano due uccelli, legno di cedro, panno scarlatto e issopo; ⁵⁰si immoli uno degli uccelli su un vaso di argilla con dentro acqua corrente. ⁵¹Poi si prenda il legno di cedro, l'issopo, il panno scarlatto e l'uccello vivo e li si immergano nel sangue dell'uccello immolato in acqua corrente e si asperga sette volte la casa. ⁵²Purificata così la casa con il sangue dell'uccello, con l'acqua corrente, con l'uccello vivo, con il legno di cedro, con l'issopo e con il panno scarlatto, ⁵³si lasci andare libero l'uccello vivo fuori della città, in campagna. Avrà compiuto così il sacrificio espiatorio per la casa, ed essa sarà pura. ⁵⁴Questo è il rituale per ogni macchia di lebbra e di tigna, ⁵⁵per ogni caso di lebbra delle vesti e delle case, ⁵⁶per gonfiori, infezioni e macchie biancastre, ⁵⁷per discernere quando una cosa è impura e quando è pura. Questo è il rituale per la lebbra».

LE IMPURITÀ SESSUALI DELL'UOMO E DELLA DONNA

15 ¹Il Signore disse a Mosè e ad Aronne: ²«Parlate ai figli d'Israele e dite loro: Se un uomo soffre di gonorrea, questa infezione lo rende impuro.
³Ecco in che cosa consiste la sua impurità: sia che il suo corpo lasci uscire il liquido, sia che lo trattenga, si tratta sempre di impurità. ⁴Ogni letto su cui si coricherà chi ha l'infezione di gonorrea, sarà impuro e qualsiasi mobile su cui si siederà sarà impuro. ⁵Chiunque tocca il suo giaciglio, dovrà lavarsi le vesti e bagnarsi nell'acqua e resterà impuro fino alla sera. ⁶Chi si siede su un mobile su cui si è seduto chi soffre di gonorrea, dovrà lavarsi le vesti e bagnarsi nell'acqua e resterà impuro fino alla sera. ⁷Chi tocca il corpo di colui che ha l'infezione di gonorrea, dovrà lavarsi le vesti e bagnarsi nell'acqua e resterà impuro fino alla sera. ⁸Se poi colui che è affetto dalla gonorrea sputa su una persona sana, questa dovrà lavarsi le vesti e bagnarsi nell'acqua e resterà impura fino alla sera. ⁹Ogni sella su cui monterà chi ha la gonorrea sarà impura. ¹⁰Chiunque tocchi qualsiasi oggetto che si sia trovato sotto di lui, sarà impuro fino alla sera. Chiunque trasporterà tali oggetti dovrà lavarsi le vesti e bagnarsi nell'acqua e resterà impuro fino alla sera. ¹¹Chiunque toccherà chi ha la gonorrea senza sciacquarsi le mani, dovrà lavarsi le vesti e bagnarsi nell'acqua e resterà impuro fino alla sera. ¹²Un vaso d'argilla che sia stato toccato da chi ha questa infezione sia spezzato, e ogni oggetto di legno sia sciacquato nell'acqua.
¹³Quando chi ha sofferto di gonorrea ne sarà guarito, conterà sette giorni dalla sua guarigione, poi si laverà le vesti, bagnerà il suo corpo nell'acqua corrente e sarà puro. ¹⁴L'ottavo giorno prenderà due tortore o due colombi e verrà alla presenza del Signore all'ingresso della tenda del convegno e li darà al sacerdote. ¹⁵Il sacerdote ne offrirà uno come sacrificio espiatorio e l'altro come olocausto; compirà così per lui alla presenza del Signore il sacrificio espiatorio per la sua gonorrea.
¹⁶L'uomo che avrà avuto un'emissione seminale, lavi con acqua tutto il suo corpo e sia impuro fino alla sera. ¹⁷Ogni veste e

ogni pelle su cui avvenga un'emissione seminale siano lavate con acqua e resteranno impure fino alla sera.
¹⁸La donna e l'uomo che abbiano avuto rapporti intimi, si lavino ambedue con acqua e resteranno impuri fino alla sera.
¹⁹Una donna che ha flusso di sangue, cioè il flusso nel suo corpo, rimarrà nella sua impurità mestruale per sette giorni; chiunque la tocca è impuro fino alla sera. ²⁰Qualunque cosa su cui si ponga a giacere o vi si segga durante le sue regole è impura; ²¹chiunque tocca il suo giaciglio, dovrà lavarsi le vesti, bagnarsi nell'acqua e resterà impuro fino alla sera. ²²Chiunque tocca un qualsiasi mobile su cui essa si sarà seduta, dovrà lavarsi le vesti, bagnarsi nell'acqua e resterà impuro fino alla sera. ²³Se un oggetto si trova sul giaciglio o sul mobile su cui essa si è seduta, chi lo tocca resterà impuro fino alla sera. ²⁴Se un uomo ha un rapporto intimo con essa, contrae la stessa impurità delle sue regole e resterà impuro per sette giorni. Ogni giaciglio su cui si stende diventa impuro. ²⁵Una donna che abbia un flusso di sangue per diversi giorni, fuori del tempo delle sue regole, o se le sue regole si prolungano, sarà impura per tutto il tempo del flusso come nel periodo normale delle sue regole. ²⁶Ogni giaciglio su cui si sdraierà durante tutto il tempo del suo flusso sarà per lei come il giaciglio sul quale si corica nel tempo delle sue regole; e ogni mobile su cui siederà è impuro come nel periodo normale delle regole. ²⁷Chiunque li tocca è impuro, dovrà lavarsi le vesti, bagnarsi nell'acqua e resterà impuro fino alla sera.
²⁸Quando sarà guarita dal suo flusso, conti sette giorni e poi sarà pura. ²⁹L'ottavo giorno prenda due tortore o due colombi e li porti al sacerdote all'ingresso della tenda del convegno. ³⁰Il sacerdote ne offrirà uno come sacrificio espiatorio e l'altro come olocausto. Il sacerdote compie così per lei il sacrificio espiatorio, alla presenza del Signore, purificandola dal flusso che la rendeva impura. ³¹Ammonirete i figli d'Israele su tutto ciò che può renderli impuri, affinché non muoiano per le loro impurità, rendendo impura la mia dimora, che è in mezzo a loro».
³²Questa è la legge per chi ha la gonorrea o un'emissione seminale che lo rende impuro, ³³e per la donna che si trova nella condizione di impurità a causa delle rego-

le, cioè per l'uomo o la donna che hanno un'emissione o un flusso e per l'uomo che ha rapporti intimi con una donna nella condizione di impurità.

IL GIORNO DELL'ESPIAZIONE

16 [1]Il Signore parlò a Mosè dopo che i due figli di Aronne erano morti mentre presentavano la loro offerta davanti al Signore. [2]Il Signore disse a Mosè: «Parla ad Aronne tuo fratello e digli di non entrare in qualsiasi momento nel santuario, oltre il velo, davanti al propiziatorio che sta sull'arca, altrimenti potrebbe morire, quando io mi manifesterò nella nuvola sul propiziatorio. [3]Ecco come Aronne dovrà entrare nel santuario: prenderà un giovenco per il sacrificio espiatorio e un ariete per l'olocausto; [4]vestirà una tunica sacra di lino e indosserà i calzoni di lino, si cingerà una cintura di lino e si avvolgerà un turbante di lino. Sono queste le vesti sacre che indosserà dopo essersi lavato con acqua.

[5]Dalla comunità d'Israele prenderà due capri per il sacrificio espiatorio e un ariete per l'olocausto. [6]Aronne offrirà il giovenco per il sacrificio espiatorio e compirà il rito espiatorio per se stesso e per la sua casa. [7]Prenderà poi i due capri e li porrà alla presenza del Signore, all'ingresso della tenda del convegno, [8]e tirerà a sorte i due capri, per vedere quale dei due sia per il Signore e quale sia per Azazel. [9]Aronne farà avvicinare il capro su cui è caduta la sorte "per il Signore" e lo offrirà come sacrificio espiatorio. [10]Invece il capro su cui è caduta la sorte "per Azazel" lo porrà vivo alla presenza del Signore, per fare su di esso il rito espiatorio, e lo manderà ad Azazel nel deserto.

[11]Aronne offrirà dunque il giovenco del sacrificio espiatorio per sé e, compiuto il rito espiatorio per se stesso e per la sua casa, immolerà il giovenco del sacrificio espiatorio per sé. [12]Poi riempirà un incensiere di carboni accesi presi dall'altare, alla presenza del Signore, prenderà due manciate d'incenso in polvere e porterà ogni cosa oltre il velo. [13]Metterà l'incenso sul fuoco, alla presenza del Signore, così che la nube dell'incenso copra il propiziatorio posto sulla Testimonianza e non muoia. [14]Prenderà

un po' di sangue del giovenco e ne aspergerà con il dito il propiziatorio, verso oriente, e davanti al propiziatorio farà sette volte l'aspersione del sangue con il dito.

[15]Immolerà poi il capro del sacrificio espiatorio per il popolo e ne porterà il sangue oltre il velo e farà con questo sangue quello che ha fatto con il sangue del giovenco: lo aspergerà sul propiziatorio e davanti al propiziatorio. [16]Compirà così il rito espiatorio per il santuario, purificandolo dalle impurità dei figli di Israele, dalle loro trasgressioni e da ogni loro peccato. Lo stesso farà per la tenda del convegno, che dimora fra di loro in mezzo alle loro impurità. [17]Nessuno si trovi nella tenda del convegno da quando egli entrerà nel santuario per compiere il rito espiatorio fino a quando non ne sarà uscito e non avrà compiuto il rito espiatorio per se stesso, per la sua casa e per tutta la comunità d'Israele. [18]Uscito verso l'altare che sta davanti al Signore, compirà su di esso il rito espiatorio; prenderà un po' di sangue del giovenco e un po' di sangue del capro bagnandone intorno i corni dell'altare. [19]Farà su di esso l'aspersione con il dito sette volte, purificandolo e santificandolo dalle impurità dei figli d'Israele.

[20]Quando avrà finito di compiere il rito espiatorio per il santuario, per la tenda del convegno e per l'altare, farà avvicinare il capro vivo. [21]Aronne imporrà tutte e due le mani sulla testa del capro vivo, confesserà su di esso tutte le iniquità dei figli d'Israele, tutte le loro trasgressioni, tutti i loro peccati e li riverserà sulla testa del capro; poi, per mezzo di una persona incaricata, lo manderà nel deserto. [22]Il capro prenderà su di sé tutte le loro iniquità e sarà lasciato andare verso una regione arida. Quando avrà mandato il capro nel deserto, [23]Aronne en-

---

16. - 1ss. Questo capitolo tratta del Giorno dell'espiazione in cui, con un solenne sacrificio comune, si cancellavano tutti i peccati e le irregolarità del popolo. Il rituale di questo giorno preannunciava l'espiazione definitiva dei peccati di tutta l'umanità per mezzo del sacrificio di Cristo. Ne fa un bel paragone-contrasto Eb 9,6-12.

8. *Azazel* è ritenuto il nome comune di un demonio abitante nel deserto. A lui veniva spedito il capro espiatorio di cui qui si parla.

21. Il capro da mandare nel deserto al diavolo Azazel, carico simbolicamente dei peccati d'Israele, appartiene al folclore popolare. Il vero sacrificio che ristabilisce l'alleanza è quello della vittima offerta a Dio. Solo questa vittima può essere considerata una figura di Cristo, non il cosiddetto capro espiatorio.

trerà nella tenda del convegno, si toglierà le vesti di lino che aveva indossato entrando nel santuario e le deporrà in quel luogo. ²⁴Si laverà nell'acqua in luogo sacro e rimetterà le sue vesti. Poi uscirà ad offrire l'olocausto suo e l'olocausto del popolo e a compiere il rito espiatorio per se stesso e per il popolo. ²⁵Infine brucerà sull'altare le parti grasse del sacrificio espiatorio. ˙

²⁶Colui che ha condotto nel deserto il capro destinato ad Azazel si laverà le vesti, laverà il suo corpo nell'acqua e rientrerà nel campo.

²⁷Si porteranno fuori del campo il giovenco del sacrificio espiatorio e il capro del sacrificio espiatorio, il cui sangue è stato portato nel santuario per compiere il rito espiatorio; la loro pelle, la loro carne e i loro escrementi saranno bruciati col fuoco. ²⁸Colui che li brucia dovrà lavarsi le vesti e bagnarsi nell'acqua e dopo potrà ritornare al campo. ²⁹Questa sarà per voi una legge perenne: nel settimo mese, il dieci del mese, digiunate e non fate nessun lavoro, né colui che è nativo del paese né il forestiero che abita in mezzo a voi. ³⁰Infatti in quel giorno si compirà il rito espiatorio per voi e per la vostra purificazione: voi sarete purificati da tutti i vostri peccati davanti al Signore. ³¹Sarà un giorno di assoluto riposo per voi e di digiuno: è una legge perenne.

³²Il sacerdote che è stato consacrato e ha ricevuto l'unzione per compiere il servizio sacerdotale al posto di suo padre compirà il rito espiatorio indossando le vesti di lino, le vesti sacre. ³³Compirà il rito espiatorio per il santuario, per la tenda del convegno e per l'altare, per i sacerdoti e per tutto il popolo della comunità. ³⁴Questa sarà per voi una legge perenne: compirete una volta all'anno il rito espiatorio per i figli d'Israele, per la purificazione di tutti i loro peccati».

E si fece come il Signore aveva comandato a Mosè.

NORME
PER L'UCCISIONE DEGLI ANIMALI
OFFERTI IN SACRIFICIO

17 ¹Il Signore disse ancora a Mosè: ²«Parla ad Aronne, ai suoi figli e a tutti i figli d'Israele e di' loro: Questo ha prescritto il Signore: ³Chiunque tra gli Israeliti uccida un toro o un agnello o un capro entro il campo o fuori di esso ⁴e non lo porti all'ingresso della tenda del convegno per farne un'offerta al Signore davanti alla dimora del Signore, quell'uomo sarà considerato colpevole di delitto di sangue: ha sparso sangue e sarà eliminato dal suo popolo. ⁵Perciò i figli d'Israele, invece di immolare le vittime per i sacrifici nella campagna, le portino al Signore, presentandole al sacerdote all'ingresso della tenda del convegno, e le offrano al Signore come sacrifici di comunione. ⁶Il sacerdote spargerà il sangue sull'altare del Signore che sta all'ingresso della tenda del convegno, e brucerà il grasso in profumo soave gradito al Signore. ⁷Non offriranno più i loro sacrifici ai satiri, ai quali essi si prostituiscono. Questa sarà per loro una prescrizione perenne, di generazione in generazione.

⁸Riferirai loro ancora: Chiunque tra gli Israeliti o gli stranieri residenti in mezzo a loro offra un olocausto o un sacrificio, ⁹senza portarlo all'ingresso della tenda del convegno per offrirlo al Signore, sia eliminato dal suo popolo. ¹⁰Chiunque tra gli Israeliti o gli stranieri residenti in mezzo a loro mangi qualsiasi specie di sangue, contro di lui, che ha mangiato il sangue, io volgerò la mia faccia e lo toglierò via di mezzo al suo popolo. ¹¹Infatti la vita dell'essere vivente è nel sangue. Perciò vi ho ordinato di porlo sull'altare in espiazione per le vostre vite. Il sangue infatti, in quanto è vita, espia. ¹²Per questo ho detto ai figli d'Israele: nessuno fra voi mangi sangue, neppure lo straniero che dimora in mezzo a voi mangi sangue.

¹³Chiunque fra gli Israeliti o gli stranieri residenti in mezzo a loro prenderà a caccia un animale o un uccello, che è lecito mangiare, ne deve spargere il sangue e coprirlo di terra. ¹⁴Infatti la vita di ogni essere vivente è il suo sangue, in quanto esso è la sua vita; perciò ho detto ai figli d'Israele: non mangerete il sangue di nessun vivente, perché il sangue è la vita di ogni essere vivente e chiunque ne mangia sia eliminato.

¹⁵Chiunque, oriundo del paese o straniero, mangi di un animale morto naturalmente o sbranato, dovrà lavarsi le vesti, bagnarsi nell'acqua e sarà impuro fino alla sera e poi sarà puro. ¹⁶Ma se non laverà le sue vesti e il corpo, porterà la pena del suo peccato».

Lv

NORME
PER LE RELAZIONI SESSUALI

18 ¹Il Signore disse a Mosè: ²«Parla ai figli d'Israele e di' loro: Io sono il Signore Dio vostro. ³Non agite secondo il costume del paese d'Egitto, dove avete abitato, e non agite secondo il costume della terra di Canaan, dove vi conduco, e non comportatevi secondo le loro leggi. ⁴Mettete in pratica i miei precetti e osservate le mie leggi, seguendole. Io sono il Signore Dio vostro.

⁵Osservate le mie leggi e i miei precetti, mediante i quali chiunque li mette in pratica, vivrà. Io sono il Signore.

⁶Nessuno si avvicini a una sua consanguinea per avere rapporti con lei. Io sono il Signore.

⁷Non scoprirai la nudità di tuo padre e la nudità di tua madre. È tua madre! Non scoprirai la sua nudità. ⁸Non scoprirai la nudità della moglie di tuo padre. È la nudità di tuo padre.

⁹Non scoprirai la nudità di tua sorella, della figlia di tuo padre o della figlia di tua madre, nata in casa o fuori. ¹⁰Non scoprirai la nudità della figlia di tuo figlio e della figlia di tua figlia, poiché è la tua stessa nudità. ¹¹Non scoprirai la nudità della figlia della tua matrigna, generata nella tua casa: è tua sorella. ¹²Non scoprirai la nudità della sorella di tuo padre: è carne di tuo padre. ¹³Non scoprirai la nudità della sorella di tua madre: è carne di tua madre. ¹⁴Non scoprirai la nudità del fratello di tuo padre; non ti avvicinerai a sua moglie: è tua zia. ¹⁵Non scoprirai la nudità di tua nuora: è la moglie di tuo figlio. ¹⁶Non scoprirai la nudità della moglie di tuo fratello: è la nudità di tuo fratello. ¹⁷Non scoprirai la nudità di una donna e di sua figlia insieme. Non prenderai la figlia di suo figlio, né la figlia di sua figlia per scoprirne la nudità: sono parenti carnali: è un'infamia. ¹⁸Non prenderai in moglie una donna insieme con sua sorella, per farne una rivale, scoprendone la nudità, mentre tua moglie è ancora viva. ¹⁹Non ti avvicinerai a una donna durante la sua impurità mestruale, per scoprire la sua nudità. ²⁰Non darai il tuo letto coniugale alla moglie di tuo congiunto, per contaminarti con lei. ²¹Non permetterai che nessuno della tua discendenza adori Moloch e non profanerai il nome del tuo Dio.

Io sono il Signore. ²²Con un uomo non avrai rapporti come si hanno con una donna: è un abominio. ²³Non accoppiarti con nessuna bestia, rendendoti impuro con essa; né una donna si presenterà a un animale per l'accoppiamento: è una perversione.

²⁴Non contaminatevi con tutte queste nefandezze, poiché con tutte queste cose si sono contaminate le genti che io sto scacciando davanti a voi. ²⁵Ne è stata contaminata anche la terra: per questo io punisco i suoi misfatti e la terra vomita i suoi abitanti. ²⁶Voi dunque osserverete le mie leggi e i miei precetti e non compirete nessuna di queste pratiche abominevoli: né colui che è nativo del paese né il forestiero che abita in mezzo a voi, ²⁷perché le popolazioni della terra che sta davanti a voi hanno compiuto tutte queste abominazioni e la terra ne è stata contaminata. ²⁸La terra non vomiterà forse anche voi, se la contaminate, come ha vomitato le genti che stanno davanti a voi? ²⁹Infatti chiunque compirà qualcuna di queste pratiche abominevoli sarà eliminato dal suo popolo. ³⁰Osservate dunque tutto quanto vi comando di osservare e non praticate nessuna di queste cose abominevoli che sono state praticate prima di voi, né vi contaminerete con esse. Io sono il Signore Dio vostro».

LEGGI VARIE LITURGICHE
E MORALI

19 ¹Il Signore disse ancora a Mosè: ²«Parla a tutta la comunità dei figli d'Israele e di' loro: Siate santi, perché io, il Signore Dio vostro, sono santo.

³Ognuno di voi abbia rispetto per sua madre e suo padre e osservi i miei sabati. Io sono il Signore Dio vostro.

⁴Non volgetevi verso gl'idoli e non fatevi degli dèi di metallo fuso. Io sono il Signore Dio vostro.

⁵Quando offrirete sacrifici di comunione al Signore, offriteli in modo da essergli graditi. ⁶Le vittime siano mangiate il giorno stesso in cui le offrite o il giorno dopo; quanto resta sia consumato col fuoco il terzo giorno. ⁷Se fosse mangiato il terzo giorno, il cibo sarebbe già corrotto e il sacrificio non sarebbe gradito. ⁸Chi ne mangia porterà la pena del suo peccato, perché ha profanato quanto è

sacro al Signore. Quella persona sia eliminata dal suo popolo.

⁹Quando farete la mietitura della vostra terra, non mieterete fino ai margini del campo e non raccoglierete le spighe rimaste nella mietitura. ¹⁰Non coglierai i racimoli della tua vigna e non raccoglierai i grappoli caduti: li lascerai per il povero e per il forestiero. Io sono il Signore Dio vostro.

¹¹Non rubate, non ingannate, non mentitevi l'un l'altro. ¹²Non giurate il falso nel mio nome. Profaneresti il nome del tuo Dio. Io sono il Signore.

¹³Non opprimere il tuo prossimo e non derubarlo. La paga del bracciante al tuo servizio non resti la notte presso di te fino al mattino seguente. ¹⁴Non maledire il sordo. Davanti al cieco non porre inciampo, ma temi il tuo Dio. Io sono il Signore.

¹⁵Non commettere ingiustizia in giudizio; non trattare con parzialità il povero e non fare preferenze per il potente, ma giudicherai il tuo prossimo con giustizia. ¹⁶Non andare sparlando fra il tuo popolo e non ti presentare testimoniando contro la vita del tuo prossimo. Io sono il Signore.

¹⁷Non odiare il tuo fratello nel tuo cuore; correggi francamente il tuo prossimo, così non ti caricherai di un peccato a causa sua. ¹⁸Non vendicarti e non serbare rancore contro i figli del tuo popolo. Ama il tuo prossimo come te stesso. Io sono il Signore.

¹⁹Osservate le mie leggi. Le tue bestie non le accoppierai tra specie diverse; nel tuo campo non seminerai due sorta di semente, né indosserai una veste di due tessuti diversi.

²⁰Se un uomo ha rapporti con una donna schiava, promessa ad un altro uomo, ma non riscattata o affrancata, saranno tutti e due puniti, ma non messi a morte perché la donna non è libera. ²¹L'uomo offrirà al Signore, all'ingresso della tenda del convegno, un ariete come sacrificio di riparazione. ²²Il sacerdote farà con questo ariete il rito espiatorio davanti al Signore per il peccato da lui commesso, e il peccato commesso gli sarà perdonato.

²³Quando arriverete nella terra, qualsiasi albero da frutta piantate, ne considererete i frutti come non circoncisi: per tre anni saranno per voi come incirconcisi; non ne mangerete. ²⁴Al quarto anno tutti i loro frutti saranno consacrati al Signore, come dono festivo. ²⁵Nel quinto anno, invece, potrete mangiare i frutti di quegli alberi e così essi continueranno a fruttare per voi. Io sono il Signore Dio vostro.

²⁶Non mangiate carne con il sangue. Non praticate divinazione né incantesimi. ²⁷Non tagliatevi in tondo l'orlo della capigliatura e non rasare il pizzo della tua barba. ²⁸Non vi farete incisioni sulla carne per un defunto e non vi farete tatuaggi. Io sono il Signore.

²⁹Non profanare tua figlia, prostituendola, perché non si prostituisca la terra e non si riempia di infamie. ³⁰Osservate i miei sabati e abbiate rispetto per il mio santuario. Io sono il Signore.

³¹Non rivolgetevi ai negromanti e agli indovini, non consultateli, per non contaminarvi per causa loro. Io sono il Signore Dio vostro. ³²Alzati davanti a chi ha i capelli bianchi, onora la persona dell'anziano e temi il tuo Dio. Io sono il Signore.

³³Se verrà a stabilirsi presso di voi un immigrante, non molestatelo. ³⁴Chi viene a stabilirsi presso di voi lo tratterete come colui che è nato fra voi. Lo amerai come te stesso, perché anche voi siete stati forestieri nella terra d'Egitto. Io sono il Signore Dio vostro.

³⁵Non commettete ingiustizie nei giudizi, nelle misure di lunghezza, di peso e di capacità. ³⁶Abbiate bilance giuste, pesi giusti, efa giusta, hin giusto. Io sono il Signore Dio vostro che vi ha fatto uscire dalla terra d'Egitto. ³⁷Osservate tutte le mie leggi e tutti i miei precetti e metteteli in pratica. Io sono il Signore».

LE SANZIONI CONTRO I TRASGRESSORI

20 ¹Il Signore disse poi a Mosè: «Dirai ai figli d'Israele: ²Chiunque tra gli Israeliti o tra i forestieri residenti in Israele dia un suo figlio a Moloch, sia messo a morte; la gente del paese lo lapidi. ³Io stesso mi volgerò contro quest'uomo e lo eliminerò dal suo popolo, perché ha dato

---

19. - 17. Sono qui vietati l'odio e la vendetta. Gli Ebrei applicarono tale divieto solo all'interno del loro popolo; Gesù lo estenderà a tutti (Mt 5,43-48).
26-27. Si proibiscono diversi usi e riti superstiziosi. Divieti apparentemente strani, che ci lasciano capire come gli Israeliti, figli del loro tempo e del loro ambiente, indulgessero a pratiche superstiziose.

uno dei suoi figli a Moloch, contaminando così il mio santuario e profanando il mio santo nome. ⁴Se la gente del paese chiuderà gli occhi davanti a quest'uomo, mentre dà un suo figlio a Moloch, e non lo mette a morte, ⁵sarò io a volgermi contro quell'uomo e contro la sua famiglia e lo eliminerò dal suo popolo con tutti quelli che si danno all'idolatria come lui, venerando Moloch.

⁶Se uno si volgerà ai negromanti e agli indovini, prostituendosi dietro di essi, io mi volgerò contro quest'uomo e lo eliminerò dal suo popolo.

⁷Santificatevi e siate santi, perché io sono il Signore Dio vostro.

⁸Osservate le mie leggi e mettetele in pratica. Io sono il Signore che vi santifica.

⁹Chiunque maltratterà suo padre o sua madre sia messo a morte; ha maledetto suo padre o sua madre: il suo sangue ricada su di lui.

¹⁰Chiunque commetta adulterio con una donna sposata, come chiunque commetta adulterio con la donna del suo prossimo, l'adultero e l'adultera siano messi a morte.

¹¹Se uno ha avuto rapporti con la moglie di suo padre, ha scoperto la nudità di suo padre, siano messi a morte ambedue. Il loro sangue ricada su di essi.

¹²Se uno ha avuto rapporti con la nuora, siano messi a morte ambedue: hanno compiuto un abominio. Il loro sangue ricada su di essi.

¹³Se uno ha avuto rapporti con un uomo come si hanno con una donna, hanno compiuto tutti e due un abominio: dovranno essere messi a morte. Il loro sangue ricada su di essi.

¹⁴Se uno prende in moglie la figlia e la madre, commette un atto infame. Si bruceranno lui e loro, affinché non ci sia tra di voi tale delitto.

¹⁵Chi si accoppia con una bestia, deve morire, e anche la bestia deve essere uccisa.

¹⁶Se una donna si avvicina a un animale per accoppiarsi con esso, ucciderai la donna e l'animale; ambedue siano messi a morte. Il loro sangue ricada su di essi.

¹⁷Se un uomo prende in moglie la propria sorella, figlia di suo padre o figlia di sua madre, ne vede la nudità ed ella vede la nudità di lui, è un'infamia; tutti e due siano eliminati alla presenza dei figli del loro popolo. Quell'uomo ha scoperto la nudità della propria sorella: porti le conseguenze del suo peccato.

¹⁸Se un uomo ha avuto rapporti con una donna durante le sue regole e ne ha scoperto la nudità, egli ha messo a nudo la sorgente del flusso di lei ed essa ha scoperto la sorgente del proprio sangue: perciò siano eliminati ambedue dal loro popolo.

¹⁹Non scoprirai la nudità della sorella di tua madre o della sorella di tuo padre, perché scopriresti la sua stessa carne: ambedue porteranno la pena del loro peccato.

²⁰Un uomo che ha avuto rapporti con la propria zia, ha scoperto la nudità di suo zio; tutti e due porteranno la pena del loro peccato; dovranno morire senza figli.

²¹Se uno sposa la moglie di suo fratello, è una impurità; ha scoperto la nudità di suo fratello: non avranno figli.

²²Osservate dunque tutte le mie leggi e tutti i miei precetti e metteteli in pratica, perché la terra in cui vi conduco ad abitare non vi rigetti. ²³Non comportatevi secondo le abitudini dei popoli che sto per scacciare davanti a voi, perché essi hanno fatto tutte queste cose e io mi sono disgustato di loro. ²⁴Perciò vi dico: voi prenderete possesso della loro terra e io ve la darò in proprietà, è una terra dove scorre latte e miele! Io sono il Signore Dio vostro che vi ha separato dagli altri popoli.

²⁵Voi dovete distinguere gli animali puri da quelli impuri, gli uccelli impuri da quelli puri e non contaminatevi mangiando animali, uccelli o bestie che strisciano sulla terra e che io vi ho fatto distinguere come impuri. ²⁶Siate santi per me, perché io, il Signore, sono santo e vi ho separati dagli altri popoli perché siate miei.

²⁷Un uomo o una donna fra voi che facciano il negromante o l'indovino siano messi a morte; saranno lapidati e il loro sangue ricadrà su di essi».

NORME PER I SACERDOTI

21 ¹Il Signore disse a Mosè: «Parla ai sacerdoti, figli di Aronne, e comunica loro: Nessuno dei sacerdoti si renda impuro per il contatto con un morto della sua parentela, ²se non per un parente stretto, cioè la madre, il padre, il figlio, la

figlia, il fratello. ³Per la sorella vergine, che vive con lui perché non maritata, può invece rendersi impuro. ⁴Un marito non si renda impuro per gli altri suoi parenti, profanando se stesso.

⁵Non si facciano tonsure sulla testa né si radano l'orlo della barba e non si facciano incisioni sul loro corpo. ⁶Saranno santi per il loro Dio e non profaneranno il nome del loro Dio, perché essi offrono i doni del Signore, il cibo del loro Dio; siano quindi santi.

⁷Non prendano in moglie una prostituta né una disonorata o una donna ripudiata dal marito; perché il sacerdote è consacrato al suo Dio. ⁸Tu lo considererai santo, perché egli offre il nutrimento del tuo Dio. Sia per te santo, perché io, il Signore che vi santifico, sono santo.

⁹Se la figlia di un sacerdote si disonora prostituendosi, disonora suo padre. Sia bruciata.

¹⁰Il sacerdote, quello che è il sommo tra i suoi fratelli, sul capo del quale è stato versato l'olio dell'unzione e ha ricevuto l'investitura indossando i paramenti, non si tolga il copricapo e non si stracci le vesti. ¹¹Non si avvicini ad alcun cadavere; non si renda impuro neanche per suo padre e per sua madre. ¹²Non esca dal santuario e non profani il santuario del suo Dio: ha su di sé la consacrazione mediante l'olio dell'unzione del suo Dio. Io sono il Signore.

¹³Sceglierà la moglie fra le vergini. ¹⁴Non prenderà in moglie una vedova, né una ripudiata, né una prostituta, ma prenderà in moglie solo una vergine della sua gente. ¹⁵Così non profanerà la sua discendenza tra la sua gente; perché io sono il Signore che lo santifico».

¹⁶Il Signore disse ancora a Mosè: ¹⁷«Parla ad Aronne e digli: Per l'avvenire, nessuno della tua discendenza si accosti a offrire il nutrimento del suo Dio se ha un difetto. ¹⁸Poiché nessun uomo che abbia un difetto deve fare l'offerta: né un cieco, né uno zoppo, né uno che abbia mutilazione o deformità, ¹⁹né un uomo che abbia un difetto ai piedi o alle mani, ²⁰né un gobbo, né un nano, né uno affetto da malattia agli occhi o da scabbia o da piaghe purulente o uno che abbia i testicoli difettosi. ²¹Nessun uomo della discendenza del sacerdote Aronne, con qualche difetto, si avvicini per offrire il nutrimento del Signore. Ha un difetto: non

si avvicini per offrire il cibo del suo Dio. ²²Potrà mangiare il nutrimento del suo Dio, le cose sacrosante e le cose sante, ²³ma non potrà avvicinarsi al velo né accostarsi all'altare, perché ha un difetto. Non deve profanare i miei luoghi santi, perché io sono il Signore che li santifico».

²⁴Così parlò Mosè ad Aronne, ai suoi figli e a tutti i figli di Israele.

RISPETTO PER LE COSE SACRE

22 ¹Il Signore disse a Mosè: ²«Ordina ad Aronne e ai suoi figli che rispettino le cose sante che i figli d'Israele mi consacrano e non profanino il mio santo nome. Io sono il Signore. ³Di' loro: Anche per l'avvenire, qualunque persona della vostra discendenza che si accosti in stato d'impurità alle cose sacre, che i figli d'Israele consacrano al Signore, sia eliminata dalla mia presenza. Io sono il Signore.

⁴Nessun uomo della discendenza di Aronne, affetto da lebbra o da gonorrea, mangi delle cose sante fino a che non sia puro. Chi tocca qualsiasi cosa diventata impura per il contatto con un cadavere, o abbia avuto un'emissione seminale, ⁵o abbia toccato un animale strisciante che lo rende impuro o un uomo che gli abbia comunicato un'impurità di qualunque specie, ⁶chiunque abbia avuto tali contatti è impuro fino alla sera e non mangerà le cose sacre se non dopo essersi lavato il corpo con acqua. ⁷Quando il sole sarà tramontato, sarà puro e potrà mangiare le cose sante, perché esse sono il suo cibo. ⁸Il sacerdote non mangerà carne di bestie morte naturalmente o sbranate, per non contrarre impurità. Io sono il Signore.

⁹I sacerdoti osservino tutte le mie disposizioni, così non porteranno le conseguenze del peccato e non morranno per aver profanato le cose sante. Io sono il Signore che li santifico.

¹⁰Nessun forestiero mangi quanto è sacro: né l'ospite di un sacerdote né il salariato mangino quanto è sacro. ¹¹Ma se il sacerdote acquista una persona con il suo denaro, questa ne potrà mangiare, come pure colui che è nato in casa: essi possono mangiare del suo pane.

¹²Se la figlia del sacerdote sposa un forestiero, non può cibarsi del contributo delle offerte sacre. ¹³Se invece la figlia del sacerdote è rimasta vedova o è stata ripudiata e non ha figli, e torna alla casa di suo padre, come quando era giovane, può mangiare del pane di suo padre: ma nessun estraneo ne mangi.

¹⁴Chi per inavvertenza abbia mangiato una cosa sacra, restituisca al sacerdote il valore della cosa sacra, aggiungendovi un quinto. ¹⁵Non profanino quindi i sacerdoti le cose sante dei figli d'Israele, che essi offrono al Signore con la rituale elevazione; ¹⁶mangiando le loro cose sante si caricherebbero di un peccato che richiede riparazione. Io infatti sono il Signore che li santifico».

¹⁷Il Signore disse ancora a Mosè: ¹⁸«Parla ad Aronne e ai suoi figli e a tutti i figli d'Israele e di' loro: Chiunque tra gli Israeliti o i forestieri residenti in Israele porti la sua offerta in olocausto al Signore per qualsiasi voto o come dono spontaneo, ¹⁹lo faccia in modo che essa sia gradita: offra, perciò, un maschio, senza difetto, di buoi, di pecore e di capre. ²⁰Non offrano nulla che abbia un difetto, perché non sarebbe gradito.

²¹Se uno offre al Signore un bovino o un ovino come sacrificio di comunione per sciogliere un voto o come offerta spontanea, la vittima, per essere gradita, sia perfetta: non abbia alcun difetto. ²²Non offrite al Signore animali ciechi, storpi, mutilati, con ulcere, scabbiosi o con piaghe purulente, e nulla di essi deporrete sull'altare per il Signore come dono. ²³Di un bue o di una pecora non bene proporzionati o non bene sviluppati potrai fare un'offerta volontaria, ma come voto non saranno accettati. ²⁴Non offrite al Signore animali i cui testicoli siano rientrati, schiacciati, strappati o tagliati, ²⁵né accettate dallo straniero vittime di tal genere per offrirle come cibo al vostro Dio; perché, se deformi o difettose, non sarebbero accettate per il vostro bene».

²⁶Il Signore aggiunse a Mosè: ²⁷«Quando nascerà un vitello o un agnello o un capretto, per sette giorni resterà accanto alla madre e a partire dal giorno ottavo sarà accettato come offerta in dono al Signore. ²⁸Non immolerete mucca o pecora con il suo piccolo nello stesso giorno.

²⁹Quando offrirete un sacrificio di ringrazia-mento, offritelo in modo da essere accetto: ³⁰la vittima sia mangiata lo stesso giorno, non ne lascerete nulla fino al mattino seguente. Io sono il Signore.

³¹Osservate tutti i miei precetti e metteteli in pratica. Io sono il Signore. ³²Non profanate il mio santo nome, affinché io sia proclamato santo in mezzo ai figli d'Israele. Io sono il Signore che vi santifica, ³³colui che vi ha fatto uscire dalla terra d'Egitto, per essere vostro Dio. Io sono il Signore».

LE FESTE DI ISRAELE

23

¹Il Signore disse a Mosè: ²«Parla ai figli d'Israele e comunica loro: Ecco le feste del Signore che voi chiamerete convocazioni sacre: sono le mie feste.

Il sabato – ³Per sei giorni lavorerai, ma il settimo giorno è sabato, giorno di completo riposo e di convocazione sacra: non farete alcun lavoro. Il sabato è per il Signore, dovunque voi abitiate.

La Pasqua e gli azzimi – ⁴Queste sono le feste del Signore, che voi proclamerete nel tempo stabilito: ⁵nel primo mese, il quattordicesimo giorno del mese, al tramonto del sole, è la Pasqua del Signore. ⁶Il quindicesimo giorno di questo stesso mese è la festa degli azzimi per il Signore: per sette giorni mangerete pane senza lievito. ⁷Il primo giorno ci sarà per voi una convocazione sacra, non farete alcun lavoro servile. ⁸Offrirete sacrifici al Signore per sette giorni; il settimo giorno ci sarà la convocazione sacra: non farete alcun lavoro servile».

L'offerta delle primizie del raccolto – ⁹Il Signore disse ancora a Mosè: ¹⁰«Parla ai figli d'Israele e ordina loro: Quando entrerete nella terra che io vi do e ne mieterete le messi, porterete al sacerdote un covone, come primizia del vostro raccolto. ¹¹Il sacerdote presenterà il covone davanti al Signore perché sia gradito per il vostro bene;

---

23. - 5-14. Prima solennità è la Pasqua, che ricordava la liberazione dall'Egitto e insieme costituiva la solennità delle primizie, perché in essa venivano offerte al Signore le primizie della nuova messe.

lo presenterà il giorno dopo il sabato. [12]Nel giorno in cui presenterete il covone, offrirete al Signore come olocausto un agnello senza difetto, nato nell'anno. [13]L'oblazione che l'accompagna sarà di due decimi di efa di fior di farina intrisa d'olio, offerta al Signore come profumo gradevole; la libazione di vino che l'accompagna sarà di un quarto di hin. [14]Non mangerete pane né grano abbrustolito né spighe fresche prima di quel giorno, fino a che non abbiate portato l'offerta al vostro Dio. Questa è una prescrizione perenne per tutte le vostre generazioni, ovunque voi abitiate.

La festa di Pentecoste o delle Settimane – [15]Dal giorno dopo questo sabato, a partire cioè dal giorno in cui avrete portato il covone da offrire al Signore con il rito dell'agitazione, conterete sette settimane complete. [16]Conterete cinquanta giorni fino all'indomani del settimo sabato, e farete una nuova offerta al Signore. [17]Porterete dalle vostre case due pani da offrire con il rito dell'agitazione, che siano del peso di due decimi di efa di fior di farina, e li farete cuocere con lievito, quali primizie per il Signore. [18]Offrirete con quei pani sette agnelli senza difetto, di un anno, un giovenco e due arieti. Saranno un olocausto per il Signore. L'offerta e la libazione che li accompagnano saranno dono dal profumo gradevole per il Signore. [19]Immolerete un capro come sacrificio espiatorio e due agnelli nati nell'anno come sacrificio di comunione. [20]Il sacerdote presenterà davanti al Signore con il rito dell'agitazione i due agnelli e il pane delle primizie. Saranno consacrati al Signore e apparterranno al sacerdote. [21]In quello stesso giorno proclamerete una convocazione sacra e non farete alcun lavoro servile. Questa è una prescrizione perenne per tutte le vostre generazioni, in tutti i luoghi dove abiterete.
[22]Quando farete la mietitura della vostra terra, non mieterete fino ai margini del campo e non raccoglierete le spighe rimaste nella mietitura. Le lascerai per il povero e per il forestiero. Io sono il Signore Dio vostro».

La festa di Capodanno – [23]Il Signore disse a Mosè: [24]«Ordina ai figli d'Israele: Nel settimo mese, il primo giorno del mese sarà per voi un giorno di riposo completo, procla-

mato al suono di tromba, una convocazione sacra. [25]Non farete alcun lavoro servile e offrirete doni al Signore».

Il giorno dell'Espiazione – [26]Il Signore disse ancora a Mosè: [27]«Il decimo giorno del settimo mese è il giorno dell'Espiazione: ci sarà per voi una convocazione sacra, farete digiuno e offrirete sacrifici al Signore. [28]Non farete in quel giorno alcun lavoro, perché è il giorno dell'Espiazione, per espiare per voi alla presenza del Signore vostro Dio. [29]Chiunque non digiuni in quel giorno sarà eliminato dal suo popolo. [30]Chiunque faccia un qualsiasi lavoro in quel giorno, io lo sterminerò dal suo popolo. [31]Non farete alcun lavoro. Questa è una prescrizione perenne per tutte le vostre generazioni, ovunque voi abitiate. [32]Sia riposo completo per voi e digiunate: il nono giorno del mese, dalla sera alla sera seguente, osserverete un riposo completo».

La festa delle Capanne – [33]Il Signore disse poi a Mosè: [34]«Parla ai figli d'Israele e riferisci loro: Il quindici di questo stesso settimo mese è la festa delle Capanne per sette giorni, in onore del Signore. [35]Nel primo giorno ci sarà una convocazione sacra e non farete alcun lavoro servile. [36]Per sette giorni offrirete doni al Signore, nell'ottavo giorno ci sarà una convocazione sacra e offrirete doni al Signore. È giorno di riunione; non farete alcun lavoro servile.
[37]Queste sono le feste del Signore nelle quali proclamerete convocazioni sacre per offrire doni al Signore: olocausti, offerte, sacrifici, libazioni, secondo il rituale di ciascun giorno, [38]oltre i sabati del Signore, oltre le vostre donazioni, oltre le vostre offerte votive e le vostre offerte spontanee che presenterete al Signore.
[39]Il quindici del settimo mese, quando raccoglierete i prodotti della terra, celebrerete una festa al Signore per sette giorni: il primo giorno sarà di assoluto riposo e così l'ottavo giorno. [40]Il primo giorno prenderete i frutti degli alberi migliori: rami di palma, fronde di alberi folti e di salici d'acqua e li porrete davanti al Signore vostro Dio per sette giorni. [41]Celebrerete questa festa in onore del Signore per sette giorni, ogni anno. Questa è una prescrizione perenne per tutte le vostre generazioni. La festeg-

gerete nel settimo mese. [42]Abiterete in capanne per sette giorni; ogni cittadino in Israele abiterà in capanne, [43]affinché i vostri discendenti sappiano che io ho fatto abitare in capanne i figli d'Israele, quando li ho fatti uscire dalla terra d'Egitto. Io sono il Signore vostro Dio».

[44]Mosè comunicò così ai figli d'Israele le disposizioni per le feste del Signore.

NORME VARIE

24 [1]Il Signore disse a Mosè: [2]«Ordina ai figli d'Israele che ti portino olio puro di olive macinate per il candelabro, per alimentare di continuo le lampade. [3]Aronne lo collochi nella tenda del convegno, fuori del velo che sta davanti alla Testimonianza, così che stia sempre davanti al Signore, dalla sera fino al mattino: questa è una prescrizione perenne per tutte le vostre generazioni. [4]Disporrà le lampade sul candelabro d'oro puro, perché ardano sempre davanti al Signore.

[5]Prenderai anche del fior di farina e cuocerai dodici focacce di due decimi di efa ciascuna. [6]Le disporrai su due pile, sei per ogni pila, sul tavolo d'oro puro davanti al Signore. [7]Su ciascuna pila metterai incenso puro e sarà sul pane come un memoriale, come dono gradito per il Signore. [8]Ogni giorno di sabato si disporranno i pani davanti al Signore, sempre. Saranno offerti dai figli d'Israele come alleanza eterna. [9]I pani saranno riservati ad Aronne e ai suoi figli, che li mangeranno in luogo sacro, perché sono per loro cosa santissima fra i doni offerti al Signore. È una legge eterna».

[10]Ora il figlio di una donna israelita e di un Egiziano uscì in mezzo agli Israeliti e attaccò lite nell'accampamento con un Israelita. [11]Il figlio della donna israelita bestemmiò il nome del Signore imprecando. Allora lo portarono davanti a Mosè. La madre di quell'uomo si chiamava Selomit, ed era figlia di Dibri, della tribù di Dan. [12]Lo misero sotto custodia, finché non si fosse deciso che cosa fare per ordine del Signore. [13]Il Signore ordinò a Mosè: [14]«Fa' uscire il bestemmiatore fuori del campo; coloro che lo hanno udito posino le mani sulla sua testa e tutta la comunità lo lapidi. [15]Ai figli d'Israele dirai: Chiunque maledice il suo Dio porterà la pena del suo peccato. [16]Chi bestemmia il nome del Signore sia messo a morte: lo lapidi tutta la comunità. Straniero o nativo del paese, se uno bestemmia il nome del Signore, sarà messo a morte.

[17]Chi colpisce a morte un uomo sia messo a morte. [18]Chi colpisce un animale dovrà dare un risarcimento: vita per vita. [19]Se un uomo ha procurato una ferita al suo prossimo, gli sarà fatta la stessa cosa: [20]frattura per frattura, occhio per occhio, dente per dente; sarà fatto a lui ciò che egli ha fatto al suo prossimo.

[21]Chi uccide un animale, dovrà dare un risarcimento, ma chi uccide un uomo sarà messo a morte. [22]Ci sarà una sola legge presso di voi, sia per il forestiero che per il nativo del paese. Io sono il Signore Dio vostro».

[23]Mosè parlò ai figli d'Israele ed essi fecero uscire il bestemmiatore fuori del campo e lo lapidarono. I figli d'Israele fecero come il Signore aveva comandato a Mosè.

LA CELEBRAZIONE DELL'ANNO SABBATICO E DEL GIUBILEO

25 [1]Il Signore disse ancora a Mosè sul monte Sinai: [2]«Ordina ai figli d'Israele: Quando entrerete nel paese che io vi do, la terra dovrà avere un tempo di riposo, un sabato consacrato al Signore; [3]per sei anni seminerai il tuo campo e per sei anni poterai la tua vigna e ne raccoglierai i prodotti; [4]ma il settimo anno sarà un riposo completo per la terra, un sabato consacrato al Signore. Non seminerai il tuo campo e non poterai la tua vigna. [5]Non mieterai quello che la terra produrrà spontaneamente dai semi caduti nella tua mietitura precedente e non vendemmierai i grappoli della vite che non hai potato. Sarà un anno di riposo completo per la terra. [6]Quanto produrrà la terra durante il suo riposo servirà di nutrimento a te, al tuo servo e alla tua serva, all'operaio preso a giornata e al forestiero che risiede presso di te. [7]Tutto quanto essa produrrà servirà di nutrimento anche al tuo bestiame e a ogni animale che si trova nel paese.

[8]Conterai poi sette settimane di anni, cioè sette volte sette anni, e avrai il periodo di

sette settimane di anni, cioè quarantanove anni. [9]Nel decimo giorno del settimo mese farai risuonare il corno dell'acclamazione; nel giorno dell'Espiazione farai risuonare il corno per tutto il paese. [10]Dichiarerete sacro il cinquantesimo anno e proclamerete nel paese la liberazione per ogni suo abitante. Sarà per voi un giubileo; ognuno di voi tornerà nei suoi possessi, ognuno di voi tornerà nella sua famiglia. [11]Sarà un giubileo, il cinquantesimo anno, per voi; non seminerete e non raccoglierete quanto il terreno produce spontaneamente e non vendemmierete la vite non potata. [12]Il giubileo sarà infatti sacro per voi; potrete mangiare volta per volta quanto il terreno produce spontaneamente.

[13]Nell'anno del giubileo, poi, ciascuno tornerà in possesso dei suoi beni. [14]Se venderai qualcosa al tuo prossimo o se comprerai qualcosa da lui, non danneggiatevi l'un l'altro. [15]Comprerai dal tuo prossimo stabilendo il prezzo in base al numero degli anni trascorsi dall'ultimo giubileo; a sua volta egli venderà a te stabilendo il prezzo in base agli anni di rendita. [16]Più sarà grande il numero degli anni da trascorrere prima del giubileo e più aumenterai il prezzo; più piccolo sarà il numero degli anni e più ridurrai il prezzo, perché egli ti vende la somma dei suoi raccolti. [17]Nessuno, perciò, defraudi il suo prossimo: temete il vostro Dio, perché io sono il Signore vostro Dio.

[18]Osservate le mie leggi e obbedite ai miei precetti, metteteli in pratica e risiederete tranquilli nel paese. [19]La terra darà i suoi frutti e voi ne mangerete a sazietà e risiederete tranquillamente in essa.

[20]Se direte: Che cosa mangeremo nel settimo anno, se non abbiamo seminato né raccolto le nostre messi?, [21]io manderò su di voi la mia benedizione l'anno sesto e vi darà un raccolto per tre anni. [22]Nell'ottavo anno seminerete e mangerete del vecchio raccolto fino al nono anno; mangerete il raccolto vecchio fino a che non venga il raccolto nuovo di questo anno.

[23]Non venderete la terra per sempre, perdendone ogni diritto, perché la terra è mia e voi siete forestieri e ospiti presso di me. [24]Per ogni terreno in vostro possesso lascerete perciò una possibilità di riscatto. [25]Se un tuo fratello si trova in difficoltà e vende una parte dei suoi possedimenti, venga il suo parente più prossimo a esercitare il diritto di riscatto su quanto egli è stato costretto a vendere. [26]Chi non ha un parente prossimo, se riesce a procurarsi da sé la somma necessaria per il riscatto, [27]conterà gli anni trascorsi dalla vendita, restituirà al compratore il denaro che gli è dovuto e così potrà rientrare in possesso dei suoi beni. [28]Se non riuscirà ad avere mezzi sufficienti per la restituzione, il bene venduto resti nelle mani di chi l'ha comprato fino all'anno del giubileo: nell'anno del giubileo il compratore uscirà e l'altro rientrerà in possesso del suo patrimonio.

[29]Se qualcuno vende una casa abitabile in una città cinta di mura, avrà diritto di riscatto fino allo spirare dell'anno in cui l'ha venduta; il suo diritto al riscatto durerà un anno intero. [30]Ma se il riscatto non ha avuto luogo prima dello spirare dell'intero anno, la casa, che si trova in una città cinta di mura, rimarrà per sempre proprietà di chi l'ha comprata e dei suoi discendenti: nell'anno del giubileo egli non dovrà uscirne. [31]Però le case dei villaggi non recintati da mura saranno considerate come fondi rustici; potranno essere riscattate e nell'anno del giubileo il compratore dovrà uscirne.

[32]Quanto alle città dei leviti e alle case che essi vi possederanno, i leviti avranno per sempre il diritto di riscatto. [33]Se chi riscatta è un levita, lasci libera, nell'anno del giubileo, la casa venduta nella città a lui assegnata, perché le case delle città levitiche sono loro proprietà in mezzo ai figli d'Israele. [34]I pascoli intorno alle loro città non si potranno vendere, perché sono loro proprietà perenne.

[35]Se il tuo fratello si trova in difficoltà ed è inadempiente con te, aiutalo: egli vivrà con te come ospite e forestiero. [36]Non prenderai da lui denaro per interesse o profitto, ma temi il tuo Dio e fa' vivere il tuo fratello presso di te. [37]Non gli presterai il tuo denaro per ricavarne interesse, né gli darai il tuo cibo a usura. [38]Io sono il Signore Dio vostro, che vi ho fatto uscire dalla terra d'Egitto, per darvi la terra di Canaan, per essere il vostro Dio. [39]Se il tuo fratello si trova in difficoltà nei tuoi

---

25. - 14. Come si vedrà meglio ai vv. 23-24, gli Israeliti dovevano considerarsi soltanto beneficiari della terra promessa: il vero proprietario era il Signore, il quale l'aveva data al suo popolo per puro favore, per mantenere la promessa fatta.

riguardi e si vende a te, non gli farai fare un lavoro da schiavo; ⁴⁰vivrà presso di te come un bracciante o un ospite. Fino all'anno del giubileo lavorerà con te; ⁴¹poi ti lascerà insieme con i suoi figli, tornerà alla sua famiglia e riprenderà quanto possedevano i suoi padri. ⁴²Perché essi sono miei servi, che io ho fatto uscire dalla terra d'Egitto; non possono essere venduti come schiavi. ⁴³Non lo tratterai con durezza, ma temi il tuo Dio.

⁴⁴Lo schiavo e la schiava di tua proprietà li potrete prendere dai popoli che abitano intorno a voi; da loro potrete acquistare schiavi e schiave. ⁴⁵Potrete anche comprarne tra i figli degli stranieri che abitano presso di voi, tra le loro famiglie che si trovano presso di voi e tra i loro figli nati nella vostra terra; saranno vostra proprietà. ⁴⁶Li lascerete in eredità ai vostri figli dopo di voi, come loro proprietà. Di essi vi potrete servire come schiavi, ma non dominerete con durezza sui vostri fratelli, i figli d'Israele.

⁴⁷Se un forestiero, o un ospite che abita presso di te, diventa ricco e il tuo fratello si carica di debiti nei suoi riguardi, fino ad essere costretto a vendersi come schiavo al forestiero o a qualcuno della sua famiglia, ⁴⁸dopo che si è venduto avrà possibilità di riscatto. Lo può riscattare uno dei suoi fratelli, ⁴⁹o suo zio o suo cugino o qualche altro membro della sua famiglia, o, se ne avrà i mezzi, si può riscattare da sé. ⁵⁰Calcolerà, insieme con il suo compratore, gli anni che vanno da quello in cui è stato venduto come schiavo fino all'anno del giubileo; la somma da pagare sarà computata in base al numero degli anni e le giornate saranno valutate come si valutano quelle di un bracciante. ⁵¹Se gli anni per arrivare al giubileo sono ancora tanti, pagherà il riscatto in base a questi anni e in proporzione della somma con la quale fu acquistato. ⁵²Se rimangono pochi anni per arrivare al giubileo, farà il calcolo e pagherà il prezzo del suo riscatto in base al numero di questi anni. ⁵³Stia presso il suo compratore come un bracciante preso a servizio anno per anno, e questi non lo tratti con durezza sotto i tuoi occhi. ⁵⁴Se poi non sarà stato riscattato in nessuno di questi modi, nell'anno del giubileo se ne andrà libero con i suoi figli. ⁵⁵A me infatti appartengono i figli d'Israele: essi sono i miei servi che io ho fatto uscire dalla terra d'Egitto. Io sono il Signore vostro Dio».

BENEDIZIONI E MALEDIZIONI

26 ¹«Non fatevi idoli, non erigetevi statue o stele; non collocate nel vostro paese pietre lavorate per prostrarvi davanti ad esse, perché io sono il Signore Dio vostro.

²Osservate i miei sabati e venerate il mio santuario. Io sono il Signore.

³Se vi comporterete secondo le mie leggi, se osserverete i miei precetti e li metterete in pratica, ⁴io vi darò le piogge alla loro stagione, la terra darà i suoi prodotti e gli alberi della campagna daranno i loro frutti. ⁵La trebbiatura durerà fino alla vendemmia e la vendemmia durerà fino alla semina; avrete pane a sazietà e abiterete tranquillamente nella vostra terra. ⁶Io darò pace alla terra; voi potrete coricarvi senza che nulla vi spaventi. Farò scomparire ogni bestia feroce dalla terra e la spada non passerà nella vostra terra. ⁷Voi inseguirete i vostri nemici ed essi cadranno davanti a voi colpiti dalla spada. ⁸Cinque di voi ne inseguiranno cento e cento di voi ne inseguiranno diecimila e i vostri nemici cadranno davanti a voi colpiti dalla spada. ⁹Io mi volgerò verso di voi, vi farò crescere e moltiplicare e mi manterrò fedele all'alleanza con voi. ¹⁰Mangerete il raccolto dell'annata precedente, che durerà così a lungo da doverlo mettere da parte per far posto al nuovo. ¹¹Io stabilirò la mia dimora in mezzo a voi e non vi abbandonerò. ¹²Camminerò in mezzo a voi e sarò il vostro Dio e voi sarete il mio popolo. ¹³Io sono il Signore Dio vostro, che vi ho fatto uscire dalla terra d'Egitto, dalla condizione di schiavi; ho spezzato le sbarre del vostro giogo e vi ho fatto camminare a testa alta.

¹⁴Ma se non mi ascolterete e non metterete in pratica tutte queste norme, ¹⁵se disprezzerete le mie leggi e rigetterete i miei precetti, e non metterete in pratica tutti i miei comandi, infrangendo la mia alleanza, ¹⁶allora anch'io farò altrettanto a voi: vi punirò con il terrore, la consunzione e la febbre che consumano gli occhi e tolgono il respiro. Se-

---

26. - 3-43. L'enumerazione delle benedizioni e delle maledizioni aveva gran parte in tutti gli antichi trattati. Spesso rappresentava la parte più estesa dei trattati stessi. Dato il valore efficace attribuito ai due termini sul piano religioso, è facile immaginare l'impressione che la lettura di questi vv. poteva produrre nel popolo.

minerete invano la vostra semente e i vostri nemici la mangeranno. [17]Mi volgerò contro di voi e sarete battuti dai vostri nemici e i vostri avversari domineranno sopra di voi. Voi fuggirete senza che alcuno vi insegua. [18]Se nonostante ciò non mi ascolterete, io vi punirò sette volte di più per i vostri peccati. [19]Spezzerò la vostra forza orgogliosa; farò diventare il vostro cielo come ferro e la vostra terra come rame. [20]Vi sforzerete invano: la vostra terra non darà più i suoi prodotti e gli alberi della campagna non daranno più i loro frutti.

[21]Se vi comporterete ostinatamente verso di me e non vorrete ascoltarmi, io colpirò sette volte di più i vostri peccati. [22]Manderò contro di voi bestie feroci che vi spopoleranno, annienteranno il vostro bestiame, vi decimeranno e le vostre strade diventeranno deserte. [23]Se nemmeno dopo tutto questo non vi lascerete correggere ritornando a me, e continuerete a comportarvi ostinatamente con me, [24]anch'io sarò ostinato con voi e vi colpirò sette volte di più per i vostri peccati. [25]Manderò contro di voi la spada vendicatrice dell'alleanza violata; voi vi radunerete nelle vostre città e io manderò in mezzo a voi la peste e sarete dati in mano ai nemici. [26]Quando vi avrò ridotto le riserve del pane, dieci donne cuoceranno il vostro pane in un solo forno e vi consegneranno il pane così misurato che mangerete ma non vi sazierete. [27]Se malgrado ciò non mi ascolterete e continuerete a comportarvi ostinatamente con me, [28]anch'io mi comporterò verso di voi con una forte ostinazione e vi punirò sette volte di più per i vostri peccati. [29]Mangerete perfino la carne dei vostri figli e la carne delle vostre figlie. [30]Distruggerò i vostri luoghi alti e annienterò le vostre stele; porrò i vostri cadaveri sopra i cadaveri dei vostri idoli e vi avrò in abominio. [31]Renderò le vostre città una rovina, devasterò i vostri santuari e non aspirerò più il profumo soave del vostro incenso. [32]Devasterò io stesso la terra e se ne stupiranno i vostri nemici, che in essa si installeranno. [33]Vi disperderò in mezzo ai popoli e snuderò contro di voi la spada; la vostra terra diverrà deserta e le vostre città diventeranno una rovina.

[34]Allora, per tutto il tempo della desolazione, la terra godrà i suoi sabati e voi starete nella terra dei vostri nemici; allora la terra si riposerà e godrà i suoi sabati. [35]Per tutto il tempo della desolazione godrà di quel riposo che non ha goduto durante i vostri sabati, quando abitavate in essa.

[36]Quanto a quelli fra voi che scamperanno, metterò nel loro cuore il terrore, mentre sono nella terra dei loro nemici: il fruscìo di una foglia agitata li metterà in fuga ed essi fuggiranno come si fugge davanti alla spada; cadranno senza che alcuno li insegua. [37]Inciamperanno l'uno nell'altro come se si trovassero davanti alla spada, senza che alcuno li insegua. Non potrete resistere davanti ai vostri nemici. [38]Vi disperderete tra i popoli e la terra dei vostri nemici vi divorerà. [39]Quelli fra voi che scamperanno, saranno annientati nei paesi dei vostri nemici a causa dei loro peccati e anche a causa dei peccati dei loro padri.

[40]Dovranno allora confessare il loro peccato e il peccato dei loro padri, per le infedeltà compiute contro di me e per l'ostinazione che mi hanno opposta, [41]per cui anch'io mi sono ostinato contro di loro e li ho deportati nella terra dei loro nemici. Il loro cuore incirconciso si umilierà ed espieranno il loro peccato. [42]Io mi ricorderò della mia alleanza con Giacobbe, dell'alleanza con Isacco e dell'alleanza con Abramo. Anche della terra mi ricorderò. [43]Abbandonata da loro, mentre è nella desolazione la terra godrà allora i suoi sabati, ed essi espieranno i loro peccati, per aver disprezzato i miei precetti ed essersi stancati delle mie leggi. [44]Malgrado ciò, quando essi saranno nella terra dei loro nemici, io non li disprezzerò e non mi stancherò di essi fino al punto di distruggerli e rendere vana la mia alleanza con loro, perché io sono il Signore Dio vostro. [45]In loro favore mi ricorderò dell'alleanza con i loro antenati, che ho fatto uscire dalla terra d'Egitto davanti alle nazioni, per essere il loro Dio. Io sono il Signore».

[46]Queste sono le leggi, i precetti e gli insegnamenti che il Signore stabilì fra sé e i figli d'Israele, sul monte Sinai, per mezzo di Mosè.

NORME RELATIVE AL RISCATTO

27 [1]Il Signore disse ancora a Mosè: [2]«Parla ai figli d'Israele e di' loro: Se un uomo vuole sciogliere un voto, ecco la stima che dovrai fare delle persone votate al Signore: [3]la stima di un maschio, dai venti ai sessant'anni, sarà di cinquanta sicli d'argento, calcolati secondo il siclo del santuario; [4]se si tratta di una donna, la tua stima sarà di trenta sicli; [5]se si tratta di una persona dai cinque ai vent'anni, la tua stima sarà per il maschio di venti sicli e per la femmina di dieci sicli; [6]se si tratta di un bambino da un mese a cinque anni, il valore del maschio sarà di cinque sicli d'argento e quello della femmina sarà di tre sicli d'argento; [7]se si tratta di una persona da sessant'anni in su, se è maschio il suo valore sarà di quindici sicli, se è femmina sarà di dieci sicli.

[8]Se colui che ha fatto il voto non arriva a pagare la somma stabilita, presenti la persona al sacerdote e il sacerdote ne determinerà il valore in base alle possibilità di chi ha fatto il voto.

[9]Se si tratta di bestiame che si può offrire al Signore, ogni animale offerto al Signore sarà sacro. [10]Non lo si potrà commutare né si potrà sostituire uno buono con uno cattivo, o uno cattivo con uno buono. Se si permuta un animale con un altro, l'animale e il suo sostituto saranno considerati sacri. [11]Se si tratta di animale impuro, che non può essere offerto al Signore, colui che ha fatto il voto presenti l'animale al sacerdote; [12]il sacerdote ne farà la valutazione e, buona o cattiva che essa sia, la valutazione del sacerdote dovrà essere accettata. [13]Se l'animale viene riscattato, si aggiunga un quinto alla valutazione.

[14]Quando un uomo consacra al Signore la sua casa, il sacerdote ne farà la valutazione e, buona o cattiva che essa sia, la valutazione del sacerdote dovrà essere accettata. [15]Se il consacrante vuole riscattare la sua casa, aggiunga un quinto della somma valutata e la casa sarà sua.

[16]Se un uomo consacra al Signore un pezzo di terra di sua proprietà, se ne farà la valutazione in base a quanto vi è stato seminato: la semente contenuta in un comer d'orzo sarà valutata cinquanta sicli d'argento. [17]Se egli consacra il suo campo a partire dall'anno del giubileo, la valutazione resta la stessa; [18]ma se lo consacra dopo il giubileo, il sacerdote gli calcoli il prezzo in base agli anni che rimangono fino all'anno del giubileo, diminuendone la valutazione. [19]Se chi ha consacrato il campo lo vuole riscattare, aggiungerà un quinto della somma valutata e il campo sarà suo. [20]Se non riscatta il suo campo e lo vende a un altro, non lo potrà più riscattare. [21]Nell'anno del giubileo poi, quando dovrà essere lasciato dal compratore, il campo sarà sacro al Signore, come un campo votato allo sterminio, e diverrà proprietà del sacerdote.

[22]Se uno consacra al Signore un campo che non appartiene al suo patrimonio, ma che ha acquistato, [23]il sacerdote ne valuterà il prezzo fino all'anno del giubileo e quel tale pagherà il giorno stesso il prezzo fissato, come cosa consacrata al Signore. [24]Nell'anno del giubileo il campo ritorni di proprietà della persona da cui l'ha comprato, e alla quale apparteneva. [25]Ogni valutazione sia fatta in sicli del santuario. Ogni siclo è di venti ghera. [26]Nessuno può consacrare al Signore un primogenito di animali, perché, come primogenito, appartiene già al Signore: sia esso di bestiame grosso che di bestiame minuto, appartiene al Signore. [27]Nel caso di bestiame impuro, lo si può riscattare al prezzo di stima, aggiungendovi un quinto; e se non è riscattato sarà venduto al solo prezzo di stima. [28]Ogni cosa che uno avrà consacrato al Signore con voto di sterminio fra quanto gli appartiene: persone, animali o campi del suo patrimonio, non potrà essere né venduta né riscattata; ogni cosa votata allo sterminio è considerata sacra al Signore. [29]Nessuna persona votata allo sterminio può essere riscattata; dovrà essere messa a morte.

[30]Ogni decima della terra, sia dei prodotti del suolo che dei frutti delle piante, appartiene al Signore, è cosa consacrata al Signore. [31]Se un uomo vuole riscattare una parte delle sue decime, vi aggiunga un quinto. [32]Ogni decima del bestiame grosso o minuto, e cioè il decimo capo di quanto passa sotto la verga del pastore, sia considerata sacra al Signore. [33]Non si scelga tra animale buono e cattivo, né si facciano permute; se una permuta sarà stata fatta, l'animale e il suo sostituto saranno ritenuti sacri; non potranno essere riscattati».

[34]Queste sono le norme che il Signore diede a Mosè per i figli d'Israele, sul monte Sinai.

---

27. - 28. *Anatema* o «voto di sterminio» è un termine che apparteneva alla guerra santa. Ciò che era votato a Dio doveva essergli totalmente sacrificato.

NUMERI

A causa del censimento delle tribù accampate ai piedi del Sinai, che occupa i primi quattro capitoli, questo libro è stato chiamato col titolo di Numeri. In realtà l'opera risulta un insieme di leggi e narrazioni spesso vivaci e intense anche teologicamente. Il Sinai è quasi il grande sfondo costante dei primi dieci capitoli: esso è lo spartiacque che divide i due grandi versanti dell'itinerario nel deserto verso la terra della libertà: dalla schiavitù d'Egitto all'intimità con Dio al Sinai, dal Sinai all'orizzonte tanto atteso della terra promessa. I cc. 1-10 rappresentano, perciò, la vigilia della partenza per la seconda tappa lungo le piste che dal Sinai conducono alle rive del Giordano.

Dopo che si è celebrata la grande Pasqua del deserto, il libro disegna la marcia con una sequenza di scene legate alle località attraversate (il deserto di Paran: cc. 11-12; la ricognizione del territorio di Canaan: cc. 13-14; la via tra Kades e Moab: cc. 20-21) e definite narrativamente da eventi e da norme legislative abilmente mescolate coi racconti. Alle soglie della terra tanto attesa e sperata, cioè nelle steppe di Moab, si ambienta, invece, l'ultimo grande quadro del libro. Si incontrano qui gli ultimi ostacoli, soprattutto interiori, all'ingresso nella terra della libertà (la tentazione dei culti della fertilità proposti dai Madianiti: c. 31), si dispiega nell'antichissima e deliziosa narrazione di Balaam (cc. 22-24) la celebrazione dell'Israele benedetto da Dio e alla fine si traccia un quadro legislativo della futura nazione ebraica che si stanzierà nella terra della promessa (cc. 26-30; 32-36).

IL CENSIMENTO DEL POPOLO

1 [1]Il Signore parlò a Mosè nel deserto del Sinai, nella tenda del convegno, il primo giorno del secondo mese, nel secondo anno dalla loro uscita dalla terra d'Egitto, e disse: [2]«Fate il censimento di tutta la comunità dei figli d'Israele, per famiglie e per casato paterno, contando i nomi di tutti i maschi, uno per uno, [3]dai vent'anni in su, chiunque può essere arruolato nell'esercito in Israele: li passerete in rassegna schiera per schiera, tu e Aronne. [4]Sarà con voi un uomo per ciascuna tribù, un uomo che sia a capo del proprio casato paterno. [5]Questi sono i nomi degli uomini che vi assisteranno: per Ruben: Elisur, figlio di Sedeur; [6]per Simeone: Selumiel, figlio di Surisaddai; [7]per Giuda: Nacason, figlio di Amminadab; [8]per Issacar: Netaneel, figlio di Suar; [9]per Zabulon: Eliab, figlio di Chelon; [10]per i figli di Giuseppe: per Efraim: Elisama, figlio di Ammiud; per Manasse: Gamliel, figlio di Pedasur; [11]per Beniamino: Abidan, figlio di Ghideoni; [12]per Dan: Achiezer, figlio di Ammisaddai; [13]per Aser: Paghiel, figlio di Ocran; [14]per Gad: Eliasaf, figlio di Deuel; [15]per Neftali: Achira, figlio di Enan».

[16]Questi furono gli uomini scelti in mezzo alla comunità. Essi erano i capi delle loro tribù paterne, i capi dei gruppi d'Israele.

[17]Mosè e Aronne presero quegli uomini che erano stati designati per nome, [18]e radunarono tutta la comunità il primo giorno del secondo mese. Tutti dichiararono la loro famiglia e il loro casato paterno, elencando i nomi di quelli dai vent'anni in su, uno per uno. [19]Come il Signore aveva ordinato a Mosè, ne fecero il censimento nel deserto del Sinai.

---

1. - 1. Mosè crede finalmente arrivato il tempo di partire per andare verso la mèta, promessa da Dio, e perciò fa il censimento del popolo e stabilisce l'ordine di marcia.

²⁰Furono registrati i figli di Ruben, primogenito d'Israele, i loro discendenti, per famiglie e casato paterno, contando tutti i maschi uno per uno, dai vent'anni in su, quanti potevano essere arruolati nell'esercito: ²¹i censiti della tribù di Ruben furono 46.500. ²²Furono registrati i figli di Simeone, i loro discendenti, censiti per famiglie e casato paterno, contando tutti i maschi uno per uno, dai vent'anni in su, quanti potevano essere arruolati nell'esercito: ²³i censiti della tribù di Simeone furono 59.300. ²⁴Furono registrati i figli di Gad, i loro discendenti, per famiglie e casato paterno, contando i nomi di quelli dai vent'anni in su, quanti potevano essere arruolati nell'esercito: ²⁵i censiti della tribù di Gad furono 45.650.

²⁶Furono registrati i figli di Giuda, i loro discendenti, per famiglie e casato paterno, contando i nomi di quelli dai vent'anni in su, quanti potevano essere arruolati nell'esercito: ²⁷i censiti della tribù di Giuda furono 74.600. ²⁸Furono registrati i figli di Issacar, i loro discendenti, per famiglie e casato paterno, contando i nomi di quelli dai vent'anni in su, quanti potevano essere arruolati nell'esercito: ²⁹i censiti della tribù di Issacar furono 54.400. ³⁰Furono registrati i figli di Zabulon, i loro discendenti, per famiglie e casato paterno, contando i nomi di quelli dai vent'anni in su, quanti potevano essere arruolati nell'esercito: ³¹i censiti della tribù di Zabulon furono 57.400. ³²Furono registrati i figli di Giuseppe: i figli di Efraim, i loro discendenti, per famiglie e casato paterno, contando i nomi di quelli dai vent'anni in su, quanti potevano essere arruolati nell'esercito: ³³i censiti della tribù di Efraim furono 40.500. ³⁴Furono registrati i figli di Manasse, i loro discendenti, per famiglie e casato paterno, contando i nomi di quelli dai vent'anni in su, quanti potevano essere arruolati nell'esercito: ³⁵i censiti della tribù di Manasse furono 32.200. ³⁶Furono registrati i figli di Beniamino, i loro discendenti, per famiglie e casato paterno, contando i nomi di quelli dai vent'anni in su, quanti potevano essere arruolati nell'esercito: ³⁷i censiti della tribù di Beniamino furono 35.400. ³⁸Furono registrati i figli di Dan, i loro discendenti, per famiglie e casato paterno, contando i nomi di quelli dai vent'anni in su, quanti potevano essere arruolati nell'esercito: ³⁹i censiti della tribù di Dan furono 62.700. ⁴⁰Furono registrati i

figli di Aser, i loro discendenti, per famiglie e casato paterno, contando i nomi di quelli dai vent'anni in su, quanti potevano essere arruolati nell'esercito: ⁴¹i censiti della tribù di Aser furono 41.500. ⁴²Furono registrati i figli di Neftali, i loro discendenti, per famiglie e casato paterno, contando i nomi di quelli dai vent'anni in su, quanti potevano essere arruolati nell'esercito: ⁴³i censiti della tribù di Neftali furono 53.400.

⁴⁴Questi furono i censiti da Mosè, da Aronne e dai dodici capi d'Israele, uno per ciascuno dei loro casati paterni. ⁴⁵Tutti i figli d'Israele, censiti per casato paterno, dai vent'anni in su, quanti potevano essere arruolati nell'esercito ⁴⁶in totale furono 603.550. ⁴⁷Ma tra loro non furono censiti i leviti, secondo la loro tribù paterna.

⁴⁸Il Signore aveva detto a Mosè: ⁴⁹«Non registrare la tribù di Levi e non fare il censimento di essa tra i figli d'Israele, ⁵⁰ma disponi che i leviti si prendano cura della dimora della Testimonianza, di tutti i suoi arredi e di tutto quello che ha. Trasporteranno la dimora e tutti i suoi arredi, vi presteranno servizio e si accamperanno intorno alla dimora. ⁵¹Quando la dimora dovrà spostarsi, i leviti la smonteranno, e quando la dimora dovrà accamparsi in qualche luogo, i leviti la erigeranno. Ogni estraneo che si avvicinerà sarà messo a morte. ⁵²I figli d'Israele si accamperanno ognuno nel proprio accampamento, ognuno presso la propria insegna, secondo le loro schiere. ⁵³I leviti si accamperanno intorno alla dimora della Testimonianza, in modo che la mia ira non si accenda contro la comunità dei figli d'Israele. I leviti avranno a cuore il servizio della dimora della Testimonianza».

⁵⁴I figli d'Israele si conformarono a tutto quello che il Signore aveva ordinato a Mosè, e così fecero.

DISPOSIZIONE DELLE TRIBÙ NELL'ACCAMPAMENTO

2 ¹Il Signore disse di nuovo a Mosè e ad Aronne: ²«I figli d'Israele si accampe-

2. - 1-31. L'accampamento degli Israeliti formava un quadrilatero. In mezzo stava la tenda: a ognuno dei quattro lati si accampavano tre delle dodici tribù, formando un quartiere distinto, capeggiato dalla tribù di mezzo. Immediatamente attorno alla tenda, come guardia d'onore, stava la tribù di Levi.

ranno ognuno presso la propria insegna, vicino all'emblema del loro casato paterno: si accamperanno intorno, rivolti verso la tenda del convegno.

[3]Si accamperà di fronte, a oriente, l'insegna del campo di Giuda, con le sue schiere; il capo dei figli di Giuda è Nacason, figlio di Amminadab. [4]La sua schiera e i suoi censiti sono 74.600.

[5]Si accamperà presso di lui la tribù di Issacar; il capo dei figli di Issacar è Netaneel, figlio di Suar. [6]La sua schiera e i suoi censiti sono 54.400. [7]Poi la tribù di Zabulon; il capo dei figli di Zabulon è Eliab, figlio di Chelon. [8]La sua schiera e i suoi censiti sono 57.400. [9]Tutti i censiti del campo di Giuda sono 186.400, secondo le loro schiere. Toglieranno le tende per primi.

[10]A sud ci sarà l'insegna del campo di Ruben, secondo le sue schiere, con il capo dei figli di Ruben, Elisur, figlio di Sedeur. [11]La sua schiera e i suoi censiti sono 46.500.

[12]Si accamperà presso di lui la tribù di Simeone; il capo dei figli di Simeone è Selumiel, figlio di Surisaddai. [13]La sua schiera e i suoi censiti sono 59.300. [14]Poi la tribù di Gad; il capo dei figli di Gad è Eliasaf, figlio di Deuel. [15]La sua schiera e i suoi censiti sono 45.650. [16]Tutti i censiti del campo di Ruben sono 151.450, secondo le loro schiere. Toglieranno le tende come secondi.

[17]Poi partirà la tenda del convegno. Il campo dei leviti sarà in mezzo agli accampamenti. Come erano accampati, così partiranno: ognuno al suo posto con la propria insegna.

[18]A ovest ci sarà l'insegna del campo di Efraim, con le sue schiere; il capo dei figli di Efraim è Elisama, figlio di Ammiud. [19]La sua schiera e i suoi censiti sono 40.500. [20]Vicino a lui la tribù di Manasse; il capo dei figli di Manasse è Gamliel, figlio di Pedasur. [21]La sua schiera e i suoi censiti sono 32.200. [22]Poi la tribù di Beniamino: il capo dei figli di Beniamino è Abidan, figlio di Ghideoni. [23]La sua schiera e i suoi censiti sono 35.400. [24]Tutti i censiti del campo di Efraim sono 108.100, secondo le loro schiere. Toglieranno le tende al terzo posto.

[25]A nord ci sarà l'insegna del campo di Dan, con le sue schiere; il capo dei figli di Dan è Achiezer, figlio di Ammisaddai. [26]La sua schiera e i suoi censiti sono 62.700. [27]Vicino a lui si accamperà la tribù di Aser;

il capo dei figli di Aser è Paghiel, figlio di Ocran. [28]La sua schiera e i suoi censiti sono 41.500. [29]Poi la tribù di Neftali: il capo dei figli di Neftali è Achirà, figlio di Enan. [30]La sua schiera e i suoi censiti sono 53.400. [31]Tutti i censiti del campo di Dan sono 157.600. Toglieranno le tende per ultimi, secondo le loro insegne».

[32]Questi sono i censiti dei figli d'Israele, secondo il loro casato paterno. Tutti i censiti degli accampamenti secondo le loro schiere furono 603.550.

[33]I leviti, però, non furono censiti tra i figli d'Israele, come il Signore aveva ordinato a Mosè. [34]I figli d'Israele fecero secondo tutto quello che il Signore aveva ordinato a Mosè. In questo modo si accamparono secondo le loro insegne, e così tolsero le tende, ognuno secondo le proprie famiglie e secondo il casato paterno.

IL CENSIMENTO DEI LEVITI

3 [1]Questi sono i discendenti di Aronne e di Mosè, al tempo in cui il Signore parlò a Mosè sul monte Sinai. [2]Questi sono i nomi dei figli di Aronne: Nadab, il primogenito, Abiu, Eleazaro e Itamar. [3]Questi sono i nomi dei figli di Aronne, unti sacerdoti, e consacrati per esercitare il sacerdozio. [4]Nadab e Abiu morirono alla presenza del Signore mentre offrivano fuoco profano davanti al Signore nel deserto del Sinai. Essi non ebbero figli, ed Eleazaro e Itamar esercitarono il sacerdozio alla presenza di Aronne, loro padre.

[5]Il Signore disse a Mosè: [6]«Fa' avvicinare la tribù di Levi e presentala al sacerdote Aronne, perché si metta al suo servizio. [7]Essi custodiranno quanto occorre a lui e a tutta la comunità davanti alla tenda del convegno, e presteranno servizio alla dimora. [8]Custodiranno tutti gli arredi della tenda del convegno e avranno cura di quanto occorre ai figli di Israele, nel servizio da prestare alla dimora. [9]Assegnerai i leviti ad Aronne e ai suoi figli come "donati": essi infatti saranno considerati come "donati" a lui dagli Israeliti. [10]Designerai poi Aronne e i suoi figli, perché esercitino le funzioni del loro sacerdozio; ogni estraneo che si avvicinerà sarà messo a morte».

[11]Il Signore disse poi a Mosè: [12]«Ecco, io ho preso i leviti tra i figli d'Israele al posto di ogni primogenito che nasce per primo tra i figli d'Israele: i leviti saranno miei, [13]perché mio è ogni primogenito. Nel giorno in cui colpii tutti i primogeniti nella terra d'Egitto, io riservai per me, in Israele, ogni primogenito, sia degli uomini che degli animali: essi appartengono a me. Io sono il Signore».

[14]Il Signore ordinò a Mosè nel deserto del Sinai: [15]«Fa' il censimento dei figli di Levi, secondo il loro casato paterno e le loro famiglie: registrerai ogni maschio dall'età di un mese in su». [16]Mosè li registrò secondo la parola del Signore, come gli aveva ordinato. [17]Questi furono i figli di Levi secondo i loro nomi: Gherson, Keat e Merari. [18]Questi i nomi dei figli di Gherson: Libni e Simei. [19]Questi i nomi dei figli di Keat, secondo le loro famiglie: Amram, Isear, Ebron e Uzziel. [20]Questi i nomi dei figli di Merari, secondo le loro famiglie: Macli e Musi. Queste sono le famiglie di Levi, secondo il loro casato paterno.

[21]A Gherson risalgono le famiglie di Libni e di Simei: queste sono le famiglie dei Ghersoniti. [22]I loro censiti, contando tutti i maschi dall'età di un mese in su, erano 7.500. [23]Le famiglie di Gherson si accamparono dietro la dimora, a occidente. [24]Il capo del casato paterno di Gherson era Eliasaf, figlio di Lael. [25]Nella tenda del convegno i figli di Gherson custodivano la dimora, la tenda, la sua copertura, il drappo nell'apertura d'ingresso della tenda del convegno, [26]i tendoni del cortile e il drappo nell'apertura d'ingresso del recinto che circonda la dimora e l'altare, con tutto quanto era necessario per il servizio.

[27]A Keat risalgono la famiglia di Amram, la famiglia di Isear, la famiglia di Ebron e la famiglia di Uzziel: queste sono le famiglie dei Keatiti. [28]Il numero di tutti i maschi, dall'età di un mese in su, era di 8.600. Essi avevano la custodia del santuario. [29]Le famiglie dei figli di Keat si accamparono nella parte meridionale della dimora. [30]Il capo del casato paterno delle famiglie di Keat era Elisafan, figlio di Uzziel. [31]Ad essi erano affidati l'arca, la mensa, il candelabro, gli altari, gli arredi del santuario, con i quali si compie il servizio, il velo e tutto il necessario per questo servizio. [32]Il capo supremo dei leviti è Eleazaro, figlio del sacerdote Aronne. Egli aveva il controllo degli addetti alla custodia del santuario.

[33]A Merari risalgono la famiglia di Macli e la famiglia di Musi: queste sono le famiglie dei Merariti. [34]I loro censiti, contando tutti i maschi dall'età di un mese in su, erano 6.200. [35]Il capo del casato paterno delle famiglie di Merari era Suriel, figlio di Abicail: essi si accamparono nella parte settentrionale della dimora. [36]Compito dei figli di Merari era quello di curare le assi della dimora, le sue stanghe, le sue colonne, i suoi basamenti, tutti i suoi arredi e tutto il loro mantenimento, [37]le colonne intorno al cortile, i loro basamenti, i loro pioli e le loro corde. [38]Accampati davanti alla dimora, a oriente, di fronte alla tenda del convegno si stabilirono Mosè, Aronne e i suoi figli, che avevano la custodia del santuario, per conto dei figli d'Israele. Ogni estraneo che vi si fosse avvicinato, sarebbe stato messo a morte. [39]Tutti i leviti censiti da Mosè e da Aronne secondo le loro famiglie, per ordine del Signore, contando ogni maschio dall'età di un mese in su, furono 22.000.

[40]Il Signore disse a Mosè: «Fa' il censimento di tutti i primogeniti maschi tra i figli d'Israele, dall'età di un mese in su, e fa' l'elenco dei loro nomi. [41]Prenderai i leviti per me – io sono il Signore – al posto di ogni maschio dei figli d'Israele e il bestiame dei leviti al posto di ogni primogenito del bestiame dei figli di Israele». [42]Mosè fece il censimento di ogni primogenito dei figli d'Israele, come gli aveva ordinato il Signore. [43]Tutti i primogeniti maschi registrati, contando i nomi dall'età di un mese in su, erano 22.273.

[44]Il Signore ordinò poi a Mosè: [45]«Prendi i leviti al posto dei primogeniti dei figli d'Israele e il bestiame dei leviti al posto del loro bestiame: i leviti saranno miei. Io sono il Signore.

[46]Per il riscatto dei 273 primogeniti dei figli di Israele, che sono in eccedenza sui leviti, [47]prenderai cinque sicli a testa; li prenderai in base al valore del siclo del santuario, che è di venti ghera per siclo. [48]Darai il denaro ad Aronne e ai suoi figli come prezzo del riscatto di quelli che eccedono

---

3. - 12ss. In Es 13 il Signore aveva detto di riservare a sé, senza eccezione, tutti i maschi primogeniti in Israele, sia degli uomini che degli animali. Ora fa sapere che, in cambio dei primogeniti, prenderà al suo servizio i maschi della tribù di Levi. Per questo ne ordina il censimento.

sui leviti». ⁴⁹Mosè prese il denaro del prezzo del riscatto per quelli che eccedevano il
numero dei primogeniti riscattati dai leviti.
⁵⁰Dai primogeniti dei figli d'Israele prese in
denaro 1.365 sicli in base al valore del siclo
del santuario. ⁵¹Mosè diede il denaro del
prezzo del riscatto ad Aronne e ai suoi figli,
come il Signore gli aveva ordinato.

LE FAMIGLIE DEI LEVITI

4 *I figli di Keat* – ¹Il Signore disse di nuovo
a Mosè e ad Aronne: ²«Fate il censimento dei figli di Keat tra i figli di Levi, secondo le loro famiglie e il loro casato paterno,
³dall'età di trent'anni fino a cinquant'anni, di
quanti fanno parte di una schiera per compiere il servizio nella tenda del convegno.
⁴Questo è il servizio dei figli di Keat nella
tenda del convegno: la cura delle cose più
sacre.
⁵Quando si toglierà il campo, Aronne e i
suoi figli verranno a smontare il velo di protezione e copriranno con esso l'arca della
Testimonianza. ⁶Vi porranno sopra una coperta di pelle conciata e vi stenderanno un
drappo tutto di porpora, poi vi sistemeranno
le stanghe.
⁷Sulla tavola della presentazione stenderanno un drappo purpureo e vi porranno i piatti,
i cucchiai, le tazze, le coppe per le libazioni;
ci sarà anche il pane perenne. ⁸Stenderan-
no su questi oggetti un drappo e lo avvolge-
ranno con una coperta di pelle conciata, poi
vi sistemeranno le stanghe. ⁹Prenderanno
un drappo di porpora e copriranno il candelabro della luce, le sue lampade, le sue
molle, i suoi smoccolatoi e tutti i vasi a olio
destinati al suo servizio. ¹⁰Porranno il candelabro e tutti gli accessori su una coperta di pelle conciata e lo sistemeranno sulla
portantina. ¹¹Sull'altare d'oro stenderanno
un drappo di porpora e lo copriranno con
una coperta di pelle conciata, poi vi sistemeranno le sue stanghe. ¹²Prenderanno
tutti gli oggetti che si usano per il servizio
nel santuario, li porranno su un drappo di
porpora, li copriranno con una coperta di
pelle conciata e li porranno sulla portantina.
¹³Toglieranno la cenere dall'altare e su di
esso stenderanno un drappo scarlatto; ¹⁴vi
porranno tutti gli oggetti necessari al suo
servizio, i bracieri, le forcelle, le palette, i

catini, tutti gli accessori dell'altare, vi stenderanno una coperta di pelle conciata, poi
vi sistemeranno le stanghe.
¹⁵Dopo che Aronne e i suoi figli avranno terminato di coprire il santuario e tutti i suoi
accessori, al momento di togliere il campo,
verranno i figli di Keat per trasportare quelle cose sante; ma non dovranno toccarle,
altrimenti moriranno. Questo è l'incarico dei
figli di Keat nella tenda del convegno.
¹⁶Compito di Eleazaro, figlio del sacerdote
Aronne, è la custodia dell'olio per l'illuminazione, dell'incenso aromatico, dell'oblazione perpetua e dell'olio dell'unzione, la
custodia di tutta la dimora e di tutto quanto
contiene, del santuario e dei suoi arredi».
¹⁷Poi il Signore disse a Mosè e ad Aronne:
¹⁸«Non permettete che la tribù delle famiglie
di Keat venga eliminata dai leviti, ¹⁹ma agirete con loro in questo modo, perché vivano
e non muoiano: quando si accosteranno al
Santo dei Santi, entrino Aronne e i suoi figli e assegnino a ciascuno di essi il proprio
servizio e incarico. ²⁰Non entrino essi a vedere, neppure per un istante, le cose sante,
perché morirebbero».

I figli di Gherson – ²¹Il Signore disse a
Mosè: ²²«Fa' il censimento anche dei figli
di Gherson, secondo il loro casato paterno e le loro famiglie. ²³Farai il censimento
dall'età di trent'anni fino a cinquant'anni, di
quanti fanno parte di una schiera per compiere il servizio nella tenda del convegno.
²⁴Questo è il compito delle famiglie di
Gherson per quanto riguarda il trasporto:
²⁵porteranno i teli della dimora e la tenda
del convegno, la copertura, la coperta di
pelle conciata che vi è sopra e il drappo
all'ingresso della tenda del convegno; ²⁶i
tendoni del cortile e il drappo all'ingresso
del cortile, i tendaggi attorno alla dimora e
all'altare, le loro corde, tutti gli oggetti necessari al loro impianto: cureranno il servizio che si riferisce a queste cose. ²⁷Tutto
il servizio dei figli di Gherson, riguardante
le cose che devono fare e trasportare, si
svolgerà sotto gli ordini di Aronne e dei suoi
figli: quanto dovrà essere trasportato, sarà
affidato alla loro sorveglianza. ²⁸Questo è il
servizio delle famiglie dei figli di Gherson
nella tenda del convegno; la loro sorveglianza sarà affidata ad Itamar, figlio del
sacerdote Aronne.

Nm

I figli di Merari – ²⁹Farai il censimento dei
figli di Merari, secondo le loro famiglie e il
loro casato paterno, ³⁰dall'età di trent'anni
fino a cinquant'anni, di quanti fanno parte
di una schiera per compiere il servizio nella
tenda del convegno.
³¹Questo è quanto viene affidato alla loro
cura, sia nel trasporto che nel servizio nella
tenda del convegno: le assi della dimora, le
sue stanghe, le sue colonne e i suoi basamenti, ³²le colonne che circondano il cortile,
i loro basamenti, i pioli, le corde e tutti i loro
arredi per il servizio. Assegnerete loro per
nome tutti gli oggetti del loro servizio e il
carico da trasportare. ³³Questo è il servizio
delle famiglie dei figli di Merari, tutto il loro
servizio nella tenda del convegno, agli ordini di Itamar, figlio del sacerdote Aronne».
³⁴Mosè, Aronne e i capi della comunità
registrarono i figli di Keat, secondo le loro
famiglie e il loro casato paterno, ³⁵dall'età
di trent'anni fino a cinquant'anni, di quanti
potevano far parte di una schiera per compiere il servizio nella tenda del convegno.
³⁶Coloro che furono registrati, secondo le
loro famiglie, furono 2.750. ³⁷Questi sono i
censiti delle famiglie di Keat, di quanti prestavano servizio nella tenda del convegno.
Mosè e Aronne li registrarono secondo
l'ordine dato dal Signore a Mosè. ³⁸I figli
di Gherson registrati per famiglie e casato
paterno, ³⁹dall'età di trent'anni fino a cinquant'anni, quanti cioè potevano far parte
di una schiera per compiere il servizio nella
tenda del convegno, ⁴⁰tutti costoro, censiti
per famiglie e casato paterno, furono 2.630.
⁴¹Questi sono i censiti delle famiglie dei figli
di Gherson, di tutti quelli cioè che prestava-
no servizio nella tenda del convegno. Mosè
e Aronne li registrarono secondo l'ordine
del Signore. ⁴²Quelli delle famiglie dei figli
di Merari, registrati per famiglie e casato
paterno, ⁴³dall'età di trent'anni fino a cinquant'anni, quanti cioè potevano far parte
di una schiera per compiere il servizio nella
tenda del convegno, ⁴⁴tutti costoro, censiti
per famiglie, furono 3.200. ⁴⁵Questi sono i
censiti delle famiglie dei figli di Merari, registrati da Mosè e Aronne, secondo l'ordine
dato dal Signore a Mosè.
⁴⁶Tutti i levìti che Mosè, Aronne e i capi
d'Israele censirono, per famiglie e casato
paterno, ⁴⁷dall'età di trent'anni fino a cinquant'anni, quanti cioè potevano far parte

di una schiera per compiere il servizio nella
tenda del convegno, ⁴⁸tutti costoro furono 8.580. ⁴⁹Il loro censimento fu fatto per
mezzo di Mosè, secondo l'ordine dato dal
Signore, assegnando a ciascuno il proprio
ruolo nel servizio e nel trasporto. Il loro
censimento avvenne secondo l'ordine che
il Signore aveva dato a Mosè.

LEGGI VARIE

5 ¹Il Signore disse a Mosè: ²«Ordina ai
figli d'Israele di allontanare dall'accam-
pamento qualunque lebbroso, chi soffre di
gonorrea, chi è impuro per il contatto con
un cadavere. ³Allontanerete dall'accampamento maschi e femmine: li allontanerete
affinché non contaminino il loro accampamento, in mezzo al quale io abito».
⁴Così fecero i figli d'Israele e li allontanarono
dall'accampamento. Come il Signore aveva
detto a Mosè, così fecero i figli d'Israele.
⁵Il Signore ordinò a Mosè: ⁶«Di' ai figli d'Isra-
ele: Un uomo o una donna che abbiano
commesso qualsiasi atto di ingiustizia contro il prossimo, peccando contro il Signore,
quella persona è colpevole. ⁷Confesserà il
peccato commesso, restituirà l'oggetto della
sua colpa per intero, aggiungendovi un quinto e lo consegnerà a colui verso il quale si è
resa colpevole. ⁸Se poi non ci sarà un parente prossimo a cui risarcire il danno, l'indenni-
tà sarà per il Signore, cioè per il sacerdote,
oltre all'ariete offerto per l'espiazione, con
il quale si farà l'espiazione per il colpevole.
⁹Sarà pure per il sacerdote ogni tributo su
tutte le cose consacrate che i figli d'Israele
offriranno. ¹⁰Le cose sante che uno consacrerà saranno sue; ciò che uno darà al sacerdote, a questi apparterrà».
¹¹Il Signore aggiunse a Mosè: ¹²«Parla ai
figli d'Israele e di' loro: Se un uomo ha la
moglie che si è traviata e ha commesso
un'infedeltà contro di lui ¹³e un uomo si è
unito a lei, ma la cosa è rimasta nascosta
al marito, ed essa si è contaminata in seguito, perché non c'erano testimoni contro
di lei da coglierla sul fatto, ¹⁴se in quest'uomo sorge uno spirito di gelosia da farlo sospettare della moglie che si è contaminata,
oppure lo spirito di gelosia lo fa sospettare
della moglie che non si è contaminata, ¹⁵al-
lora quell'uomo condurrà la moglie dal sa-

cerdote e porterà un'offerta per lei: un decimo di efa di farina d'orzo; non verserà su di essa olio né vi metterà incenso, perché è un'offerta di gelosia, è un'offerta commemorativa, destinata a ricordare una colpa. [16]Il sacerdote farà avvicinare la donna e la farà stare davanti al Signore. [17]Poi prenderà acqua santa in un vaso d'argilla; prenderà anche polvere dal pavimento della dimora e la metterà nell'acqua. [18]Il sacerdote farà stare la donna davanti al Signore, le scoprirà il capo e metterà nelle sue mani l'offerta commemorativa, cioè l'offerta della gelosia, mentre egli terrà in mano l'acqua amara, che porta maledizione. [19]Poi il sacerdote farà giurare quella donna, dicendo: Se nessun uomo ha avuto rapporti disonesti con te e se non sei stata infedele a tuo marito contaminandoti con altri, sii immune da quest'acqua amara che porta maledizione. [20]Ma se hai deviato con chi non è tuo marito e ti sei contaminata e un uomo, che non è tuo marito, ha avuto rapporti disonesti con te... [21]Qui il sacerdote farà pronunciare alla donna un giuramento imprecatorio e le dirà: Il Signore ti faccia oggetto di imprecazione e di maledizione in mezzo al tuo popolo, dandoti un fianco floscio e un ventre gonfio. [22]Entri nelle tue viscere quest'acqua che porta maledizione, per farti gonfiare il ventre e afflosciarti il fianco. La donna risponderà: Amen, amen. [23]Il sacerdote scriverà queste imprecazioni in un foglio e le farà scomparire nell'acqua amara; [24]farà bere alla donna l'acqua amara che porta maledizione e l'acqua maledetta entrerà in lei provocandole amarezza. [25]Il sacerdote prenderà dalla mano della donna l'offerta della gelosia, la presenterà al Signore e l'avvicinerà all'altare; [26]poi prenderà una manciata di quell'offerta come memoriale e la farà bruciare sull'altare; quindi farà bere l'acqua alla donna. [27]Dopo che le avrà fatto bere l'acqua, se sarà impura e avrà tradito il proprio marito, l'acqua amara che porta maledizione entrerà in lei, gonfie-

rà il suo ventre, renderà floscio il suo fianco e la donna sarà maledetta in mezzo al suo popolo. [28]Se la donna non sarà contaminata, ma pura, sarà riconosciuta innocente e sarà feconda.

[29]Questa è la legge della gelosia, quando una donna avrà tradito il proprio marito e si sarà resa impura, [30]o un uomo sarà affetto da spirito di gelosia e diventerà sospettoso della moglie: egli farà stare la moglie davanti al Signore e il sacerdote attuerà per lei tutta questa legge. [31]L'uomo sarà innocente da colpa e quella donna porterà la pena della propria colpa».

IL VOTO DI NAZIREATO

6 [1]Il Signore disse di nuovo a Mosè: [2]«Parla ai figli d'Israele e di' loro: Se un uomo o una donna farà un voto speciale, il voto di nazireato per consacrarsi al Signore, [3]si asterrà dal vino e dalle bevande inebrianti, non berrà aceto fatto di vino o di bevande inebrianti, non berrà liquori fatti con uva, né mangerà uva, né secca né fresca. [4]Per tutta la durata del suo nazireato non mangerà alcun prodotto della vigna, né uva acerba né vinacce. [5]Per tutta la durata del suo voto di nazireato non passerà rasoio sul suo capo: fino a quando non si compiranno i giorni che ha consacrato al Signore, sarà santo; farà crescere le chiome dei capelli del suo capo. [6]Per tutta la durata del suo nazireato in onore del Signore non si avvicinerà a un cadavere, [7]sia del padre che della madre, del fratello e della sorella; non si contaminerà in caso della loro morte, perché c'è il segno della consacrazione a Dio sul suo capo. [8]Per tutti i giorni del suo nazireato sarà consacrato al Signore. [9]Se qualcuno gli muore accanto improvvisamente e il suo capo consacrato viene contaminato, si raderà il capo nel giorno della sua purificazione: lo raderà nel settimo giorno. [10]Nell'ottavo giorno porterà due tortore o due colombi al sacerdote, all'ingresso della tenda del convegno. [11]Il sacerdote con uno farà un sacrificio espiatorio, con l'altro un olocausto e compirà per lui il rito di espiazione per il peccato in cui è incorso a causa di quel morto: in quello stesso giorno egli consacrerà così nuovamente il suo capo. [12]Consacrerà di nuovo al Signore

Nm

---

6. - 2ss. I più ferventi degli Israeliti, oltre alle obbligazioni della legge, se ne imponevano volontariamente delle altre, con voto più o meno durevole, talora anche perpetuo. Si chiamavano naziri, e nazireato la loro condizione: era una specie di consacrazione a Dio. Essi non dovevano radersi i capelli, non potevano bere nulla di fermentato né accostarsi a un cadavere. Troviamo questa pratica in uso anche ai tempi del NT.

anche i giorni del suo nazireato e offrirà un agnello di un anno come sacrificio espiatorio; i giorni precedenti non conteranno più, perché ha contaminato il suo nazireato.

[13]Questa è la legge per chi fa il voto di nazireato: quando si compiono i giorni del suo nazireato si porterà all'ingresso della tenda del convegno e [14]presenterà al Signore la sua offerta: un agnello di un anno, senza difetti, per l'olocausto; un'agnella di un anno, senza difetti, per il sacrificio espiatorio e un ariete, senza difetti, per il sacrificio di comunione. [15]Offrirà anche una cesta di pani azzimi fatti con fior di farina, di focacce intrise nell'olio, di schiacciate croccanti senza lievito, unte nell'olio, con le loro offerte e le loro libazioni. [16]Il sacerdote presenterà quelle cose al Signore e offrirà il suo sacrificio espiatorio e l'olocausto. [17]Offrirà al Signore l'ariete come sacrificio di comunione con il cesto degli azzimi, poi il sacerdote farà anche la sua offerta e la sua libazione. [18]Il nazireo si raderà il capo consacrato col voto di nazireato all'ingresso della tenda del convegno: prenderà la chioma del suo capo consacrato e la metterà sul fuoco che è sotto il sacrificio di comunione. [19]Poi il sacerdote prenderà la spalla cotta dell'ariete, una focaccia senza lievito dal cesto e una schiacciata croccante e le metterà nelle palme del nazireo dopo che si sarà raso il capo consacrato. [20]Il sacerdote le presenterà come offerta da fare davanti al Signore, secondo il rituale dell'agitazione. È cosa santa, che appartiene al sacerdote, oltre al petto della vittima, offerto con il rito dell'agitazione e la spalla della vittima, offerta con il rito dell'elevazione. Dopo, il nazireo potrà bere vino.

[21]Questa è la legge per chi fa il voto di nazireato e presenta al Signore l'offerta per il suo nazireato, oltre a quello che le sue sostanze gli permettono di aggiungere. Egli si comporterà secondo il voto che ha fatto in base alla legge del suo nazireato».

[22]Il Signore disse a Mosè: [23]«Parla ad Aronne e ai suoi figli e ordina loro: Così benedirete i figli d'Israele: direte loro:

[24]Il Signore ti benedica e ti protegga,
[25]il Signore faccia risplendere il suo volto
    su di te e ti faccia grazia,
[26]il Signore rivolga il suo volto su di te
    e ti conceda pace.

[27] Così porranno il mio nome
    sui figli d'Israele,
    e io li benedirò».

LE OFFERTE DEI CAPI D'ISRAELE
AL SIGNORE

7 [1]Quando Mosè terminò di erigere la dimora e l'ebbe unta e consacrata con tutti i suoi arredi, con l'altare e tutte le sue suppellettili, [2]si avvicinarono i capi d'Israele, che sono alla testa dei rispettivi casati paterni e capi delle tribù che avevano presieduto ai censimenti, [3]portando le loro offerte davanti al Signore: sei carri coperti e dodici buoi, cioè un carro per due capi e un bue per ognuno di loro. Li presentarono davanti alla dimora.

[4]Il Signore disse a Mosè: [5]«Prendili e impiegali per il servizio della tenda del convegno: li darai ai leviti, a ciascuno secondo il suo lavoro». [6]Mosè prese i carri e i buoi e li diede ai leviti: [7]due carri e quattro buoi li diede ai figli di Gherson secondo il loro lavoro; [8]quattro carri e otto buoi li diede ai figli di Merari secondo il loro lavoro, sotto la direzione di Itamar, figlio del sacerdote Aronne; [9]ai figli di Keat non diede niente, perché avevano il servizio degli oggetti sacri, da portare in spalla.

[10]I capi fecero l'offerta per la dedicazione dell'altare, nel giorno in cui fu consacrato; essi offrirono i loro doni davanti all'altare. [11]Il Signore disse a Mosè: «Ogni giorno questi capi si alterneranno nell'offrire i loro doni per la dedicazione dell'altare».

[12]Il primo giorno offrì il proprio dono Nacason, figlio di Amminadab, della tribù di Giuda. [13]Il suo dono fu un piatto d'argento del peso di centotrenta sicli, un vaso d'argento di settanta sicli, secondo il siclo del santuario, ambedue pieni di fior di farina intrisa nell'olio per l'offerta, [14]una coppa di dieci sicli d'oro piena d'incenso, [15]un vitello, un ariete e un agnello di un anno per l'olocausto, [16]un capretto per il sacrificio espiatorio, [17]due buoi, cinque arieti, cinque capri e cinque agnelli di un anno per il sacrificio di comunione. Questo fu il dono di Nacason, figlio di Amminadab.

[18]Nel secondo giorno offrì Netaneel, figlio di Suar, capo di Issacar. [19]Il suo dono fu un piatto d'argento del peso di centotrenta

sicli, un vaso d'argento di settanta sicli, secondo il siclo del santuario, ambedue pieni di fior di farina intrisa nell'olio per l'offerta, [20]una coppa di dieci sicli d'oro piena d'incenso, [21]un vitello, un ariete e un agnello di un anno per l'olocausto, [22]un capretto per il sacrificio espiatorio, [23]per il sacrificio di comunione due buoi, cinque arieti, cinque capri e cinque agnelli di un anno. Questo fu il dono di Netaneel, figlio di Suar.

[24]Nel terzo giorno offrì Eliab, il capo dei figli di Zabulon e figlio di Chelon. [25]Il suo dono fu un piatto d'argento del peso di centotrenta sicli, un vaso d'argento di settanta sicli, secondo il siclo del santuario, ambedue pieni di fior di farina intrisa in olio per l'offerta, [26]una coppa di dieci sicli d'oro, piena d'incenso, [27]un vitello, un ariete e un agnello di un anno per l'olocausto, [28]un capretto per il sacrificio espiatorio, [29]per il sacrificio di comunione due buoi, cinque arieti, cinque capri e cinque agnelli di un anno. Questo fu il dono di Eliab, figlio di Chelon.

[30]Nel quarto giorno offrì Elisur, capo dei figli di Ruben e figlio di Sedeur. [31]Il suo dono fu un piatto d'argento del peso di centotrenta sicli, un vaso d'argento di settanta sicli, secondo il siclo del santuario, ambedue pieni di fior di farina intrisa in olio per l'offerta, [32]una coppa di dieci sicli d'oro, piena d'incenso, [33]un vitello, un ariete e un agnello di un anno per l'olocausto, [34]un capretto per il sacrificio espiatorio, [35]per il sacrificio di comunione due buoi, cinque arieti, cinque capri e cinque agnelli. Questo fu il dono di Elisur, figlio di Sedeur.

[36]Nel quinto giorno offrì Selumiel, capo dei figli di Simeone e figlio di Surisaddai. [37]Il suo dono fu un piatto d'argento del peso di centotrenta sicli, un vaso d'argento di settanta sicli, secondo il siclo del santuario, ambedue pieni di fior di farina intrisa in olio per l'offerta, [38]una coppa di dieci sicli d'oro, piena d'incenso, [39]un vitello, un ariete e un agnello di un anno per l'olocausto, [40]un capretto per il sacrificio espiatorio, [41]per il sacrificio di comunione due buoi, cinque arieti, cinque capri e cinque agnelli di un anno. Questo fu il dono di Selumiel, figlio di Surisaddai.

[42]Nel sesto giorno offrì Eliasaf, capo dei figli di Gad e figlio di Deuel. [43]Il suo dono fu un piatto d'argento del peso di centotrenta sicli, un vaso d'argento di settanta sicli, se-

condo il siclo del santuario, ambedue pieni di fior di farina intrisa in olio per l'offerta, [44]una coppa di dieci sicli d'oro, piena d'incenso, [45]un vitello, un ariete e un agnello di un anno per l'olocausto, [46]un capretto per il sacrificio espiatorio, [47]per il sacrificio di comunione due buoi, cinque arieti, cinque capri e cinque agnelli di un anno. Questo fu il dono di Eliasaf, figlio di Deuel.

[48]Nel settimo giorno offrì Elisama, capo dei figli di Efraim e figlio di Ammiud. [49]Il suo dono fu un piatto d'argento del peso di centotrenta sicli, un vaso d'argento di settanta sicli, secondo il siclo del santuario, ambedue pieni di fior di farina intrisa in olio per l'offerta, [50]una coppa di dieci sicli d'oro piena d'incenso, [51]un vitello, un ariete e un agnello di un anno per l'olocausto, [52]un capretto per il sacrificio espiatorio, [53]per il sacrificio di comunione due buoi, cinque arieti, cinque capri e cinque agnelli di un anno. Questo fu il dono di Elisama, figlio di Ammiud.

[54]Nell'ottavo giorno offrì Gamliel, capo dei figli di Manasse e figlio di Pedasur. [55]Il suo dono fu un piatto d'argento del peso di centotrenta sicli, un vaso d'argento di settanta sicli, secondo il siclo del santuario, ambedue pieni di fior di farina intrisa in olio per l'offerta, [56]una coppa di dieci sicli d'oro, piena d'incenso, [57]un vitello, un ariete e un agnello di un anno per l'olocausto, [58]un capretto per il sacrificio espiatorio, [59]per il sacrificio di comunione due buoi, cinque arieti, cinque capri e cinque agnelli di un anno. Questo fu il dono di Gamliel, figlio di Pedasur.

[60]Nel nono giorno offrì Abidan, capo dei figli di Beniamino e figlio di Ghideoni. [61]Il suo dono fu un piatto d'argento del peso di centotrenta sicli, un vaso d'argento di settanta sicli, secondo il siclo del santuario, ambedue pieni di fior di farina intrisa in olio per l'offerta, [62]una coppa di dieci sicli d'oro, piena d'incenso, [63]un vitello, un ariete e un agnello di un anno per l'olocausto, [64]un capretto per il sacrificio espiatorio, [65]per il sacrificio di comunione due buoi, cinque arieti, cinque capri e cinque agnelli di un anno. Questo fu il dono di Abidan, figlio di Ghideoni.

[66]Nel decimo giorno offrì Achiezer, capo dei figli di Dan e figlio di Ammisaddai. [67]Il suo dono fu un piatto d'argento del peso

Nm

di centotrenta sicli, un vaso d'argento di settanta sicli, secondo il siclo del santuario, ambedue pieni di fior di farina intrisa in olio per l'offerta, [68]una coppa di dieci sicli d'oro, piena d'incenso, [69]un vitello, un ariete e un agnello di un anno per l'olocausto, [70]un capretto per il sacrificio espiatorio, [71]per il sacrificio di comunione due buoi, cinque arieti, cinque capri, cinque agnelli di un anno. Questo fu il dono di Achiezer, figlio di Ammisaddai.

[72]Nell'undicesimo giorno offrì Paghiel, capo dei figli di Aser e figlio di Ocran. [73]Il suo dono fu un piatto d'argento del peso di centotrenta sicli, e un vaso d'argento di settanta sicli, secondo il siclo del santuario, ambedue pieni di fior di farina intrisa in olio per l'offerta, [74]una coppa di dieci sicli d'oro, piena d'incenso, [75]un vitello, un ariete e un agnello di un anno per l'olocausto, [76]un capretto per il sacrificio espiatorio, [77]per il sacrificio di comunione due buoi, cinque arieti, cinque capri e cinque agnelli di un anno. Questo fu il dono di Paghiel, figlio di Ocran.

[78]Nel dodicesimo giorno offrì Achira, capo dei figli di Neftali e figlio di Enan. [79]Il suo dono fu un piatto d'argento del peso di centotrenta sicli, un vaso d'argento di settanta sicli, secondo il siclo del santuario, ambedue pieni di fior di farina intrisa in olio per l'offerta, [80]una coppa di dieci sicli d'oro, piena d'incenso, [81]un vitello, un ariete e un agnello di un anno per l'olocausto, [82]un capretto per il sacrificio espiatorio, [83]per il sacrificio di comunione due buoi, cinque arieti, cinque capri e cinque agnelli di un anno. Questo fu il dono di Achira, figlio di Enan.

[84]Questi furono i doni per la dedicazione dell'altare, da parte dei capi d'Israele, nel giorno in cui fu unto: dodici piatti d'argento, dodici vasi d'argento, dodici coppe d'oro; [85]ogni piatto d'argento pesava centotrenta sicli, e ogni vaso d'argento settanta. Tutti gli oggetti d'argento pesavano duemilaquattrocento sicli, secondo il siclo del santuario. [86]Dodici coppe d'oro, piene d'incenso, ciascuna del valore di dieci sicli, secondo il siclo del santuario, raggiunsero il valore di centoventi sicli. [87]Questo fu il totale del bestiame per l'olocausto: dodici tori, dodici arieti, dodici agnelli di un anno con le loro offerte, dodici capretti per il sacrificio espiatorio. [88]Questo fu il totale del bestiame per il sacrificio di comunione: ventiquattro tori,

sessanta arieti, sessanta capri, sessanta agnelli di un anno. Questi furono i doni per la dedicazione dell'altare, dopo che fu unto. [89]Quando Mosè entrava nella tenda del convegno per parlare con il Signore, udiva la voce che gli parlava dall'alto del propiziatorio, sopra l'arca della testimonianza, tra i due cherubini: là il Signore gli parlava.

LA PURIFICAZIONE DEI LEVITI

8 [1]Il Signore disse ancora a Mosè: [2]«Parla ad Aronne e digli: Quando collocherai le lampade, le sette lampade dovranno proiettare la luce dinanzi al candelabro». [3]Così fece Aronne: collocò le lampade in modo che proiettassero la luce davanti al candelabro, come il Signore aveva ordinato a Mosè.

[4]Il candelabro era fatto d'oro massiccio; il suo fusto e i suoi bracci erano d'oro massiccio. Mosè aveva fatto il candelabro secondo il modello che il Signore gli aveva mostrato.

[5]Il Signore disse a Mosè: [6]«Prendi i leviti tra i figli d'Israele e purificali. [7]Farai così per la loro purificazione: li aspergerai con l'acqua dell'espiazione. Essi, poi, faranno passare il rasoio sulle varie parti del corpo, si laveranno le vesti e saranno puri. [8]Prenderanno un giovenco con la consueta offerta di fior di farina intrisa d'olio, mentre tu prenderai un altro giovenco per il sacrificio espiatorio. [9]Farai avvicinare i leviti davanti alla tenda del convegno e farai radunare tutta la comunità dei figli d'Israele. [10]Presenterai i leviti al Signore e i figli d'Israele porranno le loro mani sui leviti. [11]Aronne presenterà i leviti come offerta da farsi con il rito di agitazione davanti al Signore da parte dei figli d'Israele, ed essi verranno così destinati a compiere il servizio del Signore. [12]Poi i leviti porranno le loro mani sulla testa dei giovenchi: con uno farai il sacrificio espiatorio, con l'altro farai l'olocausto al Signore, per l'espiazione dei leviti. [13]Farai stare i leviti davanti ad Aronne e ai suoi figli e li presenterai come offerta da farsi con il rito di agitazione davanti al Signore. [14]Separerai i leviti dai figli d'Israele ed essi saranno miei. [15]Dopo, i leviti verranno a compiere il servizio nella tenda del convegno: li purificherai e li presenterai come un'offerta fatta

con il rito dell'agitazione: ¹⁶perché essi, tra i figli d'Israele, sono consacrati interamente a me; io li ho presi al posto di tutti quelli che nascono per primi, al posto di tutti i primogeniti tra i figli d'Israele. ¹⁷Perché mio è ogni primogenito dei figli d'Israele, tanto degli uomini quanto del bestiame; io me li sono riservati il giorno in cui colpii tutti i primogeniti nella terra d'Egitto. ¹⁸Ho preso i leviti al posto di tutti i primogeniti dei figli d'Israele.

¹⁹Ho dato in dono ad Aronne e ai suoi figli i leviti, tra i figli d'Israele, per compiere il servizio degli Israeliti nella tenda del convegno e per compiere il rito espiatorio per gli Israeliti, perché nessun flagello colpisca gli Israeliti, qualora essi si accostino al santuario».

²⁰Mosè, Aronne e tutta la comunità dei figli d'Israele fecero per i leviti quanto il Signore aveva ordinato a Mosè a loro riguardo.

²¹I leviti si purificarono, lavarono le loro vesti, poi Aronne li dispose davanti al Signore e fece l'espiazione per essi, per purificarli.

²²Dopo, i leviti vennero a fare il servizio nella tenda del convegno davanti ad Aronne e ai suoi figli. Come il Signore aveva ordinato a Mosè per i leviti, così si fece per essi.

²³Il Signore disse a Mosè: ²⁴«Questo riguarda i leviti: da venticinque anni in su si formeranno le squadre per il servizio nella tenda del convegno. ²⁵Dall'età di cinquant'anni si ritireranno dal servizio e non lavoreranno più. ²⁶Aiuteranno i loro fratelli nell'adempimento del loro servizio nella tenda del convegno, ma non presteranno più servizio. Così farai per i leviti e per quanto riguarda i loro uffici».

LA CELEBRAZIONE DELLA PASQUA

9 ¹Il Signore parlò a Mosè nel deserto del Sinai, nel secondo anno dalla loro uscita dalla terra d'Egitto, nel primo mese, e gli disse: ²«I figli d'Israele celebrino la Pasqua nel tempo stabilito. ³La celebrerete il quattordici di questo mese, all'imbrunire: questo è il tempo stabilito. Inoltre la celebrerete secondo le prescrizioni e le usanze relative ad essa». ⁴Mosè ordinò ai figli d'Israele di celebrare la Pasqua. ⁵Essi celebrarono la Pasqua nel primo mese, il quattordici del mese, all'imbrunire, nel deserto del Sinai. I figli d'Israele fecero secondo quanto il Signore aveva ordinato a Mosè.

⁶Or alcuni uomini si erano resi impuri per il contatto con un cadavere, e non poterono celebrare la Pasqua in quel giorno. Si presentarono in quello stesso giorno a Mosè e ad Aronne ⁷e dissero loro: «Siamo immondi per aver toccato un cadavere: perché ci è proibito di presentare la nostra offerta al Signore al tempo stabilito in mezzo ai figli d'Israele?». ⁸Mosè rispose: «Restate: voglio sentire che cosa ordinerà il Signore a vostro riguardo».

⁹Il Signore rispose a Mosè: ¹⁰«Parla ai figli d'Israele dicendo: Chiunque tra voi, o i vostri parenti, viene reso impuro per il contatto con un cadavere o si trova lontano per un lungo viaggio, potrà celebrare la Pasqua in onore del Signore; ¹¹ma la celebrerà nel secondo mese, il quattordici, all'imbrunire, e mangerà azzimi ed erbe amare. ¹²Non ne farà avanzare fino al mattino, e non ne spezzerà alcun osso: la celebrerà secondo tutte le prescrizioni della Pasqua. ¹³Ma chi è puro e non si trova in viaggio e trascura di celebrare la Pasqua, sarà eliminato dal suo popolo; perché non ha presentato l'offerta al Signore nel tempo stabilito: quell'uomo porterà la pena del suo peccato.

¹⁴Se lo straniero che è con voi celebra la Pasqua del Signore, seguirà le leggi e le prescrizioni della Pasqua: per voi, per lo straniero e per il nativo del paese ci sarà un'unica legge».

¹⁵Nel giorno in cui si eresse la dimora, una nube coprì la dimora, cioè la tenda della Testimonianza, mentre alla sera c'era sulla dimora come un'apparizione di fuoco, che durava fino al mattino. ¹⁶Così avveniva sempre: la nube copriva la dimora e di notte aveva l'aspetto di fuoco. ¹⁷Quando la nube si alzava dalla tenda, i figli d'Israele partivano, e nel luogo dove si posava la nuvola i figli d'Israele si fermavano. ¹⁸All'ordine del Signore i figli d'Israele partivano, all'ordine del Signore si fermavano e rimanevano accampati finché la nube restava sulla dimora. ¹⁹Se la nuvola si attardava per molti giorni sulla dimora, i figli d'Israele osservavano la prescrizione del Signore e non partivano. ²⁰Se la nube rimaneva pochi giorni sulla dimora, all'ordine del Signore si fermavano e all'ordine del Signore partivano. ²¹Se la nube si fermava dalla sera al mattino e al mattino si alzava, allora partivano; o se si alzava dopo un giorno e una notte, partivano allora. ²²Se

per due giorni, un mese o un anno la nube prolungava la sua permanenza sulla dimora, i figli d'Israele rimanevano accampati e non partivano. Ma quando si alzava, partivano. ²³Si fermavano all'ordine del Signore e sempre al suo ordine partivano. Osservavano le prescrizioni del Signore, secondo quanto egli aveva ordinato per mezzo di Mosè.

LA PARTENZA DAL SINAI

10 ¹Il Signore disse di nuovo a Mosè: ²«Fatti due trombe d'argento: le farai massicce e serviranno per la convocazione della comunità e per dare il segnale di partenza dagli accampamenti. ³Al loro suono si radunerà presso di te tutta la comunità all'ingresso della tenda del convegno. ⁴Al suono di una sola, converranno presso di te i capi, che sono alla testa delle migliaia d'Israele. ⁵Quando suonerete con clamore, si muoveranno gli accampamenti situati a levante. ⁶Quando suonerete con clamore una seconda volta, si muoveranno gli accampamenti situati a mezzogiorno; suonerete con clamore quando si dovranno muovere. ⁷Anche quando radunerete l'assemblea suonerete le trombe, ma non con clamore. ⁸I sacerdoti figli di Aronne suoneranno le trombe: questa sarà per voi e per i vostri discendenti una prescrizione perenne.

⁹Quando nella vostra terra andrete in guerra contro un oppressore che vi attacca, farete clamore con le trombe e sarete ricordati dal Signore vostro Dio, che vi libererà dai vostri nemici.

¹⁰Anche nei giorni delle vostre feste, nelle vostre solennità e agli inizi dei vostri mesi suonerete le trombe quando offrirete i vostri olocausti e i vostri sacrifici di comunione. Esse vi ricorderanno davanti al vostro Dio. Io sono il Signore vostro Dio».

¹¹Nel secondo anno, nel secondo mese, il venti del mese, la nube si alzò dalla dimora della Testimonianza. ¹²I figli d'Israele partirono secondo il loro ordine di marcia dal deserto del Sinai e la nube andò a fermarsi nel deserto di Paran. ¹³Questa fu la prima volta che si mossero, al comando del Signore, sotto la guida di Mosè.

¹⁴Per prima partì l'insegna del campo di Giuda, diviso secondo le loro schiere: su di

esse comandava Nacason, figlio di Amminadab. ¹⁵Sulla schiera della tribù dei figli di Issacar comandava Netaneel, figlio di Suar. ¹⁶Sulla schiera della tribù dei figli di Zabulon comandava Eliab, figlio di Chelon.

¹⁷Poi la dimora fu smontata e partirono i figli di Gherson e i figli di Merari, incaricati di trasportarla.

¹⁸Partì quindi l'insegna del campo di Ruben, diviso secondo le loro schiere: sulla loro schiera comandava Elisur, figlio di Sedeur. ¹⁹Sulla schiera della tribù dei figli di Simeone comandava Selumiel, figlio di Surisaddai. ²⁰Sulla schiera della tribù dei figli di Gad comandava Eliasaf, figlio di Deuel.

²¹Poi partirono i Keatiti, portando gli oggetti sacri; gli altri dovevano erigere la dimora prima che questi arrivassero.

²²Partì quindi l'insegna del campo dei figli di Efraim, diviso secondo le loro schiere: sulla sua schiera comandava Elisama, figlio di Ammiud. ²³Sulla schiera della tribù dei figli di Manasse comandava Gamliel, figlio di Pedasur. ²⁴Sulla schiera della tribù dei figli di Beniamino comandava Abidan, figlio di Ghideoni.

²⁵Partì infine l'insegna del campo dei figli di Dan, che formava la retroguardia di tutti i campi, diviso secondo le loro schiere: sulla sua schiera comandava Achiezer, figlio di Ammisaddai. ²⁶Sulla schiera della tribù dei figli di Aser comandava Paghiel, figlio di Ocran. ²⁷Sulla schiera della tribù dei figli di Neftali comandava Achira, figlio di Enan. ²⁸Questo era l'ordine di marcia dei figli d'Israele, secondo le loro schiere. In questo ordine essi partirono.

²⁹Mosè disse a Obab, figlio di Reuel, madianita, suocero di Mosè: «Noi stiamo partendo verso il luogo del quale il Signore ha detto: Io lo darò a voi. Vieni con noi e ti faremo del bene, perché il Signore ha promesso di fare del bene a Israele». ³⁰Gli rispose: «Non verrò, ma tornerò alla mia terra, presso i miei parenti». ³¹Mosè gli disse: «Non abbandonarci, perché tu sai dove possiamo accamparci nel deserto e sarai per noi come gli occhi. ³²Se verrai con noi, quel bene che il Signore ha promesso di fare a noi, noi lo faremo a te».

---

10. - 11. *Nel secondo anno*, prendendo come punto di riferimento l'uscita dall'Egitto. Il popolo si mosse secondo l'ordine esposto nel c. 2 e qui nei vv. 5-6.

[33]Partirono allora dalla montagna del Signore e fecero tre giorni di cammino, mentre l'arca dell'alleanza del Signore li precedeva per un cammino di tre giorni, per cercare un luogo di riposo per loro. [34]La nube del Signore era su di loro durante il giorno, da quando erano partiti dal campo.

[35]Quando partiva l'arca, Mosè diceva:

«Sorgi, Signore,
siano dispersi i tuoi nemici,
fuggano davanti a te
    quelli che ti odiano».

[36]Quando si fermava, diceva:

«Ritorna, Signore,
alla moltitudine delle migliaia
    d'Israele».

LE LAMENTELE DEL POPOLO E L'INTERCESSIONE DI MOSÈ

11 [1]Ora il popolo mormorava lamentandosi agli orecchi del Signore. Il Signore sentì e la sua ira divampò: il fuoco del Signore si accese contro di loro e divorò l'estremità dell'accampamento. [2]Il popolo gridò a Mosè; Mosè intercedette presso il Signore e il fuoco si spense. [3]Il nome di quel luogo si chiamò Tabera, perché il fuoco del Signore si era acceso contro di loro.

[4]Un gruppo di persone che stava in mezzo al popolo cominciò a sentire un forte desiderio di cibo. Allora anche i figli d'Israele ripresero a lamentarsi e a dire: «Chi ci darà carne da mangiare? [5]Ci viene in mente il pesce che mangiavamo in Egitto per niente, i cocomeri, i meloni, la verdura, le cipolle e l'aglio; [6]ora stiamo languendo: non c'è che manna davanti ai nostri occhi». [7]La manna era come un seme di coriandolo, esteriormente simile alla resina odorosa. [8]Il popolo andava in giro a cercarla, la raccoglieva, la tritava nelle macine o la pestava nel mortaio, la cuoceva in pentola e ne faceva focacce. Il suo gusto era come gusto di pane all'olio. [9]Quando di notte la rugiada scendeva sull'accampamento, anche la manna vi scendeva.

[10]Mosè sentì il popolo che si lamentava in tutte le famiglie, ognuno all'entrata della propria tenda. L'ira del Signore divampò e ciò dispiacque a Mosè. [11]Mosè disse al Signore: «Perché hai trattato male il tuo servo? Perché non ho trovato grazia ai tuoi occhi, così che tu hai posto su di me il peso di tutto questo popolo? [12]Sono forse io che ho concepito tutto questo popolo o io che l'ho generato, perché tu mi dica: Portalo nel tuo seno, come la balia porta il lattante, fino al paese che hai promesso con giuramento ai suoi padri? [13]Da dove potrei prendere carne da dare a tutto questo popolo? Perché si lamenta con me dicendo: Dacci carne da mangiare! [14]Non posso da solo portare il peso di tutto questo popolo, perché è troppo grave per me. [15]Se mi devi trattare così, piuttosto fammi morire, se ho trovato grazia ai tuoi occhi, e così io non veda più la mia sventura».

[16]Il Signore disse a Mosè: «Radunami settanta uomini tra gli anziani d'Israele, conosciuti da te come anziani del popolo e suoi scribi: li condurrai alla tenda del convegno e vi staranno con te. [17]Io scenderò e là parlerò con te: prenderò lo spirito che è su di te e lo porrò su di loro. Porteranno così con te il peso del popolo e non lo porterai più da solo. [18]Al popolo dirai: Santificatevi per domani e mangerete carne, perché vi siete lamentati alle orecchie del Signore dicendo: Chi ci darà carne da mangiare? In Egitto stavamo tanto bene! Il Signore vi darà carne e mangerete. [19]Non ne mangerete per un giorno solo, né per due giorni, né per cinque giorni, né per dieci giorni, né per venti giorni, [20]ma per un intero mese, fino a quando vi esca dalle narici e vi sia di nausea, perché avete rigettato il Signore che è in mezzo a voi e vi siete lamentati con me dicendo: Perché siamo usciti dall'Egitto?».

[21]Mosè disse: «Il popolo conta seicentomila adulti e tu dici: Darò loro carne e mangeranno per un intero mese! [22]Si ammazzerà

Nm

---

11. - 1. Subito alle prime marce il popolo soffre per i disagi inevitabili e, insofferente, prende pretesto per lagnarsi. Tutto il viaggio dal Sinai a Kades è punteggiato di mormorazioni del popolo contro Dio e i suoi rappresentanti: 11,1; 12,1; 13,32; 14,2.27; 16,1; 17,6; 20,2-13; 21,5; Dt 1,26. Il motivo è sempre la mancanza di fede e di fiducia: il più offensivo degli atteggiamenti d'Israele verso il suo Dio, di cui aveva conosciuto e ammirato i prodigi e di cui stava godendo i benefici. Per di più esso aveva promesso fedeltà assoluta a Dio, suo salvatore. In tutta la Bibbia le infedeltà d'Israele rimarranno sempre il suo grande peccato, il simbolo della negazione dell'amore.

per loro tutto un gregge o tutto un armento o si raduneranno per loro tutti i pesci del mare affinché ne abbiano abbastanza?». [23]Il Signore rispose a Mosè: «Si è forse accorciata la mano del Signore? Ora vedrai se la mia parola si compirà o no».

[24]Mosè uscì e riferì al popolo le parole del Signore. Radunò settanta uomini tra gli anziani del popolo e li fece stare intorno alla tenda. [25]Il Signore scese nella nube e gli parlò: prese lo spirito che era su di lui e lo pose sui settanta uomini anziani. Quando lo spirito si posò su di loro, cominciarono a profetizzare, ma in seguito ciò non si verificò più. [26]Ora due uomini erano rimasti nell'accampamento: uno si chiamava Eldad e l'altro Medad. Lo spirito si posò su di loro. Essi erano tra gli iscritti, ma non erano usciti per andare alla tenda e cominciarono a profetizzare nell'accampamento. [27]Un ragazzo allora corse a riferire la cosa a Mosè, dicendo: «Eldad e Medad stanno profetizzando nell'accampamento». [28]Giosuè, figlio di Nun, che era al servizio di Mosè fin dalla sua adolescenza, disse: «Mosè, signore mio, impedisciglielo». [29]Mosè gli rispose: «Sei forse geloso per me? Chi può dare a tutto il popolo del Signore dei profeti? È il Signore che ha dato loro il suo spirito». [30]Mosè si ritirò nell'accampamento con gli anziani d'Israele.

[31]Per ordine del Signore si alzò un vento che trasportò stormi di quaglie dal mare e le fece cadere presso l'accampamento, su una superficie estesa da una parte e dall'altra dell'accampamento quanto una giornata di cammino, e ad un'altezza di due cubiti dal suolo. [32]Il popolo accorse e per tutto quel giorno, per tutta la notte e per tutto il giorno seguente raccolse le quaglie. Chi ne raccolse meno, ne raccolse dieci comer, che stese intorno all'accampamento. [33]La carne era ancora tra i loro denti, e non l'avevano ancora masticata, quando l'ira del Signore divampò sul popolo, e il Signore colpì il popolo con una gravissima piaga. [34]Quel luogo si chiamò Kibrot-Taava, perché là seppellirono la gente che s'era lasciata dominare dall'ingordigia.

[35]Da Kibrot-Taava il popolo partì per Cazerot. E sostò in Cazerot.

MARIA E ARONNE CONTRO MOSÈ

12 [1]Maria e Aronne parlarono contro Mosè a causa della donna etiope che aveva sposata: egli, infatti, aveva sposato una donna etiope. [2]Dissero: «Il Signore ha forse parlato solo con Mosè? Non ha forse parlato anche con noi?». Il Signore sentì. [3]Ora Mosè era l'uomo più umile di tutti gli uomini che sono sulla faccia della terra.

[4]Il Signore disse subito a Mosè, Aronne e Maria: «Uscite tutti e tre verso la tenda del convegno». Uscirono tutti e tre. [5]Il Signore scese sulla colonna di nube, si fermò all'ingresso della tenda e chiamò Aronne e Maria: ambedue si fecero avanti. [6]Il Signore disse: «Ascoltate bene la mia parola: se tra voi ci fosse un profeta del Signore, io mi farei conoscere a lui in visione, parlerei a lui in sogno. [7]Ma non così con il mio servo Mosè: in tutta la mia casa, egli è il più fedele. [8]Parlo a lui a bocca a bocca, in visione e non con enigmi, ed egli contempla l'immagine del Signore. Perché dunque non avete temuto di parlare contro il mio servo Mosè?».

[9]L'ira del Signore divampò contro di loro ed egli se ne andò. [10]La nube si allontanò dalla tenda, ed ecco Maria era diventata lebbrosa, bianca come la neve. Aronne si voltò verso Maria ed ecco era lebbrosa. [11]Aronne disse a Mosè: «Mio signore, non farci scontare la pena del peccato che abbiamo insensatamente commesso: [12]essa non sia come il bambino nato morto che, all'uscire dal grembo materno, ha la carne già mezzo consumata». [13]Mosè gridò verso il Signore: «O Dio, te ne prego, guariscila!». [14]Il Signore rispose a Mosè: «Se suo padre le sputasse in viso non sarebbe forse nella vergogna per sette giorni? Sia isolata sette giorni fuori dell'accampamento, e dopo vi sia di nuovo ammessa». [15]Maria rimase isolata fuori dell'accampamento sette gior-

---

23. *Si è forse accorciata la...*: persino Mosè pare dubitare della potenza e misericordia di Dio, il quale invece, in risposta a tutte le mancanze di fede e di fiducia del popolo, risponderà con nuovi e strepitosi prodigi, finché avrà compiuto tutte le promesse.

25. L'investitura avvenne in pubblico, in modo che il popolo sapesse da chi doveva dipendere direttamente. *Profetizzare* significa, qui, dar segno d'essere investito dallo spirito del Signore.

ni, e il popolo non partì fino a quando Maria non fu riammessa. [16]Dopo il popolo partì da Cazerot e pose l'accampamento nel deserto di Paran.

I PRIMI ESPLORATORI NEL PAESE DI CANAAN

13 [1]Il Signore disse a Mosè: [2]«Manda alcuni uomini a esplorare la terra di Canaan che io sto per dare ai figli d'Israele. Ne invierete uno per ogni tribù dei loro padri, scelti tutti tra i loro capi». [3]Mosè li inviò dal deserto di Paran, secondo le parole del Signore: erano tutti capi dei figli d'Israele.

[4]Questi erano i loro nomi: per la tribù di Ruben Sammua, figlio di Zaccur; [5]per la tribù di Simeone Safat, figlio di Cori; [6]per la tribù di Giuda Caleb, figlio di Iefunne; [7]per la tribù di Issacar Igheal, figlio di Giuseppe; [8]per la tribù di Efraim Osea, figlio di Nun; [9]per la tribù di Beniamino Palti, figlio di Rafu; [10]per la tribù di Zabulon Gaddiel, figlio di Sodi; [11]per la tribù di Giuseppe, cioè per la tribù di Manasse, Gaddi, figlio di Susi; [12]per la tribù di Dan Ammiel, figlio di Ghemalli; [13]per la tribù di Aser Setur, figlio di Michele; [14]per la tribù di Neftali Nacbi, figlio di Vofsi; [15]per la tribù di Gad Gheuel, figlio di Machi. [16]Questi sono i nomi degli uomini che Mosè inviò ad esplorare la terra. Mosè diede ad Osea, figlio di Nun, il nome di Giosuè.

[17]Mosè li inviò ad esplorare la terra di Canaan e disse loro: «Passate attraverso il Negheb, poi salite sulla montagna, [18]per vedere com'è la terra e quale popolo vi abita, se forte o debole, se poco o molto numeroso; [19]com'è la regione che abita, se buona o cattiva; come sono le città in cui abita, se siano degli accampamenti o delle fortificazioni; [20]com'è il terreno, se fertile o improduttivo, se ci sono alberi o no. Siate coraggiosi e portate dei frutti della terra». Era la stagione delle prime uve. [21]Quelli salirono ad esplorare la terra dal deserto di Zin fino a Recob sulla via di Camat. [22]Salirono nel Negheb e arrivarono fino ad Ebron: là c'erano Achiman, Sesai e Talmai, figli di Anak. Ebron era stata costruita sette anni prima di Tanis in Egitto. [23]Giunsero fino alla valle di Escol e vi tagliarono un tralcio con un grappolo d'uva, che portarono con una stanga in due, con melagrane e fichi. [24]Quel luogo fu chiamato valle di Escol, a causa del grappolo che i figli d'Israele vi avevano tagliato.

[25]Tornarono dall'esplorazione della terra alla fine di quaranta giorni. [26]Si presentarono a Mosè, Aronne e a tutta la comunità dei figli d'Israele nel deserto di Paran, a Kades, riferirono ogni cosa a loro e a tutta la comunità e mostrarono i frutti della terra. [27]Raccontarono: «Siamo arrivati nella terra dove ci avevi inviato ed effettivamente vi scorre latte e miele; questi sono i frutti. [28]Solo che il popolo che abita quella terra è forte e le città sono fortezze imponenti: vi abbiamo visto anche gli Anakiti. [29]Gli Amaleciti abitano nella regione del Negheb; gli Hittiti, i Gebusei e gli Amorrei abitano sulla montagna; i Cananei abitano lungo il mare e lungo le rive del Giordano».

[30]Caleb allora fece tacere il popolo che mormorava contro Mosè e disse: «Dobbiamo salire e prenderne possesso, perché possiamo riuscirvi». [31]Ma gli uomini che erano saliti con lui dissero: «Non possiamo salire contro quel popolo, perché è più forte di noi».

[32]E screditarono davanti agli Israeliti la terra che avevano esplorato dicendo: «La terra dove siamo passati per esplorarla è una terra che divora chi la abita, e tutta la gente che vi abbiamo visto è di alta statura. [33]Là abbiamo visto i giganti, figli di Anak, della razza dei giganti, di fronte ai quali ci sembrava di essere come delle cavallette, e tali dovevamo sembrare ai loro occhi».

DIO PUNISCE IL POPOLO RIBELLE NEL DESERTO

14 [1]Allora tutta la comunità si sollevò e fece sentire la propria voce; il popolo pianse tutta quella notte. [2]Tutti i figli d'Israele mormorarono contro Mosè e Aronne e tutta la comunità disse loro: «Fossimo morti in terra d'Egitto o fossimo morti in questo deserto! [3]Perché il Signore ci conduce in quella terra a cadere di

---

13. - 8. *Osea*, che significa «salvezza», sarà poi chiamato Giosuè, che vuol dire «Jhwh salva». A lui, dopo la morte di Mosè, verrà affidato il compito d'introdurre il popolo nella terra promessa.

spada? Le nostre donne e i nostri bambini saranno un bottino: non è forse meglio per noi tornare in Egitto?». [4]E si dicevano l'un l'altro: «Diamoci un capo e torniamo in Egitto». [5]Mosè e Aronne si prostrarono a terra di fronte a tutta l'assemblea della comunità dei figli d'Israele. [6]Giosuè, figlio di Nun, e Caleb, figlio di Iefunne, che erano tra quelli che avevano esplorato la terra, si strapparono le vesti [7]e dissero a tutta la comunità dei figli d'Israele: «La terra in cui siamo passati per esplorarla è una terra buonissima. [8]Se il Signore ci è propizio, ci condurrà in quella terra e ce la darà: è una terra dove scorre latte e miele. [9]Soltanto, non ribellatevi al Signore e non temete il popolo di quella terra, perché è pane per noi: la loro difesa li ha abbandonati, mentre il Signore è con noi. Non abbiate paura di loro».

[10]Tutta la comunità era decisa a lapidarli, quand'ecco la gloria del Signore apparve sulla tenda del convegno a tutti i figli d'Israele. [11]Il Signore disse a Mosè: «Fino a quando questo popolo mi disprezzerà? Fino a quando non mi crederanno dopo tutti i segni che ho fatto in mezzo a loro? [12]Ecco: lo colpirò con la peste, lo distruggerò, ma di te farò una nazione più grande e potente di lui».

[13]Mosè disse al Signore: «Gli Egiziani hanno saputo che tu con la tua forza hai fatto uscire questo popolo di mezzo a loro [14]e lo hanno detto agli abitanti di quella terra. Hanno udito che tu, Signore, sei in mezzo a questo popolo, che ti mostri loro a faccia a faccia, che la tua nube sta sopra di loro, che con una colonna di nube cammini davanti a loro di giorno e con una colonna di fuoco di notte. [15]Farai forse morire questo popolo come un sol uomo? Le nazioni che hanno sentito parlare della tua fama diranno: [16]Il Signore non ha potuto far venire questo popolo nella terra che gli aveva promesso con giuramento e li ha sterminati nel deserto.

[17]Ora si manifesti la potenza del mio Signore secondo quanto hai promesso, dicendo: [18]Il Signore è lento all'ira e largo in misericordia, perdona la colpa e la trasgressione, ma non lascia completamente impuniti: castiga la colpa dei padri nei figli, fino alla terza e quarta generazione. [19]Perdona dunque la colpa di questo popolo secondo la grandezza della tua misericordia, come

hai perdonato a questo popolo dall'Egitto fin qui». [20]Il Signore rispose: «Gli perdono secondo la tua richiesta. [21]Ma come è vero che io vivo e la gloria del Signore riempie tutta la terra, [22]tutti gli uomini che hanno visto la mia gloria e i prodigi che ho fatto in Egitto e nel deserto, e mi hanno tentato qui dieci volte e non hanno ascoltato la mia voce, [23]non vedranno la terra che ho promesso con giuramento ai loro padri, e non la vedranno tutti quelli che mi hanno disprezzato. [24]Ma il mio servo Caleb, che si è lasciato guidare da un altro spirito e mi è rimasto pienamente fedele, lo farò entrare nella terra nella quale era andato e la sua stirpe la possederà. [25]Poiché gli Amaleciti e i Cananei abitano nella valle, domani tornate indietro e inoltratevi nel deserto, passando per la via del Mar Rosso».

[26]Il Signore aggiunse a Mosè e ad Aronne: [27]«Fino a quando questa comunità ribelle continuerà a mormorare contro di me? Ho sentito le mormorazioni dei figli d'Israele contro di me. [28]Di' loro: Per la mia vita, dice il Signore, vi farò come avete detto voi stessi. [29]I vostri cadaveri cadranno in questo deserto e nessuno di quanti sono stati registrati dall'età di vent'anni in su, e hanno mormorato contro di me, [30]potrà entrare nella terra che ho giurato di farvi abitare, se non Caleb, figlio di Iefunne, e Giosuè, figlio di Nun. [31]Condurrò in essa i vostri figli, dei quali avete detto che sarebbero diventati bottino di guerra, e ad essi farò conoscere la terra che voi invece avete disprezzato. [32]I vostri cadaveri cadranno in questo deserto. [33]I vostri figli vagheranno nel deserto per quarant'anni e porteranno il peso delle vostre infedeltà, finché i vostri cadaveri siano tutti nel deserto. [34]In base al numero dei giorni che avete impiegato ad esplorare la terra, cioè quaranta giorni, sconterete le vostre colpe per quarant'anni. Ogni giorno corrisponderà a un anno. Conoscerete anche la mia ostilità. [35]Io, il Signore, ho parlato: così farò a tutta questa comunità ribelle che si è riunita contro di me. In questo deserto saranno annientati e vi moriranno».

[36]Gli uomini che Mosè aveva inviato ad esplorare la terra e che, tornati, avevano mormorato contro di lui con tutta la comunità, diffondendo il discredito sul paese, [37]tali uomini, che avevano gettato il discredito sul paese, morirono colpiti da un flagel-

lo di fronte a Dio. [38]Tra quegli uomini che erano andati ad esplorare la terra rimasero in vita solo Giosuè, figlio di Nun, e Caleb, figlio di Iefunne.

[39]Mosè riferì queste cose a tutti i figli d'Israele e il popolo se ne rattristò molto. [40]Si alzarono di buon mattino e salirono sulla montagna dicendo: «Ecco, noi saliamo al luogo del quale il Signore ha parlato, perché abbiamo peccato». [41]Ma Mosè disse: «Perché trasgredite l'ordine del Signore? Non avrete successo. [42]Non salite, perché non c'è il Signore in mezzo a voi, così non sarete sconfitti dai vostri nemici. [43]Infatti gli Amaleciti e i Cananei sono schierati davanti a voi e voi cadrete di spada, perché avete abbandonato il Signore, e il Signore non sarà con voi». [44]Ma essi si ostinarono a salire sulla montagna. L'arca dell'alleanza del Signore e Mosè non si mossero, però, dal mezzo dell'accampamento. [45]Gli Amaleciti e i Cananei, che abitavano in quella montagna, scesero, li colpirono e li dispersero fino a Corma.

NORME RELATIVE AI SACRIFICI E ALL'OFFERTA DELLE PRIMIZIE

15 [1]Il Signore disse a Mosè: [2]«Parla ai figli d'Israele e di' loro: Quando entrerete nella terra in cui abiterete e che io sto per darvi, [3]e offrirete al Signore, prendendo le vittime dal vostro gregge e dal vostro armento, un sacrificio consumato col fuoco, sia esso un olocausto o un sacrificio per sciogliere un voto o come offerta volontaria, oppure quando lo offrirete nelle vostre feste come profumo soave gradito al Signore, [4]colui che presenterà l'offerta al Signore offrirà come suo dono un decimo di un efa di fior di farina intrisa in un quarto di hin di olio. [5]Per ogni agnello, oltre l'olocausto o il sacrificio di comunione, farai una libazione di un quarto di hin di vino. [6]Per un ariete offrirai due decimi di efa di fior di farina, intrisa in un terzo di hin di olio, [7]e offrirai come profumo gradito al Signore un terzo di hin di vino per la libazione.

[8]Se offrirai al Signore un olocausto o un sacrificio di un vitello per sciogliere un voto o come sacrificio di comunione, [9]oltre il vitello offrirai tre decimi di efa di fior di farina intrisa in un mezzo hin di olio, [10]e offrirai anche un mezzo hin di vino in libazione: è un sacrificio consumato dal fuoco, dal soave profumo gradito al Signore. [11]Così si farà per ogni toro, per ogni ariete e per ogni capo di pecora o capra. [12]Farete così per ognuna delle vittime che offrirete, in base al loro numero. [13]Così farà anche ogni nativo del paese, quando offrirà un sacrificio consumato col fuoco, in soave profumo gradito al Signore. [14]Anche lo straniero che dimora presso di voi o chiunque dimorerà presso di voi in futuro, quando offrirà un sacrificio consumato col fuoco in soave profumo gradito al Signore, farà come fate voi. [15]Ci sarà una sola legge per tutta la vostra comunità, per voi e per lo straniero che dimora presso di voi. Sarà una legge perenne per tutte le vostre generazioni: al cospetto del Signore voi e lo straniero siete uguali. [16]Perciò una stessa legge e uno stesso rito regoleranno voi e lo straniero che abita presso di voi».

[17]Il Signore aggiunse a Mosè: [18]«Parla ai figli d'Israele e di' loro: Quando entrerete nella terra dove io vi conduco, [19]e mangerete il pane di quella terra, fatene subito un'offerta al Signore. [20]Come primizia della vostra pasta, offrirete una focaccia, che presenterete con il rito di elevazione, allo stesso modo con cui fate l'offerta dell'aia. [21]Darete le primizie della vostra pasta al Signore, offrendole con il rito di elevazione, per tutte le vostre generazioni.

[22]Se per inavvertenza non osserverete tutti i precetti che il Signore ha dato a Mosè, [23]tutto quello che il Signore vi ha ordinato per mezzo di Mosè dal giorno in cui il Signore vi ha dato i suoi comandi e in futuro, lungo tutte le vostre generazioni, [24]se il peccato è stato commesso inavvertitamente da parte della comunità, tutta la comunità offrirà in olocausto un torello come profumo gradito al Signore, con la relativa oblazione e libazione secondo il rito, e un capretto come sacrificio per il peccato. [25]Il sacerdote farà il sacrificio di espiazione per tutta la comunità dei figli d'Israele e sarà loro perdonato, perché hanno peccato per inavvertenza, ed essi hanno portato come loro offerta al

---

15. - 22ss. Si ripete una legge già data in Lv 4. Ma è alquanto più severa, aggravandosi e diventando sempre meno scusabile l'ignoranza e la durezza di cuore del popolo.

Signore un sacrificio consumato col fuoco, e la vittima di espiazione per la loro inavvertenza davanti al Signore. ²⁶Sarà perdonato a tutta la comunità dei figli d'Israele e allo straniero che dimora in mezzo a loro, perché tutto il popolo ha commesso la colpa inavvertitamente.

²⁷Se una persona singola avrà peccato per inavvertenza, offrirà una capra di un anno come sacrificio espiatorio. ²⁸Il sacerdote farà il rito espiatorio davanti al Signore per la persona che ha peccato per inavvertenza. Quando il sacerdote avrà compiuto per essa il rito espiatorio, le sarà perdonato. ²⁹Avrete una legge unica per chi pecca per inavvertenza, sia per il nativo del paese tra i figli d'Israele, sia per lo straniero che dimora in mezzo a loro. ³⁰Ma la persona che oltraggia il Signore deliberatamente, sia essa nativa del paese o straniera, sarà eliminata dal suo popolo, ³¹perché ha disprezzato la parola del Signore e infranto il suo precetto. Quella persona sia eliminata: la sua colpa ricada su di lei».

³²Mentre i figli d'Israele erano nel deserto, trovarono un uomo che raccoglieva legna in giorno di sabato. ³³Quelli che lo trovarono a raccogliere legna lo condussero a Mosè, ad Aronne e a tutta la comunità. ³⁴Lo misero sotto sorveglianza, perché non era stabilito che cosa gli si doveva fare. ³⁵Il Signore disse a Mosè: «Quell'uomo deve essere messo a morte: sarà tutta la comunità a lapidarlo fuori dell'accampamento». ³⁶Allora tutta la comunità lo fece uscire dall'accampamento, lo lapidarono e morì, come il Signore aveva ordinato a Mosè.

³⁷Il Signore disse ancora a Mosè: ³⁸«Parla ai figli d'Israele e di' loro che si facciano sempre, anche nelle generazioni future, delle frange all'estremità dei loro vestiti e mettano alle frange di ogni angolo un cordone di porpora. ³⁹Questo ornamento sarà tale che, quando lo guarderete, vi ricorderete di tutti i precetti del Signore e li metterete in pratica, senza lasciarvi fuorviare seguendo il vostro cuore e i vostri occhi, dietro i quali vi prostituite. ⁴⁰Così vi ricorderete e praticherete tutti i miei precetti, e sarete santi per il vostro Dio. ⁴¹Io sono il Signore vostro Dio, che vi ho fatti uscire dalla terra d'Egitto per essere il vostro Dio. Io, il Signore, sono il vostro Dio».

LA RIBELLIONE DI CORE, DATAN E ABIRAM

16 ¹Core, figlio di Izear, figlio di Keat, figlio di Levi, con Datan e Abiram, figli di Eliab, figlio di Pallu, figlio di Ruben, ²presero altra gente e insorsero contro Mosè con duecentocinquanta uomini tra i figli d'Israele, che erano capi della comunità, membri del consiglio e uomini ragguardevoli.

³Si radunarono presso Mosè e Aronne e dissero loro: «Questo è troppo: se tutta la comunità è santa e il Signore è in mezzo ad essa, perché vi innalzate sull'assemblea del Signore?». ⁴Udito questo, Mosè si prostrò sino a terra ⁵e disse a Core e a tutta la sua gente: «Domani il Signore farà conoscere chi gli appartiene, chi è santo, e lo farà avvicinare a sé; avvicinerà a sé colui che si è scelto. ⁶Fate così: prendete gli incensieri di Core e di tutta la sua gente, ⁷mettetevi il fuoco e, domani, ponetevi l'incenso davanti al Signore. L'uomo che il Signore avrà scelto, quello sarà santo. Vi può bastare, figli di Levi!».

⁸Mosè disse a Core: «Ascoltate, figli di Levi: ⁹Vi pare forse poco che il Dio d'Israele vi abbia separati dalla comunità d'Israele e vi abbia avvicinati a sé, perché possiate compiere il servizio della dimora del Signore e stiate davanti alla comunità per essere suoi ministri? ¹⁰Ti ha avvicinato con tutti i tuoi fratelli: e ora pretendete anche il sacerdozio? ¹¹È per questo che tu e tutta la tua gente vi radunate contro il Signore. E Aronne chi è, perché mormoriate contro di lui?».

¹²Mosè mandò a chiamare Datan e Abiram, figli di Eliab. Ma essi gli mandarono a dire: «Non veniamo! ¹³È poco l'averci fatto uscire da una terra dove scorre latte e miele per farci morire in un deserto, perché tu voglia essere anche principe assoluto su di noi?

30-31. Per i peccati commessi coscientemente, per spirito di orgoglio e di ribellione, è minacciata la pena più grave: la morte civile, cioè l'esclusione dal popolo, e talora anche la pena capitale (vv. 32-36).

16. - 1ss. La data e il luogo di questo fatto sono sconosciuti. È una ribellione religiosa e politica: a capo della ribellione religiosa vi è Core, cugino di Mosè, che voleva il sacerdozio per tutti i discendenti di Levi, non soltanto per Aronne e i suoi figli; a capo della ribellione politica vi sono Datan e Abiram che volevano rivendicare alla loro tribù di Ruben, primogenito di Giacobbe, la supremazia del governo, considerando Mosè come ingannatore del popolo.

¹⁴Certo, non è una terra dove scorre latte e miele quella in cui ci hai condotti, e non ci hai dato in eredità campi e vigne. Vuoi forse cavare gli occhi a questi uomini? Noi non veniamo». ¹⁵Mosè si arrabbiò molto e disse al Signore: «Non gradire la loro offerta: io non ho tolto loro neppure un asino e non ho fatto del male a nessuno di essi».

¹⁶Mosè disse a Core: «Tu e tutta la tua gente starete domani davanti al Signore: vi sarà anche Aronne. ¹⁷Ognuno prenda il proprio incensiere, mettetevi sopra l'incenso e presentatelo al Signore: duecentocinquanta incensieri; anche tu e Aronne, ognuno con il proprio incensiere».

¹⁸Ognuno prese il proprio incensiere, lo riempì di fuoco, vi pose incenso e stette all'ingresso della tenda del convegno, con Mosè e Aronne. ¹⁹Quando Core ebbe radunato presso di loro tutta la sua gente all'ingresso della tenda del convegno, la gloria del Signore apparve a tutta la comunità.

²⁰Il Signore disse a Mosè e ad Aronne: ²¹«Allontanatevi da questa comunità: li divorerò all'istante». ²²Ma essi si prostrarono e dissero: «O Dio, Dio degli spiriti che sono in ogni essere vivente! Un solo uomo ha peccato, e tu ti vuoi irritare contro tutta la comunità?». ²³Il Signore rispose a Mosè: ²⁴«Ordina alla comunità: Allontanatevi dalle vicinanze delle tende di Core, Datan e Abiram». ²⁵Mosè si alzò e andò da Datan e Abiram; lo seguirono gli anziani d'Israele. ²⁶Parlò alla comunità dicendo: «Allontanatevi dalle tende di questi uomini ribelli e non toccate nulla di quello che ad essi appartiene, per non perire a causa di tutti i loro peccati». ²⁷Si allontanarono dalle vicinanze delle tende di Core, Datan e Abiram. Datan e Abiram uscirono e si fermarono all'ingresso delle tende, con le mogli, i figli e i bambini. ²⁸Mosè disse: «Da ciò saprete che il Signore mi ha mandato a compiere tutte queste opere, e che io non agisco di testa mia: ²⁹se costoro moriranno di morte naturale e la loro sorte è in tutto simile a quella degli altri uomini, allora il Signore non mi ha mandato; ³⁰ma se il Signore compie un prodigio, se il suolo spalanca la sua bocca inghiottendo

loro e tutto ciò che possiedono, se scendono vivi nello sheol, allora saprete che questi uomini hanno disprezzato il Signore».

³¹Quando ebbe finito di pronunciare queste parole, il suolo che era sotto di loro sprofondò; ³²la terra aprì la sua bocca e inghiottì loro, le loro tende e tutti i componenti della famiglia di Core con tutte le loro sostanze. ³³Essi scesero vivi nello sheol con tutto quello che possedevano; la terra li ricoprì e scomparvero dal mezzo dell'assemblea. ³⁴Tutto Israele, che era intorno ad essi, fuggì alle loro grida, perché dicevano: «Che la terra non inghiottisca anche noi!». ³⁵Un fuoco uscì dalla presenza del Signore e divorò i duecentocinquanta uomini che presentavano l'incenso.

LE MORMORAZIONI DEL POPOLO E L'INTERCESSIONE DI ARONNE

17 ¹Il Signore disse a Mosè: ²«Di' a Eleazaro, figlio del sacerdote Aronne, che tolga gli incensieri dalle fiamme, ne disperda lontano il fuoco e li riduca in lamine battute per rivestire l'altare. ³Infatti gli incensieri di quegli uomini che hanno peccato a prezzo della loro vita sono sacri: poiché, presentandoli al cospetto del Signore, li hanno consacrati. Saranno un segno per i figli d'Israele».

⁴Il sacerdote Eleazaro prese gli incensieri di bronzo che avevano presentato quelli che erano stati bruciati e li ridusse in lamine per ricoprire l'altare. ⁵Esse sono un ricordo per i figli d'Israele, perché nessun estraneo, che non sia della discendenza di Aronne, si avvicini per offrire incenso davanti al Signore, e non abbia la sorte di Core e della sua gente. Eleazaro fece come il Signore gli aveva ordinato per mezzo di Mosè.

⁶Il giorno dopo tutta la comunità dei figli d'Israele mormorò contro Mosè e Aronne dicendo: «Voi avete fatto morire il popolo del Signore». ⁷E mentre la comunità si riuniva contro Mosè e Aronne, si volsero verso la tenda del convegno, ed ecco la nube la ricopriva e apparve la gloria del Signore. ⁸Mosè e Aronne vennero davanti alla tenda del convegno. ⁹Il Signore disse a Mosè: ¹⁰«Allontanatevi da questa comunità e io la divorerò all'istante». Ma essi si prostrarono fino a terra. ¹¹Mosè disse ad Aronne:

30.33. *Sheol* (inferi) nell'AT indica il soggiorno dei morti. Ma nell'AT si parla in modo assai vago di tale soggiorno, non essendo ancora completa la rivelazione, che, anche a tale riguardo, sarà piena soltanto con Cristo e gli apostoli.

«Prendi l'incensiere e mettici il fuoco preso dall'altare e l'incenso, poi va' subito in mezzo alla comunità e compi il rito espiatorio per loro, perché è divampata l'ira del Signore, il flagello è cominciato». [12]Aronne prese l'incensiere come Mosè aveva detto e corse in mezzo all'assemblea: ed ecco il flagello era cominciato sul popolo. Mise l'incenso nell'incensiere e compì il rito espiatorio per il popolo. [13]Si collocò tra i morti e i vivi e il flagello si arrestò. [14]I morti per il flagello furono quattordicimilasettecento, senza contare quelli che morirono per la ribellione di Core. [15]Aronne tornò da Mosè all'ingresso della tenda del convegno, e il flagello si arrestò. [16]Il Signore disse poi a Mosè: [17]«Parla ai figli d'Israele e prendi da loro una verga, una per ogni loro casato paterno, cioè dodici verghe da ciascuno dei loro capi, secondo il loro casato paterno. Scriverai il nome di ognuno sulla propria verga. [18]Il nome di Aronne lo scriverai sulla verga di Levi, perché ci sarà una verga per ogni capo dei loro casati paterni. [19]Le porrai nella tenda del convegno, davanti alla testimonianza, dove io sono solito radunarvi. [20]Fiorirà la verga dell'uomo che io sceglierò e così metterò a tacere le mormorazioni che i figli d'Israele hanno proferito contro di voi». [21]Mosè parlò ai figli d'Israele e tutti i loro capi gli diedero una verga ciascuno, cioè dodici verghe secondo il numero dei loro casati paterni; la verga di Aronne era in mezzo alle loro verghe. [22]Mosè posò le verghe davanti al Signore nella tenda della testimonianza. [23]Il giorno dopo, quando Mosè entrò nella tenda della testimonianza, ecco che la verga di Aronne, del casato di Levi, era fiorita, aveva fatto uscire la gemma, aveva germogliato il fiore e fatto maturare le mandorle. [24]Mosè fece portare tutte le verghe dalla presenza del Signore davanti a tutti i figli d'Israele: essi videro e ciascuno riprese la propria verga.

[25]Il Signore disse a Mosè: «Riporta la verga di Aronne davanti alla testimonianza per conservarla come monito per i ribelli e perché faccia cessare le loro mormorazioni contro di me e non muoiano». [26]Mosè fece come il Signore gli aveva ordinato.

[27]Poi i figli d'Israele dissero a Mosè: «Ecco, moriamo, siamo perduti, siamo tutti perduti! [28]Chiunque si avvicina alla dimora del Signore muore: dovremo forse morire tutti?».

DOVERI E DIRITTI DEI LEVITI E DEI SACERDOTI

18 [1]Il Signore disse ad Aronne: «Tu, i tuoi figli e la tua casa paterna con te porterete il peso delle colpe commesse nel santuario; tu e i tuoi figli porterete il peso delle colpe commesse nell'esercizio del vostro sacerdozio. [2]Fa' avvicinare a te anche i tuoi fratelli, la tribù di Levi, tribù di tuo padre: essi si uniscano a te e ti servano quando tu e i tuoi figli sarete davanti alla tenda della testimonianza. [3]Essi avranno cura di quanto ti occorre e del servizio di tutta la tenda: ma non devono avvicinarsi agli oggetti del santuario e all'altare, per non morire né loro né voi. [4]Essi si uniranno a te e avranno cura del servizio della tenda del convegno e di tutto il suo funzionamento. Nessun estraneo si avvicini a voi. [5]Voi avrete cura del servizio del santuario e del servizio dell'altare: così non ci sarà più collera contro i figli d'Israele.

[6]Ecco, io ho preso i vostri fratelli, i leviti, tra i figli d'Israele: essi sono un dono per voi, sono stati donati al Signore per compiere il servizio nella tenda del convegno. [7]Tu e i tuoi figli con te eserciterete il vostro sacerdozio per tutto quello che riguarda l'altare e per la parte che è all'interno del velo; così compirete il ministero. Io vi do il sacerdozio come dono: sarà messo a morte ogni estraneo che vi si avvicinerà».

[8]Il Signore disse ancora ad Aronne: «Ecco, io ti do il diritto alle offerte presentate a me con il rito dell'elevazione, cioè tutte le cose sante offerte dai figli d'Israele: le do a te e ai tuoi figli in forza della tua unzione, per legge perenne. [9]Questo sarà tuo tra le cose santissime, tra le offerte consumate dal fuoco: ogni loro offerta, cioè ogni oblazione, ogni sacrificio espiatorio, ogni sacrificio di riparazione che mi presenteranno. Tutte queste cose santissime apparterranno a te e ai tuoi figli. [10]Le mangerete nel luogo più santo; ne potrà mangiare ogni maschio; le considererete cose sante. [11]Questo ancora ti apparterrà: le offerte che i figli d'Israele presenteranno in dono con il rito dell'elevazione e quelle che presenteranno con il rito dell'agitazione le do a te, ai tuoi figli e alle tue figlie con te per decreto perenne. Ogni persona monda della tua famiglia ne potrà

mangiare. ¹²Do a te anche il meglio dell'olio, del mosto e del frumento, le primizie cioè che essi offrono al Signore. ¹³Saranno le primizie dei prodotti della loro terra e che essi offrono al Signore. Ogni persona monda della tua famiglia ne potrà mangiare. ¹⁴Ogni cosa votata allo sterminio in Israele sarà tua. ¹⁵Il primogenito di ogni essere vivente, uomo o animale, che viene offerto al Signore, apparterrà a te: però farai riscattare il primogenito dell'uomo e il primogenito dell'animale impuro. ¹⁶Li farai riscattare dall'età di un mese, secondo la stima di cinque sicli d'argento, in base al valore del siclo del santuario, che è di venti ghera. ¹⁷Ma non riscatterai il primogenito della vacca né il primogenito della pecora né il primogenito della capra: essi sono sacri. Verserai il loro sangue sull'altare e brucerai col fuoco il loro grasso, come sacrificio dal soave profumo, gradito al Signore. ¹⁸La loro carne invece sarà per te, come per te sarà il petto dell'offerta che si presenta con il rito dell'elevazione e la coscia destra. ¹⁹Io do a te, ai tuoi figli e alle tue figlie con te per decreto perenne tutte le offerte di cose sante che i figli d'Israele presentano al Signore con il rito dell'elevazione. Questa è un'alleanza inviolabile davanti al Signore per te e per la tua discendenza con te».

²⁰Il Signore disse ad Aronne: «Tu non avrai alcun possesso nella loro terra né per te ci sarà parte alcuna in mezzo a loro: io sono la tua parte e la tua eredità in mezzo ai figli d'Israele. ²¹Ai figli di Levi io do in possesso tutte le decime in Israele, in cambio del servizio che essi prestano nella tenda del convegno. ²²Perciò i figli d'Israele non dovranno più accostarsi alla tenda del convegno per non macchiarsi di un peccato che li porterebbe alla morte. ²³Saranno i leviti a prestare servizio nella tenda del convegno, come pure saranno essi a farsi carico dei loro peccati. Questa sarà una legge perenne per tutte le vostre generazioni. Ma non avranno alcun possesso in mezzo ai figli di Israele, ²⁴perché le decime che i figli d'Israele offriranno al Signore con il rito dell'elevazione io le do in possesso ai leviti. Per questo ho detto di loro: non avranno alcun possesso in mezzo ai figli d'Israele».

²⁵Il Signore disse a Mosè: ²⁶«Parlerai ai leviti e dirai loro: Quando prenderete dai figli d'Israele le decime che vi do da parte loro come vostro possesso, farete da quelle un prelievo che offrirete al Signore, una decima della decima. ²⁷Il vostro prelievo vi sarà contato come il frumento preso dall'aia e come il mosto preso dal torchio. ²⁸Così anche voi preleverete un'offerta per il Signore da tutte le decime che avrete preso dai figli d'Israele, e da quelle darete al sacerdote Aronne quanto avrete prelevato per il Signore. ²⁹Da tutti i doni che riceverete, preleverete un'offerta per il Signore; prenderete la parte da consacrare dal meglio di tutte le cose. ³⁰Dirai loro: Dopo averne prelevato il meglio, quanto rimane sarà calcolato per i leviti come il prodotto dell'aia e come il prodotto del mosto. ³¹Voi e la vostra famiglia lo potrete mangiare in qualunque luogo, perché è il vostro salario, in cambio del vostro servizio nella tenda del convegno. ³²E così, offrendo il meglio di quelle cose, non incorrerete in nessun peccato, non profanerete le cose sante dei figli d'Israele e non morirete».

IL RITUALE DELLA PURIFICAZIONE

19 ¹Il Signore disse ancora a Mosè e ad Aronne: ²«Questa è una prescrizione della legge che il Signore ha ordinato: Di' ai figli d'Israele che ti procurino una giovenca rossa, senza macchie, senza difetti e che non abbia mai portato il giogo. ³La darete al sacerdote Eleazaro, che la farà uscire dall'accampamento e la immolerà davanti a sé. ⁴Il sacerdote Eleazaro prenderà con il dito un po' del suo sangue e con esso aspergerà sette volte la parte anteriore della tenda del convegno. ⁵Brucerà quindi la giovenca sotto i suoi occhi; se ne brucerà la pelle, la carne, il sangue e gli escrementi. ⁶Il sacerdote prenderà allora del legno di cedro, dell'issopo e dello scarlatto e li getterà sul fuoco che consuma la giovenca. ⁷Dopo, il sacerdote si laverà le vesti, bagnerà il suo corpo con l'acqua e quindi rientrerà nell'accampamento e il sacerdote sarà impuro fino alla sera. ⁸Chi ha bruciato la giovenca laverà i propri vestiti con l'acqua, laverà anche il proprio corpo con l'acqua e sarà impuro fino alla sera. ⁹Un uomo mondo raccoglierà le ceneri della giovenca e le deporrà fuori dell'accampamento, in un luo-

Nm

go puro, dove saranno conservate dalla comunità dei figli d'Israele per la preparazione dell'acqua che serve per la purificazione: è un mezzo di purificazione dal peccato. [10]Chi avrà raccolto le ceneri della giovenca laverà i propri vestiti e resterà impuro fino alla sera. Questa sarà una prescrizione perenne per i figli d'Israele e per lo straniero che dimora in mezzo a voi. [11]Chi tocca un cadavere umano sarà impuro per sette giorni. [12]Egli si purificherà con quell'acqua il terzo e il settimo giorno, così sarà puro. Ma se non si purificherà nel terzo e nel settimo giorno non sarà puro. [13]Chiunque tocchi un cadavere umano e non si purifichi, contamina la dimora del Signore: quell'individuo sia eliminato da Israele. Infatti, non essendo stata versata su di lui l'acqua della purificazione, egli è impuro, in lui resta la sua impurità. [14]Questa è la legge per quando un uomo muore in una tenda: chiunque entra nella tenda e chiunque è nella tenda sarà impuro per sette giorni. [15]Ogni vaso aperto, su cui non è fissato un coperchio, sarà impuro. [16]Chiunque ha toccato in aperta campagna un uomo ucciso di spada o un morto di morte naturale, oppure ossa d'uomo o un sepolcro, costui sarà impuro per sette giorni. [17]Per colui che è impuro prenderanno la cenere della vittima bruciata per l'espiazione e vi si verserà sopra acqua viva in un vaso; [18]un uomo mondo prenderà poi dell'issopo, lo immergerà nell'acqua e l'aspergerà sulla tenda, su tutti i vasi, sulle persone che ci sono, su chi ha toccato le ossa o un ucciso o un morto o un sepolcro. [19]L'uomo mondo aspergerà l'impuro nel terzo e nel settimo giorno e lo purificherà nel settimo giorno: egli allora laverà i propri vestiti, si laverà con acqua e alla sera sarà puro. [20]L'uomo impuro che non si purificherà sarà eliminato dal mezzo dell'assemblea, perché ha contaminato il santuario del Signore: non ha versato l'acqua della purificazione su di sé, è impuro.

[21]Sarà per loro una prescrizione perenne. Chi farà l'aspersione con l'acqua della purificazione laverà le proprie vesti, e chi toccherà l'acqua della purificazione sarà impuro fino alla sera. [22]Tutto ciò che l'impuro toccherà sarà impuro e chi lo toccherà sarà impuro fino alla sera».

LE ACQUE DI MERIBA

20 [1]Tutta la comunità dei figli d'Israele arrivò al deserto di Zin nel primo mese e il popolo si stabilì a Kades: qui morì Maria e vi fu sepolta.

[2]Non si trovava acqua per la comunità, e ci fu una rivolta contro Mosè e Aronne. [3]Il popolo entrò in contesa con Mosè dicendo: «Fossimo morti quando morirono i nostri fratelli davanti al Signore! [4]Perché avete condotto l'assemblea del Signore in questo deserto, per far morire noi e il nostro bestiame? [5]E perché ci avete fatto uscire dall'Egitto per condurci in questo luogo inospitale, dove non si può seminare, non ci sono fichi, uva, melagrane e non c'è acqua da bere?».

[6]Mosè e Aronne lasciarono l'assemblea e si recarono all'ingresso della tenda del convegno; si prostrarono con la faccia a terra e apparve loro la gloria del Signore. [7]Il Signore disse a Mosè: [8]«Prendi il bastone, e tu e tuo fratello Aronne riunite la comunità. Alla loro presenza parlate a quella roccia ed essa farà scaturire la sua acqua. Tu farai sgorgare per loro l'acqua dalla roccia e disseterai la comunità e il suo bestiame».

[9]Mosè prese il bastone che era dinanzi al Signore, come il Signore stesso aveva ordinato. [10]Poi Mosè e Aronne radunarono l'assemblea davanti alla roccia e Mosè disse loro: «Ascoltatemi, dunque, ribelli: da questa roccia si può forse far uscire per voi dell'acqua?». [11]Mosè alzò la mano, colpì due volte la roccia con il bastone e sgorgarono acque in abbondanza. La comunità e il suo bestiame poterono così dissetarsi. [12]Il Signore disse allora a Mosè e ad Aronne: «Poiché non avete creduto in me, dandomi gloria agli occhi dei figli d'Israele, non condurrete quest'assemblea nella terra che io sto per darle». [13]Queste sono le acque di Meriba, dove i figli d'Israele contesero con il Signore ed egli si dimostrò santo con loro.

---

20. - 1. Non vien detto quasi nulla dei trentotto anni di vita nel deserto; ma siamo portati senz'altro al primo mese del quarantesimo anno dopo l'uscita dall'Egitto. In questo tempo è molto probabile che almeno una parte del popolo si sia dispersa per il deserto circostante, pascolando i loro greggi e conducendo vita seminomade.

12. In qual modo Mosè e Aronne peccarono di diffidenza non è facile precisarlo. Forse nell'aver ripetuto il tocco della rupe con la verga, segno di iniziale sfiducia nella bontà di Dio.

[14]Mosè inviò messaggeri da Kades al re di Edom per dirgli: «Così dice tuo fratello Israele: Tu conosci tutte le difficoltà che abbiamo incontrato. [15]I nostri padri scesero in Egitto e noi siamo rimasti in Egitto per molto tempo. Gli Egiziani fecero del male a noi e ai nostri padri. [16]Noi gridammo al Signore ed egli ascoltò la nostra voce: inviò un messaggero e ci fece uscire dall'Egitto. Ed eccoci a Kades, città all'estremità del tuo territorio. [17]Lasciaci dunque passare per la tua terra: non passeremo per i campi e le vigne, non berremo l'acqua dei pozzi, seguiremo la via Regia, non piegheremo a destra né a sinistra, finché non avremo passato il tuo confine». [18]Edom gli disse: «Non passare sul mio territorio, se non vuoi che io esca contro te con la spada». [19]I figli d'Israele gli dissero: «Saliremo per la strada battuta e se io e il mio bestiame berremo della tua acqua, te ne pagheremo il prezzo: basta soltanto che tu mi lasci passare a piedi». [20]Rispose: «Non passerai». Edom uscì contro Israele con molta gente e con mano forte. [21]Edom rifiutò di dare il passaggio a Israele nel suo territorio; e Israele si allontanò da lui.

[22]Tolte le tende da Kades, tutta la comunità dei figli d'Israele arrivò al monte Hor. [23]Il Signore disse a Mosè e ad Aronne al monte Hor, sul confine della terra di Edom: [24]«Aronne sta per riunirsi ai suoi antenati, poiché non entrerà nella terra che ho dato ai figli d'Israele, per il fatto che vi siete ribellati ai miei ordini presso l'acqua di Meriba. [25]Prendi Aronne ed Eleazaro, suo figlio, e falli salire sul monte Hor. [26]Spoglia Aronne dei suoi paramenti e falli indossare ad Eleazaro, suo figlio. In quel luogo, infatti, Aronne si riunirà ai suoi antenati e morirà». [27]Mosè fece come il Signore aveva ordinato, e salirono sul monte Hor sotto gli occhi di tutta la comunità. [28]Mosè spogliò Aronne dei suoi paramenti e li fece indossare ad Eleazaro, figlio suo. Aronne morì là, in cima al monte, e Mosè ed Eleazaro scesero dal monte. [29]Tutta la comunità vide che Aronne era morto e tutta la casa d'Israele lo pianse per trenta giorni.

---

21. - 8-9. Il *serpente di bronzo* fu conservato a Gerusalemme fino al tempo del re Ezechia (716-687 a.C.), che lo distrusse, perché divenuto oggetto di culto idolatrico (2Re 18,4). Gesù medesimo ne ha spiegato il significato simbolico (Gv 3,14-15).

LA SCONFITTA DEL RE DI ARAD E IL SERPENTE DI BRONZO

21 [1]Il re cananeo di Arad, che abitava nel Negheb, sentì che Israele avanzava per la via di Atarim, e attaccò battaglia contro Israele facendone dei prigionieri. [2]Israele fece un voto al Signore e disse: «Se darai in mano mia questo popolo, voterò allo sterminio le loro città». [3]Il Signore ascoltò la voce di Israele e gli mise nelle mani i Cananei. Israele votò allo sterminio i Cananei e le loro città, e quel luogo fu chiamato Corma.

[4]Tolsero poi le tende dal monte Hor, e si diressero verso il Mar Rosso, per aggirare la terra di Edom. Ma lungo il cammino il popolo divenne impaziente [5]e parlò contro Dio e contro Mosè: «Perché ci avete fatti uscire dall'Egitto per farci morire nel deserto? Qui non c'è né pane né acqua e siamo nauseati di un cibo così inconsistente». [6]Il Signore allora inviò al popolo dei serpenti che bruciano: morsero il popolo e molta gente d'Israele morì. [7]Il popolo venne da Mosè e disse: «Abbiamo peccato, perché abbiamo parlato contro il Signore e contro te. Intercedi presso il Signore e allontana da noi questi serpenti». Mosè intercedette per il popolo. [8]Il Signore disse a Mosè: «Fatti un serpente e mettilo sopra un'asta: chiunque sarà morso e lo guarderà, vivrà». [9]Mosè fece un serpente di bronzo e lo mise su un'asta; se un serpente mordeva un uomo e costui guardava il serpente di bronzo, restava in vita.

[10]I figli d'Israele tolsero le tende e si accamparono in Obot. [11]Partirono da Obot e si accamparono a Ie-Abarim, nel deserto che è di fronte a Moab, dal lato dove sorge il sole. [12]Di là partirono e si accamparono presso il torrente Zered. [13]Si misero di nuovo in marcia e posero il campo oltre l'Arnon, che scorre nel deserto e proviene dal confine degli Amorrei, perché l'Arnon è il confine di Moab, tra Moab e gli Amorrei. [14]Per questo è detto nel Libro delle guerre del Signore:

«... Vaeb in Sufa e le sponde dell'Arnon,
[15] il pendio delle sponde
che piega verso l'abitato di Ar
e si appoggia al confine di Moab».

[16]Di là andarono a Beer: è quel pozzo di cui il Signore aveva detto a Mosè: «Raduna

il popolo e darò loro dell'acqua». [17]Allora Israele compose questa canzone:

«Sgorga, o pozzo: cantatelo!
[18] Pozzo che i prìncipi hanno scavato,
che i nobili del popolo hanno perforato
con lo scettro, con il loro bastone».

E dal deserto andarono a Mattana, [19]da Mattana a Nacaliel, da Nacaliel a Bamot, [20]e da Bamot alla valle che è nei campi di Moab: là è l'altura del Pisga, che guarda verso il deserto.

[21]Israele inviò messaggeri a Sicon, re amorreo, per dirgli: [22]«Lasciami passare nella tua terra: non ci inoltreremo nei campi e nelle vigne, né berremo l'acqua dei pozzi; andremo per la via Regia, finché non avremo oltrepassato il tuo territorio». [23]Ma Sicon non fece passare Israele per il suo territorio.

Sicon riunì il suo popolo e uscì contro Israele nel deserto. Arrivò a Iaaz e ingaggiò battaglia con Israele. [24]Israele lo colpì a fil di spada e conquistò la sua terra dall'Arnon fino allo Iabbok, fino ai confini degli Ammoniti, perché forte era il confine degli Ammoniti. [25]Israele prese tutte quelle città e dimorò in tutte le città degli Amorrei, in Chesbon e in tutte le sue dipendenze. [26]Chesbon infatti era la città di Sicon, re amorreo: egli aveva combattuto contro il precedente re di Moab e gli aveva preso di mano tutta la sua terra fino all'Arnon. [27]Per questo i poeti dicono:

«Venite a Chesbon!
Sia riedificata e fortificata la città
di Sicon!
[28] Perché un fuoco è uscito da Chesbon,
una fiamma dalla città di Sicon:
essa ha divorato Ar-Moab,
ha inghiottito le alture dell'Arnon.
[29] Guai a te, Moab,
sei perduto, popolo di Camos!
Ha dato i suoi figli alla fuga
e le sue figlie ha dato in schiavitù
a Sicon, re degli Amorrei.
[30] Ma noi li abbiamo colpiti con frecce,
e da Chesbon fino a Dibon tutto
è perduto.
Abbiamo devastato fino a Nofach,
che è presso Madaba».

[31]Israele si stabilì nella terra degli Amorrei. [32]Poi Mosè mandò a esplorare Iazer: la conquistarono insieme con le sue dipendenze e scacciarono gli Amorrei che vi si trovavano.

[33]Poi cambiarono direzione e salirono per la strada di Basan. Uscì Og, re di Basan, con tutto il suo popolo contro di loro per far guerra in Edrei. [34]Ma il Signore disse a Mosè: «Non aver paura di lui, perché io ho messo nelle tue mani lui, tutto il suo popolo e la sua terra: farai a lui come hai fatto a Sicon, il re degli Amorrei che abitava a Chesbon». [35]Essi colpirono lui, i suoi figli e tutto il suo popolo, così che non gli rimase alcun superstite, e si impadronirono della sua terra.

IL RE BALAK E L'INDOVINO BALAAM

22 [1]I figli d'Israele partirono e si accamparono nelle steppe di Moab, al di là del Giordano, verso Gerico. [2]Balak, figlio di Zippor, vide tutto quello che Israele aveva fatto agli Amorrei. [3]Moab ebbe una gran paura di questo popolo perché era molto numeroso; Moab tremò davanti ai figli d'Israele. [4]Moab disse quindi agli anziani di Madian: «Ora questa moltitudine divorerà tutti quelli che sono intorno a noi, come il bue mangia l'erba del campo». Balak, figlio di Zippor, era re di Moab in quel tempo.

[5]Mandò perciò messaggeri a Balaam, figlio di Beor, a Petor, che è presso il fiume, nel territorio dei figli di Amau, per chiamarlo e dirgli: «Ecco, un popolo è uscito dall'Egitto; ha coperto la superficie della terra e ora sta di fronte a me. [6]Orsù, muoviti; maledicimi questo popolo, perché è più potente di me; forse potrò sconfiggerlo e cacciarlo dalla terra, perché so che chi tu benedici è benedetto e chi tu maledici è maledetto».

[7]Gli anziani di Moab e gli anziani di Madian partirono, portando con sé dei doni per l'indovino. Arrivati da Balaam, gli riferirono le parole di Balak. [8]Egli disse loro: «Alloggiate qui questa notte, poi vi riferirò la parola che il Signore mi dirà». I capi di Moab rimasero con Balaam.

[9]Dio venne da Balaam e gli disse: «Chi sono quegli uomini che stanno presso di te?». [10]Balaam rispose a Dio: «Me li ha inviati

Balak, figlio di Zippor, re di Moab, a dirmi: [11]Ecco, un popolo uscito dall'Egitto ricopre la superficie del paese. Orsù, vieni, maledicimelo: forse potrò combatterlo e cacciarlo». [12]Dio disse a Balaam: «Non andare con loro, non maledire quel popolo, perché è benedetto». [13]Balaam si alzò di buon mattino e disse ai capi di Balak: «Andate nella vostra terra, perché il Signore non mi ha permesso di venire con voi». [14]I capi di Moab si alzarono, tornarono da Balak e dissero: «Balaam non è voluto venire con noi».

[15]Balak mandò altri capi, più numerosi e importanti di quelli. [16]Vennero da Balaam e gli dissero: «Così ha detto Balak, figlio di Zippor: Non rinunciare a venire da me, [17]perché voglio onorarti molto e tutto quello che mi dirai lo farò. Orsù, vieni, maledicimi questo popolo». [18]Balaam rispose ai servi di Balak: «Anche se Balak mi desse la sua casa piena d'argento e oro, non potrei trasgredire l'ordine del Signore, mio Dio, per fare cosa piccola o grande. [19]E ora state qui anche voi questa notte e vi farò sapere che cosa il Signore mi dirà ancora».

[20]Dio venne da Balaam di notte e gli disse: «Se quegli uomini sono venuti per chiamarti, àlzati, va' con loro, ma farai solo quello che io ti dirò». [21]Balaam si alzò di buon mattino, sellò la sua asina e andò con i capi di Moab. [22]Ma lo sdegno di Dio s'infiammò perché se n'era andato e l'angelo del Signore si pose sul cammino per ostacolarlo. Egli cavalcava la sua asina e con lui c'erano due servi. [23]L'asina vide l'angelo del Signore che se ne stava sulla strada con la spada sguainata nella mano e ripiegò dalla strada e andò nel campo. Balaam percosse l'asina per farla ritornare sulla strada. [24]L'angelo del Signore si pose in un viottolo tra le vigne con un muro da una parte e un muro dall'altra. [25]L'asina vide l'angelo del Signore: si strinse contro il muro e premette il piede di Balaam contro il muro. Egli la percosse di nuovo. [26]L'angelo del Signore passò ancora e si pose in un luogo così stretto che non c'era modo di ritirarsi né a destra né a sinistra. [27]L'asina vide l'angelo del Signore e si accasciò sotto Balaam; l'ira di Balaam divampò e percosse l'asina con il bastone. [28]Allora il Signore aprì la bocca dell'asina, che disse a Balaam: «Che cosa ti ho fatto per percuotermi in questo modo per tre volte?». [29]Balaam

rispose all'asina: «Perché ti sei burlata di me: avessi una spada in mano, ti ammazzerei subito». [30]L'asina disse a Balaam: «Non sono io la tua asina sulla quale hai sempre cavalcato fino a oggi? Mi sono comportata di solito così con te?». Rispose: «No». [31]Allora il Signore aprì gli occhi di Balaam ed egli vide l'angelo del Signore che stava sulla strada, con la spada sguainata in mano: si chinò e si prostrò con la faccia a terra. [32]L'angelo del Signore gli disse: «Perché hai percosso la tua asina in questo modo per tre volte? Ecco, io sono uscito per ostacolarti perché la strada davanti a me va in precipizio. [33]L'asina mi ha visto e ha ripiegato per tre volte davanti a me: per fortuna ha ripiegato davanti a me, perché altrimenti avrei ucciso te e avrei lasciato in vita lei». [34]Balaam disse all'angelo del Signore: «Ho peccato, perché non sapevo che tu stavi davanti a me sulla strada; e ora, se questo è male ai tuoi occhi, ritornerò indietro». [35]L'angelo del Signore rispose a Balaam: «Va' con quegli uomini: ma dirai soltanto le parole che io ti suggerirò». Balaam andò con i capi di Balak.

[36]Quando Balak sentì che Balaam arrivava, uscì incontro a lui a Ir-Moab, che è sul confine dell'Arnon, all'estremità della frontiera. [37]Balak disse a Balaam: «Non avevo forse mandato a chiamarti? Perché non sei venuto da me? Forse io non sono in grado di onorarti?». [38]Balaam rispose a Balak: «Ecco, sono venuto da te. Posso adesso dire qualcosa? Dirò solo quello che Dio mi metterà in bocca di dire». [39]Balaam andò con Balak e arrivarono a Kiriat-Cuzot. [40]Balak immolò buoi e pecore e li mandò a Balaam e ai capi che erano con lui. [41]Al mattino Balak prese Balaam, salirono a Bamot-Baal e di là gli mostrò un'estremità dell'accampamento del popolo.

BALAAM BENEDICE ISRAELE

23 [1]Balaam disse a Balak: «Costruiscimi qui sette altari e preparami sette giovenchi e sette arieti». [2]Balak fece come aveva ordinato Balaam, e Balak e Balaam immolarono un giovenco e un ariete su ciascun altare. [3]Balaam disse a Balak: «Tu rimani presso il tuo olocausto, e io me ne andrò. Forse mi capiterà di incontrare il Signore e ti indicherò

Nm

quanto egli mi mostrerà». E se ne andò in un luogo deserto.

⁴Dio venne incontro a Balaam, che gli disse: «Ho preparato sette altari e ho sacrificato buoi e pecore sull'altare». ⁵Allora il Signore mise le parole nella bocca di Balaam e disse: «Ritorna da Balak e così parlerai». ⁶Ritornò da lui e vide che se ne stava ritto presso il suo olocausto, lui e tutti i capi di Moab. ⁷Allora Balaam pronunziò il suo poema e disse:

«Dall'Aram mi fa venire Balak,
dai monti d'oriente il re di Moab:
Vieni, maledicimi Giacobbe,
vieni, impreca contro Israele.
⁸ Che cosa maledirò?
Dio non maledice.
Che cosa imprecherò?
Il Signore non impreca.
⁹ Perché dalla cima delle rocce lo vedo,
dalle colline io lo guardo:
ecco un popolo che dimora solo
e non si può contare tra le nazioni.
¹⁰ Chi può calcolare la polvere
di Giacobbe?
Chi può calcolare la sabbia d'Israele?
Possa io morire della morte dei giusti
e sia la mia fine come la loro».

¹¹Balak disse a Balaam: «Che cosa hai fatto? Ti ho preso per maledire i miei nemici, e tu li benedici». ¹²Rispose: «Non devo forse aver cura di dire solo quello che il Signore ha messo nella mia bocca?». ¹³Balak gli disse: «Vieni con me in un altro luogo, da dove tu possa vederlo: di qui non vedi altro che una estremità e non lo vedi tutto; di là me lo maledirai». ¹⁴Lo condusse al campo di Zofim, sulla cima del Pisga; costruì sette altari e sacrificò un bue e una pecora su ogni altare. ¹⁵Balaam disse a Balak: «Tu rimani presso il tuo olocausto e io andrò incontro al Signore». ¹⁶Il Signore si fece incontro a Balaam, gli mise le parole sulla sua bocca e disse: «Torna da Balak e dirai così». ¹⁷Egli venne da lui, e vide che stava presso il suo olocausto assieme ai capi di Moab. Balak gli domandò: «Che cosa ti ha detto il Signore?». ¹⁸Balaam allora pronunziò il suo poema e disse:

«Alzati, Balak, e ascolta,
porgi l'orecchio a me, figlio di Zippor.
¹⁹ Dio non è un uomo che mente,
né un figlio d'uomo che si pente.

Forse egli dice e non fa?
Parla e non esegue?
²⁰ Ecco, ho ricevuto l'ordine di benedire:
e la benedizione io non posso revocare.
²¹ Non si scorge iniquità in Giacobbe,
non si vede perversità in Israele.
Il Signore, suo Dio, è con lui
e acclamazioni di re sono in mezzo a lui.
²² Il Dio che l'ha fatto uscire dall'Egitto
è per lui come forza di corna di bufalo.
²³ Perché non c'è magia in Giacobbe,
non c'è divinazione in Israele:
a suo tempo verrà detto a Giacobbe
e a Israele che cosa Dio opera.
²⁴ Ecco un popolo che sorge
come una leonessa,
che si alza come un leone;
non si mette a dormire
finché non ha divorato la preda
e bevuto il sangue degli sbranati».

²⁵Balak disse a Balaam: «Se proprio non lo vuoi maledire, almeno non lo benedire!». ²⁶Balaam rispose a Balak: «Non ti ho forse detto che tutto quello che il Signore mi avrebbe ordinato, io l'avrei detto?». ²⁷Balak disse a Balaam: «Vieni, ti condurrò in un altro luogo: forse piacerà agli occhi di Dio che tu me lo maledica di là». ²⁸Balak condusse Balaam sulla cima di Peor, che sovrasta il deserto. ²⁹Balaam disse a Balak: «Costruiscimi qui sette altari e preparami qui sette giovenchi e sette arieti». ³⁰Balak fece come aveva detto Balaam, e sacrificò un giovenco e un ariete su ogni altare.

ALTRE BENEDIZIONI DI BALAAM

24 ¹Balaam, vedendo che al Signore piaceva benedire Israele, non ricorse più, come le altre volte alla magia, ma voltò la faccia verso il deserto. ²Balaam alzò gli occhi e vide Israele disposto nell'accampamento tribù per tribù. Allora lo spirito di Dio fu sopra di lui. ³Pronunziò il suo poema e disse:

«Oracolo di Balaam, figlio di Beor,
oracolo dell'uomo con l'occhio aperto,
⁴ oracolo di chi ascolta le parole di Dio
e conosce la scienza dell'Altissimo,
di chi vede la visione dell'Onnipotente,
di chi cade e gli si aprono gli occhi.

Nm

⁵ Come sono belle le tue tende, Giacobbe,
  le tue dimore, Israele!
⁶ Si distendono come torrenti,
  come giardini lungo un fiume,
  come aloe che ha piantato il Signore,
  come cedri presso l'acqua.
⁷ Scorre l'acqua dai suoi pozzi sorgivi,
  il suo seme è in acque abbondanti.
  Più grande di Agag il suo re,
  e il suo regno sarà celebrato.
⁸ Dio l'ha fatto uscire dall'Egitto,
  come forza di corna di bufalo è per lui:
  divora le nazioni che l'avversano,
  consuma le loro ossa,
    spezza le loro frecce.
⁹ Si china, si accovaccia come un leone
  e come una leonessa: chi lo farà alzare?
  Sia benedetto chi ti benedice,
  maledetto chi ti maledice».

¹⁰L'ira di Balak divampò contro Balaam; batté le mani e disse a Balaam: «Ti ho chiamato per maledire i miei nemici, ed ecco che li hai benedetti per tre volte! ¹¹Ora vattene a casa tua. Avevo pensato di colmarti di onori; ma ecco che il Signore ti ha impedito di averli». ¹²Balaam rispose a Balak: «Non avevo forse detto ai messaggeri che mi avevi inviato: ¹³Anche se Balak mi desse la sua casa piena d'argento e oro, non potrei trasgredire l'ordine del Signore per fare una qualsiasi cosa, buona o cattiva, trascurando di annunciare quello che il Signore mi ha detto? ¹⁴Ora io ritorno al mio popolo, ma vieni, voglio annunciarti ciò che questo popolo farà al tuo popolo in avvenire». ¹⁵Pronunziò allora il suo poema e disse:

  «Oracolo di Balaam, figlio di Beor,
    oracolo dell'uomo con l'occhio aperto,
¹⁶ oracolo di chi ascolta le parole di Dio

  e conosce la scienza dell'Altissimo;
  di chi vede la visione dell'Onnipotente,
  di chi cade e gli si aprono gli occhi.
¹⁷ Lo vedo, ma non ora,
  lo contemplo, ma non da vicino:
  una stella sorge da Giacobbe,
  si alza uno scettro da Israele,
  spezza i fianchi di Moab,
  il cranio di tutti i figli di Set.
¹⁸ Suo possesso sarà Edom,
  sua conquista Seir, suo nemico.
  Israele agirà con potenza,
¹⁹ Giacobbe dominerà i suoi nemici,
  farà perire gli scampati da Ar».

²⁰Poi vide Amalek, pronunziò il suo poema e disse:

  «Primizia delle nazioni è Amalek,
  ma il suo avvenire sarà distruzione
    eterna».

²¹Vide anche i Keniti, pronunziò il suo poema disse:

  «Stabile è la tua dimora, o Caino,
  posto sulla roccia il tuo nido:
²² eppure sarà dato alla distruzione
  fino a quando Assur ti farà prigioniero».

²³Pronunziò poi ancora il suo poema e disse:

  «Guai: chi sopravvivrà se lo prenderà
    Dio.
²⁴ Verranno navi dalla parte di Cipro:
  opprimeranno Assur,
    opprimeranno Eber;
  ma anch'egli sarà distrutto per sempre».

²⁵Poi Balaam si alzò e ritornò alla sua regione, mentre Balak se ne andò per la sua strada.

ISRAELE E IL CULTO A BAAL-PEOR

25 ¹Israele si stabilì a Sittim, e il popolo cominciò a trescare con le figlie di Moab. ²Esse invitavano il popolo ai sacrifici offerti ai loro dèi e il popolo mangiava e si prostrava davanti ai loro dèi. ³Israele si dedicò al culto di Baal-Peor, e la collera del Signore divampò contro Israele.

---

24. - 9. Chiara allusione alla profezia d'Isacco su Giacobbe, contenuta in Gn 27,29.

17-19. Balaam, in un lampo di visione profetica, vede e saluta da lontano un discendente di Giacobbe che splenderà come una stella. Qui è detto, in senso metaforico, della grandezza e delle vittorie del re Davide, di Salomone e discendenti. Cristo, «il discendente» (cfr. Gal 3,16), vero sole di giustizia, sarà preceduto da una stella (Mt 2,2).

25. - 3. *Israele si dedicò*: si tratta della prima vera apostasia dal vero Dio. Gli Israeliti non seppero resistere agli inviti delle donne moabite, parteciparono ai loro riti in onore dei loro dèi, mangiarono le carni delle vittime immolate nei sacrifici, stabilendo così un vincolo con le divinità pagane, e praticarono su larga scala la prostituzione sacra. Di qui il terribile castigo di Dio.

⁴Il Signore disse a Mosè: «Prendi tutti i capi del popolo ed esponi i responsabili appesi davanti al Signore in faccia al sole, perché la collera del Signore si ritiri da Israele». ⁵Mosè disse ai giudici d'Israele: «Ognuno uccida i propri uomini che si sono dedicati al culto di Baal-Peor».

⁶Ed ecco venire uno dei figli d'Israele e presentare ai propri fratelli una donna madianita, sotto gli occhi di Mosè e di tutta la comunità dei figli d'Israele che stavano piangendo all'ingresso della tenda del convegno. ⁷Finees, figlio di Eleazaro, figlio del sacerdote Aronne, lo vide e si alzò dal mezzo della comunità e prese in mano una lancia. ⁸Seguì quell'uomo di Israele nella tenda e trafisse ambedue, l'Israelita e la donna, nel basso ventre. E il flagello cessò tra i figli d'Israele. ⁹I morti per il flagello furono ventiquattromila.

¹⁰Il Signore disse a Mosè: ¹¹«Finees, figlio di Eleazaro, figlio del sacerdote Aronne, ha fatto ritirare la mia ira dai figli d'Israele, perché è stato animato dal mio stesso zelo in mezzo a loro, e io, nella mia ira, non ho sterminato i figli d'Israele. ¹²Perciò digli: Ecco, io gli do la mia alleanza di pace. ¹³Per lui e per la sua discendenza dopo di lui ci sarà l'alleanza di un sacerdozio perenne, perché ha avuto zelo per il suo Dio e ha espiato per i peccati dei figli d'Israele».

¹⁴Il nome dell'Israelita colpito e ucciso con la Madianita era Zimri, figlio di Salu, capo di un casato paterno dei Simeoniti. ¹⁵Il nome della donna madianita colpita era Cozbi, figlia di Zur, capo di clan di un casato in Madian.

¹⁶Il Signore ordinò a Mosè: ¹⁷«Assali i Madianiti e colpiscili, ¹⁸perché sono stati loro ad assalirvi con gli inganni che astutamente hanno ordito contro di voi per l'affare di Peor e per l'affare di Cozbi, figlia di un capo di Madian, loro sorella, colpita nel giorno del flagello causato per la vicenda di Peor».

IL NUOVO CENSIMENTO DEGLI ISRAELITI

26 ¹Il Signore parlò a Mosè e ad Eleazaro, figlio del sacerdote Aronne, e disse: ²«Fate il censimento di tutta la comunità dei figli d'Israele, dall'età di vent'anni in su, secondo il loro casato paterno, di quanti possono essere arruolati nell'esercito in Israele».

³Mosè e il sacerdote Eleazaro parlarono a loro nelle steppe di Moab, presso il Giordano, verso Gerico, dicendo: ⁴«Si faccia il censimento dall'età di vent'anni in su, come il Signore aveva ordinato a Mosè e agli Israeliti quando uscirono dal paese d'Egitto».

⁵Ruben, primogenito d'Israele. Figli di Ruben: Enoc, da cui discende la famiglia enochita; Pallu, da cui discende la famiglia di Pallu; ⁶Chezron, da cui discende la famiglia di Chezron; Carmi, da cui discende la famiglia di Carmi. ⁷Queste sono le famiglie di Ruben. I loro censiti furono 43.730.

⁸Figli di Pallu: Eliab. ⁹Figli di Eliab: Nemuel, Datan e Abiram. Furono Datan e Abiram, uomini considerati nella comunità, a insorgere contro Mosè e Aronne con i seguaci di Core, quando insorsero contro il Signore; ¹⁰la terra aprì la sua bocca e li inghiottì con Core, quando il fuoco divorò duecentocinquanta uomini, che servirono da monito. ¹¹Ma i figli di Core non morirono.

¹²Figli di Simeone, secondo le loro famiglie: da Nemuel discende la famiglia dei Nemueliti; da Iamin discende la famiglia degli Iaminiti; da Iachin discende la famiglia degli Iachiniti; ¹³da Zocar discende la famiglia degli Zocariti; da Saul discende la famiglia dei Sauliti. ¹⁴Queste sono le famiglie dei Simeoniti: ne furono censiti 22.200.

¹⁵Figli di Gad, secondo le loro famiglie: per Sefon, la famiglia dei Sefoniti; per Agghi, la famiglia agghita; per Suni, la famiglia sunita; ¹⁶per Ozni, la famiglia oznita; per Eri, la famiglia erita; ¹⁷per Arod, la famiglia arodita; per Areli, la famiglia arelita. ¹⁸Queste sono le famiglie dei figli di Gad, secondo i loro censiti, che furono 40.500.

¹⁹Figli di Giuda: Er e Onan. Er e Onan morirono nella terra di Canaan. ²⁰I figli di Giuda secondo le loro famiglie: per Sela, la famiglia selanita; per Perez, la famiglia perezita; per Zerach, la famiglia zerachita. ²¹I figli di Perez furono: per Chezron, la famiglia chezronita; per Amul, la famiglia amulita. ²²Queste sono le famiglie di Giuda, secondo i loro censiti, che furono 76.500.

²³Figli di Issacar, secondo le loro famiglie: per Tola, la famiglia dei Tolaiti; per Puva, la famiglia dei Puviti; ²⁴per Iasub, la famiglia degli Iasubiti; per Simron, la famiglia dei Simroniti. ²⁵Queste sono le famiglie di

Issacar, secondo i loro censiti, che furono 64.300.

²⁶Figli di Zabulon secondo le loro famiglie: per Sered, la famiglia seredita; per Elon, la famiglia elonita; per Iacleel, la famiglia iacleelita. ²⁷Queste sono le famiglie di Zabulon, secondo i loro censiti, che furono 60.500.

²⁸Figli di Giuseppe, secondo le loro famiglie: Manasse ed Efraim.

²⁹Figli di Manasse: per Machir, la famiglia machirita. Machir generò Galaad, e da Galaad discende la famiglia galaadita. ³⁰Questi sono i figli di Galaad: per Iezer, la famiglia iezerita; per Elek, la famiglia elekita; ³¹per Asriel, la famiglia asrielita; per Sichem, la famiglia sichemita; ³²per Semida, la famiglia semidaita; per Chefer, la famiglia cheferita. ³³Zelofcad, figlio di Chefer, non ebbe figli, ma solo figlie. Questi sono i nomi delle figlie di Zelofcad: Macla, Noa, Cogla, Milca e Tirza. ³⁴Queste sono le famiglie di Manasse e i loro censiti, in numero di 52.700.

³⁵Questi sono i figli di Efraim, secondo le loro famiglie: per Sutelach, la famiglia sutelachita; per Beker, la famiglia bekerita; per Tacan, la famiglia tacanita. ³⁶Questi sono i figli di Sutelach: per Eran, la famiglia degli Eraniti. ³⁷Queste sono le famiglie dei figli di Efraim, secondo i loro censiti, che furono 32.500.

Questi sono i figli di Giuseppe, secondo le loro famiglie.

³⁸Figli di Beniamino, secondo le loro famiglie: per Bela, la famiglia belaita; per Asbel, la famiglia asbelita; per Airam, la famiglia airamita; ³⁹per Sufam, la famiglia sufamita; per Ufam, la famiglia ufamita. ⁴⁰I figli di Bela furono: Ard e Naaman. Per Ard, la famiglia ardita; per Naaman, la famiglia naamanita. ⁴¹Questi sono i figli di Beniamino secondo le loro famiglie e i loro censiti, in numero di 45.600.

⁴²Questi sono i figli di Dan, secondo le loro famiglie: per Suam, la famiglia suamita. Queste sono le famiglie di Dan, secondo le loro famiglie. ⁴³Il totale delle famiglie suamite fu di 64.400 censiti.

⁴⁴Figli di Aser, secondo le loro famiglie: per Imna, la famiglia imnaita; per Isvi, la famiglia isvita; per Beria, la famiglia beriaita. ⁴⁵I figli di Beria: per Eber, la famiglia eberita; per Malchiel, la famiglia malchielita. ⁴⁶La figlia di Aser si chiamava Sera. ⁴⁷Queste sono le famiglie dei figli di Aser, secondo i loro censiti, in numero di 53.400.

⁴⁸Figli di Neftali, secondo le loro famiglie: per Iacseel, la famiglia iacseelita; per Guni, la famiglia gunita; ⁴⁹per Ieser, la famiglia ieserita; per Sillem, la famiglia sillemita. ⁵⁰Queste sono le famiglie di Neftali, secondo le loro famiglie e i loro censiti, in numero di 45.400.

⁵¹Questi sono i censiti dei figli d'Israele: 601.730.

⁵²Il Signore disse a Mosè: ⁵³«Fra tutti questi ripartirai la terra in eredità, secondo il numero delle persone. ⁵⁴A chi è grande aumenterai la parte di proprietà e a chi è piccolo la diminuirai: a ciascuno sarà data la parte di proprietà in base al numero dei censiti. ⁵⁵La ripartizione della terra avverrà a sorte: ne riceveranno la proprietà secondo i nomi delle loro tribù paterne. ⁵⁶La ripartizione della proprietà avverrà a sorte, sia per le tribù grandi sia per le piccole».

⁵⁷Questi sono i censiti di Levi, secondo le loro famiglie: per Gherson, la famiglia ghersonita; per Keat, la famiglia keatita; per Merari, la famiglia merarita.

⁵⁸Queste sono le famiglie di Levi: la famiglia libnita, la famiglia ebronita, la famiglia maclita, la famiglia musita, la famiglia corita. Keat poi generò Amram. ⁵⁹Il nome della moglie di Amram era Iochebed, figlia di Levi, ed era nata a Levi in Egitto; essa partorì ad Amram Aronne, Mosè e Maria, loro sorella. ⁶⁰Ad Aronne nacquero Nadab, Abiu, Eleazaro e Itamar. ⁶¹Nadab e Abiu morirono nel presentare un fuoco profano davanti al Signore. ⁶²I censiti furono 23.000, tutti maschi, dall'età di un mese in su. Essi non furono censiti con i figli d'Israele, perché non fu data loro alcuna proprietà in mezzo ai figli d'Israele.

⁶³Questi sono i censiti da Mosè e dal sacerdote Eleazaro, che fecero il censimento dei figli d'Israele nelle steppe di Moab, presso il Giordano, verso Gerico. ⁶⁴Tra questi non c'era nessuno di quegli Israeliti che Mosè e il sacerdote Aronne censirono nel deserto del Sinai, ⁶⁵perché il Signore aveva detto di loro: «Essi dovranno morire nel deserto!». Di loro non rimase nessuno, se non Caleb, figlio di Iefunne, e Giosuè, figlio di Nun.

L'EREDITÀ DELLE DONNE

27 ¹Si avvicinarono le figlie di Zelofcad, figlio di Chefer, figlio di Galaad, figlio di Machir, figlio di Manasse, delle famiglie di Manasse, figlio di Giuseppe, che si chiamavano Macla, Noa, Cogla, Milca e Tirza. ²Si presentarono davanti a Mosè, davanti al sacerdote Eleazaro, davanti ai capi e a tutta la comunità, all'ingresso della tenda del convegno e dissero: ³«Nostro padre è morto nel deserto: egli non ha fatto parte del gruppo che si radunò contro il Signore nella comunità di Core. Morì invece a causa del suo peccato e non ebbe figli. ⁴Perché dovrebbe essere cancellato il nome di nostro padre dalla sua famiglia per il fatto che non ha avuto figli maschi? Dateci una proprietà in mezzo ai fratelli di nostro padre».

⁵Mosè presentò la loro causa davanti al Signore. ⁶Il Signore disse a Mosè: ⁷«Le figlie di Zelofcad hanno parlato bene: da' loro in eredità una proprietà in mezzo ai fratelli del loro padre e fa' passare ad esse l'eredità del loro padre. ⁸Così dirai ai figli d'Israele: Se un uomo muore senza lasciare figli maschi, farete passare la sua eredità alla figlia. ⁹Se poi non avrà figlie, darete la sua eredità ai suoi fratelli. ¹⁰Se non avrà fratelli, darete la sua eredità ai fratelli del padre. ¹¹Se il padre non avrà fratelli, darete la sua eredità al parente più stretto della sua famiglia, che ne entrerà in possesso. Per i figli d'Israele questa sarà una norma di diritto, come il Signore ha ordinato a Mosè».

¹²Il Signore disse a Mosè: «Sali su questo monte degli Abarim e ammira la terra che io do ai figli d'Israele. ¹³La vedrai e poi ti riunirai ai tuoi antenati anche tu, come si è riunito Aronne, tuo fratello, ¹⁴perché trasgrediste l'ordine che vi avevo dato nel deserto di Zin, quando il popolo si ribellò e voi vi siete rifiutati di dimostrare la mia santità ai loro occhi, a proposito di quelle acque». Sono, queste, le acque di Meriba di Kades, nel deserto di Zin.

¹⁵Mosè disse al Signore: ¹⁶«Il Signore, Dio della vita di ogni essere, ponga a capo di questa comunità un uomo ¹⁷che esca davanti a loro ed entri davanti a loro, li faccia uscire e li faccia entrare, in modo che la comunità del Signore non sia come un gregge senza pastore».

¹⁸Il Signore disse a Mosè: «Prendi Giosuè, figlio di Nun, uomo che ha lo spirito, e imponi la tua mano su di lui. ¹⁹Poi lo presenterai al sacerdote Eleazaro e a tutta la comunità e alla loro presenza gli darai i tuoi ordini. ²⁰Gli comunicherai la tua dignità, perché tutta la comunità dei figli d'Israele gli obbedisca. ²¹Egli si presenterà al sacerdote Eleazaro, che consulterà per lui il giudizio degli urim davanti al Signore: al suo ordine usciranno e al suo ordine entreranno, lui, tutti i figli d'Israele e tutta la comunità».

²²Mosè fece come il Signore gli aveva ordinato: prese Giosuè e lo presentò al sacerdote Eleazaro e a tutta la comunità; ²³impose le mani su di lui e gli diede i suoi ordini, come il Signore aveva comandato per mezzo di Mosè.

I SACRIFICI E LE FESTE LITURGICHE

28 ¹Il Signore disse a Mosè: ²«Ordina ai figli di Israele e di' loro: Avrete cura di presentarmi al tempo stabilito le offerte a me dovute e il mio alimento, sotto forma di sacrificio consumato col fuoco, in profumo soave che mi placa.

Il sacrificio quotidiano – ³Dirai loro: Questo è il sacrificio da consumarsi con il fuoco e che offrirete al Signore: agnelli di un anno, senza difetti, due al giorno, come olocausto perenne. ⁴Un agnello l'offrirai al mattino e il secondo l'offrirai al tramonto; ⁵come oblazione offrirete un decimo di efa di fior di farina, intrisa in un quarto di hin di olio vergine. ⁶È un olocausto perenne, offerto sul monte Sinai, sacrificio consumato col fuoco, in profumo soave, gradito al Signore e che lo placa. ⁷Come libazione presenterete un quarto di hin per il primo agnello: la libazione si farà nel santuario, quale bevanda inebriante per il Signore. ⁸Il secondo agnello l'offrirai al tramonto: offrirai un'oblazione e una libazione come quelle del mattino. È un sacrificio consumato col fuoco, offerto in profumo soave che placa il Signore.

Il sacrificio del sabato – ⁹Nel giorno di sabato offrirete due agnelli di un anno, senza

---

27. - 20-21. Giosuè non ereditò tutta la gloria e la dignità di Mosè; Dio non gli farà conoscere la propria volontà direttamente, ma per mezzo del sacerdote Eleazaro.

difetti, e come oblazione offrirete due decimi di fior di farina, intrisa con olio, con la sua libazione. [10]È l'olocausto del sabato, di ogni sabato, oltre l'olocausto perenne e la sua libazione.

Il sacrificio all'inizio del mese – [11]Agl'inizi dei vostri mesi presenterete in olocausto al Signore due giovenchi, un ariete, sette agnelli di un anno, senza difetti, [12]e tre decimi di fior di farina intrisa con olio, in oblazione per ciascun giovenco; due decimi di fior di farina intrisa con olio, in oblazione per l'ariete; [13]un decimo di fior di farina intrisa con olio, in oblazione per ogni agnello: è un olocausto consumato col fuoco, offerto in profumo soave che placa il Signore. [14]Le loro libazioni saranno di una metà di hin per giovenco, di un terzo di hin per l'ariete e di un quarto di hin per agnello: questo sarà l'olocausto del mese, per tutti i mesi dell'anno. [15]Oltre all'olocausto perenne offrirete al Signore, come sacrificio espiatorio, anche un capretto, con la sua libazione.

La Pasqua – [16]Nel primo mese, nel giorno quattordici, celebrerete la Pasqua del Signore. [17]Il quindici di questo mese sarà festa: per sette giorni si mangeranno gli azzimi. [18]Nel primo giorno ci sarà una convocazione sacra; non farete nessun lavoro servile, [19]ma presenterete in olocausto al Signore, come sacrificio consumato col fuoco, due giovenchi, un ariete e sette agnelli di un anno, senza difetti. [20]Come oblazione offrirete fior di farina intrisa in olio: ne offrirete tre decimi per giovenco, due decimi per l'ariete, [21]un decimo per ciascuno dei sette agnelli, [22]e offrirai un capro come sacrificio espiatorio. [23]Offrirete questi sacrifici oltre all'olocausto del mattino, che è un olocausto perenne. [24]Così farete ogni giorno per sette giorni: è un cibo, un sacrificio consumato col fuoco, offerto in profumo soave che placa il Signore. Lo offrirete oltre all'olocausto perenne e alla sua libazione. [25]Nel settimo giorno avrete una convocazione sacra; non farete nessun lavoro servile.

La festa delle Settimane – [26]Nel giorno delle primizie, quando presenterete la vostra nuova offerta al Signore, nella vostra festa delle Settimane, avrete una convocazione sacra; non farete nessun lavoro servile.

[27]Presenterete in olocausto al Signore, come profumo soave, due giovenchi, un ariete e sette agnelli di un anno. [28]Come oblazione offrirete fior di farina intrisa in olio: tre decimi per giovenco, due decimi per l'ariete, [29]un decimo per ognuno dei sette agnelli. [30]Offrirete anche un capro per il vostro sacrificio di espiazione. [31]Li offrirete oltre l'olocausto perenne e la sua libazione: sceglierete animali senza difetti, accompagnati dalle loro libazioni».

LE FESTE DELL'AUTUNNO

29 *Il giorno della "teruah" o dell'Acclamazione* – [1]«Nel settimo mese, nel primo giorno del mese, avrete una convocazione sacra; non farete nessun lavoro servile. Sarà per voi il giorno dell'Acclamazione. [2]Offrirete in olocausto al Signore, come profumo soave, un giovenco, un ariete e sette agnelli di un anno, senza difetti. [3]Come oblazione offrirete fior di farina, intrisa in olio: tre decimi per il giovenco, due decimi per l'ariete, [4]un decimo per ognuno dei sette agnelli, [5]e un capro come sacrificio espiatorio, come rito di espiazione per voi; [6]oltre l'olocausto mensile e la sua offerta, e oltre l'olocausto perenne con la sua oblazione e le loro libazioni, secondo le norme stabilite. Sarà un sacrificio consumato col fuoco, offerto in profumo soave che placa il Signore.

Il giorno dell'Espiazione – [7]Il giorno dieci di questo settimo mese avrete una convocazione sacra; vi mortificherete e non farete nessun lavoro servile. [8]Presenterete in olocausto al Signore, come profumo soave, un giovenco, un ariete e sette agnelli di un anno, senza difetti. [9]Come oblazione offrirete fior di farina, intrisa in olio: tre decimi per il giovenco, due decimi per l'ariete, [10]un decimo per ognuno dei sette agnelli, [11]un capro in sacrificio espiatorio, oltre il sacrificio espiatorio proprio del rito dell'espiazione, e oltre l'olocausto perenne, accompagnato dalla rispettiva oblazione e dalle loro libazioni.

La festa delle Capanne – [12]Il giorno quindici del settimo mese avrete una convocazione sacra; non farete nessun lavoro servile e celebrerete una festa al Signore per sette giorni.

Nm

[13]Presenterete in olocausto al Signore, come sacrificio consumato col fuoco, offerto in profumo soave che placa il Signore, tredici giovenchi, due arieti, quattordici agnelli di un anno, senza difetti. [14]La loro oblazione in fior di farina, intrisa in olio, sarà di tre decimi per ciascuno dei tredici giovenchi, due decimi per ciascun ariete, [15]un decimo per ognuno dei quattordici agnelli, [16]un capro per il sacrificio espiatorio, oltre il sacrificio perenne, la sua oblazione e la sua libazione.

[17]Il secondo giorno offrirete dodici giovenchi, due arieti e quattordici agnelli di un anno, senza difetti, [18]con la loro oblazione e le loro libazioni per giovenchi, arieti e agnelli, secondo il numero e le norme stabilite, [19]un capro per il sacrificio espiatorio, oltre l'olocausto perenne, la sua oblazione e la sua libazione. [20]Il terzo giorno offrirete undici giovenchi, due arieti e quattordici agnelli di un anno, senza difetti, [21]con la loro oblazione e le loro libazioni per giovenchi, arieti e agnelli, secondo il numero e le norme stabilite; [22]un capro per il sacrificio espiatorio, oltre l'olocausto perenne, la sua oblazione e la sua libazione. [23]Il quarto giorno offrirete dieci giovenchi, due arieti e quattordici agnelli, senza difetti, [24]con la loro oblazione e le loro libazioni per giovenchi, arieti e agnelli, secondo il numero e le norme stabilite; [25]un capro per il sacrificio espiatorio, oltre l'olocausto perenne, la sua oblazione e la sua libazione. [26]Nel quinto giorno offrirete nove giovenchi, due arieti e quattordici agnelli, senza difetti, [27]con la loro oblazione e le loro libazioni per giovenchi, arieti e agnelli, secondo il numero e le norme stabilite; [28]un capro per il sacrificio espiatorio, oltre l'olocausto perenne, la sua offerta e la sua libazione. [29]Nel sesto giorno offrirete otto giovenchi, due arieti e quattordici agnelli, senza difetti, [30]con la loro oblazione e le loro libazioni per giovenchi, arieti e agnelli, secondo il numero e le norme stabilite; [31]un capro per il sacrificio espiatorio, oltre l'olocausto perenne, la sua oblazione e la sua libazione. [32]Nel settimo giorno offrirete sette giovenchi, due arieti e quattordici agnelli, senza difetti, [33]con la loro oblazione e le loro libazioni per giovenchi, arieti e agnelli, secondo il numero e le norme stabilite; [34]un capro per il sacrificio espiatorio, oltre l'olocausto perenne, la sua oblazione e la sua

libazione. [35]Nell'ottavo giorno avrete una convocazione sacra; non farete nessun lavoro servile. [36]Presenterete in olocausto al Signore, come sacrificio consumato col fuoco, in profumo soave che placa il Signore, un giovenco, un ariete e sette agnelli di un anno, senza difetti, [37]con la loro oblazione e le loro libazioni per giovenco, ariete e agnelli, secondo il numero e le norme stabilite; [38]un capro per il sacrificio espiatorio, oltre l'olocausto perenne, la sua oblazione e la sua libazione.

[39]Questi sono i sacrifici che presenterete al Signore nelle vostre ricorrenze, oltre i vostri voti, le vostre offerte volontarie, gli olocausti, le oblazioni, le libazioni e i sacrifici di comunione».

LE NORME PER I VOTI FATTI AL SIGNORE

30 [1]Mosè riferì ai figli d'Israele tutto quello che il Signore gli aveva ordinato. [2]Mosè disse ai capitribù dei figli d'Israele: «Questo è quanto il Signore ha ordinato: [3]se un uomo fa un voto al Signore o si lega con un giuramento, non violi la sua parola: faccia secondo tutto quello che ha promesso con la sua bocca.

[4]Se una donna, mentre è ancora nella casa di suo padre, durante la sua giovinezza, fa un voto al Signore e si obbliga ad un impegno, [5]e se il padre, venuto a conoscenza del voto e dell'impegno, non le dice nulla, tutti i suoi voti saranno validi, come pure gli impegni a cui si è obbligata. [6]Ma se il padre, il giorno in cui ne viene a conoscenza, la disapprova, i suoi voti e gli impegni a cui si è legata non saranno più validi: il Signore le perdonerà, perché suo padre l'ha disapprovata.

[7]Se si marita a un uomo mentre è legata da un voto o da un impegno assunto alla leggera con le labbra, [8]se suo marito ne viene a conoscenza e tace, i suoi voti hanno valore, e validi sono gli impegni che si è presa. [9]Ma se nel giorno in cui il marito ne viene a conoscenza la disapprova, allora vengono meno il voto che essa ha fatto e gli impegni assunti alla leggera: il Signore la perdonerà.

[10]Il voto di una vedova o di una ripudiata, qualunque sia l'obbligo a cui è legata, ri-

marrà valido. [11]Se è nella casa di suo marito che ha fatto il voto o si è legata con giuramento, [12]e suo marito ne è a conoscenza e non glielo vieta, tutti i suoi voti hanno valore, e validi sono tutti i legami che si è presa. [13]Ma se il marito li annulla, nel giorno in cui viene a conoscenza di tutto quello che le sue labbra hanno pronunziato, i suoi voti e i suoi legami non sono più validi: il marito li ha annullati e il Signore la perdonerà. [14]Il marito può ratificare e il marito può annullare ogni voto e ogni giuramento per il quale essa si sia obbligata a mortificarsi. [15]Ma se il marito, giorno dopo giorno, non dice nulla, rende validi tutti i voti e tutti i legami che ella ha assunto: li rende validi perché ha taciuto con lei quando ne è venuto a conoscenza. [16]Ma se li ha annullati dopo un certo periodo di tempo da quando ne è venuto a conoscenza, egli sconterà la colpa della moglie».

[17]Queste sono le prescrizioni che il Signore diede a Mosè riguardo al marito e alla moglie, al padre e alla figlia, quando questa è ancora giovane e vive nella casa paterna.

LA GUERRA SANTA CONTRO I MADIANITI

31 [1]Il Signore disse a Mosè: [2]«Compi la vendetta dei figli d'Israele contro i Madianiti, poi ti riunirai ai tuoi antenati». [3]Mosè ordinò al popolo: «Armate tra voi uomini per la guerra, che vadano contro Madian per eseguire la vendetta del Signore su Madian. [4]Invierete alla guerra mille uomini per ogni tribù, da tutte le tribù d'Israele». [5]Così, tra le migliaia d'Israele, furono forniti mille uomini per tribù, cioè dodicimila uomini equipaggiati per la guerra. [6]Mosè li mandò in guerra, mille per tribù, e con loro Finees, figlio del sacerdote Eleazaro, con in mano gli oggetti sacri e le trombe per l'acclamazione.

[7]Mossero contro Madian, come il Signore aveva ordinato a Mosè, e uccisero tutti i maschi. [8]Tra i caduti uccisero anche i cinque re

di Madian: Evi, Rekem, Sur, Ur, Reba, e uccisero con la spada Balaam, figlio di Beor. [9]Poi i figli d'Israele fecero schiave le donne di Madian e i loro bambini; fecero razzia dei loro animali, dei loro greggi e di ogni loro bene. [10]Incendiarono le città dove abitavano e i loro recinti; [11]presero tutto il bottino e la preda, gente e animali. [12]Poi condussero i prigionieri, la preda e il bottino a Mosè, al sacerdote Eleazaro e alla comunità dei figli d'Israele, accampati nelle steppe di Moab, presso il Giordano, verso Gerico.

[13]Mosè, il sacerdote Eleazaro e tutti i capi della comunità uscirono loro incontro, fuori dell'accampamento. [14]Mosè si adirò contro i comandanti dell'esercito, capi delle migliaia e capi delle centinaia, che tornavano da quella spedizione di guerra. [15]Mosè disse loro: «Avete lasciato in vita tutte le femmine? [16]Furono esse, per suggerimento di Balaam, a stornare dagli figli d'Israele nella vicenda di Peor e ad attirare il flagello sulla comunità del Signore. [17]Ora uccidete ogni maschio tra i bambini e ogni donna che si sia unita con un uomo. [18]Tutte le ragazze che non si sono unite con un uomo le conserverete in vita per voi. [19]Voi fermatevi fuori dell'accampamento per sette giorni; chi ha ucciso qualcuno e chiunque ha toccato un ucciso si purifichino nel terzo e nel settimo giorno; questo per voi e per i vostri prigionieri. [20]Purificherete anche i vestiti, tutti gli oggetti di pelle, tutti i lavori di pelo di capra e tutti gli oggetti di legno».

[21]Il sacerdote Eleazaro disse ai soldati che erano andati in guerra: «Questa è la prescrizione della legge che il Signore ha ordinato a Mosè: [22]l'oro, l'argento, il rame, il ferro, lo stagno e il piombo, [23]tutte le cose che sopportano il fuoco, le farete passare nel fuoco e saranno pure; siano poi purificate anche nell'acqua lustrale. Tutto quello che non può sopportare il fuoco, lo farete passare nell'acqua. [24]Laverete i vostri vestiti nel settimo giorno e sarete puri: poi rientrerete nell'accampamento».

[25]Il Signore ordinò a Mosè: [26]«Tu, il sacerdote Eleazaro e i capi dei casati della comunità fate il computo della preda che è stata fatta, in persone o animali: [27]dividerai a metà la preda tra chi ha preso parte alla guerra e tutta la comunità. [28]Preleverai come contributo per il Signore l'uno per cinquecento delle persone, buoi, asini e peco-

Nm

---

31. - 8. Così fu castigato Balaam per lo scellerato consiglio dato ai Madianiti: cfr. v. 16. In questo capitolo e nel seguente, il legislatore prende occasione da alcuni fatti concreti per stabilire principi riguardanti la guerra santa, la spartizione del bottino e la divisione della terra promessa.

re che spettano ai soldati che sono andati in guerra: [29]farete il prelievo dalla metà che spetta loro e lo darete al sacerdote Eleazaro, come offerta per il Signore. [30]Sulla metà dei figli d'Israele prenderai l'uno per cinquanta delle persone, buoi, asini, pecore e li darai ai leviti che hanno la custodia della dimora del Signore».

[31]Mosè e il sacerdote Eleazaro fecero come il Signore aveva ordinato a Mosè. [32]Ora il bottino della razzia che avevano fatto i soldati dell'esercito era di 675.000 pecore, [33]72.000 buoi, [34]61.000 asini [35]e 32.000 persone, cioè donne che non si erano unite con uomo.

[36]La metà, cioè la parte di quelli che erano andati in guerra, fu di 337.500 pecore, [37]e il tributo per il Signore fu di 675 pecore; [38]36.000 buoi, di cui 72 in tributo al Signore; [39]30.500 asini, di cui 61 in tributo al Signore; [40]16.000 persone, di cui 32 in tributo al Signore.

[41]Mosè diede il tributo dell'offerta prelevata per il Signore al sacerdote Eleazaro, come il Signore aveva ordinato a Mosè.

[42]La metà spettante ai figli d'Israele, che Mosè aveva separato da quella dei combattenti, [43]questa metà spettante alla comunità fu di 337.500 pecore, [44]36.000 buoi, [45]30.500 asini, [46]16.000 persone. [47]Mosè, dalla metà spettante ai figli d'Israele, prese l'uno per cinquanta delle persone e degli animali e li diede ai leviti, che hanno la custodia della dimora del Signore, come il Signore aveva ordinato a Mosè.

[48]I comandanti delle migliaia dell'esercito, capi di migliaia e capi di centinaia, si avvicinarono a Mosè [49]e gli dissero: «I tuoi servi hanno fatto il censimento dei soldati che erano ai nostri ordini, e non ne manca nessuno. [50]Vogliamo presentare in dono al Signore quello che ciascuno di noi ha trovato di oggetti d'oro: catenelle, braccialetti, anelli, orecchini, collane, per fare il rito di espiazione per noi davanti al Signore». [51]Mosè e il sacerdote Eleazaro presero da essi l'oro, e tutti gli oggetti lavorati. [52]Tutto l'oro dell'offerta che i capi di migliaia e di centinaia fecero per il Signore fu di sedicimilasettecentocinquanta sicli. [53]Gli uomini dell'esercito tennero ognuno per sé quanto avevano razziato. [54]Mosè e il sacerdote Eleazaro presero l'oro dei capi di migliaia e di centinaia e lo portarono alla tenda del convegno, come ricordo per i figli di Israele, davanti al Signore.

LA RIPARTIZIONE DELLA TRANSGIORDANIA

32 [1]I figli di Ruben e i figli di Gad avevano una quantità grande di bestiame: quando videro che la terra di Iazer e la terra di Galaad erano ricche di pascoli, [2]i figli di Gad e i figli di Ruben vennero a dire a Mosè, al sacerdote Eleazaro e ai capi della comunità: [3]«Atarot, Dibon, Iazer, Nimra, Chesbon, Eleale, Sebam, Nebo e Beon, [4]terre che il Signore ha colpito davanti alla comunità d'Israele, sono terre per bestiame, e i tuoi servi hanno molto bestiame». [5]Soggiunsero: «Se abbiamo trovato grazia ai tuoi occhi, sia concesso ai tuoi servi il possesso di questa terra: non farci passare il Giordano».

[6]Mosè disse ai figli di Gad e ai figli di Ruben: «I vostri fratelli andrebbero dunque in guerra e voi ve ne stareste qui? [7]Perché scoraggiare i figli d'Israele dal passare nella terra che il Signore vi ha dato? [8]Così fecero i vostri padri, quando li mandai da Kades-Barnea a vedere la terra: [9]salirono fino alla valle di Escol, videro la terra e scoraggiarono i figli d'Israele dall'entrare nella terra che il Signore aveva loro dato. [10]In quel giorno lo sdegno del Signore divampò ed egli giurò dicendo: [11]Gli uomini che sono saliti dall'Egitto, dai vent'anni in su, non vedranno mai il paese che ho promesso con giuramento ad Abramo, Isacco e Giacobbe, poiché non mi hanno seguito fedelmente, [12]eccetto Caleb, figlio di Iefunne, il kenizzita, e Giosuè, figlio di Nun, che seguirono il Signore fedelmente.

[13]Lo sdegno del Signore divampò contro Israele e li fece errare nel deserto per quarant'anni, fino all'estinzione di tutta la generazione che aveva fatto il male agli occhi del Signore. [14]Ed ecco che voi insorgete al posto dei vostri padri, genìa di uomini peccatori, per aumentare ancora lo sdegno del Signore contro Israele: [15]perché se voi non volete più seguirlo, egli continuerà a lasciarlo nel deserto e porterete alla perdizione tutto questo popolo».

[16]Quelli si avvicinarono a lui e dissero: «Per il nostro bestiame costruiremo qui recinti e

città per i nostri fanciulli; ¹⁷noi, invece, ben armati, marceremo davanti ai figli d'Israele, finché non li avremo condotti nel luogo destinato a loro. Intanto i nostri figli staranno nelle città fortificate, al sicuro dagli abitanti del paese. ¹⁸Non torneremo alle nostre città finché i figli d'Israele non siano entrati in possesso ciascuno della propria eredità. ¹⁹Noi non possederemo nulla con loro al di là del Giordano e oltre, poiché la nostra eredità ci è toccata da questa parte del Giordano, a oriente».

²⁰Mosè disse loro: «Se metterete in pratica queste parole, se vi armerete per andare a combattere davanti al Signore, ²¹se ogni vostro armato passerà il Giordano davanti al Signore, finché avrà scacciato i suoi nemici dalla sua presenza, ²²se non ritornerete fino a quando quella terra sarà stata soggiogata davanti al Signore, voi sarete innocenti di fronte al Signore e di fronte a Israele e avrete questa terra, come vostro possesso davanti al Signore. ²³Se voi non farete così, peccherete contro il Signore, e sappiate che i vostri peccati vi raggiungeranno. ²⁴Costruite dunque città per i vostri figli e recinti per le vostre pecore, ma fate quello che la vostra bocca ha promesso».

²⁵I figli di Gad e i figli di Ruben dissero a Mosè: «I tuoi servi faranno come ordina il mio signore. ²⁶I nostri figli, le nostre donne, i nostri armenti e tutto il nostro bestiame rimarranno nelle città di Galaad, ²⁷e i tuoi servi, tutti armati per la guerra, combatteranno davanti al Signore, come dice il mio signore».

²⁸Mosè diede ordini per loro al sacerdote Eleazaro, a Giosuè, figlio di Nun, e ai capifamiglia delle tribù dei figli d'Israele. ²⁹Mosè disse loro: «Se i figli di Gad e i figli di Ruben, tutti armati per la guerra, passeranno con voi il Giordano davanti al Signore e la terra sarà soggiogata davanti a voi, darete loro in proprietà il paese di Galaad. ³⁰Ma se non passeranno armati con voi, avranno anch'essi la loro proprietà in mezzo a voi nella terra di Canaan». ³¹I figli di Gad e i figli di Ruben risposero: «Quello che il Signore ha detto ai tuoi servi noi lo faremo: ³²passeremo armati davanti al Signore nella terra di Canaan, ma la proprietà della nostra eredità resti per noi di qua dal Giordano».

³³Mosè dunque diede ai figli di Gad, ai figli di Ruben e a metà tribù di Manasse, figlio di Giuseppe, il regno di Sicon, re degli Amorrei, e il regno di Og, re di Basan: il paese con le sue città comprese entro i confini, le città del paese che si stendeva intorno. ³⁴I figli di Gad costruirono Dibon, Atarot, Aroer, ³⁵Aterot-Sofan, Iazer, Iogbea, ³⁶Bet-Nimra, Bet-Aran, città fortificate, e fecero recinti per le pecore. ³⁷I figli di Ruben costruirono Chesbon, Eleale, Kiriataim, ³⁸Nebo, Baal-Meon, i cui nomi furono cambiati, e Sibma, e diedero nomi alle città che costruirono. ³⁹I figli di Machir, figlio di Manasse, andarono nel Galaad, lo presero e scacciarono gli Amorrei che vi si trovavano. ⁴⁰Mosè diede il Galaad a Machir, figlio di Manasse, che vi abitò. ⁴¹Iair, figlio di Manasse, andò e prese i loro villaggi e li chiamò villaggi di Iair. ⁴²Poi Nobach andò e prese Kenat e le sue dipendenze e la chiamò Nobach.

SGUARDO RETROSPETTIVO SULLE TAPPE DELL'ESODO

33 ¹Queste sono le tappe dei figli d'Israele che uscirono dalla terra d'Egitto, secondo le loro schiere, sotto la guida di Mosè e Aronne. ²Mosè scrisse i loro punti di partenza, tappa per tappa, per ordine del Signore: queste sono le loro tappe, secondo i loro punti di partenza.

³Partirono da Ramses nel primo mese, il quindici del primo mese. Il giorno dopo la Pasqua, i figli d'Israele uscirono con mano alzata, sotto gli occhi di tutti gli Egiziani, ⁴mentre gli Egiziani seppellivano quelli che il Signore aveva colpito tra loro, cioè tutti i primogeniti. Anche dei loro dèi il Signore aveva fatto giustizia.

⁵I figli d'Israele partirono da Ramses e si accamparono a Succot. ⁶Partirono da Succot e si accamparono a Etam, che è all'estremità del deserto. ⁷Partirono da Etam e ripiegarono su Pi-Achirot che è di fronte a Baal-Zefon, e si accamparono di fronte a Migdol. ⁸Partirono da Pi-Achirot, attraversarono il mare in direzione del deserto, fecero tre giornate di cammino nel deserto di Etam e si accamparono a Mara. ⁹Partirono da Mara e arrivarono a Elim: a Elim c'erano dodici sorgenti d'acqua e settanta palme: qui si accamparono. ¹⁰Partirono da Elim e si accamparono presso il Mar Rosso. ¹¹Par-

tirono dal Mar Rosso e si accamparono nel deserto di Sin. [12]Partirono dal deserto di Sin e si accamparono in Dofka. [13]Partirono da Dofka e si accamparono ad Alus. [14]Partirono da Alus e si accamparono a Refidim: là non c'era acqua da bere per il popolo. [15]Partirono da Refidim e si accamparono nel deserto del Sinai.
[16]Partirono dal deserto del Sinai e si accamparono a Kibrot-Taava. [17]Partirono da Kibrot-Taava e si accamparono a Cazerot. [18]Partirono da Cazerot e si accamparono a Ritma. [19]Partirono da Ritma e si accamparono a Rimmon-Perez. [20]Partirono da Rimmon-Perez e si accamparono a Libna. [21]Partirono da Libna e si accamparono a Rissa. [22]Partirono da Rissa e si accamparono a Keelata. [23]Partirono da Keelata e si accamparono al monte Sefer. [24]Partirono dal monte Sefer e si accamparono a Carada. [25]Partirono da Carada e si accamparono a Makelot. [26]Partirono da Makelot e si accamparono a Tacat. [27]Partirono da Tacat e si accamparono a Terach. [28]Partirono da Terach e si accamparono a Mitka. [29]Partirono da Mitka e si accamparono a Casmona. [30]Partirono da Casmona e si accamparono a Moserot. [31]Partirono da Moserot e si accamparono a Bene-Iaakan. [32]Partirono da Bene-Iaakan e si accamparono a Or-Ghidgad. [33]Partirono da Or-Ghidgad e si accamparono a Iotbata. [34]Partirono da Iotbata e si accamparono ad Abrona. [35]Partirono da Abrona e si accamparono a Ezion-Gheber. [36]Partirono da Ezion-Gheber e si accamparono nel deserto di Zin, che è Kades. [37]Partirono da Kades e si accamparono al monte Hor, all'estremità della terra di Edom. [38]Il sacerdote Aronne salì sul monte Hor per ordine del Signore e vi morì nel quarantesimo anno dall'uscita dei figli d'Israele dalla terra d'Egitto, nel quinto mese, nel primo giorno del mese. [39]Aronne aveva centoventitré anni, quando morì sul monte Hor.
[40]Il cananeo re di Arad, che risiede nel Negheb, nella terra di Canaan, ebbe notizia dell'arrivo dei figli d'Israele.
[41]Partirono dal monte Hor e si accamparono a Zalmona. [42]Partirono da Zalmona e si accamparono a Punon. [43]Partirono da Punon e si accamparono a Obot. [44]Partirono da Obot e si accamparono a Iie-Abarim, al confine di Moab. [45]Partirono da Iie-Abarim e si accamparono a Dibon-Gad. [46]Partirono da Dibon-Gad e si accamparono in Almon-

Diblataim. [47]Partirono da Almon-Diblataim e si accamparono ai monti Abarim, di fronte al Nebo. [48]Partirono dai monti Abarim e si accamparono nella steppa di Moab, presso il Giordano, verso Gerico. [49]Si accamparono presso il Giordano, da Bet-Iesimot ad Abel-Sittim, nella steppa di Moab.
[50]Il Signore disse a Mosè nella steppa di Moab, presso il Giordano, vicino a Gerico: [51]«Parla ai figli di Israele e di' loro: Poiché state per passare il Giordano per entrare nella terra di Canaan, [52]dovrete scacciare tutti gli abitanti di quella regione davanti a voi, distruggerete tutte le loro immagini, distruggerete tutte le loro statue fuse, annienterete tutti i loro luoghi alti. [53]Entrerete in possesso della terra e dei suoi abitanti, perché a voi l'ho data in eredità. [54]Vi spartirete la terra a sorte, secondo le vostre famiglie: a quelle più numerose darete una porzione maggiore, a quelle meno numerose darete una porzione minore. Ognuno avrà quello che gli sarà toccato in sorte. Farete le divisioni secondo le tribù dei vostri padri. [55]Se non scaccerete gli abitanti del paese davanti a voi, quelli che tra loro sopravvivranno saranno spine per i vostri occhi e rovi per i vostri fianchi e vi faranno tribolare nella terra in cui abiterete. [56]Quello che mi ero prefisso di fare a loro, lo farò a voi».

I CONFINI DELLA TERRA PROMESSA

34 [1]Il Signore disse a Mosè: [2]«Ordina ai figli di Israele e di' loro: Poiché state per entrare nella terra di Canaan, questa sarà la terra che otterrete in eredità: la terra di Canaan. [3]Il vostro confine meridionale comincerà dal deserto di Zin, vicino a Edom, e la vostra frontiera meridionale partirà dall'estremità del Mar Morto, a est. [4]Poi il vostro confine meridionale girerà verso la salita di Akrabbim, passerà per Zin, e i suoi sbocchi saranno a sud di Kades-Barnea; uscirà a Cazar-Addar e passerà per Azmon. [5]Da Azmon il confine girerà verso il torrente d'Egitto e finirà al mare.
[6]Il vostro confine a occidente sarà il Mar Mediterraneo: questo sarà per voi il confine occidentale.
[7]Questa sarà la vostra frontiera settentrionale: dal Mar Mediterraneo traccerete una

linea fino al monte Hor; ⁸dal monte Hor traccerete una linea in direzione di Camat, e l'estremità della frontiera sarà a Zedad; ⁹il confine uscirà poi a Zifron e il suo sbocco sarà a Cazar-Enan. Questa sarà la vostra frontiera settentrionale.
¹⁰Per la frontiera orientale traccerete una linea da Cazar-Enan a Sefam. ¹¹Il confine scenderà da Sefam a Ribla, a est di Ain; la frontiera scenderà e lambirà il fianco del lago di Genesaret, a est. ¹²La frontiera poi scenderà al Giordano e il suo sbocco sarà nel Mar Morto. Questa sarà la vostra terra, con le proprie frontiere all'intorno».

¹³Mosè ordinò ai figli d'Israele: «Questa è la terra che vi spartirete in sorte e che il Signore ha ordinato di dare a nove tribù e mezzo, ¹⁴poiché la tribù dei figli di Ruben, secondo i loro casati paterni, e la tribù dei figli di Gad, secondo i loro casati paterni, e la metà della tribù di Manasse hanno già ricevuto la loro porzione: ¹⁵le due tribù e mezzo ricevettero la loro porzione di là del Giordano di Gerico, a oriente».

¹⁶Il Signore disse a Mosè: ¹⁷«Questi sono i nomi degli uomini che spartiranno tra voi il paese: il sacerdote Eleazaro e Giosuè, figlio di Nun. ¹⁸Prenderete anche un capo per ogni tribù, per fare la spartizione della terra. ¹⁹Questi sono i nomi degli uomini. Per la tribù di Giuda: Caleb, figlio di Iefunne; ²⁰per la tribù dei figli di Simeone: Samuele, figlio di Ammiud; ²¹per la tribù di Beniamino: Elidad, figlio di Chislon; ²²per la tribù dei figli di Dan: il capo Bukki, figlio di Iogli; ²³per i figli di Giuseppe: per la tribù dei figli di Manasse, il capo Anniel, figlio di Efod; ²⁴e per la tribù dei figli di Efraim: il capo Kemuel, figlio di Siptan; ²⁵per la tribù dei figli di Zabulon: il capo Elisafan, figlio di Parnach; ²⁶per la tribù dei figli di Issacar: il capo Paltiel, figlio di Azzan; ²⁷per la tribù dei figli di Aser: il capo Achiud, figlio di Selomì; ²⁸per la tribù dei figli di Neftali: il capo Pedael, figlio di Ammiud».

²⁹A questi il Signore ordinò di dividere tra i figli d'Israele la terra di Canaan.

LE CITTÀ DEI LEVITI

35 ¹Il Signore disse ancora a Mosè nella steppa di Moab, presso il Giordano di Gerico: ²«Ordina ai figli d'Israele che della loro eredità riservino ai leviti

città da abitare, con i pascoli che vi sono intorno. ³Essi avranno le città per abitare, i pascoli per le loro bestie, i loro beni, i loro animali. ⁴I pascoli delle città che darete ai leviti, dalle mura della città all'esterno, si estenderanno per lo spazio di mille cubiti. ⁵Misurerete poi, fuori della città, duemila cubiti nel lato orientale, duemila cubiti nel lato meridionale, duemila cubiti nel lato occidentale e duemila cubiti nel lato settentrionale, tenendo come centro la città, che sarà appunto nel mezzo. Questi saranno i pascoli delle loro città.

⁶Tra le città che darete ai leviti, sei saranno città di rifugio, che voi designerete come rifugio all'omicida. A queste aggiungerete quarantadue città. ⁷Tutte le città che darete ai leviti saranno quarantotto, compresi i loro pascoli. ⁸Le città che darete proverranno dalla proprietà dei figli d'Israele: ne prenderete in maggior numero da chi ne ha di più, e in numero minore da chi ne ha di meno. Ognuno ai leviti darà delle sue città in proporzione dell'eredità che gli sarà toccata».

⁹Il Signore disse ancora a Mosè: ¹⁰«Parla ai figli d'Israele e di' loro: Quando avrete attraversato il Giordano per entrare nella terra di Canaan, ¹¹designerete delle città che saranno per voi città di rifugio, dove fuggirà l'omicida che ha ucciso qualcuno per inavvertenza. ¹²Le città saranno per voi un rifugio dal vendicatore e l'omicida non morirà prima di comparire in giudizio davanti alla comunità. ¹³Le città che designerete saranno per voi città di rifugio: ¹⁴designerete tre città al di là del Giordano e tre città nella terra di Canaan. Saranno città di rifugio. ¹⁵Per i figli d'Israele, per il forestiero e per l'ospite che risiede in mezzo a loro, quelle saranno sei città di rifugio, perché vi fugga chiunque ha ucciso qualcuno per inavvertenza.

¹⁶Ma se uno ha colpito un altro con un oggetto di ferro e quello muore, è un omicida e l'omicida sarà messo a morte. ¹⁷Se l'ha colpito con una pietra che aveva in mano, atta a dare la morte e il colpito è morto, è un omicida e l'omicida sarà messo a morte. ¹⁸Se l'ha colpito con un oggetto di legno che aveva in mano, atto a causare la morte, ed è morto, è un omicida e l'omicida sarà messo a morte. ¹⁹È il vendicatore del sangue che farà morire l'omicida: quando lo incontrerà, lo farà morire.

Nm

²⁰Se uno per odio urta un altro o gli scaglia contro qualcosa con premeditazione e quello muore, ²¹o per ostilità lo colpisce con la propria mano e lo fa morire, chi colpisce sarà messo a morte; è un omicida e il vendicatore del sangue farà morire l'omicida quando l'incontrerà. ²²Ma se per caso e non per ostilità lo ha urtato o gli ha scagliato qualcosa contro senza pensarci, ²³o, senza volerlo, gli ha fatto cadere sopra una pietra con la quale poteva morire, ed è morto, e lui non gli era nemico e non cercava il suo male, ²⁴la comunità giudicherà tra chi ha colpito e il vendicatore del sangue secondo queste regole. ²⁵La comunità salverà l'omicida dalle mani del vendicatore del sangue e lo farà ritornare nella città di rifugio, nella quale era fuggito. Vi dovrà risiedere fino alla morte del sommo sacerdote, unto con l'olio santo. ²⁶Ma se l'omicida uscirà dai confini della sua città di rifugio, nella quale era fuggito, ²⁷e il vendicatore del sangue lo troverà al di fuori del confine della sua città di rifugio e ucciderà l'omicida, egli non sarà reo di sangue, ²⁸perché quello doveva risiedere nella sua città di rifugio fino alla morte del sommo sacerdote, e solo dopo la morte del sommo sacerdote l'omicida potrà tornare nella terra di sua proprietà.

²⁹Queste saranno per voi le prescrizioni giuridiche, per tutte le vostre generazioni, in tutti i luoghi dove abiterete. ³⁰In tutti i casi in cui uno colpisce una persona e l'uccide, l'omicida sarà ucciso sulla deposizione dei testimoni, ma la testimonianza di una sola persona non basta per sostenere la condanna capitale contro un altro. ³¹Non accetterete prezzo di riscatto per la vita di un omicida, reo di morte, perché dovrà essere messo a morte. ³²Non accetterete prezzo di riscatto per colui che, fuggito dalla sua città di rifugio, vuole ritornare ad abitare nella sua terra prima della morte del sacerdote.

³³Non contaminerete la terra nella quale abitate, perché il sangue contamina la terra, e per la terra non si può fare alcuna espiazione del sangue che vi fu versato se non con il sangue di chi lo ha versato. ³⁴Non renderai impura la terra nella quale andrai ad abitare e in mezzo alla quale io stesso dimorerò; perché io, il Signore, abito in mezzo ai figli d'Israele».

L'EREDITÀ DELLE DONNE SPOSATE

36 ¹Si avvicinarono i capi dei casati paterni delle famiglie dei figli di Galaad, figlio di Machir, figlio di Manasse, delle famiglie dei figli di Giuseppe, e parlarono davanti a Mosè e davanti ai prìncipi, capifamiglia dei figli d'Israele. ²Dissero: «Il Signore ha ordinato al mio signore di dare la terra in eredità ai figli d'Israele in base alla sorte; il mio signore ha anche ricevuto l'ordine dal Signore di dare l'eredità di Zelofcad, nostro fratello, alle sue figlie. ³Se andranno spose di uno dei figli delle altre tribù dei figli d'Israele, la loro eredità sarà sottratta dall'eredità dei nostri padri e sarà aggiunta all'eredità della tribù nella quale saranno entrate e quello che abbiamo ereditato per sorte ci sarà sottratto. ⁴Quando ci sarà il giubileo per i figli d'Israele, la loro eredità sarà aggiunta all'eredità della tribù nella quale saranno entrate, e la loro eredità sarà sottratta dall'eredità della tribù dei nostri padri».

⁵Allora Mosè comunicò ai figli d'Israele quest'ordine ricevuto dal Signore: «I figli di Giuseppe parlano bene. ⁶Questo ha ordinato il Signore alle figlie di Zelofcad: Esse si mariteranno a chi piacerà loro, purché si maritino in una famiglia della tribù dei loro padri. ⁷L'eredità dei figli d'Israele non passerà da una tribù all'altra, perché tra i figli d'Israele ognuno si terrà vincolato all'eredità della tribù dei suoi padri. ⁸Ogni figlia che erediterà da una tribù dei figli d'Israele sarà moglie in una delle famiglie della tribù di suo padre, in modo che ognuno dei figli d'Israele rimanga in possesso dell'eredità dei propri padri, ⁹e l'eredità non passi da una tribù all'altra, perché le tribù dei figli d'Israele saranno vincolate, ognuna, alla propria eredità».

¹⁰Le figlie di Zelofcad fecero come il Signore aveva ordinato a Mosè: ¹¹Macla, Tirza, Cogla, Milca, Noa, figlie di Zelofcad, sposa-

---

36. - 1-12. Si completa qui quanto detto in 27,1-11: le figlie di Zelofcad, ereditando, se si sposavano con chiunque, potevano diminuire i beni della loro tribù perché portavano in dote il loro possesso. Ma ciò non doveva accadere; Mosè, per il quale era un principio giuridico la conservazione del patrimonio in ciascuna tribù, ordina, quindi, da parte di Dio, che le figlie che ereditano non si sposino fuori della loro tribù.

rono i figli dei loro zii. [12]Si maritarono nelle famiglie dei figli di Manasse, figlio di Giuseppe, e la loro eredità rimase nella tribù della famiglia dei loro padri.

[13]Questi sono gli ordini e le disposizioni che il Signore diede per mezzo di Mosè ai figli d'Israele nella steppa di Moab, presso il Giordano di Gerico.

DEUTERONOMIO

Il titolo Deuteronomio significa «seconda legge»; ma più che un codice di leggi o un manuale giuridico, il Deuteronomio si presenta come una collezione di omelie centrate sull'amore per la legge divina, sulla passione per la scelta religiosa e sul ringraziamento per il dono della terra promessa, la patria della libertà. Si tratta di legge predicata, così da spingere l'ascoltatore a rinnovare la sua adesione all'alleanza che lo lega al suo Dio.

La struttura generale del Deuteronomio ricalca il modello dei trattati di alleanza tra il gran signore e il suo vassallo. L'avvio è segnato appunto da un prologo storico che rievoca teologicamente i benefici passati offerti dal Signore al suo fedele (cc. 1-11); segue poi il codice dei doveri del suddito per ottenere la continua protezione del Signore (cc. 12-26: il cosiddetto Codice deuteronomico); infine le benedizioni e le maledizioni in caso di fedeltà o infedeltà sigillano il patto (cc. 27-30). L'opera è accompagnata da un'appendice narrativa che comprende la nomina di Giosuè alla guida d'Israele, un cantico di Mosè e la sua benedizione alle dodici tribù e infine la scomparsa di Mosè (cc. 31-34).

La predicazione, posta idealmente sulle labbra di Mosè, interpella direttamente Israele rivolgendoglisi ora col tu ora col voi, proprio perché tutti e ciascuno si sentano coinvolti. Trascinato dall'entusiasmo e dalla passione, l'autore, pur sulla base di una lingua madre povera, crea uno stile ricco e originale, realizzando un'opera piena di vita e di forza persuasiva in cui ricorrono, specie nei primi undici capitoli, gli inviti pressanti: «Ascolta Israele... Ricorda Israele... Osserva Israele...».

RIEVOCAZIONE DEGLI AVVENIMENTI PASSATI

1 [1]Queste sono le parole che Mosè rivolse a tutti i figli d'Israele al di là del Giordano, nel deserto, nell'Araba, di fronte a Suf, tra Paran, Tofel, Laban, Cazerot e Di-Zaab. [2]Ci sono undici giorni di cammino, per la via del monte Seir, dall'Oreb fino a Kades-Barnea. [3]Nel quarantesimo anno, nel mese undicesimo, nel primo giorno del mese, Mosè disse ai figli di Israele quanto il Signore gli aveva ordinato. [4]Dopo aver sconfitto Sicon, re degli Amorrei, che abitava a Chesbon, e Og, re di Basan, che dimorava ad Astarot e a Edrei, [5]al di là del Giordano, nella terra di Moab, Mosè iniziò ad esporre questa legge: [6]«Il Signore nostro Dio ci ha parlato sull'Oreb e ci ha detto: Avete abitato abbastanza presso questa montagna. [7]Muovetevi, partite e andate verso le montagne degli Amorrei e in tutte le regioni vicine: nell'Araba, sulle montagne, nella Sefela, nel Negheb e sulla costa del mare, nella terra dei Cananei e nel Libano, fino al grande fiume, l'Eufrate. [8]Ecco, io ho posto davanti a voi la terra: andate a prendere possesso della terra che il Signore ha giurato di dare ai vostri padri, ad Abramo, a Isacco e a Giacobbe e alla loro discendenza.

[9]In quel tempo io vi ho detto: Da solo non posso più portare il peso di tutti voi. [10]Il Signore vostro Dio vi ha moltiplicati ed eccovi oggi numerosi come le stelle del cielo. [11]Il Signore Dio dei vostri padri vi renda mille volte più numerosi ancora e vi benedica come vi ha promesso! [12]Ma come porterò io da solo il vostro carico, il vostro peso, le vostre liti? [13]Scegliete in ognuna delle vostre tribù uomini saggi, intelligenti e stimati, che

io costituirò come vostri capi. [14]Voi mi avete risposto: Ciò che proponi di fare va bene. [15]Ho preso quindi i capi delle vostre tribù, uomini saggi e stimati, e li ho costituiti come vostri capi, capi di mille, capi di cento, capi di cinquanta, capi di dieci, e come scribi per le vostre tribù. [16]In quel tempo ho ordinato ai vostri giudici: Ascoltate le cause dei vostri fratelli e giudicate con giustizia fra un uomo e il suo prossimo o il forestiero. [17]Nel giudizio non fate preferenza di persone, ma ascoltate il piccolo e il grande, non abbiate timore di nessuno, poiché il giudizio è di Dio! Un caso per voi troppo difficile, riferitelo a me e io lo ascolterò. [18]Vi ho ordinato in quel tempo tutte le cose che dovevate compiere.

[19]Siamo partiti poi dall'Oreb e abbiamo percorso tutto quel grande e terribile deserto che vi avete visto, dirigendoci verso le montagne degli Amorrei, come ci aveva ordinato il Signore nostro Dio e siamo giunti a Kades-Barnea. [20]Io vi ho detto: Siete giunti sulle montagne degli Amorrei che il Signore nostro Dio ci dona. [21]Ecco, il Signore ha messo la terra davanti a te: sali, conquistala, come ti ha detto il Signore Dio dei tuoi padri; non aver paura e non scoraggiarti!

[22]Ma voi tutti vi siete avvicinati a me, dicendo: Mandiamo innanzi a noi degli uomini che esplorino la terra: ci indicheranno il cammino per il quale salire e le città in cui potremo entrare.

[23]La proposta è parsa buona ai miei occhi; ho scelto quindi dodici uomini tra di voi, uno per ogni tribù. [24]Essi sono partiti, sono saliti sulle montagne, sono giunti fino alla valle di Escol e hanno perlustrato la terra. [25]Hanno preso con sé alcuni frutti della terra, ce li hanno portati e ci hanno riferito: La terra che il Signore nostro Dio ci dà è buona.

[26]Ma voi non avete voluto entrarvi e vi siete ribellati all'ordine del Signore vostro Dio, [27]e nelle vostre tende avete mormorato dicendo: Per odio contro di noi il Signore ci ha fatto uscire dalla terra d'Egitto per metterci in mano agli Amorrei e così distruggerci. [28]Dove dobbiamo salire? I nostri fratelli ci hanno scoraggiato dicendo: È un popolo

più grande e più alto di noi, le loro città sono grandi e fortificate fino al cielo. Vi abbiamo visto perfino gli Anakiti.

[29]Io allora vi ho detto: Non spaventatevi, non abbiate paura di loro. [30]Il Signore vostro Dio, che cammina innanzi a voi, egli stesso combatterà per voi come ha fatto in Egitto, sotto i vostri occhi, [31]e nel deserto, dove hai visto come il Signore tuo Dio ti ha portato come un uomo porta il figlio, per tutto il cammino che avete percorso, fino all'arrivo in questo luogo. [32]Eppure in quell'occasione non avete avuto fiducia nel Signore vostro Dio [33]che andava innanzi a voi sul cammino, per cercarvi un luogo dove drizzare l'accampamento: egli vi appariva di notte nel fuoco per illuminare il cammino che dovevate percorrere, e di giorno nella nube.

[34]Il Signore ha udito le vostre parole, si è adirato e ha giurato: [35]Nessuno degli uomini di questa perversa generazione vedrà la buona terra che io ho giurato di dare ai vostri padri, [36]eccetto Caleb, figlio di Iefunne: egli la vedrà; a lui e ai suoi figli darò la terra su cui ha camminato, poiché egli ha seguito pienamente il Signore.

[37]Anche contro di me il Signore si è adirato per causa vostra e ha detto: Neanche tu vi entrerai, [38]ma vi entrerà Giosuè, figlio di Nun, che è al tuo servizio. Incoraggialo, perché egli metterà Israele in possesso della terra. [39]I vostri bambini, dei quali avete detto che sarebbero divenuti una preda, i vostri figli, che oggi non distinguono il bene dal male, essi vi entreranno: a loro la darò ed essi la possederanno. [40]Quanto a voi: muovetevi, partite verso il deserto sul cammino del Mar Rosso.

[41]Allora voi mi avete risposto: Abbiamo peccato contro il Signore nostro Dio. Saliremo e combatteremo come ci ha ordinato il Signore nostro Dio. Ognuno si è cinto le armi e vi siete messi sconsideratamente a salire la montagna.

[42]Il Signore mi ha detto: Ordina loro: non salite e non combattete, perché io non sono in mezzo a voi, così che non dobbiate soccombere innanzi ai vostri nemici. [43]Io ve l'ho detto, ma voi non mi avete ascoltato: vi siete ribellati all'ordine del Signore, salendo presuntuosamente verso la montagna. [44]Allora gli Amorrei, che abitano quella montagna, sono usciti contro di voi, vi hanno inse-

Dt

---

1. - 21. Questi passaggi dal plurale al singolare e viceversa sono molto frequenti nel Deuteronomio. Con l'uso del singolare l'autore cerca di coinvolgere più intensamente gli ascoltatori.

guito come fanno le api e vi hanno battuto da Seir fino a Corma. ⁴⁵Siete tornati e avete pianto davanti al Signore, ma il Signore non ha ascoltato la vostra voce, non vi ha prestato orecchio. ⁴⁶E voi siete rimasti a Kades per molto tempo, quel tempo che voi ben sapete».

LE PRIME TAPPE DEL CAMMINO VERSO LA TERRA PROMESSA

2 ¹«Ci siamo poi mossi e siamo partiti verso il deserto, in direzione del Mar Rosso, come mi aveva ordinato il Signore, e per lunghi giorni abbiamo girato intorno alla montagna di Seir. ²Il Signore disse: ³Avete girato abbastanza tra queste montagne: volgetevi ora verso settentrione. ⁴Ordina al popolo: Voi state per attraversare il territorio dei vostri fratelli, i figli di Esaù, che abitano in Seir; essi avranno paura di voi, ma, badate bene, ⁵non provocateli. Della loro terra infatti non vi darò nulla, neppure quanto ne calca la pianta di un piede, poiché a Esaù ho dato in possesso la montagna di Seir. ⁶Con denaro comprerete da loro il cibo da mangiare; con denaro acquisterete da loro anche l'acqua da bere.

⁷Il Signore tuo Dio, infatti, ti ha benedetto in ogni opera delle tue mani e ha vegliato sul tuo viaggio in questo grande deserto. Da quarant'anni il Signore tuo Dio è con te, e non ti è mancato nulla.

⁸Abbiamo oltrepassato i nostri fratelli, i figli di Esaù, che abitano in Seir, lungo la via dell'Araba, per Elat e per Ezion-Gheber, quindi abbiamo piegato e ci siamo diretti verso il deserto di Moab.

⁹Il Signore mi ha detto: Non essere ostile verso Moab e non provocarlo a battaglia. Infatti non ti darò nulla da possedere nella sua terra, poiché ho già dato Ar in possesso ai figli di Lot.

¹⁰Prima vi abitavano gli Emim, popolo grande, numeroso e di alta statura come gli Anakiti. ¹¹Anch'essi, come gli Anakiti, erano considerati Refaim; ma i Moabiti li chiamarono Emim. ¹²In Seir, poi, prima abitavano gli Hurriti, che i figli di Esaù hanno cacciato e sterminato e vi si sono stabiliti al loro posto, come ha fatto Israele nella terra che ora possiede e che il Signore gli ha dato. ¹³Ora alzatevi e attraversate il torrente Ze-

red. E noi abbiamo attraversato il torrente Zered. ¹⁴La durata del nostro cammino da Kades-Barnea fino al passaggio del torrente Zered fu di trentotto anni, cioè finché dall'accampamento non è scomparsa tutta quella generazione di uomini validi per la guerra, come il Signore aveva loro giurato. ¹⁵Anche la mano del Signore è stata contro di loro per disperderli dall'accampamento fino ad annientarli.

¹⁶Quando tutti gli uomini validi per la guerra scomparvero dal popolo, ¹⁷il Signore mi disse: ¹⁸Oggi stai per attraversare Ar, territorio di Moab, ¹⁹e ti avvicinerai ai figli di Ammon. Non essere ostile con loro e non provocarli: non ti darò il possesso della terra dei figli di Ammon, poiché è già stata data in possesso ai figli di Lot.

²⁰Essa era pure considerata terra dei Refaim. Vi abitavano i Refaim. Prima gli Ammoniti chiamano Zamzummim. ²¹Popolo grande, numeroso e di alta statura come gli Anakiti, ma il Signore li aveva sterminati davanti agli Ammoniti che li cacciarono e si stabilirono al loro posto. ²²Come aveva fatto per i figli di Esaù, che abitano in Seir, quando sterminò gli Hurriti davanti a loro: essi li cacciarono e si stabilirono al loro posto fino ad oggi. ²³Così gli Avviti, che abitavano in villaggi fino a Gaza, furono sterminati dai Kaftoriti, venuti da Kaftor, che si stabilirono al loro posto.

²⁴Alzatevi ora e partite, attraversate il torrente Arnon. Ecco, io metto nella tua mano Sicon, l'amorreo, re di Chesbon, e la sua terra: incomincia a conquistarla e attaccalo in battaglia. ²⁵Da oggi comincio a spargere il terrore e la paura di te sui popoli che sono sotto tutti i cieli. Non appena udranno che ti avvicini, tremeranno e saranno presi da spavento.

²⁶Allora ho inviato dal deserto di Kedemot dei messaggeri a Sicon, re di Chesbon, con parole di pace, dicendogli: ²⁷Lasciami attraversare la tua terra; io mi manterrò costantemente sulla strada senza deviare né a destra né a sinistra. ²⁸Per denaro mi venderai il cibo che mangerò e per denaro mi darai l'acqua che berrò; permetti soltanto che io passi a piedi, ²⁹come mi hanno permesso i figli di Esaù che abitano in Seir e i Moabiti che abitano in Ar, finché io abbia passato il Giordano per entrare nella terra che il Signore nostro Dio ci dona.

³⁰Ma Sicon, re di Chesbon, ha rifiutato di lasciarci passare nel suo territorio, perché il Signore tuo Dio aveva irrigidito il suo spirito e indurito il suo cuore per metterlo nelle tue mani, come oggi tu vedi. ³¹Il Signore mi ha detto: Vedi, ho cominciato col porre in tuo potere Sicon e la sua terra: incomincia la conquista per impadronirti della sua terra. ³²Sicon è uscito contro di noi con tutto il suo popolo in battaglia a Iaaz. ³³Ma il Signore nostro Dio ce l'ha messo nelle mani, e abbiamo battuto lui, i suoi figli e tutto il suo popolo. ³⁴Ci siamo impadroniti di tutte le sue città, abbiamo votato allo sterminio ogni città abitata, le donne e i fanciulli; non abbiamo lasciato alcun superstite. ³⁵Abbiamo preso per noi come bottino soltanto il bestiame e le spoglie delle città conquistate. ³⁶Da Aroer, che è sul bordo del torrente Arnon, e dalla città che è situata nella vallata del torrente stesso, fino a Galaad, nessuna città è stata per noi inaccessibile. Il Signore nostro Dio ce le ha messe tutte nelle mani. ³⁷Tu non ti sei avvicinato solo alla terra dei figli di Ammon, a tutta la regione del torrente Iabbok e alle città della montagna. Tutto come il Signore nostro Dio ci aveva ordinato».

LA SPARTIZIONE DEL TERRITORIO AL DI LÀ DEL FIUME GIORDANO

3 ¹«Poi siamo partiti, risalendo per la strada di Basan. E Og, re di Basan, è uscito con tutto il suo popolo contro di noi in battaglia a Edrei.
²Il Signore mi ha detto: Non temerlo; io infatti ho messo in tuo potere lui, tutto il suo popolo e la sua terra. Lo tratterai come hai trattato Sicon, re degli Amorrei, che abitava in Chesbon.
³Il Signore nostro Dio ha messo nelle nostre mani anche Og, re di Basan, con tutto il suo popolo; noi lo abbiamo battuto senza lasciargli alcun superstite. ⁴Ci siamo impadroniti di tutte le sue città, non ci fu città che noi non togliessimo loro: sessanta città, tutta la zona di Argob, la capitale di Og in Basan, ⁵tutte città fortificate da alte mura, da porte e sbarre, oltre le numerosissime

città aperte. ⁶Le abbiamo votate allo sterminio come avevamo fatto per Sicon, re di Chesbon: abbiamo votato allo sterminio ogni città abitata, le donne e i fanciulli, ⁷ma tutto il bestiame e il bottino delle città l'abbiamo catturato per noi. ⁸Così in quel tempo abbiamo sottratto ai due re degli Amorrei il territorio al di là del Giordano, dal torrente Arnon fino al monte Ermon. ⁹I Sidoni dànno all'Ermon il nome di Sirion, gli Amorrei lo chiamano Senir. ¹⁰Abbiamo conquistato tutte le città dell'altipiano, tutto Galaad e tutto Basan fino a Salca e a Edrei, città del regno di Og in Basan. ¹¹Perché tra i Refaim soltanto Og, re di Basan, era sopravvissuto. Il suo letto è il letto di ferro che si vede a Rabba degli Ammoniti: ha nove cubiti di lunghezza, quattro cubiti di larghezza, in cubiti ordinari.

¹²In quel tempo dunque ci siamo impadroniti di questa terra iniziando da Aroer, che è sul torrente Arnon. Ho assegnato a Ruben e a Gad metà della montagna di Galaad con le sue città. ¹³Il resto di Galaad e tutto Basan, regno di Og, li ho dati a metà della tribù di Manasse. Tutta la zona dell'Argob e tutto Basan si chiamavano terra dei Refaim. ¹⁴Iair, figlio di Manasse, ha preso tutta la zona dell'Argob fino alla frontiera dei Ghesuriti e dei Maacatiti e, dal suo nome, quei luoghi ancora oggi sono chiamati a Basan villaggi di Iair. ¹⁵A Machir ho assegnato Galaad. ¹⁶Ai Rubeniti e ai Gaditi ho assegnato da Galaad al torrente Arnon, fino a metà del torrente che serve da confine e sino al torrente Iabbok, frontiera dei figli di Ammon; ¹⁷inoltre l'Araba con il Giordano, col suo territorio da Genesaret fino al mare dell'Araba, cioè il Mar Morto, sotto i contrafforti del Pisga, a oriente.

¹⁸In quel tempo vi ho ordinato: Il Signore vostro Dio vi ha dato in possesso questa terra. Tutti voi, uomini validi per la guerra, precederete armati i vostri fratelli, i figli d'Israele; ¹⁹soltanto le vostre donne, i vostri fanciulli e i vostri greggi (so che avete proprietà numerose) resteranno nelle città che vi ho assegnato, ²⁰finché il Signore non abbia assegnato una dimora ai vostri fratelli, come ha fatto per voi, e anch'essi entrino in possesso della terra che il Signore vostro Dio dà loro al di là del Giordano; dopo ritornerete ciascuno nella proprietà che vi ho assegnato.

2. - 34-35. Lo *sterminio* era l'offerta a Dio, il vero vincitore, di tutto il bottino di guerra mediante la distruzione.

Dt

²¹Allora ho ordinato a Giosuè: I tuoi occhi hanno visto quanto il Signore vostro Dio ha fatto a quei due re: così il Signore farà a tutti i regni in cui tu stai per passare. ²²Non abbiate paura di loro, poiché lo stesso Signore vostro Dio combatte per voi.

²³In quel medesimo tempo io ho supplicato il Signore, dicendo: ²⁴Signore Dio, tu hai cominciato a mostrare al tuo servo la tua grandezza e la tua mano potente; quale altro Dio, infatti, in cielo e in terra eguaglia le tue opere e le tue gesta? ²⁵Concedimi di passare al di là, per vedere la terra buona che è oltre il Giordano, quelle belle montagne e il Libano!

²⁶Ma il Signore si è irritato contro di me a causa vostra, e non mi ha ascoltato. Mi ha detto: Basta! Non aggiungere più parola con me su questo argomento. ²⁷Sali sulla vetta del Pisga, alza gli occhi a occidente, a settentrione, a mezzogiorno e a oriente e contempla il paese con i tuoi occhi, poiché tu non attraverserai questo Giordano! ²⁸Da' ordini a Giosuè, incoraggialo, rendilo forte. Egli lo attraverserà alla testa di questo popolo e metterà i figli di Israele in possesso della terra che tu contemplerai.

²⁹Siamo quindi rimasti nella valle di fronte a Bet-Peor».

ESORTAZIONE ALLA FEDELTÀ A DIO E ALLA SUA LEGGE

4 ¹«E ora ascolta, Israele, le prescrizioni e i decreti che vi insegno, affinché li mettiate in pratica, perché viviate ed entriate a prendere possesso della terra che il Signore, Dio dei vostri padri, vi dona. ²Non aggiungerete nulla a quanto vi ordino e non toglierete nulla, ma osserverete i precetti del Signore vostro Dio, che io vi ordino. ³I vostri occhi videro quanto ha fatto il Signore vostro Dio a Baal-Peor: chiunque ha seguito Baal-Peor, il Signore tuo Dio lo ha sterminato da te. ⁴Ma voi che avete aderito al Signore vostro Dio, oggi siete tutti vivi. ⁵Vedi, io vi ho insegnato leggi e norme come mi ha ordinato il Signore mio Dio, affinché le mettiate in pratica nella terra di cui andate a prendere possesso. ⁶Osservatele e mettetele in pratica, perché in ciò sta la vostra saggezza e la vostra intelligenza davanti agli altri popoli. Quando essi udranno

parlare di tutte queste leggi, diranno: Questa grande nazione è il solo popolo saggio e intelligente. ⁷Difatti qual è quella grande nazione che abbia gli dèi così vicini, come il Signore nostro Dio è vicino a noi quando lo invochiamo? ⁸Qual è quella grande nazione che abbia leggi e norme così giuste come tutta questa legislazione che oggi io vi presento?

⁹Ma sta' attento, guardati bene dal dimenticare le cose che i tuoi occhi hanno visto, e non permettere che escano dal tuo cuore per tutti i giorni della tua vita. Le insegnerai ai tuoi figli e ai figli dei tuoi figli. ¹⁰Ricordati del giorno in cui sei stato alla presenza del Signore tuo Dio all'Oreb, quando il Signore mi ha detto: Radunami il popolo e farò sentire loro le mie parole, affinché imparino a temermi per tutti i giorni della loro vita sulla terra e le insegnino ai loro figli. ¹¹Voi vi siete avvicinati e siete rimasti ai piedi della montagna; il monte bruciava nel fuoco che s'innalzava in mezzo al cielo fra tenebre, nuvole e oscurità. ¹²Il Signore vi ha parlato in mezzo al fuoco: voi udivate il suono delle parole senza vedere nessuna figura; udivate soltanto una voce. ¹³Egli vi ha rivelato la sua alleanza, ordinandovi di esserle fedeli, cioè i dieci comandamenti, che egli ha scritto su due tavole di pietra. ¹⁴In quel tempo il Signore mi ha ordinato di insegnarvi leggi e norme perché le mettiate in pratica nella terra dove state entrando per prenderne possesso. ¹⁵State bene attenti: poiché non vedeste alcuna figura nel giorno in cui il Signore vi ha parlato all'Oreb in mezzo al fuoco, ¹⁶non lasciatevi tentare facendovi una figura scolpita di qualsiasi genere: immagine di maschio o di femmina, ¹⁷immagine di qualsiasi animale terrestre, immagine di qualsiasi uccello che vola nel cielo, ¹⁸immagine di qualsiasi rettile che

---

4. - 1. *E ora ascolta, Israele...*: introduzione solenne a una nuova celebrazione dell'alleanza. Dopo aver ricordato le vittorie ottenute con l'aiuto di Dio contro Sicon e Og, 2,24-3,11, ora si invita a osservare la legge che Dio dà, quella trasmessa per opera di Mosè. In realtà tutto il Deuteronomio è ritmato sullo schema dell'alleanza: nella prima parte si ricordano i benefici di Dio a favore d'Israele, invitando alla fedeltà, cc. 1-11, segue l'esposizione della legge, cc. 12,1-26,15, una conclusione parenetica, 26,16-19, e il catalogo delle benedizioni e maledizioni, cc. 27-28. L'alleanza del Sinai è eterna. La fedeltà ad essa, mediante l'amore al Dio d'Israele, è la condizione assoluta per poter entrare nella terra promessa.

striscia sul suolo, immagine di qualsiasi pesce che si trova nell'acqua, sotto la terra. [19]Quando alzi gli occhi verso il cielo e vedi il sole, la luna, le stelle e tutto l'esercito del cielo, non lasciarti trascinare a prostrarti davanti a queste cose e a servirle, perché il Signore tuo Dio le ha date in sorte a tutti i popoli che sono sotto il cielo. [20]Voi, invece, il Signore vi ha presi e vi ha fatti uscire dal crogiuolo di ferro, cioè dall'Egitto, affinché diventiate popolo di sua eredità, come oggi di fatto siete.

[21]Il Signore si è irritato contro di me per causa vostra; ha giurato che io non avrei passato il Giordano né sarei andato nella fertile terra che egli, tuo Dio, ti dona in eredità. [22]Io morirò in questa terra, non passerò il Giordano. Voi invece passerete e occuperete quella fertile terra.

[23]Guardatevi dal dimenticare l'alleanza che il Signore vostro Dio ha stretto con voi, e dal farvi alcuna immagine scolpita di qualsiasi genere, come ti ha ordinato il Signore tuo Dio.

[24]Infatti il Signore tuo Dio è un fuoco divoratore, è un Dio geloso. [25]Quando avrete avuto figli e nipoti e sarete invecchiati sulla terra, se avrete prevaricato facendovi una figura scolpita di qualsiasi genere, se avrete fatto ciò ch'è male agli occhi del Signore tuo Dio per provocarne la collera, [26]io oggi chiamo il cielo e la terra in testimoni contro di voi: certamente perirete scomparendo dalla terra di cui ora prendete possesso attraversando il Giordano. Non avrete lunghi giorni su di essa, sarete completamente annientati. [27]Il Signore vi disperderà tra i popoli; di voi non resterà che un piccolo numero in mezzo alle nazioni tra le quali il Signore vi avrà condotto. [28]Là servirete divinità che sono di legno e di pietra, opera di mani d'uomo, divinità che non vedono, non odono, non mangiano, non odorano.

[29]Di là tu cercherai il Signore tuo Dio e lo troverai; purché ti rivolga a lui con tutto il cuore e con tutta l'anima. [30]Nella tua miseria ti ricorderai di tutte queste parole, e negli ultimi giorni tornerai al Signore tuo Dio e ascolterai la sua voce. [31]Poiché il Signore tuo Dio è un Dio misericordioso, non ti abbandonerà, non ti distruggerà né dimenticherà l'alleanza che ha giurato ai tuoi padri.

[32]Interroga infatti i tempi antichi che furono prima di te, dal giorno in cui Dio creò l'uomo sulla terra: da un'estremità del cielo all'altra è mai avvenuta una cosa grande come questa? Si è sentito mai qualcosa di simile? [33]C'è forse un popolo che abbia udito la voce del Dio vivo che parla di mezzo al fuoco, come hai udito tu, e sia rimasto in vita? [34]Ha mai provato un Dio ad andare a sceglliersi una nazione in mezzo a un'altra con prove, segni, prodigi e battaglie, con mano forte, braccio teso e grandi terrori, come il Signore vostro Dio ha compiuto per voi in Egitto sotto i vostri occhi? [35]A te è stato concesso di vedere tutto questo, perché tu sappia che il Signore è Dio e non ve n'è altri all'infuori di lui. [36]Dal cielo ti ha fatto sentire la sua voce per istruirti; sulla terra ti ha mostrato il suo grande fuoco e tu hai udito le sue parole di mezzo al fuoco. [37]Perché ha amato i tuoi padri, ha scelto la loro posterità e ti ha fatto uscire con la sua presenza e il suo grande potere dall'Egitto, [38]per sconfiggere dinanzi a te nazioni più grandi e potenti di te, per farti entrare nella loro terra e dartene il possesso, come è appunto oggi.

[39]Sappi dunque oggi e medita in cuor tuo che il Signore è Dio lassù nei cieli e quaggiù sulla terra, lui e nessun altro. [40]Osserva le sue leggi e i suoi comandi che io oggi ti prescrivo e sarai felice tu e i tuoi figli dopo di te e avrai lunga vita sulla terra che il Signore tuo Dio ti concede per sempre».

[41]In quel tempo Mosè scelse tre città al di là del Giordano, verso oriente, [42]perché vi si rifugiasse l'omicida che avesse ucciso il suo prossimo involontariamente, senza che prima avesse avuto odio contro di lui, di modo che, rifugiandosi in una di queste città, potesse salvare la vita: [43]Beser, nel deserto, nella regione dell'altipiano, per i Rubeniti; Ramot di Galaad per i Gaditi, e Golan, in Basan, per i Manassiti.

[44]Questa è la legge che Mosè propose ai figli d'Israele. [45]Queste sono le istruzioni, le leggi e le norme che Mosè espose ai figli d'Israele quando uscirono dall'Egitto, [46]al di là del Giordano, nella valle di fronte a Bet-Peor, nella terra di Sicon, re degli Amorrei, che abitava a Chesbon e che Mosè e i figli d'Israele avevano battuto quando uscirono dall'Egitto. [47]Conquistarono la sua terra e la terra di Og, re di Basan, i due re degli Amorrei che erano al di là del Giordano verso oriente: [48]da Aroer, sul bordo superiore del torrente Arnon, fino al monte Sirion, cioè

Dt

l'Ermon, [49]con tutta l'Araba al di là del Giordano, verso oriente, fino al mare dell'Araba, sotto i contrafforti del Pisga.

I DIECI COMANDAMENTI

5 [1]Mosè convocò tutto Israele e disse loro: «Ascolta, Israele, le leggi e le norme che io oggi proclamo alle tue orecchie. Imparatele, custoditele e mettetele in pratica. [2]Il Signore nostro Dio strinse con noi un'alleanza all'Oreb. [3]Non con i nostri padri il Signore strinse quest'alleanza, ma con noi che oggi siamo qui tutti in vita. [4]Il Signore parlò con voi sulla montagna in mezzo al fuoco, a faccia a faccia; [5]io stavo tra il Signore e voi per riferirvi le parole del Signore, e perché voi avevate paura del fuoco e non eravate saliti sulla montagna. Egli disse: [6]Io sono il Signore tuo Dio, che ti ho fatto uscire dalla terra d'Egitto, dalla condizione di schiavitù. [7]Non avrai altri dèi all'infuori di me. [8]Non ti farai alcuna figura scolpita di qualsiasi genere, né di ciò che è lassù nei cieli, né di ciò che è quaggiù sulla terra, né di ciò che è nelle acque sotto la terra. [9]Innanzi a loro non ti devi prostrare né rendere culto. Perché io, il Signore tuo Dio, sono un Dio geloso, che punisce l'iniquità dei padri sui figli fino alla terza e quarta generazione per coloro che mi odiano, [10]ma usa misericordia fino a mille generazioni verso coloro che mi amano e osservano i miei precetti. [11]Non pronunciare invano il nome del Signore tuo Dio, poiché il Signore non lascia impunito chi pronuncia il suo nome invano. [12]Osserva il giorno di sabato per santificarlo, come ti ha ordinato il Signore tuo Dio. [13]Per sei giorni lavorerai e farai tutte le tue opere, [14]ma il settimo giorno è il sabato per il Signore tuo Dio; non farai alcun lavoro, né tu, né tuo figlio, né tua figlia, né il tuo schiavo, né la tua schiava, né il tuo bue, né il tuo asino, né alcuna delle tue bestie, né il forestiero che si trova entro le tue porte, perché il tuo schiavo e la tua schiava si riposino come te. [15]Ricorda che sei stato schiavo nella terra d'Egitto e che il Signore tuo Dio ti ha fatto uscire di là con mano forte e braccio teso; perciò il Signore tuo Dio ti ha ordinato di osservare il giorno di sabato. [16]Onora tuo padre e tua madre, come ti ha ordinato il Signore tuo Dio, perché possa

avere lunga vita e possa essere felice nella terra che il Signore tuo Dio ti dona. [17]Non uccidere. [18]Non commettere adulterio. [19]Non rubare. [20]Non rendere una testimonianza falsa contro il tuo prossimo. [21]Non desiderare la moglie del tuo prossimo. Non desiderare la casa del tuo prossimo, né il suo campo, né il suo schiavo, né la sua schiava, né il suo bue, né il suo asino e nulla di quanto appartiene al tuo prossimo. [22]Queste parole rivolse il Signore a tutta la vostra assemblea sul monte, in mezzo al fuoco, dalla nube e dall'oscurità, con voce poderosa. Non aggiunse altro; le scrisse su due tavole di pietra e le diede a me. [23]Quando voi udiste la voce di mezzo alle tenebre, mentre il monte era in fiamme, si avvicinarono a me tutti i vostri capitribù e anziani [24]e mi dissero: Il Signore nostro Dio ci ha mostrato la sua gloria e la sua grandezza e noi abbiamo udito la sua voce di mezzo al fuoco; oggi abbiamo visto che Dio può parlare all'uomo e questi può rimanere in vita. [25]Ma ora perché dovremmo morire? Questo gran fuoco, infatti, ci divorerà. Se continuiamo a udire la voce del Signore nostro Dio, noi moriremo. [26]Perché, chi è fra tutti i mortali che, come noi, abbia udito la voce del Dio vivente che parla in mezzo al fuoco e sia rimasto vivo? [27]Accostati tu e ascolta tutto ciò che dirà il Signore nostro Dio; tu ci riferirai quanto il Signore nostro Dio ti avrà detto e noi lo ascolteremo e lo eseguiremo. [28]Il Signore udì le vostre parole mentre voi mi parlavate e mi disse: Ho udito le parole che questo popolo ti ha rivolto. Hanno parlato bene in tutto. [29]Potesse sempre così il loro cuore essere sempre così nel temermi e nell'osservare tutti i miei precetti, per essere felici loro e i loro figli! [30]Va' e di' loro: Ritornate alle vostre tende. [31]Tu invece resta qui presso di me. Io ti indicherò tutti i comandi, le leggi e le norme che dovrai insegnare loro, perché

---

5. - 6-21. *Io sono il Signore tuo Dio*: «Soltanto la fede in un Dio personale può salvaguardare l'ordine morale, determinato dai dieci comandamenti del Decalogo, e mantenere vigorosa in tutta la sua dignità la vita dei singoli individui e della comunità. Senza i legami e la guida dei comandamenti di Dio la libera volontà dell'uomo è più pericolosa e audace che il naturale istinto degli animali selvatici o feroci» (Pio XII).

li mettano in pratica nella terra che sto per dare loro in possesso.
[32]Guardate dunque di fare come vi ha ordinato il Signore vostro Dio. Non devierete né a destra né a sinistra. [33]Seguirete in tutto la strada che vi ha ordinato il Signore vostro Dio, perché viviate, siate felici e rimaniate a lungo nella terra che occuperete».

«ASCOLTA, ISRAELE!»

6 [1]«Questi sono i comandi, le leggi e le norme che il Signore vostro Dio ha ordinato di comunicarvi, perché li mettiate in pratica nella terra dove state per entrare e prenderne possesso, [2]perché tu tema il Signore tuo Dio, osservando per tutti i giorni della tua vita, tu, il tuo figlio e il figlio di tuo figlio, le leggi, le norme e i comandi che oggi io ti prescrivo e così tu abbia lunga vita.
[3]Ascolta, Israele, e metti in pratica ciò che ti renderà felice e ti moltiplicherà grandemente nella terra dove scorre latte e miele, come il Signore, Dio dei tuoi padri, ti ha promesso.
[4]Ascolta, Israele: il Signore è il nostro Dio, il Signore è uno solo. [5]Tu amerai il Signore tuo Dio con tutto il cuore, con tutta l'anima, con tutte le forze. [6]Le parole che oggi ti ordino siano nel tuo cuore. [7]Le inculcherai ai tuoi figli, ne parlerai quando sei seduto in casa, quando cammini per strada, quando ti corichi e quando ti alzi. [8]Le legherai come un segno alla tua mano, saranno come una fascia tra i tuoi occhi. [9]Le scriverai sugli stipiti della tua casa e sulle tue porte.
[10]Quando il Signore tuo Dio ti avrà introdotto nella terra che ai tuoi padri Abramo, Isacco e Giacobbe ha giurato di darti, quando ti avrà condotto nelle grandi e belle città che non hai edificato, [11]nelle case piene di ogni bene che non hai riempito, presso pozzi scavati, ma non da te, presso vigne e oliveti che non hai piantato tu, quando avrai mangiato e ti sarai saziato, [12]guardati dal dimenticare il Signore che ti ha fatto uscire dalla terra d'Egitto, dalla condizione di schiavitù.

[13]Temerai il Signore tuo Dio, lo servirai, nel suo nome giurerai.
[14]Non seguirete altri dèi tra le divinità dei popoli che vi circondano, [15]perché il Signore tuo Dio, che sta in mezzo a te, è un Dio geloso: la sua ira si accenderebbe contro di te e ti farebbe scomparire dalla faccia della terra.
[16]Non tentate il Signore vostro Dio, come lo avete tentato a Massa. [17]Osserverete attentamente i comandi del Signore vostro Dio, le sue istruzioni e le leggi che vi ha ordinato. [18]Farai ciò che è retto e buono agli occhi del Signore, perché tu sia felice e possa entrare in possesso di quella terra buona che il Signore ha giurato ai tuoi padri di darti, [19]dopo che egli avrà cacciato tutti i tuoi nemici davanti a te, come il Signore ha promesso.
[20]Quando in avvenire tuo figlio ti domanderà: Che cosa sono queste istruzioni, queste leggi e queste norme che vi ha ordinato il Signore nostro Dio?, [21]tu risponderai a tuo figlio: Noi eravamo schiavi del Faraone in Egitto, e il Signore ci ha fatto uscire dall'Egitto con mano potente. [22]Il Signore ha compiuto sotto i nostri occhi segni e prodigi grandi e funesti per l'Egitto, per il Faraone e per tutta la sua casa; [23]invece ha fatto uscire noi di là per condurci nella terra che aveva giurato ai nostri padri di darci. [24]Il Signore ci ha ordinato di mettere in pratica tutte queste leggi, perché temiamo il Signore nostro Dio, così da essere sempre felici ed essere conservati in vita, come è avvenuto oggi. [25]La nostra giustizia consiste nell'osservare e praticare interamente queste leggi davanti al Signore nostro Dio, come egli ci ha ordinato».

ISRAELE, POPOLO SCELTO DA DIO PER AMORE

7 [1]«Quando il Signore tuo Dio ti avrà introdotto nella terra dove sei diretto per prenderne possesso, cadranno innanzi a te molte nazioni: gli Hittiti, i Gergesei, gli Amorrei, i Cananei, i Perizziti, gli Evei, i Gebusei, sette nazioni più numerose e più forti di te. [2]Il Signore le metterà in tuo potere, tu le vincerai e le voterai allo sterminio. Non stringerai nessun patto con esse, né avrai misericordia di loro. [3]Con esse non contrar-

---

6. - 1. In questo capitolo è spiegato il primo comandamento e inculcato l'amore verso Dio.
4-7. Due principi basilari della religione: unicità di Dio e dovere di amarlo con tutto l'essere. Questi vv. formano l'inizio della principale preghiera d'Israele.

Dt

rai matrimonio: non darai tua figlia a un loro figlio, né prenderai una loro figlia per tuo figlio, [4]perché tuo figlio si allontanerebbe da me e servirebbe altri dèi, e l'ira del Signore si accenderebbe contro di voi e ben presto vi sterminerebbe. [5]Voi invece vi comporterete così: demolirete i loro altari, spezzerete le loro stele, taglierete i loro pali sacri e brucerete i loro idoli nel fuoco. [6]Perché tu sei un popolo santo per il Signore tuo Dio; il Signore tuo Dio ti ha scelto perché tu sia un popolo particolarmente suo fra tutti i popoli che sono sulla terra. [7]Non perché siete più numerosi di tutti gli altri popoli il Signore si è legato a voi e vi ha scelto – anzi voi siete il più piccolo di tutti i popoli –, [8]ma perché il Signore vi ama e perché ha voluto mantenere il giuramento fatto ai vostri padri, il Signore vi ha fatti uscire con mano potente e vi ha liberati dalla condizione di schiavitù, dalla mano del Faraone, re d'Egitto.

[9]Riconosci dunque che il Signore tuo Dio è il vero Dio: il Dio fedele che mantiene la sua alleanza e usa benevolenza per mille generazioni verso coloro che lo amano e osservano i suoi comandamenti; [10]ma ripaga nella sua persona colui che lo odia, fino a farlo perire; non tarda, ma lo ripaga nella sua persona.

[11]Osserverai dunque le leggi, le norme e i comandi che oggi ti ordino di mettere in pratica. [12]Per il fatto che avrete dato ascolto a queste norme, le avrete osservate e messe in pratica, il Signore tuo Dio manterrà l'alleanza in tuo favore e la benevolenza che ha giurato ai tuoi padri. [13]Egli ti amerà, ti benedirà, ti moltiplicherà; benedirà il frutto del tuo seno, il frutto del tuo suolo, il tuo frumento, il tuo mosto, il tuo olio, i parti delle tue vacche, i nati del tuo gregge nella terra che ha giurato ai tuoi padri di donarti. [14]Tu sarai benedetto più di tutti i popoli; presso di te non sarà sterile né l'uomo né la donna e nemmeno il tuo bestiame. [15]Il Signore allontanerà da te ogni infermità, non manderà contro di te alcuno dei malanni funesti dell'Egitto, che tu ben conosci, ma li destinerà a tutti i tuoi nemici.

[16]Tu sterminerai tutti i popoli che il Signore tuo Dio sta per mettere nelle tue mani: il tuo occhio non avrà misericordia di loro, e non servire i loro dèi. Ciò sarebbe per te una trappola. [17]Forse penserai in cuor tuo: Quelle nazioni sono più numerose di me: come potrò cac-

ciarle? [18]Non temerle! Ricorda bene quanto ha fatto il Signore tuo Dio al Faraone e a tutto l'Egitto, [19]ricorda le grandi prove che videro i tuoi occhi, i segni e i prodigi, la mano potente e il braccio teso con cui il Signore tuo Dio ti ha fatto uscire. Così farà il Signore a tutte le nazioni delle quali tu hai timore. [20]Inoltre il Signore tuo Dio manderà contro di esse i calabroni, fino ad annientare coloro che erano rimasti illesi o si erano nascosti al tuo passaggio. [21]Non spaventarti innanzi a loro, poiché il Signore tuo Dio è in mezzo a te: un Dio grande e terribile. [22]Il Signore tuo Dio caccerà dinanzi a te quelle nazioni, ma a poco a poco: tu non le potrai sterminare subito, perché le bestie selvagge non si moltiplichino a tuo danno; [23]ma il Signore le metterà in tuo potere ed esse saranno in preda a grande agitazione, finché non saranno distrutte. [24]Metterà nelle tue mani anche i loro re e tu cancellerai il loro nome sotto il cielo; nessuno potrà resistere contro di te, finché tu non le abbia distrutte. [25]Darai alle fiamme le immagini scolpite dei loro dèi. Non desiderare l'argento e l'oro che li ricopre e non trattenerlo per te, affinché per esso tu non sia preso come in una trappola, perché sono un abominio per il Signore tuo Dio. [26]Non introdurrai quest'abominio nella tua casa, perché tu verresti come esso votato allo sterminio. Devi detestarlo e disprezzarlo perché è votato allo sterminio».

LE PROVE NEL DESERTO E IL DONO DELLA TERRA

8 [1]«Metterete in pratica tutte le norme che oggi vi do, perché viviate, vi moltiplichiate ed entriate in possesso della terra che il Signore ha promesso con giuramento ai vostri padri.

[2]Ricorda il cammino che ti ha fatto compiere il Signore tuo Dio in questi quarant'anni nel deserto, per umiliarti, per provarti, per conoscere ciò che c'era nel tuo cuore, se

---

7. - 6-8: insieme a 14,2, questo testo è uno dei più densi e commoventi circa l'elezione d'Israele come popolo di Dio. Dio lo *ha scelto* unicamente perché lo ha amato più degli altri. «Egli ha amato noi» (1Gv 4,10). Tutta la storia della salvezza è una continua manifestazione dell'amore di Dio.

tu avresti osservato o no i suoi precetti. ³Ti ha umiliato, ti ha fatto provare la fame, ti ha fatto mangiare la manna, che tu non conoscevi né conoscevano i tuoi padri, per insegnarti che non di solo pane vive l'uomo, ma di tutto ciò che esce dalla bocca di Dio vive l'uomo. ⁴Il tuo mantello non si è logorato e non si sono gonfiati i tuoi piedi in questi quarant'anni. ⁵Riconosci dunque nel tuo cuore che, come un padre corregge il figlio, così il Signore tuo Dio ti corregge; ⁶e osserva il comandamento del Signore tuo Dio seguendo la sua via e temendolo.
⁷Poiché il Signore tuo Dio sta per introdurti in una terra fertile, terra di torrenti e fonti d'acqua che scaturiscono dagli abissi nelle valli e nelle montagne, ⁸terra di frumento, orzo, viti, fichi e melograni, terra di oliveti e miele, ⁹terra dove non mangerai il pane con scarsità e dove non ti mancherà nulla, terra le cui pietre contengono ferro e dalle cui montagne estrarrai il rame. ¹⁰Mangerai, sarai sazio e benedirai il Signore tuo Dio per la terra fertile che ti ha donato.
¹¹Guardati dal dimenticare il Signore tuo Dio, così da non osservare le leggi, le norme e i comandi che io oggi ti prescrivo.
¹²Quando mangerai e sarai sazio, quando costruirai belle case e vi abiterai, ¹³quando vedrai moltiplicarsi il tuo bestiame grosso e minuto, accrescersi il tuo argento e il tuo oro e moltiplicarsi tutti i tuoi beni, ¹⁴allora il tuo cuore non si inorgoglisca così da dimenticare il Signore tuo Dio che ti ha fatto uscire dalla terra d'Egitto, dalla condizione di schiavitù, ¹⁵che ti ha condotto attraverso questo deserto grande e terribile, luogo di serpenti velenosi e di scorpioni, luogo di sete e senz'acqua; che ha fatto scaturire per te acqua dalla roccia durissima; ¹⁶che ti ha dato da mangiare la manna nel·deserto, che non conoscevano i tuoi padri, per umiliarti e per provarti e affinché, infine, tu fossi felice.
¹⁷Non dire nel tuo cuore: La mia forza e la robustezza della mia mano mi hanno procurato questo benessere. ¹⁸Ricordati invece del Signore tuo Dio, poiché lui ti ha dato la forza di procurarti questo benessere, per mantenere l'alleanza che ha giurato ai tuoi padri, come fa ancora oggi.
¹⁹Ma se tu dimenticherai completamente il Signore tuo Dio e seguirai altri dèi e li servirai prostrandoti innanzi a loro, oggi io testimonio contro di voi che certo perirete. ²⁰Come le nazioni che il Signore sta per far perire innanzi a voi, così anche voi perirete, perché non avete dato ascolto alla voce del Signore vostro Dio».

LA FEDELTÀ DI DIO ALLE PROMESSE

9 ¹«Ascolta, Israele! Oggi tu stai per passare il Giordano per andare a conquistare nazioni più grandi e più forti di te, città grandi e fortificate fino al cielo, ²un popolo potente e alto di statura, i figli degli Anakiti che tu conosci e dei quali hai sentito dire: Chi può resistere ai figli di Anak? ³Oggi sappi che è il Signore tuo Dio a passare davanti a te come un fuoco divoratore: è lui che li sterminerà ed è lui che te li sottometterà; tu li conquisterai e li distruggerai rapidamente, come ti ha detto il Signore.
⁴Quando il Signore tuo Dio li caccerà dinanzi a te, non pensare: È a motivo della mia giustizia che il Signore mi ha condotto a conquistare questa terra. Invece il Signore tuo Dio caccia quelle nazioni dinanzi a te a causa della loro perversità.
⁵Tu non entri in possesso della loro terra a motivo della tua giustizia, né a motivo della rettitudine del tuo cuore, ma il Signore caccia quelle nazioni davanti a te per la loro perversità e per mantenere la parola che ha giurato ai tuoi padri, ad Abramo, a Isacco e a Giacobbe. ⁶Sappi dunque che non per la tua giustizia il Signore tuo Dio ti dona in possesso questa terra fertile; perché tu sei un popolo di dura cervice.
⁷Ricorda e non dimenticare come nel deserto hai irritato il Signore tuo Dio. Da quando siete usciti dalla terra d'Egitto fino al vostro arrivo in questo luogo, siete stati ribelli verso il Signore. ⁸Anche all'Oreb avete irritato il Signore ed egli si è così adirato contro di voi che voleva distruggervi. ⁹Quando io ero salito sul monte per prendere le tavole di pietra, le tavole dell'alleanza che il Signore aveva

---

8. - 3. Il senso primo e immediato di queste parole, che Gesù opporrà al demonio tentatore (Mt 4,4), è il seguente: quand'anche mancasse all'uomo il pane naturale, Dio sa come sostenere la vita, che è sua. Tuttavia Gesù gli darà un senso più elevato e spirituale: l'uomo ha anche la vita dello spirito che solo la parola di Dio può alimentare.

stretto con voi, io rimasi sul monte quaranta giorni e quaranta notti senza mangiare pane e senza bere acqua; ¹⁰il Signore mi aveva dato le due tavole di pietra, scritte dal dito di Dio, sulle quali erano tutte le parole che il Signore vi aveva detto sul monte, in mezzo al fuoco, nel giorno dell'assemblea.

¹¹Al termine dei quaranta giorni e delle quaranta notti, il Signore mi diede le due tavole di pietra, le tavole dell'alleanza, ¹²e mi disse: Alzati, scendi in fretta di qui, perché il tuo popolo, che tu hai fatto uscire dall'Egitto, ha prevaricato. Hanno deviato presto dalla via che avevo loro prescritto e si sono fatti un idolo di metallo fuso. ¹³Il Signore mi disse: Io ho visto questo popolo; ecco, è un popolo di cervice dura. ¹⁴Lascia che io li distrugga e cancelli il loro nome sotto il cielo e farò di te una nazione più forte e numerosa di loro. ¹⁵Mi voltai e scesi dal monte, che bruciava nel fuoco, con le due tavole dell'alleanza nelle mani. ¹⁶Guardai, ed ecco avevate peccato contro il Signore vostro Dio e vi eravate fatto un vitello di metallo fuso: avevate deviato presto dalla via che il Signore vi aveva prescritto. ¹⁷Afferrai le due tavole, le scagliai dalle mani e le spezzai sotto i vostri occhi. ¹⁸Poi mi prostrai al cospetto del Signore: come la prima volta, per quaranta giorni e quaranta notti non mangiai pane e non bevvi acqua, a causa di tutti i peccati che avevate commesso facendo il male agli occhi del Signore per irritarlo. ¹⁹Io infatti ero atterrito davanti alla collera e all'indignazione del Signore contro di voi, al punto di volervi distruggere. Il Signore mi ascoltò anche questa volta. ²⁰Il Signore si era tanto irritato anche contro Aronne, al punto di volerlo far perire; ma anche in questa occasione io intercedetti per Aronne. ²¹Poi presi l'oggetto del vostro peccato, cioè il vitello, lo bruciai nel fuoco, lo spezzai, lo ridussi interamente in polvere minuta e gettai quella stessa polvere nel torrente che scende dal monte.

²²Anche a Tabera, a Massa e a Kibrot-Taava voi avete irritato il Signore; ²³e quando volle farvi partire da Kades-Barnea dicendo: Salite a conquistare la terra che vi do, voi vi siete ribellati contro la parola del Signore vostro Dio, non gli avete creduto, né avete obbedito alla sua voce. ²⁴Voi foste ribelli al Signore dal giorno in cui vi ha conosciuto. ²⁵Mi gettai dunque al cospetto del Signore

quaranta giorni e quaranta notti, davanti a lui rimasi prostrato, perché il Signore aveva minacciato di distruggervi. ²⁶Intercedetti presso il Signore e dissi: Signore Dio, non distruggere il tuo popolo, la tua eredità che hai riscattato con la tua grandezza, che hai fatto uscire dall'Egitto con mano potente. ²⁷Ricordati dei tuoi servi Abramo, Isacco e Giacobbe; non guardare l'ostinazione di questo popolo, la sua perversità e il suo peccato, ²⁸perché il paese da dove ci hai fatti uscire non dica: Il Signore non ha potuto introdurli nella terra che aveva loro promesso e per odio contro di loro li ha fatti uscire di qui per farli morire nel deserto. ²⁹Essi sono il tuo popolo e la tua eredità, che tu hai fatto uscire con la tua grande potenza e con braccio teso».

LA RICHIESTA DEL SIGNORE:
FEDELTÀ E AMORE

10 ¹«In quel tempo il Signore mi disse: Taglia due tavole di pietra come le prime e sali da me sul monte; costruisci anche un'arca di legno. ²Scriverò sulle tavole le parole che si trovavano sulle prime tavole che tu hai spezzato e le metterai nell'arca.

³Feci dunque un'arca di legno di acacia, tagliai le due tavole di pietra come le prime e salii sul monte con le due tavole in mano. ⁴Il Signore scrisse sulle tavole quanto aveva scritto prima, cioè i dieci comandamenti che aveva pronunciato per voi sul monte, in mezzo al fuoco, nel giorno dell'assemblea, poi me le consegnò. ⁵Io mi voltai, discesi dal monte e collocai le tavole nell'arca che avevo fatto: qui esse restarono, come il Signore mi aveva ordinato.

⁶I figli di Israele partirono poi dai pozzi dei figli di Iaakan per Mosera; qui Aronne morì e fu sepolto; divenne sacerdote Eleazaro suo figlio al posto di lui. ⁷Di là partirono per Gudgoda, e da Gudgoda per Iotbata, terra ricca di torrenti d'acqua.

⁸In quel tempo il Signore scelse la tribù di Levi per portare l'arca dell'alleanza del Signore, per stare dinanzi a lui, per servirlo e per benedire nel suo nome, come avviene ancora oggi. ⁹Perciò Levi non ha parte né eredità con i suoi fratelli: il Signore è la sua eredità, come il Signore tuo Dio gli aveva detto.

¹⁰Io rimasi sul monte come la prima volta, quaranta giorni e quaranta notti. Il Signore mi ascoltò anche questa volta e non ti distrusse. ¹¹Il Signore mi disse: Alzati, va' a metterti alla testa di questo popolo, perché vadano a conquistare la terra che ho giurato ai loro padri di dare loro.

¹²E ora, Israele, che cosa ti chiede il Signore tuo Dio se non di temere il Signore tuo Dio, di seguire tutte le sue vie, di amarlo, di servire il Signore tuo Dio con tutto il tuo cuore e con tutta la tua anima, ¹³di osservare i precetti del Signore e le sue leggi che oggi ti do per il tuo bene? ¹⁴Ecco, il cielo e i cieli dei cieli, la terra e quanto è in essa appartengono al Signore tuo Dio; ¹⁵tuttavia il Signore ha avuto un amore di predilezione per i tuoi padri e, fra tutti i popoli, ha scelto la loro discendenza, cioè voi, com'è ancora oggi. ¹⁶Circoncidete dunque il vostro cuore e non irrigidite più la vostra cervice, ¹⁷perché il Signore vostro Dio è il Dio degli dèi, il Signore dei signori, il Dio grande, forte e terribile che non fa distinzione di persone, né accetta regali, ¹⁸che fa giustizia all'orfano e alla vedova, ama il forestiero e gli dà pane e vestito. ¹⁹Amate dunque il forestiero, perché anche voi siete stati forestieri nella terra d'Egitto.

²⁰Temi il Signore tuo Dio, a lui solo rendi culto; a lui sarai fedele e nel suo nome giurerai. ²¹Egli è la tua lode, egli è il tuo Dio, che ha compiuto per te quelle cose grandi e terribili che i tuoi occhi hanno visto. ²²I tuoi padri sono scesi in Egitto in numero di settanta persone, e ora il Signore tuo Dio ti ha reso numeroso come le stelle del cielo».

ECCO QUANTO IL SIGNORE HA FATTO PER ISRAELE

11 ¹«Ama perciò il Signore tuo Dio e custodisci ogni giorno le sue leggi, le sue prescrizioni, i suoi decreti e i suoi comandi. ²Oggi voi riconoscete – voi e non i vostri figli, che non hanno conosciuto e visto quanto ha fatto il Signore vostro Dio –, voi dunque riconoscete la sua grandezza, la sua mano forte e il suo braccio teso, ³i segni e i prodigi che ha compiuto in mezzo all'Egitto contro il Faraone, re d'Egitto, e contro tutto il suo paese, ⁴ciò che ha fatto all'esercito d'Egit-

to, ai suoi cavalli e ai suoi carri, facendo rifluire su di essi le acque del Mar Rosso mentre vi inseguivano, e li ha annientati per sempre. ⁵Riconoscete ciò che fece per voi nel deserto fino al vostro arrivo in questo luogo, ⁶ciò che fece a Datan e ad Abiram, figli di Eliab, figlio di Ruben, quando la terra aprì la sua bocca e li inghiottì con le loro famiglie, le loro tende e con quanto ad essi apparteneva, in mezzo a tutto Israele: ⁷i vostri occhi hanno visto tutte le grandi opere che il Signore ha compiuto.

⁸Osserverete dunque tutte le disposizioni che oggi vi prescrivo, perché siate forti e possiate conquistare la terra di cui state per prendere possesso, ⁹e perché restiate a lungo sul suolo che il Signore ha giurato di dare ai vostri padri e alla loro discendenza: terra dove scorre latte e miele.

¹⁰Poiché la terra che tu stai per conquistare non è come la terra d'Egitto, dalla quale siete usciti, dove seminavi la tua semente e poi la irrigavi con il piede, come fosse un giardino verdeggiante. ¹¹Invece la terra che state per conquistare è una terra di montagne e di valli, irrigata dall'acqua che viene dal cielo; ¹²una terra di cui il Signore tuo Dio ha cura, e sulla quale continuamente si posano gli occhi del Signore tuo Dio, dall'inizio dell'anno fino al suo termine.

¹³Se veramente obbedirete ai comandi che oggi vi do, amando il Signore vostro Dio e servendolo con tutto il cuore e con tutta l'anima, ¹⁴io darò la pioggia alla vostra terra a suo tempo: la pioggia d'autunno e la pioggia di primavera, perché tu possa raccogliere il tuo frumento, il tuo vino e il tuo olio; ¹⁵farò anche crescere l'erba nei tuoi campi per il tuo bestiame; tu mangerai e ti sazierai.

¹⁶Guardate che il vostro cuore non si lasci sedurre, e voi vi allontaniate, servendo altri dèi e prostrandovi innanzi a loro: ¹⁷si accenderebbe l'ira del Signore contro di voi ed egli chiuderebbe il cielo, non vi sarebbe più pioggia, il suolo non darebbe più i suoi prodotti e voi perireste presto, scomparendo dalla fertile terra che il Signore vi dona. ¹⁸Porrete dunque queste mie parole nel vostro cuore e nella vostra anima, le legherete come segno alle vostre mani e saranno come una fascia tra i vostri occhi. ¹⁹Le insegnerete ai vostri figli, parlandone quando ti

trovi in casa, quando cammini per strada, quando ti corichi e quando ti alzi; ²⁰le scriverai sugli stipiti della tua casa e sulle tue porte: ²¹perché si prolunghino i vostri giorni e i giorni dei vostri figli come i giorni del cielo sopra la terra, sul suolo che il Signore ha giurato ai vostri padri di dar loro.

²²Poiché se veramente osserverete tutti questi ordini che vi prescrivo e li metterete in pratica, amando il Signore vostro Dio, camminando in tutte le sue vie e mantenendovi uniti a lui, ²³il Signore respingerà davanti a voi tutte quelle nazioni e voi conquisterete nazioni più grandi e più forti di voi. ²⁴Vostro sarà ogni luogo che la pianta dei vostri piedi calcherà; i vostri confini si estenderanno dal deserto al Libano, dal fiume – il fiume Eufrate – al Mare Mediterraneo. ²⁵Non resisterà alcuno dinanzi a voi; il Signore vostro Dio getterà il terrore e lo spavento di voi su tutta la terra che calpesterete, come vi ha detto.

²⁶Vedi, io pongo oggi innanzi a voi la benedizione e la maledizione: ²⁷la benedizione, se obbedirete ai comandi del Signore vostro Dio, che oggi vi do; ²⁸la maledizione, se non obbedirete ai comandi del Signore vostro Dio e devierete dal cammino che oggi vi prescrivo, seguendo altri dèi che non avete conosciuto.

²⁹Quando il Signore tuo Dio ti avrà condotto nella terra che stai per conquistare, tu porrai la benedizione sul monte Garizim e la maledizione sul monte Ebal. ³⁰Essi non si trovano forse al di là del Giordano, lungo la via verso occidente, nella terra dei Cananei che abitano l'Araba, di fronte a Galgala, presso le Querce di More? ³¹Voi infatti state per attraversare il Giordano per andare a conquistare la terra che il Signore vostro Dio vi dona: voi la conquisterete e dimorerete in essa. ³²Avrete cura di mettere in pratica tutte le prescrizioni e le norme che oggi io pongo dinanzi a voi».

IL LUOGO DI CULTO

12 ¹«Queste sono le prescrizioni e le norme che avrete cura di mettere in pratica nella terra che il Signore, Dio dei tuoi padri, ti ha dato in possesso, per tutto il tempo che vivrete sulla terra. ²Distruggerete completamente tutti i luoghi nei quali le nazioni che voi state per conquistare hanno servito i loro dèi: sugli alti monti, sulle colline e sotto ogni albero frondoso. ³Demolirete i loro altari, frantumerete le loro stele, i loro pali sacri li brucerete nel fuoco, spezzerete le statue dei loro dèi e cancellerete il loro nome da quei luoghi.

⁴Non farete così con il Signore vostro Dio, ⁵ma lo cercherete nella sua dimora, nel luogo che il Signore vostro Dio ha scelto tra tutte le tribù per stabilirvi il suo nome; là andrete. ⁶Là porterete i vostri olocausti, i vostri sacrifici, le vostre decime e il dono delle vostre mani, i vostri voti, le vostre offerte spontanee e i primogeniti del vostro bestiame grosso e minuto. ⁷Mangerete dinanzi al Signore vostro Dio e gioirete voi e le vostre famiglie per ogni impresa a cui avrete posto mano e in cui il Signore tuo Dio vi avrà benedetti. ⁸Non farete come facciamo qui oggi, dove ciascuno fa ciò che sembra giusto ai propri occhi, ⁹poiché ancora non siete entrati nel luogo del riposo e nel possesso che il Signore vostro Dio vi dona.

¹⁰Ma quando avrete attraversato il Giordano e abiterete nella terra che il Signore vostro Dio vi dà in eredità e vi avrà dato vittoria su tutti i nemici che vi circondano e abiterete tranquilli, ¹¹allora presenterete nel luogo che il Signore vostro Dio avrà scelto per stabilirvi il suo nome quanto oggi io vi comando: i vostri olocausti, i vostri sacrifici, le vostre decime, il dono delle vostre mani e tutte le cose scelte che avete promesso in voto al Signore. ¹²Gioirete al cospetto del Signore vostro Dio, voi, i vostri figli e le vostre figlie, i vostri servi e le vostre serve, e il levita che dimora nelle vostre città, poiché egli non ha né parte né eredità in mezzo a voi.

¹³Guardati dall'offrire i tuoi olocausti in ogni luogo che vedi; ¹⁴ma offrirai i tuoi olocausti solamente nel luogo che il Signore avrà scelto in una delle tue tribù; là eseguirai quanto ti prescrivo.

¹⁵Tuttavia ogni volta che tu lo desideri potrai immolare e mangiare carne in ciascuna delle tue città, secondo la benedizione che

12. - 5-6. Giunto Israele nella terra promessa, il Signore si sarebbe scelto il luogo per il culto, e da allora in poi soltanto in quello si sarebbe dovuto offrirgli i sacrifici. L'unicità del luogo di culto non si osservava ai tempi dei giudici né di Salomone. Fu la riforma di Giosia (2Re 23) a ispirarsi ampiamente a questo principio.

il Signore ti avrà concesso. Ne potrà mangiare chi è impuro e chi è puro, come si fa per la carne di gazzella e di cervo. [16]Però non mangerete il sangue; lo spargerete per terra come l'acqua.

[17]Non potrai mangiare nelle tue città la decima del tuo frumento, del tuo mosto e del tuo olio, i primogeniti del tuo bestiame grosso e del tuo bestiame minuto, niente di ciò che hai promesso in voto, né le tue offerte spontanee, né il dono delle tue mani; [18]mangerai queste cose davanti al Signore tuo Dio nel luogo che il Signore tuo Dio avrà scelto: tu, tuo figlio e tua figlia, il tuo servo e la tua serva e il levita che dimora nelle tue città; gioirai davanti al Signore tuo Dio di ogni cosa a cui avrai messo mano. [19]Guardati dal trascurare il levita per tutti i giorni che vivrai sul tuo suolo.

[20]Quando il Signore tuo Dio avrà ampliato i tuoi confini, come ti ha promesso, e tu, desiderando mangiare carne, dirai: Vorrei mangiare carne, potrai mangiarne a tuo piacimento. [21]Se il luogo che il Signore tuo Dio ha scelto per stabilirvi il suo nome è distante da te, potrai immolare degli animali del tuo armento e del tuo gregge che il Signore ti avrà dato, come io ti ho prescritto; ne potrai mangiare dentro le tue città a piacimento. [22]Ne mangerai, però, come si mangia la carne della gazzella e del cervo; ne potrà mangiare chi è impuro e chi è puro. [23]Però non mangiare affatto il sangue, poiché il sangue è la vita, e tu non devi mangiare la vita insieme con la carne. [24]Non lo mangerai, lo verserai sulla terra come l'acqua. [25]Non lo mangerai perché sia felice tu e i tuoi figli dopo di te, perché hai compiuto quanto è giusto agli occhi del Signore. [26]Tuttavia, quanto alle cose che avrai consacrato o promesso in voto, le porterai nel luogo che il Signore avrà scelto, [27]e offrirai i tuoi olocausti, la carne e il sangue, sull'altare del Signore tuo Dio: il sangue delle tue vittime sarà sparso sull'altare del Signore tuo Dio e tu ne mangerai la carne. [28]Osserva e pratica tutte queste cose che ti prescrivo, perché siate felici tu e i tuoi figli

dopo di te per sempre, perché hai compiuto quanto è bene e giusto agli occhi del Signore tuo Dio.

[29]Quando il Signore tuo Dio avrà sterminato davanti a te le nazioni che tu stai per prendere in possesso, quando le avrai conquistate e abiterai nella loro terra, [30]guardati dal lasciarti ingannare seguendo il loro esempio, dopo che saranno state annientate dinanzi a te, e dal ricercare i loro dèi dicendo: Come servivano queste nazioni i loro dèi? Voglio fare anch'io così. [31]Non devi agire in questo modo verso il Signore tuo Dio, perché essi hanno fatto per i loro dèi quanto è in abominio e in odio al Signore: hanno bruciato nel fuoco perfino i loro figli e le loro figlie, in onore dei loro dèi».

CONTRO LE TENTAZIONI DELL'IDOLATRIA

13 [1]«Osserverete e praticherete tutto ciò che io vi ordino: non vi aggiungerai nulla e nulla ne toglierai.

[2]Se sorge in mezzo a te un profeta o un sognatore che ti proponga un segno o un prodigio [3]e, avveratosi il segno o il prodigio di cui ti aveva parlato, ti dica: Seguiamo altri dèi, che tu non hai conosciuto, e serviamoli, [4]non ascoltare le parole di questo profeta o sognatore; perché il Signore vostro Dio vi mette alla prova per conoscere se veramente amate il Signore vostro Dio con tutto il cuore e con tutta l'anima.

[5]Seguirete il Signore vostro Dio, lui temerete, osserverete i suoi comandamenti, ascolterete la sua voce, lo servirete e gli sarete fedeli. [6]Questo profeta o sognatore dovrà essere messo a morte, perché ha proposto una defezione dal Signore vostro Dio, che vi ha fatto uscire dalla terra d'Egitto e vi ha riscattato dalla condizione di schiavitù, per trascinarti fuori della via per la quale il Signore tuo Dio ti ha ordinato di camminare. Così estirperai il male di mezzo a te.

[7]Se tuo fratello, figlio di tuo padre o figlio di tua madre, o tuo figlio, o tua figlia, o la moglie che riposa sul tuo seno, o l'amico che è come te stesso ti incita in segreto dicendo: Andiamo a servire altri dèi, che non hai conosciuto, né tu né i tuoi padri, [8]divinità dei popoli che vi circondano, vicini o lontani, da un capo all'altro della terra, [9]tu non accon-

Dt

---

13. - 2-3. *I prodigi* non sempre sono miracoli nel senso teologico, ma fatti che destano stupore, perché insoliti e straordinari o perché non se ne conosce la causa. In ogni caso nessun prodigio può essere una ragione per abbandonare Dio e la fede in lui.

sentire, non dargli ascolto; il tuo occhio non abbia misericordia di lui, non lo risparmiare, non coprire la sua colpa. [10]Tu dovrai ucciderlo: la tua mano sarà la prima contro di lui per metterlo a morte, quindi la mano di tutto il popolo; [11]lo lapiderai e morirà, perché ha cercato di allontanarti dal Signore tuo Dio che ti ha fatto uscire dalla terra d'Egitto, dalla condizione di schiavo. [12]Tutto Israele lo verrà a sapere, avrà paura e non commetterà più un'azione cattiva come questa in mezzo a te.

[13]Se senti che in una delle città che il Signore tuo Dio ti concede per abitarvi, [14]sono usciti in mezzo a te uomini perversi e hanno sedotto gli abitanti delle loro città dicendo: Andiamo a servire altri dèi, che non avete conosciuto, [15]tu indagherai, esaminerai e interrogherai con cura. Se la cosa è certa e un tale abominio è stato davvero compiuto in mezzo a te, [16]devi passare gli abitanti di quella città a fil di spada, la devi votare allo sterminio con quanto contiene e devi passare a fil di spada anche il suo bestiame.

[17]Poi ammasserai tutto il bottino in mezzo alla piazza e brucerai nel fuoco la città con l'intero suo bottino, sacrificio per il Signore tuo Dio. Diverrà una rovina eterna e non sarà più ricostruita.

[18]Non resti attaccato alla tua mano nulla di quanto è stato votato allo sterminio, perché il Signore desista dalla sua ira ardente e ti conceda misericordia, abbia pietà di te e ti moltiplichi come ha giurato ai tuoi padri, [19]se obbedirai alla voce del Signore tuo Dio, osservando tutti i suoi comandi che oggi ti do e facendo quanto è retto agli occhi del Signore tuo Dio».

NORME RIGUARDANTI IL LUTTO, GLI ANIMALI E LE DECIME

14 [1]«Voi siete figli per il Signore vostro Dio. Non vi farete incisioni, né vi raderete tra gli occhi per un morto. [2]Perché tu sei un popolo consacrato al Signore tuo Dio, il quale ti ha scelto fra tutti i popoli che sono sulla terra, affinché sia un popolo particolarmente suo.

[3]Non mangerete alcuna cosa abominevole. [4]Questi sono gli animali che potrete mangiare: bue, pecora, capra, [5]cervo, gazzella, daino, stambecco, antilope, bufalo, camo-

scio. [6]Potrete mangiare di ogni animale che ha lo zoccolo spaccato e diviso in due unghie, e che rumina. [7]Ma fra i ruminanti e tra quelli che hanno lo zoccolo spaccato e diviso, non mangerete il cammello, la lepre e l'irace, perché ruminano ma non hanno lo zoccolo spaccato. Per voi essi sono animali impuri. [8]Anche il porco, che, sebbene abbia lo zoccolo spaccato, ma non rumina, per voi è impuro. Non mangerete le loro carni e non toccherete i loro cadaveri.

[9]Tra tutti gli animali che vivono nell'acqua, potrete mangiare quelli che hanno pinne e squame; [10]ma non mangerete nessuno di quelli che non hanno pinne e squame. Per voi essi sono impuri.

[11]Potrete mangiare ogni specie di uccelli puri, [12]ma non dovrete mangiare i seguenti: l'aquila, l'ossifraga, l'avvoltoio, [13]il nibbio e ogni specie di falco, [14]ogni specie di corvo, [15]lo struzzo, la civetta, il gabbiano, tutti gli sparvieri, [16]il gufo, l'ibis, il cigno, [17]il pellicano, il martin pescatore, la fòlaga, [18]la cicogna, le varie specie di aironi, l'upupa, il pipistrello. [19]Considererete immondi gli insetti alati: non ne mangerete. [20]Mangerete invece ogni uccello puro.

[21]Non mangerete alcun animale che sia morto di morte naturale: lo darai al forestiero che risiede nelle tue città, perché lo mangi, o lo venderai a uno straniero, perché tu sei un popolo consacrato al Signore tuo Dio.

Non farai cuocere un capretto nel latte di sua madre.

[22]Prenderai la decima di ogni prodotto della tua semente che il campo produce ogni anno. [23]Mangerai al cospetto del Signore tuo Dio, nel luogo che egli avrà scelto come sede del suo nome, la decima del tuo frumento, del tuo mosto, del tuo olio, i primogeniti del tuo bestiame grosso e minuto, perché tu impari a temere sempre il Signore tuo Dio.

[24]Se è troppo lungo per te il cammino e tu non puoi trasportare la decima, perché è troppo distante da te il luogo che il Signore tuo Dio ha scelto come sede del suo nome, dopo che il Signore tuo Dio ti avrà benedetto, [25]la potrai cambiare in denaro e, stringendolo nella mano, andrai al luogo scelto dal Signore tuo Dio [26]e là impiegherai il denaro acquistando tutto ciò che tu desideri: bestiame grosso o minuto, vino, bevande

inebrianti o qualunque cosa di tuo gradimento. Mangerai davanti al Signore tuo Dio e ti rallegrerai tu e la tua famiglia. [27]Il levita che abita nelle tue città non lo trascurare, perché non ha né parte né eredità con te. [28]Al termine di ogni terzo anno prenderai tutte le decime dei tuoi prodotti e le deporrai alle porte delle tue città: [29]verranno il levita, che non ha né parte né eredità con te, il forestiero, l'orfano e la vedova che vivono nelle tue città, ne mangeranno e si sazieranno. Così il Signore tuo Dio ti benedirà in ogni opera a cui avrai messo mano».

NORME PER L'ANNO DELLA REMISSIONE

15 [1]«Al termine di ogni sette anni celebrerai l'anno della remissione. [2]Queste sono le norme che riguardano la remissione: ogni creditore rimetta quanto ha prestato al suo prossimo; non lo riscuota dal suo prossimo né dal suo fratello, quando sia proclamato l'anno della remissione per il Signore. [3]Tu potrai esigere il tuo credito dallo straniero, ma al tuo fratello condonerai quanto deve nei tuoi confronti. [4]Del resto non vi sarà presso di te alcun povero, poiché il Signore certo ti benedirà nella terra che il Signore tuo Dio ti dona in eredità come tuo possesso, [5]purché tu obbedisca fedelmente alla voce del Signore tuo Dio, osservando e praticando tutti gli ordini che oggi ti do. [6]Quando il Signore tuo Dio ti avrà benedetto, come ti ha promesso, tu farai prestito a molte nazioni, ma tu non chiederai nulla in prestito; dominerai molte nazioni, ma su di te esse non domineranno. [7]Se vi sarà presso di te qualche tuo fratello povero, in una delle città del paese che il Signore tuo Dio ti dona, non indurirai il tuo cuore e non chiuderai la tua mano al tuo fratello povero, [8]ma gli aprirai la mano, gli presterai generosamente quanto gli manca, per il bisogno in cui si trova. [9]Bada che non ci sia nel tuo cuore questo perverso calcolo: È vicino il settimo anno, l'anno della remissione, così da rendere l'occhio tuo cattivo verso il tuo fratello povero e non dargli nulla; egli griderebbe al Signore contro di te e su di te graverebbe un peccato. [10]Da', invece, generosamente a lui e il tuo cuore non

si rattristi mentre gli dai il tuo dono; perché proprio per questo il Signore tuo Dio ti benedirà in ogni tua opera e in ogni cosa a cui avrai messo mano. [11]Poiché non mancheranno mai nel paese i poveri, io ti prescrivo: Apri generosamente la mano al tuo fratello povero e bisognoso nella tua terra.

[12]Se un tuo fratello ebreo o una ebrea si vende a te, ti servirà per sei anni; ma al settimo anno lo manderai via da te libero. [13]Quando lo manderai via da te libero, non rimandarlo a mani vuote, [14]ma caricalo di doni del tuo gregge, della tua aia e del tuo torchio; nella misura in cui il Signore tuo Dio ha benedetto te, tu darai a lui. [15]Ricordati che tu sei stato schiavo nella terra d'Egitto e che il Signore tuo Dio ti ha liberato; perciò oggi io ti do questo comando. [16]Ma se ti dice: Non voglio andarmene da te, perché ama te e la tua casa e perché si trova bene con te, [17]allora prenderai un punteruolo e gli forerai l'orecchio contro la porta; così egli sarà tuo schiavo per sempre. Anche verso la tua schiava farai così. [18]Non ti rincresca di mandarlo via da te libero, perché ti ha servito per sei anni, il doppio cioè del salario di uno stipendiato. Così il Signore ti benedirà in ogni cosa che farai. [19]Consacrerai al Signore tuo Dio ogni primogenito maschio che nascerà dal tuo bestiame grosso e minuto. Non farai lavorare il primogenito della tua vacca e non toserai il primogenito della pecora. [20]Li mangerai ogni anno davanti al Signore tuo Dio, con la tua famiglia, nel luogo che il Signore avrà scelto. [21]Ma se ha qualche difetto, se è zoppo, cieco, o se ha qualche altra imperfezione, non lo sacrificherai al Signore tuo Dio: [22]lo mangerai dentro le tue città, ne mangerà chi è impuro e chi è puro, senza distinzione, come si mangia la gazzella e il cervo. [23]Solo non ne mangerai il sangue, lo verserai a terra come l'acqua».

LE TRE FESTE ANNUALI

16 La Pasqua – [1]«Osserva il mese di Abib e celebra la Pasqua per il Signore tuo Dio, perché nel mese di Abib il Signore tuo Dio ti ha fatto uscire dall'Egitto, durante la notte. [2]Immolerai la Pasqua al Signore tuo Dio: un sacrificio di piccolo e di grosso bestiame, nel luogo che egli avrà scelto per stabilirvi il suo nome. [3]Non

mangerai con essa pasta lievitata; per sette giorni mangerai con essa gli azzimi, un pane di dolore, poiché con trepidazione sei uscito dalla terra d'Egitto; così ti ricorderai del giorno della tua uscita dalla terra d'Egitto per tutto il tempo della tua vita. [4]Non si vedrà presso di te lievito in tutto il tuo territorio per sette giorni, né dovrà rimanere per tutta la notte fino al mattino alcunché della carne che hai sacrificato la sera del primo giorno. [5]Non potrai immolare la Pasqua in una qualsiasi delle città che il Signore tuo Dio ti dona, [6]ma la immolerai nel luogo che egli avrà scelto per stabilirvi il suo nome; la immolerai alla sera, al tramonto del sole, nell'ora in cui sei uscito dall'Egitto. [7]La farai cuocere e la mangerai nel luogo che il Signore tuo Dio avrà scelto. Al mattino dopo tornerai e andrai nelle tue tende. [8]Per sei giorni mangerai azzimi; nel settimo giorno si terrà un'adunanza in onore del Signore tuo Dio; non farai alcun lavoro.

La festa delle Settimane o Pentecoste – [9]Conterai sette settimane. Quando si metterà mano alla falce per iniziare a mietere il frumento, comincerai a contare sette settimane; [10]poi celebrerai la festa delle Settimane in onore del Signore tuo Dio, offrendo in misura della generosità con cui il Signore tuo Dio ti avrà benedetto. [11]Ti rallegrerai al cospetto del Signore tuo Dio, tu, tuo figlio, tua figlia, il tuo schiavo, la tua schiava, il levita che è nella tua città, il forestiero, l'orfano e la vedova che si trovano in mezzo a te nel luogo che il Signore tuo Dio avrà scelto per farvi abitare il suo nome. [12]Ricordati che sei stato schiavo in Egitto: osserva e metti in pratica queste leggi.

La festa delle Capanne – [13]Celebrerai la festa delle Capanne per sette giorni, quando raccoglierai il prodotto della tua aia e del tuo torchio, [14]e per questa festa gioirai tu, tuo figlio, tua figlia, il tuo schiavo, la tua schiava, il levita, il forestiero, l'orfano e la vedova che si trovano nella tua città. [15]Per sette giorni celebrerai la festa in onore del Signore tuo Dio nel luogo che egli avrà scelto; perché il Signore tuo Dio ti benedirà in ogni tuo raccolto e in ogni opera delle tue mani e tu sarai pienamente contento.
[16]Tre volte all'anno compariranno tutti i tuoi maschi al cospetto del Signore tuo Dio nel luogo che avrà scelto: nella festa degli Azzimi, nella festa delle Settimane, nella festa delle Capanne. Non si presenteranno al Signore a mani vuote, [17]ma ognuno offrirà secondo le sue possibilità, in proporzione alla benedizione che il Signore tuo Dio ti avrà dato.
[18]Costituirai giudici e scribi per ognuna delle tue tribù in tutte le città che il Signore tuo Dio ti dona; essi giudicheranno il popolo con giuste sentenze. [19]Non farai violenza al diritto, non farai preferenze di persona, non accetterai regali, perché il regalo acceca gli occhi dei saggi e perverte le parole dei giusti. [20]Seguirai solamente la giustizia, per poter vivere e possedere la terra che il Signore tuo Dio ti dona.
[21]Non pianterai alcun palo sacro di qualsiasi legno accanto all'altare del Signore tuo Dio, che ti sarai costruito; [22]né erigerai alcuna stele, che è in odio al Signore tuo Dio».

NORME RIGUARDANTI I GIUDICI E IL RE

17 [1]«Non sacrificherai al Signore tuo Dio un capo di bestiame grosso o minuto che abbia un difetto o qualche malattia, perché questo è abominio per il Signore tuo Dio.
[2]Se si troverà in mezzo a te, in una delle città che il Signore tuo Dio ti dona, un uomo o una donna che faccia quanto è male agli occhi del Signore tuo Dio, trasgredendo la sua alleanza, [3]che vada a servire altri dèi e a prostrarsi innanzi a loro, al sole, alla luna o a tutto l'esercito del cielo, cosa che io ho proibito; [4]se ciò ti è stato riferito o tu ne hai sentito parlare, e hai indagato e accertato che la cosa è vera, che cioè questo abominio è stato compiuto in Israele, [5]farai condurre alle porte della tua città quell'uomo o quella donna che hanno compiuto tale azione malvagia, e lapiderai quell'uomo o quella donna, così che muoiano. [6]Un condannato sarà messo a morte sulla parola di due o di tre testimoni; non potrà essere messo a morte sulla parola di un solo testimone.
[7]La mano dei testimoni sarà la prima contro di lui per ucciderlo, poi la mano di tutto il popolo. Così estirperai il male in mezzo a te.
[8]Se è troppo difficile per te una causa tra omicidio e omicidio, tra diritto e diritto, tra

percossa e percossa, o per qualsiasi altra causa di litigi nella tua città, allora ti alzerai e salirai al luogo che il Signore tuo Dio avrà scelto, [9]e andrai dai sacerdoti leviti e dal giudice che sarà in carica in quei giorni. Essi indagheranno e ti indicheranno i termini della sentenza. [10]Allora agirai secondo i termini che ti avranno indicato nel luogo che il Signore avrà scelto e avrai cura di conformarti alle loro istruzioni. [11]Agirai secondo le istruzioni che ti impartiranno e la sentenza che pronunceranno, senza deviare né a destra né a sinistra dalla sentenza che essi ti avranno indicato. [12]L'uomo che agirà con presunzione e senza ascoltare il sacerdote che sta là per servire il Signore tuo Dio o il giudice, quell'uomo dovrà morire. Così estirperai il male da Israele. [13]Tutto il popolo lo verrà a sapere, ne avrà paura e non agirà più con presunzione.

[14]Quando arriverai nella terra che il Signore tuo Dio ti dona, ne avrai preso possesso e l'abiterai, se dirai: Voglio costituire un re sopra di me, come tutte le nazioni che mi circondano, [15]costituirai sopra di te il re che il Signore tuo Dio avrà scelto; costituirai re sopra di te uno preso tra i tuoi fratelli; non potrai costituire sopra di te uno straniero, uno che non è tuo fratello. [16]Egli però non dovrà avere un gran numero di cavalli e non farà tornare il popolo in Egitto allo scopo di aumentare la sua cavalleria, perché il Signore vi ha detto: Non tornerete mai più indietro per quella via. [17]Come pure non dovrà avere un gran numero di mogli, perché il suo cuore non si lasci sviare; neppure abbia grande quantità d'argento e d'oro. [18]Non appena sarà assiso sul trono reale, trascriverà per sé su un libro una copia di questa legge, secondo l'esemplare che è presso i sacerdoti leviti. [19]La terrà con sé, la leggerà tutti i giorni della sua vita, per imparare a temere il Signore suo Dio, a osservare tutte le parole di questa legge e questi ordinamenti, per metterli in pratica, [20]per-

ché il suo cuore non si insuperbisca verso i suoi fratelli ed egli non si lasci sviare da questi comandi, né a destra né a sinistra. Così prolungherà i giorni del suo regno, lui e i suoi figli, in mezzo a Israele».

NORME PER I SACERDOTI E I PROFETI

18 [1]«I sacerdoti leviti, tutta la tribù di Levi, non avranno parte né eredità con Israele: vivranno dei sacrifici offerti al Signore e della sua eredità. [2]Non avranno alcuna eredità in mezzo ai loro fratelli; il Signore è la loro eredità, come ha loro promesso.

[3]Questi sono i diritti dei sacerdoti sul popolo, su coloro che offrono in sacrificio un capo di bestiame grosso o minuto: essi daranno al sacerdote la spalla, le mascelle e lo stomaco. [4]Gli darai le primizie del tuo frumento, del tuo mosto, del tuo olio e le primizie della tosatura delle tue pecore. [5]Perché il Signore tuo Dio l'ha scelto fra tutte le tue tribù per stare al servizio nel nome del Signore, lui e i suoi figli per sempre.

[6]Se un levita, partendo da una delle tue città, dove soggiorna in Israele, spinto dal suo desiderio, si recherà nel luogo che il Signore avrà scelto [7]e vi presterà servizio nel nome del Signore tuo Dio, come tutti i suoi fratelli leviti che stanno là al cospetto del Signore, [8]egli riceverà per il suo sostentamento una parte uguale a quella degli altri leviti, oltre il ricavato dalla vendita del suo patrimonio.

[9]Quando sarai entrato nella terra che il Signore tuo Dio ti dona, non imparerai a commettere gli abomini delle nazioni che vi abitano. [10]Non si troverà presso di te chi immola, facendoli passare per il fuoco, il proprio figlio o la propria figlia, né chi pratica la divinazione, il sortilegio, l'augurio, la magia; [11]né chi faccia incantesimi, chi consulti gli spiriti o gli indovini o chi interroghi i morti. [12]Perché chi compie queste cose è in abominio al Signore e a causa di tali abomini il Signore tuo Dio sta per scacciare quelle nazioni davanti a te. [13]Tu sarai irreprensibile verso il Signore tuo Dio. [14]Perché le nazioni che tu stai per sconfiggere ascoltano gli incantatori e gli indovini, ma a te il Signore tuo Dio non ha dato nulla di simile. [15]Il Signore tuo Dio susciterà per te tra i tuoi

---

18. - 6-8. Soppressi i santuari e gli altari regionali (Es 20,24), i leviti che vi ufficiavano sono invitati a recarsi presso l'unico santuario centrale, dove troveranno lo stesso trattamento di quelli che già vi dimorano.

15. Questo vaticinio si riferisce propriamente a una serie di profeti, nel senso che Dio non lascerà mai mancare nel suo popolo chi parli in suo nome. Questa serie culminerà nel Profeta per antonomasia, il Messia, Gesù Cristo, a cui questo testo viene appunto applicato nel NT (At 3,22; 7,37).

fratelli, in mezzo a te, un profeta come me: lui ascolterete. [16]Avrai così quanto hai chiesto al Signore tuo Dio all'Oreb, nel giorno dell'assemblea, dicendo: Non voglio più ascoltare la voce del Signore mio Dio, e non voglio più vedere questo grande fuoco, per non morire. [17]Il Signore mi rispose: Hanno parlato bene. [18]Susciterò per loro, in mezzo ai loro fratelli, un profeta come te, porrò le mie parole sulla sua bocca, ed egli dirà loro tutto ciò che gli ordinerò. [19]Se qualcuno non ascolterà le parole che egli dice in mio nome, io stesso gliene chiederò conto. [20]Ma il profeta che presume di dire in mio nome una parola che io non gli ho ordinato di dire o che parlerà in nome di altri dèi, quel profeta dovrà morire. [21]Se tu dici in cuor tuo: Come riconosceremo la parola che il Signore non ha detto? [22]Quando il profeta parla in nome del Signore, ma la parola non si compie, quella è una parola che il Signore non ha pronunziato. Il profeta ha parlato per presunzione: non devi aver paura di lui».

LE CITTÀ DI RIFUGIO

19 [1]«Quando il Signore tuo Dio avrà eliminato le nazioni delle quali egli sta per darti la terra, quando tu le avrai sconfitte e abiterai nelle loro città e nelle loro case, [2]ti sceglierai tre città nella terra che il Signore tuo Dio ti dà in possesso, [3]ne sistemerai l'accesso e dividerai in tre parti il territorio del paese che il Signore tuo Dio ti darà in eredità, perché ogni omicida vi si possa rifugiare. [4]Ecco in quale caso l'omicida che vi si rifugia avrà salva la vita: quando colpisce il suo prossimo involontariamente, senza aver avuto prima odio contro di lui. [5]Colui che va con il suo compagno nel bosco a tagliar legna e, mentre la mano brandisce l'accetta per tagliare un albero, il ferro sfugge dal manico e colpisce il suo compagno, che muore: costui si rifugerà in una di quelle città e avrà salva la propria vita, [6]altrimenti il vendicatore del sangue, preso dall'ira, potrebbe inseguire l'omicida e, inseguendolo a lungo, raggiungerlo e colpirlo a morte, benché non lo meritasse, non avendo prima odiato il compagno. [7]Per questo ti ordino: Scegliti tre città di rifugio.

[8]Se il Signore tuo Dio amplierà i tuoi confini, come ha giurato di fare ai tuoi padri, e ti concederà tutta la terra che ha promesso di dare ai tuoi padri, [9]se tu osserverai e metterai in pratica tutti questi comandi che oggi ti do, amando il Signore tuo Dio e camminando sempre secondo le sue vie, allora aggiungerai tre città alle prime tre. [10]Così non si spargerà sangue innocente nella terra che il Signore tuo Dio ti dona in eredità, e tu non ti renderai colpevole di omicidio.

[11]Ma se un uomo odia il suo prossimo, gli tende insidie, si scaglia contro di lui e lo colpisce a morte, e poi si rifugia in una di quelle città, [12]gli anziani della sua città lo manderanno a prendere di là e lo consegneranno nelle mani del vendicatore del sangue perché sia messo a morte. [13]Il tuo occhio non avrà misericordia di lui; ma sradicherai da Israele ogni attentato contro il sangue innocente e sarai felice.

[14]Non sposterai i confini del tuo vicino, posti dai tuoi antenati, nella proprietà che erediterai nella terra che il Signore tuo Dio ti dona in possesso.

[15]Un solo testimone non avrà alcun valore contro un uomo per una qualsiasi colpa e per un qualsiasi peccato; qualsiasi peccato uno abbia commesso, il fatto sarà stabilito sulla parola di due o di tre testimoni. [16]Se si presenta un testimone ingiusto contro un uomo per accusarlo di ribellione, [17]i due uomini fra cui vi è contesa compariranno al cospetto del Signore, davanti ai sacerdoti e ai giudici che saranno in carica in quei giorni. [18]I giudici indagheranno con cura, e se il testimone è menzognero e ha accusato falsamente il fratello, [19]farete a lui quanto meditava di fare al fratello. Così estirperai il male in mezzo a te. [20]Gli altri ne sentiranno parlare, ne avranno paura e non commetteranno più un'azione malvagia come questa in mezzo a te. [21]Il tuo occhio non avrà misericordia: vita per vita, occhio per occhio, dente per dente, mano per mano, piede per piede».

DISPOSIZIONI PER IL TEMPO DI GUERRA

20 [1]«Quando andrai in guerra contro i tuoi nemici e vedrai cavalli, carri e un popolo più numeroso di te, non ne aver paura: perché è con te il Signore

tuo Dio, che ti ha fatto uscire dalla terra d'Egitto. ²Quando sarete vicini alla
battaglia, il sacerdote si farà avanti, parlerà al popolo ³e dirà: Ascolta, Israele!
Voi oggi state per combattere contro i
vostri nemici: non venga meno il vostro
cuore, non abbiate paura, non spaventatevi e non tremate davanti a loro! ⁴Perché il Signore vostro Dio avanza con voi
per combattere contro i vostri nemici e
per salvarvi. ⁵I capi diranno al popolo: C'è
qualcuno che ha costruito una casa nuova e non l'ha inaugurata? Vada e ritorni a
casa sua perché non muoia in battaglia
e un altro la inauguri. ⁶C'è qualcuno che
ha piantato una vigna e non ne ha colto
i primi frutti? Vada e ritorni a casa sua,
perché non muoia in battaglia e un altro
ne colga i primi frutti.
⁷C'è qualcuno che si è fidanzato con una
donna e non l'ha ancora sposata? Vada
e ritorni a casa sua perché non muoia in
battaglia e un altro la sposi. ⁸I capi diranno
ancora al popolo: C'è qualcuno che ha paura e si sente venir meno il coraggio? Vada
e ritorni a casa sua, perché anche ai suoi
fratelli non venga meno il coraggio come a
lui. ⁹Quando i capi avranno finito di parlare
al popolo, costituiranno dei capi di schiere
che porranno alla testa del popolo.
¹⁰Quando ti avvicinerai a una città per attaccarla, prima le proporrai la pace. ¹¹Se accetta la pace e ti aprirà le porte, allora tutto
il popolo che vi si trova ti sarà tributario e ti
servirà. ¹²Se invece non accetta la pace con
te e ti farà guerra, la stringerai d'assedio,
¹³e il Signore tuo Dio la metterà nelle tue
mani. Passerai tutti i maschi a fil di spada,
¹⁴mentre le donne, i bambini, il bestiame e
quanto ci sarà nella città, tutto il suo bottino, li prenderai come tua preda; mangerai il
bottino dei tuoi nemici che il Signore tuo Dio
ti avrà concesso. ¹⁵Così farai a tutte le città
molto lontane da te, e che non sono città di
queste nazioni.
¹⁶Invece nelle città di questi popoli che il Signore tuo Dio ti dona in eredità non lascerai
in vita alcun essere che respiri, ¹⁷ma voterai
allo sterminio Hittiti, Amorrei, Cananei, Pe-

rizziti, Evei e Gebusei, come ti ha ordinato
di fare il Signore tuo Dio, ¹⁸perché essi non
vi insegnino ad imitare tutti gli abomini che
compiono per i loro dèi e voi non pecchiate
contro il Signore vostro Dio.
¹⁹Quando stringerai d'assedio una città per
combatterla ed espugnarla non rovinerai i
suoi alberi brandendo contro di essi l'accetta; ne mangerai il frutto, ma non dovrai
reciderli. Sono forse uomini gli alberi della
campagna per debbano essere coinvolti nel tuo assedio? ²⁰Potrai rovinare e
distruggere soltanto gli alberi che sai non
essere da frutta, per costruire opere d'assedio contro la città che ti fa guerra, finché
non sia caduta».

NORME
PER ALCUNI CASI PARTICOLARI

21 ¹«Se nella terra che il Signore tuo
Dio ti dona in eredità si trova un
uomo ucciso, disteso nella campagna e
non si sa chi lo abbia colpito, ²i tuoi anziani e i tuoi giudici usciranno e misure-
ranno la distanza tra le città dei dintorni e
l'ucciso. ³Gli anziani della città più vicina
all'ucciso prenderanno una vitella che
non abbia ancora lavorato né portato il
giogo. ⁴Faranno scendere la vitella presso un corso d'acqua corrente, in un luogo
dove non si lavori né si semini e là, sul
corso d'acqua, spezzeranno la nuca della
vitella. ⁵Si avvicineranno poi i sacerdoti
figli di Levi, poiché il Signore tuo Dio li
ha scelti per il suo servizio e per benedire nel nome del Signore, e secondo la
loro parola si decide su ogni contesa e su
ogni lesione corporale. ⁶Tutti gli anziani di
quella città che è la più vicina all'ucciso si
laveranno le mani sulla vitella, a cui hanno spezzato la nuca sul corso d'acqua, ⁷e
dichiareranno: Le nostre mani non hanno
versato questo sangue, e i nostri occhi
non l'hanno visto spargere. ⁸Perdona,
Signore, il tuo popolo Israele che tu hai liberato; non permettere che sangue innocente sia versato in mezzo al tuo popolo
Israele. Così sarà loro perdonato per quel
sangue, ⁹e tu avrai tolto di mezzo a te la
colpa di quel sangue innocente, facendo
ciò che è gradito agli occhi del Signore.
¹⁰Quando uscirai in guerra contro i tuoi

---

20. - 10-18. Leggi di guerra severe. Ma se si pensa alle
atrocità che accompagnavano le guerre presso altri popoli,
esse rappresentano un progresso considerevole e appaiono
più umane.

Dt

nemici e il Signore tuo Dio li avrà messi in tuo potere e tu avrai fatto dei prigionieri, [11]se scorgerai tra i prigionieri una donna di bell'aspetto e tu te ne innamori e la vorrai prendere per moglie, [12]conducila a casa tua. Essa si raderà il capo, si taglierà le unghie, [13]deporrà la veste di prigioniera, abiterà nella tua casa e piangerà suo padre e sua madre per un mese intero; poi potrai accostarti a lei, sarai suo marito e lei sarà tua moglie. [14]Se poi non provi più amore verso di lei, lasciala andare dove meglio le piace, ma non potrai venderla per denaro e non potrai trattarla con prepotenza perché tu l'hai disonorata. [15]Quando un uomo ha due mogli, l'una amata e l'altra odiata, ed entrambe gli avranno procreato figli, se il primogenito è il figlio dell'odiata, [16]quando dividerà tra i suoi figli i beni che possiede, non potrà costituire primogenito il figlio dell'amata, preferendolo al figlio dell'odiata, che è il primogenito; [17]ma riconoscerà come primogenito il figlio dell'odiata dandogli una parte doppia di quanto possiede: è la primizia del suo vigore, perciò ha diritto alla primogenitura. [18]Quando un uomo ha un figlio caparbio e ribelle che non ascolta né la voce del padre né la voce della madre e, benché castigato, non dà loro ascolto, [19]il padre e la madre lo prenderanno e lo condurranno dagli anziani della città, alla porta del luogo dove abita, [20]e diranno agli anziani della città: Questo nostro figlio è caparbio e ribelle e non ascolta la nostra voce; è vizioso e bevitore. [21]Allora tutti gli uomini della sua città lo lapideranno ed egli morirà. Sradicherai così il male in mezzo a te, tutto Israele lo saprà e ne avrà timore. [22]Quando un uomo ha commesso un peccato che merita la pena capitale, è stato messo a morte e tu l'hai appeso a un albero, [23]il suo cadavere non dovrà rimanere appeso tutta la notte all'albero; lo devi seppellire in quello stesso giorno, perché l'appeso è una maledizione di Dio e tu non devi contaminare la terra che il Signore tuo Dio ti dona in eredità».

LE LEGGI SOCIALI E RITUALI

22 [1]«Se vedi che il bue o la pecora di un tuo fratello si sono smarriti, non devi passare oltre, ma avrai cura di ricondurglieli. [2]Se quel tuo fratello non abita vicino a te o non lo conosci, accogli l'animale in casa tua: starà con te finché tuo fratello non lo cerchi e allora glielo renderai. [3]Così farai per il suo asino, per il suo mantello e per ogni oggetto che tuo fratello ha smarrito e che tu hai ritrovato. Non puoi far finta di non vederli. [4]Se vedi che l'asino o il bue di tuo fratello sono caduti sulla strada, non scansarli, ma aiutalo subito a rialzarli.

[5]La donna non si metterà indumento da uomo, né l'uomo indosserà una veste da donna, perché chiunque fa queste cose è in abominio al Signore tuo Dio.

[6]Se, mentre cammini, troverai su un albero o per terra un nido di uccelli con gli uccellini o con le uova e la madre che cova gli uccellini o le uova, non prendere la madre sui figli. [7]Lascia andar via la madre e prenditi i figli, perché tu sia felice e abbia lunga vita.

[8]Quando edificherai una casa nuova, farai un parapetto attorno alla terrazza, così non graverai la tua casa di una colpa di sangue se qualcuno cadrà giù.

[9]Non seminerai nella tua vigna semi di due specie diverse, altrimenti il prodotto di quanto hai seminato e il prodotto della vigna saranno consacrati al Signore. [10]Non arerai con un bue e un asino aggiogati insieme.

[11]Non indosserai un tessuto misto, fatto di lana e di lino insieme. [12]Ti farai delle frange ai quattro angoli del mantello con cui ti copri.

[13]Se un uomo sposa una donna, e dopo aver coabitato con lei la prende in odio, [14]le muove accuse disdicevoli e la diffama dicendo: Ho sposato questa donna, mi sono avvicinato a lei, ma non le ho trovato i segni della verginità, [15]il padre e la madre della giovane prenderanno i segni della verginità della giovane, li porteranno agli anziani alla porta della città, [16]e il padre della giovane dirà agli anziani: Ho dato mia figlia in sposa a quest'uomo, ma egli l'ha odiata, [17]ed ecco le muove accuse disdicevoli dicendo: Non ho trovato in tua figlia i segni della verginità. Ebbene, questi sono i segni della verginità di mia figlia, e stenderanno l'indu-

---

21. - 18-21. Legge severa, ma ben lontana dal diritto insindacabile di vita e di morte che numerose legislazioni dell'antichità attribuivano al padre di famiglia. Tutti dovevano intervenire a lapidare il *figlio caparbio*, perché tutti avevano interesse a eliminare il male.

mento davanti agli anziani della città. [18]Gli anziani di quella città prenderanno l'uomo, lo castigheranno, [19]lo multeranno di cento sicli d'argento e li daranno al padre della giovane, perché quegli ha diffuso una cattiva fama contro una vergine d'Israele. Rimarrà sua moglie ed egli non potrà ripudiarla mai più.

[20]Ma se quel fatto è vero, se la giovane non è stata trovata in stato di verginità, allora [21]condurranno la giovane alla porta della casa di suo padre, e la gente della sua città la lapiderà, così che muoia, perché ha commesso un'infamia in Israele, profanando la casa di suo padre. Estirperai così il male in mezzo a te.

[22]Se un uomo viene trovato mentre ha rapporti coniugali con una donna sposata, dovranno essere messi a morte tutti e due, l'uomo che ha peccato e la donna. Estirperai così il male da Israele.

[23]Se una giovane vergine è fidanzata a un uomo, e un altro uomo la trova in città e ha rapporti coniugali con lei, [24]li condurrete tutti e due alla porta della città e li lapiderete così che muoiano: la giovane perché, essendo in città, non ha gridato, e l'uomo perché ha disonorato la donna del suo prossimo. Estirperai così il male in mezzo a te.

[25]Ma se l'uomo trova la giovane fidanzata in campagna, e facendole violenza, pecca con lei, allora dovrà morire solo l'uomo che le ha fatto violenza, [26]mentre tu non farai nulla alla giovane. Per la giovane non c'è peccato meritevole di morte: come quando un uomo assale il suo prossimo e lo uccide, così è in questo caso: [27]la giovane fidanzata, essendo stata trovata in campagna, magari ha gridato, ma nessuno l'ha sentita. [28]Se un uomo trova una giovane vergine non fidanzata, la prende e pecca con lei e sono colti in flagrante, [29]l'uomo che ha peccato con lei darà al padre della giovane cinquanta sicli d'argento ed essa sarà sua moglie; poiché l'ha disonorata, non gli sarà mai lecito ripudiarla».

GLI ESCLUSI DALLA COMUNITÀ DEL SIGNORE

23 [1]«Nessuno sposerà una moglie di suo padre, né scoprirà il lembo del mantello di suo padre. [2]Chi ha i testicoli contusi e il membro virile mutilato non entrerà nella comunità del Signore. [3]Il bastardo non entrerà nella comunità del Signore; neppure alla decima generazione i suoi potranno entrare nella comunità del Signore.

[4]L'Ammonita e il Moabita non entreranno nella comunità del Signore; neppure alla decima generazione i loro discendenti potranno essere ammessi nella comunità del Signore, [5]perché non vi sono venuti incontro col pane e con l'acqua nel vostro cammino, quando siete usciti dall'Egitto, e perché hanno pagato contro di te Balaam, figlio di Beor, da Petor nel paese dei due fiumi, perché ti maledicesse. [6]Ma il Signore tuo Dio non ha voluto ascoltare Balaam; il Signore tuo Dio ha mutato la maledizione in benedizione, perché il Signore tuo Dio ti ama. [7]Non cercherai né la loro pace né il loro benessere per tutti i giorni della tua vita, mai.

[8]Non avrai in abominio l'Idumeo, perché è tuo fratello. Non avrai in abominio l'Egiziano, perché sei stato forestiero nella sua terra. [9]I figli che nasceranno da loro, alla terza generazione potranno essere ammessi nella comunità del Signore.

[10]Quando uscirai in campo contro i tuoi nemici, guardati dal compiere qualsiasi cosa cattiva. [11]Se c'è presso di te un uomo che non sia puro a causa di un accidente notturno, dovrà uscire dall'accampamento e non vi rientrerà; [12]ma verso sera si laverà con l'acqua e al tramonto del sole potrà rientrare nell'accampamento. [13]Avrai pure un luogo fuori dell'accampamento dove andare per i tuoi bisogni. [14]Nel tuo equipaggiamento dovrai avere anche una paletta, con la quale scavare una buca in terra quando ti apparti per i tuoi bisogni, per poi ricoprire gli escrementi. [15]Poiché il Signore tuo Dio si muove in mezzo al tuo accampamento per proteggerti e per mettere i tuoi nemici in tuo potere, l'accampamento deve essere santo ed egli non deve vedere presso di te alcuna indecenza, altrimenti si allontanerebbe da te.

Dt

---

22. - 23-24. Il fidanzamento presso gli Ebrei aveva forza di contratto matrimoniale e rendeva veri sposi, con tutte le conseguenze legali.

23. - 3. I bastardi erano israeliti nati da unioni proibite dalla legge e non godevano di tutti i diritti civili.

¹⁶Non consegnerai al padrone uno schiavo che, dopo essere fuggito da lui, si sia rifugiato presso di te. ¹⁷Rimarrà con te, in mezzo ai tuoi, nel luogo che avrà scelto, in una delle tue città dove si troverà bene; non l'opprimerai.

¹⁸Non vi sarà prostituta sacra tra le figlie d'Israele e non vi sarà prostituto sacro tra i figli d'Israele. ¹⁹Non porterai nella casa del Signore tuo Dio il guadagno di una prostituta né il guadagno di un cane, qualsiasi voto tu abbia fatto, perché entrambi sono un abominio per il Signore tuo Dio.

²⁰Non esigerai alcun interesse da tuo fratello: né per prestiti di denaro, né per prestiti di viveri, né per qualsiasi cosa che si presta a interesse. ²¹Dallo straniero potrai esigere un interesse, ma non dal tuo fratello, perché il Signore tuo Dio ti benedica in ogni cosa a cui metterai mano nel paese che stai per conquistare.

²²Quando fai un voto al Signore tuo Dio, non tardare a compierlo, perché di certo il Signore tuo Dio te ne domanderebbe conto e in te vi sarebbe un peccato. ²³Ma se ti astieni dal fare un voto, in te non vi è peccato. ²⁴Mantieni la parola uscita dalle tue labbra; soddisfa il voto che hai fatto volontariamente al Signore tuo Dio e che hai pronunciato con la tua bocca.

²⁵Quando entrerai nella vigna del tuo prossimo, potrai mangiare uva secondo il tuo appetito, a sazietà; ma non ne potrai mettere nel tuo paniere. ²⁶Quando entrerai nelle messi del tuo prossimo potrai coglierne spighe con la mano, ma non potrai mettere la falce nelle messi del tuo prossimo».

IL DIVORZIO

24 ¹«Se un uomo prende una donna e la sposa, e questa non trova più favore ai suoi occhi perché egli ha trovato in lei qualcosa di sconveniente, le scriva l'atto di divorzio, glielo consegni in mano e la mandi via dalla casa. ²Se poi lei, uscita dalla sua casa, diventa moglie di un altro uomo ³e anche questo secondo la prende in odio e le scrive l'atto di divorzio, glielo consegna in mano e la manda via da casa sua, oppure se questo secondo uomo che l'aveva sposata muore, ⁴il primo marito che l'aveva mandata via non

potrà riprenderla per moglie dopo che essa è stata contaminata. Ciò sarebbe un abominio agli occhi del Signore. Tu non devi macchiare col peccato la terra che il Signore tuo Dio ti dona in eredità.

⁵Se un uomo si è appena sposato, non verrà arruolato nell'esercito, né gli si imporrà alcun servizio; per un anno rimarrà libero a casa sua e allieterà la moglie che ha sposato.

⁶Non si dovranno prendere in pegno le due mole della macina domestica o la mola superiore; sarebbe come prendere in pegno la vita.

⁷Se un uomo rapisce uno dei suoi fratelli tra i figli d'Israele, se lo sfrutta come schiavo o lo vende, quel rapitore dovrà essere messo a morte. Estirperai così il male in mezzo a te. ⁸In caso di lebbra guarda di osservare diligentemente e di adempiere integralmente le disposizioni che vi impartiranno i sacerdoti leviti: avrete cura di fare come io ho loro ordinato. ⁹Ricorda ciò che il Signore tuo Dio ha fatto a Maria, durante il viaggio, quando usciste dall'Egitto.

¹⁰Se fai un qualsiasi prestito al tuo prossimo, non entrare in casa sua per prenderti il suo pegno; ¹¹rimarrai fuori e l'uomo al quale hai fatto il prestito ti porterà fuori il pegno. ¹²Ma se quell'uomo è bisognoso, non andrai a dormire col suo pegno; ¹³devi restituirgli il pegno al tramonto del sole, perché egli possa dormire con il suo mantello e benedirti. Ciò ti sarà riconosciuto come una cosa giusta al cospetto del Signore tuo Dio. ¹⁴Non defrauderai il salariato povero e bisognoso, né tra i tuoi fratelli né tra i forestieri che si trovano nella tua terra, nelle tue città.

¹⁵Ogni giorno gli darai il suo salario, prima che tramonti il sole, perché egli è povero e lo desidera ardentemente; così egli non griderà contro di te al Signore e tu sarai senza peccato.

¹⁶Non saranno messi a morte i padri per le colpe dei figli né i figli saranno messi a morte per le colpe dei padri; ognuno sarà messo a morte per il proprio peccato.

¹⁷Non lederai il diritto del forestiero e dell'orfano e non prenderai in pegno la veste della

---

24. - 1-4. La permissione del divorzio era tollerata come minor male (cfr. Mt 19,7-8), tuttavia veniva circondata da diverse cautele. Non per qualsiasi causa era permesso il ripudio, ma solo in casi specifici.

vedova. [18]Ricordati che sei stato schiavo in Egitto e che di là ti ha liberato il Signore tuo Dio; perciò ti ordino di fare questa cosa.

[19]Quando raccogli la messe nel tuo campo e dimentichi qualche covone, non tornare indietro a prenderlo: sarà per il forestiero, per l'orfano e per la vedova, perché il Signore tuo Dio ti benedica in ogni lavoro delle tue mani. [20]Quando abbacchi i tuoi ulivi, non raccogliere ciò che resta sui rami: sarà per il forestiero, per l'orfano e per la vedova. [21]Quando vendemmi la tua vigna, non tornare indietro a racimolare: quanto resta sarà per il forestiero, per l'orfano e per la vedova. [22]Ricordati che sei stato schiavo in Egitto; perciò ti ordino di fare questa cosa».

LA LEGGE DEL LEVIRATO E ALTRE PRESCRIZIONI

25 [1]«Quando sorgerà una contesa fra alcuni uomini, essi si presenteranno al tribunale e saranno giudicati: l'innocente verrà assolto e il colpevole condannato. [2]Se il colpevole meriterà d'essere fustigato, il giudice lo farà stendere a terra e fustigare con un numero di battiture proporzionato alla sua colpa. [3]Gli farà dare quaranta battiture, ma non di più, perché, oltrepassando questo numero di battiture, la punizione non risulti sproporzionata e il tuo fratello resti infamato ai tuoi occhi. [4]Non metterai la museruola al bue che trebbia.

[5]Se alcuni fratelli abitano insieme e uno di loro muore senza figli, la moglie del defunto non sposerà uno di fuori, un estraneo; suo cognato andrà da lei e la sposerà compiendo verso di lei il dovere di cognato; [6]il primogenito che essa genererà porterà il nome del fratello defunto: così il suo nome non sarà cancellato da Israele.

[7]Ma se a quell'uomo non piace prendere la cognata, costei salirà alla porta degli anziani e dirà: Mio cognato ha rifiutato di assicurare il nome di suo fratello in Israele, non acconsente a compiere verso di me il dovere di cognato.

[8]Gli anziani della città, allora, lo chiameranno e gli parleranno. Ma se egli si presenterà dicendo: Non ho piacere di prenderla, [9]allora la cognata gli si avvicinerà in presenza degli anziani, gli toglierà il sandalo dal piede, gli sputerà in faccia e proclamerà: Così si fa all'uomo che non vuole ricostruire la famiglia del fratello. [10]Perciò in Israele la sua famiglia verrà chiamata con questo nome: "la famiglia dello scalzo".

[11]Se due uomini si azzuffano fra loro e la moglie di uno di essi si avvicina per liberare il marito dalle mani di chi lo percuote e stende la mano per afferrare costui sulle parti vergognose, [12]tu le taglierai la mano. Il tuo occhio non avrà pietà.

[13]Non avrai nel tuo sacco due pesi diversi, uno grande e uno piccolo. [14]Non avrai nella tua casa due tipi di efa, una grande e una piccola. [15]Avrai invece un peso esatto e giusto, come pure un'efa esatta e giusta affinché tu possa avere lunga vita nella terra che il Signore tuo Dio ti dona. [16]Perché chiunque commette tali cose, chiunque commette ingiustizia è in abominio al Signore.

[17]Ricorda quanto ti ha fatto Amalek durante il viaggio, quando uscivate dall'Egitto: [18]ti ha assalito lungo il cammino e, senza temere Dio, ha aggredito alle spalle i più deboli che si trascinavano dietro di te, mentre tu eri stanco e sfinito. [19]Quando il Signore tuo Dio ti avrà concesso sicurezza da tutti i nemici che ti circondano, nella terra che il Signore tuo Dio ti dona in eredità, tu cancellerai il ricordo di Amalek sotto il cielo. Non dimenticare!».

L'OFFERTA DELLE PRIMIZIE E LA PROFESSIONE DI FEDE

26 [1]«Quando sarai entrato nella terra che il Signore tuo Dio ti dona in eredità e l'avrai conquistata e vi abiterai, [2]prenderai le primizie di tutti i frutti del suolo da te raccolti nella terra che il Signore tuo Dio ti dona, le metterai in un cesto e ti recherai al luogo che il Signore tuo Dio avrà scelto per stabilirvi il suo nome. [3]Andrai dal sacerdote che sarà in carica in quei giorni e gli dirai: Io dichiaro oggi al Signore mio Dio di essere entrato nella terra che il Signore ha giurato ai nostri padri di darci.

---

25. - 5-6. La presente legge è chiamata del «levirato», dalla parola latina *levir*, che vuol dire «cognato». Suo scopo era di mantenere l'integrità delle famiglie e la proporzione dei beni.

⁴Il sacerdote prenderà il cesto dalla tua mano e lo deporrà davanti all'altare del Signore tuo Dio; ⁵allora pronuncerai queste parole al cospetto del Signore tuo Dio: Mio padre era un Arameo errante, discese in Egitto, vi abitò da forestiero con poca gente e vi divenne una nazione grande, forte e numerosa. ⁶Gli Egiziani ci maltrattarono, ci oppressero, ci imposero una dura schiavitù. ⁷Allora gridammo al Signore Dio dei nostri padri, ed egli ascoltò la nostra voce, vide la nostra miseria e la nostra oppressione ⁸e ci fece uscire dall'Egitto con mano forte, con braccio teso, spargendo terrore e operando segni e prodigi; ⁹ci condusse in questo luogo e ci diede questa terra, dove scorre latte e miele. ¹⁰Ora, ecco, io presento le primizie dei frutti del suolo che tu, Signore, mi hai concesso. Le deporrai davanti al Signore tuo Dio e ti prostrerai al cospetto del Signore tuo Dio. ¹¹E per tutto il bene che il Signore tuo Dio ha fatto a te e alla tua casa, gioirai tu, con il levita e con il forestiero che si trova in mezzo a te.

¹²Il terzo anno, l'anno delle decime, quando avrai terminato di offrire tutte le decime dei tuoi prodotti e le avrai date al levita, al forestiero, all'orfano e alla vedova perché ne mangino nelle tue città e se ne sazino, ¹³allora dirai al cospetto del Signore tuo Dio: Ho tolto dalla mia casa ciò che era consacrato e ne ho dato al levita, al forestiero, all'orfano e alla vedova, secondo tutti i precetti che mi hai ordinato; non ne ho trasgredito nessuno e non li ho dimenticati. ¹⁴Non ne ho mangiato durante il mio lutto, non ne ho consumato quando ero immondo, non ne ho dato a un morto. Ho ascoltato la voce del Signore mio Dio, ho agito secondo quanto mi hai ordinato. ¹⁵Affàcciati dalla tua santa dimora, dal cielo, benedici il tuo popolo Israele e il suolo che ci hai donato, come avevi giurato ai nostri padri, terra dove scorre latte e miele.

¹⁶Oggi il Signore tuo Dio ti comanda di mettere in pratica queste leggi e queste norme: osservale e mettile in pratica con tutto il cuore e con tutta l'anima. ¹⁷Oggi hai sentito che il Signore ha dichiarato di essere il tuo Dio, ma solo se tu cammini per le sue vie, osservi i suoi comandamenti, le sue leggi e le sue norme e ascolti la sua voce. ¹⁸Il Signore oggi ti ha fatto dichiarare di essere un popolo di sua proprietà, come egli ti ha detto, ma solo se osserverai tutte le sue leggi, ¹⁹così che egli ti renda superiore per rinomanza, splendore e gloria a tutte le nazioni che ha fatto e tu sia un popolo consacrato al Signore tuo Dio, come egli ha detto».

LA PROCLAMAZIONE DELLA LEGGE

27 ¹Mosè e gli anziani d'Israele ordinarono al popolo: «Osservate tutti i comandamenti che oggi vi prescrivo. ²Quando avrete attraversato il Giordano per entrare nella terra che il Signore tuo Dio ti dona, drizzerai delle grandi pietre e le spalmerai di calce; ³vi scriverai sopra tutte le parole di questa legge, quando sarai passato per entrare nella terra che il Signore tuo Dio ti dona, terra dove scorre latte e miele, come il Signore, Dio dei tuoi padri, ti ha promesso. ⁴Quando dunque avrete attraversato il Giordano, drizzerete queste pietre sul monte Ebal, come oggi vi ordino, e le spalmerai di calce. ⁵Edificherai là anche un altare al Signore tuo Dio, un altare di pietre sulle quali non hai fatto passare alcuno strumento di ferro. ⁶Edificherai l'altare del Signore tuo Dio con pietre intatte e sopra vi offrirai olocausti al Signore tuo Dio, ⁷immolerai sacrifici pacifici, e là mangerai e ti rallegrerai al cospetto del Signore tuo Dio. ⁸Scriverai su quelle pietre tutte le parole di questa legge: scolpiscile bene».

⁹Mosè e i sacerdoti leviti dissero a tutto Israele: «Taci e ascolta, Israele! Oggi sei divenuto il popolo del Signore tuo Dio. ¹⁰Ascolterai quindi la voce del Signore tuo Dio e metterai in pratica i suoi precetti e le sue leggi che oggi ti do».

¹¹In quello stesso giorno Mosè ordinò al popolo: ¹²«Quando avrete attraversato il Giordano, ecco quelli che staranno sul monte Garizim per benedire: Simone, Levi, Giuda, Issacar, Giuseppe e Beniamino; ¹³ed ecco quelli che staranno sul monte Ebal per pronunciare la maledizione: Ruben, Gad, Aser, Zabulon, Dan e Neftali. ¹⁴I leviti intoneranno e diranno a voce alta a tutti gli Israeliti:

¹⁵Maledetto colui che fa un'immagine scolpita o di metallo fuso, abominio per il Signore, opera delle mani di un artigiano, e lo pone in luogo segreto. Tutto il popolo risponderà: Amen.

¹⁶Maledetto colui che disonora suo padre e sua madre. Tutto il popolo dirà: Amen. ¹⁷Maledetto colui che sposta i confini del suo prossimo. Tutto il popolo dirà: Amen. ¹⁸Maledetto colui che fa smarrire un cieco sul cammino. Tutto il popolo dirà: Amen. ¹⁹Maledetto colui che calpesta il diritto del forestiero, dell'orfano e della vedova. Tutto il popolo dirà: Amen. ²⁰Maledetto colui che si unisce con la moglie di suo padre, poiché solleva il lembo del mantello di suo padre. Tutto il popolo dirà: Amen. ²¹Maledetto colui che si unisce con una qualsiasi bestia. Tutto il popolo dirà: Amen. ²²Maledetto colui che si unisce con la sorella, figlia di suo padre o figlia di sua madre. Tutto il popolo dirà: Amen. ²³Maledetto colui che si unisce con la suocera. Tutto il popolo dirà: Amen. ²⁴Maledetto colui che uccide il suo prossimo di nascosto. Tutto il popolo dirà: Amen. ²⁵Maledetto colui che accetta un regalo per condannare a morte un innocente. Tutto il popolo dirà: Amen. ²⁶Maledetto colui che non si attiene a tutte le parole di questa legge e non le mette in pratica. Tutto il popolo dirà: Amen».

LE BENEDIZIONI PER CHI OSSERVA LA LEGGE DEL SIGNORE

28 ¹«Se ascolterai attentamente la voce del Signore tuo Dio impegnandoti a mettere in pratica tutti i suoi comandi che oggi ti do, il Signore tuo Dio ti renderà superiore a tutte le nazioni della terra, ²su di te verranno tutte queste benedizioni e ti raggiungeranno, perché hai ascoltato la voce del Signore tuo Dio. ³Sarai benedetto nella città e benedetto nella campagna. ⁴Benedetto sarà il frutto del tuo seno, il frutto della tua terra, il frutto del tuo bestiame, i parti delle tue vacche e i nati del tuo gregge. ⁵Benedetto il cesto e la tua madia. ⁶Sarai benedetto quando entri e benedetto quando esci. ⁷Il Signore sconfiggerà i tuoi nemici che insorgeranno contro di te e li

metterà nelle tue mani: per una via verranno contro di te, ma per sette vie fuggiranno davanti a te. ⁸Il Signore ordinerà che la benedizione sia con te nei tuoi granai e in ogni lavoro delle tue mani; ti benedirà nella terra che il Signore tuo Dio ti dona. ⁹Se osservi i precetti del Signore tuo Dio e cammini per le sue vie, il Signore ti rende popolo a lui consacrato, come ti ha giurato. ¹⁰Tutti i popoli della terra vedranno che il nome del Signore è invocato su di te e ti temeranno. ¹¹Il Signore ti farà abbondare di beni nella terra che ha giurato ai tuoi padri di darti: nel frutto del tuo seno, nel frutto del tuo bestiame e nel frutto della tua terra.

¹²Il Signore aprirà per te il suo buon tesoro, il cielo, per dare la pioggia alla tua terra a tempo opportuno e per benedire ogni opera delle tue mani; tu presterai a molte nazioni, ma non domanderai prestiti. ¹³Il Signore ti metterà in testa e non in coda; sarai sempre innalzato e mai abbassato se ascolti i precetti del Signore tuo Dio che oggi io ti do, perché tu li osservi e li metta in pratica, ¹⁴e se non devierai né a destra né a sinistra da nessuna delle parole che ti prescrivo, per seguire altri dèi e servirli.

¹⁵Ma se non ascolti la voce del Signore tuo Dio, impegnandoti a mettere in pratica tutti i suoi comandi e le sue leggi che oggi ti do, verranno su di te e ti colpiranno tutte queste maledizioni:

¹⁶Sarai maledetto nella città e maledetto nel campo. ¹⁷Maledetto il tuo cesto e la tua madia. ¹⁸Maledetto il frutto del tuo seno e il frutto della tua terra, i parti delle tue vacche e i nati del tuo gregge. ¹⁹Sarai maledetto quando entri e maledetto quando esci. ²⁰Il Signore manderà contro di te la maledizione, la costernazione e la minaccia in ogni cosa a cui metterai mano, in ciò che farai, finché tu non sia distrutto e perisca rapidamente a causa delle tue azioni malvagie per cui mi hai abbandonato. ²¹Il Signore ti attaccherà la peste finché essa non ti abbia consumato nella terra che stai per conquistare.

²²Il Signore ti colpirà con la consunzione, con la febbre, con l'infiammazione, con l'arsura, con la siccità, con la ruggine, con il pallore, che ti perseguiteranno fino alla tua rovina. ²³Il cielo sarà di bronzo sul tuo capo, e la terra sotto di te sarà di ferro. ²⁴Il Signore ti darà sabbia e polvere come pioggia per la tua terra: esse scenderanno dal cielo su di

Dt

---

28. - 1. Le benedizioni comprendono i vv. 1-14, le maledizioni invece i vv. 15-68. Le une e le altre sono di ordine terreno e vengono rivolte alla nazione come tale.

te finché tu non sia distrutto. 25Il Signore ti farà soccombere dinanzi ai tuoi nemici: per una sola via andrai contro di loro e per sette vie fuggirai dinanzi a loro. Sarai oggetto di orrore per tutti i regni della terra. 26Il tuo cadavere sarà cibo per tutti gli uccelli del cielo e per le bestie della terra; nessuno li caccerà.

27Il Signore ti colpirà con le ulcere d'Egitto, con tumori, scabbia, rogna, da cui non potrai guarire. 28Il Signore ti colpirà di delirio, di cecità e di smarrimento di cuore, 29così che andrai a tastoni in pieno giorno come il cieco va a tastoni nelle tenebre. Non avrai successo nelle tue imprese; sarai ogni giorno oppresso e spogliato, senza nessuno che ti difenda. 30Sposerai una donna e un altro la possederà; edificherai una casa, ma non l'abiterai; pianterai una vigna, ma non ne coglierai i frutti. 31Il tuo bue sarà sgozzato sotto i tuoi occhi e non ne mangerai; il tuo asino ti sarà tolto dinanzi e non ritornerà da te; il tuo gregge sarà dato ai tuoi nemici, senza nessuno che ti difenda. 32I tuoi figli e le tue figlie saranno dati a un altro popolo; i tuoi occhi guarderanno e si struggeranno per loro, ma la tua mano non potrà far nulla. 33Un popolo che tu non conosci mangerà il frutto della tua terra e di tutta la tua fatica; sarai oppresso e schiacciato ogni giorno. 34Diventerai pazzo allo spettacolo che vedranno i tuoi occhi. 35Il Signore ti colpirà con piaghe maligne sulle ginocchia e sulle cosce, da cui non potrai guarire: ti colpirà dalla pianta dei piedi alla cima del capo. 36Il Signore condurrà te e il re che avrai costituito sopra di te in una nazione che né tu né i tuoi padri avete conosciuto; là servirai altri dèi, di legno e di pietra. 37Sarai oggetto di stupore, di proverbio e di scherno per tutti i popoli fra i quali il Signore ti avrà condotto. 38Getterai nel campo molto seme ma raccoglierai poco, perché lo consumeranno le locuste, 39pianterai vigne e le lavorerai, ma non berrai vino e non vendemmierai, perché le divoreranno i vermi; 40avrai olivi in tutto il tuo territorio ma non ti ungerai di olio, perché le olive cadranno. 41Genererai figli e figlie ma non ti apparterranno, perché andranno in prigionia. 42Tutti i tuoi alberi e i frutti della tua terra saranno preda degli insetti. 43Il forestiero che è in mezzo a te si innalzerà sempre più sopra di te, mentre tu scenderai sempre più in basso; 44egli presterà a te, ma tu non presterai a lui; egli sarà in testa e tu sarai in coda.

45Verranno su di te tutte queste maledizioni, ti inseguiranno e ti raggiungeranno, finché tu non sia distrutto, perché non avrai ascoltato la voce del Signore tuo Dio, osservando i precetti e le prescrizioni che ti ha ordinato. 46Esse saranno per te e per la tua discendenza un segno e un prodigio per sempre.

47Siccome in mezzo all'abbondanza di ogni cosa non hai servito il Signore tuo Dio con gioia e letizia di cuore, 48servirai i nemici che il Signore manderà contro di te in mezzo alla fame, alla sete, alla nudità e nella privazione di ogni cosa. Porrà un giogo di ferro sul tuo collo, finché non ti abbia distrutto.

49Il Signore solleverà contro di te una nazione lontana, dalle estremità della terra, che ti piomberà addosso come l'aquila, una nazione di cui non comprenderai la lingua, 50una nazione dall'aspetto duro, senza riguardo verso i vecchi e senza pietà verso i giovani. 51Mangerà il frutto del tuo bestiame e il frutto della tua terra, finché tu non sia distrutto; non ti lascerà né frumento, né mosto, né olio, né i parti delle tue vacche, né i nati del tuo gregge, finché non ti abbia fatto perire. 52Ti assedierà in tutte le tue città, fino al crollo delle tue mura alte e fortificate sulle quali confidavi, in tutta la tua terra; ti assedierà in tutte le tue città, in tutta la terra che il Signore tuo Dio ti ha donato. 53Durante l'assedio e l'angoscia in cui ti ridurrà il nemico, mangerai il frutto del tuo seno, la carne dei tuoi figli e delle tue figlie, che il Signore tuo Dio ti ha dato. 54Presso di voi l'uomo più raffinato e più delicato guarderà con occhio malvagio il proprio fratello, la stessa moglie e i figli che ancora sopravvivono, 55per non dare ad alcuno di loro la carne dei suoi figli di cui egli si ciberà; perché non gli rimarrà nulla durante l'assedio e l'angoscia in cui ti ridurranno i nemici in tutte le tue città.

47-57. Tre volte soprattutto si avverarono alla lettera queste predizioni circa la punizione che Dio, per mezzo di popoli stranieri, avrebbe inflitto a Israele disobbediente alle sue leggi. La prima, quando fu distrutta Samaria e deportata la sua popolazione in Assiria (722/1 a.C.); la seconda, nel 597 e 586 quando Gerusalemme e il tempio furono rasi al suolo e gli abitanti deportati in Babilonia; la terza, nell'assedio e nella distruzione di Gerusalemme e del tempio da parte dei Romani nell'anno 70 d.C.: rovina assai più disastrosa delle precedenti.

⁵⁶Anche la donna più raffinata e più delicata in mezzo a voi, che non si sarebbe provata a posare per terra la pianta del piede a causa della sua raffinatezza e delicatezza, guarderà con occhio malvagio il proprio marito, il figlio e la figlia, ⁵⁷la placenta che esce dal suo corpo e i figli che avrà generato, perché, mancando di tutto durante l'assedio e l'angoscia in cui ti ridurranno i nemici in tutte le tue città, si vorrà cibare di essi di nascosto.

⁵⁸Se non cercherai di praticare tutte le parole di questa legge, scritte in questo libro, avendo timore del nome glorioso e terribile del Signore tuo Dio, ⁵⁹il Signore allora colpirà te e la tua discendenza con flagelli straordinari: flagelli grandi e di lunga durata, malattie maligne e ostinate. ⁶⁰Farà tornare su di te tutti i malanni d'Egitto, davanti ai quali ti sei spaventato, e si attaccheranno a te. ⁶¹Il Signore susciterà contro di te anche ogni altra malattia e ogni altro flagello che non sono scritti nel libro di questa legge, finché tu sia distrutto. ⁶²Non resterete che in pochi uomini, voi che eravate numerosi come le stelle del cielo, perché non hai ascoltato la voce del Signore tuo Dio.

⁶³Come il Signore gioiva a vostro riguardo, nel beneficarvi e nel moltiplicarvi, così egli gioirà a vostro riguardo nel farvi perire e distruggervi: sarete strappati dalla terra che stai per conquistare. ⁶⁴Il Signore vi disperderà tra tutti i popoli da un capo all'altro della terra; là servirai altri dèi, che non hai conosciuto né tu né i tuoi padri, dèi di legno e di pietra. ⁶⁵Tra quelle nazioni non avrai requie né vi sarà posto per posare la pianta dei tuoi piedi; là il Signore ti darà un cuore agitato, occhi spenti e un animo stretto dall'angoscia. ⁶⁶La tua vita ti sarà dinanzi come sospesa a un filo; proverai spavento notte e giorno e non sarai sicuro della tua vita. ⁶⁷Al mattino dirai: Fosse sera!, e alla sera dirai: Fosse mattino!, a causa dello spavento che ti invaderà il cuore e delle cose che i tuoi occhi vedranno. ⁶⁸Il Signore ti farà tornare in Egitto, per mezzo di navi, per una via di cui ti avevo detto: Mai più la rivedrai, e là vi venderete ai vostri nemici come schiavi e come schiave, ma non ci sarà nessuno ad acquistarvi».

⁶⁹Queste sono le parole dell'alleanza che il Signore ordinò a Mosè di concludere con i figli d'Israele nella terra di Moab, oltre l'alleanza che aveva concluso con loro sull'Oreb.

Dt

IL RICORDO DELLE VICENDE DELL'ESODO

29 ¹Mosè convocò tutto Israele e disse loro: «Voi avete visto tutto ciò che il Signore ha compiuto sotto i vostri occhi nella terra d'Egitto contro il Faraone, contro i suoi ministri e contro tutta la sua terra, ²le grandi prove che i tuoi occhi hanno visto, i segni e i grandiosi prodigi. ³Ma fino ad oggi il Signore non vi ha dato cuore per capire, né occhi per vedere, né orecchi per sentire. ⁴Io vi ho guidati per quarant'anni nel deserto: i vostri mantelli non vi si sono logorati addosso e i vostri sandali non si sono consumati ai vostri piedi; ⁵non avete mangiato pane, né avete bevuto vino o bevanda inebriante, perché sapevate che io sono il Signore vostro Dio. ⁶Siete poi arrivati in questo luogo: e quando Sicon re di Chesbon e Og re di Basan sono usciti contro di noi in battaglia, li abbiamo battuti; ⁷abbiamo preso la loro terra e l'abbiamo data in eredità ai Rubeniti, ai Gaditi e a metà della tribù di Manasse.

⁸Osservate dunque le parole di questa alleanza e mettetele in pratica, affinché abbiate successo in tutto ciò che fate. ⁹Oggi voi state tutti al cospetto del Signore vostro Dio: i vostri capi, le vostre tribù, i vostri anziani, i vostri scribi, tutti gli uomini d'Israele, ¹⁰i vostri fanciulli, le vostre donne e il forestiero che è in mezzo al tuo accampamento, da colui che taglia la tua legna a colui che attinge la tua acqua, ¹¹per entrare nell'alleanza del Signore tuo Dio e nel patto che il Signore tuo Dio stringe con te oggi, ¹²per costituirti oggi come suo popolo, e per essere egli il tuo Dio, come ti ha detto e come ha giurato ai tuoi padri, ad Abramo, a Isacco e a Giacobbe.

¹³Non soltanto con voi io sancisco questa alleanza e questo patto, ¹⁴ma anche con chi

---

69. Indica chiaramente che quanto segue, cc. 29-32, contiene gli elementi di una nuova alleanza, da concludersi prima di cominciare la conquista della terra promessa, sul modello di quella conclusa ai piedi del monte Sinai (cfr. Gs 5,10-12).

sta qui con noi oggi al cospetto del Signore nostro Dio, e con chi non è oggi qui con noi. [15]Perché voi sapete come abbiamo abitato nella terra d'Egitto e come siamo passati in mezzo alle nazioni che avete attraversato; [16]avete visto le loro nefandezze e gl'idoli di legno e di pietra, d'argento e d'oro che sono presso di loro.

[17]Non vi sia tra voi uomo o donna, famiglia o tribù il cui cuore si allontani oggi dal Signore nostro Dio per andare a servire gli dèi di quelle nazioni. Non vi sia tra voi nessuna radice che produca veleno e assenzio! [18]Se, nell'ascoltare le parole di questo patto, qualcuno si lusinga nel proprio cuore, dicendo: Avrò benessere anche camminando nella caparbietà del mio cuore, con il pensiero che il terreno irrigato faccia sparire quello arido, [19]il Signore non acconsentirà a perdonarlo, anzi la collera e la gelosia del Signore si infiammeranno contro quell'uomo e tutte le imprecazioni scritte in questo libro scenderanno su di lui: il Signore cancellerà il suo nome sotto il cielo, [20]lo separerà, per sua sventura, da tutte le tribù d'Israele, secondo tutte le imprecazioni dell'alleanza scritta in questo libro della legge. [21]Allora la generazione futura, i vostri figli che sorgeranno dopo di voi e lo straniero che verrà da una terra lontana, quando vedranno i flagelli di questa terra e le malattie che il Signore le avrà inflitto, diranno: [22]Zolfo, sale, arsura è tutta la sua terra! Non sarà seminata, non darà alcun germoglio, su di essa non crescerà erba alcuna; è come la distruzione di Sodoma, Gomorra, Adma e Zeboim, che il Signore distrusse nella sua ira e nel suo furore. [23]E tutte le nazioni diranno: Perché il Signore ha fatto così a questa terra? Perché l'ardore di questa grande ira? [24]E risponderanno: Perché hanno abbandonato l'alleanza del Signore, Dio dei loro padri, che egli aveva stretto con loro quando uscirono dalla terra d'Egitto, [25]e sono andati a servire altri dèi prostrandosi innanzi a loro: dèi che essi non avevano conosciuto e che egli non aveva dato loro in sorte. [26]Per questo si è infiammata la collera del Signore contro questa terra, così da mandarle contro tutte le maledizioni scritte in questo libro. [27]Il Signore li ha strappati dalla loro terra con collera, con furore e con grande indignazione e li ha gettati su un'altra terra, com'è fino ad oggi.

[28]Le cose occulte appartengono al Signore nostro Dio, ma le cose rivelate sono per noi e per i nostri figli per sempre, affinché mettiamo in pratica tutte le parole di questa legge».

CONVERSIONE E SALVEZZA

30 [1]«Quando tutte queste cose che ti ho messo dinanzi, la benedizione e la maledizione, si saranno realizzate su di te e tu le mediterai in mezzo a tutte le nazioni fra le quali ti condurrà il Signore tuo Dio, [2]se ritornerai al Signore tuo Dio e ascolterai la sua voce, tu e i tuoi figli, con tutto il cuore e con tutta l'anima, secondo quanto oggi ti ordino, [3]allora il Signore tuo Dio metterà fine alla tua prigionia, avrà misericordia di te e ti raccoglierà di nuovo da tutti i popoli fra i quali ti aveva disperso.

[4]Anche se fossi stato cacciato fino all'estremità del cielo, di là il Signore tuo Dio ti raccoglierà e di là ti riprenderà. [5]Il Signore Dio ti ricondurrà nella terra che possedettero i tuoi padri e tu ne riprenderai possesso, ti beneficherà e ti moltiplicherà più dei tuoi padri. [6]Il Signore tuo Dio circonciderà il tuo cuore e il cuore della tua discendenza, affinché tu ami il Signore tuo Dio con tutto il cuore e con tutta l'anima e viva.

[7]Il Signore tuo Dio farà cadere tutte queste imprecazioni sui tuoi nemici, su coloro che ti odiano e che ti hanno perseguitato. [8]Tu ascolterai di nuovo la voce del Signore e metterai in pratica tutti i precetti che oggi ti do. [9]Il Signore tuo Dio ti farà prosperare in ogni opera delle tue mani: nel frutto del tuo seno, nel frutto del tuo bestiame e nel frutto della tua terra, per il tuo bene; perché il Signore tornerà a gioire per te nel farti del bene, come gioì per i tuoi padri, [10]se ascolti la voce del Signore tuo Dio, osservando i suoi precetti e i suoi ordini scritti in questo libro della legge, se ritorni al Signore tuo Dio con tutto il cuore e con tutta l'anima.

[11]Questo comando che oggi ti do non è troppo alto per te e non è inaccessibile: [12]non è in cielo, perché tu dica: Chi sali-

---

30. - 3. Questa profezia si compì storicamente quando i Giudei tornarono dall'esilio di Babilonia (cfr. Esd 1,64-65; 8,1-14).

rà per noi in cielo per prenderlo e farcelo ascoltare perché lo possiamo mettere in pratica? [13]Non è al di là del mare, perché tu dica: Chi passerà per noi al di là del mare, per prenderlo e farcelo ascoltare perché lo possiamo mettere in pratica? [14]La parola infatti è molto vicina a te: è nella tua bocca e nel tuo cuore, perché tu la metta in pratica.

[15]Vedi, io ti propongo oggi la vita e la felicità, la morte e la sventura; [16]perciò ti ordino oggi di amare il Signore tuo Dio, di camminare per le sue vie e di osservare i suoi comandi, le sue leggi e le sue norme; allora tu vivrai, ti moltiplicherai, e il Signore tuo Dio ti benedirà nella terra verso la quale tu vai per prenderne possesso. [17]Ma se il tuo cuore si svia e tu non ascolti, se ti lasci trascinare e ti prostri davanti ad altri dèi e li servi, [18]io vi dichiaro oggi che certamente perirete e non avrete vita lunga nella terra che tu stai per conquistare dopo aver attraversato il Giordano.

[19]Prendo oggi a testimoni contro di voi il cielo e la terra: ti ho proposto la vita e la morte, la benedizione e la maledizione. Scegli la vita, perché viva tu e la tua discendenza, [20]amando il Signore tuo Dio, ascoltando la sua voce e aderendo a lui, perché lui è la tua vita e la tua longevità, perché tu possa così dimorare nella terra che il Signore ha giurato di dare ai tuoi padri, Abramo, Isacco e Giacobbe».

GIOSUÈ SUCCESSORE DI MOSÈ

31 [1]Mosè andò e rivolse queste parole a tutto Israele. [2]Disse loro: «Io oggi ho centoventi anni. Non posso più andare e venire. Il Signore mi ha detto: Tu non attraverserai questo Giordano. [3]Il Signore tuo Dio lo attraverserà davanti a te, lui distruggerà quelle nazioni davanti a te e le caccerà. Giosuè lo attraverserà

davanti a te, come ti ha detto il Signore. [4]Il Signore farà a quelle nazioni quanto ha fatto a Sicon e a Og, re degli Amorrei, e alla loro terra, che ha distrutti. [5]Il Signore le metterà in vostro potere e voi le tratterete secondo il comando che vi ho prescritto. [6]Siate forti, siate valorosi! Non abbiate paura, non spaventatevi dinanzi a loro, perché il Signore tuo Dio cammina con te: non ti abbandonerà e non ti trascurerà».

[7]Allora Mosè chiamò Giosuè e alla presenza di tutto Israele gli disse: «Sii forte, sii valoroso! Perché tu condurrai questo popolo nella terra che il Signore promise con giuramento ai loro padri: tu la metterai in loro possesso. [8]Il Signore stesso cammina davanti a te e sarà con te. Non ti abbandonerà e non ti trascurerà. Non aver paura, non tremare!».

[9]Mosè scrisse questa legge e l'affidò ai sacerdoti, figli di Levi, che portavano l'arca dell'alleanza del Signore, e a tutti gli anziani di Israele. [10]Mosè ordinò loro: «Al termine di ogni sette anni, nel tempo fissato per l'anno della remissione, alla festa delle Capanne, [11]quando tutto Israele verrà per presentarsi al Signore tuo Dio nel luogo che egli avrà scelto, leggerai questa legge davanti a tutto Israele. [12]Raduna il popolo, uomini, donne, bambini e il forestiero che è nelle tue città, perché ascoltino e imparino a temere il Signore vostro Dio e abbiano cura di mettere in pratica tutte le parole di questa legge. [13]I loro figli, che ancora non la conoscono, ascolteranno e impareranno a temere il Signore vostro Dio ogni giorno che vivrete sulla terra che state per conquistare, dopo aver attraversato il Giordano».

[14]Il Signore disse a Mosè: «Ecco, si avvicina il giorno della tua morte. Chiama Giosuè e presentatevi nella tenda del convegno, perché io gli dia i miei ordini». Mosè e Giosuè si presentarono nella tenda del convegno. [15]Il Signore apparve nella tenda in una colonna di nube; la colonna di nube si fermò all'ingresso della tenda.

[16]Il Signore disse a Mosè: «Ecco, tu stai per addormentarti con i tuoi padri. Questo popolo si alzerà per prostituirsi agli dèi stranieri, quelli della terra in mezzo alla quale sta andando; mi abbandonerà e romperà l'alleanza che io ho concluso con lui. [17]In quel giorno si infiammerà la mia ira contro

---

14. *La parola*: la legge, espressione dei voleri di Dio, in san Paolo (Rm 10,6-8) diventerà la «parola della fede». È la prima volta che troviamo la «parola» personificata, ciò che, attraverso la meditazione sapienziale (Pro 8,22; Sap 7,22), raggiungerà il suo vertice nella profonda teologia del *Verbo* di Dio nel prologo del vangelo di Giovanni.

15-20. Dio propone all'uomo la scelta fra il bene e il male, la vita e la morte. Egli non usa la forza né per costringerlo al bene né per impedirgli di fare il male, ma lascia che ognuno decida liberamente, affinché sia responsabile dei propri atti e perciò meritevole di premio o di castigo.

di lui: io li abbandonerò, nasconderò loro la mia faccia, perché siano divorati. Lo colpiranno molti mali e avversità. Dirà in quel giorno: Non mi hanno forse colpito questi mali perché il mio Dio non è più in mezzo a me? [18]Io, in quel giorno, nasconderò completamente la mia faccia, a causa di tutto il male che avranno fatto rivolgendosi ad altri dèi. [19]Ora scrivete questo cantico e insegnatelo ai figli d'Israele: mettilo sulla loro bocca, perché questo cantico mi sia di testimonio contro i figli d'Israele.

[20]Quando lo avrò condotto alla terra che ho promesso con giuramento ai suoi padri, terra dove scorre latte e miele, dopo che avrà mangiato, si sarà saziato e ingrassato, si volgerà ad altri dèi e li servirà; disprezzeranno me e romperanno la mia alleanza. [21]Ma quando lo avranno colpito molti mali e grandi avversità, questo cantico sarà testimonio contro di lui, poiché non sarà dimenticato dalla sua discendenza. Conosco infatti i disegni che egli va formando oggi, prima ancora che io lo introduca nella terra che ho promesso con giuramento ai suoi padri».

[22]Mosè scrisse in quel giorno questo cantico e lo insegnò ai figli d'Israele.

[23]Poi il Signore comunicò i suoi ordini a Giosuè, figlio di Nun, e gli disse: «Sii forte, sii valoroso! Perché tu condurrai i figli d'Israele nella terra che io ho promesso loro con giuramento. Io sarò con te».

[24]Quando Mosè ebbe finito di scrivere su un libro tutte le parole di questa legge, [25]ordinò ai leviti che portavano l'arca dell'alleanza del Signore: [26]«Prendete il libro di questa legge e mettetelo a fianco dell'arca dell'alleanza del Signore vostro Dio: vi resterà come testimonio contro di te. [27]Perché io conosco il tuo spirito ribelle e la tua dura cervice. Ecco, mentre oggi io sono ancora in mezzo a voi, e voi siete ribelli verso il Signore, quanto più lo sarete dopo la mia morte! [28]Radunate presso di me tutti gli anziani delle vostre tribù e i vostri scribi: voglio far sentire loro chiaramente queste parole e chiamare il cielo e la terra a testimoniare contro di loro. [29]So infatti che dopo la mia morte certamente voi vi corromperete e devierete dalle vie che vi ho indicato; negli ultimi giorni la sventura vi colpirà, perché voi avrete fatto quanto è male agli occhi del Signore, irritandolo con l'opera delle vostre mani».

[30]Allora Mosè recitò a tutta l'assemblea d'Israele le parole di questo cantico, fino al termine.

IL CANTICO DI MOSÈ

32 [1]«Ascolta, o cielo: io voglio parlare; senta la terra le parole
della mia bocca!

[2] Scende come la pioggia
il mio insegnamento,
stilla come la rugiada la mia parola,
come un acquazzone sull'erbetta,
come un rovescio sull'erba.

[3] Voglio proclamare il nome del Signore:
magnificate il nostro Dio!

[4] Egli è la roccia: perfetta è la sua opera,
tutte le sue vie sono giustizia.
Egli è Dio di fedeltà, senza ingiustizia,
è giusto e retto.

[5] Contro di lui prevaricarono
– non sono suoi figli le loro tare –,
generazione perversa e tortuosa.

[6] Così agisci con il Signore,
popolo stolto e insipiente?
Non è lui tuo padre, che ti ha creato?
Non è lui che ti ha fatto e sostenuto?

[7] Ricorda i giorni lontani,
considera gli anni di generazione
in generazione;
interroga tuo padre e te l'annuncerà,
i tuoi anziani e te lo diranno.

[8] Quando l'Altissimo distribuiva
alle nazioni la loro eredità,
quando divideva i figli dell'uomo,
fissò i confini dei popoli
secondo il numero dei figli d'Israele.

[9] Perché porzione del Signore
è il suo popolo,
Giacobbe è parte della sua eredità.

[10] Egli lo trovò in una terra deserta,
nel disordine urlante delle solitudini:
lo circondò, lo allevò,
lo custodì come la pupilla dei suoi occhi.

[11] Come un'aquila che veglia
sulla sua nidiata
e aleggia sopra i suoi piccoli,
egli spiegò le ali, lo prese
e lo portò sulle sue ali.

[12] Il Signore solamente lo guidò;
non c'era con lui alcun dio straniero.

[13] Lo fece cavalcare sulle alture della terra,
gli fece mangiare i prodotti della terra,

gli fece succhiare il miele dalla roccia
e l'olio dalla pietra di silice;
¹⁴ latte coagulato di vacca
    e latte di pecora,
insieme con il grasso di agnelli,
arieti di Basan e capri,
il migliore frumento,
e il sangue di uva,
    che bevevi spumeggiante.
¹⁵ Mangiò Giacobbe e si saziò,
si ingrassò Iesurun, e recalcitrò.
– Ti sei ingrassato, impinguato,
    rimpinzato! –
Abbandonò Dio che lo aveva fatto,
disprezzò la Roccia della sua salvezza.
¹⁶ Ne provocarono la gelosia
    con dèi stranieri,
con abomini lo irritarono.
¹⁷ Hanno sacrificato a demoni,
    che non sono dio,
a dèi che non conoscevano,
divinità nuove, venute da poco,
che i vostri padri non avevano temuto.
¹⁸ Hai trascurato la Roccia
    che ti ha generato,
hai dimenticato Dio che ti ha dato la vita.
¹⁹ Ma il Signore ha visto e nella sua ira
ha disprezzato i suoi figli e le sue figlie.
²⁰ Ha detto: Nasconderò loro
    la mia faccia,
voglio vedere quale sarà la loro fine,
perché sono una generazione pervertita,
sono figli infedeli.
²¹ Con un non-dio hanno provocato
    la mia gelosia,
mi hanno rattristato
    con i loro idoli vani;
e io quindi li provocherò a gelosia
con un non-popolo,
con una nazione vana li rattristerò.
²² Un fuoco infatti è divampato
    nella mia ira,
e brucerà fino in fondo allo sheol;
divorerà la terra e i suoi prodotti,
brucerà le fondamenta delle montagne.
²³ Accumulerò su di loro i mali,
esaurirò contro di loro le mie frecce:

²⁴ saranno smunti dalla fame,
    divorati dalla febbre
e da peste dolorosa.
I denti delle belve
    manderò contro di loro,
con il veleno dei rettili che strisciano
    nella polvere.
²⁵ Di fuori la spada li priverà di figli
e dentro li ucciderà il terrore:
periranno insieme il giovane e la vergine,
il lattante e l'uomo avanzato in età.
²⁶ Avrei detto: li voglio annientare,
voglio cancellare il loro ricordo
    tra gli uomini,
se non temessi l'arroganza del nemico.
²⁷ I loro avversari non s'ingannino
e non dicano: le nostre mani
    hanno prevalso,
non è il Signore che ha operato
    tutto questo.
²⁸ Ma sono un popolo insensato,
e in essi non c'è intelligenza.
²⁹ Se fossero saggi
    comprenderebbero questo,
conoscerebbero il loro avvenire.
³⁰ Come può un uomo inseguirne mille,
o due metterne in fuga diecimila,
se non perché la loro Roccia
    li ha venduti,
il Signore li ha abbandonati?
³¹ Ma la loro roccia
    non è come la nostra Roccia:
i nostri nemici ne sono giudici.
³² Dalle viti di Sodoma viene la loro vite
e dalle piantagioni di Gomorra;
la loro uva è uva velenosa,
i loro grappoli sono amari.
³³ Tossico di serpenti è il loro vino,
veleno micidiale di vipere.
³⁴ Non è questo conservato presso di me,
    sigillato nei miei tesori,
³⁵ per il giorno della vendetta
    e della retribuzione,
per il tempo in cui vacillerà il loro piede?
Perché è vicino il giorno della loro rovina,
si affretta il destino per loro.
³⁶ Ma il Signore fa giustizia al suo popolo,
ha pietà dei suoi servi,
    quando vede mancare ogni forza
e venir meno lo schiavo e il libero.
³⁷ Allora dirà: Dove sono i suoi dèi,
la roccia in cui confidavano,
³⁸ quelli che mangiavano il grasso
    dei loro sacrifici,

_____
32. - **15.** *Iesurun* è un appellativo poetico di Israele, il «giusto», ovviamente usato qui in senso ironico (cfr. 33,5.26).
34. Dio promette che salverà il suo popolo quando per i nemici sarà giunto il momento del castigo. Dio conserva come una gemma preziosa il popolo d'Israele in attesa di ridargli onore, dopo che sarà rinsavito.

e bevevano il vino delle loro libazioni?
Si levino e vi aiutino,
siano per voi un rifugio!

³⁹ Ora vedete invece che io lo sono
e non c'è altro dio accanto a me.
Io faccio morire e faccio vivere,
io ho ferito e io guarisco;
nessuno può liberare dalla mia mano.

⁴⁰ Ecco, alzo al cielo la mano
e dico: Per la mia vita, per sempre!

⁴¹ Quando avrò affilato la mia spada
folgorante
e la mia mano si accingerà al giudizio,
farò vendetta dei miei avversari,
ripagherò quelli che mi odiano.

⁴² Inebrierò le mie frecce di sangue,
la mia spada si pascerà di carne:
del sangue degli uccisi e dei prigionieri,
delle teste dei principi nemici.

⁴³ Esultate, o nazioni, per il suo popolo,
perché egli vendicherà il sangue
dei suoi servi,
farà vendetta dei suoi avversari
e purificherà la sua terra e il suo popolo».

⁴⁴Mosè venne con Giosuè, figlio di Nun, e recitò tutte le parole di questo cantico davanti al popolo.

⁴⁵Quando Mosè ebbe finito di recitare tutte queste parole davanti a tutto Israele, ⁴⁶disse loro: «Prestate attenzione a tutte queste parole che oggi prendo a testimonianza contro di voi. Ordinerete ai vostri figli che osservino e mettano in pratica tutte le parole di questa legge. ⁴⁷Perché non è una parola vana per voi, ma è la vostra vita! Per questa parola avrete lunga vita sulla terra che state per conquistare, dopo aver attraversato il Giordano».

⁴⁸Il Signore disse a Mosè in quello stesso giorno: ⁴⁹«Sali sulla montagna degli Abarim, sul monte Nebo che è nella terra di Moab, di fronte a Gerico, e guarda la terra di Canaan, che io sto per dare in possesso ai figli d'Israele. ⁵⁰Tu morirai sul monte sul quale stai per salire e sarai riunito ai tuoi antenati, come morì Aronne tuo fratello sul monte Hor ed è stato riunito ai suoi antenati. ⁵¹Perché non mi siete stati fedeli in mezzo ai figli d'Israele, presso le acque di Meriba di Kades, nel deserto di Zin, e non avete manifestato la mia santità tra i figli d'Israele, ⁵²perciò tu vedrai davanti a te la terra, ma là, nella terra che io sto per dare ai figli d'Israele, tu non entrerai».

LE BENEDIZIONI DI MOSÈ
ALLE DODICI TRIBÙ DI ISRAELE

33 ¹Questa è la benedizione con cui Mosè, uomo di Dio, benedisse i figli d'Israele prima di morire. ²Egli disse:

«Il Signore è venuto dal Sinai,
per essi sorse da Seir;
brillò dal monte Paran,
è venuto dalle assemblee di Kades,
dal suo meridione fino ad Ashedot.

³ Tu ami i popoli,
tutti i suoi santi sono nelle tue mani.
Erano prostrati ai tuoi piedi,
per ricevere le tue parole.

⁴ Una legge ci ha prescritto Mosè,
un'eredità per l'assemblea di Giacobbe.

⁵ Ci sia un re per Iesurun,
quando si radunano i capi del popolo,
tutte insieme le tribù d'Israele.

⁶ Viva Ruben, non muoia:
ma sia piccolo il numero dei suoi uomini».

⁷Questo disse per Giuda:

«Ascolta, o Signore, la voce di Giuda,
e riconducilo al suo popolo.
Le sue mani lotteranno per la sua causa
e tu gli sarai d'aiuto contro i suoi
avversari».

⁸Per Levi disse:

«Da' a Levi i tuoi tummim
e i tuoi urim all'uomo fedele
che hai tentato a Massa,
e con il quale hai disputato presso
le acque di Meriba.

⁹ A lui che disse di suo padre
e di sua madre:
Io non li ho visti;
a lui che non ha riconosciuto
i suoi fratelli
e ha ignorato i suoi figli.
Poiché hanno osservato la tua parola,
custodiscono la tua alleanza;

¹⁰ insegnano a Giacobbe i tuoi giudizi,
la tua legge a Israele;

---

33. - 1ss. Mosè, come Giacobbe, prima di morire dà le sue benedizioni prima a tutto Israele (vv. 2-5), poi alle singole tribù (vv. 6-25). Nei vv. 26-29 viene ripresa la lode iniziale al Dio d'Israele.

offrono il sacrificio davanti a te
e l'olocausto sul tuo altare.
¹¹ Benedici, o Signore, la sua forza,
gradisci l'opera delle sue mani.
Spezza le reni dei suoi avversari
e coloro che lo odiano non si rialzino più».

¹²Per Beniamino disse:

«Prediletto del Signore, Beniamino,
riposa sicuro su di Lui;
lo protegge ogni giorno
e abita tra le sue colline».

¹³Per Giuseppe disse:

«Benedetta dal Signore la sua terra!
Ha il meglio dall'alto del cielo,
la rugiada,
e dall'abisso che stà sotto.
¹⁴ Il meglio dei prodotti del sole,
il meglio dei frutti della luna;
¹⁵ il meglio delle montagne antiche,
il meglio dei colli eterni;
¹⁶ il meglio della terra e delle sue ricchezze.
Il favore di Colui che abita nel roveto
venga sul capo di Giuseppe,
sulla testa del prescelto tra i suoi fratelli.
¹⁷ A lui la maestà del primogenito del toro!
Le sue corna siano come le corna
del bufalo:
con esse colpirà i popoli
tutti insieme, sino ai confini della terra.
Queste sono le miriadi di Efraim,
queste le migliaia di Manasse».

¹⁸Per Zabulon disse:

«Gioisci, Zabulon, nelle tue spedizioni,
e tu, Issacar, nelle tue tende!
¹⁹ Essi invitano popoli sulla montagna,
dove offrono sacrifici di giustizia,
perché succhiano l'abbondanza
dei mari
e i tesori nascosti nella sabbia».

²⁰Per Gad disse:

«Benedetto Colui che amplia Gad!
Si accovaccia come una leonessa,
sbrana il braccio, il viso e il capo.
²¹ Scelse per sé le primizie,
quando là si riservò la parte del capo.
Si è accostato ai prìncipi del popolo:

praticò la giustizia del Signore
e i suoi giudizi nei confronti di Israele».

²²Per Dan disse:

«Dan è un leoncello:
egli balza da Basan».

²³Per Neftali disse:

«Neftali è sazio di favori,
colmo delle benedizioni del Signore:
il mare e il meridione
sono sua proprietà».

²⁴Per Aser disse:

«Benedetto più di tutti i figli, Aser!
Sia il favorito tra i suoi fratelli,
s'immerga nell'olio il suo piede!
²⁵ Di ferro e di bronzo siano le tue sbarre,
e quanto i tuoi giorni duri la tua forza.
²⁶ Nessuno è come il Dio di Iesurun,
che cavalca sui cieli in tuo aiuto
e sulle nubi nella sua maestà.
²⁷ Un rifugio è il Dio dei tempi antichi,
e quaggiù lo sono le sue braccia eterne!
Ha cacciato il nemico davanti a te
e ha ordinato: Distruggi!
²⁸ Israele riposò al sicuro,
e la fonte di Giacobbe
in un luogo appartato,
sulla terra del frumento e del mosto,
dove il cielo stilla rugiada.
²⁹ Felice te, o Israele! Chi è come te,
popolo salvato dal Signore?
Egli è lo scudo della tua difesa,
la spada della tua gloria.
I tuoi nemici vorranno adularti,
ma tu calcherai il loro dorso».

LA MORTE DI MOSÈ
SUL MONTE NEBO

34 ¹Mosè salì dalle steppe di Moab sul monte Nebo, cima del Pisga, che è di fronte a Gerico, e il Signore gli fece vedere tutta la terra: Galaad fino a Dan, ²tutto Neftali, la terra di Efraim e di Manasse, tutta la terra di Giuda fino al Mare Mediterraneo, ³il Negheb, il distretto della valle di Gerico, città delle palme, fino a Zoar. ⁴Il Signore gli disse: «Questa

Dt

è la terra che ho promesso con giuramento ad Abramo, a Isacco e a Giacobbe dicendo: Io la darò alla tua discendenza. Te l'ho fatta vedere con i tuoi occhi, ma tu non vi entrerai».

[5]Mosè, servo del Signore, morì in quel luogo, nella terra di Moab, secondo la parola del Signore. [6]Fu sepolto nella valle, nella terra di Moab, di fronte a Bet-Peor. Ma fino ad oggi nessuno ha saputo dove sia la sua tomba. [7]Mosè aveva centoventi anni quando morì: il suo occhio non si era indebolito e il suo vigore non si era spento.

[8]I figli d'Israele piansero Mosè nelle steppe di Moab per trenta giorni; quindi furono compiuti i giorni di pianto per il lutto di Mosè.

[9]Giosuè, figlio di Nun, era pieno dello spirito di sapienza perché Mosè gli aveva imposto le mani. I figli d'Israele lo ascoltarono e fecero come il Signore aveva ordinato a Mosè.

[10]Non è più sorto in Israele un profeta come Mosè, che il Signore conosceva a faccia a faccia, [11]per tutti i segni e i prodigi che il Signore lo mandò a compiere nella terra d'Egitto contro il Faraone, contro tutti i suoi ministri e contro tutto il suo paese, [12]per la grande potenza della sua mano e per tutti i grandi prodigi che compì Mosè agli occhi di tutto Israele.

---

34. - 6. La morte di Mosè è avvolta nel mistero. Dio volle nascondere agli Israeliti la tomba del grande profeta, legislatore e condottiero (cfr. v. 9), forse per evitare che rendessero un culto superstizioso alle sue spoglie mortali.

10. Mosè è il più grande profeta per la sua stupenda familiarità con Dio, per il suo potere taumaturgico, per aver dato la legge al popolo ebraico e averlo guidato verso la terra promessa. La figura di Mosè sarà un punto di riferimento fondamentale per il NT che vedrà in lui uno dei modelli anticipatori di Gesù Cristo e della sua opera come Salvatore, legislatore e guida del nuovo popolo di Dio in cammino verso la nuova terra promessa, la Gerusalemme celeste.

LIBRI STORICI

L'Antico Testamento contiene un vasto complesso di libri, composti in un periodo di dieci secoli, che narrano le vicende storiche del popolo d'Israele dalla conquista della terra promessa, secolo XIII a.C., fino all'ascesa al trono di Giovanni Ircano, nel 134 a.C.

Questo ampio corpo storico comprende quattro serie di opere:

a) I libri di Giosuè, Giudici, 1-2 Samuele e 1-2 Re, chiamati dagli studiosi moderni *storia deuteronomistica*, costituiscono un'estesa compilazione comprendente settecento anni di storia, che da Giosuè (secolo XIII a.C.) va fino all'ultimo re di Giuda, Ioachìn (metà del VI secolo a.C.).

b) I libri 1-2 Cronache, Esdra, Neemia, chiamati *storia cronistica*, rappresentano un complesso che abbraccia un periodo più ampio del precedente, in quanto inizia con Adamo e si estende fino al V secolo a.C.

c) I *racconti edificanti* di Tobia, Giuditta, Ester e Rut (posto come appendice ai Giudici) sono centrati attorno a un personaggio e hanno caratteristiche proprie.

d) I libri 1 e 2 Maccabei c'informano sulla lotta giudaica contro la persecuzione religiosa scatenata dai Seleucidi di Siria (175-134 a.C.).

Vari sono i generi letterari impiegati in questi libri, diverso è lo scopo per cui furono redatti e quindi diversa è anche la loro aderenza storica ai fatti riportati.

1 e 2 Maccabei, Tobia, Giuditta, le sezioni greche di Ester, sono libri deuterocanonici, cioè non entrano nel canone ebraico dei libri sacri, però fanno parte del canone della Chiesa.

La storia deuteronomistica

Ai tempi del re Giosia (627-609 a.C.), sotto la spinta della riforma religiosa patrocinata da questo re, si raccolsero e si riunirono insieme le antiche tradizioni tramandate nel nord e nel sud del paese, relative alla conquista della Palestina, alle vicende delle varie tribù entrate nella terra promessa, ai primi capi carismatici (Samuele, Saul e Davide). Queste tradizioni, orali o scritte, contenevano narrazioni popolari, epiche, cronache di re, racconti relativi a profeti, inventari e rapporti provenienti da archivi reali, biografie dovute a testimoni oculari. Tutto questo materiale venne sistemato negli attuali libri di Giosuè, Giudici e Samuele. I libri dei Re furono compilati al tempo dell'esilio, in buona parte su documenti degli archivi reali dei regni del nord e del sud. Nella storia del secolo VIII furono inserite le tradizioni sui profeti Elia ed Eliseo.

L'arco di tempo che questi libri ricoprono è imponente (circa sette secoli) e la parabola che descrivono è estremamente significativa: dalla gloriosa occupazione della terra promessa, sotto il comando di Giosuè, all'umiliante e dolorosa deportazione da quella stessa terra dopo la distruzione e la devastazione del regno di Giuda, di Gerusalemme e del tempio (Gdc 2,11-19 e 2Re 17,7-23 offrono il criterio di valutazione dell'autore sulle vicende storiche d'Israele). Tuttavia la fine di un'epoca, anche se ha il severo valore di una punizione, non significa la fine dei progetti di Dio su Israele; egli li riprenderà in altre condizioni, con altre strutture.

L'opera del Cronista

Il complesso 1-2 Cronache-Esdra-Neemia è opera di un solo autore che scrive intorno al 350 a.C. e sembra appartenere all'ambiente sacerdotale.

Egli compone una nuova storia del popolo di Dio iniziando dalla creazione e giungendo fin quasi alla sua epoca. Per il Cronista il popolo di Dio è una comunità di fede, stretta attorno al Dio di Abramo, che ha scelto un discendente di Davide come suo «unto», cioè suo messia, e vive nella sua terra, il cui centro è rappresentato dal tempio di Gerusalemme, nell'osservanza del culto, delle feste e della purità rituale ed etnica.

Questo culto, riorganizzato dopo l'esilio, viene legittimato proiettando nel passato le istituzioni del presente: queste infatti vengono attribuite ai re carismatici Davide e Salomone, che tanto avevano effettivamente operato per il culto di Dio.

Il popolo d'Israele è certo della protezione divina, a patto che sappia ascoltare la parola di Dio, che i sacerdoti, interpreti della legge, come Esdra, insegnano nelle pubbliche adunanze (cfr. Ne 8).

I racconti edificanti

Tobia-Giuditta-Ester-Rut narrano storie di singoli personaggi, senza un nesso esplicito con la storia generale del popolo d'Israele. Questi libri furono composti in momenti agitati del periodo postesilico, quando Israele si sentiva minacciato da un ambiente pagano ostile ed era necessario sostenere la fedeltà religiosa, nazionale ed etnica. Benché questi libri si presentino come narrazioni storiche, tuttavia si nota che il loro contesto è fittizio e gli avvenimenti sono immaginari.

La situazione esposta in forma drammatica mira a stimolare l'attenzione del lettore. Le frequenti preghiere e i discorsi messi in bocca ai personaggi principali rappresentano una sintesi dell'insegnamento morale inteso dall'autore. Sotto l'apparenza di una pagina di storia passata si propone una lezione edificante per il presente. È importante in questi libri chiarire l'intenzione dell'autore ed enucleare l'insegnamento da lui inteso.

Il periodo dei Maccabei

1 e 2 Maccabei, accettati nel canone dalla Chiesa, riferiscono la storia delle lotte sostenute dal popolo giudaico contro i re seleucidi per ottenere la libertà religiosa e politica. Il titolo dei libri deriva dal soprannome «Maccabeo» (che significa «martello» o «designato da Dio»), dato a Giuda, eroe principale di questa storia, ed esteso poi a tutti i suoi fratelli. I due libri sono indipendenti l'uno dall'altro; sono redatti da autori diversi, con metodi differenti, e coprono solo parzialmente lo stesso periodo: il primo libro dei Maccabei (dal 167 al 134) imita i racconti della conquista della terra di Canaan; il secondo libro (dal 175 al 160) appartiene alle cosiddette «storie patetiche» conosciute nel mondo letterario ellenistico. L'insurrezione nazionale contro Antioco IV Epìfane viene presentata come un fatto provvidenziale, mediante il quale Dio ha salvato il giudaismo, custode della vera religione, dalla sopraffazione proveniente dalle correnti ellenizzanti e dal paganesimo che i dominatori stranieri volevano imporre.

GIOSUÈ

Il libro porta il nome del protagonista delle vicende in esso narrate, Giosuè, che significa «Jhwh salva». Collaboratore di Mosè, Giosuè accompagnò il grande legislatore d'Israele al monte Sinai (Es 24,13; 32,17), fu designato suo successore e investito dei suoi poteri (Nm 27,15-23). Dopo la morte di Mosè (Dt 34,9), Giosuè si trovò alla testa d'Israele in procinto di entrare nella terra promessa. Siamo verso la fine del secolo XIII a.C.

Il libro si divide in tre parti. La prima (cc. 1-12) narra l'entrata degli Israeliti in Canaan e le loro prime conquiste. La conquista della Palestina centrale è narrata in modo ricco e originale con dettagli eroici e miracolosi, come la presa di Gerico e di Ai e la battaglia di Gabaon. La conquista della Palestina meridionale e settentrionale (cc. 10-12) è presentata in forma breve e schematica. La seconda parte (cc. 13-21) contiene la ripartizione territoriale di Canaan tra le dodici tribù d'Israele con la descrizione dei limiti geografici, una lista di città di rifugio e di città levitiche. La terza parte (cc. 22-24), che serve da epilogo, narra la partenza delle tribù transgiordane, riporta l'ultimo discorso di Giosuè e descrive la grande assemblea di Sichem, durante la quale le tribù strinsero tra loro un patto religioso rinnovando l'alleanza col Dio dei padri.

Il libro mostra la piena realizzazione delle promesse che Dio aveva fatto ai patriarchi (Gn 12,7) circa il possesso della terra di Canaan: esso è perciò la necessaria conclusione del Pentateuco. La terra conquistata diventa il segno della fedeltà di Dio verso il suo popolo impegnato alla stessa fedeltà verso Dio.

I PREPARATIVI PER LA CONQUISTA DELLA TERRA PROMESSA

1 ¹Dopo la morte di Mosè, servo del Signore, il Signore parlò a Giosuè, figlio di Nun, servo di Mosè, in questi termini: ²«Mosè, mio servo, è morto; levati, dunque, e attraversa questo Giordano, tu e tutto questo popolo, verso la terra che io darò loro, ai figli d'Israele. ³Io vi concedo ogni luogo che i vostri piedi calpesteranno, come avevo promesso a Mosè. ⁴I vostri confini si estenderanno dal deserto e dal Libano fino al grande fiume, il fiume Eufrate – tutta la terra degli Hittiti – e fino al Mar Mediterraneo, ad occidente. ⁵Nessuno potrà resistere davanti a te per tutta la tua vita; come sono stato con Mosè, così sarò con te; non ti deluderò né ti abbandonerò.

⁶Sii forte e risoluto, perché sei tu che devi condurre questo popolo al possesso di quella terra che ho giurato ai loro padri di dare loro. ⁷Solamente sii forte e coraggioso, cercando di agire secondo tutte le istruzioni che ti ha dato Mosè, mio servo. Non deviare né a destra né a sinistra, perché tu possa riuscire in ogni tua impresa. ⁸Mai si allontani dalle tue labbra questo libro della legge; meditalo di giorno e di notte, così che tu possa eseguire scrupolosamente quanto vi è scritto; perché sarà allora che tu riuscirai nelle tue imprese e avrai ovunque successo. ⁹Non sono forse io che ti comando di essere forte e coraggioso? Non temere dunque e non avvilirti, perché è con te, in ogni tuo passo, il Signore tuo Dio».

¹⁰Giosuè allora ordinò ai capitani del popolo:

---

1. - 4. I confini assegnati per la conquista sono assai più ampi dei territori che effettivamente saranno ripartiti, cc. 13-19, e che nella realtà non furono mai raggiunti.

[11]«Attraversate l'accampamento e date al popolo queste disposizioni: fate provvista di viveri, perché fra tre giorni dovrete attraversare questo fiume, il Giordano, per entrare in possesso della terra che il Signore, vostro Dio, sta per darvi, perché la possediate».

[12]Poi Giosuè disse ai Rubeniti, ai Gaditi e alla metà della tribù di Manasse: [13]«Ricordatevi dell'ordine che vi diede Mosè, servo del Signore: Il Signore, vostro Dio, vi ha concesso riposo, dandovi questa terra; [14]le vostre donne, i vostri bambini e i vostri greggi rimangano nella terra che vi ha dato Mosè al di là del Giordano. Voi tutti invece, uomini abili per la guerra, passerete armati in testa ai vostri fratelli e presterete loro aiuto, [15]finché il Signore non avrà concesso riposo anche ai vostri fratelli come a voi e avranno anch'essi preso possesso della terra che il Signore, Dio vostro, sta per dare loro. Dopo potrete ritornare alla terra che vi appartiene e che vi fu data da Mosè, servo del Signore, al di là del Giordano, verso oriente». [16]Quelli risposero a Giosuè: «Faremo tutto quello che ci comandi e andremo dovunque tu vorrai mandarci. [17]Come abbiamo obbedito a Mosè, così obbediremo a te; soltanto, sia con te il Signore, tuo Dio, come fu con Mosè. [18]Chiunque non ti ascolterà e non obbedirà ai tuoi ordini, ad ogni cosa che tu ci comanderai, sia ucciso. Sii dunque forte e coraggioso!».

L'ESPLORAZIONE DI GERICO

2 [1]In seguito Giosuè, figlio di Nun, di nascosto inviò da Sittim due esploratori con quest'ordine: «Andate e osservate bene la regione, specialmente Gerico». Essi andarono ed entrarono in casa di una prostituta che si chiamava Raab e vi presero alloggio. [2]Ma la cosa fu riferita al re di Gerico: «Ecco, sono venuti qui alcuni Israeliti, questa notte, per esplorare il paese». [3]Il re di Gerico mandò a dire a Raab: «Fa' uscire gli uomini che sono venuti da te e che hanno preso alloggio nella tua casa, perché sono venuti per esplorare il paese». [4]La donna nascose subito i due uomini e poi rispose: «Veramente sono venuti da me questi uomini, ma non sapevo di dove fossero; [5]sono venuti, ma al momento di chiudere la porta quegli uomini sono usciti nelle tenebre e non so per dove

siano andati; inseguiteli subito, potreste ancora raggiungerli». [6]Essa invece li aveva fatti salire sul terrazzo e li aveva nascosti sotto i mannelli di lino che vi aveva ammassato. [7]Quelli li inseguirono verso il Giordano fino ai posti di guado e, appena gli inseguitori furono usciti, venne chiusa la porta. [8]Quanto agli esploratori, prima ancora che fossero coricati, la donna era salita da loro, sul terrazzo, [9]e disse loro: «So che il Signore vi ha dato questo paese e noi siamo pieni di paura per voi e tutti gli abitanti della regione tremano dinanzi a voi. [10]Abbiamo saputo infatti che il Signore ha asciugato le acque del Mar Rosso davanti a voi quando usciste dall'Egitto e che cosa avete fatto ai due re amorrei al di là del Giordano, Sicon e Og, votandoli alla morte. [11]All'udire queste cose, il nostro cuore è venuto meno e nessuno ha più il coraggio di stare davanti a voi, perché il Signore, vostro Dio, è Dio lassù in cielo e quaggiù in terra. [12]Dunque, giuratemi per il Signore che, come io vi ho trattato con bontà, così anche voi tratterete con bontà la casa di mio padre. Me ne darete un segno sicuro, [13]cioè, lascerete in vita mio padre e mia madre, i miei fratelli e le mie sorelle e tutto ciò che loro appartiene: preserverete dalla morte le nostre persone». [14]Quelli le risposero: «Noi daremo la nostra vita fino a morire per voi, purché però non sveliate questo nostro affare. Quando poi il Signore ci avrà consegnata la città, noi useremo con voi bontà e lealtà». [15]Allora essa li fece scendere dalla finestra con una corda, perché la sua casa poggiava sulle mura ed essa stessa aveva il suo alloggio sulle mura. [16]Quindi disse loro: «Andate verso la montagna per non imbattervi nei vostri inseguitori. Là state nascosti per tre giorni, finché essi siano ritornati; poi riprenderete la vostra strada». [17]Gli uomini le risposero: «Noi saremo sciolti dal giuramento che ci hai fatto fare a queste condizioni: [18]quando noi entreremo nel paese, tu attaccherai questa corda intrecciata di filo scarlatto alla finestra per la quale ci fai discendere e radunerai in casa, presso di te, tuo padre, tua madre, i tuoi fratelli e tutti i tuoi familiari. [19]Se, al contrario, qualcuno

---

2. - 1ss. L'atto di fede nel Dio degli Ebrei non solo valse la vita a Raab e ai suoi (Gs 6,25), ma le meritò di essere aggregata a Israele divenendo moglie di Salmon (cfr. Mt 1,5), antenato di Davide e di Cristo.

uscirà fuori di casa tua, il suo sangue ricadrà sul suo capo e noi non ne avremo colpa. Chiunque, invece, rimarrà in casa con te, il suo sangue ricadrà sulle nostre teste se qualcuno gli metterà le mani addosso. [20]Se poi tu rivelerai questo nostro affare, noi saremo sciolti dal giuramento che ci hai fatto fare». [21]Ella rispose: «Sia come avete detto». Poi li congedò ed essi se ne andarono. La donna intanto attaccò la corda di filo scarlatto alla finestra.

[22]Quelli, usciti che furono, se ne andarono verso la montagna, dove rimasero per tre giorni, finché fossero rientrati gli uomini che li inseguivano, i quali a loro volta li avevano ricercati in ogni direzione, senza trovarli. [23]Allora i due esploratori ritornarono dalla montagna, passarono il fiume e si recarono da Giosuè, figlio di Nun, e gli raccontarono tutto quanto era loro accaduto. [24]Quindi dissero a Giosuè: «Certamente il Signore ha messo nelle nostre mani tutta quella regione, perché tutti i suoi abitanti già tremano dinanzi a noi».

IL PASSAGGIO
DEL FIUME GIORDANO

3 [1]Giosuè si levò di buon mattino; egli e tutti i figli d'Israele si mossero da Sittim e giunsero al Giordano, dove si fermarono prima di attraversare. [2]Trascorsi tre giorni, gli ufficiali passarono per tutto l'accampamento [3]e diedero al popolo quest'ordine: «Quando vedrete l'arca dell'alleanza del Signore, Dio vostro, e i sacerdoti leviti che la portano, voi vi muoverete dal vostro posto e la seguirete. [4]Ci sarà però tra voi e l'arca una distanza di circa duemila cubiti: non avvicinatevi ad essa. Così potrete sapere che strada fare, perché voi non siete mai passati prima d'oggi per questa strada». [5]Giosuè disse quindi al popolo: «Santificatevi, perché domani il Signore farà meraviglie in mezzo a voi!». [6]Ai sacerdoti Giosuè parlò così: «Prendete l'arca dell'alleanza e passate in testa al popolo». Quelli presero l'arca dell'alleanza e cominciarono a marciare alla testa del popolo.

3. - 14-17. La straordinarietà dell'avvenimento si può arguire dal fatto che accadde nel tempo e nel luogo preannunciato, quando il fiume era in piena e perciò largo il doppio del solito, cioè circa 60 m, con acque vorticose e rapide, che difficilmente si potevano attraversare.

[7]Allora il Signore disse a Giosuè: «Oggi stesso comincio a glorificarti davanti a tutto Israele, affinché sappia che sono con te, come sono stato con Mosè. [8]Da' dunque quest'ordine ai sacerdoti che portano l'arca dell'alleanza: Quando sarete giunti ai bordi delle acque del Giordano, fermatevi lì presso il Giordano». [9]Giosuè disse allora ai figli d'Israele: «Avvicinatevi e ascoltate le disposizioni del Signore, vostro Dio».

[10]Giosuè continuò: «In questo riconoscerete che il Dio vivente è in mezzo a voi e che, certo, farà fuggire davanti a voi i Cananei, gli Hittiti, gli Evei, i Perizziti, i Gergesei, gli Amorrei e i Gebusei. [11]Ecco, l'arca dell'alleanza del Signore di tutta la terra sta per passare il Giordano, davanti a voi. [12]Sceglietevi ora dodici uomini dalle tribù d'Israele, uno per ciascuna tribù. [13]Appena le piante dei piedi dei sacerdoti che portano l'arca di Dio, Signore di tutta la terra, si poseranno sulle acque del Giordano, si bloccheranno le sue acque: quelle che scendono dall'alto si staccheranno da quelle che scendono in basso e si fermeranno come una sola massa».

[14]Quando il popolo tolse le tende per passare il Giordano, i sacerdoti portavano l'arca dell'alleanza davanti a tutto il popolo. [15]Appena quelli che portavano l'arca giunsero al Giordano e i piedi dei sacerdoti che portavano l'arca si immersero ai bordi delle acque – il Giordano infatti è in piena fin sopra le sue sponde per tutto il tempo della mietitura –, [16]le acque del Giordano che scendono dall'alto si fermarono, ergendosi come una sola massa a grande distanza, presso Adama, la città che è vicina a Zartan; mentre le acque che vanno verso il mare dell'Araba, il Mar Morto, se ne staccarono completamente, così il popolo attraversò di fronte a Gerico. [17]I sacerdoti che portavano l'arca dell'alleanza del Signore rimasero fermi all'asciutto, in mezzo al Giordano, mentre tutto Israele passava all'asciutto, finché tutto il popolo non ebbe finito di passare il Giordano.

LE DODICI PIETRE
COMMEMORATIVE

4 [1]Quando tutto il popolo ebbe finito di passare il Giordano, il Signore disse a Giosuè: [2]«Sceglietevi dal popolo dodici uomini, un uomo per ciascuna tribù, [3]e date

loro quest'ordine: Prendete dodici pietre da
qui, in mezzo al Giordano, dal luogo dove
rimasero fermi i piedi dei sacerdoti: traspor-
tatele con voi e deponetele nel luogo dove
pernotterete». ⁴Giosuè chiamò quindi i dodici uomini che aveva fatto scegliere tra i figli
d'Israele, uno per ciascuna tribù, ⁵e disse
loro: «Andate in mezzo al Giordano fino
all'arca del Signore vostro Dio e prendete
ciascuno una pietra sulle spalle, secondo il numero delle tribù dei figli di Israele,
⁶perché diventino un segno in mezzo a voi.
Quando domani i vostri figli vi chiederanno:
Che cosa significano per voi queste pietre?,
⁷voi risponderete: Le acque del Giordano si
sono divise davanti all'arca dell'alleanza del
Signore; mentre essa attraversava il Giordano, le acque del Giordano si divisero e queste pietre dovranno essere un memoriale
perpetuo per i figli d'Israele». ⁸Fecero dunque i figli d'Israele come aveva comandato
Giosuè: presero dodici pietre in mezzo al
Giordano, secondo l'ordine dato dal Signore
a Giosuè, in base al numero delle tribù dei
figli d'Israele, le portarono con sé nel luogo
in cui passarono la notte, e lì le deposero.
⁹Giosuè aveva fatto ammucchiare altre
dodici pietre in mezzo al Giordano, come
piedistallo dei sacerdoti che portavano l'arca dell'alleanza: esse si trovano lì ancora ai
nostri giorni.
¹⁰I sacerdoti che portavano l'arca stavano
dunque fermi in mezzo al Giordano, finché
non fu compiuto tutto quello che il Signore aveva detto a Giosuè di comunicare al
popolo e secondo tutte le direttive date da
Mosè a Giosuè. Nel frattempo il popolo
si affrettava a passare. ¹¹Quando il popolo ebbe finito di attraversare, allora passò
l'arca del Signore con i sacerdoti in testa
al popolo. ¹²I figli di Ruben, i figli di Gad e
la mezza tribù di Manasse passarono armati davanti ai figli d'Israele, come aveva
comandato loro Mosè. ¹³Circa quarantamila
in assetto di guerra passarono davanti al
Signore, pronti a combattere nelle steppe
di Gerico. ¹⁴In quel giorno il Signore esaltò Giosuè davanti a tutti i figli d'Israele e lo
venerarono come avevano venerato Mosè
per tutta la sua vita.
¹⁵Il Signore disse poi a Giosuè: ¹⁶«Comanda ai sacerdoti che portano l'arca della
testimonianza di risalire dal Giordano».
¹⁷Giosuè comandò ai sacerdoti: «Venite su

dal Giordano». ¹⁸Quando i sacerdoti che
portavano l'arca dell'alleanza del Signore
risalirono dal Giordano, appena la pianta
dei loro piedi toccò la terra asciutta, le acque del Giordano ritornarono nel loro letto
e ripresero a scorrere come prima su tutta
l'ampiezza delle sponde.
¹⁹Il popolo risalì dal Giordano il decimo giorno del primo mese e si accampò a Galgala,
sul confine orientale di Gerico. ²⁰Lì, a Galgala, Giosuè fece erigere le dodici pietre
che avevano preso in mezzo al Giordano,
²¹poi disse ai figli d'Israele: «Quando i vostri
figli domanderanno un giorno ai loro padri:
Che cosa significano queste pietre?, ²²voi
darete loro questa spiegazione: Israele ha
attraversato il Giordano all'asciutto, ²³perché il Signore, vostro Dio, ha prosciugato
le acque del Giordano davanti a voi finché
non siete passati, come già aveva fatto lo
stesso Signore, vostro Dio, al Mar Rosso,
che prosciugò davanti a noi finché non
fummo passati; ²⁴affinché tutti i popoli della
terra sappiano che la mano del Signore è
potente, e tutti voi temiate sempre il Signore, Dio vostro».

LA CIRCONCISIONE DEGLI ISRAELITI

5 ¹Quando tutti i re amorrei, che abitavano
ad ovest del Giordano, e tutti i re cananei, che erano sul lungomare, seppero che il
Signore aveva prosciugato le acque davanti
ai figli d'Israele, finché essi non furono passati, si sentirono venir meno ogni coraggio e
nessuno ebbe più la forza di stare davanti ai
figli d'Israele. ²In quel tempo il Signore disse
a Giosuè: «Fatti dei coltelli di pietra e cir-
concidi di nuovo i figli d'Israele». ³Giosuè si
procurò dei coltelli di pietra e circoncise i figli
d'Israele presso il colle di Aralot.
⁴Questo è il motivo per il quale Giosuè li
fece circoncidere: tutta la gente che era
uscita dall'Egitto, i maschi, tutti gli uomini
abili alla guerra erano morti strada facendo,
nel deserto, dopo l'uscita dall'Egitto. ⁵Ora,
tutto questo popolo che era uscito dall'Egitto era circonciso, ma quelli che erano nati
nel deserto, durante il viaggio dopo l'uscita

---

4. - 19. Il *primo mese* del ciclo religioso era chiamato Abib e
poi Nisan; siamo quindi quattro giorni prima della Pasqua
che ricorda il prodigioso passaggio del Mar Rosso (Es 14).

dall'Egitto, non erano circoncisi. ⁶Per quarant'anni, infatti, i figli d'Israele vagarono nel deserto, in modo che perì tutta la nazione, cioè tutti quelli che nel momento dell'uscita dall'Egitto erano abili alla guerra. Questi non avevano ascoltato la parola del Signore, così egli aveva giurato loro che non avrebbe consentito che vedessero la terra che aveva giurato di dare ai loro padri, una terra abbondantissima di latte e miele. ⁷Ma in loro vece egli suscitò i loro figli, che Giosuè fece circoncidere. Non erano infatti circoncisi perché non era stata fatta la circoncisione durante il viaggio. ⁸Quando si terminò di circoncidere tutta la nazione, rimasero fermi nell'accampamento, finché furono guariti. ⁹Allora il Signore disse a Giosuè: «Oggi ho allontanato da voi l'onta dell'Egitto». Così quel luogo fu chiamato Galgala fino a oggi. ¹⁰I figli d'Israele rimasero quindi accampati in Galgala e celebrarono la Pasqua il quattordici del mese, la sera, nella pianura di Gerico. ¹¹Il giorno dopo la Pasqua mangiarono dei prodotti della terra, pane azzimo e frumento abbrustolito, in quello stesso giorno. ¹²Da quello stesso giorno, allorché cominciarono a mangiare i frutti del paese, non ci fu più la manna. Non ci fu più la manna per i figli d'Israele ed essi mangiarono quell'anno i frutti della terra di Canaan.

¹³Mentre Giosuè si trovava presso Gerico levò lo sguardo ed ecco, vide un uomo in piedi dinanzi a sé, che aveva in mano una spada sguainata. Giosuè gli andò incontro e gli rivolse la parola: «Tu sei dei nostri, o sei tra i nostri avversari?». ¹⁴Rispose: «No. Io sono il capo dell'esercito del Signore. Arrivo proprio in questo momento». Allora Giosuè si prostrò a terra per adorarlo e poi disse: «Che cosa comanda il mio capo al suo servo?». ¹⁵Il capo dell'esercito del Signore rispose a Giosuè: «Togli dai piedi i sandali, perché questo luogo dove stai è santo». Giosuè obbedì prontamente.

LA PRESA DI GERICO

6 ¹Gerico era saldamente sbarrata dinanzi ai figli d'Israele: nessuno poteva né uscire né entrare. ²Il Signore disse a Giosuè: «Vedi, io ti metto in mano Gerico e il suo re con i suoi valorosi guerrieri. ³Tutti voi, uomini abili alla guerra, circonderete la città, facendo il giro della medesima una volta. Così farai per sei giorni. ⁴Sette sacerdoti porteranno sette trombe di corno d'ariete davanti all'arca. Il settimo giorno farete sette volte il giro della città e i sacerdoti suoneranno le trombe. ⁵Quando suonerà a distesa il corno d'ariete e voi udrete il suono della tromba, tutto il popolo uscirà in un forte grido di guerra. Allora le mura della città crolleranno all'istante e tutto il popolo irromperà, ciascuno diritto davanti a sé».

⁶Giosuè, figlio di Nun, convocò i sacerdoti e disse loro: «Prendete l'arca dell'alleanza e sette sacerdoti portino le sette trombe di corno d'ariete davanti all'arca del Signore». ⁷Poi disse al popolo: «Avanzate per fare il giro della città; gli armati passino davanti all'arca del Signore». ⁸Secondo quanto aveva ordinato Giosuè al popolo, sette sacerdoti, portando sette trombe, avanzarono e suonarono le trombe, mentre l'arca dell'alleanza del Signore veniva subito dietro di loro. ⁹Gli armati andavano avanti ai sacerdoti che suonavano le trombe e la retroguardia veniva dietro l'arca; si procedeva al suono delle trombe. ¹⁰Giosuè aveva dato al popolo quest'ordine: «Non gridate, non fate sentire la vostra voce: neppure una parola esca dalla vostra bocca, fino al giorno in cui vi dirò: Gridate! Allora griderete». ¹¹Poi Giosuè fece fare all'arca del Signore il giro della città, tutt'intorno, una volta; quindi tornarono agli accampamenti e vi pernottarono. ¹²Il giorno seguente Giosuè si alzò di buon mattino e i sacerdoti presero l'arca del Signore. ¹³I sette sacerdoti, con le sette trombe di corno davanti all'arca del Signore, avanzavano suonando le trombe; gli armati andavano avanti ad essi e la retroguardia andava dietro l'arca del Signore; si marciava al suono delle trombe.

¹⁴Anche in questo secondo giorno fecero una volta il giro intorno alla città, per tornare poi agli accampamenti. Così fecero per sei giorni. ¹⁵Il settimo giorno, levatisi allo spuntar dell'alba, fecero il giro della città allo stesso modo per sette volte. Solo quel giorno fecero sette volte il giro intorno alla città. ¹⁶Al settimo giro i sacerdoti suonarono le trombe e Giosuè disse al popolo: «Gridate, perché il Signore vi dà la città! ¹⁷La città con quanto è in essa sarà votata allo sterminio per il Signore; sarà salvata soltanto Raab, la prostituta, e tutti quelli che sono in casa con lei, perché essa nasco-

Gs

se gli esploratori che noi avevamo inviato. ¹⁸Quanto a voi, guardatevi bene da ciò che è votato allo sterminio, per non essere anche voi esecrabili, prendendo qualche cosa votato allo sterminio; questo sarebbe un esporre all'interdetto gli accampamenti d'Israele e portarli a rovina. ¹⁹Tutto l'argento e l'oro, tutti gli oggetti di bronzo e di ferro sono consacrati al Signore e dovranno entrare nel tesoro del Signore».

²⁰Il popolo allora lanciò un alto grido e si suonarono le trombe. Appena il popolo udì il suono delle trombe ed ebbe emesso un formidabile grido di guerra, le mura della città crollarono e il popolo salì verso la città, ciascuno diritto davanti a sé, e se ne impossessarono. ²¹Sterminarono tutto quanto era nella città, uomini e donne, giovani e vecchi; passarono a fil di spada perfino i buoi e gli asini. ²²Ai due uomini che avevano esplorato la regione Giosuè disse: «Andate a casa della prostituta e fate uscir fuori lei e tutto ciò che le appartiene, come le avete giurato». ²³I giovani esploratori andarono e condussero fuori Raab, suo padre, sua madre, i suoi fratelli e tutto ciò che le apparteneva; condussero fuori anche tutti quelli della sua parentela, portandoli al sicuro fuori degli accampamenti d'Israele.

²⁴Bruciarono quindi la città e tutto quello che vi era, eccetto l'argento e l'oro e gli oggetti di bronzo e di ferro, che furono deposti nel tesoro della casa del Signore. ²⁵Giosuè però lasciò in vita Raab, la prostituta, tutta la sua parentela e quanto le apparteneva, ed essa abita in mezzo ad Israele fino ad oggi, perché aveva nascosto gli esploratori che Giosuè aveva mandato a Gerico.

²⁶In quel giorno Giosuè fece questo giuramento: «Maledetto davanti al Signore l'uomo che si presenterà per riedificare questa città di Gerico! Sul suo primogenito ne getterà le fondamenta e sul suo figlio minore ne alzerà le porte».

²⁷Il Signore fu con Giosuè e la sua fama si sparse in tutto il paese.

IL PECCATO DI ACAN
E LE SUE CONSEGUENZE

7¹I figli d'Israele però commisero una mancanza nell'eseguire lo sterminio, perché Acan, figlio di Carmi, figlio di Zabdi,

figlio di Zerach, della tribù di Giuda, prese qualche cosa interdetta e il Signore arse di sdegno contro i figli d'Israele.

²Giosuè intanto inviò uomini da Gerico verso Ai, che è presso Bet-Aven, a oriente di Betel, e disse loro: «Andate a esplorare il paese». Quegli uomini andarono a esplorare Ai. ³Tornarono quindi da Giosuè e dissero: «Non salga tutto il popolo: vadano all'assalto due o tremila uomini per espugnare Ai. Non stare ad affaticare tutto il popolo perché là c'è poca gente».

⁴Salirono dunque soltanto tremila soldati scelti dalla massa, ma dovettero fuggire di fronte agli uomini di Ai. ⁵Questi ne uccisero circa trentasei e li inseguirono dalla porta fino a Sebarim e continuarono a colpirli lungo la discesa. Allora al popolo mancò il coraggio, e si sciolse come acqua.

⁶Giosuè si strappò le vesti e si prostrò con la faccia a terra davanti all'arca del Signore fino alla sera, e con lui gli anziani d'Israele, cospargendosi la testa di polvere. ⁷Giosuè pregò quindi così: «Signore Dio, perché hai fatto passare il Giordano a questo popolo? Forse per darci nelle mani dell'Amorreo e farci distruggere? Avessimo piuttosto deciso di restare al di là del Giordano! ⁸Signore, che cosa posso dire ora che Israele ha dovuto voltare le spalle davanti ai suoi nemici? ⁹Lo verranno a sapere i Cananei e tutti gli abitanti della regione, si rivolteranno contro di noi e cancelleranno dalla terra il nostro nome. Cosa farai tu, allora, per il tuo grande nome?».

¹⁰Il Signore rispose a Giosuè: «Alzati, a che serve startene lì a terra? ¹¹Gli Israeliti hanno peccato, hanno trasgredito l'alleanza che io avevo prescritto loro, prendendosi ciò che era votato allo sterminio; hanno rubato, hanno dissimulato nascondendo nei propri bagagli. ¹²Perciò i figli d'Israele non potranno tener fronte ai loro nemici, ma volteranno loro le spalle, perché sono divenuti infedeli. Io non sarò più con voi, se non eliminerete da voi colui che è incorso in questo peccato. ¹³Alzati, purifica il popolo e ordina: Santificatevi per domani, perché così ha parlato il Signore, Dio d'Israele: co

6. - 20-21. La caduta delle *mura* di Gerico non fu dovuta né al grido di guerra né al suono delle trombe: tutto ciò è un modo di esprimere l'intervento divino che ha consentito a Israele di conquistare la città.

lui che ha peccato è in mezzo a te, Israele! Tu non potrai più tener fronte ai tuoi nemici, finché non lo avrai eliminato da te. ¹⁴Domani all'alba vi presenterete per tribù. La tribù che il Signore avrà designato per sorteggio si presenterà per famiglie, e la famiglia che il Signore avrà designato si presenterà per casati e i casati uno per uno. ¹⁵Colui che risulterà colpevole di questo peccato, sarà bruciato con tutta la sua famiglia, perché ha trasgredito l'alleanza del Signore e ha commesso una grande infamia in Israele».

¹⁶Giosuè si levò all'alba e fece venire Israele per tribù: la sorte cadde sulla tribù di Giuda. ¹⁷Fece venire allora le famiglie di Giuda e fu sorteggiata la famiglia di Zerach. Fece avvicinare la famiglia di Zerach per casati e uscì a sorte Zabdi. ¹⁸Fece avvicinare il suo casato, uomo per uomo, e la sorte cadde su Acan, figlio di Carmi, figlio di Zabdi, figlio di Zerach, della tribù di Giuda.

¹⁹Disse allora Giosuè ad Acan: «Figlio mio, da' gloria al Signore, Dio d'Israele, rendendogli omaggio; dimmi che cosa hai fatto, senza nascondermi nulla!». ²⁰Acan rispose a Giosuè: «In verità sono io che ho peccato contro il Signore, Dio d'Israele, facendo quanto ora ti espongo. ²¹Avendo visto tra il bottino un magnifico mantello di Sennaar, duecento sicli d'argento, un lingotto d'oro di cinquanta sicli, li ho ardentemente desiderati e li ho presi. Ecco, sono nascosti sotto terra, in mezzo alla mia tenda, e sotto vi è l'argento». ²²Giosuè mandò alcuni giovani che subito corsero verso la tenda, ed ecco un nascondiglio nella sua tenda con sotto l'argento; ²³essi lo presero dalla tenda e lo portarono a Giosuè e a tutti i figli d'Israele, deponendolo davanti al Signore.

²⁴Allora Giosuè prese Acan, figlio di Zerach, con l'argento, il mantello, il lingotto d'oro, i suoi figli e le sue figlie, i suoi tori, i suoi asini e tutto il bestiame minuto, la sua tenda e tutto quanto gli apparteneva e li condusse nella valle di Acor. Tutto Israele era con lui. ²⁵Giosuè disse allora: «Come hai portato sfortuna a noi, così oggi il Signore ti porti a te!». Tutto Israele lo uccise con pietre.

²⁶Innalzarono quindi su di lui un grande mucchio di pietre, che esiste ancora oggi. Il Signore allora si calmò dal furore della sua ira. Perciò quel luogo si chiama fino ad oggi valle di Acor.

LA CONQUISTA DI AI

8 ¹Il Signore disse a Giosuè: «Non temere e non scoraggiarti. Prendi con te tutti gli uomini abili alla guerra, e attacca Ai. Vedi, io ti metto in mano il re di Ai con tutto il suo popolo, la sua città e il suo territorio. ²Di Ai e del suo re farai quello che hai fatto di Gerico e del suo re. Prenderete per voi il bottino e il bestiame. Tendi un agguato alla città, dietro di essa».

³Giosuè e tutti quelli che erano abili alla guerra si levarono, allora, per salire contro Ai. Giosuè scelse trentamila uomini coraggiosi e li fece partire nella notte, ⁴con quest'ordine: «Attenzione: voi vi metterete in agguato dall'altra parte della città; non allontanatevi troppo dalla città e tenetevi pronti. ⁵Io e tutta la gente che resta con me ci avvicineremo alla città. Quando essi usciranno contro di noi come l'altra volta, noi fuggiremo davanti a loro.

⁶Essi allora ci inseguiranno e noi li attireremo lontano dalla città, perché penseranno: Fuggono davanti a noi come l'altra volta!, quando noi fuggimmo dinanzi a loro. ⁷Allora voi uscirete dall'agguato e occuperete la città, poiché il Signore, vostro Dio, ve la darà nelle mani. ⁸Appena avrete preso la città, l'incendierete, come il Signore ha comandato di fare. Attenzione, sono io che vi ho dato questi ordini!».

⁹Giosuè allora li inviò ed essi andarono al luogo dell'agguato, fra Betel e Ai, a occidente di Ai. Giosuè passò quella notte in mezzo al popolo. ¹⁰Si levò quindi all'alba, passò in rassegna il popolo e cominciò a salire, stando in testa al popolo insieme agli anziani d'Israele, contro Ai. ¹¹Tutti gli uomini abili alla guerra che erano con lui salirono, finché arrivarono proprio di fronte alla città e si accamparono a nord di Ai. Tra Giosuè e Ai c'era di mezzo la vallata. ¹²Egli prese circa cinquemila uomini e li pose in agguato tra Betel e Ai, a occidente della città. ¹³Il resto delle truppe rimase accampato a nord della città, mentre l'agguato era stato pre-

---

8. - 4. La cittadina di Ai controllava l'accesso alla zona montagnosa del centro e fu espugnata con uno stratagemma. Soltanto così gl'Israeliti, che difettavano di armi d'assalto e d'assedio, potevano aver ragione delle saldissime roccaforti cananee.

parato a occidente della medesima. Giosuè passò quella notte in mezzo alla valle.

[14]Appena il re di Ai si accorse di ciò, tutti gli uomini della città si alzarono in fretta e uscirono a battaglia contro Israele, il re con tutto il popolo, lungo la discesa verso l'Araba; non sapeva che c'era chi gli tendeva l'agguato dietro la città. [15]Giosuè e tutto Israele si finsero vinti dinanzi a loro e fuggirono verso il deserto. [16]Tutta la gente che era nella città corse ad inseguirli gridando, allontanandosi così dalla città. [17]Non era rimasto nessuno in Ai e in Betel che non fosse uscito per inseguire Israele, lasciando aperta la città.

[18]Allora il Signore disse a Giosuè: «Stendi verso Ai il giavellotto che hai in mano, perché io te la metto nelle mani». Giosuè stese verso la città il giavellotto che aveva in mano. [19]Com'egli ebbe stesa la mano, quelli che avevano preparato l'agguato si mossero rapidamente dal loro posto e cominciarono a correre; appena giunsero nella città se ne impossessarono e si affrettarono ad incendiarla.

[20]Voltandosi indietro, gli uomini di Ai videro il fumo della città che si alzava fino al cielo: ma ormai per essi non c'era più la possibilità di fuggire da una parte o dall'altra, perché anche quelli che fuggivano verso il deserto si rivoltavano verso quelli che li inseguivano. [21]Giosuè e tutta la sua gente, avendo visto che quelli che avevano preparato l'agguato si erano impadroniti della città e che dalla medesima saliva il fumo, si voltarono e cominciarono a colpire gli uomini di Ai. [22]Anche quelli che avevano preparato l'agguato uscirono dalla città contro di loro, e così la gente di Ai venne a trovarsi in mezzo agli Israeliti che avanzavano gli uni da una parte e gli altri dall'altra. Li colpirono fino a non lasciarne sopravvivere o fuggire alcuno. [23]Il re di Ai fu preso vivo e fu condotto da Giosuè. [24]Quando Israele ebbe finito di uccidere tutti gli abitanti di Ai nella campagna, nel deserto, dove quelli prima lo avevano inseguito, e tutti furono caduti sotto la spada, in modo che non sopravvisse alcuno, allora tutto Israele ritornò ad Ai e la passò a fil di spada. [25]Il totale degli uccisi in quel giorno, fra uomini e donne, fu di dodicimila, cioè tutta la gente di Ai. [26]Giosuè non ritrasse la mano che brandiva il giavellotto finché non furono votati allo

sterminio tutti gli abitanti di Ai. [27]Israele prese per sé soltanto il bestiame e il bottino della città, secondo quanto il Signore aveva ordinato a Giosuè.

[28]Poi Giosuè incendiò Ai e ne fece una rovina per sempre, una desolazione fino ad oggi. [29]Fece appendere il re di Ai ad un albero fino alla sera; al tramonto del sole, Giosuè comandò che venisse tolto il cadavere dall'albero e fosse gettato all'ingresso della porta della città; vi gettarono sopra un gran mucchio di pietre, che esiste ancor oggi. [30]Allora Giosuè innalzò un altare al Signore, Dio d'Israele, sul monte Ebal. [31]Un altare di pietre grezze, non levigate col ferro, come aveva ordinato Mosè, servo del Signore, ai figli d'Israele e come è scritto nella legge di Mosè. Su di esso offrirono al Signore olocausti e sacrifici di comunione. [32]In quel luogo Giosuè, alla presenza dei figli d'Israele, scrisse su pietre una copia della legge di Mosè. [33]Tutto Israele, i suoi anziani, i suoi ufficiali, i suoi giudici, forestieri e cittadini, stavano in piedi da una parte e dall'altra dell'arca davanti ai sacerdoti leviti, che portavano l'arca dell'alleanza del Signore, metà voltati verso il monte Garizim e metà verso il monte Ebal, come aveva comandato Mosè, servo del Signore, nel dare al popolo d'Israele la benedizione. [34]Quindi pronunziò ad alta voce ogni prescrizione della legge, la benedizione e la maledizione, tutto come sta scritto nel libro della legge. [35]Non ci fu disposizione alcuna di quelle prescritte da Mosè che Giosuè non proclamasse davanti a tutto Israele radunato, comprese le donne, i fanciulli e i forestieri che abitavano in mezzo ad essi.

L'ALLEANZA CON I GABAONITI

9 [1]Come udirono tali cose, tutti i re che stavano di qua dal Giordano, nella zona montuosa, nel bassopiano collinoso e lungo la costa del Mar Mediterraneo verso il Libano, gli Hittiti, gli Amorrei, i Cananei, i Perizziti, gli Evei, i Gebusei, [2]si coalizzarono per combattere insieme contro Giosuè e contro Israele.

[3]Gli abitanti di Gabaon, invece, quando seppero come Giosuè aveva trattato Gerico e Ai, [4]giocarono per conto proprio d'astuzia: andarono a far provviste da viaggio, posero

sacchi sdruciti sopra i loro asini, vecchi otri per il vino, strappati e rappezzati, ⁵misero ai piedi sandali vecchi e rattoppati e addosso vesti sdrucite. Tutto il pane della loro provvista era secco e ridotto in briciole. ⁶Così vennero da Giosuè, negli accampamenti di Galgala, e dissero a lui e al popolo d'Israele: «Noi siamo venuti da un paese lontano: ora, fate alleanza con noi!». ⁷Gli Israeliti risposero loro: «Non abitate, per caso, in mezzo a noi? E come potremo stringere alleanza con voi?». ⁸Quelli dissero a Giosuè: «Noi siamo tuoi schiavi». Giosuè domandò loro: «Chi siete e da dove venite?». ⁹Quelli risposero: «Da una terra molto lontana vengono i tuoi servi, attratti dalla fama del nome del Signore tuo Dio, perché noi abbiamo sentito parlare di lui, e di tutto quello che ha fatto in Egitto. ¹⁰Come pure di tutto quello che egli ha fatto ai due re amorrei che erano al di là del Giordano, a Sicon, re di Chesbon, e ad Og, re di Basan, che risiedeva ad Astarot. ¹¹I nostri anziani e tutti gli abitanti della regione ci dissero: Prendete con voi provviste da viaggio, andate loro incontro e dite loro: Noi siamo vostri servi, fate dunque alleanza con noi. ¹²Ecco qui il nostro pane: era caldo quando lo abbiamo preso dalle nostre case il giorno in cui uscimmo per venirvi incontro, e ora eccolo secco e sbriciolato. ¹³Questi sono gli otri per il vino, che erano nuovi quando li riempimmo, ed ecco che sono rotti. E questi sono i nostri vestiti e i nostri sandali, sdruciti a causa del viaggio troppo lungo». ¹⁴Quegli uomini assaggiarono le loro provviste, ma non consultarono il Signore.

¹⁵Giosuè fece pace con loro, impegnandosi con il patto di lasciarli in vita, e i capi del popolo lo confermarono con il loro giuramento.

¹⁶Tre giorni dopo ch'essi avevano stretto il patto con loro, si seppe che quelli erano loro vicini, abitanti in mezzo ad essi. ¹⁷Mossero allora il campo i figli d'Israele e in tre giorni

giunsero alle loro città, che erano Gabaon, Chefira, Beerot e Kiriat-Iarim. ¹⁸I figli d'Israele, però, non li uccisero, perché i capi del popolo avevano giurato ad essi nel nome del Signore, Dio di Israele; ma la massa del popolo mormorò contro i capi. ¹⁹Tutti i capi risposero all'intera assemblea: «Noi abbiamo fatto con essi un giuramento nel nome del Signore, Dio d'Israele, e ora non possiamo toccarli. ²⁰Questo però faremo loro: li lasceremo in vita perché non venga su di noi l'ira divina, a causa del giuramento che abbiamo prestato». ²¹Poi aggiunsero: «Vivano pure, ma siano spaccatori di legna e portatori d'acqua per tutto il popolo». Come i capi ebbero loro parlato, ²²Giosuè chiamò i Gabaoniti e disse loro: «Perché ci avete ingannati dicendo: Noi abitiamo molto lontano da voi, mentre abitate in mezzo a noi? ²³Orbene, siate maledetti; né mai voi cesserete di essere schiavi, spaccatori di legna e portatori di acqua nella casa del mio Dio». ²⁴Quelli risposero a Giosuè: «Ai tuoi servi era stato riferito molto bene ciò che aveva ordinato il Signore, tuo Dio, a Mosè suo servo, di dare a voi tutta la terra e distruggere dinanzi a voi tutti gli abitanti del paese. Abbiamo avuto timore dinanzi a voi per le nostre vite, perciò abbiamo fatto tale cosa. ²⁵E ora, eccoci nelle tue mani; fa' pure di noi quello che ti sembra buono e giusto». ²⁶Giosuè li trattò così: li liberò dalle mani degli Israeliti, che non li uccisero; ²⁷e da quel giorno li stabilì come taglialegna e portatori d'acqua per tutto il popolo e per l'altare del Signore, nel luogo che egli avrebbe scelto, fino ad oggi.

LA BATTAGLIA DI GABAON

10 ¹Quando Adoni-Zedek, re di Gerusalemme, venne a sapere che Giosuè aveva preso Ai e l'aveva votata allo sterminio, e che, come aveva trattato Gerico e il suo re, così aveva trattato Ai e il suo re, e che gli abitanti di Gabaon avevano fatto pace con i figli d'Israele e si trovavano in mezzo ad essi, ²ne fu terrorizzato, perché Gabaon era una città grande come una capitale ed era più grande di Ai, e i suoi uomini erano tutti valorosi. ³Allora Adoni-Zedek, re di Gerusalemme, mandò a dire a Oam, re di

Gs

---

10. - Queste città, situate nella parte meridionale della Palestina, tentano l'offensiva contro Israele. La rapida narrazione della conquista della terra promessa che viene fatta nei cc. 10-12 ha soltanto il fine di dimostrare la *fedeltà di Dio* alla promessa fatta a Israele di dare un territorio stabile. La condotta di guerra – vera guerra di sterminio –, cui qui si accenna (10,28-43), corrispondeva al costume del tempo, ma lo schema ripetitivo usato dall'autore intende sottolineare la vittoria di Giosuè sicuro della protezione di Dio.

Ebron, a Piream, re di Iarmut, a Iafia, re di Lachis, e a Debir, re di Eglon: ⁴«Salite fin quassù da me e aiutatemi ad espugnare Gabaon, perché ha fatto pace con Giosuè e con i figli d'Israele». ⁵Riunitisi quindi i cinque re amorrei, il re di Gerusalemme, il re di Ebron, il re di Iarmut, il re di Lachis e il re di Eglon salirono con tutte le loro truppe, si accamparono davanti a Gabaon e l'assalirono.

⁶I Gabaoniti allora mandarono a dire a Giosuè, all'accampamento di Galgala: «Non rifiutare il tuo aiuto ai tuoi servi, sali presto fino a noi e salvaci con il tuo aiuto, perché si sono coalizzati contro di noi tutti i re amorrei che abitano sulle montagne». ⁷Giosuè salì allora da Galgala, lui insieme con tutti gli uomini abili alla guerra e con tutti i guerrieri valorosi. ⁸Il Signore disse a Giosuè: «Non aver paura di loro, perché io te li do nelle mani; nessuno di quelli potrà resisterti». ⁹Giosuè piombò loro addosso all'improvviso, dopo aver marciato tutta la notte da Galgala. ¹⁰Il Signore mise lo scompiglio in mezzo a loro davanti a Israele, infliggendo loro una grave sconfitta presso Gabaon; poi li inseguì verso la salita di Bet-Oron, continuando a colpirli fino ad Azeka e a Makkeda. ¹¹Mentre essi fuggivano davanti a Israele e si trovavano nella discesa di Bet-Oron, il Signore scagliò dal cielo su di loro, fino ad Azeka, grosse pietre che li annientarono. Furono più coloro che morirono per quella grandinata di pietre che non quelli che uccisero di spada i figli d'Israele.

¹²In quel tempo, quando cioè il Signore diede gli Amorrei in balia dei figli d'Israele, Giosuè parlò al Signore, esprimendosi così alla presenza d'Israele:

«O sole, fermati su Gabaon,
e tu, o luna, nella valle di Aialon».

¹³E il sole si fermò, e la luna ristette, finché il popolo si fu vendicato dei suoi nemici. Non sta forse scritto nel Libro del Giusto: «Il sole rimase fermo in mezzo al cielo e non si affrettò a tramontare quasi tutto un giorno? ¹⁴Non vi fu mai, né prima né dopo, un giorno come quello, in cui il Signore abbia esaudito la preghiera di un uomo; evidentemente il Signore combatté per Israele!». ¹⁵Dopodiché Giosuè, e con lui tutto Israele, tornarono all'accampamento di Galgala.

¹⁶Quei cinque re erano fuggiti e si erano nascosti in una caverna presso Makkeda. ¹⁷Fu riferito a Giosuè: «Sono stati trovati i cinque re, nascosti nella grotta di Makkeda». ¹⁸Egli disse: «Rotolate grosse pietre all'imbocco della caverna e mettetevi degli uomini per sorvegliarli. ¹⁹Voi intanto non vi fermate, ma continuate ad inseguire i vostri nemici, prendendoli alle spalle, così da impedire loro di rientrare nelle loro città, perché il Signore, vostro Dio, li ha messi nelle vostre mani». ²⁰Quando Giosuè e i figli d'Israele ebbero finito di massacrarli con una ferocissima strage – soltanto alcuni fuggiaschi, che erano scampati, avevano raggiunto le città fortificate –, ²¹allora tutto il popolo tornò sano e salvo all'accampamento presso Giosuè, in pace. Nessuno mosse più la lingua contro i figli di Israele. ²²Allora Giosuè disse: «Aprite l'ingresso della caverna, fate uscire quei cinque re e conduceteli da me!». ²³Così fecero e condussero a lui, fuori della caverna, i cinque re, il re di Gerusalemme, il re di Ebron, il re di Iarmut, il re di Lachis e il re di Eglon. ²⁴Quando quei re furono condotti da Giosuè, questi radunò tutto Israele e disse ai capi dell'esercito che li avevano accompagnati: «Avvicinatevi e mettete i vostri piedi sul collo di questi re». Essi si avvicinarono e posero i piedi sul loro collo.

²⁵Disse quindi loro Giosuè: «Non temete e non perdetevi di coraggio, ma siate forti e valorosi, perché così il Signore tratterà tutti i vostri nemici, contro i quali dovrete combattere». ²⁶Dopo ciò Giosuè li fece colpire e uccidere e li fece appendere a cinque pali, sui quali rimasero appesi fino alla sera. ²⁷Al tramontar del sole Giosuè comandò di calarli dai pali e li fece gettare nella grotta in cui si erano nascosti, all'imboccatura della quale posero delle grosse pietre, che vi si trovano ancora oggi.

²⁸In quel giorno Giosuè prese Makkeda, la passò a fil di spada con il suo re, la votò allo sterminio con tutti i suoi abitanti, senza lasciare che alcuno scampasse e trattò il re di Makkeda come aveva trattato il re di Gerico.

11-14. Nella Bibbia si parla dei fenomeni naturali secondo come essi appaiono ai sensi. Qui l'autore vuole sicuramente accennare a un intervento straordinario di Dio, che consisté nella furiosa tempesta, inconsueta nel tempo e nel modo. La descrizione che segue, in stile poetico, dice la medesima cosa.

²⁹Poi Giosuè e quanti erano con lui passarono da Makkeda a Libna e mossero guerra contro Libna. ³⁰Il Signore mise anche questa città e il suo re in potere di Israele, che la passò a fil di spada con tutti quelli che vi abitavano, non vi lasciò alcun superstite e trattò il suo re come aveva trattato il re di Gerico. ³¹Quindi Giosuè con tutto Israele da Libna passò a Lachis, vi si accampò e la prese d'assalto. ³²Il Signore mise anche Lachis in potere d'Israele, che la prese il secondo giorno e la passò a fil di spada con tutti i suoi abitanti, come aveva fatto a Libna. ³³In quel tempo Oram, re di Ghezer, salì in aiuto di Lachis, ma Giosuè lo vinse insieme con il suo esercito, senza lasciare alcun superstite. ³⁴Quindi Giosuè, e con lui tutto Israele, passò da Lachis a Eglon, che assediarono e assalirono. ³⁵La occuparono quello stesso giorno e la passarono a fil di spada, votando allo sterminio tutti quelli che vi erano; tutto come era stato fatto con Lachis. ³⁶Poi Giosuè, e con lui tutto Israele, salì da Eglon a Ebron e l'attaccò. ³⁷La presero, la passarono a fil di spada con il suo re, i suoi villaggi e tutti gli abitanti, non lasciando alcun superstite; come aveva fatto con Eglon, la votò allo sterminio con tutti quelli che vi abitavano. ³⁸Poi Giosuè, e con lui tutto Israele, si volse verso Debir e l'attaccò. ³⁹Prese la città, il suo re e tutte le sue località, passò a fil di spada e votò allo sterminio tutti i suoi abitanti, non lasciando alcun superstite. Trattò Debir e il suo re come aveva trattato Ebron, e come aveva trattato anche Libna e il suo re. ⁴⁰Così Giosuè conquistò tutta la regione: la montagna, il Negheb, il bassopiano, le pendici e tutti i loro re. Non lasciò alcun superstite e votò allo sterminio ogni vivente, come aveva ordinato il Signore, Dio d'Israele. ⁴¹Giosuè li sterminò da Kades-Barnea fino a Gaza, e tutta la regione di Gosen fino a Gabaon. ⁴²In una sola campagna Giosuè prese tutti quei re e il loro territorio, perché il Signore, Dio d'Israele, combatté per Israele. ⁴³Alla fine Giosuè ritornò all'accampamento in Galgala.

LA CONQUISTA DELLE CITTÀ CANANEE SETTENTRIONALI

11 ¹Quando Iabin, re di Cazor, seppe queste cose, mandò dei messi ad informare Iobab, re di Madon, il re di Simron, il re di Acsaf ²e i re che erano a settentrione, sulle montagne, nell'Araba, a sud di Chinarot, nel bassopiano e sulle colline di Dor, verso il mare. ³I Cananei si trovavano a oriente e ad occidente, gli Amorrei, gli Hittiti, i Perizziti, i Gebusei erano sulle montagne e gli Evei erano ai piedi dell'Ermon, nella regione di Mizpa. ⁴Essi uscirono in campo con tutti i loro eserciti: una moltitudine ingente, come la sabbia che è sulla spiaggia del mare, con cavalli e carri in grande quantità. ⁵Tutti questi re si riunirono e vennero ad accamparsi insieme presso le acque di Merom, per combattere contro Israele. ⁶Ma il Signore rassicurò Giosuè: «Non temerli, perché domani a quest'ora io li mostrerò tutti uccisi davanti a Israele; farai tagliare i garretti ai loro cavalli e farai bruciare i loro carri». ⁷Così Giosuè con tutti i suoi guerrieri piombò all'improvviso su di loro presso le acque di Merom e li assalì. ⁸Il Signore li mise in potere d'Israele, che li batté e li inseguì fino a Sidone la Grande, fino a Misrefot-Maim e fino nella vallata di Mizpa verso oriente, facendone una strage tale da non lasciare alcun superstite. ⁹Giosuè li trattò secondo quanto aveva ordinato il Signore: fece tagliare i garretti ai loro cavalli e fece bruciare i loro carri.

¹⁰In quello stesso tempo Giosuè tornò indietro e prese Cazor e uccise di spada il suo re, perché prima Cazor era stata la capitale di tutti quei regni. ¹¹Passò a fil di spada tutti quelli che vi si trovavano, votandoli allo sterminio; non lasciò anima viva e appiccò il fuoco a Cazor. ¹²Giosuè prese tutte quelle città e i loro re, passandoli a fil di spada e votandoli allo sterminio come aveva ordinato Mosè, servo del Signore.

¹³Israele però non bruciò nessuna delle città che erano costruite sulle colline, ad eccezione di Cazor, che Giosuè fece bruciare. ¹⁴I figli di Israele presero per sé tutto il bottino di quelle città e il bestiame, ma passarono a fil di spada tutti gli uomini, fino a sterminarli tutti, senza lasciare anima viva. ¹⁵Come aveva ordinato il Signore al suo servo Mosè, così comandò Mosè a Giosuè e così fece Giosuè: non trascurò nulla di quello che il Signore aveva ordinato a Mosè. ¹⁶Così Giosuè prese tutto quel paese: le montagne, tutto il Negheb, tutta la terra di Gosen, il bassopiano, l'Araba,

Gs

le montagne d'Israele e i loro bassopiani. [17]Dal monte Calak, che sale verso Seir, fino a Baal-Gad, nella valle del Libano, ai piedi del monte Ermon, prese tutti i loro re, li colpì e li mise a morte. [18]Per molto tempo Giosuè mosse guerra a tutti quei re. [19]Nessuna città, infatti, volle fare pace con i figli d'Israele, eccetto gli Evei che abitavano in Gabaon; perciò furono tutte conquistate con le armi. [20]Tale era infatti il disegno del Signore: che il loro cuore cioè si ostinasse nel muovere guerra a Israele, per votarle così allo sterminio, senza che trovassero pietà, e per annientarle come aveva comandato il Signore a Mosè.

[21]In quel tempo Giosuè si mosse per sterminare anche gli Anakiti dalle montagne, da Ebron, da Debir, da Anab, da tutte le montagne di Giuda e da tutte le montagne di Israele. Giosuè li votò allo sterminio con le loro città. [22]Così nel territorio di Israele non rimasero più Anakiti; ne rimasero soltanto a Gaza, a Gat e in Asdod. [23]Giosuè occupò tutto il paese, come aveva detto il Signore a Mosè, e lo diede in possesso a Israele, secondo le loro divisioni per tribù. Quindi il paese si riposò dalla guerra.

RIEPILOGO
DELLE CONQUISTE DI ISRAELE

12 [1]Questi sono i re del paese che i figli d'Israele sconfissero al di là del Giordano, verso oriente, nel territorio che va dal torrente Arnon fino al monte Ermon, con tutta l'Araba orientale: [2]Sicon, re degli Amorrei, che risiedeva in Chesbon, estendeva il suo dominio da Aroer, che si trova sulla riva del torrente Arnon, dall'interno della valle, da metà del Galaad fino al fiume Iabbok, lungo il confine degli Ammoniti. [3]Comprendeva anche l'Araba, fino alla riva orientale del mare di Chinarot e fino al mare dell'Araba, il Mar Morto, ad oriente, verso Bet-Iesimot, e a sud fin sotto le pendici del Pisga. [4]Il dominio di Og, re di Basan, un superstite dei Refaim che risiedeva in Astarot e in Edrei, [5]si estendeva sul monte Ermon e in Salca e in tutto il Basan, fino al confine dei Ghesuriti e dei Maacatiti e in metà del Galaad fino al confine di Sicon, re di Chesbon. [6]Mosè, servo del Signore, e i figli di Israele li sconfissero, e Mosè, servo

del Signore, donò il loro paese in possesso ai Rubeniti, ai Gaditi e a metà della tribù di Manasse.

[7]Questi sono i re del paese che Giosuè e i figli di Israele sconfissero nella Cisgiordania, ad occidente, da Baal-Gad, nella valle del Libano, fino al monte Calak, che sale verso Seir, il cui paese Giosuè diede in possesso alle tribù d'Israele, secondo le loro divisioni, [8]sulle montagne, nella pianura, nell'Araba, sulle pendici, nel deserto e nel Negheb: gli Hittiti, gli Amorrei, i Cananei, i Perizziti, gli Evei e i Gebusei: [9]il re di Gerico, uno; il re di Ai, presso Betel, uno. [10]Il re di Gerusalemme, uno; il re di Ebron, uno. [11]Il re di Iarmut, uno; il re di Lachis, uno. [12]Il re di Eglon, uno; il re di Ghezer, uno. [13]Il re di Debir, uno; il re di Gheder, uno. [14]Il re di Corma, uno; il re di Arad, uno. [15]Il re di Libna, uno; il re di Adullam, uno. [16]Il re di Makkeda, uno; il re di Betel, uno. [17]Il re di Tappuach, uno; il re di Chefer, uno. [18]Il re di Afek, uno; il re di Saron, uno. [19]Il re di Madon, uno; il re di Cazor, uno. [20]Il re di Simron-Meroon, uno; il re di Acsaf, uno. [21]Il re di Taanach, uno; il re di Meghiddo, uno. [22]Il re di Kades, uno; il re di Iokneam del Carmelo, uno. [23] Il re di Dor, sulla collina di Dor, uno; il re delle genti di Galgala, uno. [24]Il re di Tirza, uno. In tutto trentun re.

I TERRITORI
NON ANCORA CONQUISTATI

13 [1]Intanto Giosuè si era fatto vecchio ed era avanzato negli anni. Perciò il Signore gli disse: «Tu sei diventato vecchio e avanzato negli anni, e il paese è rimasto ancora in gran parte da conquistare. [2]Questo è il paese che resta: tutti i distretti dei Filistei e tutto il paese dei Ghesuriti, [3]dal Sicor, che è sul confine con l'Egitto, fino al territorio di Accaron a nord,

---

12. - In 1-6 si parla dei re vinti già al tempo di Mosè, in 7-24 di quelli vinti da Giosuè dopo il passaggio del Giordano. Non meravigli il gran numero di re in un territorio così ridotto come la Palestina: erano piccoli capitribù, che possedevano una cittadina con i suoi dintorni.

3-7. Giosuè, in circa sette anni di guerra, aveva conquistato solo una parte della Palestina: rimaneva soprattutto da occupare la regione pianeggiante della costa, i cui abitanti erano forniti di armi che gli Ebrei non avevano ancora. La conquista totale avvenne soltanto con la monarchia ai tempi di Davide.

regione attribuita ai Cananei; i cinque principati dei Filistei, cioè Gaza, Asdod, Ascalon, Gat, Accaron, con gli Avviti [4]a sud; tutta la regione dei Cananei, da Ara presso i Sidoni, fino ad Afek presso la terra degli Amorrei; [5]la regione di quelli di Biblos e tutto il Libano ad oriente, da Baal-Gad alle pendici dell'Ermon, sino al valico di Camat; [6]tutti quelli che abitano le montagne, dal Libano sino a Misrefot-Maim; tutti i Sidonii: io li farò fuggire dinanzi ai figli d'Israele. Intanto però tu distribuisci la regione a sorte fra gli Israeliti, perché diventi loro possesso, come io ti ho comandato. [7]Ora dunque dividi questa terra a sorte tra le nove tribù e la metà della tribù di Manasse».

[8]Insieme con l'altra metà di Manasse, i Rùbeniti e i Gaditi avevano già ricevuto la loro parte di possesso, che Mosè aveva loro dato al di là del Giordano, ad oriente, proprio come aveva concesso loro Mosè, servo del Signore. [9]Da Aroer, situata sulla riva del torrente Arnon, e dalla città che è in mezzo alla valle, fino all'altipiano da Madaba sino a Dibon; [10]tutte le città di Sicon, re degli Amorrei, che regnava in Chesbon, fino alla frontiera dei figli di Ammon; [11]il Galaad, con il territorio dei Ghesuriti e dei Maacatiti, tutta la montagna dell'Ermon e tutto il Basan fino a Salca; [12]nel Basan tutto il regno di Og, che regnava in Astarot e in Edrei, ultimo superstite dei Refaim, che Mosè aveva battuto e sterminato.

[13]Ma i figli d'Israele non scacciarono i Ghesuriti e i Maacatiti, perciò Ghesur e Maaca dimorano ancor oggi in mezzo a Israele.

[14]Soltanto alla tribù di Levi non fu data alcuna eredità: i sacrifici offerti al Signore, Dio d'Israele, costituiscono la sua eredità, come le era stato detto.

[15]Mosè dunque aveva dato alla tribù dei figli di Ruben una porzione secondo le loro famiglie. [16]Essi ebbero quindi il territorio da Aroer, al margine del torrente Arnon e della città che è in mezzo alla valle, e tutto l'altipiano presso Madaba; [17]Chesbon e tutte le sue città che sono sull'altipiano, Dibon, Bamot-

Baal, Bet-Baal-Meon, [18]Iaaz, Kedemot e Mefaat, [19]Kiriataim, Sibma, Zeret-Sacar, sul pendio della vallata; [20]Bet-Peor, i pendii del Pisga, Bet-Iesimot; [21]tutte le città dell'altipiano e tutto il regno di Sicon, re degli Amorrei, che aveva regnato in Chesbon, che fu battuto da Mosè, come i prìncipi di Madian: Evi, Rekem, Zur, Cur e Reba, vassalli di Sicon, che abitavano nella regione. [22]I figli d'Israele uccisero pure con la spada Balaam, figlio di Beor, l'indovino, insieme agli altri che avevano sterminato. [23]Il Giordano fu il confine dei Rubeniti. Questo fu dunque il limite del possesso dei figli di Ruben, secondo le loro famiglie, con le città e i loro villaggi. [24]Anche alla tribù dei figli di Gad Mosè aveva dato una porzione secondo le loro famiglie.

[25]Ebbero in possesso il territorio di Iazer e tutte le città di Galaad e metà del paese degli Ammoniti, fino ad Aroer, che sta di fronte a Rabba; [26]e da Chesbon sino a Ramat-Mizpe e Betonim, e da Macanaim fino al confine di Lodebar. [27]Infine nella vallata, Bet-Aram e Bet-Nimra, Succot e Zafon, il resto del regno di Sicon, re di Chesbon. Il Giordano era il confine sino all'estremità del mare di Genesaret, sulla riva orientale del Giordano. [28]Questa è l'eredità dei figli di Gad, secondo le loro famiglie, con le città e i loro villaggi.

[29]Mosè aveva dato una porzione anche a metà della tribù dei figli di Manasse, secondo le loro famiglie. [30]Il loro territorio, partendo da Macanaim, comprendeva tutto il Basan, tutto il regno di Og, re di Basan, e tutti i villaggi di Iair, che sono nel Basan: sessanta città. [31]La metà del Galaad, Astarot ed Edrei, città del regno di Og nel Basan, toccarono a Machir, figlio di Manasse, cioè alla metà dei figli di Machir, secondo le loro famiglie.

[32]Questo è ciò che Mosè aveva distribuito come eredità, quando era nelle steppe di Moab, al di là del Giordano, ad oriente di Gerico. [33]Alla tribù di Levi Mosè non assegnò alcuna eredità: il Signore, Dio d'Israele, doveva essere loro possesso, come aveva loro detto.

LE TRIBÙ DELLA CISGIORDANIA

14

[1]Ecco ciò che ricevettero in eredità le tribù dei figli d'Israele in terra di Canaan, ciò che distribuirono loro in eredità il sacerdote Eleazaro e Giosuè, figlio

---

14. - La ripartizione del territorio, di cui si parla in questo capitolo, è ideale, poiché non tutte le città nominate erano occupate. Le varie tribù unite assieme avevano compiuto la parte più grossa: ora ciascuna doveva a poco a poco entrare in pieno possesso di ciò che le era stato assegnato.

di Nun, e i capifamiglia dei figli d'Israele. ²Questa distribuzione, come aveva comandato il Signore per mezzo di Mosè, avvenne per sorteggio per le nove tribù e per la mezza tribù; ³infatti Mosè aveva distribuito il territorio al di là del Giordano alle altre due tribù e alla mezza tribù, mentre ai leviti non aveva dato alcun possedimento in mezzo ad esse. ⁴I figli di Giuseppe, poi, formavano due tribù: Manasse ed Efraim, e ai leviti non era stato dato alcun possesso nel paese, ma soltanto alcune città per abitarvi e i pascoli adiacenti ad esse per i loro greggi e i loro armenti. ⁵I figli d'Israele, nella ripartizione del terreno, fecero come aveva comandato il Signore per mezzo di Mosè.

⁶Frattanto i figli di Giuda vennero da Giosuè a Galgala, e Caleb, figlio di Iefunne il kenizzita, gli disse: «Tu sai bene quello che il Signore disse a Mosè, uomo di Dio, riguardo a me e a te, a Kades-Barnea. ⁷Io avevo quarant'anni quando Mosè, servo del Signore, mi mandò da Kades-Barnea ad esplorare il paese e io lo informai di tutto sinceramente. ⁸E mentre i miei fratelli, che erano venuti con me, scoraggiavano il popolo, io seguivo fedelmente il Signore, mio Dio. ⁹Perciò in quel giorno Mosè giurò: La terra dove hai posato i tuoi piedi sarà data in eredità a te e ai tuoi figli per sempre, perché hai seguito fedelmente il Signore, mio Dio. ¹⁰E ora, ecco che il Signore, come aveva promesso, mi ha conservato in vita: sono ormai quarantacinque anni che il Signore disse queste parole a Mosè, quando Israele ancora vagava nel deserto; e ora, ecco, io oggi ho ottantacinque anni. ¹¹Ma sono ancora forte come il giorno in cui Mosè mi mandò ad esplorare: sono di nuovo pieno di forze come allora, posso ancora combattere, andare e venire. ¹²Assegnami dunque questa montagna, della quale parlò il Signore quel giorno, perché allora tu stesso l'hai udito. Là vi sono gli Anakiti e città grandi e fortificate, ma se il Signore sarà con me io li spodesterò, come ha detto il Signore».

¹³Giosuè lo benedisse e diede Ebron in eredità a Caleb, figlio di Iefunne. ¹⁴Perciò Ebron è rimasta fino ad oggi possesso di Caleb, figlio di Iefunne il kenizzita, perché egli aveva seguito fedelmente il Signore Dio d'Israele. ¹⁵Prima Ebron si chiamava Kiriat-Arba, essendo stato questi l'uomo più famoso tra gli Anakiti. Poi il paese non ebbe più la guerra.

IL TERRITORIO DELLA TRIBÙ DI GIUDA

15 ¹Il territorio toccato in sorte alla tribù dei figli di Giuda, secondo le loro famiglie, era presso il confine di Edom, dal deserto di Zin, verso il Negheb, all'estremo sud. ²Il confine meridionale andava dall'estremità del Mar Morto, dalla punta volta a sud, ³si dirigeva a sud della salita di Akrabbim, attraversava Zin e risaliva a sud di Kades-Barnea; passava poi da Chezron, saliva ad Addar e ripiegava verso il Karkaa; ⁴passava per Azmon, toccava il torrente d'Egitto e terminava sul mare. Questo era il confine meridionale.

⁵Ad oriente il confine era costituito dal Mar Morto fino alla foce del Giordano. Il confine settentrionale partiva dalla lingua di mare presso la foce del Giordano, ⁶risaliva a Bet-Cogla, passava a nord di Bet-Araba e saliva alla Pietra di Bohan, figlio di Ruben. ⁷Di là il confine saliva a Debir, per la valle di Acor e, a nord, ripiegava verso le curve, che sono di fronte alla salita di Adummim, che sta a sud del torrente; poi il confine passava alle acque di En-Semes e terminava ad En-Roghel. ⁸Risaliva poi alla valle di Ben-Innom, a sud del fianco dei Gebusei, cioè di Gerusalemme, poi risaliva sulla cima del monte che domina la valle di Innom ad ovest, ed è all'estremità della pianura di Refaim, a nord. ⁹Dalla cresta del monte il confine volgeva verso la sorgente delle acque di Neftoach, per uscire verso il monte Efron, e rivolgersi poi verso Baala, che è Kiriat-Iearim. ¹⁰Da Baala il confine piegava ad ovest verso il monte Seir e passava sul pendio settentrionale del monte Iearim, cioè Chesalon; scendeva a Bet-Semes e passava per Timna; ¹¹raggiungeva quindi il pendio di Accaron, verso nord, piegava verso Siccaron, attraversava il monte Baala, raggiungeva Iabneel per terminare al mare. ¹²Il confine occidentale era costituito dalla spiaggia del Mar Mediterraneo. Questi erano da tutti i lati i confini dei figli di Giuda, secondo le loro famiglie.

¹³A Caleb, figlio di Iefunne, fu data una porzione in mezzo ai figli di Giuda, secondo quanto aveva ordinato il Signore a Giosuè: Kiriat-Arba, padre di Anak, cioè Ebron. ¹⁴Caleb ne scacciò i tre figli di Anak, Sesai,

Achiman e Talmai, discendenti di Anak. [15]Di là salì contro gli abitanti di Debir, il cui nome era in precedenza Kiriat-Sefer. [16]Caleb aveva detto: «A chiunque espugnerà Kiriat-Sefer e se ne impadronirà, io darò mia figlia Acsa in sposa». [17]Se ne impadronì Otniel, figlio di Kenaz, fratello di Caleb, che gli diede Acsa sua figlia in sposa. [18]Quando essa venne condotta allo sposo, egli la persuase a chiedere a suo padre un campo. Allora ella smontò dall'asino e Caleb le domandò: «Che cos'hai?». [19]Ella rispose: «Concedimi un favore, poiché mi hai destinato la terra del Negheb, dammi qualche sorgente d'acqua». Egli le donò la sorgente superiore e quella inferiore.

[20]Questa fu l'eredità della tribù dei figli di Giuda, secondo le loro famiglie.

[21]Le città poste all'estremità della tribù dei figli di Giuda, verso il confine di Edom, nel Negheb, erano: Kabzeel, Eder, Iagur, [22]Kina, Dimona, Arara, [23]Kedes, Cazor, Itnan, [24]Zif, Telem, Bealot, [25]Cazor-Cadatta, Keriot-Chezron, cioè Cazor, [26]Amam, Sema, Molada, [27]Cazar-Gadda, Chesmon, Bet-Pelet, [28]Cazar-Sual, Bersabea e le sue dipendenze, [29]Baala, Iim, Ezem, [30]Eltolad, Chesil, Corma, [31]Ziklag, Madmanna, Sansanna, [32]Lebaot, Silchim, En-Rimmon: in tutto ventinove città e i loro villaggi.

[33]Nella Sefela: Estaol, Zorea, Asna, [34]Zanoach, En-Gannim, Tappuach, Enam, [35]Iarmut, Adullam, Soco, Azeka, [36]Saaraim, Aditaim, Ghedera con le sue dipendenze: quattordici città e i loro villaggi; [37]Zenan, Cadasa, Migdal-Gad, [38]Dilean, Mizpe, Iokteel, [39]Lachis, Boskat, Eglon, [40]Cabbon, Lacmas, Chitlis, [41]Ghederot, Bet-Dagon, Naama e Makkeda: sedici città e i loro villaggi; [42]Libna, Eter, Asan, [43]Iftach, Asna, Nezib, [44]Keila, Aczib e Maresa: nove città e i loro villaggi; [45]Accaron, le città del suo territorio e i suoi villaggi; [46]da Accaron fino al mare, tutte le città vicine ad Asdod e i loro villaggi; [47]Asdod, le città del suo territorio e i suoi villaggi; Gaza, le città del suo territorio e i suoi villaggi, fino al torrente d'Egitto e al Mar Mediterraneo, che serve di confine.

[48]Sulle montagne: Samir, Iattir, Soco, [49]Danna, Kiriat-Sanna, cioè Debir, [50]Anab, Estemoa, Anim, [51]Gosen, Colon e Ghilo: undici città e i loro villaggi. [52]Arab, Duma, Esean, [53]Ianum, Bet-Tappuach, Afeka, [54]Cumta, Kiriat-Arba, cioè Ebron, e Zior: nove città

e i loro villaggi. [55]Maon, Carmelo, Zif, Iutta, [56]Izreel, Iokdeam, Zanoach, [57]Kain, Ghibea e Timna: dieci città e i loro villaggi. [58]Calcul, Bet-Zur, Ghedor, [59]Maarat, Bet-Anot ed Eltekon: sei città e i loro villaggi. Tekoa, Efrata, cioè Betlemme, Peor, Etam, Culon, Tatam, Sores, Carem, Gallim, Beter, Manach: undici città e i loro villaggi. [60]Kiriat-Baal, cioè Kiriat-Iearim, e Rabba: due città e i loro villaggi.

[61]Nel deserto: Bet-Araba, Middin, Secaca, [62]Nibsan, la città del sale ed Engaddi: sei città e i loro villaggi.

[63]Però i figli di Giuda non riuscirono a scacciare i Gebusei che abitavano Gerusalemme, perciò i Gebusei abitano a tutt'oggi in Gerusalemme insieme con i figli di Giuda.

IL TERRITORIO
DELLA TRIBÙ DI EFRAIM

16 [1]La parte toccata in sorte ai figli di Giuseppe si estendeva, ad oriente, dal Giordano presso Gerico fino alle acque di Gerico, seguendo il deserto che da Gerico sale alla montagna di Betel. [2]Il confine usciva da Betel-Luza e passava per la frontiera degli Architi ad Atarot. [3]Scendeva ad ovest verso il confine degli Iafletiti, fino ai confini di Bet-Oron inferiore e sino a Ghezer, per terminare al mare. [4]Questo fu il territorio che si divisero i figli di Giuseppe, Manasse ed Efraim.

[5]Ecco i confini dei territori dei figli di Efraim secondo le loro famiglie: il confine del loro possesso, da est, si estendeva da Atarot-Addar a Bet-Oron superiore, [6]poi andava verso il mare in direzione di Micmetat a nord; quindi il confine piegava verso oriente a Taanat-Silo, da dove passava, ad ovest, in direzione di Ianoach; [7]da Ianoach scendeva ad Atarot e Naara e toccava Gerico per terminare al Giordano. [8]Da Tappuach il confine ad ovest andava fino al torrente Kana e terminava al mare. Questa è la porzione dei figli di Efraim secondo le loro famiglie, [9]incluse le città riservate ai figli di Efraim in mezzo alla porzione dei figli di Manasse: varie città con i loro villaggi. [10]Non scacciarono però i Cananei che abitavano a Ghezer, perciò i Cananei sono rimasti in mezzo ad Efraim sino ad oggi, soggetti a tributo.

IL TERRITORIO
DELLA TRIBÙ DI MANASSE

17 ¹Questa fu la parte sorteggiata per la tribù di Manasse, che era il primogenito di Giuseppe. A Machir, primogenito di Manasse, padre di Galaad, toccò il Galaad e il Basan, come conveniva ad un uomo di guerra quale egli era. ²Fu assegnata la loro parte anche agli altri figli di Manasse, secondo le loro famiglie: ai figli di Abiezer, ai figli di Elek, ai figli di Asriel, ai figli di Sichem, ai figli di Chefer e ai figli di Semida. Questi erano i figli maschi di Manasse, figlio di Giuseppe, secondo le loro famiglie. ³Ma Zelofcad, figlio di Chefer, figlio di Galaad, figlio di Machir, figlio di Manasse, non ebbe figli, ma soltanto figlie, i cui nomi erano: Macla, Noa, Cogla, Milca e Tirza. ⁴Queste si presentarono al sacerdote Eleazaro e a Giosuè, figlio di Nun, e ai capi dicendo: «Il Signore ha comandato a Mosè di dare anche a noi una porzione in mezzo ai nostri fratelli». Così fu data loro una porzione in mezzo ai fratelli del loro padre, secondo l'ordine del Signore. ⁵Toccarono così dieci parti a Manasse, oltre la terra del Galaad e del Basan al di là del Giordano, ⁶perché le figlie di Manasse ebbero una eredità in mezzo ai figli di lui. La regione del Galaad toccò agli altri figli di Manasse.

⁷Il confine di Manasse si estendeva da Aser fino a Micmetat, che è dinanzi a Sichem, e girava a destra verso Iasib, alla sorgente di Tappuach. ⁸Così la regione di Tappuach apparteneva a Manasse, mentre Tappuach, sulla frontiera di Manasse, apparteneva ai figli di Efraim. ⁹Il confine poi scendeva al torrente Kana; a sud del torrente vi erano le città di Efraim, oltre quelle che Efraim possedeva in mezzo alle città di Manasse. Il confine di Manasse passava a nord del torrente e terminava al mare. ¹⁰Il territorio a sud era di Efraim, quello a nord era di Manasse, e suo confine era il mare. Erano confinanti con Aser a nord e con Issacar ad est. ¹¹A Manasse appartenevano in Issacar e in Aser Bet-Sean e le sue dipendenze, Ibleam e le sue dipendenze, gli abitanti di Dor e le sue dipendenze, gli abitanti di En-Dor e le sue dipendenze, gli abitanti di Taanach e le sue dipendenze, gli abitanti di

Meghiddo e le città dipendenti, che costituiscono tre contrade. ¹²Siccome i figli di Manasse non poterono impossessarsi di queste città, i Cananei continuarono ad abitare in quella regione. ¹³Quando i figli d'Israele diventarono potenti, ridussero in servitù i Cananei, ma non li scacciarono.

¹⁴I figli di Giuseppe dissero a Giosuè: «Perché mi hai dato in eredità una sola parte, una sola porzione misurata, mentre io sono un popolo numeroso, poiché il Signore mi ha tanto benedetto?». ¹⁵Giosuè rispose loro: «Se sei un popolo numeroso, sali alla foresta e disbosca a tuo piacere lassù nella terra dei Perizziti e dei Refaim, dato che per te è troppo angusta la montagna di Efraim». ¹⁶Ripresero i figli di Giuseppe: «Non ci basta la montagna; inoltre i Cananei che abitano nella pianura, quelli cioè di Bet-Sean e delle sue dipendenze e quelli della valle di Izreel, hanno carri di ferro». ¹⁷Rispose Giosuè alla casa di Giuseppe, a Efraim e a Manasse: «Tu sei un popolo forte e hai tanta robustezza; non avrai una sola porzione; ¹⁸la montagna infatti sarà tua; essa, è vero, è una foresta, ma tu la disboscherai e sarà tua con i suoi proventi, poiché tu ne scaccerai i Cananei, anche se essi hanno carri di ferro e sono forti».

IL TERRITORIO
DELLA TRIBÙ DI BENIAMINO

18 ¹Tutta la comunità dei figli di Israele si radunò in Silo, e qui eressero la tenda del convegno. La terra che stava dinanzi a loro era stata sottomessa. ²Erano però rimaste, tra i figli d'Israele, sette tribù che non avevano ricevuto ancora la loro porzione. ³Disse perciò Giosuè ai figli d'Israele: «Fino a quando voi sarete così negligenti nell'andare ad occupare la terra che il Signore Dio dei vostri padri vi ha dato? ⁴Sceglietevi tre uomini per tribù ed io li invierò a perlustrare la regione: essi la circoscriveranno in vista della spartizione e poi torneranno da me. ⁵La divideranno in sette parti; Giuda resterà nel suo territorio a sud e quelli della casa di Giuseppe resteranno nei loro territori a nord. ⁶Voi farete una descrizione del paese in sette parti e me la presenterete, in modo che io

possa sorteggiarlo per voi qui davanti al Signore, nostro Dio. [7]I leviti infatti non devono avere parte in mezzo a voi, perché il sacerdozio del Signore è la loro eredità; e Gad e Ruben e metà della tribù di Manasse hanno già ricevuto la loro porzione al di là del Giordano ad oriente, concessa loro da Mosè, servo del Signore».

[8]Si alzarono allora gli uomini e partirono. Giosuè aveva dato quest'ordine a coloro che andavano a perlustrare il paese: «Andate e percorrete la terra, descrivetela e poi tornate da me e qui io ve la sorteggerò davanti al Signore, in Silo». [9]Quegli uomini andarono, attraversarono la regione e la descrissero secondo le città in sette parti su di un libro. Poi ritornarono da Giosuè nell'accampamento di Silo. [10]Giosuè tirò per essi le sorti in Silo davanti al Signore, e lì distribuì la terra ai figli d'Israele, secondo le loro divisioni.

[11]Fu fatto il sorteggio per il territorio spettante alla tribù dei figli di Beniamino secondo le loro famiglie: il confine delle parti loro sorteggiate era compreso fra il territorio dei figli di Giuda e dei figli di Giuseppe. [12]Il loro confine dal lato settentrionale partiva dal Giordano, saliva per il pendio settentrionale di Gerico, saliva sulla montagna verso ovest e terminava al deserto di Bet-Aven. [13]Di lì il confine passava a Luza, sul pendio a sud di Luza, che oggi è Betel; poi scendeva ad Atarot-Addar, sul monte che sta a sud di Bet-Oron inferiore. [14]Poi il confine piegava, girando sul lato occidentale, verso sud, dal monte che è dinanzi a Bet-Oron, verso sud, per terminare a Kiriat-Iearim, città dei figli di Giuda. Questo era il lato a ovest. [15]Il lato a sud partiva dall'estremità di Kiriat-Iearim e, continuando lungo il confine occidentale, terminava alla sorgente di Neftoach; [16]poi il limite scendeva all'estremità del monte che è dinanzi alla valle di Ben-Innom, nella valle dei Refaim, dal lato nord, e scendeva per la valle di Innom, sul pendio meridionale dei Gebusei, fino a En-Roghel; [17]piegava poi a nord per uscire ad En-Semes e usciva nelle Curve che sono davanti alla salita di Adummim, per discendere alla Pietra di Bohan, figlio di Ruben. [18]Passava sulle pendici di fronte all'Araba a nord e discendeva verso l'Araba. [19]Poi il confine continuava sul fianco nord di Bet-Cogla e terminava sulla baia del Mar Morto,

a nord, all'estremità meridionale del Giordano: questo era il confine meridionale. [20]Il Giordano serviva da confine dalla parte orientale. Questa era l'eredità dei figli di Beniamino, con i suoi confini tutt'intorno, secondo le loro famiglie.

[21]Le città della tribù dei figli di Beniamino erano, secondo le loro famiglie: Gerico, Bet-Cogla, Emek-Keziz, [22]Bet-Araba, Zemaraim, Betel, [23]Avvim, Para, Ofra, [24]Chefar-Ammonai, Ofni e Gheba: dodici città e i loro villaggi; [25]Gabaon, Rama, Beerot, [26]Mizpe, Chefira, Mosa, [27]Rekem, Irpeel, Tareala, [28]Zela-Elef, Iebus, cioè Gerusalemme, Gabaa, Kiriat-Iearim: quattordici città e i loro villaggi. Questa fu la parte sorteggiata per la tribù di Beniamino, secondo le sue famiglie.

IL TERRITORIO DELLE ALTRE TRIBÙ

19 *Il territorio della tribù di Simeone* – [1]Il secondo sorteggio toccò a Simeone, alla tribù dei figli di Simeone, secondo le loro famiglie. La loro proprietà era in mezzo a quella dei figli di Giuda. [2]Ebbero come proprietà Bersabea, Seba, Molada, [3]Cazar-Sual, Bala, Ezem, [4]Eltolad, Betul, Corma, [5]Ziklag, Bet-Marcabot, Cazar-Susa, [6]Bet-Lebaot, Saruchen: tredici città con i loro villaggi. [7]En, Rimmon, Eter, Asan: quattro città e i loro villaggi; [8]tutti i villaggi che erano intorno a queste città, fino a Baalat-Beer, Ramat-Negheb. Questa era la porzione della tribù dei figli di Simeone, secondo le loro famiglie. [9]La porzione dei figli di Simeone fu presa in mezzo a quella dei figli di Giuda, perché la porzione dei figli di Giuda era troppo grande per loro e così i figli di Simeone ottennero la loro parte in mezzo alla porzione di quelli.

Il territorio della tribù di Zabulon – [10]Il terzo sorteggio venne estratto per i figli di Zabulon, secondo le loro famiglie; il limite del loro possesso si estendeva fino a Sarid. [11]Di lì il loro confine saliva ad ovest verso Mareala e raggiungeva Dabbeset e poi il torrente che è di fronte a Iokneam; [12]da Sarid il confine volgeva ad est, dove sorge il sole, fino al confine di Chislot-Tabor; poi usciva a Daberat e saliva a Iafia; [13]di là

Gs

passava, in direzione est, a Gat-Chefer, a Et-Kazin, usciva a Rimmon e volgeva verso Nea. [14]Poi il confine piegava a nord verso Cannaton e faceva capo alla valle d'Iftach-El. [15]Esso includeva inoltre: Kattat, Naalol, Simron, Ideala e Betlemme: dodici città e i loro villaggi. [16]Questo fu il possesso dei figli di Zabulon, secondo le loro famiglie: queste città e i loro villaggi.

Il territorio della tribù di Issacar – [17]La quarta parte sorteggiata toccò a Issacar, ai figli di Issacar, secondo le loro famiglie. [18]Il loro territorio comprendeva: Izreel, Chesullot, Sunem, [19]Cafaraim, Sion, Anacarat, [20]Rabbit, Kision, Abez, [21]Remet, En-Gannim, En-Cadda e Bet-Pazzez. [22]Poi il confine giungeva a Tabor, Sacazim, Bet-Semes e faceva capo al Giordano: sedici città e i loro villaggi. [23]Questo fu il possesso della tribù dei figli di Issacar, secondo le loro famiglie: queste città e i loro villaggi.

Il territorio della tribù di Aser – [24]La quinta parte sorteggiata toccò ai figli di Aser, secondo le loro famiglie. [25]Il loro territorio comprendeva: Chelkat, Cali, Beten, Acsaf, [26]Alammelech, Amead, Miseal. Il loro confine giungeva, verso occidente, al Carmelo e a Sicor-Libnat. [27]Quindi piegava dal lato dove sorge il sole verso Bet-Dagon, toccava Zabulon e la valle di Iftach-El al nord, Bet-Emek e Neiel, e si prolungava verso Cabul a sinistra [28]e verso Ebron, Recob, Ammon e Cana fino a Sidone la Grande. [29]Poi il confine piegava verso Rama fino alla fortezza di Tiro, girava verso Cosa e faceva capo al mare; incluse Mechebel, Aczib, [30]Acco, Afek e Recob: ventidue città e i loro villaggi. [31]Questa era la parte toccata ai figli di Aser, secondo le loro famiglie: queste città con i loro villaggi.

Il territorio della tribù di Neftali – [32]La sesta parte sorteggiata toccò ai figli di Neftali, secondo le loro famiglie. [33]Il loro confine si estendeva da Chelef e dalla quercia di Bezaannim ad Adami-Nekeb e Iabneel fino a Lakkum e faceva capo al Giordano, [34]poi il confine piegava a occidente verso Aznot-Tabor e di là continuava verso Cukkok; giungeva a Zabulon dal lato di mezzogiorno, ad Aser dal lato d'occidente e a Giuda del Giordano dal lato di levante. [35]Le fortez-

ze erano Ziddim, Zer, Cammat, Rakkat, Genesaret, [36]Adama, Rama, Cazor, [37]Kedes, Edrei, En-Cazor, [38]Ireon, Migdal-El, Corem, Bet-Anat e Bet-Semes: diciannove città e i loro villaggi. [39]Questa era la parte toccata ai figli di Neftali, secondo le loro famiglie: queste città e i loro villaggi.

Il territorio della tribù di Dan – [40]Il settimo sorteggio fu per la tribù dei figli di Dan, secondo le loro famiglie. [41]Il confine del loro territorio comprendeva Zorea, Estaol, Ir-Semes, [42]Saalabbin, Aialon, Itla, [43]Elon, Timna, Accaron, [44]Elteke, Ghibbeton, Baalat, [45]Ieud, Bene-Berak, Gat-Rimmon, [46]Melarkon e Rakkon, con il territorio davanti a Giaffa. [47]Ma la porzione dei figli di Dan risultò troppo piccola per loro, perciò i figli di Dan salirono a prendere d'assalto Lesem; la presero e la passarono a fil di spada; come se ne furono impadroniti, vi si stabilirono e a Lesem misero nome Dan, dal nome di Dan loro padre. [48]Questa è la porzione dei figli di Dan, secondo le loro famiglie: queste città e i loro villaggi.

[49]Quando ebbero finito di sorteggiare il paese secondo i suoi confini, i figli d'Israele diedero a Giosuè, figlio di Nun, una proprietà in mezzo a loro: [50]conforme alle disposizioni del Signore, gli diedero la città che egli aveva chiesto: Timnat-Serach, sui monti di Efraim. Egli la ricostruì e vi abitò.

[51]Queste sono le eredità che il sacerdote Eleazaro, Giosuè, figlio di Nun, e i capifamiglia delle tribù dei figli d'Israele sorteggiarono in Silo, davanti al Signore, all'ingresso della tenda del convegno. Così posero termine alla ripartizione della terra.

LE CITTÀ DI RIFUGIO

20 [1]Poi il Signore disse a Giosuè: [2]«Parla ai figli d'Israele e di' loro: Sceglietevi le città di rifugio, delle quali vi ho parlato per mezzo di Mosè, [3]in modo che vi si possa rifugiare l'omicida che ha ucciso per inavvertenza, senza accorgersene; esse saranno di rifugio contro il vendicatore del sangue. [4]L'omicida fuggirà in una di queste città e, fermatosi all'ingresso della porta della città, esporrà il suo caso agli anziani di quella città. Essi lo riceveranno nella loro città, gli as-

segneranno un posto, così che egli possa abitare in mezzo a loro. [5]Se il vendicatore del sangue lo inseguirà, essi non gli consegneranno l'omicida, perché egli ha ucciso il suo prossimo senza accorgersene, né prima gli ha portato odio. [6]Egli rimarrà in quella città fino alla morte del sommo sacerdote che sarà in carica in quel tempo e fino a che non sia comparso in giudizio davanti all'assemblea. Allora l'omicida potrà tornarsene e rientrare nella città e nella sua casa, nella città cioè dalla quale era fuggito».

[7]Essi scelsero Kades in Galilea sulle montagne di Neftali, Sichem sulle montagne di Efraim e Kiriat-Arba, cioè Ebron, sulle montagne di Giuda. [8]Oltre il Giordano, a oriente di Gerico, scelsero Bezer nella regione desertica dell'altipiano della tribù di Ruben; Ramot nel Galaad, nella tribù di Gad, e Golan nel Basan, nella tribù di Manasse. [9]Queste furono le città stabilite per tutti i figli d'Israele e gli stranieri che abitavano in mezzo a loro, perché potesse rifugiarvisi chiunque avesse ucciso per inavvertenza e non morisse per mano del vendicatore del sangue, prima di essere comparso davanti all'assemblea.

LE CITTÀ DEI SACERDOTI E DEI LEVITI

21 [1]I capifamiglia dei leviti si presentarono al sacerdote Eleazaro, a Giosuè, figlio di Nun, e ai capifamiglia delle tribù dei figli d'Israele, [2]e parlarono loro a Silo, in terra di Canaan, dicendo: «Il Signore comandò per mezzo di Mosè che ci fossero assegnate delle città per abitarvi con i loro dintorni per i nostri greggi». [3]I figli d'Israele diedero ai leviti, sorteggiandole dalle loro porzioni, le seguenti città con i loro dintorni, come aveva ordinato il Signore.

[4]Si sorteggiò per la famiglia dei Keatiti; fra i leviti, ai figli del sacerdote Aronne toccarono in sorte tredici città nella tribù di Giuda, nella tribù di Simeone e nella tribù di Beniamino; [5]ai restanti figli di Keat, secondo le loro famiglie, furono assegnate per sorteggio dieci città nella tribù di Efraim, nella tribù di Dan e nella mezza tribù di Manasse. [6]Per i figli di Gherson, secondo le loro famiglie,

furono sorteggiate tredici città nelle tribù di Issacar, di Aser, di Neftali e nella mezza tribù di Manasse, nel Basan. [7]Ai figli di Merari, secondo le loro famiglie, furono sorteggiate dodici città nelle tribù di Ruben, di Gad e di Zabulon. [8]Così i figli d'Israele assegnarono ai leviti, sorteggiandole, queste città con i loro pascoli, come aveva disposto il Signore per mezzo di Mosè. [9]Essi diedero, cioè, della tribù dei figli di Giuda e della tribù dei figli di Simeone quelle città di cui vengono ricordati i nomi. [10]Questa fu la porzione per i figli di Aronne, appartenenti alle famiglie levitiche dei Keatiti, per i quali fu estratto il primo sorteggio.

[11]Furono date loro: Kiriat-Arba, padre di Anak, cioè Ebron, sui monti di Giuda, e i pascoli circostanti. [12]Ma i campi della città e i villaggi d'intorno furono dati a Caleb, figlio di Iefunne, in sua proprietà. [13]Ai figli di Aronne, sacerdoti, furono date le città di rifugio per l'omicida, cioè Ebron e i suoi pascoli, Libna e i suoi pascoli, [14]Iattir e i suoi pascoli, Estemoa e i suoi pascoli, [15]Debir e i suoi pascoli, Colon e i suoi pascoli, [16]Ain e i suoi pascoli, Iutta e i suoi pascoli, Bet-Semes e i suoi pascoli: nove città di quelle due tribù. [17]Della tribù di Beniamino: Gabaon e i suoi pascoli, Gheba e i suoi pascoli, [18]Anatot e i suoi pascoli, Almon e i suoi pascoli: quattro città. [19]In tutto le città dei sacerdoti figli di Aronne furono tredici con i loro pascoli.

[20]Alle famiglie dei leviti figli di Keat, cioè agli altri figli di Keat, furono assegnate per sorteggio alcune città nella tribù di Efraim. [21]Fu data loro, come città di rifugio per l'omicida, Sichem e i suoi pascoli sui monti di Efraim, poi Ghezer e i suoi pascoli, [22]Kibzaim e i suoi pascoli, Bet-Oron e i suoi pascoli: quattro città. [23]Nella tribù di Dan: Elteke e i suoi pascoli, Ghibbeton e i suoi pascoli; [24]Aialon e i suoi pascoli, Gat-Rimmon e i suoi pascoli: quattro città. [25]Nella mezza tribù di Manasse: Taanach e i suoi pascoli, Ibleam e i suoi pascoli: due città. [26]In tutto alle famiglie dei figli di Keat furono assegnate dieci città con i loro pascoli.

[27]Ai figli di Gherson, che erano tra le famiglie levitiche, furono date: nella mezza tribù di Manasse, come città di rifugio per l'omicida, Golan nel Basan con i suoi pascoli, poi Astarot con i suoi pascoli: due città. [28]Nella tribù di Issacar: Kision con i suoi pascoli, Daberat e i suoi pascoli, [29]Iarmut e i suoi

pascoli, En-Gannim e i suoi pascoli: quattro città. [30]Nella tribù di Aser: Miseal e i suoi pascoli, Abdon e i suoi pascoli, [31]Chelkat e i suoi pascoli, Recob e i suoi pascoli: quattro città. [32]Nella tribù di Neftali: come città di rifugio per l'omicida, Kades in Galilea e i suoi pascoli, Cammot-Dor e i suoi pascoli, Kartan e i suoi pascoli: tre città. [33]In tutto, le città date ai Ghersoniti, secondo le loro famiglie, furono tredici con i loro pascoli.

[34]Alle famiglie dei figli di Merari, cioè ai leviti rimasti, furono date: nella tribù di Zabulon, Iokneam e i suoi pascoli, Karta e i suoi pascoli, [35]Dimna e i suoi pascoli, Naalal e i suoi pascoli: quattro città. [36]Nella tribù di Ruben: come città di rifugio per l'omicida, Bezer e i suoi pascoli, Iaaz e i suoi pascoli, [37]Kedemot e i suoi pascoli, Mefaat e i suoi pascoli: quattro città. [38]Nella tribù di Gad, come città di rifugio per l'omicida, Ramot nel Galaad e i suoi pascoli, Macanaim e i suoi pascoli, [39]Chesbon e i suoi pascoli, Iazer e i suoi pascoli: in tutto quattro città. [40]In tutto, le città sorteggiate per i figli di Merari, cioè alle restanti famiglie dei leviti, furono dodici. [41]Le città dei leviti in mezzo alla proprietà dei figli d'Israele furono in totale quarantotto con i loro pascoli; [42]ciascuna di queste città comprendeva anche i pascoli intorno ad essa; così era di tutte quelle città.

[43]Il Signore diede dunque a Israele tutta la terra che aveva giurato di dare ai loro padri; essi la conquistarono e vi si stabilirono. [44]Il Signore diede loro tranquillità tutt'intorno, come aveva giurato ai loro padri; nessuno dei loro nemici poté resistere loro: il Signore consegnò in loro potere tutti quei nemici. [45]Non fallì una sola cosa di tutte le buone promesse che il Signore aveva fatto alla casa d'Israele: tutto si compì.

IL RITORNO DELLE TRIBÙ TRANSGIORDANICHE

22 [1]Allora Giosuè convocò i Rubeniti, i Gaditi e quelli della mezza tribù di Manasse [2]e disse loro: «Voi avete osservato tutto quanto vi comandò Mosè, servo del Signore, e avete obbedito alla mia voce in tutto quello che vi ho comandato; [3]non avete abbandonato i vostri fratelli durante questo lungo tempo fino ad oggi,

avete invece osservato tutte le prescrizioni che vi ha ordinato il Signore, vostro Dio. [4]E ora il Signore, vostro Dio, ha dato pace ai vostri fratelli, come aveva loro promesso; adesso quindi riprendete la via del ritorno alle vostre tende, alla terra che vi appartiene e che Mosè, servo del Signore, vi ha assegnato al di là del Giordano. [5]Mettete tutta la vostra attenzione nell'osservare le prescrizioni e la legge che Mosè, servo del Signore, vi ha dato, amando il Signore Dio vostro, seguendo tutte le sue direttive, osservando i suoi comandamenti, rimanendo fedeli a lui e servendolo con tutto il cuore e con tutta l'anima». [6]Così Giosuè li benedisse e li congedò ed essi tornarono alle loro tende. [7]A metà della tribù di Manasse Mosè aveva dato un possesso nel Basan, all'altra metà invece Giosuè aveva dato un possesso in mezzo ai loro fratelli, di qua dal Giordano, ad ovest. Quando Giosuè li rimandò alle loro tende e li benedisse, [8]disse loro: «Voi ritornate alle vostre tende con grandi ricchezze, con numeroso bestiame, con argento, oro, bronzo, ferro e con moltissime vesti: dividete le spoglie dei vostri nemici con i vostri fratelli». [9]Quindi i figli di Ruben, i figli di Gad e la mezza tribù di Manasse partirono, lasciando i figli d'Israele a Silo, nella terra di Canaan, per andare nella regione del Galaad, la terra di loro proprietà che avevano ricevuto in possesso in forza dell'ordine dato dal Signore per mezzo di Mosè. [10]Giunti ai bordi del Giordano, in terra di Canaan, i figli di Ruben, i figli di Gad e la mezza tribù di Manasse costruirono un altare presso il Giordano, un altare maestoso a vedersi. [11]I figli d'Israele sentirono dire: «Ecco, i figli di Ruben, i figli di Gad e la mezza tribù di Manasse hanno costruito un altare di fronte alla terra di Canaan, ai bordi del Giordano, nella regione dei figli d'Israele». [12]Quando i figli d'Israele seppero questo, tutta la loro comunità si riunì a Silo, per andare contro di essi e combatterli.

[13]Intanto i figli d'Israele mandarono ai figli di Ruben, ai figli di Gad e alla mezza tribù di

---

22. - 10-12. L'erezione di quell'*altare* poteva sembrare una trasgressione del comando contenuto in Lv 17,1-8 e Dt 12,1-13. La narrazione vuole dare la spiegazione del fatto: non si trattava di un altare per il culto, ma solo di un monumento commemorativo.

Manasse, nella regione del Galaad, Finees, figlio del sacerdote Eleazaro, [14]e con lui dieci capi, uno per ogni tribù d'Israele, ciascuno dei quali era capo di un casato paterno tra le migliaia d'Israele. [15]Questi vennero dai figli di Ruben, dai figli di Gad e dalla metà della tribù di Manasse nella regione del Galaad e parlarono loro in questi termini: [16]«Così dice tutta la comunità del Signore: che cosa significa questa infedeltà che avete commesso contro il Dio d'Israele? Perché non volete più seguire il Signore, costruendovi un altare, che è un'aperta ribellione contro di lui? [17]Non ci basta l'iniquità di Peor, della quale non ci siamo purificati fino ad oggi e che attirò una strage sulla comunità d'Israele? [18]Voi oggi non volete più seguire il Signore! Non avverrà che, ribellandovi oggi voi contro il Signore, domani egli si adiri contro tutta la comunità d'Israele?

[19]Se ritenete impura la terra che avete ricevuto in possesso, trasferitevi nella terra di proprietà del Signore, dove è fissata la Dimora del Signore, e stabilitevi in mezzo a noi, ma non ribellatevi al Signore e non ribellatevi contro di noi, costruendovi un altare come contraltare a quello del Signore nostro Dio! [20]Quando Acan, figlio di Zerach, commise un'infedeltà riguardo allo sterminio, non venne forse l'ira del Signore contro tutta la comunità d'Israele? Quantunque egli solo avesse commesso quella colpa, non perì solo nella sua iniquità!».

[21]Allora i figli di Ruben, i figli di Gad e la mezza tribù di Manasse risposero così ai capi delle migliaia dei figli d'Israele: [22]«Dio, Dio il Signore! Dio, Dio il Signore! Egli lo sa e anche Israele lo deve sapere: se abbiamo agito per ribellione o per infedeltà verso il Signore, che egli oggi non ci salvi! [23]Se ci siamo costruiti un altare per ribellarci al Signore, o per offrire vittime e olocausti, o per compiervi sacrifici di comunione, il Signore stesso ce ne chieda conto! [24]Noi invece abbiamo fatto questo con una certa preoccupazione, pensando che un domani i vostri figli potrebbero dire ai nostri figli: Che cosa avete in comune voi con il Signore, Dio d'Israele? [25]Il Signore ha posto il Giordano come confine fra noi e voi, o figli di Ruben e figli di Gad: voi non avete parte con il Signore! Così i vostri figli potrebbero distogliere i nostri figli dal timore del Signore. [26]Perciò abbiamo detto: Costruiamo un altare non per gli olocausti, non per i sacrifici, [27]ma perché sia testimonio fra noi e voi e le nostre generazioni dopo di noi che intendiamo rendere culto al Signore con i nostri olocausti, con le nostre vittime e con i nostri sacrifici di comunione. Così i vostri figli non potranno un giorno dire ai nostri figli: Voi non avete parte con il Signore! [28]Perciò ci siamo detti: Se avverrà che un giorno dicano così a noi o ai nostri discendenti, risponderemo: Guardate la forma dell'altare del Signore che hanno costruito i nostri padri: non è per offrire olocausti né per altri sacrifici; è soltanto un testimonio fra noi e voi. [29]Lungi da noi l'intenzione di ribellarci al Signore, di volerlo oggi abbandonare, costruendo un altare per offrire olocausti, sacrifici e oblazioni, in contrapposizione all'altare del Signore, nostro Dio, che è davanti alla sua Dimora!».

[30]Quando il sacerdote Finees, i capi della comunità e i capi delle migliaia d'Israele, che erano con lui, intesero le parole dette dai figli di Ruben, dai figli di Gad e dai figli di Manasse, ne rimasero soddisfatti. [31]Il sacerdote Finees, figlio di Eleazaro, disse ai figli di Ruben, ai figli di Gad e ai figli di Manasse: «Noi oggi riconosciamo che il Signore è in mezzo a voi, perché non avete commesso questa infedeltà contro il Signore: pertanto voi avete liberato i figli d'Israele dal castigo del Signore».

[32]Quindi il sacerdote Finees, figlio di Eleazaro, e i capi lasciarono i figli di Ruben e di Gad e ritornarono dalla terra di Galaad nella terra di Canaan presso i figli d'Israele, ai quali portarono la risposta. [33]La risposta piacque ai figli d'Israele, i quali benedissero il Signore e non parlarono più di andare a combattere contro i figli di Ruben e i figli di Gad, per distruggere la terra che essi abitavano. [34]I figli di Ruben e i figli di Gad chiamarono l'altare "Testimonio", poiché dissero: «Esso è testimonio in mezzo a noi che il Signore è Dio».

LE ULTIME RACCOMANDAZIONI DI GIOSUÈ

23 [1]Molto tempo dopo che il Signore aveva dato riposo a Israele da tutti i nemici che lo circondavano, Giosuè, ormai vecchio e avanzato in età, [2]convocò tutto Israele, i suoi anziani, i suoi capi, i suoi giudici e i suoi ufficiali e disse loro: «Io sono vecchio e molto avanti negli anni. ³Voi avete visto tutto quello che il Signore, vostro Dio, ha fatto a tutte queste nazioni, scacciandole davanti a voi, poiché lo stesso Signore, vostro Dio, ha combattuto per voi. ⁴Ecco, io ho diviso tra voi a sorte, come possesso delle vostre tribù, il territorio delle nazioni che restano e di tutte quelle che ho sterminato dal Giordano fino al Mar Mediterraneo, ad ovest. ⁵Il Signore, vostro Dio, le scaccerà davanti a voi, le disperderà sotto i vostri occhi e voi prenderete possesso del loro paese, come vi ha detto il Signore, vostro Dio. ⁶Mostratevi perciò sempre più forti e costanti nell'osservare e nell'eseguire tutto quello che è scritto nel libro della legge di Mosè, senza deviare né a destra né a sinistra; ⁷senza mescolarvi con queste nazioni che sono rimaste fra voi; non pronunciate neppure il nome dei loro dèi, non giurate per essi, non li servite, non fate atti di adorazione davanti a loro, ⁸ma restate fedeli al Signore, vostro Dio, come avete fatto fino ad oggi. ⁹Il Signore, infatti, ha distrutto davanti a voi nazioni grandi e forti, e non c'è stato alcuno che abbia potuto resistere a voi fino ad oggi. ¹⁰Uno solo di voi poteva inseguirne mille, perché il Signore, vostro Dio, egli stesso combatteva per voi, come vi aveva promesso. ¹¹Vi stia perciò a cuore di amare il Signore, vostro Dio. ¹²Perché se gli volterete le spalle e vi unirete al resto di quelle nazioni che sono rimaste fra voi, se contrarrete con esse matrimoni e vi mischierete con esse ed esse con voi, ¹³allora sappiate che il Signore, vostro Dio, non scaccerà più quelle nazioni davanti a voi, ma esse saranno per voi una rete, una trappola, un flagello ai vostri fianchi e spine nei vostri occhi, finché non siate spariti da questa buona terra che il Signore, vostro Dio, vi ha dato. ¹⁴Ecco, io oggi me ne vado per la via di ogni uomo; riconoscete con tutto il cuore e con tutta l'anima che neppure una delle tante buone promesse che il Signore, vostro Dio, vi ha fatto è caduta a vuoto; tutte si sono compiute in vostro favore: neppure una è caduta a vuoto. ¹⁵Ora, come si è avverata per voi ogni bella promessa che vi aveva fatto il Signore, vostro Dio, così il Signore farà cadere su di voi tutte le sue parole di minaccia, finché non siate

sterminati da questa buona terra che il Signore, vostro Dio, vi ha dato. ¹⁶Se trasgredirete l'alleanza che il Signore, vostro Dio, ha stretto con voi e andrete a servire altri dèi e vi prostrerete davanti a loro, l'ira del Signore si accenderà contro di voi e voi scomparirete ben presto da questa buona terra che egli vi ha dato».

L'ALLEANZA RINNOVATA NELL'ASSEMBLEA DI SICHEM

24 ¹Giosuè radunò tutte le tribù d'Israele in Sichem e convocò gli anziani d'Israele, i suoi capi, i suoi giudici e i suoi ufficiali, che si presentarono davanti a Dio. ²Giosuè disse a tutto il popolo: «Così dice il Signore, Dio d'Israele: I vostri padri, come Terach padre di Abramo e padre di Nacor, abitarono dai tempi antichi al di là del fiume e servivano altri dèi. ³Ma io presi il vostro padre Abramo oltre il fiume e lo guidai per tutta la terra di Canaan, moltiplicai la sua discendenza e gli diedi Isacco. ⁴A Isacco diedi Giacobbe ed Esaù. Ad Esaù assegnai come proprietà le montagne di Seir, mentre Giacobbe e i suoi figli scesero in Egitto. ⁵Là mandai Mosè e Aronne e colpii l'Egitto con i prodigi che feci in mezzo ad esso. Poi feci uscire voi. ⁶Feci dunque uscire dall'Egitto i vostri padri e arrivarono fino al mare. Gli Egiziani inseguirono i vostri padri con carri e cavalieri fino al Mar Rosso. ⁷Essi gridarono al Signore ed egli pose fitte tenebre fra voi e gli Egiziani e fece scorrere su di loro le acque del mare, che li sommersero. I vostri occhi hanno visto quel che ho fatto in Egitto. Poi avete dimorato molto tempo nel deserto. ⁸In seguito io vi condussi nella terra degli Amorrei che abitavano al di là del Giordano: fecero guerra contro di voi ed io li consegnai nelle vostre mani; voi avete conquistato la loro terra ed io li ho distrutti davanti a voi. ⁹Poi sorse Balak, figlio di Zippor, re

---

24. - 1-2. Giosuè, dopo aver parlato ai capi, parla a tutto il popolo dinanzi alla tenda con l'arca dell'alleanza in Sichem, dove avvenne l'adunanza. Egli ricorda prima di tutto i benefici di Dio, ottenendo che l'assemblea riconfermi la promessa di seguire Dio e aborrire l'idolatria, e così si conclude l'alleanza, che viene messa per iscritto.

di Moab, a combattere contro Israele e mandò a chiamare Balaam, figlio di Beor, per maledirvi. [10]Ma io non volli ascoltare Balaam: così egli dovette benedirvi e io vi salvai dalle sue mani.
[11]Avete poi attraversato il Giordano e siete giunti a Gerico. Gli abitanti di Gerico vi hanno fatto guerra, come pure gli Amorrei, i Perizziti, i Cananei, gli Hittiti, i Gergesei, gli Evei, i Gebusei; ma io li ho messi in vostro potere. [12]Mandai avanti a voi le vespe pungenti, che misero in fuga i due re amorrei, non con la vostra spada né con il vostro arco. [13]Vi ho dato una terra che voi non avete coltivato e città che non avete costruito, eppure le abitate e mangiate i frutti delle vigne e degli oliveti che non avete piantato.
[14]Temete dunque il Signore e servitelo con fedeltà e sincerità; eliminate gli dèi che i vostri padri hanno servito di là dal fiume e in Egitto e servite il Signore. [15]Se poi vi sembra duro servire il Signore, sceglietevi oggi stesso chi volete servire: se gli dèi che i vostri padri hanno servito di là dal fiume, o gli dèi degli Amorrei nella cui terra voi abitate. Io e la mia famiglia, però, serviremo il Signore».
[16]Il popolo rispose e disse: «Lungi da noi abbandonare il Signore per servire altri dèi! [17]Poiché il Signore è il nostro Dio, che ha fatto uscire noi e i nostri padri dalla terra d'Egitto, dalla condizione di schiavi, ha operato queste grandi meraviglie davanti ai nostri occhi, ci ha protetti per tutto il viaggio che abbiamo fatto e in mezzo a tutti i popoli tra i quali siamo passati. [18]Il Signore ha scacciato davanti a noi tutti questi popoli e gli Amorrei che abitavano il paese; perciò anche noi vogliamo servire il Signore, perché egli è il nostro Dio».
[19]Allora Giosuè disse al popolo: «Voi non potete servire il Signore, perché egli è un Dio santo, un Dio geloso; egli non sopporta le vostre trasgressioni e i vostri peccati. [20]Se voi abbandonerete il Signore e servirete dèi stranieri, egli si volterà, vi manderà del male e vi distruggerà, dopo avervi tanto beneficato». [21]Il popolo rispose a Giosuè: «No, noi serviremo il Signore!».
[22]Allora Giosuè disse al popolo: «Voi siete testimoni contro voi stessi che avete scelto il Signore per servirlo!». Quelli risposero: «Siamo testimoni!». [23]Giosuè disse: «Allora togliete via gli dèi stranieri che sono in mezzo a voi e rivolgete i vostri cuori al Signore Dio d'Israele». [24]Il popolo rispose a Giosuè: «Serviremo il Signore, nostro Dio, e ascolteremo la sua voce».
[25]Così Giosuè in quel giorno strinse un patto con il popolo e gli diede uno statuto e una regola a Sichem.
[26]Poi Giosuè scrisse quelle parole nel libro della legge di Dio; prese una grande pietra e la drizzò là sotto il terebinto che era nel santuario del Signore. [27]Giosuè disse a tutto il popolo: «Ecco, questa pietra sarà una testimonianza per noi, perché essa ha udito tutte le parole che il Signore ci ha detto; sarà una testimonianza contro di voi, perché non rinneghiate il vostro Dio». [28]Quindi Giosuè congedò il popolo, ciascuno al proprio territorio.
[29]Dopo queste cose, Giosuè, figlio di Nun, servo del Signore, morì a centodieci anni. [30]Lo seppellirono nel territorio di sua proprietà a Timnat-Serach, che era sulle montagne di Efraim, a nord del monte Gaas. [31]Israele servì il Signore per tutta la vita di Giosuè e per tutto il periodo di vita degli anziani che sopravvissero a Giosuè e che conoscevano tutte le opere che il Signore aveva compiuto a favore di Israele.
[32]Le ossa di Giuseppe, che i figli d'Israele avevano portato dall'Egitto, le seppellirono a Sichem, in una parte del terreno che Giacobbe aveva comprato dai figli di Camor, padre di Sichem, per cento sicli d'argento e che i figli di Giuseppe avevano ricevuto in eredità. [33]Poi morì anche Eleazaro, figlio di Aronne, e lo seppellirono a Gabaa, città di Finees suo figlio, luogo che gli era stato dato sulle montagne di Efraim.

Gs

24-25. Il tono della risposta del popolo rivela un giovanile e incontenibile entusiasmo. L'alleanza di Sichem è un ritorno alle origini, alla gioventù dell'esodo e del Sinai. Anche adesso si promulga una legge come allora, probabilmente il Codice dell'alleanza di Es 20-23. Il patto tra Dio e Israele si rinnova e suggella, e un monumento eretto lo ricorderà ai posteri, vv. 26-27.

GIUDICI

Il libro prende il nome dai protagonisti, chiamati giudici, le cui vicende coprono circa due secoli (XII-X a.C.) tra la morte di Giosuè e l'instaurazione della monarchia. I giudici sono capi militari e civili che Dio suscita in determinate occasioni al fine di liberare una o più tribù israelitiche dall'oppressione dei popoli vicini.

Il libro è diviso in tre parti. Un'introduzione storica (1,1 - 2,5) tratta dell'occupazione lenta, parziale, difficile e disordinata della terra promessa da parte delle varie tribù. La spiegazione di questo fatto sta nell'infedeltà d'Israele verso il suo Dio (2,6 - 3,6). La seconda parte è costituita dalle vicende che riguardano i singoli giudici (3,7 - 16,31). La storia di Debora e Barak presenta due versioni, l'una in prosa (c. 4) e l'altra, molto antica, in poesia (c. 5). Ampio spazio è dedicato alle gesta di Gedeone (6,1 - 8,35) e di Sansone (13,1 - 16,30). Dei cosiddetti giudici minori si fornisce per lo più una semplice notizia redatta secondo uno schema fisso redazionale. La terza parte (cc. 17-21) è costituita da due appendici: la prima narra le origini del santuario tribale di Dan (cc. 17-18); la seconda tratta della deplorevole condotta dei Beniaminiti di Gabaa (cc. 19-21).

Il libro dei Giudici fornisce preziose informazioni su uno dei periodi più oscuri della storia d'Israele. I costumi erano grossolani e spesso barbari, come dimostrano vari episodi. In complesso il popolo rimane attaccato al Signore, ma cede alla seduzione dei culti cananei della fertilità e fecondità. Il Dio d'Israele punisce l'infedeltà, ma non ripudia il suo popolo. Al di sopra delle prevaricazioni umane si rivelano la pazienza e la misericordia di Dio.

LE VICENDE DELLE TRIBÙ DI ISRAELE INSEDIATE IN CANAAN

1 [1]Dopo la morte di Giosuè, gli Israeliti consultarono il Signore per sapere chi di loro dovesse muoversi per primo a combattere contro i Cananei. [2]Il Signore rispose: «Giuda si muoverà per primo. Darò in suo potere la regione che assale».

[3]Allora Giuda disse a suo fratello Simeone: «Vieni con me nel territorio che mi è toccato in sorte e combattiamo insieme contro i Cananei; poi verrò anch'io insieme a te, nel territorio a te assegnato». Simeone andò con lui.

[4]Giuda si mosse e il Signore mise in suo potere i Cananei e i Perizziti: gli uomini di Giuda uccisero a Bezek diecimila nemici. [5]A Bezek essi trovarono Adoni-Bezek: lo assalirono sconfiggendo i Cananei e i Perizziti. [6]Adoni-Bezek fuggì, ma lo inseguirono, lo catturarono e gli amputarono i pollici e gli alluci. [7]Disse allora Adoni-Bezek: «Settanta re con i pollici e gli alluci tagliati raccoglievano gli avanzi sotto la mia tavola: come io ho fatto, così Dio mi ha ripagato». Lo condussero poi a Gerusalemme dove morì. [8]Quelli di Giuda assalirono Gerusalemme e, dopo averla conquistata, passarono gli abitanti a fil di spada e l'abbandonarono alle fiamme. [9]Andarono poi a combattere contro i Cananei che abitavano la zona montagnosa, il Negheb e la Sefela. [10]Marciarono contro i Cananei di Ebron, città che prima si chiamava Kiriat-Arba, e sconfissero Sesai, Achiman e Talmai. [11]Da Ebron gli uomini di Giuda marciarono contro gli abitanti di Debir, città che prima si chiamava Kiriat-Sefer.

---

1. - 8. L'accenno a Gerusalemme rimane per noi un mistero. Essa restò ai Gebusei fino ai tempi di Davide (2Sam 5,1-10).

¹²Caleb disse: «A colui che riuscirà a battere Kiriat-Sefer e a conquistarla, darò in sposa mia figlia Acsa». ¹³La conquistò Otniel, figlio di Kenaz, fratello minore di Caleb. Così Caleb gli dette in sposa sua figlia Acsa. ¹⁴Quando essa arrivò alla casa dello sposo, egli la convinse a chiedere a suo padre un campo. Essa, allora, scesa dall'asino, sospirò profondamente e Caleb le domandò che cosa avesse. ¹⁵Essa gli rispose: «Fammi un dono migliore: poiché mi hai dato una terra arida, dammi anche qualche fonte d'acqua». Caleb le concesse la sorgente superiore e la sorgente inferiore.

¹⁶I discendenti di Obab il kenita, suocero di Mosè, mossero dalla città delle palme con gli uomini di Giuda verso quella parte del deserto di Giuda che è a mezzogiorno di Arad. Poi continuarono la loro marcia e si stanziarono con gli Amaleciti.

¹⁷Giuda proseguì con suo fratello Simeone e insieme sconfissero i Cananei che abitavano in Zefat. La città fu votata allo sterminio e per questo fu chiamata Corma.

¹⁸Giuda non riuscì a conquistare né Gaza col suo territorio, né Ascalon col suo territorio, né Accaron col suo territorio. ¹⁹Il Signore protesse invece Giuda nella conquista della zona montuosa: Giuda non riuscì a vincere gli abitanti della pianura, perché essi avevano carri di ferro.

²⁰Come Mosè aveva ordinato, Ebron fu data a Caleb, che da essa scacciò i tre figli di Anak.

²¹I Beniaminiti non scacciarono i Gebusei che abitavano a Gerusalemme, così questi abitarono in Gerusalemme insieme ai Beniaminiti, come accade ancora ai nostri giorni.

²²Quelli della tribù di Giuseppe si mossero anch'essi e marciarono contro Betel e il Signore fu con loro. ²³Essi mandarono degli esploratori a Betel, città che prima si chiamava Luz, ²⁴i quali scorsero un uomo che usciva dalla città. Gli dissero: «Mostraci la via per penetrare nella città e noi ti risparmieremo». ²⁵L'uomo indicò loro la via di accesso alla città. Allora quelli di Giuseppe passarono gli abitanti a fil di spada, ma risparmiarono quell'uomo e tutti i suoi parenti. ²⁶Costui andò nel paese degli Hittiti, dove costruì una città che chiamò Luz, nome che conserva anche oggi.

²⁷Manasse non scacciò gli abitanti di Bet-Sean e delle città sue dipendenti, né quelli di Taanach e delle città sue dipendenti, né quelli di Dor e delle città sue dipendenti, né quelli di Ibleam e delle città sue dipendenti, né quelli di Meghiddo e delle città sue dipendenti; così i Cananei continuarono ad abitare in questa regione. ²⁸Ma poiché Israele era più forte di loro, li sottomise a pagare il tributo, pur non essendo riuscito a privarli della loro terra. ²⁹Neanche Efraim scacciò i Cananei che abitavano a Ghezer; così i Cananei abitarono a Ghezer in mezzo ad Efraim.

³⁰Neanche Zabulon scacciò gli abitanti di Kitron, né quelli di Naalal; così i Cananei, pur pagando il tributo, restarono in mezzo a Zabulon.

³¹Neanche Aser scacciò gli abitanti di Acco, né quelli di Sidone, di Aclab, di Aczib, di Chelba, di Afek, di Recob. ³²Così la gente di Aser abitò in mezzo ai Cananei della regione, perché non li aveva scacciati dalla sua terra.

³³Neanche Neftali scacciò gli abitanti di Bet-Semes, né quelli di Bet-Anat e così abitò in mezzo ai Cananei della regione. Ma gli abitanti di Bet-Semes e di Bet-Anat furono costretti a pagare il tributo.

³⁴In quanto alla gente di Dan, essa fu stretta nella zona montuosa dagli Amorrei, che le impedirono di scendere nella pianura. ³⁵Così gli Amorrei riuscirono a tenersi Ar-Cheres, Aialon e Saalbim, e solo quando la casa di Giuseppe divenne più potente, essi furono sottoposti al tributo. ³⁶Il territorio degli Amorrei si estendeva dalla salita di Akrabbim, da Sela in là.

DIO CONDANNA L'INFEDELTÀ DI ISRAELE

2 ¹Ora l'angelo del Signore salì da Galgala a Bochim e disse: «Io vi ho fatti uscire dall'Egitto e vi ho condotti nella terra che avevo promesso con giuramento ai vostri padri. Avevo anche detto che non avrei mai infranto la mia alleanza con voi, ²purché voi non faceste alcuna alleanza con gli abitanti di questa regione e distruggeste i loro altari. Voi invece non avete dato retta alle mie parole. Perché avete fatto questo? ³Ora io vi dico: Non scaccerò più queste genti davanti a voi, ed esse saranno vostre nemiche: i loro dèi saranno per voi causa di rovina».

⁴Quando l'angelo del Signore ebbe terminato di dire queste parole a tutti gli Israeliti, il popolo alzò la voce e pianse. ⁵Per questo il luogo fu chiamato Bochim. Qui offrirono un sacrificio al Signore.

⁶Giosuè congedò il popolo e gli Israeliti se ne andarono ognuno alla sua terra per prendere possesso della regione. ⁷Il popolo si mantenne fedele al Signore finché fu in vita Giosuè e finché lo furono gli anziani che a lui sopravvissero e che avevano visto tutte le grandi opere che il Signore aveva compiuto per Israele. ⁸Giosuè, figlio di Nun, servo del Signore, morì in età di centodieci anni ⁹e fu sepolto nella parte di territorio che gli era stata assegnata, a Timnat-Cheres, fra i monti di Efraim, a settentrione del monte Gaas. ¹⁰Allo stesso modo tutta quella generazione si riunì ai suoi padri e dopo di quella sorse un'altra generazione che non conosceva il Signore, né tutte le opere che egli aveva compiuto per Israele.

¹¹Gli Israeliti facevano ciò che è male agli occhi del Signore e prestavano culto a Baal, ¹²abbandonando il Signore, Dio dei loro padri, che li aveva fatti uscire dalla terra d'Egitto. Seguivano altri dèi fra quelli dei popoli che li circondavano. Li adoravano e provocavano lo sdegno del Signore. ¹³Essi abbandonavano il Signore e prestavano culto a Baal e ad Astarte. ¹⁴Divampava così contro gli Israeliti lo sdegno del Signore, il quale li abbandonava nelle mani di predoni che li rapivano e li vendevano ai loro nemici all'intorno, senza che gli Israeliti potessero loro resistere. ¹⁵Qualunque impresa essi tentassero, la mano del Signore si stendeva nemica contro di loro, come il Signore aveva detto e aveva loro giurato: così Israele fu ridotto all'estremo. ¹⁶Allora il Signore suscitava dei giudici perché liberassero gli Israeliti da coloro che li depredavano. ¹⁷Ma gli Israeliti non davano ascolto neanche ai loro giudici, anzi si prostituivano con altri dèi adorandoli. Con grande facilità abbandonavano la via seguita dai loro padri, i quali avevano obbedito ai comandi del Signore: essi non agivano allo stesso modo. ¹⁸Quando il Signore suscitava dei giudici per gli Israeliti, egli proteggeva ciascun giudice, il quale portava gli Israeliti alla vittoria contro i loro nemici per tutto il tempo che viveva, perché il Signore si muoveva a compassione dei loro gemiti sotto l'oppressione di chi li perseguitava. ¹⁹Ma alla morte del giudice essi tornavano a comportarsi anche peggio dei loro padri seguendo altri dèi che veneravano e adoravano. Non recedevano dalle loro opere, né dalla loro condotta perversa. ²⁰Divampava perciò di nuovo contro Israele l'ira del Signore, il quale diceva: «Poiché questo popolo ha trasgredito l'alleanza che ho stretto con i loro padri e non dà ascolto alla mia voce, ²¹nemmeno io scaccerò più dinanzi a loro nessuno dei popoli che Giosuè ha lasciato alla sua morte. ²²Così, per mezzo di questi popoli, metterò alla prova gli Israeliti per vedere se essi osservano le vie del Signore come hanno fatto i loro padri, oppure no». ²³Per questo il Signore aveva lasciato quelle popolazioni senza scacciarle subito e non le aveva consegnate nelle mani di Giosuè.

I POPOLI IN MEZZO AI QUALI VIVEVA ISRAELE

3 ¹Questi sono i popoli che il Signore lasciò allo scopo di mettere alla prova per mezzo loro tutti quegli Israeliti che non avevano partecipato alle guerre combattute contro i Cananei. ²Egli fece questo solo allo scopo di istruire quelle generazioni di Israeliti che non avevano preso parte alle guerre contro i Cananei, per insegnare loro a combattere.

³Erano i cinque prìncipi dei Filistei, tutti i Cananei, i Sidoni, gli Evei che abitavano sulle montagne del Libano, dal monte di Baal-Ermon fino all'ingresso di Camat. ⁴Questi popoli servirono per mettere alla prova gli Israeliti, per vedere se essi avrebbero osservato i comandamenti che il Signore aveva dato ai loro padri per mezzo di Mosè. ⁵Così gli Israeliti restarono in mezzo ai Cananei, agli Hittiti, agli Amorrei, ai Perizziti,

---

2. - 16. *Giudice* vuol dire liberatore o comandante militare, il quale, prima che vi fossero i re, si metteva a capo d'una o più tribù per liberarle dall'oppressione. Aveva soltanto potestà locale e temporanea; terminata la sua missione, tornava alla vita privata. Oltre all'autorità militare aveva talvolta quella civile e religiosa.

18-19. Questi vv. dichiarano la tesi del libro, che si sviluppa tutto sul medesimo schema: peccato, oppressione, lamento degli oppressi, intervento di Dio per mezzo di un giudice, liberazione. Su questo schema si snoda il racconto delle imprese dei vari giudici.

agli Evei e ai Gebusei; [6]presero in moglie le loro figlie, diedero le proprie in moglie ai loro figli e prestarono culto ai loro dèi.

[7]Gli Israeliti fecero ciò che è male agli occhi del Signore; dimenticarono il Signore loro Dio e servirono i Baal e le Asere. [8]Perciò l'ira del Signore si accese contro Israele e lo mise nelle mani di Cusan-Risataim, re del Paese dei due fiumi. Gli Israeliti furono servi di Cusan-Risataim per otto anni. [9]Poi gli Israeliti alzarono il loro grido al Signore, il quale suscitò loro un salvatore che li liberò: fu Otniel figlio di Kenaz, fratello minore di Caleb. [10]Lo spirito del Signore fu sopra di lui ed egli fu giudice d'Israele. Quando Otniel mosse per combattere, il Signore gli diede nelle mani Cusan-Risataim, re di Aram, che fu vinto. [11]La regione ebbe pace per quarant'anni, fin quando morì Otniel, figlio di Kenaz. [12]Ma gli Israeliti continuarono a commettere ciò che è male agli occhi del Signore; perciò questi rese Eglon, re di Moab, più potente d'Israele, perché Israele aveva commesso ciò che è male agli occhi del Signore. [13]Eglon, alleatosi con gli Ammoniti e con gli Amaleciti, mosse guerra ad Israele e lo sconfisse: gli alleati occuparono la città delle palme scacciandone gli Israeliti, [14]i quali restarono sottomessi a Eglon, re di Moab, per diciotto anni.

[15]Poi gli Israeliti alzarono il loro grido al Signore, il quale suscitò loro un salvatore: Eud, figlio di Ghera della tribù di Beniamino, che era mancino. Gli Israeliti inviarono per mezzo suo il tributo a Eglon, re di Moab. [16]Eud si fece una spada a due tagli lunga un cubito, che nascose sotto la veste, sul fianco destro. [17]Consegnò poi il tributo a Eglon, re di Moab, che era uomo molto pingue.

[18]Quando Eud ebbe consegnato il tributo, congedò i portatori [19]ed egli tornò indietro dal luogo detto Idoli che è presso Galgala, e fece dire al re che aveva un segreto per lui. Il re allora impose silenzio a tutti gli astanti,

che uscirono dalla sua presenza. [20]Eud si accostò allora al re che si trovava nella stanza di riposo al piano superiore, dove stava solo. Gli disse Eud: «Ho una parola di dirti da parte di Dio». L'altro allora si alzò da sedere. [21]Eud, portata la mano sinistra al fianco destro, sguainò la spada e la conficcò nel ventre del re. [22]Con la lama entrò anche l'elsa e il grasso si rinchiuse intorno alla lama, perché Eud non ritrasse la spada dal ventre del re, ma uscì subito dalla finestra. La lama forò gli intestini. [23]Eud uscì nel portico, dopo aver chiuso dietro di sé le porte della stanza, mettendo il chiavistello. [24]Quando fu uscito, i servi del re si accostarono alla stanza di riposo e vedendo che le porte erano serrate pensarono che il re stesse attendendo ai suoi bisogni nel camerino della stanza di riposo. [25]Aspettarono fino al punto di non sapere che cosa pensare, ma nessuno aveva il coraggio di aprire le porte della stanza. Infine presero la chiave e aprirono: il loro signore giaceva a terra morto.

[26]Mentre i servi aspettavano, Eud era fuggito. Si mise in salvo nella Seira, dopo aver oltrepassato Idoli. [27]Quando giunse fra le montagne di Efraim, egli suonò il corno: gli Israeliti scesero dai monti per unirsi a lui, che si mise alla loro testa. [28]Disse loro: «Seguitemi, perché il Signore darà in mano vostra i Moabiti, vostri nemici». Si mossero ai suoi ordini, occuparono i guadi del Giordano che appartenevano ai Moabiti e non fecero passare nessuno. [29]In quell'occasione gli Israeliti sconfissero i Moabiti, uccidendo circa diecimila uomini, tutti forti e valorosi, senza che ne scampasse alcuno. [30]Quel giorno Moab fu umiliato sotto la mano d'Israele. La regione ebbe pace per ottant'anni.

[31]Dopo di lui ci fu Samgar, figlio di Anat, il quale sconfisse i Filistei, uccidendone seicento con un pungolo da buoi. Anche Samgar salvò Israele.

Gdc

---

3. - 7-10. Incomincia qui la serie dei giudici che agirono su più o meno vasta scala. Il teatro delle gesta di Otniel è incerto, ma poiché egli era parente di Caleb, quindi della tribù di Giuda, operò probabilmente nel sud della Palestina, nei territori delle tribù di Giuda e Simeone.

15. *Eud, della tribù di Beniamino,* era forse a capo di coloro che portavano il tributo a Eglon.

21. La Bibbia non giustifica la finzione di Eud, che dice di avere un oracolo da manifestare, né l'uccisione fatta a tradimento: essa racconta semplicemente il fatto.

DEBORA E BARAK

4 [1]Anche dopo la morte di Eud gli Israeliti continuarono a compiere ciò che è male agli occhi del Signore, [2]il quale li abbandonò nelle mani di Iabin, un re cananeo che regnava in Cazor, e in quelle del comandante del suo esercito, che si chiamava Sisara e risiedeva a Caroset-Goim. [3]Gli Israeliti alzarono il loro grido al Signore, perché Iabin, che aveva novecento carri da guerra di ferro, li opprimeva duramente da vent'anni.

[4]In quel tempo era giudice in Israele una profetessa, Debora, moglie di Lappidot. [5]Essa sedeva sotto la palma che porta il suo nome, fra Rama e Betel, nella montagna di Efraim, e gli Israeliti salivano da lei per le loro vertenze giudiziarie.

[6]Un giorno essa mandò a chiamare Barak, figlio di Abinoam, da Kedes di Neftali, e gli disse: «Il Signore, Dio di Israele, ti ordina di andare ad arruolare sul monte Tabor diecimila uomini delle tribù di Neftali e di Zabulon e di portarli con te. [7]Io attirerò verso di te, al torrente Kison, Sisara, comandante dell'esercito di Iabin, con i suoi carri e le sue truppe e lo metterò nelle tue mani». [8]Barak le disse: «Se verrai con me, ci andrò, ma se tu non verrai con me, io non mi muoverò». [9]Rispose Debora: «Vengo senz'altro, solo che la gloria dell'impresa alla quale ti accingi non sarà tua, perché il Signore metterà Sisara nelle mani di una donna». Poi Debora si mosse e andò a Kedes con Barak. [10]Barak, radunata in Kedes la gente di Zabulon e di Neftali, mosse alla testa di diecimila uomini e Debora andò con lui. [11]Eber il kenita si era separato dai Keniti, discendenti di Obab, suocero di Mosè: così era arrivato a porre la sua tenda alla Quercia di Bezaannaim, che è vicino a Kedes. [12]Quando Sisara seppe che Barak, figlio di Abinoam, era giunto sul monte Tabor, [13]radunò tutti i suoi carri da guerra, novecento carri di ferro, e tutti i suoi uomini e li guidò da Caroset-Goim al torrente Kison. [14]Disse allora Debora a Barak: «Alzati, perché questo è il giorno in cui il Signore metterà Sisara nelle tue mani. Il Signore non esce forse in campo davanti a te?». Barak scese dal monte Tabor e i suoi diecimila uomini lo seguirono.

[15]Allora il Signore gettò nel terrore e travolse Sisara, con tutti i suoi carri e tutto il suo esercito, che fu massacrato davanti a Barak. Sisara scese dal carro e fuggì a piedi. [16]Barak inseguì i carri da guerra e la fanteria fino a Caroset-Goim: tutto l'esercito di Sisara fu passato a fil di spada e non si salvò nessuno.

[17]Fuggendo a piedi, Sisara si diresse alla tenda di Giaele, moglie di Eber il kenita, perché c'era pace fra Iabin, re di Cazor, e la casa di Eber il kenita. [18]Giaele uscì incontro a Sisara e gli disse: «Vieni, mio signore, fermati da me e non temere». Questi entrò nella tenda di Giaele, che lo nascose sotto un grosso panno. [19]Sisara intanto chiedeva di dargli da bere un po' di acqua perché aveva sete, ed essa, aperto l'otre del latte, lo fece bere e lo coprì. [20]Sisara le disse: «Mettiti a quella porta della tenda e se qualcuno verrà a domandarti se qui c'è un uomo, rispondi di no».

[21]Ma Giaele, moglie di Eber, prese un piolo della tenda e, impugnato il martello, rientrò piano piano dove giaceva Sisara: gli piantò nella tempia il piolo che si conficcò nel suolo. Su Sisara, che si era addormentato profondamente, calarono le tenebre e morì. [22]Ed ecco giungere Barak all'inseguimento di Sisara. Giaele gli uscì incontro e gli disse: «Vieni, e ti mostrerò l'uomo che stai cercando». Egli entrò nella tenda della donna e vide Sisara che giaceva morto con il piolo conficcato nelle tempie.

[23]Quel giorno Dio umiliò il re cananeo Iabin davanti agli Israeliti. [24]La loro mano si fece sempre più pesante sopra di lui, finché non lo annientarono del tutto.

IL CANTO DI DEBORA

5 [1]Quel giorno Debora e Barak, figlio di Abinoam, intonarono un canto:

[2] «Perché c'è in Israele
   chi si lascia sciolti i capelli,
perché il popolo si è offerto
   volontariamente,
per questo lodate il Signore.
[3] Udite, o regnanti; porgete l'orecchio,
   o prìncipi.
Io voglio cantare in onore del Signore,
io voglio sciogliere un canto
   al Signore,
   al Dio di Israele.

---

4. - 4. *Debora*, cioè "ape", stimata profetessa, amministrava la giustizia, essendo stata suscitata da Dio come giudice in mezzo al popolo.

15. Il panico fu causato dal fatto che una pioggia torrenziale cadde nel frattempo (cfr. 5,21), facendo straripare i torrenti e impantanare carri e cavalli di Sisara, che formavano la parte più forte del suo esercito.

⁴ Signore, quando uscisti da Seir,
  quando tu avanzasti dai campi di Edom,
  la terra tremò con fragore,
  il cielo lasciò cadere la pioggia,
  e le nubi si sciolsero in acqua.
⁵ I monti furono scossi davanti al Signore.
  Il Sinai vacillò davanti al Signore,
    Dio di Israele.
⁶ Al tempo di Samgar, figlio di Anat,
  al tempo di Giaele,
    le strade erano deserte;
  i viandanti andavano per vie tortuose.
⁷ Mancavano i capi valorosi in Israele,
  mancavano, finché non sei sorta tu,
    o Debora,
  non sei sorta tu, madre in Israele.
⁸ Israele si scelse nuovi dèi:
  allora il pane d'orzo venne a mancare.
  Forse che si vedeva uno scudo
  o una lancia fra quarantamila in Israele?
⁹ Il mio cuore è con i prìncipi
  che hanno chiamato Israele,
  è con coloro che, tra il popolo,
  hanno risposto con ardore.
  Benedite il Signore!
¹⁰ Voi che, sedendo su gualdrappe,
  cavalcate asine bianche
  e voi che camminate a piedi nelle vie,
  aprite al canto l'animo vostro.
¹¹ Fra le voci degli arcieri
    presso gli abbeveratoi,
  là si celebrino i benefici del Signore,
  i benefici del suo governo in Israele,
  quando il popolo del Signore
    scese alle porte.
¹² Alzati, alzati, Debora, alzati, alzati,
    componi un canto.
  Muoviti, Barak, cattura
  chi ti aveva catturato,
  o figlio di Abinoam.
¹³ Allora i superstiti dei nobili
    scesero alla battaglia,
  il popolo del Signore
  scese a combattere per lui
  in mezzo agli eroi.
¹⁴ Da Efraim i prìncipi sono venuti
    nella valle;
  Beniamino, suo fratello,
    è fra le sue truppe.

Da Machir sono scesi i campioni,
e da Zabulon quelli che marciano
col bastone del comando.
¹⁵ I prìncipi di Issacar sono con Debora;
  Neftali è con Barak
  e si è slanciato nella valle
    dietro ai suoi passi.
  Presso i ruscelli di Ruben
  grandi sono i progetti del cuore.
¹⁶ Perché, allora, Ruben,
    sei rimasto fra i recinti
  a sentire i flauti dei pastori
    presso i greggi?
  Presso i ruscelli di Ruben
  grandi sono i progetti del cuore.
¹⁷ Galaad si riposa al di là del Giordano;
  e Dan perché se ne sta sulle navi?
  Aser rimane sulla riva del mare,
  se ne sta sdraiato
    presso le sue insenature.
¹⁸ Zabulon è un popolo che ha sfidato
    la morte,
  come Neftali sulle alture della campagna.
¹⁹ Sono venuti i re, hanno attaccato
    battaglia,
  hanno attaccato battaglia i re cananei,
  a Taanach, presso le acque di Meghiddo,
  ma non hanno riportato bottino d'argento.
²⁰ Dal cielo hanno combattuto le stelle,
  hanno combattuto contro Sisara
  dalle loro orbite.
²¹ Il torrente Kison li ha travolti;
  un torrente ha dato loro battaglia!
  Il torrente Kison ha calpestato
  con violenza le loro vite.
²² Martellavano il suolo gli zoccoli
    dei cavalli:
  galoppo sfrenato dei loro destrieri.
²³ Maledite Meroz,
  dice l'angelo del Signore,
  maledite, maledite i suoi abitanti,
  perché non sono venuti in aiuto
    del Signore,
  in aiuto del Signore in mezzo agli eroi.
²⁴ Benedetta fra le donne Giaele,
  benedetta fra le donne della tenda!
²⁵ Aveva chiesto acqua
    e gli diede del latte;
  in una coppa da prìncipi
  gli offrì il fiore del latte.
²⁶ La sua mano afferrò un piolo,
  e la sua destra un martello da fabbri.
  Percosse Sisara, gli sfracellò la testa,
  gli fracassò e gli traforò le tempie.

---

5. - 4. Il Signore è immaginato come proveniente da *Seir*,
dai *campi di Edom*, cioè dal monte Sinai, dove si era manifestato, con la stessa potenza con cui guidò il popolo alla
conquista della terra di Canaan (Dt 33,2; Sal 68,8s; Ab 3,3).

27 Fra i piedi di lei si contorse, cadde
    e giacque;
  fra i suoi piedi si contorse e cadde;
  dove si contorse, lì cadde massacrato.
28 Alla finestra si affaccia e sospira
  la madre di Sisara dietro le imposte:
  Perché indugia a venire il suo carro?
  Perché vanno così lenti i suoi carri?
29 Le più sagge sue principesse
    le rispondono
  e anch'essa ripete fra sé le loro parole.
30 Certo, hanno trovato bottino
  e se lo stanno dividendo:
  una, due donne per ogni guerriero!
  Preda di vesti variopinte per Sisara,
  preda per il mio collo!
  Un ricamo dai vivi colori, due ricami,
  preda per il mio collo!
31 Così periscano tutti i tuoi nemici,
    Signore.
  Ma quelli che ti amano
    siano come il sole,
  quando sorge in tutto il suo splendore».

Il paese ebbe pace per quarant'anni.

ISRAELE IN BALIA DEI MADIANITI

6 ¹Gli Israeliti fecero ciò che è male agli occhi del Signore, il quale li mise per sette anni nelle mani dei Madianiti. ²La mano dei Madianiti fu terribile sopra Israele. Gli Israeliti, per timore dei Madianiti, andarono ad abitare sui monti, in caverne e in luoghi di difficile accesso. ³Quando gli Israeliti avevano seminato, venivano contro di loro i Madianiti, gli Amaleciti e altri popoli dell'oriente, ⁴che, dopo aver posto le tende nel territorio degli Israeliti, devastavano tutte le messi fino al confine di Gaza. Non lasciavano niente di vivo in Israele, né pecore, né buoi, né asini. ⁵I nemici venivano col loro bestiame; le loro tende erano numerose come le cavallette e i loro cammelli erano senza numero. Venivano nella regione per devastarla.
⁶Così gli Israeliti, a causa dei Madianiti, caddero in profonda miseria e alzarono il loro grido al Signore. ⁷Alzarono il loro grido al Signore a motivo dei Madianiti ⁸ed egli inviò loro un profeta che disse: «Così dice il Signore, Dio d'Israele: Io vi feci uscire dall'Egitto, vi liberai dalla vostra schiavitù.

⁹Vi liberai dalle mani degli Egiziani e da quelle di tutti i vostri oppressori che cacciai davanti a voi, finché non vi diedi la loro terra. ¹⁰Vi dissi che ero il Signore, Dio vostro, e perciò di non adorare gli dèi degli Amorrei, nella cui terra voi abitate; ma voi non avete dato ascolto alla mia voce».

¹¹Ora l'angelo del Signore venne e si fermò sotto la quercia che era in Ofra e apparteneva a Ioas, della famiglia di Abiezer. Intanto Gedeone, figlio di Ioas, stava battendo il grano nel frantoio per sottrarlo ai Madianiti. ¹²L'angelo del Signore gli apparve e gli disse: «Il Signore è con te, prode guerriero». ¹³Gli rispose Gedeone: «Oh, Signore! Se il Signore è con noi, perché ci sono capitati tutti questi mali? Dove sono tutti quei prodigi del Signore, di cui ci parlano i nostri padri, quando dicono che egli ci fece uscire dall'Egitto? Ora il Signore ci ha abbandonati e ci ha messi nelle mani di Madian». ¹⁴Il Signore allora si rivolse a lui con queste parole: «Va', perché con la tua forza salverai Israele dalle mani dei Madianiti. Sono io che ti mando». ¹⁵Gli rispose Gedeone: «Oh, Signore, come farò a liberare Israele? La mia famiglia è la più oscura in Manasse e io ne sono il membro più insignificante!». ¹⁶Ma il Signore riprese: «Io sarò con te e tu potrai abbattere i Madianiti, come se fossero un solo uomo». ¹⁷Gedeone disse: «Se ho trovato grazia ai tuoi occhi, dammi un segno che sei proprio tu quello che parla con me. ¹⁸Non ti allontanare da qui, ti prego, finché non sarò tornato, perché voglio prepararti un dono per offrirtelo». L'angelo del Signore l'assicurò che sarebbe restato lì finché egli non fosse tornato.
¹⁹Gedeone entrò in casa e preparò carne di capretto e pane azzimo. Posta poi la carne in una cesta e il brodo in una pentola, uscì incontro all'ospite che lo attendeva sotto la quercia e gli offrì il cibo.
²⁰L'angelo di Dio, allora, gli disse di prendere la carne e le focacce, di porle su di una

---

6. - 8-10. La formula usata dallo sconosciuto profeta è la solita per ricordare a Israele la fedeltà di Dio alle proprie promesse e le infedeltà del popolo al patto giurato, cosa che gli attira le sciagure.

11-18. Gedeone, discendendo da Abiezer, figlio di Galaad, era della tribù di Manasse. Egli, per non essere veduto dai Madianiti, batteva il grano nel frantoio, dove gli apparve l'angelo del Signore.

pietra che era lì e di versarvi sopra il brodo. Quando Gedeone ebbe fatto tutto, [21]l'angelo del Signore stese la punta del bastone che teneva in mano e toccò la carne e le focacce. Subito un fuoco sprigionatosi dal sasso divorò la carne e le focacce. Poi l'angelo del Signore scomparve dalla vista di Gedeone, [22]il quale, resosi conto che quello era veramente l'angelo del Signore, esclamò: «Ahimè! Signore Dio! Ho visto davvero l'angelo del Signore a faccia a faccia!». [23]Il Signore gli disse: «La pace sia con te. Non temere, non morirai!». [24]Gedeone edificò in quel posto un altare al Signore e lo chiamò "Il Signore è pace": esso si trova ancor oggi in Ofra di Abiezer.

[25]Accadde che quella stessa notte il Signore disse a Gedeone: «Prendi il toro che ha tuo padre e un secondo toro di sette anni; poi abbatti l'altare di Baal che ha fatto tuo padre e spezza il palo sacro che gli sta accanto. [26]Costruisci un altare al Signore Dio tuo, sulla cima di questo poggio, una pietra sull'altra; poi prendi il secondo toro e offrilo in olocausto sulla legna del palo sacro che avrai fatto a pezzi».

[27]Gedeone, presi con sé dieci dei suoi servi, fece come gli aveva detto il Signore, e, poiché temeva quelli della casa di suo padre e gli abitanti del villaggio, invece di agire di giorno, agì di notte. [28]Il mattino seguente, quando gli abitanti del villaggio si svegliarono, videro che l'altare di Baal era stato frantumato, il palo sacro che gli sorgeva accanto era stato fatto a pezzi e il secondo vitello era stato sacrificato sul nuovo altare. [29]Poiché la gente voleva scoprire chi era stato a compiere una cosa simile, fece un'attenta ricerca e scoprì che era stato Gedeone, figlio di Ioas. [30]Allora gli abitanti del villaggio chiesero a Ioas che consegnasse loro suo figlio per ucciderlo, perché aveva distrutto l'altare di Baal e aveva spezzato il palo sacro che gli sorgeva accanto. [31]Ma Ioas rispose così alla folla che gli si accalcava d'intorno: «Volete per caso essere voi a difendere Baal e a venirgli in aiuto? [Chiunque cercherà di difenderlo morrà prima di domani mattina!]. Se è davvero un

dio, penserà lui a vendicarsi, perché è stato abbattuto il suo altare». [32]Quel giorno Gedeone ricevette l'appellativo di Ierub-Baal, perché si diceva: «Si vendichi Baal contro di lui, perché egli ha distrutto il suo altare».

[33]Tutti i Madianiti, gli Amaleciti e i popoli dell'oriente si radunarono e, passato il Giordano, posero il campo nella valle di Izreel. [34]Allora lo spirito del Signore investì Gedeone: questi suonò il corno e la gente di Abiezer si riunì intorno a lui, pronta alla lotta. [35]Egli mandò messaggeri per tutto il territorio di Manasse e così anche gli uomini di Manasse si riunirono agli ordini di Gedeone. Poi mandò messaggeri in Aser, in Zabulon e in Neftali e anche gli uomini di queste tribù si mossero per congiungersi agli altri.

[36]Gedeone disse a Dio: «Se hai intenzione di salvare Israele per mezzo mio, come hai promesso, [37]ecco che io stendo un vello nell'aia: se la rugiada cadrà soltanto sul vello e tutto il terreno all'intorno resterà asciutto, io saprò che tu hai intenzione, come hai detto, di salvare per mano mia Israele». [38]E così fu: quando il mattino dopo Gedeone si alzò, andò a strizzare il vello: ne venne fuori tanta rugiada da farne piena una coppa. [39]Ma Gedeone disse ancora a Dio: «Non divampi la tua ira contro di me, se voglio dirti ancora una cosa. Voglio ripetere ancora una volta la prova del vello: questa volta resti asciutto solo il vello e tutto il terreno all'intorno si copra di rugiada». [40]La notte seguente Dio fece così e solo il vello restò asciutto, mentre tutto il suolo intorno era coperto di rugiada.

GEDEONE SCONFIGGE I POPOLI A OVEST DEL GIORDANO

7 [1]Ierub-Baal, cioè Gedeone, si mosse di buon mattino con tutti i suoi uomini e andarono a porre il campo alla fonte di Carod; l'accampamento dei Madianiti era posto a nord di quello ebraico, nella pianura ai piedi della collina di More. [2]Allora il Signore disse a Gedeone: «Gli uomini che hai con te sono troppi, perché io possa mettere i Madianiti nelle loro mani. Gli Israeliti, infatti, potrebbero vantarsi dell'impresa davanti a me, pensando di essersi salvati per opera loro. [3]Ora perciò devi proclamare al popolo

32. Ierub-Baal, nome popolare che fu dato a Gedeone; significa: Baal difenda la propria causa contro di lui.
7. - 2. Dio vuol manifestare la propria potenza e far toccare con mano che il vero liberatore è lui.

che chiunque abbia paura e tremi, deve ritirarsi e tornare indietro». Gedeone li mise alla prova: se ne ritirarono ventiduemila e ne restarono diecimila.

⁴Ma il Signore disse a Gedeone: «Sono ancora troppi. Falli scendere dove c'è l'acqua e là li metterò alla prova. Quelli che ti dirò di portare con te, verranno con te e quelli che ti dirò di non portare con te, non verranno». ⁵Gedeone ordinò ai suoi uomini di scendere all'acqua e il Signore gli disse: «Tutti quelli che lambiranno l'acqua con la lingua, come fanno i cani, mettili da parte; tutti quelli invece che, per bere, si piegheranno sui loro ginocchi, [lasciali andare]». ⁶Quelli che lambirono l'acqua con la lingua furono trecento, perché tutti gli altri, per bere, si erano piegati sui ginocchi e [avevano portato] l'acqua alla bocca con le mani. ⁷Disse allora il Signore a Gedeone: «Con questi trecento uomini che hanno lambito l'acqua con la lingua io vi salverò e metterò i Madianiti nelle tue mani. Tutti gli altri se ne tornino ciascuno a casa sua». ⁸Presero con sé le provviste necessarie al gruppo e i corni. Gedeone poi rimandò tutti gli altri uomini d'Israele ciascuno alla sua tenda e tenne con sé solo i trecento. Il campo dei Madianiti si trovava nella valle sottostante.

⁹Quella notte il Signore disse a Gedeone: «Alzati e scendi all'accampamento nemico, perché lo darò in tua potere. ¹⁰E se hai paura di andare da solo nell'accampamento nemico, porta con te il tuo servo Pura. ¹¹Lì ascolterai quel che si dice: allora il tuo braccio si farà più forte per assalire il campo nemico». Gedeone scese col suo servo Pura fino agli avamposti del campo madianita.

¹²I Madianiti, gli Amaleciti e tutti gli orientali coprivano la valle, numerosi come le cavallette; i loro cammelli erano senza numero come la sabbia sulla spiaggia del mare. ¹³Gedeone penetrò dunque nell'accampamento nemico e udì un uomo che raccontava a un altro un suo sogno; diceva: «Ho fatto un sogno: mi pareva che una pagnotta di pane d'orzo rotolasse nel campo madianita. Arrivata alla tenda, la colpì e la rovesciò». ¹⁴Gli rispose quell'altro: «Non è altro che la spada dell'israelita Gedeone, figlio di Ioas: Dio darà in suo potere i Madianiti e tutto l'accampamento». ¹⁵All'udire il racconto di questo sogno e la

sua interpretazione, Gedeone si prostrò. Poi, tornato all'accampamento d'Israele, ordinò ai suoi di muoversi, assicurandoli che il Signore avrebbe dato in loro potere l'accampamento madianita.

¹⁶Gedeone, dopo aver diviso i trecento uomini in tre gruppi, consegnò ad ognuno di loro un corno e un vaso di coccio vuoto con dentro una torcia. ¹⁷Diede loro queste istruzioni: «Voi dovete guardare me e fare quello che farò io: ecco, quando sarò arrivato al limite dell'accampamento nemico, come farò io, così farete voi. ¹⁸Quando, seguito da tutti coloro che sono nel mio gruppo, suonerò il corno, anche voi suonerete i corni intorno a tutto l'accampamento gridando: Per il Signore e per Gedeone!».

¹⁹Gedeone e i cento uomini che erano con lui giunsero a ridosso dell'accampamento nemico all'inizio del secondo turno di guardia, subito dopo il cambio delle sentinelle; diedero fiato ai corni e spezzarono i vasi che avevano con sé. ²⁰Allora tutti e tre i gruppi suonarono i corni e spezzarono i vasi: tenevano nella sinistra le torce e nella destra i corni in cui soffiavano. Intanto gridavano: «La spada per il Signore e per Gedeone!».

²¹Per quanto gli Israeliti restassero fermi, ciascuno al suo posto intorno all'accampamento madianita, in questo era tutto un correre, un vociare, un fuggire. ²²Quando i trecento suonarono i corni, il Signore fece rivolgere, in tutto il campo nemico, le spade degli uni contro gli altri. Fuggirono tutti fino a Bet-Sitta, in direzione di Zerera, fino alle sponde di Abel-Mecola, di fronte a Tabbat. ²³Allora si riunirono gli uomini di Neftali, di Aser e di tutto Manasse e si diedero all'inseguimento dei Madianiti. ²⁴Gedeone mandò messaggeri per tutta la montagna di Efraim per invitare gli Efraimiti a scendere contro i Madianiti, occupando fino a Bet-Bara e al Giordano tutti i luoghi in cui avrebbero potuto rifornirsi d'acqua e i guadi del Giordano. Radunatisi tutti gli uomini di Efraim, andarono ad occupare tutte le fonti fino a Bet-Bara e i guadi del Giordano. ²⁵Furono catturati due capi madianiti, Oreb e Zeeb; uccisero Oreb al masso di Oreb e Zeeb al frantoio di Zeeb. Gli Efraimiti continuarono poi l'inseguimento dei Madianiti e mandarono a Gedeone, che si trovava al di là del Giordano, le teste di Oreb e di Zeeb.

LA CAMPAGNA DI GEDEONE CONTRO I POPOLI A EST DEL GIORDANO

8 ¹Gli Efraimiti dissero a Gedeone: «Perché ti sei comportato con noi in questo modo? Sei andato a combattere contro i Madianiti senza chiamarci!». Essi erano molto irritati contro di lui. ²Ma Gedeone rispose loro: «Che cosa ho compiuto che possa essere paragonato con la vostra impresa? La racimolatura di Efraim non vale più della vendemmia di Abiezer? ³Dio ha consegnato nelle vostre mani i capi madianiti Oreb e Zeeb. Io non ho fatto nulla che possa essere paragonato con la vostra impresa». A queste parole di Gedeone l'animosità degli Efraimiti si calmò.

⁴Gedeone raggiunse il Giordano e lo attraversò con i suoi trecento uomini: erano stanchi per l'inseguimento. ⁵Egli si rivolse agli abitanti di Succot dicendo: «Date dei pani agli uomini che mi seguono. Sono stanchi e io devo inseguire i re madianiti Zebach e Zalmunna». ⁶Ma i capi di Succot gli risposero: «Forse che Zebach e Zalmunna sono già nelle tue mani, perché noi diamo da mangiare al tuo esercito?». ⁷Gedeone rispose: «Vuol dire che quando il Signore avrà dato in mia mano Zebach e Zalmunna, io dilanierò i vostri corpi con le spine del deserto e con i cardi». ⁸Di là Gedeone salì a Penuel e anche agli abitanti di Penuel rivolse la stessa richiesta, ma essi gli risposero allo stesso modo in cui gli avevano risposto quelli di Succot. ⁹Anche agli abitanti di Penuel Gedeone rispose: «Quando tornerò sano e salvo, distruggerò questa rocca».

¹⁰Zebach e Zalmunna si trovavano a Karkor insieme alle loro truppe. Erano circa quindicimila uomini, tutto quello che restava del grande esercito degli orientali, perché i guerrieri caduti erano centoventimila. ¹¹Gedeone, salito per la via dei nomadi, a oriente di Nobach e di Iogbea, assalì di sorpresa i nemici. ¹²I re madianiti Zebach

e Zalmunna fuggirono, ma Gedeone, inseguitili, li catturò entrambi, mettendo in fuga il loro esercito.

¹³Gedeone, figlio di Ioas, tornò dalla guerra per la salita di Cheres. ¹⁴Catturato un giovane di Succot, lo sottopose a un interrogatorio e quello gli scrisse i nomi dei capi e degli anziani di Succot: settantasette uomini. ¹⁵Gedeone si presentò quindi agli abitanti di Succot con queste parole: «Ecco Zebach e Zalmunna, per i quali mi avete deriso, quando mi avete domandato se erano già nelle mie mani, per dover dare da mangiare ai miei uomini stanchi». ¹⁶Fatti arrestare gli anziani della città e procuratisi spine del deserto e cardi, dilaniò con questi i corpi degli uomini di Succot. ¹⁷Quindi distrusse la rocca di Penuel e uccise gli uomini della città.

¹⁸Poi Gedeone domandò a Zebach e a Zalmunna: «Come erano gli uomini che avete ucciso sul Tabor?». Essi risposero: «Questi ti somigliavano e tutti avevano l'aspetto di figli di re».

¹⁹Gedeone disse: «Erano miei fratelli, figli di mia madre. Come è vero che Dio vive, se voi li aveste lasciati in vita, io non vi ucciderei». ²⁰Quindi disse a Ieter, suo primogenito: «Su, uccidili!». Ma il giovanetto non sguainò la spada, perché aveva timore, essendo ancora molto giovane. ²¹Dissero allora Zebach e Zalmunna: «Su! Colpisci tu, perché la forza dell'uomo è pari alla sua età». Allora Gedeone si mosse e uccise Zebach e Zalmunna. Poi prese le lunette che ornavano il collo dei loro cammelli.

²²Allora gli Israeliti dissero a Gedeone: «Sii nostro capo tu, tuo figlio e i tuoi discendenti, perché ci hai salvato dai Madianiti». ²³Gedeone rispose loro: «Io non sarò vostro capo, né lo sarà mio figlio: è il Signore il vostro capo». ²⁴Poi Gedeone aggiunse: «Voglio però una cosa, che ciascuno mi dia un anello tratto dalla parte di bottino che gli spetta». I nemici, infatti, essendo Ismaeliti, portavano anelli d'oro.

²⁵Gli Israeliti accettarono di buon grado: disteso un mantello, vi gettarono ciascuno un anello tratto dalla propria parte di preda. ²⁶Il peso degli anelli d'oro che Gedeone aveva richiesto fu di millesettecento sicli d'oro, senza contare le lunette, le pietre preziose e le vesti di porpora portate dai re madianiti, e senza contare i collari che i loro cammelli avevano al collo. ²⁷Con questo oro Gedeo-

---

8. - 4-7. Gli abitanti di Succot, della tribù di Gad, avrebbero dovuto aiutare i fratelli che inseguivano i nemici, ma temendo che i Madianiti poi si vendicassero, negarono i viveri. Gedeone però, fiducioso nel Signore, era sicuro della vittoria.

21. L'espressione dei due principi di Madian, oscura per noi, significa che essi preferivano morire per mano di Gedeone, uomo valoroso.

Gdc

ne fece un efod, che pose in Ofra, sua città. Tutto Israele si prostrò in Ofra davanti a quell'efod, che divenne così per Gedeone e per la sua casa motivo di colpa e di rovina. ²⁸I Madianiti furono umiliati di fronte agli Israeliti e non alzarono più la testa. Al tempo di Gedeone la regione ebbe pace per quarant'anni.

²⁹Ierub-Baal, figlio di Ioas, tornò a dimorare a casa sua. ³⁰Ebbe settanta figli usciti dalle sue viscere, perché aveva molte mogli. ³¹Inoltre ebbe un figlio anche da una concubina che stava a Sichem e gli pose nome Abimelech. ³²Gedeone, figlio di Ioas, morì in serena vecchiaia e fu sepolto nella tomba di suo padre Ioas, in Ofra degli Abiezeriti. ³³Dopo la morte di Gedeone, gli Israeliti tornarono a prostituirsi ai Baal e fecero loro dio Baal-Berit. ³⁴Gli Israeliti si dimenticarono del loro Dio, il Signore, che li aveva liberati dalle mani di tutti i nemici che li circondavano, ³⁵e non serbarono alcuna gratitudine alla casa di Ierub-Baal, cioè di Gedeone, che aveva fatto tanto bene a Israele.

ABIMELECH TENTA DI DIVENTARE RE DI ISRAELE

9 ¹Abimelech, figlio di Ierub-Baal, andò a Sichem dai fratelli di sua madre e si incontrò con loro e con tutto il clan della famiglia di sua madre. ²Chiese loro che si rivolgessero ai signori di Sichem dicendo: «Che cosa è meglio per voi: avere settanta capi, quanti sono i figli di Ierub-Baal, oppure avere sopra di voi un solo capo che, come voi ben sapete, ha nelle vene il vostro stesso sangue?».

³I fratelli di sua madre parlarono così di Abimelech a tutti i signori di Sichem e il loro cuore si piegò a favore di Abimelech, perché pensavano che era della loro stirpe. ⁴Gli diedero settanta sicli prelevati dal tempio di Baal-Berit, con i quali Abimelech assoldò una masnada di avventurieri che si misero al suo seguito. ⁵Egli andò a Ofra, alla casa di suo padre, dove uccise sopra una stessa pietra i suoi settanta fratelli, figli di Gedeone, dei quali scampò solo Iotam, il minore, perché si era nascosto. ⁶Radunatisi allora tutti i signori di Sichem e tutta Bet-Millo, proclamarono re Abimelech presso la Quercia della Stele che è a Sichem.

⁷Quando Iotam fu informato della cosa, andò sulle cime del monte Garizim e, alzando la voce, gridò ai signori di Sichem:

«Ascoltatemi, signori di Sichem,
    e Dio ascolterà voi.
⁸ Un giorno gli alberi si misero
        in cammino,
    per andare a eleggere un re
    che regnasse sopra di loro.
    Dissero all'ulivo: Regna sopra di noi!
⁹ Rispose loro l'ulivo:
    Dovrò forse rinunciare al mio olio
    col quale si rende onore agli uomini
        e agli dèi,
    per andare ad agitarmi
    al di sopra degli altri alberi?
¹⁰ Allora gli alberi dissero al fico:
    Vieni tu a regnare sopra di noi!
¹¹ Rispose loro il fico:
    Dovrò forse rinunciare alla mia dolcezza,
    ai miei ottimi frutti,
    per andare ad agitarmi
    al di sopra degli altri alberi?
¹² Allora gli alberi dissero alla vite:
    Vieni tu a regnare sopra di noi!
¹³ Rispose loro la vite:
    Dovrò forse rinunciare al mio mosto,
    che dà gioia agli dèi e agli uomini,
    per andare ad agitarmi
    al di sopra degli altri alberi?
¹⁴ Allora gli alberi dissero tutti insieme
        al rovo:
    Vieni tu a regnare sopra di noi!
¹⁵ Rispose il rovo agli alberi:
    Se avete davvero l'intenzione
    di eleggere me vostro sovrano,
    venite a ripararvi alla mia ombra.
    Altrimenti, un fuoco uscirà dal rovo
    e divorerà i cedri del Libano!

¹⁶E ora nell'eleggere re Abimelech è chiaro che non avete agito con lealtà e rettitudine; è chiaro che non avete agito bene nei riguardi di Ierub-Baal e della sua famiglia; è

9. - 1. Abimèlech, figlio di una concubina di Gedeone, fece il primo tentativo di farsi re e possedere un esercito, ma cominciò male, con l'uccidere i fratelli, e morì dopo aver spadroneggiato in poche città.

8-15. Per gustare il bellissimo apologo bisogna notare che i re erano unti nel giorno della consacrazione e che l'ulivo, la vite, il fico, i migliori frutti di Palestina, simboleggiano la felicità sotto un ottimo re. Il pruno, simbolo dell'infelicità, raffigura il re crudele, che strazia senza dar pace.

chiaro che non avete agito nei suoi riguardi come meritavano le sue imprese. [17]Perché mio padre per voi ha combattuto, ha messo a repentaglio la sua vita, vi ha liberato dalle mani di Madian. [18]E voi oggi avete osato sollevarvi contro la casa di mio padre, uccidendo i suoi figli – erano settanta! – sopra una stessa pietra, e poi avete proclamato re dei signori di Sichem Abimelech, figlio di una schiava di mio padre, per il solo motivo che è della vostra gente.

[19]Se, dunque, oggi avete agito con lealtà e rettitudine nei confronti di Ierub-Baal e della sua famiglia, Abimelech sia la vostra gioia e voi la sua. [20]Ma se la cosa stesse diversamente, che un fuoco esca da Abimelech e divori i signori di Sichem e Bet-Millo; e un fuoco esca dai signori di Sichem e da Bet-Millo e divori Abimelech».

[21]Poi Iotam fuggì e si mise in salvo a Beer, dove si stabilì per paura di suo fratello Abimelech.

[22]Abimelech tenne il potere su Israele per tre anni. [23]Poi il Signore mandò uno spirito malvagio fra Abimelech e i signori di Sichem, i quali si ribellarono contro di lui, [24]facendo ricadere la violenza perpetrata contro i settanta figli di Ierub-Baal e il loro sangue su Abimelech, che era loro fratello e li aveva uccisi, e sui signori di Sichem che lo avevano incoraggiato ad uccidere i suoi fratelli. [25]Allora i signori di Sichem, in segno di sfida ad Abimelech, tendevano insidie sulla cima dei monti per depredare tutti i viandanti che capitavano nelle loro mani. La cosa fu riferita ad Abimelech.

[26]Intanto giungeva a Sichem, insieme ai suoi fratelli, un certo Gaal, figlio di Ebed, il quale riuscì a guadagnarsi la fiducia dei signori di Sichem. [27]Un giorno i Sichemiti uscirono dalla città per vendemmiare e preparare il mosto, poi fecero una gran festa nel tempio del loro dio, mangiando e bevendo: in questa occasione maledissero Abimelech.

[28]Gaal, figlio di Ebed, tenne ai Sichemiti questo discorso: «Chi è Abimelech e chi sono i Sichemiti, perché gli dobbiamo stare sottomessi? Egli è figlio di Ierub-Baal, e Zebul governa la città per lui. E pensare che in passato furono loro sottomessi alla gente di Camor, il capostipite dei Sichemiti! [29]Perché dunque restargli sottomessi? Ma se questo popolo si porrà ai miei ordini, io caccerò Abimelech. Gli dirò: È grande il tuo esercito, esci a battaglia!».

[30]Quando Zebul, il governatore della città, seppe del discorso di Gaal, figlio di Ebed, si sdegnò [31]e mandò messi ad Abimelech, in Aruma, con questo messaggio: «Gaal, figlio di Ebed, e i suoi fratelli sono arrivati a Sichem e sono di fatto padroni della città per staccarla da te. [32]Muoviti di notte tu e la gente che hai con te e tendigli un agguato fuori della città. [33]Domattina, quando si leverà il sole, muoviti presto e attacca la città all'improvviso: allora costui ti uscirà incontro con i suoi uomini e tu farai di lui ciò che riterrai opportuno».

[34]Abimelech si mosse di notte con tutta la gente che aveva e, divisi i suoi uomini in quattro gruppi, andò ad appostarsi nelle immediate vicinanze di Sichem. [35]Gaal, figlio di Ebed, uscì dalla città e schierò i suoi uomini davanti alla porta. Allora Abimelech e i suoi uomini uscirono fuori dal luogo dove erano appostati. [36]Quando Gaal li scorse, disse a Zebul: «Vedo gente che scende dall'alto dei colli». Ma Zebul gli rispose: «È l'ombra dei colli che scambi per uomini!». [37]Gaal insisteva: «Vedo uomini che calano dall'Ombelico della terra e un'altra colonna arriva dalla strada della Quercia degli indovini». [38]«Dov'è mai andata a finire – esclamò allora Zebul – la spavalderia di quando dicevi: Chi è Abimelech, perché gli si debba servire? È questa la gente che disprezzavi. Avanti, dunque, combatti contro di essa».

[39]Gaal, alla testa dei signori di Sichem, diede battaglia ad Abimelech, [40]ma fu messo in fuga. Molti caddero morti prima di raggiungere la porta della città. [41]Poi Abimelech tornò ad Aruma, mentre Zebul inseguiva Gaal e i suoi fratelli per impedir loro di restare a Sichem.

[42]Nonostante ciò, il giorno dopo i Sichemiti uscirono di nuovo dalla città e Abimelech ne fu informato. [43]Egli prese i suoi uomini e, divisili in tre gruppi, andò ad appostarsi fuori della città. E così, quando vide i Sichemiti che uscivano dalla città, li assalì e li travolse. [44]Allora Abimelech col suo gruppo fece irruzione e andò a schierarsi davanti alla porta della città, mentre gli altri due gruppi assalivano i Sichemiti che si trovavano in aperta campagna e li massacrarono.

[45]Abimelech continuò l'assalto alla città per tutta la giornata, finché non riuscì ad espu-

Gdc

gnarla. Ne uccise gli abitanti e la distrusse, spargendovi sopra il sale.

[46]Quando i signori della rocca di Sichem si resero conto delle intenzioni di Abimelech, si rifugiarono nel sotterraneo del tempio di El-Berit. [47]Abimelech, appena seppe che i signori della rocca di Sichem si erano raccolti tutti insieme, [48]salì sul monte Zalmon insieme agli uomini che aveva con sé, impugnò la scure, tagliò il ramo di un albero e, caricatoselo sulle spalle, ordinò ai suoi uomini di fare rapidamente quanto avevano visto fare da lui. [49]Allora anche tutti i suoi uomini tagliarono ciascuno un ramo; poi, seguendo Abimelech, andarono a deporre i rami sopra il sotterraneo del tempio e lo incendiarono, lasciandovi bruciare tutti quelli che vi erano dentro: tutti gli abitanti della rocca morirono in numero di circa mille, fra uomini e donne. [50]Poi Abimelech andò ad assediare Tebez e la espugnò. [51]V'era in mezzo alla città una rocca possente, dove si erano rifugiati tutti, uomini e donne, con i signori della città. Barricatisi dentro, erano saliti sugli spalti. [52]Abimelech, appena giunto ai piedi della rocca, ne cominciò l'assalto, riuscendo a spingersi fino alla porta che voleva incendiare. [53]Ma una donna gli gettò sulla testa una macina da mulino, fracassandogli il cranio. [54]Subito Abimelech, chiamato il suo scudiero, gli ordinò di sguainare la spada e di finirlo, perché non si dicesse che era morto per mano di una donna. Morì trafitto dallo scudiero. [55]Quando gli uomini di Israele videro che Abimelech era morto, se ne tornarono ciascuno a casa sua.

[56]Dio fece così ricadere su Abimelech il male che aveva commesso contro suo padre, quando uccise i suoi settanta fratelli, [57]e ugualmente fece ricadere sui Sichemiti tutto il male da loro compiuto: era caduta sopra di loro la maledizione di Iotam, figlio di Ierub-Baal.

GIUDICI TOLA E IAIR

10 [1]Dopo Abimelech sorse a salvare Israele Tola, figlio di Pua, figlio di Dodo, della tribù di Issacar. Abitava a Samir, sulla montagna di Efraim. [2]Egli giudicò Israele per ventitré anni; poi morì e fu sepolto a Samir. [3]Dopo di lui sorse il galaadita Iair, il quale giudicò Israele per ventidue

anni. [4]Aveva trenta figli che cavalcavano su trenta asini e governavano altrettante città nella regione del Galaad, chiamate i Villaggi di Iair, nome che conservano ancora. [5]Quando Iair morì, fu sepolto a Kamon. [6]Gli Israeliti ripresero a compiere ciò che è male agli occhi del Signore, prestando culto ai Baal, alle Astarti, agli dèi di Aram, agli dèi di Sidone, agli dèi di Moab, agli dèi degli Ammoniti e agli dèi dei Filistei. Abbandonarono il Signore e non lo adoravano più. [7]Esplose allora contro Israele l'ira del Signore, il quale consegnò gli Israeliti nelle mani dei Filistei e degli Ammoniti. [8]Quell'anno Filistei e Ammoniti iniziarono una spietata oppressione sugli Israeliti, che durò diciotto anni: ne furono colpiti tutti gli Israeliti che abitavano al di là del Giordano, nella regione amorrita del Galaad.

[9]Gli Ammoniti passarono poi il Giordano per portar guerra anche alle tribù di Giuda, di Beniamino e di Efraim, cosicché l'oppressione di Israele era grande. [10]Allora gli Israeliti gridarono al Signore: «Abbiamo peccato contro di te, perché abbiamo abbandonato il nostro Dio, per prestare il nostro culto ai Baal». [11]Ma Dio rispose così agli Israeliti: «Quando gli Egiziani, gli Amorrei, gli Ammoniti, i Filistei, [12]i Sidoni, gli Amaleciti, i Madianiti vi opprimevano e voi alzavate il vostro grido a me, io vi ho salvato dalle loro mani. [13]Ma, nonostante questo, voi mi avete abbandonato per servire altri dèi. Per questo non voglio più salvarvi! [14]Andatevene piuttosto a implorare l'aiuto degli dèi che vi siete scelti. Penseranno loro a salvarvi nel tempo della vostra oppressione». [15]Ripresero gli Israeliti: «Abbiamo peccato: fa' tu di noi tutto quello che vuoi; ma oggi liberaci, ti imploriamo!». [16]Gli Israeliti allora eliminarono gli dèi stranieri e tornarono ad adorare il Signore, il cui animo non poté più resistere alle sofferenze di Israele.

[17]Radunatisi, gli Ammoniti avevano posto il campo in Galaad. Anche gli Israeliti si radunarono per andare ad accamparsi in Mizpa. [18]Intanto il popolo e i capi galaaditi cercavano chi sarebbe stato l'uomo che avrebbe intrapreso la guerra contro gli Ammoniti: sarebbe stato lui il capo di tutti i Galaaditi.

---

54. La religione condanna l'uccidersi e il farsi uccidere, fosse anche per sfuggire all'ignominia. L'uomo deve avere sempre il coraggio di vivere; il suicidio è sempre una viltà.

LE IMPRESE DEL GIUDICE IEFTE

11 ¹Il galaadita Iefte era un valoroso guerriero: era figlio di una prostituta e di Galaad. ²Ora Galaad aveva altri figli, nati dalla moglie legittima, e quando questi divennero adulti, cacciarono Iefte, perché non volevano che avesse parte nell'eredità del loro padre, essendo figlio di un'altra madre. ³Per paura dei suoi fratelli, Iefte fuggì e si stabilì nella terra di Tob. Intorno a lui si raccolsero alcuni avventurieri, con i quali compiva scorrerie. ⁴Qualche tempo dopo gli Ammoniti mossero guerra a Israele. ⁵Quando gli Ammoniti assalirono Israele, gli anziani del Galaad andarono a cercare Iefte nel paese di Tob ⁶e gli dissero: «Vieni a metterti alla nostra testa per combattere contro gli Ammoniti». ⁷Ma Iefte rispose agli anziani del Galaad: «Non siete stati voi che mi avete odiato e mi avete scacciato dalla casa di mio padre? Per quale motivo, ora che siete in difficoltà, siete venuti da me?». ⁸«È proprio per farti questa proposta – ripresero gli anziani del Galaad – che ora siamo tornati da te. Se vieni con noi a combattere contro gli Ammoniti, ti faremo nostro capo, capo di tutti i Galaaditi». ⁹Iefte rispose agli anziani del Galaad: «Se voi volete che io torni per condurre la guerra contro gli Ammoniti, e se il Signore mi concederà la vittoria, io sarò vostro capo». ¹⁰Gli anziani del Galaad confermarono a Iefte: «Il Signore è testimone fra te e noi che faremo come hai detto». ¹¹Allora Iefte andò con gli anziani del Galaad e il popolo lo proclamò suo capo e suo comandante. Iefte poi ripeté in Mizpa queste sue parole davanti al Signore.

¹²Iefte mandò subito ambasciatori al re degli Ammoniti per dirgli: «Che c'è fra te e me, per cui tu mi abbia mosso guerra e sia venuto a invadere la mia terra?». ¹³Il re degli Ammoniti rispose agli ambasciatori di Iefte che il motivo di guerra era rappresentato dal fatto che Israele, al tempo in cui risaliva dall'Egitto, si era impossessato della sua terra, i cui confini andavano dall'Arnon fino allo Iabbok e fino al Giordano. Invitava Iefte a restituire pacificamente i territori occupati. ¹⁴Ma Iefte inviò di nuovo ambasciatori al re degli Ammoniti ¹⁵a dirgli: «Israele non ha mai occupato né i territori dei Moabiti né quelli degli Ammoniti. ¹⁶Quando Israele uscì dall'Egitto marciò nel deserto fino al Mar Rosso e raggiunse Kades.

¹⁷Di qui gli Israeliti mandarono ambasciatori al re di Edom, per chiedergli di lasciarli passare attraverso la sua terra; ma il re di Edom rifiutò. Allora essi inviarono ambasciatori al re di Moab, ma anche questi non volle cedere. Così Israele dovette restare a Kades. ¹⁸Di qui poi avanzò nel deserto passando al di fuori sia del territorio di Edom che di quello di Moab. Gli Israeliti giunsero così a est della terra di Moab e si accamparono di là dell'Arnon, senza penetrare nel territorio moabita, perché il confine di Moab è all'Arnon. ¹⁹Di qui gli Israeliti inviarono ambasciatori a Sicon, re amorreo che regnava in Chesbon, per chiedergli di passare attraverso il suo territorio, per poter raggiungere la loro sede. ²⁰Neanche Sicon si fidò a far passare Israele attraverso il suo territorio; anzi, raccolti tutti i suoi uomini, andò ad accamparsi in Iaaz, dove dette battaglia a Israele. ²¹Ma il Signore, Dio di Israele, consegnò Sicon e tutta la sua gente in potere di Israele, che riportò vittoria sopra quegli Amorrei, entrando giustamente in possesso di tutti i territori da loro abitati. ²²Pertanto gli Israeliti presero possesso di tutto il territorio amorreo, dall'Arnon fino allo Iabbok e dal deserto fino al Giordano. ²³E ora che il Signore, Dio di Israele, ha cacciato via gli Amorrei davanti a Israele suo popolo, tu vorresti mandarci via? ²⁴Le terre di cui il tuo dio Camos ti ha fatto entrare in possesso tu te le tieni; così anche noi ci teniamo quanto il Signore, nostro Dio, ci ha fatto possedere. ²⁵Forse che tu sei da più del re moabita Balak, figlio di Zippor? Costui non ebbe mai nulla da eccepire contro Israele e non gli mosse mai guerra, ²⁶quando Israele si insediò, trecento anni fa, in Chesbon e nelle città dipendenti, in Aroer e nelle città dipendenti e in tutte le altre città poste sulle rive dell'Arnon. Perché non li avete rivendicati allora questi territori? ²⁷Io non ti ho fatto alcun torto e tu invece ti comporti male con me facendomi guerra. Oggi, dunque, giudichi il Signore, che suole

---

11. - 6. Forse Iefte con la sua masnada aveva già molestato gli Ammoniti.
9. Iefte dichiara di voler essere re se vincerà gli Ammoniti, e soltanto quando glielo promettono accetta di andare a combattere.

far giustizia, fra gli Israeliti e gli Ammoniti». [28]Ma il re degli Ammoniti non volle dar retta a quello che Iefte gli aveva mandato a dire. [29]Lo spirito del Signore si posò su Iefte, il quale, percorsi i territori del Galaad e di Manasse, raggiunse Mizpa del Galaad e da qui marciò contro gli Ammoniti. [30]Iefte fece un voto al Signore con queste parole: «Se tu mi farai vincere gli Ammoniti, [31]quando tornerò vincitore dalla guerra contro di loro, colui che uscirà per primo dalle porte di casa mia per venirmi incontro sarà sacro al Signore e glielo offrirò in olocausto».

[32]Iefte mosse, dunque, contro gli Ammoniti e il Signore li mise in suo potere. [33]Egli li sconfisse da Aroer fino a Minnit, conquistando venti città, e fino ad Abel-Cheramim. Fu una gravissima disfatta, in conseguenza della quale gli Ammoniti furono umiliati davanti agli Israeliti.

[34]Quando Iefte tornò a casa sua in Mizpa, sua figlia gli uscì incontro per prima, guidando un gruppo di fanciulle che danzavano al suono dei cembali. Era l'unica sua figlia, perché egli non aveva altri figli, né maschi né femmine. [35]Quando egli la vide, si stracciò le vesti ed esclamò: «Ahimè, figlia mia, quale profonda afflizione tu mi rechi! Proprio tu sei la causa del mio dolore, perché io ho dato la mia parola al Signore e non posso tirarmi indietro!».

[36]Essa gli rispose: «Padre, se hai dato la tua parola al Signore, poiché egli ti ha concesso di vendicarti dei tuoi nemici, gli Ammoniti, fa' di me secondo la parola che è uscita dalla tua bocca». [37]Poi disse a suo padre: «Si compia pure su di me codesta tua promessa: ma lasciami libera due mesi perché io me ne vada con le mie compagne su per i monti a piangere la mia verginità». [38]Il padre le disse: «Va'», e la lasciò andare per due mesi. Essa andò insieme alle sue compagne a piangere sui monti la sua verginità. [39]Finiti i due mesi, tornò da suo padre, il quale compì su di lei il voto che aveva fatto.

Essa non aveva conosciuto uomo; per questo nacque in Israele l'usanza [40]che le ragazze di Israele vadano tutti gli anni per quattro giorni sui monti, a celebrarvi il lamento della figlia di Iefte il galaadita.

GUERRA FRATRICIDA TRA EFRAIM E GALAAD

12 [1]Gli uomini di Efraim si radunarono in armi, poi varcarono il Giordano in direzione di Zafon e dissero a Iefte: «Perché hai mosso guerra agli Ammoniti senza chiamarci in tuo aiuto? Siamo decisi a bruciare te e la tua casa!». [2]Iefte rispose loro: «Io e il mio popolo, duramente oppressi dagli Ammoniti, eravamo in una situazione tanto grave che chiesi il vostro aiuto, ma non mi avete salvato dalle loro mani. [3]Allora, resomi conto che non c'era nessuno che mi avrebbe salvato, mi buttai allo sbaraglio assalendo gli Ammoniti: il Signore li ha dati in mia mano. Che motivo avete, dunque, oggi per muovermi guerra?».

[4]Iefte, chiamati a raccolta tutti gli uomini del Galaad, diede battaglia ad Efraim, e i Galaaditi sconfissero quelli di Efraim che li avevano assaliti, perché li consideravano loro ribelli, gente che apparteneva ad Efraim e a Manasse. [5]I Galaaditi occuparono i guadi del Giordano attraverso i quali si poteva raggiungere il territorio di Efraim. Quando i fuggiaschi dell'esercito efraimita chiedevano di passare, i Galaaditi domandavano loro, uno per uno, se erano Efraimiti, e quelli rispondevano di no. [6]Ma i Galaaditi imponevano loro di dire "Scibbòlet", ed essi rispondevano: "Sibbòlet", perché non sapevano pronunciare correttamente la parola. Allora li afferravano e li sgozzavano sui guadi del Giordano. Degli Efraimiti, in quell'occasione, ne morirono quarantaduemila.

[7]Iefte fu giudice in Israele per sei anni. Poi Iefte il galaadita morì e fu sepolto nella sua città nel Galaad.

[8]Dopo di lui fu giudice in Israele Ibsan di Betlemme, [9]che aveva trenta figli e trenta figlie: queste mandò spose fuori della sua gente e da fuori fece venire trenta ragazze

29-31. Lo spirito del Signore incita Iefte ad adunare gente e lo anima alla vittoria, ma non certo a fare il voto d'un sacrificio umano, proibito dalla legge. Il voto fu stolto ed empio e il mantenerlo fu delitto. Forse Iefte agì in buona fede e si credette obbligato al voto dopo la strepitosa vittoria.

12. - 4-6. Gli Efraimiti che insultavano Galaad come la feccia di Efraim e di Manasse, sconfitti, corrono al Giordano per ritornare in patria; ma i Galaaditi vincitori li aspettano ai guadi e per riconoscerli fanno loro dire la parola "scibbòlet" (spíga), pronunciata "sibbòlet" dagli Efraimiti.

per darle spose ai suoi figli. Egli fu giudice in Israele per sette anni. [10]Quando Ibsan morì, fu sepolto a Betlemme.

[11]Dopo di lui venne lo zabulonita Elon, il quale fu giudice in Israele per dieci anni. [12]Quando lo zabulonita Elon morì, fu sepolto ad Aialon, nel territorio di Zabulon.

[13]Dopo di lui fu giudice in Israele Abdon, figlio di Illel, della città di Piraton. [14]Aveva quaranta figli e trenta nipoti che cavalcavano settanta asini. Egli fu giudice in Israele per otto anni. [15]Quando Abdon, figlio di Illel, della città di Piraton, morì, fu sepolto a Piraton, nel territorio di Efraim, sul monte dell'Amalecita.

NASCITA MIRACOLOSA DI SANSONE

13 [1]Gli Israeliti ripresero a compiere ciò che è male agli occhi del Signore, il quale li abbandonò in mano dei Filistei per quarant'anni.

[2]C'era un uomo della città di Zorea, della tribù di Dan, il quale si chiamava Manoach, la cui moglie, essendo sterile, non aveva avuto figli. [3]Ora a questa donna apparve l'angelo del Signore, il quale le disse: «Ecco, tu sei sterile e non hai avuto figli, ma concepirai e darai alla luce un figlio. [4]Devi però astenerti dal bere vino o bevanda inebriante e dal mangiare cose impure, [5]perché il figlio che tu concepirai e darai alla luce sarà nazireo di Dio fin da quando sarà nel tuo seno; per questo il rasoio non dovrà mai passare sulla sua testa. Egli comincerà a salvare Israele dall'oppressione dei Filistei».

[6]La donna andò a raccontare la cosa al marito: «Ho incontrato un uomo di Dio, che all'aspetto sembrava un suo angelo, tanto era venerando. Non gli ho domandato da dove veniva, né egli mi ha detto il suo nome, [7]ma mi ha predetto che concepirò e darò alla luce un figlio e che ora non devo più bere vino o bevanda inebriante, né mangiare alcuna cosa impura, perché il bambino sarà nazireo di Dio da quando sarà nel mio seno fino alla sua morte».

[8]Allora Manoach si rivolse al Signore con questa preghiera: «Ti prego, Signore, fa'

che l'uomo di Dio che tu hai inviato venga ancora una volta da noi a indicarci che cosa dobbiamo fare del bambino che deve nascere». [9]Dio esaudì la preghiera di Manoach e l'angelo di Dio si presentò ancora una volta alla donna, mentre questa era nei campi e suo marito Manoach non era con lei. [10]La donna corse subito ad informare il marito che le era apparso lo stesso uomo che aveva incontrato l'altra volta. [11]Manoach seguì la moglie e, raggiunto l'uomo, gli domandò se era lui che aveva parlato con sua moglie. Avuta risposta affermativa, [12]Manoach disse: «Quando la tua parola si compirà, quali saranno le norme che dovranno regolare la vita del bambino?». [13]L'angelo del Signore rispose: «Il bambino deve astenersi da tutto ciò che ho già detto a sua madre: [14]non deve cibarsi di nessun prodotto della vigna né bere vino o bevanda inebriante; non deve mangiare niente di impuro: insomma, dovrà astenersi da quanto ho proibito a sua madre».

[15]Allora Manoach disse all'angelo del Signore: «Noi vogliamo trattenerti per prepararti un capretto». [16]Ma l'angelo del Signore rispose a Manoach: «Anche se mi tratterrai presso di te, non mangerò delle tue vivande, ma se vuoi farne un olocausto per il Signore, offrilo pure». Manoach infatti non aveva ancora compreso che quell'uomo era un angelo del Signore.

[17]Allora Manoach chiese all'angelo del Signore quale fosse il suo nome, perché, quando le sue parole si fossero avverate, voleva rendergli onore. [18]Ma quegli rispose: «Perché vuoi sapere il mio nome? Esso è misterioso».

[19]Manoach prese il capretto e l'oblazione e li offrì sulla pietra al Signore che opera prodigi. [20]Ora avvenne che mentre la fiamma saliva dall'altare verso il cielo, l'angelo del Signore si staccò dal suolo ascendendo nella fiamma. A tale vista Manoach e sua moglie si prostrarono al suolo in adorazione. [21]L'angelo del Signore scomparve alla vista di Manoach e di sua moglie. Allora Manoach comprese che quello era l'angelo del Signore, [22]e disse alla moglie: «Moriremo certamente, perché abbiamo visto Dio!».

[23]Ma sua moglie rispose: «Se il Signore ci avesse voluto far morire, non avrebbe accettato dalle nostre mani né l'olocausto né l'oblazione, non ci avrebbe fatto vedere

---

13. - 4. Sul *nazireato* e i suoi obblighi qui accennati, vedi Nm 6,1-21. Da quanto qui viene detto, si deduce che erano obbligati madre e figlio.

quello che abbiamo visto e non ci avrebbe fatto udire quello che ora abbiamo udito». [24]La donna poi diede alla luce un figlio, al quale pose nome Sansone. Il bambino crebbe benedetto dal Signore. [25]Lo spirito del Signore cominciò ad agire sopra di lui a Macane-Dan, fra Zorea ed Estaol.

LE NOZZE DI SANSONE

14 [1]Un giorno Sansone andò a Timna e là posò i suoi occhi su una giovane donna filistea. [2]Tornò subito indietro per dire a suo padre e a sua madre: «Ho visto in Timna una giovane filistea e ora voglio che me l'andiate a prendere in moglie». [3]Suo padre e sua madre gli risposero: «Fra la tua gente e fra tutto il tuo popolo non ci sono forse donne, perché tu vada a prenderti una moglie fra i Filistei incirconcisi?». Ma Sansone rispose al padre: «Prendimi quella, perché è lei che mi piace». [4]Suo padre e sua madre non sapevano che ciò avveniva per volontà del Signore, il quale cercava un modo per provocare i Filistei, che in quel tempo dominavano Israele.

[5]Sansone mosse dunque alla volta di Timna con suo padre e sua madre e sostarono alle vigne di Timna. Ed ecco che un leone si fece incontro a Sansone ruggendo. [6]Questi, investito dallo spirito del Signore, senza aver nulla in mano, squartò il leone come si squarta un capretto. Però non raccontò la sua impresa né al padre né alla madre. [7]Poi continuò il suo viaggio, si incontrò con la donna ed essa gli piacque ancora. [8]Qualche giorno dopo, rifacendo di nuovo la strada per andare a sposarla, lasciò la strada per andare a vedere la carcassa del leone e trovò che, dentro, le api vi avevano fatto un favo pieno di miele. [9]Trattolo fuori, si rimise in cammino, tenendolo in mano e mangiandolo. Raggiunti poi suo padre e sua madre, ne offrì anche a loro, che ne mangiarono, ma non raccontò loro che aveva preso quel miele nella carcassa del leone. [10]Il padre di Sansone si presentò alla casa della donna, dove Sansone offrì un banchetto, secondo l'usanza dei giovani. [11]Quando la gente del posto lo vide, gli scelse una scorta d'onore di trenta compagni che stessero con lui.

[12]Sansone disse loro: «Voglio proporvi un indovinello: se vi riuscirà di trovarne la soluzione e comunicarmela nei sette giorni del banchetto, io vi darò trenta tuniche e trenta bei vestiti. [13]Ma se non vi riuscirà di risolverlo sarete voi a darmi trenta tuniche e trenta bei vestiti». Essi gli risposero: «Facci ascoltare il tuo indovinello». [14]Disse loro Sansone:

«Da colui che mangia
è venuto fuori cibo.
Dal forte è uscito qualcosa di dolce».

In capo a tre giorni non erano ancora riusciti a risolvere l'indovinello.

[15]Al quarto giorno essi si rivolsero alla moglie di Sansone, dicendole: «Seduci tuo marito, perché ci dia lui la soluzione, altrimenti daremo fuoco a te e alla casa di tuo padre! Ci avete invitato qua per derubarci?». [16]Allora la moglie di Sansone si mise a piangere fra le sue braccia; diceva: «Tu non mi ami più e non sei innamorato di me. Tu hai proposto un indovinello a quelli della mia gente, senza dire la soluzione neanche a me». Sansone le rispose: «Non l'ho detta neanche a mio padre e a mia madre, perché dovrei dirla a te?». [17]Essa continuò a piangere fra le sue braccia per tutti i sette giorni del banchetto, finché al settimo giorno Sansone, non resistendo più alle insistenze della donna, finì con lo svelarle la soluzione, che essa riferì subito alla sua gente. [18]Così il settimo giorno, prima che tramontasse il sole, gli uomini della città dissero a Sansone:

«Che cosa è più dolce del miele?
E che cosa più forte del leone?».

Rispose loro Sansone:

«Se non aveste arato con la mia giovenca
non avreste risolto il mio indovinello».

[19]Allora, investito dallo spirito del Signore, Sansone discese ad Ascalon, vi uccise trenta uomini, tolse loro le vesti che avevano e così poté dare le trenta vesti a coloro che avevano risolto l'indovinello. Ma, ormai in preda allo sdegno, se ne tornò alla casa di suo padre. [20]La moglie di Sansone fu data in sposa a uno dei compagni che gli avevano fatto scorta d'onore alle nozze.

LE PRODEZZE DI SANSONE

15 ¹Qualche tempo dopo, alla stagione della mietitura, Sansone tornò a far visita a sua moglie, portandole in dono un capretto. Avrebbe voluto entrare in camera di sua moglie, ma il padre di lei non lo fece passare, ²dandogli queste spiegazioni: «Credevo proprio che tu odiassi fortemente mia figlia, per questo l'ho data in sposa a uno dei tuoi compagni. Ma la sorella minore è ancora più bella. Prendi questa al posto dell'altra!». ³Ma Sansone rispòse loro: «Questa volta sono innocente del male che farò ai Filistei!».

⁴Ciò detto, Sansone se ne andò, catturò trecento volpi e si procurò delle torce. Poi unì gli animali a due a due, legandoli per la coda, e inserì una torcia nel punto in cui le code erano legate. ⁵Dato fuoco alle torce, spinse avanti le bestie contro i covoni di grano che i Filistei avevano già innalzato e andò bruciato tutto: dal grano affastellato a quello già ammonticchiato nei covoni, dalle vigne agli uliveti.

⁶I Filistei ricercarono l'autore di quello scempio e seppero che era stato Sansone, il genero del Timnita, e che aveva fatto ciò perché il Timnita aveva preso la moglie di Sansone e l'aveva data in sposa a uno dei suoi compagni. Allora i Filistei andarono a bruciare la donna e suo padre. ⁷Disse loro Sansone: «Avete fatto ciò? Non avrò pace finché non mi sarò vendicato di voi!». ⁸E li percosse l'uno sull'altro, facendo una grande strage. Poi scese ad abitare in una caverna della rupe di Etam.

⁹Allora i Filistei si mossero e vennero a porre il campo nel territorio di Giuda, facendo scorrerie nella zona di Lechi. ¹⁰Gli uomini di Giuda chiesero ai Filistei per quale motivo avessero loro mosso guerra ed essi risposero: «Siamo venuti per catturare Sansone, per fare a lui quello che ha fatto a noi». ¹¹Allora tremila uomini di Giuda scesero alla caverna della rupe di Etam e dissero a Sansone: «Non lo sapevi che i Filistei sono nostri padroni? Perché ci hai messo in questi guai?». Sansone si giustificò con loro dicendo: «Ho fatto a loro quello che hanno fatto a me!». ¹²Gli uomini di Giuda ripresero: «Siamo venuti per legarti e consegnarti nelle mani dei Filistei». Sansone disse: «Giuratemi che non mi ucciderete

voi». ¹³Essi lo rassicurarono: «No; noi ci limiteremo a legarti e a consegnarti nelle loro mani, ma non ti uccideremo». Così, legatolo con due corde nuove, lo trassero fuori dalla caverna.

¹⁴Quando Sansone arrivò a Lechi, i Filistei gli si fecero incontro, urlando pieni di esultanza. Allora lo spirito del Signore discese su di lui: le corde che legavano le sue braccia divennero come stoppini bruciacchiati e i legami si sfilacciarono cadendo dalle sue mani. ¹⁵Vide accanto a sé una mascella d'asino ancora fresca: la prese e, impugnatala, colpì con essa mille uomini. ¹⁶Sansone disse:

«Con la mascella d'un asino
io li ho ben maciullati,
con la mascella d'un asino
ho colpito mille uomini!».

¹⁷Detto questo, gettò via la mascella e il luogo dov'essa cadde fu chiamato Ramat-Lechi. ¹⁸Poi, essendogli venuta una gran sete, Sansone invocò il Signore con queste parole: «Per mezzo del tuo servo, tu hai concesso questa grande vittoria; e ora dovrebbe morire di sete e cadere in mano degli incirconcisi?». ¹⁹Allora Dio fece un foro nell'avvallamento che si trova in Lechi, dal quale sgorgò l'acqua. Sansone bevve, si sentì riavere e si rianimò. Perciò quella fonte fu chiamata En-Korè, e mantiene ancor oggi questo nome in Lechi.

²⁰Sansone fu giudice in Israele per vent'anni al tempo dei Filistei.

ULTIME PRODEZZE
E MORTE DI SANSONE

16 ¹Una volta Sansone andò a Gaza. Qui, vista una prostituta, andò da lei. ²Quando gli abitanti di Gaza seppero che era arrivato Sansone, per tutta la notte furono in gran movimento perché volevano tendergli un'insidia alle porte della città. Poi, però, per tutta la notte non agirono, pur restando in attesa, perché pensavano: «Dovremo attendere fino all'alba, ma l'uccideremo!». ³Sansone invece se ne restò a letto fino a mezzanotte. A mezzanotte si alzò, diede di piglio ai battenti della porta della città e li svelse insieme ai due stipiti e al chiavistello. Caricatiseli poi

Gdc

sulle spalle, andò a portarli sulla cima del monte che sorge davanti a Ebron.

[4]In seguito Sansone si innamorò di un'altra donna, che abitava nella valle di Sorek, e si chiamava Dalila. [5]Allora i prìncipi dei Filistei andarono dalla donna e le dissero: «Seducilo, per sapere quale sia il segreto della sua grande forza e con quali mezzi potremo aver ragione di lui, per legarlo e ridurlo all'impotenza. Noi ti daremo ciascuno mille e cento sicli d'argento». [6]Allora Dalila disse a Sansone: «Ti prego, svelami quale sia il segreto della tua grande forza e con quali mezzi potresti essere legato e ridotto all'impotenza». [7]Le rispose Sansone: «Se fossi legato con sette corde di nervo fresche, non ancora essiccate, perderei la mia forza e sarei come un uomo qualsiasi». [8]Subito i prìncipi filistei inviarono a Dalila sette corde di nervo fresche, non ancora essiccate, ed essa con quelle legò Sansone. [9]Nella stanza intanto c'era, pronta ai suoi cenni, gente in agguato. Poi essa gli gridò: «I Filistei ti assalgono, Sansone!». Ma egli distrusse i legami come si volatizza un filo di stoppa che senta il fuoco. E così il segreto della sua forza non fu svelato.

[10]Disse Dalila a Sansone: «Ecco, ti sei preso gioco di me, raccontandomi bugie; ora dimmi con che cosa potresti essere legato». [11]Egli le rispose: «Se davvero fossi legato con funi nuove mai adoperate, perderei la mia forza e sarei come un uomo qualsiasi». [12]Subito Dalila, prese delle funi nuove, lo legò e poi gli gridò: «I Filistei ti assalgono, Sansone!». Intanto nella stanza c'era gente in agguato. Ma egli distrusse le funi che legavano le sue braccia come se fossero filo. [13]Dalila disse a Sansone: «Ancora una volta ti sei preso gioco di me, raccontandomi bugie: dimmi con che cosa potresti essere legato». Egli le rispose: «Se tu intrecciassi le sette trecce della mia testa con l'ordito e le fissassi con il battente, perderei la mia forza e sarei come un uomo qualsiasi». [14]Fattolo addormentare, essa intrecciò le sette trecce della sua testa con l'ordito e le fissò con il battente, poi gli gridò: «I Filistei ti assalgono, Sansone!». Ma egli, svegliatosi dal sonno, strappò via battente, traliccio e ordito. [15]Dalila allora si rivolse a Sansone con queste parole: «Come puoi dire che mi ami, se il tuo cuore è lontano da me? Questa è la terza volta che ti sei preso gioco di me, non

volendomi dire in che cosa consista la tua grande forza». [16]Essa lo soffocava con le sue parole e lo tediava tutti i giorni, finché Sansone fu tanto angustiato da non poterne più. [17]Allora le aprì tutto il suo animo dicendole: «Il rasoio non si è mai posato sulla mia testa perché io sono nazireo di Dio fin da quando ero nel seno di mia madre. Se venissi rasato, la mia forza se ne andrebbe; mi indebolirei e diverrei come tutti gli altri uomini».

[18]Dalila comprese che Sansone le aveva parlato sinceramente e mandò a chiamare i prìncipi dei Filistei invitandoli, questa volta, a venire essi stessi perché Sansone le aveva aperto tutto il suo cuore. I prìncipi dei Filistei la raggiunsero, recando il denaro. [19]Dalila fece addormentare Sansone sulle sue ginocchia: poi chiamò un uomo a tagliargli le sette trecce. Così egli cominciò ad indebolirsi e la forza se ne andò da lui. [20]Allora Dalila gridò: «I Filistei ti assalgono, Sansone!». Egli si svegliò dal sonno pensando che anche quella volta, come le altre, si sarebbe liberato scuotendosi con forza. Ma non sapeva che il Signore si era allontanato da lui. [21]I Filistei, presolo e accecatolo, lo condussero a Gaza, dove lo tenevano legato con due catene di bronzo e gli facevano girare la macina nella prigione. [22]Intanto i capelli di Sansone avevano ricominciato a crescere come prima di essere tagliati.

[23]Un giorno i prìncipi dei Filistei si riunirono per compiere un grande sacrificio in onore del loro dio Dagon e per far festa. Dicevano:

«Il nostro dio ha messo
    nelle nostre mani
Sansone, nostro nemico».

[24]Quando il popolo vide la statua del dio, proruppe in un grido di giubilo in onore del suo dio, esclamando:

«Il nostro dio ci ha messo nelle mani
Sansone, nostro nemico,
colui che devastava la nostra terra,
colui che uccideva tanti dei nostri!».

---

16. - 17. La forza di Sansone era prodigiosa, ma non era causata dai capelli: questi erano solo un distintivo dei nazirei; quella era legata all'osservanza del nazireato. Mancando a una promessa, Dio non accorda più il suo aiuto straordinario, e Sansone, abbandonato a se stesso, è facilmente superato.

²⁵In preda all'allegria, il popolo gridava: «Fate venire Sansone, perché ci faccia divertire!». Allora Sansone, fatto uscire dalla prigione, dovette fare il buffone davanti alla gente; poi fu messo fra le colonne. ²⁶Sansone, allora, chiese al ragazzo che gli faceva da guida di lasciargli toccare le colonne che reggevano l'edificio, per potercisi appoggiare. ²⁷L'edificio era pieno di uomini e di donne; c'erano tutti i prìncipi dei Filistei e sul terrazzo vi erano circa tremila uomini e donne che osservavano i giochi di Sansone. ²⁸Egli invocò il Signore con queste parole: «Signore Dio, ricordati di me, ti supplico, e rendimi ancora una volta la mia forza, o Dio, perché io con un colpo solo possa vendicarmi dei Filistei per i miei due occhi». ²⁹Sansone, sentite col tatto le due colonne centrali che sostenevano l'edificio e afferratele, l'una col braccio destro e l'altra col braccio sinistro, ³⁰esclamò: «Che io muoia insieme ai Filistei!». Poi spinse violentemente, facendo crollare l'edificio sui prìncipi e su tutto il popolo che vi era radunato. E furono più quelli che Sansone uccise morendo che quelli che aveva ucciso durante la vita.

³¹I suoi fratelli e tutta la famiglia di suo padre vennero a prendere il suo corpo per seppellirlo fra Zorea ed Estaol, nel sepolcro di Manoach, suo padre. Sansone fu giudice in Israele per vent'anni.

IL SANTUARIO DI MICA

17 ¹C'era un uomo della montagna di Efraim che si chiamava Mica. ²Un giorno disse a sua madre: «Quei millecento sicli d'argento che ti sono stati presi e per i quali hai pronunciato la maledizione, che ho udito con le mie orecchie, li ho con me, perché sono stato io a prenderli, e ora te li restituisco». Esclamò allora sua madre: «Che mio figlio sia benedetto dal Signore!». ³Costui restituì i millecento sicli d'argento a sua madre, la quale disse: «Voglio consacrare, di mia mano, questa somma di denaro al Signore, per mio figlio, per farne una statua di metallo».

---

17. - I cc. 17-21 parlano dell'idolatria dei Daniti e della guerra alla tribù di Beniamino. Questi fatti sono messi qui come appendice, ma forse risalgono a tempi anteriori.

⁴Dopo che Mica ebbe restituito a sua madre il denaro, questa ne prese duecento sicli e li consegnò al fonditore, il quale ne fece una statua che poi rimase nella casa di Mica. ⁵Così quest'uomo, Mica, ebbe un santuario, si fece un efod e i terafim, e diede l'investitura sacerdotale a uno dei suoi figli, che gli faceva da sacerdote. ⁶Ciò fu possibile, perché in quel tempo non c'era re in Israele e ognuno poteva fare quello che gli piaceva. ⁷C'era allora un giovane della città di Betlemme di Giuda, della tribù di Giuda, che era levita e abitava in quella città come straniero. ⁸Quest'uomo, un giorno, si mosse dalla città di Betlemme di Giuda per cercare un altro luogo qualsiasi in cui stabilirsi. Giunse così, cammin facendo, fino alla montagna di Efraim, proprio alla casa di Mica. ⁹Mica gli domandò di dove veniva ed egli rispose: «Sono un levita di Betlemme di Giuda e vado cercando un luogo qualsiasi in cui stabilirmi». ¹⁰Allora Mica gli propose: «Resta con me: mi sarai come un padre e mi farai da sacerdote: ti darò dieci sicli d'argento all'anno, vestiario e vitto». ¹¹Il levita accettò e cominciò ad abitare nella casa di Mica che lo trattava come uno dei suoi figli. ¹²Mica diede l'investitura sacerdotale al levita, cosicché il giovane gli faceva da sacerdote e abitava nella sua casa. ¹³Mica pensava: «Ora so che il Signore mi sarà propizio, perché ho questo levita che mi fa da sacerdote».

I DANITI, ALLA RICERCA DI UN TERRITORIO, CONQUISTANO LAIS

18 ¹In quel tempo non c'era re in Israele e la tribù di Dan stava cercandosi un territorio in cui abitare, perché fino a quel giorno ad essa non era toccato un territorio in mezzo alle tribù di Israele. ²I Daniti mandarono da Zorea e da Estaol cinque uomini prodi della loro gente, che abitavano in quella terra, a percorrere ed esplorare la regione. Diedero loro quest'ordine: «Andate ad esplorare la regione». Essi giunsero alla montagna di Efraim, fino alla casa di Mica, dove pernottarono. ³Poiché si trovavano vicino alla casa di Mica, riconobbero la voce del giovane levita. Si fermarono allora in quella casa e gli domandarono: «Chi ti ha condotto qua? Che fai qui e che interessi hai tu qui?».

⁴Quegli narrò loro tutto ciò che gli aveva fatto Mica, come lo avesse preso al suo servizio e come ora egli facesse a Mica da sacerdote. ⁵Essi gli chiesero allora che interrogasse Dio, per sapere se la loro missione avrebbe avuto buon esito. ⁶Rispose loro il sacerdote: «Andate tranquilli, perché il Signore è favorevole alla vostra missione».

⁷Proseguendo il loro viaggio, i cinque uomini giunsero a Lais, dove trovarono un popolo che viveva in pace sicura, secondo il costume dei Sidoni, che sono pacifici e si sentono sicuri. In quella terra, poi, non mancava nulla, anzi era molto ricca. Inoltre Lais era lontana da Sidone e i suoi abitanti non avevano relazione con Aram.

⁸Gli esploratori tornarono a Zorea e a Estaol, alla loro gente, che si informò come fosse andata la spedizione. ⁹Risposero: «Su, andiamo contro quella gente, perché abbiamo visto che la loro terra è molto fertile. Perché esitate? Non indugiate a partire per andare a conquistare la regione! ¹⁰Quando arriverete, troverete un popolo pacifico e una regione vasta. Dio la metterà nelle vostre mani: ne siamo sicuri. È un luogo in cui non manca nulla di quanto ci può essere sulla terra».

¹¹Così una parte della tribù di Dan si mosse di lì, da Zorea e da Estaol: seicento uomini con le armi alla cintura. ¹²Essi mossero verso nord e si accamparono a Kiriat-Iearim, nel territorio di Giuda. Perciò quel luogo fu chiamato campo di Dan, nome che mantiene anche oggi e si trova ad ovest di Kiriat-Iearim. ¹³Di lì raggiunsero la montagna di Efraim e si fermarono alla casa di Mica.

¹⁴Qui quei cinque uomini che erano stati ad esplorare la regione si rivolsero ai loro fratelli dicendo: «Lo sapete che in quella casa ci sono efod e terafim, una statua scolpita e una statua di getto? Considerate voi quello che conviene fare». ¹⁵Si fermarono nella casa dove abitava il giovane levita, la casa di Mica: entrati, salutarono il levita, ¹⁶mentre i seicento uomini con le armi alla cintura si ponevano davanti alla porta. ¹⁷Intanto i cinque uomini che erano stati ad esplorare la regione, dopo essere entrati, presero la statua scolpita, l'efod, i terafim e la statua di getto. Il sacerdote si pose allora davanti alla porta e si trovò i seicento uomini con le armi alla cintura.

¹⁸Anche questi, entrati nella casa di Mica, si dettero a portar via la statua scolpita, l'efod, i terafim e la statua di getto. Il sacerdote disse loro: «Che cosa state facendo?». ¹⁹Ma quelli gli risposero: «Sta' zitto! Mettiti una mano sulla bocca e vieni con noi, perché sarai per noi come un padre e un sacerdote. È meglio per te essere il sacerdote di un uomo solo o essere il sacerdote di una intera tribù d'Israele?». ²⁰Il sacerdote si sentì lusingato: prese perciò l'efod, i terafim e la statua e si unì a quella gente.

²¹Essi si rimisero in cammino verso la loro meta, ponendo in testa alla colonna le donne, i bambini, il bestiame e il bagaglio. ²²Si erano già allontanati dalla casa di Mica, quando gli uomini che abitavano nelle case vicine a quelle di Mica si riunirono in armi, per inseguire quelli di Dan. ²³Li chiamarono ad alta voce e li fecero voltare, ma quelli dissero a Mica: «Che ti prende a gridare così?». ²⁴Egli rispose: «Mi avete portato via il dio che mi ero fatto e il sacerdote, e che cosa mi vorreste portar via ancora? E mi domandate anche perché me la prendo?». ²⁵Ma quelli di Dan gli risposero: «Non ci far più sentire la tua voce, perché uomini esacerbati potrebbero piombare addosso a te e ai tuoi: così perderesti anche la vita, tu e i tuoi!». ²⁶I Daniti ripresero la loro via e Mica, che si era reso conto come quelli fossero più forti di lui, tornò a casa sua. ²⁷I Daniti si presero dunque gli oggetti sacri di Mica e il suo sacerdote.

Giunti a Lais, trovarono quel popolo pacifico e che si sentiva sicuro: lo passarono a fil di spada e diedero alle fiamme la città. ²⁸Non c'era nessuno che portasse loro soccorso; perché Lais era lontana da Sidone e i suoi abitanti non avevano relazioni con Aram. Lais era situata nella valle che conduce a Bet-Recob. I Daniti, ricostruita la città, vi abitarono, ²⁹chiamandola Dan, dal nome di Dan loro progenitore, uno dei figli di Israele; prima la città si chiamava Lais. ³⁰I Daniti si eressero qui l'idolo, e Gionata, figlio di Ghersom, figlio di Mosè, e quindi i suoi discendenti furono sacerdoti della tribù di Dan fino al giorno in cui gli abitanti del paese furono deportati. ³¹Così essi venerarono l'idolo fatto da Mica per tutto il tempo in cui la casa di Dio rimase a Silo.

IL DELITTO DI GABAA

19 [1]In quel tempo, quando non c'era re in Israele, un levita, che abitava come straniero nella parte più settentrionale della montagna di Efraim, aveva sposato, come concubina, una donna di Betlemme di Giuda. [2]Questa, una volta, commise un'infedeltà contro suo marito; perciò lo abbandonò per tornare alla casa paterna in Betlemme di Giuda, dove restò quattro mesi. [3]Il marito allora partì per andare a cercarla e rassicurarla, così da farla tornare con sé. Fece il viaggio con due asini, accompagnato da un suo garzone. La donna lo introdusse in casa di suo padre, il quale, quando lo vide, lo accolse con gioia [4]e volle che si trattenesse in casa sua. Vi restò tre giorni, durante i quali mangiarono, bevvero e pernottarono sempre in casa del suocero.

[5]All'alba del quarto giorno, il genero si preparava per partire, ma il padre della giovane gli disse: «Rifocillati con un pezzo di pane! Partirete dopo!». [6]Così restarono e tutti e due mangiarono e bevvero insieme. Poi il padre della giovane disse al levita: «Fammi il favore di pernottare qui ancora e si rallegri il tuo cuore». [7]L'uomo si preparava già a partire, ma il suocero insistette tanto che egli passò lì ancora una notte. [8]Il quinto giorno, il levita si alzò presto per partire, ma il padre della giovane insistette ancora: «Rifocillati, ti prego!». E i due si trattennero fino al pomeriggio e mangiarono insieme.

[9]Poi l'uomo si preparava già a partire con la concubina e con il servo, ma il suocero, il padre della giovane, insistette: «Vedi che il giorno si avvicina già alla sera: restate anche questa notte, vi prego! Non vedi che il giorno va già declinando? Resta qui anche questa notte e si rallegri il tuo cuore. Partirete domattina presto; allora tornerai alla tua tenda». [10]Ma l'uomo non volle trascorrere lì un'altra notte, e così, messosi in viaggio, giunse in vista di Iebus, cioè di Gerusalemme. Viaggiava con una coppia di asini sellati e lo accompagnavano la concubina e il garzone. [11]Quando essi furono vicini a Iebus, il gior-

no volgeva già alla fine. Il servo propose al padrone: «Fermiamoci a passare la notte nella città di Iebus che è qui vicina». [12]Ma il padrone gli rispose: «Non voglio che ci fermiamo in una città di stranieri, che non appartengono al popolo d'Israele. Continueremo il nostro viaggio fino a Gabaa». [13]Disse poi al garzone: «Su, andremo a pernottare in una di queste due località, a Gabaa o a Rama». [14]Essi ripresero il loro cammino e il tramonto li colse mentre erano vicini a Gabaa di Beniamino.

Lasciata la strada del loro viaggio, entrarono in Gabaa per passarvi la notte. [15]Il levita, giunto sulla piazza della città, si sedette, ma non c'era nessuno che volesse ospitare i tre viaggiatori per quella notte. [16]Quand'ecco sopraggiunse un vecchio che tornava la sera dal suo lavoro nei campi: era un uomo della montagna, di Efraim, che si trovava in Gabaa come straniero, essendo gli abitanti del posto Beniaminiti. [17]Alzando gli occhi, il vecchio notò quel viaggiatore che stava nella piazza della città e gli domandò dove andasse e di dove venisse. [18]Gli rispose il levita: «Siamo in viaggio da Betlemme di Giuda verso l'estremo nord della montagna di Efraim. Io sono di là: sono stato a Betlemme di Giuda e ora sto tornando a casa. Non c'è nessuno che mi ospiti in casa sua, [19]eppure abbiamo paglia e fieno per i nostri asini e anche pane e vino per me, per la tua serva e per il garzone dei tuoi servi: non ci manca nulla». [20]Gli disse allora il vecchio: «Sii il benvenuto. Penserò io a tutto quello di cui hai bisogno. Non devi passare la notte in piazza!». [21]Fattolo entrare in casa, governò gli asini. Poi tutti si lavarono i piedi, mangiarono e bevvero.

[22]Stavano rimettendosi dalla fatica del viaggio, quando alcuni uomini della città, gente di Belial, circondarono la casa e bussarono alla porta. Si rivolsero al vecchio padrone di casa dicendo: «Consegnaci l'uomo che è venuto in casa tua, perché vogliamo abusare di lui». [23]Il padrone di casa venne fuori e disse a quella gente: «No, fratelli, non commettete il male, perché quest'uomo è mio ospite. Non commettete una simile nefandezza! [24]Piuttosto c'è qui mia figlia, che è ancora vergine, e la concubina di quest'uomo. Ve le consegnerò: usatene e fatene quel che vi pare. Ma su quest'uomo non commettete una nefandezza simile!».

Gdc

19. - 1. Il fatto avvenne nella generazione dopo Giosuè, perché era sommo sacerdote Finees, figlio di Eleazaro, contemporaneo di Giosuè.

²⁵Quelli, però, non vollero dargli retta. Allora il levita, presa la sua concubina, la spinse fuori e l'abbandonò nelle loro mani. Quelli abusarono di lei e la violentarono per tutta la notte fino al mattino, quando, sul far dell'aurora la lasciarono andare. ²⁶La donna arrivò a casa al mattino e, caduta davanti alla porta della casa dove si trovava suo marito, restò lì, così, finché non fu giorno. ²⁷Intanto suo marito, alzatosi al mattino, aprì la porta di casa. Usciva per mettersi in viaggio, quando scorse la sua concubina che giaceva davanti alla porta, con una mano sulla soglia. ²⁸L'uomo le disse: «Alzati, dobbiamo partire!». Ma non ebbe risposta. Allora egli la prese e, caricatala sul mulo, partì per tornarsene a casa.

²⁹Quando giunse a casa, il levita, afferrato un coltello e preso il cadavere della concubina, ne fece dodici pezzi che spedì per tutto il territorio d'Israele. ³⁰Agli uomini che inviò diede ordine di dire a tutti gli Israeliti: «È mai avvenuto un fatto come questo dal giorno della liberazione degli Israeliti dall'Egitto fino ad oggi? Pensateci bene: consultatevi e decidete».

Tutti quelli che venivano a sapere la cosa dicevano: «Non è mai accaduto, non si è mai visto un fatto come questo dal giorno della liberazione degli Israeliti dall'Egitto fino ad oggi».

LA GUERRA CONTRO BENIAMINO

20 ¹Allora tutti gli Israeliti si fecero avanti e si riunirono in assemblea, tutti unanimi da Dan fino a Bersabea e fino alla regione del Galaad, in Mizpa, alla presenza del Signore. ²Erano presenti all'assemblea del popolo di Dio i capi del popolo di tutte le tribù di Israele, e c'erano quattrocentomila fanti abili nell'uso della spada. ³I Beniaminiti sentirono dire che gli Israeliti si erano radunati in Mizpa.

Gli Israeliti chiesero che fosse loro spiegato com'era avvenuto quel delitto. ⁴Prese allora la parola il levita, marito della donna uccisa, e disse: «Io ero entrato con la mia concubina in Gabaa di Beniamino per pernottarvi. ⁵Quand'ecco, i cittadini di Gabaa, sollevatisi contro di me, circondarono di notte la casa dove mi trovavo. Volevano uccidermi e, in quanto alla mia concubina, la violentarono

in maniera tale che morì. ⁶Io allora ne presi il cadavere, lo feci a pezzi e li mandai per tutto il territorio dell'eredità d'Israele, perché era stata commessa in Israele un'infamia grande. ⁷Ecco, ora tocca a voi tutti, o Israeliti, discutere e prendere una decisione, qui». ⁸Tutto il popolo, come un sol uomo, insorse a dire: «Nessuno di noi tornerà alla sua tenda, nessuno tornerà alla sua casa. ⁹E, ora, ecco quello che faremo a Gabaa: ci porremo contro di essa. Tireremo a sorte, ¹⁰scegliendo dieci uomini su ogni cento da tutte le tribù d'Israele, cento su mille e mille su diecimila, perché provvedano ai viveri per coloro che andranno a ripagare Gabaa di Beniamino per l'infamia che essa ha commesso in Israele». ¹¹Così tutti gli uomini d'Israele si radunarono davanti a Gabaa, unanimi come un sol uomo. ¹²Allora le tribù di Israele mandarono alcuni uomini per tutto il territorio della tribù di Beniamino a dire: «Che è questo delitto che è avvenuto in mezzo a voi? ¹³Ora consegnateci quegli uomini, figli di Belial, che sono in Gabaa, perché li uccidiamo e cancelliamo il male in mezzo a Israele». Ma i Beniaminiti non vollero dare ascolto alle parole dei loro fratelli israeliti, ¹⁴anzi si radunarono dalle loro città in Gabaa, decisi a combattere contro gli Israeliti.

¹⁵I Beniaminiti venuti dalle varie città, quel giorno, si contarono: erano ventiseimila uomini, tutti capaci di maneggiare la spada, senza contare gli abitanti di Gabaa. ¹⁶Fra tutti quei soldati c'erano anche settecento uomini scelti, ambidestri, che erano capaci, tutti, di scagliare con la fionda un sasso con la massima precisione, senza mancare il bersaglio.

¹⁷Anche gli uomini di Israele si contarono: erano quattrocentomila (il conto fu fatto senza Beniamino) capaci di maneggiare la spada: erano tutti guerrieri. ¹⁸Gli Israeliti si mossero per raggiungere Betel, dove interrogarono Dio per sapere chi di loro avrebbe dovuto essere il primo a muovere contro i Beniaminiti. Il Signore rispose: «Muova per primo Giuda». ¹⁹Gli Israeliti mossero all'alba e posero il campo contro Gabaa.

²⁰Gli Israeliti, usciti a battaglia contro Beniamino, schierarono l'esercito presso Gabaa. ²¹Ma i Beniaminiti, fatta una sortita da Gabaa, uccisero quel giorno ventiduemila uomini d'Israele. ²²Gli Israeliti si rincuorarono e tor-

narono a schierare l'esercito nello stesso luogo in cui lo avevano schierato il giorno prima. ²³Allora gli Israeliti, tornati a Betel, piansero alla presenza del Signore fino a sera e gli domandarono se dovevano continuare la guerra contro i Beniaminiti, che erano loro fratelli. Il Signore rispose: «Andate contro di loro». ²⁴Così per la seconda volta gli Israeliti muovevano contro quelli di Beniamino. ²⁵Anche questa volta i Beniaminiti uscirono ad affrontare quelli d'Israele fuori di Gabaa e ne uccisero ancora diciottomila, tutti capaci di maneggiare la spada. ²⁶Gli Israeliti e tutto il popolo tornarono a Betel per piangere. E restarono lì, davanti al Signore, digiunando fino a sera e offrendo olocausti e sacrifici di comunione. ²⁷Poi gli Israeliti interrogarono ancora il Signore (in quel tempo l'arca dell'alleanza di Dio si trovava in quel luogo, ²⁸e ad essa prestava servizio Finees, figlio di Eleazaro, figlio di Aronne): volevano sapere se dovevano ancora continuare la guerra contro Beniamino, che era loro fratello, oppure dovevano smettere. Il Signore rispose: «Andate, perché domani metterò Beniamino nelle vostre mani».

²⁹Allora gli Israeliti posero degli agguati intorno a Gabaa. ³⁰E così per la terza volta gli Israeliti mossero contro quelli di Beniamino, schierandosi davanti a Gabaa come le altre volte. ³¹I Beniaminiti vennero fuori dalle mura incontro al nemico, lasciandosi così attirare lontano dalla città. Cominciarono ad assalire come le altre volte, uccidendo fra gli Israeliti circa trenta uomini. Lo scontro avvenne in aperta campagna, al bivio da cui partono le strade che conducono l'una a Betel, l'altra a Gabaa.

³²I Beniaminiti pensarono che quelli d'Israele fuggissero davanti a loro come era successo altre volte; invece gli Israeliti avevano fatto il piano di fuggire per attirare i Beniaminiti lontano dalla città, nella zona del bivio. ³³Tutti gli Israeliti mossero dalle loro posizioni e si schierarono a battaglia a Baal-Tamar, mentre gli uomini disposti negli agguati irrompevano dal loro nascondigli posti nella piana brulla di Gabaa. ³⁴Diecimila uomini scelti di tutto Israele si presentarono davanti a Gabaa. La battaglia fu molto aspra e i Beniaminiti non si immaginavano che la sventura stava per toccarli. ³⁵Il Signore sconfisse Beniamino davanti a Israele. E gli Israeliti uccisero quel giorno venticinquemi-

lacento Beniaminiti, tutti capaci di maneggiare la spada.

³⁶I Beniaminiti si accorsero di essere stati sconfitti. Gli Israeliti si erano ritirati davanti ai Beniaminiti perché avevano fondato la loro speranza sugli uomini che avevano posto l'agguato contro Gabaa. ³⁷Questi, infatti, si precipitarono all'improvviso su Gabaa e vi penetrarono, passando tutti gli abitanti a fil di spada. ³⁸V'era stato un accordo fra il grosso dell'esercito israelita e gli uomini che erano all'agguato: che questi ultimi, una volta penetrati nella città, avrebbero fatto una grande colonna di fumo. ³⁹A questo segnale il grosso dell'esercito israelita avrebbe cessato di fuggire per dare battaglia. I Beniaminiti vennero all'assalto e uccisero una trentina di Israeliti. Perciò essi erano sicuri che Israele sarebbe riuscito sconfitto come nella battaglia precedente. ⁴⁰Quando, però, cominciò ad alzarsi dalla città la colonna di fumo, i Beniaminiti si volsero indietro e videro salire verso il cielo il fumo dell'incendio che divorava tutta la città. ⁴¹Fu allora che il grosso degli Israeliti cessò di fuggire per far fronte ai Beniaminiti, che furono presi dal panico, perché si rendevano conto che la sciagura li stava raggiungendo. ⁴²Si diedero alla fuga davanti agli uomini d'Israele in direzione del deserto, ma la battaglia li raggiunse ugualmente, mentre gli Israeliti che uscivano dalla città li prendevano in mezzo massacrandoli. ⁴³Beniamino fu circondato e inseguito fin sotto Gabaa, dalla parte a oriente della città. ⁴⁴Furono diciottomila i Beniaminiti che caddero, tutti guerrieri valorosi. ⁴⁵E si volsero ancora in fuga in direzione del deserto, raggiungendo la rupe di Rimmon; ma gli Israeliti ne rastrellarono altri cinquemila per le varie strade, continuando a inseguirli fino a Ghideom, uccidendone altri duemila. ⁴⁶Così quel giorno Beniamino ebbe, in tutto, venticinquemila morti, tutti capaci di maneggiare la spada, tutti guerrieri valorosi. ⁴⁷In seguito alla fuga raggiunsero la rupe di Rimmon, nel deserto, seicento uomini, i quali vi restarono per quattro mesi. ⁴⁸Ritornati poi indietro per cercare ancora dei Beniaminiti, gli Israeliti passavano tutti a fil di spada nel territorio della città, uomini e bestie, chiunque capitasse loro davanti; davano alle fiamme anche tutti i villaggi che incontravano.

Gdc

LA RIABILITAZIONE DI BENIAMINO

21 [1]Gli Israeliti avevano giurato in Mizpa che nessuno di loro avrebbe mai dato in sposa una sua figlia a un Beniaminita. [2]Perciò il popolo andò a Betel e stette là fino a sera, alla presenza di Dio, alzando grida di dolore, piangendo senza freno e dicendo: [3]«Perché, o Signore, Dio di Israele, è accaduto ciò in Israele, che una sua tribù oggi sia scomparsa?». [4]Il giorno dopo il popolo, alzatosi presto, costruì sul posto un altare e offrì olocausti e sacrifici di comunione.

[5]Poi gli Israeliti domandarono: «Chi è, fra tutte le tribù d'Israele, che non è venuto a questa assemblea davanti al Signore?». Infatti si era giurato solennemente di mettere a morte chiunque non fosse venuto davanti al Signore a Mizpa.

[6]Gli Israeliti erano presi da pietà per Beniamino, loro fratello, al pensiero che quel giorno una tribù fosse stata soppressa in Israele. [7]«Come ci comporteremo, pensavano, con quei superstiti, riguardo alle donne, poiché abbiamo giurato sul Signore di non dare a loro spose fra le nostre figlie? [8]C'è qualcuno, andavano dicendo, fra le varie tribù d'Israele che non sia venuto a Mizpa davanti al Signore?». Si trovò che da Iabes di Galaad non era venuto nessuno, né al campo né a quell'assemblea. [9]Si contarono tutti, ma non si trovò nessuno degli abitanti di Iabes di Galaad.

[10]L'assemblea mandò in quella località dodicimila uomini dell'esercito con questo ordine: «Andate e uccidete gli abitanti di Iabes di Galaad, comprese le donne e i bambini. [11]Farete così: uccidete ogni maschio e ogni donna che abbia avuto relazione con un uomo, ma risparmierete le vergini». Così fu fatto. [12]Trovarono fra la gente di Iabes di Galaad quattrocento ragazze vergini, che non avevano avuto rapporti con uomini. Le condussero al campo di Silo che si trova nella terra di Canaan.

[13]Poi tutta l'assemblea decise di inviare messaggeri ai Beniaminiti che si trovavano alla rupe di Rimmon, per fare la pace. [14]I Beniaminiti allora tornarono alla loro terra e furono loro date come spose le donne di Iabes

di Galaad, cui era stata risparmiata la vita, ma il loro numero risultò insufficiente. [15]Il popolo provava compassione per Beniamino, al pensiero che il Signore aveva aperto una breccia fra le tribù d'Israele. [16]Gli anziani dell'assemblea dicevano: «Come procureremo donne ai superstiti, dal momento che non c'è più alcuna donna nella tribù di Beniamino?». [17]E soggiungevano: «Ci deve essere una discendenza per i superstiti di Beniamino: non scomparirà una tribù di Israele; [18]d'altra parte noi non possiamo dare loro in moglie le nostre figlie». Infatti gli Israeliti avevano giurato dicendo: «Maledetto chi darà una donna a Beniamino!».

[19]Allora venne loro in mente che ricorreva la festa annuale del Signore a Silo (la città è situata a nord di Betel, a oriente della strada che da Betel porta a Sichem, e a sud di Lebona). [20]Ordinarono allora ai Beniaminiti: «Andate a mettervi all'agguato per le vigne; [21]quando vedrete le ragazze di Silo che escono dalla città per danzare in coro, venite fuori dalle vigne e rapitevi le ragazze di Silo, in modo che ne tocchi una ciascuno. Poi raggiungerete la terra di Beniamino. [22]Se i padri o i fratelli delle ragazze verranno a chiedere giustizia presso di noi, li pregheremo di essere indulgenti con voi per amore nostro, perché non ci è riuscito di prendere con la guerra una donna per ciascuno di voi. Perché, diremo loro, non siete stati voi a darle loro in moglie; infatti solo in questo caso sareste stati colpevoli».

[23]I Beniaminiti fecero così e fra le ragazze rapite mentre danzavano se ne presero tante quanti erano loro. Poi se ne tornarono alla loro terra, dove ricostruirono le città e vi abitarono.

[24]Allora anche gli Israeliti se ne andarono di là, ciascuno alla sua tribù, alla sua famiglia, alla sua terra.

[25]A quel tempo non c'era re in Israele e ciascuno faceva quel che più gli piaceva.

---

21. - 7ss. I capi d'Israele trovarono il modo di dare delle spose ai seicento superstiti di Beniamino: prima sottoponendo all'anatèma (distruzione) Iabes di Galaad che poteva dare le figlie ai Beniaminiti, perché non aveva partecipato al giuramento di non darle, e meritava d'essere distrutta perché non aveva preso parte alla guerra santa; poi rapendo le ragazze di Silo.

RUT

I l titolo è in rapporto con la donna moabita, antenata di Davide, protagonista del libro. Questo commovente idillio, capolavoro della letteratura biblica, riflette l'atmosfera semplice e candida dell'èra patriarcale. Il racconto è condotto con maestria, senza urti, secondo un'armonia perfetta: quattro quadri (1,6-18; 2,1-17; 3,1-15; 4,1-12), preceduti da un'introduzione (1,1-5), seguiti da una conclusione (4,13-17), con tre brani intermedi che servono di transizione (1,19-22; 2,18-23; 3,16-18). Numerosi dialoghi animano la narrazione.

Alcuni indizi sono favorevoli a una data di composizione anteriore all'esilio: usi giuridici, precisazioni geografiche e cronologiche, stile classico. Altri indizi invece suggeriscono una data più recente, il secolo V a.C., cioè l'epoca che seguì le riforme di Esdra e Neemia. Gli argomenti in favore di questa data postesilica sono: gli aramaismi e i neologismi, la concezione universalistica della religione, il senso della retribuzione e della sofferenza, il simbolismo dei nomi.

L'insegnamento del libro è ricco e prezioso. Vengono messe in rilievo le virtù più elevate della famiglia israelitica: la devozione verso i genitori, la pietà verso i parenti, l'amore e la dolcezza nei rapporti familiari. La Provvidenza divina permette i fatti dolorosi della vita per il bene degli uomini: la straniera Rut diventa progenitrice di Davide e dello stesso Messia. Il Dio d'Israele accetta l'omaggio degli stranieri; i matrimoni tra Ebrei e stranieri sono legittimi e benedetti da Dio. Nell'afflato universalistico che permea il libro di Rut in un'epoca di esagerato nazionalismo, com'era spesso il caso nel periodo postesilico, si percepisce qualcosa del messaggio evangelico.

NOEMI NEL PAESE DI MOAB

1 ¹Al tempo in cui governavano i giudici, ci fu una carestia nella terra d'Israele e un uomo da Betlemme di Giuda andò ad abitare nella campagna di Moab, insieme con la moglie e due suoi figli. ²Il nome dell'uomo era Elimelech e quello della moglie Noemi. I due figli si chiamavano Maclon e Chilion. Erano tutti Efratei, provenienti da Betlemme di Giuda. Essi giunsero nella campagna di Moab e vi si stabilirono.

³Poi Elimelech, marito di Noemi, morì ed ella restò con i suoi due figli. ⁴Essi presero mogli moabite, di cui una si chiamava Orpa e l'altra Rut. Dimorarono là circa dieci anni e poi ⁵morirono anche Maclon e Chilion e la donna rimase priva del marito e dei suoi due figli.

⁶Allora ella partì insieme con le nuore dalla campagna di Moab per far ritorno al suo paese, perché aveva sentito dire che il Signore aveva visitato il suo popolo, dandogli pane. ⁷Noemi si allontanò dal luogo in cui aveva dimorato insieme con le nuore e si mise in viaggio per tornare nella terra di Giuda. ⁸Ma Noemi disse alle due nuore: «Andate, tornate ciascuna nella casa di vostra madre, e sia benigno il Signore con voi come voi lo siete state con i nostri morti e con me. ⁹Vi conceda il Signore di trovare pace ognuna nella casa del proprio marito». Essa le baciò, ¹⁰ma quelle piansero ad alta voce e le dissero: «No, noi verremo con te al tuo popolo». ¹¹Noemi disse: «Tornate indietro, figlie mie; perché verreste con me? Ho forse ancora figli nel mio seno che possano essere vostri mariti? ¹²Tornate indietro, figlie mie, andate, perché sono troppo vecchia per risposarmi.

Infatti anche se dicessi che ho ancora speranza, anche se questa notte stessi con un uomo e avessi dei figli, [13]forse voi potreste aspettare ancora fino a che diventino grandi e vi asterreste per questo dal maritarvi? No, figlie mie, troppo amara è per voi la mia sorte; infatti la mano del Signore si è stesa contro di me».

[14]Esse piansero ancora ad alta voce; poi Orpa baciò la suocera e tornò al suo popolo, mentre Rut non si staccò da lei. [15]Noemi le disse: «Ecco, tua cognata è tornata al suo popolo e ai suoi dèi; va' anche tu dietro a tua cognata».

[16]Ma Rut rispose: «Non forzarmi a lasciarti ed ad allontanarmi da te, perché dove tu andrai andrò anch'io e dove tu dimorerai anch'io dimorerò; il tuo popolo sarà il mio popolo e il tuo Dio sarà il mio Dio. [17]Dove tu morirai, morrò anch'io e lì sarò sepolta. Il Signore mi punisca, se altra cosa che la morte separerà te da me e me da te».

[18]Noemi capì che Rut era risoluta a seguirla e cessò di insistere. [19]Partirono insieme fino a che giunsero a Betlemme. Quando arrivarono a Betlemme, tutta la città si commosse a causa loro e le donne dissero: «Questa è Noemi?». [20]Essa rispose loro: «Non chiamatemi Noemi, chiamatemi Mara, perché l'Onnipotente mi ha inflitto grande amarezza. [21]Io me ne sono andata colma di beni e il Signore mi ha fatto tornare vuota. Perché mi chiamate Noemi, quando il Signore è stato testimone contro di me e l'Onnipotente mi ha resa infelice?».

[22]Così Noemi tornò con Rut, la moabita, sua nuora, reduce dalla campagna di Moab. Esse arrivarono a Betlemme quando si cominciava a raccogliere l'orzo.

RUT, LA SPIGOLATRICE

2 [1]Noemi aveva un parente di suo marito, uomo eminente della famiglia di Elimelech, che si chiamava Booz.

[2]Rut, la moabita, disse a Noemi: «Lascia che vada a spigolare nei campi, seguendo coloro agli occhi dei quali troverò grazia». Noemi le rispose: «Va', figlia mia». [3]Essa andò ed entrò in un campo per spigolare dietro ai mietitori e le capitò per caso di trovarsi nel campo che apparteneva a Booz, della famiglia di Elimelech.

[4]Ecco che Booz venne da Betlemme e disse ai mietitori: «Il Signore sia con voi». Essi risposero: «Ti benedica il Signore». [5]Booz disse al servo preposto ai mietitori: «Di chi è quella ragazza?». [6]Il servo preposto ai mietitori rispose: «È una ragazza moabita, che è tornata con Noemi dalla campagna di Moab. Ella ha detto: [7]Lasciami spigolare e raccogliere fra il grano, andando dietro ai mietitori. Così è venuta ed è restata dal mattino fino ad ora, senza concedersi nemmeno un piccolo riposo».

[8]Booz disse a Rut: «Ascolta, figlia mia: non andare a spigolare in altri campi, non allontanarti da qui e così starai insieme alle mie serve. [9]Tieni d'occhio il campo in cui si miete e va' dietro ai mietitori. Non ho forse dato ordine ai servi di non infastidirti? Se hai sete, va' dove sono i vasi e bevi l'acqua attinta dai servi». [10]Rut si prostrò e, chinata a terra, gli disse: «Come posso aver trovato grazia ai tuoi occhi al punto che tu mi prenda in considerazione, quando io sono una straniera?». [11]Booz rispose: «Mi è stato riferito tutto quello che hai fatto a tua suocera dopo la morte di tuo marito; come hai lasciato tuo padre e tua madre e la tua terra nativa e sei venuta presso un popolo che non avevi mai conosciuto. [12]Ripaghi il Signore l'opera tua e sia piena la tua ricompensa da parte del Signore Dio d'Israele, sotto la cui protezione sei venuta a rifugiarti». [13]Ella disse: «Possa io trovare grazia ai tuoi occhi, mio signore, poiché mi hai rassicurato e hai parlato al cuore della tua serva, mentre io non pretendo nemmeno di essere come una delle tue serve!».

[14]Al momento del pasto Booz le disse: «Avvicinati qui e mangia il pane, intingendo il tuo boccone nell'aceto». Essa sedette accanto ai mietitori ed egli le offrì spighe arrostite; Rut mangiò a sazietà e ne mise da parte. [15]Si alzò poi per spigolare e Booz diede quest'ordine ai suoi servi: «Lasciatela spigolare anche in mezzo ai covoni e non mortificatela; [16]anzi lasciate cadere per essa delle spighe dai manipoli e abbandonatele, affinché essa possa raccoglierle senza che voi la rimproveriate».

[17]Rut spigolò nel campo fino a sera, poi batté quello che aveva spigolato e ne venne fuori quasi un'efa di orzo: [18]lo prese e andò in città e mostrò alla suocera quello che aveva spigolato; tirò poi fuori quello che le

era avanzato dopo essersi saziata e glielo diede. [19]La suocera le domandò: «Dove hai spigolato oggi e dove hai lavorato? Sia benedetto chi ti ha preso in considerazione». Rut raccontò alla suocera presso chi aveva lavorato e disse: «Il nome dell'uomo, presso il quale ho lavorato oggi, è Booz». [20]Noemi disse alla nuora: «Benedetto sia egli dal Signore che non ritira la sua carità, né ai morti né ai vivi». Poi soggiunse: «È un nostro parente; è uno dei nostri riscattatori». [21]Rut, la moabita, disse ancora: «Mi ha anche detto: Sta' insieme ai miei servi fino a che sia finita tutta la mia mietitura». [22]Noemi disse a Rut, sua nuora: «È bene, figlia mia, che tu esca con le sue serve in modo che non ti importunino in un altro campo». [23]Rut infatti si unì con le serve di Booz per spigolare fino alla fine del raccolto dell'orzo e del grano e poi restò presso la suocera.

RUT E BOOZ

3 [1]Noemi, sua suocera, disse a Rut: «Figlia mia, non devo io forse cercarti una sistemazione, così che tu possa trovarti bene? [2]Orbene, Booz, con le serve del quale sei stata, non è forse nostro parente? Ecco, egli vaglia l'orzo nell'aia questa sera. [3]Tu lavati, profumati, mettiti il mantello e scendi nell'aia. Non farti vedere da lui fino a che non abbia finito di mangiare e di bere; [4]e quando si sarà coricato, osserva in quale luogo egli si sia coricato, poi va', e scoprilo dai piedi e coricati tu stessa. Egli poi ti dirà quello che devi fare». [5]Rut le disse: «Farò tutto quello che mi hai detto».
[6]Allora scese nell'aia e fece tutto come le aveva ordinato la suocera. [7]Booz mangiò e bevve, e il suo cuore si rallegrò e andò a coricarsi al limite del mucchio di orzo. Ella venne piano piano, raggiunse il posto dei suoi piedi e si coricò. [8]Avvenne che a mezzanotte l'uomo si riscosse e guardò in giro

ed ecco, una donna giaceva ai suoi piedi. [9]Allora egli disse: «Chi sei?». Ella rispose: «Sono Rut, tua serva; stendi il lembo del tuo mantello sulla tua serva, perché tu sei il mio riscattatore». [10]Egli disse: «Benedetta sii tu dal Signore, figlia mia; il tuo secondo atto di pietà è migliore del primo, perché non sei andata dietro ai giovani, poveri o ricchi che fossero. [11]Ora, figlia mia, non temere; tutto quello che dici io te lo farò, perché tutti nel mio popolo sanno che tu sei una donna virtuosa. [12]Ora sì, veramente, io sono il riscattatore; ma c'è un altro riscattatore più vicino di me. [13]Resta qui questa notte e domani mattina, se egli vorrà riscattarti, bene, ti riscatti; ma se non vorrà riscattarti, ti riscatterò io, per la vita del Signore! Resta coricata fino al mattino».
[14]Ella restò coricata ai suoi piedi fino al mattino, poi si alzò prima che si potesse distinguere una persona dall'altra ed egli le disse: «Che non si sappia che una donna è venuta nell'aia». [15]Poi aggiunse: «Stendi il mantello che hai indosso e afferralo bene». Ella lo afferrò e Booz vi versò sei misure d'orzo e gliele mise addosso. Rut rientrò in città, [16]andò dalla suocera e questa le domandò: «Come va, figlia mia?». Ella le raccontò tutto quello che l'uomo le aveva fatto [17]e disse: «Mi ha dato queste misure d'orzo e ha detto: Non tornare a mani vuote da tua suocera». [18]Noemi disse: «Resta qui, figlia mia, fino a che tu sappia come andrà a finire la cosa, perché l'uomo non sarà tranquillo fino a che la cosa non sia sistemata».

BOOZ, IL RISCATTATORE

4 [1]Booz era salito alla porta della città e si era seduto lì, quand'ecco passare il riscattatore di cui aveva parlato Booz. Egli gli disse: «Ehi, tal dei tali, vieni un po' qua. Siedi!». Quello si avvicinò e si sedette. [2]Booz prese allora dieci uomini fra gli anziani della città e disse: «Sedetevi qui». Essi si sedettero. [3]Booz disse allora al riscattatore: «Quella parte di campo che apparteneva a nostro fratello Elimelech la vende Noemi, che è tornata dalla campagna di Moab. [4]Io ho pensato di informarti e dirti: Compralo alla presenza di coloro che siedono alla porta e degli anziani del mio popolo. Se

Rt

---

3. - 9. Rut chiede di essere protetta. In questo caso la protezione comprendeva anche la legge del levirato. Booz intende, sì, sposarla, appunto secondo quella legge, ma solo quando l'altro parente, che ne ha il dovere e il diritto, vi rinunciasse. Booz loda la pietà di Rut, non solo per la cura che essa ha della suocera, ma anche perché, nel suo legittimo desiderio di dare una discendenza al primo marito, preferisce seguire la legge sposando un anziano parente piuttosto che un giovane estraneo.

vuoi riscattarlo, riscattalo; se non vuoi, dimmelo, affinché io lo sappia, perché non c'è
nessuno al di fuori di te che abbia diritto al
riscatto, e io vengo dopo di te». Il riscattatore disse: «Io lo riscatterò».

[5]Booz aggiunse: «Quando avrai comprato il
campo da Noemi, tu acquisterai come sposa anche Rut, la moabita, moglie del defunto, per far sussistere il nome del defunto
sulla sua eredità». [6]Il riscattatore rispose:
«Allora non posso usare del diritto di riscatto, per timore di danneggiare la mia eredità.
Riscatta tu quello che avrei potuto riscattare io, dato che io non posso riscattarlo».

[7]Ecco quale era un tempo il costume in
Israele, a proposito del riscatto e della permuta, per rendere valido qualsiasi affare:
ci si toglieva il sandalo e lo si dava all'interessato; questo era il modo di testimoniare in Israele. [8]Il riscattatore disse a Booz:
«Prendilo tu». Si tolse il sandalo e lo diede
a Booz. [9]Booz disse agli anziani e a tutto
il popolo: «Voi siete testimoni oggi che ho
acquistato dalle mani di Noemi il diritto su
tutto ciò che apparteneva a Elimelech e su
tutto quello che apparteneva a Chilion e
a Maclon. [10]Inoltre mi sono acquistato per
moglie Rut, la moabita, moglie di Maclon,
per far sussistere il nome del defunto nella sua eredità e perché non venga meno il
nome del defunto in mezzo ai suoi fratelli e
alla porta della sua città. Mi siete voi testimoni oggi?». [11]Tutto il popolo che si trovava alla porta e gli anziani dissero: «Siamo

testimoni. Conceda il Signore alla donna
che viene nella tua casa di essere come
Rachele e come Lia, che hanno edificato la
casa d'Israele. Che tu possa avere fortuna
in Efrata, che tu possa avere un nome in
Betlemme. [12]Sia la tua casa come la casa
di Perez, che Tamar generò a Giuda, in grazia della posterità che il Signore ti darà da
questa giovane».

[13]Booz prese Rut in moglie e si avvicinò a
lei; il Signore le concesse di concepire e
diede alla luce un figlio. [14]Le donne dissero
a Noemi: «Benedetto il Signore che non ti
ha lasciato mancare un riscattatore oggi! Il
suo nome sarà proclamato in Israele; [15]egli
ti sarà di consolazione e di sostegno nella
vecchiaia, perché lo ha partorito la tua nuora che ti ama, ella che verso di te è più buona di sette figli». [16]Noemi prese il bambino
e se lo pose in seno e fu per lui l'educatrice.
[17]Le vicine dicevano: «È nato un figlio a Noemi», e proclamavano il suo nome: Obed.
Egli fu il padre di Iesse, padre di Davide.

[18]Ecco la genealogia di Perez: Perez generò Chezron; [19]Chezron generò Ram; Ram
generò Amminadab; [20]Amminadab generò
Nacson; Nacson generò Salmon; [21]Salmon
generò Booz; Booz generò Obed; [22]Obed
generò Iesse e Iesse generò Davide.

---

4. - 22. Con le ultime parole di questo v. è indicata una delle
ragioni del presente libretto: dare la genealogia di Davide.
In Obed, infatti, si uniscono le due linee dinastiche di Maalon
e Booz, i quali discendono ambedue da Giuda e Perez.

PRIMO LIBRO DI SAMUELE

In origine i due libri attuali ne formavano uno solo. Il titolo si riferisce al personaggio dominante nella prima parte dell'opera che copre un periodo di ottant'anni di storia d'Israele, dal 1050 circa al 970 a.C.

I due libri si dividono in quattro sezioni, distribuite secondo le grandi figure delle quali sono narrate le vicende. Nella prima parte (1Sam 1-7) è descritta la carriera di Samuele, dalla nascita alla vocazione profetica, fino al momento in cui diventa salvatore d'Israele. La seconda parte (1Sam 8-15) narra l'istituzione della monarchia e gli inizi del regno di Saul, sul quale si accumulano già ombre sinistre. La terza parte (1Sam 16 - 2Sam 4) illustra la carriera di Davide: sua elezione e ingresso alla corte di Saul, conflitto tra Saul e Davide e vita clandestina di costui fino al momento in cui viene proclamato re su tutto Israele. Nella quarta parte (2Sam 5-20) è descritta l'attività politica, militare e religiosa di Davide, le promesse a lui fatte dal profeta Natan e gli intrighi di corte orditi dai suoi figli per la successione al trono. Un'appendice (2Sam 21-24) riporta due composizioni liriche e due narrazioni di calamità naturali. Il capitolo 20 trova la sua naturale continuazione in 1Re 1-2.

La profezia di Natan (2Sam 7) rappresenta il vertice dell'opera e una notevole testimonianza della visione biblica sulla storia della salvezza. Ora essa è legata in modo particolare alla persona e alla discendenza di Davide da cui verrà il Messia. Per la sua unzione regale, il carisma profetico e l'offerta dei sacrifici, quale organizzatore e restauratore del culto divino, Davide è la figura più vicina a Cristo, re, sacerdote e profeta, che raccoglie tutti gli uomini nell'unico regno del Dio altissimo.

I GENITORI DI SAMUELE

1 ¹C'era un uomo di Ramataim, uno Zufita dei monti di Efraim, di nome Elkana, figlio di Ierocam, figlio di Eliu, figlio di Tocu, figlio di Zuf, efraimita. ²Aveva due mogli: una si chiamava Anna, l'altra Peninna. Peninna aveva figli, Anna invece non ne aveva.

³Ogni anno quell'uomo saliva dalla sua città per adorare e offrire sacrifici al Signore degli eserciti a Silo, dove i due figli di Eli, Ofni e Finees, erano sacerdoti del Signore. ⁴Un giorno Elkana offrì un sacrificio. Egli soleva distribuire le porzioni a sua moglie Peninna e ai figli e alle figlie di lei; ⁵ma ad Anna dava una sola porzione. Egli amava Anna, sebbene il Signore le avesse reso sterile il seno. ⁶La sua rivale le infliggeva continue umiliazioni e la disprezzava, perché il Signore aveva reso sterile il suo seno. ⁷Così avveniva tutti gli anni: ogni volta che saliva alla casa del Signore, essa l'affliggeva. Allora Anna si mise a piangere e non voleva mangiare.

⁸Elkana, suo marito, le disse: «Anna, perché piangi? Perché non mangi? Perché è triste il tuo cuore? Io non sono per te più di dieci figli?».

⁹Anna si levò, dopo che essi ebbero mangiato e bevuto in Silo, mentre il sacerdote Eli stava seduto sul seggio presso la soglia del tempio del Signore. ¹⁰Nell'amarezza della sua anima, pregava davanti al Signore piangendo accoratamente; ¹¹e fece voto dicendo: «O Signore degli eserciti, se guarderai benignamente all'afflizione della tua serva, se ti ricorderai di me e non dimenticherai la tua serva, ma concederai

---

1. - 4. Nei sacrifici le carni non riservate ai sacerdoti erano consumate dagli offerenti in banchetti sacri.

alla tua serva un figlio maschio, io lo darò al Signore per tutti i giorni della sua vita e il rasoio non sfiorerà la sua testa».

¹²Mentre ella prolungava la sua preghiera davanti al Signore, Eli stava osservando la sua bocca. ¹³Infatti Anna parlava nel suo intimo e soltanto le sue labbra si movevano, ma non si udiva la voce. Per questo Eli pensò che fosse ubriaca. ¹⁴Le disse dunque Eli: «Fino a quando sarai ubriaca? Smaltisci dalla tua testa i fumi del vino!». ¹⁵Anna rispose dicendo: «No, mio signore! Io sono una donna con lo spirito affranto; non ho bevuto né vino né bevande inebrianti, ma sto solo sfogando il mio cuore davanti al Signore. ¹⁶Non considerare la tua serva una donna perversa: è l'eccesso della mia tristezza e della mia afflizione che mi ha fatto parlare finora». ¹⁷Eli le rispose: «Va' in pace! E il Dio d'Israele ti conceda quello che gli hai richiesto». ¹⁸Ella rispose: «Possa la tua serva trovare grazia ai tuoi occhi!». La donna se ne andò per la sua via, prese cibo e il suo volto non fu più come prima.

¹⁹Alzatisi di buon mattino si prostrarono davanti al Signore, poi, presa la via del ritorno, giunsero alla loro casa a Rama. Elkana conobbe sua moglie Anna e il Signore si ricordò di lei. ²⁰Così, al compiersi del tempo, Anna concepì e diede alla luce un figlio cui pose nome Samuele, dicendo: «L'ho domandato al Signore».

²¹Poi il marito Elkana salì con tutta la famiglia per offrire al Signore il sacrificio annuale e sciogliere il suo voto. ²²Anna non vi salì. Aveva detto infatti a suo marito: «Quando il bambino sarà svezzato, allora ve lo condurrò e lo presenterò davanti al Signore perché rimanga là per sempre». ²³Elkana, suo marito, le avevo risposto: «Fa' ciò che ti sembra meglio; rimani pure fino a quando lo avrai svezzato. Il Signore realizzi la tua parola!». Così la donna rimase e allattò suo figlio finché non l'ebbe svezzato.

²⁴Allora, dopo lo svezzamento, lo condusse con sé, portando un vitello di tre anni, un'efa di farina e un otre di vino e lo introdusse nella casa del Signore a Silo: il bambino era ancora piccolo. ²⁵Immolato il vitello, condussero il bambino da Eli. ²⁶Anna disse: «Ti prego, mio signore! Per la tua vita, o mio signore, io sono quella donna che stava qui presso di te a pregare davanti al Signore. ²⁷Ho pregato per avere questo bambino, e il Signore mi ha concesso quanto gli ho chiesto. ²⁸A mia volta lo dono al Signore: per tutti i giorni che egli vivrà è ceduto al Signore». Poi adorarono il Signore.

IL CANTICO DI ANNA

2 ¹Anna pregò e disse:

«Il mio cuore esulta nel Signore,
la mia fronte si eleva al Signore.
Si apre la mia bocca contro i miei nemici,
poiché gioisco per la tua salvezza.
² Non vi è santo come il Signore,
poiché non vi è altri all'infuori di te,
né vi è rupe come il nostro Dio.
³ Non parlate più a lungo con aria superba,
non esca parola arrogante
  dalla vostra bocca,
perché il Signore è un Dio sapiente
e le sue opere sono rette.
⁴ L'arco dei prodi è spezzato,
mentre i deboli si cingono di forza.
⁵ I sazi vanno al lavoro per il pane,
mentre gli affamati si riposano.
Perfino la sterile genera sette volte,
mentre la madre di molti figli appassisce.
⁶ Il Signore dà la morte e dà la vita,
fa scendere agli inferi e risalire.
⁷ Il Signore rende poveri e rende ricchi,
umilia, ma anche esalta;
⁸ solleva dalla polvere il misero,
innalza il povero dalle immondizie,
per farli sedere con i prìncipi
e assegnare loro un trono di gloria:
perché del Signore sono
le colonne della terra,
e su di esse fa posare il mondo.
⁹ Egli veglia sui passi dei suoi fedeli,
mentre i malvagi svaniscono
  nelle tenebre.
Certo, non prevarrà l'uomo
malgrado la sua forza.
¹⁰ Gli avversari del Signore
  saranno stroncati.

2. - 1. In questo mirabile cantico, da cui trae ispirazione il *Magnificat*, Anna, esultante per l'esaudimento del suo caso personale, si eleva a celebrare i trionfi del re d'Israele e del Messia sopra i nemici di Dio.
10. Il re di cui si parla è il Messia, simboleggiato da Davide e dai suoi discendenti con le loro vittorie. Questa è la prima volta che il nome di Messia, il *consacrato* (Cristo, secondo la dizione greca), compare nella Scrittura.

L'Altissimo tuonerà dal cielo;
il Signore giudicherà i confini della terra;
darà potenza al suo re
e innalzerà la fronte del suo consacrato».

[11]Poi Elkana ritornò alla sua casa a Rama, mentre il bambino rimase al servizio del Signore alla presenza del sacerdote Eli.

[12]Ora i figli di Eli erano uomini perversi: essi non rispettavano il Signore [13]né i diritti e i doveri dei sacerdoti presso il popolo. Ogni volta che uno offriva un sacrificio, veniva il servo del sacerdote, mentre si cuoceva la carne, con in mano un forchettone a tre punte, [14]e lo piantava nella caldaia o nel calderone o nella pentola o nella marmitta: il sacerdote vi prendeva tutto quello che il forchettone tirava su. Così facevano con tutti gli Israeliti che andavano là a Silo.

[15]Anche prima che avessero fatto bruciare il grasso, veniva il servo del sacerdote e diceva a colui che offriva il sacrificio: «Dammi la carne da arrostire per il sacerdote, perché egli non accetta carne cotta da te, ma cruda». [16]Se l'uomo gli rispondeva: «Prima lascia bruciare il grasso e poi prenditi quanto desideri», egli replicava: «No! Devi consegnarmela ora, altrimenti la prendo con la forza». [17]Il peccato dei giovani era molto grave davanti al Signore, poiché quegli uomini disonoravano le offerte del Signore.

[18]Samuele stava al servizio del Signore, come poteva un fanciullo, cinto di efod di lino. [19]Inoltre sua madre ogni anno gli faceva un piccolo manto e glielo portava quando saliva con suo marito ad offrire il sacrificio annuale. [20]Allora Eli benediceva Elkana e sua moglie dicendo: «Il Signore ti dia una discendenza da questa donna per il dono da lei fatto al Signore». Poi essi ritornavano al loro paese.

[21]Il Signore visitò Anna ed ella concepì e diede alla luce tre figli e due figlie. Intanto il fanciullo Samuele cresceva presso il Signore.

[22]Eli era molto vecchio. Udiva tutto quello che facevano i suoi figli all'intero Israele e come essi si univano alle donne che prestavano servizio alla porta della tenda del convegno. [23]Perciò disse loro: «Perché fate simili cose? Io sento parlare delle vostre cattive azioni da parte di tutto il popolo. [24]No, figli miei, non è buona la fama che io odo circolare in mezzo al popolo del Signore! [25]Se un uomo pecca contro un uomo, Dio gli farà da arbitro, ma se un uomo pecca contro il Signore, chi gli farà da arbitro?». Ma essi non diedero ascolto alla voce del loro padre, poiché il Signore voleva farli perire.

[26]Invece il giovane Samuele cresceva in statura e in bontà sia presso il Signore che presso gli uomini.

[27]Un uomo di Dio andò da Eli e gli disse: «Così dice il Signore: Non mi sono forse rivelato alla casa di tuo padre mentre era in Egitto sotto il dominio della casa del Faraone? [28]Io l'ho scelto fra tutte le tribù d'Israele come mio sacerdote per salire sul mio altare, offrire incenso, portare l'efod davanti a me e ho assegnato alla casa di tuo padre tutti gli olocausti dei figli di Israele. [29]Perché dunque disprezzate il mio sacrificio e la mia offerta che ho ordinato, e tu onori i tuoi figli più di me, ingrassandovi con la parte migliore di tutte le offerte di Israele, mio popolo? [30]Perciò, oracolo del Signore, Dio d'Israele: Avevo promesso che la tua casa e la casa di tuo padre avrebbero camminato davanti a me per sempre, ma adesso, oracolo del Signore, non sia mai! Poiché io onoro quelli che mi onorano, ma quelli che mi disprezzano saranno disprezzati. [31]Ecco, verrà il tempo in cui stroncherò il tuo vigore e il vigore della casa di tuo padre, in modo che non ci sia più un anziano nella tua casa. [32]Guarderai con invidia tutto il bene che sarà fatto a Israele, mentre nella tua casa non vi sarà mai più un anziano. [33]Tuttavia non reciderò nessuno dei tuoi dal mio altare, perché non si consumino i tuoi occhi e non si strazi il tuo animo, ma tutta la progenie della tua casa morirà per la spada degli uomini. [34]Il segno per te sarà quello che accadrà ai tuoi due figli, Ofni e Finees: moriranno tutti e due nello stesso giorno. [35]Dopo susciterò per me un sacerdote fedele, che agirà secondo i miei pensieri e i miei desideri. Io gli edificherò una casa duratura ed egli camminerà davanti al mio consacrato per sempre. [36]Ogni superstite della tua casa andrà a prostrarsi davanti a lui per un poco d'argento e un tozzo di pane, e dirà: Ammettimi a qualche ufficio sacerdotale, affinché possa mangiare un boccone di pane!».

---

30. La minaccia di Dio s'avverò, perché la casa d'Itamar, cui apparteneva Eli, perse il pontificato, che tornò alla famiglia di Eleazaro (1Cr 24,4) con Zadok (1Re 2,27).

LA VOCAZIONE DI SAMUELE

3 [1]Il giovanetto Samuele serviva il Signore sotto la guida di Eli. In quei giorni la parola di Dio era rara, perché le visioni non erano frequenti. [2]Un certo giorno Eli stava dormendo nella sua cella. I suoi occhi avevano cominciato ad indebolirsi ed egli non riusciva a vedere. [3]La lampada di Dio non si era ancora spenta, mentre Samuele dormiva nel tempio del Signore, dov'era l'arca di Dio. [4]Allora il Signore chiamò Samuele, che rispose: «Eccomi!», [5]e corse da Eli dicendo: «Mi hai chiamato, eccomi!». Questi rispose: «Non ti ho chiamato, torna a dormire!». Egli se ne andò a dormire.

[6]Il Signore chiamò una seconda volta: «Samuele!». Samuele si alzò, andò da Eli e disse: «Mi hai chiamato, eccomi!». Questi rispose: «Non ti ho chiamato, figlio mio, torna a dormire!». [7]Samuele ancora non conosceva il Signore, né gli era stata rivelata la parola del Signore.

[8]Il Signore chiamò di nuovo per la terza volta: «Samuele!». Questi si alzò e, andato da Eli, disse: «Mi hai chiamato, eccomi!». Allora Eli capì che il Signore stava chiamando il ragazzo. [9]Disse quindi Eli a Samuele: «Va' a dormire e se ti si chiamerà ancora, dirai: Parla, Signore, perché il tuo servo ti ascolta!». Samuele se ne andò a dormire nel suo posto.

[10]Allora venne il Signore, si pose accanto e chiamò come le altre volte: «Samuele, Samuele!». Samuele rispose: «Parla, perché il tuo servo ti ascolta». [11]Il Signore disse a Samuele: «Ecco, io sto per fare in Israele una cosa che farà rintronare le orecchie di chiunque l'udrà. [12]In quel giorno compirò contro Eli tutto quello che ho predetto riguardo alla sua casa, dall'inizio alla fine. [13]Gli annunzio che sto per punire la sua casa per sempre a causa del delitto da lui conosciuto: che i suoi figli disprezzavano Dio e non li ha corretti. [14]Per questo giuro alla casa di Eli: non sarà espiato in eterno il delitto della casa di Eli, né con sacrificio né con oblazione!».

[15]Samuele dormì fino al mattino, poi aprì le porte della casa del Signore. Samuele aveva timore di riferire la visione a Eli, [16]ma Eli chiamò Samuele dicendo: «Samuele, figlio mio!». E lui: «Eccomi!». [17]Quello riprese: «Che cosa ti ha detto? Non nascondermi nulla! Dio ti faccia questo e peggio ancora, se mi nascondi qualcosa di tutto quello che ti ha detto». [18]Allora Samuele gli manifestò ogni singola cosa, non gli nascose niente. Quello disse: «Egli è il Signore! Faccia ciò che è bene ai suoi occhi!».

[19]Samuele poi diventò grande; il Signore era con lui e non fece cadere a vuoto nessuna di tutte le sue parole. [20]Tutto Israele da Dan a Bersabea seppe che Samuele era accreditato come profeta del Signore. [21]Il Signore continuò a manifestarsi a Silo, perché egli si rivelava a Samuele in Silo con la sua parola.

[Eli era molto vecchio e i suoi figli continuavano sempre peggio con la loro condotta davanti al Signore.]

ISRAELE VIENE SCONFITTO DAI FILISTEI

4 [1]La parola di Samuele fu rivolta a tutto Israele. [In quei giorni i Filistei si radunarono per combattere contro Israele] e Israele uscì in guerra contro i Filistei. Si accamparono presso Eben-Ezer, mentre i Filistei si accamparono in Afek. [2]I Filistei si schierarono contro Israele e il combattimento divampò. Israele fu battuto dai Filistei, che uccisero sul campo, tra le loro schiere, circa quattromila uomini.

[3]Quando il popolo rientrò nell'accampamento, gli anziani d'Israele dissero: «Perché il Signore ci ha sconfitto oggi davanti ai Filistei? Andiamoci a prendere da Silo l'arca dell'alleanza del Signore, perché venga in

---

3. - 1. Erano assai rari i profeti in questo tempo; Samuele è annoverato come primo nella serie dei profeti: con lui comincia il ministero profetico propriamente detto.

20. *Da Dan a Bersabea* cioè tutto Israele dal nord al sud venne a conoscere che Samuele parlava a nome di Dio (*era profeta*) per le frequenti comunicazioni che egli aveva con lui e perché quanto diceva si avverava. Samuele fu l'ultimo giudice d'Israele, e operò nella seconda parte del sec. XI a.C. Oltre che essere giudice, egli svolse pure gli uffici di intermediario dell'alleanza, di sacerdote nel santuario di Silo e di profeta, specialmente nell'istituzione della monarchia.

4. - 3ss. Gli anziani, memori dei prodigi operati per mezzo dell'arca, la fanno portare al campo di battaglia, dimenticando che le promesse di Dio erano condizionate; il popolo si rallegra della venuta dell'arca da cui spera la vittoria; i Filistei si spaventano, ma, spinti dalla stessa paura, si animano a uno sforzo disperato.

mezzo a noi e ci salvi dalla mano dei nostri nemici». [4]Il popolo mandò a Silo a prelevare l'arca dell'alleanza del Signore degli eserciti, che siede sui cherubini. C'erano con l'arca dell'alleanza di Dio i due figli di Eli, Ofni e Finees. [5]Quando l'arca dell'alleanza giunse all'accampamento, tutto Israele esplose in una grande acclamazione da far tremare la terra. [6]I Filistei, udito il frastuono dell'acclamazione, dissero: «Che significa il frastuono di questa acclamazione così forte nel campo degli Ebrei?». Poi vennero a sapere che l'arca del Signore era giunta nell'accampamento. [7]Allora i Filistei si spaventarono; dicevano infatti: «È giunto Dio nell'accampamento!».

Poi aggiunsero: «Guai a noi! Non era così nei giorni scorsi! [8]Guai a noi! Chi ci scamperà dalla mano di questi dèi potenti? Queste sono le divinità che hanno colpito l'Egitto con ogni specie di piaghe nel deserto. [9]Siate forti e siate uomini, o Filistei, per non diventare schiavi degli Ebrei come essi furono vostri schiavi! Siate uomini e combattete!». [10]Poi i Filistei attaccarono battaglia e Israele fu sbaragliato: ognuno se ne fuggì alla sua tenda; la sconfitta fu veramente grande: caddero trentamila fanti d'Israele. [11]L'arca di Dio fu catturata e i due figli di Eli, Ofni e Finees, morirono.

[12]Un uomo di Beniamino fuggì di corsa dall'accampamento e giunse a Silo quel giorno stesso con le vesti stracciate e la polvere sulla testa. [13]Quando arrivò, Eli stava seduto sul seggio presso la porta, scrutando la via, perché il suo cuore era in ansia per l'arca di Dio. Quell'uomo andò a portare la notizia nella città, e tutta la città levò alte grida. [14]Eli, udito il rumore delle grida, domandò: «Che significa il rumore di questo tumulto?». Quell'uomo andò in fretta a portare la notizia a Eli. [15]Egli aveva novantotto anni, aveva gli occhi fissi e non riusciva più

a vedere. [16]Quell'uomo disse a Eli: «Io vengo dall'accampamento e sono fuggito oggi stesso dal campo». Eli domandò: «Che cosa è dunque accaduto, figlio mio?». [17]Il messaggero rispose dicendo: «Israele è fuggito di fronte ai Filistei e c'è stata anche un'enorme strage nel popolo; i tuoi due figli, Ofni e Finees, sono morti e l'arca di Dio è stata catturata».

[18]Quando gli nominò l'arca di Dio, Eli cadde dal seggio all'indietro dal lato della porta, si ruppe la nuca e morì. Egli infatti era vecchio e pesante. Era stato giudice d'Israele per quarant'anni.

[19]Sua nuora, moglie di Finees, incinta e prossima al parto, quando udì la notizia che l'arca di Dio era stata catturata e che erano morti suo suocero e suo marito, si accasciò e partorì, perché assalita dalle doglie. [20]Mentre stava sul punto di morire, le assistenti dicevano: «Non temere, perché hai dato alla luce un bambino». Essa non rispose e non vi prestò attenzione, [21]ma chiamò il bambino Icabod, volendo dire: «Se ne è andata la gloria da Israele», riferendosi alla cattura dell'arca di Dio, al suocero e a suo marito. [22]Disse dunque: «Se ne è andata la gloria da Israele», perché l'arca di Dio era stata catturata.

L'ARCA DELL'ALLEANZA NEL TEMPIO DI DAGON

5 [1]I Filistei, catturata l'arca di Dio, la portarono da Eben-Ezer ad Asdod. [2]I Filistei presero poi l'arca di Dio, l'introdussero nel tempio di Dagon e la deposero presso Dagon.

[3]Gli abitanti di Asdod, alzatisi il giorno dopo, andarono al tempio di Dagon e guardarono: ed ecco che Dagon giaceva faccia a terra davanti all'arca del Signore. Allora presero Dagon e lo rimisero al suo posto. [4]L'indomani si levarono di buon mattino, ed ecco che Dagon stava faccia a terra davanti all'arca del Signore: la testa di Dagon e le palme delle sue mani erano in frantumi presso la soglia; solo il torso di Dagon era rimasto intatto. [5]Per questo i sacerdoti di Dagon e tutti quelli che entrano nel tempio di Dagon ad Asdod non calpestano la soglia di Dagon, fino al giorno d'oggi.

[6]Poi il Signore fece pesare la sua mano su-

---

22. La presenza di Dio in mezzo al suo popolo, simbolizzata nell'arca dell'alleanza, non aveva nessun senso quando il popolo rompeva quell'alleanza. Dio voleva abitare tra un popolo santo: abbandonandosi all'idolatria, il popolo si macchiava del peggiore dei peccati, e allora Dio lo abbandonava: questa volta, anche visibilmente.

5. - 2. *Dagon*, il dio nazionale dei Filistei, era rappresentato con figura d'uomo nella parte superiore e di pesce in quella inferiore. L'arca fu messa nel suo tempio come un trofeo di vittoria, ma il Signore seppe subito rivendicare il suo onore: la statua di Dagon una prima volta cadde, la seconda si spezzò.

gli abitanti di Asdod e li devastò colpendo con bubboni Asdod e il suo territorio. [7]Gli abitanti di Asdod, visto come andavano le cose, dissero: «Non rimanga presso di noi l'arca del Dio d'Israele, perché la sua mano è pesante contro di noi e contro il nostro dio Dagon». [8]Fecero adunare presso di loro tutti i capi dei Filistei e dissero: «Che cosa dobbiamo fare dell'arca del Dio d'Israele?». Risposero: «Si porti a Gat l'arca del Dio d'Israele!». Così trasferirono l'arca del Dio d'Israele a Gat.

[9]Dopo averla trasportata, la mano del Signore fu su quella città con un enorme panico. Egli colpì gli abitanti di quella città, dal più piccolo al più grande; scoppiarono bubboni anche ad essi.

[10]Allora mandarono l'arca di Dio ad Accaron. Quando giunse l'arca di Dio ad Accaron, i cittadini protestarono: «Mi hanno condotto l'arca del Dio d'Israele per far morire me e la mia gente». [11]Fatti radunare tutti i capi dei Filistei dissero: «Rimandate l'arca del Dio di Israele, perché ritorni al suo luogo e non faccia più morire né me né il mio popolo!». Difatti vi era in tutta la città una costernazione mortale. La mano di Dio si faceva sentire là molto pesante: [12]gli uomini, che non erano morti, furono colpiti da bubboni e il gemito della città salì al cielo.

IL RITORNO DELL'ARCA IN ISRAELE

6 [1]L'arca del Signore rimase nel territorio dei Filistei sette mesi. [2]Allora i Filistei si rivolsero ai sacerdoti e agli indovini dicendo: «Che cosa dobbiamo fare dell'arca del Signore? Fateci sapere in che modo la dobbiamo rimandare alla sua sede». [3]Quelli risposero: «Se voi volete rimandare l'arca del Dio d'Israele, non la rimandate senza doni, ma dovete renderle un dono espiatorio: allora guarirete, e saprete perché la sua mano non si allontanava da voi!». [4]Domandarono: «Qual è il dono espiatorio che le dobbiamo fare?». Risposero: «Cinque bubboni d'oro e cinque topi d'oro, secondo il numero dei capi dei Filistei, perché unica è stata la piaga per voi tutti e per i vostri capi. [5]Farete figurine dei vostri bubboni e figurine dei vostri topi che mandano in rovina il paese, e darete gloria al Dio d'Israele. Forse la sua mano si farà più leggera su di voi, sui vostri dèi e sulla vostra terra. [6]Perché volete intestardirvi come si intestardirono l'Egitto e il Faraone? Forse che non li lasciarono partire, quando egli fece sentire il suo rigore ed essi se ne andarono? [7]Adesso, dunque, allestite un carro nuovo e prendete due vitelle allattanti che non abbiano mai portato giogo su di sé; attaccate le due vitelle al carro e conducete via da esse i loro piccoli alla stalla. [8]Poi prendete l'arca del Signore e ponetela sul carro; gli oggetti d'oro che le offrite in dono di espiazione li deporrete in una cassetta al suo lato: fatela partire e lasciate che se ne vada. [9]Poi osservate: se salirà verso il suo territorio a Bet-Semes, fu lui a causarvi questo grande male; altrimenti, sapremo che non è stata la sua mano a colpirci, ma ci è capitata una disgrazia».

[10]Quegli uomini fecero dunque così. Presero due vitelle allattanti, le legarono al carro e rinchiusero i loro piccoli nella stalla. [11]Poi caricarono l'arca del Signore sul carro insieme con la cassetta, i topi d'oro e le figurine dei bubboni. [12]Allora le vitelle si avviarono diritto sulla strada di Bet-Semes, procedevano per la stessa via sempre muggendo, senza deviare né a destra né a sinistra, mentre i capi dei Filistei andavano dietro ad esse fino al confine di Bet-Semes. [13]Quelli di Bet-Semes stavano mietendo il grano nella vallata; alzati gli occhi, scorsero l'arca e gioirono al vederla. [14]Il carro, arrivato al campo di Giosuè il betsemita, vi si fermò, là dove c'era una grande pietra. Allora, spezzati i legni del carro, offrirono le vitelle in olocausto al Signore. [15]I leviti deposero l'arca del Signore e la cassetta che era con essa, contenente gli oggetti d'oro, e la collocarono presso la grande pietra. Gli uomini di Bet-Semes offrirono in quel giorno olocausti e fecero sacrifici al Signore. [16]I cinque capi dei Filistei stettero ad osservare e poi ritornarono ad Accaron nello stesso giorno.

[17]Questi sono i bubboni d'oro che i Filistei offrirono in dono di espiazione al Signore: uno per Asdod, uno per Gaza, uno per Ascalon, uno per Gat, uno per Accaron. [18]I topi d'oro invece furono pari al numero delle città filistee appartenenti ai cinque capi, dalle città fortificate sino ai villaggi sguarniti. Testimone di ciò è la grande pietra dove deposero l'arca del Signore, e che sta nel campo di Giosuè il betsemita fino al giorno d'oggi.

[19]Dio percosse, tra gli uomini di Bet-Semes che avevano curiosato nell'arca del Signore, settanta persone su cinquantamila. Il popolo fece lutto perché il Signore l'aveva colpito con un grande flagello. [20]Allora gli uomini di Bet-Semes dissero: «Chi può stare davanti al Signore, questo Dio così santo? Da chi la manderemo lontano da noi?». [21]Mandarono messaggeri agli abitanti di Kiriat-Iearim per dire: «I Filistei hanno ricondotto l'arca del Signore: scendete e portatela presso di voi».

LA SCONFITTA DEI FILISTEI A MIZPA

7 [1]Allora gli abitanti di Kiriat-Iearim andarono a prendere l'arca del Signore, la portarono nella casa di Abinadab sulla collina e consacrarono suo figlio Eleazaro, perché custodisse l'arca del Signore. [2]Da quando l'arca si stabilì a Kiriat-Iearim, passò molto tempo, una ventina d'anni. Allora tutta la casa d'Israele si volse con lamenti verso il Signore. [3]Samuele disse a tutta la casa d'Israele: «Se ritornate con tutto il vostro cuore al Signore, togliete via di mezzo a voi gli dèi stranieri e le Astarti, fissate il vostro cuore nel Signore e rendete culto soltanto a lui; allora egli vi strapperà dalle mani dei Filistei».

[4]I figli d'Israele tolsero via i Baal e le Astarti, e prestarono culto soltanto al Signore.

[5]Disse poi Samuele: «Radunate tutto Israele a Mizpa e io intercederò per voi presso il Signore». [6]Radunatisi a Mizpa, attinsero acqua e la versarono al cospetto del Signore; in quel giorno fecero digiuno e confessarono: «Abbiamo peccato contro il Signore!». Samuele giudicò i figli d'Israele a Mizpa.

[7]I Filistei seppero che i figli d'Israele s'erano radunati a Mizpa; allora i capi dei Filistei salirono contro Israele. I figli d'Israele, sa-

putolo, ebbero paura dei Filistei. [8]Dissero dunque i figli d'Israele a Samuele: «Non cessare di supplicare per noi il Signore, Dio nostro, perché ci salvi dalla mano dei Filistei». [9]Allora Samuele prese un agnello da latte e lo offrì per intero in olocausto al Signore, poi implorò il Signore in favore d'Israele, ed egli lo esaudì.

[10]Mentre Samuele stava offrendo il sacrificio, i Filistei avanzarono in battaglia contro Israele, ma il Signore in quel giorno tuonò con grande fragore contro i Filistei, portando lo scompiglio, ed essi furono sconfitti di fronte a Israele. [11]Gli uomini d'Israele, usciti da Mizpa, inseguirono i Filistei e li batterono fin sotto Bet-Car. [12]Samuele, presa una pietra, la drizzò tra Mizpa e Iesana e la chiamò Eben-Ezer, dicendo: «Fin qui ci ha aiutato il Signore».

[13]I Filistei furono sconfitti e non tentarono più di entrare nei confini d'Israele, e la mano del Signore pesò sui Filistei per tutti gli anni di Samuele. [14]Le città prese dai Filistei a Israele ritornarono a Israele, da Accaron fino a Gat, e Israele liberò quei territori dalle mani dei Filistei. Ci fu anche pace tra Israele e gli Amorrei.

[15]Samuele fu giudice su Israele per tutto il tempo della sua vita. [16]Ogni anno andava in giro passando per Betel, Galgala e Mizpa, esercitando l'ufficio di giudice di Israele in tutti questi luoghi. [17]Il suo recapito però era a Rama, poiché là era la sua casa e là faceva da giudice su Israele. In quel luogo costruì anche un altare al Signore.

GLI ISRAELITI CHIEDONO UN RE

8 [1]Divenuto vecchio, Samuele costituì i suoi figli giudici di Israele. [2]Il primogenito si chiamava Ioel, il secondo Abia; facevano da giudici a Bersabea. [3]Ma i suoi figli non camminavano sulle sue orme, deviavano dietro il lucro, accettavano doni e deformavano il giudizio. [4]Allora si radunarono tutti gli anziani d'Israele, andarono da Samuele a Rama [5]e gli dissero: «Ecco, tu ormai sei vecchio e i tuoi figli non camminano sulle tue orme. Stabilisci quindi per noi un re, che ci governi, come hanno gli altri popoli».

[6]Questa cosa dispiacque a Samuele, perché avevano detto: «Dacci un re che ci go-

---

6. - 19. Anche ai leviti era proibito guardare l'arca (Nm 4,15-20), sotto pena di morte: ecco perché è punita così severamente la curiosità dei Betsamiti.

8. - 6. La richiesta era legittima (Dt 17,14); il re appariva necessario per dare unità a Israele e difenderlo contro i potenti e organizzate nazioni circostanti; ma siccome Israele chiedeva un re perché diffidava dell'aiuto di Dio, la cosa dispiacque a Samuele che vedeva in questa richiesta una rinuncia alla regalità divina.

verni». Perciò Samuele implorò il Signore. [7]Il Signore rispose a Samuele: «Ascolta la voce del popolo in tutto quello che ti ha detto, perché non hanno rigettato te, ma hanno rigettato me, perché io non regni più su di essi. [8]Come si sono comportati dal giorno in cui io li trassi fuori dall'Egitto fino ad oggi, abbandonando me per servire altri dèi, così si comportano ora nei tuoi confronti. [9]Ma ora ascolta la loro richiesta. Però annunzia loro chiaramente le pretese del re che regnerà su di essi».

[10]Samuele riferì tutte le parole del Signore al popolo che gli aveva chiesto un re. [11]Disse: «Queste saranno le pretese del re che regnerà su di voi: prenderà i vostri figli per preporli ai suoi carri e ai suoi cavalli, perché corrano davanti al suo cocchio; [12]per costituirli capi di mille e capi di cinquanta, per arare la sua campagna, per mietere la sua messe, per fabbricare le sue armi da guerra e gli attrezzi dei suoi carri. [13]Prenderà anche le vostre figlie come profumiere, cuoche e fornaie. [14]Prenderà pure i vostri campi, le vostre vigne e i vostri oliveti migliori e li darà ai suoi ministri; [15]prenderà la decima parte delle vostre sementi e delle vostre vigne e la darà ai suoi eunuchi e ai suoi ministri. [16]Vi sequestrerà gli schiavi e le schiave, i vostri armenti migliori e i vostri asini e li destinerà ai suoi lavori. [17]Prenderà la decima parte dei vostri greggi e voi stessi diventerete suoi schiavi. [18]Voi griderete a causa del re che vi siete scelti, ma il Signore non vi risponderà».

[19]Il popolo non diede retta alla voce di Samuele e disse: «No: su di noi ci sarà un re! [20]Così saremo anche noi come tutte le nazioni; il nostro re ci governerà, uscirà alla nostra testa e combatterà le nostre battaglie». [21]Samuele ascoltò tutte le parole del popolo e le riferì al Signore. [22]Il Signore rispose a Samuele: «Ascoltali: regni pure un re su di loro». Allora Samuele disse agli Israeliti: «Ognuno ritorni alla sua città!».

SAUL E SAMUELE

9 [1]C'era un uomo della tribù di Beniamino di nome Kis, figlio di Abiel, figlio di Zeror, figlio di Becorat, figlio di Afiach, figlio di un uomo beniaminita, un valoroso soldato. [2]Questi aveva un figlio di nome Saul,

distinto e bello: non vi era un uomo tra i figli d'Israele più bello di lui, era dalle spalle in su il più alto di tutto il popolo.

[3]Un giorno le asine di Kis, padre di Saul, si erano sperdute. Allora Kis disse a suo figlio Saul: «Prendi con te uno dei servi e va' a cercare le asine». [4]Essi attraversarono la montagna di Efraim e passarono per il paese di Salisa, ma non trovarono niente; attraversarono il paese di Saalim, ma non c'erano. Poi percorsero il territorio di Beniamino, ma non trovarono niente. [5]Quando giunsero nel paese di Zuf, Saul disse al servo che lo accompagnava: «Torniamo indietro, perché forse mio padre non pensa più alle asine, ma sta in pensiero per noi». [6]Gli rispose: «Ecco, c'è in questa città un uomo di Dio, molto stimato: tutto quello che egli dice, si avvera sempre. Andiamo là: forse ci indicherà la strada che dobbiamo prendere». [7]Saul rispose al servo: «Sì, andiamo; ma cosa porteremo a quell'uomo? Il pane delle nostre sporte è finito, e non abbiamo alcun dono da portare all'uomo di Dio. Che cosa abbiamo con noi?». [8]Il servo rispose a Saul: «Ecco, mi trovo in mano un quarto di siclo d'argento, lo darò all'uomo di Dio, perché ci indichi la strada che dobbiamo prendere». [9]Una volta, in Israele, quando uno andava a consultare Dio, diceva: «Su, andiamo dal veggente», perché il profeta di oggi era chiamato in antico veggente. [10]Disse dunque Saul al servo: «Ottima la tua proposta! Su, andiamo!». E andarono alla città dov'era l'uomo di Dio. [11]Mentre stavano salendo il pendio della città incontrarono alcune giovani che uscivano ad attingere acqua e domandarono loro: «C'è qui il veggente?». [12]Esse risposero: «Sì, ecco, vi precede di poco, affrettatevi. Oggi stesso è giunto in città, perché oggi il popolo offre un sacrificio sulla collina. [13]Come entrerete in città lo troverete subito, prima che salga sulla collina per il banchetto. Il popolo infatti non mangia finché egli non sia giunto, perché è lui che benedice il sacrificio; dopo ciò gli invitati cominciano a mangiare. Ora salite, perché lo troverete immediatamente». [14]Essi salirono in città.

---

22. Dio, per compiere i suoi disegni, accondiscende ai desideri del popolo: ma esigerà in Israele una regalità teocratica, un re che osservi in tutto la legge mosaica ed esegua la volontà di Dio comunicata dai profeti che egli non cesserà di suscitare.

Mentre stavano entrando verso il centro della città, ecco che Samuele stava uscendo verso di loro per salire sulla collina. [15]Il giorno avanti la venuta di Saul, il Signore aveva fatto questa rivelazione a Samuele: [16]«Domani a quest'ora ti manderò un uomo della terra di Beniamino e tu lo consacrerai principe sul mio popolo Israele. Egli salverà il mio popolo dalla mano dei Filistei; infatti ho rivolto lo sguardo al mio popolo, perché la sua implorazione è giunta fino a me». [17]Appena Samuele vide Saul, il Signore l'avvertì: «Ecco l'uomo di cui ti ho parlato: egli reggerà il mio popolo». [18]Saul si avvicinò a Samuele nel mezzo della porta e disse: «Indicami, per favore, dov'è la casa del veggente». [19]Samuele rispose a Saul: «Sono io il veggente. Sali davanti a me sulla collina. Oggi mangerete con me. Domattina ti rimanderò e ti mostrerò tutto quello che hai nel tuo cuore. [20]Riguardo alle asine che andarono perdute tre giorni fa, non te ne preoccupare, sono state ritrovate. Ma a chi è rivolto tutto il desiderio di Israele, se non a te e a tutta la casa di tuo padre?». [21]Saul rispose: «Non sono io forse un Beniaminita, una delle più piccole tribù d'Israele? La mia famiglia è la minore tra le famiglie della tribù di Beniamino, perché mi dici tali cose?».

[22]Samuele prese Saul e il suo servo e li introdusse nella sala dando loro il primo posto fra gli invitati. Erano circa trenta persone. [23]Poi Samuele disse al cuoco: «Servi la porzione che ti ho affidato, dicendoti: Riponila presso di te». [24]Il cuoco portò la coscia e il contorno e li pose davanti a Saul. Samuele soggiunse: «Ecco, poni davanti a te quello che è rimasto; mangia perché a suo tempo fu messo da parte per te affinché lo mangiassi con gli invitati». Così quel giorno Saul mangiò con Samuele. [25]Poi discesero dalla collina in città e Samuele si intrattenne con Saul sulla terrazza.

[26]Al sorgere dell'aurora, Samuele chiamò Saul sulla terrazza e disse: «Alzati, perché devi partire!». Saul si alzò e tutti e due, lui e Samuele, uscirono fuori. [27]Mentre scendevano alla periferia della città, Samuele disse a Saul: «Ordina al tuo servo che ci preceda, ma tu fermati un momento, perché io ti possa comunicare la parola di Dio».

SAUL È CONSACRATO RE

10 [1]Allora Samuele prese l'ampolla dell'olio e gliela versò sul capo, poi lo baciò dicendo: «Non è forse il Signore che ti ha consacrato principe sul suo popolo, su Israele? Tu reggerai il popolo del Signore e lo salverai dal potere dei suoi nemici che gli stanno intorno. Questo sarà il segno, per te, che il Signore ti ha consacrato sulla sua eredità: [2]oggi, partendo da me, incontrerai due uomini presso il sepolcro di Rachele, sul confine di Beniamino, a Zelzach. Essi ti diranno: Sono state ritrovate le asine che eri andato a cercare. Ecco che tuo padre, dimenticata la faccenda delle asine, è in ansia per voi, dicendo: Che cosa devo fare per mio figlio? [3]Tu, oltrepassato quel luogo, arriverai alla quercia del Tabor. Là ti incontreranno tre uomini che salgono verso Dio in Betel: uno porterà tre capretti, l'altro porterà tre pagnotte di pane e il terzo porterà un otre di vino. [4]Essi ti saluteranno e ti offriranno due pani che tu accetterai dalle loro mani. [5]Dopo ciò giungerai a Gabaa di Dio, dove c'è il presidio dei Filistei, e mentre entrerai in città t'imbatterai in uno stuolo di profeti che scendono dall'altura preceduti da arpa e tamburello, flauto e cetra, in atteggiamento da profeti. [6]Allora irromperà su di te lo spirito del Signore e ti metterai a fare il profeta insieme con loro e sarai trasformato in un altro uomo. [7]Quando ti saranno accaduti questi segni, farai come vorrai, perché Dio è con te. [8]Mi precederai a Galgala, ed ecco che io verrò da te per offrire olocausti e immolare sacrifici di comunione. Aspetterai sette giorni finché io venga da te e allora ti indicherò quello che dovrai fare». [9]Quando egli ebbe voltato le spalle per partire da Samuele, Dio gli trasformò il cuore. E tutti quei segni si avverarono in quello stesso giorno. [10]Giunti là a Gabaa, ecco che gli venne incontro un gruppo di profeti. Allora lo spirito di Dio irruppe su di lui, ed egli si mise a fare il profeta in mezzo

1Sam

---

10. - 1. L'unzione divenne la condizione essenziale della regalità: rendeva il re sacro e inviolabile, mostrava che il regno era d'istituzione divina e che Dio voleva conservare i suoi diritti.

5. *Stuolo di profeti*, non in senso autentico, ma uomini che vivevano insieme per lodare Dio e osservarne meglio la legge. Profetare qui vuol dire cantare o parlare di Dio in uno stato d'esaltazione religiosa.

ad essi. [11]Accadde che chi lo conosceva da tempo, quando lo vide fare il profeta tra i profeti, diceva:

«Che è successo al figlio di Kis?
Perfino Saul è tra i profeti?».

[12]Uno del luogo disse: «E chi è il loro padre?». Per questo motivo diventò proverbiale il detto: «Perfino Saul è tra i profeti?». [13]Quando ebbe finito di profetare, Saul giunse alla collina.
[14]Lo zio di Saul domandò a lui e al suo servo: «Dove siete andati?». Rispose: «A cercare le asine, ma, visto che non c'erano, siamo andati da Samuele». [15]Riprese lo zio di Saul: «Raccontami quello che vi ha detto Samuele». [16]Saul rispose a suo zio: «Ci ha assicurato che le asine erano state ritrovate». Ma il fatto della regalità, di cui aveva parlato Samuele, non glielo raccontò.
[17]Samuele convocò il popolo presso il Signore a Mizpa [18]e disse ai figli d'Israele: «Così dice il Signore Dio di Israele: Io ho fatto uscire Israele dall'Egitto e vi ho liberato dalla mano dell'Egitto e dalla mano di tutti i regni che vi opprimevano. [19]Ma voi oggi rigettate il vostro Dio, il quale solo vi salva da tutti i vostri mali e dalle vostre angustie, e gli dite: Costituisci un re su di noi! Ora, dunque, presentatevi davanti al Signore per tribù e per casati». [20]Samuele fece avvicinare tutte le tribù d'Israele, e la sorte cadde sulla tribù di Beniamino. [21]Fece avvicinare la tribù di Beniamino per famiglie e la sorte designò la famiglia di Matri. Fece allora avvicinare la famiglia di Matri, per individui, e la sorte designò Saul, figlio di Kis. Lo ricercarono, ma non fu trovato. [22]Consultarono allora di nuovo il Signore: «L'uomo è venuto qui?». Rispose il Signore: «Eccolo, sta nascosto tra i bagagli!». [23]Corsero a prenderlo di là ed egli si presentò in mezzo al popolo: era più alto di tutti dalla spalla in su.
[24]Allora Samuele disse a tutto il popolo: «Avete veduto, dunque, quello che il Signore si è eletto? Non ce n'è uno come lui fra tutto il popolo». Tutto il popolo acclamò gridando: «Viva il re!». [25]Allora Samuele proclamò al popolo i diritti della regalità, li scrisse in un libro e li depose davanti al Signore. Poi Samuele congedò tutto il popolo, ognuno a casa sua. [26]Anche Saul andò a casa sua a Gabaa e lo seguirono uomini valorosi a cui Dio aveva toccato il cuore. [27]Ma certi maligni dissero: «Che aiuto potrà mai darci costui?». E così lo disprezzarono e non gli portarono doni.

PRIME IMPRESE DI SAUL

11 [1]Circa un mese dopo, Nacas l'ammonita andò ad accamparsi contro Iabes di Galaad. Allora tutti gli uomini di Iabes dissero a Nacas: «Scendi a patti con noi e ti serviremo». [2]Rispose loro Nacas l'ammonita: «A questa condizione verrò a patti con voi, di cavare a tutti voi l'occhio destro, per infliggere un'onta a tutto Israele». [3]Gli risposero gli anziani di Iabes: «Concedici sette giorni per mandare messaggeri in tutto il territorio di Israele, e se non troveremo chi ci salva, ci arrenderemo a te». [4]I messaggeri andarono a Gabaa di Saul e riferirono le cose al popolo; allora tutto il popolo alzò grida e pianse. [5]Or ecco che Saul stava tornando dai campi, dietro i buoi. Saul domandò: «Che cosa ha il popolo da piangere?». Gli riferirono le parole degli uomini di Iabes. [6]Allora irruppe lo spirito di Dio su Saul; appena questi udì tali cose, la sua ira si accese furente. [7]Prese un paio di buoi e li fece a pezzi; poi li spedì in tutto il territorio d'Israele per mezzo di messaggeri dicendo: «Chiunque non esce dietro Saul e dietro Samuele, riceverà un tale trattamento per il suo bestiame!». Allora il terrore del Signore si sparse sul popolo, ed essi uscirono compatti come un uomo solo. [8]Saul li passò in rassegna a Bezek: i figli d'Israele erano trecentomila e gli uomini di Giuda trentamila. [9]Poi dissero ai messaggeri che erano venuti: «Così direte agli abitanti di Iabes di Galaad: Domani, quando il sole comincerà a scaldare, avverrà la vostra salvezza». I messaggeri rientrarono e riferirono agli uomini di Iabes, che ne gioirono. [10]Allora gli uomini di Iabes risposero a Nacas: «Domani usciremo incontro a voi e ci farete tutto quello che vi piacerà». [11]Il giorno seguente Saul dispose il popolo in tre schiere, le quali, penetrate in mezzo all'accampamento sul far del mattino, batterono gli Ammoniti finché il giorno

---

12. *Chi è il loro padre?*: per rispondere a chi si meraviglia e per dire che la paternità, nel carisma della profezia, non conta nulla, essendo un dono che Dio comunica a chi vuole.

si fece caldo. I superstiti poi si sbandarono: non ne rimasero due insieme. [12]Allora il popolo disse a Samuele: «Chi ha detto: Dovrà forse regnare Saul su di noi? Consegnateci quegli uomini e li metteremo a morte!». [13]Rispose Saul: «Oggi nessuno sarà messo a morte, perché in questo giorno il Signore ha operato la salvezza in Israele».

[14]Allora Samuele disse al popolo: «Venite, andiamo a Galgala per inaugurarvi il regno». [15]Tutto il popolo andò a Galgala e là riconobbe re Saul davanti al Signore, là offrirono sacrifici di comunione davanti al Signore, e là Saul fece grande festa insieme con tutti gli uomini d'Israele.

SAMUELE SI RITIRA DA GIUDICE

12 [1]Samuele disse a tutto Israele: «Ecco, ho dato ascolto alla vostra voce in tutto quello che mi avete chiesto e ho costituito un re su di voi. [2]E ora, ecco, avete a capo un re. Quanto a me, sono vecchio, con i capelli bianchi, e i miei figli, eccoli, sono in mezzo a voi. Io ho condotto la mia vita davanti a voi dalla giovinezza fino a questo giorno. [3]Eccomi, rispondetemi davanti al Signore e davanti al suo consacrato: A chi ho preso il bue? A chi ho preso l'asino? A chi ho fatto estorsione? Chi ho oppresso? Dalla mano di chi ho accettato un compenso per chiudere un occhio? Sono pronto a restituire!». [4]Risposero: «Non ci hai fatto estorsioni, non ci hai oppressi e non hai accettato niente dalla mano di nessuno». [5]Soggiunse loro: «È testimone il Signore contro di voi ed è testimone il suo consacrato in questo giorno: non avete trovato niente nella mia mano!». Risposero: «È testimone!».

[6]Samuele disse al popolo: «È testimone il Signore, che ha stabilito Mosè e Aronne e ha fatto uscire i vostri padri dalla terra d'Egitto. [7]Ebbene, venite, voglio discutere

con voi davanti al Signore ed enumerarvi tutti i benefici che il Signore ha fatto a voi e ai vostri padri. [8]Quando Giacobbe entrò in Egitto e gli Egiziani l'oppressero, i vostri antenati si rivolsero con gemiti al Signore, ed egli mandò Mosè e Aronne, che fecero uscire i vostri padri dall'Egitto e li fecero abitare in questo luogo. [9]Ma essi dimenticarono il Signore loro Dio ed egli li diede in potere di Sisara, capo dell'esercito di Cazor, e in potere dei Filistei e in potere del re di Moab, i quali mossero loro guerra. [10]Essi si rivolsero con gemiti al Signore e dissero: Abbiamo peccato, perché abbiamo abbandonato il Signore e abbiamo servito i Baal e le Astarti! Ma ora salvaci dalla mano dei nostri nemici e saremo tuoi servi! [11]Allora il Signore mandò Ierub-Baal, Barak, Iefte e Samuele e vi liberò dalla mano dei nemici che vi circondavano e siete vissuti nella sicurezza.

[12]Eppure, quando avete visto che Nacas, re degli Ammoniti, è venuto contro di voi, mi avete detto: No! Vogliamo che un re regni su di noi, mentre il Signore, vostro Dio, è il vostro re! [13]Ma, ora, ecco il re che avete scelto e avete chiesto. Ecco, il Signore ha costituito un re su di voi. [14]Se temerete il Signore e lo servirete, se darete ascolto alla sua voce senza disobbedire al comando del Signore, e voi e il re che regna su di voi seguirete il Signore vostro Dio, bene! [15]Ma se non darete ascolto alla voce del Signore e sarete ribelli alla sua parola, allora la mano del Signore sarà contro di voi, come fu contro i vostri padri. [16]E ora state a vedere il grande prodigio che il Signore sta per compiere sotto i vostri occhi. [17]Non è questo il tempo della mietitura del grano? Eppure io invocherò il Signore ed egli manderà tuoni e pioggia! Così saprete chiaramente quanto grande sia agli occhi del Signore il male che avete fatto chiedendo un re per voi». [18]Allora Samuele invocò il Signore ed egli mandò tuoni e pioggia in quel giorno; così tutto il popolo ebbe gran timore del Signore e di Samuele. [19]Tutto il popolo disse a Samuele: «Prega il Signore Dio tuo per i tuoi servi, perché non ci colga la morte; infatti abbiamo aggiunto a tutti i nostri peccati un altro male, chiedendo per noi un re». [20]Samuele rispose al popolo: «Non abbiate paura! Sì, voi avete fatto tutto questo male, però non vogliate più allontanarvi dal Signore, anzi servite lui con tutto il vostro cuo-

---

12. - 1. Il discorso fu tenuto dopo l'adunanza di Galgala: Samuele rinunzia all'ufficio di giudice nella parte che spetta al re; ma dal lato religioso e morale resta giudice della nazione e del re fino alla morte. Qui fa una specie di testamento, dichiarando la sua integrità e la sua fedeltà agli impegni della sua missione.

3. Il *consacrato*, cioè il re.

14. Le fortune del popolo non dipenderanno dal re né da altra forma di governo, ma dalla fedeltà all'alleanza pattuita con Dio. Ad essa lo stesso re è soggetto.

re. [21]Non sviatevi, seguendo idoli che non vi possono giovare e non vi possono salvare, proprio perché essi sono nullità. [22]Certo, il Signore non abbandonerà il suo popolo, per riguardo del suo nome che è grande, perché egli si è compiaciuto di costituirvi suo popolo. [23]Quanto a me, non sia mai che io pecchi contro il Signore tralasciando di pregare per voi e di indicarvi la via buona e retta. [24]Temete, dunque, il Signore e servitelo fedelmente con tutto il cuore, considerando le grandi meraviglie che ha operato per voi. [25]Ma se vi ostinate a fare il male, sia voi che il vostro re perirete».

LA RISCOSSA CONTRO I FILISTEI

13 [1]Saul aveva [trent'anni] quando diventò re e regnò [quarant'anni] su Israele. [2]Egli si scelse tremila uomini da Israele: duemila erano con Saul a Micmas e sul monte di Betel, mille erano con Gionata a Gabaa di Beniamino; rimandò invece il resto del popolo, ognuno alla sua tenda. [3]Gionata batté il presidio dei Filistei che si trovava a Gabaa e i Filistei lo seppero subito. Allora Saul suonò il corno in tutto il paese dicendo: «Ascoltino gli Ebrei!». [4]Tutto Israele udì e disse: «Saul ha battuto il presidio dei Filistei, Israele si è ormai reso odioso ai Filistei». Allora il popolo fu richiamato a Galgala al seguito di Saul.

[5]I Filistei intanto si erano radunati per far guerra contro Israele: tremila carri, seimila cavalieri e una truppa numerosa come la sabbia che è in riva al mare. Salirono e si accamparono a Micmas, ad oriente di Bet-Aven. [6]Quando gli Israeliti si accorsero di trovarsi in difficoltà e di essere incalzati dai nemici, si nascosero nelle caverne, nelle boscaglie, tra le rocce, negli avvallamenti e nelle cisterne. [7]Alcuni Ebrei passarono il Giordano verso la terra di Gad e Galaad. Mentre Saul era a Galgala, tutto il popolo che lo seguiva tremava dalla paura. [8]Attese tuttavia sette giorni, secondo il tempo fissato da Samuele. Ma Samuele non arrivava ancora a Galgala, cosicché il popolo cominciò ad allontanarsi da lui. [9]Disse allora Saul: «Portatemi l'olocausto e i sacrifici di comunione». E offrì l'olocausto.
[10]Appena finito di offrire l'olocausto, ecco arrivare Samuele e Saul gli andò incontro per salutarlo. [11]Ma Samuele gli disse: «Che cosa hai fatto?». Saul rispose: «Vedendo che il popolo cominciava ad allontanarsi da me e che tu non eri venuto nel giorno stabilito, mentre i Filistei si trovavano radunati a Micmas, [12]ho detto: Ora scenderanno i Filistei contro di me a Galgala, mentre io non ho ancora placato il Signore! Così mi sono fatto forza e ho offerto l'olocausto». [13]Samuele rispose a Saul: «Hai agito stoltamente! Se tu avessi osservato il comando che ti aveva dato il Signore tuo Dio, il Signore avrebbe reso stabile per sempre il tuo regno su Israele. [14]Ora invece il tuo regno non durerà! Il Signore si è già cercato un uomo secondo il suo cuore, lo ha designato principe sul suo popolo, poiché tu non hai osservato quello che il Signore ti aveva comandato».

[15]Samuele si alzò, risalì da Galgala e se ne andò per la sua strada. Il resto del popolo salì ad incontrare i guerrieri al seguito di Saul e giunse da Galgala a Gabaa di Beniamino. Saul passò in rassegna la truppa che si trovava con lui: erano circa seicento uomini.

[16]Mentre Saul, suo figlio Gionata e la truppa che si trovava con loro erano stazionati a Gabaa di Beniamino, i Filistei erano accampati a Micmas. [17]Dal campo dei Filistei fece irruzione il gruppo dei guastatori diviso in tre pattuglie: una pattuglia si diresse sulla via di Ofra verso la terra di Sual, [18]un'altra pattuglia si diresse sulla via di Bet-Oron, la terza si diresse sulla via del confine che dà sulla valle di Zeboim, verso il deserto.

[19]Allora non si trovava un fabbro in tutto il paese di Israele, perché i Filistei dicevano: «Che gli Ebrei non fabbrichino spade né lance!». [20]Così ogni Israelita doveva recarsi dai Filistei per affilare il proprio vomere, la zappa, la scure o la falce. [21]L'affilatura costava due terzi di siclo per il vomere e le zappe, e un terzo l'affilatura delle scuri e dei pungoli. [22]E così, nel giorno della battaglia, non si trovava una spada né una lancia in mano a tutta la gente che era con Saul e con Gionata. Ne fu trovata solo una per Saul e per suo figlio Gionata. [23]Intanto una postazione di Filistei uscì verso il passo di Micmas.

---

24 La conclusione dell'esortazione di Samuele è simile a quella di Giosuè (Gs 24,14): invito alla fedeltà a Dio, che *grandi meraviglie* ha compiuto in tutto il corso della storia d'Israele.

UN'IMPRESA VITTORIOSA
DI GIONATA, FIGLIO DI SAUL

14 [1]Un giorno Gionata, figlio di Saul, disse al suo scudiero: «Su, portiamoci verso la postazione dei Filistei che è dall'altra parte». Ma non avvertì suo padre. [2]Saul se ne stava all'estremità di Gabaa, sotto il melograno che è a Migron: la sua truppa era di circa seicento uomini. [3]Achia, figlio di Achitub, fratello di Icabod, figlio di Finees, figlio di Eli, sacerdote del Signore in Silo, indossava l'efod. La truppa non sapeva che Gionata se ne fosse andato.

[4]Tra le gole, attraverso le quali Gionata cercava di passare verso la postazione dei Filistei, c'era un dente di roccia da un lato e un dente di roccia dall'altro: uno si chiamava Bozez e l'altro Sene. [5]Il primo dente sporgeva da settentrione verso Micmas e il secondo da mezzogiorno verso Gabaa. [6]Gionata disse al suo scudiero: «Su, portiamoci verso la postazione di quegli incirconcisi: forse il Signore agirà in nostro favore, perché il Signore non ha difficoltà a salvare con molti o con pochi». [7]Lo scudiero rispose: «Fa' quanto hai in animo! Prosegui! Eccomi, sono con te, come tu desideri». [8]Disse Gionata: «Ecco, noi ci portiamo verso quegli uomini e ci faremo vedere da loro. [9]Se ci diranno: Aspettate finché noi giungiamo da voi!, allora resteremo sul posto senza salire verso di loro. [10]Se invece diranno: Salite verso di noi!, allora saliremo, perché il Signore li ha dati in nostro potere. Questo è per noi il segno». [11]I due si fecero vedere dal presidio dei Filistei e i Filistei esclamarono: «Ecco gli Ebrei che sbucano dalle caverne dove si erano rintanati!». [12]Poi gli uomini della guarnigione rivolsero la parola a Gionata e al suo scudiero dicendo: «Salite da noi, abbiamo da dirvi una cosa!». Disse Gionata al suo scudiero: «Sali dietro di me, perché il Signore li ha messi nelle mani di Israele». [13]Gionata si arrampicò con le mani e con i piedi e il suo scudiero dietro di lui. Quelli cadevano davanti a Gionata mentre il suo scudiero li finiva dietro di lui. [14]La prima strage compiuta da Gionata e dal suo scudiero fu di circa venti uomini in appena mezzo iugero di terreno.

[15]Allora lo spavento si diffuse nell'accampamento, nella campagna e in tutto il popolo; perfino la guarnigione e i guastatori si spaventarono; la terra tremò e ci fu come un terrore divino. [16]Le sentinelle di Saul che erano a Gabaa di Beniamino si misero a guardare e videro che il campo si agitava da ogni parte.

[17]Saul disse al popolo che era con lui: «Fate l'appello e vedete chi manca dei nostri». Fecero l'appello, e s'accorsero che mancava Gionata con il suo scudiero. [18]Allora Saul disse ad Achia: «Avvicina l'efod», poiché egli portava l'efod in quei giorni davanti ai figli d'Israele. [19]Mentre Saul stava ancora parlando al sacerdote, il tumulto nell'accampamento dei Filistei andava sempre crescendo e Saul disse al sacerdote: «Ritira la tua mano».

[20]Saul convocò tutta la gente che era con lui e andarono fino al luogo della battaglia. Ed ecco, la spada di uno era rivolta contro il compagno: la confusione era enorme. [21]Anche quegli Ebrei che per il passato stavano con i Filistei, ed erano saliti con quelli all'accampamento, si ribellarono, per unirsi con gli Israeliti che erano con Saul e Gionata. [22]Quegli Israeliti poi che si erano nascosti sulla montagna di Efraim, udito che i Filistei erano in fuga, si misero a tallonarli in battaglia. [23]In quel giorno il Signore salvò Israele. La battaglia andò oltre Bet-Aven.

[24]Gli Israeliti erano sfiniti in quel giorno, perché Saul fece giurare al popolo: «Maledetto quell'uomo che toccherà cibo prima di questa sera, prima che io mi sia vendicato dei miei nemici!». Tutto il popolo non assaggiò cibo. [25]Percorsa tutta la regione, nella boscaglia si trovò del miele a fior di terra. [26]Giunto il popolo alla boscaglia, ecco un rivolo di miele, ma nessuno portò la mano alla bocca, perché il popolo aveva timore del giuramento. [27]Gionata, però, che non aveva sentito quando suo padre aveva fatto fare il giuramento al popolo, stese l'estremità del bastone che teneva in mano, la intinse nel favo di miele, portò la mano alla bocca e i suoi occhi si riaccesero. [28]Allora uno del popolo si affrettò a dire: «Tuo padre ha fatto fare un severo giuramento al popolo dicendo: Maledetto quell'uomo che toccherà cibo

1Sam

---

14. - 14. *In appena mezzo iugero di terreno*: cioè in poco spazio. È evidente in questo fatto l'intervento divino.
20-21. Non essendoci allora divise militari, era facile che un esercito combattesse contro se stesso; inoltre tra i Filistei c'erano molti Ebrei, che nell'occasione si ribellarono.

quest'oggi!, sebbene il popolo fosse sfinito». ²⁹Gionata rispose: «Mio padre ha fatto un danno al paese! Guardate come i miei occhi si sono illuminati, appena ho assaggiato un po' di questo miele. ³⁰Certo che se il popolo avesse potuto mangiare parte della preda presa ai nemici, quanto più grande sarebbe stata la disfatta dei Filistei!».

³¹In quel giorno batterono i Filistei da Micmas fino ad Aialon, ma il popolo era del tutto sfinito. ³²Allora il popolo si diede al saccheggio, prese pecore, buoi, vitelli e li sgozzò sul suolo: la gente però mangiava con tutto il sangue. ³³Fu riferito a Saul: «Ecco, il popolo sta peccando contro il Signore mangiando col sangue». Egli disse: «Voi agite perversamente! Rotolate subito verso di me una grande pietra».

³⁴Poi Saul ordinò: «Spargetevi tra il popolo e ditegli: Ognuno conduca qua il suo bue e il suo montone e li macelli su questa pietra, poi mangiatene; così non peccherete contro il Signore mangiando la carne con il sangue». Tutto il popolo, ognuno con il suo bue a mano, lo condusse quella notte e lo scannò in quel luogo. ³⁵Saul costruì un altare al Signore: fu il primo altare che egli costruì al Signore.

³⁶Poi Saul disse: «Scendiamo di notte contro i Filistei, depredateli fino alla luce del mattino senza lasciare anima viva tra loro». Gli risposero: «Fa' pure tutto quello che piace ai tuoi occhi». Il sacerdote disse: «Avviciniamoci qui a Dio». ³⁷Saul domandò a Dio: «Posso scendere contro i Filistei? Li darai in mano a Israele?». Ma in quel giorno non gli diede risposta.

³⁸Allora Saul disse: «Avvicinatevi qua, capi tutti del popolo: informatevi per sapere in che cosa consiste il peccato commesso quest'oggi, ³⁹poiché giuro per la vita del Signore, salvatore di Israele, che se la colpa si trovasse anche in Gionata, mio figlio, certamente morirà!». Non ci fu tra tutto il popolo chi osasse rispondergli.

⁴⁰Poi disse a tutto Israele: «Voi state da una parte e io e mio figlio Gionata staremo dall'altra!». Il popolo rispose a Saul: «Fa' quello che piace ai tuoi occhi!».

⁴¹Disse Saul al Signore, Dio di Israele: «Perché non hai risposto oggi al tuo servo? Se questa colpa è in me o in Gionata mio figlio, o Signore, Dio di Israele, da' gli urim, se invece il peccato è nel tuo popolo Israele, da' i tummim». Vennero sorteggiati Gionata e Saul e il popolo uscì libero. ⁴²Disse Saul: «Gettate la sorte tra me e Gionata mio figlio». Fu sorteggiato Gionata. ⁴³Allora Saul disse a Gionata: «Raccontami che cos'hai fatto». Gionata rispose: «Ho assaggiato appena un po' di miele con la punta del bastone che avevo in mano. Eccomi, che io muoia!». ⁴⁴Saul soggiunse: «Questo mi faccia Dio e peggio ancora, se tu non morrai, Gionata!». ⁴⁵Ma il popolo disse a Saul: «Dovrà forse morire Gionata che ha procurato questa grande vittoria in Israele? Non sia mai! Per la vita del Signore, non cadrà a terra un capello della sua testa, perché oggi egli ha agito con Dio!». Il popolo salvò Gionata ed egli non morì. ⁴⁶Così Saul desistette dall'inseguire i Filistei, e i Filistei se ne andarono al loro paese.

⁴⁷Saul consolidò il regno su Israele e fece guerre all'intorno contro tutti i suoi nemici: contro Moab, gli Ammoniti, Edom, i re di Zoba e contro i Filistei; ovunque si volgeva, vinceva. ⁴⁸Fece prodezze, batté Amalek liberando Israele dalla mano del suo razziatore. ⁴⁹I figli di Saul furono: Gionata, Is-Baal e Malkisua; i nomi delle sue figlie erano: Merab la maggiore, Mikal la minore. ⁵⁰La moglie di Saul si chiamava Achinoam, figlia di Achimaaz. Il capo del suo esercito si chiamava Abner, figlio di Ner, zio di Saul. ⁵¹Kis, padre di Saul, e Ner, padre di Abner, erano figli di Abiel. ⁵²Ci fu guerra spietata contro i Filistei per tutta la vita di Saul. Ogni uomo prode e ogni persona valorosa che Saul vedeva, li prendeva con sé.

SAUL È RIPUDIATO DA DIO

15 ¹Samuele disse a Saul: «È stato il Signore a mandarmi a consacrarti re sul suo popolo Israele: ora da' ascolto alle parole del Signore. ²Così dice il Signore degli eserciti: Voglio vendicare quello che Amalek ha fatto a Israele quando gli sbarrò la via mentre usciva dall'Egitto. ³Ora, va' e colpisci Amalek; vota allo sterminio tutto quello che gli appartiene; non aver pietà di lui: uccidi uomini e donne, ragazzi e lattanti, buoi e pecore, cammelli e asini».

39. Al suo voto temerario (v. 24), Saul aggiunse anche questo giuramento imprudente. La condotta di Saul si manifesta molto irriflessiva.

[4]Saul convocò il popolo e lo passò in rassegna a Telaim: erano duecentomila fanti e diecimila uomini di Giuda. [5]Saul avanzò fino alla città di Amalek e tese un'imboscata nella valle.

[6]Saul disse ai Keniti: «Separatevi, allontanatevi dagli Amaleciti, prima che io vi travolga insieme con loro, poiché voi avete usato benevolenza con tutti i figli di Israele, quando essi salirono dall'Egitto». Così i Keniti si separarono dagli Amaleciti.

[7]Saul colpì Amalek a partire da Avila, in direzione di Sur, che è ad oriente dell'Egitto. [8]Catturò vivo Agag, re di Amalek, mentre passò tutto il popolo a fil di spada. [9]Saul e il popolo risparmiarono Agag e la parte migliore del gregge e dell'armento, gli animali grassi, gli agnelli e ogni cosa buona: questi non li vollero votare allo sterminio. Invece votarono allo sterminio ogni cosa disprezzabile e scadente.

[10]Allora la parola del Signore fu rivolta a Samuele: [11]«Mi pento di aver costituito re Saul, poiché egli si è allontanato da me, non eseguendo i miei ordini». Samuele ne ebbe sdegno e implorò il Signore tutta quella notte. [12]Al mattino Samuele si affrettò ad andare incontro a Saul. Fu data questa notizia a Samuele: «Saul è giunto a Carmel, ed ecco che si è eretto un trofeo, poi proseguendo la strada del ritorno è sceso a Galgala».

[13]Quando Samuele arrivò da Saul, Saul gli disse: «Benedetto tu dal Signore! Ho eseguito l'ordine del Signore». [14]Ma Samuele rispose: «Cos'è questo belato di pecore che giunge alle mie orecchie, e questo muggito d'armenti che io sento?». [15]Saul rispose: «Sono gli animali tolti agli Amaleciti. Il popolo ha voluto risparmiare il meglio del gregge e dell'armento per poterlo sacrificare al Signore tuo Dio; il resto però l'abbiamo votato allo sterminio». [16]Samuele disse a Saul: «Permetti che ti annunzi quello che mi ha detto il Signo-

re questa notte». Gli rispose: «Di' pure!».

[17]Samuele soggiunse: «Non sei tu capo delle tribù di Israele, benché piccolo ai tuoi stessi occhi? Non ti ha forse il Signore consacrato re su Israele? [18]Il Signore ti aveva inviato a una spedizione dicendo: Va', vota allo sterminio quei peccatori di Amaleciti, e combattili finché non siano sterminati! [19]Perché non hai dato ascolto alla voce del Signore, ma ti sei gettato sulla preda e hai compiuto ciò che è male agli occhi del Signore?». [20]Saul rispose a Samuele: «Ma sì che ho dato ascolto alla voce del Signore! Sono andato alla spedizione alla quale il Signore mi ha mandato; ho condotto qui Agag, re di Amalek, e ho votato allo sterminio gli Amaleciti. [21]Il popolo poi ha prelevato dal bottino pecore e buoi, il meglio di ciò che era stato votato allo sterminio, per sacrificarlo al Signore tuo Dio, a Galgala». [22]Samuele rispose:

«Forse il Signore
si compiace degli olocausti
    e dei sacrifici
come dell'obbedienza alla sua voce?
Ecco, l'obbedienza è migliore
    del sacrificio,
la docilità è migliore del grasso
    dei montoni!
[23] Poiché peccato di divinazione
    è la ribellione
e come colpa di terafim è l'ostinazione.
Poiché hai rigettato la parola
    del Signore,
egli ti ha rigettato come re!».

[24]Saul disse a Samuele: «Ho peccato, perché ho trasgredito il comando del Signore e le tue parole; poiché ho avuto paura del popolo, ho dato ascolto alla sua voce. [25]Ma ora, ti prego, perdona il mio peccato e ritorna con me, e io mi prostrerò davanti al Signore». [26]Ma Samuele rispose a Saul: «Non ritornerò con te! Poiché hai rigettato la parola del Signore, il Signore ti ha rigettato perché tu non sia più re su Israele». [27]Samuele si voltò per partire, ma egli afferrò un lembo del suo mantello e lo strappò. [28]Gli disse allora Samuele: «Oggi il Signore ha strappato da te il regno d'Israele e lo ha dato a uno più degno di te. [29]La Gloria d'Israele non mentisce e non si pente, perché egli non è un uomo da doversi

1Sam

---

15. - 11. Quando Dio, offeso, ritira il suo aiuto, parlando umanamente si dice che si *pente* di averlo dato; in realtà Dio non muta consiglio, sono gli uomini che si allontanano da lui e dai suoi progetti.

26. L'abbandono definitivo del profeta e del favore popolare determinarono in Saul una profonda depressione nervosa, che lo condusse a poco a poco all'ipocondria con tutti i suoi effetti.

29. *La Gloria d'Israele* è Dio; egli è immutabile: ma spesso i suoi decreti sono condizionati e vengono realizzati o meno secondo l'avveramento della condizione.

ricredere». [30]Saul esclamò: «Ho peccato! Ora, ti prego, rendimi onore davanti agli anziani del mio popolo e davanti a Israele; ritorna con me perché io mi prostri davanti al Signore, tuo Dio». [31]Samuele ritornò con Saul, e Saul si prostrò davanti al Signore.

[32]Samuele disse: «Conducetemi Agag, re di Amalek!». Agag andò da lui con l'animo sollevato, poiché pensava: «Ormai è passata l'amarezza della morte!». [33]Ma Samuele gli disse:

«Come la tua spada ha privato di figli
    le donne,
così tra le donne
    tua madre sarà priva del figlio!».

Poi Samuele sgozzò Agag davanti al Signore a Galgala.

[34]Samuele andò poi a Rama, mentre Saul risalì alla sua casa a Gabaa di Saul. [35]Samuele non volle più vedere Saul fino al giorno della sua morte. Samuele piangeva per Saul, perché il Signore si era pentito di aver fatto regnare Saul su Israele.

DAVIDE È CONSACRATO RE

16 [1]Il Signore disse a Samuele: «Fino a quando piangerai per Saul, mentre io l'ho rigettato perché non regni più su Israele? Riempi d'olio il tuo corno e parti. Io ti mando da Iesse il betlemita, perché ho scelto tra i suoi figli il mio re». [2]Rispose Samuele: «Come potrò andare? Saul lo saprà e mi ucciderà». Il Signore riprese: «Prenderai con te una vitella dell'armento e dirai: Sono venuto per offrire un sacrificio al Signore. [3]Inviterai Iesse al sacrificio; quindi io ti indicherò quello che dovrai fare e tu mi consacrerai colui che io ti dirò».

[4]Samuele eseguì quello che aveva ordinato il Signore. Arrivato a Betlemme, gli anziani della città gli andarono incontro trepidanti e gli domandarono: «È pacifica la tua venuta?». [5]Rispose: «Pacifica! Sono venuto per offrire un sacrificio al Signore. Purificatevi e venite con me al sacrificio». Fece purificare Iesse e i suoi figli e li invitò al sacrificio.

[6]Quando essi giunsero, egli osservò Eliab ed esclamò: «Oh, certamente è davanti al Signore il suo consacrato!». [7]Ma il Signore disse a Samuele: «Non badare al suo aspet-

to e all'altezza della sua statura, poiché l'ho respinto, perché l'uomo non vede quello che vede Dio. L'uomo infatti guarda all'apparenza, ma il Signore guarda al cuore». [8]Iesse chiamò Abinadab e lo fece passare davanti a Samuele. Questi disse: «Nemmeno questo è scelto dal Signore». [9]Iesse fece passare Samma, e Samuele disse: «Nemmeno questo è scelto dal Signore». [10]Iesse fece passare così i suoi sette figli davanti a Samuele, ma Samuele disse a Iesse: «Il Signore non ha scelto nessuno di questi!». [11]Samuele domandò a Iesse: «Sono dunque tutti qui i giovani?». Quello rispose: «È rimasto ancora il più piccolo, che ora sta pascolando il gregge». Samuele disse a Iesse: «Manda a prenderlo, perché non ci metteremo a tavola finché egli non sia venuto qui».

[12]Egli lo fece venire: era rosso, con begli occhi e bell'aspetto. Il Signore disse: «Su, consacralo, perché è lui!». [13]Allora Samuele, preso il corno dell'olio, lo consacrò in mezzo ai suoi fratelli. Lo spirito del Signore irruppe su Davide da quel giorno in poi. Samuele si alzò e ritornò a Rama.

[14]Intanto lo spirito del Signore si era allontanato da Saul e lo aveva invaso uno spirito malvagio, venuto da parte del Signore.

[15]I servi di Saul gli dicevano: «Ecco, uno spirito malvagio da parte di Dio ti ha invaso; [16]il nostro signore, dunque, dia ordini ai servi che gli stanno intorno. Essi cercheranno un uomo che sappia suonare la cetra: quando lo spirito malvagio venuto da Dio sarà su di te, egli si metterà a suonare e tu ne avrai beneficio». [17]Saul disse ai suoi servi: «Cercatemi, per favore, un uomo che sappia suonare bene e conducetemelo». [18]Uno dei servi prese la parola e disse: «Ecco, ho veduto un figlio di Iesse il betlemita: sa suonare, è un prode e un guerriero, abile parlatore e uomo di bella presenza, e il Signore è con lui».

[19]Allora Saul mandò dei messaggeri a Iesse per dirgli: «Mandami tuo figlio Davide, che è con il gregge». [20]Iesse prese un carico di pane, un otre di vino e un capretto e li

---

16. - 13. L'episodio della consacrazione di Davide indica la libertà di Dio nella scelta dei suoi rappresentanti. Nel medesimo tempo questo episodio serve a indicare che, se il primo re d'Israele era venuto meno ai suoi compiti, l'istituzione monarchica in sé si era dimostrata buona e Dio intendeva mantenerla.

mandò a Saul per mezzo di Davide suo figlio. [21]Davide, giunto da Saul, rimase al suo servizio. Saul gli si affezionò molto e Davide diventò suo scudiero. [22]Saul mandò a dire a Iesse: «Rimanga Davide al mio servizio, perché egli ha trovato benevolenza ai miei occhi». [23]Così quando lo spirito malvagio venuto da Dio investiva Saul, Davide prendeva la cetra e suonava. Saul trovava la calma, ne aveva un beneficio e lo spirito malvagio si allontanava da lui.

IL GIGANTE GOLIA E DAVIDE

17 [1]I Filistei radunarono le loro truppe per la guerra: si radunarono a Soco di Giuda, e si accamparono tra Soco e Azeka, a Efes-Dammìm. [2]Saul e gli uomini d'Israele si radunarono e si accamparono nella Valle del Terebinto e si schierarono in battaglia contro i Filistei. [3]I Filistei stavano da un lato della collina, Israele stava dall'altro lato della collina e fra essi vi era la valle. [4]Uscì dagli accampamenti dei Filistei un duellante di nome Golia, di Gat, la cui altezza era di sei cubiti e un palmo. [5]Aveva sul capo un elmo di bronzo ed era rivestito di una corazza a scaglie; il peso della corazza era di cinquemila sicli di bronzo. [6]Aveva gambali di bronzo ai suoi stinchi e un giavellotto di bronzo ad armacollo. [7]Il legno della sua lancia era come il subbio del tessitore e la punta della sua lancia pesava seicento sicli di ferro; il portatore dello scudo marciava davanti a lui.

[8]Si fermò e, gridando verso le schiere di Israele, disse loro: «Perché siete usciti e vi siete disposti alla battaglia? Non sono io Filisteo e voi servi di Saul? Sceglietevi un uomo che scenda in campo con me! [9]Se lui avrà la forza di combattere con me e mi batterà, noi saremo vostri schiavi; ma se io prevarrò su di lui e lo batterò, voi sarete nostri schiavi e ci servirete». [10]Il Filisteo soggiunse: «Io ho sfidato oggi le schiere d'Israele: datemi un uomo per combattere insieme!». [11]Saul e tutto Israele, udite le parole del Filisteo, rimasero costernati ed ebbero gran paura.

[12]Davide era figlio di un Efratita di Betlemme di Giuda, di nome Iesse, che aveva otto figli. Ai giorni di Saul quest'uomo era vecchio, avanzato negli anni. [13]I tre figli maggiori di Iesse erano andati in guerra al seguito di Saul. I nomi dei tre figli di Iesse andati in guerra erano: Eliàb il primogenito, Abinadàb il secondo, Sammà il terzo. [14]Davide era il più piccolo. I tre più grandi dunque erano andati al seguito di Saul. [15]Davide andava e veniva dal seguito di Saul per pascolare il gregge di suo padre a Betlemme.

[16]Il Filisteo si faceva avanti mattina e sera e così fece per quaranta giorni.

[17]Iesse disse a suo figlio Davide: «Prendi per i tuoi fratelli un'efa di questi semi abbrustoliti e questi dieci pani e portali in fretta al campo per i tuoi fratelli, [18]e queste dieci formelle di cacio le offrirai al capo dei mille. Ti informerai della salute dei tuoi fratelli e poi ritirerai la loro paga. [19]Essi stanno con Saul e con tutto Israele nella Valle del Terebinto a combattere contro i Filistei».

[20]La mattina presto Davide si levò: affidò il gregge al guardiano, prese la roba e partì come gli aveva comandato Iesse. Giunse dove erano i carri, mentre le truppe uscivano per schierarsi e lanciavano il grido di battaglia. [21]Israele e i Filistei si erano schierati l'uno contro l'altro. [22]Davide affidò gli oggetti che aveva indosso al custode dei bagagli e corse allo schieramento. Giunto, chiese ai fratelli notizie sulla loro salute.

[23]Egli stava parlando con loro quand'ecco l'uomo sfidante, il Filisteo di Gat di nome Golia, uscire dalle schiere dei Filistei e pronunziare le solite parole. Davide ascoltò. [24]Tutti gli Israeliti, invece, quando videro quell'uomo fuggirono davanti a lui ed ebbero grande paura. [25]Allora un Israelita disse: «Vedete quell'uomo che avanza? Avanza proprio per sfidare Israele! Ma colui che lo colpirà sarà ricolmato di grandi ricchezze dal re, gli darà in moglie sua figlia ed esenterà la casa di suo padre da ogni tributo in Israele». [26]Davide domandò agli uomini che stavano presso di lui: «Che cosa sarà fatto a quell'uomo che colpirà questo Filisteo e allontanerà la vergogna da Israele? E chi è mai questo Filisteo incirconciso per sfidare le schiere del Dio vivo?». [27]Il popolo gli rispose allo stesso modo: «Così sarà fatto a colui che lo colpirà».

[28]Suo fratello maggiore Eliàb lo sentì parlare con gli uomini. Eliàb si accese d'ira contro Davide e disse: «Perché sei venuto giù? A chi hai affidato quelle poche pecore nel deserto? Io conosco la tua arroganza e la ma-

lizia del tuo cuore: certo, sei sceso per vedere la battaglia!». [29]Rispose Davide: «Che ho fatto ora? Non si può scambiare una parola?». [30]E si allontanò da lui, si rivolse a un altro, al quale fece la stessa domanda e tutti gli diedero la stessa risposta di prima. [31]Le parole pronunciate da Davide furono udite e riportate a Saul, il quale lo mandò a chiamare. [32]Davide disse a Saul: «Nessuno si scoraggi a causa di costui; il tuo servo andrà a combattere con quel Filisteo». [33]Saul disse a Davide: «Non puoi andare contro quel Filisteo a batterti con lui, perché tu sei un ragazzo e lui è un uomo d'armi fin dalla sua giovinezza». [34]Davide rispose a Saul: «Il tuo servo faceva il pastore del gregge di suo padre; quando veniva il leone o l'orso e si portava via una pecora del gregge, [35]io lo inseguivo, lo colpivo e gliela strappavo dalla bocca. Se si avventava contro di me, io lo afferravo per la mascella, l'abbattevo e lo uccidevo. [36]Sì, perfino il leone, perfino l'orso ha colpito il tuo servo. Questo Filisteo incirconciso sarà come uno di loro, perché ha sfidato le schiere del Dio vivo». [37]Davide aggiunse: «Il Signore che mi ha salvato dalla zampa del leone e dalle unghie dell'orso, mi libererà dalla mano di quel Filisteo». Allora Saul disse a Davide: «Va', il Signore sarà con te!».

[38]Saul fece rivestire Davide con la sua casacca, pose sul suo capo l'elmo di bronzo e gli fece indossare la corazza. [39]Davide si cinse della spada di lui sopra la casacca e provò invano a camminare, perché non vi era abituato. Davide disse a Saul: «Non riesco a camminare con queste cose perché non ci sono abituato». Così Davide se le tolse di dosso. [40]Prese invece in mano il suo bastone, si scelse cinque lucidi ciottoli dal torrente e li pose nel suo sacco da pastore e nella tasca, poi, con la fionda in mano, si avviò verso il Filisteo.

[41]Anche il Filisteo si mosse verso Davide, preceduto da un soldato che gli reggeva lo scudo. [42]Il Filisteo guardò fisso e, scorto Davide, lo disprezzò perché era giovane, rosso e di bella presenza. [43]Il Filisteo disse a Davide: «Sono forse un cane io, perché tu venga contro di me con dei bastoni?». Poi il Filisteo maledisse Davide nel nome dei suoi dèi. [44]Il Filisteo apostrofò Davide: «Fatti pure avanti e darò le tue carni agli uccelli del cielo e alle bestie selvagge». [45]Davide rispose al Filisteo: «Tu vieni contro di me con la spada, la lancia e il giavellotto, ma io vengo contro di te nel nome del Signore degli eserciti, Dio delle schiere d'Israele, che tu hai sfidato. [46]Quest'oggi il Signore ti consegnerà in mio potere e io ti colpirò, staccherò la testa dal tuo corpo e in questo stesso giorno darò il tuo cadavere e i cadaveri delle truppe dei Filistei agli uccelli del cielo e alle bestie della terra. Così tutta la terra saprà che Israele ha un Dio. [47]Tutta questa moltitudine conoscerà che il Signore non concede la vittoria con la spada e la lancia, perché al Signore appartiene la guerra ed egli vi ha consegnato in nostro potere».

[48]Allora il Filisteo prese ad avvicinarsi ancor più verso Davide, il quale si affrettò e corse verso il campo contro il Filisteo. [49]Davide infilò la mano nella sacca, ne trasse fuori un ciottolo, lo lanciò con la fionda e colpì il Filisteo alla fronte. Il sasso si conficcò nella sua fronte ed egli cadde con la faccia a terra. [50]Così Davide prevalse sul Filisteo con la fionda e con il ciottolo, colpendolo e uccidendolo, benché non avesse alcuna spada in mano. [51]Davide corse e si fermò sul Filisteo, afferrò la spada di lui, la estrasse dal fodero e lo uccise troncandogli con quella la testa. Quando i Filistei videro che il loro campione era morto, si diedero alla fuga. [52]Allora si levarono gli uomini d'Israele e di Giuda e, gridando, inseguirono i Filistei fino allo sbocco della valle e fino alle porte di Accaron. Gli uccisi dei Filistei caddero sulla via di Saaraim, fino a Gat e ad Accaron. [53]Poi i figli d'Israele ritornarono dall'inseguimento dei Filistei e si diedero a saccheggiare i loro accampamenti. [54]Davide prese la testa del Filisteo e la portò a Gerusalemme, mentre le sue armi le depose nella propria tenda.

[55]Quando Saul aveva visto Davide uscire contro il Filisteo, disse ad Abner, capo dell'esercito: «Di chi è figlio questo giovane, o Abner?». Abner rispose: «Per la tua vita, o re, non lo so!». [56]Il re riprese: «Domanda tu stesso di chi è figlio il ragazzo». [57]Quando Davide ritornò dopo aver ucciso il Filisteo, Abner lo prese e lo condusse davanti a Saul con la testa del Filisteo ancora in mano. [58]Saul lo interrogò: «Di chi sei figlio, giovanotto?». Davide rispose: «Sono figlio di Iesse il betlemita, tuo servo».

L'INVIDIA DI SAUL

18 [1]Quando Davide ebbe finito di parlare a Saul, l'anima di Gionata si sentì legata all'anima di Davide; Gionata lo amò come se stesso.
[2]Saul lo trattenne quel giorno e non gli permise di ritornare a casa di suo padre. [3]Gionata fece un patto con Davide, perché lo amava come se stesso. [4]Gionata si tolse il proprio manto che aveva indosso e lo diede a Davide, così pure le sue vesti e perfino la sua spada, il suo arco e la sua cintura.
[5]Davide aveva successo nelle scorrerie, ovunque Saul lo mandasse, così che Saul lo pose al comando dei guerrieri. Era ben visto da tutto il popolo e perfino dai ministri di Saul.
[6]Al loro rientro, quando Davide ritornava dopo aver vinto il Filisteo, le donne uscirono incontro al re Saul da tutte le città d'Israele per cantare danzando con tamburelli, con grida di gioia e con sistri. [7]Le donne danzavano ripetendo il ritornello:

«Saul ha abbattuto i suoi mille,
ma Davide i suoi diecimila!».

[8]Saul se ne adirò fortemente e questa cosa gli dispiacque. Diceva: «A Davide ne hanno attribuito diecimila e a me ne hanno attribuito mille. Ora gli manca solo il regno!». [9]Così Saul guardò Davide con gelosia da quel giorno in poi.
[10]L'indomani uno spirito maligno da parte di Dio irruppe su Saul e questi si mise a delirare in mezzo alla casa, mentre Davide suonava la cetra come gli altri giorni. Saul teneva la lancia in mano. [11]Allora scagliò la lancia, pensando: «Trafiggerò Davide alla parete!». Ma Davide gli sfuggì davanti per due volte. [12]Saul aveva timore della presenza di Davide, perché il Signore era con lui e si era ritirato da Saul. [13]Allora Saul lo allontanò da sé e lo costituì capo di mille; ed egli andava e veniva alla testa della truppa. [14]Davide aveva successo in ogni sua impresa e il Signore era con lui. [15]Saul, constatando che egli era molto fortunato, ne aveva timore. [16]Ma tutto Israele e Giuda amavano Davide, perché era lui che andava e veniva davanti a loro. [17]Saul propose a Davide: «Ecco la mia figlia maggiore, Merab; te la darò per moglie: tu mostrati valoroso e combatti le battaglie del Signore». Infatti Saul aveva pensato: «Non sia contro di lui la mia mano, ma quella dei Filistei!». [18]Davide rispose a Saul: «Chi sono io e quale importanza ha la famiglia di mio padre in Israele, perché io possa diventare genero del re?». [19]Quando però venne il momento di dare Merab, figlia di Saul, a Davide, essa fu data in moglie ad Adriel di Mecola. [20]Mikal, figlia di Saul, si era invece innamorata di Davide. Lo riferirono a Saul, al quale piacque la cosa. [21]Saul pensava: «Gliela voglio dare, perché ella sia un laccio per lui e la mano dei Filistei sarà contro di lui». Così Saul disse due volte a Davide: «Sarai mio genero quest'oggi».

[22]Saul ordinò ai suoi ministri: «Parlate in segreto a Davide e dite: Ecco, il re prova affetto per te e tutti i suoi servi ti vogliono bene, diventa dunque genero del re». [23]I ministri di Saul riportarono queste cose all'orecchio di Davide, ma egli rispose: «Vi pare piccola cosa diventare genero del re? Io sono un uomo povero e di bassa condizione». [24]I ministri di Saul gli riferirono: «Davide ha parlato in questi termini». [25]Saul disse: «Così direte a Davide: Il re non desidera la dote, ma cento prepuzi dei Filistei per fare vendetta contro i nemici del re». Saul pensava di far cadere Davide nelle mani dei Filistei. [26]I ministri riferirono a Davide quelle proposte, e questa condizione per diventare genero del re sembrò buona agli occhi di Davide. Non erano trascorsi i giorni fissati [27]che Davide si levò e partì con i suoi uomini e uccise tra i Filistei duecento uomini. Davide riportò i loro prepuzi che furono consegnati al re in numero esatto per diventare genero del re. Allora Saul gli diede sua figlia Mikal per moglie. [28]Saul vide e comprese che il Signore era con Davide e che Mikal, sua figlia, lo amava. [29]Allora Saul ebbe ancor più timore di Davide e fu per tutti i suoi giorni ostile a Davide. [30]I capi dei Filistei fecero delle incursioni, ma ogni volta che le facevano, Davide aveva più successo di tutti gli altri ministri di Saul. Così il suo nome diventò molto famoso.

GIONATA INTERCEDE PER DAVIDE

19 [1]Saul comunicò a suo figlio Gionata e a tutti i suoi ministri di voler uccidere Davide. Ma Gionata, figlio di Saul, aveva molto affetto per Davide [2]e lo avvertì dicen-

1Sam

do: «Mio padre Saul sta cercando di farti morire; fa' dunque attenzione domattina, scegliti un luogo appartato e nasconditi. ³Io uscirò e rimarrò accanto a mio padre nella campagna dove tu ti trovi e parlerò di te a mio padre: vedrò che cosa succede e te lo farò sapere».

⁴Gionata parlò bene di Davide a suo padre Saul e gli disse: «Non pecchi il re contro il suo servo, contro Davide, perché egli non ha mancato contro di te, anzi le sue imprese ti sono molto utili. ⁵Egli ha esposto la sua vita al rischio, ha battuto il Filisteo, e il Signore ha operato una grande vittoria per tutto Israele: hai visto e ti sei rallegrato. Perché ora vuoi peccare contro un innocente, facendo morire Davide senza motivo?». ⁶Saul diede ascolto alla voce di Gionata e giurò: «Per la vita del Signore, non morrà!». ⁷Gionata chiamò Davide e gli riferì tutte quelle cose; poi Gionata ricondusse Davide da Saul, ed egli rimase al suo servizio come per il passato.

⁸Vi fu di nuovo la guerra. Allora Davide uscì e diede battaglia ai Filistei; inflisse loro una grande disfatta ed essi si diedero alla fuga davanti a lui. ⁹Ma uno spirito maligno da parte del Signore si impossessò di Saul, mentre questi stava nella sua casa con la lancia in pugno, e Davide stava suonando la cetra. ¹⁰Saul cercò di colpire Davide con la lancia contro la parete, ma questi si allontanò da Saul, che infisse la lancia nel muro. Davide fuggì e si mise in salvo quella notte. ¹¹Saul inviò dei messi alla casa di Davide per sorvegliarlo e ucciderlo il mattino dopo, ma sua moglie Mikal informò Davide dicendo: «Se non ti metti in salvo questa notte, tu domani sarai morto». ¹²Allora Mikal fece scendere Davide per la finestra ed egli partì di corsa e si mise in salvo. ¹³Mikal prese poi i terafìm e li pose presso il letto. Al suo capezzale mise un tessuto di capra e lo coprì con un panno. ¹⁴Quando Saul mandò i messi per prendere Davide, ella disse: «È malato». ¹⁵Ma Saul rinviò i messi per vedere Davide e disse loro: «Portatemelo qua nel letto, per ucciderlo». ¹⁶Arrivarono i messi, ma ecco che presso il letto c'erano i terafìm e il panno di capra per capezzale. ¹⁷Saul disse a Mikal: «Perché mi hai ingannato così, facendo fuggire il mio nemico, perché si mettesse in salvo?». Mikal rispose a Saul: «È lui che mi ha detto: Lasciami andare, altrimenti ti uccido».

¹⁸Davide fuggì e si mise in salvo. Andò da Samuele a Rama e gli raccontò tutto quello che gli aveva fatto Saul. Allora lui e Samuele se ne andarono ad abitare a Naiot. ¹⁹La cosa fu riferita a Saul: «Ecco, Davide è a Naiot di Rama». ²⁰Saul spedì messaggeri per catturare Davide, ma quando essi videro la comunità dei profeti in atto di profetare e Samuele che li presiedeva, lo spirito di Dio venne sui messaggeri di Saul, e anch'essi si misero ad agire come profeti. ²¹Lo riferirono a Saul, il quale mandò altri messi, ma anche questi si misero a fare i profeti. Saul mandò ancora un terzo gruppo di messi, ma anche questi si misero a fare i profeti. ²²Allora andò egli stesso a Rama e, giunto alla cisterna grande che è a Secu, domandò: «Dove sono Samuele e Davide?». Uno rispose: «Ecco, sono a Naiot di Rama». ²³Allora andò là a Naiot di Rama, ma venne lo spirito di Dio anche su di lui, ed egli andava avanti facendo il profeta finché giunse a Naiot di Rama. ²⁴Anch'egli si tolse le vesti e fece il profeta davanti a Samuele; poi cadde disteso a terra, nudo, e vi rimase tutto quel giorno e tutta quella notte. Per questo si dice: «Perfino Saul è tra i profeti!».

ALLEANZA DI GIONATA E DAVIDE

20 ¹Davide fuggì da Naiot di Rama e andò a dire a Gionata: «Che cosa ho fatto? Qual è la mia colpa? E qual è il mio peccato davanti a tuo padre, perché attenta alla mia vita?». ²Gli rispose: «Non sia mai! Tu non morrai. Ecco, mio padre non compie cosa né grande né piccola senza confidarmela. Perché mio padre mi avrebbe nascosto questa cosa? Non può essere!». ³Davide giurò ancora: «Certamente tuo padre sa che io ho trovato simpatia ai tuoi occhi, e si è detto: Gionata non deve sapere nulla, perché si angustierebbe. Comunque, per la vita del Signore e per la tua vita, tra me e la morte c'è appena un passo!». ⁴Gionata disse a Davide: «Qualunque cosa tu mi chieda io la farò».

⁵Davide rispose a Gionata: «Ecco, domani è la luna nuova e io dovrei sedere con il re a mangiare, ma tu lasciami andare: io mi nasconderò nella campagna fino alla terza sera. ⁶Se tuo padre si preoccupa di

cercarmi, tu dirai: Davide mi ha chiesto con insistenza di fare una corsa a Betlemme, sua città, perché vi si celebra il sacrificio annuale per tutto il parentado. [7]Se dirà: Va bene!, allora il tuo servo è salvo; ma se ha un gesto d'ira, sappi che il peggio è stato deciso da parte sua. [8]Tu dunque sii buono con il tuo servo, perché hai voluto legare a te il tuo servo con un patto giurato nel nome del Signore; se poi io sono colpevole, fammi morire tu stesso. Perché condurmi fino a tuo padre?». [9]Gionata rispose: «Non sia mai! Se veramente sapessi che da parte di mio padre è stato deciso che su di te piombi la rovina, non te lo farei sapere?». [10]Davide domandò a Gionata: «Chi mi farà sapere se tuo padre risponderà duramente?». [11]Gionata rispose a Davide: «Su, usciamo nella campagna». E i due uscirono nella campagna.

[12]Gionata disse a Davide: «Signore, Dio d'Israele! Certo, domani o dopodomani a quest'ora io avrò già conosciuto le intenzioni di mio padre. Se esse sono favorevoli a Davide e io non manderò subito a riferirlo alle tue orecchie, [13]che il Signore faccia cadere su Gionata questo male e peggio ancora! Se invece è parso bene a mio padre decidere il peggio a tuo riguardo, allora lo rivelerò alle tue orecchie e ti lascerò partire, e tu te ne andrai in pace. Il Signore sia con te come lo fu con mio padre. [14]E se io sarò ancora vivo, allora userai verso di me la bontà del Signore; e se sarò morto, [15]non ritirerai la tua benevolenza verso la mia casa. Quando il Signore avrà sterminato tutti i nemici di Davide dalla faccia della terra, [16]il nome di Gionata non sia mai soppresso dalla casa di Davide: il Signore ne chiederà conto a Davide».

[17]Gionata fece fare di nuovo un giuramento a Davide per l'amore che gli portava: egli infatti lo amava come se stesso.

[18]Gionata disse a Davide: «Domani è la luna nuova e tu sarai ricercato, perché si noterà il tuo posto vuoto. [19]Farai passare tre giorni, poi scenderai giù e andrai in quel luogo dove ti sei nascosto nel giorno di quel fatto

---

e rimarrai presso quel mucchio di pietre. [20]Io scaglierò tre frecce là accanto, come se tirassi al bersaglio. [21]Poi manderò subito il ragazzo, dicendogli: Va' a cercare le frecce! Se dirò al ragazzo: Guarda, la freccia è di qua da te, prendila!, allora vieni perché va tutto bene per te; per la vita del Signore, non ci sarà niente di grave. [22]Ma se dirò al ragazzo: Guarda, la freccia è di là da te!, tu vattene, perché il Signore ti fa partire. [23]Riguardo a queste parole che abbiamo scambiato io e te, ecco, il Signore è testimone tra me e te per sempre».

[24]Allora Davide si nascose nella campagna. Arrivata la luna nuova il re si mise a tavola per prendere cibo.

[25]Il re si pose a sedere al suo solito posto come le altre volte, verso la parete; Gionata si mise di fronte, Abner si sedette al fianco di Saul e il posto di Davide rimase vuoto. [26]Tuttavia Saul quel giorno non disse niente, perché pensava: «Sarà un caso fortuito, egli sarà impuro; certo, non sarà mondo». [27]Il giorno dopo la luna nuova, il posto di Davide restò ancora vuoto. Allora Saul disse a Gionata suo figlio: «Perché il figlio di Iesse non è venuto a pranzo né ieri né oggi?». [28]Gionata rispose a Saul: «Davide mi ha chiesto con insistenza di andare fino a Betlemme, [29]dicendo: Lasciami andare, perché abbiamo un sacrificio del parentado nella città e mio fratello me ne ha fatto un obbligo. E ora, se ho trovato benevolenza ai tuoi occhi, permettimi di fare una scappata per vedere i miei fratelli. Per questo non è venuto alla mensa del re». [30]Saul si accese d'ira contro Gionata e gli disse: «Figlio dalla condotta traviata! Non so forse che tu parteggi per il figlio di Iesse, a tua vergogna e a vergogna della nudità di tua madre? [31]Perché tutti i giorni che il figlio di Iesse vivrà sulla terra, non sarai sicuro né tu né il tuo regno. Ma ora fallo condurre qua da me, perché è degno di morte!». [32]Gionata rispose a Saul suo padre dicendo: «Perché deve morire? Che ha fatto?». [33]Allora Saul scagliò la sua lancia contro di lui per colpirlo e Gionata comprese che l'uccisione di Davide era ormai decisa da parte di suo padre. [34]Gionata si alzò da tavola bollente d'ira e non prese cibo nel secondo giorno della luna nuova, perché era afflitto per Davide e perché suo padre l'aveva offeso.

[35]Giunta la mattina, Gionata uscì in campagna secondo quanto era convenuto con

1Sam

---

20. - 14. Gionata riconosce Davide come futuro re e siccome allora il nuovo re soleva distruggere la famiglia del predecessore, Gionata raccomanda sé e la sua famiglia alla misericordia di Davide (1Re 15,29; 16,11-12; 2Re 10,17). Davide ricorderà l'amicizia di Gionata e beneficherà uno dei suoi figli.

Davide. Un ragazzetto era con lui. [36]Disse al ragazzo: «Corri a cercare le frecce che io tirerò». Il ragazzo corse, mentre lui scagliava la freccia in modo da oltrepassarlo. [37]Giunto il ragazzo sul luogo della freccia scagliata da Gionata, questi gridò al ragazzo: «La freccia non è forse più in là di te?». [38]Poi Gionata gridò al ragazzo: «Svelto, sbrigati, non ti fermare!». Il ragazzo raccolse la freccia e ritornò dal suo padrone. [39]Ma il ragazzo non sapeva niente; solo Gionata e Davide sapevano la cosa. [40]Poi Gionata consegnò le armi al ragazzo che era con lui e gli disse: «Va', portale in città!». [41]Partito il ragazzo, Davide si levò da dove era nascosto, cadde con la faccia a terra e fece tre prostrazioni. Si baciarono a vicenda e piansero insieme con grande effusione. [42]Allora Gionata disse a Davide: «Va' in pace, perché ora noi due ci siamo fatti questo giuramento nel nome del Signore: il Signore sarà tra me e te, tra la mia discendenza e la tua discendenza per sempre».

LA FUGA DI DAVIDE A NOB E A GAT

21 [1]Davide si alzò e partì mentre Gionata rientrò in città. [2]Davide giunse a Nob dal sacerdote Achimelech. Achimelech, turbato, andò incontro a Davide e gli disse: «Perché sei solo e non c'è nessuno con te?». [3]Davide rispose al sacerdote Achimelech: «Il re mi ha comandato una certa cosa e mi ha detto: Nessuno sappia niente della cosa per cui io ti mando e che ti ho comandato! Agli uomini ho dato ordini di trovarsi in un dato luogo. [4]E ora che cosa hai sotto mano? Dammi cinque pani o quello che ti capita». [5]Il sacerdote rispose a Davide: «Non ho pane comune sotto mano, c'è solo pane sacro: se i tuoi giovani si sono almeno astenuti dalle donne, potete mangiarne». [6]Davide rispose al sacerdote: «Non abbiamo avuto rapporti con donne fin dall'altro giorno. Ogni volta che esco, i giovani sono mondi, pur trattandosi di un viaggio profano; quanto più oggi sono mondi!». [7]Allora il sacerdote gli diede il pane sacro perché non c'era altro pane, se non il pane della proposizione tolto dalla presenza del Signore, per sostituirlo col pane caldo nel giorno in cui viene tolto. [8]Ma in quel giorno vi era lì uno dei servi di Saul, trattenuto alla presenza del Signore, di nome Doeg, idumeo, capo dei pastori di Saul.

[9]Davide domandò ad Achimelech: «Non c'è niente qui sotto mano, una lancia o una spada? Non ho preso con me né la mia spada né le mie armi, perché l'incarico del re era urgente». [10]Il sacerdote rispose: «C'è la spada di Golia il filisteo, che tu hai colpito nella Valle del Terebinto; eccola avvolta in un panno dietro l'efod. Se la vuoi prendere, prendila, perché qui non c'è altra spada che questa». Davide disse: «Non ce n'è una migliore! Dammela». [11]Davide partì e se ne andò in quel giorno lontano da Saul, e giunse da Achis, re di Gat. [12]Ma i servi dissero ad Achis: «Costui non è Davide, il re del paese? Non era per lui che cantavano nelle danze:

Saul colpì i suoi mille,
ma Davide i suoi diecimila?».

[13]Davide si preoccupò di queste parole ed ebbe molta paura di Achis, re di Gat. [14]Allora cambiò modo di agire sotto i loro occhi e simulò pazzia tra le loro mani: scarabocchiava sui battenti delle porte e faceva colare bava sulla barba.

[15]Achis disse ai servi: «Ecco, vedete, quest'uomo è matto! Perché me lo avete condotto? [16]Ho forse bisogno di matti, che mi conducete questo tale per fare il pazzo davanti a me? E dovrebbe entrare in casa mia?».

DAVIDE VIVE DA FUORILEGGE

22 [1]Davide partì di là e si rifugiò nella grotta di Adullam. Quando lo seppero i suoi fratelli e tutta la casa di suo padre, scesero laggiù da lui. [2]Si radunò poi intorno a lui chiunque era in strettezze, chiunque aveva debiti e chiunque aveva la vita amareggiata: egli diventò loro capo. Erano con lui circa quattrocento uomini.

[3]Poi Davide andò da lì a Mizpa di Moab e disse al re di Moab: «Permetti che mio pa-

---

22. - 2. Come Iefte (Gdc 11), Davide divenne capo di malcontenti, avventurieri e anche di coloro che l'ideale religioso, rappresentato da Samuele, aveva allontanato da Saul. Formò così un piccolo esercito di 400 valorosi da cui uscirono i suoi generali (2Sam 23,8s).
3. Davide discendeva dalla moabita Rut, la cui famiglia forse aveva ancora discendenti vivi in Moab. Evidentemente c'era pace tra Moab e Israele.

dre e mia madre rimangano presso di voi
fino a che io sappia quello che Dio vorrà fare
di me». [4]Li presentò al re di Moab, ed essi rimasero con lui tutto il tempo della permanenza di Davide nella fortezza. [5]Il profeta Gad
disse a Davide: «Non rimanere nella fortezza, ma inoltrati nella terra di Giuda». Davide partì e s'inoltrò nella foresta di Cheret.
[6]Saul aveva saputo che Davide era stato
scoperto insieme con gli uomini che erano
con lui. Saul stava a Gabaa sotto il tamarisco, sull'altura, con la lancia in mano, e tutti
i ministri intorno.
[7]Saul disse ai ministri che gli stavano intorno: «Ascoltate, Beniaminiti! Forse che il
figlio di Iesse darà anche a tutti voi campi
e vigne, vi costituirà tutti capi di migliaia
e capi di centinaia, [8]perché voi tutti avete
fatto congiura contro di me? Non c'è stato
uno che mi abbia avvertito quando mio figlio strinse un patto con il figlio di Iesse! E
non c'è tra voi uno che si preoccupi di me
e mi avverta che mio figlio ha suscitato il
mio servo contro di me per tendermi insidie
come avviene oggi!».
[9]Rispose Doeg, l'idumeo, che stava con i
ministri di Saul: «Ho visto il figlio di Iesse
che è venuto a Nob da Achimelech, figlio
di Achitub. [10]Questi ha consultato il Signore
per lui, gli ha dato provvigioni e gli ha consegnato pure la spada di Golia il filisteo».
[11]Il re mandò a chiamare il sacerdote Achimelech, figlio di Achitub, e tutta la casa di
suo padre e i sacerdoti che erano a Nob.
Essi andarono tutti insieme dal re. [12]Disse
Saul: «Ascolta, figlio di Achitub!». Gli rispose: «Eccomi, o mio signore». [13]Saul gli disse: «Perché avete fatto congiura contro di
me, tu e il figlio di Iesse, dal momento che
gli hai dato pane e spada e hai consultato
Dio per lui, perché si levasse contro di me e
mi tendesse insidie, come fa oggi?».
[14]Achimelech rispose al re: «Ma tra tutti i
tuoi ministri chi è come Davide? È fedele,
è genero del re, è capo delle tue guardie,
è onorato alla tua corte. [15]È forse oggi che
ho cominciato a consultare Dio per lui?
Non sia mai! Il re non imputi al suo servo
e a tutta la casa di mio padre alcuna colpa,

perché il tuo servo non conosceva niente di
tutto ciò, né poco né molto». [16]Il re rispose:
«Devi morire, Achimelech, tu e tutta la famiglia di tuo padre».
[17]Il re ordinò ai corrieri che gli stavano accanto: «Circondateli e uccidete i sacerdoti
del Signore, perché anch'essi hanno prestato mano a Davide. Essi sapevano che
quello stava fuggendo, ma non mi hanno
avvertito». Ma i ministri del re non vollero
stendere le mani per colpire i sacerdoti del Signore. [18]Allora il re disse a Doeg:
«Accostati tu e colpisci i sacerdoti». Doeg
l'idumeo, lui sì, si volse e colpì i sacerdoti.
In quel giorno uccise ottantacinque uomini
che portavano l'efod di lino.
[19]E in quanto a Nob, città dei sacerdoti,
Saul fece passare a fil di spada uomini e
donne, bambini e lattanti, buoi, asini e pecore. [20]Si salvò un solo figlio di Achimelech,
figlio di Achitub, di nome Ebiatar, il quale
fuggì presso Davide. [21]Ebiatar annunziò a
Davide che Saul aveva ucciso i sacerdoti
del Signore. [22]Davide disse ad Ebiatar:
«Sapevo in quel giorno che Doeg l'idumeo,
lì presente, avrebbe certamente riferito tutto a Saul. Io sono la causa della morte di
tutti quelli della casa di tuo padre. [23]Rimani
con me, non avere paura! Perché chi attenta alla mia vita, attenta pure alla tua; per
questo sarai ben custodito presso di me».

LE IMPRESE DI DAVIDE
NEL DESERTO DELLA GIUDEA

23 [1]Fu riferito a Davide: «Ecco, i Filistei
stanno combattendo contro Keila
e stanno saccheggiando le aie». [2]Davide
consultò il Signore dicendo: «Devo andare
a battere quei Filistei?». Il Signore rispose
a Davide: «Va', perché sconfiggerai i Filistei
e salverai Keila». [3]Ma gli uomini di Davide
gli dissero: «Ecco, se qui in Giudea noi
abbiamo paura dei Filistei, quanto più se
andremo a Keila, dove sono le loro schiere!». [4]Davide consultò una seconda volta
il Signore ed egli rispose: «Alzati, scendi a
Keila, perché io metterò i Filistei nelle tue
mani». [5]Allora Davide andò con i suoi uomini a Keila, diede battaglia ai Filistei, catturò il loro bestiame e inflisse loro una dura
sconfitta. Così Davide salvò gli abitanti di
Keila.

---

20. Ebiatar esercitò presso Davide le funzioni di sommo
sacerdote e gli fu fedele nell'avversa e nella prospera fortuna, prima seguendolo nelle sue peregrinazioni, poi instal-
landosi con lui in Gerusalemme.

[6]Quando Ebiatar, figlio di Achimelech, fuggì presso Davide, discese a Keila con l'efod in mano.

[7]Fu riferito a Saul che Davide era entrato a Keila; allora Saul disse: «Dio l'ha consegnato in mio potere, perché si è chiuso entrando in una città munita di porte e di sbarre». [8]Saul convocò tutto il popolo alla guerra per discendere a Keila e stringere d'assedio Davide e i suoi uomini. [9]Davide venne a sapere che Saul stava tramando contro di lui, e disse al sacerdote Ebiatar: «Avvicina l'efod!». [10]Davide disse: «Signore, Dio d'Israele, il tuo servo ha inteso dire che Saul sta cercando di venire a Keila per distruggere la città a causa mia. [11]Gli abitanti di Keila mi consegneranno nelle sue mani? Saul scenderà davvero, come il tuo servo ha inteso dire? Signore, Dio d'Israele, fallo sapere al tuo servo!». Il Signore rispose: «Scenderà!». [12]Riprese Davide: «I cittadini di Keila mi consegneranno insieme con i miei uomini nelle mani di Saul?». Il Signore rispose: «Vi consegneranno!». [13]Allora Davide e i suoi uomini, circa seicento, uscirono da Keila e vagarono senza meta. Quando Saul ebbe la notizia che Davide si era messo in salvo da Keila, desistette dalla spedizione.

[14]Davide abitò nel deserto tra i dirupi, in zona montuosa, nel deserto di Zif. Saul gli dava la caccia tutti i giorni, ma Dio non lo consegnò nelle sue mani.

[15]Davide sapeva che Saul era uscito per attentare alla sua vita; egli stava allora nel deserto di Zif, a Corsa. [16]Gionata, figlio di Saul, si mosse e andò da Davide a Corsa per infondergli coraggio in nome di Dio. [17]Gli disse: «Non temere, perché la mano di mio padre Saul non ti potrà raggiungere; anzi tu regnerai su Israele e io ti sarò secondo. Anche mio padre Saul sa che è così!». [18]I due conclusero un patto alla presenza del Signore. Poi Davide rimase a Corsa, mentre Gionata ritornò a casa sua. [19]Alcuni Zifiti salirono a Gabaa e dissero a Saul: «Sai che Davide si trova nascosto presso di noi tra i dirupi a Corsa, sulla collina di Cachila, a sud del deserto? [20]Or dunque, poiché hai tanto desiderio di scendere, o re, scendi! A noi il consegnarlo nelle mani del re!». [21]Rispose Saul: «Siate benedetti dal Signore, perché avete avuto compassione di me! [22]Andate, dunque, assicuratevi ancora, cercate di individuare e vedere il luogo dove si posa il suo piede. Chi l'ha veduto là? Perché mi è stato detto: Egli è molto astuto. [23]Osservate e informatevi di tutti i nascondigli dove si possa rifugiare, poi ritornate da me con la conferma e verrò con voi. Se sarà nella zona, lo ricercherò in tutti i villaggi di Giuda».

[24]Essi partirono e ritornarono a Zif precedendo Saul. Intanto Davide e i suoi uomini erano nel deserto di Maon, nell'Araba, a meridione della steppa. [25]Saul andò con i suoi uomini a dargli la caccia, ma alcuni lo riferirono a Davide, il quale discese nel dirupo e rimase nel deserto di Maon. Quando Saul lo seppe, si pose all'inseguimento di Davide nel deserto di Maon. [26]Saul marciava da un versante del monte e Davide con i suoi uomini dall'altro versante del monte. Mentre Davide, spaventato, cercava di sfuggire a Saul e Saul e i suoi uomini stavano accerchiando Davide e i suoi uomini per catturarli, [27]arrivò un messaggero a dire a Saul: «Su, sbrigati, parti, perché i Filistei hanno invaso il paese». [28]Così Saul cessò dall'inseguimento di Davide e marciò contro i Filistei. Per questo quel luogo fu chiamato Rupe della separazione.

DAVIDE RISPARMIA SAUL

24 [1]Davide partì di là e dimorò tra i rifugi di Engaddi. [2]Quando Saul ritornò dall'inseguimento dei Filistei, gli riferirono: «Ecco, Davide sta nel deserto di Engaddi». [3]Saul prese tremila uomini scelti da tutto Israele, e andò alla ricerca di Davide e dei suoi uomini sugli strapiombi delle Rocce degli stambecchi. [4]Giunto presso alcuni recinti di greggi che erano a lato della strada, dove c'era una caverna, Saul vi entrò per un bisogno naturale. Davide e i suoi uomini stavano in fondo alla caverna. [5]Gli uomini di Davide gli dissero: «Ecco il giorno in cui il Signore ti dice: Vedi, io pongo il tuo nemico nelle tue mani e tu gli farai quello che pare bene ai

---

23. - 16. Gionata è ammirevole nella sua amicizia: sfida l'ira del padre per andare a confortare l'amico, lo esorta a sperare in Dio e, senza invidia, lui, erede al trono, si accontenta del secondo posto, purché regni Davide. I due amici rinnovarono l'alleanza, ma non si videro più. Gionata morì in battaglia sul monte Gelboe (31,2).

tuoi occhi». Davide si alzò e tagliò furtivamente un lembo del mantello di Saul. [6]Ma dopo aver fatto ciò, a Davide battè il cuore, perché aveva tagliato un lembo del mantello di Saul. [7]Disse ai suoi uomini: «Mi guardi il Signore dal fare questa cosa al mio signore, al consacrato del Signore, stendendo la mia mano su di lui. Egli infatti è il consacrato del Signore». [8]Davide dissuase i suoi uomini con severe parole e non permise loro di insorgere contro Saul. Così Saul partì dalla caverna e tornò sulla sua via.

[9]Poi si levò anche Davide, uscì dalla caverna e gridò a Saul: «O re, mio signore!». Saul si girò indietro e Davide si gettò a terra facendo prostrazioni. [10]Poi Davide disse a Saul: «Perché dài ascolto alle parole di chi dice: Ecco, Davide cerca la tua rovina? [11]Ecco che quest'oggi i tuoi occhi hanno visto che il Signore ti aveva messo nella mia mano dentro la caverna e uno mi suggeriva di ucciderti, ma ho avuto pietà di te e ho detto: Non stenderò la mano sul mio signore, perché egli è il consacrato del Signore! [12]O padre mio, guarda il lembo del tuo mantello nella mia mano! Poiché, quando io ho tagliato il lembo del tuo mantello, non ti ho ucciso, devi ben riconoscere che in me non c'è malvagità né tradimento, né ho peccato contro di te; tu invece tendi insidie alla mia vita per togliermela. [13]Che il Signore faccia da giudice tra me e te, e mi faccia giustizia il Signore nei tuoi confronti, ma la mia mano non sarà contro di te. [14]Come dice un antico proverbio:

Dai malvagi esce malvagità,
    ma la mia mano non sarà contro di te.

[15]Dietro a chi è uscito il re d'Israele? Dietro a chi tu stai correndo? Dietro un cane morto, dietro una semplice pulce! [16]Il Signore sarà arbitro e farà da giudice tra me e te; che egli esamini e difenda la mia causa e mi renda giustizia di fronte a te».

[17]Quando Davide finì di rivolgere queste parole a Saul, egli rispose: «È questa la tua voce, figlio mio Davide?». E Saul, alzando grida, pianse. [18]Poi disse a Davide: «Tu sei più retto di me, perché tu mi hai reso del bene, mentre io ti ho reso del male. [19]E oggi tu hai dimostrato che agisci bene con me, poiché mentre il Signore mi aveva consegnato nelle tue mani, tu non mi hai ucciso. [20]Quando mai un uomo incontra il suo nemico e lo lascia andare tranquillamente per la sua via? Il Signore ti renderà del bene per quanto mi hai fatto quest'oggi. [21]E ora, ecco, io so che tu certamente sarai re e il regno di Israele sarà stabile nelle tue mani. [22]Ebbene, giurami per il Signore che non sopprimerai la mia discendenza dopo di me e che non farai scomparire il mio nome dalla casa di mio padre».

[23]Davide glielo giurò. Quindi Saul se ne ritornò alla sua casa, mentre Davide e i suoi uomini risalirono al rifugio.

DAVIDE, NABAL E ABIGAIL

25 [1]Samuele morì, e gli Israeliti si radunarono, fecero i riti di lutto e lo seppellirono presso la sua casa a Rama.

Davide si mosse e discese verso il deserto di Paran. [2]C'era a Maon un uomo che aveva le sue proprietà a Carmel e quest'uomo era molto ricco: aveva tremila pecore e mille capre. Egli si trovava a Carmel durante la tosatura del suo gregge. [3]Quest'uomo si chiamava Nabal e sua moglie Abigail; la donna era dotata di buon senso e di bell'aspetto, mentre l'uomo era duro e di cattive maniere, era un Calebita.

[4]Quando Davide udì nel deserto che Nabal stava tosando il suo gregge, [5]mandò dieci giovani. Davide disse a questi giovani: «Salite a Carmel, andate da Nabal e salutatelo a nome mio. [6]Direte così: Pace a te, pace alla tua casa, pace a quanto ti appartiene! [7]Ho inteso dire adesso che hai i tosatori: ebbene, quando i tuoi pastori sono stati presso di noi, non li abbiamo molestati e non è mancato niente delle loro cose finché sono stati a Carmel. [8]Interroga i tuoi servi e ti informeranno. Trovino questi giovani benevolenza ai tuoi occhi, perché siamo venuti da te in questa occasione di festa! Dona, ti prego, ciò che ti capita in mano ai tuoi servi e al tuo figlio Davide».

[9]I giovani mandati da Davide partirono, riferirono a Nabal tutte quelle parole a nome di Davide e rimasero in attesa. [10]Ma Nabal rispose ai servi di Davide: «Chi è Davide e chi è il figlio di Iesse? Oggi sono tanti i servi che scappano dai loro padroni! [11]Prenderò dunque il pane mio e l'acqua mia, gli animali miei che ho ucciso per i miei tosatori e dovrò darli a gente che non so di dove sia?».

¹²I giovani di Davide ripresero la loro strada e fecero ritorno. Al loro arrivo gli riferirono tutte quelle cose. ¹³Davide disse ai suoi uomini: «Ognuno si cinga la spada!». Essi cinsero ognuno la propria spada. Anche Davide cinse la sua spada; circa quattrocento uomini salirono dietro Davide e duecento rimasero a guardia dei bagagli.

¹⁴Frattanto Abigail, moglie di Nabal, venne informata da uno dei suoi servi: «Ecco, Davide ha mandato messaggeri dal deserto per salutare il nostro padrone, ma lui ha inveito contro di loro. ¹⁵Questi uomini invece sono stati molto buoni con noi: non abbiamo ricevuto molestie, né ci è mancato niente per tutto il tempo che abbiamo girovagato insieme con loro quando stavamo nella steppa. ¹⁶Essi sono stati intorno a noi come un muro di protezione notte e giorno, per tutto il tempo in cui siamo stati presso di loro mentre pascolavamo il gregge. ¹⁷Ma ora interessati e vedi quello che puoi fare: certamente pende qualche guaio sul nostro padrone e tutta la sua casa. Egli è un uomo così perverso che non gli si può parlare».

¹⁸Allora Abigail prese in fretta duecento pani, due otri di vino, cinque pecore belle e cucinate, cinque misure di semi abbrustoliti, cento grappoli di uva passa e duecento tortelle di fichi secchi e li caricò sugli asini. ¹⁹Poi disse ai servi: «Precedetemi, io vengo dietro a voi!». Ma non disse niente a suo marito Nabal. ²⁰Or mentre costei, cavalcando un asino, scendeva le falde del monte, ecco venirle incontro Davide e i suoi uomini e ben presto si imbatté in loro.

²¹Davide aveva detto: «Ah! Mi sono ingannato a proteggere tutto quello che appartiene a questo tale nel deserto, e non gli è mancato niente di tutto quello che possedeva! Mi ha reso male per bene! ²²Tanto faccia Dio a Davide e peggio ancora, se di tutto quello che possiede lascerò sopravvivere fino al mattino un solo maschio!».

²³Quando Abigail vide Davide, scese in fretta dall'asino e si prostrò fino a terra davanti a Davide. ²⁴Cadde ai suoi piedi e disse: «È mia, è mia la colpa, o mio signore! Permetti che la tua serva parli al tuo orecchio, e tu ascolta le parole della tua serva. ²⁵Il mio padrone non faccia caso a quella razza d'uomo, a Nabal, perché lui è proprio come il suo nome: si chiama stolto ed è pieno di stoltezza. Ma io, tua serva, non ho visto i giovani che il mio signore ha inviato. ²⁶Ma ora, per la vita del Signore e per la tua vita, o mio padrone, poiché il Signore ti ha impedito di giungere al sangue e di farti giustizia di tua propria mano, siano come Nabal i tuoi nemici e coloro che cercano di fare il male al mio padrone. ²⁷E, ora, questa benedizione che la tua serva ha portato al mio signore è donata ai giovani che seguono i passi del mio signore. ²⁸Perdona la mancanza della tua serva! Sì, certamente il Signore concederà al mio signore una casa stabile, perché il mio signore combatte le guerre del Signore, e non si trova in te alcun male fin dai primi giorni della tua vita. ²⁹Se qualcuno sorgerà a perseguitarti e ad attentare alla tua vita, la vita del mio signore è conservata nello scrigno della vita presso il Signore tuo Dio, mentre la vita dei tuoi nemici la scaglierà lontano col cavo della fionda.

³⁰E quando il Signore avrà fatto al mio signore tutto il bene che ti ha promesso e ti avrà stabilito capo di Israele, ³¹non avrà allora il mio signore questo rimpianto e rimorso: l'aver sparso il sangue inutilmente e l'essersi fatto giustizia da sé. E quando il Signore avrà fatto del bene al mio signore, ricordati della tua serva».

³²Davide rispose ad Abigail: «Benedetto il Signore, Dio d'Israele, che ti ha mandato oggi incontro a me! ³³Benedetto il tuo senno e benedetta tu che mi hai impedito oggi di venire al sangue e di farmi giustizia di mia mano. ³⁴Certo, te lo giuro per il Signore, Dio di Israele, che mi ha trattenuto dal farti del male, se tu non ti fossi affrettata a venirmi incontro, non sarebbe rimasto a Nabal di qui a domattina un solo maschio».

³⁵Allora Davide prese dalle sue mani quelle cose che ella gli aveva portato e le disse: «Ritorna in pace alla tua casa; vedi, ho dato ascolto alla tua voce e ho rasserenato il tuo volto».

³⁶Abigail ritornò da Nabal; egli teneva un convito nella sua casa come un convito da re. Nabal aveva il cuore allegro ed era ubriaco fradicio. Così essa non gli fece sapere niente, né poco né molto, fino alla luce del mattino. ³⁷Ma al mattino, quando i fumi del vino erano svaniti da Nabal, sua moglie gli raccontò l'accaduto; allora il cuore gli venne meno in petto ed egli diventò come pietra. ³⁸In capo a una decina di giorni il Signore percosse Nabal e questi morì.

[39]Quando Davide udì che Nabal era morto esclamò: «Benedetto il Signore che mi ha vendicato dell'oltraggio ricevuto da Nabal e ha preservato il suo servo da un misfatto! Il Signore ha fatto ricadere sul capo di Nabal la sua malvagità». Allora Davide mandò a parlare ad Abigail per prendersela in moglie. [40]I servi di Davide andarono da Abigail a Carmel e le dissero: «Davide ci manda a prenderti perché tu sia sua moglie». [41]Essa si levò, si prostrò con la faccia a terra e rispose: «Ecco, la tua serva è come schiava per lavare i piedi ai servi del mio signore». [42]Abigail si alzò in fretta, montò sull'asino e, accompagnata da cinque giovani ancelle, andò dietro ai messaggeri di Davide. Così diventò sua moglie.

[43]Davide aveva preso anche Achinoam di Izreel: tutte e due furono sue mogli. [44]Saul aveva dato sua figlia Mikal, già moglie di Davide, a Palti, figlio di Lais, originario di Gallim.

DAVIDE RISPARMIA DI NUOVO LA VITA A SAUL

26 [1]Gli Zifiti andarono a dire a Saul in Gabaa: «Davide non si trova forse nascosto sulla collina di Cachila, al limite del deserto?». [2]Saul si mosse e discese verso il deserto di Zif. Con lui vi erano tremila uomini scelti d'Israele per ricercare Davide nel deserto di Zif. [3]Saul si accampò sulla collina di Cachila, che è al limite del deserto lungo la strada, mentre Davide se ne stava nel deserto. Quando vide che Saul era venuto ad inseguirlo nel deserto, [4]Davide mandò delle spie e seppe che Saul era arrivato davvero. [5]Allora Davide si mosse e andò al luogo dov'era accampato Saul. Davide notò il luogo dove dormivano Saul e Abner, figlio di Ner, capo del suo esercito. Saul dormiva tra i carriaggi, mentre tutta la truppa era accampata intorno a lui. [6]Davide si rivolse ad Achimelech, l'hittita, e ad Abisai, figlio di Zeruia, fratello di Ioab, e

disse: «Chi scende con me da Saul nell'accampamento?». Abisai rispose: «Scendo io con te!».

[7]Davide e Abisai scesero di notte verso la truppa, ed ecco che Saul giaceva addormentato tra i carri con la lancia infissa a terra al suo capezzale; Abner e la truppa dormivano intorno a lui. [8]Abisai disse a Davide: «Oggi Dio ti ha messo nelle mani il tuo nemico. Lascia, dunque, che io lo trafigga a terra con la sua lancia in un sol colpo, senza bisogno del secondo». [9]Davide rispose ad Abisai: «Non ucciderlo! Perché chi potrà stendere la mano contro il consacrato del Signore e rimanere impunito?». [10]Davide soggiunse: «Per la vita del Signore, solo il Signore lo farà perire, o perché, arrivato il suo giorno, morirà, o perché, sceso in battaglia, verrà ucciso. [11]Mi guardi il Signore dallo stendere la mano contro il suo consacrato! Ora, invece, prendi la lancia che è al suo capezzale e la brocca dell'acqua e andiamocene». [12]Davide prese la lancia e la brocca dell'acqua dal capezzale di Saul, poi tutti e due se ne andarono. Nessuno vide, nessuno se ne accorse, nessuno si svegliò: tutti infatti dormivano, perché un sonno mandato dal Signore era caduto su di loro. [13]Davide, passato al versante opposto, si fermò lontano sulla cima del monte, lasciando tra loro molto spazio. [14]Allora Davide gridò alla truppa e ad Abner, figlio di Ner: «Abner, non rispondi?». Abner rispose: «Chi sei tu che gridi verso il re?». [15]Davide rispose ad Abner: «Non sei tu un eroe? E chi è come te in Israele? Perché non hai fatto la guardia al re tuo signore? È venuto infatti un uomo del popolo per uccidere il re tuo signore. [16]Non ti fa onore quello che hai fatto. Per la vita del Signore, siete davvero degni di morte voi che non avete fatto la guardia al vostro signore, al consacrato del Signore! Ora guarda dov'è la lancia del re e la brocca dell'acqua che era al suo capezzale».

[17]Allora Saul riconobbe la voce di Davide e disse: «Questa è la tua voce, figlio mio Davide?». Davide rispose: «È la mia voce, o re, mio signore!». [18]Poi soggiunse: «Perché il mio signore perseguita il suo servo? Che cosa ho fatto? Che c'è di male nella mia condotta? [19]Ascolti dunque il re, mio signore, le parole del suo servo: Se il Signore ti istiga contro di me, voglia egli gradire il

26. - 1. Il fatto ha qualche analogia con quello narrato in 24,1-23; ma le circostanze sembrano diverse. La tradizione ha riferito i Sal 17-25; 30; 34 a questo periodo della vita di Davide.

5. Dopo aver mandato delle spie, Davide stesso va a mettere in atto un suo piano prestabilito. Il capo delle milizie stava sempre accanto al re.

1Sam

soave profumo di un'offerta; ma se sono gli uomini, siano maledetti davanti al Signore, perché oggi mi scacciano lontano per impedirmi di partecipare all'eredità del Signore, dicendo: Va', servi altri dèi! [20]Almeno il mio sangue non cada a terra lontano dalla presenza del Signore, ora che il re d'Israele è uscito a dare la caccia a una semplice pulce, come si insegue una pernice sui monti!».

[21]Saul rispose: «Ho peccato, ritorna, figlio mio Davide, perché non ti farò più del male, perché la mia vita quest'oggi è stata tanto preziosa ai tuoi occhi. Ecco, ho agito da sciocco e ho molto, molto sbagliato». [22]Davide riprese: «Ecco la lancia, o re! Passi qui uno dei tuoi uomini e la riprenda. [23]Il Signore retribuirà ciascuno secondo la propria giustizia e la propria fedeltà. Oggi infatti il Signore ti ha consegnato nelle mie mani, ma io non ho voluto stendere la mano contro il consacrato del Signore. [24]Ecco: come la tua vita è stata preziosa oggi ai miei occhi, così sia preziosa la mia vita agli occhi del Signore, ed egli mi liberi da ogni angustia». [25]Saul rispose a Davide: «Benedetto tu sia, figlio mio Davide! Certamente ogni cosa che intraprenderai ti riuscirà pienamente». Poi Davide se ne andò per la sua strada e Saul ritornò alla sua dimora.

DAVIDE TRA I FILISTEI

27 [1]Davide pensò dentro di sé: «Certo, un giorno o l'altro perirò per mano di Saul. Non v'è di meglio per me che mettermi in salvo nella terra dei Filistei; Saul desisterà dal cercarmi ancora in tutto il territorio di Israele e mi salverò».

[2]Davide si mosse con i seicento uomini che erano con lui e si portò da Achis, figlio di Maoch, re di Gat. [3]Davide dimorò presso Achis a Gat, lui e i suoi uomini, ognuno con la propria famiglia. Davide aveva con sé le due mogli, Achinoam di Izreel e Abigail, già moglie di Nabal. [4]Quando fu riferito a Saul che Davide si era rifugiato a Gat, egli non continuò più a dargli la caccia.

[5]Davide disse ad Achis: «Ti prego, se ho trovato grazia ai tuoi occhi, mi sia concesso un luogo in una delle città del tuo territorio dove io possa abitare. Perché il tuo servo deve abitare nella città reale insieme con

te?». [6]In quel giorno Achis gli consegnò Ziklag: per questo Ziklag appartiene ai re di Giuda fino a oggi. [7]Il numero dei giorni in cui Davide rimase nel territorio dei Filistei fu di un anno e quattro mesi.

[8]Davide partiva con i suoi uomini a fare razzie contro i Ghesuriti, i Ghirziti e gli Amaleciti: essi abitavano la regione che va da Telam verso Sur, fino alla terra d'Egitto. [9]Davide devastava la regione e non lasciava vivo né uomo né donna, mentre catturava greggi e armenti, asini e cammelli e indumenti; poi tornava indietro e andava da Achis. [10]Achis domandava: «Dove avete fatto razzie oggi?». Davide rispondeva: «Contro il Negheb di Giuda, contro il Negheb degli Ieracmeeliti, contro il Negheb dei Keniti». [11]Ma non conduceva a Gat vivi né uomini né donne, perché Davide pensava: «Così non faranno la spia contro di noi dicendo: Ecco come si comporta Davide!». Tale fu la sua condotta tutti i giorni in cui rimase nel territorio dei Filistei. [12]Achis ebbe fiducia in Davide pensando: «Certamente è diventato odioso al suo popolo Israele e così sarà per sempre mio servo».

SAUL E LA NEGROMANTE DI ENDOR

28 [1]In quei giorni i Filistei radunarono le loro truppe per combattere contro Israele. Allora Achis disse a Davide: «Sappi che devi uscire in campo con me, tu e i tuoi uomini». [2]Davide rispose ad Achis: «Benissimo; tu vedrai quello che farà il tuo servo!». Achis soggiunse: «D'accordo, ti costituirò per sempre mia guardia del corpo». [3]Samuele era morto e tutto Israele aveva fatto lutto e lo avevano seppellito a Rama, sua città. Saul aveva fatto scomparire dal paese i negromanti e gli indovini.

[4]Intanto i Filistei si erano radunati ed erano venuti ad accamparsi a Sunam. Anche Saul radunò tutto Israele e si accampò sul Gelboe. [5]Saul, al vedere l'accampamento dei Filistei, ebbe paura e il suo cuore tre-

---

27. - 2. Davide forse seguì il consiglio d'un profeta. Del resto anche la più grande confidenza in Dio non esclude i mezzi umani suggeriti dalla prudenza. Davide, che aveva corso grave pericolo da Achis (1Sam 21,11-16), certo preparò il suo viaggio, e partì dopo aver avuto la sicurezza d'essere da lui accolto.

mò forte. [6]Allora Saul consultò il Signore, ma il Signore non gli diede risposta, né con sogni né con gli urim, né per mezzo di profeti. [7]Saul, dunque, disse ai suoi servi: «Cercatemi una negromante, perché voglio andare a consultarla». I suoi servi risposero: «Ecco, una negromante che possiede il potere di evocare sta a Endor».

[8]Saul si travestì indossando altri abiti e partì con due uomini. Giunsero dalla donna di notte. Egli disse: «Su, praticami la divinazione per mezzo di negromanzie, evocandomi colui che io ti dirò». [9]Gli rispose la donna: «Ecco, tu sai bene quello che ha compiuto Saul: ha fatto scomparire i negromanti e gli indovini dal paese. Perché tendi insidie alla mia vita per farmi morire?». [10]Allora Saul le giurò per il Signore: «Per la vita del Signore, non subirai alcun castigo per questo fatto!». [11]La donna domandò: «Chi devo evocarti?». Rispose: «Evocami Samuele!».

[12]Quando la donna vide Samuele, gridò a gran voce e disse a Saul: «Perché mi hai ingannata? Tu sei Saul!». [13]Le rispose il re: «Non devi aver paura! Su, che cosa vedi?». La donna disse a Saul: «Vedo un essere divino che sale dalla terra!». [14]Le domandò: «Qual è il suo aspetto?». Ella rispose: «Un uomo vecchio sale avvolto in un manto». Saul capì che quello era Samuele, cadde con la faccia a terra e si prostrò.

[15]Samuele domandò a Saul: «Perché mi hai molestato evocandomi?». Rispose Saul: «Mi trovo in una grande angustia: i Filistei mi fanno guerra e Dio si è allontanato da me; non mi risponde più, né per mezzo dei profeti né per mezzo dei sogni; allora ho voluto chiamarti perché mi indichi cosa devo fare». [16]Samuele rispose: «Perché consulti me, se il Signore si è allontanato da te ed è diventato tuo avversario? [17]Il Signore ha fatto come aveva detto per mezzo mio: ha strappato il regno dalla tua mano e l'ha dato a un altro, a Davide. [18]Poiché non hai dato ascolto alla voce del Signore e non hai soddisfatto la sua ira contro Amalek, per questo il Signore oggi ti tratta in questo modo. [19]Il Signore darà in potere dei Filistei anche Israele insieme con te. Domani, tu e i tuoi figli sarete con me.

Il Signore consegnerà nelle mani dei Filistei anche l'accampamento d'Israele».

[20]Saul cadde a terra all'istante, lungo disteso, preso da un grande spavento per le parole di Samuele; rimase senza forze perché non aveva preso cibo tutto quel giorno e tutta quella notte. [21]La donna si avvicinò a Saul e, vedendolo tutto sconvolto, gli disse: «Ecco, la tua serva ha dato ascolto alla tua voce, io ho messo a repentaglio la mia vita per obbedire alle parole che mi hai rivolto. [22]Ora ascolta anche tu la voce della tua serva. Ti ho preparato un boccone di pane, mangialo e avrai un po' più di forza quando ti rimetterai in cammino». [23]Ma egli rifiutò dicendo: «Non mangio!». I suoi servi lo forzarono, così pure la donna. Allora egli diede ascolto, si alzò da terra e si pose a sedere sul letto.

[24]La donna aveva un vitello ingrassato nella stalla, lo uccise in fretta e, presa la farina, l'impastò e ne fece pani azzimi. [25]Li pose davanti a Saul e ai suoi servi; essi mangiarono, poi si alzarono e ripartirono la notte stessa.

I CAPI DEI FILISTEI SOSPETTANO DI DAVIDE

29 [1]I Filistei avevano radunato in Afek tutte le loro truppe, mentre Israele stava accampato presso la sorgente che è in Izreel. [2]I capi dei Filistei avanzavano a schiere di cento e di mille, mentre Davide e i suoi uomini sfilavano per ultimi con Achis. [3]I capi dei Filistei domandarono: «Che cosa fanno questi Ebrei?». Achis rispose ai capi dei Filistei: «Questi non è forse Davide, servo di Saul, re d'Israele, che è con me da uno o due anni? Non ho trovato in lui niente di male dal giorno della sua diserzione fino a oggi». [4]Ma i capi dei Filistei si adirarono contro di lui e gli dissero: «Rimanda quell'uomo! Ritorni alla località che gli hai assegnato! Non deve scendere con noi in battaglia, per non diventare un nostro avversario durante il combattimento. Con che cosa potrà egli rientrare nelle grazie dei suoi padroni se non con le teste di questi uomini? [5]Non è egli quel Davide di cui si cantava nelle danze:

Saul battè i suoi mille, ma Davide i suoi diecimila?».

1Sam

---

28. - 12. Samuele può essere veramente apparso, ma non in virtù degli incantesimi della maga, bensì per volere di Dio, che ancora tramite il profeta volle annunciare a Saul la punizione.

⁶Achis chiamò Davide e gli disse: «Per la vita del Signore, tu sei retto e il tuo comportamento presso di me al campo mi è piaciuto, perché non ho trovato in te niente di male da quando sei arrivato fino ad oggi. Ma non sei gradito agli occhi dei capi. ⁷Quindi torna indietro e va' in pace, così non darai dispiaceri ai capi dei Filistei». ⁸Davide rispose ad Achis: «Che cosa ho fatto? Che hai trovato di male nel tuo servo dal giorno in cui sono venuto da te fino ad oggi, perché io non possa venire a combattere contro i nemici del re mio signore?». ⁹Achis, ripresa la parola, disse a Davide: «Sai bene che tu sei accetto ai miei occhi come un angelo di Dio, ma i capi dei Filistei hanno detto: Non deve venire con noi in battaglia! ¹⁰Ebbene, alzati domattina presto con i servi del tuo padrone che sono venuti con te, e andate al luogo che vi ho assegnato. Non far caso a queste parole offensive, poiché io ti stimo. Domattina alzatevi presto e, allo spuntare dell'alba, andatevene». ¹¹Davide si levò di buon'ora insieme con i suoi uomini per partire e fare ritorno al paese dei Filistei. I Filistei invece salirono a Izreel.

LA VITTORIA SUGLI AMALECITI

30 ¹Quando Davide e i suoi uomini giunsero a Ziklag al terzo giorno, gli Amaleciti avevano fatto razzie nel Negheb e a Ziklag. Avevano distrutto Ziklag dandola alle fiamme. ²Avevano fatto prigionieri tutte le donne e quanti vi erano, dal più piccolo al più grande; non avevano ucciso nessuno, ma li avevano fatti prigionieri e se n'erano andati. ³Davide giunse dunque con i suoi uomini alla città. Ecco, essa era incenerita dal fuoco; le loro donne, i loro figli e le loro figlie erano stati fatti prigionieri. ⁴Allora Davide e la truppa che era con lui levarono la loro voce in pianto, finché non ebbero più la forza di piangere. ⁵Anche le due mogli di Davide erano state fatte prigioniere, Achinoam di Izreel e Abigail, già moglie di Nabal da Carmel. ⁶Davide si trovò in grande angustia perché la truppa parlava di lapidarlo. Tutti avevano l'animo esasperato, ognuno per i propri figli e le proprie figlie. Ma Davide si aggrappò al Signore, suo Dio, ⁷e disse al sacerdote Ebiatar, figlio di Achimelech: «Portami l'efod». Ebiatar portò l'efod a Davide. ⁸Davide consultò il Signore e domandò: «Devo inseguire quella banda? La raggiungerò?». Gli rispose: «Inseguila, la raggiungerai e libererai i prigionieri».

⁹Davide partì con i seicento uomini che aveva e giunse fino al torrente di Besor, ma un gruppo si fermò. ¹⁰Davide proseguì l'inseguimento con quattrocento uomini, mentre duecento si erano fermati così affaticati da non poter attraversare il torrente di Besor. ¹¹Trovarono un Egiziano nella steppa e lo condussero a Davide. Gli diedero pane da mangiare, gli fecero bere dell'acqua ¹²e gli offrirono una schiacciata di fichi secchi con due grappoli di uva passa. Egli mangiò e si sentì rivivere, perché non aveva preso cibo e bevuto acqua per tre giorni e tre notti. ¹³Davide gli domandò: «A chi appartieni e di dove sei?». Rispose: «Io sono un giovane egiziano, schiavo di un Amalecita. Il mio padrone mi ha abbandonato perché mi sono ammalato tre giorni fa. ¹⁴Abbiamo fatto razzie nel Negheb dei Cretei, in quello di Giuda e nel Negheb di Caleb, e abbiamo dato fuoco a Ziklag».

¹⁵Davide gli domandò: «Mi vuoi guidare verso quella banda?». Gli rispose: «Giurami per Dio che non mi farai morire e non mi consegnerai al mio padrone, e io ti guiderò verso quella banda».

¹⁶E ve lo guidò. Ed eccoli sparpagliati su tutta l'estensione della regione: mangiavano, bevevano e facevano festa per tutta la grande preda che avevano preso dalla terra dei Filistei e dalla terra di Giuda. ¹⁷Davide li batté dall'alba fino alla sera del giorno seguente. Non se ne salvò nessuno, se non quattrocento giovani, i quali, montati sui cammelli, si diedero alla fuga.

¹⁸Così Davide recuperò tutto quello che gli Amaleciti avevano preso, comprese le sue due mogli. ¹⁹Non mancò nessuno tra di essi, dal più piccolo al più grande, dai figli alle figlie, dalla preda fino a tutto quello che si erano preso: Davide recuperò tutto. ²⁰Davide prese tutto il gregge e l'armento. Condussero davanti a lui quel bestiame dicendo: «Questa è preda di Davide!».

²¹Poi Davide arrivò presso i duecento uomini che erano troppo spossati per seguirlo ed erano rimasti al torrente di Besor. Questi uscirono incontro a Davide e alla truppa che era con lui. Allora Davide si avvicinò con la truppa e domandò loro se stessero bene.

²²Intanto alcuni cattivi e perversi individui tra gli uomini che erano andati con Davide presero a dire: «Poiché non sono venuti con noi, non daremo niente della preda che abbiamo ricuperato, eccetto la moglie e i figli di ciascuno: li conducano via e se ne vadano». ²³Davide rispose: «Non fate così, fratelli miei, con quello che il Signore ci ha dato, salvandoci tutti e mettendo nelle nostre mani quella banda che era venuta contro di noi. ²⁴Chi vi darà ascolto in questa proposta? Perché, quale la parte di chi scende in battaglia, tale la parte di chi rimane a custodire i bagagli: faranno le parti insieme!». ²⁵Da quel giorno in poi stabilì questa decisione come legge e norma in Israele fino ad oggi.

²⁶Quando Davide rientrò a Ziklag, mandò parte della preda agli anziani di Giuda suoi amici, dicendo: «Eccovi un dono, proveniente dalla preda dei nemici del Signore». ²⁷E ne mandò a quelli di Betel, a quelli di Rama nel Negheb, a quelli di Iattir; ²⁸a quelli di Aroer, a quelli di Sifmot, a quelli di Estemoa; ²⁹a quelli di Racal, a quelli delle città degli Ieracmeeliti, a quelli delle città dei Keniti; ³⁰a quelli di Corma, a quelli di Bor-Asan, a quelli di Atach; ³¹a quelli di Ebron e a tutte le località dove Davide era andato vagando con i suoi uomini.

LA BATTAGLIA DI GELBOE
E LA MORTE DI SAUL

31 ¹I Filistei ingaggiarono battaglia contro Israele e gli Israeliti si diedero alla fuga di fronte ai Filistei e caddero trafitti sul monte Gelboe. ²I Filistei si gettarono addosso a Saul e ai suoi figli, e colpirono a morte Gionata, Abinadab e Malkisua, figli di Saul. ³La battaglia si aggravò contro Saul; gli arcieri lo presero di mira con gli archi ed egli fu ferito dagli arcieri. ⁴Allora Saul disse al suo scudiero: «Sfodera la spada e trafiggimi, perché non vengano quegli incirconcisi, mi trafiggano e facciano sevizie su di me». Ma il suo scudiero non volle perché era troppo spaventato. Allora Saul prese la spada e si gettò su di essa. ⁵Quando lo scudiero vide che Saul era morto, anch'egli si gettò sulla propria spada e morì con lui. ⁶In quel giorno morirono insieme Saul, i suoi tre figli, il suo scudiero e tutti i suoi uomini.

⁷Quando gli Israeliti che erano di là della valle e quelli che erano di là del Giordano videro che gli uomini d'Israele erano fuggiti e che Saul e i suoi figli erano morti, abbandonarono le città e fuggirono. Allora vennero i Filistei e vi si stabilirono.

⁸Il giorno seguente i Filistei andarono a spogliare gli uccisi e trovarono Saul e i suoi tre figli caduti sul monte Gelboe. ⁹Essi troncarono la testa di lui e lo spogliarono delle armi, poi mandarono in giro per il paese dei Filistei a dare la bella notizia nel tempio dei loro idoli e a tutto il popolo. ¹⁰Deposero le sue armi nel tempio di Astarte, mentre il suo cadavere lo appesero alle mura di Bet-Sean.

¹¹Gli abitanti di Iabes di Galaad udirono quello che i Filistei avevano fatto a Saul. ¹²Allora tutti gli uomini valorosi si mossero e, dopo aver viaggiato tutta la notte, presero il corpo di Saul e i corpi dei suoi figli dalle mura di Bet-Sean, quindi ritornarono a Iabes, dove li bruciarono. ¹³Poi presero le loro ossa e le seppellirono sotto il tamarisco che è in Iabes e fecero digiuno per sette giorni.

1Sam

---

31. - 4. Saul, ritenendo sommo obbrobrio venire ucciso dai nemici, chiude tragicamente la vita con il suicidio. La morte di Saul è pure raccontata in 1Cr 10, dove sono aggiunte le cause morali della sua morte. La morte di Saul narrata dall'amelecita (2Sam 1) è invenzione di costui per cattivarsi la simpatia di Davide. La sconfitta degli Israeliti fu completa, proprio come era stato predetto in 28,19.

SECONDO LIBRO DI SAMUELE

IL DOLORE DI DAVIDE
PER LA MORTE DI SAUL E GIONATA

1 ¹Dopo la morte di Saul, Davide ritornò dalla strage degli Amaleciti e rimase a Ziklag due giorni. ²Al terzo giorno, ecco arrivare un uomo dall'accampamento di Saul, con le vesti stracciate e con la testa cosparsa di polvere. Giunto presso Davide, cadde a terra e si prostrò. ³Davide gli domandò: «Da dove vieni?». Gli rispose: «Mi sono messo in salvo fuggendo dall'accampamento d'Israele». ⁴Davide gli domandò: «Come sono andate le cose? Su, raccontami!». Riferì che il popolo era fuggito dalla battaglia, che molti del popolo erano caduti ed erano morti; perfino Saul e suo figlio Gionata erano morti. ⁵Davide domandò al giovane che l'informava: «Come hai saputo che Saul e suo figlio Gionata sono morti?». ⁶Rispose il giovane che gli dava notizie: «Capitai per caso sul monte Gelboe ed ecco Saul era appoggiato alla sua lancia: già carri e cavalieri gli erano addosso. ⁷Allora, voltatosi, mi vide e mi chiamò. Io risposi: Eccomi! ⁸Mi domandò: Chi sei? Gli risposi: Sono un Amalecita. ⁹Mi disse: Ti prego, gettati contro di me e uccidimi, perché mi ha preso lo spasimo, anche se tutta la mia vita è ancora in me. ¹⁰Allora mi gettai su di lui e lo uccisi, poiché capivo che non sarebbe sopravvissuto alla sua caduta. Poi presi il diadema che portava in capo e il bracciale che aveva al braccio e li ho portati qui al mio signore».

¹¹Davide afferrò le sue vesti e le stracciò; così fecero anche tutti gli uomini che erano con lui. ¹²Fecero cordoglio, piansero e digiunarono fino a sera su Saul e su Gionata suo figlio, sul popolo del Signore e sulla casa d'Israele, perché erano caduti colpiti di spada. ¹³Poi Davide domandò al giovane che l'informava: «Di dove sei?». Rispose: «Sono figlio di uno straniero amalecita».

¹⁴Davide gli disse: «Come mai non hai avuto timore di stendere la tua mano per uccidere il consacrato del Signore?». ¹⁵Davide chiamò uno dei giovani e gli disse: «Avvicinati, colpiscilo!». Lo colpì e quello morì. ¹⁶Davide gli disse: «Il tuo sangue ricada sul tuo capo, poiché la tua stessa bocca ha testimoniato contro di te dicendo: Io ho ucciso il consacrato del Signore».

¹⁷Davide allora intonò questa elegia su Saul e su Gionata, suo figlio, ¹⁸e ordinò di insegnarla ai figli di Giuda. Ecco, è scritta nel Libro del Giusto:

¹⁹ «Sui tuoi colli, o Israele,
il tuo vanto è stato trafitto!
Perché sono caduti gli eroi?
²⁰ Non divulgatelo a Gat,
non datene notizia per le vie di Ascalon,
perché non gioiscano le figlie
dei Filistei,
non esultino le figlie degli incirconcisi.
²¹ O monti di Gelboe,
né rugiada né pioggia su di voi,
né campi di primizie,
poiché lì è stato profanato lo scudo
degli eroi,
lo scudo di Saul, non unto con olio,
²² ma col sangue dei trafitti,
col grasso degli eroi.
L'arco di Gionata non si ritrasse mai
e la spada di Saul non ritornava
a vuoto.
²³ Saul e Gionata, amabili e deliziosi,
né in vita né in morte furono separati.
Erano più veloci delle aquile, più arditi
dei leoni.

---

1. - 17-18. L'*elegia* era scritta in una raccolta di canti nazionali detta "Libro del Giusto" (Gs 10,13), da cui la prende l'autore ispirato. Quest'elegia, che è la prima che la Bibbia ricordi, è frutto del profondo senso di consternazione in cui la notizia della morte di Saul e Gionata gettò Davide, nonostante tutte le sofferenze patite a causa del primo.

²⁴ Figlie d'Israele, piangete su Saul
　　che vi rivestiva di porpora e di delizie,
　　che ornava di gioielli d'oro le vostre vesti.
²⁵ Perché sono caduti gli eroi
　　in mezzo alla battaglia,
　　e Gionata sui tuoi colli è stato trafitto?
²⁶ Una gran pena sento per te,
　　fratello mio Gionata!
　　Tu mi eri tanto caro!
　　Era meraviglioso per me il tuo amore,
　　più dell'amore delle donne!
²⁷ Perché sono caduti gli eroi,
　　e sono perite le armi di guerra?».

DAVIDE
È CONSACRATO RE DI GIUDA

2 ¹Dopo questi fatti, Davide consultò il Signore dicendo: «Devo andare in qualcuna delle città di Giuda?». Il Signore gli rispose: «Va'!». Davide domandò: «Dove devo andare?». Gli rispose: «A Ebron». ²Allora Davide vi andò con le sue due mogli, Achinoam di Izreel e Abigail, già moglie di Nabal da Carmel. ³Davide condusse anche gli uomini che erano con lui, ognuno con la propria famiglia, e si stabilirono nei villaggi di Ebron. ⁴Vi andarono poi gli uomini di Giuda e là consacrarono Davide re sulla casa di Giuda. Poi fu riferito a Davide: «Gli uomini di Iabes di Galaad hanno dato sepoltura a Saul». ⁵Allora Davide mandò messaggeri agli uomini di Iabes di Galaad per dire loro: «Benedetti dal Signore, voi che avete fatto quest'opera pietosa verso il vostro signore, verso Saul, dandogli sepoltura! ⁶Che il Signore vi manifesti sempre la sua misericordia! Anch'io vi farò del bene, perché avete compiuto quest'opera. ⁷Ora rinvigorite le vostre mani e siate uomini forti, perché se Saul, vostro signore, è morto, la casa di Giuda ha consacrato me come suo re».

⁸Intanto Abner, figlio di Ner, capo dell'esercito di Saul, aveva preso Is-Baal, figlio di Saul, lo aveva condotto a Macanaim ⁹e lo aveva costituito re su Galaad, sugli Asuriti, su Izreel, su Efraim, su Beniamino, cioè su

tutto Israele. ¹⁰Is-Baal, figlio di Saul, aveva quarant'anni quando cominciò a regnare su Israele e regnò due anni. Solo la casa di Giuda seguiva Davide. ¹¹Il tempo che Davide regnò a Ebron sulla casa di Giuda fu di sette anni e sei mesi.

¹²Abner, figlio di Ner, uscì con gli uomini di Is-Baal, figlio di Saul, da Macanaim alla volta di Gabaon. ¹³Anche Ioab, figlio di Zeruia, uscì con gli uomini di Davide e li incontrò alla piscina di Gabaon. Si fermarono presso la piscina, gli uni da una parte, gli altri dall'altra.

¹⁴Abner disse a Ioab: «Potrebbero presentarsi dei giovani e lottare davanti a noi». Ioab rispose: «Si presentino pure!».

¹⁵Si fecero avanti e sfilarono in numero uguale: dodici dalla parte di Beniamino e di Is-Baal, figlio di Saul, e dodici dalla parte di Davide.

¹⁶Ognuno afferrò l'avversario per la testa e gli conficcò la spada nel fianco. Così caddero tutti insieme e quel luogo fu chiamato Campo dei Fianchi: si trova a Gabaon. ¹⁷Ci fu in quel giorno una battaglia estremamente dura. Abner e gli Israeliti furono sconfitti dagli uomini di Davide.

¹⁸Erano presenti anche i tre figli di Zeruia: Ioab, Abisai e Asael. Asael era veloce come una gazzella selvatica. ¹⁹Asael si mise a inseguire Abner, senza deviare né a destra né a sinistra nell'inseguimento di Abner. ²⁰Abner, voltatosi indietro, disse: «Sei tu Asael?». Rispose: «Sono io!». ²¹Gli disse Abner: «Volgiti a destra o a sinistra, afferra qualcuno dei giovani e prenditi le sue spoglie!». Ma Asael non volle recedere dall'inseguirlo. ²²Abner insistette ancora dicendo ad Asael: «Cessa dall'inseguirmi! Perché costringermi ad abbatterti a terra? E come potrei allora alzare il mio sguardo verso Ioab, tuo fratello?». ²³Ma Asael non volle desistere dall'inseguimento. Allora Abner lo colpì al ventre con la punta della lancia e la lancia gli uscì dalla parte opposta; egli cadde lì e morì subito. Chiunque giungeva sul luogo dove Asael era caduto ed era morto si fermava.

²⁴Ioab e Abisai inseguirono Abner; al calar del sole essi erano giunti alla collina di Amma, che è al limite di Ghiach, sulla via del deserto di Gabaon. ²⁵I Beniaminiti si radunarono intorno ad Abner formando un gruppo compatto e si fermarono sulla cima di una collina.

2Sam

---

2. - 18-22. Asael, veloce come gazzella, vuol farsi un nome eliminando Abner; costui lo consiglia di andarsene, per non essere costretto a sua volta a ucciderlo, perché, in tal caso, egli avrebbe poi avuto Ioab come vendicatore. Così infatti avvenne, avendo Ioab interesse anche a togliere di mezzo un rivale.

[26]Allora Abner gridò a Ioab: «La spada dovrà forse infierire per sempre? Non sai che alla fine non ci sarà che amarezza? Fino a quando non dirai al popolo di smettere d'inseguire i propri fratelli?». [27]Ioab rispose: «Per la vita di Dio! Se tu non avessi detto niente, certamente il popolo avrebbe desistito solo domattina dall'inseguire i propri fratelli». [28]Allora Ioab fece suonare il corno e tutto il popolo si arrestò e non inseguì più Israele, smettendo di combattere.

[29]Abner e i suoi uomini marciarono tutta la notte nell'Araba, poi passarono il Giordano, camminarono tutta la mattinata e giunsero a Macanaim.

[30]Ioab, ritornato dall'inseguimento di Abner, radunò tutta la truppa: degli uomini di Davide ne mancavano diciannove, oltre Asael. [31]Invece tra i Beniaminiti e la gente di Abner i guerrieri di Davide avevano ucciso trecentosessanta uomini. [32]Presero quindi Asael e lo seppellirono nel sepolcro di suo padre a Betlemme. Poi Ioab e i suoi uomini marciarono tutta la notte e all'alba giunsero a Ebron.

L'UCCISIONE DI ABNER

3 [1]La guerra tra la casa di Saul e la casa di Davide fu lunga, ma Davide diventava sempre più forte, mentre la casa di Saul si indeboliva sempre di più.

[2]Davide ebbe dei figli a Ebron: il primogenito fu Amnon, nato da Achinoam di Izreel; [3]il secondogenito fu Kileab, nato da Abigail, già moglie di Nabal da Carmel; il terzo fu Assalonne, figlio di Maaca, figlia di Talmai, re di Ghesur; [4]il quarto fu Adonia, figlio di Agghit; il quinto fu Sefatia, figlio di Abital; [5]il sesto fu Itram, nato da Egla, moglie di Davide. Questi nacquero a Davide in Ebron.

[6]Durante la guerra tra la casa di Saul e quella di Davide, Abner aveva acquistato grande autorità nella casa di Saul. [7]Saul aveva avuto una concubina di nome Rizpa, figlia di Aia. Is-Baal disse ad Abner: «Perché sei entrato dalla concubina di mio padre?». [8]Abner, adiratosi fortemente per le parole di Is-Baal, disse: «Sono forse la testa di un cane di Giuda, io? Ora che uso bontà con la casa di Saul tuo padre, verso i suoi fratelli e verso i suoi amici e non ti consegno nelle mani di Davide, proprio

ora vieni a rimproverarmi per la colpa con quella donna? [9]Tanto faccia Dio ad Abner e peggio ancora se io non farò per Davide ciò che il Signore gli ha giurato: [10]trasferire il regno dalla casa di Saul e stabilire il trono di Davide su Israele e su Giuda, da Dan fino a Bersabea».

[11]Is-Baal non poté rispondere una parola ad Abner, perché aveva paura di lui.

[12]Allora Abner mandò degli ambasciatori a Davide per dirgli: «Di chi è il paese?». Cioè: «Fa' alleanza con me. Ecco, io ti aiuterò per far ritornare a te tutto Israele». [13]Davide rispose: «Bene! Io farò alleanza con te. Ma un'unica cosa ti chiedo: cioè, non potrai vedermi, se prima non mi condurrai Mikal, figlia di Saul, quando verrai alla mia presenza». [14]Così Davide mandò dei messaggeri a Is-Baal, figlio di Saul, con quest'ordine: «Restituisci mia moglie Mikal, che mi acquistai al prezzo di cento prepuzi dei Filistei».

[15]Is-Baal mandò a prenderla presso suo marito, Paltiel, figlio di Lais. [16]Suo marito andò con lei e la seguì piangendo continuamente fino a Bacurim. Allora Abner gli disse: «Vattene, torna indietro!». Quello se ne andò.

[17]Intanto Abner rivolse questo discorso agli anziani d'Israele: «Da tempo desideravate avere Davide come vostro re. [18]Ora mettetevi all'opera, perché il Signore ha detto a Davide: Con la sua mano Davide, mio servo, salverà il mio popolo Israele dal potere dei Filistei e dal potere di tutti i suoi nemici». [19]Abner rivolse questo discorso anche agli uomini di Beniamino. Poi si recò a Ebron per riferire a Davide quanto era stato approvato da Israele e da tutta la casa di Beniamino. [20]Abner giunse presso Davide a Ebron con venti uomini e Davide fece un convito per Abner e per gli uomini che erano con lui. [21]Abner disse a Davide: «Ho deciso: vado a radunare presso il re, mio signore, tutto Israele. Essi faranno alleanza con te e tu diventerai re su tutti, secondo il tuo desiderio». Poi Davide congedò Abner, che se ne andò in pace.

---

3. - 8. Le concubine erano legittime spose, ma di second'ordine. Siccome alla morte del re il suo *harem* passava al successore (2Sam 12,8), Abner col prendere la concubina di Saul tenta d'usurpare il trono, non essendo permesso a un privato sposare la vedova del re.

Cane: disprezzabile. Non sappiamo se Abner aspirasse al regno, ma è certo che apparentemente l'offesa al re era grave.

²²Ma ecco ritornare gli uomini di Davide e Ioab da una scorreria, riportando con sé molto bottino. Abner non era più con Davide a Ebron, perché era stato congedato e se ne era andato in pace. ²³All'arrivo di Ioab e di tutto il suo esercito, fu riferito a Ioab: «È venuto Abner, figlio di Ner, dal re, che l'ha rimandato ed egli se ne è andato in pace». ²⁴Allora Ioab si presentò al re e disse: «Che cos'hai fatto? Ecco, è venuto Abner da te; perché l'hai congedato ed egli è potuto ripartire? ²⁵Conosci Abner, figlio di Ner: è venuto per trarti in inganno, per spiare le tue mosse e per sapere tutto quello che stai facendo». ²⁶Ioab, partito dalla presenza di Davide, mandò subito dei messaggeri dietro ad Abner, i quali lo fecero tornare indietro dalla cisterna di Sira, all'insaputa di Davide. ²⁷Quando Abner ritornò a Ebron, Ioab lo trasse in disparte, all'interno della porta, come per parlargli in segreto; qui lo colpì al ventre e lo uccise, per vendicare il sangue di Asael, suo fratello.

²⁸Davide, saputa la cosa più tardi, esclamò: «Sono innocente io e il mio regno per sempre davanti al Signore del sangue di Abner, figlio di Ner. ²⁹Ricada esso sulla testa di Ioab e su tutta la casa di suo padre! Non manchi mai nella casa di Ioab chi soffra di gonorrea o di lebbra, chi maneggi il fuso, chi cada di spada o chi sia privo di pane». ³⁰Ioab e suo fratello Abisai trucidarono Abner, perché aveva ucciso Asael, loro fratello, nella battaglia di Gabaon.

³¹Davide ordinò a Ioab e a tutta la gente che era con lui: «Stracciatevi le vesti, cingetevi di sacco e fate lutto davanti ad Abner». Anche il re Davide andava dietro il feretro. ³²Seppellirono Abner a Ebron. Il re pianse ad alta voce sulla tomba di Abner e anche tutto il popolo pianse. ³³Il re fece un lamento funebre su Abner dicendo:

«Abner doveva morire come muore
   uno stolto?
³⁴ Le tue mani non erano state legate,
   e i tuoi piedi non erano stati stretti
      in catene!
   Eppure sei caduto, proprio come si cade
      per mano di malfattori!».

Tutto il popolo riprese a piangere su di lui. ³⁵Poi tutto il popolo andò per invitare Davide a prendere cibo, mentre era ancora giorno,

ma Davide giurò: «Tanto mi faccia Dio e peggio ancora, se prenderò pane o qualche altra cosa prima del tramonto del sole». ³⁶Tutto il popolo venne a saperlo e ne rimase contento. Infatti ogni cosa compiuta dal re ebbe l'approvazione del popolo intero. ³⁷Così tutto il popolo e tutto Israele capirono in quel giorno che non era stata provocata dal re l'uccisione di Abner, figlio di Ner. ³⁸Poi il re disse ai suoi uomini: «Sappiate che oggi è caduto un capo, un grande in Israele. ³⁹Io oggi sono debole, benché consacrato re, mentre questi uomini, i figli di Zeruia, sono più duri di me. Ripaghi il Signore il malfattore secondo la sua malvagità».

L'UCCISIONE DI IS-BAAL

4 ¹Quando il figlio di Saul udì che Abner era morto a Ebron, si sentì cadere le braccia e tutto Israele rimase costernato. ²Il figlio di Saul aveva due uomini capi di bande, chiamati l'uno Baana e l'altro Recab, figli di Rimmon di Beerot, della tribù di Beniamino, poiché anche Beerot è annoverata fra le città di Beniamino. ³I Beerotiti, infatti, erano fuggiti a Ghittaim e vi sono rimasti come ospiti fino ad oggi.

⁴Gionata, figlio di Saul, aveva un bambino con i piedi storpi. Aveva cinque anni quando giunse da Izreel la notizia circa i fatti di Saul e di Gionata. La nutrice lo prese e fuggì, ma, mentre si affrettava a fuggire, egli cadde e diventò zoppo. Si chiamava Merib-Baal.

⁵Intanto i figli di Rimmon il beerotita, Recab e Baana, si mossero e giunsero, nell'ora più calda del giorno, nella casa di Is-Baal, mentre egli stava facendo la siesta pomeridiana. ⁶La portinaia, che mondava il grano, si era assopita e dormiva, perciò Recab e suo fratello Baana poterono introdursi inosservati. ⁷Entrarono in casa mentre egli dormiva sul suo giaciglio nella camera da letto: lo colpirono, lo uccisero, lo decapitarono e, portando via la sua testa, presero la via dell'Araba, camminando tutta la notte. ⁸Portarono la testa di Is-Baal a Davide in Ebron e dissero al re: «Ecco la testa di Is-Baal, figlio di Saul, tuo nemico, che cercava la tua vita. Oggi il Signore ha concesso al re mio signore la vendetta su Saul e sulla sua discendenza».

⁹Davide rispose a Recab e a suo fratello Baana, figli di Rimmon il beerotita: «Per la vita del Signore che mi ha salvato da ogni angustia! ¹⁰Se ho preso e ucciso a Ziklag colui che mi riferiva: Saul è morto, credendo di darmi una buona notizia e di riceverne una ricompensa, ¹¹quanto più ora devo far morire degli uomini scellerati, che hanno trucidato un innocente in casa sua, nel proprio letto! Non dovrei forse chiedervi conto del suo sangue e farvi sparire dalla terra?». ¹²Davide comandò ai suoi giovani di ucciderli. Questi tagliarono loro le mani e i piedi e li appesero presso la piscina di Ebron. Presero poi la testa di Is-Baal e la seppellirono nel sepolcro di Abner a Ebron.

DAVIDE, CONSACRATO RE D'ISRAELE, CONQUISTA GERUSALEMME

5 ¹Tutte le tribù d'Israele andarono da Davide in Ebron e dissero: «Eccoci, noi siamo tue ossa e tua carne. ²Anche per il passato, quando Saul era nostro re, eri tu che guidavi Israele. Il Signore ti ha detto: Tu pascerai Israele, mio popolo, tu sarai principe su Israele». ³Allora tutti gli anziani d'Israele andarono dal re in Ebron; il re Davide fece con loro un'alleanza in Ebron alla presenza del Signore, ed essi consacrarono Davide re sopra Israele. ⁴Davide aveva trent'anni quando diventò re e regnò quarant'anni. ⁵In Ebron regnò su Giuda sette anni e sei mesi, e in Gerusalemme regnò trentatré anni su tutto Israele e su Giuda.

⁶Il re marciò con i suoi uomini verso Gerusalemme contro i Gebusei che abitavano la regione. Costoro dissero a Davide: «Non entrerai qui, anche i ciechi e gli zoppi ti cacceranno»; volendo intendere: «Davide non potrà entrare qui». ⁷Ma Davide occupò la fortezza di Sion, che è la Città di Davide. ⁸In quel giorno Davide aveva detto: «Chiunque vuol battere i Gebusei, li raggiunga per il canale... Quanto agli zoppi e ai ciechi, essi sono odiati da Davide...». Per questo motivo si dice: «Né cieco né zoppo entreranno nella casa!». ⁹Davide si stabilì nella fortezza e la chiamò "Città di Davide". Egli poi vi fece intorno delle costruzioni, dal Millo verso l'interno. ¹⁰Davide diventava sempre più potente, perché il Signore, Dio degli eserciti, era con lui. ¹¹Chiram, re di Tiro, mandò a Davide ambasciatori, legname di cedro, falegnami e lavoratori della pietra da costruzione, i quali edificarono una casa a Davide. ¹²Davide comprese che il Signore l'aveva consolidato re su Israele e aveva innalzato il suo regno per amore d'Israele, suo popolo. ¹³Dopo la sua venuta da Ebron, Davide prese altre concubine e mogli di Gerusalemme e gli nacquero altri figli e figlie. ¹⁴Questi sono i nomi dei figli che gli nacquero a Gerusalemme: Sammua, Sobab, Natan, Salomone, ¹⁵Ibcar, Elisua, Nefeg, Iafia, ¹⁶Elisama, Eliada ed Elifelet.

¹⁷I Filistei, udito che Davide era stato consacrato re d'Israele, salirono tutti per dargli la caccia, ma egli, appena lo seppe, discese alla fortezza. ¹⁸I Filistei arrivarono e si sparsero nella valle di Refaim. ¹⁹Davide consultò il Signore dicendo: «Devo andare contro i Filistei? Li darai in mio potere?». Il Signore rispose a Davide: «Va' pure! Darò certamente i Filistei in tuo potere». ²⁰Davide andò a Baal-Perazim e li batté in quel luogo, esclamando: «Il Signore ha aperto una breccia tra i miei nemici davanti a me, come una breccia aperta dall'acqua». Per questo quel luogo fu chiamato Baal-Perazim. ²¹I Filistei abbandonarono là i loro idoli, e Davide e i suoi uomini li raccolsero.

²²I Filistei salirono una seconda volta e si sparsero nella valle di Refaim. ²³Davide consultò il Signore, che gli rispose: «Non andare! Aggirali alle spalle e li raggiungerai dalla parte dei Balsami. ²⁴Quando udrai il rumore di passi sulle cime dei Balsami, allora darai l'assalto, perché in quel momento il Signore uscirà davanti a te per sconfiggere il campo dei Filistei». ²⁵Davide fece come il Signore gli aveva ordinato e batté i Filistei da Gabaa fino all'imbocco di Ghezer.

---

5. - 4. Davide, che era sulla ventina quando uccise Golia, passò circa quattro anni alla corte di Saul, altri quattro andò fuggiasco, un anno e mezzo stette con Achis in Ziklag, così a trent'anni divenne re in Ebron. Per più di sette anni lottò contro i partigiani di Saul, ma dopo la morte di Abner, sostegno della casa di Saul, e Is-Baal fu riconosciuto re da tutti. 6-16. Era circa l'anno 1000 a.C. Davide conquista Gerusalemme, fino allora fortezza gebusea, e ne fa la capitale del regno unito. Il fatto era molto importante, sia strategicamente che politicamente. La nuova residenza del re era ideale per frenare i desideri di espansione dei Filistei, i quali tentavano appunto di mettere un cuneo divisorio in Israele e ridurne il territorio.

IL TRASPORTO DELL'ARCA A GERUSALEMME

6 ¹Davide radunò un'altra volta tutti gli uomini migliori d'Israele, in numero di trentamila. ²Poi si levò con tutto il suo popolo e partì da Baala di Giuda per prelevare l'arca di Dio, dedicata al Signore degli eserciti che siede sui cherubini. ³Caricarono l'arca di Dio su un carro nuovo e la portarono via dalla casa di Abinadab, che era sulla collina. Uzza e Achio, figli di Abinadab, guidavano il carro nuovo. ⁴Uzza stava presso l'arca di Dio e Achio camminava davanti ad essa. ⁵Davide e tutta la casa d'Israele facevano festa alla presenza del Signore con tutte le loro forze, cantando con cetre, arpe, tamburi, sistri e cembali. ⁶Giunti all'aia di Nacon, Uzza stese la mano verso l'arca di Dio e l'afferrò, perché i buoi l'avevano fatta pendere. ⁷Allora si accese l'ira del Signore contro Uzza: Dio lo colpì per la sua temerarietà ed egli morì sul posto, presso l'arca di Dio. ⁸Davide rimase costernato dal fatto che il Signore avesse investito con impeto Uzza. Così quel luogo fu chiamato Perez-Uzza fino ad oggi.

⁹In quel giorno Davide ebbe timore del Signore e disse: «Come potrà venire da me l'arca del Signore?». ¹⁰Davide non volle trasportare presso di sé l'arca del Signore nella Città di Davide, ma la fece condurre alla casa di Obed-Edom, di Gat. ¹¹L'arca del Signore rimase tre mesi nella casa di Obed-Edom, di Gat, e il Signore benedisse Obed-Edom e tutta la sua casa.

¹²Fu poi riferito al re Davide: «Il Signore ha benedetto la casa di Obed-Edom e tutte le sue cose a causa dell'arca di Dio». Allora Davide andò e trasportò con festa l'arca di Dio dalla casa di Obed-Edom alla Città di Davide.

¹³Quando i portatori dell'arca del Signore ebbero fatto sei passi, egli sacrificò un bue e un vitello grasso. ¹⁴Davide danzava con tutto l'ardore davanti al Signore, cinto di un efod di lino. ¹⁵Così Davide e tutta la casa d'Israele trasportarono l'arca del Signore con acclamazioni e con suono di corno.

¹⁶Quando l'arca del Signore stava entrando nella Città di Davide, Mikal, figlia di Saul, si affacciò alla finestra e, visto il re Davide saltare e danzare davanti al Signore, lo disprezzò in cuor suo.

¹⁷L'arca del Signore fu introdotta e messa al suo posto in mezzo alla tenda che Davide aveva eretto per essa. Poi Davide offrì olocausti e sacrifici davanti al Signore. ¹⁸Quando ebbe finito di offrire l'olocausto e i sacrifici, Davide benedisse il popolo nel nome del Signore degli eserciti. ¹⁹Poi distribuì a tutto il popolo, a tutta la moltitudine d'Israele, uomini e donne, una focaccia di pane, un pezzo di carne, un pugno di uva passa. E tutto il popolo se ne ritornò, ognuno a casa sua.

²⁰Quando Davide fece ritorno per benedire la sua casa, gli uscì incontro Mikal, figlia di Saul, e gli disse: «Come si è fatto onore oggi il re d'Israele, che si è scoperto sotto gli occhi delle serve dei suoi servi, proprio come si scoprirebbe uno dei tanti sfaccendati!». ²¹Davide rispose a Mikal: «Ho voluto danzare alla presenza del Signore, che mi ha preferito a tuo padre e a tutta la sua casa, stabilendomi capo sul popolo del Signore, su Israele; sì, alla presenza del Signore ²²mi abbasserò ancora di più e mi renderò spregevole ai tuoi occhi, ma presso le serve di cui mi parli, proprio presso di loro io sarò onorato». ²³Mikal, figlia di Saul, non ebbe figli fino al giorno della sua morte.

LA PROFEZIA DI NATAN

7 ¹Quando il re si fu stabilito nella sua casa e il Signore gli ebbe dato tranquillità da tutti i suoi nemici all'intorno, ²disse al profeta Natan: «Vedi, io abito in una casa di cedro, mentre l'arca del Signore abita sotto una tenda». ³Natan rispose al re: «Va' e fa' tutto quello che hai in cuore, perché il Signore è con te». ⁴Ma in quella stessa notte la parola del Signore fu rivolta a Natan in questi termini: ⁵«Va' a dire al mio servo

---

6. - 3-18. La conquista di Gerusalemme (5,6-16) ha anche un importante significato religioso: essa entra in diretto contatto con la storia della salvezza. In Gerusalemme, infatti, Davide fa trasportare l'arca dell'alleanza, "testimone" del patto tra Dio e il popolo e "simbolo" della presenza santa di Dio. Posta nuovamente al centro del popolo d'Israele, l'arca unisce la nuova tappa storica con le tradizioni sacre del passato. Se il Dio dell'Esodo si era presentato come il "Dio dei padri", unendo così i due tempi della storia salvifica, quello della "promessa" ad Abramo, Isacco e Giacobbe e quello della "realizzazione", nello stesso modo il trasporto dell'arca a Gerusalemme univa le antiche tradizioni all'epoca nuova: Gerusalemme assorbe gli altri centri culturali e i loro privilegi e diviene la città santa per antonomasia.

Davide: Così dice il Signore: Forse tu mi costruirai una casa perché io vi abiti? [6]Ma io non ho abitato in una casa dal giorno che ho fatto uscire i figli d'Israele dall'Egitto fino ad oggi; sono andato vagando sotto una tenda, in un padiglione. [7]Dovunque sono andato con tutti i figli d'Israele ho mai detto a uno dei giudici d'Israele, cui avevo comandato di pascere il mio popolo Israele: Perché non mi avete costruito una casa di cedro? [8]Ora dirai questo al mio servo Davide: Così dice il Signore degli eserciti: Io ti ho preso dal pascolo, da dietro il gregge, perché tu fossi il capo di Israele mio popolo.

[9]Sono stato con te dovunque sei andato e ho abbattuto tutti i tuoi nemici davanti a te. Ti farò un nome grande, come il nome dei più potenti della terra. [10]Fisserò un posto al mio popolo Israele e lo pianterò perché vi si stabilisca senza essere più turbato e senza che i malvagi l'opprimano di nuovo come nel passato, [11]da quando cioè io stabilii i giudici sul mio popolo Israele; ma ti darò riposo liberandoti da tutti i tuoi nemici. Il Signore ti dichiara che egli certamente ti farà una casa. [12]Quando i tuoi giorni saranno compiuti e tu riposerai con i tuoi padri, allora io farò sorgere dopo di te il tuo discendente che uscirà da te, e renderò stabile il suo regno. [13]Egli costruirà una casa al mio nome, e io renderò stabile per sempre il trono del suo regno. [14]Io gli sarò padre ed egli mi sarà figlio. Quando peccherà, lo correggerò con frusta di uomini e con le battiture che danno i figli degli uomini. [15]Ma non ritirerò la mia benevolenza da lui, come l'ho ritirata da Saul, che ho rimosso dal trono dinanzi a te. [16]La tua casa e il tuo regno dureranno per sempre alla mia presenza, il tuo trono sarà saldo in eterno».

[17]Natan parlò a Davide secondo tutte queste parole e conforme a questa visione.

[18]Allora il re Davide andò a porsi davanti al Signore e disse: «Chi sono io, o Signore Dio, e che cos'è la mia casa, perché tu mi abbia condotto fino a questo punto? [19]E questo è ancora poca cosa al tuo cospetto, o Signore Dio, perché tu hai parlato alla casa del tuo servo anche per un lontano avvenire. Questa è la legge dell'uomo, o Cignore Dio. [20]Che cosa potrà dirti ancora Davide? Tu conosci il tuo servo, o Signore Dio. [21]Per amore della tua parola e secondo

il tuo cuore hai compiuto tutte queste grandi cose, per farle conoscere al tuo servo. [22]Per questo sei grande, o Signore Dio; non c'è nessuno come te e non c'è Dio fuori di te, secondo quanto abbiamo udito con le nostre orecchie. [23]E chi è come il tuo popolo, come Israele, nazione unica sulla terra, che Dio è venuto a riscattare come suo popolo, per creargli un nome, per compiere in suo favore cose grandiose e per compiere in favore della tua terra cose terribili sotto gli occhi del popolo, che ti sei riscattato dall'Egitto e dai suoi dèi? [24]Hai stabilito il tuo popolo Israele perché sia il tuo popolo per sempre, e tu, Signore, sei divenuto il loro Dio. [25]E ora, Signore Dio, la parola che hai pronunziato riguardo al tuo servo e alla sua casa confermala per sempre e fa' come hai detto.

[26]Grande sarà il tuo nome per sempre, quando si dirà: Il Signore degli eserciti è il Dio d'Israele! E la casa del tuo servo Davide sarà stabile davanti a te. [27]Poiché tu, Signore degli eserciti, Dio di Israele, hai fatto questa rivelazione al tuo servo, dicendo: Io ti edificherò una casa. Perciò il tuo servo ha trovato il coraggio per rivolgerti questa preghiera. [28]E ora, o mio Signore, tu sei Dio, le tue parole sono verità e tu hai predetto al tuo servo queste belle cose. [29]Degnati dunque di benedire la casa del tuo servo, perché duri per sempre davanti a te, perché tu, o Signore Dio, hai parlato; così, grazie alla tua benedizione, la casa del tuo servo sarà benedetta per sempre».

---

7. - 8-16. Siamo qui alla presenza di un nuovo grande passo dell'alleanza di Dio con il suo popolo: la promessa della stabilità del regno davidico, che apre un nuovo ciclo della storia salvifica. Se il primo ciclo, da Abramo a Giosuè, era centrato nella promessa di una discendenza e di una terra, il nuovo ha come epicentro l'idea del "re salvatore". Innovazione significativa, apportata in Israele dalla stessa istituzione monarchica. Infatti la sua struttura sociale è cambiata: non sono più le tribù autonome a costituire il punto di riferimento politico e religioso, ma il re: da una parte, il re riassume e rappresenta il popolo, dall'altra egli è il luogotenente della divinità: nulla di stupire, perciò, se il patto di Dio con il popolo venga specificato dal nuovo "patto col re". E siccome in tutto l'ambiente semitico il re era considerato e ritenuto "salvatore", ecco che le due idee anche in Israele si uniscono: un discendente di Davide, "re", sarà "salvatore". Si precisa così sempre di più la famiglia del futuro Redentore: nascerà da una donna (Gn 3,15), dalla stirpe di Sem (Gn 9,26), dalla progenie di Abramo (Gn 12,3), dalla tribù di Giuda (Gn 49,10), dalla famiglia di Davide, e sarà re in eterno (cfr. At 2,30).

VARIE IMPRESE DI DAVIDE

8 ¹Dopo queste cose Davide sconfisse i Filistei e li sottomise. Sottrasse al loro dominio Gat e le sue dipendenze.
²Sconfisse pure i Moabiti; li misurò con la fune facendoli giacere a terra: ne misurò due funi per farli mettere a morte, e un'altra fune completa per lasciarli in vita. Così i Moabiti divennero sudditi di Davide e pagarono il tributo.
³Poi Davide sconfisse Adad-Ezer, figlio di Recob, re di Zoba, quando costui si era mosso per estendere il suo potere sino al Fiume. ⁴Davide gli catturò millesettecento cavalieri e ventimila fanti; tagliò i garretti a tutti i cavalli, risparmiandone solo cento capi. ⁵Allora Aram di Damasco corse in aiuto di Adad-Ezer, re di Zoba, ma Davide uccise ventiduemila uomini di Aram. ⁶Poi Davide pose prefetti in Aram di Damasco e gli Aramei divennero sudditi di Davide e pagarono il tributo. Così il Signore concesse a Davide la vittoria, dovunque egli andò.
⁷Davide prese gli scudi d'oro che appartenevano ai servi di Adad-Ezer e li portò a Gerusalemme. ⁸Inoltre da Betach e da Berotai, città di Adad-Ezer, il re Davide portò via moltissimo bronzo. ⁹Quando Tou, re di Camat, udì che Davide aveva sconfitto tutto l'esercito di Adad-Ezer, ¹⁰mandò suo figlio Adduram dal re Davide per salutarlo e benedirlo perché aveva combattuto contro Adad-Ezer e lo aveva sconfitto. Adad-Ezer infatti era stato più volte in guerra con Tou. Adduram portò con sé oggetti d'argento, d'oro e di bronzo.
¹¹Il re Davide consacrò anche questi al Signore, come aveva già consacrato tutto l'argento e l'oro tolto ai popoli che aveva soggiogato: ¹²agli Aramei, ai Moabiti, agli Ammoniti, ai Filistei, agli Amaleciti, e come aveva fatto con il bottino di Adad-Ezer, figlio di Recob, re di Zoba.
¹³Davide acquistò fama quando ritornò dalla vittoria sugli Aramei, sconfiggendo diciottomila Idumei nella Valle del Sale. ¹⁴Pose poi prefetti nell'Idumea; ne pose in tutta quella regione e tutti gli Idumei divennero sudditi di Davide. Il Signore concesse a Davide la vittoria dovunque egli andò.
¹⁵Davide fu re su tutto Israele e amministrò rettamente la giustizia a tutto il suo popolo.
¹⁶Ioab, figlio di Zeruia, era capo dell'eserci-to; Giosafat, figlio di Achilud, era segretario; ¹⁷Zadok, figlio di Achitub, e Achimelech, figlio di Ebiatar, erano sacerdoti; Seraia era scriba; ¹⁸Benaia, figlio di Ioiada, era capo dei Cretei e dei Peletei e i figli di Davide erano ministri.

DAVIDE E MERIB-BAAL, FIGLIO DI GIONATA

9 ¹Davide domandò: «C'è ancora qualche superstite della casa di Saul? Vorrei usargli misericordia per amore di Gionata».
²Ora vi era un servo della casa di Saul, chiamato Ziba. Costui fu fatto venire da Davide. Il re gli domandò: «Sei tu Ziba?». Quello rispose: «Sono io, tuo servo!». ³Aggiunse il re: «Non c'è più nessuno della casa di Saul? Vorrei usare con lui la bontà di Dio». Ziba rispose al re: «C'è ancora un figlio di Gionata con i piedi storpi». ⁴Il re gli domandò: «Dov'è?». Ziba rispose: «È in casa di Machir, figlio di Ammiel, a Lodebar». ⁵Allora il re Davide lo mandò a prendere dalla casa di Machir, figlio di Ammiel, a Lodebar. ⁶Merib-Baal, figlio di Gionata, figlio di Saul, arrivato da Davide si gettò con la faccia a terra e si prostrò. Davide disse: «Merib-Baal!». Rispose: «Ecco il tuo servo!». ⁷Davide gli disse: «Non temere, perché voglio usare benevolenza con te per amore di Gionata tuo padre. Ti restituisco tutti i campi di Saul tuo avo e tu mangerai sempre alla mia mensa».
⁸Egli si prostrò e disse: «Che cos'è il tuo servo perché tu ti volga verso un cane morto quale sono io?». ⁹Poi il re chiamò Ziba, servo di Saul, e gli disse: «Tutto quello che apparteneva a Saul e a tutta la sua casa, io lo do al figlio del tuo padrone. ¹⁰Lavorerai per lui la terra tu, i tuoi figli e i tuoi servi, e il raccolto che ne ricaverai assicurerà il cibo per la casa del tuo padrone; ma Merib-Baal, figlio del tuo padrone, mangerà sempre alla mia mensa». Ora Ziba aveva quindici figli e venti servi. ¹¹Ziba rispose al re: «Il tuo servo farà tutto esattamente come il re mio signore ha comandato al suo servo». Così Merib-Baal mangiava alla mensa di Davide, come uno dei figli del re.
¹²Merib-Baal aveva un bambino di nome Mica; tutti quelli che abitavano la casa di Ziba furono al servizio di Merib-Baal. ¹³Però

2Sam

Merib-Baal risiedeva a Gerusalemme perché mangiava sempre alla mensa del re. Era storpio di tutti e due i piedi.

LA GUERRA CONTRO GLI AMMONITI

10 ¹Dopo questi fatti, il re degli Ammoniti morì e suo figlio Canun diventò re al suo posto. ²Davide disse: «Voglio usare benevolenza con Canun, figlio di Nacas, come suo padre usò benevolenza con me». Davide mandò i suoi servi a fargli le condoglianze per suo padre. Quando i servi di Davide giunsero nella terra degli Ammoniti, ³i capi degli Ammoniti dissero a Canun loro signore: «Credi tu che Davide abbia mandato a consolarti per fare onore a tuo padre? O non è piuttosto per spiare la città, per esplorarla e poi distruggerla che Davide ti ha mandato i suoi servi?». ⁴Allora Canun prese i servi di Davide, fece loro radere la metà della barba e tagliare le vesti a metà fino alle natiche, poi li rimandò.

⁵Informato della cosa, Davide mandò alcuni ad incontrarli, perché quegli uomini si sentivano molto umiliati. Il re ordinò loro: «Rimanete a Gerico finché vi ricresca la barba, poi ritornerete».

⁶Gli Ammoniti, accortisi di essersi resi odiosi a Davide, mandarono ad assoldare ventimila fanti degli Aramei di Bet-Recob e di Zoba, mille uomini del re di Maaca e dodicimila uomini della gente di Tob. ⁷Quando Davide lo venne a sapere, spedì Ioab con tutto l'esercito e gli uomini più valorosi.

⁸Gli Ammoniti uscirono e si schierarono a battaglia all'ingresso della porta della città, mentre gli Aramei di Zoba e di Recob e la gente di Tob e di Maaca se ne stavano separati in campo aperto.

⁹Ioab, quando vide che aveva contro di sé due fronti di battaglia, uno davanti é uno dietro, scelse tutte le migliori truppe d'Israele e le schierò contro gli Aramei, ¹⁰e affidò il resto della truppa ad Abisai, suo fratello, perché lo schierasse contro gli Ammoniti. ¹¹E disse: «Se gli Aramei prevarranno su di me, tu mi verrai in aiuto, se invece gli Ammoniti saranno più forti di te, allora io verrò in tuo aiuto. ¹²Coraggio! Mostriamoci forti per il nostro popolo e per le città del

nostro Dio! Il Signore faccia poi quello che a lui piacerà!». ¹³Ioab, con la gente che aveva con sé, avanzò in battaglia contro gli Aramei, i quali fuggirono davanti a lui. ¹⁴Gli Ammoniti, quando videro che gli Aramei si erano dati alla fuga, fuggirono anch'essi davanti ad Abisai e rientrarono in città. Allora Ioab smise di attaccare gli Ammoniti e ritornò a Gerusalemme.

¹⁵Quando gli Aramei videro che erano stati battuti da Israele, si riunirono insieme. ¹⁶Adad-Ezer mandò a mobilitare gli Aramei che erano di là dal Fiume. Essi giunsero a Chelam sotto la guida di Sobak, comandante dell'esercito di Adad-Ezer. ¹⁷Davide lo seppe, radunò tutto Israele e, attraversato il Giordano, giunse a Chelam. Allora gli Aramei si schierarono in battaglia contro Davide. ¹⁸Ma gli Aramei dovettero fuggire davanti a Israele. Davide uccise settecento cavalli degli Aramei e quarantamila cavalieri; colpì anche Sobak, capo del loro esercito, che morì in quel luogo. ¹⁹Quando tutti i re tributari di Adad-Ezer videro che erano rimasti sconfitti da Israele, fecero pace con Israele e si assoggettarono. Così gli Aramei non osarono più venire in aiuto degli Ammoniti.

DAVIDE ADULTERO E OMICIDA

11 ¹All'inizio dell'anno, nella stagione in cui i re sogliono andare in guerra, Davide mandò Ioab con i suoi servi e tutto Israele a devastare il paese degli Ammoniti: essi posero l'assedio a Rabba, mentre Davide era rimasto a Gerusalemme. ²Un pomeriggio Davide, alzatosi dal letto, passeggiava sulla terrazza della reggia, quando vide dall'alto della terrazza una donna che si lavava. La donna aveva un aspetto molto bello. ³Davide mandò a prendere informazioni sulla donna e gli fu risposto: «È Betsabea, figlia di Eliam, moglie di Uria l'hittita».

⁴Allora Davide mandò messaggeri per prenderla. Ella andò da lui ed egli dormì con lei, che si era appena purificata dalla sua immondezza; poi fece ritorno a casa

10. - 4. La barba è in grande onore in Oriente, e radere la barba a uno significa infliggergli una feroce umiliazione. Il re Canun al disprezzo unisce la derisione. Davide manda a consolare quegli uomini.

sua. ⁵La donna concepì e mandò a informare Davide: «Sono incinta».

⁶Allora Davide ordinò a Ioab: «Mandami Uria l'hittita». Ioab mandò Uria da Davide. ⁷Quando Uria giunse da lui, Davide gli domandò notizie di Ioab, delle truppe e della guerra. ⁸Poi Davide disse a Uria: «Scendi a casa tua e lavati i piedi». Uria uscì dalla casa del re e gli fu mandata dietro una porzione delle vivande del re. ⁹Ma Uria dormì all'ingresso della casa del re con tutti i servi del suo sovrano, senza scendere a casa sua. ¹⁰Ne informarono Davide dicendo: «Uria non è sceso a casa sua». Allora Davide disse a Uria: «Non vieni tu da un viaggio? Perché non sei sceso a casa tua?». ¹¹Uria rispose a Davide: «L'arca, Israele e Giuda abitano sotto le tende; il mio signore Ioab e i servi del mio signore bivaccano in campo aperto, e io dovrei entrare nella mia casa per mangiare e bere e per dormire con mia moglie? Per te e per la tua vita, non farò mai questa cosa!». ¹²Davide disse a Uria: «Rimani qui anche oggi e domani ti lascerò partire». Così Uria rimase a Gerusalemme quel giorno e il giorno successivo. ¹³Davide lo invitò a mangiare e a bere insieme con lui e lo ubriacò. Ma, la sera, Uria uscì a dormire nel suo giaciglio insieme con i servi del suo sovrano e non scese a casa sua.

¹⁴L'indomani mattina Davide scrisse una lettera a Ioab e la mandò per mano di Uria. ¹⁵Nella lettera aveva scritto così: «Ponete Uria dove più infuria la battaglia, poi ritiratevi da lui, perché sia colpito e muoia». ¹⁶Nel disporre l'assedio alla città, Ioab pose Uria nel luogo dove sapeva che vi erano uomini valorosi. ¹⁷Gli uomini della città fecero un'irruzione e attaccarono Ioab, ci furono dei caduti tra la truppa e gli ufficiali di Davide e morì anche Uria l'hittita.

¹⁸Ioab mandò a informare Davide su tutte le vicende della guerra. ¹⁹Diede quest'ordine al messaggero: «Quando avrai finito di esporre al re tutte le vicende della guerra, ²⁰se per caso scoppiasse l'ira del re e ti dicesse: Perché vi siete avvicinati così alla città per combattere? Non sapevate che si scagliano frecce dalle mura? ²¹Chi colpì Abimelech, figlio di Ierub-Baal? Non fu forse una donna che gli gettò addosso la mola superiore da sopra le mura, e quello morì a Tebez? Perché vi siete avvicinati così alle mura? Allora dirai: È morto anche il tuo servo Uria l'hittita!».

²²Il messaggero partì e andò a riferire a Davide tutto quello per cui Ioab lo aveva inviato. Davide s'accese d'ira contro Ioab e disse al messaggero: «Perché vi siete avvicinati così alla città per combattere? Non sapevate che sareste stati colpiti dall'alto delle mura? Chi colpì Abimelech, figlio di Ierub-Baal? Non fu forse una donna che gli gettò addosso la mola superiore da sopra le mura, e quello morì a Tebez? Perché vi siete avvicinati così alle mura?». ²³Il messaggero spiegò a Davide: «Perché quegli uomini, essendo più forti, sono usciti contro di noi in campo aperto, ma noi ci siamo rifatti contro di loro fino all'ingresso della porta. ²⁴Allora gli arcieri hanno scagliato frecce sui tuoi servi da sopra le mura; così sono morti alcuni servi del re ed è morto anche il tuo servo Uria l'hittita». ²⁵Allora Davide disse al messaggero: «Così dirai a Ioab: Non ti sembri un gran danno quanto è accaduto, perché la spada divora ora questo ora quello; riprendi con più lena la tua lotta contro la città e distruggila! Tu poi fagli coraggio!».

²⁶Quando la moglie di Uria udì che suo marito Uria era morto, fece lamenti sul suo signore. ²⁷Passato il lutto, Davide mandò a prenderla e l'accolse nella sua casa: diventò sua moglie e gli partorì un figlio. Ma questa azione compiuta da Davide fu cattiva agli occhi del Signore.

11.-5. L'adultera era condannata a morte (Lv 20,10): quindi Betsabea fa capire a Davide la necessità di occultare il delitto per salvare l'onore suo e la vita di lei.

8. Gli orientali camminavano a piedi scalzi o portavano sandali, quindi era necessario lavarsi dopo un viaggio. Davide cerca di salvare l'onore proprio e la vita di Betsabea col mandare Uria a casa.

12. - 1. La parabola di Natan è un vero capolavoro in cui l'allegoria si dissipa all'istante, e appare Davide nel ricco, Uria nel povero, Betsabea nell'unica pecorella rapita dal re per saziare le sue passioni.

IL PENTIMENTO DI DAVIDE

12 ¹Il Signore mandò a Davide il profeta Natan che, entrato da lui, disse: «C'erano due uomini in una stessa città, uno ricco e uno povero. ²Il ricco possedeva greggi e armenti in grande abbondanza; ³il povero invece non aveva che un'agnella, piccolina, che egli aveva comprato e allevato. Essa era cresciuta insieme con lui e con i suoi figli; mangiava dal suo piatto, beveva dal suo bicchiere e dormiva sul suo seno: era per lui come una figlia. ⁴Un viandante giunse dall'uomo ricco e questi non andò a prendere dal suo gregge e dal suo armento per preparare una vivanda all'ospite venuto da lui, ma prese l'agnella di quel povero e ne preparò una vivanda per l'uomo venuto da lui».

⁵Davide arse d'ira contro quell'uomo e disse a Natan: «Per la vita del Signore, l'uomo che ha fatto questo è certamente degno di morte! ⁶Pagherà quattro volte il valore dell'agnella per aver compiuto un tale misfatto e per non aver avuto compassione».

⁷Natan rispose a Davide: «Sei tu quell'uomo! Così dice il Signore, Dio d'Israele: Io ti ho consacrato re d'Israele e ti ho strappato dalla mano di Saul. ⁸Ti ho consegnato la casa del tuo signore e ho messo nelle tue braccia le mogli del tuo signore, ti ho dato la casa d'Israele e di Giuda; e, se questo è troppo poco, vi avrei aggiunto tante altre cose. ⁹Perché, dunque, hai disprezzato il Signore compiendo ciò che è male ai suoi occhi? Hai colpito con la spada Uria l'hittita, ti sei preso per moglie la sua moglie e l'hai ucciso con la spada degli Ammoniti. ¹⁰Ma ora non si allontanerà mai più la spada dalla tua casa, perché mi hai disprezzato prendendo la moglie di Uria l'hittita per farla tua moglie. ¹¹Così dice il Signore: Ecco, io farò sorgere contro di te la sventura dalla tua stessa casa; prenderò le tue mogli sotto i tuoi occhi e le darò a un altro, che giacerà con le tue donne alla luce di questo sole. ¹²Sì, tu hai agito di nascosto, ma io farò questo davanti a tutto Israele e alla luce del sole».

¹³Allora Davide disse a Natan: «Ho peccato contro il Signore!». Natan rispose a Davide: «Il Signore perdona il tuo peccato. Non morrai. ¹⁴Ma poiché tu hai disprezzato il Signore con questa azione, il figlio che ti è nato morrà». Poi Natan tornò a casa sua.

¹⁵Il Signore colpì il bambino che la moglie di Uria aveva generato a Davide ed esso si ammalò. ¹⁶Davide si rivolse a Dio in favore del bambino, digiunò rigorosamente, si ritirò e passò la notte giacendo per terra. ¹⁷Gli anziani della sua casa fecero insistenza su di lui perché si alzasse da terra, ma egli non volle e non assaggiò cibo con loro.

¹⁸Al settimo giorno il bambino morì e i servi di Davide ebbero timore di annunziargli che il bambino era morto, perché dicevano: «Ecco, quando il bambino era vivo, gli abbiamo parlato, ma non ha dato ascolto alla nostra voce, come potremo dirgli: Il bambino è morto? Farà qualche sproposito». ¹⁹Davide, accortosi che i servi stavano parlottando, capì che il bambino era morto e domandò ai servi: «È morto il bambino?». Risposero: «È morto». ²⁰Allora Davide, alzatosi da terra, si lavò, si unse e, cambiatosi le vesti, entrò nella casa del Signore e si prostrò; rientrato a casa, chiese che gli preparassero il cibo e mangiò.

²¹I servi gli domandarono: «Che è questo tuo modo di agire? Per il bambino ancora vivo hai digiunato e pianto, ora invece che il bambino è morto, ti alzi e mangi!». ²²Rispose: «Quando il bambino era ancora vivo ho digiunato e pianto, perché pensavo: Il Signore potrebbe aver compassione di me e lasciar vivere il bambino. ²³Ma ora è morto! Perché dovrei digiunare? Potrei forse farlo ancora ritornare? Io andrò da lui, ma lui non ritornerà da me».

²⁴Poi Davide consolò Betsabea, sua moglie: andò da lei e dormì insieme. Ella generò un figlio al quale pose nome Salomone; il Signore lo amò ²⁵e mandò il profeta Natan che gli impose il nome di Iedidia, per ordine del Signore.

²⁶Intanto Ioab aveva combattuto contro Rabba degli Ammoniti e aveva preso la città delle acque. ²⁷Allora mandò dei messaggeri a Davide per dirgli: «Ho combattuto contro Rabba e ho già preso la città delle acque. ²⁸Ora raduna il resto del popolo, accàmpati contro la città e occupala, altrimenti la prenderò io ed essa verrà chiamata con il mio nome». ²⁹Allora Davide, radunato tutto il

---

5. Davide senza saperlo si applica la pena di morte comminata dalla legge contro gli adùlteri (Lv 20,10; Dt 22,22). Veemente contro chi credeva colpevole, riconosce poi umilmente il proprio peccato.

6. Davide rese proprio il quadruplo secondo la legge (Es 22,1), con la morte del figlio di Betsabea e di altri tre figli: Amnon, Assalonne e Adonia, e vide la figlia Tamar e le sue mogli disonorate.

13. Quello di Davide fu vero pentimento, Dio lo perdonò sull'istante; ma, rimessa la colpa, restò la pena che seguì con la morte dei figli e le sventure. La tradizione attribuì a Davide come espressione del suo pentimento il *Miserere*, Salmo 51. Il peccato di Davide era personale e non dinastico, perciò non influì sulla promessa fatta da Dio in 7,6-16.

popolo, andò a Rabba, combatté contro di essa e l'occupò. [30]Tolse dalla testa di Milcom la corona che pesava un talento d'oro e conteneva una pietra preziosa; essa fu posta sulla testa di Davide. La preda asportata dalla città fu molto grande. [31]Fece uscire gli abitanti che erano nella città e li impiegò a squadrare le pietre, a tagliare con la scure il legname e a fabbricare i mattoni. Così fece a tutte le città degli Ammoniti. Poi Davide ritornò con tutta la truppa a Gerusalemme.

AMNON
DISONORA LA SORELLA TAMAR

13 [1]Ecco quel che avvenne in seguito: Assalonne, figlio di Davide, aveva una sorella molto bella, di nome Tamar. Amnon, figlio di Davide, se ne innamorò. [2]Spasimò tanto che si ammalò a causa di Tamar, sua sorella, perché, essendo vergine, rimaneva difficile agli occhi di Amnon farle qualche cosa. [3]Amnon però aveva un amico di nome Ionadab, figlio di Simea, fratello di Davide. Ionadab era un uomo molto astuto. [4]Chiese perciò ad Amnon: «Perché ti vai consumando di giorno in giorno, o figlio del re? Non me lo puoi dire?». Gli rispose Amnon: «Sono innamorato di Tamar, sorella di Assalonne, mio fratello». [5]Ionadab soggiunse: «Mettiti a letto e datti per malato. Tuo padre verrà a vederti e tu gli dirai: Permetti che Tamar, mia sorella, venga a portarmi da mangiare. Preparerà il cibo adatto sotto i miei occhi, così che io veda e possa prenderlo dalla sua mano». [6]Amnon si mise a letto e si diede per malato. Allora il re andò a fargli visita e Amnon gli disse: «Permetti che Tamar, mia sorella, venga a preparare sotto i miei occhi due tortelle, e così io riuscirò a mangiare dalla sua mano». [7]Davide mandò a dire a Tamar, in casa: «Va' a casa di Amnon, tuo fratello, e preparagli il cibo adatto».

[8]Tamar andò a casa di Amnon, suo fratello, che si trovava a letto. Prese la farina e l'impastò, preparò le tortelle sotto i suoi occhi e le cosse. [9]Poi prese la padella e le versò davanti a lui, ma Amnon ricusò di mangiare e diede quest'ordine: «Fate uscire tutti d'attorno a me!». Tutti uscirono. [10]Allora Amnon disse a Tamar: «Portami il cibo in camera e mangerò dalla tua mano». Subito Tamar prese le tortelle che aveva fatto e le portò in camera ad Amnon, suo fratello. [11]Mentre gliele dava da mangiare, egli l'afferrò e le disse: «Vieni, unisciti a me, sorella mia». [12]Ella gli rispose: «No, fratello mio, non mi fare violenza, perché non si usa far così in Israele. Non commettere questa infamia! [13]Io dove andrei a portare la mia vergogna? E tu saresti come un malfatto in Israele; parlane piuttosto al re, che non ti impedirà di essere tua». [14]Ma egli non volle ascoltarla: prevalse su di lei e le fece violenza unendosi a lei. [15]Poi Amnon prese a odiarla di un odio molto grande: l'odio con cui l'odiava era maggiore dell'amore con cui l'aveva amata. Amnon le disse: «Alzati, vattene!». [16]Ella gli rispose: «Oh no! Cacciarmi sarebbe un male peggiore di quello che mi hai fatto prima». Ma egli non volle darle ascolto. [17]Chiamato il giovane che lo serviva, gli disse: «Caccia fuori costei e chiudi la porta dietro di lei». [18]Ella indossava un'ampia tunica, perché così vestivano le figlie del re ancora vergini. Il servo la cacciò fuori e chiuse la porta dietro di lei. [19]Allora Tamar si cosparse la testa di polvere, stracciò l'ampia tunica che indossava e con le mani in testa se ne andò gridando. [20]Suo fratello Assalonne le domandò: «Forse tuo fratello Amnon è stato con te? Per ora fa' silenzio, sorella mia, egli è tuo fratello. Non ti accorare per questo fatto!». E Tamar se ne rimase desolata in casa di Assalonne, suo fratello.

[21]Il re Davide seppe tutto l'accaduto e se ne adirò assai [ma non volle urtare suo figlio Amnon ch'egli amava molto perché era il suo primogenito]. [22]Assalonne non parlò più con Amnon, né in male né in bene; egli aveva preso in odio Amnon per la violenza fatta a Tamar, sua sorella.

[23]Passarono due anni. Assalonne, avendo i tosatori a Baal-Cazor, presso Efraim, invitò tutti i figli del re. [24]Assalonne andò dal re e disse: «Ecco, il tuo servo ha i tosatori, il

---

13. - 1. L'ignominia e la spada, castigo dell'adulterio, entrano in casa di Davide per opera del primogenito Amnon (2Sam 3,2) e del secondogenito Assalonne (2Sam 13,29; 17,24 - 18,15).

20. L'onore delle sorelle era affidato ai fratelli; ma Assalonne, dopo avere esortato Tamar a non far duolo, per l'onore suo e della famiglia, pensa che, uccidendo Amnon, erede al trono, egli poteva giungere al tanto ambìto regno.

re si degni di venire con i suoi servi presso il tuo servo». ²⁵Il re rispose ad Assalonne: «No, figlio mio, non veniamo tutti noi per/ non esserti di peso». E quantunque Assalonne insistesse, il re non volle andare, ma gli diede la sua benedizione.

²⁶Assalonne soggiunse: «Se è no, venga con noi almeno Amnon, mio fratello». Gli rispose il re: «Perché dovrebbe venire con te?». ²⁷Assalonne tanto insisté che il re mandò con lui Amnon e tutti i figli del re.

Assalonne fece un convito da re ²⁸e diede quest'ordine ai suoi servi: «State attenti, quando il cuore di Amnon sarà allegro per il vino e vi dirò: Colpite Amnon!, voi allora uccidetelo. Non abbiate timore! Non sono io che ve lo comando? Siate forti e uomini valorosi!». ²⁹I servi di Assalonne fecero ad Amnon come aveva loro comandato Assalonne. Allora tutti i figli del re si alzarono e, saliti ognuno sul proprio mulo, si diedero alla fuga. ³⁰Mentre essi erano per via, giunse al re questa notizia: «Assalonne ha ucciso tutti i figli del re! Non ne è rimasto neppure uno!». ³¹Allora il re si alzò, si stracciò le vesti e si gettò a terra; anche i suoi servi stavano lì tutti con le vesti stracciate. ³²Ma Ionadab, figlio di Simea, fratello di Davide, disse: «Non dica il mio signore: Hanno ucciso tutti i giovani, i figli del re! È morto solo Amnon, perché per Assalonne ciò era stabilito fin dal giorno in cui Amnon aveva fatto violenza a Tamar, sua sorella.

³³E ora il re, mio signore, non si ponga in cuore una tal cosa dicendo: Sono morti tutti i figli del re!, perché solo Amnon è morto ³⁴e Assalonne si è dato alla fuga».

Il giovane che era di sentinella alzò gli occhi per osservare: ed ecco molta gente veniva per la strada di Bacurim, dal lato del monte. ³⁵Allora Ionadab disse al re: «Ecco che giungono i figli del re! È avvenuto come ha detto il tuo servo». ³⁶Come ebbe finito di parlare, ecco arrivare i figli del re, che si misero a piangere, levando alte grida. Anche il re e tutti i suoi servi si misero a piangere dirottamente.

³⁷Assalonne intanto era fuggito per recarsi presso Talmai, figlio di Ammiud, re di Ghesur. Il re fece lutto per suo figlio per lunghi giorni. ³⁸Assalonne rimase tre anni a Ghesur, dov'era fuggito. ³⁹Poi lo spirito del re cessò di insorgere contro Assalonne, perché si era ormai rassegnato per la morte di Amnon.

IL RITORNO DI ASSALONNE

14 ¹Ioab, figlio di Zeruia, si era accorto che il cuore del re si volgeva verso Assalonne. ²Allora Ioab mandò a prendere a Tekoa un'abile donna, alla quale disse: «Su, assumi un aspetto triste, indossa vesti di lutto, non ungerti con olio e mostrati come una donna che fa lutto da molto tempo su di un morto. ³Andrai dal re e gli parlerai in questo modo». E Ioab le suggerì le parole da dire.

⁴Allora la donna di Tekoa entrò dal re, prostrandosi con la faccia a terra e adorando. Gridò: «Aiuto, o re!». ⁵Il re le disse: «Che cos'hai?». Rispose: «Ohimè! Io sono una vedova, mio marito è morto! ⁶La tua serva aveva due figli; i due hanno litigato nella campagna, dove nessuno poteva separarli, e così uno ha colpito l'altro e l'ha ucciso. ⁷Ed ecco, tutta la parentela è insorta contro la tua serva, dicendo: Consegnaci l'uccisore del fratello, dobbiamo farlo morire per vendicare il fratello che egli ha ucciso. Faranno così scomparire anche l'erede, ed estingueranno la scintilla che mi è rimasta, senza lasciare a mio marito né un nome né una posterità sulla faccia della terra». ⁸Il re disse alla donna: «Ritorna a casa tua: io darò ordini a tuo riguardo». ⁹La donna di Tekoa soggiunse al re: «Signore mio, la colpa sia su di me e sulla casa di mio padre, il re e il suo trono ne siano innocenti». ¹⁰Il re riprese: «Se qualcuno osasse parlare contro di te, conducilo da me e non oserà più toccarti».

¹¹Ella chiese: «Il re pronunzi, per favore, il nome del Signore suo Dio, affinché il vendicatore del sangue non moltiplichi la strage e non sia soppresso mio figlio». Il re disse: «Per la vita del Signore, neppure un capello di tuo figlio cadrà a terra!». ¹²La donna soggiunse: «Permetti che la tua serva rivolga al re mio signore una parola». Egli rispose: «Parla!». ¹³Allora la donna disse: «Perché hai pensato una cosa come questa contro il popolo di Dio? Il re proferendo questa sentenza si è come dichiarato colpevole, per il fatto che il re non fa ritornare colui che ha mandato in esilio. ¹⁴Difatti noi dobbiamo morire e, come l'acqua versata a terra non si può più raccogliere, così Dio non ridà la vita. Il re escogiti dunque qualche piano perché colui che è stato mandato

in esilio non resti in esilio, lontano da lui. [15]Ora, se io sono venuta a parlare così al re mio signore, è perché certa gente mi ha messo paura. La tua serva ha pensato: Voglio parlare al re; forse egli seguirà il consiglio della sua serva. [16]Se il re ascolta la sua serva e la libera dalla mano dell'uomo che cerca di sopprimere me e mio figlio dall'eredità di Dio, [17]la tua serva si è detta: Possa la parola del re mio signore riportare la tranquillità! Perché il re mio signore è come un angelo di Dio per distinguere il bene e il male. Il Signore, tuo Dio, sia con te!». [18]Il re domandò alla donna: «Su, non mi nascondere niente di quello che ti chiederò». La donna rispose: «Parli pure il re mio signore!». [19]Disse il re: «La mano di Ioab non è forse con te in tutto questo?». La donna rispose: «Per la tua vita, o re mio signore, non si può andare né a destra né a sinistra da tutto quello che ha detto il re mio signore! Sì, il tuo servo Ioab mi ha dato questi ordini e ha posto in bocca alla tua serva tutte queste parole. [20]Per cambiare aspetto alla vicenda, il tuo servo Ioab ha agito così, ma il mio signore ha la sapienza di un angelo di Dio per capire tutto quello che avviene sulla terra».

[21]Allora il re disse a Ioab: «Ecco, dunque, ho deciso: va' e fa' tornare il giovane Assalonne». [22]Ioab, prostratosi con la faccia a terra, fece adorazione e benedisse il re, poi soggiunse: «Oggi il tuo servo sa di aver trovato benevolenza ai tuoi occhi, o re mio signore, poiché il re fa eseguire il consiglio del suo servo». [23]Poi Ioab si alzò, andò a Ghesur e ricondusse Assalonne a Gerusalemme. [24]Ma il re disse: «Vada a casa sua e non veda il mio volto!». Assalonne andò nella sua casa senza vedere il volto del re. [25]Non vi era in tutto Israele un uomo bello come Assalonne, degno di grande lode: dalla pianta dei piedi alla sommità del capo non vi era in lui un difetto. [26]Quando si radeva il capo – si faceva radere il capo ogni anno, perché la capigliatura gli diventava pesante –, egli pesava la capigliatura della sua testa: duecento sicli al peso regio. [27]Assalonne ebbe tre figli e una figlia di nome Tamar, che era donna di bell'aspetto.

[28]Assalonne abitò a Gerusalemme due anni, senza poter vedere il volto del re. [29]Allora Assalonne convocò Ioab per mandarlo dal re, ma questi non volle andare da lui. Lo convocò una seconda volta, ma egli non volle andare. [30]Allora disse ai suoi servi: «Vedete, il campo di Ioab, dove egli ha l'orzo, è vicino al mio; andate e appiccatevi il fuoco». I servi di Assalonne appiccarono il fuoco al campo. [31]Allora Ioab si alzò e andò a casa di Assalonne per dirgli: «Perché i tuoi servi hanno appiccato il fuoco al mio campo?». [32]Assalonne rispose a Ioab: «Ecco, ti avevo mandato a dire: Vieni qui, ti voglio mandare dal re per dirgli: Perché sono tornato da Ghesur? Sarebbe meglio per me che fossi ancora là! Ora voglio vedere il volto del re, e se c'è in me colpa, mi faccia morire!». [33]Allora Ioab andò dal re e lo informò. Questi fece chiamare Assalonne, che entrò dal re e si prostrò davanti a lui con la faccia a terra; poi il re baciò Assalonne.

GLI INTRIGHI DI ASSALONNE

15 [1]In seguito Assalonne si procurò un carro, cavalli e cinquanta uomini che corressero davanti a lui. [2]Assalonne si alzava presto e si poneva a lato della strada di accesso alla porta della città. Così, se uno aveva una causa e doveva andare dal re per il giudizio, Assalonne lo chiamava e gli diceva: «Di quale città sei?». Rispondeva: «Il tuo servo è di una tribù d'Israele». [3]Assalonne gli diceva: «Vedi, le tue richieste sono buone e giuste, ma tu non hai chi ti ascolti da parte del re». [4]Poi Assalonne esclamava: «Se facessero me giudice del paese! Chiunque avesse una lite o un giudizio potrebbe venire da me e io gli renderei giustizia!».

[5]Quando qualcuno si avvicinava per prostrarsi davanti a lui, gli porgeva la mano, l'abbracciava e lo baciava. [6]Così faceva Assalonne con ogni Israelita che veniva dal re per il giudizio e in questo modo Assalonne seduceva il cuore degli Israeliti.

[7]Quattro anni dopo, Assalonne disse al re: «Lascia che io vada a Ebron a sciogliere il voto che ho fatto al Signore. [8]Infatti il tuo servo ha fatto questo voto durante la sua

---

15. - 1. Assalonne, dopo l'assassinio di Amnon (13,28), essendo morto Kileab (3,3), secondogenito, restava l'erede, e quindi ostenta fasto regale e cerca di assumersi l'ufficio di giudice, criticando l'operato del padre.

permanenza a Ghesur in Aram: Se il Signore mi ricondurrà a Gerusalemme, offrirò un sacrificio al Signore in Ebron». [9]Il re gli disse: «Va' in pace!». Egli si mosse per andare a Ebron. [10]Ma Assalonne mandò emissari in tutte le tribù d'Israele a dire: «Quando sentirete il suono del corno direte: Assalonne è diventato re a Ebron!».

[11]Con Assalonne erano partite da Gerusalemme duecento persone che, essendo invitate, partirono ingenuamente, senza sapere niente. [12]Poi, mentre stava per offrire il sacrificio, Assalonne mandò a chiamare anche Achitofel il ghilonita, consigliere di Davide, perché venisse dalla sua città di Ghilo. Così la cospirazione si consolidò e il popolo andò sempre più aumentando intorno ad Assalonne.

[13]Un messaggero andò da Davide per dirgli: «Il cuore di ogni Israelita segue Assalonne!». [14]Allora Davide disse a tutti i servi che erano con lui a Gerusalemme: «Su, fuggiamo, perché non abbiamo scampo davanti ad Assalonne. Affrettatevi a partire, perché egli non ci colga all'improvviso e faccia cadere su di noi il disastro e colpisca la città a fil di spada». [15]I servi del re risposero: «Come decide in tutto il re mio signore. Ecco, noi siamo tuoi servi!». [16]Così il re uscì a piedi con tutta la sua famiglia, ma lasciò dieci concubine a custodire la reggia. [17]Il re uscì dunque a piedi con tutto il popolo e si fermarono all'ultima casa. [18]Tutti i suoi servi sfilavano accanto a lui; anche tutti i Cretei, i Peletei e Ittai con tutti i Gattiti – seicento uomini che l'avevano seguito da Gat – sfilavano davanti al re.

[19]Allora il re disse a Ittai di Gat: «Perché vieni anche tu con noi? Torna indietro e rimani con il re, perché tu sei forestiero ed esule dal tuo paese. [20]Sei arrivato appena ieri e oggi dovrei farti vagare con noi, mentre io stesso vado senza alcuna meta? Torna indietro e porta i tuoi fratelli con te. Il Signore usi con te misericordia e fedeltà!». [21]Ma Ittai rispose al re: «Per la vita del Signore e per la tua vita, o mio signore, dovunque sarà il re mio signore, sia per la morte che per la vita, là sarà il tuo servo!». [22]Allora Davide disse a Ittai: «Avanti, passa!». Ittai di Gat passò insieme con i suoi uomini e con la famiglia che era con lui.

[23]Tutti piangevano con alte grida, mentre tutto il popolo passava. Il re stava in piedi nella valle del Cedron, nel momento in cui tutto il popolo passava davanti a lui, diretto verso il deserto.

[24]Ed ecco venire anche Zadok e tutti i leviti addetti al trasporto dell'arca dell'alleanza di Dio. Essi deposero l'arca di Dio presso Ebiatar, finché tutto il popolo finì di uscire dalla città. [25]Il re disse a Zadok: «Riporta l'arca di Dio in città. Se troverò grazia agli occhi del Signore, egli mi farà ritornare e me la farà rivedere insieme con la sua abitazione. [26]Ma se dirà: Non ti gradisco, eccomi: faccia di me come pare bene ai suoi occhi!».

[27]Il re disse al sacerdote Zadok: «Vedi? Torna in pace in città con Achimaaz, tuo figlio, e Gionata, figlio di Ebiatar. Questi vostri due figli tornino con voi. [28]Ecco, io aspetto presso i guadi del deserto, finché non arrivi da parte vostra qualche notizia». [29]Allora Zadok ed Ebiatar riportarono l'arca di Dio a Gerusalemme e rimasero là.

[30]Davide saliva l'erta degli Ulivi; saliva piangendo, a capo coperto e procedeva scalzo. Tutto il popolo che era con lui si coprì il capo e salì piangendo. [31]Fu riferito a Davide: «Achitofel è con Assalonne tra i congiurati». Allora Davide esclamò: «Signore, rendi vani i consigli di Achitofel!».

[32]Mentre Davide giungeva alla cima, nel luogo dove si adora Dio, ecco che Cusai, l'archita, gli si fece incontro con la veste stracciata e con la polvere sul capo. [33]Davide gli disse: «Se tu proseguissi con me mi saresti di peso. [34]Ma se tornassi in città e dicessi ad Assalonne: Io sono tuo servo, o re! Io fui in passato servo di tuo padre, ma ora sarò servo tuo!, allora renderesti vani i consigli di Achitofel. [35]Là con te ci sono i sacerdoti Zadok ed Ebiatar. Ebbene, tutto quello che udrai della casa del re, lo riferirai ai sacerdoti Zadok ed Ebiatar. [36]Ecco, essi sono là con i loro due figli, Achimaaz di Zadok e Gionata di Ebiatar: per mezzo di loro mi farete sapere tutto quello che avrete sentito». [37]Cusai, amico di Davide, arrivò in città, mentre Assalonne entrava a Gerusalemme.

---

12. *Achitofel* sembra fosse avo di Betsabea, e forse volle vendicare la nipote. Assalonne aveva già preparato la rivolta e bastò la tromba perché tutto Israele lo acclamasse re.
14. Forse Assalonne aveva aderenti anche in Gerusalemme. Certo la fuga di Davide fu ispirata da saggia politica che gli diede tempo d'organizzare la vittoria oltre il Giordano.

DAVIDE, ZIBA E SIMEI

16 [1]Davide aveva di poco oltrepassato la cima, quand'ecco Ziba, servo di Merib-Baal, venirgli incontro con un paio di asini sellati, carichi di duecento pani, cento grappoli d'uva passa, cento frutti d'estate e un otre di vino. [2]Il re disse a Ziba: «Che vuoi fare di queste cose?». Ziba rispose: «Gli asini sono per la famiglia del re, per cavalcarli, il pane e la frutta sono per sfamare i giovani, e il vino perché lo beva chi è stanco nel deserto». [3]Il re domandò: «Dov'è il figlio del tuo signore?». Ziba rispose al re: «È rimasto a Gerusalemme, perché ha detto: Oggi la casa d'Israele mi restituirà il regno di mio padre». [4]Il re disse a Ziba: «Ecco, tutto quello che possiede Merib-Baal è tuo». Ziba esclamò: «Io mi prostro! Possa io trovare grazia ai tuoi occhi, o re mio signore». [5]Quando Davide giunse a Bacurim, ecco uscire di là un uomo della parentela di Saul, di nome Simei, figlio di Ghera: usciva lanciando maledizioni. [6]Gettava sassi contro Davide e contro tutti i servi del re Davide, mentre tutto il popolo e tutti i prodi stavano alla sua destra e alla sua sinistra. [7]Così diceva Simei, maledicendo Davide: «Vattene, vattene, sanguinario, scellerato! [8]Il Signore ha fatto ricadere su di te tutto il sangue della casa di Saul, al posto del quale regni. Il Signore ha dato il regno in mano ad Assalonne tuo figlio. Ed eccoti nella sventura, perché sei un sanguinario». [9]Abisai, figlio di Zeruia, disse al re: «Perché quel cane morto deve maledire il re mio signore? Lascia che io vada a troncargli la testa». [10]Ma il re rispose: «Che ho io in comune con voi, figli di Zeruia? Se egli maledice, è perché lo ha detto: Maledici Davide! E chi potrebbe dirgli: Perché fai così?». [11]Poi Davide soggiunse ad Abisai e a tutti i suoi servi: «Vedete: mio figlio, che è uscito dal mio seno, attenta alla mia vita: quanto più ora questo Beniaminita! Lasciate che maledica, perché glielo ha ordinato il

Signore. [12]Forse il Signore vedrà la mia afflizione e mi renderà il bene in cambio della maledizione di oggi».

[13]Davide proseguì il cammino con i suoi uomini, mentre Simei camminava sul fianco del monte, parallelamente a Davide, sempre maledicendo e lanciando sassi verso di lui e gettando polvere. [14]Il re e tutto il popolo che era con lui giunsero stanchi presso il Giordano e là si riposarono.

[15]Intanto Assalonne e tutto il popolo israelita erano arrivati a Gerusalemme. Achitofel era con lui. [16]Ora, quando Cusai l'archita, amico di Davide, si presentò ad Assalonne, gli disse: «Viva il re! Viva il re!». [17]Assalonne disse a Cusai: «Questo è l'amore che porti al tuo amico? Perché non sei andato con il tuo amico?». [18]Cusai rispose ad Assalonne: «No! Perché io voglio essere di colui che il Signore e questo popolo e tutti gli Israeliti hanno scelto, e con lui voglio rimanere! [19]E poi: chi devo servire? Non è forse suo figlio? Come fui al servizio di tuo padre, così servirò te!». [20]Allora Assalonne disse ad Achitofel: «Consultatevi tra voi: che cosa dobbiamo fare?». [21]Achitofel disse ad Assalonne: «Entra dalle concubine di tuo padre, che egli ha lasciato a custodire la reggia, e così tutto Israele saprà che ti sei reso odioso a tuo padre e si rafforzerà l'ardire di tutti i tuoi partigiani». [22]Allora fissarono sulla terrazza una tenda per Assalonne e Assalonne entrò dalle concubine di suo padre sotto gli occhi di tutto Israele. [23]In quei giorni un consiglio dato da Achitofel valeva quanto un oracolo di Dio, tanta era l'importanza del consiglio di Achitofel, sia per Davide che per Assalonne.

I CONSIGLI DI ACHITOFEL E CUSAI

17 [1]Achitofel disse ad Assalonne: «Lasciami scegliere dodicimila uomini, perché possa mettermi ad inseguire Davide questa notte; [2]gli piomberò addosso mentre è stanco e scoraggiato: gli incuterò spavento e tutto il popolo che è con lui se ne fuggirà e così potrò colpire solo il re. [3]Allora riporterei a te tutto il popolo, come ritorna la sposa al suo sposo. La vita di un solo uomo tu cerchi, mentre tutta la sua gente rimarrà tranquilla». [4]La proposta piacque agli occhi di Assalonne e agli occhi di tutti gli anziani di Israele. [5]Ma As-

---

16. - 21. Achitofel, consigliando l'insulto a Davide, fece avverare la profezia di Natan (2Sam 12,11) sulla medesima terrazza da cui Davide aveva visto Betsabea.

17. - 4. Il consiglio d'Achitofel serviva ottimamente al trionfo d'Assalonne, poiché era facile schiacciare subito il drappello di Davide e uccidere il re e così, senz'altra guerra, far riconoscere Assalonne da tutto Israele.

salonne ordinò: «Chiamate anche Cusai l'archita e sentiamo che cosa dice anche lui». [6]Quando Cusai arrivò da Assalonne, questi gli disse: «Così ha parlato Achitofel. Dobbiamo accettare la sua proposta? Se no, fa' tu una proposta». [7]Cusai rispose ad Assalonne: «Il consiglio che ha dato Achitofel questa volta non è buono». [8]E aggiunse: «Tu sai che tuo padre e i suoi uomini sono dei prodi e che ora sono esasperati come un'orsa privata dei figli nella campagna; tuo padre poi è un guerriero e non passa la notte con il popolo.

[9]Certo, ora egli è nascosto in una grotta o in qualche altro luogo. Se qualcuno dei nostri cade già al primo scontro, chiunque viene a saperlo dirà: C'è stata una strage tra la gente che segue Assalonne. [10]Allora anche il più valoroso, che ha un coraggio come quello di un leone, si sentirà mancare dalla paura, perché tutto Israele sa che tuo padre è un prode e che quelli che sono con lui sono dei valorosi. [11]Perciò io consiglio: si raduni presso di te tutto Israele, da Dan fino a Bersabea, numeroso come la sabbia che è sulla riva del mare, e tu in persona marcerai in battaglia alla sua testa. [12]Così lo raggiungeremo in qualsiasi posto si trovi, ci getteremo su di lui come la rugiada che scende sulla terra, e di tutti gli uomini che sono con lui non ne lasceremo in vita neppure uno. [13]E se si ritirasse in qualche città, tutto Israele porterà delle corde a quella città e noi la trascineremo a valle, finché non rimanga là neppure una pietra».

[14]Allora Assalonne e tutti gli uomini d'Israele esclamarono: «Il consiglio di Cusai l'archita è migliore di quello di Achitofel!». Il Signore aveva decretato di rendere vano il saggio consiglio di Achitofel, per far cadere la rovina su Assalonne.

[15]Poi Cusai disse ai sacerdoti Zadok ed Ebiatar: «Achitofel ha consigliato Assalonne e gli anziani di Israele di fare così e così, mentre io ho consigliato di fare questo e questo. [16]Ora mandate subito ad avvertire Davide e a dirgli: Non passare la notte presso i guadi del deserto, ma attraversa il fiume, perché non venga annientato il re e tutto il popolo che è con lui».

[17]Ora Gionata e Achimaaz stavano presso En-Roghel. Siccome essi non potevano farsi vedere né entrare in città, una serva recava loro le notizie ed essi andavano ad informare il re Davide. [18]Ma un ragazzo li vide e informò Assalonne. Allora i due se ne andarono in fretta, entrarono nella casa di un uomo di Bacurim che aveva un pozzo nel suo cortile e vi scesero dentro. [19]La donna di casa prese una coperta, la stese sulla bocca del pozzo e vi sparse sopra orzo macinato, così che non ci si accorgeva di nulla. [20]I servi di Assalonne andarono in casa della donna e domandarono: «Dove sono Achimaaz e Gionata?». Rispose loro la donna: «Sono passati oltre, andando verso l'acqua». Essi cercarono ma, non avendoli trovati, tornarono a Gerusalemme.

[21]Dopo che questi se ne furono andati, i due risalirono dal pozzo e andarono a riferire al re Davide: «Su, attraversate in fretta il fiume, perché così e così ha consigliato Achitofel contro di voi». [22]Allora Davide e tutto il popolo che era con lui si levarono e attraversarono il Giordano. Prima che si facesse giorno, tutti, dal primo all'ultimo, avevano attraversato il Giordano. [23]Achitofel, quando vide che il suo consiglio non era stato seguito, sellò l'asino, partì e andò a casa sua nella sua città. Qui diede disposizioni per la sua casa e si impiccò: morì e fu sepolto nella tomba di suo padre. [24]Davide era giunto a Macanaim, quando Assalonne attraversò il Giordano insieme con tutti gli uomini d'Israele. [25]Assalonne aveva costituito Amasa capo dell'esercito al posto di Ioab. Amasa era figlio di un uomo chiamato Itra, l'ismaelita, che s'era unito ad Abigal, figlia di Iesse e sorella di Zeruia, madre di Ioab. [26]Israele e Assalonne si accamparono nel paese di Galaad.

[27]Quando Davide giunse a Macanaim, Sobi, figlio di Nacas, da Rabba degli Ammoniti, Machir, figlio di Ammiel da Lodebar, e Barzillai, il galaadita, di Roghelim, [28]portarono letti, anfore, utensili di terracotta, frumento, orzo, farina, grano abbrustolito, fave e lenticchie, [29]miele, burro, pecore e formaggio di vacca a Davide e alla gente che era con lui, perché mangiassero. Infatti essi avevano detto: «Questa gente deve aver patito fame, stanchezza e sete nel deserto».

SCONFITTA E MORTE DI ASSALONNE

18 [1]Davide passò in rassegna le sue truppe e costituì dei capi di migliaia e dei capi di centinaia per comandarle. ²Quindi le divise in tre corpi: un terzo sotto il comando di Ioab, un terzo sotto il comando di Abisai, figlio di Zeruia e fratello di Ioab, e un terzo sotto il comando di Ittai di Gat. Il re disse al popolo: «Voglio uscire anch'io con voi». ³Ma il popolo rispose: «Non devi uscire con noi, perché se noi fuggiamo, nessuno farebbe attenzione a noi; se la metà di noi morirà, non se ne farebbe alcun caso, ma tu conti come diecimila di noi. È meglio che tu rimanga, per venirci poi in aiuto dalla città». ⁴Il re allora disse: «Farò quello che vi sembra bene». Il re rimase accanto alla porta, mentre tutta la truppa usciva a squadre di cento e di mille.

⁵Il re si rivolse poi a Ioab, ad Abisai e a Ittai raccomandando loro: «Trattatemi con riguardo il giovane Assalonne!». E tutto il popolo udì quanto il re raccomandò a tutti i capi nei riguardi di Assalonne.

⁶Il popolo uscì in campo contro Israele e la battaglia divampò nella selva di Efraim. ⁷Il popolo d'Israele vi fu battuto dai servi di Davide e la strage fu grande in quel giorno: ventimila caduti. ⁸La battaglia si estese su tutta la regione: la selva divorò in quel giorno molta più gente di quanta non ne avesse divorato la spada.

⁹Ora Assalonne si imbatté nei servi di Davide. Assalonne cavalcava un mulo e quando il mulo arrivò sotto il folto di una grande quercia, la testa di Assalonne si impigliò alla quercia ed egli rimase sospeso tra cielo e terra, mentre il mulo che era sotto di lui andò oltre. ¹⁰Un uomo se ne accorse e ne informò Ioab dicendo: «Ho visto Assalonne sospeso ad una quercia». ¹¹Ioab rispose all'uomo che lo informava: «Se l'hai visto, perché non l'hai abbattuto là a terra? Io ti avrei dato dieci pezzi d'argento e una cintura». ¹²L'uomo rispose a Ioab: «Anche se mi fossero messi in mano mille pezzi d'argento, non stenderei la mano contro il figlio del re! Infatti in nostra presenza il re diede questo ordine a te, ad Abisai e a Ittai: Salvatemi il giovane Assalonne! ¹³E se io avessi commesso questa slealtà contro la sua vita – poiché nulla rimane nascosto al re –, tu ti saresti messo contro di me». ¹⁴Ioab disse: «Non voglio perdere così il tempo con te!». Prese tre dardi nella mano e li conficcò nel cuore di Assalonne, che era ancora vivo nel folto della quercia. ¹⁵Poi dieci giovani, scudieri di Ioab, circondarono Assalonne, lo colpirono e lo uccisero.

¹⁶Allora Ioab suonò il corno e il popolo smise di inseguire Israele, poiché Ioab voleva risparmiare il popolo. ¹⁷Poi presero Assalonne, lo gettarono in una grande fossa nella selva e ammassarono sopra di lui un enorme mucchio di pietre. Intanto tutto Israele era fuggito, ciascuno alla sua tenda.

¹⁸Assalonne, mentre era vivo, aveva eretto una stele che è nella Valle del re, perché diceva: «Non ho un figlio che conservi il mio nome». Chiamò quella stele con il suo nome, e per questo ancora oggi si chiama monumento di Assalonne.

¹⁹Allora Achimaaz, figlio di Zadok, disse: «Lascia che io corra a portare al re la bella notizia che il Signore gli ha reso giustizia contro i suoi nemici». ²⁰Gli rispose Ioab: «Tu non sei oggi l'uomo adatto a portare la buona notizia; un altro giorno la porterai; oggi no, perché è morto il figlio del re». ²¹Poi Ioab disse all'Etiope: «Va' e riferisci al re quello che hai visto». L'Etiope s'inchinò a Ioab e partì di corsa.

²²Ma Achimaaz, figlio di Zadok, tornò a dire a Ioab: «Qualunque cosa accada, anch'io voglio correre dietro all'Etiope». Ioab gli rispose: «Perché vuoi tu correre, figlio mio? La tua notizia non ti porterà nulla di buono!». ²³Rispose: «Qualunque cosa accada, io corro». Ioab gli disse: «Corri!». Allora Achimaaz partì di corsa attraverso la pianura e sorpassò l'Etiope.

²⁴Intanto Davide se ne stava tra le due porte. La sentinella salì sulla terrazza della porta presso le mura, si pose a guardare e vide un uomo che correva tutto solo. ²⁵Allora la sentinella gridò e avvertì il re. Il re disse: «Se è solo, porta buone notizie». E quello si avvicinava sempre più. ²⁶Poi la sentinella vide un altro uomo che correva. La sentinella chiamò il guardiano della porta, gridando: «Ecco, un altro uomo che corre tutto solo». Il re disse: «Anche questo porta una buona notizia». ²⁷La sentinella soggiunse: «Il modo di correre del primo è simile a quello di Achimaaz, figlio di Zadok». Il re disse: «Questa è una brava persona, viene certamente per dare una buona notizia».

²⁸Allora Achimaaz gridò al re: «Pace!». Poi, prostrandosi davanti al re con la faccia a terra, disse: «Benedetto il Signore, tuo Dio,

2Sam

che ha schiacciato gli uomini che avevano alzato la mano contro il re mio signore!». ²⁹Il re domandò: «Sta bene il giovane Assalonne?». Achimaaz rispose: «Ho visto un grande tumulto quando il servo del re, Ioab, ha inviato il tuo servo, ma non so di che cosa si trattasse». ³⁰Il re disse: «Scansati, mettiti qui». Egli si scansò e stette lì.

³¹Ed ecco giungere l'Etiope. Disse l'Etiope: «Il re mio signore riceva la buona notizia! Il Signore ti ha fatto giustizia oggi, liberandoti dalla mano di tutti quelli che erano insorti contro di te». ³²Il re domandò all'Etiope: «Sta bene il giovane Assalonne?». L'Etiope rispose: «Vadano in perdizione come quel giovane i nemici del re mio signore, e tutti quelli che insorgono contro di te per farti del male!».

DAVIDE
PIANGE LA MORTE DEL FIGLIO

19 ¹Allora il re fremette, salì alla stanza superiore della porta e pianse. Così diceva mentre piangeva: «Figlio mio Assalonne, figlio mio, figlio mio Assalonne! Magari fossi morto io al tuo posto, Assalonne figlio mio, figlio mio!».

²Fu riferito a Ioab: «Ecco, il re piange e fa lutto su Assalonne». ³La vittoria in quel giorno si trasformò in lutto per tutto il popolo. Infatti tutto il popolo sentì dire in quel giorno: «Il re è addolorato per suo figlio». ⁴Così in quel giorno il popolo rientrò alla chetichella in città, come rientrerebbe furtivamente gente che si è coperta di vergogna per essersi data alla fuga durante la battaglia. ⁵Il re si era velato il volto e gridava ad alta voce: «Figlio mio Assalonne! Assalonne figlio mio, figlio mio!». ⁶Allora Ioab entrò in casa del re e disse: «Tu copri oggi di vergogna il volto di tutti i tuoi servi, che hanno salvato la tua vita, quella dei tuoi figli e delle tue figlie, la vita delle tue mogli e quella delle tue concubine, ⁷perché mostri di amare quelli che ti odiano e di odiare quelli che ti amano. Sì, oggi tu mostri che non esistono per te né capi né sudditi! Oggi capisco che se Assalonne fosse vivo e tutti noi morti, sarebbe cosa giusta ai tuoi occhi. ⁸Ma ora àlzati, esci, parla al cuore dei tuoi servi, perché io giuro per il Signore: Se non esci, nessuno resterà con te questa notte, e

questo sarebbe per te un male peggiore di tutti i mali che ti sono venuti addosso dalla tua giovinezza fino ad oggi». ⁹Allora il re si alzò e si pose a sedere accanto alla porta. Fu annunciato a tutto il popolo: «Ecco, il re sta alla porta». E tutto il popolo venne alla presenza del re.

Gli Israeliti dunque erano fuggiti, ciascuno alla sua tenda. ¹⁰Ora tutto il popolo discuteva in tutte le tribù di Israele e diceva: «Il re ci ha liberato dalla mano dei nostri nemici, ci ha salvato dalla mano dei Filistei; ora egli è dovuto fuggire dal paese, a causa di Assalonne. ¹¹Ma Assalonne, che avevamo consacrato sopra di noi, è morto in battaglia. Ora, perché voi non cercate di far tornare il re?».

¹²Ciò che si diceva da tutto Israele era giunto a conoscenza di Davide, nella sua casa. Allora il re Davide mandò a dire ai sacerdoti Zadok ed Ebiatar: «Riferite agli anziani di Giuda: Perché dovreste essere gli ultimi a far tornare il re alla sua casa? ¹³Voi siete miei fratelli, voi siete mie ossa e mia carne. Perché dovreste essere gli ultimi a far tornare il re?». ¹⁴E ad Amasa dite: Non sei forse mio osso e mia carne? Tanto mi faccia Dio e peggio ancora, se tu non diventerai capo dell'esercito per sempre al posto di Ioab!». ¹⁵Così piegò il cuore di ogni uomo di Giuda, come se fosse stato il cuore di un sol uomo. Essi mandarono a dire al re: «Ritorna tu e tutti i tuoi servi».

¹⁶Allora il re fece ritorno e arrivò fino al Giordano. Intanto quelli di Giuda vennero a Galgala per andare incontro al re, per aiutare il re nel passaggio del Giordano. ¹⁷Pure Simei, figlio di Ghera, beniaminita originario di Bacurim, si affrettò a scendere insieme con gli uomini di Giuda incontro al re Davide. ¹⁸Mille uomini di Beniamino erano con lui. Anche Ziba, servo della casa di Saul, con i suoi quindici figli e i suoi venti servi attraversarono il Giordano prima del re ¹⁹e si prestarono a far passare la famiglia del re e a compiere quello che a lui sarebbe piaciuto. Intanto Simei, figlio di Ghera, si prostrò davanti al re,

---

19. - 10-15. Israele desidera far ritornare il re, e Davide, avendolo saputo, fa dire a quelli di Giuda che sarebbe vergogna per loro essere gli ultimi a muoversi. Con fine politica, Davide si cattiva la tribù che aveva dato il segno della ribellione, cioè Giuda, e il capo dell'esercito nemico, Amasa, cui promette il comando supremo delle truppe. Ma Ioab, sempre invidioso, lo ucciderà (20,8-10).

mentre questi passava il Giordano. ²⁰Disse al
re: «Non mi imputi il mio signore alcuna colpa! Non ricordare l'errore che ha commesso
il tuo servo nel giorno che il re mio signore
uscì da Gerusalemme; il re non ne tenga
conto. ²¹Sì, il tuo servo riconosce di aver
peccato. Ma, ecco, oggi sono venuto per primo fra tutta la casa di Giuseppe, per scendere incontro al re mio signore». ²²Ma Abisai, figlio di Zeruia, prese a dire: «Per questo
forse non dovrebbe essere messo a morte
Simei? Ha maledetto il consacrato del Signore!». ²³Allora Davide disse: «Che ho io
in comune con voi, figli di Zeruia, che vi mo-
striate oggi miei avversari? Si può mettere
a morte oggi qualcuno in Israele, oggi che
sento di essere re di Israele?». ²⁴Poi il re disse a Simei: «Non morirai!». Il re glielo giurò.
²⁵Anche Merib-Baal, figlio di Saul, era sceso
incontro al re. Egli non si era curato i piedi
e le mani, né la barba, né si era più lavato i vestiti dal giorno in cui il re era partito
fino al giorno in cui tornò in pace. ²⁶Quando
giunse da Gerusalemme incontro al re, il re
gli chiese: «Perché non sei venuto con me,
Merib-Baal?». ²⁷Egli rispose: «O re mio signore, il mio servo mi ha tradito. Infatti il tuo
servo aveva pensato: Mi farò sellare l'asino,
monterò e andrò con il re, perché il tuo servo è zoppo. ²⁸Egli però ha calunniato il tuo
servo presso il re mio signore. Ma il re mio
signore è come un angelo di Dio: fa' dunque
ciò che sembra bene ai tuoi occhi! ²⁹Vera-
mente tutta la casa di mio padre non era che
gente degna di morte per il re mio signore.
Eppure tu hai posto il tuo servo tra quelli che
mangiano alla tua mensa. Quale diritto ho io
ancora da reclamare presso il re?».
³⁰Il re gli disse: «Perché seguiti a dire paro-
le? Ho deciso: tu e Ziba vi dividerete i cam-
pi». ³¹E Merib-Baal disse al re: «Si prenda
pure tutto lui, dal momento che il re mio signore è tornato incolume a casa sua!».
³²Anche Barzillai, il galaadita, era sceso
da Roghelim, e aveva attraversato il Giordano con il re, per prendere congedo da
lui presso il Giordano. ³³Barzillai era molto
vecchio, aveva ottant'anni; fu lui a mantenere il re durante la sua permanenza a
Macanaim; era infatti molto facoltoso. ³⁴Il
re disse a Barzillai: «Vieni con me; provvederò io al tuo sostentamento presso di me
a Gerusalemme». ³⁵Ma Barzillai rispose al
re: «Quanto mi resta ancora da vivere, per-

ché io salga con il re a Gerusalemme? ³⁶Io
adesso ho ottant'anni. Posso forse ancora
distinguere ciò che è buono da ciò che è
cattivo? O può il tuo servo gustare ancora
quello che mangia e quello che beve? O
posso di nuovo udire la voce dei cantori e
delle cantanti? Perché il tuo servo dovrebbe
essere ancora di peso al re, mio signore?
³⁷Il tuo servo attraverserà appena il Giorda-
no con il re: perché il re dovrebbe ripagarmi
con questa ricompensa? ³⁸Lascia tornare
indietro il tuo servo, perché io muoia nella
mia città, presso la tomba di mio padre e
di mia madre. Ma ecco qui il tuo servo Chimam; passerà lui con il re mio signore: fa'
per lui quanto ti sembra meglio». ³⁹Davide
rispose: «Chimam passerà con me, e io gli
farò ciò che meglio a te piace: tutto quello
che vorrai da me, te lo farò». ⁴⁰Allora tutto
il popolo attraversò il Giordano. Il re era già
passato. Il re baciò Barzillai e lo benedisse
ed egli tornò al suo paese.
⁴¹Il re proseguì per Galgala e Chimam passò
con lui. Tutto il popolo di Giuda e metà del
popolo d'Israele fecero passare il re. ⁴²Ma
ecco che tutti gli uomini di Israele andarono
dal re e gli dissero: «Perché i nostri fratelli
di Giuda ti hanno condotto via di nascosto e
hanno fatto passare il Giordano al re, alla sua
casa e a tutti gli uomini di Davide?». ⁴³Tutti
gli uomini di Giuda risposero a quelli d'Israele: «Perché il re è nostro parente! Perché ti
adiri per questa cosa? Abbiamo forse mangiato qualcosa del re, oppure ci è stata offerta qualche porzione?». ⁴⁴La gente d'Israele
rispose a quella di Giuda: «Dieci parti mi
spettano sul re e anche su Davide io conto
più di te! Perché mi hai disprezzato? Non ho
fatto io per primo la proposta di far ritornare
il mio re?». Ma la parola della gente di Giuda
fu più dura della parola della gente d'Israele.

LA RIVOLTA DI SEBA

20 ¹Si trovava là un uomo scellerato
di nome Seba, figlio di Bicri, beniaminita, il quale suonò il corno e proclamò:

«Non abbiamo parte alcuna
    con Davide.
Nessuna eredità abbiamo con il figlio
    di Iesse!
Ognuno alle proprie tende, Israele!».

2Sam

²Allora la gente d'Israele dal seguito di Davide passò al seguito di Seba, figlio di Bicri, mentre gli uomini di Giuda restarono uniti al loro re, dal Giordano fino a Gerusalemme. ³Quando il re Davide entrò nella sua casa a Gerusalemme, prese le dieci concubine che aveva lasciato a custodia della casa, le pose sotto custodia e provvide al loro sostentamento, ma non andò più da esse. Così rimasero rinchiuse fino alla morte, vedove a vita.

⁴Poi il re disse ad Amasa: «Radunami gli uomini di Giuda in tre giorni e poi trovati qui anche tu!». ⁵Amasa partì per radunare Giuda, ma tardò oltre il termine che gli era stato fissato. ⁶Allora Davide disse ad Abisai: «Seba, figlio di Bicri, è ora più pericoloso per noi di Assalonne. Prendi i servi del tuo signore e inseguilo, perché non raggiunga delle città fortificate e ci sfugga». ⁷Ad Abisai si unirono allora gli uomini di Ioab, i Cretei, i Peletei e tutti i prodi; uscirono da Gerusalemme per inseguire Seba, figlio di Bicri. ⁸Essi si trovavano ormai presso la grande pietra che è a Gabaon, quando Amasa venne loro incontro. Ioab, sopra il suo abito militare, cingeva una spada che gli pendeva al fianco, dentro il fodero; egli la fece uscire e cadere. ⁹Ioab disse ad Amasa: «Stai bene, fratello mio?». Intanto con la destra toccò la barba di Amasa per baciarlo. ¹⁰Amasa non fece attenzione alla spada che Ioab teneva nella mano sinistra e Ioab lo colpì al ventre spargendo a terra le sue viscere senza colpirlo una seconda volta, perché era già morto. Allora Ioab e Abisai, suo fratello, si diedero all'inseguimento di Seba, figlio di Bicri. ¹¹Uno dei giovani di Ioab, che era rimasto presso Amasa, disse: «Chi vuol bene a Ioab e chi è per Davide, segua Ioab».

¹²Intanto Amasa si contorceva nel sangue in mezzo alla via e quell'uomo vide che tutto il popolo si fermava. Allora trascinò Amasa fuori dalla strada nel campo e gli gettò sopra un panno, perché aveva visto che chiunque giungeva presso di lui si fermava. ¹³Dopo averlo rimosso dalla strada, tutti passavano oltre, seguendo Ioab che dava la caccia a Seba, figlio di Bicri.

¹⁴Costui percorse tutte le tribù d'Israele fino ad Abel-Bet-Maaca, dove tutti i Bicriti si erano radunati e si erano messi al seguito di Seba. ¹⁵Ioab e i suoi uomini vennero dunque ad assediare Seba ad Abel-Bet-

Maaca e costruirono un terrapieno contro la città, dirimpetto all'antemurale. Tutta la truppa che era con Ioab si adoperava a far guasti per abbattere le mura. ¹⁶Allora una donna saggia cominciò a gridare dalla città: «Ascoltate, ascoltate! Dite a Ioab: Avvicinati fin qua perché devo parlarti». ¹⁷Avvicinatosi a lei, la donna domandò: «Sei tu Ioab?». Rispose: «Sono io». Ella gli disse: «Ascolta le parole della tua serva». Rispose: «Sto ascoltando». ¹⁸Ella riprese: «Una volta si erano soliti dire: Si facciano consultazioni ad Abel e poi si agisca! ¹⁹Io sono la pacificatrice dei fedeli di Israele, e tu invece cerchi di far perire una città che è madre in Israele. Perché, dunque, vuoi annientare l'eredità del Signore?». ²⁰Ioab rispose: «Non sia mai, non sia mai! Io non voglio né annientare né devastare. ²¹La cosa non sta così: un uomo della montagna di Efraim, di nome Seba, figlio di Bicri, ha alzato la sua mano contro il re, contro Davide. Consegnate soltanto lui e io me ne andrò dalla città». La donna rispose a Ioab: «Ecco, ti sarà gettata la sua testa dalle mura!». ²²La donna allora parlò a tutto il popolo con la sua saggezza; così quelli tagliarono la testa di Seba, figlio di Bicri, e la gettarono a Ioab. Questi suonò il corno e tutti si allontanarono dalla città, ognuno alla sua tenda. Poi Ioab ritornò a Gerusalemme dal re.

²³Ioab era a capo di tutto l'esercito d'Israele; Benaia, figlio di Ioiada, comandava i Cretei e i Peletei; ²⁴Adoram sovrintendeva ai lavori forzati; Giosafat, figlio di Achilud, era segretario; ²⁵Seraia era scriba; Zadok ed Ebiatar erano sacerdoti. ²⁶Anche Ira, lo iairita, era ministro di Davide.

LA VENDETTA DEI GABAONITI

21 ¹Ai tempi di Davide ci fu una carestia per tre anni di seguito. Allora Davide consultò il Signore ed egli rispose: «Il sangue pesa su Saul e sulla sua casa, perché egli mise a morte i Gabaoniti».

²Il re convocò i Gabaoniti e parlò loro. I Gabaoniti non erano Israeliti ma un resto degli Amorrei. Gli Israeliti avevano fatto loro un giuramento, ma Saul, nel suo zelo per gli Israeliti e per Giuda, aveva cercato di sterminarli. ³Davide disse ai Gabaoniti: «Che

devo fare per voi? Con che cosa potrò riparare, perché voi benediciate l'eredità del Signore?». ⁴Gli risposero i Gabaoniti: «Per noi non è questione d'argento o d'oro con Saul e con la sua casa, e neppure si tratta di mettere a morte qualcuno in Israele». Il re disse: «Quello che voi chiedete, ve lo farò». ⁵Risposero al re: «Di quell'uomo che ci ha distrutti e che aveva progettato di sterminarci e di farci sparire da tutto il territorio d'Israele, ⁶ci siano consegnati sette uomini tra i suoi figli e noi li impiccheremo davanti al Signore in Gabaon, sul monte del Signore». Il re rispose: «Io ve li consegnerò».

⁷Il re risparmiò Merib-Baal, figlio di Gionata, figlio di Saul, a causa del giuramento che Davide e Gionata, figlio di Saul, avevano fatto davanti al Signore. ⁸Allora il re prese i due figli che Rizpa, figlia di Aia, aveva generato a Saul, Armoni e Merib-Baal, e i cinque figli che Merab, figlia di Saul, aveva generato ad Adriel, figlio di Barzillai, il mecolatita, ⁹e li consegnò nelle mani dei Gabaoniti, che li appesero sul monte davanti al Signore. Tutti e sette perirono insieme. Furono messi a morte nei primi giorni della mietitura, quando si cominciava a mietere l'orzo.

¹⁰Allora Rizpa, figlia di Aia, prese un sacco, lo tese fissandolo alla roccia e, dall'inizio della mietitura fino a quando non cadde acqua dal cielo su di loro, non permise che alcun uccello del cielo si gettasse su di loro durante il giorno, né animale selvaggio durante la notte. ¹¹Riferirono a Davide quello che aveva fatto Rizpa, figlia di Aia, concubina di Saul.

¹²Poi Davide andò a prendere le ossa di Saul e quelle di suo figlio Gionata dai capi di Iabes di Galaad, i quali le avevano sottratte dalla piazza di Bet-Sean, dov'erano stati appesi dai Filistei nel giorno in cui essi avevano sconfitto Saul sul Gelboe. ¹³Così trasportò da là le ossa di Saul e quelle di suo figlio Gionata. E furono raccolte anche le ossa di quelli che erano stati appesi.

¹⁴Le ossa di Saul e quelle di suo figlio Gionata furono sepolte nella terra di Beniamino, a Zela, nel sepolcro di Kis, padre di Saul. Fu fatto dunque tutto quello che il re aveva ordinato e dopo ciò Dio si mostrò placato verso il paese. ¹⁵In seguito i Filistei mossero di nuovo guerra a Israele e Davide scese con i suoi uomini a dare battaglia ai Filistei, ma Davide si sentiva stanco. ¹⁶Isbi-Benob, uno dei figli di Rafa, che aveva una lancia del peso di trecento sicli di rame ed era cinto di una spada nuova, pensò di colpire Davide; ¹⁷ma Abisai, figlio di Zeruia, corse in aiuto del re, colpì il Filisteo e l'uccise. Allora gli uomini di Davide lo scongiurarono: «Non uscirai più con noi in battaglia, perché tu non estingua la lucerna di Israele». ¹⁸Dopo ci fu ancora una battaglia a Gob contro i Filistei. Fu allora che Sibbekai, il cusatita, colpì Saf, discendente di Rafa. ¹⁹Ci fu un'altra battaglia a Gob contro i Filistei. Elcanan, figlio di Iair di Betlemme, uccise Golia di Gat: l'asta della sua lancia era come il fuso dei tessitori.

²⁰Ci fu un'altra battaglia a Gat. Vi era un uomo di grande statura, che aveva sei dita per ogni mano e sei dita per ogni piede, in tutto ventiquattro; anch'egli discendeva da Rafa. ²¹Oltraggiò Israele, ma Gionata, figlio di Simea, fratello di Davide, lo abbatté. ²²Quei quattro erano discendenti di Rafa, in Gat, e caddero per mano di Davide e dei suoi uomini.

SALMO DI DAVIDE

22 ¹Davide rivolse al Signore le parole di questo canto, quando il Signore lo liberò dalla mano di tutti i suoi nemici e dalla mano di Saul. ²Egli disse:

«Il Signore è mia roccia,
mia fortezza e mio liberatore,
³ mio Dio, mia rupe in cui mi rifugio,
mio scudo e mia potente salvezza;
mia rocca e mio scampo, mio salvatore.
Tu mi salvi dalla violenza.
⁴ Invocai il Signore, degno di ogni lode,
e fui salvato dai miei nemici.
⁵ Mi avevano avvolto onde di morte,
torrenti impetuosi mi avevano
minacciato;
⁶ le funi degli inferi mi avevano circondato,
i lacci della morte mi stavano davanti.
⁷ Nella mia angustia ho invocato
il Signore,
ho gridato al mio Dio.

---

22. - 1. Questo sublime cantico, riportato, con qualche variante, nel Salmo 18, è un bellissimo inno di ringraziamento a Dio, celebrato come "salvatore": annuncio essenziale, proclamato in ogni pagina della Bibbia.

Dal suo tempio egli ha ascoltato
    la mia voce
e la mia supplica è giunta
    alle sue orecchie.

8 Si agitò e si scosse la terra,
le fondamenta dei cieli tremarono;
si agitarono perché egli si era adirato.

9 Salì fumo dalle sue narici
e fuoco divoratore dalla sua bocca;
carboni ardenti sprizzavano da lui.

10 Piegò i cieli e discese;
una densa nube era sotto i suoi piedi.

11 Cavalcò un cherubino e volò,
si librò sulle ali del vento.

12 Si avvolse di tenebre tutto intorno;
acque profonde e fitte nubi
    erano la sua tenda.

13 Per lo splendore che irradiava,
fiammeggiavano folgori
    e scintille di fuoco.

14 Tuonò dal cielo il Signore
e l'Altissimo emise la sua voce:

15 scoccò frecce e le disseminò,
scagliò fulmini e li sparpagliò.

16 Si vide allora il fondo del mare
e le fondamenta del mondo
    furono scoperte
al grido minaccioso del Signore,
al soffio del vento delle sue narici.

17 Dall'alto stese la mano e mi afferrò,
mi trasse fuori dalle acque profonde.

18 Mi salvò dal mio potente nemico,
dai miei avversari più forti di me.

19 Mi affrontarono nel giorno
    della mia sventura,
ma il Signore fu il mio sostegno.

20 Mi fece uscire in luogo spazioso,
mi liberò, perché si compiace in me.

21 Il Signore mi ricompensò
secondo la mia giustizia,
secondo la purezza delle mie mani
    mi retribuì;

22 perché io ho osservato
    le vie del Signore
e non ho agito male con il mio Dio;

23 perché ogni suo precetto mi è dinanzi
e dalla sua legge non mi sono
    allontanato.

24 Sono stato integro davanti a lui,
e non ho commesso peccato.

25 Il Signore mi trattò secondo
    la mia giustizia,
secondo la mia innocenza davanti
    ai suoi occhi.

26 Con il pio tu ti mostri pio,
con l'uomo perfetto tu ti mostri perfetto;

27 con il sincero ti mostri sincero,
ma con il perverso ti mostri astuto.

28 Tu salvi il popolo umile,
mentre i tuoi occhi umiliano i superbi.

29 Sì, tu sei la mia lampada, o Signore;
il Signore illumina le mie tenebre.

30 Sì, con te io posso affrontare le schiere,
con il mio Dio posso slanciarmi
    sulle mura.

31 L'agire di Dio è perfetto,
    integra è la sua parola.
Egli è scudo per tutti quelli
che si rifugiano in lui.

32 Chi è Dio all'infuori del Signore
e chi è rupe all'infuori del nostro Dio?

33 Dio, che mi cinge di fortezza
e rende immacolata la mia vita;

34 che dà ai miei piedi l'agilità delle cerve,
e mi fa stare saldo sulle alture;

35 che addestra le mie mani alla guerra
e pone un arco di bronzo
    nelle mie braccia.

36 Tu mi hai dato lo scudo
    della tua salvezza
e il tuo trionfo mi ha reso grande.

37 Tu hai reso veloci i miei passi,
e i miei piedi non hanno vacillato.

38 Ho inseguito i miei nemici
    e li ho dispersi,
non sono tornato indietro
    finché non li ho annientati.

39 Li ho abbattuti, ed essi non possono
    rialzarsi,
sono caduti sotto i miei piedi.

40 Mi hai cinto di forza per la battaglia,
hai fatto cadere sotto di me
    i miei aggressori.

41 Tu hai posto i miei nemici di spalle,
e io ho sterminato i miei avversari.

42 Essi hanno gridato, ma non vi era
    un salvatore;
hanno gridato al Signore, ma ad essi
    non ha risposto.

43 Li ho stritolati come polvere della terra,
come fango delle strade li ho calpestati.

44 Mi hai liberato dalle contese
    del mio popolo;
mi hai conservato a capo delle nazioni;
gente che non conoscevo mi ha servito.

45 I figli degli stranieri si umiliano
    davanti a me,
appena sentono mi obbediscono.

⁴⁶ I figli degli stranieri vengono meno,
   escono tremanti dai loro nascondigli.
⁴⁷ Viva il Signore! Benedetta la mia rupe!
   Sia esaltato il Dio della mia salvezza,
⁴⁸ il Dio che mi concede le vendette
   e che a me sottomette i popoli!
⁴⁹ Tu mi liberi dai miei nemici,
   mi innalzi sopra i miei aggressori
   e mi salvi dagli uomini violenti.
⁵⁰ Per questo ti lodo, o Signore,
      tra i popoli
   e canterò inni al tuo nome.
⁵¹ Egli concede grandi vittorie al suo re
   e compie opere d'amore
      per il suo consacrato,
   per Davide e la sua discendenza
      per sempre».

LE ULTIME PAROLE DI DAVIDE

23 ¹Queste sono le ultime parole di Davide:

«Oracolo di Davide, figlio di Iesse,
oracolo dell'uomo suscitato
   dall'Altissimo,
del consacrato del Dio di Giacobbe,
del soave salmista d'Israele.
² Lo spirito del Signore parla
      per mezzo mio,
   la sua parola è sulla mia lingua.
³ Il Dio di Giacobbe mi ha parlato,
   la rupe d'Israele mi ha detto:
   Il giusto che governa gli uomini,
   che li governa nel timore di Dio,
⁴ è come la luce del mattino,
   al sorgere del sole, di un mattino
      senza nubi,
   che fa spuntare, dopo la pioggia,
   l'erba sulla terra.
⁵ Così è la mia casa presso Dio,
   perché egli ha stabilito con me
   un'alleanza eterna,
   determinata in tutto e ben custodita.
   Non farà dunque germogliare
      la mia salvezza
   e ogni mio desiderio?

---

23. - 16. *Non volle berla*, perché gli sembrava quasi di bere il sangue dei valorosi che l'avevano procurata con grande pericolo della loro vita, e ne fece libagione al Signore. L'intenzione dell'autore di questo brano è di esaltare i tre soldati.

⁶ Ma il perverso è come le spine,
   che si gettano via tutte insieme
   senza prenderle con la mano.
⁷ Chiunque le tocca usa un ferro,
   o un'asta di lancia,
   e le getta nel fuoco a bruciare».

⁸Questi sono i nomi degli eroi di Davide: Is-Baal, il cacmonita, capo dei Tre. Egli brandì la lancia contro ottocento uomini e li trafisse tutti in una volta.
⁹Dopo di lui Eleazaro, figlio di Dodo, l'acochita; era uno dei Tre eroi che erano con Davide quando sfidarono i Filistei schierati in battaglia, mentre gli Israeliti si ritiravano. ¹⁰Egli invece tenne fermo e fece strage dei Filistei fino a quando la sua mano stanca s'irrigidì sulla spada. Il Signore operò in quel giorno una grande vittoria e il popolo seguì Eleazaro solo per fare bottino.
¹¹Dopo di lui veniva Samma, figlio di Aghe, l'ararita. I Filistei si erano radunati a Lechi, presso un appezzamento di terreno pieno di lenticchie. Il popolo era fuggito davanti ai Filistei, ¹²ma lui si piantò nel mezzo dell'appezzamento, lo difese e sbaragliò i Filistei. Il Signore operò una grande vittoria.
¹³Tre dei Trenta eroi scesero al tempo della mietitura e andarono da Davide alla spelonca di Adullam, mentre un distaccamento di Filistei stava accampato nella valle dei Refaim. ¹⁴Davide stava allora nella fortezza, mentre la guarnigione dei Filistei era a Betlemme. ¹⁵Davide espresse un desiderio e disse: «Magari potessi bere l'acqua del pozzo che sta alla porta di Betlemme!». ¹⁶I Tre eroi, sfondando il campo dei Filistei, attinsero acqua dal pozzo che è alla porta di Betlemme, la presero e la portarono a Davide. Egli non volle berla, ma la versò in libagione al Signore, ¹⁷dicendo: «Mi guardi il Signore dal fare questo! Non è forse il sangue di questi uomini, che sono andati là con pericolo della loro vita?». E non volle berla. Tali cose compirono i Tre eroi.
¹⁸Abisai, fratello di Ioab, figlio di Zeruia, era capo dei Trenta. Egli brandì la lancia contro trecento uomini e li trafisse. Così si acquistò un nome fra i Trenta. ¹⁹Fu il più onorato dei Trenta e diventò loro capo; ma non giunse alla pari dei Tre.
²⁰Poi veniva Benaia, figlio di Ioiada, uomo valoroso, ricco di imprese, originario di Kabzeel. Egli uccise i due figli di Ariel di

2Sam

Moab. Scese anche in una cisterna, dove uccise un leone in un giorno di neve. [21]Batté un Egiziano, uomo imponente: l'Egiziano teneva in mano una lancia, mentre Benaia scendeva contro di lui con il bastone. Benaia strappò la lancia di mano all'Egiziano e lo uccise con la sua stessa lancia. [22]Tali gesta compì Benaia, figlio di Ioiada, e si acquistò fama fra i Trenta eroi. [23]Fu il più illustre dei Trenta, ma non giunse alla pari dei Tre. Davide lo prepose al suo corpo di guardia.

[24]Poi vi erano Asael, fratello di Ioab, uno dei Trenta; Elcanan, figlio di Dodo, di Betlemme; [25]Samma di Carod; Elika di Carod; [26]Chelez di Pelet; Ira, figlio di Ikkes, di Tekoa; [27]Abiezer di Anatot; Mebunnai di Cusa; [28]Zalmon di Acoach; Maharai di Netofa; [29]Cheleb, figlio di Baana, di Netofa; Ittai, figlio di Ribai, di Gabaa di Beniamino; Benaia di Piraton; [30]Iddai di Nahale-Gaas; [31]Abi-Albon di Arbat; Azmavet di Bacurim; [32]Eliacba di Saalbon; Iasen di Gun; [33]Gionata, figlio di Samma, di Arar; Achiam, figlio di Sarar, di Afar; [34]Elifelet, figlio di Acasbai, il maacatita; Eliam, figlio di Achitofel, di Ghilo; [35]Chesrai del Carmelo; Paarai di Arab; [36]Igal, figlio di Natan, di Zoba; Bani di Gad; [37]Zelek l'ammonita; Nacrai da Beerot, scudiero di Ioab, figlio di Zeruia; [38]Ira di Ieter; Gareb di Ieter; [39]Uria l'hittita. In tutto trentasette.

IL CENSIMENTO E LA PESTE

24 [1]L'ira del Signore si accese ancora una volta contro Israele e incitò Davide contro il popolo così: «Va' a fare il censimento d'Israele e di Giuda». [2]Il re disse a Ioab, capo dell'esercito, che era con lui: «Su, percorri tutte le tribù d'Israele, da Dan fino a Bersabea, e fate il censimento del popolo, perché io conosca il numero della popolazione». [3]Ioab rispose al re: «Il Signore tuo Dio moltiplichi il popolo cento volte tanto e gli occhi del re mio signore lo possano vedere! Ma il re mio signore perché desidera questa cosa?». [4]Tuttavia l'ordine del re prevalse su Ioab e sui capi dell'esercito. Allora Ioab e i capi dell'esercito lasciarono il re per andare a fare il censimento della popolazione di Israele.

[5]Attraversarono il Giordano e, incominciando da Aroer e dalla città che è nel mezzo della valle di Gad, andarono verso Iazer. [6]Proseguirono in Galaad e verso la terra degli Hittiti, a Kades; poi passarono a Dan, e di lì andarono verso Sidone. [7]Giunsero alla fortezza di Tiro e in tutte le città degli Evei e dei Cananei, e finirono nel Negheb di Giuda, a Bersabea. [8]Percorso tutto il paese, rientrarono a Gerusalemme in capo a nove mesi e venti giorni. [9]Ioab consegnò al re il numero totale del censimento del popolo: Israele contava ottocentomila uomini validi a maneggiare la spada; gli uomini di Giuda erano cinquecentomila.

[10]Ma, dopo aver fatto il censimento del popolo, Davide ebbe un rimorso nel cuore. Allora disse al Signore: «Ho peccato gravemente per quello che ho fatto! Ma ora, Signore, togli il peccato del tuo servo, perché ho agito con grande stoltezza!».

[11]Quando al mattino Davide si alzò, la parola del Signore era stata rivolta al profeta Gad, veggente di Davide, in questi termini: [12]«Va' a riferire a Davide: Così dice il Signore: Tre cose io ti propongo; scegliti una di esse e quella ti farò». [13]Gad entrò da Davide e l'informò dicendogli: «Vuoi che vengano tre anni di fame nel tuo paese, o tre mesi di fuga davanti al tuo avversario che ti insegue o tre giorni di peste nel tuo paese? Ora rifletti e vedi che cosa io debba rispondere a colui che mi ha mandato».

[14]Davide rispose a Gad: «Mi trovo in grande angustia! Ebbene, cadiamo pure nelle mani del Signore, perché la sua misericordia è grande, ma che io non cada nelle mani degli uomini!». [15]Davide scelse la peste. Era il tempo della mietitura dell'orzo. Il Signore mandò la peste in Israele, da quella mattina fino al tempo fissato. Morirono tra il popolo, da Dan fino a Bersabea, settantamila uomini. [16]Quando l'angelo ebbe steso la mano su Gerusalemme per devastarla, il Signore si mosse a pietà per il male e disse all'angelo che faceva strage tra il popolo: «Basta! Ora ritira la tua mano!». L'angelo del Signore si trovava presso l'aia di Arauna, il gebuseo. [17]Quando Davide vide l'angelo che colpiva il popolo, disse al Signore: «Ecco, io ho peccato, io ho commesso il male, ma loro

---

24 - 1 Il censimento in sé non era un male, ma provenendo dall'ambizione di Davide ed essendo un atto di sovranità che Dio aveva fino allora esercitato direttamente, apparve come un attentato contro la teocrazia.

che sono il gregge, che cosa hanno fatto? La tua mano sia contro di me e contro la casa di mio padre!».

¹⁸Quel giorno Gad andò da Davide e gli disse: «Sali e innalza un altare al Signore nell'aia di Arauna, il gebuseo». ¹⁹Davide vi salì secondo la parola di Gad, come aveva ordinato il Signore. ²⁰Arauna si affacciò e vide il re e i suoi ministri dirigersi verso di lui; allora Arauna uscì e si prostrò davanti al re con la faccia a terra. ²¹Poi Arauna disse: «Perché il re mio signore è venuto dal suo servo?». Davide rispose: «Per comperare da te quest'aia e costruire un altare al Signore, così il flagello sarà allontanato dal popolo». ²²Arauna rispose a Davide: «Il re

mio signore prenda pure e offra quello che sembra bene ai suoi occhi! Ecco i buoi per il sacrificio; le tregge e gli strumenti dei buoi serviranno da legna. ²³O re, Arauna ti regala tutte queste cose». Poi Arauna aggiunse al re: «Che il Signore tuo Dio ti sia propizio!». ²⁴Il re disse ad Arauna: «No; io voglio comperare tutte queste cose per il loro prezzo, non voglio offrire al Signore mio Dio olocausti che non mi costino nulla».

Così Davide comperò l'aia e i buoi per cinquanta sicli d'argento. ²⁵Davide costruì in quel luogo un altare al Signore e offrì olocausti e sacrifici di comunione. Allora il Signore ebbe pietà del paese e il flagello cessò da Israele.

PRIMO LIBRO DEI RE

I due libri dei Re, all'inizio uniti e poi artificiosamente divisi, riportano la storia dei re d'Israele e di Giuda dalla morte di Davide (970) all'esilio babilonese (586), coprendo un periodo storico di circa quattro secoli.

L'opera si divide in tre parti. Nella prima (1Re 1-11) viene descritta la fine del regno di Davide e lo splendore del regno di Salomone: la sua celebre sapienza, le sue costruzioni, specialmente il tempio, la sua ricchezza e gloria, ma anche la decadenza morale e politica che porterà alla dissoluzione del regno unito. Nella seconda parte (1Re 12 - 2Re 17) viene narrato lo scisma delle tribù, la costituzione dei due regni separati del nord e del sud (detti anche di Israele e di Giuda), la storia delle loro lotte politiche e l'intervento dei profeti, specialmente Elia ed Eliseo, fino al crollo del regno del nord conquistato dagli Assiri nel 722 a.C. La terza parte (2Re 18-25) prosegue la storia del regno di Giuda dalla fine del regno d'Israele fino al crollo di Gerusalemme per opera di Nabucodonosor (586), il re di Babilonia la cui potenza aveva soppiantato quella assira nell'egemonia del Medio Oriente.

I libri dei Re non contengono una storia profana, economico-politica, completa ed esatta dei regni del nord e del sud. L'opera si presenta come una riflessione religiosa sulla storia della monarchia. Il criterio di giudizio sui re e sugli eventi è la teologia dell'alleanza: il popolo beneficia dei favori divini per mezzo della dinastia davidica se ripudia gl'idoli e i loro santuari e rimane fedele alle parole dei profeti e al culto nel tempio di Gerusalemme. In caso contrario, i re e il popolo sono condannati a ogni sorta di calamità e al disastro militare (cfr. Dt 28-30 e 2Re 17).

LA VECCHIAIA DI DAVIDE E LA COSPIRAZIONE DI ADONIA

1 ¹Il re Davide era molto vecchio e, per quanto lo ricoprissero di panni, non riusciva a riscaldarsi. ²Allora i suoi servi gli dissero: «Si cerchi per il re nostro signore una fanciulla vergine che lo assista, ne abbia cura e dorma con lui; così il re nostro signore si riscalderà». ³Cercarono dunque per tutto il territorio d'Israele una bella fanciulla e, trovata Abisag di Sunem, la condussero al re. ⁴La fanciulla era molto bella; si prendeva cura del re e lo serviva, ma il re non ebbe rapporti con lei.

⁵Frattanto Adonia, figlio di Agghit, si insuperbì e disse: «Io sarò il re!». Si procurò carri, cavalieri e cinquanta uomini che lo precedessero. ⁶Suo padre non lo aveva mai rimproverato in vita sua, né mai gli aveva

detto: «Perché agisci così?». Inoltre egli, nato dopo Assalonne, era molto avvenente. ⁷Si accordò con Ioab, figlio di Zeruia, e con il sacerdote Ebiatar, che sostenevano il partito di Adonia. ⁸Invece il sacerdote Zadok, Benaia, figlio di Ioiada, il profeta Natan, Simei, Rei e gli eroi di Davide non stavano dalla parte di Adonia. ⁹Un giorno, mentre si accingeva ad immolare pecore, buoi e vitelli grassi presso la pietra di Zochelet, che è vicina alla fontana di Roghel, Adonia invitò tutti i suoi fratelli, figli del re, e tutti gli uomini di Giuda al servizio del re. ¹⁰Non invitò però il profeta Natan, né Benaia, né i più valorosi soldati, né suo fratello Salomone.

---

1 - 5ss. *Adonia,* conoscendo le preferenze di Davide per Salomone, vuol mettere il padre davanti al fatto compiuto, e invita Ioab, ambizioso capo dell'esercito, ed Ebiatar, geloso di Zadok per il sacerdozio. Non chiama quelli contrari.

[11]Allora Natan disse a Betsabea, madre di Salomone: «Non hai sentito che Adonia, figlio di Agghit, è diventato re all'insaputa di Davide nostro signore? [12]Orbene, permettimi di darti un consiglio, perché tu possa salvare la tua vita e quella di tuo figlio Salomone. [13]Va', presentati al re Davide e digli: Non hai forse giurato, o re mio signore, alla tua schiava dicendole: Tuo figlio Salomone regnerà dopo di me e siederà sul mio trono? Perché dunque è diventato re Adonia? [14]Ed ecco, mentre tu starai lì a parlare con il re, io entrerò dopo di te e confermerò le tue parole».

[15]Betsabea andò nella camera del re, che era molto vecchio, e Abisag di Sunem lo serviva. [16]Betsabea si inginocchiò e si prostrò davanti al re e questi le domandò: «Che cosa vuoi?». [17]Gli rispose: «O mio signore, tu hai giurato alla tua schiava per il Signore tuo Dio: Tuo figlio Salomone regnerà dopo di me e siederà sul mio trono, [18]ma ora ecco che Adonia è diventato re e tu, o re mio signore, non lo sai!

[19]Infatti egli ha immolato una grande quantità di buoi, vitelli grassi e pecore e ha invitato tutti i figli del re, il sacerdote Ebiatar, e Ioab capo dell'esercito, ma il tuo servo Salomone non l'ha invitato. [20]E ora, o re mio signore, gli occhi di tutto Israele sono rivolti a te, perché tu indichi loro chi dovrà sedere in seguito sul trono del re mio signore. [21]Se no, avverrà che, quando il re mio signore si sarà addormentato con i suoi padri nel sepolcro, io e il mio figlio Salomone saremo considerati colpevoli».

[22]Stava ancora parlando con il re, quand'ecco arrivare il profeta Natan. [23]Lo avevano annunciato al re con queste parole: «Ecco il profeta Natan!». Entrato che fu al cospetto del re, si prostrò davanti a lui con la faccia a terra. [24]Poi Natan disse: «O re mio signore, tu devi aver decretato: Adonia regnerà dopo di me e lui siederà sul mio trono! [25]Costui infatti è sceso oggi ad immolare buoi, vitelli grassi e pecore in quantità e ha invitato tutti i figli del re, i capi dell'esercito e il sacerdo-

te Ebiatar; ecco che essi ora mangiano e bevono in sua presenza e gridano: Viva il re Adonia! [26]Ma egli non ha invitato me, tuo servo, né il sacerdote Zadok, né Benaia, figlio di Ioiada, né Salomone tuo servo. [27]Se questa cosa avviene da parte del re mio signore, perché allora tu non hai fatto sapere ai tuoi servi chi dovrà sedere dopo di te sul trono del re mio signore?». [28]Il re Davide rispose: «Chiamatemi Betsabea!». Essa venne al cospetto del re e gli stette dinanzi. [29]Allora il re giurò e disse: «Per la vita del Signore che mi ha liberato da ogni pericolo! [30]Secondo quanto ti ho giurato per il Signore, Dio d'Israele, dicendoti: Tuo figlio Salomone regnerà dopo di me e siederà sul mio trono al mio posto, così farò oggi stesso». [31]Allora Betsabea si inginocchiò con la faccia a terra, si prostrò davanti al re e disse: «Viva in perpetuo il mio signore, il re Davide!».

[32]Quindi il re Davide disse: «Chiamatemi il sacerdote Zadok, il profeta Natan e Benaia, figlio di Ioiada!». Essi vennero al cospetto del re. [33]Allora questi disse loro: «Prendete con voi la guardia del vostro signore, fate cavalcare mio figlio Salomone sulla mia stessa mula e conducetelo giù a Ghicon. [34]Lì il sacerdote Zadok e il profeta Natan lo ungeranno re d'Israele e voi suonerete la tromba e griderete: Viva il re Salomone! [35]Poi risalirete dietro di lui, che verrà a sedersi sul mio trono e regnerà al mio posto, poiché l'ho costituito principe su Israele e Giuda». [36]Allora Benaia, figlio di Ioiada, rispose al re: «Così sia! Così disponga anche il Signore, Dio del re mio signore! [37]Come il Signore ha assistito il re mio signore, così assista Salomone e renda il suo trono ancora più glorioso di quello del re Davide mio signore». [38]Allora il sacerdote Zadok, il profeta Natan, Benaia, figlio di Ioiada, insieme con i Cretei e i Peletei discesero e, fatto montare Salomone sulla mula del re Davide, lo condussero a Ghicon. [39]Il sacerdote Zadok prese il corno dell'olio dalla tenda e unse Salomone; allora si suonò la tromba e tutto il popolo gridò: «Viva il re Salomone!». [40]Poi tutto il popolo risalì dietro di lui suonando i flauti e manifestando grande allegria, con acclamazioni che sembravano spaccare la terra. [41]Adonia e tutti gli invitati che erano con lui udirono il clamore quando stavano finendo di mangiare. Al sentire il suono del-

---

39-40. La lunga e complicata lotta dinastica, segnata dalla rivolta di Assalonne (2Sam 13,19) e di Seba (2Sam 20), dagli intrighi di Adonia (1Re 2,13-25), non riesce a rompere la successione dinastica in Israele, e l'ascesa al trono di Salomone denota il compimento della promessa fatta da Natan a Davide (2Sam 7,6-16). Dio confermerà con la sua benedizione la scelta fatta da Davide (9,2ss).

la tromba, Ioab domandò: «Perché mai tanto rumore nella città in tumulto?». [42]Mentre ancora parlava, ecco che arrivò Gionata, figlio del sacerdote Ebiatar. Gli disse Adonia: «Vieni! Tu sei un uomo valoroso e certamente porti buone notizie!». [43]Gionata gli rispose «No! Il re Davide nostro signore ha fatto re Salomone! [44]Infatti il re ha mandato con lui il sacerdote Zadok, il profeta Natan, Benaia, figlio di Ioiada, insieme con i Cretei e i Peletei che lo hanno fatto salire sulla mula del re. [45]Il sacerdote Zadok e il profeta Natan l'hanno unto re presso Ghicon, poi di là sono risaliti giubilanti, mentre la città è sottosopra. Questo significa il chiasso che avete udito. [46]Anzi Salomone s'è già assiso sul trono del regno, [47]e persino i ministri del re sono andati a felicitarsi con il re Davide nostro signore dicendo: Il tuo Dio glorifichi il nome di Salomone più del tuo e magnifichi il suo trono più del tuo! Il re si è prostrato in adorazione sul letto, [48]poi ha detto: Sia benedetto il Signore, Dio d'Israele, perché oggi mi ha concesso di vedere un mio figlio assiso sul mio trono». [49]Allora tutti gli invitati che erano con Adonia furono presi da spavento, si alzarono e se ne andarono ciascuno per la sua strada. [50]Adonia però ebbe paura di Salomone, perciò si alzò e andò ad aggrapparsi ai corni dell'altare. [51]Ne fu avvertito Salomone: «Ecco, Adonia ha paura del re Salomone e perciò s'è aggrappato ai corni dell'altare dicendo: Adesso il re Salomone mi giuri che non farà morire di spada il suo servo!». [52]Rispose Salomone: «Se sarà un uomo leale, non cadrà in terra neppure uno dei suoi capelli; se invece sarà colto in fallo, morirà!». [53]Allora Salomone mandò a staccarlo dall'altare. Quegli venne e si prostrò davanti al re Salomone, che gli disse: «Vattene a casa tua!».

LE ULTIME
RACCOMANDAZIONI DI DAVIDE

2 [1]Quando i giorni di Davide stavano per finire, egli fece a suo figlio Salomone le seguenti raccomandazioni: [2]«Io me ne sto andando là dove vanno tutti; ma tu sii coraggioso e comportati da uomo! [3]Osserva la legge del Signore tuo Dio, camminando nelle sue vie e mettendo in pratica i suoi precetti, i suoi comandamenti, i suoi decreti e le sue prescrizioni, come sta scritto nella legge di Mosè, affinché tu riesca in tutte le imprese a cui ti dedicherai. [4]In tal modo il Signore confermerà la promessa che mi ha fatto: Se i tuoi figli regoleranno la loro condotta camminando lealmente al mio cospetto con tutto il cuore e con tutta l'anima, non ti mancherà mai un successore sul trono d'Israele. [5]Anche tu conosci ciò che mi ha fatto Ioab, figlio di Zeruia, cioè come egli trattò i due capi dell'esercito d'Israele, Abner, figlio di Ner, e Amasa, figlio di Ieter, come li uccise vendicando il sangue di guerra in tempo di pace e macchiando di sangue innocente la cintura che aveva ai fianchi e i sandali che portava ai piedi. [6]Agirai saggiamente se non permetterai che la sua canizie scenda in pace nello sheol. [7]Quanto ai figli di Barzillai, il galaadita, tu li tratterai benevolmente ed essi saranno fra coloro che mangiano alla tua tavola; perché furono essi che mi vennero incontro quando fuggivo di fronte a tuo fratello Assalonne. [8]Ecco presso di te anche Simei, figlio di Ghera, il beniaminita di Bacurim; egli mi maledisse con una maledizione atroce nel giorno in cui fuggivo verso Macanaim. È vero che egli scese ad incontrarmi al Giordano e io gli giurai per il Signore, dicendo: Non ti ucciderò di spada! [9]Tu però non lasciarlo impunito e, da uomo avveduto quale sei, saprai come trattarlo e come far scendere la sua canizie fra il sangue nello sheol».

[10]Poi Davide si addormentò con i suoi padri e fu sepolto nella città di Davide. [11]La durata del regno di Davide su Israele fu di quarant'anni: sette in Ebron e trentatré in Gerusalemme.

[12]Salomone si insediò sul trono di Davide suo padre e il suo regno si consolidò fortemente. [13]Adonia, figlio di Agghit, si recò da

---

2. - 1-4. Come testamento spirituale Davide esorta il giovane Salomone all'osservanza della legge. Il vecchio re si rivolge al figlio con parole che ricordano quelle di Mosè (Dt 31,7-23), Giosuè (23,2-16) e Samuele (1Sam 12,2-25): è sempre la medesima esortazione alla fedeltà all'alleanza, per meritare da Dio il compimento delle sue promesse. Dio non abbandonerà se non sarà abbandonato.

10. Davide fu il vero fondatore del regno israelitico, che rese glorioso assoggettando tutti i popoli vicini. Realizzò l'idea teocratica, facendo di Gerusalemme la capitale politica e religiosa, organizzò e rese decoroso il culto con la musica e con la poesia, e trasmise a Salomone il disegno del tempio. Ebbe delle colpe, maggiori però furono le virtù del più grande antenato di Cristo. In mezzo a tutte le difficoltà, pericoli e disgrazie si mantenne fedele a Dio.

all'una e metà all'altra». ²⁶Ma la donna il cui bimbo era ancora vivo, mossa da profonda compassione per suo figlio, disse al re: «Di grazia, mio signore, date a lei il bimbo vivo, ma non uccidetelo!». L'altra invece diceva: «Non sarà né mio né tuo, dividetelo in due!». ²⁷Allora il re prese la parola e sentenziò: «Quella che ha detto: Date a costei il bimbo vivo ma non l'uccidete, questa è sua madre!». ²⁸Tutto Israele conobbe il giudizio emesso dal re e nutrì un profondo rispetto nei suoi riguardi, perché vide che c'era in lui una sapienza divina per rendere giustizia.

GLI ALTI FUNZIONARI DI SALOMONE

4 ¹Il re Salomone regnò dunque su tutto Israele. ²Questi erano i suoi alti funzionari: Azaria, figlio di Zadok, era sacerdote; ³Elicoref e Achia, figli di Sisa, scribi; Giosafat, figlio di Achilud, archivista; ⁴Benaia, figlio di Ioiada, capo dell'esercito; Zadok ed Ebiatar, sacerdoti; ⁵Azaria, figlio di Natan, capo dei prefetti; Zabud, figlio del sacerdote Natan, amico del re; ⁶Achisar, sovrintendente del palazzo; Adoniram, figlio di Abda, sovrintendente dei lavori forzati.

⁷Salomone aveva poi dodici prefetti su tutto Israele; costoro dovevano provvedere al re e alla sua casa un mese all'anno per ciascuno. ⁸Questi sono i loro nomi: il figlio di Cur sulla montagna di Efraim; ⁹il figlio di Deker a Makaz, Saalbim, Bet-Semes, Aialon sino a Bet-Canan; ¹⁰il figlio di Chesed ad Arubbot, con Soco e tutto il paese di Chefer; ¹¹il figlio di Abinadab aveva tutta la costa di Dor (Tafat, figlia di Salomone, era sua moglie); ¹²Baana, figlio di Achilud, aveva Taanach, Meghiddo, fin oltre Iokmeam e tutto Bet-Sean al di sotto di Izreel; da Bet-Sean sino ad Abel-Mecola, verso Zartan; ¹³il figlio di Gheber a Ramot di Galaad; a lui appartenevano i villaggi di Iair, figlio di Manasse, in Galaad, il territorio di Argob nel Basan, sessanta grandi città con mura e spranghe di

bronzo; ¹⁴Achinadab, figlio di Iddo, a Macanaim; ¹⁵Achimaaz in Neftali; anch'egli aveva sposato una figlia di Salomone, Bosmat; ¹⁶Baana, figlio di Cusai, in Aser e Zabulon; ¹⁷Giosafat, figlio di Paruach, in Issacar; ¹⁸Simei, figlio di Ela, in Beniamino; ¹⁹Gheber, figlio di Uri, nel paese di Gad, già terra di Sicon, re degli Amorrei, e di Og, re di Basan. Un prefetto stava nel paese.

²⁰Giuda e Israele erano numerosi come la sabbia del mare; mangiavano, bevevano e stavano allegri.

MAGNIFICENZA E FAMA DI SALOMONE

5 ¹Salomone dominava tutti i regni, dal Fiume fino al paese dei Filistei e al confine d'Egitto. Essi offrivano tributi e servirono Salomone per tutti i giorni della sua vita. ²La provvista di viveri di Salomone per ciascun giorno era di trenta kor di fior di farina e sessanta kor di farina comune, ³di dieci buoi grassi, venti buoi da pascolo, cento capi di bestiame minuto, senza contare i cervi, le gazzelle, le antilopi e i volatili grassi. ⁴Egli infatti dominava su tutti i paesi dell'Oltrefiume, da Tifsach fino a Gaza su tutti i re dell'Oltrefiume, e v'era pace tutt'intorno ai suoi confini. ⁵Giuda e Israele abitarono al sicuro, ciascuno all'ombra della sua vite e del suo fico, da Dan fino a Bersabea, durante l'intera vita di Salomone. ⁶Salomone aveva quattromila scuderie per i cavalli dei suoi carri e dodicimila cavalli. ⁷I suddetti prefetti, ciascuno per il suo mese, provvedevano al re Salomone e a tutti quelli che avevano accesso alla sua mensa, né gli lasciavano mancare nulla. ⁸Facevano arrivare l'orzo e il foraggio per i cavalli e le bestie da tiro nel luogo in cui ciascuno si trovava, secondo il suo incarico.

⁹Dio concesse a Salomone sapienza e intelligenza molto grandi e un cuore vasto come la sabbia che è sulla spiaggia del mare. ¹⁰La sapienza di Salomone fu più grande della sapienza di tutti i figli d'Oriente e di tutta la sapienza dell'Egitto. ¹¹Egli fu più sapiente di ogni altro uomo, più di Etan l'ezrachita, di Eman, di Calcol e di Darda, figli di Macol. La sua fama si diffuse fra tutte le nazioni circonvicine. ¹²Egli pronunciò tremila proverbi e le sue poesie furono mille-

---

28. Salomone con questo giudizio aveva mostrato di conoscere profondamente il cuore umano e ciò gli procurò grande stima al cospetto di tutto Israele.

5. - 5. Il regno di Salomone prefigura quello del Messia e i profeti usano spesso queste frasi per accennare ai tempi messianici. Il regno di Salomone non fu caratterizzato da grandi fatti d'armi, ma piuttosto da buona organizzazione.

cinque. [13]Trattò degli alberi, dal cedro che si trova sul Libano sino all'issopo che spunta dal muro; dissertò anche sul bestiame e sui volatili, sui rettili e sui pesci. [14]Venivano ad ascoltare la sapienza di Salomone da tutti i popoli; venivano anche tutti i re dei paesi che avevano sentito parlare della sua sapienza.

[15]Chiram, re di Tiro, inviò i suoi servi presso Salomone, poiché aveva udito che questi era stato unto re al posto di suo padre, e Chiram era sempre stato amico di Davide. [16]Allora Salomone mandò a dire a Chiram: [17]«Tu sai bene che mio padre Davide non ha potuto edificare un tempio in onore del nome del Signore suo Dio, a causa della guerra che i nemici gli mossero da ogni parte, finché il Signore non li ebbe posti sotto la pianta dei suoi piedi. [18]Ora il Signore mio Dio mi ha concesso pace da ogni parte: non c'è nessun avversario e nessuna contrarietà. [19]Ho perciò l'intenzione di costruire un tempio al nome del Signore mio Dio, come ha detto il Signore a Davide mio padre: Tuo figlio, che io porrò al tuo posto sul tuo trono, costruirà il tempio al mio nome. [20]Pertanto ordina che si taglino per me cedri del Libano. I miei servi staranno con i tuoi e io ti pagherò l'ingaggio dei tuoi servi secondo tutto quello che stabilirai. Tu sai bene che fra di noi non c'è nessun esperto nell'abbattere alberi come sanno fare quelli di Sidone». [21]Quando Chiram udì le parole di Salomone, ne gioì assai ed esclamò: «Sia benedetto oggi il Signore che ha dato a Davide un figlio saggio per governare questo grande popolo». [22]Quindi Chiram mandò a dire a Salomone: «Ho ricevuto il tuo messaggio. Io soddisferò ogni tua richiesta riguardo al legname di cedro e di cipresso. [23]I miei servi lo faranno scendere dal Libano al mare; poi io lo farò rimorchiare per mare fino al luogo che mi avrai indicato; là lo scaricherò e tu lo prenderai. In compenso tu soddisferai la mia richiesta, fornendo l'approvvigionamento della mia famiglia». [24]Così Chiram fornì a Salomone tanto legno di cedro e di cipresso quanto ne volle.

[25]A sua volta Salomone consegnò a Chiram ventimila kor di grano per il mantenimento della sua famiglia e venti kor di olio vergine. Tanto consegnava Salomone a Chiram anno per anno. [26]Ora il Signore accordò a Salomone la sapienza, come gli aveva promesso; di conseguenza ci fu pace tra Chiram e Salomone e questi strinsero un patto tra loro.

[27]Il re Salomone fece un reclutamento di lavoratori forzati da tutto Israele, che ammontava a trentamila uomini. [28]Li mandò poi nel Libano a gruppi di diecimila per mese; un mese stavano nel Libano e due mesi a casa. Sovrintendente del lavoro forzato era Adoniram. [29]Salomone aveva anche settantamila portatori e ottantamila tagliapietre sulla montagna, [30]senza contare gli incaricati dei prefetti di Salomone, che dirigevano i lavori in numero di tremilatrecento e comandavano la massa degli operai. [31]Il re ordinò di estrarre pietre grosse, pietre pesanti da porre come fondamenta al tempio, pietre squadrate. [32]Gli operai di Salomone assieme a quelli di Chiram e di Biblos le sgrossavano e così preparavano il legno e le pietre per la costruzione del tempio.

LA COSTRUZIONE DEL TEMPIO

6 [1]Nell'anno quattrocentottanta dopo l'uscita dei figli d'Israele dal paese d'Egitto, nel quarto anno del regno di Salomone su Israele, nel mese di Ziv, che è il secondo mese dell'anno, egli incominciò a costruire il tempio del Signore. [2]Il tempio che il re Salomone costruì al Signore era lungo sessanta cubiti, largo venti e alto trenta. [3]Il vestibolo davanti alla navata del tempio era lungo venti cubiti nel senso della larghezza del tempio, e dieci cubiti nel senso della lunghezza del tempio. [4]Fece al tempio finestre quadrate e a griglie. [5]Fabbricò pure a ridosso del muro del tempio un annesso attorno alla navata e alla cella, e vi costruì intorno degli appartamenti. [6]Il piano inferiore era largo cinque cubiti, quello di mezzo sei cubiti e il terzo sette cubiti, perché egli fece il lato esterno a rientranze, tutt'intorno al tempio, per non penetrare nelle mura del tempio. [7]Nella costruzione del tempio si usarono pietre già squadrate, cosicché, durante la costruzione, non s'udì nel tempio rumore

6. - 2. Il cubito misurava circa mezzo metro. Il tempio riproduceva con misure doppie la tenda fatta costruire da Mosè; era lungo 30 metri, largo 10, alto 15. Aveva l'ingresso a oriente, dov'era il portico; dal portico s'entrava nel Santo e, di qui, nel Santo dei Santi. Era circondato da quattro portici.

base v'era un supporto rotondo, alto mezzo cubito; in cima alla base c'erano i manici; le spallette e la base formavano un solo corpo. [36]Scolpì sulle sue pareti cherubini, leoni e palme, secondo gli spazi liberi e, in più, motivi a spirale all'intorno. [37]In questo modo egli fece le dieci basi, con un'unica fusione, un'unica misura e un'unica forma per tutte. [38]Fece poi dieci conche di bronzo, ognuna delle quali conteneva quaranta bat, misurava quattro cubiti e poggiava su una delle dieci basi. [39]Collocò le basi, cinque al lato destro del tempio e cinque a quello sinistro; invece il mare lo pose al lato destro del tempio, rivolto verso sud-est. [40]Chiram fece anche i vasi per la cenere, le palette e le coppe. Così terminò ogni lavoro di cui il re Salomone lo aveva incaricato per il tempio del Signore, [41]cioè le due colonne, le volute dei capitelli che stavano in cima alle due colonne, le due reti per coprire le due volute che stavano in cima alle colonne, [42]le quattrocento melagrane per le due reti, i due ordini di melagrane per ciascuna rete, destinati a coprire i due capitelli sferici in cima alle colonne, [43]le dieci basi e le dieci conche per le basi, [44]il mare e i dodici buoi che lo sostenevano, [45]i vasi per la cenere, le palette e le coppe.
Tutte queste suppellettili, che Chiram aveva fatto al re Salomone per il tempio del Signore, erano di bronzo levigato. [46]Egli le fuse in modelli di argilla nella regione del Giordano, tra Succot e Zartan.
[47]Salomone sistemò tutte queste suppellettili; a causa della loro grandissima quantità non si poté calcolare il peso del bronzo.
[48]Salomone fece preparare tutte le suppellettili che erano nel tempio del Signore: l'altare d'oro, la mensa d'oro su cui si ponevano i pani della presentazione, [49]i candelabri in oro fino, cinque a destra e cinque a sinistra davanti alla cella; inoltre i fiori, le lampade e gli smoccolatoi d'oro, [50]le coppe, i coltelli, gli aspersori, i mortai e gli incensieri d'oro fino. Anche i cardini per i battenti della navata erano d'oro. [51]Terminati tutti i lavori che aveva intrapreso per il tempio del Signore, Salomone fece portare le offerte fatte da suo padre Davide, cioè l'argento, l'oro e i vasi, deponendoli fra i tesori del tempio del Signore.

IL TRASPORTO DELL'ARCA

8 [1]Allora Salomone convocò gli anziani d'Israele a Gerusalemme per trasportare dalla città di Davide, cioè da Sion, l'arca dell'alleanza del Signore. [2]Tutti gli uomini d'Israele si radunarono presso di re Salomone, per la festa della luna di Etanim, cioè nel settimo mese. [3]Venuti dunque tutti gli anziani d'Israele, i sacerdoti presero l'arca, [4]la tenda del convegno e tutte le suppellettili del santuario che erano in essa. [5]Il re Salomone e tutta la comunità d'Israele, che si era radunata presso di lui, immolavano davanti all'arca pecore e buoi in quantità incalcolabile. [6]I sacerdoti frattanto portarono l'arca dell'alleanza del Signore al suo posto, nella cella del tempio, cioè nel Santo dei Santi, sotto le ali dei cherubini. [7]I cherubini, infatti, stendevano le ali sul luogo dell'arca e dall'alto ricoprivano l'arca e le sue stanghe. [8]Queste erano così lunghe che le loro estremità si potevano vedere dall'aula antistante alla cella, non però di fuori. Lì sono rimaste fino ad oggi. [9]Nell'arca non c'era nulla, se non le due tavole di pietra che Mosè vi aveva deposte sull'Oreb, cioè le tavole dell'alleanza che il Signore aveva concluso con i figli d'Israele nel loro esodo dal paese d'Egitto. [10]Quando i sacerdoti stavano uscendo dal santuario, una nube riempì il tempio del Signore [11]e i sacerdoti non poterono rimanervi per compiere le loro funzioni a causa della nube, perché la gloria del Signore riempiva il suo tempio. [12]Allora Salomone disse:

«Il Signore ha deciso di abitare
    nella densa nube;
[13] perciò io ti ho edificato
    un'eccelsa dimora,
    un luogo dove tu possa dimorare
        per sempre».

---

8. - 1-3. Siccome la spianata del tempio era più in alto e più a nord dell'antica Città di Davide, Salomone fece trasportare l'arca dalla collina di Sion alla nuova sede. Salomone termina la celebrazione con un'orazione in cui dichiara il tempio abitazione del Dio salvatore (cfr. 8,22-53). La cerimonia ebbe luogo nel settembre del 961 a.C.
2. Era la festa delle Capanne (Lv 23,34) che ricorreva nel settimo mese, Etanim o Tisri (settembre-ottobre). Dall'epoca di Giosuè e dell'alleanza in Sichem (Gs 24), quella era la festa della rinnovazione dell'alleanza.
10. Dio, facendo riapparire la nuvola sparita al passaggio del Giordano (Gs 3), rende legittimo il tempio e ne prende visibilmente possesso.

¹⁴Poi il re si voltò e benedisse tutta l'assemblea di Israele che se ne stava in piedi. ¹⁵Disse: «Benedetto il Signore Dio d'Israele che ha promesso di sua bocca a Davide mio padre e ha compiuto con la sua potenza quanto aveva promesso, dicendo: ¹⁶Dal giorno in cui feci uscire il mio popolo Israele dall'Egitto io non ho scelto nessuna città fra tutte le tribù d'Israele perché mi si costruisse una casa, ove abitasse il mio nome, bensì ho scelto Davide perché guidi il mio popolo Israele. ¹⁷Ora Davide mio padre aveva intenzione di edificare un tempio al nome del Signore, Dio d'Israele, ¹⁸ma il Signore disse a Davide mio padre: Tu hai deciso di costruire un tempio al mio nome e hai fatto bene; ¹⁹però a costruirlo non sarai tu, bensì tuo figlio, uscito dai tuoi fianchi; egli edificherà il tempio al mio nome. ²⁰Il Signore ha dunque realizzato la promessa che aveva pronunciato: io sono succeduto a Davide mio padre, mi sono seduto sul trono di Israele, come il Signore aveva preannunziato, e ho edificato il tempio al nome del Signore, Dio d'Israele. ²¹In esso ho fissato un posto per l'arca nella quale si trova l'alleanza che il Signore ha concluso con i nostri padri, quando li fece uscire dalla terra d'Egitto».

²²Poi Salomone si pose davanti all'altare del Signore, in presenza di tutta l'assemblea d'Israele e, stese le mani verso il cielo, ²³disse: «Signore, Dio d'Israele, non c'è alcun Dio simile a te, né lassù nei cieli né quaggiù sulla terra! Tu che mantieni l'alleanza e la benevolenza verso i tuoi servi, quando essi camminano davanti a te con tutto il cuore, ²⁴hai mantenuto la promessa fatta al tuo servo Davide mio padre e oggi hai compiuto con la tua mano ciò che avevi promesso con la tua bocca. ²⁵E ora Signore, Dio d'Israele, mantieni al tuo servo Davide mio padre ciò che gli hai promesso, dicendo: Non ti mancherà un discendente che stia alla mia presenza, seduto sul trono d'Israele, purché i tuoi figli veglino sulla loro condotta e camminino davanti a me come hai fatto tu. ²⁶Orbene, Dio d'Israele, si realizzi la parola che hai detto al tuo servo Davide mio padre. ²⁷Ma veramente Dio abita sulla terra? Ecco, i cieli e i cieli dei cieli non ti possono contenere, quanto meno lo potrà questo tempio che ho costruito! ²⁸Tu, però, volgiti propizio alla preghiera e alla supplica del tuo servo, o Signore mio Dio,

ascoltando il grido e la preghiera che il tuo servo innalza oggi dinanzi a te! ²⁹Che i tuoi occhi siano aperti notte e giorno su questo tempio, su questo luogo di cui hai detto: Lì sarà il mio nome! Ascolta la preghiera che il tuo servo t'innalza in questo luogo.

³⁰Ascolta, dunque, la supplica del tuo servo e del tuo popolo Israele, quando pregheranno in questo luogo! Ascoltali dal luogo della tua dimora, dal cielo; ascolta e perdona! ³¹Se qualcuno avrà peccato contro il suo prossimo e, dopo che gli sarà imposto un giuramento imprecatorio, verrà a giurare dinanzi al tuo altare in questo tempio, ³²tu ascolta dal cielo e intervieni, fa' giustizia con i tuoi servi; condanna l'empio, facendogli ricadere sul capo la sua condotta, e dichiara giusto l'innocente, retribuendolo secondo la sua innocenza.

³³Quando il tuo popolo Israele sarà battuto davanti al nemico perché ha peccato contro di te, se farà ritorno a te e darà lode al tuo nome, se ti pregherà e si supplicherà in questo tempio, ³⁴tu ascolta dal cielo, perdona il peccato del tuo popolo Israele e riconducilo nel paese che hai donato ai suoi padri.

³⁵Quando il cielo si chiuderà e non ci sarà pioggia perché hanno peccato contro di te, se ti pregheranno in questo luogo, se loderanno il tuo nome e si ritrarranno dal loro peccato perché li hai umiliati, ³⁶tu ascolta dal cielo e perdona il peccato dei tuoi servi e del tuo popolo Israele, insegnando loro la buona via su cui camminare, e invia la pioggia sulla terra che hai donato in eredità al tuo popolo.

³⁷Quando la carestia o la peste, il carbonchio o la ruggine colpiranno il paese, le locuste o i bruchi lo invaderanno, il nemico stringerà d'assedio una delle sue porte o scoppierà un flagello o un'epidemia qualsiasi, ³⁸se chiunque oppure tutto Israele, avvertendo i rimorsi della propria coscienza, innalzerà una preghiera o una supplica e stenderà le mani verso questo tempio, ³⁹tu ascolta dal cielo, luogo della tua dimora, perdona e intervieni, rendendo a ciascuno secondo la sua condotta, perché tu conosci il suo cuore; tu solo infatti conosci il cuore di ogni uomo. ⁴⁰Così essi ti temeranno per tutti i giorni che vivranno sulla terra che hai donato ai nostri padri.

⁴¹Persino lo straniero, che non appartiene al tuo popolo Israele, quando verrà da un pae-

se lontano a causa del tuo nome – [42]giacché si udrà parlare del tuo grande nome, della tua mano potente e del tuo braccio teso – e verrà per pregare in questo tempio, [43]tu ascoltalo dal cielo, luogo della tua dimora, e concedi ciò che lo straniero ti domanda, affinché tutti i popoli della terra conoscano il tuo nome, ti temano come fa il tuo popolo Israele e sappiano che il tuo vero nome è stato invocato su questo tempio che io ho edificato. [44]Se il tuo popolo muoverà guerra contro i suoi nemici, seguendo le vie che tu gli hai indicato, e pregherà il Signore rivolto verso la città da te scelta e verso il tempio da me edificato al tuo nome, [45]tu ascolta dal cielo la sua preghiera e la sua supplica e rendi giustizia.

[46]Se peccheranno contro di te, poiché non c'è nessuno che non pecchi, e tu, sdegnato contro di loro, li abbandonerai in balia del nemico e i loro conquistatori li deporteranno nel paese del nemico, lontano o vicino, [47]se rientreranno in se stessi nella terra dove furono deportati, se si convertiranno e ti supplicheranno nella terra della loro prigionia, dicendo: Abbiamo peccato, abbiamo commesso delle iniquità, siamo colpevoli, [48]se si convertiranno a te con tutto il cuore e con tutta l'anima nella terra dei loro nemici che li hanno deportati e ti pregheranno rivolti verso la terra che tu hai donato ai loro padri, verso la città che ti sei scelto e verso il tempio da me edificato al tuo nome, [49]tu ascolta dal cielo, luogo della tua dimora, la loro preghiera e la loro supplica e rendi loro giustizia. [50]Perdona ai membri del tuo popolo tutti i peccati che hanno commesso contro di te, tutte le ribellioni di cui si sono resi colpevoli verso di te e fa' che trovino compassione presso i loro deportatori, affinché questi usino loro clemenza, [51]perché essi sono il tuo popolo e la tua eredità, coloro che hai tratto fuori dall'Egitto, da una fornace per fondere il ferro. [52]I tuoi occhi siano aperti alla supplica del tuo servo e alla supplica del tuo popolo Israele per esaudirli in tutto quello che ti chiedono, [53]poiché tu li hai separati da tutti i popoli della terra come tua proprietà,

secondo quanto avevi dichiarato per mezzo del tuo servo Mosè, quando facesti uscire dall'Egitto i nostri padri, o Signore Dio».

[54]Quando Salomone ebbe terminato di rivolgere questa preghiera e supplica al Signore, si alzò davanti all'altare del Signore – stava infatti inginocchiato – con le mani tese verso il cielo. [55]Stando in piedi benedisse ad alta voce tutta l'assemblea d'Israele: [56]«Benedetto il Signore che ha concesso tranquillità al suo popolo Israele, secondo tutto quello che aveva detto. Neppure una di tutte le belle promesse fatte per mezzo del suo servo Mosè è andata a vuoto! [57]Il Signore nostro Dio sia con noi come è stato con i nostri padri; non ci abbandoni e non ci respinga, [58]ma volga i nostri cuori verso di lui, affinché camminiamo in tutte le sue vie e osserviamo i comandamenti, gli statuti e i decreti che ha prescritto ai nostri padri.

[59]Possano queste parole che ho pronunciato davanti al Signore rimanere presenti al Signore nostro Dio, giorno e notte, perché ogni giorno egli renda giustizia al suo servo e al suo popolo Israele. [60]Così tutti i popoli della terra sapranno che il Signore solo è Dio e non ve n'è altri. [61]Il vostro cuore sarà tutto intero per il Signore nostro Dio, camminando secondo i suoi decreti e osservando i suoi comandamenti, come fate oggi».

[62]Il re e tutto Israele offrirono sacrifici davanti al Signore. [63]Come sacrifici di comunione offerti al Signore, Salomone immolò ventiduemila buoi e centoventimila pecore. In tal modo il re e tutti i figli d'Israele dedicarono il tempio al Signore. [64]In quel giorno il re consacrò il centro del cortile che sta di fronte al tempio del Signore; lì infatti offrì l'olocausto, l'oblazione e le parti grasse dei sacrifici di comunione, poiché l'altare di bronzo che è davanti al Signore era insufficiente a contenere l'olocausto, l'oblazione e le parti grasse dei sacrifici di comunione. [65]In quell'occasione Salomone celebrò la festa; a lui si unì davanti al Signore nostro Dio, per sette giorni, tutto Israele, un'assemblea grandiosa proveniente dall'ingresso di Camat fino al torrente d'Egitto. [66]Nel giorno ottavo congedò il popolo ed essi benedirono il re e ritornarono alle loro dimore, contenti e con la gioia nel cuore per tutto il bene che il Signore aveva fatto a Davide suo servo e al suo popolo Israele.

---

47. La schiavitù sarà la più grande punizione per Israele, quella che più sarà in contrasto con le promesse di Dio di dare al suo popolo il possesso di una terra dove scorrevano latte e miele. Gli Ebrei, nell'esilio assiro e babilonese, pregavano voltandosi verso la città santa, dov'era l'unico tempio del vero Dio.

DIO RISPONDE ALLA PREGHIERA DI SALOMONE

9 ¹Quando Salomone ebbe terminato di costruire il tempio del Signore, il palazzo reale e quanto gli piacque attuare, ²il Signore gli apparve una seconda volta, come gli era apparso in Gabaon, ³e gli disse: «Ho esaudito la preghiera e la supplica che mi hai rivolto e ho consacrato questo tempio che hai costruito, perché vi ponessi il mio nome per sempre; verso di esso saranno rivolti per sempre i miei occhi e il mio cuore. ⁴Quanto a te, se camminerai al mio cospetto, come camminò Davide tuo padre, con purità di cuore e rettitudine, facendo tutto quello che ti ho comandato, se custodirai i miei statuti e i miei decreti, ⁵io stabilirò per sempre il tuo trono regale su Israele, come ho promesso a Davide tuo padre dicendo: Non ti mancherà mai uno che segga sul trono d'Israele.

⁶Se però voi e i vostri figli vi allontanerete da me e non osserverete i comandamenti e gli statuti che vi ho dato, se andrete a servire gli dèi stranieri e li adorerete, ⁷sterminerò Israele dalla faccia della terra che gli ho donato e rigetterò dal mio cospetto il tempio che ho consacrato al mio nome, cosicché Israele diventi la favola e lo zimbello di tutti i popoli. ⁸Questo tempio diverrà un mucchio di rovine: chiunque gli passerà vicino rimarrà stupefatto, fischierà per lo stupore e dirà: Perché il Signore ha agito in questo modo con questo paese e con questo tempio? ⁹Gli risponderanno: Perché hanno abbandonato il Signore loro Dio, che ha fatto uscire i loro padri dal paese d'Egitto e hanno aderito a dèi stranieri, li hanno adorati e serviti, perciò il Signore ha inviato su di loro tutti questi mali».

¹⁰Venti anni dopo che Salomone aveva costruito i due edifici, il tempio del Signore e il palazzo reale, ¹¹poiché Chiram, re di Tiro, gli aveva fornito legno di cedro e di cipresso e oro secondo tutti i suoi desideri, il re Salomone diede a Chiram venti città nella regione della Galilea. ¹²Chiram venne da Tiro per visitare le città che Salomone gli aveva ceduto, ma non le trovò di suo gradimento. ¹³Disse perciò: «Che città sono queste che mi hai ceduto, fratello mio?». Per questo le chiamò paese di Cabul, nome ancora in uso oggi. ¹⁴Chiram mandò al re centoventi talenti d'oro.

¹⁵Ecco quanto riguarda il reclutamento che il re Salomone fece per costruire il tempio del Signore, la sua reggia, il Millo e il muro di Gerusalemme, Cazor, Meghiddo e Ghezer. ¹⁶Il Faraone, re d'Egitto, era salito e aveva conquistato Ghezer, l'aveva incendiata, aveva massacrato i Cananei che l'abitavano e l'aveva data in dote alla figlia, moglie di Salomone. ¹⁷Perciò Salomone ricostruì Ghezer, Bet-Oron inferiore, ¹⁸Baalat e Tamar nel deserto del paese, ¹⁹tutte le città di rifornimento appartenenti a Salomone, le città per i suoi carri e i suoi cavalli e quanto volle edificare a Gerusalemme, nel Libano e in tutto il territorio sottoposto al suo dominio. ²⁰Quanti rimanevano degli Amorrei, degli Hittiti, degli Perizziti, degli Evei e dei Gebusei, i quali non appartenevano ai figli d'Israele, ²¹cioè i loro discendenti che erano ancora rimasti nel paese, perché i figli d'Israele non erano stati capaci di votarli allo sterminio, Salomone li ingaggiò nei lavori forzati, e tale è ancora oggi la loro condizione.

²²Ma ai figli d'Israele non impose alcun lavoro forzato, perché essi servivano come soldati, erano le sue guardie, i suoi ufficiali, i suoi scudieri, gli ufficiali dei suoi carri e dei suoi cavalieri. ²³Tra essi vi erano i cinquecentocinquanta capi dei prefetti che dirigevano i lavori di Salomone; essi sovrintendevano a quanti erano impiegati nei lavori. ²⁴Dopo che la figlia del Faraone si trasferì dalla città di Davide alla casa che Salomone le aveva edificato, egli costruì il Millo.

²⁵Salomone offriva tre volte all'anno olocausti e sacrifici di comunione sull'altare che aveva costruito al Signore e bruciava aromi davanti al Signore. Così terminò il tempio.

²⁶Il re Salomone costruì pure una flotta a Ezion-Gheber, presso Elat, sulla riva del Mar Rosso, nella regione di Edom. ²⁷Chiram mandò sulle navi i suoi servi, che erano marinai esperti di mare, insieme con i servi di Salomone. ²⁸Essi andarono a Ofir, dove presero oro per quattrocentoventi talenti e lo portarono al re Salomone.

---

9. - 1-9. Un'apparizione di Dio conferma la dedicazione del tempio. Come sempre, Dio si richiama all'alleanza e all'osservanza del primo comandamento, suo punto fondamentale.

7. Dio, quando gli uomini lo cacciano dal loro cuore (templi spirituali), sdegna il culto esterno e il tempio materiale. Le profezie si avverarono alla lettera.

LA REGINA DI SABA VISITA SALOMONE

10 [1]La regina di Saba, avendo sentito parlare della fama di Salomone, venne per metterlo alla prova con enigmi. [2]Essa giunse a Gerusalemme con una numerosa scorta di cammelli che trasportavano aromi, oro in gran quantità e pietre preziose. Presentatasi a Salomone, gli manifestò tutto quello che aveva in testa, [3]ma Salomone dilucidò tutti i suoi quesiti, né ci fu cosa oscura che il re non sapesse spiegare. [4]La regina di Saba, quando ebbe ammirato tutta la sapienza di Salomone, il palazzo ch'egli aveva costruito, [5]i cibi della sua mensa, l'abitazione dei suoi dignitari, il comportamento dei suoi ministri, le loro vesti, i suoi coppieri e gli olocausti che offriva nel tempio del Signore, rimase senza fiato [6]e disse al re: «Era dunque proprio vero quanto avevo sentito nel mio paese riguardo alle tue opere e alla tua sapienza. [7]Tuttavia io non volli credere a quanto si diceva, finché non sono venuta e non ho visto con i miei occhi. Ma ecco, non mi era stato riferito neppure la metà: la tua sapienza e la tua prosperità superano quanto ho sentito dire. [8]Felici le tue donne, felici questi tuoi servi che stanno sempre alla tua presenza e ascoltano la tua sapienza! [9]Sia benedetto il Signore, tuo Dio, che ti ha mostrato il suo favore ponendoti sul trono d'Israele! Perché il Signore, che ti ha costituito re per esercitare il diritto e la giustizia, ama Israele per sempre». [10]Poi essa diede al re centoventi talenti d'oro, grande quantità di aromi e pietre preziose. Non giunsero mai più tanti aromi quanti la regina di Saba ne diede al re Salomone. [11]Anche le navi di Chiram, destinate al trasporto dell'oro di Ofir, portarono da Ofir legno di sandalo in grande quantità e pietre preziose. [12]Con il legno di sandalo il re fece oggetti per il tempio del Signore e per il palazzo reale e fabbricò lire e arpe per i cantori. Mai più arrivò, né mai più si vide fino ad oggi, tanto legno di sandalo. [13]Il re Salomone diede alla regina di Saba tutto quanto ella desiderò e chiese, senza parlare di quello che le diede con una munificenza degna di lui. Quindi essa riprese il cammino e se ne andò al suo paese con i suoi servi.

[14]La quantità d'oro che annualmente giungeva a Salomone era di seicentosessantasei talenti, [15]senza contare quello che proveniva dai traffici dei mercanti e dal guadagno dei commercianti, da tutti i re arabi e dai governanti del paese. [16]Il re Salomone fece duecento grandi scudi d'oro battuto, su ognuno dei quali applicò seicento sicli d'oro, [17]e trecento piccoli scudi d'oro battuto, su ognuno dei quali applicò tre mine d'oro e li depose nel palazzo della Foresta del Libano. [18]Il re fece pure un gran trono d'avorio, che rivestì d'oro fino. [19]Questo trono aveva sei gradini; sullo schienale c'erano teste di vitelli; il sedile aveva due bracci laterali, ai cui fianchi apparivano due leoni. [20]Dodici leoni si ergevano ai lati dei sei gradini. In nessun altro regno era mai stato fatto nulla di simile. [21]Tutte le coppe in cui il re Salomone beveva erano d'oro; anche tutta la suppellettile del palazzo della Foresta del Libano era d'oro fino; infatti al tempo di Salomone l'argento non era tenuto in alcun conto. [22]Il re aveva in mare la flotta di Tarsis, oltre alla flotta di Chiram, e ogni tre anni la flotta di Tarsis portava oro, argento, avorio, scimmie e babbuini.

[23]Il re Salomone superò in ricchezza e sapienza tutti i re della terra. [24]Tutti desideravano essere ricevuti da Salomone, per udire la sapienza che Dio gli aveva messo in cuore. [25]Ognuno, anno per anno, gli portava i propri doni: vasi d'argento e d'oro, vestiti, armi, aromi, cavalli e muli. [26]Salomone radunò carri e cavalli ed ebbe millequattrocento carri e dodicimila cavalli, che sistemò nelle città dei carri e a Gerusalemme, presso il re. [27]Il re fece sì che a Gerusalemme l'argento abbondasse come le pietre e il legname di cedro fosse tanto comune come i sicomori che crescono nella Sefela. [28]I cavalli di Salomone provenivano da Muzri e da Kue; i mercanti del re li acquistavano a Kue in contanti. [29]Un carro era importato da Muzri per seicento sicli d'argento; un cavallo ne costava centocinquanta. Così, tramite questi mercanti, tutti i re degli Hittiti e i re di Aram vendevano i loro cavalli.

---

10. - 22. *La flotta* di Salomone è detta *di Chiram*, perché era guidata da piloti fenici. *Navi di Tarsis* erano quelle navi di costruzione molto robusta, adatte ad affrontare lunghi viaggi, come le navi che dalle coste della Fenicia arrivavano fino a Tarsis nella lontana Spagna, alla foce del Guadalquivir, sull'Oceano Atlantico. Altri collocano Tarsis in Sardegna.

IL PECCATO DI SALOMONE

11 [1]Il re Salomone amò, oltre la figlia del Faraone, molte donne straniere, moabite, ammonite, idumee, sidonie e hittite, [2]appartenenti ai popoli di cui il Signore aveva detto ai figli d'Israele: «Voi non andrete da loro, né essi verranno da voi, altrimenti piegheranno il vostro cuore verso i loro dèi». Invece Salomone si legò ad esse per amore. [3]Egli ebbe settecento principesse per mogli e trecento concubine. [4]Quando Salomone fu vecchio, le sue donne gli sviarono il cuore dietro le divinità straniere e il suo cuore non fu più tutto per il Signore suo Dio, com'era stato il cuore di Davide suo padre. [5]Salomone seguì Astarte, dea di quelli di Sidone, e Milcom, obbrobrio degli Ammoniti. [6]Egli fece ciò che è male agli occhi del Signore e non rimase fedele al Signore come Davide suo padre. [7]Salomone costruì sul monte di fronte a Gerusalemme un'altura in onore del dio Camos, obbrobrio dei Moabiti, e anche in onore del dio Milcom, obbrobrio degli Ammoniti. [8]Così fece per tutte le mogli straniere, le quali bruciavano aromi e offrivano sacrifici alle loro divinità. [9]Perciò il Signore si adirò contro Salomone, perché aveva distolto il suo cuore dal Signore, Dio d'Israele, che gli era apparso due volte [10]e gli aveva comandato di non andare dietro alle divinità straniere. Ma egli non osservò il comando del Signore.

[11]Allora il Signore disse a Salomone: «Poiché ti sei comportato così e non hai osservato la mia alleanza e il comando che ti avevo imposto, ti strapperò il regno e lo darò a un tuo servitore. [12]Tuttavia, in considerazione di Davide tuo padre, non lo farò durante la tua vita, ma lo strapperò dalla mano di tuo figlio. [13]Inoltre non gli strapperò tutto il regno, ma darò a tuo figlio una tribù, in considerazione di Davide mio servo e di Gerusalemme, città che ho scelto».

[14]Il Signore suscitò un avversario a Salomone, l'idumeo Adad, della stirpe reale di Edom. [15]Dopo che Davide ebbe sconfitto Edom, Ioab, capo dell'esercito, salito per seppellire i morti, uccise tutti i maschi di Edom. [16]Infatti Ioab e tutto Israele erano rimasti là per sei mesi, finché non ebbero sterminato tutti i maschi di Edom. [17]Adad, però, riuscì a fuggire in Egitto con alcuni Idumei, servi di suo padre. Egli era allora un giovanetto. [18]Costoro partirono da Madian e giunsero a Paran; presero con sé degli uomini di Paran e andarono in Egitto presso il Faraone, re dell'Egitto, il quale diede ad Adad una casa, gli assicurò il sostentamento e gli diede anche un terreno. [19]Adad trovò grande favore presso il Faraone, il quale gli diede in moglie una sua cognata, la sorella della regina Tafni. [20]La sorella di Tafni gli partorì il figlio Ghenubat, che Tafni allevò nella casa del Faraone. Ghenubat rimase nella casa del Faraone tra i figli del Faraone.

[21]Quando Adad apprese in Egitto che Davide si era addormentato con i suoi padri e che era morto Ioab, capo dell'esercito, disse al Faraone: «Lasciami partire, perché voglio ritornare nella mia terra!». [22]Il Faraone gli rispose: «Che cosa ti manca presso di me, perché tu mi debba chiedere di ritornare nella tua terra?». Quegli riprese: «Nulla, ma lasciami andare». E Adad ritornò alla sua terra. Ecco il male che Adad fece: nutrì avversione per Israele e regnò su Edom.

[23]Dio suscitò contro Salomone un altro avversario, Razon, figlio di Eliada, che era fuggito da Adad-Ezer, re di Zoba, suo signore. [24]Alcuni uomini si raccolsero presso di lui ed egli divenne capobanda, quando Davide massacrò gli Aramei. Razon si recò a Damasco, vi si stabilì e ne divenne re. [25]Egli fu avversario di Israele per tutta la vita di Salomone.

[26]Anche Geroboamo, figlio dell'efraimita Nebat, di Zereda – sua madre, una vedova, si chiamava Zerua –, mentre era al servizio di Salomone, insorse contro il re.

[27]Questo è il motivo della sua ribellione al re. Salomone, nel costruire il Millo, stava colmando la breccia apertasi nella città di Davide suo padre. [28]Questo Geroboamo era un uomo valente e gagliardo; Salomone vide come il giovane lavorava e lo mise a

---

11. - 1-8. A quei tempi in Oriente la religione era essenzialmente nazionale, e ogni nazione aveva il suo dio. Salomone cadde nell'idolatria, trascinato dalle donne che aveva sposato per rendersi amici i re stranieri dei quali erano figlie.
9-13. Dio era apparso a Salomone in Gabaon e a Gerusalemme. La minaccia fu fatta per mezzo d'un profeta, forse Achia. La sentenza è mitigata per amore di Davide e di Gerusalemme: in realtà ai discendenti di Salomone restarono quattro tribù: Giuda, Beniamino, Levi e forse Simeone.

capo di tutti gli operai della casa di Giuseppe. [29]Ora avvenne che Geroboamo, uscito da Gerusalemme, incontrò per strada il profeta Achia di Silo. Costui era coperto di un mantello nuovo e solo loro due si trovavano nella campagna. [30]Allora Achia afferrò il mantello nuovo che indossava e lo strappò in dodici pezzi. [31]Poi disse a Geroboamo: «Prenditi dieci pezzi, perché così dice il Signore: Ecco, strapperò il regno dalla mano di Salomone e darò a te dieci tribù. [32]A lui resterà una sola tribù in considerazione del mio servo Davide e di Gerusalemme, la città che ho scelto fra tutte le tribù d'Israele. [33]Questo avverrà perché egli mi ha abbandonato, si è prostrato davanti ad Astarte, dea di quelli di Sidone, a Camos, dio dei Moabiti, e a Milcom, dio degli Ammoniti, e non ha camminato nelle mie vie, facendo ciò che è giusto ai miei occhi, osservando i miei comandi e i miei decreti, come Davide suo padre. [34]A lui però non toglierò di mano il regno, perché l'ho costituito principe per tutto il tempo della sua vita, in considerazione di Davide mio servo, che ho scelto e che ha osservato i miei comandi e i miei decreti. [35]Toglierò invece il regno di mano a suo figlio e darò a te dieci tribù, [36]mentre a suo figlio lascerò solo una tribù, affinché rimanga in perpetuo una lampada per Davide mio servo davanti a me in Gerusalemme, la città che mi sono scelto per collocarvi il mio nome. [37]Prenderò dunque te perché regni su tutto ciò che desideri e sarai re d'Israele. [38]Se tu ascolterai quanto ti comanderò e camminerai nelle mie vie e farai ciò che è giusto ai miei occhi, custodendo i miei statuti e i miei comandamenti, come fece Davide mio servo, io sarò con te e ti edificherò una casa stabile come l'ho edificata a Davide. Ti darò Israele [39]e in tal modo umilierò la discendenza di Davide, ma non per sempre». [40]Salomone cercò di far morire Geroboamo, ma questi trovò rifugio in Egitto presso Sisach, re dell'Egitto, e vi rimase fino alla morte di Salomone.
[41]Le altre gesta di Salomone, tutte le sue azioni e la sua sapienza sono descritte nel

libro delle gesta di Salomone. [42]Il tempo in cui Salomone regnò in Gerusalemme su tutto Israele fu di quarant'anni. [43]Poi Salomone si addormentò con i suoi padri e fu sepolto nella città di Davide, suo padre. Suo figlio Roboamo regnò al suo posto.

LA DIVISIONE DEL REGNO

12 [1]Roboamo si recò a Sichem, dove tutto Israele si era radunato per farlo re. [2]Avutane notizia, Geroboamo, figlio di Nebat, ritornò dall'Egitto, dove ancora si trovava dopo essere fuggito dal re Salomone. [3]Lo mandarono a chiamare e Geroboamo venne con tutta l'assemblea di Israele e dissero a Roboamo: [4]«Tuo padre ha appesantito il nostro giogo; ora tu alleggerisci la dura schiavitù di tuo padre e il pesante giogo che ci ha imposto e noi ti serviremo». [5]Egli rispose loro: «Andate, e dopo tre giorni tornate da me». Il popolo se ne andò. [6]Il re Roboamo si consultò con gli anziani, che erano stati al servizio di Salomone suo padre quando era in vita, domandando: «Che cosa mi consigliate di rispondere a questo popolo?». [7]Quelli gli risposero: «Se tu oggi sarai condiscendente verso questo popolo, se li soddisferai e dirai loro parole buone, essi saranno tuoi servi per sempre». [8]Ma egli rifiutò il consiglio che gli anziani gli avevano dato e si consigliò con i giovani che erano cresciuti con lui e stavano al suo servizio. [9]Domandò loro: «E voi che cosa mi consigliate di rispondere a questo popolo che mi ha detto: Alleggerisci il giogo impostoci da tuo padre?». [10]I giovani che erano cresciuti con lui gli risposero: «Così parlerai a questo popolo che ti ha detto: Tuo padre ha appesantito il nostro giogo, ora tu rendilo più leggero. Così dirai loro: Il mio dito mignolo è più grosso dei fianchi di mio padre. [11]Mio padre ha reso pesante il vostro giogo, ma io ve lo renderò più pesante ancora; mio padre vi ha punito con sferze, ma io vi punirò con flagelli!».
[12]Tre giorni dopo, Geroboamo e tutto il popolo vennero da Roboamo, come aveva ordinato il re dicendo: «Ritornate da me il terzo giorno». [13]Il re rispose al popolo duramente, rifiutò il consiglio che gli avevano

1Re

42-43. Se Davide passò alla storia come modello di guerriero, Salomone rimase famoso come sapiente. Il suo stesso nome significa "pace" o benessere, che fu la caratteristica del suo regno. La sapienza, infatti, fu data a Salomone per governare (1Re 3,2-15) e fu prova dell'assistenza divina al successore di Davide.

dato gli anziani [14]e disse loro secondo il consiglio dei giovani: «Mio padre vi ha reso pesante il vostro giogo, ma io ve lo renderò più pesante ancora; mio padre vi ha punito con sferze, ma io vi punirò con flagelli». [15]Il re dunque non ascoltò il popolo: ciò accadde per disposizione del Signore, affinché si realizzasse la parola che il Signore aveva detto a Geroboamo, figlio di Nebat, per mezzo di Achia di Silo. [16]Quando tutto Israele vide che il re non gli dava ascolto, rivolse a lui queste parole:

«Che parte abbiamo noi con Davide?
Noi non abbiamo eredità
    con il figlio di Iesse!
Alle tue tende, o Israele!
Ora provvedi alla tua casa, o Davide!».

Israele ritornò alle sue tende; [17]ma sui figli d'Israele, che abitavano nelle città di Giuda, regnò Roboamo. [18]Il re Roboamo inviò Adoniram, preposto ai lavori forzati, ma gli Israeliti lo lapidarono ed egli morì. Allora il re Roboamo s'affrettò a salire su un carro per fuggire a Gerusalemme. [19]Così Israele si separò dalla casa di Davide fino ad oggi. [20]Quando tutto Israele seppe che Geroboamo era ritornato, lo chiamarono all'assemblea e lo fecero re su tutto Israele. Nessuno seguì la casa di Giuda, fatta eccezione della sola tribù di Giuda. [21]Roboamo giunse a Gerusalemme e convocò l'intera casa di Giuda e la tribù di Beniamino, centottantamila guerrieri scelti, per fare guerra alla casa d'Israele e per restituire il regno a Roboamo, figlio di Salomone. [22]Ma la parola del Signore fu rivolta a Semeia, uomo di Dio, in questi termini: [23]«Parla a Roboamo, figlio di Salomone, re di Giuda, e a tutta la casa di Giuda e di Beniamino e al resto del popolo, dicendo: [24]Così dice il Signore: Non andate a combattere contro i vostri fratelli, i figli di Israele; ciascuno ritorni alla propria casa perché da me è stato voluto questo fatto». Essi ascoltarono la parola del Signore e se ne ritornarono indietro come aveva detto il Signore.

[25]Geroboamo ricostruì Sichem sulla montagna di Efraim e vi si stabilì. Uscito di lì, ricostruì Penuel.

[26]Poi Geroboamo pensò in cuor suo: «Stando così le cose, il regno potrebbe tornare alla casa di Davide. [27]Se questo popolo continuerà a salire al tempio del Signore in Gerusalemme per offrirvi sacrifici, il cuore di questo popolo ritornerà al suo signore, a Roboamo, re di Giuda; mi uccideranno e ritorneranno da Roboamo, re di Giuda». [28]Perciò il re prese la risoluzione di costruire due vitelli d'oro e disse al popolo: «Non salirete più a Gerusalemme! Ecco, Israele, il tuo Dio che ti ha fatto uscire dalla terra d'Egitto». [29]Quindi ne collocò uno a Betel e l'altro a Dan. [30]Questo fatto divenne un incentivo al peccato per Israele. Il popolo infatti andava in processione fino a Dan per prostrarsi davanti a uno di quelli. [31]Eresse anche templi sulle alture e costituì sacerdoti, presi dal popolo comune, i quali però non erano discendenti di Levi.

[32]Geroboamo istituì pure una festa, il quindici dell'ottavo mese, corrispondente alla festa che si celebrava in Giuda. Egli stesso salì all'altare che aveva eretto a Betel, per sacrificare ai vitelli che aveva costruito. A Betel costituì i sacerdoti per i templi da lui eretti sulle alture.

[33]Il quindici dell'ottavo mese, mese da lui arbitrariamente scelto, salì all'altare che aveva eretto a Betel. Aveva istituito infatti una festa per i figli d'Israele ed era salito all'altare per offrire incenso.

L'ORACOLO CONTRO L'ALTARE DI BETEL

13 [1]Un uomo di Dio, per ordine del Signore, giunse da Giuda a Betel proprio mentre Geroboamo si trovava presso l'altare per offrire incenso. [2]Per ordine del Signore costui cominciò a gridare contro l'altare: «Altare, altare! Così parla il Signore: Ecco, nascerà un figlio alla casa di Davide che si chiamerà Giosia; egli im-

12. - 26-30. Lo scisma politico, che rese debole il grande impero di Davide, ebbe come logico effetto lo scisma religioso; il viaggio del popolo a Gerusalemme nelle feste di Pasqua, Pentecoste e Capanne avrebbe riunito Israele; per questo Geroboamo fece i due vitelli, forse rappresentazione di Jhwh, e li pose in santuari già venerati. *Betel* era presso i confini meridionali, mentre *Dan* si trovava all'estremo nord, ambedue antichi centri religiosi d'Israele. Geroboamo ebbe cura di mostrare la sua religiosità rifacendosi ad antichi usi ebraici, ma in tal modo aprì nella religione nazionale un'ampia breccia alle infiltrazioni cananee. Ecco perché la tradizione condannò il suo operato chiamandolo il "peccato di Geroboamo" (1Re 12,26 - 13,34; Am 5,5; Os 8,4-6; ecc.).

molerà su di te i sacerdoti delle alture, che hanno offerto incenso su di te e brucerà su di te ossa umane». [3]Nello stesso tempo egli diede anche un segno dicendo: «Questo è il segno che il Signore ha parlato: ecco, l'altare si spezzerà e si spanderà la cenere che vi si trova sopra».
[4]Appena il re udì le parole che l'uomo di Dio aveva lanciato contro l'altare di Betel, tese verso di lui la mano ritirandola dall'altare e disse: «Afferratelo!». Ma la mano che aveva teso contro di lui si paralizzò e non poté più farla ritornare a sé. [5]L'altare si spezzò e la cenere si sparse giù dall'altare, secondo il segno che l'uomo di Dio aveva dato su ordine del Signore. [6]Il re intervenne di nuovo e disse all'uomo di Dio: «Placa il volto del Signore tuo Dio e prega per me, affinché la mia mano ritorni sana». L'uomo di Dio placò il volto del Signore e la mano del re ritornò a lui, flessibile come era prima. [7]Quindi il re disse all'uomo di Dio: «Vieni a casa mia e ristorati! Ti darò anche un regalo». [8]Ma l'uomo di Dio disse al re: «Anche se mi dessi metà della tua casa, non verrò con te. In questo luogo non mangerò pane né berrò acqua, [9]perché così mi è stato ordinato da parte del Signore: Non mangiare e non bere nulla e non tornare per la strada per cui sei venuto». [10]Egli dunque se ne andò per un'altra strada e non ritornò per la strada per cui era venuto a Betel.
[11]Ora a Betel dimorava un vecchio profeta, al quale i suoi figli vennero a raccontare tutto quello che l'uomo di Dio aveva fatto in quel giorno a Betel e riferirono al loro padre le parole che egli aveva detto al re.
[12]Questi domandò loro: «Per quale strada se n'è andato?». I figli gli indicarono la via presa dall'uomo di Dio venuto da Giuda. [13]Allora egli disse ai suoi figli: «Sellatemi l'asino». Gli sellarono l'asino ed egli vi montò sopra.
[14]Rincorse l'uomo di Dio e lo trovò seduto sotto una quercia. Allora gli domandò: «Sei tu l'uomo di Dio venuto da Giuda?». Gli risposero: «Sono io». [15]L'altro gli disse: «Vieni con me a casa a mangiare un boccone». [16]Egli rispose: «Non posso tornare con te né accompagnarti, né mangiare pane né bere acqua in questo luogo, [17]poiché così mi è stato ordinato da parte del Signore: Non mangiare e non bere nulla e non tornare percorrendo la strada per cui sei venuto». [18]Ma quegli riprese: «Anch'io sono profeta come te e un angelo mi ha detto per ordine del Signore: Riconducilo con te a casa tua, perché mangi pane e beva acqua». Così lo ingannò. [19]Egli ritornò allora con lui, mangiò pane nella sua casa e bevve acqua.
[20]Ora, mentre essi stavano seduti a tavola, il Signore parlò al profeta che aveva fatto tornare indietro l'altro, [21]ed egli gridò all'uomo di Dio venuto da Giuda: «Così dice il Signore: Poiché ti sei ribellato all'ordine del Signore e non hai osservato il comando che ti aveva dato il Signore tuo Dio, [22]ma sei ritornato, hai mangiato pane e bevuto acqua nel luogo dove egli ti aveva detto di non mangiare e di non bere nulla, il tuo cadavere non entrerà nel sepolcro dei tuoi antenati».
[23]Dopo che ebbero mangiato pane e bevuto acqua, gli sellò l'asino ed egli fece ritorno. [24]Mentre se ne andava, trovò per la strada un leone che lo uccise. Il suo cadavere giacque sulla strada, mentre l'asino gli stava a fianco e anche il leone stava a fianco del cadavere. [25]Ora alcuni uomini passarono di là e videro il cadavere giacere sulla strada e il leone che stava a fianco del cadavere. Essi andarono a diffondere la notizia nella città in cui abitava il vecchio profeta. [26]Come l'udì, il profeta che l'aveva fatto tornare dalla sua strada, disse: «Costui è certamente l'uomo di Dio che ha trasgredito l'ordine del Signore e che il Signore ha dato in preda al leone, il quale lo ha sbranato e ucciso, secondo la parola che il Signore gli aveva detto». [27]Disse poi ai suoi figli: «Sellatemi l'asino». Glielo sellarono [28]ed egli andò e trovò il cadavere che giaceva sulla strada con l'asino e il leone accanto. Il leone non aveva divorato il cadavere né sbranato l'asino. [29]Il profeta allora prese il cadavere dell'uomo di Dio, lo caricò sull'asino, lo riportò indietro in città per farne il lamento funebre e seppellirlo.
[30]Depose il cadavere nel suo sepolcro e fece il lamento funebre su di lui: «Ohimè, fratello mio!». [31]Dopo averlo seppellito, disse ai propri figli: «Quando sarò morto, mi seppellirete nel sepolcro in cui è sepolto l'uomo di Dio; porrete le mie ossa accanto alle sue ossa, [32]perché certamente si avvererà la parola che egli ha pronunciato, per ordine del Signore, contro l'altare di Betel e contro tutti i santuari delle alture che si trovano nelle città di Samaria». [33]Anche dopo

questo fatto, Geroboamo non si allontanò dalla strada cattiva, ma continuò a costituire come sacerdoti delle alture uomini presi dal popolo comune: chiunque lo desiderava era consacrato e fatto sacerdote delle alture. ³⁴Questo fu il peccato che condusse la casa di Geroboamo alla rovina e allo sterminio dalla faccia della terra.

IL REGNO DI GEROBOAMO

14 ¹In quel tempo Abia, figlio di Geroboamo, si ammalò. ²Geroboamo disse a sua moglie: «Su, alzati, cambia vestito in modo che non si conosca che tu sei la moglie di Geroboamo e recati a Silo. Là c'è il profeta Achia, che mi ha predetto che avrei regnato su questo popolo. ³Prendi con te dieci pani, alcune focacce e un vaso di miele e va' da lui. Egli ti dirà quello che accadrà al fanciullo».

⁴La moglie di Geroboamo fece così; si alzò, si recò a Silo ed entrò in casa di Achia. Ora Achia non poteva vedere, perché i suoi occhi s'erano indeboliti a causa della vecchiaia. ⁵Ma il Signore aveva detto ad Achia: «Ecco, la moglie di Geroboamo viene a domandarti un oracolo riguardo a suo figlio malato; tu le dirai così e così. Ella verrà a te in sembianze di un'altra». ⁶Appena Achia sentì il rumore dei passi di lei che varcava la soglia, le disse: «Vieni pure, moglie di Geroboamo. Perché ti sei travestita? Ho un brutto messaggio per te. ⁷Va' a riferire a Geroboamo: Così dice il Signore Dio d'Israele: io ti ho innalzato di mezzo al popolo e ti ho costituito capo sul mio popolo Israele; ⁸ho strappato il regno dalla casa di Davide e l'ho dato a te, ma tu non sei stato come il mio servo Davide, che ha custodito i miei precetti e mi ha seguito con tutto il cuore, facendo solo ciò che è retto ai miei occhi. ⁹Tu hai fatto peggio di tutti quelli che furono prima di te, poiché sei giunto a farti divinità straniere e immagini fuse per irritarmi e hai gettato me dietro le tue spalle.

¹⁰Perciò ecco che io farò piombare la sventura sulla casa di Geroboamo: strapperò a Geroboamo ogni maschio, sia schiavo sia libero in Israele, e spazzerò la casa di Geroboamo come si spazza lo sterco fino alla sua totale scomparsa. ¹¹Chi della famiglia di Geroboamo morirà in città, sarà divorato dai cani; chi morirà in campagna, sarà divorato dagli uccelli del cielo, poiché il Signore ha parlato. ¹²Ora alzati e va' a casa tua: appena porrai piede in città, il fanciullo morirà. ¹³Tutto Israele farà il lamento funebre su di lui e gli darà sepoltura; egli sarà l'unico della casa di Geroboamo che entrerà nel sepolcro perché in lui solo, nella casa di Geroboamo, il Signore Dio d'Israele ha trovato qualcosa di buono. ¹⁴Il Signore poi si costituirà un re su Israele, il quale sterminerà la casa di Geroboamo. ¹⁵Quindi il Signore percuoterà Israele come una canna agitata dall'onda; eliminerà Israele da questa terra buona che egli diede ai loro padri e li disperderà oltre il fiume, perché si sono fabbricati i loro pali sacri, provocando così il Signore. ¹⁶Egli abbandonerà Israele a causa dei peccati che Geroboamo ha commesso e ha fatto commettere a Israele».

¹⁷La moglie di Geroboamo, alzatasi, se ne andò a Tirza. Appena giunse sulla porta di casa, il giovane spirò. ¹⁸Lo seppellirono e tutto Israele fece il lamento funebre su di lui secondo la parola che il Signore aveva detto per mezzo del suo servo Achia, il profeta. ¹⁹Le altre gesta di Geroboamo, le sue guerre e gli atti del suo governo, sono descritti nel libro degli Annali dei re d'Israele. ²⁰La durata del regno di Geroboamo fu di ventidue anni. Egli si addormentò con i suoi padri e al suo posto regnò Nadab, suo figlio. ²¹Roboamo, figlio di Salomone, regnò in Giuda. Egli aveva quarantun anni quando divenne re e regnò diciassette anni in Gerusalemme, città che il Signore aveva eletto fra tutte le tribù d'Israele per porvi il suo nome. Sua madre, che era ammonita, si chiamava Naama. ²²Giuda fece ciò che è male agli occhi del Signore: essi provocarono la sua gelosia più che non avessero fatto i loro padri con tutti i peccati che avevano commesso. ²³Anch'essi si costruirono alture, stele e pali sacri su tutti i colli elevati e sotto tutti gli alberi frondosi. ²⁴Nel paese ci furono persino i prostituti sacri. In una parola, essi commisero tutte le abominazioni dei popoli che il Signore aveva scacciato davanti ai figli d'Israele.

²⁵Nell'anno quinto del re Roboamo, Sisach, re d'Egitto, salì contro Gerusalemme. ²⁶Prese i tesori del tempio del Signore e quelli del palazzo reale, portò via ogni cosa, persino gli scudi d'oro fatti da Salomone. ²⁷In sosti-

tuzione, il re Roboamo fece degli scudi di bronzo e li affidò in custodia ai capi delle guardie che custodivano la porta del palazzo reale. [28]Ogni volta che il re entrava nel tempio del Signore, le guardie li prendevano e poi li riportavano nel locale delle guardie.

[29]Le altre gesta di Roboamo e tutte le sue azioni sono descritte nel libro degli Annali dei re di Giuda. [30]Per tutto il tempo ci fu guerra tra Roboamo e Geroboamo. [31]Poi Roboamo si addormentò con i suoi padri e fu sepolto nella città di Davide. Al suo posto regnò Abiam, suo figlio.

IL REGNO DI ABIAM

15 [1]Nell'anno diciottesimo del re Geroboamo, figlio di Nebat, divenne re di Giuda Abiam. [2]Egli regnò tre anni a Gerusalemme. Sua madre si chiamava Maaca, figlia di Assalonne. [3]Egli imitò tutti i peccati che suo padre aveva commesso prima di lui e il suo cuore non fu tutto per il Signore suo Dio, come il cuore di Davide suo antenato. [4]Tuttavia, in considerazione di Davide, il Signore suo Dio gli concesse una lampada in Gerusalemme, suscitando dopo di lui il figlio e conservando Gerusalemme. [5]Davide infatti aveva fatto ciò che è retto agli occhi del Signore e, per tutto il tempo della sua vita, non s'era mai allontanato da ciò che gli aveva comandato il Signore, se si eccettua il caso di Uria l'hittita. [6]Ci fu guerra fra Abiam e Geroboamo. [7]Le altre gesta di Abiam e tutte le sue azioni sono descritte nel libro degli Annali dei re di Giuda. [8]Poi Abiam s'addormentò con i suoi padri e fu sepolto nella città di Davide. Al suo posto regnò Asa, suo figlio.

[9]Nell'anno ventesimo di Geroboamo, re d'Israele, divenne re di Giuda Asa. [10]Egli regnò quarantun anni a Gerusalemme; sua madre si chiamava Maaca, figlia di Assalonne. [11]Asa fece ciò che è retto agli occhi del Signore, come Davide suo antenato. [12]Eliminò dal paese i prostituti sacri e rimosse tutti gli idoli fatti dai suoi antenati. [13]Privò perfino sua madre Maaca del titolo di regina madre, perché aveva fatto un idolo orrendo per la dea Asera. Asa abbatté quell'idolo orrendo e lo bruciò nella valle

del Cedron. [14]Le alture però non vennero rimosse; tuttavia il cuore di Asa si mantenne integro nei riguardi del Signore durante tutta la sua vita. [15]Fece portare nel tempio del Signore le offerte votive di suo padre e le sue proprie, consistenti in argento, oro e vasi.

[16]Ci fu guerra fra Asa e Baasa, re d'Israele, durante tutta la loro vita. [17]Baasa, re d'Israele, salì contro Giuda ed edificò Rama per impedire che si andasse e si venisse da Asa, re di Giuda. [18]Allora Asa prese tutto l'argento e l'oro che erano depositati nei tesori del tempio e i tesori del palazzo reale e li consegnò ai suoi servi, che egli inviò a Ben-Adad, figlio di Tab-Rimmon, figlio di Chezion, re di Aram, che abitava a Damasco, per dirgli: [19]«Ci sia un'alleanza fra me e te, come ci fu tra mio padre e tuo padre. Ecco, ti invio in dono argento e oro. Tu rompi la tua alleanza con Baasa, re d'Israele, affinché egli si allontani da me». [20]Ben-Adad diede ascolto al re Asa e inviò i capi del suo esercito contro le città d'Israele; devastò Iion, Dan, Abel-Bet-Maaca, tutta la regione di Genesaret fino all'intera regione di Neftali. [21]Appena Baasa lo seppe, cessò di costruire Rama e ritornò a Tirza. [22]Allora il re Asa convocò tutti quelli di Giuda, nessuno escluso. Costoro portarono via da Rama le pietre e il legname che Baasa usava per la costruzione, e con tale materiale il re Asa fortificò Gheba di Beniamino e Mizpa.

[23]Le altre gesta di Asa, tutte le sue imprese, tutte le sue azioni e le città ch'egli costruì sono descritte nel libro degli Annali dei re di Giuda. Egli soffrì tuttavia nella vecchiaia di una malattia ai piedi. [24]Asa s'addormentò con i suoi padri e fu sepolto nella città di Davide suo antenato. Al suo posto regnò suo figlio Giosafat.

[25]Nadab, figlio di Geroboamo, divenne re d'Israele nel secondo anno di Asa, re di Giuda, e regnò due anni su Israele. [26]Egli fece il male agli occhi del Signore, imitò la condotta di suo padre e il peccato che questi aveva fatto commettere a Israele. [27]Baasa, figlio di Achia, della casa di Issacar, congiurò contro di lui e lo assassinò presso Ghibbeton, città che apparteneva ai Filistei, mentre Nadab e tutti gli Israeliti assediavano Ghibbeton. [28]Baasa lo uccise nell'anno terzo di Asa, re di Giuda, e divenne re al suo posto.

[29]Appena fu re, massacrò tutta la famiglia di Geroboamo. Non lasciò vivo nessuno di

quella famiglia, ma la distrusse tutta, secondo la parola che il Signore aveva detto per mezzo del suo servo Achia di Silo, [30]a causa dei peccati commessi da Geroboamo e da lui fatti commettere a Israele, e a causa dello sdegno che aveva provocato nel Signore Dio d'Israele. [31]Le altre gesta di Nadab e tutte le sue azioni sono descritte nel libro degli Annali dei re d'Israele [[32]*ripete il v. 16*].

[33]Nell'anno terzo di Asa, re di Giuda, Baasa, figlio di Achia, divenne re su tutto Israele e regnò in Tirza per ventiquattro anni. [34]Egli fece ciò che è male agli occhi del Signore e imitò la condotta di Geroboamo e il peccato che questi aveva fatto commettere ad Israele.

IL PROFETA IEU CONTRO BAASA

16 [1]Allora la parola del Signore fu rivolta a Ieu, figlio di Canani, contro Baasa, in questi termini: [2]«Io ti ho innalzato dalla polvere e ti ho posto a capo del mio popolo Israele, ma tu hai imitato la condotta di Geroboamo e hai fatto peccare il mio popolo Israele in modo da irritarmi con i suoi peccati. [3]Ecco, io spazzerò via Baasa e la sua casa e renderò la tua casa come quella di Geroboamo, figlio di Nebat. [4]Chi della famiglia di Baasa morirà in città, sarà divorato dai cani; chi morirà in campagna, sarà divorato dagli uccelli del cielo». [5]Le altre gesta di Baasa, tutte le sue azioni e le sue imprese eroiche sono descritte nel libro degli Annali dei re d'Israele. [6]Baasa s'addormentò con i suoi padri e fu sepolto in Tirza. Al suo posto regnò suo figlio Ela. [7]Per mezzo del profeta Ieu, figlio di Canani, la parola del Signore fu rivolta a Baasa e alla sua casa, non solo a causa di tutto il male ch'egli aveva fatto agli occhi del Signore, provocandolo con le sue opere e agendo come la casa di Geroboamo, ma anche perché aveva sterminato quella famiglia.

[8]Nell'anno ventiseiesimo di Asa, re di Giuda, divenne re d'Israele Ela, figlio di Baasa, e regnò in Tirza per due anni. [9]Ma il suo ufficiale Zimri, capo di una metà dei carri, congiurò contro di lui. Mentre egli si trovava in Tirza, intento a bere fino all'ubriachezza in casa di Arza, sovrintendente del palazzo di Tirza, [10]arrivò Zimri, lo colpì e l'uccise, nell'anno ventisettesimo di Asa re di Giuda e regnò al suo posto.

[11]Divenuto re, non appena si assise sul trono, sterminò tutta la casa di Baasa e non risparmiò nessun maschio, nessun parente che potesse vendicarsi e nessun amico. [12]Così Zimri distrusse tutta la famiglia di Baasa secondo la parola che il Signore aveva pronunciato contro Baasa per mezzo del profeta Ieu, [13]a causa di tutti i peccati di Baasa e dei peccati di Ela suo figlio, che essi commisero e che avevano fatto commettere a Israele, provocando il Signore, Dio d'Israele, con i loro idoli vani. [14]Le altre gesta di Ela e tutte le sue azioni sono descritte nel libro degli Annali dei re d'Israele.

[15]Nell'anno ventisettesimo di Asa, re di Giuda, Zimri divenne re per sette giorni in Tirza. Il popolo si trovava accampato davanti a Ghibbeton dei Filistei. [16]Come il popolo accampato venne a sapere che Zimri si era ribellato e aveva anche colpito a morte il re, tutto Israele, in quello stesso giorno, proclamò re sul campo Omri, capo dell'esercito. [17]Poi Omri con tutto Israele salì da Ghibbeton e assediò Tirza. [18]Quando Zimri vide che la città era stata presa, entrò nella fortezza del palazzo reale, appiccò il fuoco al palazzo reale e vi morì. [19]Questo avvenne a causa dei peccati che egli aveva commesso, facendo il male agli occhi del Signore e imitando la condotta di Geroboamo e il peccato che questi aveva commesso, quando aveva indotto Israele a peccare.

[20]Le altre gesta di Zimri e la congiura da lui ordita sono descritte nel libro degli Annali dei re di Israele. [21]Allora il popolo d'Israele si divise: una parte del popolo seguiva Tibni, figlio di Ghinat, volendo farlo re; l'altra parte seguiva Omri. [22]Il popolo che seguiva Omri prevalse su quello che seguiva Tibni, figlio di Ghinat. Tibni morì e Omri divenne re.

[23]Nell'anno trentunesimo di Asa, re di Giuda, Omri divenne re d'Israele. Regnò dodici

---

16. 8-16. Il trono d'Israele è contaminato da continui spargimenti di sangue: Ela e Zimri finirono miseramente; Omri fu eletto dai soldati sul campo, ma dovette combattere quattro anni contro Tibni, il quale morì nell'881; da allora Omri regnò da solo.

anni, di cui sei in Tirza. [24]Poi, per due talenti d'argento, acquistò da Semer il monte Someron: costruì sopra il monte e chiamò Samaria la città che vi aveva edificato, dal nome di Semer, il proprietario del monte. [25]Omri fece quello che è male agli occhi del Signore, anzi agì peggio di tutti quelli che l'avevano preceduto.

[26]Imitò in tutto la condotta di Geroboamo, figlio di Nebat, e i peccati che questi aveva fatto commettere ad Israele, irritando con i loro idoli vani il Signore Dio d'Israele. [27]Le altre gesta di Omri, le sue azioni e le sue eroiche imprese sono descritte nel libro degli Annali dei re d'Israele. [28]Omri si addormentò con i suoi padri e fu sepolto in Samaria. Al suo posto regnò suo figlio Acab. [29]Acab, figlio di Omri, divenne re d'Israele nell'anno trentottesimo di Asa, re di Giuda. Egli regnò su Israele in Samaria ventidue anni. [30]Acab, figlio di Omri, fece il male agli occhi del Signore più di tutti quelli che l'avevano preceduto. [31]Non gli bastò di imitare i peccati di Geroboamo, figlio di Nebat, ma si prese anche in moglie Gezabele, figlia di Et-Baal, re dei Sidoni, e si mise a servire Baal e ad adorarlo. [32]Innalzò un altare a Baal nel tempio di Baal, che egli aveva costruito in Samaria. [33]Acab eresse anche un palo sacro e con la sua condotta irritò il Signore, Dio d'Israele, più di tutti i re d'Israele che l'avevano preceduto. [34]Durante il suo regno, Chiel di Betel ricostruì Gerico; ne gettò le fondamenta sopra Abiram, suo primogenito, e ne innalzò le porte sopra Segub, suo ultimogenito, secondo la parola che il Signore aveva detto per mezzo di Giosuè, figlio di Nun.

---

24. *Samaria.* Dopo Sichem e Tirza, il regno d'Israele ebbe una capitale degna di stare a paragone con Gerusalemme. Sopra un'altura di duecento metri che domina un piano cinto da montagne, era quasi imprendibile. Restò capitale fino alla deportazione d'Israele. Distrutta da Sargon II nel 722/1, risorse; conquistata da Alessandro Magno, distrutta da Giovanni Ircano, fu data dall'imperatore romano Augusto a Erode il Grande, il quale la ricostruì e la chiamò Sebaste.

17. - 1. *Elia*, il più celebre dei profeti, fu suscitato da Dio contro l'idolatria dilagante. Egli compì la sua opera con la sua forte predicazione e i miracoli. La missione del profeta incomincia con la profezia della siccità, come punizione per l'idolatria, che è rottura dell'alleanza. È interessante notare la particolarità del castigo: gl'Israeliti avevano abbandonato il loro Dio per adorare Baal, considerato appunto dio della pioggia; ora la siccità doveva far costatare l'incapacità di Baal a dare la pioggia.

IL PROFETA ELIA

17 [1]Elia, il tisbita, nativo di Tisbe in Galaad, disse ad Acab: «Com'è vero che vive il Signore, Dio d'Israele, al quale io servo, in questi anni non ci sarà né rugiada né pioggia, se non quando lo comanderò io». [2]Poi gli fu rivolta questa parola del Signore: [3]«Parti di qui, dirigiti verso l'oriente e nasconditi presso il torrente Cherit, che si trova di fronte al Giordano. [4]Berrai dal torrente e i corvi ti procureranno, per mio ordine, il nutrimento». [5]Egli partì e fece secondo la parola del Signore; andò a stabilirsi presso il torrente Cherit, che si trova di fronte al Giordano. [6]I corvi gli portavano pane al mattino e carne alla sera; egli beveva al torrente. [7]Dopo un po' di tempo il torrente si seccò, poiché non c'era stata pioggia nel paese. [8]Allora gli fu rivolta la parola del Signore in questi termini: [9]«Parti e va' a Zarepta di Sidone e rimani là, poiché ho ordinato a una vedova di provvedere là al tuo sostentamento». [10]Egli si alzò e andò a Zarepta. Giunto alla porta della città, ecco una vedova che raccoglieva legna. Egli la chiamò e le disse: «Prendimi un po' d'acqua con la brocca, perché possa bere». [11]Mentre andava a prenderla, le gridò: «Portami anche un pezzo di pane». [12]Quella rispose: «Com'è vero che vive il Signore, tuo Dio, non ho del pane cotto, ma solo una manciata di farina in una giara e un po' d'olio in una brocca; ecco, sto raccogliendo due pezzi di legna, poi andrò a prepararla per me e per mio figlio, la mangeremo e poi moriremo». [13]Elia le disse: «Non temere, va' pure e fa' come hai detto; prima però fammi una piccola focaccia e portamela, poi ne farai per te e per tuo figlio. [14]Così infatti dice il Signore, Dio d'Israele: La giara della farina non giungerà mai alla fine e la brocca dell'olio non rimarrà mai vuota, sino al giorno in cui il Signore non invierà la pioggia sulla terra». [15]Ella andò e fece come le aveva detto Elia; e mangiarono Elia, la vedova e il figlio di lei per parecchio tempo. [16]La giara della farina non giunse mai alla fine e la brocca dell'olio non rimase mai vuota, secondo la parola che il Signore aveva detto per bocca di Elia. [17]Ora, dopo questi avvenimenti, si ammalò il figlio di quella donna, che era la padrona della casa. La sua malattia fu così violenta che egli spirò. ¹⁸Allora ella disse ad Elia: «Che cosa v'è tra me e te, o uomo di Dio? Sei forse venuto da me a ricordarmi il mio peccato e farmi morire il figlio?». ¹⁹Egli le rispose: «Dammi tuo figlio!». Lo prese dal suo seno, lo portò nella stanza superiore dov'egli abitava e lo coricò sul suo letto. ²⁰Poi invocò il Signore: «Signore, mio Dio, vuoi proprio fare del male alla vedova che mi ospita, facendole morire il figlio?». ²¹Quindi si distese tre volte sul fanciullo e invocò il Signore: «Signore, mio Dio, l'anima di questo fanciullo ritorni in lui!». ²²Il Signore esaudì la voce di Elia; l'anima del fanciullo ritornò in lui ed egli riprese a vivere. ²³Allora Elia prese il fanciullo, lo fece discendere dalla stanza superiore giù nella casa e lo consegnò a sua madre. Elia le disse: «Guarda, tuo figlio è vivo!». ²⁴La donna rispose ad Elia: «Ora so proprio che tu sei un uomo di Dio e che la parola del Signore, sulla tua bocca, è verità».

IL PROFETA ELIA, IL RE ACAB E I PROFETI DI BAAL

18 ¹Dopo molto tempo la parola del Signore fu rivolta ad Elia, nel terzo anno, in questi termini: «Va' e presentati ad Acab, perché invierò la pioggia sulla terra». ²Elia andò a presentarsi ad Acab, quando a Samaria la carestia era molto grave. ³Acab chiamò Abdia, sovrintendente del palazzo, che era molto timorato di Dio. ⁴Infatti quando Gezabele voleva sterminare i profeti del Signore, Abdia prese cento profeti, li nascose cinquanta alla volta in una caverna e li rifornì di pane e d'acqua. ⁵Acab disse ad Abdia: «Vieni, percorriamo il paese ad ispezionare tutte le sorgenti d'acqua e tutti i torrenti; forse troveremo dell'erba e potremo conservare in vita cavalli e muli e non dovremo uccidere il bestiame». ⁶Si divisero dunque fra loro il paese da percorrere. Acab se ne andò da solo per una strada e Abdia se ne andò da solo per un'altra. ⁷Mentre Abdia era in cammino, ecco che gli venne incontro Elia. Riconosciutolo, si prostrò con la faccia a terra e gli disse: «Sei proprio tu il mio signore Elia?». ⁸Gli rispose: «Sono io! Va' a dire al tuo signore: Ecco, c'è qui Elia!». ⁹Que-

gli replicò: «Che peccato ho commesso, perché tu dia il tuo servo in mano ad Acab per farmi morire? ¹⁰Com'è vero che vive il Signore, tuo Dio, non c'è nazione o regno dove il mio signore non abbia mandato a cercarti. Quando dicevano: Non è qui!, egli faceva giurare il regno o la nazione di non averti trovato. ¹¹E ora tu mi dici: Va' a dire al tuo padrone: Ecco, c'è qui Elia! ¹²Ma appena io mi sarò allontanato da te, lo spirito del Signore ti trasporterà non so dove, cosicché io andrò ad annunciarti ad Acab e questi, non trovandoti, mi ucciderà. Eppure il tuo servo teme il Signore fin dalla giovinezza! ¹³Non hanno riferito al mio signore ciò che ho fatto quando Gezabele voleva sterminare i profeti del Signore, come io nascosi cento profeti del Signore, cinquanta alla volta, in una caverna e li rifornii di pane e d'acqua? ¹⁴E ora tu mi dici: Va' a dire al tuo signore: Ecco, c'è qui Elia! Egli mi ucciderà!». ¹⁵Elia rispose: «Com'è vero che vive il Signore degli eserciti, al quale io servo: oggi stesso mi presenterò a lui!». ¹⁶Abdia andò incontro al re e gli riferì la cosa. Acab andò subito incontro ad Elia.

¹⁷Appena Acab vide Elia, gli disse: «Sei tu colui che mette sottosopra Israele?». ¹⁸Ma quegli replicò: «Non sono io che metto sottosopra Israele, bensì tu e la casa di tuo padre, perché avete abbandonato i comandi del Signore e tu hai seguito Baal.

¹⁹Or dunque chiama a raccolta presso di me sul monte Carmelo tutto Israele e i quattrocentocinquanta profeti di Baal che mangiano alla mensa di Gezabele».

²⁰Acab mandò a chiamare tutti i figli d'Israele e radunò i profeti sul monte Carmelo. ²¹Allora Elia si avvicinò a tutto il popolo e disse: «Fino a quando voi barcollerete fra due parti? Se il Signore è Dio, andategli dietro, se invece lo è Baal, andate dietro a lui». Il popolo non gli rispose neppure una parola. ²²Elia riprese a dire al popolo: «Solo io sono rimasto come profeta del Signore, mentre i profeti di Baal sono quattrocentocinquanta! ²³Dateci due giovenchi: essi se ne scelgano uno, lo facciano a pezzi e lo mettano sulla legna, senza appiccarvi il fuoco. Io preparerò l'altro giovenco, lo metterò sulla legna e non vi appiccherò il fuoco. ²⁴Voi invocherete il nome del vostro dio e io invocherò quello del Signore. Il dio che risponderà conce-

dendo il fuoco, quegli è Dio». Tutto il popolo rispose: «Va bene!». [25]Allora Elia disse ai profeti di Baal: «Sceglietevi un giovenco e agite voi per primi, perché siete più numerosi. Invocate il nome del vostro dio, senza però appiccare il fuoco». [26]Essi presero il giovenco, lo prepararono e poi invocarono il nome di Baal dal mattino fino a mezzogiorno, dicendo: «O Baal, rispondici!». Non ci fu né voce né risposta. Frattanto essi danzavano piegando il ginocchio davanti all'altare che avevano costruito. [27]A mezzogiorno Elia incominciò a burlarsi di loro, dicendo: «Gridate più forte perché egli è certamente dio, però forse è occupato o ha degli affari o è in viaggio; forse dorme e deve essere svegliato!». [28]Essi si misero a gridare più forte e a farsi incisioni con spade e lance, secondo le loro usanze, fino a versare sangue. [29]Passato mezzogiorno, continuarono a smaniare fino al tempo di offrire l'oblazione; ma non si ebbe né voce né risposta, né un segno di attenzione.

[30]Allora Elia disse a tutto il popolo: «Avvicinatevi a me!». Tutto il popolo gli si avvicinò ed egli ricostruì l'altare del Signore ch'era stato demolito. [31]Prese dodici pietre, secondo il numero delle tribù dei figli di Giacobbe, al quale il Signore aveva detto: «Il tuo nome è Israele». [32]Con le pietre costruì un altare al nome del Signore e vi scavò intorno un canale, con un solco capace di contenere due misure di frumento. [33]Accatastò la legna, fece a pezzi il giovenco e lo pose sopra la legna. [34]Poi ordinò: «Riempite quattro brocche d'acqua e versatele sopra l'olocausto e sulla legna!». Essi fecero così. Di nuovo ordinò: «Fatelo per la seconda volta!». Essi lo fecero. Aggiunse ancora: «Fatelo per la terza volta!». Essi lo fecero per la terza volta.

[35]L'acqua si sparse intorno all'altare e riempì persino il canale. [36]Giunto il tempo di offrire l'oblazione, il profeta Elia si avvicinò e disse: «Signore, Dio di Abramo, d'Isacco e d'Israele, oggi appaia che tu sei Dio

in Israele, che io sono tuo servo e che per tuo volere ho compiuto tutte queste cose. [37]Esaudiscimi, o Signore, esaudiscimi e questo popolo saprà che tu, o Signore, sei Dio e che converti il loro cuore». [38]Cadde il fuoco del Signore che consumò l'olocausto, la legna, le pietre e la polvere e prosciugò l'acqua che era nel canale. [39]A tal vista, tutto il popolo si prostrò con la faccia a terra esclamando: «Il Signore è Dio, il Signore è Dio!». [40]Elia allora ordinò: «Prendete i profeti di Baal, non ne scampi neppure uno!». Elia li fece discendere al torrente Kison, dove li sgozzò.

[41]Poi Elia disse ad Acab: «Sali, mangia e bevi, perché si ode già il rumore della pioggia». [42]Mentre Acab saliva per mangiare e bere, Elia andò sulla cima del Carmelo, si piegò verso terra e pose il volto fra le ginocchia. [43]Poi disse al suo servo: «Su, vieni e guarda in direzione del mare!». Quello andò, guardò e disse: «Non c'è nulla». Elia replicò: «Tornaci per sette volte!». [44]Alla settima volta, quegli riferì: «Ecco, una piccola nuvola, come una mano d'uomo, sale dal mare». Disse allora Elia: «Va' a dire ad Acab: Attacca i cavalli e discendi perché non ti colga la pioggia». [45]In un baleno il cielo si oscurò per le nubi e per il vento e piovve a dirotto. Acab salì sul carro e si recò a Izreel. [46]La mano del Signore fu sopra Elia, che si cinse i fianchi e corse davanti ad Acab finché giunse a Izreel.

ELIA AL MONTE OREB. LA VOCAZIONE DI ELISEO

19 [1]Acab raccontò a Gezabele tutto ciò che Elia aveva fatto e come aveva ucciso di spada tutti i profeti. [2]Allora Gezabele inviò ad Elia un messaggero perché gli dicesse: «Che gli dèi mi facciano questo e anche di peggio, se domani a quest'ora non avrò fatto a te quello che tu hai fatto a loro». [3]Elia ebbe paura, si alzò e se ne andò per mettersi in salvo. Arrivò a Bersabea, che si trova in Giuda, e vi lasciò il suo servo. [4]S'inoltrò quindi nel deserto camminando per tutto un giorno e andò a sedersi sotto una ginestra. Qui si augurò di morire dicendo: «Ora basta, o Signore! Prendi la mia vita perché io non sono migliore dei miei padri».

---

18. - 36-37. Il *tempo di offrire l'oblazione*: è l'ora nona (le quindici). La preghiera di Elia è meravigliosa. Egli invoca il "Dio dei padri", Abramo, Isacco e Giacobbe, chiamato qui ben a proposito *Israele*, quasi a ricollegare il popolo d'Israele all'epoca della promessa (v. 21): questo richiamo ai padri definisce l'esperienza religiosa d'Israele, radicata nella storia. Baal non ha storia e non ha fatto nulla per Israele. Solo Jhwh, il Dio d'Israele, è il Dio della salvezza. Jhwh, quindi, dev'essere riconosciuto vero Dio, adorato, obbedito. Elia si presenta qui come il difensore dei diritti di Dio.

⁵Poi si sdraiò e si addormentò sotto quella ginestra. Ma un angelo lo toccò e gli disse: «Alzati e mangia!». ⁶Egli guardò ed ecco che vicino al capo v'era una focaccia cotta su pietre roventi e una brocca d'acqua. Mangiò e bevve, poi tornò a sdraiarsi. ⁷L'angelo del Signore venne una seconda volta, lo toccò e gli disse: «Alzati e mangia, perché è troppo lungo per te il cammino». ⁸Di nuovo si alzò, mangiò e bevve. Poi, sostenuto da quel cibo, camminò per quaranta giorni e quaranta notti fino al monte di Dio, l'Oreb.

⁹Qui giunto, entrò in una caverna e vi passò la notte. Ed ecco che la parola del Signore gli fu rivolta in questi termini: «Che fai qui, Elia?». ¹⁰Egli rispose: «Ardo di tanto zelo per il Signore, Dio degli eserciti, perché i figli d'Israele hanno abbandonato la tua alleanza, hanno distrutto i tuoi altari e ucciso di spada i tuoi profeti. Sono rimasto io solo, eppure essi cercano di togliermi la vita». ¹¹Allora sentì dirsi: «Esci e fermati sul monte alla presenza del Signore». Ed ecco che il Signore passò. Ci fu un vento forte e gagliardo, tale da scuotere le montagne e spaccare le pietre, ma il Signore non era nel vento. Dopo il vento ci fu un terremoto, ma il Signore non era nel terremoto. ¹²Dopo il terremoto ci fu un fuoco, ma il Signore non era nel fuoco. Dopo il fuoco ci fu il mormorio di una brezza leggera. ¹³Non appena sentì questo, Elia si coprì la faccia con il mantello, uscì e si fermò all'ingresso della caverna. Ed ecco sentì una voce che gli diceva: «Che fai qui, Elia?». ¹⁴Egli rispose: «Ardo di tanto zelo per il Signore, Dio degli eserciti, perché i figli d'Israele hanno abbandonato la tua alleanza, hanno distrutto i tuoi altari e ucciso di spada i tuoi profeti. Sono rimasto io solo, eppure essi cercano di togliermi la vita». ¹⁵Il Signore gli replicò: «Va', riprendi il tuo cammino verso il deserto di Damasco. Andrai ad ungere Cazael come re di Aram. ¹⁶Poi ungerai Ieu, figlio di Nimsi, come re d'Israele; infine ungerai Eliseo, figlio di Safat, di Abel-Mecola, come profeta al tuo posto. ¹⁷Chiunque sfuggirà alla spada di Cazael, sarà ucciso da Ieu, e chiunque sfuggirà alla spada di Ieu, sarà ucciso da Eliseo. ¹⁸Io poi mi serberò in Israele settemila uomini: sono tutti coloro le cui ginocchia non si sono piegate davanti a Baal e le cui bocche non l'hanno baciato».

¹⁹Elia partì di là e trovò Eliseo, figlio di Safat, mentre arava con dodici coppie di buoi davanti a sé. Egli stesso guidava la dodicesima coppia. Elia gli passò accanto e gli gettò il suo mantello. ²⁰Eliseo abbandonò i buoi e corse dietro ad Elia dicendo: «Permettimi di abbracciare mio padre e mia madre e poi ti seguirò». Gli rispose: «Va' e torna perché sai bene che cosa ti ho fatto». ²¹Tornato indietro, prese una coppia di buoi, li uccise, li fece cuocere sui loro attrezzi e li diede alla gente perché ne mangiasse. Poi si alzò, seguì Elia e si pose al suo servizio.

L'ASSEDIO DI SAMARIA

20 ¹Ben-Adad, re di Aram, radunò l'intero suo esercito: con lui c'erano trentadue re, con cavalli e carri. Salì ad assediare Samaria e le diede l'assalto. ²Poi inviò nella città dei messaggeri ad Acab, re d'Israele, ³per dirgli: «Così parla Ben-Adad: Il tuo argento e il tuo oro appartengono a me; le tue donne e i tuoi figli rimangono invece a te». ⁴Il re di Israele rispose: «Va bene come dici tu, o re mio signore. Io stesso e tutto quanto mi appartiene siamo tuoi». ⁵Ma i messaggeri tornarono di nuovo e dissero: «Così dice Ben-Adad: Io ho mandato a dirti che devi consegnarmi il tuo argento, il tuo oro, le tue donne e i tuoi figli. ⁶Quando domani, a quest'ora, ti manderò i miei servi, essi perquisiranno il tuo palazzo e le case dei tuoi servi, s'impadroniranno di quanto tornerà gradito ai loro occhi e lo porteranno via». ⁷Allora il re d'Israele convocò tutti gli anziani del paese e disse: «Vi accorgete facilmente che costui vuole farmi del male; infatti mi ha mandato a chiedere anche le mie donne e i miei figli, dopo che io non gli avevo rifiutato né il mio argento né il mio oro». ⁸Tutti gli anziani e tutto il popolo dissero: «Non dargli ascolto e non acconsentire!». ⁹Allora Acab disse ai messaggeri di Ben-Adad: «Riferite al re vostro signore: Farò tutto quello che hai chiesto

---

19. - 12. Elia, ardente di zelo, vorrebbe veder distrutti i nemici del Signore; Dio, facendosi precedere dagli elementi scatenati della natura, mostra che tutto è in mano sua, ma ama essere per gli uomini una *brezza leggera*, una presenza misteriosa che spinge le volontà al bene.

al tuo servo la prima volta, ma non posso soddisfare quest'ultima richiesta». I messaggeri partirono e riferirono la risposta. ¹⁰Allora Ben-Adad mandò a dirgli: «Che gli dèi mi facciano questo male e anche di peggio, se la polvere di Samaria basterà a riempire una mano a tutto il popolo che mi segue». ¹¹Il re d'Israele replicò: «Ditegli: Chi indossa le armi non si vanti come chi le depone». ¹²Quando Ben-Adad udì questa risposta – egli stava bevendo assieme ai re sotto le tende – comandò ai suoi servi: «Disponetevi all'attacco!». Ed essi si schierarono contro la città.

¹³Allora un profeta si avvicinò ad Acab, re d'Israele, e gli disse: «Così dice il Signore: Hai visto tutta quella grande moltitudine? Ecco, oggi stesso la metto in tuo potere e così saprai che io sono il Signore». ¹⁴Acab disse: «Per mezzo di chi?». Quegli rispose: «Così dice il Signore: Per mezzo dei giovani al servizio dei capi dei distretti». L'altro domandò ancora: «Chi inizierà la battaglia?». Il profeta rispose: «Tu stesso!».

¹⁵Allora il re passò in rassegna i giovani che erano al servizio dei capi dei distretti: erano in tutto duecentotrentadue. Poi passò in rassegna tutto il popolo, tutti i figli di Israele: erano settemila. ¹⁶Essi fecero una sortita sul mezzogiorno, mentre Ben-Adad si ubriacava sotto le tende assieme ai trentadue re suoi alleati. ¹⁷Per primi uscirono i giovani al servizio dei capi dei distretti. Ben-Adad mandò ad informarsi e gli fu riferito: «Sono usciti alcuni uomini da Samaria». ¹⁸Egli rispose: «Se essi sono usciti con intenzioni pacifiche, catturateli vivi; se sono usciti per combattere, catturateli vivi ugualmente!». ¹⁹Dalla città erano usciti i giovani al servizio dei capi dei distretti e l'esercito dietro di loro. ²⁰Ciascuno di loro fece la propria vittima. Gli Aramei si diedero alla fuga e gli Israeliti li inseguirono. Ben-Adad, re di Aram, si salvò fuggendo a cavallo insieme con alcuni cavalieri. ²¹Il re d'Israele uscì, catturò i cavalli e i carri e inflisse ad Aram una grande sconfitta.

²²Allora il profeta si avvicinò al re d'Israele e gli disse: «Su, fatti coraggio e considera bene quello che devi fare, perché l'anno prossimo il re di Aram muoverà di nuovo contro di te». ²³I servi del re di Aram gli dissero: «Il loro Dio è un Dio delle montagne, per questo ci hanno vinti; ma se li impegne-remo in battaglia nella pianura, certamente li vinceremo. ²⁴Fa' dunque in questo modo: rimuovi tutti i re dal loro posto, sostituendoli con governatori. ²⁵Per te recluta un esercito pari a quello che hai perduto, con altrettanti cavalli e carri; quindi attacchiamoli in pianura e certamente li vinceremo». Il re ascoltò il loro consiglio e fece così.

²⁶L'anno dopo, Ben-Adad mobilitò gli Aramei e salì ad Afek, per dare battaglia agli Israeliti. ²⁷I figli di Israele furono mobilitati e provvisti di viveri, poi mossero loro incontro. I figli d'Israele si accamparono di fronte a loro, come due greggi di capre, mentre gli Aramei riempivano la regione. ²⁸Allora un uomo di Dio s'avvicinò al re d'Israele e disse: «Così dice il Signore: Poiché gli Aramei hanno affermato che il Signore è Dio delle montagne, ma non delle pianure, io metterò in tuo potere tutta questa grande moltitudine e così saprai che io sono il Signore».

²⁹Per sette giorni stettero accampati gli uni di fronte agli altri, ma al settimo giorno si ingaggiò la battaglia e i figli d'Israele uccisero in un sol giorno centomila fanti aramei. ³⁰I superstiti fuggirono nella città di Afek, ma le mura caddero sui ventisettemila superstiti. Anche Ben-Adad fuggì e andò nella città a nascondersi, passando da una stanza all'altra. ³¹I suoi servi pertanto gli dissero: «Ecco, noi abbiamo sentito dire che i re della casa d'Israele sono re clementi. Indossiamo sacchi ai fianchi e mettiamoci corde sulla testa e andiamo dal re d'Israele; chissà che non ti conservi la vita». ³²Essi cinsero i fianchi di sacchi e le teste di corde e andarono dal re d'Israele a dirgli: «Ben-Adad, tuo servo, dice: Salvami la vita!». Quegli rispose: «È ancora vivo? Egli è mio fratello!». ³³Quegli uomini presero ciò per buon auspicio e si affrettarono ad averne da lui conferma, domandandogli: «Ben-Adad è tuo fratello?». Acab rispose: «Andate a prenderlo!». Allora Ben-Adad gli uscì incontro ed egli lo fece salire sul suo carro. ³⁴Ben-Adad gli disse: «Restituirò le città che mio padre tolse a tuo padre e tu stabilirai piazze commerciali a Damasco, come mio padre le aveva stabilite in Samaria». Acab disse: «A questo patto ti lascerò libero». Acab concluse questo trattato con lui e lo lasciò in libertà.

³⁵Allora uno dei discepoli dei profeti disse al suo compagno per ordine del Signore: «Colpiscimi!». Ma questi si rifiutò di colpir-

lo. [36]Allora gli disse il primo: «Poiché non hai ascoltato la voce del Signore, ecco che, appena ti sarai allontanato da me, un leone ti ucciderà». Infatti non appena egli si fu allontanato da lui, un leone lo trovò e lo uccise. [37]Quegli trovò un altro uomo a cui disse: «Colpiscimi!». Questi lo colpì e lo ferì. [38]Allora il profeta andò ad aspettare il re sulla strada e si rese irriconoscibile con una benda sugli occhi. [39]Mentre passava il re, gli gridò: «Il tuo servo si era gettato nella mischia, quand'ecco un uomo si trasse in disparte e mi condusse un individuo, dicendo: Prendi in custodia quest'uomo! Qualora venisse a mancare, la tua vita pagherà per la sua, oppure mi pagherai un talento d'argento. [40]Or mentre il tuo servo era occupato qua e là, quello scomparve». Il re d'Israele gli disse: «Ecco il tuo verdetto! Tu stesso l'hai pronunciato!». [41]Egli allora si affrettò a togliersi la benda dagli occhi e il re d'Israele si accorse che egli era uno dei profeti. [42]Questi gli disse: «Così parla il Signore: Poiché hai lasciato scappare l'uomo da me votato allo sterminio, la tua vita pagherà per la sua e il tuo popolo per il suo popolo». [43]Il re di Israele si diresse verso casa, triste e adirato, ed entrò in Samaria.

LA VIGNA DI NABOT

21 [1]In seguito si verificò il fatto seguente. Nabot di Izreel aveva una vigna attigua al palazzo di Acab, re di Samaria. [2]Acab disse a Nabot: «Cedimi la tua vigna e ne farò un orto, poiché è vicina al mio palazzo. Al suo posto ti darò una vigna migliore o, se preferisci, ti darò il denaro corrispondente». [3]Ma Nabot rispose ad Acab: «Mi guardi il Signore dal cederti l'eredità dei miei antenati!». [4]Acab rientrò in casa triste e adirato, a causa della risposta che Nabot di Izreel gli aveva dato, allorché disse: «Non ti cederò l'eredità dei miei antenati». Si gettò sul letto, volse la faccia da un lato e non prese cibo. [5]Gezabele, sua moglie, andò da lui e gli disse: «Perché il tuo animo è così abbattuto e non vuoi prendere cibo?». [6]Le rispose: «Ho parlato a Nabot di Izreel, dicendogli: Cedimi la tua vigna per denaro o, se preferisci, ti darò un'altra vigna al suo posto, ma egli mi ha risposto: Non ti cederò la mia vigna». [7]Al-

lora Gezabele, sua moglie, gli disse: «Ora devi esercitare il tuo governo su Israele! Alzati, mangia e sta' allegro; penserò io a darti la vigna di Nabot di Izreel». [8]Ella scrisse delle lettere a nome di Acab, le sigillò con il sigillo reale e le spedì agli anziani e ai notabili che abitavano nella città di Nabot. [9]Nelle lettere aveva scritto: «Bandite un digiuno e fate sedere Nabot alla testa del popolo. [10]Ponetegli di fronte due uomini perversi che lo accusino, dicendo: Tu hai maledetto Dio e il re. Poi fatelo uscire, lapidatelo e così muoia!». [11]Gli uomini della città di Nabot, gli anziani e i notabili fecero come Gezabele aveva loro ordinato, ossia come era scritto nelle lettere che essa aveva loro inviato. [12]Bandirono un digiuno e fecero sedere Nabot alla testa del popolo. [13]Allora giunsero i due uomini perversi, che si sedettero di fronte a lui e l'accusarono dicendo: «Nabot ha maledetto Dio e il re». Lo fecero uscire fuori della città, lo lapidarono e morì. [14]Poi mandarono a dire a Gezabele: «Nabot è stato lapidato ed è morto». [15]Quando Gezabele seppe che Nabot era stato lapidato ed era morto, disse ad Acab: «Alzati e prendi possesso della vigna di Nabot di Izreel, che si era rifiutato di vendertela; Nabot infatti non è più vivo, ma è morto». [16]Udendo che Nabot era morto, Acab si mosse per scendere nella vigna di Nabot di Izreel e appropriarsene. [17]Allora la parola del Signore fu rivolta ad Elia il tisbita in questi termini: [18]«Alzati e scendi incontro ad Acab, re d'Israele, in Samaria. Ecco, egli si trova nella vigna di Nabot, dov'è disceso per appropriarsela.

[19]Gli dirai: Così parla il Signore: Tu hai ucciso e, per di più, hai usurpato! Poi soggiungerai: Così parla il Signore: Nel medesimo luogo in cui i cani hanno lambito il sangue di Nabot, lambiranno anche il tuo sangue». [20]Acab rispose ad Elia: «Mi hai dunque colto sul fatto, o mio nemico?». Elia rispose: «Sì, ti ho colto, perché ti sei prestato a fare ciò che è male agli occhi del Signore. [21]Ecco, io farò venire su di te la sventura e ti spazzerò via: reciderò via da Acab ogni maschio,

---

21. - 19-20. Dio appare qui come il difensore dei poveri e degli abbandonati. Il re, che dovrebbe essere l'amministratore della giustizia in nome di Dio, ha invece agito iniquamente e perciò viene condannato. Egli sarà ucciso (22,35) e la profezia di Elia si avvererà completamente sul figlio Ioram, per opera di Iehu (2Re 9,23 - 10,14).

schiavo o libero, in Israele. ²²Tratterò la tua casa come quella di Geroboamo, figlio di Nebat, e come quella di Baasa, figlio di Achia, a causa dell'ira che hai suscitato in me, inducendo Israele a peccare. ²³Quanto a Gezabele, così dice il Signore: I cani divoreranno Gezabele nel campo di Izreel. ²⁴Della famiglia di Acab, chiunque morirà in città lo divoreranno i cani; chiunque morirà in campagna lo mangeranno gli uccelli del cielo». ²⁵Per la verità non ci fu nessuno che, alla pari di Acab, si prestò a fare ciò che è male agli occhi del Signore, perché sua moglie Gezabele lo aveva istigato. ²⁶Egli agì in modo abominevole andando dietro agli idoli, come avevano fatto gli Amorrei, che il Signore aveva scacciato davanti ai figli d'Israele. ²⁷Quando Acab udì queste parole si stracciò le vesti, rivestì il suo corpo di sacco, digiunò, si coricò con il sacco e si mise a camminare dimesso. ²⁸Allora la parola del Signore fu indirizzata ad Elia il tisbita in questi termini: ²⁹«Hai visto come Acab si è umiliato davanti a me? Dal momento che egli si è umiliato al mio cospetto, io non farò venire quella sciagura sulla sua casa durante la sua vita, ma la farò venire durante la vita di suo figlio».

LA FINE DEL REGNO DI ACAB

22 ¹Trascorsero tre anni senza che ci fosse guerra tra Aram e Israele. ²Il terzo anno, Giosafat, re di Giuda, andò a trovare il re d'Israele. ³Il re d'Israele disse ai suoi ufficiali: «Non sapete che Ramot di Galaad ci appartiene? E noi non facciamo nulla per strapparla dalle mani del re di Aram!». ⁴Disse poi a Giosafat: «Verresti con me a combattere a Ramot di Galaad?». Giosafat rispose al re d'Israele: «Conta su di me come su te stesso, sul mio popolo come sul tuo, sui miei cavalli come sui tuoi!». ⁵Però Giosafat disse al re d'Israele: «Ti prego, consulta il Signore oggi stesso».

⁶Allora il re d'Israele convocò i profeti, in numero di circa quattrocento, e disse loro:

«Devo andare a combattere contro Ramot di Galaad, oppure devo rinunciarvi?». Quelli risposero: «Va' pure, perché il Signore la darà in mano al re». ⁷Allora Giosafat domandò: «Non c'è nessun altro profeta del Signore, perché possiamo consultarlo per mezzo suo?». ⁸Il re d'Israele rispose a Giosafat: «C'è ancora un uomo per mezzo del quale noi possiamo consultare il Signore, ma io lo detesto, perché non mi profetizza mai cose buone, ma solo cattive. Si tratta di Michea, figlio di Imla». Giosafat replicò: «Il re non dica queste cose!». ⁹Allora il re d'Israele chiamò un eunuco e gli ordinò: «Fa' venire subito Michea, figlio di Imla». ¹⁰Il re d'Israele e Giosafat, re di Giuda, stavano seduti, ciascuno sul suo trono, con gli abiti di gala, nella piazza antistante la porta di Samaria, e tutti quei profeti profetavano alla loro presenza. ¹¹Sedecia, figlio di Chenaana, si fece dei corni di ferro e disse: «Così parla il Signore: Con questi percuoterai Aram fino allo sterminio!». ¹²Tutti i profeti profetavano allo stesso modo: «Assali Ramot di Galaad e avrai successo, perché il Signore la darà in mano al re!».

¹³Il messaggero, che era stato mandato a chiamare Michea, gli disse: «Ecco, i responsi dei profeti sono tutti favorevoli al re; sia anche il tuo responso come il loro: preannunzia il successo». ¹⁴Michea rispose: «Com'è vero che vive il Signore, io annuncio solo quello che il Signore mi dirà». ¹⁵Quindi si recò dal re, che gli domandò: «Michea, dobbiamo andare a Ramot di Galaad a combattere, oppure dobbiamo rinunciarvi?». Egli rispose: «Attaccala pure, perché avrai successo e il Signore ti darà in mano il re». ¹⁶Ma il re gli replicò: «Quante volte dovrò supplicarti di non dirmi se non la verità nel nome del Signore?». ¹⁷Quegli disse: «Ho visto tutto Israele disperso sui monti come pecore senza pastore. Il Signore dice: Essi non hanno più padroni e perciò ciascuno se ne torni a casa in pace». ¹⁸Il re d'Israele disse a Giosafat: «Non ti avevo detto che costui non mi avrebbe profetato nulla di buono, ma solo il male?». ¹⁹Il profeta però riprese: «Ascolta la parola del Signore: Ho visto il Signore assiso in trono, mentre l'intera schiera celeste stava alla sua presenza, alla sua destra e alla sua sinistra. ²⁰Il Signore domandò: Chi ingannerà Acab perché muova contro Ramot di Galaad e vi perisca? Chi rispondeva in un modo, chi in un altro.

---

22. - 1. In questi tre anni Salmanassar II, re di Assiria, vinse a Karkar (854 a.C.) il re di Camat, quello di Siria e quello d'Israele. Dopo la sconfitta, Acab si ritirò dall'alleanza con la Siria e si alleò con Giosafat, re di Giuda.

²¹Finalmente uscì uno spirito che stette alla presenza del Signore e disse: Lo ingannerò io! Il Signore gli domandò: In che modo? ²²Quegli rispose: Uscirò e diventerò spirito di menzogna sulla bocca di tutti i suoi profeti. Il Signore gli disse: Sì, tu riuscirai ad ingannarlo; va' e fa' così. ²³Ecco quindi che il Signore ha posto uno spirito di menzogna sulla bocca di tutti questi tuoi profeti, perché il Signore ha decretato la tua rovina». ²⁴Allora Sedecia, figlio di Chenaana, si avvicinò e colpì Michea sulla guancia dicendo: «Come mai lo spirito del Signore si è allontanato da me per parlare con te?». ²⁵Michea rispose: «Ecco, lo vedrai tu stesso nel giorno in cui correrai di stanza in stanza per nasconderti». ²⁶Allora il re d'Israele disse: «Prendi Michea e conducilo da Amon, governatore della città, e da Ioas, figlio del re. ²⁷Riferirai loro: Così dice il re: Mettete costui in prigione e dategli una scarsa razione di pane e di acqua fino a che non ritornerò sano e salvo». ²⁸Michea disse: «Se tu ritornerai sano e salvo, il Signore non ha parlato per mio mezzo!».

²⁹Il re d'Israele e Giosafat, re di Giuda, mossero contro Ramot di Galaad. ³⁰Il re d'Israele disse a Giosafat: «Io mi travestirò e andrò a combattere, ma tu rimani vestito dei tuoi abiti». Il re d'Israele si travestì e andò a combattere. ³¹Ora il re di Aram aveva ordinato ai trentadue comandanti dei carri: «Non combattete contro nessuno, piccolo o grande, ma solo contro il re d'Israele». ³²Quando i comandanti dei carri videro Giosafat dissero: «È sicuramente il re d'Israele!». E si rivolsero verso di lui per investirlo; ma Giosafat lanciò un grido. ³³Come i comandanti dei carri si accorsero che egli non era il re d'Israele, si allontanarono da lui. ³⁴Ma un uomo scoccò a caso il suo arco e colpì il re d'Israele tra le maglie dell'armatura e la corazza. Allora questi ordinò al suo cocchiere: «Volta e fammi uscire dalla mischia, perché mi sento male». ³⁵La battaglia divenne sempre più violenta in quel giorno, e il re di Israele volle rimanere ritto sul suo carro di fronte agli Aramei, ma verso sera morì. Il sangue della ferita era colato nel fondo del carro. ³⁶Al calar del sole un grido si sparse per l'accampamento: «Ognuno torni alla sua città e ognuno al suo paese! ³⁷È morto il re!». Tornarono a Samaria e là seppellirono il re.

³⁸Il carro fu lavato nella piscina di Samaria, dove si lavavano le prostitute, e i cani leccarono il suo sangue, secondo la parola che il Signore aveva pronunciato.

³⁹Le altre gesta di Acab, tutte le sue azioni, il palazzo d'avorio che egli costruì e tutte le città che edificò sono descritte nel libro degli Annali dei re d'Israele. ⁴⁰Acab si addormentò con i suoi padri e suo figlio Acazia regnò al suo posto.

⁴¹Giosafat, figlio di Asa, divenne re su Giuda nell'anno quarto di Acab, re d'Israele. ⁴²Egli aveva trentacinque anni quando incominciò a regnare e regnò a Gerusalemme per venticinque anni. Sua madre si chiamava Azuba, figlia di Silchi. ⁴³Egli imitò in tutto la condotta di suo padre Asa e non se ne allontanò, facendo ciò che è retto agli occhi del Signore. ⁴⁴Però le alture non furono rimosse, di modo che il popolo continuava a offrire sacrifici e incenso su di esse. ⁴⁵Giosafat visse in pace con il re d'Israele.

⁴⁶Le altre gesta di Giosafat, le prodezze da lui compiute e le sue guerre sono descritte nel libro degli Annali dei re di Giuda. ⁴⁷Egli finì di eliminare dal paese anche quei prostituti sacri che erano rimasti al tempo di suo padre Asa. ⁴⁸In quel tempo in Edom non v'era un re costituito. ⁴⁹Il re Giosafat costruì navi di Tarsis per andare ad Ofir in cerca d'oro, ma non poté andarvi perché le navi naufragarono ad Ezion-Gheber. ⁵⁰Allora Acazia, figlio di Acab, disse a Giosafat: «I miei servi andranno con i tuoi sulle navi», ma Giosafat non accettò la proposta. ⁵¹Giosafat si addormentò con i suoi padri e fu sepolto nella città di Davide, suo antenato. Al suo posto regnò suo figlio Ioram.

⁵²Nell'anno diciassettesimo di Giosafat, re di Giuda, Acazia, figlio di Acab, divenne re d'Israele in Samaria. Regnò due anni su Israele. ⁵³Egli fece ciò che è male agli occhi del Signore e imitò la condotta di suo padre e di sua madre e la condotta di Geroboamo, figlio di Nebat, che aveva indotto Israele a peccare. ⁵⁴Servì Baal, si prostrò davanti a lui e irritò il Signore, Dio d'Israele, proprio come aveva fatto suo padre.

41-47. Il regno di *Giosafat* è esposto meglio in 2 Cronache (cc. 17-20). Sua disgrazia fu quella di essersi alleato con l'empio Acab, re d'Israele, alleanza sigillata dal matrimonio di suo figlio Ioram con Atalia, figlia di Acab, la quale portò alla corte di Giuda i vizi e le pretese di Samaria.

SECONDO LIBRO DEI RE

LA MALATTIA
E LA MORTE DEL RE ACAZIA

1 ¹Dopo la morte di Acab, Moab si ribellò contro Israele.

²Acazia era caduto dal davanzale della sua camera superiore in Samaria. Sentendosi male, egli inviò dei messaggeri con quest'ordine: «Andate a consultare Baal-Zebub, dio di Accaron, per sapere se guarirò da questa infermità». ³Ma l'angelo del Signore disse ad Elia il tisbita: «Alzati, va' incontro ai messaggeri del re di Samaria e di' loro: Non c'è forse un Dio in Israele, perché voi andiate a consultare Baal-Zebub, dio di Accaron? ⁴Perciò così dice il Signore: dal letto sul quale sei salito, tu non scenderai più, perché certamente morirai». Ed Elia se ne andò.

⁵I messaggeri ritornarono dal re, che domandò loro: «Perché siete ritornati?». ⁶Quelli gli risposero: «Un uomo ci è venuto incontro e ci ha detto: Ritornate dal re che vi ha mandati e ditegli: Così parla il Signore: Non c'è forse un Dio in Israele, che tu mandi a consultare Baal-Zebub, dio di Accaron? Per questo dal letto sul quale sei salito, tu non scenderai più, perché certamente morirai». ⁷Domandò loro: «Com'era vestito l'uomo che vi è venuto incontro e vi ha detto queste parole?». ⁸Gli risposero: «Era un uomo vestito di un mantello peloso, con una cintura di cuoio stretta ai fianchi». Quegli esclamò: «È Elia il tisbita!».

⁹Allora gli mandò un comandante con i suoi cinquanta uomini. Costui salì da Elia, che se ne stava seduto sulla cima della montagna, e gli disse: «O uomo di Dio, il re ti ordina di scendere!». ¹⁰Elia rispose al comandante dei cinquanta uomini: «Se io sono un uomo di Dio, un fuoco discenda dal cielo e divori te e i tuoi cinquanta uomini!». Un fuoco discese dal cielo e divorò lui e i suoi cinquanta uomini. ¹¹Allora il re mandò di nuovo un altro comandante con i suoi cinquanta uomini, il quale salì e gli disse: «O uomo di Dio, così ordina il re: Scendi subito!». ¹²Per risposta Elia gli disse: «Se io sono un uomo di Dio, un fuoco discenda dal cielo e divori te e i tuoi cinquanta uomini!». Un fuoco discese dal cielo e divorò lui e i suoi cinquanta uomini. ¹³Allora il re mandò un terzo comandante con i suoi cinquanta uomini. Costui salì e, giunto da Elia, gli si inginocchiò davanti e lo supplicò dicendogli: «O uomo di Dio, la mia vita e quella di questi cinquanta tuoi servi siano preziose ai tuoi occhi! ¹⁴Ecco, un fuoco è disceso dal cielo e ha divorato i due primi comandanti e i loro cinquanta uomini, ma ora la mia vita sia preziosa ai tuoi occhi!».

¹⁵L'angelo del Signore disse ad Elia: «Discendi con lui e non temere da parte sua!». Egli si alzò, discese con lui dal re ¹⁶e gli disse: «Così parla il Signore: Poiché hai mandato messaggeri a consultare Baal-Zebub, dio di Accaron, come se non ci fosse nessun Dio in Israele da consultare, per questo, dal letto sul quale sei salito tu non scenderai più, perché certamente morirai». ¹⁷Infatti morì, secondo la parola del Signore che Elia aveva pronunciato e, nell'anno secondo di Ioram, figlio di Giosafat, re di Giuda, gli successe sul trono suo fratello Ioram, poiché egli non aveva figli. ¹⁸Le altre gesta di Acazia e le sue azioni sono descritte nel libro degli Annali dei re d'Israele.

ELIA È RAPITO IN CIELO
E GLI SUCCEDE ELISEO

2 ¹Quando il Signore stava per sollevare Elia in cielo in un turbine, questi partì da Galgala con Eliseo. ²Elia disse ad Eliseo: «Resta qui, perché il Signore mi manda a

Betel». Eliseo rispose: «Quant'è vero che il Signore vive e tu stesso vivi, io non ti lascerò!». Discesero a Betel. [3]Ora i discepoli dei profeti, che si trovavano a Betel, andarono incontro ad Eliseo e gli dissero: «Sai che oggi il Signore rapirà al di sopra della tua testa il tuo signore?». Egli rispose: «Anch'io lo so, tacete!». [4]Elia disse ad Eliseo: «Resta qui, perché il Signore mi manda a Gerico». Egli rispose: «Quant'è vero che il Signore vive e tu stesso vivi, io non ti lascerò!». Discesero a Gerico. [5]I discepoli dei profeti che erano in Gerico si avvicinarono ad Eliseo e gli dissero: «Sai che oggi il Signore rapirà al di sopra della tua testa il tuo signore?». Egli rispose: «Anch'io lo so, tacete!». [6]Gli disse ancora Elia: «Resta qui, perché il Signore mi manda al Giordano». Egli rispose: «Quant'è vero che il Signore vive e tu stesso vivi, io non ti lascerò!». Si incamminarono tutti e due. [7]Cinquanta discepoli di profeti andarono anch'essi e si fermarono di fronte a loro, da lontano, mentre i due si spinsero fino al Giordano. [8]Elia prese il suo mantello, l'arrotolò e percosse le acque, che si divisero in due parti e i due le attraversarono. [9]Dopo che furono passati, Elia disse ad Eliseo: «Chiedi ciò che vuoi che io faccia per te prima che io sia rapito lontano da te». Eliseo rispose: «Passino a me i due terzi del tuo spirito».

[10]Elia replicò: «Domandi una cosa difficile, ma l'otterrai se mi potrai vedere quando verrò rapito lontano da te, altrimenti no». [11]Or mentre essi camminavano e parlavano, ecco un carro di fuoco e cavalli di fuoco si interposero fra loro due ed Elia salì al cielo in un turbine.

[12]Mentre stava guardando, Eliseo gridava: «Padre mio, padre mio! Carro d'Israele e suo cocchiere!». Quando non lo vide più, afferrò i suoi vestiti e li stracciò in due pezzi. [13]Poi raccolse il mantello, che era caduto a Elia, tornò indietro e si fermò sulla sponda del Giordano. [14]Colpì con esso le acque dicendo: «Dov'è mai il Signore, Dio di Elia?». Quando ebbe colpito le acque, queste si divisero in due parti ed egli le attraversò. [15]I discepoli dei profeti, che si trovavano in Gerico e stavano di fronte, lo videro ed esclamarono: «Lo spirito di Elia si è posato su Eliseo!». Gli andarono incontro, si prostrarono a terra [16]e gli dissero: «Ecco, vi sono qui con i tuoi servi cinquanta uomini

molto forti. Permetti che vadano a cercare il tuo signore; forse lo spirito del Signore lo ha sollevato e lo ha gettato su qualche montagna o in qualche valle». Egli rispose: «Non mandateli». [17]Tuttavia quelli tanto insistettero che egli disse: «Mandateli». Allora mandarono cinquanta uomini, i quali lo cercarono per tre giorni, ma non lo trovarono. [18]Ritornarono da Eliseo mentre si trovava in Gerico ed egli disse loro: «Non vi avevo forse detto: Non andate?».

[19]Gli abitanti della città dissero ad Eliseo: «Ecco, la città offre un piacevole soggiorno, come il mio signore può constatare; l'acqua però è cattiva e la terra è sterile». [20]Egli rispose: «Prendetemi una pentola nuova e mettetevi del sale». Gliela portarono. [21]Allora si recò alla sorgente dell'acqua, vi gettò il sale e disse: «Così parla il Signore: Ho risanato quest'acqua; d'ora in poi non causerà più morte e sterilità». [22]L'acqua è stata salubre fino ad oggi, secondo la parola che Eliseo aveva pronunciato.

[23]Di là salì a Betel. Mentre saliva per la strada, alcuni ragazzi uscirono dalla città e si misero a beffeggiarlo dicendogli: «Vieni su, testa pelata, vieni su, testa pelata!». [24]Egli si voltò, li guardò e li maledisse nel nome del Signore. Due orse uscirono dal bosco e sbranarono quarantadue di quei giovani. [25]Di là il profeta si recò sul monte Carmelo e quindi tornò in Samaria.

IORAM, RE D'ISRAELE

3 [1]L'anno diciottesimo di Giosafat, re di Giuda, Ioram, figlio di Acab, divenne re d'Israele in Samaria, dove regnò dodici anni. [2]Egli fece ciò che è male agli occhi del Signore, ma non come suo padre e sua madre. Rimosse infatti la stele di Baal che suo padre aveva innalzato, [3]tuttavia rimase attaccato al peccato che Geroboamo, figlio di Nebat, fece commettere a Israele e non se ne allontanò.

---

2. - 3. *I discepoli dei profeti* costituivano delle specie di confraternite impegnate nelle osservanze religiose. Non erano veri profeti, ma a volte stavano in relazione con essi; vivevano una vita di comunità, non eccessivamente austera. Esistevano già ai tempi di Samuele, ma non durarono più di due secoli.

11. *Carro di fuoco:* cfr. Ez 1,15. Il fuoco, il turbine e il carro sono simboli della maestà di Dio, che portò via con sé Elia.

⁴Mesa, re di Moab, era pastore e pagava in tributo al re d'Israele centomila agnelli e la lana di centomila capri. ⁵Quando però morì Acab, il re di Moab si ribellò al re d'Israele. ⁶Allora il re Ioram uscì da Samaria e passò in rassegna tutto Israele. ⁷Poi mandò a dire a Giosafat, re di Giuda: «Il re di Moab si è ribellato contro di me; vuoi venire con me a combattere contro Moab?». Quegli rispose: «Sì, verrò! Conta su di me come su di te, sul mio popolo come sul tuo, sui miei cavalli come sui tuoi». ⁸Poi domandò: «Per quale via saliremo?». L'altro rispose: «Per la via del deserto di Edom». ⁹Il re d'Israele, il re di Giuda e il re di Edom si misero in viaggio. Girarono per sette giorni e venne a mancare l'acqua per la truppa e le bestie della retrovia. ¹⁰Il re d'Israele esclamò: «Ahimè! Il Signore ha chiamato questi tre re per metterli nelle mani di Moab». ¹¹Ma Giosafat domandò: «Non c'è qui un profeta del Signore per mezzo del quale possiamo consultare il Signore?». Uno dei servi del re d'Israele rispose: «C'è qui Eliseo, figlio di Safat, che versava l'acqua sulle mani di Elia». ¹²Giosafat soggiunse: «La parola del Signore è con lui». Il re d'Israele, Giosafat e il re di Edom scesero dunque da lui. ¹³Eliseo disse al re d'Israele: «Che c'è tra me e te? Va' dai profeti di tuo padre e dai profeti di tua madre!». Gli rispose il re d'Israele: «No, perché il Signore ha chiamato questi tre re per metterli nelle mani di Moab». ¹⁴Eliseo replicò: «Com'è vero che vive il Signore degli eserciti, davanti al quale io sto, non ti darei retta né ti degnerei neppure di uno sguardo, se non fosse per riguardo di Giosafat, re di Giuda. ¹⁵Ora conducetemi un suonatore di lira». Mentre il suonatore pizzicava le corde, la mano del Signore fu sopra Eliseo, ¹⁶che annunziò: «Così dice il Signore: scavate in questa valle numerose fosse. ¹⁷Infatti così dice il Signore: Non vedrete né vento né pioggia; tuttavia questa valle si riempirà d'acqua e ne berrete voi, la vostra truppa e le vostre bestie. ¹⁸Ma questo è ancor poco agli occhi del Signore, perché egli darà Moab nelle vostre mani.

¹⁹Voi colpirete tutte le città fortificate, abbatterete tutti gli alberi buoni, otturerete tutte le sorgenti d'acqua e disseminerete di sassi i campi migliori». ²⁰Al mattino seguente, nell'ora in cui si fa l'oblazione, sopraggiunse l'acqua dalla parte di Edom e la regione ne fu piena. ²¹Avendo sentito che i re salivano per muovere loro guerra, i Moabiti convocarono tutti gli uomini capaci di portare le armi e si schierarono alla frontiera. ²²Levatisi al mattino, quando il sole splendeva sull'acqua, i Moabiti videro di fronte a loro l'acqua rossa come sangue. ²³Dissero: «Questo è sangue! Certamente i re sono venuti alle mani e si sono uccisi l'un l'altro. Orsù, Moab, al saccheggio!». ²⁴Ma quando giunsero all'accampamento degli Israeliti, questi si levarono e li batterono. Inseguirono e uccisero anche quei Moabiti che tentavano di fuggire davanti a loro. ²⁵Distrussero le città e gettarono delle pietre, una ciascuno, in tutti i campi migliori, fino a riempirli; ostruirono tutte le sorgenti d'acqua e abbatterono tutti gli alberi buoni. Rimase soltanto Kir Careset, che i frombolieri accerchiarono e attaccarono. ²⁶Quando il re di Moab vide che non poteva sostenere il combattimento, prese con sé settecento uomini armati di spada e tentò di aprirsi un varco verso il re di Edom, ma non vi riuscì. ²⁷Allora prese il figlio primogenito, che doveva regnare al suo posto, e lo immolò in olocausto sulle mura. Si scatenò una grande collera contro gli Israeliti, che si allontanarono da lui e ritornarono al loro paese.

I MIRACOLI DI ELISEO

4 ¹Una donna, moglie di uno dei discepoli dei profeti, gridò ad Eliseo: «Il tuo servo, mio marito, è morto, e tu sai che il tuo servo era timorato del Signore. Ora il creditore è venuto a prendersi i miei due figli per farli suoi schiavi». ²Eliseo le domandò: «Che cosa devo fare per te? Dimmi che cosa hai in casa». Quella rispose: «La tua serva non ha nulla in casa, all'infuori di un'ampolla d'olio». ³Allora egli disse: «Va' fuori a chiedere vasi vuoti a tutti i tuoi vicini, e chiedine in abbondanza. ⁴Poi rientra in casa, chiudi la porta dietro di te e dietro i tuoi figli e versa l'olio in tutti quei vasi, mettendoli da parte man mano che saranno pieni». ⁵Quella andò e chiuse la porta dietro di sé e dietro i suoi figli; questi le porgevano i vasi ed essa vi versava l'olio.

⁶Quando i vasi furono pieni, disse a un figlio: «Porgimi ancora un vaso». Le rispose: «Non ce ne sono più!». L'olio si fermò. ⁷Al-

lora essa andò ad avvertire l'uomo di Dio e questi le disse: «Va' a vendere l'olio e paga il tuo debito; con il resto vivrete tu e i tuoi figli». [8]Un giorno Eliseo passava per Sunem e una donna facoltosa lo invitò a prendere cibo. Da allora, ogni volta che passava di là, si recava da lei a mangiare. [9]La donna disse al marito: «Ecco, io so che colui che passa sempre da noi è un santo uomo di Dio. [10]Facciamogli una piccola stanza sulla terrazza e mettiamoci un letto, una tavola, una sedia e una lampada, così quando verrà da noi vi si potrà ritirare». [11]Un giorno che Eliseo passò di lì, si ritirò nella camera superiore e si coricò. [12]Disse poi a Giezi, suo servo: «Chiama questa Sunammita». Egli la chiamò ed essa si presentò a lui. [13]Eliseo riprese: «Dille così: Ecco, hai avuto tutta questa premura per noi; che cosa posso fare per te? Devo dire qualcosa al re o al comandante dell'esercito in tuo favore?». Quella rispose: «Io abito in mezzo al mio popolo». [14]Eliseo replicò: «Che cosa posso fare per lei?». Giezi rispose: «Ahimè! Essa non ha figli e suo marito è vecchio». [15]Eliseo gli ordinò: «Chiamala!». Egli la chiamò, e la donna si fermò sulla porta. [16]Eliseo le disse: «L'anno prossimo, in questa stagione, terrai un figlio tra le braccia». Essa rispose: «No, mio signore! Non ingannare la tua serva!». [17]Ora la donna concepì e partorì un figlio proprio nella stagione che le aveva predetto Eliseo. [18]Il fanciullo si fece grande e un giorno, che era andato dal padre tra i mietitori, [19]disse a suo padre: «La mia testa, la mia testa!». Il padre ordinò al servo: «Portalo da sua madre!». [20]Questi lo prese e lo portò da sua madre. Dopo essere rimasto sulle ginocchia di lei fino a mezzogiorno, morì. [21]Allora essa salì, lo adagiò sul letto dell'uomo di Dio, chiuse la porta dietro di lui e uscì. [22]Chiamò suo marito e gli disse: «Mandami uno dei servi e un'asina; corro dall'uomo di Dio e torno!». [23]Quegli replicò: «Perché vuoi andare da lui proprio oggi? Non è il novilunio e neppure sabato!». Ma ella rispose: «Sta' tranquillo!». [24]Fece sellare l'asina e ordinò al servo: «Conducimi avanti e non farmi scendere finché non te lo dirò io». [25]Quindi partì e giunse dall'uomo di Dio sul monte Carmelo. Non appena l'uomo di Dio la vide di lontano, disse a Giezi suo servo: «Ecco quella Sunammita! [26]Corrile incontro e domandale: Stai bene? Sta bene tuo ma-

rito? Sta bene il fanciullo?». Essa rispose: «Bene!». [27]Giunse frattanto dall'uomo di Dio sul monte e gli abbracciò i piedi. Giezi si accostò per allontanarla, ma l'uomo di Dio gli disse: «Lasciala, perché la sua anima è amareggiata e il Signore me l'ha nascosto e non me l'ha manifestato». [28]Essa disse: «Avevo forse chiesto un figlio al mio signore? Non ti avevo forse detto: Non m'ingannare?». [29]Allora Eliseo disse a Giezi: «Cingiti i fianchi, prendi in mano il mio bastone e va'! Se incontrerai qualcuno, non salutarlo, e se qualcuno ti saluterà, non rispondergli. Porrai il mio bastone sul viso del fanciullo». [30]Ma la madre del fanciullo disse: «Com'è vero che il Signore vive e tu pure vivi, io non ti lascerò!». Eliseo perciò s'alzò e la seguì. [31]Giezi li aveva preceduti ed aveva posto il bastone sul viso del fanciullo, ma non si ebbe nessuna voce o segno di vita. Perciò se ne ritornò da Eliseo e gli riferì: «Il fanciullo non s'è svegliato!». [32]Eliseo nel frattempo raggiunse la casa dove si trovava il fanciullo morto e adagiato sul suo letto. [33]Vi entrò, chiuse la porta dietro loro due e pregò il Signore. [34]Poi salì e si distese sul fanciullo, ponendo la bocca sulla sua bocca, gli occhi sui suoi occhi, le mani sulle sue mani; si piegò sopra e il corpo del fanciullo riprese calore. [35]Alzatosi, si mise a camminare su e giù per la casa; poi salì di nuovo e tornò a curvarsi su di lui. Il fanciullo starnutì sette volte, poi aprì gli occhi. [36]Eliseo allora chiamò Giezi e gli disse: «Chiama quella Sunammita!». Egli la chiamò ed essa venne da lui, che le disse: «Prendi tuo figlio!». [37]Entrata da lui, gli si gettò ai piedi e gli rese omaggio prostrandosi a terra; poi prese suo figlio e uscì. [38]Eliseo se ne tornò a Galgala. Nel paese intanto vi era la carestia. Mentre i discepoli dei profeti se ne stavano seduti davanti a lui, egli disse al suo servo: «Metti sul fuoco la pentola più grande e fa' cuocere una minestra per i discepoli dei profeti». [39]Uno di essi, che era uscito in campagna in cerca di verdura, trovò una vite selvatica da cui raccolse cucurbite selvatiche, fino a riempirne la falda della veste. Ritornato, le tagliò a pezzi e le gettò nella pentola, perché non sapeva che cosa fossero. [40]Ne versò poi agli altri perché ne mangiassero. Appena questi ebbero gustato la minestra, gridarono: «C'è la morte nella pentola, uomo di Dio!», e non ne poterono mangiare.

⁴¹Il profeta ordinò: «Portatemi della farina». La gettò nella pentola, poi disse: «Versatene alla gente perché ne mangi». E non ci fu più nulla di cattivo nella pentola.
⁴²Venne poi un uomo di Baal-Salisa, che offrì all'uomo di Dio dei pani di primizia che aveva nella bisaccia: venti pani d'orzo e del farro. Eliseo disse: «Dàlli a questa gente perché ne mangi». ⁴³Il suo servo obiettò: «Come posso dare questo a cento persone?». Il profeta disse: «Dàlli da mangiare alla gente, perché così dice il Signore: Ne mangeranno e ne avanzerà!». ⁴⁴Quegli li diede ed essi mangiarono e ne avanzarono, secondo la parola del Signore.

ELISEO GUARISCE NAAMAN DALLA LEBBRA

5 ¹Naaman, comandante dell'esercito del re di Aram, era un uomo molto influente e stimato presso il suo signore, perché per mezzo suo il Signore aveva accordato la vittoria agli Aramei. Ora quest'uomo tanto valoroso era lebbroso. ²Gli Aramei, usciti a fare una razzia, rapirono dal paese d'Israele una ragazzina, la quale passò al servizio della moglie di Naaman. ³Essa disse alla sua signora: «Se il mio signore si rivolgesse al profeta che c'è in Samaria, certamente egli lo libererebbe dalla lebbra!». ⁴Naaman andò ad informare il suo signore dicendo: «La fanciulla della terra d'Israele ha detto così e così». ⁵Il re di Aram rispose: «Va' pure; io stesso invierò una lettera al re d'Israele». Quegli se ne andò, dopo aver preso con sé dieci talenti d'argento, seimila sicli d'oro e dieci cambi di vesti. ⁶Presentò al re d'Israele la lettera, che diceva: «Quando ti giungerà questa lettera, io t'invio il mio servo Naaman perché tu lo guarisca dalla lebbra». ⁷Letta che ebbe la lettera, il re d'Israele si stracciò le vesti ed esclamò: «Sono forse Dio da poter far morire e vivere, dal momento che costui mi manda uno perché lo guarisca dalla lebbra? Considerate bene e vedrete che costui certamente sta cercando l'occasione per nuocermi».
⁸Quando Eliseo, l'uomo di Dio, ebbe udito che il re d'Israele s'era stracciato le vesti, gli mandò a dire: «Perché ti sei stracciato le vesti? Venga pure da me e saprà che v'è un profeta in Israele». ⁹Naaman venne con i suoi cavalli e il suo cocchio e si fermò davanti alla porta della casa di Eliseo. ¹⁰Allora Eliseo gli mandò un messaggero per dirgli: «Va' a bagnarti sette volte nel Giordano e la tua carne ritornerà come prima e sarai purificato».
¹¹Naaman si adirò e se ne andò, dicendo: «Ecco, io m'ero detto: Certamente egli uscirà, mi starà davanti e invocherà il nome del Signore suo Dio, agitando la mano sulla parte infetta e mi libererà dalla lebbra. ¹²I fiumi di Damasco, l'Abana e il Parpar, non sono forse migliori di tutte le acque d'Israele? Se mi bagnassi in essi, non sarei forse purificato?». Si voltò e se ne andò tutto infuriato. ¹³I suoi servi però gli vennero vicino e gli dissero: «Padre mio, se il profeta ti avesse ordinato una cosa difficile, non l'avresti forse eseguita? A maggior ragione ora che ti ha detto: Bagnati e sarai purificato». ¹⁴Allora egli discese e si immerse sette volte nel Giordano, secondo la parola dell'uomo di Dio: la sua carne tornò come quella di un ragazzino e fu purificato. ¹⁵Ritornò poi dall'uomo di Dio con tutto il suo seguito, entrò, gli si presentò davanti e disse: «Ecco, io so che in tutta la terra non v'è Dio se non in Israele! Ora accetta un regalo dal tuo servo». ¹⁶Egli rispose: «Per il Signore vivente, che io servo, non l'accetterò!». Quegli insistette perché accettasse, ma egli rifiutò. ¹⁷Allora Naaman disse: «Poiché non vuoi, acconsenti che sia data al tuo servo la terra che può essere caricata su due muli, perché il tuo servo non offrirà più olocausti e sacrifici ad altri dèi tranne che al Signore. ¹⁸Il Signore però perdoni il tuo servo per questa azione: quando il mio signore si recherà al tempio di Rimmon per farvi adorazione, si appoggerà al mio braccio e anch'io mi dovrò prostrare nel tempio di Rimmon mentre egli si prostra. Voglia il Signore perdonare il tuo servo per questa azione». ¹⁹Il profeta gli rispose: «Va' in pace!». Quegli si allontanò per un buon tratto di cammino. ²⁰Giezi, servo di Eliseo, uomo di Dio, disse tra sé: «Ecco, il mio signore ha avuto riguardo per questo Naaman arameo, rifiutandosi di prendere dalla sua mano quanto gli aveva portato. Com'è vero che vive il Signore, gli correrò dietro per ottenere da lui qualcosa». ²¹Difatti Giezi si mise ad inseguire Naaman. Quando questi lo vide corrergli dietro, saltò giù dal cocchio per andargli

incontro e gli domandò: «Va tutto bene?».
²²Quegli rispose: «Tutto bene! Il mio signore
mi manda a dirti: Ecco, in questo momento sono venuti da me dalla montagna di
Efraim due giovani dei discepoli dei profeti;
dammi per loro un talento d'argento e due
mute d'abiti». ²³Naaman disse: «Fammi un
piacere: prendi due talenti». Dopo un po' di
insistenza, legò in due sacchi i due talenti
d'argento con le due mute di abiti e li diede
a due servi, che li portarono davanti a Giezi.
²⁴Giunto all'Ofel, egli li prese dalle loro mani
e li depositò in casa, poi rimandò gli uomini,
che se ne andarono. ²⁵Andò quindi a presentarsi al suo signore, che gli domandò:
«Da dove vieni, Giezi?». Quegli rispose: «Il
tuo servo non è andato in nessun luogo».
²⁶L'altro replicò: «Forse che il mio spirito
non era presente quando un uomo è disceso dal suo cocchio per venirti incontro?
Ora che hai ricevuto il denaro, puoi comprarti giardini, oliveti e vigne, pecore e buoi,
schiavi e schiave! ²⁷Ma la lebbra di Naaman
si attaccherà a te e alla tua discendenza
per sempre». Quegli uscì dalla sua presenza, bianco di lebbra come la neve.

ALTRE VICENDE DI ELISEO

6 ¹I discepoli dei profeti dissero ad Eliseo:
«Ecco, il luogo in cui ci raduniamo presso di te è troppo stretto per noi. ²Se vuoi,
andremo al Giordano; là prenderemo una
trave per ciascuno e ci faremo un luogo
per abitarvi». Egli rispose: «Andate pure!».
³Uno di loro disse: «Degnati di venire anche
tu con i tuoi servi». Egli rispose: «Verrò». ⁴E
andò con loro. Giunti al Giordano si misero a tagliare alcune piante. ⁵Mentre uno di
essi abbatteva una trave, il ferro dell'ascia
cadde nell'acqua. Allora si mise a gridare:
«Ah, mio signore, l'avevo preso in prestito!». ⁶L'uomo di Dio domandò: «Dov'è caduto?». Gli mostrò il posto. Allora egli tagliò
un pezzo di legno, lo gettò in quel punto e il
ferro venne a galla. ⁷Poi disse: «Prendilo!».
Quegli stese la mano e lo prese.

⁸Il re di Aram, mentre era in guerra con Israele, consigliò i suoi ufficiali dicendo: «Scendete in quel luogo determinato». ⁹L'uomo di
Dio mandò a dire al re d'Israele: «Guardati
dal passare per quel luogo, perché là scendono gli Aramei». ¹⁰Il re d'Israele mandò

ad esplorare il luogo che l'uomo di Dio gli
aveva indicato e su cui l'aveva premunito e
se ne stette in guardia. Ciò si verificò non
una né due volte soltanto. ¹¹Il cuore del re
di Aram si turbò per questa cosa; perciò
convocò i suoi ufficiali e disse loro: «Non mi
sapete dire chi, tra noi, parteggia per il re
d'Israele?». ¹²Uno degli ufficiali replicò: «No,
o re mio signore, ma è Eliseo, il profeta che
si trova in Israele, che riferisce al re d'Israele le parole che dici nella tua camera da
letto». ¹³Egli ordinò: «Andate a vedere dove
si trova costui, e io manderò a catturarlo».
Gli fu riferito: «Ecco, si trova in Dotan».
¹⁴Allora vi mandò cavalli, carri e un nutrito
drappello di soldati, i quali vi giunsero di
notte e circondarono la città. ¹⁵All'indomani,
l'uomo di Dio si levò in fretta e uscì; ma ecco
che un drappello circondava la città con cavalli e carri. Il suo servo gli disse: «Ah! Che
cosa faremo, o mio signore?». ¹⁶Quegli rispose: «Non temere, perché c'è più gente
con noi che con loro». ¹⁷Eliseo pregò così:
«Signore, apri i suoi occhi perché possa
vedere». Il Signore aprì gli occhi del servo
e questi vide: ecco, il monte era pieno di
cavalli e di carri di fuoco che circondavano
Eliseo. ¹⁸Poiché gli Aramei scendevano verso di lui, Eliseo pregò così il Signore: «Colpisci di cecità questa gente!». E il Signore li
colpì di cecità secondo la parola di Eliseo.
¹⁹Allora Eliseo disse loro: «Questa non è la
strada e neppure la città; venite dietro a me
e vi condurrò dall'uomo che voi cercate».
Egli li condusse a Samaria. ²⁰Giunti che furono a Samaria, Eliseo disse: «O Signore,
apri i loro occhi perché vedano». Il Signore
aprì i loro occhi e videro che si trovavano
in mezzo a Samaria! ²¹Quando li vide, il re
d'Israele disse a Eliseo: «Li devo uccidere,
padre mio?». ²²Eliseo rispose: «Non ucciderli. Uccidi forse quelli che hai fatto prigionieri con la tua spada e il tuo arco? Metti
piuttosto davanti ad essi pane e acqua,
perché mangino e bevano e poi ritornino
dal loro signore». ²³Fu preparato per essi
un gran pranzo. Dopo che ebbero mangiato e bevuto, li rimandò ed essi ritornarono

---

6. - 22. Nel diritto d'allora chi cadeva nelle mani del nemico
era fatto perire, ma Eliseo fa notare che i prigionieri sono
suoi, li vuole trattare bene e rimandare liberi, perché annunzino la potenza del Dio d'Israele nella patria in cui ritorneranno.

dal loro signore. D'allora in poi le bande di Aram non osarono più venire nel territorio d'Israele.

²⁴Dopo questi fatti, Ben-Adad, re di Aram, raccolse tutto il suo esercito e salì per porre l'assedio a Samaria. ²⁵Ci fu una grande carestia in Samaria a causa dell'assedio, a tal punto che una testa d'asino valeva ottanta sicli d'argento e un quarto di qab di tuberi valeva cinque sicli. ²⁶Mentre il re passava sulle mura, una donna gli gridò: «Salvami, o re mio signore!». ²⁷Questi le rispose: «Se non ti salva il Signore, come ti salverò io? Forse con i prodotti dell'aia o del torchio?». ²⁸Poi il re le soggiunse: «Che cos'hai?». Ella rispose: «Questa donna mi ha detto: Dammi tuo figlio perché lo mangiamo oggi; mio figlio invece lo mangeremo domani. ²⁹Così abbiamo fatto cuocere mio figlio e l'abbiamo mangiato, poi il giorno seguente le ho detto: Dammi tuo figlio perché lo mangiamo, ma lei ha nascosto suo figlio». ³⁰Quando ebbe udito le parole della donna, il re si stracciò le vesti mentre si trovava sulle mura, cosicché il popolo vide che sotto, aderente alla carne, portava un sacco. ³¹E disse: «Dio mi faccia questo male e anche di peggio, se la testa di Eliseo, figlio di Safat, resterà oggi sulle sue spalle!». ³²Ora, mentre Eliseo se ne stava in casa con gli anziani seduti vicino a lui, il re si fece precedere da un messaggero. Prima che questi giungesse da lui, Eliseo disse agli anziani: «Avete visto che quel figlio di assassino ha mandato a tagliarmi la testa? State attenti: quando giungerà il messaggero, sbarrate la porta impedendogli così di entrare. Forse che non si sente dietro di lui il rumore dei passi del suo padrone?». ³³Stava ancora parlando con loro, quando il re scese da lui e disse: «Ecco, questo male proviene dal Signore; che cosa posso ancora aspettarmi da lui?».

ELISEO PREDICE LA LIBERAZIONE DI SAMARIA

7 ¹Allora Eliseo disse: «Ascoltate la parola del Signore: Così dice il Signore: Domani, a quest'ora, alla porta di Samaria una sea di fior di farina costerà un siclo e due sea d'orzo pure un siclo». ²Lo scudiero, al cui braccio era appoggiato il re, rispose all'uomo di Dio: «Ecco che il Signore sta per fare delle aperture nel cielo! È mai possibile una cosa simile?». Eliseo replicò: «Lo vedrai tu stesso con i tuoi occhi, ma non ne mangerai». ³Ora quattro lebbrosi, che si trovavano all'ingresso della porta, si dissero l'un l'altro: «Perché vogliamo stare qui ad attendere la morte? ⁴Se decidiamo di entrare in città, là c'è la carestia e vi moriremo, se invece restiamo qui, moriremo ugualmente. Andiamo e passiamo nell'accampamento degli Aramei: se ci lasceranno vivere, vivremo; se ci uccideranno, moriremo». ⁵Al crepuscolo essi si levarono per andare all'accampamento degli Aramei. Quando però giunsero all'estremità dell'accampamento degli Aramei, ecco, non c'era nessuno. ⁶Il Signore infatti aveva provocato nell'accampamento degli Aramei un rumore di carri e di cavalli, un rumore di un grande esercito ed essi si erano detti l'un l'altro: «Ecco, il re d'Israele ha assoldato contro di noi i re degli Hittiti e i re d'Egitto perché marcino contro di noi». ⁷Si levarono e fuggirono al crepuscolo, abbandonando le tende, i cavalli, gli asini, l'intero accampamento così come si trovava; essi fuggirono per salvare la loro vita. ⁸Quei lebbrosi giunsero all'estremità dell'accampamento ed entrarono in una tenda, mangiarono e bevvero; poi asportarono di là argento, oro e vestiti, che andarono a nascondere. Ritornati, entrarono in un'altra tenda; portarono via tutto e andarono a nasconderlo.

⁹Quindi si dissero l'un l'altro: «Non facciamo così! Oggi è giorno di buone notizie e noi ce ne stiamo zitti. Se aspettiamo che spunti il mattino, un castigo ci potrebbe colpire. Su, muoviamoci e andiamo ad informare il palazzo reale». ¹⁰Arrivati che furono, chiamarono le sentinelle della città e le informarono dicendo loro: «Siamo andati nell'accampamento degli Aramei, ed ecco là non c'era nessuno, né si udiva voce umana; c'erano soltanto cavalli e asini legati e le tende intatte». ¹¹Allora le sentinelle gridarono e fecero giungere la notizia all'interno del palazzo reale. ¹²Il re si levò di notte e disse ai suoi ufficiali: «Vi spiegherò io ciò che ci hanno fatto gli Aramei: sapendo che noi siamo affamati, sono usciti fuori dell'accampamento per nascondersi nella campagna dicendo: Quando usciranno dalla città, li cattureremo

vivi e poi entreremo in città». ¹³Uno degli ufficiali rispose: «Si prendano i cinque cavalli superstiti, che sono rimasti in città – al massimo periranno anch'essi come la moltitudine che è morta – e mandiamo a vedere». ¹⁴Presero dunque due carri con i cavalli e il re li inviò dietro gli Aramei, dicendo loro: «Andate e vedete». ¹⁵Essi andarono dietro a loro fino al Giordano, ed ecco, tutta la strada era cosparsa di vesti e di oggetti che gli Aramei avevano gettato via nella loro fuga precipitosa. I messaggeri ritornarono e informarono il re.

¹⁶Allora il popolo uscì e saccheggiò l'accampamento degli Aramei: così una sea di fior di farina venne a costare un siclo, come pure due sea d'orzo vennero a costare un siclo, secondo la parola del Signore. ¹⁷Il re aveva messo a guardia della porta lo scudiero al cui braccio egli si appoggiava; la folla lo calpestò presso la porta ed egli morì, secondo quello che aveva detto l'uomo di Dio, quando parlò al re che era sceso da lui. ¹⁸Così avvenne come l'uomo di Dio aveva detto al re: «Domani, a quest'ora, alla porta di Samaria due sea d'orzo costeranno un siclo e anche una sea di fior di farina costerà un siclo». ¹⁹Lo scudiero aveva risposto all'uomo di Dio: «Ecco che il Signore sta per fare delle aperture nel cielo! È mai possibile una cosa simile?». Quegli aveva replicato: «Lo vedrai tu stesso con i tuoi occhi, ma non ne mangerai!». ²⁰Gli accadde proprio così: la folla lo calpestò presso la porta ed egli morì.

ALTRI EPISODI DELLA VITA DI ELISEO

8 ¹Eliseo disse alla donna a cui aveva risuscitato il figlio: «Alzati e parti con la tua famiglia e va' ad abitare dove credi meglio, perché il Signore ha chiamato la fame, che durerà nel paese per sette anni». ²La donna si alzò e fece secondo la parola dell'uomo di Dio. Partì lei e la sua famiglia e soggiornò nel paese dei Filistei per sette anni. ³Al termine dei sette anni, la donna ritornò dal paese dei Filistei e si recò dal re a reclamare la sua casa e il suo campo. ⁴Il re stava parlando con Giezi, il servo dell'uomo di Dio, e gli diceva: «Raccontami, ti prego, tutte le grandi cose compiute da Eliseo». ⁵Mentr'egli raccontava al re il modo come aveva risuscitato il morto, ecco che si presentò la donna a cui il profeta aveva risuscitato il figlio, per reclamare dal re la sua casa e il suo campo. Giezi allora disse: «O re, mio signore! Questa è la donna e questo è il suo figlio che Eliseo ha risuscitato!». ⁶Il re interrogò la donna ed essa gli narrò il fatto. Allora il re l'affidò ad un funzionario, con quest'ordine: «Si restituisca tutto quello che le appartiene e tutte le rendite del campo, dal giorno in cui essa ha lasciato il paese fino ad ora».

⁷Eliseo si recò a Damasco. Ben-Adad, re di Aram, era ammalato e gli fu annunciato: «L'uomo di Dio è venuto fin qui». ⁸Il re disse a Cazael: «Prendi con te un dono e va' incontro all'uomo di Dio e, per mezzo suo, consulta il Signore per sapere se guarirò da questa malattia». ⁹Cazael gli andò incontro, portando con sé in dono ogni cosa più preziosa di Damasco: un carico di quaranta cammelli! Giunto da lui, gli si presentò e gli disse: «Tuo figlio Ben-Adad, re di Aram, mi ha mandato da te per domandarti: Guarirò da questa malattia?». ¹⁰Eliseo rispose: «Va' e digli: Sì, guarirai! Ma il Signore mi ha fatto vedere che certamente egli morirà». ¹¹Poi il suo volto si irrigidì e il suo sguardo rimase fisso per lungo tempo; alla fine l'uomo di Dio scoppiò in pianto. ¹²Allora Cazael domandò: «Perché piangi, mio signore?». Quegli rispose: «Perché so tutto il male che farai ai figli d'Israele: brucerai le loro fortezze, ucciderai di spada i loro primogeniti, sfracellerai i loro lattanti, sventrerai le loro donne incinte». ¹³Cazael esclamò: «Ma che cos'è il tuo servo? È forse un cane, perché possa fare una tale enormità?». Eliseo gli replicò: «Il Signore mi ha fatto vedere che tu sarai re di Aram». ¹⁴Partito che fu da Eliseo, si recò dal suo signore, che gli domandò: «Che cosa ti ha detto Eliseo?». Quegli rispose: «Mi ha detto che tu certamente guarirai». ¹⁵Il giorno dopo egli prese una coperta, la immerse nell'acqua, gliela pose sul viso, e quegli morì. Così Cazael regnò al posto suo.

¹⁶Nell'anno quinto di Ioram, figlio di Acab, re di Israele, divenne re Ioram, figlio di Gio-

8. - 14-15. Cazael espose al re di Aram la prima parte della profezia: *Certamente guarirai*, e fece avverare la seconda parte con il delitto di cui fu responsabile e a cui aveva già pensato.

safat, re di Giuda. [17]Al suo avvento al trono egli aveva trentadue anni e regnò otto anni a Gerusalemme. [18]Imitò la condotta dei re d'Israele, come aveva fatto la casa di Acab – una figlia di Acab era infatti sua moglie –, e fece il male agli occhi del Signore. [19]Tuttavia il Signore non volle distruggere Giuda a causa di Davide, suo servo, perché aveva promesso di dare a lui e ai suoi discendenti una lampada perenne. [20]Ai suoi tempi, Edom si liberò dal dominio di Giuda e si diede un re. [21]Allora Ioram, con tutti i suoi carri, passò a Zeira. Levatosi di notte, con i comandanti dei carri batté gli Idumei che lo avevano accerchiato; perciò il popolo fuggì alle sue tende. [22]Così Edom è rimasto ribelle al dominio di Giuda fino ad oggi. Anche Libna si ribellò in quel tempo. [23]Le altre gesta di Ioram e tutte le sue azioni sono descritte nel libro degli Annali dei re di Giuda. [24]Ioram si addormentò con i suoi padri e fu seppellito con essi nella città di Davide. Al suo posto regnò suo figlio Acazia.

[25]Nell'anno dodicesimo di Ioram, figlio di Acab, re d'Israele, incominciò a regnare Acazia, figlio di Ioram, re di Giuda. [26]Al suo avvento al trono, Acazia aveva ventidue anni e regnò un anno a Gerusalemme. Il nome di sua madre era Atalia, figlia di Omri, re di Israele. [27]Egli seguì la condotta della casa di Acab e fece il male agli occhi del Signore come la casa di Acab, poiché si era imparentato con la casa di Acab. [28]Assieme a Ioram, figlio di Acab, andò a combattere Cazael, re di Aram a Ramot di Galaad, ma gli Aramei ferirono Ioram. [29]Allora il re Ioram ritornò a Izreel per farsi curare le ferite che gli Aramei gli avevano inferto a Ramot mentre combatteva Cazael, re di Aram. Acazia, figlio di Ioram, re di Giuda, discese a Izreel a visitare Ioram, figlio di Acab, che era sofferente.

IEU È CONSACRATO RE D'ISRAELE

9 [1]Il profeta Eliseo chiamò uno dei discepoli dei profeti e gli disse: «Cingiti i fianchi, prendi con te quest'ampolla d'olio e recati a Ramot di Galaad. [2]Giunto là, cerca Ieu, figlio di Giosafat, figlio di Nimsi. Trovatolo, lo farai alzare di mezzo ai suoi colleghi e lo condurrai in una stanza isolata. [3]Poi prenderai l'ampolla dell'olio e la verserai sulla sua testa dicendogli: Così parla il Signore: Io ti ungo re d'Israele. Aprirai quindi la porta e fuggirai senza indugio». [4]Allora il giovane si recò a Ramot di Galaad. [5]Quando vi giunse, i comandanti dell'esercito erano seduti a consiglio. Egli disse: «Ho una parola per te, comandante!». Ieu domandò: «Per chi di noi?». Quegli rispose: «Per te, comandante!». [6]Ieu si alzò ed entrò nella casa. Il giovane allora gli versò l'olio sul capo dicendogli: «Così parla il Signore, Dio d'Israele: Ti ungo re del popolo del Signore, Israele. [7]Tu colpirai la casa di Acab, tuo signore; così vendicherò il sangue dei miei servi i profeti, e quello di tutti i servi del Signore versato per opera di Gezabele. [8]Tutta la casa di Acab perirà! Reciderò via da Acab ogni maschio, schiavo o libero in Israele. [9]Tratterò la casa di Acab come quella di Geroboamo, figlio di Nebat, e come quella di Baasa, figlio di Achia. [10]Quanto a Gezabele, i cani la divoreranno nella campagna di Izreel; nessuno la seppellirà». Poi aprì la porta e fuggì.

[11]Ieu uscì e ritornò dai servi del suo signore, che gli domandarono: «Va tutto bene? Perché quel pazzo è venuto da te?». Egli disse loro: «Voi conoscete l'uomo e le sue chiacchiere». [12]Essi però replicarono: «È falso! Raccontacelo tu!». Allora egli soggiunse: «Mi ha detto così e così, affermando: Questo dice il Signore: Ti ho unto re d'Israele». [13]Quelli subito si affrettarono a prendere ciascuno il proprio mantello, lo stesero sotto di lui, sopra i gradini, poi suonarono la tromba e proclamarono: «Ieu è re!».

[14]Allora Ieu, figlio di Giosafat, figlio di Nimsi, ordì una congiura contro Ioram, il quale, assieme a tutto Israele, aveva difeso Ramot di Galaad contro Cazael, re di Aram. [15]Il re Ioram era tornato a Izreel per farsi curare le ferite che gli avevano inferto gli Aramei, mentre combatteva contro Cazael, re di Aram. Ieu disse: «Se siete d'accordo con me, nessuno esca dalla città per andare a portare la notizia in Izreel». [16]Ieu salì sul carro e si recò a Izreel perché Ioram lì giaceva sofferente, e Acazia, re di Giuda, era sceso a fargli visita.

[17]La sentinella che stava sulla torre di Izreel, vedendo giungere la schiera di Ieu,

---

20. L'Idumea (*Edom*), conquistata da Davide, perduta da Salomone, riconquistata da Giosafat, fu perduta da Ioram che, accerchiato, a stento si salvò aprendosi un varco di notte tra gl'Idumei, che da allora restarono indipendenti.

disse: «Vedo una schiera». Ioram replicò: «Prendi un cavaliere e mandalo loro incontro per domandare: Va tutto bene?». [18]Il cavaliere andò loro incontro e disse: «Il re domanda: Va tutto bene?». Ieu rispose: «Che cosa t'importa se va tutto bene? Passa dietro a me e seguimi». La sentinella annunciò la cosa dicendo: «Il messaggero è arrivato da quelli, ma non è tornato». [19]Il re inviò un altro cavaliere. Giunto da quelli, disse: «Il re domanda: Va tutto bene?». Ieu rispose: «Che cosa t'importa se va tutto bene? Passa dietro a me e seguimi». [20]La sentinella annunciò la cosa dicendo: «È arrivato da quelli, ma non è tornato. Il modo di guidare è quello di Ieu, figlio di Nimsi: guida infatti da pazzo!». [21]Allora Ioram ordinò: «Attaccate i cavalli!». Li attaccarono al suo carro e Ioram, re d'Israele, e Acazia, re di Giuda, uscirono ciascuno sul proprio carro per andare incontro a Ieu e lo trovarono nel campo di Nabot di Izreel.

[22]Non appena Ioram vide Ieu, gli domandò: «Va tutto bene, Ieu?». Ma gli rispose: «Come può andar bene finché durano le prostituzioni di tua madre Gezabele e i suoi numerosi sortilegi?». [23]Allora Ioram voltò il carro e si diede alla fuga, dopo aver detto ad Acazia: «Tradimento, Acazia!». [24]Ma Ieu impugnò l'arco, colpì Ioram tra le spalle e la freccia trapassò il cuore del re, che stramazzò sul carro. [25]Poi disse a Bidkar suo scudiero: «Prendilo e gettalo in qualche parte del campo di Nabot di Izreel; mi ricordo infatti che, mentre tu e io cavalcavamo dietro suo padre Acab, il Signore pronunciò contro di lui questa sentenza: [26]Lo giuro: ieri ho visto il sangue di Nabot e dei suoi figli, oracolo del Signore. Te lo farò scontare in questo stesso campo, oracolo del Signore. Ora prendilo e gettalo nel campo secondo la parola del Signore».

[27]Acazia, re di Giuda, vedendo ciò, fuggì per la strada di Bet-Gan; però Ieu lo inseguì e ordinò: «Colpite anche lui!». Lo colpirono sul carro lungo la salita di Gur, che è vicino ad Ibleam. Riuscì a rifugiarsi a Meghiddo, ma qui morì. [28]Allora i suoi servi lo trasportarono a Gerusalemme e lo seppellirono nel suo sepolcro assieme ai suoi padri, nella città di Davide. [29]Acazia era divenuto re di Giuda nell'anno undicesimo di Ioram, figlio di Acab.

[30]Poi Ieu si recò a Izreel. Appena lo venne a sapere, Gezabele s'imbellettò gli occhi, si ornò la testa e si affacciò alla finestra. [31]Mentre Ieu varcava la porta, ella disse: «Va tutto bene, o Zimri, assassino del suo signore?».

[32]Ieu alzò gli occhi verso la finestra e disse: «Chi è con me? Chi?». Nel frattempo due o tre eunuchi si erano sporti fuori verso di lui. [33]Egli ordinò: «Gettatela giù!». Essi la gettarono giù. Il suo sangue schizzò sui muri e sui cavalli e Ieu le passò sopra il corpo. [34]Poi entrò, mangiò e bevve; infine ordinò: «Occupatevi di quella maledetta e datele sepoltura, perché è figlia di re!». [35]Andarono a seppellirla, ma di lei non trovarono che il cranio, i piedi e le palme delle mani. [36]Tornati, ne informarono Ieu, che esclamò: «Si è avverata la parola che il Signore aveva detto per mezzo del suo servo Elia il tisbita: Nel campo di Izreel i cani divoreranno la carne di Gezabele. [37]Il cadavere di Gezabele sarà come letame nella campagna, nel campo di Izreel, cosicché non si potrà neppure dire: Costei è Gezabele».

LO STERMINIO DELLA FAMIGLIA DI ACAB E DEGLI ADORATORI DI BAAL

10 [1]Vi erano in Samaria settanta figli di Acab. Ieu scrisse delle lettere e le inviò a Samaria ai capi della città, agli anziani e ai tutori dei figli di Acab. Vi si diceva: [2]«Quando vi giungerà questa lettera – poiché avete presso di voi i figli del vostro signore, avete i carri e i cavalli, le città fortificate e le armi –, [3]scegliete tra i figli del vostro signore il migliore e il più degno, ponetelo sul trono di suo padre, e combattete per la casa del vostro signore». [4]Ma quelli ebbero gran paura e dissero: «Ecco, due re non hanno potuto tenergli fronte; come potremmo farlo noi?». [5]Perciò il sovrintendente del palazzo, il governatore della città, gli anziani e i tutori mandarono a dire a Ieu: «Noi siamo tuoi servi; faremo tutto quello che ci ordinerai, ma non proclameremo re nessuno: fa' quello che parrà bene ai tuoi occhi». [6]Ieu scrisse loro

---

10. - 1-5. Ieu ironicamente esorta i capi di Samaria a eleggere un re tra i discendenti di Acab; ma i capi di Samaria, visto che Ioram e Acazia erano stati battuti, si schierarono con lui, per paura.

quest'altra lettera: «Se siete con me e volete ascoltare la mia voce, prendete le teste dei figli del vostro signore e, domani a quest'ora, venite da me a Izreel». I figli del re erano settanta e vivevano con i notabili della città, che pensavano a educarli. [7]Ricevuta la lettera, essi presero i figli del re, li sgozzarono tutti e settanta, posero le loro teste in ceste e le mandarono a Ieu in Izreel. [8]Un messaggero venne ad annunziare a Ieu: «Hanno portato le teste dei figli del re!». Questi disse: «Mettetele in due mucchi all'ingresso della porta della città fino a domani mattina!». [9]Al mattino egli uscì e, stando in piedi, disse a tutto il popolo: «Voi non siete colpevoli! Ecco, sono stato io che ho cospirato contro il mio signore e l'ho assassinato, ma chi ha ucciso tutti costoro?

[10]Sappiate dunque che nessuna delle parole che il Signore ha pronunciato contro la casa di Acab è venuta meno; il Signore infatti ha realizzato quello che aveva detto per mezzo del suo servo Elia». [11]Ieu poi uccise tutti quelli che erano rimasti della casa di Acab a Izreel, tutti i suoi notabili, i suoi familiari, i suoi sacerdoti, cosicché non ne risparmiò neppure uno.

[12]Quindi si levò e si diresse a Samaria. Mentre andava per la strada, a Bet-Eked dei pastori, [13]Ieu trovò i fratelli di Acazia, re di Giuda, ai quali domandò: «Chi siete?». Quelli risposero: «Siamo fratelli di Acazia e siamo scesi a salutare i figli del re e i figli della regina». [14]Allora ordinò: «Prendeteli vivi!». Li presero vivi e li fece sgozzare presso il pozzo di Bet-Eked, in numero di quarantadue; non ne risparmiò neppure uno.

[15]Partito di là, trovò Ionadab, figlio di Recab, che gli veniva incontro. Lo salutò e gli disse: «Il tuo cuore è sincero verso di me, come lo è il mio verso di te?». Ionadab rispose: «Sì!». «Se lo è, dammi la tua mano». Quello gliela diede e allora Ieu lo fece salire con sé sul carro [16]e gli disse: «Vieni con me e vedrai il mio zelo per il Signore». Lo portò con sé sul suo carro. [17]Arrivato a Samaria, uccise tutti quelli ch'erano rimasti della casa di Acab in Samaria fino alla sua distruzione, secondo la parola che il Signore aveva detto a Elia.

[18]Ieu radunò tutto il popolo e gli disse: «Acab ha adorato poco Baal, ma Ieu lo adorerà molto di più! [19]Ora chiamatemi tutti i profeti di Baal e tutti i suoi sacerdoti, nessuno manchi, perché devo offrire un grande sacrificio a Baal. Chiunque mancherà non rimarrà in vita». Ieu però agiva con astuzia, per sterminare gli adoratori di Baal. [20]Poi Ieu ordinò: «Convocate una santa assemblea in onore di Baal». Essi la convocarono. [21]Ieu mandò dei messaggeri per tutto Israele e tutti gli adoratori di Baal vennero, senza eccezione alcuna, ed si presentarono al tempio di Baal, che fu pieno da un capo all'altro. [22]Allora Ieu ordinò al guardarobiere: «Tira fuori le vesti per tutti gli adoratori di Baal». Egli le tirò fuori. [23]Poi Ieu, in compagnia di Ionadab, figlio di Recab, entrò nel tempio di Baal e disse agli adoratori di Baal: «Assicuratevi che qui, in mezzo a voi, non ci siano adoratori del Signore, bensì soltanto adoratori di Baal». [24]Poi si accostarono per compiere i sacrifici e gli olocausti. Ieu però aveva collocato fuori ottanta uomini, ai quali aveva detto: «Se qualcuno di voi lascerà scappare uno solo degli uomini che io vi metto nelle mani, pagherà con la vita». [25]Quando ebbe finito di offrire l'olocausto, Ieu ordinò alle guardie e agli scudieri: «Andate e uccideteli! Nessuno scampi!». Quelli li passarono a fil di spada. Le guardie e gli scudieri arrivarono fino alla cella del tempio di Baal. [26]Portarono fuori la stele del tempio di Baal e la bruciarono. [27]Demolirono l'altare di Baal; demolirono anche il tempio di Baal, riducendolo a un letamaio, come lo è ancor oggi.

[28]Così Ieu sradicò Baal da Israele. [29]Tuttavia non abbandonò i peccati che Geroboamo, figlio di Nebat, aveva fatto commettere ad Israele, cioè non abbandonò i vitelli d'oro che si trovavano in Betel e in Dan. [30]Il Signore disse a Ieu: «Dal momento che hai agito bene, facendo ciò che è retto ai miei occhi, e hai fatto della casa di Acab tutto quello che avevo in cuore, i tuoi figli siederanno fino alla quarta generazione sul trono di Israele». [31]Ma Ieu non si curò di osservare di tutto cuore la legge del Signore, Dio d'Israele, né abbandonò i peccati che Geroboamo aveva fatto commettere ad Israele.

2Re

6-10. Abitualmente l'usurpatore sterminava la casa reale deposta. Così fece Ieu, ma per non esser tacciato di crudeltà fece eseguire i suoi desideri dagli stessi amici del re precedente, e al popolo inorridito dichiarò che erano stati eseguiti i voleri di Dio manifestati dal profeta Elia.

³²In quel tempo il Signore incominciò a ridurre il territorio di Israele. Infatti Cazael colpì gli Israeliti su tutti i confini: ³³dal Giordano verso oriente, tolse loro tutta la regione di Galaad, di Gad, di Ruben e di Manasse, da Aroer, che si trova sul torrente Arnon, fino a Galaad e a Basan.

³⁴Le altre gesta di Ieu e tutte le sue azioni sono descritte nel libro degli Annali dei re d'Israele. ³⁵Ieu si addormentò assieme ai suoi padri e fu sepolto a Samaria. Al suo posto regnò suo figlio Ioacaz. ³⁶Il periodo di tempo in cui Ieu regnò su Israele, a Sàmaria, fu di ventotto anni.

LA VICENDA DELLA REGINA ATALIA

11 ¹Quando Atalia, madre di Acazia, vide che suo figlio era morto, sterminò tutta la stirpe reale. ²Ma Ioseba, figlia del re Ioram e sorella di Acazia, prese Ioas, figlio di Acazia, sottraendolo di mezzo ai figli del re che stavano per essere uccisi, e lo portò con la sua nutrice nella camera dei letti; così lo nascose ad Atalia e non fu ucciso. ³Rimase nascosto con lei nel tempio del Signore per sei anni, mentre Atalia regnava sul paese. ⁴Il settimo anno, Ioiada mandò a prendere i capi di centinaia dei Carii e delle guardie, li fece venire presso di sé nel tempio del Signore e stipulò con loro un patto. Dopo che li ebbe fatti giurare nel tempio del Signore, mostrò loro il figlio del re.

⁵Poi impartì loro quest'ordine: «Questa è la cosa che dovrete fare: un terzo di quelli tra voi che iniziano il servizio di sabato, farà la guardia al palazzo reale; ⁶un altro terzo alla porta di Sur e un terzo alla porta che si trova dietro le guardie; ⁷gli altri due gruppi di voi tutti – quanti cioè smontano al sabato – faranno la guardia al tempio, presso il re. ⁸Così voi farete un cerchio attorno al re, ciascuno con le armi in pugno, e chiunque tenterà di forzare lo schieramento sia ucciso. State vicino al re in tutti i suoi movimenti».

⁹I capi di centinaia fecero tutto quello che il sacerdote Ioiada aveva loro comandato. Ciascuno prese i suoi uomini, quelli che entravano in servizio al sabato e quelli che uscivano al sabato, e andarono dal sacerdote Ioiada. ¹⁰Il sacerdote diede ai capi di centinaia le lance e gli scudi del re Davide, che si trovavano nel tempio del Signore. ¹¹Le guardie si schierarono, ciascuna con le armi in pugno, dal lato sud del tempio fino al lato nord, davanti all'altare e al tempio, intorno al re. ¹²Allora Ioiada fece uscire il figlio del re, gli impose il diadema e i braccialetti, lo proclamò re e lo unse. I presenti batterono le mani e gridarono: «Viva il re!».

¹³All'udire il frastuono del popolo, Atalia andò verso di esso, nel tempio del Signore. ¹⁴Osservò e vide il re sul podio, secondo l'usanza, con i capi e i trombettieri presso di lui. Tutto il popolo del paese era in festa e suonava le trombe. Allora Atalia si stracciò le vesti e gridò: «Tradimento, tradimento!». ¹⁵Il sacerdote Ioiada ordinò ai capi di centinaia che comandavano l'esercito: «Conducetela fuori del recinto sacro e chiunque la segue venga ucciso di spada». Il sacerdote infatti aveva detto: «Non venga uccisa nel tempio del Signore». ¹⁶Quelli la catturarono e quando giunse al palazzo reale per la porta dei Cavalli, vi fu uccisa.

¹⁷Ioiada concluse un'alleanza tra il Signore, il re e il popolo, affinché questi si impegnasse ad essere il popolo del Signore; ci fu anche un'alleanza tra il re e il popolo. ¹⁸Tutto il popolo del paese si recò al tempio di Baal e lo demolì, frantumò gli altari e le immagini e uccise davanti agli altari Mattan, sacerdote di Baal. Il sacerdote Ioiada stabilì dei posti di sorveglianza nel tempio del Signore. ¹⁹Poi prese con sé i capi di centinaia dei Carii, le guardie e tutto il popolo del paese: essi fecero scendere il re nel tempio del Signore. Entrato nel palazzo reale per la porta delle Guardie, egli si sedette sul trono regale. ²⁰Tutto il popolo del paese era in festa e la città rimase tranquilla. Quanto ad Atalia, fu uccisa di spada nel palazzo reale.

---

11. - 1. *Atalia*, figlia di Acab e di Gezabele e moglie di Ioram, padre di Acazia, per usurpare il trono uccise il resto della famiglia reale lasciato da Ieu (2Re 10,14).

5-8. Il piano di Ioiada è il seguente. I congiurati sono divisi in tre compagnie: la prima, quella che entrava in servizio il sabato, era divisa in tre gruppi e aveva tre luoghi da sorvegliare: il palazzo reale e due porte del tempio per impedire l'entrata; la seconda e la terza compagnia dovevano fare la guardia al re nel tempio contro qualunque eventuale pericolo.

IL REGNO DI IOAS IN GIUDA

12 ¹Quando divenne re, Ioas aveva sette anni. ²Egli incominciò a regnare nell'anno settimo di Ieu e regnò quarant'anni a Gerusalemme. Sua madre si chiamava Sibia, da Bersabea. ³Ioas fece ciò che è retto agli occhi del Signore per tutta la sua vita, perché il sacerdote Ioiada l'aveva istruito. ⁴Soltanto non furono rimosse le alture, cosicché il popolo offriva sacrifici e bruciava aromi su di esse.

⁵Ioas disse ai sacerdoti: «Tutto il denaro consacrato che viene portato al tempio del Signore, il denaro che uno versa per il proprio riscatto e tutto il denaro che ognuno desidera offrire al tempio del Signore, ⁶lo prendano i sacerdoti, ciascuno dalle mani dei propri conoscenti, e riparino i danni del tempio, dovunque ci sia una riparazione da fare». ⁷Tuttavia nell'anno ventitreesimo del re Ioas i sacerdoti non avevano ancora riparato i danni del tempio. ⁸Allora il re Ioas convocò il sacerdote Ioiada e gli altri sacerdoti e disse loro: «Perché non riparate i danni del tempio? D'ora innanzi non prenderete più il denaro dai vostri conoscenti, ma lo darete a me per i restauri del tempio». ⁹I sacerdoti acconsentirono a non ricevere più denaro dal popolo e a non riparare i danni del tempio.

¹⁰Il sacerdote Ioiada prese una cassa, praticò un foro nel coperchio e la collocò a fianco dell'altare, alla destra di chi entra nel tempio del Signore. I sacerdoti che custodivano l'ingresso vi ponevano dentro tutto il denaro portato nel tempio del Signore. ¹¹Quando essi vedevano che nella cassa c'era molto denaro, saliva lo scriba del re, assieme al sommo sacerdote, si raccoglieva e si contava il denaro che si trovava nel tempio del Signore. ¹²Dopo aver controllato il denaro, lo consegnavano nelle mani dei capomastri addetti al tempio del Signore, i quali lo passavano ai carpentieri e agli operai che riparavano il tempio del Signore, ¹³ai muratori, ai tagliapietre, per acquistare legname e pietre squadrate, destinate a riparare i danni del tempio del Signore, e cioè per tutte le spese necessarie ai restauri del tempio. ¹⁴Con il denaro portato nel tempio del Signore non si dovevano fare né coppe d'argento, né strumenti musicali, né coltelli, né vassoi, né trombe; insomma, nessun oggetto d'oro e d'argento, ¹⁵ma lo si consegnava agli esecutori dei lavori, perché restaurassero il tempio del Signore. ¹⁶Non si controllavano neppure le persone nelle cui mani era consegnato il denaro, che doveva essere trasmesso agli esecutori dei lavori, perché essi agivano con onestà.

¹⁷Il denaro per il sacrificio di riparazione e quello per il sacrificio per il peccato non era destinato al tempio del Signore, bensì era riservato ai sacerdoti.

¹⁸In quel tempo Cazael, re di Aram, salì per combattere contro Gat e la espugnò, poi si accinse a salire contro Gerusalemme. ¹⁹Ma Ioas, re di Giuda, prese tutti i doni che i re di Giuda, suoi antenati, Giosafat, Ioram e Acazia, avevano consacrato e quelli consacrati da lui stesso, insieme con tutto l'oro ritrovato nei tesori del tempio del Signore e del palazzo reale e lo inviò a Cazael, re di Aram. Questi allora si allontanò da Gerusalemme.

²⁰Le altre gesta di Ioas e tutte le sue azioni sono descritte nel libro degli Annali dei re di Giuda. ²¹I suoi ufficiali si sollevarono, ordirono una congiura e uccisero Ioas a Bet-Millo, nella discesa verso Silla. ²²Iozacar, figlio di Simeat, e Iozabad, figlio di Somer, suoi ufficiali, lo colpirono ed egli morì. Lo seppellirono con i suoi padri nella città di Davide e al suo posto regnò suo figlio Amazia.

REGNO DI IOACAZ IN ISRAELE

13 ¹Nell'anno ventitreesimo di Ioas, figlio di Acazia, re di Giuda, Ioacaz, figlio di Ieu, divenne re d'Israele in Samaria, dove regnò diciassette anni. ²Egli fece ciò che è male agli occhi del Signore e imitò il peccato che Geroboamo, figlio di Nebat, aveva fatto commettere ad Israele e non se ne staccò. ³Allora l'ira del Signore divampò contro Israele e li abbandonò in mano di Cazael, re di Aram, e in mano di Ben-Adad, figlio di Cazael, per tutto quel tempo. ⁴Ioacaz, però, si propiziò il Signore che lo esaudì, perché vide l'oppressione d'Israele: infatti il re di Aram li aveva oppressi. ⁵Il Signore diede ad Israele un salvatore, che li liberò dalla mano di Aram. Così i figli d'Israele abitarono come prima nelle loro tende. ⁶Non si staccarono

2Re

però dal peccato che la casa di Geroboamo aveva fatto commettere ad Israele,
ma vi perseverarono; persino il palo sacro rimase in piedi a Samaria. [7]Pertanto
il Signore non lasciò a Ioacaz altra truppa
al di fuori di cinquanta cavalli, dieci carri e diecimila fanti, perché il re di Aram li
aveva sterminati e ridotti come polvere da
calpestare. [8]Le altre gesta di Ioacaz, tutte
le sue azioni e le sue imprese valorose
sono descritte nel libro degli Annali dei
re d'Israele. [9]Ioacaz si addormentò con i
suoi padri e lo seppellirono a Samaria. Al
suo posto regnò suo figlio Ioas.

[10]Nell'anno trentasettesimo di Ioas, re di
Giuda, Ioas, figlio di Ioacaz, divenne re
d'Israele in Samaria, dove regnò per sedici
anni. [11]Egli fece ciò che è male agli occhi
del Signore, né si staccò dal peccato che
Geroboamo, figlio di Nebat, aveva fatto
commettere ad Israele, ma vi perseverò.

[12]Le altre gesta di Ioas, tutte le sue azioni
e il suo coraggio, quando combatté contro
Amazia, re di Giuda, sono descritti nel libro
degli Annali dei re d'Israele.

Ioas si addormentò con i suoi padri e Geroboamo si assise sul suo trono. [13]Ioas fu sepolto a Samaria, insieme con i re d'Israele.

[14]Ora Eliseo si ammalò di quella malattia
di cui doveva poi morire. Ioas, re d'Israele, scese presso di lui e, piangendo in sua
presenza, gli disse: «Padre mio, padre mio!
Carro d'Israele e sua cavalleria!». [15]Eliseo
gli ordinò: «Prendi arco e frecce!». Egli
prese arco e frecce. [16]Poi Eliseo disse al
re d'Israele: «Impugna l'arco!». Egli lo impugnò. Allora Eliseo pose le sue mani sulle
mani del re [17]e gli disse: «Apri la finestra
verso l'oriente». Egli l'aprì. Eliseo soggiunse: «Tira!». Allora il profeta disse:
«Freccia vittoriosa del Signore, freccia vittoriosa contro Aram: tu batterai Aram ad Afek,
fino allo sterminio!». [18]Poi soggiunse: «Prendi le frecce!». Egli le prese. Di nuovo ordinò
al re di Israele: «Colpisci il suolo!». Egli lo
colpì per tre volte e poi si fermò. [19]Allora
l'uomo di Dio s'irritò contro di lui e gli disse:
«Se tu avessi colpito cinque o sei volte, allora avresti colpito Aram fino allo sterminio;
ora invece colpirai Aram solo per tre volte».
[20]Eliseo morì e lo seppellirono. Ora alcune
bande di Moab facevano incursioni nel paese ogni anno. [21]Al vedere le bande, alcuni,
che erano intenti a seppellire un morto, get-

tarono il cadavere nel sepolcro di Eliseo e
si allontanarono. Non appena il morto toccò
le ossa di Eliseo, riebbe la vita e si alzò in
piedi.

[22]Cazael, re di Aram, oppresse Israele durante tutta la vita di Ioacaz. [23]Il Signore però
fece loro grazia, ne ebbe compassione
e si volse verso di loro a causa della sua
alleanza con Abramo, Isacco e Giacobbe;
non volle sterminarli né scacciarli fino ad
oggi dal suo cospetto. [24]Cazael, re di Aram,
morì, e Ben-Adad, suo figlio, regnò al suo
posto. [25]Allora Ioas, figlio di Ioacaz, riprese a Ben-Adad, figlio di Cazael, le città che
quest'ultimo aveva tolte, in combattimento, a suo padre Ioacaz. Per ben tre volte
Ioas lo sconfisse e così riconquistò le città
d'Israele.

IL REGNO DI AMAZIA IN GIUDA

14 [1]Nel secondo anno di Ioas, figlio di
Ioacaz, re d'Israele, divenne re di
Giuda Amazia, figlio di Ioas. [2]Al suo avvento al trono egli aveva venticinque anni
e regnò ventinove anni in Gerusalemme.
Sua madre si chiamava Ioaddàn, da Gerusalemme. [3]Egli fece ciò che è retto agli
occhi del Signore; però non come Davide, suo antenato. Imitò in tutto suo padre
Ioas. [4]Tuttavia le alture non furono rimosse, di modo che il popolo continuava ad
offrire sacrifici e a bruciare aromi sulle
alture. [5]Quando il potere reale fu saldo in
sua mano, egli uccise gli ufficiali che avevano assassinato il re suo padre. [6]Però
non uccise i figli degli assassini, secondo
ciò che è scritto nel libro della legge di
Mosè, in cui il Signore ha ordinato: «Non
siano fatti morire i padri per i figli né i figli
per i padri, perché ognuno deve morire
per la sua colpa». [7]Egli batté Edom nella
Valle del sale, uccidendo diecimila uomini, ed espugnò in combattimento Sela, a
cui diede il nome di Iokteel, che le è rimasto fino ad oggi.

[8]Allora Amazia inviò messaggeri a Ioas, figlio di Ieu, re d'Israele, a dirgli: «Vieni e misuriamoci a faccia a faccia». [9]Ioas, re d'Israele, mandò a dire ad Amazia, re di Giuda:
«Il cardo del Libano mandò a dire al cedro
del Libano: Concedi tua figlia in moglie a
mio figlio. Ma passarono le bestie selvagge

del Libano e calpestarono il cardo. [10]Tu hai duramente battuto Edom e il tuo cuore si è inorgoglito. Goditi la tua gloria, ma rimani a casa tua! Perché vorresti provocare una sciagura e cadere, trascinando Giuda con te?». [11]Amazia però non gli prestò ascolto. Allora Ioas, re d'Israele, si mise in marcia; si misurarono a faccia a faccia lui e il re di Giuda in Bet-Semes, che si trova in Giuda. [12]Giuda ebbe la peggio di fronte ad Israele e ognuno fuggì alla propria tenda. [13]A Bet-Semes, Ioas, re d'Israele, catturò Amazia, re di Giuda, figlio di Ioas, figlio di Acazia; poi giunse a Gerusalemme, dove fece una breccia nelle mura dalla porta di Efraim fino alla porta dell'Angolo, per la lunghezza di quattrocento cubiti. [14]Prese anche tutto l'oro e l'argento e tutti gli oggetti che si trovavano nel tempio del Signore e nei tesori del palazzo reale, insieme con gli ostaggi, e se ne ritornò a Samaria.

[15]Le altre gesta di Ioas e il suo coraggio, con cui ha combattuto Amazia re di Giuda, sono descritti nel libro degli Annali dei re d'Israele. [16]Ioas si addormentò con i suoi padri e fu sepolto in Samaria assieme ai re d'Israele. Al suo posto regnò suo figlio Geroboamo.

[17]Amazia, figlio di Ioas, re di Giuda, visse ancora quindici anni dopo la morte di Ioas, figlio di Ioacaz, re d'Israele. [18]Le altre gesta di Amazia sono descritte nel libro degli Annali dei re di Giuda. [19]Contro di lui fu ordita una congiura in Gerusalemme ed egli fuggì a Lachis; ma lo inseguirono fino a Lachis, dove lo uccisero. [20]Lo trasportarono su cavalli e lo seppellirono in Gerusalemme con i suoi padri, nella città di Davide. [21]Allora tutto il popolo di Giuda prese Azaria, che aveva sedici anni, e lo proclamò re al posto di suo padre Amazia. [22]Dopo che il re si era addormentato con i suoi padri, egli ricostruì Elat, restituendola così a Giuda. [23]Nell'anno quindicesimo di Amazia, figlio di Ioas, re di Giuda, Geroboamo, figlio di Ioas, re d'Israele, divenne re a Samaria, dove regnò quarantun anni. [24]Egli fece ciò che è male agli occhi del Signore, né si allontanò dai peccati che Geroboamo aveva fatto commettere a Israele. [25]Ristabilì il confine d'Israele dall'ingresso di Camat fino al mare dell'Araba, secondo la parola che il Signore, Dio d'Israele, aveva detto mediante il suo servo Giona, figlio di Amittai, il profeta di Gat-Chefer. [26]Il Signore infatti aveva visto che l'afflizione d'Israele era molto grave: non c'era più né schiavo né libero, né chi venisse in soccorso d'Israele. [27]Tuttavia il Signore non aveva deciso di cancellare il nome d'Israele sotto il cielo, perciò li salvò mediante Geroboamo, figlio di Ioas. [28]Le altre gesta di Geroboamo, tutte le sue azioni e le sue prodezze in guerra, la sua riconquista di Damasco e di Camat in favore di Israele sono descritte nel libro degli Annali dei re d'Israele. [29]Geroboamo si addormentò con i suoi padri e fu sepolto in Samaria con i re d'Israele. Al suo posto regnò suo figlio Zaccaria.

IL REGNO DI AZARIA IN GIUDA

15 [1]Nell'anno ventisettesimo di Geroboamo, re d'Israele, Azaria, figlio di Amazia, divenne re di Giuda. [2]Al suo avvento al trono egli aveva sedici anni e regnò cinquantadue anni in Gerusalemme. Sua madre si chiamava Iecolia, da Gerusalemme. [3]Egli fece ciò che è retto agli occhi del Signore, imitando tutto quello che aveva fatto suo padre Amazia. [4]Tuttavia le alture non furono rimosse, di modo che il popolo continuava a offrire sacrifici e a bruciare aromi sulle alture. [5]Il Signore perciò percosse il re, che rimase lebbroso fino al giorno della sua morte. Egli abitò in una casa di isolamento e suo figlio Iotam era sovrintendente del palazzo e amministrava la giustizia fra il popolo del paese.

[6]Le altre gesta di Azaria e tutte le sue azioni sono descritte nel libro degli Annali dei re di Giuda. [7]Azaria si addormentò con i suoi padri e lo seppellirono con loro nella città di Davide. Al suo posto regnò suo figlio Iotam. [8]Nell'anno trentottesimo di Azaria, re di Giuda, Zaccaria, figlio di Geroboamo, regnò su Israele in Samaria per sei mesi. [9]Egli fece ciò che è male agli occhi del Signore, come avevano fatto i suoi antenati. Non si allontanò dai peccati che Geroboamo, figlio di Nebat, aveva fatto commettere ad Israele.

---

15. - 1-7. *Azaria* (o *Ozia*) regnò più di tutti i re di Giuda: rese prospero il suo regno, assoggettò gli Edomiti e i Filistei, vinse Arabi e Ammoniti, abbellì Gerusalemme; ma verso la fine della sua vita ardì usurpare le funzioni sacerdotali e Dio lo punì con la lebbra che lo privò del potere.

¹⁰Contro di lui congiurò Sallum, figlio di Iabes. Lo assalì a Ibleam e, dopo averlo ucciso, regnò al suo posto. ¹¹Le altre gesta di Zaccaria sono descritte nel libro degli Annali dei re d'Israele. ¹²Si avverò così la parola che il Signore aveva predetto a Ieu: «I tuoi figli siederanno sul trono d'Israele fino alla quarta generazione». E così avvenne.

¹³Sallum, figlio di Iabes, divenne re nell'anno trentanovesimo di Ozia, re di Giuda, e regnò per un mese a Samaria. ¹⁴Menachem, figlio di Gadi, salì da Tirza e venne a Samaria. Qui colpì Sallum, figlio di Iabes, e, dopo averlo ucciso, regnò al suo posto. ¹⁵Le altre gesta di Sallum e la congiura da lui ordita sono descritte nel libro degli Annali dei re d'Israele.

¹⁶Allora Menachem espugnò Tifsach, uccise tutti quelli che v'erano dentro, devastò i suoi dintorni incominciando da Tirza, perché non gli avevano aperto le porte. Egli devastò la città e sventrò tutte le donne incinte. ¹⁷Nell'anno trentanovesimo di Azaria, re di Giuda, Menachem, figlio di Gadi, divenne re d'Israele e regnò a Samaria per dieci anni. ¹⁸Egli fece ciò che è male agli occhi del Signore, né si allontanò dai peccati che Geroboamo, figlio di Nebat, aveva fatto commettere a Israele.

¹⁹Durante il suo regno, Pul, re di Assiria, invase il paese. Allora Menachem diede a Pul mille talenti di argento, affinché lo aiutasse a consolidare il potere regale. ²⁰Menachem fece sborsare il denaro da Israele, cioè da tutti i benestanti, nella misura di cinquanta sicli d'argento a testa, per darlo al re d'Assiria. Allora il re di Assiria se·ne ritornò e non rimase là nel paese.

²¹Le altre gesta di Menachem e tutte le sue azioni sono descritte nel libro degli Annali dei re d'Israele. ²²Menachem si addormentò con i suoi padri e al suo posto regnò suo figlio Pekachia.

²³Nell'anno cinquantesimo di Azaria, re di Giuda, Pekachia, figlio di Menachem, divenne re d'Israele in Samaria, dove regnò due anni. ²⁴Egli fece ciò che è male agli occhi del Signore, non allontanandosi dai peccati che Geroboamo, figlio di Nebat, aveva fatto commettere a Israele. ²⁵Pekach, figlio di Romelia, suo scudiero, ordì una congiura contro di lui e lo colpì a Samaria, nella torre del palazzo reale insieme ad Argob e Arie, avendo con sé cinquanta uomini di Galaad. Dopo averlo ucciso, regnò al suo posto. ²⁶Le altre gesta di Pekachia e tutte le sue azioni sono descritte nel libro degli Annali dei re d'Israele.

²⁷Nell'anno cinquantaduesimo di Azaria, re di Giuda, Pekach, figlio di Romelia, divenne re d'Israele in Samaria, dove regnò per vent'anni. ²⁸Egli fece ciò che è male agli occhi del Signore, non allontanandosi dai peccati che Geroboamo, figlio di Nebat, aveva fatto commettere a Israele. ²⁹Al tempo di Pekach, re d'Israele, Tiglat-Pilezer, re di Assiria, venne e s'impadronì di Iion, Abel-Bet-Maaca, Ianoach, Kedes, Cazor, Galaad, la Galilea, l'intera regione di Neftali e ne deportò gli abitanti in Assiria. ³⁰Osea, figlio di Ela, ordì una congiura contro Pekach, figlio di Romelia; lo colpì e, dopo averlo ucciso, divenne re al suo posto. ³¹Le altre gesta di Pekach e tutte le sue azioni sono descritte nel libro degli Annali dei re d'Israele.

³²Nel secondo anno di Pekach, figlio di Romelia, Iotam, figlio di Ozia, divenne re di Giuda. ³³Al suo avvento al trono egli aveva venticinque anni e regnò sedici anni in Gerusalemme. Sua madre si chiamava Ierusa, figlia di Zadok. ³⁴Egli fece ciò che è retto agli occhi del Signore, imitando quello che aveva fatto suo padre Ozia. ³⁵Tuttavia le alture non furono rimosse, di modo che il popolo continuava ad offrire sacrifici e a bruciare aromi sulle alture. Egli costruì la porta superiore del tempio del Signore. ³⁶Le altre gesta di Iotam e tutte le cose che egli fece sono descritte nel libro degli Annali dei re di Giuda. ³⁷In quei giorni il Signore cominciò ad inviare contro Giuda Rezin, re di Aram, e Pekach, figlio di Romelia. ³⁸Iotam si addormentò con i suoi padri e fu sepolto con loro nella città di Davide suo antenato. Al suo posto regnò suo figlio Acaz.

IL REGNO DI ACAZ IN GIUDA

16 ¹Nell'anno diciassettesimo di Pekach, figlio di Romelia, divenne re di Giuda Acaz, figlio di Iotam. ²Al suo avvento al trono Acaz aveva vent'anni e re-

---

29. L'invasione avvenne nel 734. Le città nominate, eccetto Galaad oltre il Giordano, sono di Neftali. Fu invasa la parte settentrionale della Palestina. Si fa menzione della prima deportazione d'Israele in Assiria: furono deportate le tribù di Neftali e della Transgiordania, lasciando al regno d'Israele soltanto la sua parte centrale.

gnò sedici anni in Gerusalemme. Egli non fece ciò che è retto agli occhi del Signore suo Dio, come aveva fatto invece il suo antenato Davide. [3]Imitò la condotta dei re d'Israele e fece persino bruciare suo figlio, secondo le usanze abominevoli delle genti che il Signore aveva scacciato davanti ai figli d'Israele. [4]Egli offrì sacrifici e bruciò aromi sulle alture, sulle colline e sotto ogni albero frondoso. [5]Allora Rezin, re di Aram, e Pekach, figlio di Romelia, re d'Israele, salirono per combattere contro Gerusalemme; l'assediarono ma non riuscirono ad espugnarla.

[6]In quel tempo il re di Edom riconquistò Elat, la riunì a Edom e ne scacciò i Giudei. Gli Idumei vennero a Elat e vi sono rimasti fino ad oggi. [7]Acaz mandò dei messaggeri a Tiglat-Pilezer, re di Assiria, a dirgli: «Io sono tuo servo e tuo figlio! Vieni a salvarmi dalla mano del re di Aram e dalla mano del re d'Israele, che sono insorti contro di me».

[8]Acaz prese l'argento e l'oro che si trovavano nel tempio del Signore e nei tesori del palazzo reale e li inviò in omaggio al re di Assiria. [9]Il re di Assiria gli prestò ascolto, salì contro Damasco e se ne impadronì; deportò gli abitanti a Kir e uccise Rezin.

[10]Il re Acaz andò a Damasco per incontrare Tiglat-Pilezer, re di Assiria, e vide l'altare che si trovava a Damasco. Allora il re Acaz inviò al sacerdote Uria le misure dell'altare e il suo modello, con tutti i particolari della sua struttura. [11]Il sacerdote Uria costruì l'altare, secondo tutto quello che il re Acaz gli aveva comunicato da Damasco. Il sacerdote Uria lo costruì prima che il re Acaz tornasse da Damasco. [12]Tornato da Damasco, il re vide l'altare, gli si avvicinò e vi salì. [13]Vi bruciò il suo olocausto e la sua oblazione, sparse la

sua libazione e spruzzò l'altare con il sangue dei suoi sacrifici di comunione. [14]Separò l'altare di bronzo, che era davanti al Signore, dalla fronte del tempio, tra l'altare nuovo e il tempio del Signore, e lo collocò accanto al nuovo altare, verso settentrione. [15]Poi il re Acaz ordinò al sacerdote Uria: «Sull'altare grande brucerai l'olocausto del mattino e l'oblazione della sera, l'olocausto del re e la sua oblazione, l'olocausto di tutto il popolo del paese, le sue oblazioni e libagioni; vi spruzzerai tutto il sangue dell'olocausto e tutto il sangue di qualsiasi sacrificio; all'altare di bronzo penserò io stesso». [16]Il sacerdote Uria eseguì l'ordine del re Acaz.

[17]Il re Acaz smontò le basi e tolse da esse i bacini, fece scendere il mare di bronzo dai buoi che lo sostenevano e lo collocò sul selciato di pietre. [18]Per riguardo al re di Assiria soppresse dal tempio il portico del sabato, che era stato costruito nel tempio, e l'ingresso esterno del re.

[19]Le altre gesta di Acaz e tutte le sue azioni sono descritte nel libro degli Annali dei re di Giuda. [20]Acaz si addormentò con i suoi padri e fu sepolto con loro nella città di Davide. Al suo posto regnò suo figlio Ezechia.

IL REGNO DI OSEA IN ISRAELE E LA CADUTA DI SAMARIA

17 [1]Nell'anno dodicesimo di Acaz, re di Giuda, Osea, figlio di Ela, divenne re d'Israele in Samaria, dove regnò per nove anni. [2]Egli fece ciò che è male agli occhi del Signore, non però come i re d'Israele che furono prima di lui. [3]Salmanassar, re di Assiria, salì contro Osea, che si sottomise e gli pagò un tributo. [4]Il re di Assiria però scoprì che Osea lo tradiva: aveva infatti inviato dei messaggeri a So, re d'Egitto, e non consegnava più il tributo al re di Assiria, come era solito fare ogni anno. Allora il re di Assiria lo fece arrestare e lo fece rinchiudere in carcere. [5]Il re di Assiria invase tutto il paese, giunse a Samaria e l'assediò per tre anni. [6]Nell'anno nono di Osea, il re di Assiria espugnò Samaria, deportò gli Israeliti in Assiria e li stabilì a Calach, sul Cabor, fiume di Gozan, e nelle città della Media. [7]Questo accadde perché i figli d'Israele ave-

16. - 5-6. Tutti i popoli dalla Siria all'Egitto, a cui si appoggiavano, avevano fatto una lega contro Tiglat-Pilezer III, re d'Assiria (745-527); siccome Acaz restò fedele all'Assiria, gli alleati tentarono di detronizzarlo.

7-9. Acaz, senza fiducia in Dio, disprezzando i consigli d'Isaia (Is 7), ricorre con doni al re d'Assiria che, per compiere i suoi disegni, nel 734 assoggetta i Fenici e i Filistei, nel 733 riduce al minimo il territorio d'Israele, nel 732 pone fine al regno di Damasco, deportandone gli abitanti a Kir, località probabilmente della bassa Mesopotamia.

17. - 3. Salmanassar V, figlio e successore di Tiglat-Pilezer, regnò dal 727 al 722. Fece due invasioni in Israele e morì mentre Samaria era assediata. L'assedio fu continuato dal figlio Sargon II, che prese e distrusse la città nel 722/1 a.C. 4. So: sconosciuto; forse da identificare con un capo militare.

vano peccato contro il Signore, loro Dio, che li aveva fatti uscire dal paese d'Egitto, sottraendoli alla mano del Faraone, re d'Egitto. Essi infatti avevano adorato gli dèi stranieri, [8]avevano seguito le usanze delle genti che il Signore aveva scacciato di fronte ai figli d'Israele e le usanze che i re d'Israele avevano introdotto. [9]I figli d'Israele avevano compiuto contro il Signore loro Dio cose che non erano rette; si erano costruiti alture in ogni loro città, dalla torre di guardia fino alla città fortificata; [10]avevano eretto stele e pali sacri su ogni collina elevata e sotto ogni albero frondoso. [11]Là, su ogni altura, imitando le popolazioni che il Signore aveva scacciato di fronte ad essi, avevano offerto sacrifici e compiuto azioni cattive, irritando il Signore. [12]Essi avevano adorato gli idoli, sebbene il Signore avesse detto loro: «Non farete una simile cosa!».

[13]Eppure il Signore, tramite tutti i profeti e tutti i veggenti, aveva ordinato a Israele e a Giuda: «Convertitevi dalla vostra malvagia condotta, osservate i miei comandamenti e i miei statuti, secondo tutta la legge che ho prescritto ai vostri padri e che vi ho comunicato mediante i profeti miei servi». [14]Essi però non prestarono ascolto e indurirono la loro cervice come l'avevano indurita i loro padri, che non erano stati fedeli al Signore loro Dio. [15]Disprezzarono i suoi comandi, l'alleanza che egli aveva concluso con i loro padri e gli ordini che aveva loro dato; andarono dietro alle vacuità e divennero essi stessi vacui, imitando i popoli vicini, mentre il Signore aveva loro comandato di non seguirne le abitudini. [16]Rigettarono tutti i precetti del Signore, loro Dio, e si fecero idoli fusi, i due vitelli; si fecero pure pali sacri, si prostrarono a tutto l'esercito del cielo e venerarono Baal. [17]Inoltre bruciarono i loro figli e le loro figlie, praticarono la divinazione e gli incantesimi e si prestarono a compiere ciò che è male agli occhi del Signore, così da provocarne lo sdegno.

[18]Il Signore si irritò grandemente contro Israele e lo scacciò dal suo cospetto; non rimase che la sola tribù di Giuda. [19]Ma neppure Giuda osservò i precetti del Signore, suo Dio, e imitò le usanze che Israele aveva praticato. [20]Perciò il Signore rigettò tutta la stirpe di Israele, li afflisse e li diede in mano dei saccheggiatori, fino a che non li scacciò dal suo cospetto. [21]Egli infatti sepa-

rò Israele dalla casa di Davide, ed essi proclamarono re Geroboamo, figlio di Nebat; Geroboamo allontanò Israele dal Signore e lo indusse a commettere un grave peccato. [22]I figli d'Israele imitarono tutti i peccati che Geroboamo aveva commesso e non se ne allontanarono, [23]fino a che il Signore non cacciò Israele dal suo cospetto, come aveva predetto per mezzo di tutti i profeti suoi servi, e deportò Israele dalla sua terra in Assiria, dove si trova fino ad oggi.

[24]Il re di Assiria mandò gente da Babilonia, da Cuta, da Avva, da Camat e da Sefarvaim e la sistemò nelle città della Samaria al posto dei figli d'Israele. Quelli presero possesso della Samaria e abitarono nelle sue città. [25]All'inizio del loro stanziamento essi non veneravano il Signore; perciò il Signore mandò contro di loro dei leoni, che ne fecero un massacro. [26]Allora dissero al re di Assiria: «Le popolazioni che tu hai deportato e hai stabilito nelle città della Samaria non conoscono la religione del Dio del paese. Questi ha mandato contro di loro dei leoni che le fanno morire, perché esse non conoscono la religione del Dio del paese». [27]Il re di Assiria diede quest'ordine: «Fatevi ritornare uno dei sacerdoti che avete deportato di là, egli vada, vi abiti e insegni loro i riti del Dio del paese».

[28]Allora uno dei sacerdoti che erano stati deportati da Samaria venne a stabilirsi a Betel e insegnò loro come dovevano venerare il Signore. [29]Ogni popolazione però si fabbricò il proprio dio e lo collocò nei templi delle alture che i Samaritani si erano costruiti; ogni popolazione fece così nelle città in cui abitava. [30]Gli uomini di Babilonia si fabbricarono Succot-Benot; gli uomini di Cuta si fabbricarono Nergal; e gli uomini di Camat si fabbricarono Asima. [31]Gli Avviti si fabbricarono Nibcaz e Tartach; i Sefarvaiti bruciarono i loro figli in onore di Adram-Melech e di Anam-Melech, divinità di Sefarvaim.

[32]Essi veneravano anche il Signore; costituirono i sacerdoti delle alture, provenienti dalla loro cerchia, i quali officiavano per loro nei templi sulle alture. [33]Essi veneravano il Signore assieme ai loro dèi, secondo gli usi e i riti delle popolazioni dalle quali provenivano i deportati. [34]A tutt'oggi essi seguono questi loro riti antichi. Pertanto non venerano il Signore e non agiscono secondo i suoi

statuti e i suoi decreti, né secondo la legge e il comando che il Signore ha trasmesso ai figli di Giacobbe, che chiamò Israele. ³⁵Il Signore, infatti, aveva stretto con loro un'alleanza e aveva ordinato: «Non venerate gli dèi stranieri, non prostratevi davanti ad essi, non tributate loro il culto e non offrite loro sacrifici, ³⁶ma venerate solo il Signore che vi ha fatto uscire dal paese d'Egitto con grande potenza e con braccio teso: davanti a lui solo prostratevi e a lui solo offrite sacrifici. ³⁷Osservate gli statuti, i decreti, la legge e il comando che egli ha fatto scrivere per voi, perché li mettiate in pratica tutti i giorni; ma non venerate gli dèi stranieri. ³⁸Non dimenticate l'alleanza che ho stretto con voi e non venerate gli dèi stranieri. ³⁹Venerate soltanto il Signore, vostro Dio, ed egli vi libererà dalla mano di tutti i vostri nemici». ⁴⁰Essi però non prestarono ascolto, ma continuarono ad agire secondo i loro antichi riti. ⁴¹Così quelle popolazioni veneravano il Signore e, nello stesso tempo, rendevano il culto ai loro idoli. Anche i loro figli e i figli dei loro figli continuano a fare fino ad oggi come hanno fatto i loro padri.

IL REGNO DI EZECHIA IN GIUDA

18 ¹Nel terzo anno di Osea, figlio di Ela, re di Israele, divenne re di Giuda Ezechia, figlio di Acaz. ²Al suo avvento sul trono egli aveva venticinque anni e regnò ventinove anni a Gerusalemme. Sua madre si chiamava Abi, figlia di Zaccaria. ³Egli fece ciò che è retto agli occhi del Signore, imitando tutto quello che aveva fatto il suo antenato Davide. ⁴Rimosse le alture, spezzò le stele, tagliò il palo sacro e fece a pezzi il serpente di bronzo che Mosè aveva costruito. Infatti fino a quel tempo gli Israeliti gli offrivano sacrifici d'incenso e lo chiamavano Necustan. ⁵Egli ripose tutta la sua fiducia nel Signore, Dio d'Israele. Fra tutti i re di Giuda nessuno fu simile a lui, né fra i suoi successori né fra i suoi predecessori. ⁶Fu fedele al Signore, né si allontanò da lui, ma osservò i comandamenti che il Signore aveva dato a Mosè. ⁷Il Signore fu con lui, cosicché egli ebbe successo in tutto ciò che intraprese. Si ribellò al re di Assiria e non gli fu più soggetto. ⁸Colpì i

Filistei e il loro territorio fino a Gaza, dalla torre di guardia fino alla città fortificata.

⁹Nell'anno quarto del re Ezechia, cioè il settimo di Osea, figlio di Ela, re d'Israele, Salmanassar, re di Assiria, salì contro Samaria e le pose l'assedio. ¹⁰Dopo tre anni la conquistò. Quando Samaria fu conquistata era l'anno sesto di Ezechia, cioè l'anno nono di Osea, re d'Israele. ¹¹Il re di Assiria deportò gli Israeliti in Assiria e li stabilì a Calach, lungo il Cabor, fiume di Gozan, e nelle città della Media. ¹²Questo avvenne perché non avevano ascoltato la voce del Signore, loro Dio, e avevano trasgredito la sua alleanza e non avevano ascoltato né messo in pratica tutto quello che Mosè, servo del Signore, aveva loro ordinato.

¹³Nell'anno quattordicesimo del re Ezechia, Sennacherib, re di Assiria, salì contro tutte le città fortificate di Giuda e le espugnò. ¹⁴Allora Ezechia, re di Giuda, mandò a dire al re di Assiria in Lachis: «Ho sbagliato! Ritirati da me e io accetterò tutto quello che m'imporrai». Il re di Assiria impose ad Ezechia, re di Giuda, trecento talenti d'argento e trenta talenti d'oro. ¹⁵Ezechia consegnò tutto l'argento che si trovava nel tempio del Signore e nei tesori del palazzo reale. ¹⁶In quella occasione Ezechia staccò dalle porte del santuario del Signore e dagli stipiti l'oro di cui egli stesso li aveva rivestiti, e lo consegnò al re di Assiria.

¹⁷Il re di Assiria mandò da Lachis a Gerusalemme presso il re Ezechia il generalissimo, il capo delle guardie e il gran coppiere con un grande esercito. Essi salirono, vennero a Gerusalemme e si fermarono all'acquedotto della piscina superiore, che è sulla strada del campo del lavandaio. ¹⁸Qui chiamarono il re. Allora uscirono loro incontro il maestro di palazzo Eliakim, figlio di Chelkia, lo scriba Sebna e l'archivista Ioach, figlio di Asaf. ¹⁹Il gran coppiere disse loro: «Riferite ad Ezechia: Così parla il gran re, il re di Assiria: Che fiducia è mai quella a cui ti affidi? ²⁰Pensi forse che il consiglio e il coraggio per far la guerra siano soltanto parole vuote? In chi dunque confidi, per esserti ribellato a me? ²¹Ecco, tu hai posto la fiducia nell'Egitto, in questo sostegno di canna rotta, che penetra nella mano di chi vi si appoggia e la ferisce. Tale è appunto il Faraone, re d'Egitto, per chiunque confida in lui! ²²Voi forse mi direte: Noi poniamo la nostra fiducia nel Signore

Dio nostro! Ma egli non è forse quello di cui Ezechia ha eliminato le alture e gli altari, quando ordinò alla gente di Giuda e di Gerusalemme: Voi dovete prostrarvi soltanto davanti a questo altare in Gerusalemme? [23]Ora accetta questa scommessa con il mio signore, il re di Assiria: io ti darò duemila cavalli, se tu sei capace di procurarti coloro che li montino. [24]Come potresti dunque mettere in fuga uno solo dei più piccoli servi del mio signore? Eppure tu poni la tua fiducia nell'Egitto per avere carri e cavalieri. [25]Non è stato forse dietro ordine del Signore che io sono salito contro questo paese per distruggerlo? Il Signore infatti mi ha ordinato: Sali contro questo paese e distruggilo!».

[26]Allora Eliakim, figlio di Chelkia, Sebna e Ioach risposero al gran coppiere: «Parla ai tuoi servi in aramaico, perché noi lo comprendiamo; ma non parlarci in ebraico, altrimenti anche il popolo che è sulle mura comprende». [27]Ma il gran coppiere replicò ad essi: «Forse che il mio signore mi ha inviato a dire queste cose al tuo signore o a te e non piuttosto agli uomini che stanno sulle mura, condannati a mangiare i loro escrementi e a bere la loro urina con voi?».

[28]Il gran coppiere pertanto, stando in piedi, gridò a gran voce in ebraico: «Udite la parola del gran re, del re di Assiria: [29]Così parla il re: Non lasciatevi ingannare da Ezechia, perché egli non potrà liberarvi dalla mia mano. [30]E neppure Ezechia vi ispiri fiducia nel Signore col dirvi: Certamente il Signore ci libererà e questa città non sarà consegnata in mano al re di Assiria.

[31]Non ascoltate Ezechia, poiché così dice il re di Assiria: Fate la pace con me, arrendetevi a me e ciascuno mangerà della propria vite e del proprio fico e berrà l'acqua della propria cisterna, [32]fino a che io non venga e vi porti in un paese come il vostro, un paese di grano e di mosto, una terra di pane e di vigne, una terra di ulivi e di miele; voi vivrete e non morirete. Non ascoltate Ezechia, perché egli vi vuole ingannare dicendo: Il Signore ci libererà! [33]Forse gli dèi delle nazioni hanno liberato ognuno il proprio paese dalla mano del re di Assiria? [34]Dove sono gli dèi di Camat e di Arpad? Dove sono gli dèi di Sefarvaim, di Ena e di Avva? Dove sono gli dèi di Samaria? Hanno forse liberato Samaria dalla mia mano? [35]Chi tra tutti gli dèi dei vari paesi ha liberato il proprio paese dalla mia mano, perché anche il Signore possa liberare Gerusalemme dalla mia mano?».

[36]Il popolo tacque e non gli rispose nulla, perché l'ordine del re diceva: «Non rispondetegli!». [37]Allora il maestro di palazzo Eliakim, figlio di Chelkia, lo scriba Sebna e l'archivista Ioach andarono da Ezechia con le vesti stracciate e gli riferirono le parole del gran coppiere.

L'INTERVENTO DEL PROFETA ISAIA

19 [1]All'udire queste cose, il re Ezechia si stracciò le vesti, si cinse di sacco ed entrò nel tempio del Signore. [2]Poi inviò il maestro di palazzo Eliakim, lo scriba Sebna e gli anziani dei sacerdoti, cinti di sacco, dal profeta Isaia, figlio di Amoz, [3]perché gli dicessero: «Così parla Ezechia: Giorno di angoscia, di castigo e di obbrobrio è questo, perché i figli stanno per nascere, ma la partoriente è priva di forze! [4]Forse il Signore tuo Dio ha udito le parole del gran coppiere, che il re di Assiria, suo signore, ha pronunziato per ingiuriare il Dio vivente e lo castigherà a motivo delle parole che il Signore tuo Dio ha udito. Tu pertanto innalza una preghiera per quel resto che ancora sopravvive». [5]I ministri del re Ezechia si recarono da Isaia [6]e questi disse loro: «Riferite al vostro padrone: Così parla il Signore: Non temere per le parole che hai udito e con le quali i servi del re di Assiria mi hanno oltraggiato. [7]Ecco, io porrò in lui uno spirito ed egli, appena avrà udita una certa notizia, ritornerà al suo paese, dove lo farò perire di spada». [8]Il gran coppiere ritornò e trovò il re d'Assiria impegnato in battaglia contro Libna. Aveva infatti udito che il re d'Assiria aveva levato il campo da Lachis, [9]perché era venuto a sapere che Tiraca, re di Etiopia, era uscito per muovergli guerra. Allora Sennacherib inviò di nuovo dei messaggeri ad Ezechia per dirgli: [10]«Riferite ad Ezechia, re di Giuda: Il tuo Dio, in cui riponi

---

19. - 1-4. *Isaia* appare qui per la prima volta; ma viveva già sotto Ozia/Azaria (Is 1,1). Ezechia, per rispetto all'alta dignità del profeta, gli manda i più nobili personaggi della corte a manifestargli le sue angustie. Egli dice che vorrebbe difendere Gerusalemme e i suoi abitanti, ma non ne ha le forze.

fiducia, non ti inganni col dirti: Gerusalemme non verrà data in mano del re di Assiria! [11]Ecco, tu sai quello che i re di Assiria hanno fatto a tutti i paesi, votandoli alla distruzione; e tu solo saresti salvato? [12]Gli dèi delle nazioni, che i miei padri sterminarono, hanno forse liberato Gozan, Carran, Rezef e i figli di Eden che abitavano a Telassar? [13]Dove sono il re di Camat, il re di Arpad, i re delle città di Sefarvaim, di Ena e di Avva?». [14]Ezechia prese la lettera dalla mano dei messaggeri e la lesse. Poi salì al tempio del Signore, l'aprì davanti al Signore [15]e pregò al suo cospetto dicendo: «Signore, Dio d'Israele, che siedi sui cherubini, tu solo sei il Dio di tutti i regni della terra, tu solo hai fatto i cieli e la terra. [16]Tendi l'orecchio, o Signore, e ascolta; apri gli occhi, o Signore, e guarda. Ascolta le parole che Sennacherib ha mandato a dire per insultare il Dio vivente. [17]È vero, o Signore, che i re di Assiria hanno distrutto le nazioni e i loro territori, [18]hanno dato alle fiamme i loro dèi, perché questi non erano veri dèi, bensì opera delle mani dell'uomo, legno e pietra; perciò hanno potuto distruggerli. [19]Ora, o Signore Dio nostro, salvaci dalla sua mano, così tutti i regni della terra sapranno che tu solo sei Dio, o Signore!». [20]Allora Isaia, figlio di Amoz, mandò a dire a Ezechia: «Così parla il Signore, Dio d'Israele: Ho udito la preghiera che tu mi hai rivolto a motivo di Sennacherib, re di Assiria. [21]Questa è la parola che il Signore ha pronunciato contro di lui:

Ti disprezza, ti beffeggia
la vergine figlia di Sion.
Dietro di te scuote il capo
la figlia di Gerusalemme.
[22] Chi hai insultato e schernito?
Contro chi hai alzato la voce
e hai levato i tuoi occhi?
Contro il Santo d'Israele!
[23] Per mezzo dei tuoi messaggeri
hai insultato il mio Signore
e hai detto: Con una moltitudine di carri
sono salito in cima ai monti,
sulle ultime cime del Libano.

Ho tagliato i suoi cedri più alti,
i suoi cipressi più belli.
Sono giunto fino al suo rifugio più remoto,
nella sua foresta lussureggiante.
[24] Io ho scavato e ho bevuto acque
straniere,
ho disseccato sotto la pianta
dei miei piedi
tutti i fiumi d'Egitto.
[25] Non hai forse inteso
che da molto tempo
avevo preparato tutto questo?
Fin dai tempi antichi l'avevo progettato
e ora lo realizzo.
Il tuo destino fu quello di ridurre
in mucchi di rovine città fortificate.
[26] I loro abitanti, stremati di forze,
furono spaventati e confusi,
divennero come l'erba del campo,
come le foglioline dell'erbetta,
come l'erba dei tetti,
bruciata dal vento orientale.
[27] Io conosco il tuo sorgere e il tuo sederti,
conosco il tuo uscire e il tuo entrare.
[28] Poiché il tuo furore è rivolto contro di me
e la tua arroganza mi è giunta
alle orecchie,
io ti porrò il mio anello alle narici
e il mio morso alle labbra;
ti ricondurrò per la strada
per la quale sei venuto!

[29]Questo sarà il segno per te: quest'anno si mangerà il raccolto cresciuto dai semi caduti; l'anno prossimo quello crescerà spontaneamente; ma il terzo anno seminerete e mieterete, pianterete vigne e ne mangerete i frutti. [30]Il resto della casa di Giuda che scamperà getterà nuove radici in basso e farà frutti in alto; [31]perché da Gerusalemme uscirà un resto, e dal monte Sion usciranno gli scampati. Lo zelo del Signore degli eserciti farà questo! [32]Perciò così dice il Signore contro il re di Assiria:

Egli non entrerà in questa città,
né vi scoccherà una freccia;
non l'affronterà con gli scudi
né alzerà contro di essa un terrapieno.
[33] Ritornerà per la strada per la quale
è venuto,
né entrerà in questa città,
oracolo del Signore!

20-30. Isaia promette dopo due anni l'abbondanza di ogni cosa. Il *resto* (v. 30): resterà qualcuno della casa reale e nel popolo vi sarà sempre un gruppo di fedeli al vero Dio. La profezia d'Isaia mira assai più lontano del tempo di Ezechia e avrà nel tempo un valore messianico sempre più chiaro.

³⁴ Io proteggerò questa città e la salverò
per amor mio e per amore di Davide,
mio servo».

³⁵Ora, in quella notte, l'angelo del Signore
uscì e colpì nell'accampamento degli Assiri
centottantacinquemila uomini. Quando gli altri si levarono al mattino, ecco che quelli erano tutti cadaveri. ³⁶Allora Sennacherib, re di Assiria, levò il campo e partì per far ritorno a Ninive, dove rimase. ³⁷Mentre egli era in preghiera nel tempio del suo dio Nisroch, i suoi figli Adram-Melech e Sarezer lo uccisero di spada e si rifugiarono nel paese di Ararat. Al suo posto regnò suo figlio Assarhaddon.

LA MALATTIA E LA GUARIGIONE DI EZECHIA

20 ¹In quei giorni Ezechia si ammalò mortalmente. Allora il profeta Isaia, figlio di Amoz, si recò da lui e gli disse: «Così parla il Signore: Metti in ordine le cose di casa tua, perché stai per morire e non guarirai». ²Allora Ezechia voltò la faccia verso la parete e pregò il Signore: ³«Signore, ricorda che io ho camminato alla tua presenza con fedeltà e con cuore devoto e ho fatto ciò che è gradito ai tuoi occhi». Poi Ezechia scoppiò in un gran pianto. ⁴Isaia non era ancora uscito dal cortile centrale che gli fu rivolta la parola del Signore: ⁵«Torna indietro e riferisci ad Ezechia, capo del mio popolo: Così dice il Signore, Dio di tuo padre Davide: Ho ascoltato la tua preghiera, ho visto le tue lacrime; ecco, io ti guarisco e di qui a tre giorni salirai al tempio del Signore. ⁶Aggiungerò quindici anni alla durata della tua vita. Libererò te e questa città dalle mani del re di Assiria e proteggerò questa città per amore mio e del mio servo Davide». ⁷Poi Isaia disse: «Prendete una schiacciata di fichi». La presero, l'applicarono sull'ulcera e il re guarì. ⁸Allora Ezechia disse a Isaia: «Qual è il segno che il Signore sta per guarirmi e che, il terzo giorno, salirò al tempio del Signore?».

⁹Isaia rispose: «Questo è per te il segno per comprendere che il Signore realizzerà quanto ha detto: Vuoi che l'ombra avanzi di dieci gradi, oppure che retroceda di dieci gradi?». ¹⁰Ezechia disse: «È facile per l'om-

bra avanzare di dieci gradi. No! Piuttosto l'ombra torni indietro di dieci gradi». ¹¹Allora il profeta Isaia invocò il Signore, che fece tornare indietro l'ombra di dieci gradi su quelli che il sole aveva già percorso sulla meridiana di Acaz.

¹²In quel tempo il re di Babilonia Merodak-Baladan, figlio di Baladan, inviò ad Ezechia lettere e doni poiché aveva saputo che egli era stato malato. ¹³Ezechia fu molto lieto e mostrò loro tutta la sala del tesoro, l'argento, l'oro, gli aromi e l'olio prezioso, il suo arsenale e quanto si trovava nei suoi magazzini. Non ci fu nulla del palazzo e di tutti i possedimenti che Ezechia non facesse loro vedere. ¹⁴Allora il profeta Isaia si recò dal re Ezechia e gli disse: «Che cosa hanno detto quegli uomini? Da dove sono venuti?». Ezechia rispose: «Essi sono venuti da un paese lontano, da Babilonia». ¹⁵Questi replicò: «Che cosa hanno visto nel tuo palazzo?». Ezechia rispose: «Hanno visto tutto quello che si trova nel mio palazzo; non c'è nulla dei miei magazzini che io non abbia fatto loro vedere». ¹⁶Allora Isaia disse ad Ezechia: «Ascolta la parola del Signore: ¹⁷Ecco, verranno giorni in cui sarà portato a Babilonia tutto quello che si trova nel tuo palazzo e quello che i tuoi padri hanno accumulato fino ad oggi: nulla sarà lasciato, dice il Signore. ¹⁸Inoltre alcuni dei tuoi figli che da te sono usciti, che tu hai generato, saranno presi e diverranno eunuchi nel palazzo del re di Babilonia». ¹⁹Ezechia disse a Isaia: «È buona la parola del Signore che tu hai pronunziato». Egli infatti pensava: «Perché no? Almeno durante la mia vita vi saranno pace e sicurezza!».

²⁰Le altre gesta di Ezechia, tutte le sue imprese e la costruzione della piscina e dell'acquedotto, per condurre l'acqua in città, sono descritte nel libro degli Annali dei re di Giuda. ²¹Ezechia si addormentò con i suoi padri e suo figlio Manasse regnò al suo posto.

---

35. *L'angelo del Signore* è una delle manifestazioni della potenza di Dio, che poteva servirsi di qualunque mezzo. Forse si trattò dell'inizio di una pestilenza.

20. - 17. Isaia, rimproverato Ezechia perché confida nella politica di alleanze umane e non in Dio, preannuncia l'esilio. La profezia si avverò oltre un secolo dopo.

20. *La piscina e l'acquedotto:* si tratta della famosa fontana di Siloe; l'acqua proveniva da una fonte, che fu nascosta, fuori città; con una galleria nella roccia l'acqua fu fatta arrivare dentro le mura.

MANASSE, RE DI GIUDA

21 [1]Al suo avvento al trono, Manasse aveva dodici anni e regnò cinquantacinque anni a Gerusalemme. Sua madre si chiamava Chefziba. [2]Egli fece ciò che è male agli occhi del Signore, imitando le abominazioni delle popolazioni che il Signore aveva scacciato davanti ai figli d'Israele. [3]Ricostruì infatti le alture che suo padre Ezechia aveva distrutto; eresse altari a Baal e innalzò un palo sacro, come aveva fatto Acab, re d'Israele; venerò tutto l'esercito del cielo e gli rese culto. [4]Costruì pure altari nel tempio del Signore, riguardo al quale il Signore aveva detto: «In Gerusalemme porrò il mio nome». [5]Costruì altari a tutto l'esercito del cielo nei due atri del tempio del Signore. [6]Fece inoltre passare per il fuoco suo figlio, praticò la magia e la divinazione, stabilì negromanti e indovini e insistette nel fare ciò che è male agli occhi del Signore per provocarne lo sdegno. [7]Pose perfino l'idolo di Asera, da lui fatto costruire, nel tempio, di cui il Signore aveva detto a Davide e a suo figlio Salomone: «In questo tempio e in Gerusalemme, che mi sono scelta fra tutte le tribù d'Israele, porrò il mio nome in eterno. [8]Non permetterò più che il piede d'Israele vada errando lontano dalla terra che ho dato ai suoi padri, purché essi procurino di eseguire tutto quello che ho comandato e tutta la legge che il mio servo Mosè ha loro prescritto». [9]Essi però non obbedirono e Manasse li indusse a comportarsi peggio delle popolazioni che il Signore aveva scacciato davanti ai figli d'Israele.

[10]Allora il Signore disse per mezzo dei suoi servi i profeti: [11]«Poiché Manasse, re di Giuda, ha commesso queste abominazioni, ha agito peggio degli stessi Amorrei, che furono prima di lui, e, mediante i suoi idoli, ha indotto Giuda a peccare, [12]il Signore Dio di Israele parla così: Ecco, io farò venire tale sciagura su Gerusalemme e su Giuda che chiunque ne sentirà parlare ne avrà rintronate entrambe le orecchie. [13]Su Gerusalemme stenderò la funicella di Samaria e il piombino della casa di Acab; ripulirò Gerusalemme come si ripulisce un piatto che, una volta lavato e asciugato, si capovolge. [14]Rigetterò il resto della mia eredità; li darò in mano dei loro nemici ed essi saranno preda e bottino di tutti i loro nemici, [15]perché hanno fatto ciò che è male ai miei occhi e hanno continuato a provocarmi dal giorno in cui i loro padri uscirono dall'Egitto fino ad oggi».

[16]Manasse versò pure sangue innocente in tale quantità da riempire Gerusalemme da un capo all'altro, oltre i peccati che fece commettere a Giuda, compiendo il male agli occhi del Signore. [17]Le altre gesta di Manasse, tutto quello che egli fece e i peccati commessi sono descritti nel libro degli Annali dei re di Giuda. [18]Manasse si addormentò con i suoi padri e fu sepolto nel giardino del suo palazzo, cioè nel giardino di Uzza. Al suo posto regnò suo figlio Amon.

[19]Amon aveva ventidue anni al suo avvento al trono e regnò due anni a Gerusalemme. Sua madre si chiamava Mesullemet, figlia di Caruz, da Iotba. [20]Egli fece ciò che è male agli occhi del Signore, come aveva fatto suo padre Manasse. [21]Imitò interamente la condotta di suo padre e venerò gli idoli che suo padre aveva venerato e si prostrò dinanzi a loro. [22]Abbandonò il Signore, Dio dei suoi padri, e non camminò per la via del Signore. [23]Gli ufficiali di Amon ordirono una congiura contro di lui e lo uccisero nel suo palazzo. [24]Ma il popolo del paese colpì tutti quelli che avevano congiurato contro il re Amon e, al suo posto, proclamò re suo figlio Giosia. [25]Le altre gesta di Amon e tutte le sue azioni sono descritte nel libro degli Annali dei re di Giuda. [26]Lo seppellirono nel suo sepolcro, nel giardino di Uzza, e al suo posto regnò suo figlio Giosia.

GIOSIA, RE DI GIUDA

22 [1]Giosia aveva otto anni al suo avvento al trono e regnò trentun anni a Gerusalemme. Sua madre si chiamava Iedida, figlia di Adaia, da Boscat. [2]Egli fece ciò che è retto agli occhi del Signore e imitò la condotta del suo antenato Davide, senza deviare a destra o a sinistra.

---

21. - 4-9. Il figlio degenere di Ezechia tentò di abolire il culto del Signore e non solo introdusse gl'idoli in Gerusalemme, ma anche nel tempio, fin nel cortile dei sacerdoti. Un chiaro tradimento dell'alleanza con Dio.

22. - 2. Giosia fu uno dei migliori re di Giuda. Geremia e Sofonia l'aiutarono nella riforma religiosa. Il miglior elogio che si poté fare di lui fu di aver imitato la condotta di Davide.

[3]Nell'anno diciottesimo del suo regno, Giosia mandò al tempio del Signore lo scriba Safan, figlio di Asalia, figlio di Mesullam, dicendogli: [4]«Sali dal sommo sacerdote Chelkia e digli che raccolga il denaro che è stato portato nel tempio del Signore e che i custodi della porta hanno ricevuto dal popolo. [5]Lo si consegni in mano dei capi che presiedono agli operai nel tempio del Signore; costoro lo diano agli operai che compiono le riparazioni nel tempio del Signore, [6]cioè ai carpentieri, ai costruttori e ai muratori, perché comperino legname e pietre squadrate, destinati alla riparazione del tempio. [7]Ma non si chieda loro conto del denaro consegnato nelle loro mani, perché essi lavorano onestamente».

[8]Il sommo sacerdote Chelkia disse allo scriba Safan: «Nel tempio del Signore ho trovato il libro della legge». Chelkia diede il libro a Safan e questi lo lesse. [9]Allora lo scriba Safan andò dal re e gli riferì la cosa con queste parole: «I tuoi servi hanno raccolto il denaro trovato nel tempio e l'hanno consegnato in mano dei capi che presiedono agli operai nel tempio del Signore». [10]Poi lo scriba Safan comunicò al re: «Il sacerdote Chelkia mi ha dato un libro». Quindi Safan lo lesse alla presenza del re. [11]Udite le parole del libro della legge, il re si stracciò le vesti [12]e ordinò al sacerdote Chelkia, ad Achikam, figlio di Safan, ad Acbor, figlio di Michea, allo scriba Safan e ad Asaia, ministro del re: [13]«Andate a consultare il Signore per me, per il popolo e per tutto Giuda intorno alle parole di questo libro che è stato trovato. Grande deve essere l'ira del Signore che si è accesa contro di noi, poiché i nostri padri non hanno ascoltato le parole di questo libro e non hanno agito in conformità a tutto quello che vi è scritto».

[14]Il sacerdote Chelkia, insieme con Achikam, Acbor e Safan si recarono dalla profetessa Culda, moglie di Sallum, figlio di Tikva, figlio di Carcas, guardarobiere. Essa abitava in Gerusalemme, nella città nuova. Parlarono con lei, [15]ed essa rispose: «Così parla il Signore Dio d'Israele. Dite a chi vi ha mandato da me: [16]Così parla il Signore: Ecco, sto per far venire una sciagura su questo luogo e su coloro che lo abitano, attuando in tal modo tutte le parole del libro che il re di Giuda ha letto, [17]poiché essi mi hanno abbandonato e hanno bruciato aromi agli altri dèi, così da provocarmi a sdegno con tutte le opere delle loro mani. La mia collera si è accesa contro questo luogo e non si spegnerà. [18]Al re di Giuda, che vi ha mandato a consultare il Signore, direte: Così parla il Signore Dio d'Israele: le parole che tu hai udito... [19]Poiché il tuo cuore si è intenerito e ti sei umiliato davanti al Signore, udendo le mie parole contro questo luogo e contro coloro che lo abitano – e cioè che essi diventeranno una desolazione e una maledizione –, poiché hai stracciato le tue vesti e hai pianto al mio cospetto, anch'io ti ho dato ascolto, oracolo del Signore! [20]Perciò, ecco, ti riunirò ai tuoi padri e sarai composto in pace nel tuo sepolcro, e i tuoi occhi non vedranno tutto il male che io sto per far venire su questo luogo».

Quelli riportarono la risposta al re.

LA RIFORMA RELIGIOSA DI GIOSIA

23 [1]Allora il re convocò presso di sé tutti gli anziani di Giuda e di Gerusalemme. [2]Quindi il re salì al tempio del Signore con tutti gli uomini di Giuda e con tutti gli abitanti di Gerusalemme, compresi i sacerdoti, i profeti e tutto il popolo, dal più piccolo al più grande. Alla loro presenza egli lesse tutte le parole del libro della legge che era stato trovato nel tempio del Signore. [3]Poi il re, stando sul podio, concluse alla presenza del Signore l'alleanza, impegnandosi a seguire il Signore e a custodire i suoi comandamenti, le sue leggi e i suoi precetti con tutto il cuore e con tutta l'anima, mettendo in pratica le parole dell'alleanza scritte in questo libro. Tutto il popolo aderì all'alleanza.

[4]Il re ordinò al sommo sacerdote Chelkia, ai sacerdoti in seconda e ai custodi della soglia di far portare fuori del santuario del Signore tutti gli oggetti preparati per il culto di Baal, di Asera e di tutto l'esercito del cielo. Poi li bruciò fuori di Gerusalemme, nei campi del Cedron e portò le loro ceneri a Betel. [5]Egli destituì i falsi sacerdoti che i re

---

8-11. *Il libro della legge*, di cui si parla qui, è con ogni probabilità il Deuteronomio, specialmente la parte legislativa.

23. - 3. Giosia si impegna decisamente ad attuare le prescrizioni della legge, e fa da intermediario nella rinnovazione dell'alleanza.

di Giuda avevano costituito e che bruciavano aromi sulle alture, nelle città di Giuda e nei dintorni di Gerusalemme, e anche quelli che bruciavano aromi a Baal, al sole, alla luna, alle costellazioni e a tutto l'esercito del cielo. [6]Fece portare il palo sacro dal tempio del Signore fuori di Gerusalemme, nella valle del Cedron, dove lo bruciò e lo ridusse in cenere, che poi gettò nel sepolcro dei figli del popolo. [7]Demolì anche le case dei prostituti sacri, che si trovavano nel tempio del Signore, dove le donne tessevano i veli per Asera. [8]Radunò tutti i sacerdoti dalle città di Giuda e profanò le alture su cui si erano bruciati aromi, da Gheba fino a Bersabea. Abbatté inoltre l'altura dei satiri, che si trovava all'ingresso della porta di Giosuè, governatore della città, a sinistra di chi entra per la porta della città. [9]Però i sacerdoti delle alture non potevano salire sull'altare del Signore a Gerusalemme, benché mangiassero i pani senza lievito in mezzo ai loro fratelli. [10]Egli dichiarò immondo il Tofet che si trova nella valle di Ben-Innom, affinché nessuno facesse più passare per il fuoco il proprio figlio o la propria figlia in onore di Moloch. [11]Rimosse i cavalli che i re di Giuda avevano dedicato al sole all'ingresso del tempio del Signore, presso la camera dell'eunuco Netan-Melech, che si trovava nei recinti; bruciò nel fuoco il carro del sole. [12]Il re distrusse gli altari che si trovavano sulla terrazza della camera superiore di Acaz, eretti dai re di Giuda; frantumò anche gli altari eretti da Manasse nei due cortili del tempio del Signore e ne gettò la polvere nella valle del Cedron. [13]Il re dichiarò immonde le alture che si trovavano di fronte a Gerusalemme, a sud del monte degli Ulivi, erette da Salomone, re d'Israele, in onore di Astarte, obbrobrio dei Sidoni, di Camos, obbrobrio dei Moabiti, e di Milcom, abominio degli Ammoniti. [14]Egli frantumò anche le stele, tagliò i pali sacri e riempì i loro posti di ossa umane. [15]Demolì anche l'altare del tempio di Betel e l'altura voluta da Geroboamo, figlio di Nebat, che aveva fatto pecca-

re Israele: ne frantumò le pietre, le ridusse in polvere e bruciò il palo sacro. [16]Giosia, poi, guardando intorno, vide i sepolcri che erano sul monte; mandò a prelevare le ossa da questi sepolcri e le bruciò sull'altare. Così lo profanò, secondo la parola del Signore che l'uomo di Dio pronunciò quando Geroboamo si trovava accanto all'altare, durante la festa. Voltatosi, Giosia fissò lo sguardo sul sepolcro dell'uomo di Dio che aveva predetto queste cose [17]e disse: «Di chi è questo monumento che io vedo?». Gli uomini della città gli risposero: «È il sepolcro dell'uomo di Dio che venne da Giuda e predisse queste cose che tu hai fatto contro l'altare di Betel». [18]Egli allora disse: «Lasciatelo in pace! Nessuno smuova le sue ossa». Così le sue ossa rimasero intatte insieme a quelle del profeta che era venuto da Samaria. [19]Giosia rimosse pure tutti i santuari delle alture che si trovavano nelle città di Samaria e che i re d'Israele avevano fatto costruire, provocando lo sdegno del Signore. Contro di essi ripeté quanto aveva fatto contro Betel. [20]Immolò sugli altari tutti i sacerdoti che si trovavano sulle alture e vi bruciò sopra ossa umane; poi fece ritorno a Gerusalemme.

[21]Il re ordinò a tutto il popolo: «Celebrate la Pasqua in onore del Signore vostro Dio, come è scritto nel libro di questa alleanza». [22]Non s'era più celebrata una Pasqua come quella dal tempo dei Giudici, che avevano governato Israele, e durante tutto il tempo dei re di Israele e di Giuda. [23]Solamente nell'anno diciottesimo del re Giosia fu celebrata questa Pasqua in onore del Signore in Gerusalemme. [24]Giosia eliminò pure le negromanti, gli indovini, i terafim, gli idoli e tutti gli abomìni che erano nel paese di Giuda e in Gerusalemme, mettendo così in pratica le parole della legge scritte nel libro che il sacerdote Chelkia aveva trovato nel tempio del Signore.

[25]Prima di Giosia non c'era stato un re simile a lui, che si fosse rivolto al Signore con tutto il suo cuore, con tutta la sua anima e con tutte le sue forze, secondo tutta la legge di Mosè; neppure dopo di lui ne sorse un altro simile. [26]Tuttavia il Signore non attenuò l'ardore della sua grande ira, di cui era acceso contro Giuda a causa di tutte le prevaricazioni commesse da Manasse. [27]Perciò il Signore disse: «Rimuoverò an-

---

21. La riforma di Giosia si conclude con una solenne celebrazione della Pasqua, il che suscita rinnovato entusiasmo, facendo rivivere al popolo il ricordo dei grandi benefici di Dio a favore d'Israele.

26-27. La riforma di Giosia non giunse al cuore del popolo, così da convertirlo in profondità e rimuovere i decreti divini di distruzione.

che Giuda dal mio cospetto, come ho rimosso Israele; respingerò questa città che ho scelto, cioè Gerusalemme, e il tempio di cui avevo detto: Là sarà il mio nome».

²⁸Le altre gesta di Giosia e tutte le sue azioni sono descritte nel libro degli Annali dei re di Giuda. ²⁹Durante il suo regno, il Faraone Necao, re d'Egitto, venne in aiuto del re di Assiria sul fiume Eufrate. Il re Giosia gli si oppose, ma Necao lo uccise al primo scontro. ³⁰Allora i suoi ufficiali lo caricarono già morto su un carro, lo condussero da Meghiddo a Gerusalemme e lo seppellirono nel suo sepolcro. Il popolo del paese prese Ioacaz, figlio di Giosia, lo unse e lo proclamò re al posto di suo padre.

³¹Al suo avvento al trono, Ioacaz aveva ventitré anni e regnò tre mesi in Gerusalemme. Sua madre si chiamava Camutal, figlia di Geremia, da Libna. ³²Egli fece ciò che è male agli occhi del Signore, come avevano fatto i suoi padri. ³³Il Faraone Necao lo fece prigioniero a Ribla, nel paese di Camat, impedendogli così di regnare in Gerusalemme, e impose al paese un tributo di cento talenti d'argento e di un talento d'oro. ³⁴Il Faraone Necao nominò re Eliakim, figlio di Giosia, al posto di Giosia suo padre, e cambiò il suo nome in quello di Ioiakim. Poi prese Ioacaz e lo condusse in Egitto, dove morì. ³⁵Ioiakim consegnò l'argento e l'oro al Faraone, ma dovette gravare sul paese per consegnare la somma richiesta. Riscosse infatti l'argento e l'oro, che doveva consegnare al Faraone Necao, tassando ogni abitante del popolo del paese in proporzione dei beni di ciascuno.

³⁶Al suo avvento al trono, Ioiakim aveva venticinque anni e regnò undici anni a Gerusalemme. Sua madre si chiamava Zebida, figlia di Pedaia, da Ruma. ³⁷Egli fece ciò che è male agli occhi del Signore, come avevano fatto i suoi padri.

PRIMA INVASIONE DEL REGNO DI GIUDA

24 ¹Durante il suo regno, Nabucodonosor, re di Babilonia, salì contro di lui e Ioiakim gli fu sottomesso per tre anni, ma poi tornò a ribellarsi. ²Il Signore gli mandò contro bande di Caldei, di Aramei, di Moabiti e di Ammoniti; le mandò

contro Giuda per distruggerlo, secondo la parola che il Signore aveva pronunciato per mezzo dei suoi servi i profeti. ³Questo accadde a Giuda a causa della collera del Signore, che voleva allontanarlo dal suo cospetto per tutti i peccati che Manasse aveva commesso, ⁴e anche per il sangue innocente che egli aveva versato e di cui aveva riempito Gerusalemme. Per questo il Signore non volle perdonare. ⁵Le altre gesta di Ioiakim e tutte le sue azioni sono descritte nel libro degli Annali dei re di Giuda. ⁶Ioiakim si addormentò con i suoi padri e al suo posto regnò suo figlio Ioiachin. ⁷Il re d'Egitto non osò più uscire fuori del suo territorio, perché il re di Babilonia aveva conquistato tutto quello che apparteneva al re d'Egitto, dal torrente d'Egitto fino al fiume Eufrate.

⁸Al suo avvento al trono, Ioiachin aveva diciotto anni e regnò in Gerusalemme tre mesi. Sua madre si chiamava Necusta, figlia di Elnatan, da Gerusalemme. ⁹Egli fece ciò che è male agli occhi del Signore, come aveva fatto suo padre. ¹⁰In quel tempo gli ufficiali di Nabucodonosor, re di Babilonia, salirono contro Gerusalemme e la città venne assediata. ¹¹Nabucodonosor, re di Babilonia, venne egli pure contro la città, mentre i suoi ufficiali l'assediavano. ¹²Allora Ioiachin, re di Giuda, uscì incontro al re di Babilonia, insieme con la madre, i servi, i capi e gli eunuchi. Il re di Babilonia lo fece prigioniero nell'anno ottavo del suo regno. ¹³Poi asportò di là tutti i tesori del tempio del Signore e i tesori del palazzo reale; frantumò tutti gli oggetti d'oro che Salomone, re d'Israele, aveva fabbricato per il santuario del Signore, secondo quello che il Signore gli aveva detto. ¹⁴Deportò infine tutta Gerusalemme, cioè tutti i capi, tutti i prodi guerrieri in numero di diecimila, tutti i fabbri e tutti gli artigiani. Non rimase che la gente povera del paese. ¹⁵Egli deportò Ioiachin a Babilonia; inoltre condusse prigionieri da Gerusalemme a Babilonia la madre del re, le mogli del re, i suoi eunuchi e i nobili del paese. ¹⁶Il re di Babilonia fece condurre prigionieri a Babilonia tutti gli uomini di valore, in numero di settemila, i fabbri e gli artigiani in numero di mille, tutti uomini atti alla guerra. ¹⁷Al posto di Ioiachin, il re di Babilonia nominò re Mattania, zio di lui, e gli cambiò il nome in Sedecia.

[18]All'avvento al trono, Sedecia aveva ventun anni e regnò undici anni a Gerusalemme. Sua madre si chiamava Camutal, figlia di Geremia, da Libna. [19]Egli fece ciò che è male agli occhi del Signore, come aveva fatto Ioiakim. [20]Questo accadde a Gerusalemme e a Giuda a motivo dell'ira del Signore, fino al punto che li rigettò dal suo cospetto. Sedecia poi si ribellò al re di Babilonia.

L'ASSEDIO DI GERUSALEMME E LA FINE DEL REGNO DI GIUDA

25 [1]Nell'anno nono del suo regno, nel decimo mese, il dieci del mese, Nabucodonosor, re di Babilonia, venne con tutto il suo esercito contro Gerusalemme, s'accampò davanti ad essa e le costruì intorno delle trincee. [2]La città rimase assediata fino all'undicesimo anno del re Sedecia. [3]Al nono giorno del quarto mese la fame era così grave in città che non vi era più pane per la popolazione. [4]Allora fu praticata una breccia nella città e il re, con tutti gli uomini atti a combattere, fuggì, di notte, per la via della porta tra le due mura, presso il giardino del re, mentre i Caldei circondavano la città, e prese la via dell'Araba. [5]Ma l'esercito dei Caldei inseguì il re e lo raggiunse nella pianura di Gerico, mentre tutto il suo esercito si disperse abbandonandolo. [6]Il re fu preso e venne condotto a Ribla dal re di Babilonia, che pronunciò contro di lui la sentenza. [7]I suoi figli furono uccisi alla presenza di Sedecia e a lui furono strappati gli occhi; quindi fu incatenato e condotto a Babilonia. [8]Il settimo giorno del quinto mese, corrispondente al diciannovesimo anno di Nabucodonosor, re di Babilonia, giunse a Gerusalemme Nabuzardan, capo delle guardie, ufficiale del re di Babilonia. [9]Egli incendiò il tempio del Signore, il palazzo reale e tutte le case di Gerusalemme. [10]Tutto l'esercito dei Caldei, che era con il capo delle guardie, demolì le mura intorno a Gerusalemme. [11]Poi Nabuzardan, capo delle guardie, deportò il resto del popolo che era rimasto nella città, gli evasi che erano passati al re di Babilonia e il resto della folla. [12]Il capo delle guardie lasciò una parte dei poveri del paese come vignaioli e agricoltori. [13]I Caldei spezzarono le colonne di bronzo che erano nel tempio del Signore, le basi e il mare di bronzo che erano nel tempio del Signore e ne portarono il bronzo a Babilonia. [14]Presero inoltre le pentole, le palette, i coltelli, le coppe e tutti gli oggetti di bronzo che si adoperavano per il culto. [15]Il capo delle guardie asportò pure gli incensieri e i vassoi, tutto ciò che era d'oro e d'argento. [16]Inoltre prese ambedue le colonne, il mare e i bacini che Salomone aveva fatto per il tempio del Signore. Il peso del bronzo di tutti questi oggetti era incalcolabile. [17]L'altezza di una colonna era di diciotto cubiti; su di essa si trovava un capitello di bronzo, la cui altezza era di cinque cubiti; intorno al capitello v'era una rete con melagrane; il tutto era di bronzo. Identica a questa era la seconda colonna. [18]Il capo delle guardie catturò il sacerdote capo Seraia, il sacerdote in seconda Zofonia e i tre custodi della soglia. [19]Dalla città egli prese un funzionario, che era a capo dei guerrieri, e cinque fra i familiari del re, che si trovavano in città; così pure lo scriba del capo dell'esercito, addetto al reclutamento del popolo del paese, e sessanta uomini del popolo del paese, che si trovavano in città. [20]Dopo averli catturati, Nabuzardan, capo delle guardie, li condusse dal re di Babilonia, a Ribla. [21]Il re di Babilonia li fece uccidere a Ribla, nel paese di Camat. Così Giuda fu deportato lontano dalla sua terra. [22]Alla popolazione rimasta in terra di Giuda, lasciatavi da Nabucodonosor, re di Babilonia, questi prepose Godolia, figlio di Achikam, figlio di Safan. [23]Quando tutti i comandanti delle truppe e i loro uomini seppero che il re di Babilonia aveva creato governatore Godolia, si recarono da lui a Mizpa. Essi erano Ismaele figlio di Netania, Giovanni figlio di Kareach, Seraia figlio di Tancumet, da Netofa, Iaazania figlio del Maacateo, insieme con i loro uomini. [24]Godolia giurò ad essi e ai loro uomini: «Non abbiate paura dei Caldei; dimorate nel paese, servite il re di Babilonia e vi troverete bene». [25]Nel settimo mese però arrivò Ismaele, figlio di Netania, figlio di Elisama, di stirpe reale, con dieci uomini. Essi colpirono a morte Godolia, i Giudei e i Caldei che erano con lui a Mizpa. [26]Allora tutta la popolazione, dal più piccolo al più grande, e i comandanti delle truppe partirono e andarono

2Re

in Egitto, perché avevano paura dei Caldei. [27]Nell'anno trentasettesimo della deportazione di Ioiachin, re di Giuda, nel dodicesimo mese, il ventisette del mese, Evil-Merodach, re di Babilonia, nell'anno del suo avvento al trono, fece grazia a Ioiachin re di Giuda e lo liberò dalla prigione. [28]Gli parlò con benevolenza e gli assegnò un trono superiore ai troni dei re che erano con lui a Babilonia. [29]Egli mutò gli abiti di prigioniero e mangiò sempre alla mensa del re, per tutto il resto della sua vita. [30]Il suo sostentamento quotidiano gli fu procurato dal re giorno per giorno, per tutto il tempo della sua vita.

---

25. - 27. *Fece grazia a Ioiachin*: dopo il tetro quadro della distruzione del popolo eletto, pare che l'autore sacro voglia lasciare nel lettore un filo di speranza con questa breve notizia: Ioiachin, della stirpe di Davide, è trattato con riguardo, praticamente come un ospite del re di Babilonia. Anche Geremia riporta questa notizia, 52,31-34: segno che vi era attribuito un valore particolare.

PRIMO LIBRO DELLE CRONACHE

Il titolo Cronache *corrisponde al senso del titolo ebraico, che significa: fatti dei giorni, annali. L'opera divisa in due libri è unitaria e fa parte di un complesso maggiore comprendente anche i libri di Esdra e Neemia. Questa ponderosa composizione, sorta nel III secolo a.C. per opera di uomini della classe sacerdotale, parte dalla creazione e abbraccia tutta la storia d'Israele, fino alla restaurazione dopo l'esilio. Scopo dell'opera è dare fondamento alle istituzioni liturgiche mostrandone in Davide e Salomone gli iniziatori.*

I libri delle Cronache si dividono in quattro parti. La prima parte (1Cr 1-9), costituita da tavole genealogiche, sintetizza la storia da Adamo fino a Saul. La seconda parte (1Cr 10-29) è dedicata al re Davide, che iniziò a organizzare il culto, preparò la costruzione del tempio e la formazione del personale addetto. La terza parte (2Cr 1-9) delinea il regno di Salomone diffondendosi sulla costruzione del tempio e delle sue suppellettili, coronata dalla festa della dedicazione. L'ultima parte (2Cr 10-36) traccia la storia del regno di Giuda dalla morte di Salomone all'esilio di Babilonia. L'editto di Ciro che permette ai Giudei esuli di rimpatriare chiude l'opera.

Da essa emerge la preoccupazione e la passione per il culto liturgico. Si esaltano Davide e Salomone, sorvolando sulle loro colpe, e i re che hanno avuto a cuore la religione e il culto, come Ezechia e Giosia. L'autore vede Israele come un popolo tutto dedito alla glorificazione e al culto dell'unico Dio nell'unico suo tempio, un popolo che mantiene salda la sua speranza messianica ravvivata nelle celebrazioni del culto.

LE GENEALOGIE
DA ADAMO A ISRAELE

1 ¹Adamo, Set, Enos, ²Kenan, Maalaleel, Iared, ³Enoch, Matusalemme, Lamech, ⁴Noè, Sem, Cam e Iafet.

⁵Figli di Iafet: Gomer, Magog, Madai, Iavan, Tubal, Mesech e Tiras. ⁶Figli di Gomer: Askenaz, Rifat e Togarma. ⁷Figli di Iavan: Elisa, Tarsis, quelli di Cipro e quelli di Rodi. ⁸Figli di Cam: Etiopia, Egitto, Put e Canaan. ⁹Figli di Etiopia: Seba, Avila, Sabta, Raema e Sabteca. Figli di Raema: Saba e Dedan. ¹⁰Etiopia generò Nimrod, che fu il primo eroe sulla terra. ¹¹Egitto generò i Ludi, gli Anamiti, i Leabiti, i Naftuchiti, ¹²i Patrositi, i Casluchiti e i Caftoriti, dai quali derivarono i Filistei. ¹³Canaan generò Sidone, suo primogenito, Chet, ¹⁴il Gebuseo, l'Amorreo, il Gergeseo, ¹⁵l'Eveo, l'Archita, il Sineo, ¹⁶l'Arvadita, il Semarita e l'Amatita.

¹⁷Figli di Sem: Elam, Assur, Arpacsad, Lud e Aram. Figli di Aram: Uz, Cul, Gheter e Mesech. ¹⁸Arpacsad generò Selach; Selach generò Eber. ¹⁹A Eber nacquero due figli; uno si chiamava Peleg, perché ai suoi tempi si divise la terra, e suo fratello si chiamava Ioktan. ²⁰Ioktan generò Almodad, Salef, Cazarmavet, Ierach, ²¹Adoram, Uzal, Dikla, ²²Ebal, Abimael, Seba, ²³Ofir, Avila e Iobab; tutti costoro erano figli di Ioktan. ²⁴Sem, Arpacsad, Selach, ²⁵Eber, Peleg, Reu, ²⁶Serug, Nacor, Terach, ²⁷Abram, cioè Abramo. ²⁸Figli di Abramo: Isacco e Ismaele.

²⁹Ecco la loro discendenza: primogenito di Ismaele fu Nebaiot; altri suoi figli: Kedar, Adbeel, Mibsam, ³⁰Misma, Duma, Massa, Cadad, Tema, ³¹Ietur, Nafis e Kedma; questi furono discendenti di Ismaele.

³²Figli di Chetura, concubina di Abramo: essa partorì Zimran, Ioksan, Medan, Madian, Isbak e Suach. Figli di Ioksan: Saba e

Dedan. ³³Figli di Madian: Efa, Efer, Enoch, Abiba ed Eldaa; tutti questi furono discendenti di Chetura.

³⁴Abramo generò Isacco. Figli di Isacco: Esaù e Israele. ³⁵Figli di Esaù: Elifaz, Reuel, Ieus, Ialam e Core. ³⁶Figli di Elifaz: Teman, Omar, Zefi, Gatam, Kenaz, Timna e Amalek. ³⁷Figli di Reuel: Nacat, Zerach, Samma e Mizza.

³⁸Figli di Seir: Lotan, Sobal, Zibeon, Ana, Dison, Eser e Disan. ³⁹Figli di Lotan: Cori e Omam. Sorella di Lotan: Timna. ⁴⁰Figli di Sobal: Alvan, Manacat, Ebal, Sefi e Onam. Figli di Zibeon: Aia e Ana. ⁴¹Figli di Ana: Dison. Figli di Dison: Camran, Esban, Itran e Cheran. ⁴²Figli di Eser: Bilan, Zaavan, Iaakan. Figli di Disan: Uz e Aran.

⁴³Ecco i re che regnarono nel paese di Edom, prima che gli Israeliti avessero un re: Bela, figlio di Beor; la sua città si chiamava Dinaba. ⁴⁴Morto Bela, divenne re al suo posto Iobab, figlio di Zerach da Bozra. ⁴⁵Morto Iobab, divenne re al suo posto Cusam della regione dei Temaniti. ⁴⁶Morto Cusam, divenne re al suo posto Adad, figlio di Bedad, il quale sconfisse i Madianiti nei campi di Moab; la sua città si chiamava Avit. ⁴⁷Morto Adad, divenne re al suo posto Samla da Masreka. ⁴⁸Morto Samla, divenne re al suo posto Saul di Recobot, sul fiume. ⁴⁹Morto Saul, divenne re al suo posto Baal-Canan, figlio di Acbor. ⁵⁰Morto Baal-Canan, divenne re al suo posto Adad; la sua città si chiamava Pai; sua moglie si chiamava Meetabel, figlia di Matred, figlia di Me-Zaab.

⁵¹Morto Adad, in Edom ci furono dei capi: il capo di Timna, il capo di Alva, il capo di Ietet, ⁵²il capo di Oolibama, il capo di Ela, il capo di Pinon, ⁵³il capo di Kenaz, il capo di Teman, il capo di Mibsar, ⁵⁴il capo di Magdiel, il capo di Iram. Questi furono i capi di Edom.

I FIGLI DI GIACOBBE-ISRAELE

2 ¹Questi sono i figli di Israele: Ruben, Simeone, Levi, Giuda, Issacar, Zabulon, ²Dan, Giuseppe, Beniamino, Neftali, Gad e Aser.

³Figli di Giuda: Er, Onan, Sela. Questi tre gli nacquero dalla figlia di Sua, la cananea. Er, primogenito di Giuda, era malvagio agli occhi del Signore, che perciò lo fece morire. ⁴Tamar sua nuora gli partorì Perez e Zerach. Totale dei figli di Giuda: cinque. ⁵Figli di Perez: Chezron e Camul. ⁶Figli di Zerach: Zimri, Etan, Eman, Calcol e Darda; in tutto cinque.

⁷Figli di Carmi: Acar, che provocò una disgrazia in Israele con la trasgressione circa lo sterminio. ⁸Figli di Etan: Azaria.

⁹Figli che nacquero a Chezron: Ieracmel, Ram e Chelubai. ¹⁰Ram generò Amminadab; Amminadab generò Nacson, capo dei figli di Giuda. ¹¹Nacson generò Salma; Salma generò Booz. ¹²Booz generò Obed; Obed generò Iesse. ¹³Iesse generò Eliab, il primogenito, Abinadab, secondo, Simea, terzo, ¹⁴Netaneel, quarto, Raddai, quinto, ¹⁵Ozem, sesto, Davide, settimo. ¹⁶Loro sorelle furono: Zeruia e Abigail. Figli di Zeruia furono Abisai, Ioab e Asael: tre. ¹⁷Abigail partorì Amasa, il cui padre fu Ieter, l'ismaelita. ¹⁸Caleb, figlio di Chezron, dalla moglie Azuba ebbe Ieriot. Questi sono i figli di lei: Ieser, Sobab e Ardon.

¹⁹Morta Azuba, Caleb prese in moglie Efrat, che gli partorì Cur. ²⁰Cur generò Uri; Uri generò Bezaleel. ²¹Dopo, Chezron si unì alla figlia di Machir, padre di Galaad; egli la sposò a sessant'anni ed essa gli partorì Segub. ²²Segub generò Iair, cui appartennero ventitré città nella regione di Galaad. ²³Ghesur e Aram sottrassero loro i villaggi di Iair con Kenat e le dipendenze: sessanta città. Tutti questi furono figli di Machir, padre di Galaad. ²⁴Dopo la morte di Chezron, Caleb si unì a Efrata, moglie di suo padre Chezron, la quale gli partorì Ascur, padre di Tekoa. ²⁵I figli di Ieracmel, primogenito di Chezron, furono Ram, il primogenito, Buna, Oren, Achia. ²⁶Ieracmel ebbe una seconda moglie che si chiamava Atara e fu madre di Onam. ²⁷I figli di Ram, primogenito di Ieracmel, furono Maas, Iamin ed Eker. ²⁸I figli di Onam furono Sammai e Iada. Figli di Sammai: Nadab e Abisur. ²⁹La moglie di Abisur si chiamava Abiail e gli partorì Acban e Molid. ³⁰Figli di Nadab furono Seled ed Efraim. Seled morì senza figli. ³¹Figli di Efraim: Isei; figli di Isei: Sesan; figli di Sesan: Aclai. ³²Figli di Iada, fratello di Sammai: Ieter e Gionata. Ieter morì senza figli. ³³Figli di Gionata: Pelet e Zaza. Questi furono i discendenti di Ieracmel.

---

2. - 1-9. Da Giacobbe si passa subito a *Giuda*, perché fu l'unica tribù numerosa anche dopo l'esilio e poiché fu a capo d'Israele rimpatriato.

³⁴Sesan non ebbe figli, ma solo figlie; egli aveva uno schiavo egiziano chiamato Iarca. ³⁵Sesan diede in moglie allo schiavo Iarca una figlia, che gli partorì Attai. ³⁶Attai generò Natan; Natan generò Zabad; ³⁷Zabad generò Eflal; Eflal generò Obed; ³⁸Obed generò Ieu; Ieu generò Azaria; ³⁹Azaria generò Chelez; Chelez generò Eleasa; ⁴⁰Eleasa generò Sismai; Sismai generò Salium; ⁴¹Sallum generò Iekamia; Iekamia generò Elisama.

⁴²Figli di Caleb, fratello di Ieracmel, furono Mesa, suo primogenito, che fu padre di Zif; il figlio di Maresa fu padre di Ebron. ⁴³Figli di Ebron: Core, Tappuach, Rekem e Samai. ⁴⁴Samai generò Racam, padre di Iorkeam; Rekem generò Sammai. ⁴⁵Figlio di Sammai: Maon, che fu padre di Bet-Zur. ⁴⁶Efa, concubina di Caleb, partorì Caran, Moza e Gazez; Caran generò Gazez. ⁴⁷Figli di Iadai: Reghem, Iotam, Ghesan, Pelet, Efa e Saaf. ⁴⁸Maaca, concubina di Caleb, partorì Seber e Tircana; ⁴⁹partorì anche Saaf, padre di Madmanna, e Seva, padre di Macbena e padre di Gabaa. Figlia di Caleb fu Acsa. ⁵⁰Questi furono i figli di Caleb: Ben-Cur, primogenito di Efrata. Sobal, padre di Kiriat-Iearim, ⁵¹Salma, padre di Betlemme, Haref, padre di Bet-Gader. ⁵²Sobal, padre di Kiriat-Iearim, ebbe come figli Reaia, Cazi e Manacat.

⁵³Le famiglie di Kiriat-Iearim sono quelle di Ieter, di Put, di Suma e di Masra. Da costoro derivarono quelli di Zorea e di Estaol. ⁵⁴Figli di Salma: Betlemme, i Netofatiti, Atarot-Bet-Ioab e metà dei Manactei e degli Zoreatei. ⁵⁵Le famiglie degli scribi che abitavano in Iabez: i Tireatei, i Simeatei e i Sucatei. Questi erano Keniti, discendenti da Cammat, della famiglia di Recab.

I DISCENDENTI DI DAVIDE

3 ¹Questi sono i figli che nacquero a Davide in Ebron: il primogenito Amnon, nato da Achinoam di Izreel; Daniele, secondo, nato da Abigail di Carmel; ²Assalonne, terzo, figlio di Maaca, figlia di Talmai, re di Ghesur; Adonia, quarto, figlio di Agghit; ³Sefatia, quinto, nato da Abital; Itram, sesto, figlio della moglie Egla. ⁴Sei gli nacquero in Ebron, ove egli regnò sette anni e sei mesi, mentre regnò trentatré anni in Gerusalemme. ⁵I seguenti gli nacquero in Gerusalemme: Simea, Sobab, Natan e Salomone, ossia quattro figli natigli da Betsabea, figlia di Ammiel; ⁶inoltre Ibcar, Elisama, Elifelet, ⁷Noga, Nefeg, Iafia, ⁸Elisama, Eliada ed Elifelet, ossia nove figli. ⁹Tutti costoro furono figli di Davide, senza contare i figli delle sue concubine. Tamar era loro sorella.

¹⁰Figli di Salomone: Roboamo, di cui fu figlio Abia, di cui fu figlio Asa, di cui fu figlio Giosafat, ¹¹di cui fu figlio Ioram, di cui fu figlio Acazia, di cui fu figlio Ioas, ¹²di cui fu figlio Amazia, di cui fu figlio Azaria, di cui fu figlio Iotam, ¹³di cui fu figlio Acaz, di cui fu figlio Ezechia, di cui fu figlio Manasse, ¹⁴di cui fu figlio Amon, di cui fu figlio Giosia. ¹⁵Figli di Giosia: Giovanni, primogenito, Ioiakim, secondo, Sedecia, terzo, Salium, quarto. ¹⁶Figli di Ioiakim: Ieconia, di cui fu figlio Sedecia.

¹⁷Figli di Ieconia, il prigioniero: Sealtiel, ¹⁸Malchiram, Pedaia, Seneazzar, Iekamia, Cosama e Nedabia. ¹⁹Figli di Pedaia: Zorobabele e Simei. Figli di Zorobabele: Mesullam, Anania e Selomit, loro sorella. ²⁰Figli di Mesullam: Casuba, Oel, Berechia, Casadia, Iusab-Chesed: cinque figli. ²¹Figli di Anania: Pelatia, di cui fu figlio Isaia, di cui fu figlio Refaia, di cui fu figlio Arnan, di cui fu figlio Abdia, di cui fu figlio Secania. ²²Figli di Secania: Semaia, Cattus, Igheal, Bariach, Naaria e Safat: sei. ²³Figli di Naaria: Elioenai, Ezechia e Azrikam: tre. ²⁴Figli di Elioenai: Odavia, Eliasib, Pelaia, Akub, Giovanni, Delaia e Anani: sette.

I DISCENDENTI DL GIUDA, CALEB E SIMEONE

4 ¹Figli di Giuda: Perez, Chezron, Carmi, Cur e Sobal. ²Reaia, figlio di Sobal, generò Iacat; Iacat generò Acumai e Laad. Queste sono le famiglie degli Zoreatei. ³Questi furono i figli del padre di Etam: Izreel, Isma e Ibdas; la loro sorella si chiamava Azlelponi. ⁴Penuel fu padre di Ghedor; Ezer fu padre di Cusa. Questi furono i figli di Cur, il primogenito di Efrata, padre di Betlemme.

46. *Caleb*: da non confondersi col figlio di Iefunne, uno degli esploratori della terra promessa (Nm 13,6).
3. - 10. I discendenti di Salomone sono i re di Giuda.
17-24. Discendenti di Davide dopo l'esilio.

⁵Ascur, padre di Tekoa, aveva due mogli, Chelea e Naara. ⁶Naara gli partorì Acuzzam, Chefer, il temanita e l'acastarita; questi furono figli di Naara. ⁷Figli di Chelea: Zeret, Zocar, Etnan e Koz.

⁸Koz generò Anub, Azzobeba e le famiglie di Acarche, figlio di Arum. ⁹Iabez fu più onorato dei suoi fratelli; sua madre l'aveva chiamato Iabez poiché diceva: «Io l'ho partorito con dolore». ¹⁰Iabez invocò il Dio di Israele dicendo: «Se tu mi benedicessi e allargassi i miei confini! Se la tua mano fosse con me e mi tenessi lontano dal male così che io non soffra!». Dio gli concesse quanto aveva chiesto.

¹¹Chelub, fratello di Suca, generò Mechir, che fu padre di Eston. ¹²Eston generò Bet-Rafa, Paseach e Techinna, padre di Ir-Nacas. Questi sono gli uomini di Reca.

¹³Figli di Kenaz: Otniel e Seraia; figli di Otniel: Catat e Meonotai. ¹⁴Meonotai generò Ofra; Seraia generò Ioab, padre della valle degli artigiani, poiché erano artigiani.

¹⁵Figli di Caleb, figlio di Iefunne: Ir, Ela e Naam. Figli di Ela: Kenaz.

¹⁶Figli di Iealielel: Zif, Zifa, Tiria e Asarel.

¹⁷Figli di Ezra: Ieter, Mered, Efer e Ialon. Partorì Miriam, Sammai e Isbach, padre di Estemoa. ¹⁸Sua moglie, la giudea, partorì Ieter, padre di Ghedor, Cheber, padre di Soco, e Iekutiel, padre di Zanoach. Questi invece sono i figli di Bitia, figlia del Faraone, che Mered aveva preso in moglie.

¹⁹Figli della moglie Odaia, sorella di Nacam, padre di Keila il garmita e di Estemoa il maacateo. ²⁰Figli di Simone: Ammon, Rinna, Ben-Canan e Tilon. Figli di Isei: Zochet e Ben-Zochet.

²¹Figli di Sela, figlio di Giuda: Er, padre di Leca, Laada, padre di Maresa e le famiglie dei lavoratori del bisso in Bet-Asbea, ²²Iokim e la gente di Cozeba, Ioas e Saraf, che dominarono in Moab e poi tornarono in Betlemme. Ma si tratta di fatti antichi. ²³Erano vasai e abitavano a Netaim e a Ghedera; abitavano là con il re, al suo servizio.

²⁴Figli di Simeone: Nemuel, Iamin, Iarib, Zerach, Saul, ²⁵di cui fu figlio Sallum, di cui fu figlio Mibsam, di cui fu figlio Misma. ²⁶Figli di Misma: Cammuel, di cui fu figlio Zaccur, di cui fu figlio Simei. ²⁷Simei ebbe sedici figli e sei figlie, ma i suoi fratelli ebbero pochi figli; le loro famiglie non si moltiplicarono come quelle dei discendenti di Giuda. ²⁸Si stabili-

rono in Bersabea, in Molada, in Cazar-Sual, ²⁹in Bila, in Ezem, in Tolad, ³⁰in Betuel, in Corma, in Ziklag, ³¹in Bet-Marcabot, in Cazar-Susim, in Bet-Birei e in Saaraim. Queste furono le loro città fino al regno di Davide. ³²Loro villaggi erano Etam, Ain, Rimmon, Tochen e Asan: cinque città ³³e tutti i villaggi dei loro dintorni fino a Baal. Questa era la loro sede e questi i loro nomi nei registri genealogici.

³⁴Mesobab, Iamlech, Iosa, figlio di Amasia, ³⁵Gioele, Ieu, figlio di Iosibia, figlio di Seraia, figlio di Asiel, ³⁶Elioenai, Iaakoba, Iesocaia, Asaia, Adiel, Iesimiel, Benaia, ³⁷Ziza, figlio di Sifei, figlio di Allon, figlio di Iedaia, figlio di Simri, figlio di Semaia. ³⁸Questi, elencati per nome, erano capi nelle loro famiglie; i loro casati si estesero moltissimo. ³⁹Andarono verso l'ingresso di Ghedor fino a oriente della valle, in cerca di pascoli per i loro greggi. ⁴⁰Trovarono pascoli pingui ed eccellenti; la regione era vasta, tranquilla e quieta, poiché quelli che vi abitavano prima erano discendenti di Cam. ⁴¹Ma gli uomini elencati per nome, al tempo di Ezechia, re di Giuda, andarono a distruggere le loro tende e i Meuniti che si trovavano là; li votarono ad uno sterminio che dura fino ad oggi, e si stabilirono nel loro territorio, perché era ricco di pascoli per i loro greggi. ⁴²Alcuni di essi, fra i discendenti di Simeone, si recarono sulla montagna di Seir. Erano cinquecento uomini, comandati da Pelatia, Nearia, Refaia e Uzziel, figli di Isei. ⁴³Costoro eliminarono i superstiti degli Amaleciti e si stabilirono là fino al giorno d'oggi.

I DISCENDENTI DI RUBEN, GAD, MANASSE E LEVI

5 ¹Figli di Ruben, primogenito d'Israele. Egli infatti era il primogenito, ma siccome aveva profanato il letto di suo padre, il suo diritto di primogenitura fu dato ai figli di Giuseppe, figlio di Israele. Però nel registro genealogico non si tenne conto della primogenitura, ²perché Giuda prevalse sui suoi

---

5. - 2. Il diritto di primogenitura, che comportava la preminenza sui *fratelli* e la doppia parte nell'eredità, fu tolto a Ruben per il suo misfatto (Gn 35,22; 49,4). La preminenza fu attribuita a Giuda, da cui dovevano uscire i re e il Messia, e la doppia parte a Giuseppe, nella persona dei suoi due figli, Efraim e Manasse, capostipiti delle relative tribù.

fratelli e uno dei suoi discendenti divenne capo; tuttavia la primogenitura appartiene a Giuseppe.

³Figli di Ruben, primogenito d'Israele: Enoch, Pallu, Chezron e Carmi.

⁴Figli di Gioele: Semaia, di cui fu figlio Gog, di cui fu figlio Simei, ⁵di cui fu figlio Mica, di cui fu figlio Reaia, di cui fu figlio Baal, ⁶di cui fu figlio Beera, che fu deportato nella deportazione di Tiglat-Pilezer, re d'Assiria; egli era il capo dei Rubeniti.

⁷Suoi fratelli, secondo le loro famiglie, come sono iscritti nelle genealogie, furono: primo Ieiel, quindi Zaccaria ⁸e Bela, figlio di Azaz, figlio di Sema, figlio di Gioele, che dimorava in Aroer e fino al Nebo e a Baal-Meon. ⁹A oriente si estendevano fra l'inizio del deserto che va dal fiume Eufrate in qua, perché i loro greggi erano numerosi nel paese di Galaad. ¹⁰Al tempo di Saul mossero guerra agli Agareni; caduti questi nelle loro mani, essi si stabilirono nelle loro tende, su tutta la parte orientale di Galaad.

¹¹I figli di Gad dimoravano di fronte, nella regione di Basan fino a Salca: ¹²Gioele, il capo, Safam, secondo, quindi Iaanai e Safat in Basan. ¹³Loro fratelli, secondo i loro casati, furono Michele, Mesullam, Seba, Iorai, Iaacan, Zia ed Eber: sette. ¹⁴Costoro erano figli di Abicail, figlio di Curi, figlio di Iaroach, figlio di Galaad, figlio di Michele, figlio di Iesisai, figlio di Iacdo, figlio di Buz. ¹⁵Achi, figlio di Abdiel, figlio di Guni, era il capo del loro casato. ¹⁶Dimoravano in Galaad, in Basan e nelle loro dipendenze e in tutti i pascoli di Saron, fino ai loro estremi confini. ¹⁷Tutti questi furono registrati al tempo di Iotam, re di Giuda, e al tempo di Geroboamo, re d'Israele.

¹⁸I figli di Ruben, di Gad e della mezza tribù di Manasse avevano gente valorosa, uomini che portavano scudo e spada, tiravano l'arco ed erano addestrati alla guerra; potevano uscire in campo in quarantaquattromilasettecentosessanta.

¹⁹Tutti questi mossero guerra agli Agareni, a Ietur, a Nafis e a Nodab. ²⁰Essi erano stati aiutati contro costoro, perché avevano invocato Dio durante il combattimento. Pro-

prio perché avevano avuto fiducia in lui, Dio li esaudì e così gli Agareni e tutti i loro alleati furono consegnati in loro potere. ²¹Catturarono anche gli armenti degli Agareni: cinquantamila cammelli, duecentocinquantamila pecore, duemila asini. Catturarono pure centomila persone, ²²giacché molti furono i feriti a morte, dato che la guerra era stata condotta da Dio. Essi si stabilirono nel loro territorio fino all'esilio.

²³I figli di metà della tribù di Manasse abitavano nella regione che da Basan si estendeva fino a Baal-Ermon, a Senir e al monte Ermon; essi erano numerosi. ²⁴Questi i capi dei loro casati: Efer, Isei, Eliel, Azriel, Geremia, Odavia e Iacdiel, uomini valorosi e famosi, capi dei loro casati.

²⁵Ma furono infedeli al Dio dei loro padri, prostituendosi agli dèi delle popolazioni indigene, che Dio aveva distrutte davanti a essi. ²⁶Il Dio di Israele eccitò lo spirito di Pul, re d'Assiria, cioè lo spirito di Tiglat-Pilezer, re d'Assiria, che deportò i Rubeniti, i Gaditi e metà della tribù di Manasse; li condusse in Calàch, presso Cabor, fiume del Gozan, ove rimangono ancora.

²⁷Figli di Levi: Gherson, Keat e Merari. ²⁸Figli di Keat: Amram, Isear, Ebron e Uzziel. ²⁹Figli di Amram: Aronne, Mosè e Maria. Figli di Aronne: Nadab, Abiu, Eleazaro e Itamar. ³⁰Eleazaro generò Finees; Finees generò Abisua; ³¹Abisua generò Bukki; Bukki generò Uzzi; ³²Uzzi generò Zerachia; Zerachia generò Meraiot; ³³Meraiot generò Amaria; Amaria generò Achitob; ³⁴Achitob generò Zadok; Zadok generò Achimaaz; ³⁵Achimaaz generò Azaria; Azaria generò Giovanni; ³⁶Giovanni generò Azaria, che fu sacerdote nel tempio costruito da Salomone in Gerusalemme. ³⁷Azaria generò Amaria; Amaria generò Achitob; ³⁸Achitob generò Zadok; Zadok generò Sallum; ³⁹Sallum generò Chelkia; Chelkia generò Azaria; ⁴⁰Azaria generò Seraia; Seraia generò Iozadak. ⁴¹Iozadak partì quando il Signore, per mezzo di Nabucodonosor, fece deportare Giuda e Gerusalemme.

---

16. *Saron* è il nome fenicio del monte Ermon, al confine nord-est delle terre abitate dagli Israeliti. I Gaditi potevano arrivare sino là nell'occupazione del loro territorio.

26. *Tiglat-Pilezer* III, re d'Assiria, nel 729 conquistò Babilonia. Come re di Babilonia assunse il nome di *Pul*. Il *Cabor* è un affluente di sinistra dell'Eufrate.

ALTRI DISCENDENTI DI LEVI

6 ¹Figli di Levi: Gherson, Keat e Merari. ²Questi sono i nomi dei figli di Gherson: Libni e Simei. ³Figli di Keat: Amram, Isear,

Ebron e Uzziel. ⁴Figli di Merari: Macli e Musi; queste sono le famiglie di Levi secondo i loro casati.

⁵Gherson ebbe per figlio Libni, di cui fu figlio Iacat, di cui fu figlio Zimma, ⁶di cui fu figlio Ioach, di cui fu figlio Iddo, di cui fu figlio Zerach, di cui fu figlio Ieotrai.

⁷Figli di Keat: Amminadab, di cui fu figlio Core, di cui fu figlio Assir, ⁸di cui fu figlio Elkana, di cui fu figlio Abiasaf, di cui fu figlio Assir, ⁹di cui fu figlio Tacat, di cui fu figlio Uriel, di cui fu figlio Ozia, di cui fu figlio Saul. ¹⁰Figli di Elkana: Amasai e Achimot, ¹¹di cui fu figlio Elkana, di cui fu figlio Sufai, di cui fu figlio Nacat, ¹²di cui fu figlio Eliab, di cui fu figlio Ierocam, di cui fu figlio Elkana. ¹³Figli di Samuele: Gioele, primogenito e Abia, secondo.

¹⁴Figli di Merari: Macli, di cui fu figlio Libni, di cui fu figlio Simei, di cui fu figlio Uzza, ¹⁵di cui fu figlio Simea, di cui fu figlio Agghiia, di cui fu figlio Asaia.

¹⁶Ecco coloro ai quali Davide affidò la direzione del canto nel tempio, dopo che l'arca aveva trovato una sistemazione. ¹⁷Essi esercitarono l'ufficio di cantori davanti alla Dimora della tenda del convegno finché Salomone non costruì il tempio in Gerusalemme. Nel servizio si attenevano alla regola fissata per loro.

¹⁸Questi furono gli incaricati e questi i loro figli. Dei Keatiti: Eman il cantore, figlio di Gioele, figlio di Samuele, ¹⁹figlio di Elkana, figlio di Ierocam, figlio di Eliel, figlio di Toach, ²⁰figlio di Zuf, figlio di Elkana, figlio di Macat, figlio di Amasai, ²¹figlio di Elkana, figlio di Gioele, figlio di Azaria, figlio di Sofonia, ²²figlio di Tacat, figlio di Assir, figlio di Abiasaf, figlio di Core, ²³figlio di Isear, figlio di Keat, figlio di Levi, figlio di Israele. ²⁴Suo collega era Asaf, che stava alla sua destra: Asaf, figlio di Berechia, figlio di Simea, ²⁵figlio di Michele, figlio di Baasea, figlio di Malchia, ²⁶figlio di Etni, figlio di Zerach, figlio di Adaia, ²⁷figlio di Etan, figlio di Zimma, figlio di Simei, ²⁸figlio di Iacat, figlio di Gherson, figlio di Levi.

²⁹I figli di Merari, loro colleghi, che stavano alla sinistra, erano Etan, figlio di Kisi, figlio di Abdi, figlio di Malluch, ³⁰figlio di Casabia, figlio di Amasia, figlio di Chilkia, ³¹figlio di Amsi, figlio di Bani, figlio di Semer, ³²figlio di Macli, figlio di Musi, figlio di Merari, figlio di Levi.

³³I leviti, loro fratelli, erano addetti a ogni servizio della Dimora del tempio di Dio, ³⁴mentre Aronne e i suoi figli presentavano le offerte sull'altare dell'olocausto e sull'altare dell'incenso; inoltre curavano tutto il servizio del Santo dei Santi e compivano il sacrificio espiatorio per Israele, secondo quanto aveva ordinato Mosè, servo di Dio. ³⁵Questi sono i figli di Aronne: Eleazaro, di cui fu figlio Finees, di cui fu figlio Abisua, ³⁶di cui fu figlio Bukki, di cui fu figlio Uzzi, di cui fu figlio Zerachia, ³⁷di cui fu figlio Meraiot, di cui fu figlio Amaria, di cui fu figlio Achitob, ³⁸di cui fu figlio Zadok, di cui fu figlio Achimaaz. ³⁹Queste sono le loro residenze secondo le loro circoscrizioni nei rispettivi territori. Ai figli di Aronne della famiglia dei Keatiti, che furono sorteggiati per primi, ⁴⁰fu assegnata Ebron, nel territorio di Giuda, con i pascoli dei dintorni; ⁴¹mentre la campagna dipendente dalla città e i suoi villaggi furono assegnati a Caleb, figlio di Iefunne. ⁴²Ai figli di Aronne furono assegnate anche Ebron, città di rifugio, Libna con i suoi pascoli, Iattir, Estemoa con i suoi pascoli, ⁴³Chilez con i suoi pascoli, Debir con i suoi pascoli, ⁴⁴Asan con i suoi pascoli, Bet-Semes con i suoi pascoli, ⁴⁵e, nella tribù di Beniamino, Gheba con i suoi pascoli, Alemet con i suoi pascoli, Anatot con i suoi pascoli; in totale tredici città con i loro pascoli. ⁴⁶Ai rimanenti figli di Keat, secondo le loro famiglie, toccarono in sorte dieci città prese dalla tribù di Efraim, dalla tribù di Dan e da metà della tribù di Manasse. ⁴⁷Ai figli di Gherson, secondo le loro famiglie, furono assegnate tredici città prese dalla tribù di Issacar, dalla tribù di Aser, dalla tribù di Neftali e dall'altra metà della tribù di Manasse che si trova nel Basan. ⁴⁸Ai figli di Merari, secondo le loro famiglie, toccarono in sorte dodici città prese dalla tribù di Ruben, dalla tribù di Gad e dalla tribù di Zabulon.

⁴⁹Gli Israeliti diedero ai Leviti queste città con i loro pascoli. ⁵⁰Queste città, designate per nome, furono assegnate con sorteggio prendendole dalle tribù dei figli di Giuda, dei figli di Simeone e dei figli di Beniamino. ⁵¹Alle famiglie dei figli di Keat furono assegnate con sorteggio città appartenenti alla

6. - 51-66. Per le città levitiche toccate in sorte ai discendenti di Aronne, cfr. Gs 21,4-42, che ne dà un elenco più completo.

tribù di Efraim. ⁵²Furono loro assegnate la città di rifugio Sichem con i suoi pascoli, nella montagna di Efraim, Ghezer con i suoi pascoli, ⁵³Iokmeam con i suoi pascoli, Bet-Oron con i suoi pascoli, ⁵⁴Aialon con i suoi pascoli, Gat-Rimmon con i suoi pascoli, ⁵⁵e, da metà della tribù di Manasse, Taanach con i suoi pascoli, Ibleam con i suoi pascoli. Queste città erano per la famiglia degli altri figli di Keat.

⁵⁶Ai figli di Gherson, secondo le loro famiglie, toccarono in sorte, da metà della tribù di Manasse: Golan nel Basan con i suoi pascoli, Astarot con i suoi pascoli; ⁵⁷dalla tribù di Issacar: Kedes con i suoi pascoli, Daberat con i suoi pascoli, ⁵⁸Iarmut con i suoi pascoli e Anem con i suoi pascoli; ⁵⁹dalla tribù di Aser: Masal con i suoi pascoli, Abdon con i suoi pascoli, ⁶⁰Cukok con i suoi pascoli e Recob con i suoi pascoli; ⁶¹dalla tribù di Neftali: Kedes in Galilea con i suoi pascoli, Ammon con i suoi pascoli e Kiriataim con i suoi pascoli.

⁶²Agli altri figli di Merari toccarono in sorte, dalla tribù di Zabulon: Rimmon con i suoi pascoli e Tabor con i suoi pascoli; ⁶³al di là del Giordano verso Gerico, ad oriente del Giordano, dalla tribù di Ruben: Bezer nel deserto con i suoi pascoli, Iaaz con i suoi pascoli, ⁶⁴Kedemot con i suoi pascoli, Mefaat con i suoi pascoli; ⁶⁵dalla tribù di Gad: Ramot di Galaad con i suoi pascoli, Macanaim con i suoi pascoli, ⁶⁶Chesbon con i suoi pascoli e Iazer con i suoi pascoli.

I DISCENDENTI DELLE ALTRE TRIBÙ

7 ¹Figli di Issacar: Tola, Pua, Iasub e Simron: quattro. ²Figli di Tola: Uzzi, Refaia, Ieriel, Iacmai, Ibsam e Samuele, capi dei casati di Tola, prodi guerrieri, il cui numero, secondo la loro discendenza, al tempo di Davide era di ventiduemilaseicento. ³Figli di Uzzi: Izrachia. Figli di Izrachia: Michele, Abdia, Gioele… Issia: cinque, tutti capi. ⁴Ad essi, divisi secondo la loro discendenza per casati, spettava fornire schiere armate per la guerra, cioè trentaseimila uomini,

poiché avevano un gran numero di donne e di bambini. ⁵I loro fratelli, appartenenti a tutte le famiglie di Issacar, erano valorosi guerrieri: ottantasettemila in tutto, secondo la loro registrazione.

⁶Figli di Beniamino: Bela, Becher e Iedaiel: tre. ⁷Figli di Bela: Ezbon, Uzzi, Uzziel, Ierimot, Iri: cinque capi dei loro casati, uomini valorosi; ne furono censiti ventiduemilatrentaquattro. ⁸Figli di Becher: Zemira, Ioas, Eliezer, Elioenai, Omri, Ieremot, Abia, Anatot e Alemet; tutti costoro erano figli di Becher. ⁹Il loro censimento, eseguito secondo le loro genealogie in base ai capi dei loro casati, indicò ventimiladuecento uomini valorosi. ¹⁰Figli di Iedaiel: Bilan. Figli di Bilan: Ieus, Beniamino, Eud, Kenaana, Zetan, Tarsis e Achisacar. ¹¹Tutti questi erano figli di Iedaiel, capi dei loro casati, uomini valorosi, in numero di diciassettemiladuecento, pronti per una spedizione militare e per combattere.

¹²Suppim e Cuppim, figli di Ir; Cusim, figlio di Acher. ¹³Figli di Neftali: Iacaziel, Guni, Ieser e Sallum, figli di Bila. ¹⁴Figli di Manasse: Asriel, partoritogli dalla concubina aramea, che partorì anche Machir, padre di Galaad. ¹⁵Machir prese una moglie per Cuppim e Suppim; sua sorella si chiamava Maaca. Il secondo figlio si chiamava Zelofcad; Zelofcad aveva figlie. ¹⁶Maaca, moglie di Machir, partorì un figlio che chiamò Peres, mentre suo fratello si chiamava Seres; suoi figli erano Ulam e Rekem. ¹⁷Figli di Ulam: Bedan. Questi furono i figli di Galaad, figlio di Machir, figlio di Manasse. ¹⁸La sua sorella Ammoleket partorì Iseod, Abiezer e Macla. ¹⁹Figli di Semida furono Achian, Seken, Likchi e Aniam. ²⁰Figli di Efraim: Sutelach, di cui fu figlio Bered, di cui fu figlio Tacat, di cui fu figlio Eleada, di cui fu figlio Tacat, ²¹di cui fu figlio Zabad, di cui furono figli Sutelach, Ezer ed Elead, uccisi dagli uomini di Gat, indigeni della regione, perché erano scesi a razziarne il bestiame. ²²Il loro padre Efraim li pianse per molti giorni e i suoi fratelli vennero per consolarlo. ²³Quindi si unì alla moglie che rimase incinta e partorì un figlio che il padre chiamò Beria, perché nato con la sventura in casa. ²⁴Figlia di Efraim fu Seera, la quale edificò Bet-Oron inferiore e superiore e Uzen-Seera. ²⁵Suo figlio fu anche Refach, di cui fu figlio Resef, di cui fu figlio Telach, di cui fu figlio Tacan, ²⁶di

---

7. - 3. Uno dei cinque è sparito dal testo.

6. I *figli di Beniamino* con discendenza sono ridotti a tre a causa della guerra condotta da Israele contro Beniamino (Gdc 20,46).

cui fu figlio Laadan, di cui fu figlio Amiud, di cui fu figlio Elisama, ²⁷di cui fu figlio Nun, di cui fu figlio Giosuè. ²⁸Loro proprietà e loro domicilio furono Betel con le dipendenze, a oriente Naaran, a occidente Ghezer con le dipendenze, Sichem con le dipendenze fino ad Aiia con le dipendenze. ²⁹Appartenevano ai figli di Manasse: Bet-Sean con le dipendenze, Taanach con le dipendenze e Dor con le dipendenze. In queste località abitavano i figli di Giuseppe, figlio di Israele. ³⁰Figli di Aser: Imna, Isva, Isvi, Beria e Serach, loro sorella. ³¹Figli di Beria: Eber e Malchiel, padre di Birzait. ³²Eber generò Iaflet, Semer, Cotam e Sua, loro sorella. ³³Figli di Iaflet: Pasach, Bimeal e Asvat; questi furono i figli di Iaflet. ³⁴Figli di Semer, suo fratello: Roga, Cubba e Aram. ³⁵Figli di Chelem, suo fratello: Zofach, Imna, Seles e Amal. ³⁶Figli di Zofach: Such, Carnefer, Sual, Beri, Imra, ³⁷Bezer, Od, Samma, Silsa, Itran e Beera. ³⁸Figli di Ieter: Iefunne, Pispa e Ara. ³⁹Figli di Ulla: Arach, Caniel e Rizia. ⁴⁰Tutti costoro furono figli di Aser, capi di casati, uomini scelti e valorosi, capi tra i principi. Nel loro censimento, eseguito in base alla capacità militare, risultarono ventiseimila uomini.

ALTRI DISCENDENTI DI BENIAMINO

8 ¹Beniamino generò Bela, suo primogenito, Asbel, secondo, Airam, terzo, ²Noca, quarto e Rafa, quinto. ³Bela ebbe i figli Addar, Ghera, padre di Ecud, ⁴Abisua, Naaman, Acoach, ⁵Ghera, Sepufan e Curam. ⁶Questi furono i figli di Ecud, che erano capi di casati fra gli abitanti di Gheba e che furono deportati in Manacat: ⁷Naaman, Achia e Ghera, che li deportò e generò Uzza e Achiud. ⁸Sacaraim ebbe figli nei campi di Moab, dopo aver ripudiato le mogli Cusim e Baara. ⁹Da Codes, sua moglie, generò Iobab, Zibia, Mesa, Melcam, ¹⁰Ieus, Sachia e Mirma. Questi furono i suoi figli, capi di casati. ¹¹Da Cusim generò Abitub ed Elpaal. ¹²Figli di Elpaal: Eber, Miseam e Semed, che costruì Ono e Lidda con le dipendenze. ¹³Beria e Sema, che furono capi di casati fra gli abitanti di Aialon, misero in fuga gli abitanti di Gat. ¹⁴Loro fratelli: Sasak e Ieremot. ¹⁵Zebadia, Arad, Ader, ¹⁶Michele, Ispa e Ioca erano figli di Beria. ¹⁷Zebadia, Mesullam, Chizki, Cheber, ¹⁸Ismerai, Izlia e Iobab

erano figli di Elpaal. ¹⁹Iakim, Zikri, Zabdi, ²⁰Elianai, Silletai, Eliel, ²¹Adaia, Beraia e Simrat erano figli di Simei. ²²Ispan, Eber, Eliel, ²³Abdon, Zikri, Canan, ²⁴Anania, Elam, Antotia, ²⁵Ifdia e Penuel erano figli di Sasak. ²⁶Samserai, Secaria, Atalia, ²⁷Iaaresia, Elia e Zikri erano figli di Ierocam. ²⁸Questi erano capi di casati, secondo le loro genealogie; essi abitavano in Gerusalemme.

²⁹In Gabaon abitava il padre di Gabaon; sua moglie si chiamava Maaca, ³⁰il primogenito era Abdon, poi Zur, Kis, Baal, Ner, Nadab, ³¹Ghedor, Achio, Zeker e Miklot. ³²Miklot generò Simea. Anche costoro abitavano in Gerusalemme accanto ai fratelli.

³³Ner generò Kis; Kis generò Saul; Saul generò Gionata, Malkisua, Abinadab e Is-Baal. ³⁴Figlio di Gionata fu Merib-Baal; Merib-Baal generò Mica. ³⁵Figli di Mica: Piton, Melech, Tarea e Acaz. ³⁶Acaz generò Ioadda; Ioadda generò Alemet, Azmavet e Zimri; Zimri generò Moza. ³⁷Moza generò Binea, di cui fu figlio Refaia, di cui fu figlio Eleasa, di cui fu figlio Azel. ³⁸Azel ebbe sei figli, che si chiamavano Azrikam, Bocru, Ismaele, Searia, Abdia e Canan; tutti questi erano figli di Azel. ³⁹Figli di Esek, suo fratello: Ulam, primogenito, Ieus, secondo, Elifelet, terzo. ⁴⁰I figli di Ulam erano uomini valorosi e tiratori d'arco. Ebbero numerosi figli e nipoti: centocinquanta. Tutti questi erano discendenti di Beniamino.

GLI ABITANTI DI GERUSALEMME

9 ¹Tutti gli Israeliti furono registrati per genealogie e iscritti nel libro dei re d'Israele e di Giuda; per le loro colpe furono deportati in Babilonia. ²I primi abitanti che si erano ristabiliti nelle loro proprietà, nelle loro città, erano Israeliti, sacerdoti, leviti e oblati. ³In Gerusalemme abitavano figli di Giuda, di Beniamino, di Efraim e di Manasse. ⁴Figli di Giuda: Utai figlio di Ammiud, figlio di Omri, figlio di Imri, figlio di Bani dei figli di Perez, figlio di Giuda. ⁵Dei Siloniti Asaia, il primogenito, e i suoi figli. ⁶Dei figli di Zerach: Ieuel e seicentonovanta suoi fratelli. ⁷Dei figli di Beniamino: Sallu, figlio di Mesullam, figlio di Odavia, figlio di Assenua, ⁸Ibnia, figlio di Ierocam, Ela, figlio di Uzzi, figlio di Micri, e Mesullam, figlio di Sefatia, figlio di Reuel, figlio di Ibnia. ⁹I loro fratelli,

secondo le loro genealogie, erano nove-centocinquantasei; tutti costoro erano capi delle loro famiglie.

[10]Dei sacerdoti: Iedaia, Ioarib, Iachin [11]e Azaria, figlio di Chelkia, figlio di Mesullam, figlio di Zadok, figlio di Meraiot, figlio di Achitub, capo del tempio, [12]Adaia, figlio di Ierocam, figlio di Pascur, figlio di Malchia, e Maasai, figlio di Adiel, figlio di Iaczera, figlio di Mesullam, figlio di Mesillemit, figlio di Immer. [13]I loro fratelli, capi dei loro casati, erano millesettecentosessanta uomini abili in ogni lavoro per il servizio del tempio.

[14]Dei leviti: Semaia, figlio di Cassub, figlio di Azrikam, figlio di Casabia dei figli di Merari, [15]Bakbakar, Cheresh, Galal, Mattania, figlio di Mica, figlio di Zikri, figlio di Asaf, [16]Abdia, figlio di Semaia, figlio di Galal, figlio di Idutun, e Berechia, figlio di Asa, figlio di Elkana, che abitava nei villaggi dei Netofatiti.

[17]Dei portieri: Sallum, Akkub, Talmon, Achiman e i loro fratelli. Sallum era il capo. [18]Egli presta servizio ancora adesso alla porta del re, ad oriente. Questi erano i portieri dell'accampamento dei figli di Levi: [19]Sallum, figlio di Kore, figlio di Abiasaf, figlio di Korach, e i suoi fratelli, i Korachiti, della casa di suo padre, dovevano prestare servizio come guardiani della soglia della tenda; i loro padri erano stati preposti all'accampamento del Signore come custodi dell'ingresso. [20]Finees, figlio di Eleazaro, era stato un tempo il loro capo – il Signore sia con lui! –. [21]Zaccaria, figlio di Meselemia, era portiere all'entrata della tenda del convegno.

[22]Tutti coloro che erano stati scelti come portieri delle soglie erano duecentododici; erano iscritti nelle genealogie dei loro villaggi. Furono stabiliti in questo ufficio da Davide e dal veggente Samuele, grazie alla loro fedeltà. [23]Essi e i loro figli erano preposti alle porte del tempio del Signore, cioè nella casa della tenda, ai posti di guardia. [24]I portieri si trovavano ai quattro punti cardinali: oriente, occidente, settentrione e mezzogiorno. [25]I loro fratelli, che abitavano nei villaggi, dovevano venire di tanto in tanto presso di loro per sette giorni, [26]perché solo

quei quattro capi portieri rimanevano sempre in funzione. C'erano dei leviti preposti alle camere e ai tesori del tempio di Dio. [27]Passavano la notte nelle adiacenze del tempio di Dio, perché essi erano incaricati della sua custodia e della sua apertura ogni mattina. [28]Alcuni di essi erano preposti agli oggetti del culto, che contavano quando li portavano fuori e quando li riportavano dentro. [29]Altri inoltre erano incaricati del mobilio e di tutto l'arredo del santuario, della farina, del vino, dell'olio, dell'incenso e degli aromi; [30]ma erano alcuni figli di sacerdoti che preparavano le sostanze aromatiche per i profumi. [31]Uno dei leviti, Mattatia, primogenito di Sallum, il korahita, era preposto in permanenza alla preparazione di ciò che si cuoce nei tegami. [32]Alcuni dei loro fratelli, figli dei Keatiti, avevano cura dei pani dell'offerta, da preparare ogni sabato.

[33]Questi erano i cantori, capi dei casati levitici; liberi da ogni altro servizio, dimoravano nelle camere del tempio perché giorno e notte dovevano attendere al loro ufficio. [34]Erano i capi delle famiglie levitiche, secondo le loro genealogie, e abitavano in Gerusalemme.

[35]A Gabaon abitava il padre di Gabaon, Ieiel. Sua moglie si chiamava Maaca. [36]Suo figlio primogenito fu Abdon, quindi Zur, Kis, Baal, Ner, Nadab, [37]Ghedor, Achio, Zaccaria e Miklot. [38]Miklot generò Simeam. Anche costoro abitavano insieme ai loro fratelli in Gerusalemme, accanto ad essi. [39]Ner generò Kis; Kis generò Saul; Saul generò Gionata, Malkisua, Abinadab e Is-Baal. [40]Figlio di Gionata era Merib-Baal; Merib-Baal generò Mica. [41]Figli di Mica: Piton, Melech, Tarea. [42]Acaz generò Iaara; Iaara generò Alemet, Azmavet e Zimri; Zimri generò Moza. [43]Moza generò Binea, che ebbe per figlio Refaia, che ebbe per figlio Eleasa, che ebbe per figlio Azel. [44]Azel ebbe sei figli e questi sono i loro nomi: Azrikam, Bocru, Ismaele, Searia, Abdia e Canan; questi erano figli di Azel.

SCONFITTA E MORTE DI SAUL

10 [1]I Filistei combatterono contro Israele; gli Israeliti si diedero alla fuga davanti ai Filistei, ma caddero, feriti a morte, sul monte Gelboe. [2]I Filistei, inseguendo Saul e i suoi figli, uccisero Gionata, Abinadab e Malkisua, figli di Saul. [3]Poi

9. - 20. Dai tempi di Mosè si passa bruscamente a Davide. L'autore, infatti, vuole esaltare due istituzioni: la dinastia davidica, depositaria delle promesse divine, e il sacerdozio di Aronne, da cui discendono i legittimi sommi sacerdoti che raggiunsero il loro splendore ai tempi di Davide e poi nel servizio al tempio.

la battaglia divampò contro Saul; gli arcieri lo scoprirono ed egli ebbe paura di fronte ad essi. [4]Allora Saul disse al suo scudiero: «Sfodera la tua spada e trafiggimi, altrimenti verranno quegli incirconcisi e si prenderanno beffe di me». Ma lo scudiero non volle, perché aveva gran timore. Allora Saul, presa la spada, si gettò su di essa. [5]Quando lo scudiero vide che Saul era morto, si gettò anch'egli sulla spada e morì. [6]Così perì Saul con i tre figli; tutta la sua famiglia perì con lui. [7]Quando tutti gli Israeliti della valle si accorsero che i loro erano fuggiti e che Saul e i suoi figli erano periti, abbandonarono le loro città dandosi alla fuga. Vennero i Filistei e vi presero dimora.

[8]Il giorno dopo i Filistei, venuti per spogliare gli uccisi, trovarono Saul e i suoi figli che giacevano morti sul monte Gelboe. [9]Lo spogliarono portandogli via la testa e le armi, quindi inviarono messaggeri per tutta la regione filistea ad annunciare la vittoria ai loro idoli e al popolo. [10]Depositarono le sue armi nel tempio del loro dio, mentre inchiodarono il suo cranio nel tempio di Dagon.

[11]Quando gli abitanti di Iabes ebbero appreso tutto ciò che i Filistei avevano fatto a Saul, [12]si levarono tutti i guerrieri, prelevarono il cadavere di Saul e i cadaveri dei suoi figli e li trasportarono a Iabes; quindi seppellirono le loro ossa sotto la quercia di Iabes e digiunarono per sette giorni. [13]Saul morì a causa della sua infedeltà al Signore, perché non aveva osservato la parola del Signore e perché aveva consultato una negromante per interrogarla. [14]Non aveva consultato il Signore; per questo il Signore lo fece morire e trasferì il regno a Davide, figlio di Iesse.

DAVIDE È CONSACRATO
RE DI TUTTO ISRAELE

11 [1]Tutti gli Israeliti si radunarono presso Davide a Ebron e gli dissero: «Ecco, noi siamo tue ossa e tua carne. [2]Già nel passato, quando regnava Saul, tu guidavi Israele nei suoi movimenti. Inoltre il Signore tuo Dio ti ha promesso: Tu pascerai il mio popolo Israele, e sarai capo del mio popolo Israele». [3]Tutti gli anziani d'Israele si radunarono presso il re a

Ebron, e Davide concluse con loro un'alleanza in Ebron al cospetto del Signore. Allora unsero Davide come re su Israele, secondo la parola pronunciata dal Signore per mezzo di Samuele.

[4]Poi Davide con tutto Israele marciò contro Gerusalemme, cioè Gebus. Là risiedevano i Gebusei, abitanti della regione. [5]Gli abitanti di Gebus dissero a Davide: «Non entrerai qui». Ma Davide espugnò la fortezza di Sion, che è la città di Davide. [6]Egli aveva detto: «Chi colpirà per primo i Gebusei, diventerà capo e principe». Salì per primo Ioab, figlio di Zeruia, che divenne così capo. [7]Davide si stabilì nella fortezza, che per questo fu chiamata città di Davide. [8]Riedificò poi la città tutt'intorno, dal Millo fino alla periferia, mentre Ioab restaurò il resto della città. [9]Davide diventava sempre più potente e il Signore degli eserciti era con lui.

[10]Questi sono i capi degli eroi di Davide, che insieme a lui divennero potenti nel suo regno e insieme con tutto Israele lo avevano fatto re secondo la parola del Signore nei riguardi d'Israele. [11]Ecco l'elenco degli eroi di Davide: Iasobeam, figlio di un cacmonita, capo dei Tre; è colui che brandì la lancia contro trecento vittime in una sola volta. [12]Dopo di lui Eleazaro, figlio di Dodo, l'acochita; era uno dei Tre eroi. [13]Si trovò insieme a Davide a Pas-Dammim, dove i Filistei si erano radunati per far guerra e dove c'era un appezzamento di terra pieno d'orzo. Mentre la truppa fuggiva di fronte ai Filistei, [14]egli si piantò in mezzo a quel tratto di campo e lo difese, colpendo i Filistei. Così il Signore operò una grande vittoria.

[15]Tre dei Trenta capi scesero sulla roccia presso Davide, nella fortezza di Adullam, mentre il campo dei Filistei si era stabilito nella valle di Refaim. [16]Davide si trovava allora nella fortezza, mentre un presidio dei Filistei si trovava a Betlemme. [17]Davide ebbe un desiderio che formulò così: «Chi mi darà da bere acqua della cisterna di Betlemme, che si trova presso la porta?».

[18]I Tre, allora, fatta irruzione nel campo dei Filistei, attinsero l'acqua dalla cisterna di Betlemme, che si trova presso la porta, e

11. - 4-8. *Gerusalemme*, detta allora anche *Gebus*, fino a Davide era in potere dei Gebusei. Davide la scelse come capitale per la sua buona posizione. *Ioab*, già capo dell'esercito, forse divenne governatore di Gerusalemme e così si spiegano i suoi lavori nella città.

la portarono a Davide, che però non volle berla e la versò in libagione al Signore. ¹⁹Egli disse: «Mi guardi il mio Dio dal fare una cosa simile! Posso forse bere il sangue di quegli uomini insieme col prezzo della loro vita? Difatti mi hanno portato l'acqua a rischio della loro vita». Per questo non volle berla. Ecco ciò che compirono i Tre eroi.
²⁰Abisai, fratello di Ioab, era capo dei Trenta. Egli brandì la sua lancia contro trecento vittime, facendosi un nome fra i Trenta. ²¹Fu doppiamente stimato fra i Trenta e divenne loro capo, ma non eguagliò i Tre. ²²Benaia, da Kabzeel, figlio di Ioiada, uomo valoroso e pieno di prodezze, uccise i due figli di Ariel di Moab; inoltre egli in un giorno di neve discese in una cisterna e vi abbatté un leone. ²³Fu lui che uccise anche un Egiziano dalla statura alta cinque cubiti, che teneva in mano una lancia come un subbio da tessitore. Egli scese contro di lui con un bastone, strappò la lancia dalla mano dell'Egiziano e lo uccise con la sua stessa lancia. ²⁴Ecco ciò che compì Benaia, figlio di Ioiada; egli si fece un nome fra i Trenta eroi. ²⁵Fu molto onorato fra i Trenta, ma non eguagliò i Tre. Davide lo costituì capo della sua guardia del corpo.
²⁶Ecco gli eroi valorosi: Asael, fratello di Ioab; Elcanan, figlio di Dodo, di Betlemme; ²⁷Sammot di Carod; Chelez il pelonita; ²⁸Ira, figlio di Ikkes, di Tekoa; Abiezer di Anatot; ²⁹Sibbekai di Cusa; Ilai di Acoch; ³⁰Marai di Netofa; Cheled, figlio di Baana, di Netofa; ³¹Itai, figlio di Ribai, di Gabaa dei figli di Beniamino; Benaia di Piraton; ³²Curai di Nacale-Gaas; Abiel di Arbat; ³³Azmavet di Bacurim; Eliacba di Saalbon; ³⁴Iasen di Gun; Gionata, figlio di Saghe, di Charar; ³⁵Achiam, figlio di Sacar, di Carar; Elifelet, figlio di Ur; ³⁶Efer di Mechera; Achia il pelonita; ³⁷Chezro del Carmelo; Naarai, figlio di Ezbai; ³⁸Gioele, fratello di Natan; Mibcar, figlio di Agri; ³⁹Zelek l'ammonita; Nacrai di Berot, scudiero di Ioab, figlio di Zeruia; ⁴⁰Ira di Ieter; Gareb di Ieter; ⁴¹Uria l'hittita; Zabad, figlio di Aclai; ⁴²Adina, figlio di Siza il rubenita, capo dei Rubeniti, e con lui altri trenta; ⁴³Canan, figlio di Maaca; Giosafat di Meten; ⁴⁴Uzzia di Astarot; Sama e Ieiel, figli di Cotam di Aroer; ⁴⁵Iediael, figlio di Simri, e Ioca suo fratello, di Tisi; ⁴⁶Eliel di Macavim; Ieribai e Osea, figli di Elnaam; Itma il moabita; ⁴⁷Eliel, Obed e Iaasiel di Zoba.

I PRIMI SEGUACI DI DAVIDE

12 ¹Questi sono gli uomini che andarono da Davide a Ziklag, quando ancora fuggiva dalla presenza di Saul, figlio di Kis. Essi erano i prodi che lo aiutavano in guerra, ²usavano l'arco e si servivano della mano destra e della sinistra per lanciare pietre e per tirare frecce con l'arco; erano della tribù di Beniamino, fratelli di Saul: ³Achiezer, il capo, e Ioas, figli di Semaa, di Gabaa; Ieziel e Pelet, figli di Azmavet, Beraca e Ieu di Anatot; ⁴Ismaia di Gabaon, prode fra i Trenta e capo dei Trenta; ⁵Geremia, Iacaziel, Giovanni e Iozabad di Ghedera; ⁶Eleuzai, Ierimot, Bealia, Semaria, Sefatia di Carif; ⁷Elkana, Issia, Azarel, Ioezer, Iosgibeam, korachiti; ⁸Oela e Zebadia, figli di Ierocam, di Ghedor.
⁹Dei Gaditi alcuni uomini passarono a Davide nella fortezza del deserto; erano uomini prodi, guerrieri pronti a combattere, che maneggiavano lo scudo e la lancia; avevano l'aspetto del leone ed erano agili come le gazzelle sui monti. ¹⁰Ezer era il capo, Abdia il secondo, Eliab il terzo, ¹¹Mismanna il quarto, Geremia il quinto, ¹²Attai il sesto, Eliel il settimo, ¹³Giovanni l'ottavo, Elzabad il nono, ¹⁴Geremia il decimo, Makbannai l'undicesimo. ¹⁵Costoro erano discendenti di Gad, capi dell'esercito; il minore ne comandava cento e il maggiore mille. ¹⁶Questi sono coloro che passarono il Giordano nel primo mese, mentre era in piena su tutte le rive, e misero in fuga tutti gli abitanti delle vallate, a oriente e a occidente. ¹⁷Alcuni dei figli di Beniamino e di Giuda andarono da Davide, fino alla sua fortezza. ¹⁸Questi mosse loro incontro e, presa la parola, disse loro: «Se siete venuti da me con propositi di pace per aiutarmi, sono disposto ad unirmi a voi; ma se è per tradirmi e consegnarmi ai miei avversari, benché le mie mani non abbiano commesso nessun atto di violenza, il Dio dei nostri padri veda e punisca». ¹⁹Allora lo spirito investì Amasai, capo dei Trenta:

«Siamo tuoi, Davide;
con te, figlio di Iesse!
Pace, pace a te
e pace a chi ti aiuta,
perché è il tuo Dio che ti aiuta».

Davide li accolse e li costituì capi delle schiere.

²⁰Alcuni di Manasse passarono a Davide, quando insieme ai Filistei marciava in guerra contro Saul. Egli però non li aiutò perché, tenendo consiglio, i capi dei Filistei lo rimandarono dicendo: «A prezzo delle nostre teste, egli passerebbe a Saul, suo signore». ²¹Mentre si dirigeva verso Ziklag si unirono a lui dalla tribù di Manasse: Adnach, Iozabad, Iediael, Michele, Iozabad, Eliu e Zilletai, capi di migliaia nella tribù di Manasse. ²²Costoro aiutarono Davide contro i banditi, perché erano tutti uomini valorosi, e divennero capi dell'esercito. ²³Ogni giorno, infatti, alcuni passavano dalla parte di Davide per aiutarlo, cosicché il suo divenne un accampamento gigantesco.

²⁴Queste sono le cifre dei capi equipaggiati per l'esercito, che passarono a Davide in Ebron per trasferirgli, secondo l'ordine del Signore, il regno di Saul. ²⁵Dei figli di Giuda, che portavano scudo e lancia: seimilaottocento armati. ²⁶Dei figli di Simeone, uomini valorosi in guerra: settemilacento.

²⁷Dei figli di Levi: quattromilaseicento, ²⁸inoltre Ioiada, principe della famiglia di Aronne, e con lui tremilasettecento, ²⁹e Zadok, giovane valoroso, e il suo casato con i ventidue capi. ³⁰Dei figli di Beniamino, fratelli di Saul: tremila; fino allora la maggior parte di essi era rimasta al servizio della casa di Saul. ³¹Dei figli di Efraim: ventimilaottocento uomini valorosi, rinomati nei loro casati. ³²Della metà della tribù di Manasse: diciottomila, designati singolarmente per partecipare alla nomina di Davide a re. ³³Dei figli di Issacar, che conoscevano bene i tempi e sapevano che cosa doveva fare Israele: duecento capi e tutti i loro fratelli ai loro ordini. ³⁴Di Zabulon: cinquantamila uomini arruolati in un esercito, pronti per la battaglia con tutte le armi da guerra e disposti ad aiutare senza doppiezza. ³⁵Di Neftali: mille capi e con essi trentasettemila uomini equipaggiati di scudo e di lancia. ³⁶Dei Daniti: ventottomilaseicento uomini pronti per la battaglia. ³⁷Di Aser: quarantamila, arruolati in un esercito, pronti per la battaglia. ³⁸Della Transgiordania, cioè dei Rubeniti, dei Gaditi e della metà della tribù di Manasse: centoventimila uomini dotati di tutte le armi da guerra.

³⁹Tutti costoro, guerrieri pronti a marciare, si presentarono con cuore leale in Ebron per proclamare Davide re su tutto Israele; anche tutto il resto d'Israele era unanime nel proclamare re Davide. ⁴⁰Rimasero là con Davide tre giorni, mangiando e bevendo quanto i loro fratelli avevano provveduto per loro. ⁴¹Anche i loro vicini e persino da Issacar, da Zabulon e da Neftali, avevano portato viveri a dorso di asini, cammelli, muli e buoi, approvvigionamenti di farina, pizze di fichi secchi, uva passa, vino, olio, buoi e pecore in abbondanza, perché c'era festa in Israele.

IL TRASPORTO DELL'ARCA DELL'ALLEANZA

13 ¹Davide tenne consiglio con i capi di migliaia e di centinaia e con tutti i principi. ²A tutta l'assemblea d'Israele Davide disse: «Se vi sembra bene e se il Signore nostro Dio lo consente, comunichiamo ai nostri fratelli, che sono rimasti in tutte le regioni d'Israele, e con loro anche ai sacerdoti e ai leviti nelle città della loro residenza, di radunarsi presso di noi. ³Allora riporteremo l'arca del nostro Dio presso di noi, perché non ce ne siamo più curati sin dal tempo di Saul». ⁴Tutta l'assemblea approvò di fare così, perché la proposta parve giusta agli occhi di tutto il popolo. ⁵Davide convocò tutto Israele, da Sicor d'Egitto fino all'ingresso di Camat, per riportare l'arca di Dio da Kiriat-Iearim. ⁶Davide con tutto Israele salì a Baala verso Kiriat-Iearim, che apparteneva a Giuda, per prendere di là l'arca di Dio che portava questo nome: Il Signore che siede sui cherubini. ⁷Dalla casa di Abinadab trasportarono l'arca di Dio su un carro nuovo. Uzza e Achio guidavano il carro. ⁸Davide e tutto Israele danzavano davanti a Dio con tutto l'entusiasmo, cantando e suonando cetre, arpe, tamburi, cembali e trombe. ⁹Giunti all'aia di Chidon, Uzza stese la mano per trattenere l'arca, perché i buoi l'avevano fatta barcol-

---

13. - 1. Tale *consiglio* avvenne dopo la presa di Gerusalemme. Davide propose ai rappresentanti della nazione di fare del centro politico anche il centro religioso.

lare. [10]Allora l'ira del Signore si infiammò contro Uzza e lo colpì perché aveva steso la mano sull'arca. Egli morì lì, al cospetto di Dio. [11]Davide si afflisse perché il Signore si era irritato contro Uzza e chiamò quel luogo Perez-Uzza, nome in uso ancora oggi.

[12]In quel giorno Davide, avendo avuto paura di Dio, esclamò: «Come potrei condurre presso di me l'arca di Dio?». [13]Così Davide non fece trasportare l'arca presso di sé nella città di Davide, ma la diresse verso la casa di Obed-Edom di Gat. [14]L'arca di Dio rimase nella casa di Obed-Edom tre mesi. Il Signore benedisse la casa di Obed-Edom e tutto quello che gli apparteneva.

DAVIDE SCONFIGGE I FILISTEI

14 [1]Chiram, re di Tiro, inviò dei messaggeri a Davide con legname di cedro, muratori e falegnami per costruirgli una casa. [2]Allora Davide riconobbe che il Signore l'aveva stabilito re su Israele, e che il suo regno, a motivo del suo popolo Israele, era grandemente esaltato.

[3]Davide si prese altre mogli in Gerusalemme e generò figli e figlie. [4]Questi sono i nomi dei figli che egli ebbe in Gerusalemme: Sammua, Sobab, Natan, Salomone, [5]Ibcar, Elisua, Elipelet, [6]Noga, Nefeg, Iafia, [7]Elisama, Beeliada ed Elifelet.

[8]Quando i Filistei vennero a sapere che Davide era stato unto re su tutto Israele, salirono tutti per impadronirsi di lui. Appena ne fu informato, Davide uscì loro incontro. [9]I Filistei giunsero e si sparpagliarono per la valle di Refaim. [10]Davide consultò Dio, dicendo: «Se marcio contro i Filistei, tu li consegnerai in mio potere?». Il Signore gli rispose: «Marcia, perché io li consegnerò in tuo potere». [11]Quelli vennero a Baal-Perazim e là Davide li sconfisse. Allora egli disse: «Dio ha aperto per mio mezzo una breccia tra i miei nemici, come una breccia prodotta dall'acqua». Perciò mise a questo luogo il nome di Baal-Perazim. [12]I Filistei vi abbandonarono i loro idoli e Davide ordinò che venissero bruciati nel fuoco.

[13]Quando poi i Filistei ricominciarono a sparpagliarsi per la vallata, [14]Davide consultò di nuovo Dio, che gli rispose: «Non inseguirli, aggirali a distanza e raggiungili dalla parte di Becaim. [15]Quando sentirai un rumore di passi fra le cime degli alberi, allora uscirai a combattere, perché Dio uscirà davanti a te per sconfiggere l'accampamento dei Filistei». [16]Davide fece come Dio gli aveva ordinato e sconfisse l'esercito dei Filistei da Gabaon fino a Ghezer. [17]La fama di Davide si diffuse in tutti i paesi, mentre il Signore lo faceva temere da tutte le nazioni.

L'ARCA COLLOCATA IN GERUSALEMME

1Cr

15 [1]Davide si costruì edifici nella città di Davide, preparò il posto per l'arca di Dio e le eresse una tenda. [2]Poi Davide disse: «Per portare l'arca di Dio non ci sono che i leviti, poiché il Signore li ha scelti per portare l'arca del Signore ed essere per sempre al suo servizio». [3]Davide convocò tutto Israele in Gerusalemme per trasportare l'arca del Signore nel posto che le aveva preparato. [4]Davide radunò i figli di Aronne e i leviti. [5]Dei figli di Keat: Uriel, il capo, con i suoi centoventi fratelli. [6]Dei figli di Merari: Asaia, il capo, con i suoi duecentoventi fratelli. [7]Dei figli di Gherson: Gioele, il capo, con i suoi centotrenta fratelli. [8]Dei figli di Elisafan: Semaia, il capo, con i suoi duecento fratelli. [9]Dei figli di Ebron: Eliel, il capo, con i suoi ottanta fratelli. [10]Dei figli di Uzziel: Amminadab, il capo, con i suoi centodieci fratelli.

[11]Davide chiamò i sacerdoti Zadok ed Ebiatar e i leviti Uriel, Asaia, Gioele, Semaia, Eliel e Amminadab [12]e disse loro: «Voi siete i capi dei casati dei leviti. Santificatevi, voi e i vostri fratelli, e poi trasportate l'arca del Signore, Dio d'Israele, nel posto che io le ho preparato. [13]Poiché la prima volta voi non c'eravate, il Signore nostro Dio s'irritò con noi, perché non l'abbiamo consultato secondo la legge». [14]Allora i sacerdoti e i leviti si santificarono per trasportare l'arca del Signore, Dio d'Israele. [15]I figli dei leviti sollevarono l'arca di Dio sulle loro spalle per mezzo di stanghe che poggiavano su di loro, come aveva ordinato Mosè, secondo

15. - 1. Cfr. 2Sam 6. Durante i tre mesi tra il primo e il secondo trasferimento (1Cr 13,1-14), Davide *preparò il posto*, *eresse una tenda*, poi fece osservare in tutto la legge (Nm 1,50; 4,5-15) incaricando i sacerdoti di portare l'arca.

la parola del Signore. [16]Davide aveva ordinato ai capi dei leviti di tenere pronti i loro fratelli cantori con i loro strumenti musicali, arpe, cetre e cembali, perché li facessero risuonare a gran voce in segno di gioia.
[17]I leviti destinarono Eman, figlio di Gioele, e tra i suoi fratelli Asaf, figlio di Berechia; tra i figli di Merari, loro fratelli, Etan, figlio di Kusaia. [18]Con loro c'erano i fratelli di secondo grado, Zaccaria, Uzziel, Semiramot, Iechiel, Unni, Eliel, Benaia, Maaseia, Mattatia, Elifel, Micneia, Obed-Edom e Ieiel, portieri. [19]I cantori Eman, Asaf ed Etan usavano squillanti cembali di bronzo. [20]Zaccaria, Uzziel, Semiramot, Iechiel, Unni, Eliab, Maaseia e Benaia suonavano arpe per voci di soprano.
[21]Mattatia, Elifel, Micneia, Obed-Edom, Ieiel e Azaria suonavano le cetre sull'ottava per dare il tono. [22]Chenania, capo dei leviti trasportatori, dirigeva il trasporto, perché in ciò era esperto. [23]Berechia ed Elkana fungevano da portieri presso l'arca. [24]I sacerdoti Sebania, Giosafat, Netaneel, Amasai, Zaccaria, Benaia ed Eliezer suonavano le trombe davanti all'arca di Dio, mentre Obed-Edom e Iechiel fungevano da portieri presso l'arca.
[25]Allora Davide, gli anziani d'Israele e i capi di migliaia procedettero a trasportare con gioia l'arca dell'alleanza del Signore dalla casa di Obed-Edom. [26]Poiché Dio assisteva i leviti che portavano l'arca dell'alleanza del Signore, si offrirono in sacrificio sette giovenchi e sette arieti. [27]Davide era rivestito di un manto di bisso, come anche tutti i leviti portatori dell'arca, i cantori e Chenania, capo del trasporto. Davide inoltre portava un efod di lino. [28]Tutto Israele accompagnava il trasporto dell'arca dell'alleanza del Signore con grida, al suono dei corni, con trombe e cembali, facendo risuonare arpe e cetre. [29]Quando l'arca dell'alleanza del Signore giunse nella città di Davide, Mical, figlia di Saul, guardando dalla finestra, vide il re Davide che danzava e saltava e lo disprezzò in cuor suo.

LA SOLENNE LITURGIA DAVANTI ALL'ARCA

16 [1]Così l'arca di Dio fu introdotta e collocata in mezzo alla tenda che Davide aveva eretto per essa, poi furono offerti olocausti e sacrifici di comunione a Dio. [2]Quando Davide ebbe finito di offrire gli olocausti e i sacrifici di comunione, benedisse il popolo nel nome del Signore [3]e distribuì singolarmente a tutti gli Israeliti, uomini e donne, una pagnotta, carne arrostita e una schiacciata di uva passa. [4]Egli stabilì che alcuni leviti stessero davanti all'arca di Dio come ministri per celebrare, glorificare e lodare il Signore, Dio d'Israele: [5]Asaf, il capo, Zaccaria, il suo secondo, Uzziel, Semiramot, Iechiel, Mattatia, Eliab, Benaia, Obed-Edom e Ieiel, che suonavano strumenti musicali, arpe e cetre; Asaf suonava i cembali.
[6]I sacerdoti Benaia e Iacaziel suonavano continuamente le trombe davanti all'arca dell'alleanza di Dio. [7]Proprio in quel giorno Davide affidò per la prima volta ad Asaf e ai suoi fratelli questa lode al Signore:

[8] «Celebrate il Signore,
   invocate il suo nome;
   fate conoscere tra i popoli le sue gesta!
[9] Cantate a lui, inneggiate in suo onore,
   parlate di tutte le sue meraviglie.
[10] Gloriatevi nel suo santo nome,
   si rallegri il cuore di quanti cercano
   il Signore.
[11] Cercate il Signore e la sua potenza,
   ricercate sempre il suo volto.
[12] Ricordate le meraviglie che egli operò,
   i prodigi e le sentenze della sua bocca,
[13] progenie di Israele, suo servo,
   figli di Giacobbe, suoi eletti!
[14] Egli, il Signore, è il nostro Dio,
   su tutta la terra sono i suoi giudizi.
[15] Ricordatevi sempre della sua alleanza,
   della parola data a mille generazioni,
[16] dell'alleanza conclusa con Abramo,
   del giuramento fatto ad Isacco,
[17] confermato a Giacobbe
   come uno statuto
   e a Israele come un'alleanza eterna,
[18] dicendo: A te darò il paese di Canaan
   come vostra porzione di eredità,
[19] anche se siete un piccolo numero,
   pochi e inoltre stranieri nel paese.
[20] Passarono da una nazione all'altra
   e da un regno ad un altro popolo.
[21] Non permise che alcuno li opprimesse,
   anzi per causa loro punì dei re:
[22] Non toccate i miei consacrati
   e non fate del male ai miei profeti.

²³ Cantate al Signore, o voi tutti della terra,
    annunciate di giorno in giorno
        la sua salvezza!

²⁴ Proclamate fra le nazioni la sua gloria,
    fra tutti i popoli i suoi prodigi,

²⁵ perché il Signore è grande e degnissimo
        di lode,
    tremando sopra tutti gli dèi.

²⁶ Tutti gli dèi delle nazioni sono un nulla,
    mentre il Signore ha fatto i cieli.

²⁷ Splendore e maestà stanno davanti
        a lui,
    potenza e bellezza nel suo santuario.

²⁸ Rendete al Signore, o famiglie
        dei popoli,
    rendete al Signore gloria e potenza!

²⁹ Rendete al Signore la gloria
        del suo nome,
    portate offerte e venite al suo cospetto!
    Adorate il Signore in ornamenti sacri!

³⁰ Trema davanti a lui, o terra tutta,
    egli rende stabile il mondo,
        così che non vacilli.

³¹ Si rallegrino i cieli ed esulti la terra,
    e dicano fra le nazioni: Il Signore regna!

³² Frema il mare e ciò che lo riempie,
    gioisca la campagna con quanto contiene!

³³ Allora grideranno di giubilo
    gli alberi della foresta
    di fronte al Signore, perché viene
        per giudicare la terra.

³⁴ Celebrate il Signore,
        perché egli è buono,
    perché eterna è la sua bontà.

³⁵ Dite: Salvaci, Dio della nostra salvezza;
    raccoglici e liberaci dalle nazioni,
    perché possiamo celebrare
        il tuo santo nome
    e gloriarci della tua lode.

³⁶ Benedetto il Signore Dio d'Israele
    da sempre e per sempre».

E tutto il popolo disse: «Amen, alleluia».
³⁷Quindi Davide lasciò Asaf e i suoi fratelli davanti all'arca dell'alleanza del Signore, perché officiassero davanti all'arca secondo il rito quotidiano; ³⁸lasciò anche Obed-Edom con i suoi fratelli, in numero di sessantotto. Obed-Edom, figlio di Idutun, e

Cosa erano portieri. ³⁹Al sacerdote Zadok e ai suoi fratelli sacerdoti affidò il servizio della Dimora del Signore, che era sull'altura di Gabaon, ⁴⁰perché offrissero olocausti al Signore sull'altare degli olocausti per sempre, al mattino e alla sera, secondo quanto è scritto nella legge che il Signore aveva ordinato a Israele. ⁴¹Con loro erano Eman, Idutun e tutti gli altri scelti e designati per nome perché lodassero il Signore, «perché eterna è la sua bontà». ⁴²Essi avevano trombe e cembali per suonare e altri strumenti per il canto divino. I figli di Idutun stavano invece alla porta. ⁴³Infine tutto il popolo fece ritorno nella propria casa; e Davide ritornò per benedire la sua famiglia.

1Cr

LA PROFEZIA DI NATAN

17 ¹Quando Davide si stabilì nella sua casa, disse al profeta Natan: «Ecco, io dimoro in una casa di cedro, mentre l'arca dell'alleanza del Signore si trova sotto una tenda». ²Natan rispose a Davide: «Fa' quanto hai intenzione di fare, perché Dio è con te». ³Ma in quella stessa notte la parola di Dio fu rivolta a Natan in questi termini: ⁴«Va' a dire a Davide, mio servo: Così parla il Signore: Non sarai tu a costruirmi la casa in cui abitare. ⁵Difatti io non ho mai abitato in una casa dal giorno in cui feci uscire Israele dall'Egitto fino ad oggi; passai da una tenda all'altra, da una dimora all'altra. ⁶Per tutto il tempo in cui ho peregrinato insieme a tutto Israele, ho forse detto a qualcuno dei giudici d'Israele, cui avevo ordinato di pascere il mio popolo: Perché non mi costruite una casa di cedro? ⁷Ora così dirai al mio servo Davide: Così dice il Signore degli eserciti: Io ti ho preso dal pascolo, dietro al gregge, per costituirti principe sul mio popolo Israele. ⁸Sono stato con te in tutte le tue imprese, ho sterminato davanti a te tutti i tuoi nemici; ti farò un nome come quello dei grandi che sono sulla terra. ⁹Troverò un posto per il mio popolo Israele; ivi lo pianterò e vi dimorerà senza che sia più sballottato e i malvagi continuino a molestarlo come per il passato, ¹⁰da quando ho stabilito i giudici sul mio popolo Israele. Umilierò tutti i tuoi nemici, mentre renderò grande te. Infatti il Signore ti costruirà una

---

17. - 1-2. Desiderio di Davide era di costruire un tempio, ma Dio, nella sua bontà, volle lui per primo assicurare una "casa" a Davide: non solo un palazzo, ma una discendenza regale (cfr. 2Sam 7).

10. *Costruire una casa* qui significa dare una discendenza.

casa. ¹¹Quando si compiranno i tuoi giorni e tu te ne andrai con i tuoi padri, io stabilirò dopo di te un tuo discendente, uno dei tuoi figli, e consoliderò il suo regno. ¹²Costui mi costruirà una casa, mentre io renderò saldo il suo trono per sempre. ¹³Io sarò per lui un padre ed egli sarà per me un figlio; non ritirerò da lui il mio favore come l'ho ritirato dal tuo predecessore. ¹⁴Lo farò stare per sempre nella mia casa, nel mio regno, e il suo trono sarà stabile per sempre».

¹⁵Natan parlò a Davide secondo tutte queste parole e secondo questa visione.

¹⁶Allora il re Davide si presentò davanti al Signore e disse: «Chi sono io, o Signore Dio, e che cosa è la mia casa, perché tu mi abbia condotto fin qui? ¹⁷Eppure ciò è apparso poco ai tuoi occhi, o Dio, ed ecco che ora tu fai promesse alla casa del tuo servo per il futuro e mi hai considerato come si considera un uomo di alto rango, o Signore Dio! ¹⁸Che cosa potrebbe ancora aggiungere Davide alla tua gloria? Tu conosci il tuo servo.

¹⁹Signore, per amore del tuo servo e secondo il tuo cuore, hai compiuto quest'opera straordinaria per far conoscere tutte le tue grandezze! ²⁰Signore, non c'è nessuno simile a te e all'infuori di te non esiste Dio, come abbiamo udito con le nostre orecchie. ²¹C'è sulla terra un solo popolo come il tuo popolo, Israele, che Dio sia andato a riscattare per farne il suo popolo e acquistarsi un nome grande e tremendo? Tu hai scacciato le nazioni davanti al tuo popolo che hai riscattato dall'Egitto. ²²Hai deciso che il tuo popolo Israele fosse il tuo popolo per sempre, e tu, Signore, sei stato il loro Dio. ²³E ora, o Signore, la parola che hai pronunciato sul tuo servo e sulla sua famiglia rimanga salda per sempre! Fa' come hai detto! ²⁴Sia saldo e diventi grande il tuo nome per sempre, perché si possa dire: Il Signore degli eserciti è Dio per Israele e la casa di Davide, tuo servo, sarà stabile davanti a te. ²⁵Tu, Dio mio, hai rivelato al tuo servo che gli avresti costruito una casa: per questo il tuo servo ha trovato il coraggio di pregare al tuo cospetto. ²⁶Ora tu, o Signore, sei Dio e hai promesso questo bene al tuo servo. ²⁷Pertanto ti piaccia di benedire la casa del tuo servo, perché sussista per sempre al tuo cospetto, poiché, Signore, quanto tu benedici, sarà benedetto in eterno».

GUERRE E VITTORIE DI DAVIDE

18 ¹Dopo ciò Davide sconfisse i Filistei, li sottomise e tolse loro Gat con le sue dipendenze. ²Quindi sconfisse Moab, e i Moabiti divennero vassalli e tributari di Davide. ³Davide inoltre sconfisse Adad-Ezer, re di Zoba, verso Camat, mentre si recava a stabilire il suo dominio sul fiume Eufrate. ⁴Davide gli prese mille carri, settemila cavalieri e ventimila fanti; tagliò i garretti a tutti i cavalli, risparmiandone un centinaio. ⁵Gli Aramei di Damasco vennero in aiuto di Adad-Ezer, re di Zoba, ma Davide uccise ventiduemila di questi Aramei. ⁶Davide stabilì governatori nell'Aram di Damasco e gli Aramei divennero vassalli e tributari di Davide. Il Signore concesse la vittoria a Davide in ogni sua impresa. ⁷Egli prese anche gli scudi d'oro portati dagli ufficiali di Adad-Ezer e li trasportò a Gerusalemme. ⁸Da Tibcat e da Cun, città di Adad-Ezer, Davide asportò una grande quantità di bronzo, con cui Salomone costruì il mare di bronzo, le colonne e le suppellettili di bronzo.

⁹Quando Tou, re di Camat, ebbe udito che Davide aveva sconfitto tutto l'esercito di Adad-Ezer, re di Zoba, ¹⁰inviò Adoram suo figlio al re Davide per salutarlo e per felicitarsi di aver combattuto e vinto Adad-Ezer; infatti Tou era sempre in guerra con Adad-Ezer. Adoram portava con sé oggetti d'oro, d'argento e di bronzo. ¹¹Anche questi oggetti il re Davide consacrò al Signore insieme con l'argento e l'oro che aveva preso da tutti i popoli, cioè da Edom, da Moab, dagli Ammoniti, dai Filistei e dagli Amaleciti. ¹²Abisai, figlio di Zeruia, sconfisse nella Valle del sale diciottomila Idumei. ¹³Davide pose guarnigioni in Edom e tutti gli Idumei divennero suoi vassalli. Il Signore rendeva Davide vittorioso in ogni sua impresa.

¹⁴Davide regnò su tutto Israele e rese giustizia con le sue sentenze a tutto il popolo. ¹⁵Ioab, figlio di Zeruia, era comandante dell'esercito; Giosafat, figlio di Achilud, era archivista. ¹⁶Zadok, figlio di Achitub, e Abimelech, figlio di Ebiatar, erano sacerdoti, mentre Savsa era scriba. ¹⁷Benaia, figlio di

11-14. Questo passo riguarda sotto qualche aspetto Salomone, ma soprattutto, specie nei vv. 13-14, il Messia, figlio di Davide e di Dio, che avrà in eterno il regno universale.

Ioiada, comandava i Cretei e i Peletei; i figli di Davide poi erano i primi a fianco del re.

LA PRIMA CAMPAGNA CONTRO GLI AMMONITI

19 ¹Dopo ciò morì Nacas, re degli Ammoniti, e al suo posto divenne re suo figlio. ²Allora Davide disse: «Userò benevolenza con Canun, figlio di Nacas, perché anche suo padre fu benevolo con me». Davide gli inviò messaggeri per consolarlo della morte del padre. I ministri di Davide giunsero nel paese degli Ammoniti presso Canun per consolarlo. ³Ma i capi degli Ammoniti dissero a Canun: «Forse che Davide intende onorare tuo padre davanti ai tuoi occhi, inviandoti dei consolatori? Questi suoi ministri non sono invece venuti da te per spiare, per informarsi e per esplorare il paese?». ⁴Canun allora prese i ministri di Davide, li fece rasare e, dopo aver tagliato a metà le loro vesti fino alle natiche, li rimandò. ⁵Alcuni andarono ad informare Davide su quanto era accaduto a quegli uomini. Poiché costoro provavano grande vergogna, il re mandò ad incontrarli e fece dire loro: «Rimanete a Gerico, finché non rispunti la vostra barba, poi farete ritorno». ⁶Gli Ammoniti, accortisi di essere venuti in odio a Davide, inviarono, essi e Canun, mille talenti d'argento per assoldare carri e cavalieri nel paese dei due fiumi, in Aram Maaca e in Zoba. ⁷Assoldarono trentaduemila carri e il re di Maaca con il suo esercito, che vennero ad accamparsi di fronte a Madaba; intanto gli Ammoniti si erano radunati dalle loro città e si erano mossi per la guerra. ⁸Quando Davide lo venne a sapere, inviò Ioab con tutta la truppa dei prodi. ⁹Gli Ammoniti uscirono e si disposero in ordine di battaglia davanti alla città, mentre i re che erano convenuti stavano a parte, nella campagna. ¹⁰Quando Ioab si accorse che aveva un fronte di battaglia davanti e di dietro, scelse i migliori d'Israele e li schierò

contro gli Aramei. ¹¹Il resto del suo esercito lo affidò ad Abisai suo fratello, che lo schierò contro gli Ammoniti. ¹²Gli disse: «Se gli Aramei avranno il sopravvento su di me, tu verrai in mio aiuto; se invece gli Ammoniti prevarranno su di te, io verrò in tuo aiuto. ¹³Coraggio! Dimostriamoci forti per il nostro popolo e per le città del nostro Dio; il Signore faccia ciò che gli piacerà!». ¹⁴Ioab e la truppa che era con lui si mossero verso gli Aramei per ingaggiare battaglia, ma questi fuggirono davanti a lui. ¹⁵Quando gli Ammoniti si accorsero che gli Aramei si erano dati alla fuga, fuggirono anch'essi davanti ad Abisai, fratello di Ioab, rientrando in città. Allora Ioab ritornò a Gerusalemme.

¹⁶Gli Aramei, visto che erano stati battuti da Israele, inviarono messaggeri e fecero venire gli Aramei che si trovavano al di là del fiume; alla loro testa era Sofach, capo dell'esercito di Adad-Ezer. ¹⁷Quando ciò fu riferito a Davide, egli radunò tutto Israele e, attraversato il Giordano, li raggiunse e si schierò contro di loro. Davide si dispose per la battaglia contro gli Aramei che lo attaccarono. ¹⁸Gli Aramei fuggirono davanti a Israele, e Davide uccise tra gli Aramei settemila cavalieri e quarantamila fanti. Uccise anche Sofach, capo dell'esercito. ¹⁹Gli ufficiali di Adad-Ezer, visto che erano stati battuti dagli Israeliti, fecero la pace con Davide, sottomettendosi a lui. Gli Aramei non vollero più recare aiuto agli Ammoniti.

LA SECONDA CAMPAGNA CONTRO GLI AMMONITI

20 ¹All'inizio dell'anno successivo, al tempo in cui i re sogliono uscire in guerra, Ioab, alla guida di un forte esercito, devastò il paese degli Ammoniti, quindi andò ad assediare Rabba, mentre Davide se ne stava a Gerusalemme. Ioab espugnò Rabba e la distrusse. ²Davide prese dal capo di Milcom il diadema e trovò che pesava un talento d'oro; in esso era incastonata una pietra preziosa. Il diadema fu posto sul capo di Davide; questi portò via un ingente bottino dalla città. ³Deportò anche la popolazione che si trovava in essa e l'impiegò a squadrare le pietre e nei lavori con picconi di ferro e con asce. In questo modo Davide si comportò con tutte

---

20. - 1. *Se ne stava a Gerusalemme*: Davide andò a Rabba soltanto per la conquista finale: vi fu invitato da Ioab, affinché la gloria fosse attribuita al re. Fu durante questa campagna che Davide commise adulterio con Betsabea (cfr. 2Sam 11).

le città degli Ammoniti. Quindi Davide con tutti i suoi fece ritorno a Gerusalemme.
⁴In seguito ci fu a Ghezer una battaglia contro i Filistei. Allora Sibbekai di Cusa abbatté Sippai, uno dei discendenti dei Refaim. I Filistei furono assoggettati. ⁵Ci fu un'altra guerra con i Filistei. Elcanan, figlio di Iair, uccise Lacmi, fratello di Golia di Gat, l'asta della cui lancia era come il fuso dei tessitori. ⁶Ci fu ancora un combattimento a Gat, dove si trovava un uomo altissimo che aveva le dita a sei a sei, cioè ventiquattro in tutto. Anch'egli discendeva da Rafa. ⁷Questi ingiuriò Israele e Gionata, figlio di Simea, fratello di Davide, lo uccise. ⁸Questi uomini erano discendenti di Rafa in Gat; essi caddero per mano di Davide e dei suoi ufficiali.

IL CENSIMENTO DEL POPOLO E LA PUNIZIONE DIVINA

21 ¹Satana insorse contro Israele e spinse Davide a fare il censimento d'Israele. ²Davide ordinò a Ioab e ai capi del popolo: «Andate, contate gli Israeliti da Bersabea a Dan; quindi fatemi il rapporto, perché conosca il loro numero». ³Ioab rispose: «Il Signore aumenti il suo popolo cento volte tanto! Ma essi, o mio signore, non sono già forse tutti sudditi del mio signore? Perché il mio signore fa questa inchiesta? Perché si dovrebbe imputare una colpa ad Israele?». ⁴Ma il comando del re prevalse su Ioab, il quale, partito, percorse tutto Israele; quindi fece ritorno a Gerusalemme.
⁵Ioab consegnò a Davide il numero del censimento del popolo. Tutto Israele contava un milione e centomila uomini capaci di maneggiare la spada; Giuda aveva quattrocentosettantamila uomini capaci di maneggiare la spada. ⁶Fra costoro Ioab non censì i leviti né la tribù di Beniamino, perché l'ordine del re gli sembrava abominevole.
⁷Il fatto dispiacque agli occhi di Dio, che perciò colpì Israele. ⁸Davide disse a Dio: «Ho peccato gravemente compiendo quest'azione. Ora, ti prego, perdona la colpa del tuo servo, perché ho agito con grande stoltezza!».
⁹Allora il Signore disse a Gad, veggente di Davide ¹⁰«Riferisci a Davide: Così dice il Signore: Ti propongo tre cose, scegliti una di queste e io te la concederò». ¹¹Gad si

presentò a Davide e gli riferì: «Così dice il Signore: ¹²Scegli fra tre anni di carestia, tre mesi di fuga per te davanti ai tuoi nemici, sotto i colpi della spada dei tuoi avversari, e tre giorni di spada del Signore, ossia la peste che si diffonde nel paese, con l'angelo del Signore che porta lo sterminio in tutto il territorio di Israele. Decidi ciò che debbo rispondere a colui che mi manda». ¹³Davide disse a Gad: «Sono molto angustiato! Ebbene, che io cada nelle mani del Signore, la cui misericordia è grandissima, ma che non cada nelle mani degli uomini!». ¹⁴Così il Signore inviò la peste in Israele; morirono settantamila Israeliti. ¹⁵Dio mandò un angelo in Gerusalemme per distruggerla. Ma, come questi stava per distruggerla, il Signore volse lo sguardo e si pentì della sciagura minacciata. Egli disse all'angelo sterminatore: «Ora basta! Ritira la tua mano!».
L'angelo del Signore stava ritto presso l'aia di Ornan, il gebuseo. ¹⁶Davide alzò gli occhi e vide l'angelo del Signore che stava ritto fra terra e cielo con in mano la spada sguainata, puntata verso Gerusalemme. Allora Davide e gli anziani, vestiti di sacco, si prostrarono con la faccia a terra. ¹⁷Davide disse a Dio: «Non sono forse stato io ad ordinare che si facesse il censimento del popolo? Io ho peccato e commesso il male, mentre costoro, il gregge, che cosa hanno fatto? Signore, Dio mio, la tua mano sia sopra di me e la mia famiglia, ma non colpisca il tuo popolo!».
¹⁸Allora l'angelo del Signore ordinò a Gad di dire a Davide che salisse ad erigere un altare al Signore nell'aia di Ornan, il gebuseo. ¹⁹Davide vi salì secondo l'ordine di Gad, comunicatogli in nome del Signore.
²⁰Ornan si voltò e vide l'angelo; i suoi quattro figli, che erano con lui, si nascosero. Ornan stava battendo il grano, ²¹quando Davide gli si avvicinò. Ornan guardò e, riconosciuto Davide, uscì dall'aia e si prostrò davanti a lui con la faccia a terra. ²²Davide disse a Ornan: «Cedimi il terreno dell'aia, perché vi possa costruire un altare al Signore; cedimelo per tutto il suo valore, così che il flagello cessi di infierire sul popolo». ²³Ornan disse a Davide: «Prenditelo! Il re mio signore ne faccia ciò che gli sembra bene. Ecco, in più ti offro i buoi per gli olocausti, le trebbie per la legna e il grano per l'oblazione; io ti offro tutto!». ²⁴Il re Davide rispose ad Ornan: «No! Lo voglio acquistare per tutto il

suo valore in denaro, perché non voglio presentare al Signore ciò che appartiene a te, per offrirlo al Signore in olocausto gratuitamente». ²⁵Davide diede ad Ornan per il terreno il prezzo di seicento sicli d'oro. ²⁶Quindi Davide vi eresse un altare al Signore, vi offrì olocausti e sacrifici di comunione e invocò il Signore, che rispose con il fuoco disceso dal cielo sull'altare dell'olocausto.

²⁷Allora il Signore ordinò all'angelo e questi rimise la spada nel fodero. ²⁸Poi, visto che il Signore l'aveva esaudito nell'aia di Ornan, il gebuseo, Davide offrì là un sacrificio. ²⁹La Dimora del Signore, eretta da Mosè nel deserto, e l'altare dell'olocausto si trovavano in quel tempo sull'altura di Gabaon, ³⁰ma Davide non osava recarsi là per consultare Dio, perché aveva avuto molta paura davanti alla spada dell'angelo del Signore.

I PREPARATIVI
PER LA COSTRUZIONE DEL TEMPIO

22 ¹Davide disse: «Questa è la casa del Signore Dio e questo è l'altare per gli olocausti di Israele».

²Allora Davide ordinò di radunare gli stranieri che si trovavano nel territorio d'Israele. Quindi diede incarico agli scalpellini di squadrare pietre per la costruzione della casa di Dio. ³Davide preparò ferro in abbondanza per i chiodi dei battenti delle porte e per le spranghe di ferro e una quantità di bronzo incalcolabile. ⁴Il legname di cedro non si contava, poiché quelli di Sidone e di Tiro avevano inviato a Davide molto legname di cedro. ⁵Egli pensava: «Salomone, mio figlio, è giovane e inesperto, mentre la casa da costruirsi al Signore deve essere talmente grandiosa da meritare rinomanza e gloria in tutti i paesi: voglio perciò fare i preparativi per lui». Così Davide, prima di morire, fece imponenti preparativi. ⁶Quindi chiamò suo figlio Salomone e gli ordinò di costruire un tempio al Signore, Dio d'Israele. ⁷Davide disse a Salomone: «Figlio mio, io avevo in animo di costruire un tempio al nome del Signore, mio Dio. ⁸Ma mi fu rivolta la parola

del Signore in questi termini: Tu hai versato troppo sangue e hai fatto grandi guerre, perciò non edificherai un tempio al mio nome, perché hai versato troppo sangue sulla terra davanti a me. ⁹Ecco, ti nascerà un figlio; egli sarà un uomo di pace; io gli concederò la tranquillità da parte di tutti i suoi nemici che lo circondano; egli si chiamerà Salomone e nei suoi giorni darò pace e tranquillità ad Israele. ¹⁰Egli costruirà un tempio al mio nome; sarà per me un figlio e io sarò per lui un padre. Renderò saldo il trono del suo regno su Israele per sempre. ¹¹Ora, figlio mio, il Signore sia con te, perché tu riesca a costruire un tempio al Signore tuo Dio, come ti ha promesso. ¹²Solamente si degni il Signore di concederti senno e intelligenza affinché tu possa stare alla testa d'Israele, per osservare la legge del Signore tuo Dio. ¹³Allora avrai successo, se avrai cura di praticare i precetti e le norme che il Signore prescrisse a Mosè riguardo a Israele. Sii forte e coraggioso, non temere e non abbatterti! ¹⁴Vedi, con la mia fatica ti ho preparato per il tempio del Signore centomila talenti d'oro, un milione di talenti d'argento, bronzo e ferro da non potersi pesare per la quantità. Ho pure preparato legname e pietre; tu ne aggiungerai ancora. ¹⁵Ti assisteranno molti operai, scalpellini, lavoratori della pietra e del legno e ogni genere di esperti per qualsiasi lavoro. ¹⁶L'oro, l'argento, il bronzo e il ferro non si possono calcolare. Su, mettiti all'opera e il Signore sia con te!».

¹⁷Davide comandò a tutti i capi d'Israele di aiutare Salomone, suo figlio. ¹⁸Disse: «Non è forse con voi il Signore vostro Dio, e non vi ha dato tranquillità tutt'intorno? Infatti egli ha dato in mio potere gli abitanti del paese e il paese si è assoggettato davanti al Signore e davanti al suo popolo. ¹⁹Perciò applicatevi con il cuore e con l'anima alla ricerca del Signore vostro Dio. Su, costruite il santuario del Signore vostro Dio, per collocare l'arca dell'alleanza del Signore e gli oggetti sacri a Dio nel tempio da erigere al nome del Signore».

L'ORGANIZZAZIONE DEI LEVITI

23 ¹Davide, ormai vecchio e sazio di giorni, costituì re su Israele Salo-

---

22. - 1. Davide, ispirato da Dio, fissa nell'aia di Ornan il luogo del tempio.

5. *Salomone* era giovane e Davide mostrò la sua pietà preparando tutto il necessario per l'edificazione del tempio.

1Cr

mone, suo figlio. ²Egli radunò tutti i capi d'Israele, i sacerdoti e i leviti. ³Si contarono i leviti dai trent'anni in su; il loro numero, contandoli uno per uno, fu di trentottomila uomini. ⁴Di questi, ventiquattromila dirigevano il lavoro del tempio del Signore, seimila erano scribi e giudici, ⁵quattromila portieri e quattromila lodavano il Signore con gli strumenti che Davide aveva fatto per questo. ⁶Davide divise in classi i figli di Levi: Gherson, Keat e Merari.

⁷Per i Ghersoniti: Ladan e Simei. ⁸Figli di Ladan furono Iechiel, il capo, Zetam e Gioele: tre. ⁹Figli di Simei furono Selomit, Caziel e Aran: tre. Questi sono i capi dei casati di Ladan. ¹⁰Figli di Simei: Iacat, Ziza, Ieus e Beria: questi sono i quattro figli di Simei. ¹¹Iacat era il capo, Ziza il secondo. Ieus e Beria non ebbero molti figli, perciò non formarono che un solo casato.

¹²Figli di Keat: Amram, Isear, Ebron e Uzziel: quattro. ¹³Figli di Amram: Aronne e Mosè. Aronne fu scelto per consacrare le cose sacrosante, lui e i suoi figli, per sempre, per offrire incenso davanti al Signore, per servirlo e benedire in suo nome, per sempre. ¹⁴Quanto a Mosè, uomo di Dio, i suoi figli furono annoverati fra la tribù di Levi. ¹⁵Figli di Mosè: Gherson ed Eliezer. ¹⁶Figli di Gherson: Sebuel, il primo. ¹⁷I figli di Eliezer furono Recabia, il primo. Eliezer non ebbe altri figli, mentre i figli di Recabia furono moltissimi. ¹⁸Figli di Isear: Selomit, il primo. ¹⁹Figli di Ebron: Ieria, il primo, Amaria, secondo, Iacaziel, terzo, Iekameam, quarto. ²⁰Figli di Uzziel: Mica, il primo, Icasia, secondo.

²¹Figli di Merari: Macli e Musi. Figli di Macli: Eleazaro e Kis. ²²Eleazaro morì senza figli, avendo soltanto figlie; le sposarono i figli di Kis, loro fratelli. ²³Figli di Musi: Macli, Eder e Ieremot: tre.

²⁴Questi sono i figli di Levi secondo i loro casati, i capifamiglia secondo il loro censimento, contando i nomi uno per uno. Dai vent'anni in su attendevano ai lavori per il servizio del tempio del Signore.

²⁵Poiché Davide aveva detto: «Il Signore, Dio di Israele, ha concesso la tranquillità al suo popolo ed egli ha preso dimora per sempre in Gerusalemme, ²⁶anche i leviti non avranno più da trasportare la Dimora con tutte le suppellettili per il suo servizio». ²⁷Secondo le ultime disposizioni di Davide

si fece il censimento dei figli di Levi dai vent'anni in su. ²⁸Il loro compito, infatti, è di assistere i figli di Aronne per il servizio del tempio del Signore in ciò che riguarda i cortili, le camere, la purificazione di ogni cosa sacra e l'attività del servizio del tempio di Dio; ²⁹inoltre in ciò che riguarda il pane dell'offerta, il fior di farina per l'oblazione, le focacce azzime, le cose da cuocere nella teglia e da friggere e tutte le misure di capacità e lunghezza. ³⁰Ogni mattina dovevano presentarsi per celebrare e lodare il Signore, così pure alla sera, ³¹e ogni volta che si offrono olocausti al Signore, nei sabati, nei novilunii, nelle solennità, secondo il numero fissato loro dalla regola, essi devono stare sempre davanti al Signore. ³²Inoltre assicuravano la sorveglianza della tenda del convegno e del Santo e stavano agli ordini dei figli di Aronne, loro fratelli, per il servizio del tempio del Signore.

LE CLASSI DEI SACERDOTI

24 ¹Anche i figli di Aronne avevano le loro classi. Figli di Aronne furono Nadab, Abiu, Ebiatar, Eleazaro e Itamar. ²Nadab e Abiu morirono prima del loro padre senza lasciare figli, perciò il sacerdozio fu esercitato da Eleazaro e Itamar. ³Davide, insieme a Zadok dei figli di Eleazaro e ad Achimelech dei figli di Itamar, li divise in classi secondo il loro servizio. ⁴Poiché risultò che i figli di Eleazaro avevano un numero di uomini maggiore che non i figli di Itamar, vennero così suddivisi: sedici capi di casati per i figli di Eleazaro, otto capi di casati per i figli di Itamar. ⁵Gli uni e gli altri vennero suddivisi a sorte, perché sia tra i figli di Eleazaro che tra quelli di Itamar c'erano dei capi del santuario e dei capi di Dio. ⁶Lo scriba Semaia, figlio di Netaneel, levita, li iscrisse alla presenza del re, dei capi,

---

23. - 2-6. Fatto il censimento dei *leviti*, Davide ne assegnò parte agli uffici del santuario, parte li distribuì come giudici nelle varie località perché essi conoscevano bene la legge data dal Signore al suo popolo.

25. Porta la ragione per i leviti, che in precedenza entravano in funzione a 30 anni (Nm 4,3) per i servizi più gravosi e a 25 per i più leggeri, ora entrano in servizio a 20 anni: la ragione è addotta da Davide il quale afferma che ormai il Signore ha dato stabilità al suo popolo e alla sua tenda, quindi non c'è bisogno di uomini nella piena virilità.

del sacerdote Zadok, di Achimelech, figlio di Ebiatar, dei capi dei casati sacerdotali e levitici; si registravano due casati per Eleazaro e uno per Itamar.

⁷La prima sorte toccò a Ioarib, la seconda a Iedaia, ⁸la terza a Carim, la quarta a Seorim, ⁹la quinta a Malchia, la sesta a Miamin, ¹⁰la settima ad Akkoz, l'ottava ad Abia, ¹¹la nona a Giosuè, la decima a Secania, ¹²l'undicesima a Eliasib, la dodicesima a Iakim, ¹³la tredicesima a Cuppa, la quattordicesima a Is-Baal, ¹⁴la quindicesima a Bilga, la sedicesima a Immer, ¹⁵la diciassettesima a Chezir, la diciottesima a Happizzes, ¹⁶la diciannovesima a Petachia, la ventesima a Ezechiele, ¹⁷la ventunesima a Iachin, la ventiduesima a Gamul, ¹⁸la ventitreesima a Delaia, la ventiquattresima a Maazia. ¹⁹Queste furono le classi per il loro servizio: a turno esse entravano nel tempio del Signore secondo la regola stabilita da Aronne, loro padre, come gli aveva ordinato il Signore, Dio d'Israele. ²⁰Quanto agli altri figli di Levi, per i figli di Amram c'era Subael, per i figli di Subael, Iecdia. ²¹Quanto a Recabia, il capo dei figli di Recabia era Issia. ²²Per gli Iseariti, Selomot; per i figli di Selomot, Iacat. ²³Figli di Ebron: Ieria, il primo, Amaria, secondo, Iacaziel, terzo, Iekameam, quarto. ²⁴Figli di Uzziel: Mica; per i figli di Mica, Samir; ²⁵fratello di Mica era Issia; per i figli di Issia, Zaccaria. ²⁶Figli di Merari: Macli e Musi; per i figli di Iaazia, suo figlio. ²⁷Figli di Merari nella linea di Iaazia, suo figlio: Soam, Zaccur e Ibri. ²⁸Per Macli: Eleazaro, che non ebbe figli. ²⁹Per Kis i figli di Kis: Ieracmel. ³⁰Figli di Musi: Macli, Eder e Ierimot. Questi sono i figli dei leviti secondo i loro casati. ³¹Anch'essi come i loro fratelli, figli di Aronne, furono sorteggiati alla presenza del re Davide, di Zadok, di Achimelech, dei capi dei casati sacerdotali e levitici, il casato del primogenito come quello del fratello minore.

---

24. - 19. Ciascuna classe prestava servizio per un'intera settimana, da un sabato all'altro (2Re 11,9).

25. - 7. I 24 figli di Asaf, di Idutun e di Eman formavano con altri leviti un complesso di 288 uomini, diviso in 24 gruppi di dodici membri ciascuno e guidati dai 24 figli di Idutun, Asaf ed Eman. I 288 cantori scelti dirigevano gli altri 3.712 cantori. In tutto erano 4.000.

9. Non è detto quanti fossero i costituenti la prima classe dei leviti cantori: bisogna supplire o sottintendere il numero che sempre si ripete: dodici.

LE CLASSI DEI CANTORI

25 ¹Davide insieme ai capi dell'esercito separò per il servizio i figli di Asaf, di Eman e di Idutun, che eseguivano la musica sacra con le cetre, le arpe e con i cembali. Il numero degli uomini che esercitavano questo servizio era il seguente: ²Per i figli di Asaf: Zaccur, Giuseppe, Natania, Asareela; i figli di Asaf erano sotto la direzione di Asaf, che eseguiva la musica sacra secondo le istruzioni del re.

³Per Idutun i figli di Idutun: Ghedalia, Seri, Isaia, Casabia, Simei, Mattatia: sei sotto la direzione del loro padre Idutun, che cantava al suono delle cetre per celebrare e lodare il Signore.

⁴Per Eman i figli di Eman: Bukkia, Mattania, Uzziel, Sebuel, Ierimot, Anania, Anani, Eliata, Ghiddalti, Romamti-Ezer, Iosbekasa, Malloti, Cotir, Macaziot. ⁵Tutti questi erano figli di Eman, veggente del re, grazie alla promessa divina di esaltare la sua potenza. Dio diede a Eman quattordici figli e tre figlie. ⁶Tutti costoro erano sotto la direzione del loro padre per cantare nel tempio del Signore con cembali, arpe e cetre, per il servizio del tempio di Dio, agli ordini del re. ⁷Il loro numero, compresi i loro fratelli esperti nel canto del Signore, tutti veramente capaci, era di duecentottantotto. ⁸Per i loro turni di servizio furono sorteggiati i piccoli come i grandi, i maestri come i discepoli.

⁹La prima sorte toccò a Giuseppe con i fratelli e i figli: dodici; la seconda toccò a Ghedalia, con i fratelli e i figli: dodici; ¹⁰la terza a Zaccur, con i figli e i fratelli: dodici; ¹¹la quarta a Isri, con i figli e i fratelli: dodici; ¹²la quinta a Natania, con i figli e i fratelli: dodici; ¹³la sesta a Bukkia, con i figli e i fratelli: dodici; ¹⁴la settima a Iesareela, con i figli e i fratelli: dodici; ¹⁵l'ottava a Isaia, con i figli e i fratelli: dodici; ¹⁶la nona a Mattania, con i figli e i fratelli: dodici; ¹⁷la decima a Simei, con i figli e i fratelli: dodici; ¹⁸l'undicesima ad Azarel, con i figli e i fratelli: dodici; ¹⁹la dodicesima a Casabia, con i figli e i fratelli: dodici; ²⁰la tredicesima a Subael, con i figli e i fratelli: dodici; ²¹la quattordicesima a Mattatia, con i figli e i fratelli: dodici; ²²la quindicesima a Ierimot, con i figli e i fratelli: dodici; ²³la sedicesima ad Anania, con i figli e i fratelli: dodici; ²⁴la diciassettesima a Iosbekasa, con i figli e i fratelli: dodici; ²⁵la diciottesima ad Anani,

1Cr

con i figli e i fratelli: dodici; [26]la diciannovesima a Malloti, con i figli e i fratelli: dodici; [27]la ventesima a Eliata, con i figli e i fratelli: dodici; [28]la ventunesima a Cotir, con i figli e i fratelli: dodici, [29]la ventiduesima a Ghiddalti, con i figli e i fratelli: dodici; [30]la ventitreesima a Macaziot, con i figli e i fratelli: dodici; [31]la ventiquattresima a Romamti-Ezer, con i figli e i fratelli: dodici.

LE CLASSI DEI PORTIERI

26 [1]Per le classi dei portieri: ai Coriti apparteneva Meselemia, figlio di Core, dei discendenti di Abiasaf. [2]Figli di Meselemia: Zaccaria il primogenito, Iediael il secondo, Zebadia il terzo, Iatniel il quarto, [3]Elam il quinto, Giovanni il sesto, Elioenai il settimo. [4]Figli di Obed-Edom: Semaia il primogenito, Iozabad il secondo, Ioach il terzo, Sacar il quarto, Netaneel il quinto, [5]Ammiel il sesto, Issacar il settimo, Peulletai l'ottavo, poiché Dio aveva benedetto Obed-Edom.
[6]A Semaia suo figlio nacquero figli che signoreggiavano nel loro casato perché erano uomini valorosi. [7]Figli di Semaia: Otni, Raffaele, Obed, Elzabad con i fratelli, uomini valorosi, Eliu e Semachia. [8]Tutti costoro erano discendenti di Obed-Edom. Essi e i figli e i fratelli, uomini valorosi, erano adattissimi per il servizio. Per Obed-Edom: sessantadue in tutto. [9]Meselemia ne aveva diciotto tra figli e fratelli, tutti uomini valorosi. [10]Figli di Cosa, dei discendenti di Merari: Simri era il primo; non era primogenito ma suo padre lo aveva costituito capo. [11]Chelkia era il secondo, Tebalia il terzo, Zaccaria il quarto. Totale dei figli e fratelli di Cosa: tredici.
[12]Queste classi di portieri, secondo i vari capi, avevano il compito, come i loro fratelli, di prestare servizio nel tempio del Signore. [13]Si gettarono le sorti per il piccolo e per il grande, secondo i loro casati, per ciascuna porta.
[14]Per il lato orientale la sorte cadde su Selemia; per Zaccaria, suo figlio, consigliere assennato, si tirò a sorte e gli toccò il lato settentrionale. [15]A Obed-Edom toccò il lato meridionale e ai suoi figli i magazzini. [16]A Suppim e a Cosa toccò il lato occidentale con la porta Sallechet, sulla via della salita. Un posto di guardia era proporzionato all'al-

tro. [17]Al lato orientale erano fissi sei uomini ogni giorno; a quello settentrionale quattro per giorno; a quello meridionale quattro per giorno; ad ogni magazzino due. [18]Al Parbar, verso occidente, ce n'erano quattro per la strada e due per il Parbar.
[19]Queste sono le classi dei portieri tra i discendenti di Core e di Merari.
[20]I leviti loro fratelli, incaricati dei tesori del tempio e dei tesori delle cose consacrate, [21]erano figli di Ladan, ghersoniti, secondo la linea di Ladan. I capi dei casati di Ladan, il ghersonita, erano gli Iechieliti. [22]I figli di Iechiel, Zetam e Gioele, suo fratello, erano preposti ai tesori del tempio del Signore.
[23]Tra i discendenti di Amram, di Isear, di Ebron e di Uzziel: [24]Subael, figlio di Gherson, figlio di Mosè, era sovrintendente dei tesori. [25]I suoi fratelli, nella linea di Eliezer, erano Recabia, suo figlio, Isaia, suo figlio, Ioram, suo figlio, Zikri, suo figlio e Selomit, suo figlio. [26]Questo Selomit con i suoi fratelli era preposto a tutti i tesori delle cose consacrate che il re Davide, i capi dei casati, i capi di migliaia e di centinaia e i capi dell'esercito [27]avevano offerto in voto, prendendole dal bottino di guerra, per mantenere il tempio del Signore. [28]Inoltre c'erano tutte le offerte votive di Samuele, il veggente, di Saul, figlio di Kis, di Abner, figlio di Ner, di Ioab, figlio di Zeruia; tutto ciò che era consacrato dipendeva da Selomit e dai suoi fratelli.
[29]Tra i discendenti di Isear c'erano Chenania e i suoi figli, cui erano affidati gli affari esterni di Israele, in qualità di magistrati e giudici. [30]Fra i discendenti di Ebron c'erano Casabia e i suoi fratelli, uomini di valore, in numero di millesettecento, preposti alla sorveglianza d'Israele, dalla Transgiordania all'occidente, riguardo a ogni cosa che concernesse il culto del Signore e il servizio del re. [31]Ancora fra i discendenti di Ebron c'era Ieria, capo degli Ebroniti, divisi secondo le loro genealogie e casati. Nel quarantesimo anno del regno di Davide furono fatte ricerche sugli Ebroniti e si trovarono fra loro uomini valorosi in Iazer di Galaad. [32]Tra i fratelli di Ieria, uomini valorosi, c'erano duemilasettecento capi di casati. Il re Davide li pose a capo dei Rubeniti, dei Gaditi e della mezza tribù di Manasse per tutte le questioni riguardanti Dio o il re.

L'ORGANIZZAZIONE MILITARE E CIVILE

27 [1]Ecco i figli d'Israele secondo il loro numero, i capi dei casati, i capi di migliaia e di centinaia, i loro ufficiali al servizio del re, secondo le loro classi, delle quali una entrava e l'altra usciva, mese per mese, durante tutti i mesi dell'anno. Ogni classe comprendeva ventiquattromila uomini.

[2]A capo della prima classe, per il primo mese, c'era Iasobeam, figlio di Zabdiel; la sua classe contava ventiquattromila uomini. [3]Appartenente ai discendenti di Perez, egli era il capo di tutti gli ufficiali dell'esercito per il primo mese.

[4]Alla classe del secondo mese presiedeva Dodo di Acoch; la sua classe comprendeva ventiquattromila uomini.

[5]Capo del terzo gruppo, per il terzo mese, era Benaia, figlio di Ioiada, sommo sacerdote; la sua classe comprendeva ventiquattromila uomini. [6]Questo Benaia era un prode dei Trenta e aveva il comando dei Trenta e della sua classe. Suo figlio era Ammizabad. [7]Il quarto capo per il quarto mese era Asael, fratello di Ioab, e, dopo di lui, Zebadia, suo figlio; la sua classe era di ventiquattromila uomini.

[8]Quinto, per il quinto mese, era l'ufficiale Samehut, lo zerachita; la sua classe comprendeva ventiquattromila uomini.

[9]Sesto, per il sesto mese, era Ira, figlio di Ikkes di Tekoa; la sua classe comprendeva ventiquattromila uomini.

[10]Settimo, per il settimo mese, era Chelez, il pelonita, dei discendenti di Efraim; la sua classe contava ventiquattromila uomini.

[11]Ottavo, per l'ottavo mese, era Sibbekai di Cusa, lo zerachita; la sua classe comprendeva ventiquattromila uomini.

[12]Nono, per il nono mese, era Abiezer, il beniaminita; la sua classe era di ventiquattromila uomini.

[13]Decimo, per il decimo mese, era Marai di Netofa, lo zerachita; la sua classe comprendeva ventiquattromila uomini.

[14]Undicesimo, per l'undicesimo mese, era Benaia di Piraton, dei discendenti di Efraim; la sua classe contava ventiquattromila uomini.

[15]Dodicesimo, per il dodicesimo mese, era Cheldai di Netofa, della famiglia di Otniel; la sua classe comprendeva ventiquattromila uomini.

[16]Riguardo alle tribù d'Israele: sui Rubeniti presiedeva Eliezer figlio di Zikri; sulla tribù di Simeone, Sefatia figlio di Maaca; [17]su quella di Levi, Casabia figlio di Kemuel; sugli Aronnidi, Zadok; [18]su quella di Giuda, Eliu, dei fratelli di Davide; su quella di Issacar, Omri figlio di Michele; [19]su quella di Zabulon, Ismaia figlio di Abdia; su quella di Neftali, Ierimot figlio di Azriel; [20]sugli Efraimiti, Osea figlio di Azazia; su metà della tribù di Manasse, Gioele figlio di Pedaia; [21]su metà della tribù di Manasse in Galaad, Iddo figlio di Zaccaria; su quella di Beniamino, Iaasiel figlio di Abner; [22]su quella di Dan, Azarel figlio di Ierocam. Questi furono i capi delle tribù di Israele.

[23]Davide non fece il censimento di quelli al di sotto dei vent'anni, perché il Signore aveva promesso di moltiplicare Israele come le stelle del cielo. [24]Ioab, figlio di Zeruia, aveva iniziato il censimento, ma non lo portò a termine; per esso si scatenò l'ira contro Israele e il numero non fu riportato nel libro delle Cronache del re Davide.

[25]Ai tesori del re era preposto Azmavet figlio di Adiel; ai tesori che erano nella campagna, nelle città, nei villaggi e nelle torri presiedeva Gionata figlio di Uzzia. [26]Sugli operai agricoli, che coltivavano la campagna, era preposto Ezri figlio di Chelub. [27]Alle vigne era addetto Simei di Rama, mentre Zabdai di Sefam era addetto alle riserve di vino. [28]Agli oliveti e ai sicomori, che erano nella Sefela, era addetto Baal-Canan di Ghedera; ai depositi di olio, Ioas. [29]Sitri, il saronita, era preposto al bestiame grosso che pascolava nella pianura di Saron, mentre Safat figlio di Adlai sorvegliava il bestiame grosso delle altre vallate. [30]Ai cammelli era addetto Obil, l'ismaelita; delle asine era responsabile Iecdaia di Meronot. [31]Al bestiame minuto era addetto Iaziu, l'agareno. Tutti costoro erano amministratori dei beni del re Davide.

[32]Gionata, zio di Davide, era consigliere. Uomo intelligente e scriba, egli, insieme con Iechiel figlio di Cacmoni, stava con i figli del re. [33]Achitofel era consigliere del re;

---

27. - 24. Davide aveva fatto il censimento di quelli atti alla guerra e, veduto che ciò era dispiaciuto a Dio (1Cr 21), non volle che il risultato del *censimento* passasse negli annali (*Cronache del re*).

Cusai, l'archita, era amico del re. ³⁴Ad Achitofel successero Ioiada, figlio di Benaia, ed Ebiatar. Ioab era capo dell'esercito.

LE ULTIME ISTRUZIONI DI DAVIDE

28 ¹Davide convocò a Gerusalemme tutti i capi d'Israele, i capi delle tribù, i capi delle varie classi che erano al servizio del re, i capi delle migliaia e delle centinaia, gli amministratori di tutti i beni e di tutto il bestiame appartenente al re e ai suoi figli, insieme ai consiglieri, ai prodi e a tutti i valorosi guerrieri. ²Davide si alzò in piedi e disse: «Ascoltatemi, miei fratelli e mio popolo! Io avevo in mente di costruire una dimora tranquilla per l'arca dell'alleanza del Signore, sgabello dei piedi del nostro Dio. Avevo già fatto i preparativi per la costruzione, ³ma Dio mi disse: Non costruirai un tempio al mio nome, perché tu sei stato un guerriero e hai versato sangue. ⁴Il Signore Dio d'Israele scelse me fra tutta la famiglia di mio padre, perché diventassi re su Israele per sempre; difatti egli si è scelto un principe in Giuda, e nella casa di Giuda ha scelto il casato di mio padre e nel casato di mio padre ha posto la sua compiacenza in me, per costituirmi re su tutto Israele. ⁵Fra tutti i miei figli, poiché il Signore mi concesse numerosi figli, scelse mio figlio Salomone perché sedesse sul trono del regno del Signore sopra Israele. ⁶Egli infatti mi disse: Salomone tuo figlio costruirà il mio tempio e i miei cortili, perché mi sono scelto lui come figlio e io sarò per lui come un padre. ⁷Renderò saldo il suo regno per sempre, se egli persevererà nell'osservanza dei miei comandamenti e dei miei precetti, come fa oggi. ⁸Ora, al cospetto di tutto Israele, assemblea del Signore, e in presenza del nostro Dio vi esorto: Osservate e praticate tutti i precetti del Signore vostro Dio, perché possediate questo eccellente paese e lo passiate in eredità ai vostri figli dopo di voi, per sempre.

⁹Tu, figlio mio Salomone, riconosci il Dio di tuo padre, servilo con cuore perfetto e con animo volenteroso, perché il Signore scruta tutti i cuori e penetra i pensieri più intimi; se tu lo ricercherai, si farà trovare; se lo abbandonerai, ti rigetterà per sempre. ¹⁰Ora considera che il Signore ti ha scelto per costruirgli una casa come santuario; sii forte e mettiti all'opera!».

¹¹Davide consegnò a Salomone, suo figlio, il progetto del vestibolo e degli edifici, dei magazzini, delle stanze superiori, delle camere interne e del luogo per il propiziatorio, ¹²in più il progetto di tutto ciò che aveva in mente di fare riguardo ai cortili del tempio del Signore, a tutte le stanze laterali, ai tesori del tempio e ai tesori delle cose sacre, ¹³alle classi dei sacerdoti e dei leviti, a tutto il lavoro relativo al servizio del tempio del Signore e a tutti gli arredi usati nel tempio del Signore. ¹⁴Davide gli consegnò l'oro, indicandone il peso, per ciascun oggetto destinato al culto, e indicando anche il peso dell'argento per ciascun oggetto destinato al culto. ¹⁵Gli consegnò inoltre l'oro destinato ai candelabri e alle loro lampade, indicando il peso di ciascun candelabro e delle sue lampade, e l'argento destinato ai candelabri, indicando il peso di ciascun candelabro e delle sue lampade, secondo l'uso di ogni candelabro. ¹⁶Gli indicò il quantitativo dell'oro per le tavole dell'offerta, per ogni tavola, e dell'argento per le tavole d'argento, ¹⁷dell'oro puro per i ganci, le bacinelle e le brocche. Gli indicò il quantitativo dell'oro per le coppe, per ogni coppa d'oro, e quello dell'argento, per ogni coppa d'argento. ¹⁸Gli diede l'oro puro per l'altare dei profumi, indicandone il peso. Gli consegnò il modello del carro d'oro dei cherubini che spiegavano le loro ali e proteggevano l'arca dell'alleanza del Signore. ¹⁹Gli diede tutto ciò per iscritto da parte del Signore, per fargli comprendere tutti i dettagli del modello. ²⁰Davide disse a Salomone, figlio suo: «Sii forte, fatti coraggio, mettiti all'opera, non temere, non abbatterti perché il Signore Dio, il mio Dio, è con te. Egli non ti lascerà e non ti abbandonerà, finché non avrai terminato tutto il lavoro per il tempio del Signore. ²¹Ecco le classi dei sacerdoti e dei leviti per ogni servizio nel tempio di Dio. Sono a tua disposizione per ogni lavoro, esperti in ogni attività; i capi e tutto il popolo sono ai tuoi ordini».

L'UNZIONE DI SALOMONE
E LA MORTE DI DAVIDE

29 [1]Il re Davide disse a tutta l'assemblea: «Salomone, mio figlio, il solo che Dio abbia scelto, è ancora giovane e debole, mentre l'impresa è grandiosa, perché non si tratta di una dimora destinata a un uomo, ma al Signore Dio. [2]Secondo le mie forze ho preparato per il tempio del mio Dio oro su oro, argento su argento, bronzo su bronzo, ferro su ferro, legname su legname, onici, brillanti, topazi, pietre di vario valore, pietre preziose e marmo bianco in gran quantità. [3]Inoltre, per il mio amore verso il tempio del mio Dio, quanto possiedo in oro e argento dono al tempio del mio Dio, oltre quanto ho preparato per il tempio santo: [4]tremila talenti d'oro, dell'oro di Ofir, e settemila talenti d'argento raffinato per rivestire le pareti degli edifici, [5]l'oro per gli oggetti in oro, l'argento per gli oggetti in argento e per tutti i lavori da eseguirsi dagli artigiani. E chi è disposto oggi ad offrire volontariamente al Signore?». [6]Allora i capifamiglia, i capi delle tribù d'Israele, i capi di migliaia, di centinaia e i dirigenti degli affari del re fecero delle offerte volontarie [7]e diedero per l'opera del tempio del Signore cinquemila talenti d'oro, diecimila darici, diecimila talenti d'argento, diciottomila talenti di bronzo e centomila talenti di ferro. [8]Quanti possedevano pietre preziose, le consegnarono nelle mani di Iechiel, il ghersonita, per deporle nel tesoro del tempio del Signore. [9]Il popolo si rallegrò per la loro liberalità, perché con cuore puro avevano fatto le loro offerte volontarie al Signore, e anche il re Davide ne ebbe una grande gioia.

[10]Davide benedisse il Signore al cospetto di tutta l'assemblea esclamando: «Benedetto sei tu, Signore Dio d'Israele, nostro padre, per tutta l'eternità! [11]Tua, o Signore, è la grandezza, la potenza, la gloria, l'eternità, lo splendore, perché tuo è tutto ciò che si trova nel cielo e sulla terra. Tuo, Signore, è il regno e tu t'innalzi sovranamente al di sopra di ogni cosa. [12]Da te vengono la ricchezza e la gloria; tu domini tutto; nella tua mano sono la potenza e la forza; dalla tua mano ogni grandezza e potere. [13]Per questo, Dio nostro, noi ti celebriamo e lodiamo il tuo nome glorioso. [14]E chi sono io e chi è il mio popolo, per essere in grado di offrirti questi doni volontari? Tutto viene da te e, dopo averlo ricevuto dalla tua mano, te l'abbiamo ridato.

[15]Difatti noi siamo stranieri davanti a te e pellegrini come tutti i nostri padri. I nostri giorni sulla terra sono come ombra e non c'è speranza. [16]Signore, nostro Dio, tutto quanto noi abbiamo preparato per costruire un tempio a te, cioè al tuo santo nome, viene da te, tutto è tuo. [17]So, mio Dio, che tu scruti i cuori e ami la rettitudine. Nella sincerità del mio cuore io ho offerto spontaneamente tutte queste cose. Ora vedo il tuo popolo qui presente portarti con gioia le sue offerte spontanee. [18]Signore, Dio di Abramo, d'Isacco e di Israele, nostri padri, conserva per sempre questo sentimento nel cuore del tuo popolo. Dirigi i loro cuori verso di te. [19]A Salomone mio figlio dona un cuore integro per osservare i tuoi comandamenti, i tuoi precetti e i tuoi statuti, perché li metta tutti in pratica e costruisca l'edificio per il quale ho fatto i preparativi».

[20]Poi Davide disse a tutta l'assemblea: «Benedite il Signore, vostro Dio!». Tutta l'assemblea benedisse il Signore, Dio dei loro padri; tutti si inchinarono e si prostrarono davanti al Signore e al re. [21]Quindi immolarono sacrifici al Signore e il giorno seguente offrirono olocausti al Signore: mille giovenchi, mille arieti, mille agnelli con le relative libagioni, oltre a numerosi sacrifici per tutto Israele. [22]In quel giorno mangiarono e bevvero al cospetto del Signore con grande gioia. Di nuovo proclamarono re Salomone, figlio di Davide, lo unsero, consacrando lui al Signore come capo e Zadok come sacerdote.

[23]Salomone sedette sul trono del Signore come re al posto di Davide, suo padre. Ebbe successo e tutto Israele gli fu sottomesso. [24]Tutti i capi, i prodi e anche tutti i figli del re Davide si sottomisero al re Salomone. [25]Il Signore rese assai grande Salomone di fronte a tutto Israele e gli diede una maestà regale, che prima di lui non ebbe alcun re in Israele.

1Cr

---

29. - 10. Davide, rassegnato a non costruire il tempio, ringrazia Dio d'avergli concesso di compiere i grandi preparativi e fa una tra le più belle preghiere che cuore umano abbia mai innalzato a Dio.

²⁶Davide, figlio di Iesse, aveva regnato su tutto Israele. ²⁷La durata del suo regno su Israele era stata di quarant'anni: in Ebron regnò sette anni e in Gerusalemme trentatré. ²⁸Morì in felice vecchiaia, sazio di giorni, di ricchezza e di gloria. Al suo posto divenne re Salomone. ²⁹Le gesta del re Davide, le prime come le ultime, si trovano scritte negli Atti del veggente Samuele, negli Atti del profeta Natan e negli Atti del veggente Gad, ³⁰con tutto ciò che concerne il suo regno, la sua potenza e gli eventi che accaddero durante la sua vita, in Israele e in tutti i regni degli altri paesi.

SECONDO LIBRO DELLE CRONACHE

SAPIENZA E RICCHEZZA DEL RE SALOMONE

1 [1]Salomone, figlio di Davide, si consolidò nel suo regno; il Signore, suo Dio, era con lui e lo rese straordinariamente grande. [2]Salomone parlò a tutto Israele, ai capi di migliaia e di centinaia, ai magistrati, a tutti i prìncipi di tutto Israele e ai capifamiglia. [3]Poi Salomone insieme a tutta l'assemblea si recò sull'altura situata a Gabaon, perché là si trovava la tenda del convegno di Dio che Mosè, servo del Signore, aveva costruito nel deserto. [4]Ma l'arca di Dio Davide l'aveva trasportata da Kiriat-Iearim nel luogo che aveva preparato per essa. Infatti egli aveva innalzato per essa una tenda in Gerusalemme. [5]L'altare di bronzo costruito da Bezaleel, figlio di Uri, figlio di Cur, si trovava là di fronte alla dimora del Signore. Ivi si recarono a consultarlo Salomone e l'assemblea. [6]Là Salomone salì sull'altare di bronzo davanti al Signore, presso la tenda del convegno, e sopra di esso offrì mille olocausti. [7]In quella notte Dio apparve a Salomone e gli disse: «Chiedimi ciò che vuoi che io ti conceda». [8]Salomone rispose a Dio: «Tu hai trattato Davide mio padre con grande benevolenza e mi hai fatto regnare al suo posto. [9]Ora, Signore Dio, si avveri la promessa che hai fatto a Davide mio padre, perché tu mi hai fatto regnare sopra un popolo numeroso come la polvere della terra. [10]Concedimi, dunque, sapienza e senno in modo da poter guidare questo popolo, perché chi mai potrebbe governare questo tuo popolo così grande?». [11]Allora Dio rispose a Salomone: «Poiché ti sta a cuore questo e non hai chiesto né ricchezza, né beni, né gloria, né la vita dei tuoi

nemici e poiché non hai chiesto nemmeno una lunga vita, ma hai chiesto sapienza e senno per governare il mio popolo, sul quale ti ho costituito re, [12]sapienza e senno ti saranno concessi. Inoltre ti darò ricchezze, beni e gloria quali non ebbero mai i re che ti precedettero né avranno quelli che verranno dopo di te». [13]Salomone ritornò dall'altura di Gabaon a Gerusalemme, lontano dalla tenda del convegno, e regnò su Israele.

[14]Salomone radunò poi carri e cavalli. Egli riuscì ad avere millequattrocento carri e dodicimila cavalieri, che collocò nelle città dei carri e presso il re a Gerusalemme. [15]Il re fece in modo che in Gerusalemme l'argento e l'oro fossero abbondanti come le pietre, e i cedri fossero numerosi come i sicomori che crescono nella Sefela. [16]I cavalli di Salomone provenivano da Muzri e Kue; i mercanti del re li acquistavano a Kue. [17]Essi importavano da Muzri un carro per seicento sicli d'argento e un cavallo per centocinquanta. Tramite loro ne importavano anche i re degli Hittiti e i re di Aram.

[18]Salomone decise di costruire un tempio al nome del Signore e una reggia per sé.

IL TRATTATO CON IL RE DI TIRO

2 [1]Salomone arruolò settantamila uomini per il trasporto dei pesi, ottantamila uomini per estrarre pietre dalla montagna e tremilaseicento sorveglianti. [2]Salomone mandò a dire a Chiram, re di Tiro: «Come hai fatto con Davide, mio padre, inviandogli cedri per costruirsi una casa in cui abitare, così agisci anche con me. [3]Ecco, io sto per edificare un tempio al nome del Signore, mio Dio, per consacrarglielo e poter bruciare davanti a lui profumi fragranti, esporre perennemente i pani dell'offerta

---

1. - 3. Una tenda con l'arca era a Gerusalemme, eretta da Davide. Salomone, per conciliarsi le altre tribù, va prima a Gabaon e poi a Gerusalemme.

e presentare olocausti mattina e sera, nei sabati, nei noviluni e nelle feste del Signore, nostro Dio, come prescritto per sempre ad Israele. ⁴Il tempio che voglio edificare deve essere grande, perché il nostro Dio è più grande di tutti gli dèi. ⁵Chi dunque avrebbe la forza di costruirgli un tempio, dal momento che i cieli e i cieli dei cieli non possono contenerlo? E chi sono io per costruirgli un tempio, anche solo per bruciare incenso alla sua presenza? ⁶Mandami dunque un uomo esperto nel lavorare l'oro, l'argento, il bronzo, il ferro, le stoffe di porpora, di cremisi e di violetto e abile nell'eseguire intarsi di ogni genere; egli lavorerà con gli artigiani che io ho in Giuda e in Gerusalemme, preparati da Davide, mio padre. ⁷Inviami anche legname di cedro, di cipresso e di sandalo dal Libano. So infatti che i tuoi servi sono abili nel tagliare il legname del Libano: i miei servi si uniranno ai tuoi servi, ⁸per prepararmi legname in abbondanza, perché il tempio che voglio costruire dovrà essere grande e splendido. ⁹Ecco: ai taglialegna e a coloro che abbatteranno gli alberi io darò grano per vettovagliamento, ai tuoi uomini darò ventimila kor di grano, ventimila kor di orzo, ventimila bat di vino e ventimila bat di olio».

¹⁰Chiram, re di Tiro, rispose con uno scritto, che mandò a Salomone: «Per amore verso il suo popolo il Signore ti ha costituito re su di esso». ¹¹Inoltre Chiram diceva: «Benedetto sia il Signore Dio d'Israele, creatore del cielo e della terra, che ha dato al re Davide un figlio saggio, pieno di intelligenza e di accortezza, che costruirà un tempio al Signore e una reggia per sé. ¹²Ora ti mando un uomo esperto, pieno di abilità, Chiram-Abi, ¹³figlio di una donna della tribù di Dan e di un padre originario di Tiro. Egli sa lavorare l'oro e l'argento, il bronzo, il ferro, le pietre, il legname, le stoffe di porpora, di violetto, di bisso e di cremisi; sa eseguire qualunque intaglio e creare qualunque opera d'arte che gli venga affidata. Egli lavorerà con i tuoi artigiani e con gli artigiani del mio signore Davide, tuo padre. ¹⁴Ora il mio signore invii pure ai miei servi il grano, l'orzo, l'olio e il vino che ha promesso. ¹⁵Noi taglieremo tutto il legname del Libano di cui avrai bisogno e te lo porteremo su zattere per mare a Giaffa. Tu poi lo farai trasportare a Gerusalemme».

¹⁶Salomone censì tutti gli stranieri residenti nel paese d'Israele, dopo il censimento effettuato da Davide suo padre: essi risultarono in numero di centocinquantatremilaseicento. ¹⁷Ne prese settantamila come portatori di pesi, ottantamila come scalpellini perché tagliassero pietre nella montagna e tremilaseicento come sorveglianti, perché facessero lavorare il popolo.

LA COSTRUZIONE DEL TEMPIO

3 ¹Salomone cominciò a costruire il tempio del Signore in Gerusalemme, sul monte Moria, dove il Signore era apparso a Davide, suo padre, nel luogo che Davide aveva preparato sull'aia di Ornan, il gebuseo. ²Incominciò a costruire nel secondo mese del quarto anno del suo regno. ³Queste sono le misure delle fondamenta stabilite da Salomone per la costruzione del tempio di Dio: la lunghezza, in cubiti di antica misura, era di sessanta cubiti e la larghezza di venti cubiti. ⁴Il vestibolo, che si trovava di fronte al tempio nel senso della larghezza dell'edificio, era lungo venti cubiti. La sua altezza era di centoventi cubiti. All'interno lo rivestì di oro puro. ⁵Ricoprì la grande aula di legno di cipresso e la rivestì di finissimo oro, scolpendovi sopra palme e ghirlande. ⁶Come ornamento rivestì l'aula di pietre preziose e l'oro era quello di Parvaim. ⁷Così rivestì d'oro l'aula, cioè le travi, le soglie, le pareti e le porte, e fece scolpire cherubini sulle pareti.

⁸Poi costruì la cella del Santo dei Santi, lunga, nel senso della larghezza del tempio, venti cubiti e larga venti cubiti. La rivestì di finissimo oro per il peso di seicento talenti. ⁹Il peso dell'oro per i chiodi era di cinquanta sicli. Rivestì d'oro anche le camere superiori. ¹⁰Nella cella del Santo dei Santi eresse

2. - 4. Il tempio non era grande; ma gli edifici sacri uniti al tempio formavano un grandioso complesso.

5. Salomone esalta l'infinita grandezza di Dio e fa notare che non intende costruire una casa a Dio che i cieli non possono contenere, ma un tempio per onorarlo.

3. - 1. Durante il castigo della peste, Davide aveva avuto la visione dell'angelo sterminatore e ottenuto la cessazione del flagello (1Cr 21,15-19) proprio in quel luogo che aveva poi comperato.

3-7. Il santuario, composto dal Santo e dal Santo dei Santi, era lungo 30 m, largo 10, alto 15; aveva la facciata rivolta a oriente, davanti alla quale stava il portico, largo quanto il santuario, profondo 20 cubiti e alto 20. Il cubito misurava circa mezzo metro.

due cherubini, opera di scultori, e li rivestì d'oro. [11]Le ali dei cherubini erano lunghe venti cubiti. Un'ala di uno di essi, lunga cinque cubiti, toccava la parete della cella, mentre l'altra ala, pure della lunghezza di cinque cubiti, toccava l'ala del secondo cherubino. [12]Un'ala dell'altro cherubino, lunga cinque cubiti, toccava la parete della cella; mentre l'altra ala, essa pure di cinque cubiti, toccava l'ala del primo cherubino. [13]Le ali dispiegate di questi cherubini misuravano venti cubiti; essi stavano ritti sui piedi, con la faccia rivolta all'interno. [14]Salomone fece poi la cortina di stoffa di violetto, di porpora, di cremisi e di bisso e su di essa fece ricamare dei cherubini. [15]Di fronte al tempio eresse due colonne lunghe trentacinque cubiti; il capitello in cima a ciascuna era di cinque cubiti. [16]Fece ghirlande a forma di collana e le pose in cima alle colonne. Fece anche cento melagrane che collocò fra le ghirlande.

[17]Rizzò le colonne dinanzi al tempio, una a destra e l'altra a sinistra; quella a destra la chiamò Iachin e quella a sinistra Boaz.

GLI ARREDI DEL TEMPIO

4 [1]Salomone costruì l'altare di bronzo lungo venti cubiti, largo venti e alto dieci. [2]Fece poi il mare in metallo fuso del diametro di dieci cubiti, completamente circolare e alto cinque cubiti; la sua circonferenza era di trenta cubiti tutt'intorno. [3]Sotto l'orlo vi erano figure simili a buoi che lo circondavano per tutta la circonferenza; erano dieci per cubito e abbracciavano il mare tutt'intorno; due file di buoi erano state fuse insieme col mare. [4]Esso poggiava su dodici buoi, tre dei quali erano rivolti verso settentrione, tre verso occidente, tre verso meridione e tre verso oriente. Il mare poggiava su di essi, e tutte le loro parti posteriori erano rivolte verso l'interno. [5]Il suo spessore era di un palmo, il suo orlo era lavorato come il bordo di un calice a forma di giglio. Poteva contenere tremila bat.

[6]Fece anche dieci conche per le abluzioni, collocandone cinque a destra e cinque a sinistra; in esse si lavava ciò che serviva all'olocausto, mentre il mare serviva alle abluzioni dei sacerdoti.

[7]Fece dieci candelabri d'oro, secondo la forma prescritta, e li pose nel tempio, cinque a destra e cinque a sinistra.

[8]Fece dieci tavole e le collocò nel tempio, cinque a destra e cinque a sinistra; inoltre fece cento bacinelle d'oro.

[9]Edificò l'atrio dei sacerdoti e il grande cortile con le sue porte, che rivestì di bronzo. [10]Collocò il mare dal lato destro, ad oriente, verso la parte meridionale.

[11]Chiram fece le caldaie, le palette e le bacinelle. Egli terminò l'opera che doveva eseguire nel tempio di Dio per il re Salomone: [12]le due colonne, i due globi dei capitelli posti sopra le colonne, i due intrecci destinati a coprire i due globi dei capitelli posti sopra le colonne, [13]le quattrocento melagrane per i due intrecci, due file di melagrane per ciascun intreccio per coprire i due globi dei capitelli posti sopra le colonne, [14]le dieci basi e le dieci conche sulle basi, [15]un mare e sotto di esso dodici buoi, [16]le pentole, le palette, le bacinelle e tutti gli accessori che Chiram-Abi fece di bronzo lucente per il re Salomone, per il tempio del Signore. [17]Il re li fece fondere nella regione del Giordano, tra Succot e Zereda. [18]Salomone fece tutti questi oggetti in grande quantità, da non potersi calcolare il peso del bronzo.

[19]Salomone fece preparare tutti gli oggetti destinati alla casa di Dio, l'altare d'oro, le tavole su cui si ponevano i pani dell'offerta, [20]i candelabri e le loro lampade, tutto in oro fino, da accendersi, secondo quanto era prescritto, davanti alla cella, [21]i fiori, le lampade, gli smoccolatoi d'oro, di quello più raffinato, [22]i coltelli, le bacinelle per l'aspersione, le coppe e i bracieri d'oro fino. Quanto agli ingressi del tempio, le porte interne che mettevano nel Santo dei Santi e le porte del tempio che mettevano nella navata erano d'oro.

IL TRASPORTO DELL'ARCA

5 [1]Così fu ultimato tutto il lavoro che Salomone fece eseguire per il tempio del Signore. Allora Salomone vi introdusse gli oggetti consacrati da Davide suo padre,

---

4. - 9. Nel Santo potevano entrare soltanto i sacerdoti, nel Santo dei Santi solo il sommo sacerdote una volta all'anno. Il primo cortile interno o *atrio* era riservato ai sacerdoti e ai leviti; il *grande cortile* col portico esterno, al popolo: i pagani non potevano entrarvi; il cortile dei gentili fu introdotto al tempo di Erode.

mentre l'argento, l'oro e ogni suppellettile li depositò nel tesoro del tempio di Dio.

²Allora Salomone convocò in Gerusalemme gli anziani d'Israele, tutti i capi delle tribù e i prìncipi delle famiglie israelite per trasportare l'arca dell'alleanza del Signore dalla città di Davide, cioè da Sion. ³Si radunarono presso il re tutti gli uomini d'Israele per la festa che cadeva nel settimo mese. ⁴Quando furono giunti tutti gli anziani d'Israele, i leviti sollevarono l'arca. ⁵Trasportarono l'arca, la tenda del convegno e tutti gli oggetti sacri che erano nella tenda. Li trasportarono i sacerdoti leviti. ⁶Il re Salomone e tutta l'assemblea d'Israele, convenuta presso di lui davanti all'arca, immolarono pecore e buoi, in numero tale da non potersi né contare né calcolare. ⁷I sacerdoti introdussero l'arca dell'alleanza del Signore nel suo posto, nella cella del tempio, nel Santo dei Santi, sotto le ali dei cherubini. ⁸I cherubini, infatti, stendevano le ali sull'arca; essi coprivano l'arca e le sue stanghe dall'alto. ⁹Le stanghe poi erano così lunghe che le loro estremità erano visibili dal Santo, di fronte alla cella, ma non erano visibili dal di fuori; così è fino ad oggi. ¹⁰Nell'arca non c'era nulla all'infuori delle due tavole che Mosè aveva dato sull'Oreb, le tavole dell'alleanza che il Signore aveva concluso con gli Israeliti quando uscirono dall'Egitto.

¹¹Poi i sacerdoti uscirono dal Santo. Tutti i sacerdoti che vi si trovavano si erano santificati senza osservare l'ordine delle classi. ¹²Mentre i leviti cantori al completo, cioè Asaf, Eman, Idutun e i loro figli e fratelli, rivestiti di bisso, stavano ad oriente dell'altare suonando cembali, arpe e cetre, centoventi sacerdoti insieme a loro suonavano le trombe. ¹³Quando tutti insieme, trombettieri e cantori, fecero udire la loro voce all'unisono per lodare e celebrare il Signore, quando alzarono la voce al suono delle trombe, dei cembali e di altri strumenti musicali lodando il Signore «perché è buono, perché il suo amore dura in eterno», allora il tempio si riempì di una nube, cioè della gloria del Signore, ¹⁴così che i sacerdoti non riuscivano a rimanervi per il loro servizio a causa della nube, poiché la gloria del Signore aveva riempito il tempio di Dio.

LA PREGHIERA DI SALOMONE

6 ¹Allora Salomone disse: «Il Signore ha deciso di abitare nella nube.

² Ora io ti ho costruito una dimora sublime, un luogo ove tu possa abitare in eterno».

³Il re si volse e benedisse tutta l'assemblea d'Israele, mentre tutta l'assemblea d'Israele stava in piedi. ⁴Disse: «Benedetto sia il Signore, Dio d'Israele, che con la sua potenza ha compiuto quanto con la sua bocca ha promesso a Davide, mio padre: ⁵Da quando feci uscire il mio popolo dal paese d'Egitto, non ho scelto alcuna città fra tutte le tribù d'Israele perché si edificasse un tempio in cui abitasse il mio nome e non ho scelto nessuno perché diventasse capo del mio popolo Israele, ⁶ma ho scelto Gerusalemme perché vi abitasse il mio nome e ho scelto Davide perché governi il mio popolo Israele. ⁷Ora Davide, mio padre, aveva in animo di edificare un tempio al nome del Signore, Dio d'Israele, ⁸ma il Signore disse a Davide, mio padre: Hai deciso di edificare un tempio al mio nome; hai fatto bene ad avere questa intenzione; ⁹ma non sarai tu a edificare il tempio, bensì tuo figlio, generato da te; sarà lui che edificherà un tempio al mio nome. ¹⁰Il Signore ha pertanto attuato la promessa che aveva fatto: io sono succeduto infatti a Davide, mio padre, e siedo sul trono d'Israele, come aveva preannunciato il Signore, e ho edificato il tempio al nome del Signore, Dio di Israele. ¹¹Ivi ho collocato l'arca, dove è l'alleanza che il Signore ha concluso con gli Israeliti».

¹²Poi, stando davanti all'altare del Signore, al cospetto di tutta l'assemblea d'Israele, distese le mani. ¹³Salomone infatti aveva eretto una tribuna di bronzo e l'aveva posta in mezzo al cortile. Era lunga cinque cubiti, larga cinque e alta tre. Egli salì sopra di essa e, inginocchiatosi di fronte a tutta l'assemblea d'Israele, stese le mani verso il cielo ¹⁴e disse: «Signore, Dio di Israele, non

6. - 14-40. Salomone fa sette petizioni, dopo aver esaltato la fedeltà di Dio e averlo scongiurato a essere propizio al suo tempio e ad ascoltare le preghiere fatte in questo luogo. Le petizioni sono: per le vittime dell'ingiustizia, per Israele sconfitto, per la pioggia necessaria, per la liberazione dai flagelli, per gli stranieri che verranno a pregare, per la vittoria d'Israele nelle guerre giuste, per Israele deportato in terra straniera. Prevede che Israele non sarà sempre fedele a Dio.

c'è nessun Dio come te, né in cielo né sulla terra. Tu mantieni l'alleanza e la benevolenza verso i tuoi servi che camminano davanti a te con tutto il cuore. [15]Tu hai mantenuto riguardo al tuo servo Davide, mio padre, ciò che gli avevi promesso; quanto avevi promesso con la bocca, l'hai adempiuto con la tua potenza, come si vede oggi. [16]Ora, Signore, Dio d'Israele, mantieni riguardo al tuo servo Davide, mio padre, quanto gli hai promesso: Non ti mancherà mai un discendente che stia alla mia presenza e sieda sul trono d'Israele, purché i tuoi figli vigilino sulla loro condotta, secondo la mia legge, come hai fatto tu con me.

[17]Ora dunque, Signore, Dio d'Israele, si adempia la parola che hai rivolto al tuo servo Davide!

[18]Ma è proprio vero che Dio abita con gli uomini sulla terra? Ecco, i cieli e i cieli dei cieli non ti possono contenere, quanto meno questa casa che ti ho edificato! [19]Volgiti, tuttavia, o Signore mio Dio, alla preghiera del tuo servo e alla sua supplica; ascolta il grido e la preghiera che il tuo servo innalza al tuo cospetto. [20]Siano i tuoi occhi aperti verso questa casa, giorno e notte, verso il luogo in cui hai detto di voler porre il tuo nome, per ascoltare la preghiera che il tuo servo ti rivolge in questo luogo. [21]Ascolta le suppliche del tuo servo e del tuo popolo Israele, quando pregheranno in questo luogo! Tu ascolta dal luogo della tua dimora, dal cielo; ascolta e perdona!

[22]Se qualcuno pecca contro il suo prossimo e gli viene imposto un giuramento di maledizione e si presenta a giurare davanti al tuo altare, in questo tempio, [23]tu ascoltalo dal cielo e intervieni; fa' giustizia tra i tuoi servi, ripaga il colpevole facendo ricadere sul suo capo la sua condotta e dichiara innocente il giusto, trattandolo secondo la sua innocenza.

[24]Quando il tuo popolo Israele sarà sconfitto dal nemico perché ha peccato contro di te, se si converte, loda il tuo nome, prega e supplica davanti a te in questo tempio, [25]tu ascolta dal cielo, perdona il peccato del tuo popolo Israele e fallo ritornare nel paese che hai dato loro e ai loro padri.

[26]Quando si chiuderà il cielo e non vi sarà pioggia perché hanno peccato contro di te, se ti pregano in questo luogo, lodano il tuo nome e si ravvedono dal loro peccato, per-

ché tu li hai umiliati, [27]tu ascolta dal cielo e perdona il peccato dei tuoi servi e del tuo popolo Israele, insegnando loro la strada buona per la quale camminare; concedi la pioggia alla tua terra, che hai dato in eredità al tuo popolo.

[28]Quando nel paese vi sarà carestia, quando vi saranno peste, arsura o ruggine, invasione di cavallette o di bruchi, quando il nemico stringerà d'assedio il tuo popolo nella sua terra o nelle sue città, quando sopraggiungeranno calamità ed epidemie, [29]ogni preghiera e ogni supplica che qualsiasi individuo o tutto il tuo popolo Israele faranno, dopo l'esperienza del castigo e del dolore, stendendo le mani verso questo tempio, [30]tu ascoltale dal cielo, luogo della tua dimora, perdona e rendi a ciascuno secondo la sua condotta, tu che conosci il cuore di ognuno, poiché tu solo conosci il cuore dei figli degli uomini.

[31]Fa' sì che ti temano e camminino nelle tue vie durante tutti i giorni della loro vita, nella terra che hai dato ai nostri padri.

[32]Anche lo straniero che non appartiene al tuo popolo Israele, se viene da un paese lontano a causa del tuo grande nome, della tua mano potente e del tuo braccio spiegato, se viene a pregare in questo tempio, [33]tu ascoltalo dal cielo, luogo della tua dimora; ed esaudisci tutto quello che ti chiederà lo straniero, perché tutti i popoli della terra riconoscano il tuo nome, ti temano come il tuo popolo Israele e sappiano che il tuo nome è stato invocato su questo tempio che io ho edificato.

[34]Quando il tuo popolo uscirà in guerra contro i suoi nemici, seguendo la via sulla quale l'avrai diretto, se ti pregano rivolti verso questa città che hai scelto e verso il tempio che ho edificato al tuo nome, [35]ascolta dal cielo la loro preghiera e la loro supplica e rendi loro giustizia. [36]Quando peccheranno contro di te, poiché non c'è nessuno che non pecchi, e tu, adirato contro di loro, li consegnerai al nemico e i loro conquistatori li deporteranno in un paese lontano o vicino, [37]se nel paese in cui saranno stati deportati rientrano in se stessi, si convertono e ti supplicano nel paese della loro prigionia dicendo: Abbiamo peccato, abbiamo agito iniquamente, abbiamo commesso empietà, [38]se dunque si convertono a te con tutto il cuore e con tutta l'anima nel paese della

loro prigionia, nel quale li avranno deportati, e ti supplicano rivolti verso la terra che tu hai dato ai loro padri, verso la città che hai scelto e verso il tempio che ho edificato al tuo nome, ³⁹tu ascolta dal cielo, luogo della tua dimora, la loro preghiera e le loro suppliche, rendi loro giustizia e perdona il tuo popolo che ha peccato contro di te.

⁴⁰Ora, Dio mio, siano i tuoi occhi aperti e le tue orecchie attente alla preghiera innalzata in questo luogo. ⁴¹Ora alzati, o Signore Dio, vieni al luogo del tuo riposo, tu e l'arca della tua potenza. I tuoi sacerdoti, Signore Dio, si rivestano di salvezza, e i tuoi fedeli esultino nel bene! ⁴²Signore Dio, non respingere il volto del tuo consacrato; ricordati i favori concessi a Davide tuo servo».

LA FESTA DELLA DEDICAZIONE DEL TEMPIO

7 ¹Quando Salomone ebbe finito di pregare, dal cielo cadde il fuoco che consumò l'olocausto e i sacrifici, mentre la gloria del Signore riempì il tempio. ²I sacerdoti non potevano entrare nel tempio del Signore, perché la gloria del Signore aveva riempito il tempio. ³Tutti gli Israeliti, quando videro discendere il fuoco e la gloria del Signore posarsi sul tempio, si prostrarono con la faccia a terra, sul pavimento, adorarono e lodarono il Signore «perché è buono, perché il suo amore dura in eterno». ⁴Il re e tutto il popolo offrirono sacrifici al Signore.

⁵Il re Salomone offrì in sacrificio ventiduemila buoi e centoventimila pecore; così il re e tutto il popolo dedicarono il tempio di Dio. ⁶I sacerdoti attendevano al loro servizio, mentre i leviti con gli strumenti musicali, fatti dal re Davide, lodavano il Signore «perché il suo amore dura in eterno». Così essi eseguivano i canti composti da Davide. I sacerdoti suonavano le trombe di fronte ai leviti, mentre tutti gli Israeliti stavano in piedi. ⁷Salomone consacrò il cortile interno di fronte al tempio del Signore; ivi infatti egli offrì gli olocausti e il grasso dei sacrifici di comunione, perché l'altare di bronzo eretto da Salomone non poteva contenere gli olocausti, le oblazioni e i grassi. ⁸In quel tempo Salomone celebrò la festa per sette giorni, insieme a tutto Israele, un'assemblea imponente convenuta dall'ingresso di Camat

fino al torrente d'Egitto. ⁹All'ottavo giorno si tenne una riunione solenne, perché la dedicazione dell'altare era durata sette giorni e anche la festa era durata sette giorni. ¹⁰Nel ventitreesimo giorno del settimo mese, Salomone rinviò il popolo nelle sue tende, contento e soddisfatto nel cuore per il bene concesso dal Signore a Davide, a Salomone e a Israele suo popolo. ¹¹Così Salomone terminò il tempio del Signore e il palazzo reale, riuscendo ad attuare tutto ciò che si era proposto di fare nel tempio del Signore e nel suo palazzo. ¹²Allora il Signore apparve a Salomone di notte e gli disse: «Ho esaudito la tua preghiera e mi sono scelto questo luogo come casa di sacrifici.

¹³Se chiuderò il cielo e non vi sarà pioggia, se ordinerò alle cavallette di divorare il paese, se invierò la peste tra il mio popolo, ¹⁴se il mio popolo, sul quale è stato invocato il mio nome, si umilia, prega e ricerca il mio volto e si converte dalle sue vie malvagie, io lo ascolterò dal cielo, perdonerò il suo peccato e risanerò la sua campagna.

¹⁵Ora i miei occhi saranno aperti e le mie orecchie attente alla preghiera fatta in questo luogo. ¹⁶Ormai ho scelto e ho santificato questo tempio, perché il mio nome vi rimanga per sempre. I miei occhi e il mio cuore saranno lì per sempre. ¹⁷Quanto a te, se camminerai al mio cospetto come ha camminato Davide, tuo padre, facendo tutto ciò che ti ho comandato e osservando i miei precetti e i miei decreti, ¹⁸renderò stabile il trono del tuo regno come ho promesso a Davide tuo padre, dicendogli: Non ti mancherà un discendente che regni in Israele. ¹⁹Ma se voi devierete e abbandonerete i miei precetti e i miei comandamenti che io ho posto innanzi a voi, se andrete a servire gli dèi stranieri e vi prostrerete davanti ad essi, ²⁰io vi sterminerò dalla terra che vi ho dato e rigetterò dal mio cospetto questo tempio che ho consacrato al mio nome e lo farò diventare una favola e un oggetto di scherno fra tutti i popoli. ²¹Quanto a questo tempio, già così eccelso, chiunque vi pas-

---

7. - 8-10. La dedicazione fu fatta nei *sette giorni* precedenti la festa delle Capanne, poi altri sette giorni durò la festa, appunto, delle Capanne ai quali fu aggiunto un altro giorno ancora, dopo il quale fu licenziato il popolo. Le feste erano durate dall'8 al 22 del mese di Etanim.

12-22. Dio esaudisce le richieste di Salomone, richiamando, però, alla fedeltà a lui.

serà accanto rimarrà stupito e dirà: Perché il Signore ha agito così con questo paese e con questo tempio? ²²Si risponderà: Perché hanno abbandonato il Signore, il Dio dei loro padri, che li ha fatti uscire dal paese d'Egitto, e hanno aderito a dèi stranieri, prostrandosi davanti a loro e servendoli. Per questo egli ha fatto venire su di loro tutte queste sventure».

L'ATTIVITÀ POLITICA
E RELIGIOSA DI SALOMONE

8 ¹Trascorsi i venti anni, durante i quali aveva edificato il tempio del Signore e il proprio palazzo, ²Salomone ricostruì le città che Chiram gli aveva dato e vi stabilì gli Israeliti. ³Salomone marciò contro Camat di Zoba e la conquistò. ⁴Ricostruì Palmira nel deserto e tutte le città di rifornimento che aveva edificato nella regione di Camat. ⁵Riedificò Bet-Oron superiore e Bet-Oron inferiore, città fortificate con mura, porte e catenacci. ⁶Lo stesso fece con Baalat, con tutte le città di rifornimento che erano di sua proprietà e con tutte le città dei carri e dei cavalli; insomma, eseguì tutto quanto gli sembrò bene di costruire a Gerusalemme, nel Libano e in tutto il territorio sottomesso al suo dominio.

⁷Quanti rimanevano degli Hittiti, degli Amorrei, dei Perizziti, degli Evei e dei Gebusei, che non erano Israeliti, ⁸cioè i loro discendenti che erano rimasti dopo di loro nel paese, non essendo stati sterminati dagli Israeliti, Salomone li rese tributari, come lo sono ancor oggi. ⁹Ma tra i figli d'Israele Salomone non impiegò nessuno come schiavo per il lavoro, perché essi erano guerrieri, capi dei suoi scudieri, capi dei suoi carri e dei suoi cavalieri. ¹⁰Questi capi di prefetti, eletti dal re Salomone, erano duecentocinquanta e sorvegliavano il popolo.

¹¹Salomone trasferì la figlia del Faraone dalla città di Davide alla casa che aveva costruito per lei, perché pensava: «Non deve abitare una donna per me nella casa di Davide, re d'Israele, perché è sacro ogni luogo in cui è venuta a posarsi l'arca del Signore». ¹²Allora Salomone offrì olocausti al Signore sull'altare del Signore, che aveva edificato di fronte al vestibolo. ¹³Ogni giorno offriva olocausti secondo il comando di Mosè, nei

sabati, nei noviluni e nelle tre feste annuali, cioè nella festa degli Azzimi, nella festa delle Settimane e nella festa delle Capanne. ¹⁴Stabilì poi, secondo le disposizioni di Davide suo padre, le classi dei sacerdoti per il loro servizio; provvide anche che i leviti nelle loro funzioni lodassero Dio e assistessero i sacerdoti ogni giorno; dispose ugualmente i portieri secondo le loro classi ad ogni singola porta, perché così aveva comandato Davide, uomo di Dio. ¹⁵Non ci si allontanò in nulla dalle disposizioni del re riguardo ai sacerdoti e ai leviti e nemmeno riguardo ai tesori. ¹⁶Così fu condotta a termine tutta l'opera di Salomone, dal giorno in cui si gettarono le fondamenta del tempio del Signore fino al suo definitivo compimento. ¹⁷Allora Salomone si recò ad Ezion-Gheber e ad Elat, sulla riva del mare, nel paese di Edom. ¹⁸Chiram per mezzo dei suoi marinai gli inviò navi e uomini esperti del mare. Questi, insieme con i marinai di Salomone, andarono a Ofir e vi presero quattrocentocinquanta talenti d'oro e li portarono al re Salomone.

LA VISITA DELLA REGINA DI SABA

9 ¹Ora la regina di Saba, udita la fama di Salomone, venne a Gerusalemme per mettere alla prova Salomone mediante enigmi. Arrivò con un seguito numerosissimo e con cammelli carichi di aromi, d'oro in grande quantità e di pietre preziose. Presentatasi a Salomone, parlò con lui di tutto ciò che le stava a cuore. ²Salomone rispose a tutte le sue questioni; nessuna risultò occulta per Salomone così da non poterle rispondere. ³Quando la regina di Saba vide la sapienza di Salomone, il palazzo che aveva costruito, ⁴le pietanze della sua mensa, la dimora dei suoi servi, la tenuta dei suoi ministri e le loro divise, i suoi coppieri e le loro vesti, gli olocausti che offriva nel tempio del Signore, restò senza respiro. ⁵Disse al re: «Era dunque vero ciò che avevo sentito nel mio paese circa le tue imprese e la tua sapienza. ⁶Non volli credere a ciò che si diceva, finché non sono giunta qui e i miei occhi non hanno visto. Ebbene non mi era stata riferita neppure una metà della grandezza della tua sapienza; tu superi la fama di cui avevo sentito parlare. ⁷Beati i tuoi uomini e

beati questi tuoi servi che stanno continuamente alla tua presenza e ascoltano la tua sapienza. [8]Sia benedetto il Signore, tuo Dio, che si è compiaciuto in te e ti ha posto sul suo trono come re per il Signore, tuo Dio. Poiché il tuo Dio ama Israele e vuole renderlo stabile per sempre, ti ha costituito suo re per esercitare il diritto e la giustizia». [9]Quindi essa donò al re centoventi talenti d'oro, aromi in grande quantità e pietre preziose. Non ci furono mai aromi come quelli che la regina di Saba diede al re Salomone.

[10]I servi di Chiram e i servi di Salomone, che avevano trasportato oro da Ofir, portarono legno di sandalo e pietre preziose. [11]Con il legno di sandalo il re fece le scale per il tempio del Signore e per il palazzo reale, inoltre cetre e arpe per i cantori; nel paese di Giuda non si era mai visto prima nulla di simile.

[12]Il re Salomone diede alla regina di Saba tutto ciò che desiderò e chiese, oltre l'equivalente di quanto ella aveva portato al re. Quindi se ne ritornò nel suo paese, lei e i suoi servitori.

[13]Il peso dell'oro che giungeva a Salomone in un solo anno era di seicentosessantasei talenti d'oro, [14]senza tener conto dei contributi dei trafficanti e dei commercianti. Tutti i re dell'Arabia e i governatori del paese portavano oro e argento a Salomone. [15]Il re Salomone fece duecento grandi scudi d'oro battuto, per ognuno dei quali adoperò seicento sicli d'oro, [16]e trecento scudi piccoli d'oro battuto, per ognuno dei quali adoperò trecento sicli d'oro. Il re li depose nel palazzo della Foresta del Libano.

[17]Il re fece anche un grande trono d'avorio, che ricoprì d'oro puro. [18]Il trono aveva sei gradini e uno sgabello d'oro, braccioli da una parte e dall'altra del sedile e due leoni che stavano a fianco dei braccioli. [19]Dodici leoni si ergevano, di qua e di là, sui sei gradini. In nessun regno fu mai eseguito qualcosa di simile. [20]Tutto il vasellame per bere, appartenente al re Salomone, era d'oro e tutta la suppellettile del palazzo della Foresta del Libano era d'oro fino. Al tempo di Salomone l'argento non valeva nulla. [21]Il re infatti possedeva navi che andavano a Tarsis con i marinai di Chiram; ogni tre anni le navi ritornavano da Tarsis cariche di oro, d'argento, d'avorio, di scimmie e di babbuini.

[22]Il re Salomone superò tutti i re della terra per ricchezza e sapienza. [23]Tutti i re della terra desideravano essere ammessi alla presenza di Salomone per ascoltare la sapienza che Dio gli aveva posto nel cuore. [24]Ognuno di essi gli portava ogni anno il proprio dono, oggetti d'oro e oggetti d'argento, vesti, armi, aromi, cavalli e muli. [25]Salomone ebbe quattromila stalle per i suoi cavalli e i suoi carri e dodicimila cavalli, che distribuì nelle città dei carri e presso il re a Gerusalemme. [26]Egli dominò su tutti i re, dal fiume (Eufrate) fino al paese dei Filistei e fino al confine dell'Egitto. [27]Il re fece in modo che in Gerusalemme l'argento fosse come i sassi, e i cedri numerosi come i sicomori nella Sefela. [28]Da Muzri e da tutti i paesi si importavano cavalli per Salomone.

[29]Le altre gesta di Salomone, dalle prime alle ultime, sono scritte negli Atti del profeta Natan, nella profezia di Achia di Silo e nelle visioni del veggente Iddo, riguardanti Geroboamo, figlio di Nebat. [30]Salomone regnò in Gerusalemme su tutto Israele per quarant'anni. [31]Poi Salomone si addormentò con i suoi padri e fu sepolto nella città di Davide, suo padre. Al suo posto divenne re Roboamo, suo figlio.

LA DIVISIONE DEL REGNO

10 [1]Roboamo si recò a Sichem, perché tutto Israele era convenuto a Sichem per proclamarlo re. [2]Appena lo seppe, Geroboamo, figlio di Nebat, che stava in Egitto dove era fuggito lontano dal re Salomone, fece ritorno dall'Egitto. [3]Lo mandarono a chiamare e Geroboamo arrivò con tutto Israele. Allora parlarono a Roboamo in questo modo: [4]«Tuo padre ha reso pesante il nostro giogo; tu ora alleggerisci la dura schiavitù di tuo padre e il giogo pesante che impose sopra di noi, e noi ti serviremo». [5]Egli rispose loro: «Ritornate da me fra tre giorni». Il popolo se ne andò.

---

9. - 29-31. Le Cronache tacciono i peccati di Salomone (cfr. 1Re 11). Salomone grazie alle conquiste di suo padre, fu il più grande re d'Israele. Egli completò l'organizzazione politica, militare e religiosa cominciata da Davide e fu grande nelle opere pacifiche e di difesa del regno, nelle arti e nel commercio. Allargò l'orizzonte degli Ebrei con le relazioni politiche e commerciali verso gli altri popoli, portò Israele all'apogeo della potenza e della gloria, ma ne iniziò la decadenza col fasto e l'idolatria.

[6]Il re Roboamo si consigliò con gli anziani che erano stati al servizio di Salomone, suo padre, quand'era ancora in vita e domandò: «Come mi consigliate di rispondere a questo popolo?». [7]Gli risposero: «Se oggi ti dimostri benevolo verso questo popolo e darai loro soddisfazione rivolgendo loro parole gentili, essi saranno tuoi servi per sempre». [8]Ma egli ripudiò il consiglio che gli anziani gli avevano suggerito e si consultò con i giovani che erano cresciuti con lui e stavano al suo servizio. [9]Domandò loro: «Che cosa mi consigliate di rispondere a questo popolo che mi ha chiesto: Alleggerisci il giogo che tuo padre ha imposto sopra di noi?». [10]I giovani, che erano cresciuti con lui, gli risposero: «Così dirai al popolo che si è rivolto a te dicendo: Tuo padre ha appesantito il nostro giogo, tu alleggeriscilo! Così dirai loro: Il mio mignolo è più grosso dei fianchi di mio padre. [11]Ora, se mio padre vi ha caricato di un giogo pesante, io lo renderò ancora più pesante. Mio padre vi ha castigati con le sferze, io vi castigherò con i flagelli!».

[12]Geroboamo e tutto il popolo si presentarono a Roboamo il terzo giorno, come aveva prescritto il re quando affermò: «Ritornate da me il terzo giorno». [13]Il re rispose loro duramente. Ripudiando il consiglio degli anziani, il re Roboamo [14]parlò loro secondo il consiglio dei giovani, dicendo: «Mio padre ha reso pesante il vostro giogo, io lo aggraverò. Mio padre vi ha castigati con le sferze, io vi castigherò con i flagelli!».

[15]Il re non ascoltò il popolo. Ciò avvenne per disposizione divina, affinché il Signore realizzasse la parola rivolta per mezzo di Achia di Silo a Geroboamo, figlio di Nebat. [16]Tutto Israele, visto che il re non prestava loro ascolto, rispose al re:

«Quale parte abbiamo noi con Davide?
Non abbiamo eredità con il figlio di Iesse!
Ciascuno alle proprie tende, Israele!
Ora provvedi alla tua casa, Davide!».

Tutto Israele se ne andò alle proprie tende. [17]Roboamo regnò solo sugli Israeliti che abitavano nelle città di Giuda. [18]Il re Roboamo mandò Adoram, sovrintendente ai turni di lavoro, ma gli Israeliti lo lapidarono ed egli morì. Il re Roboamo si affrettò a salire sul carro per fuggire a Gerusalemme. [19]Così Israele si ribellò contro la casa di Davide, e tale ribellione dura fino al giorno d'oggi.

IL REGNO DI ROBOAMO

11 [1]Roboamo, giunto a Gerusalemme, convocò le tribù di Giuda e di Beniamino, centottantamila guerrieri scelti, per muovere guerra contro Israele e così restituire il regno a Roboamo. [2]Ora questa parola del Signore fu rivolta a Semaia, uomo di Dio: [3]«Di' a Roboamo, figlio di Salomone, re di Giuda, e a tutti gli Israeliti che risiedono in Giuda e Beniamino: [4]Così dice il Signore: Non andate a combattere contro i vostri fratelli; ognuno ritorni a casa sua, perché sono io l'autore di questo fatto». Essi ascoltarono le parole del Signore e ritornarono indietro, rinunciando a marciare contro Geroboamo.

[5]Roboamo risiedette in Gerusalemme e trasformò in fortezze alcune città di Giuda. [6]Ricostruì infatti Betlemme, Etam, Tekoa, [7]Bet-Zur, Soco, Adullam, [8]Gat, Maresa, Zif, [9]Adoraim, Lachis, Azeka, [10]Zorea, Aialon ed Ebron; queste città fortificate si trovavano in Giuda e in Beniamino. [11]Egli munì queste fortezze, vi prepose comandanti e stabilì magazzini di viveri, di olio e di vino. [12]In ogni città depositò grandi scudi e lance, rendendole estremamente potenti; Giuda e Beniamino appartennero a lui.

[13]I sacerdoti e i leviti residenti in tutto Israele si riunirono da tutto il loro territorio per schierarsi dalla sua parte. [14]I leviti, infatti, abbandonati i loro pascoli e le loro proprietà, si recarono in Giuda e a Gerusalemme, perché Geroboamo e i suoi figli li avevano esclusi dall'esercitare il sacerdozio del Signore. [15]Geroboamo aveva costituito suoi sacerdoti per le alture, per i satiri e per i vitelli che egli stesso aveva fabbricato. [16]Dietro l'esempio dei leviti, quanti da tutte le tribù d'Israele avevano deciso in cuor loro di ricercare il Signore, Dio d'Israele, si recarono a Gerusalemme, per offrire sacrifici al Signore, Dio dei loro padri.

[17]Così consolidarono il regno di Giuda e sostennero per tre anni Roboamo, figlio di

---

11. - 13-15. La politica di Geroboamo era di allontanare il popolo da Gerusalemme, per questo fece i due *vitelli* d'oro. I *leviti* si piegarono all'idolatria in piccolo numero: la maggior parte, abbandonando anche i loro beni, si ritirarono nel regno di Giuda, per mantenersi fedeli a Dio e alla sua legge.

Salomone, perché per tre anni si camminò seguendo la via di Davide e di Salomone.

[18]Roboamo si prese in moglie Macalat figlia di Ierimot, figlio di Davide, e di Abiail figlia di Eliab, figlio di Iesse. [19]Essa gli partorì i figli Ieus, Semaria e Zaam. [20]Dopo di lei prese Maaca figlia di Assalonne, che gli partorì Abia, Attai, Ziza e Selomit. [21]Roboamo amò Maaca, figlia di Assalonne, più di tutte le altre mogli e concubine; egli prese diciotto mogli e sessanta concubine e generò ventotto figli e sessanta figlie. [22]Roboamo costituì Abia, figlio di Maaca, capo, ossia principe tra i suoi fratelli, perché aveva stabilito di farlo re. [23]Con accortezza egli disseminò tutti gli altri suoi figli nelle varie contrade di Giuda e di Beniamino e nelle varie città fortificate. Diede loro viveri in abbondanza e li provvide di molte mogli.

L'INVASIONE DI SISACH, RE D'EGITTO

12 [1]Quando il regno fu consolidato ed egli divenne forte, Roboamo abbandonò la legge del Signore e tutto Israele lo seguì. [2]Nell'anno quinto del re Roboamo, Sisach, re d'Egitto, marciò contro Gerusalemme, perché i suoi abitanti erano diventati infedeli al Signore. [3]Egli aveva con sé milleduecento carri e sessantamila cavalli. Non si poteva contare la moltitudine che era venuta con lui dall'Egitto: Libi, Succhei ed Etiopi. [4]Dopo aver occupato le città fortificate di Giuda, egli giunse fino a Gerusalemme. [5]Allora il profeta Semaia si presentò a Roboamo e ai capi di Giuda, che si erano radunati a Gerusalemme per paura di Sisach, e disse loro: «Così parla il Signore: Voi avete abbandonato me e io ho abbandonato voi nelle mani di Sisach». [6]Allora i capi d'Israele e il re si umiliarono e dissero: «Giusto è il Signore!». [7]Quando il Signore vide che si erano umiliati, egli rivolse la sua parola a Semaia in questi termini: «Si sono umiliati, non li sterminerò, anzi tra breve concederò loro salvezza e la mia ira non si riverserà su Gerusalemme per mezzo di Sisach. [8]Tuttavia saranno a lui sottomessi e così conosceranno la differenza tra il servire me e il servire i regni delle nazioni».

[9]Sisach, re d'Egitto, salì a Gerusalemme e prese i tesori del tempio del Signore e i tesori del palazzo reale; portò via tutto, persino gli scudi d'oro fatti da Salomone. [10]Il re Roboamo li sostituì con scudi di bronzo, affidandone la custodia ai comandanti delle guardie poste all'ingresso del palazzo reale. [11]Ogni volta che il re si recava nel tempio del Signore, le guardie venivano a prenderli e poi li riportavano nella sala delle guardie. [12]Poiché Roboamo si era umiliato, la collera del Signore si distornò da lui e non lo distrusse completamente. Anzi, anche in Giuda vi fu qualche cosa di buono! [13]Il re Roboamo si consolidò in Gerusalemme e continuò a regnare. Quando divenne re, Roboamo aveva quarantun anni; regnò diciassette anni in Gerusalemme, città che il Signore aveva scelto fra tutte le tribù d'Israele per porvi il suo nome. Sua madre, che era ammonita, si chiamava Naama. [14]Egli fece il male, perché non applicò il suo cuore a ricercare il Signore.

[15]Le gesta di Roboamo, le prime e le ultime, sono descritte negli Atti del profeta Semaia e del veggente Iddo. Ciò vale anche per la genealogia e le continue guerre tra Roboamo e Geroboamo. [16]Roboamo si addormentò con i suoi padri e fu sepolto nella città di Davide. Al suo posto divenne re Abia, suo figlio.

IL REGNO DI ABIA

13 [1]Nell'anno diciottesimo del re Geroboamo, Abia divenne re di Giuda. [2]Regnò in Gerusalemme tre anni; sua madre, originaria di Gabaa, si chiamava Maaca, figlia di Uriel. Ci fu guerra tra Abia e Geroboamo. [3]Abia intraprese la guerra con un esercito di valorosi guerrieri, quattrocentomila uomini scelti, mentre Geroboamo si schierò in battaglia contro di lui con ottocentomila uomini scelti, valorosi combattenti. [4]Stando sul monte Zemaraim, che si trova nella montagna di Efraim, Abia gridò: «Ascoltatemi, Geroboamo e tutto Israele! [5]Non sapete forse che il Signore, Dio d'Israele, diede per sempre a Davide il regno sopra Israele, a lui e ai suoi figli con un patto infrangibile? [6]Geroboamo, figlio di Nebat, ministro di Salomone, figlio di Davide, è invece insorto e si è ribellato contro il suo signore. [7]Si sono radunati presso di lui uomini sfaccendati e perversi, che si fecero forti contro Roboamo, figlio di Salomone. Roboamo era un giovane di poca intelligenza e non fu abbastanza forte di fronte a loro. [8]Ora voi pensate di tener testa al regno del Signore che è nelle mani dei figli di Davide, perché siete una grande moltitudine e avete con voi i vitelli d'oro che Geroboamo vi ha costruito come vostro dio!

[9]Non avete forse voi scacciato i sacerdoti del Signore, figli di Aronne, e i leviti e non vi siete costituiti sacerdoti come i popoli degli altri paesi? Chiunque si presenta con un giovenco di armento e con sette arieti, per ricevere l'investitura, diventa sacerdote di chi non è Dio. [10]Quanto a noi, il Signore è nostro Dio; non lo abbiamo abbandonato; i sacerdoti che prestano servizio al Signore sono figli di Aronne, mentre per le funzioni sono incaricati i leviti. [11]Essi offrono al Signore ogni mattina e ogni sera olocausti, profumi d'incenso, i pani dell'offerta su una tavola pura, dispongono il candelabro d'oro con le sue lampade da accendersi ogni sera, perché noi osserviamo le prescrizioni del Signore nostro Dio, mentre voi lo avete abbandonato. [12]Ecco, noi abbiamo, alla nostra testa, Dio con noi; i suoi sacerdoti e le trombe squillanti stanno per lanciare il grido di guerra contro di voi. Figli d'Israele, non fate la guerra contro il Signore, Dio dei vostri padri, perché non avrete successo!». [13]Geroboamo li aggirò con un'imboscata per sorprenderli alle spalle. Le truppe stavano di fronte a Giuda, mentre coloro che erano in agguato si trovavano alle spalle. [14]Quando quelli di Giuda si voltarono, si accorsero di dover combattere di fronte e alle spalle. Allora essi gridarono al Signore e i sacerdoti suonarono le trombe. [15]Gli uomini di Giuda lanciarono il grido di guerra. Mentre quelli di Giuda emettevano il grido di guerra, Dio colpì Geroboamo e tutto Israele di fronte ad Abia e a Giuda. [16]Gli Israeliti si misero in fuga di fronte agli uomini di Giuda e Dio li consegnò nelle loro mani. [17]Abia e il suo esercito inflissero loro una grave sconfitta; cinquecentomila uomini scelti caddero

morti fra gli Israeliti. [18]In quel tempo furono umiliati gli Israeliti, mentre quelli di Giuda si rafforzarono, perché avevano confidato nel Signore, Dio dei loro padri.

[19]Abia inseguì Geroboamo e gli tolse queste città: Betel con le sue dipendenze, Iesana con le sue dipendenze, Efron con le sue dipendenze. [20]Durante la vita di Abia, Geroboamo non poté più rimettersi in forze; il Signore lo colpì ed egli morì. [21]Abia, invece, si rafforzò; prese quattordici mogli e generò ventidue figli e sedici figlie.

[22]Il resto delle gesta di Abia, la sua condotta e le sue azioni sono descritte nelle memorie del profeta Iddo. [23]Abia si addormentò con i suoi padri e fu sepolto nella città di Davide. Al suo posto divenne re Asa, suo figlio. Ai suoi tempi il paese restò tranquillo per dieci anni.

IL REGNO DI ASA

14 [1]Asa fece ciò che è buono e giusto agli occhi del Signore suo Dio. [2]Rimosse gli altari stranieri e le alture, distrusse le stele e infranse i pali sacri. [3]Ordinò a Giuda di ricercare il Signore, Dio dei loro padri, e di mettere in pratica la legge e i comandamenti. [4]Da tutte le città di Giuda rimosse le alture e i cippi solari. Il regno godette tranquillità sotto di lui. [5]Ricostruì in Giuda le città fortificate, poiché il paese era tranquillo e in quegli anni non si trovava in guerra; il Signore gli aveva concesso quiete. [6]Egli disse a Giuda: «Ricostruiamo queste città circondandole di mura, di torri, porte e sbarre, mentre il paese è ancora in nostro potere, perché abbiamo ricercato il Signore Dio nostro; noi l'abbiamo ricercato ed egli ci ha concesso pace tutt'intorno». Essi dunque le ricostruirono ed ebbero successo. [7]Asa disponeva di un esercito di trecentomila uomini in Giuda, con grandi scudi e lance, e di duecentottantamila in Beniamino, con piccoli scudi e archi. Tutti questi erano valorosi guerrieri. [8]Contro di loro marciò Zerach, l'etiope, con un esercito di un milione di uomini e con trecento carri; egli si spinse fino a Maresa. [9]Asa gli andò incontro e si schierarono in battaglia nella valle di Zefata, presso Maresa. [10]Asa invocò il Signore suo Dio: «Signore, per te non

---

14. - 8. *Zerach*: un capotribù arabo o sabeo. La sproporzione del numero dei combattenti vuol mettere in rilievo l'intervento divino.

c'è differenza tra il soccorrere un potente o uno privo di forza! Soccorrici, Signore nostro Dio, perché noi ci appoggiamo su di te e nel tuo nome ci siamo mossi contro questa moltitudine. Signore, tu sei nostro Dio; un uomo non prevalga su di te!».

[11]Il Signore sconfisse gli Etiopi di fronte ad Asa e di fronte a Giuda, e gli Etiopi si diedero alla fuga. [12]Allora Asa e quanti erano con lui li inseguirono fino a Gerar. Degli Etiopi ne caddero tanti da non restarne uno vivo, perché furono fatti a pezzi di fronte al Signore e al suo esercito. Quelli riportarono un abbondantissimo bottino. [13]Poi conquistarono tutte le città intorno a Gerar, perché su di esse era piombato il terrore del Signore. Saccheggiarono tutte le città, nelle quali c'era molto bottino. [14]Assalirono anche le tende dov'era il bestiame, facendo razzie di pecore e di cammelli in grande quantità; quindi ritornarono a Gerusalemme.

LA RIFORMA RELIGIOSA

15 [1]Lo spirito di Dio si posò su Azaria, figlio di Obed, [2]che uscì incontro ad Asa e gli disse: «Ascoltate, Asa e voi tutti di Giuda e di Beniamino! Il Signore sarà con voi, se voi sarete con lui; se lo ricercherete, egli si lascerà trovare da voi, ma se voi lo abbandonerete, egli vi abbandonerà. [3]Per lungo tempo Israele è stato senza il vero Dio, senza un sacerdote che insegnasse e senza legge, [4]finché nella sua angustia ritornò al Signore, Dio d'Israele, lo ricercò ed egli si fece trovare da lui. [5]In quel tempo non c'era sicurezza per nessuno, perché grandi tumulti agitavano gli abitanti delle regioni. [6]Una nazione cozzava contro l'altra, una città contro l'altra, perché Dio li sconvolgeva con ogni genere di sventure. [7]Ma voi siate forti, le vostre mani non si infiacchiscano perché ci sarà una ricompensa per le vostre azioni».

[8]Quando Asa ebbe udito queste parole e la profezia, si fece animo: rimosse gli idoli da tutto il territorio di Giuda e di Beniamino e dalle città che aveva conquistato sulle montagne di Efraim; rinnovò l'altare del Signore, che si trovava di fronte al vestibolo del Signore; [9]radunò tutti gli abitanti di Giuda e di Beniamino e quanti, provenienti da Efraim, da Manasse e da Simeone, soggiornavano presso di loro; molti infatti erano passati a lui da Israele, vedendo che il Signore era con lui. [10]Si radunarono in Gerusalemme nel terzo mese dell'anno decimoquinto del regno di Asa. [11]In quel giorno furono sacrificati al Signore, dal bottino che avevano preso, settecento buoi e settemila pecore. [12]Si obbligarono con un patto a cercare il Signore, Dio dei loro padri, con tutto il cuore e con tutta l'anima. [13]Chiunque non avesse ricercato il Signore, Dio d'Israele, sarebbe stato messo a morte, piccolo o grande, uomo o donna che fosse. [14]Giurarono al Signore a gran voce, fra grida di gioia, squilli di trombe e di corni. [15]Tutto Giuda gioì per il giuramento, poiché avevano giurato con tutto il cuore e avevano ricercato il Signore con tutto l'ardore ed egli si era lasciato trovare, concedendo loro pace tutt'intorno. [16]Il re destituì dalla sua dignità di regina Maaca, madre di Asa, perché aveva costruito una statua per Asera; Asa abbatté la statua, la frantumò e la bruciò nel torrente Cedron. [17]Ma le alture non furono eliminate da Israele benché il cuore di Asa si fosse mantenuto integro per tutta la vita. [18]Egli fece portare nel tempio di Dio anche i doni votivi di suo padre e i propri doni, consistenti in argento, oro e vasellame. [19]Non ci fu guerra fino all'anno trentacinquesimo del regno di Asa.

LA FINE DEL REGNO DI ASA

16 [1]Nell'anno trentaseiesimo del regno di Asa, Baasa, re d'Israele, mosse contro Giuda e costruì Rama, per impedire le comunicazioni con Asa, re di Giuda. [2]Asa prese dai tesori del tempio del Signore e del palazzo reale argento e oro e li mandò a Ben-Adad, re di Aram, residente a Damasco, con queste parole: [3]«Vi sia alleanza tra me e te, come c'era tra mio padre e tuo padre. Ecco, ti mando argento e oro. Su, rompi la tua alleanza con Baasa, re d'Israele, in modo che si ritiri da me». [4]Ben-Adad diede retta al re Asa e mandò contro le città d'Israele i capi delle sue forze armate, i quali colpirono Iion, Dan, Abel-Maim e tutti i magazzini delle città di Neftali. [5]Quando Baasa seppe ciò, desistette dal fortificare Rama e cessò la sua opera. [6]Allora il re Asa convocò tutti quelli di Giuda, che asportarono le pietre e il legname con cui Baasa stava fortificando Rama e con questo materiale egli fortificò Gheba e Mizpa.

⁷In quel tempo il veggente Canani si recò da Asa, re di Giuda, e gli disse: «Poiché ti sei appoggiato al re di Aram e non al Signore tuo Dio, l'esercito del re di Aram è sfuggito al tuo potere. ⁸Forse che gli Etiopi e i Libi non formavano un grande esercito con numerosissimi carri e cavalli? Eppure, siccome allora tu ti appoggiasti al Signore, egli li consegnò in tuo potere. ⁹Difatti il Signore con i suoi occhi scruta tutta la terra, per mostrare la sua potenza a favore di quelli che hanno un cuore integro verso di lui. Tu ti sei comportato da stolto in questo, per cui d'ora innanzi avrai guerre». ¹⁰Asa si sdegnò contro il veggente e lo fece gettare in carcere, perché era adirato con lui per tali parole. Inoltre Asa maltrattò in quel tempo anche alcuni del popolo.

¹¹Le gesta di Asa, le prime come le ultime, sono descritte nel libro dei re di Giuda e d'Israele.

¹²Nell'anno trentanovesimo del suo regno, Asa si ammalò ai piedi, di una malattia estremamente grave. Ma neppure nella sua malattia egli ricercò il Signore, ma solamente i medici. ¹³Asa si addormentò con i suoi padri e morì nell'anno quarantunesimo del suo regno. ¹⁴Lo seppellirono nel sepolcro che egli si era fatto scavare nella città di Davide. Fu deposto su un letto pieno di aromi e profumi preparati secondo l'arte della profumeria; ne bruciarono per lui un'immensa quantità.

IL REGNO DI GIOSAFAT

17 ¹Al suo posto divenne re Giosafat, suo figlio, il quale consolidò il potere su Israele. ²Egli stanziò truppe in tutte le città fortificate di Giuda e designò governatori nel territorio di Giuda e nelle città di Efraim, che suo padre Asa aveva occupato. ³Il Signore fu con Giosafat, perché egli seguì la primitiva condotta di suo padre e non ricercò i Baal, ⁴ma ricercò il Dio di suo padre, osservando i suoi comandamenti, senza imitare il modo di agire d'Israele. ⁵Il Signore consolidò il regno nelle mani di Giosafat e tutto Giuda gli portava offerte, così che egli ebbe ricchezza e gloria in abbondanza. ⁶Il suo cuore si rafforzò nelle vie del Signore e rimosse anche le alture e i pali sacri da Giuda.

⁷Nel terzo anno del suo regno mandò i suoi ufficiali Ben-Cail, Abdia, Zaccaria, Netaneel e Michea ad insegnare nelle città di Giuda. ⁸Con essi c'erano i leviti Semaia, Natania, Zebadia, Asael, Semiraimot, Gionata, Adonia e Tobia con i sacerdoti Elisama e Ioram. ⁹Istruirono Giuda avendo con sé il libro della legge del Signore e percorsero tutte le città di Giuda ammaestrando il popolo.

¹⁰Il terrore del Signore pervase tutti i regni delle regioni che circondavano Giuda, così che non mossero guerra a Giosafat. ¹¹Tra i Filistei ci furono di quelli che portarono a Giosafat tributi e argento in dono; anche gli Arabi gli portarono bestiame minuto: settemilasettecento arieti e settemilasettecento capri. ¹²Giosafat cresceva sempre più in potenza. Egli costruì in Giuda castelli e città di approvvigionamento. ¹³Aveva a disposizione molta manodopera nelle città di Giuda, e in Gerusalemme c'erano i suoi guerrieri, uomini valorosi. ¹⁴Questo è il loro censimento secondo il casato: per Giuda i capi di migliaia erano Adna, il capo, e con lui trecentomila uomini valorosi; ¹⁵al suo fianco c'era Giovanni, il capo, e con lui duecentottantamila uomini. ¹⁶Al suo fianco c'era Amasia, figlio di Zicri, che si era votato al Signore, e con lui duecentomila uomini valorosi. ¹⁷Per Beniamino c'era Eliada, uomo valoroso, e con lui duecentomila uomini armati d'arco e di scudo. ¹⁸Al suo fianco c'era Iozabad e con lui centottantamila uomini pronti per la guerra. ¹⁹Tutti questi erano al servizio del re, oltre a quelli che il re aveva stabilito nelle città fortificate in tutto Giuda.

L'ALLEANZA CON ACAB

18 ¹Giosafat, avendo ricchezza e gloria in abbondanza, si imparentò con Acab. ²Dopo alcuni anni scese da Acab, in Samaria. Allora Acab immolò per lui e per la gente del suo seguito pecore e buoi in quantità, persuadendolo a marciare insieme con lui contro Ramot di Galaad. ³Acab, re d'Israele, disse a Giosafat, re di Giuda: «Verresti con me contro Ramot di Galaad?». Gli rispose: «Conta su di me come su di te, sul tuo popolo come sul mio popolo; saremo con te nella battaglia». ⁴Allora Giosafat disse al re di Israele: «Consulta oggi stesso la parola del Signore». ⁵Il re d'Israele radunò i profeti, circa quattrocento, e disse loro: «Devo marciare contro Ramot di Galaad per far guerra o vi debbo rinunciare?». Questi risposero: «Attaccala, Dio la consegnerà nelle mani del re». ⁶Giosafat disse: «Non c'è qui più nessun profeta del Signore da poter consultare?». ⁷Il re d'Israele rispose a Giosafat: «C'è ancora un uomo per mezzo del quale si può consultare il Signore, ma io lo detesto, perché non mi profetizza il bene, ma sempre il male. È Michea, figlio di Imla». Giosafat soggiunse: «Il re non parli così». ⁸Allora il re d'Israele chiamò un eunuco e gli disse: «Fa' venire subito Michea, figlio di Imla». ⁹Il re d'Israele e Giosafat, re di Giuda, seduti ognuno sul suo trono, rivestiti dei loro mantelli, sedevano nell'aia di fronte alla porta di Samaria, mentre tutti i profeti profetizzavano al loro cospetto. ¹⁰Sedecia, figlio di Chenaana, che si era fatto delle corna di ferro, disse: «Così dice il Signore: Con queste cozzerai contro gli Aramei fino a sterminarli». ¹¹Tutti i profeti profetizzavano allo stesso modo: «Attacca Ramot di Galaad, e avrai successo; il Signore la consegnerà in potere del re». ¹²Il messaggero, che era andato a chiamare Michea, gli disse: «Ecco, le parole dei profeti sono concordemente favorevoli al re; sia la tua parola come quella di ciascuno di essi e predici anche tu il successo!». ¹³Michea rispose: «Per la vita del Signore, io annunzierò ciò che mi dirà il mio Dio». ¹⁴Si presentò al re, che gli domandò: «Michea, dobbiamo marciare contro Ramot di Galaad per far la guerra o vi dobbiamo rinunciare?». Questi rispose: «Attaccatela, riuscirete; i suoi abitanti saranno messi nelle vostre mani». ¹⁵Il re gli disse: «Quante volte ti debbo scongiurare di non dirmi altro che la verità nel nome del Signore?». ¹⁶Allora egli disse:

«Ho visto tutto Israele disperso sui monti come pecore senza pastore.
Il Signore dice: Non hanno padroni, ognuno ritorni in pace a casa sua».

¹⁷Il re d'Israele disse a Giosafat: «Non te l'avevo forse detto che non mi avrebbe profetizzato nulla di buono, ma solo il male?». ¹⁸Michea disse ancora: «Ascoltate, dunque, la parola del Signore. Ho visto il Signore seduto sul suo trono e tutto l'esercito celeste stava alla sua destra e alla sua sinistra. ¹⁹Il Signore domandò: Chi ingannerà Acab, re d'Israele, perché marci contro Ramot di Galaad e vi perisca? Chi rispondeva una cosa, chi un'altra. ²⁰Si fece avanti uno spirito che, postosi davanti al Signore, disse: Io lo ingannerò. Il Signore gli domandò: Come? ²¹Rispose: Partirò e diventerò uno spirito di menzogna sulla bocca di tutti i suoi profeti. Il Signore disse: L'ingannerai; certamente riuscirai; va' e fa' così! ²²Ecco, dunque, che il Signore ha messo uno spirito di menzogna sulla bocca dei tuoi profeti, mentre il Signore ti preannuncia una sciagura».

²³Allora Sedecia, figlio di Chenaana, si accostò e percosse Michea sulla guancia dicendo: «Per quale via lo spirito del Signore è partito da me per venire a parlare in te?». ²⁴Michea rispose: «Ecco, tu lo vedrai nel giorno in cui fuggirai di camera in camera per nasconderti». ²⁵Allora il re d'Israele disse: «Prendete Michea e conducetelo ad Amon, governatore della città, e a Ioas, figlio del re. ²⁶Direte loro: Così ordina il re: Mettete costui in prigione e nutritelo con poco pane e poca acqua fino a quando ritornerò incolume». ²⁷Michea disse: «Se ritornerai incolume, allora il Signore non ha parlato per mezzo mio».

²⁸Il re d'Israele e Giosafat, re di Giuda, marciarono contro Ramot di Galaad. ²⁹Il re d'Israele disse a Giosafat: «Io mi travestirò per andare a combattere; tu invece resta con i tuoi abiti». Il re d'Israele si travestì e andò a combattere. ³⁰Il re di Aram aveva ordinato ai suoi capi dei carri: «Non combattete contro nessun altro, ma unicamente contro il re d'Israele». ³¹Ora, appena i capi dei carri scorsero Giosafat, dissero: «È il re d'Israele!». Subito gli si strinsero intorno per combatterlo; ma Giosafat emise un grido e il Signore gli venne in aiuto. Dio li allontanò da lui. ³²Quando i capi dei carri si accorsero che non era il re d'Israele, desistettero dall'inseguirlo. ³³Ma uno, teso per caso l'arco, colpì il re d'Israele tra le maglie dell'armatura e la corazza. Il re disse al suo auriga: «Gira e portami fuori dalla mischia, perché sto male». ³⁴La battaglia infuriò in quel giorno; il re d'Israele fu sorretto in piedi sul carro di fronte agli Aramei fino alla sera, e morì al tramonto del sole.

LE RIFORME
NELL'AMMINISTRAZIONE

19 ¹Giosafat, re di Giuda, ritornò incolume a casa sua a Gerusalemme. ²Il veggente Ieu, figlio di Canani, gli andò incontro e disse al re Giosafat: «Era forse necessario aiutare un empio? Tu ami quelli che odiano il Signore? Per questo lo sdegno del Signore è su di te. ³Tuttavia tu hai compiuto azioni buone, perché hai bruciato i pali sacri nel paese e hai rivolto il tuo cuore alla ricerca di Dio».

⁴Giosafat, dopo un soggiorno in Gerusalemme, si recò di nuovo tra il popolo, da Bersabea fino alla montagna di Efraim, riconducendolo al Signore, Dio dei loro padri. ⁵Egli stabilì giudici nel paese, in tutte le città fortificate di Giuda, città per città. ⁶Ai giudici ordinò: «Badate a ciò che fate, perché non giudicate per gli uomini, ma per il Signore, il quale sarà con voi quando amministrerete la giustizia. ⁷Il timore di Dio sia sopra di voi. Nell'agire ricordate che nel Signore, nostro Dio, non c'è malvagità, né preferenza di persone, né accettazione di doni».

⁸Anche in Gerusalemme Giosafat costituì alcuni leviti, sacerdoti e capifamiglia d'Israele per giudicare secondo il Signore e per dirimere le contese degli abitanti di Gerusalemme. ⁹Egli ordinò loro: «Agirete nel timore del Signore secondo verità e col cuore integro. ¹⁰In ogni causa che vi verrà presentata da parte dei vostri fratelli, che abitano nelle loro città, si tratti di omicidio o di una questione concernente la legge o un comando, gli statuti o i decreti, istruiteli in modo che non si rendano colpevoli davanti al Signore e la sua ira non cada su di voi e sui vostri fratelli. Agite così e non vi renderete colpevoli. ¹¹Ecco, Amaria, sommo sacerdote, sarà preposto a voi per ogni causa che riguarda il Signore, mentre Zebadia, figlio di Ismaele, capo della casa di Giuda, lo sarà per ogni causa riguardante il re; in qualità di scribi avrete a vostra disposizione i leviti. Coraggio e all'opera! Il Signore sarà con l'uomo che cerca il bene».

LE VITTORIE SUI MOABITI

20 ¹In seguito i Moabiti e gli Ammoniti, aiutati dai Meuniti, mossero guerra a Giosafat. ²Fu riferito a Giosafat: «Con-

tro di te si è mossa una grande moltitudine da oltre il mare, da Edom. Ecco, si trova a Cazazon-Tamar, cioè a Engaddi». ³Nella paura Giosafat si mise a cercare il Signore e proclamò un digiuno per tutto Giuda. ⁴Quelli di Giuda si radunarono per cercare aiuto dal Signore; vennero anche da tutte le altre città di Giuda a supplicare il Signore. ⁵Allora Giosafat si levò in piedi in mezzo all'assemblea di Giuda e di Gerusalemme nel tempio del Signore, di fronte al nuovo cortile, ⁶e disse: «Signore, Dio dei nostri padri, non sei forse tu il Dio che sta nei cieli? Tu domini tutti i regni delle genti. Nelle tue mani sono la forza e la potenza, non c'è nessuno che possa misurarsi con te. ⁷Non sei forse tu il nostro Dio, che ha espulso gli abitanti di questo paese davanti al tuo popolo Israele e l'ha dato per sempre alla discendenza del tuo amico Abramo? ⁸Gli Israeliti l'abitarono e vi costruirono un santuario per il tuo nome dicendo: ⁹Se ci piomberanno addosso la sventura, la spada, l'inondazione, la peste o la carestia e ci presenteremo davanti a questo tempio e davanti a te, perché il tuo nome risiede in questo tempio, e grideremo a te dalla nostra tribolazione, allora tu ascolterai e verrai in nostro aiuto. ¹⁰Ora, ecco gli Ammoniti e i Moabiti e quelli della montagna di Seir, nelle cui terre non permettesti a Israele di entrare, quando uscì dal paese d'Egitto, e perciò esso si tenne lontano da loro e non li sterminò, ¹¹ecco che essi ci ricompensano venendoci a scacciare dalla proprietà che tu ci hai concesso. ¹²Dio nostro, non vorrai renderci giustizia nei loro confronti, poiché noi siamo senza forza davanti a questa grande moltitudine che ci assale? Non sappiamo che cosa fare, perciò i nostri occhi sono rivolti verso di te».

¹³Tutti gli abitanti di Giuda stavano in piedi davanti al Signore, compresi i loro bambini, le loro mogli e i loro figli. ¹⁴Allora, nel mezzo dell'assemblea, lo spirito del Signore si posò su Iacaziel, figlio di Zaccaria, figlio di Benaia, figlio di Ieiel, figlio di Mattania, levita dei figli di Asaf. ¹⁵Questi disse: «Voi tutti di Giuda, abitanti di Gerusalemme e tu, re Giosafat, prestate attenzione! Così vi dice il Signore: Non temete e non lasciatevi intimorire davanti a questa grande moltitudine, perché la guerra non è contro di voi, ma contro Dio.

[16]Domani scendete contro di loro. Ecco, essi saliranno per la salita di Ziz. Voi li incontrerete al termine della valle di fronte al deserto di Ieruel. [17]Non toccherà a voi combattere in quel momento; dovete solo rimanere fermi e ben ordinati e così potrete vedere la salvezza del Signore presso di voi. O Giuda e Gerusalemme, non temete, non lasciatevi impaurire. Domani uscite loro incontro e il Signore sarà con voi». [18]Allora Giosafat si chinò con la faccia a terra; tutto Giuda e gli abitanti di Gerusalemme si prostrarono davanti al Signore per adorarlo. [19]I leviti, dei figli dei Keatiti e dei figli dei Korachiti, si alzarono per lodare il Signore, Dio d'Israele, con voce altissima.

[20]La mattina dopo si alzarono presto e partirono per il deserto di Tekoa. Mentre partivano, Giosafat si fermò e disse: «Ascoltatemi, Giuda e abitanti di Gerusalemme! Credete nel Signore, vostro Dio, e sarete saldi; credete nei suoi profeti e avrete successo!». [21]Quindi, consigliatosi con il popolo, pose i cantori del Signore e i salmisti, rivestiti di paramenti sacri, davanti all'armata perché proclamassero:

«Lodate il Signore,
perché eterna è la sua bontà».

[22]Appena cominciarono le acclamazioni e la lode, il Signore tese un'imboscata contro gli Ammoniti, i Moabiti e gli abitanti della montagna di Seir, venuti contro Giuda, e furono sconfitti. [23]Gli Ammoniti e i Moabiti insorsero contro gli abitanti della montagna di Seir per votarli allo sterminio e distruggerli. Quando ebbero finito con gli abitanti della montagna di Seir contribuirono a distruggersi a vicenda. [24]Appena Giuda giunse al punto dove si vede il deserto e si volse verso la moltitudine, ecco, non c'erano che cadaveri distesi al suolo; nessuno era sfuggito. [25]Giosafat e la sua gente vennero a prendere il loro bottino e vi trovarono bestiame in abbondanza, ricchezze, vestiti e oggetti preziosi. Ne presero tanto da non poterlo trasportare. Tre giorni impiegarono per depredare le spoglie, tanto esse erano numerose. [26]Il quarto giorno si radunarono nella valle di Beraca; poiché là benedissero il Signore, chiamarono quel luogo valle della Benedizione, nome in uso sino ad oggi. [27]Quindi tutti gli uomini di Giuda e di Gerusalemme, con Giosafat in testa, pieni di gioia, presero la via del ritorno verso Gerusalemme, perché il Signore li aveva fatti gioire a spese dei loro nemici. [28]Entrarono in Gerusalemme con arpe, cetre e trombe fino al tempio del Signore.

[29]Il terrore di Dio si sparse su tutti i regni dei vari paesi, quando si seppe che il Signore aveva combattuto contro i nemici d'Israele. [30]Il regno di Giosafat fu tranquillo; il suo Dio gli aveva concesso pace tutt'intorno.

[31]Giosafat regnò su Giuda. Quando divenne re, aveva trentacinque anni: regnò in Gerusalemme venticinque anni. Sua madre si chiamava Azuba, figlia di Silchi. [32]Camminò per la via di suo padre Asa e non se ne distaccò, facendo ciò che è giusto agli occhi del Signore. [33]Tuttavia non scomparvero le alture e il popolo non aveva ancora il cuore rivolto verso il Dio dei suoi padri. [34]Il resto delle gesta di Giosafat, le prime come le ultime, ecco sono descritte negli Atti di Ieu, figlio di Canani, inseriti nel libro dei re d'Israele.

[35]In seguito Giosafat, re di Giuda, si alleò con Acazia, re d'Israele, sebbene costui si comportasse empiamente. [36]Egli si associò a lui per costruire navi capaci di raggiungere Tarsis; allestirono le navi a Ezion-Gheber. [37]Eliezer, figlio di Dodava, di Maresa, profetizzò contro Giosafat dicendo: «Poiché ti sei alleato con Acazia, il Signore distruggerà le tue opere». Le navi si sfasciarono e non poterono salpare per Tarsis.

IL REGNO DI IORAM

21 [1]Giosafat si addormentò con i suoi padri e fu sepolto con loro nella città di Davide. Al suo posto regnò Ioram, suo figlio. [2]Suoi fratelli, figli di Giosafat, erano Azaria, Iechiel, Zaccaria, Azariau, Michele e Sefatia; tutti questi erano figli di Giosafat, re d'Israele. [3]Il padre fece ad essi ricche donazioni in argento, oro, oggetti preziosi, insieme a città fortificate in Giuda; il regno invece lo diede a Io-

---

20. - 22-23. Forse una banda di predoni attaccò l'esercito e gli alleati, credendo a mutui tradimenti, si distrussero tra loro. Ciò era facile che avvenisse in quel tempo in eserciti raccogliticci e poco addestrati alla disciplina; ma qui è Dio che li mette in scompiglio per amore della sua parola.

ram, perché egli era il primogenito. ⁴Ma quando Ioram ebbe preso possesso del regno del padre e si rafforzò, uccise di spada tutti i suoi fratelli e anche alcuni capi d'Israele. ⁵Quando divenne re, Ioram aveva trentadue anni; regnò in Gerusalemme otto anni. ⁶Seguì la condotta dei re d'Israele, come aveva fatto la casa di Acab; egli infatti aveva per moglie una figlia di Acab. Fece ciò che è male agli occhi del Signore.

⁷Tuttavia il Signore non volle distruggere la casa di Davide, a causa dell'alleanza che aveva concluso con Davide e della promessa fattagli di concedere per sempre una lampada a lui e ai suoi figli.

⁸Durante il suo regno, Edom si ribellò al dominio di Giuda e si costituì un re. ⁹Allora Ioram con i suoi capi e con tutti i suoi carri passò la frontiera e, assalendoli di notte, sconfisse gli Idumei che avevano accerchiato lui e i comandanti dei carri. ¹⁰Ma Edom si rese indipendente dal dominio di Giuda fino al giorno d'oggi. In quel tempo anche Libna si ribellò al suo dominio, perché Ioram aveva abbandonato il Signore, Dio dei suoi padri. ¹¹Anch'egli poi eresse delle alture sui monti di Giuda, spingendo alla prostituzione gli abitanti di Gerusalemme e facendo traviare Giuda. ¹²Ma gli giunse uno scritto da parte del profeta Elia, che diceva: «Così parla il Signore, Dio di Davide, tuo padre: Poiché non hai seguito la condotta di Giosafat, tuo padre, né la condotta di Asa, re di Giuda, ¹³ma hai seguito piuttosto la condotta dei re d'Israele e hai indotto alla prostituzione Giuda e gli abitanti di Gerusalemme, come ha fatto la casa di Acab, e inoltre hai ucciso i tuoi fratelli, quelli della famiglia di tuo padre, che erano migliori di te, ¹⁴ecco che il Signore sta per colpire con una grande sciagura il tuo popolo, i tuoi figli, le tue mogli e tutto ciò che ti appartiene. ¹⁵Quanto a te, sarai colpito da gravi malattie, una malattia intestinale tale che per essa le tue viscere ti usciranno fuori nel giro di due anni».

¹⁶Il Signore eccitò contro Ioram l'ostilità dei Filistei e degli Arabi che abitano a fianco degli Etiopi. ¹⁷Questi marciarono contro Giuda e, dopo averlo invaso, catturarono tutti i beni che si trovavano nella casa reale compresi i figli e le mogli del re. Non gli rimase più alcun figlio, ad eccezione di Ioa-

caz, il più piccolo. ¹⁸Dopo tutto ciò il Signore lo colpì con una malattia incurabile agli intestini. ¹⁹Andò avanti così per due anni; alla fine del secondo anno gli uscirono fuori le viscere per effetto della malattia e morì in mezzo ad atroci sofferenze. Per lui il popolo non bruciò aromi come si erano bruciati per i suoi padri. ²⁰Quando divenne re, aveva trentadue anni; regnò in Gerusalemme per otto anni; se ne andò senza lasciare rimpianto e fu sepolto nella città di Davide, ma non nei sepolcri dei re.

IL REGNO DI ACAZIA

22 ¹Gli abitanti di Gerusalemme proclamarono re al suo posto Acazia, il minore dei figli, perché tutti i più anziani erano stati uccisi da una banda che era penetrata nell'accampamento insieme con gli Arabi. Così divenne re Acazia, figlio di Ioram, re di Giuda. ²Quando divenne re, Acazia aveva ventidue anni; regnò un anno in Gerusalemme. Il nome di sua madre era Atalia, figlia di Omri. ³Anch'egli seguì la condotta della casa di Acab, giacché era sua madre a consigliarlo a far male. ⁴Fece ciò che è male agli occhi del Signore, come facevano quelli della casa di Acab, perché dopo la morte di suo padre questi furono, per sua rovina, i suoi consiglieri. ⁵Dietro il loro consiglio marciò in guerra insieme con Ioram, figlio di Acab, re d'Israele, contro Cazael, re di Aram, in Ramot di Galaad. Gli Aramei ferirono Ioram, ⁶il quale ritornò a curarsi in Izreel per le ferite ricevute a Ramot, combattendo contro Cazael, re di Aram. Acazia, figlio di Ioram, re di Giuda, scese a visitare Ioram, figlio di Acab, in Izreel, perché questi era malato. ⁷Fu per volere di Dio che Acazia, per sua rovina, si recò da Ioram. Infatti, quando vi giunse, partì con Ioram incontro a Ieu, figlio di Nimsi, che il Signore aveva unto per sopprimere la famiglia di Acab. ⁸Mentre faceva giustizia della famiglia di Acab, Ieu incontrò i capi di Giuda e i nipoti di Acazia, che gli prestavano servizio, e li uccise. ⁹Poi si mise alla ricerca di Acazia, che fu preso mentre cercava di nascondersi in Samaria; lo condussero da Ieu, che lo uccise. Gli fu data sepoltura, perché si diceva: «È

figlio di Giosafat, che ricercò il Signore con tutto il cuore». Così nella famiglia di Acazia nessuno era in grado di regnare. ¹⁰Quando Atalia, madre di Acazia, seppe che suo figlio era morto, si accinse a sterminare tutta la discendenza regale della casa di Giuda. ¹¹Ma Iosabeat, figlia del re, prese Ioas, figlio di Acazia, e lo tolse di mezzo ai figli del re destinati alla morte, ponendolo insieme con la sua nutrice in una camera da letto. Così Iosabeat, figlia del re Ioram, moglie del sacerdote Ioiada e sorella di Acazia, lo sottrasse ad Atalia, che non lo uccise. ¹²Egli rimase con lei nel tempio di Dio, nascosto, per sei anni; frattanto Atalia regnava nel paese.

L'INTRONIZZAZIONE DI IOAS

23 ¹Il settimo anno, Ioiada, fattosi coraggio, prese i capi di centinaia, cioè Azaria, figlio di Ierocam, Ismaele, figlio di Giovanni, Azaria, figlio di Obed, Maaseia, figlio di Adaia, ed Elisafat, figlio di Zicri, e strinse con essi un patto. ²Percorsero Giuda e radunarono i leviti da tutte le città di Giuda e i capi dei casati d'Israele; costoro vennero a Gerusalemme.

³Tutta l'assemblea concluse un patto con il re nel tempio di Dio e Ioiada disse loro: «Ecco il figlio del re; egli regnerà come il Signore ha promesso ai figli di Davide. ⁴Questo è ciò che dovete fare: un terzo di quelli tra voi che prestano servizio il sabato come sacerdoti e leviti farà la guardia alle porte; ⁵un altro terzo starà nel palazzo del re, e un terzo alla porta della Fondazione, mentre tutto il popolo starà nei cortili del tempio del Signore. ⁶Nessuno entri nel tempio del Signore ad eccezione dei sacerdoti e dei leviti che sono di servizio. Questi entreranno, perché sono consacrati; tutto il popolo osserverà l'ordine del Signore. ⁷I leviti faranno cerchio intorno al re, ognuno con le sue armi in mano. Chi entra nel tempio sarà messo a morte; essi saranno vicini al re dovunque egli andrà».

⁸I leviti e tutti quelli di Giuda eseguirono quanto aveva ordinato il sacerdote Ioiada. Ognuno prese i suoi uomini, quelli che entravano in servizio il sabato e quelli che ne uscivano, perché il sacerdote Ioiada non aveva licenziato nessuno di loro. ⁹Il sacer-

dote Ioiada diede ai capi di centinaia le lance, le corazze e gli scudi già appartenenti al re Davide e che si trovavano nel tempio del Signore. ¹⁰Poi dispose tutto il popolo, ognuno con la sua arma in pugno, dal lato destro fino al lato sinistro del tempio, lungo l'altare e l'edificio, in modo da circondare il re. ¹¹Allora fece uscire il figlio del re e, imponendogli il diadema e le insegne, lo proclamò re. Ioiada e i suoi figli lo unsero e quindi gridarono: «Viva il re!».

¹²Al sentire le grida del popolo che accorreva acclamando il re, Atalia si presentò al popolo nel tempio del Signore. ¹³Guardò: ecco, il re stava sul seggio all'ingresso, i capi e i trombettieri si trovavano attorno al re e tutto il popolo del paese esultava dando fiato alle trombe; i cantori con i loro strumenti musicali davano le indicazioni per le acclamazioni. Atalia si strappò le vesti e gridò: «Tradimento, tradimento!».

¹⁴Il sacerdote Ioiada ordinò ai capi di centinaia che comandavano la truppa: «Conducetela fuori in mezzo alle file! Chi la segue sia ucciso di spada». Infatti il sacerdote aveva detto: «Non uccidetela nel tempio del Signore». ¹⁵Le misero sopra le mani e, quando arrivò al palazzo reale, la uccisero all'entrata della porta dei Cavalli.

¹⁶Ioiada concluse un patto tra sé, tutto il popolo e il re, affinché il popolo diventasse popolo del Signore. ¹⁷Tutti andarono nel tempio di Baal e lo demolirono. Fecero a pezzi i suoi altari e le sue statue e uccisero davanti agli altari il sacerdote di Baal, Mattan. ¹⁸Ioiada affidò la sorveglianza del tempio del Signore ai sacerdoti e ai leviti, che Davide aveva ripartito in classi per il tempio del Signore, perché offrissero olocausti al Signore, come sta scritto nella legge di Mosè, tra gioia e canti, secondo le disposizioni di Davide. ¹⁹Stabilì inoltre i portieri alle porte del tempio, perché per nessun motivo potesse entrarvi un impuro.

²⁰Prese i capi di centinaia, i notabili e quanti avevano autorità fra il popolo, come pure tutto il popolo del paese, e fece scendere il re dal tempio del Signore. Attraverso la porta Superiore giunsero nella reggia e fecero sedere il re sul trono regale. ²¹Tutto il popolo del paese fu in festa; la città rimase tranquilla, benché Atalia fosse stata uccisa a fil di spada.

IL REGNO DI IOAS

24 [1]Ioas aveva sette anni quando divenne re e regnò quarant'anni in Gerusalemme. Il nome di sua madre era Sibia, di Bersabea. [2]Ioas fece ciò che è giusto agli occhi del Signore finché visse il sacerdote Ioiada. [3]Ioiada gli procurò due mogli ed egli generò figli e figlie.

[4]In seguito Ioas ebbe in animo di restaurare il tempio del Signore. [5]Radunò i sacerdoti e i leviti e disse loro: «Andate nelle città di Giuda e raccogliete anno per anno da tutti gli Israeliti il denaro per riparare il tempio del vostro Dio. Cercate di affrettarvi in questa opera». Ma i leviti non si diedero premura di ciò. [6]Allora il re convocò Ioiada, loro capo, e gli disse: «Perché non hai richiesto dai leviti che portassero da Giuda e da Gerusalemme la tassa imposta da Mosè, servo del Signore, e fissata dall'assemblea d'Israele per la tenda della testimonianza? [7]Infatti l'empia Atalia e i suoi figli hanno dilapidato il tempio di Dio e persino tutte le cose sante del tempio del Signore le hanno usate per i Baal».

[8]Per ordine del re si fece una cassa, che fu posta fuori della porta del tempio del Signore. [9]Indi fu proclamato un bando in Giuda e in Gerusalemme, perché si portasse al Signore la tassa imposta da Mosè, servo di Dio, a Israele nel deserto. [10]Tutti i capi e tutto il popolo se ne rallegrarono e portarono il denaro gettandolo nella cassa fino a riempirla. [11]Quando la cassa veniva portata all'amministrazione reale affidata ai leviti, e ci si accorgeva che c'era molto denaro, lo scriba del re e l'ispettore del sommo sacerdote venivano a vuotare la cassa; poi la prendevano e la ricollocavano al suo posto. Facevano così tutti i giorni, raccogliendo denaro in abbondanza. [12]Il re e Ioiada lo diedero ai dirigenti dei lavori del tempio. Essi pagavano gli scalpellini e i falegnami per restaurare il tempio del Signore, come anche i lavoratori del ferro e del bronzo per riparare il tempio del Signore. [13]I dirigenti dei lavori si misero all'opera; per mezzo loro le riparazioni progredirono: il tempio di Dio fu riportato al suo stato normale e fu consolidato. [14]Compiuto il lavoro, portarono davanti al re e a Ioiada il denaro rimasto, e con esso fecero alcuni utensili per il tempio del Signore: vasi per il servizio e per gli olocausti, coppe e altri oggetti d'oro e d'argento. Finché visse Ioiada, si offrirono continuamente olocausti nel tempio del Signore. [15]Ioiada, poi, divenuto vecchio, morì sazio di anni. Aveva centotrent'anni quando morì. [16]Fu seppellito nella città di Davide insieme ai re, perché aveva agito bene in Israele, riguardo a Dio e al suo tempio.

[17]Dopo la morte di Ioiada, i capi di Giuda andarono a riverire il re, che diede loro ascolto. [18]Questi abbandonarono il tempio del Signore, Dio dei loro padri, per venerare i pali sacri e gli idoli. A causa di questa loro colpa, l'ira di Dio si riversò su Giuda e su Gerusalemme. [19]Il Signore inviò loro profeti per farli ritornare a lui. Questi testimoniavano contro di essi, ma non furono ascoltati. [20]Allora lo spirito di Dio investì Zaccaria, figlio del sacerdote Ioiada, che si presentò davanti al popolo e disse: «Dice Dio: Perché trasgredite i precetti del Signore? Per questo non avete successo; poiché avete abbandonato il Signore, anch'egli vi abbandona». [21]Ma quelli congiurarono contro di lui e lo lapidarono, per ordine del re, nell'atrio del tempio del Signore. [22]Il re Ioas non si ricordò del favore che gli aveva fatto Ioiada, padre di Zaccaria: ne uccise il figlio, che morendo disse: «Dio veda e ne chieda conto!».

[23]Ora avvenne che all'inizio dell'anno seguente l'esercito degli Aramei marciò contro Ioas. Giunti in Giuda e in Gerusalemme, sterminarono tra il popolo tutti i capi e inviarono l'intero bottino al re di Damasco. [24]Sebbene l'esercito degli Aramei fosse venuto con pochi uomini, il Signore consegnò nelle loro mani un esercito molto numeroso, perché avevano abbandonato il Signore, Dio dei loro padri. Così gli Aramei fecero giustizia di Ioas. [25]Quando furono partiti, lasciandolo gravemente ammalato, i suoi ministri congiurarono contro di lui per vendicare l'uccisione del figlio del sacerdote Ioiada e lo uccisero nel suo letto. Morto, lo seppellirono nella città di Davide, ma non nei sepolcri dei re. [26]Questi furono i congiurati contro di lui: Zabad, figlio di Simeat, ammonita, e Iozabad,

---

24. - 18. Il popolo si abbandonò al seducente culto degli *idoli* e Ioas fu così debole da lasciarsi dominare dai capi di Giuda, più idolatri del popolo.

21. Zaccaria stava nel cortile interno (o dei sacerdoti), più in alto del cortile esterno, dov'era riunito il popolo da cui fu lapidato. Pare essere questo lo Zaccaria che Matteo (23,35) e Luca (11,51) dicono ucciso "fra il santuario e l'altare".

figlio di Simrit, moabita. [27]Quanto ai suoi figli, all'abbondanza dei tributi da lui raccolti e al restauro del tempio del Signore, ecco, ciò sta scritto nelle memorie del libro dei Re. Al suo posto divenne re suo figlio Amazia.

IL REGNO DI AMAZIA

25 [1]Amazia divenne re a venticinque anni e regnò ventinove anni in Gerusalemme. Il nome di sua madre era Ioaddan, da Gerusalemme. [2]Egli fece ciò che è retto agli occhi del Signore, ma non con cuore perfetto. [3]Quando il regno fu rinsaldato nelle sue mani, egli uccise gli ufficiali che avevano assassinato il re, suo padre, [4]ma non mise a morte i loro figli, perché sta scritto nel libro della legge di Mosè questo comando del Signore: «I padri non moriranno per colpa dei figli e i figli non moriranno per colpa dei padri, ma ognuno morirà per il suo peccato».

[5]Amazia riunì il popolo di Giuda e lo distribuì secondo i casati, ponendo tutto Giuda e Beniamino sotto capi di migliaia e capi di centinaia. Poi fece un censimento di quanti avevano dai vent'anni in su. Trovò che c'erano trecentomila uomini scelti, atti alla guerra, che maneggiavano la lancia e lo scudo. [6]Inoltre assoldò da Israele centomila valorosi guerrieri per cento talenti d'argento. [7]Allora gli si presentò un uomo di Dio che gli disse: «O re, l'esercito d'Israele non si unisca a te, poiché il Signore non è con Israele, né con alcuno dei figli di Efraim. [8]Se esso verrà, avrai un bel mostrarti forte in battaglia! Dio ti farà stramazzare davanti al nemico, perché Dio ha il potere di aiutare e di abbattere».

[9]Amazia rispose all'uomo di Dio: «Che ne sarà dei cento talenti che ho dato per la schiera d'Israele?». L'uomo di Dio replicò: «Il Signore può darti molto più di questo». [10]Allora Amazia congedò la schiera che si era unita a lui da Efraim perché se ne ritornasse a casa sua. Ma l'ira di costoro si accese vivamente contro Giuda e se ne ritornarono a casa loro pieni di sdegno.

[11]Fattosi animo, Amazia si mise a capo del suo esercito conducendolo nella Valle del Sale, dove sconfisse i figli di Seir in numero di diecimila. [12]Quelli di Giuda ne fecero prigionieri diecimila vivi e, condottili sulla cima

d'una roccia, li precipitarono giù: tutti si sfracellarono. [13]Quanto agli uomini della schiera che Amazia aveva rimandato perché non partecipassero con lui alla battaglia, essi fecero incursioni nelle città di Giuda, da Samaria fino a Bet-Oron, uccidendo in esse tremila persone e facendo un ricco bottino. [14]Dopo che Amazia ritornò dalla strage compiuta sugli Idumei, fece portare gli dèi dei figli di Seir e li costituì come suoi dèi, prostrandosi davanti a loro e offrendo loro incenso. [15]Ma l'ira del Signore si accese contro Amazia e gli mandò un profeta per dirgli: «Perché ti sei rivolto agli dèi che non sono stati capaci di liberare il loro popolo dalla tua mano?». [16]Mentre stava ancora parlando, il re lo interruppe: «Forse ti abbiamo costituito consigliere del re? Smettila! Perché vuoi farti uccidere?». Il profeta smise, ma poi disse: «Vedo che Dio ha deciso di distruggerti, perché hai fatto una cosa simile e non hai prestato ascolto al mio consiglio».

[17]Consigliatosi, Amazia, re di Giuda, mandò a dire a Ioas, figlio di Ioacaz, figlio di Ieu, re d'Israele: «Su, affrontiamoci!». [18]Ma Ioas, re d'Israele, inviò questa risposta ad Amazia, re di Giuda: «Il cardo del Libano mandò a dire al cedro del Libano: Da' tua figlia in moglie a mio figlio. Ma una bestia selvatica del Libano, passando, calpestò il cardo. [19]Tu ti sei detto: Ecco, ho sconfitto Edom, e il tuo cuore ti spinge ad inorgoglirti. Ora stattene a casa tua. Perché vorresti provocare una sciagura e cadere tu e Giuda con te?». [20]Ma Amazia non prestò ascolto. Del resto era volontà di Dio che fossero consegnati nelle mani del nemico, perché si erano rivolti agli dèi di Edom. [21]Allora Ioas, re d'Israele, si mise in marcia e ambedue, lui e Amazia, re di Giuda, si scontrarono in battaglia a Bet-Semes, che appartiene a Giuda. [22]Giuda fu sconfitto davanti ad Israele e ognuno fuggì nella sua tenda.

[23]Ioas, re d'Israele, fece prigioniero a Bet-Semes Amazia, re di Giuda, figlio di Ioas, figlio di Ioacaz. Condottolo a Gerusalemme, aprì una breccia nelle mura della città, dalla

---

25. - 5-6. Le cifre sono chiaramente maggiorate.
17-19. Amazia forse accusava Ioas dell'invasione dei licenziati; ma Ioas risponde con disprezzo paragonando Giuda a un *cardo* che vuole sfidare il *cedro*, mentre bastano le bestie (probabilmente i licenziati) a calpestarlo.

porta di Efraim fino alla porta dell'Angolo, per quattrocento cubiti. ²⁴Prese tutto l'oro, l'argento e tutti gli oggetti che si trovavano nel tempio di Dio, che erano affidati a Obed-Edom, i tesori del palazzo reale e alcuni ostaggi; quindi ritornò in Samaria.

²⁵Dopo la morte di Ioas, figlio di Ioacaz, re d'Israele, Amazia, figlio di Ioas, re di Giuda, visse ancora quindici anni. ²⁶Il resto delle imprese di Amazia, le prime come le ultime, sono scritte nel libro dei re di Giuda e d'Israele. ²⁷Dopo che Amazia si fu allontanato dal Signore, si organizzò una congiura contro di lui in Gerusalemme. Egli fuggì a Lachis, ma fu inseguito fino a Lachis e là venne ucciso. ²⁸Lo caricarono sui cavalli e lo seppellirono con i suoi padri nella città di Davide.

IL REGNO DI OZIA

26 ¹Tutto il popolo di Giuda prese Ozia, che aveva sedici anni, e lo proclamò re al posto di suo padre Amazia. ²Egli ricostruì Elat e la ricondusse sotto il dominio di Giuda, dopo che il re si era addormentato con i suoi padri.

³Quando divenne re, Ozia aveva sedici anni; regnò cinquantadue anni in Gerusalemme. Il nome di sua madre era Iecolia, da Gerusalemme. ⁴Egli fece ciò che è retto agli occhi del Signore, come aveva fatto Amazia, suo padre. ⁵Ricercò Dio finché visse Zaccaria, che gli aveva insegnato il timore di Dio; finché ricercò il Signore, Dio gli diede successo.

⁶Uscì in guerra contro i Filistei e smantellò le mura di Gat, di Iabne e di Asdod; costruì piazzeforti nella regione di Asdod e dei Filistei. ⁷Dio gli venne in aiuto contro i Filistei, contro gli Arabi abitanti in Gur-Baal e contro i Meuniti. ⁸Gli Ammoniti pagavano un tributo a Ozia, la cui fama si estese fino alla frontiera dell'Egitto, perché era diventato molto potente. ⁹Ozia costruì torri in Gerusalemme sulla porta dell'Angolo, sulla porta della Valle e sul Cantone, fortificandolo. ¹⁰Costruì torri anche nel deserto e scavò molte cisterne, perché possedeva numeroso bestiame nella pianura e nell'altipiano, aveva campagnoli e vignaiuoli sui monti e sulle colline, perché egli amava l'agricoltura.

¹¹Ozia aveva anche un esercito addestrato per la guerra, pronto a combattere, disposto in schiere secondo il numero del loro censimento compiuto dallo scriba Ieiel e dall'ispettore Maaseia, agli ordini di Anania, uno degli ufficiali del re. ¹²Il numero totale dei capi dei casati di quei prodi guerrieri era di duemilaseicento. ¹³Da loro dipendeva un esercito di trecentosettemilacinquecento uomini ben addestrati, di grande valore nell'aiutare il re contro il nemico. ¹⁴Ozia forniva loro, cioè a tutto l'esercito, scudi e lance, elmi, corazze, archi e pietre per le fionde. ¹⁵In Gerusalemme egli costruì alcune macchine, inventate da un esperto, per collocarle sulle torri e sugli angoli, per scagliare frecce e grandi pietre. La sua fama si diffuse lontano, perché fu straordinariamente favorito, fino a diventare potente.

¹⁶Ma, diventato potente, il suo cuore si insuperbì fino a corrompersi. Divenne infedele verso il Signore, suo Dio, ed entrò nel santuario del Signore, per bruciare incenso sull'altare. ¹⁷Dopo di lui entrò il sacerdote Azaria con ottanta sacerdoti del Signore, uomini eccellenti. ¹⁸Essi si opposero a Ozia, dicendogli: «Non è compito tuo, Ozia, offrire incenso al Signore, ma dei sacerdoti, figli di Aronne, che sono stati consacrati per offrire l'incenso. Esci dal santuario, perché hai prevaricato e il Signore Dio non ti ha dato questo onore». ¹⁹Ozia, che aveva in mano l'incensiere per offrire l'incenso, si adirò. Ma mentre si adirava contro i sacerdoti, sulla sua fronte spuntò la lebbra, davanti ai sacerdoti, nel tempio del Signore, presso l'altare dell'incenso. ²⁰Il sommo sacerdote Azaria e i sacerdoti si voltarono verso di lui, ed ecco, la lebbra era sulla sua fronte. Lo fecero uscire in fretta di là, anzi egli stesso si precipitò per uscire, perché il Signore l'aveva colpito. ²¹Il re Ozia rimase lebbroso fino al giorno della sua morte e abitò come tale in una casa di isolamento, perché era stato escluso dal tempio del Signore. Suo figlio Iotam dirigeva la reggia e governava il popolo del paese.

²²Il resto delle imprese di Ozia, le prime come le ultime, sono state descritte dal profeta Isaia, figlio di Amoz. ²³Ozia si addormentò con i suoi padri e fu seppellito nel

---

26. - 16. L'uomo vittorioso tende all'accentramento dei poteri: Ozia volle appropriarsi anche del potere sacerdotale e, contro ogni legge, entrò nel Santo (Nm 18,1-7); inoltre usurpò una funzione sacerdotale (Es 30,7-27).

campo presso le tombe dei re, perché si diceva: «È un lebbroso». Al suo posto divenne re Iotam, suo figlio.

IL REGNO DI IOTAM

27 ¹Quando divenne re, Iotam aveva venticinque anni; regnò sedici anni in Gerusalemme. Il nome di sua madre era Ierusa, figlia di Zadok. ²Egli fece ciò che è retto agli occhi del Signore, seguendo in tutto la condotta di suo padre Ozia; soltanto non entrò nel santuario del Signore, ma il popolo continuava a corrompersi. ³Egli restaurò la porta Superiore del tempio del Signore e fece molte costruzioni nelle mura dell'Ofel. ⁴Fortificò alcune città sulla montagna di Giuda e nelle zone boscose costruì castelli e torri. ⁵Fece guerra al re degli Ammoniti e lo vinse. Gli Ammoniti gli diedero in quell'anno cento talenti d'argento, diecimila kor di grano e altrettanti di orzo. Questo gli fu consegnato dagli Ammoniti anche nel secondo e nel terzo anno. ⁶Iotam divenne potente, perché diresse i suoi passi alla presenza del Signore suo Dio.

⁷Le altre imprese di Iotam, tutte le sue guerre e la sua condotta, ecco, sono descritte nel libro dei re di Israele e di Giuda. ⁸Quando divenne re, aveva venticinque anni e regnò in Gerusalemme sedici anni. ⁹Iotam si addormentò con i suoi padri e fu sepolto nella città di Davide. Al suo posto divenne re Acaz, suo figlio.

IL REGNO DI ACAZ

28 ¹Quando divenne re, Acaz aveva vent'anni; regnò in Gerusalemme sedici anni e non fece ciò che è retto agli occhi del Signore sull'esempio di Davide suo padre. ²Seguì la condotta dei re d'Israele; fece persino fondere statue per i Baal. ³Offrì incenso nella valle di Ben-Innom e bruciò nel fuoco i suoi figli, imitando l'abominazione dei pagani che il Signore aveva scacciato davanti agli Israeliti. ⁴Sacrificava e offriva incenso sulle alture, sulle colline e sotto ogni albero frondoso. ⁵Il Signore, suo Dio, lo consegnò nelle mani del re degli Aramei, i quali lo vinsero e

fecero un gran numero di prigionieri, che condussero a Damasco. Fu consegnato anche nelle mani del re d'Israele, che gl'inflisse una grande sconfitta.

⁶Pekach, figlio di Romelia, uccise in un giorno centoventimila uomini in Giuda, tutti valorosi, perché avevano abbandonato il Signore, Dio dei loro padri. ⁷Zicri, un eroe di Efraim, uccise Maaseia, figlio del re, Azrikam, prefetto del palazzo, ed Elkana, il secondo dopo il re. ⁸Gli Israeliti condussero in prigionia, come bottino preso ai loro fratelli, duecentomila persone fra donne, figli e figlie, e tolsero loro anche un'abbondante preda, che portarono in Samaria.

⁹C'era lì un profeta del Signore, che si chiamava Oded. Questi andò incontro all'esercito che stava giungendo in Samaria e disse: «Ecco, a motivo del suo sdegno contro Giuda, il Signore, Dio dei vostri padri, li ha consegnati nelle vostre mani, ma voi li avete massacrati con un furore che è giunto fino al cielo. ¹⁰E ora voi dite che volete soggiogare quali vostri schiavi e schiave gli abitanti di Giuda e di Gerusalemme. Ma non siete anche voi colpevoli davanti al Signore, vostro Dio? ¹¹Pertanto ascoltatemi: rimandate i prigionieri che avete catturato tra i vostri fratelli, perché altrimenti il furore dell'ira del Signore si abbatterà su di voi».

¹²Allora alcuni dei capi degli Efraimiti, cioè Azaria, figlio di Giovanni, Berechia, figlio di Mesillemot, Ezechia, figlio di Sallum, e Amasa, figlio di Caldai, insorsero contro quelli che ritornavano dalla guerra, ¹³dicendo loro: «Non dovete portare qui questi prigionieri, perché sopra di noi pesa già una colpa contro il Signore. Voi vi proponete di aumentare i nostri peccati e le nostre colpe, mentre la nostra colpa è già grande e una collera ardente grava su Israele».

¹⁴I soldati allora rilasciarono i prigionieri e il bottino davanti ai capi e a tutta l'assemblea. ¹⁵Quindi alcuni uomini, ch'erano stati designati per nome, si presero cura dei prigionieri; quanti erano nudi, li rivestirono e li calzarono, prendendo il vestiario dal bottino; diedero loro da mangiare e da bere e li medicarono con unzioni; quindi, trasportando su asini tutti gli inabili a camminare, li condussero a Gerico, città delle palme,

---

27. - 2. Iotam *non entrò nel santuario* per usurpare le funzioni sacerdotali, come aveva fatto il padre (cfr. 26,16).

presso i loro fratelli, e se ne ritornarono in Samaria.

[16]In quel tempo il re Acaz mandò a chiedere aiuto al re di Assiria. [17]Gli Idumei erano venuti ancora una volta, avevano sconfitto Giuda e fatto prigionieri.

[18]Anche i Filistei avevano invaso le città della Sefela e del Negheb di Giuda, occupando Bet-Semes, Aialon, Ghederót, Soco con le sue dipendenze, Timna con le sue dipendenze e Ghimzo con le sue dipendenze, e vi si erano insediati. [19]Poiché il Signore aveva umiliato Giuda a causa di Acaz, re d'Israele, che aveva fatto traviare Giuda ed era stato infedele verso il Signore. [20]Anche Tiglat-Pilezer, re di Assiria, venne contro di lui, opprimendolo anziché sostenerlo. [21]Acaz aveva spogliato il tempio del Signore e il palazzo del re e dei prìncipi, consegnando tutto al re di Assiria, ma non ricevette alcun aiuto.

[22]Anche quando era oppresso, questo re Acaz continuò ad essere infedele al Signore. [23]Sacrificò agli dèi di Damasco, che l'avevano sconfitto, dicendo: «Poiché gli dèi dei re di Aram portano aiuto ai loro fedeli, io offrirò loro dei sacrifici ed essi mi aiuteranno». Ma furono essi a provocare la sua rovina e quella di tutto Israele. [24]Acaz raccolse la suppellettile del tempio di Dio e la frantumò, chiuse le porte del tempio del Signore ed eresse altari in ogni angolo di Gerusalemme. [25]In ciascuna delle città di Giuda fece altare per bruciare l'incenso agli dèi stranieri, irritando il Signore, Dio dei suoi padri.

[26]Il resto delle sue imprese e di tutte le sue azioni, le prime come le ultime, ecco, sono scritte nel libro dei re di Giuda e d'Israele. [27]Acaz si addormentò con i suoi padri e fu sepolto nella città di Gerusalemme, ma non fu collocato nei sepolcri dei re d'Israele. Al suo posto divenne re Ezechia, suo figlio.

IL REGNO DI EZECHIA

29 [1]Ezechia divenne re a venticinque anni; regnò ventinove anni in Gerusalemme. Il nome di sua madre era Abia, figlia di Zaccaria. [2]Fece ciò che è retto agli occhi del Signore, seguendo tutto ciò che aveva fatto Davide, suo antenato.

[3]Nel primo anno del suo regno, nel primo mese, egli aprì le porte del tempio del Signore e le restaurò. [4]Fece venire i sacerdoti e i leviti e, radunatili nella piazza orientale, [5]disse loro: «Ascoltatemi, o leviti! Ora purificatevi e purificate il tempio del Signore, Dio dei vostri padri, e portate fuori l'impurità dal santuario, [6]perché i nostri padri sono stati infedeli e hanno commesso il male agli occhi del Signore, nostro Dio, abbandonandolo, distogliendo il loro volto dalla dimora del Signore e voltandole le spalle.

[7]Hanno chiuso persino le porte del vestibolo, spento le lampade, non hanno offerto più incenso né olocausti nel santuario al Dio d'Israele. [8]Perciò l'ira del Signore è ricaduta su Giuda e su Gerusalemme, facendone un oggetto di terrore, di stupore e di scherno, come potete vedere con i vostri occhi. [9]I nostri padri sono periti di spada, i nostri figli, le nostre figlie e le nostre mogli si trovano per questo in prigionia. [10]Ora io ho deciso di concludere un'alleanza con il Signore, Dio d'Israele, in modo che si allontani da noi il furore della sua ira. [11]Figli miei, ora non rimanete inattivi, perché il Signore ha scelto voi per stare alla sua presenza, per servirlo, per essere suoi ministri e offrirgli incenso».

[12]Allora si alzarono i leviti: Macat, figlio di Amasai, Gioele, figlio di Azaria, dei Keatiti; dei figli di Merari: Kis, figlio di Abdì, e Azaria, figlio di Ieallelel; dei Ghersoniti: Ioach, figlio di Zimma, ed Eden, figlio di Ioach; [13]dei figli di Elisafan: Simri e Ieiel; dei figli di Asaf: Zaccaria e Mattania; [14]dei figli di Eman: Iechiel e Simei; dei figli di Idutun: Semaia e Uzziel. [15]Essi radunarono i loro fratelli e si purificarono; poi entrarono, seguendo il comando del re e le prescrizioni del Signore, per purificare il tempio. [16]I sacerdoti entrarono all'interno del tempio per purificarlo e portarono fuori, nel cortile del tempio, tutte le cose immonde che avevano trovato nel santuario del Signore. I leviti poi le presero e le gettarono fuori nel torrente Cedron. [17]Cominciarono la purificazione il primo giorno del primo mese; nel giorno ottavo del mese entrarono nel vestibolo del Signore, purificarono il tempio del Signore in otto giorni e terminarono il giorno sedici del primo mese.

---

29. - 2. Il re Ezechia è il rovescio del padre: si mette subito all'opera per una profonda riforma religiosa e cultuale del regno.

¹⁸Quindi si presentarono al re Ezechia nei suoi appartamenti e gli dissero: «Abbiamo purificato tutto il tempio, l'altare degli olocausti con tutte le sue suppellettili e la mensa dell'offerta dei pani con tutte le sue suppellettili. ¹⁹Abbiamo rimesso a posto e purificato tutti gli utensili che il re Acaz aveva profanato durante il suo regno a causa della sua infedeltà. Eccoli ora davanti all'altare del Signore». ²⁰Allora il re Ezechia, alzatosi di buon mattino, radunò i capi della città e salì al tempio. ²¹Furono portati sette giovenchi, sette arieti, sette agnelli e sette capri da offrirsi come sacrificio espiatorio per la casa reale, per il santuario e per Giuda. Il re ordinò ai sacerdoti, figli di Aronne, di offrirli in olocausto sull'altare del Signore. ²²Immolati i giovenchi, i sacerdoti ne raccolsero il sangue e lo sparsero sull'altare. Immolarono poi gli arieti e ne sparsero il sangue sull'altare. Furono sgozzati anche gli agnelli e ne sparsero il sangue sull'altare. ²³Quindi furono presentati al re e all'assemblea i capri per il sacrificio espiatorio, perché imponessero loro le mani. ²⁴I sacerdoti li sgozzarono e ne sparsero il sangue, quale sacrificio per il peccato, sull'altare ad espiazione di tutto Israele, perché il re aveva prescritto l'olocausto e il sacrificio espiatorio per tutto Israele.

²⁵Egli inoltre dispose i leviti nel tempio con cembali, arpe e cetre, secondo le disposizioni di Davide, di Gad, veggente del re, e del profeta Natan, perché l'ordine veniva dato dal Signore attraverso i suoi profeti. ²⁶I leviti pertanto presero posto muniti degli strumenti musicali di Davide e i sacerdoti muniti delle loro trombe. ²⁷Allora Ezechia ordinò di immolare gli olocausti sull'altare e, nel momento in cui iniziò l'olocausto, ebbero pure inizio i canti del Signore, al suono delle trombe, accompagnati dagli strumenti musicali di Davide, re d'Israele. ²⁸Tutta l'assemblea si prostrò in adorazione, mentre risuonavano i canti e suonavano le trombe: tutto ciò durò fino alla fine dell'olocausto. ²⁹Terminato l'olocausto, il re e tutti quelli che stavano insieme a lui s'inginocchiarono e si prostrarono. ³⁰Il re Ezechia e i capi ordinarono ai leviti di lodare il Signore con le parole di Davide e del veggente Asaf; essi lo lodarono con gioia, inchinandosi e prostrandosi. ³¹Allora Ezechia prese la parola e disse: «Ora voi siete totalmente dedicati al servizio del Signore. Avvicinatevi e portate le vittime e i sacrifici di ringraziamento nel tempio del Signore». L'assemblea portò le vittime e i sacrifici di ringraziamento, mentre tutti quelli che erano generosi di cuore offrirono olocausti. ³²Il numero degli olocausti offerti dall'assemblea fu di settanta buoi, cento arieti e duecento agnelli, tutti per l'olocausto in onore del Signore. ³³Le offerte sacre furono di seicento buoi e tremila pecore. ³⁴I sacerdoti erano troppo pochi e non bastavano a scuoiare tutti gli olocausti; perciò i loro fratelli, i leviti, li aiutarono fino al compimento dell'opera e finché i sacerdoti non si furono purificati; i leviti infatti avevano messo più impegno dei sacerdoti nel purificarsi. ³⁵Ci furono anche abbondanti olocausti con il grasso dei sacrifici di comunione e le libazioni per gli olocausti. Così fu ristabilito il culto nel tempio del Signore. ³⁶Ezechia con tutto il popolo si allietò perché Dio aveva ben disposto il popolo; infatti tutto si era svolto in poco tempo.

LA CELEBRAZIONE DELLA PASQUA

30 ¹Ezechia inviò messaggeri a tutto Israele e a Giuda e scrisse anche delle lettere a Efraim e a Manasse, perché venissero nel tempio del Signore a Gerusalemme per celebrare la Pasqua in onore del Signore, Dio d'Israele. ²Il re, i suoi capi e tutta l'assemblea di Gerusalemme decisero di celebrare la Pasqua nel secondo mese, ³perché non avevano potuto celebrarla al tempo stabilito, per il fatto che i sacerdoti non si erano purificati in numero sufficiente e il popolo non si era radunato in Gerusalemme. ⁴La decisione parve giusta al re e a tutta l'assemblea. ⁵Stabilirono perciò di diffondere un bando in tutto Israele, da Bersabea fino a Dan, perché si recassero a celebrare la Pasqua in Gerusalemme in onore del Signore, Dio d'Israele, dal momento che

---

30. - 2. *Decisero di celebrare la Pasqua nel secondo mese*: non erano abbastanza i sacerdoti pronti e mancava il tempo per avvertire il popolo. Fecero questo, estendendo al caso loro la legge che rimetteva la Pasqua (da celebrarsi il 14 del primo mese o Nisan) al secondo mese per quelli che, a causa di viaggi o d'impurità legale, non avessero potuto celebrarla al tempo stabilito (Nm 9,6-13). Il *secondo mese* era chiamato Ziv prima dell'esilio, Ijjar dopo.

molti non l'avevano celebrata com'era stato prescritto.

⁶I corrieri, muniti di lettere da parte del re e dei suoi capi, percorsero tutto Israele e Giuda, proclamando secondo l'ordine del re: «Israeliti, ritornate al Signore, Dio di Abramo, d'Isacco e d'Israele, perché egli ritorni a quanti fra voi sono scampati dalla mano dei re di Assiria. ⁷Non siate come i vostri padri e i vostri fratelli che furono infedeli al Signore, Dio dei loro padri, che per questo li consegnò alla desolazione, come potete constatare. ⁸Ora non siate di dura cervice come i vostri padri, date la mano al Signore, venite nel suo santuario, che egli ha santificato per sempre e servite al Signore, vostro Dio, perché si allontani da voi il furore della sua ira. ⁹Difatti, se voi fate ritorno al Signore, i vostri fratelli e i vostri figli troveranno misericordia presso coloro che li hanno deportati e ritorneranno in questo paese, perché il Signore, vostro Dio, è clemente e misericordioso e non distoglierà il suo volto da voi, se voi fate ritorno a lui».

¹⁰I corrieri passarono di città in città, nel territorio di Efraim e di Manasse fino a Zabulon, ma la gente li canzonava e si faceva beffe di loro. ¹¹Tuttavia alcuni uomini di Aser, di Manasse e di Zabulon si umiliarono recandosi a Gerusalemme. ¹²In Giuda invece si manifestò la potenza del Signore, col rendere unanime il cuore degli abitanti nell'eseguire l'ordine del re e dei capi, secondo la parola del Signore. ¹³Si riunì a Gerusalemme una grande folla per celebrare la festa degli Azzimi nel secondo mese; l'assemblea era assai numerosa.

¹⁴Iniziarono col rimuovere gli altari che si trovavano in Gerusalemme; rimossero anche gli altari dei profumi, che furono gettati nel torrente Cedron. ¹⁵Poi immolarono la Pasqua, il quattordici del secondo mese; i sacerdoti e i leviti, pieni di confusione, si erano purificati e presentarono gli olocausti nel tempio. ¹⁶Occuparono i loro posti secondo le regole fissate nella legge di Mosè, uomo di Dio. I sacerdoti aspergevano il popolo con il sangue, ricevendolo dalle mani dei leviti, ¹⁷perché molti nell'assemblea non si erano purificati. I leviti avevano il compito di immolare gli agnelli pasquali per tutti quelli che non erano puri, per consacrarli al Signore. ¹⁸Difatti una gran parte della gente di Efraim, di Manasse, di Issacar e di Zabulon non si

era purificata, e aveva mangiato la Pasqua senza seguire le prescrizioni. Perciò Ezechia pregò per essi perché il Signore, nella sua bontà, perdonasse ¹⁹quanti avevano disposto il loro cuore a ricercare Dio, cioè il Signore, Dio dei loro padri, anche senza la purità che il santuario esigeva. ²⁰Il Signore ascoltò Ezechia e risparmiò il popolo.

²¹Gli Israeliti che si trovavano in Gerusalemme celebrarono la festa degli Azzimi durante sette giorni con grande gioia, mentre i sacerdoti e i leviti lodavano ogni giorno il Signore con tutte le loro forze. ²²Ezechia poi incoraggiò tutti i leviti che avevano dimostrato grande intelligenza nel servizio del Signore. Così terminarono la festa durata sette giorni, offrendo sacrifici di comunione e rendendo grazie al Signore, Dio dei loro padri.

²³Tutta l'assemblea decise di festeggiare altri sette giorni; così passarono ancora sette giorni nella gioia. ²⁴Difatti Ezechia, re di Giuda, aveva offerto all'assemblea mille giovenchi e settemila pecore, anche i capi avevano offerto all'assemblea mille giovenchi e diecimila pecore. I sacerdoti si erano purificati in gran numero. ²⁵Tutta l'assemblea di Giuda, i sacerdoti, i leviti, tutto il gruppo di coloro che erano venuti da Israele, gli stranieri venuti dalla terra d'Israele e quelli che abitavano in Giuda furono pieni di gioia. ²⁶Vi fu in Gerusalemme una grande letizia perché dal tempo di Salomone, figlio di Davide, re d'Israele, non era avvenuto nulla di simile in Gerusalemme. ²⁷I sacerdoti e i leviti si misero a benedire il popolo; si udì la loro voce, e la loro preghiera raggiunse la santa dimora di Dio nel cielo.

LA RIORGANIZZAZIONE DEL CULTO, DEI SACERDOTI E DEI LEVITI

31 ¹Quando tutto fu finito, gli Israeliti, che si trovavano lì, partirono per le città di Giuda, per far a pezzi le stele, infrangere i pali sacri, abbattere le alture e gli altari in tutto il territorio di Giuda, di Beniamino, di Efraim e di Manasse, fino alla completa distruzione. Poi tutti gli Israeliti se ne tornarono nelle loro città, ognuno nella sua proprietà.

²Ezechia ricostituì le classi dei sacerdoti e dei leviti, in base alle loro classi e secondo il loro ruolo, assegnando a ognuno, sacerdoti

e leviti, il proprio servizio riguardo all'olocausto e ai sacrifici, per ringraziare, lodare e servire alle porte dell'accampamento del Signore. ³La parte che il re prelevava sui suoi beni era destinata agli olocausti del mattino e della sera, agli olocausti dei sabati, dei noviluni e delle solennità, secondo ciò che è scritto nella legge del Signore. ⁴Poi ordinò al popolo e agli abitanti di Gerusalemme di consegnare ai sacerdoti e ai leviti la loro parte, perché si potessero dedicare alla legge del Signore. ⁵Appena l'ordine si diffuse, gli Israeliti offrirono in abbondanza le primizie del grano, del mosto, dell'olio, del miele e di tutti i prodotti dei campi. Essi offrirono con larghezza la decima di ogni cosa. ⁶Anche gli Israeliti e i Giudei, che abitavano nelle città di Giuda, portarono la decima del bestiame grosso e di quello minuto, come pure la decima delle offerte sante consacrate al Signore, loro Dio, e ne fecero tanti ammassi. ⁷Si cominciò a fare gli ammassi nel terzo mese e si finì nel settimo. ⁸Quando Ezechia e i capi andarono a vedere gli ammassi, benedirono il Signore e il suo popolo. ⁹Ezechia interrogò i sacerdoti e i leviti riguardo agli ammassi. ¹⁰Allora Azaria, sommo sacerdote della casa di Zadok, prese la parola e gli disse: «Da quando si è cominciato a portare le offerte nella casa del Signore, noi abbiamo mangiato a sazietà e ne è avanzato in abbondanza, poiché il Signore ha benedetto il suo popolo ed è rimasta questa grande quantità».

¹¹Allora Ezechia ordinò di preparare delle stanze nel tempio. Quando furono pronte, ¹²vi portarono i contributi, cioè le decime e le offerte sante, per porli al sicuro. Il levita Conania ne ebbe la sovrintendenza, mentre suo fratello Simei ebbe il secondo posto. ¹³Iechiel, Azaria, Nacat, Asael, Ierimot, Iozabad, Eliel, Ismachia, Macat e Benaia erano sorveglianti sotto gli ordini di Conania e di Simei, suo fratello, per disposizione del re Ezechia e di Azaria, sovrintendente al tempio. ¹⁴Il levita Kore, figlio di Imna, guardiano della porta orientale, era preposto alle offerte volontarie fatte a Dio; egli doveva distribuire il contributo dato al Signore e le cose consacrate. ¹⁵Ai suoi ordini c'erano Eden, Miniamin, Giosuè, Semaia, Amaria e Secania, che risiedevano nelle città sacerdotali, per distribuire le parti ai loro fratelli, grandi e piccoli, secondo le loro classi,

¹⁶oltre ai maschi registrati dai tre anni in su. Questi entravano ogni giorno nel tempio del Signore, per svolgere il loro ufficio, secondo le loro funzioni e secondo le loro classi. ¹⁷L'iscrizione dei sacerdoti sui registri veniva fatta secondo i loro casati, mentre quella dei leviti, a partire dai vent'anni in su, secondo le loro funzioni e le loro classi. ¹⁸Erano registrati con tutti i loro bambini, le mogli, i figli e le figlie di tutta la comunità, perché dovevano dedicarsi con fedeltà alle cose sante. ¹⁹Quanto ai figli di Aronne, ossia i sacerdoti che abitavano nella campagna, nelle zone attorno alle loro città, c'erano in ogni città uomini designati per nome, che dovevano distribuire la parte dovuta ad ogni maschio tra i sacerdoti e ad ogni levita che risultava registrato.

²⁰Ezechia agì in questo modo in tutta la Giudea; egli fece ciò che è buono, retto e leale al cospetto del Signore, suo Dio. ²¹In ogni opera che egli intraprese per il servizio del tempio di Dio, in favore della legge e dei comandamenti, ricercò il suo Dio con tutto il cuore e perciò ebbe successo.

L'INVASIONE DI SENNACHERIB

32 ¹Dopo questi fatti e queste prove di fedeltà giunse Sennacherib, re d'Assiria. Entrò in Giudea, assediò le città fortificate e ordinò di aprirvi delle brecce. ²Quando Ezechia vide che Sennacherib era arrivato con il proposito di attaccare Gerusalemme, ³tenne consiglio con i suoi ufficiali e con i suoi prodi, per ostruire le acque delle sorgenti che si trovavano fuori della città; essi lo appoggiarono. ⁴Si riunì pertanto una folla di popolo per ostruire tutte le sorgenti e i corsi d'acqua che scorrevano in mezzo al paese. «Perché», si diceva, «i re d'Assiria dovrebbero venire e trovare acque abbondanti?». ⁵Ezechia si rafforzò ovunque: riparò tutte le mura rovinate, vi eresse sopra le torri e al di fuori un muro esterno. Rafforzò il Millo della città di Davide, poi fece preparare giavellotti e scudi in gran numero. ⁶Alla testa del popolo pose capi militari, li radunò presso di sé sulla piazza, vicino alla porta della città, e così parlò al loro cuore: ⁷«Siate forti e fatevi coraggio! Non temete e non spaventatevi di fronte al re d'Assiria e di fronte a tutta la moltitudine che è con lui, perché con noi c'è uno più grande di chi è con lui. [8]Con lui c'è un braccio di carne mentre con noi c'è il Signore, nostro Dio, per soccorrerci e combattere le nostre battaglie». Il popolo ebbe fiducia nelle parole di Ezechia, re di Giuda.

[9]Dopo di ciò Sennacherib, re d'Assiria, mentre assaliva Lachis con tutto il suo esercito, inviò i suoi ministri a Gerusalemme presso Ezechia, re di Giuda, e presso tutti i Giudei che si trovavano a Gerusalemme per dir loro: [10]«Così parla Sennacherib, re d'Assiria: In che cosa riponete la vostra fiducia, voi, per restare in Gerusalemme assediata? [11]Non vi inganna forse Ezechia per consegnarvi alla morte di fame e di sete, quando afferma: Il Signore nostro Dio ci libererà dalla mano dei re d'Assiria? [12]Non è forse lui, Ezechia, che fece rimuovere le sue alture e i suoi altari ordinando a Giuda e Gerusalemme: Voi vi prostrerete dinanzi a un altare e su di esso soltanto offrirete l'incenso? [13]Non sapete forse ciò che abbiamo fatto io e i miei padri a tutti i popoli di tutti i paesi? Sono stati forse capaci gli dèi delle genti di quelle regioni di liberare i loro paesi dalla mia mano? [14]Tra tutti gli dèi di quelle nazioni, che i miei padri hanno votato allo sterminio, chi poté liberare il proprio popolo dalla mia mano? E il vostro Dio potrà liberarvi dalla mia mano? [15]Ora, dunque, Ezechia non v'inganni e non vi seduca in questo modo; non prestategli fede! Se infatti nessun dio di nessuna nazione e regno fu in grado di liberare il suo popolo dalla mia mano e da quella dei miei padri, tanto meno il vostro Dio potrà liberarvi dalla mia mano!».

[16]I suoi ministri parlarono ancora contro il Signore Dio e contro Ezechia suo servo. [17]Sennacherib aveva scritto una lettera per insultare il Signore, Dio d'Israele, parlando contro di lui in questi termini: «Come gli dèi delle genti dei vari paesi non hanno liberato i popoli dalla mia mano, così il Dio di Ezechia non libererà il suo popolo dalla mia mano». [18]Gli inviati gridavano a gran voce in lingua ebraica al popolo di Gerusalemme, che si trovava sulle mura, per spaventarlo e sconvolgerlo al fine di poter conquistare la città. [19]Essi parlavano del Dio di Gerusalemme come di uno degli dèi dei popoli della terra, che sono opera delle mani dell'uomo.

[20]Ma il re Ezechia e il profeta Isaia, figlio di Amoz, si misero a pregare a questo proposito gridando verso il cielo. [21]Allora il Signore inviò un angelo, che sterminò tutti i prodi guerrieri, i prìncipi e i capi nell'accampamento del re d'Assiria. Questi ritornò al suo paese con il viso coperto di vergogna; quando entrò nel tempio del suo dio, alcuni suoi figli, nati dalle sue viscere, lo uccisero con la spada. [22]Così il Signore salvò Ezechia e gli abitanti di Gerusalemme dalla mano di Sennacherib, re d'Assiria, e dalla mano di tutti i loro nemici, concedendo loro la pace da ogni parte.

[23]Molti portarono doni per il Signore a Gerusalemme e oggetti preziosi per Ezechia, re di Giuda, che da allora salì in considerazione agli occhi di tutte le nazioni.

[24]In quel tempo Ezechia fu colpito da una malattia mortale. Egli pregò il Signore, che gli rispose concedendogli un prodigio. [25]Ma Ezechia non corrispose al beneficio che gli era stato concesso, perché il suo cuore si era inorgoglito e su di lui, su Giuda e su Gerusalemme si riversò l'ira divina. [26]Allora Ezechia si umiliò dell'orgoglio del suo cuore, lui e gli abitanti di Gerusalemme, e così l'ira del Signore non venne sopra di essi finché Ezechia restò in vita.

[27]Ezechia ebbe ricchezze e onore in grande abbondanza. Si procurò tesori in argento e oro, in pietre preziose, profumi, scudi e ogni specie di oggetti preziosi. [28]Possedette magazzini per il raccolto del grano, del mosto e dell'olio, e anche stalle per ogni specie di bestiame e ovili per i greggi. [29]Fece costruire città ed ebbe bestiame minuto e grosso in abbondanza, perché Dio gli aveva concesso un immenso patrimonio.

[30]Ezechia chiuse l'apertura superiore delle acque di Ghicon e le diresse in basso verso il lato occidentale della città di Davide. Ezechia riuscì in tutte le sue imprese. [31]Ma quando i capi di Babilonia inviarono a lui dei messi per informarsi del prodigio che era avvenuto nel paese, Dio lo abbandonò per metterlo alla prova e conoscere tutto ciò che c'era nel suo cuore.

[32]Il resto degli atti di Ezechia e delle sue opere pie è scritto nella visione del profeta Isaia, figlio di Amoz, e nel libro dei re di Giuda e d'Israele. [33]Ezechia si addormentò con i suoi padri e fu sepolto sulla salita dei sepolcri dei figli di Davide. Alla sua morte

tutti i Giudei e gli abitanti di Gerusalemme gli resero onore. E Manasse, suo figlio, regnò al suo posto.

IL REGNO DI MANASSE E DI AMON

33 [1]Quando divenne re, Manasse aveva dodici anni; egli regnò a Gerusalemme cinquantacinque anni. [2]Fece ciò che è male agli occhi del Signore, seguendo le abominazioni delle nazioni che il Signore aveva scacciato davanti agli Israeliti. [3]Egli ricostruì le alture che Ezechia, suo padre, aveva abbattuto; eresse altari ai Baal, piantò pali sacri, adorò tutto l'esercito del cielo e lo servì. [4]Fece erigere altari nel tempio del Signore, del quale il Signore aveva detto: «A Gerusalemme il mio nome rimarrà per sempre». [5]Eresse altari a tutto l'esercito del cielo nei due cortili del tempio del Signore. [6]Fu lui che fece passare i suoi figli attraverso il fuoco nella valle di Ben-Innom; praticò l'astrologia, la magia e la divinazione, stabilendo negromanti e indovini; moltiplicò il male agli occhi del Signore, in modo da provocarne lo sdegno. [7]Scolpì un idolo e collocò la statua nel tempio, del quale Dio aveva detto a Davide e a Salomone, suo figlio: «In questo tempio e in Gerusalemme, che ho scelto fra tutte le tribù d'Israele, porrò il mio nome per sempre. [8]Non voglio che il piede degli Israeliti si allontani più dal suolo che ho destinato ai loro padri, a condizione che si impegnino ad eseguire tutto ciò che ho loro comandato nell'intera legge, cioè nei decreti e negli statuti dati per mezzo di Mosè». [9]Tuttavia Manasse sviò Giuda e gli abitanti di Gerusalemme in modo che essi agirono peggio delle nazioni che il Signore aveva distrutto di fronte agli Israeliti.

[10]Il Signore parlò a Manasse e al suo popolo, ma essi non prestarono attenzione. [11]Allora il Signore fece marciare contro di essi i capi dell'esercito del re di Assiria; questi presero Manasse con uncini, legatolo con doppia catena di bronzo, lo condussero in Babilonia. [12]Trovandosi in angustia, Manasse implorò il Signore, suo Dio, e si umiliò profondamente davanti al Dio dei suoi padri. [13]Lo supplicò e fu esaudito; il Signore ascoltò la sua supplica e lo ricondusse a Gerusalemme nel suo regno. Allora Manasse riconobbe che solo il Signore è Dio. [14]In seguito egli costruì un muro esterno alla città di Davide, ad occidente del Ghicon, nella valle fino alla porta dei Pesci, tutto intorno all'Ofel, e lo costruì molto alto. Poi stabilì capi dell'esercito in tutte le città fortificate di Giuda. [15]Fece sparire dal tempio del Signore gli dèi stranieri e l'idolo, come anche tutti gli altari che aveva costruito sulla collina del tempio del Signore e in Gerusalemme e li gettò fuori della città.

[16]Quindi ristabilì l'altare del Signore, offrendo sopra di esso sacrifici di comunione e di lode e ordinò ai Giudei di servire il Signore, Dio d'Israele. [17]Tuttavia il popolo continuava ad offrire sacrifici sulle alture, seppure in onore del Signore, suo Dio.

[18]Le altre imprese di Manasse, la preghiera che egli rivolse al suo Dio e le parole dei veggenti che gli parlarono in nome del Signore, Dio d'Israele, sono scritte negli Atti dei re d'Israele. [19]La sua preghiera e come fu esaudito, ogni suo peccato e infedeltà, i luoghi sui quali eresse le alture e drizzò pali sacri e idoli, prima di essere umiliato, sono descritti negli Atti di Cozai. [20]Manasse si addormentò con i suoi padri e fu sepolto nel giardino della sua casa. Al suo posto regnò Amon, suo figlio.

[21]Quando cominciò a regnare, Amon aveva ventidue anni e regnò due anni a Gerusalemme. [22]Egli fece ciò che è male agli occhi del Signore, come aveva fatto Manasse, suo padre. Amon offrì sacrifici a tutti gli idoli che Manasse, suo padre, aveva fatto costruire e li servì. [23]Non si umiliò davanti al Signore, come si era umiliato Manasse, suo padre; anzi egli, Amon, aumentò le sue colpe. [24]I suoi ministri fecero una congiura contro di lui e lo uccisero nella sua casa. [25]Allora il popolo del paese colpì a morte tutti quelli che avevano cospirato contro il re Amon e lo stesso popolo proclamò re al suo posto Giosia, suo figlio.

IL REGNO DI GIOSIA

34 [1]Quando cominciò a regnare, Giosia aveva otto anni e regnò in Gerusalemme trentun anni. [2]Egli fece ciò che è retto al cospetto del Signore e imitò la condotta di Davide, suo antenato, senza deviare né a destra né a sinistra.

³Nell'ottavo anno del suo regno, quando era ancora giovane, cominciò a ricercare il Dio di Davide, suo padre, e nel dodicesimo anno cominciò a purificare Giuda e Gerusalemme dalle alture, dai pali sacri, dagli idoli e dalle immagini di metallo fuso. ⁴Furono demoliti davanti a lui gli altari dei Baal e fece abbattere gli altari d'incenso che vi erano sopra; frantumò i pali sacri, gli idoli e le immagini in metallo fuso, riducendoli in polvere, che sparse sui sepolcri di coloro che avevano ad essi sacrificato. ⁵Bruciò le ossa dei sacerdoti sui loro altari e così purificò Giuda e Gerusalemme.

⁶Lo stesso fece nelle città di Manasse, di Efraim e di Simeone, fino a Neftali e nei territori che le attorniavano: ⁷abbatté gli altari, frantumò i pali sacri e gli idoli, riducendoli in polvere; demolì tutti gli altari per l'incenso in tutto il paese d'Israele. Poi fece ritorno a Gerusalemme. ⁸Nell'anno diciottesimo del suo regno, dopo aver purificato il paese e il tempio, incaricò Safan, figlio di Asalia, Maaseia, governatore della città, e Ioach, figlio di Ioacaz, archivista, di restaurare il tempio del Signore, suo Dio. ⁹Essi si recarono dal sommo sacerdote Chelkia e gli consegnarono il denaro depositato nel tempio, che i leviti, custodi della porta, avevano raccolto da Manasse, da Efraim e da tutto il resto d'Israele, da tutta la Giudea, da Beniamino e dagli abitanti di Gerusalemme. ¹⁰Lo consegnarono in mano ai direttori dei lavori preposti al tempio del Signore, i quali lo impiegarono per gli operai che lavoravano nel tempio del Signore, per consolidarlo e restaurarlo. ¹¹Lo consegnarono ai carpentieri e ai muratori, per acquistare pietre da taglio e legname per le armature e le travature dei locali che i re di Giuda avevano lasciato andare in rovina. ¹²Quegli uomini lavoravano con onestà; si trovavano sotto la sorveglianza di Iacat e Abdia, leviti dei figli di Merari, e di Zaccaria e Mesullam, keatiti, che li dirigevano. Leviti esperti di strumenti musicali ¹³sorvegliavano i portatori e dirigevano quanti eseguivano lavori nei diversi servizi. Altri leviti erano scribi, ispettori e portinai.

¹⁴Mentre si prelevava il denaro depositato nel tempio del Signore, il sacerdote Chelkia trovò il libro della legge del Signore, data per mezzo di Mosè. ¹⁵Allora Chelkia, presa la parola, disse allo scriba Safan: «Ho trovato nel tempio del Signore il libro della legge». Chelkia consegnò il libro a Safan. ¹⁶Safan portò il libro dal re, e gli riferì: «I tuoi servi eseguono tutto ciò che è stato loro ordinato. ¹⁷Hanno versato il denaro trovato nel tempio del Signore e l'hanno consegnato ai sovrintendenti e agli operai». ¹⁸Poi lo scriba Safan annunciò al re: «Il sacerdote Chelkia mi ha dato un libro». Safan ne lesse una parte alla presenza del re. ¹⁹Quando il re udì le parole della legge, si strappò le vesti. ²⁰Egli diede quest'ordine a Chelkia, ad Achikam, figlio di Safan, ad Abdon, figlio di Mica, allo scriba Safan e ad Asaia, ministro del re: ²¹«Andate a consultare il Signore per me e per quelli che sono rimasti in Israele e in Giuda riguardo alle parole del libro che è stato trovato; difatti grande è la collera del Signore, riversatasi sopra di noi, perché i nostri padri non osservarono la parola del Signore, compiendo quanto è scritto in questo libro».

²²Allora Chelkia, insieme con quelli che il re aveva designato, si recò dalla profetessa Culda, moglie di Sallum, figlio di Tokat, figlio di Casra, il guardarobiere; essa abitava nel secondo quartiere di Gerusalemme. Le parlarono in tal senso ²³ed ella rispose: «Così parla il Signore, Dio d'Israele: Riferite all'uomo che vi ha inviato da me: ²⁴Così parla il Signore: Ecco, faccio venire una sciagura su questo luogo e sui suoi abitanti tutte le maledizioni scritte nel libro che è stato letto al cospetto del re di Giuda. ²⁵Poiché mi hanno abbandonato e hanno offerto incenso a divinità straniere, così da provocarmi a sdegno con tutte le opere delle loro mani, la mia collera si riverserà su questo luogo e non si potrà spegnere. ²⁶Al re di Giuda, che vi ha inviato a consultare il Signore, direte: Così parla il Signore, Dio d'Israele: A proposito delle parole che hai udito, ²⁷poiché il tuo cuore si è commosso e ti sei umiliato davanti a Dio, udendo le mie parole contro questo luogo e contro i suoi abitanti; poiché ti sei umiliato davanti a me, hai strappato le tue vesti e hai pianto al mio cospetto, anch'io ho ascoltato. Oracolo del Signore! ²⁸Ecco, io ti riunirò con i tuoi padri e sarai deposto in pace nel tuo sepolcro. I tuoi occhi non vedranno tutta la sciagura che io farò venire su questo luogo e sui suoi abitanti». Quelli riferirono il messaggio al re.

²⁹Allora per ordine del re si riunirono tutti gli

anziani di Giuda e di Gerusalemme. [30]Il re salì al tempio del Signore insieme con tutti gli uomini di Giuda e con gli abitanti di Gerusalemme, i sacerdoti, i leviti e tutto il popolo, dal più grande al più piccolo. Egli fece leggere in loro presenza tutte le parole del libro dell'alleanza trovato nel tempio del Signore. [31]Il re, stando ritto sul suo podio, concluse un'alleanza davanti al Signore, impegnandosi a seguire il Signore, osservare i suoi precetti, le sue prescrizioni e i suoi decreti con tutto il cuore e con tutta l'anima, in modo da mettere in pratica le parole dell'alleanza scritte in quel libro. [32]Egli vi fece aderire tutti quelli che si trovavano in Gerusalemme e in Beniamino. Gli abitanti di Gerusalemme agirono ispirandosi all'alleanza di Dio, del Dio dei loro padri. [33]Giosia fece sparire tutte le abominazioni di tutti i territori appartenenti agli Israeliti e costrinse quanti si trovavano in Israele a servire il Signore, loro Dio. Finché egli visse, non si allontanarono dal Signore, Dio dei loro padri.

LA CELEBRAZIONE DELLA PASQUA

35 [1]Giosia celebrò in Gerusalemme la Pasqua in onore del Signore; si immolò la Pasqua il quattordicesimo giorno del primo mese. [2]Ristabilì i sacerdoti nei loro uffici e li confermò nel servizio del tempio del Signore. [3]Egli disse ai leviti che istruivano tutto Israele e che si erano consacrati al Signore: «Collocate l'arca santa nel tempio costruito da Salomone, figlio di Davide, re d'Israele; essa non sarà più un peso per le vostre spalle. Ora servite il Signore, vostro Dio, e il suo popolo Israele. [4]Disponetevi secondo i vostri casati, secondo le vostre classi, in base alla prescrizione di Davide, re d'Israele, e di Salomone, suo figlio. [5]State nel santuario a disposizione dei casati dei vostri fratelli, dei figli del popolo: a loro disposizione vi sia una parte di un casato dei leviti. [6]Immolate la Pasqua, purificatevi, preparatela per i vostri fratelli, secondo la parola del Signore trasmessa da Mosè».

[7]Giosia donò ai figli del popolo bestiame minuto, agnelli e capretti, da servire come vittime pasquali per tutti quelli che si trovavano lì presenti. Il loro numero era di trentamila, e in più tremila buoi. Tutto questo bestiame era di proprietà del re. [8]Anche i suoi ufficiali fecero offerte spontanee al popolo, ai sacerdoti e ai leviti. Chelkia, Zaccaria e Iechiel, sovrintendenti del tempio di Dio, offrirono ai sacerdoti come vittime pasquali duemilaseicento agnelli e capretti, oltre a trecento buoi. [9]Conania, Semaia e Netaneel, suoi fratelli, Casabia, Iechiel e Iozabad, capi dei leviti, donarono ai leviti come vittime pasquali cinquemila agnelli e capretti, oltre a cinquecento buoi. [10]Così tutto fu pronto per il servizio: i sacerdoti si misero al loro posto, così pure i leviti, secondo le loro classi, come aveva ordinato il re. [11]Si immolò la Pasqua: i sacerdoti spargevano il sangue, mentre i leviti scuoiavano. [12]Misero da parte gli olocausti da distribuire ai figli del popolo, secondo le divisioni dei vari casati, perché li potessero offrire al Signore, come è scritto nel libro di Mosè; lo stesso fecero per i buoi. [13]Secondo l'usanza si arrostì l'agnello pasquale sul fuoco, mentre le parti consacrate furono cotte nelle pentole, nelle caldaie e nei tegami; il tutto fu sollecitamente distribuito ai figli del popolo. [14]Dopo, prepararono la Pasqua per se stessi e per i sacerdoti, poiché i sacerdoti, figli di Aronne, furono impegnati fino alla notte nell'offrire gli olocausti e le parti grasse; per questo i leviti fecero i preparativi per se stessi e per i sacerdoti, figli di Aronne.

[15]I cantori, figli di Asaf, stavano al loro posto, come avevano ordinato Davide, Asaf, Eman e Idutun, il veggente del re; i portieri stavano presso ciascuna porta. Nessuno di essi dovette assentarsi dal suo posto, perché i leviti, loro fratelli, prepararono tutto per loro. [16]Così in quel giorno fu organizzato tutto il servizio del Signore per la celebrazione della Pasqua e per l'offerta degli olocausti sull'altare del Signore, secondo l'ordine del re Giosia. [17]Gli Israeliti che si trovavano là celebrarono la Pasqua e la festa degli Azzimi per sette giorni. [18]Non si era celebrata una Pasqua in Israele dal tempo del profeta Samuele; nessun re d'Israele aveva celebrato una Pasqua come questa celebrata da Giosia, insieme con i sacerdoti, i leviti, tutti i Giudei e gli Israeliti che si trovavano là con gli abitanti di Gerusalemme. [19]Questa Pasqua fu celebrata nel diciottesimo anno del regno di Giosia. [20]Dopo tutto ciò che Giosia aveva fatto per riorganizzare il tempio, Necao, re d'Egitto, partì per andare a combattere a Carche-

mis, sull'Eufrate; Giosia marciò contro di lui.
²¹Ma Necao inviò messaggeri a dirgli: «Che cosa ho da fare con te, o re di Giuda? Non è contro di te che io vengo oggi, ma contro un'altra casa con cui mi trovo in guerra, e Dio mi ha ordinato di affrettarmi. Cessa perciò di opporti al Dio che è con me, affinché non ti distrugga». ²²Ma Giosia non si ritirò, anzi decise di combattere contro di lui, non prestando ascolto alle parole di Necao, che venivano da Dio; così egli attaccò battaglia nella pianura di Meghiddo.
²³Gli arcieri tirarono sul re Giosia; il re ordinò ai suoi ufficiali: «Portatemi via, perché sono gravemente ferito». ²⁴I suoi ufficiali lo tolsero dal carro e, fattolo salire su di un altro carro, lo condussero a Gerusalemme, dove morì. Allora lo seppellirono nella tomba dei suoi padri. Tutti quelli di Giuda e di Gerusalemme fecero il lutto per Giosia.
²⁵Geremia compose una lamentazione su Giosia; tutti i cantori e le cantanti nei loro canti funebri hanno parlato di Giosia fino ad oggi; ciò divenne una tradizione in Israele; ecco, essi sono inseriti nelle Lamentazioni.
²⁶Le altre imprese di Giosia e le sue opere di pietà, conformi a quanto prescrive la legge del Signore, ²⁷le sue gesta, le prime come le ultime, sono descritte nel libro dei re d'Israele e di Giuda.

LA CADUTA DEL REGNO DI GIUDA

36 ¹Il popolo del paese prese Ioacaz, figlio di Giosia, e lo proclamò re in Gerusalemme al posto di suo padre. ²Quando divenne re, Ioacaz aveva ventitré anni; regnò tre mesi in Gerusalemme. ³Il re d'Egitto lo destituì in Gerusalemme e impose al paese un tributo di cento talenti d'argento e di un talento d'oro. ⁴Quindi il re d'Egitto costituì re sulla Giudea e su Gerusalemme suo fratello Eliakim, cambiandogli il nome in Ioiakim. Quanto a suo fratello Ioacaz, Necao lo prese e lo condusse in Egitto.
⁵Quando Ioiakim divenne re, aveva venticinque anni; regnò undici anni in Gerusa-

lemme. Egli fece ciò che è male al cospetto del Signore, suo Dio. ⁶Contro di lui marciò Nabucodonosor, re di Babilonia, il quale lo legò con catene di bronzo per deportarlo in Babilonia. ⁷Nabucodonosor portò in Babilonia anche una parte degli oggetti del tempio del Signore, che depose nella sua reggia. ⁸Il resto degli atti di Ioiakim, gli abomini che commise e ciò che gli si può imputare sono descritti nel libro dei re d'Israele e di Giuda. Al suo posto divenne re suo figlio Ioiachin.
⁹Quando divenne re, Ioiachin aveva diciotto anni; regnò in Gerusalemme tre mesi e dieci giorni e fece ciò che è male al cospetto del Signore. ¹⁰All'inizio del nuovo anno il re Nabucodonosor mandò a imprigionarlo e lo fece deportare a Babilonia insieme agli oggetti preziosi del tempio del Signore. Egli nominò re su Giuda e su Gerusalemme Sedecia, fratello di suo padre.
¹¹Quando divenne re, Sedecia aveva ventun anni; regnò undici anni in Gerusalemme. ¹²Egli fece ciò che è male al cospetto del Signore, suo Dio. Non si umiliò davanti al profeta Geremia, che gli parlava nel nome del Signore. ¹³Osò persino ribellarsi contro il re Nabucodonosor, che gli aveva fatto giurare fedeltà in nome di Dio. Irrigidì la sua cervice e si ostinò nel suo cuore, senza far ritorno al Signore, Dio d'Israele.
¹⁴Anche tutti i capi di Giuda, i sacerdoti e il popolo moltiplicarono le loro infedeltà, imitando in tutto gli abomini delle altre nazioni e contaminando il tempio che il Signore si era consacrato in Gerusalemme.
¹⁵Il Signore, Dio dei loro padri, mandò sin dall'inizio e senza posa i suoi messaggeri ad avvertirli, perché aveva compassione del suo popolo e della sua dimora. ¹⁶Ma essi schernirono i messaggeri di Dio, disprezzarono le loro parole e si burlarono dei suoi profeti, finché la collera del Signore contro il suo popolo raggiunse un punto in cui non c'era più rimedio. ¹⁷Allora il Signore fece marciare contro di loro il re dei Caldei, il quale uccise di spada i loro uomini migliori all'interno del santuario, senza avere pietà per i giovani, le vergini, gli anziani e le persone dai capelli bianchi. Il Signore mise tutti in suo potere. ¹⁸Tutti gli oggetti del tempio di Dio, grandi e piccoli, i tesori del tempio del Signore e i tesori del re e dei suoi ufficiali, tutto fu portato in Babilonia. ¹⁹Il tempio di Dio fu dato alle fiamme, le mura di Gerusa-

---
36. - 15. Dio è paragonato a un padre di famiglia, sollecito nel mandare i suoi servi, desideroso del bene dei suoi figli.
17. *Il re dei Caldei* o Babilonesi: Nabucodonosor, re dal 605 al 562 a.C.

lemme furono abbattute, tutti i suoi palazzi furono consumati dal fuoco, tutti i suoi oggetti preziosi furono destinati alla distruzione. [20]Nabucodonosor deportò in Babilonia quelli che erano sopravvissuti alla spada; essi divennero schiavi suoi e dei suoi figli fino all'avvento del regno persiano. [21]Così si compiva la parola del Signore predetta da Geremia: «Finché il paese non abbia scontato i suoi sabati, esso riposerà durante tutto il tempo della desolazione fino al termine di settant'anni».

[22]Nel primo anno di Ciro, re di Persia, a compimento della parola del Signore, pronunciata da Geremia, il Signore suscitò lo spirito di Ciro, re di Persia. Egli fece proclamare per tutto il suo regno, a voce e per iscritto: [23]«Dice Ciro, re di Persia: Il Signore, Dio dei cieli, ha dato in mio potere tutti i regni della terra; egli stesso mi ha incaricato di costruirgli un tempio in Gerusalemme, che è in Giuda. Chiunque tra voi appartenga al suo popolo, il Signore, suo Dio, sia con lui e si metta in cammino!».

---

21. La schiavitù di settant'anni fu predetta da Geremia 25,11; 29,10.

22-23. Il libro termina con una luce di speranza.

ESDRA

Esdra e Neemia sono i due principali personaggi della ricostruzione della comunità giudaica formata a Gerusalemme dai reduci dell'esilio babilonese e dai loro discendenti. I due libri formano un'unica opera letteraria e insieme a 1-2Cr costituiscono la grande opera storica detta del Cronista.

I libri di Esdra e Neemia si articolano in cinque parti. La prima (Esd 1-6) narra il ritorno dei primi esuli da Babilonia grazie all'editto del re Ciro (538 a.C.). Tra molte difficoltà sul luogo del tempio viene eretto un altare per l'offerta dei sacrifici. Più tardi verrà ricostruito il tempio, ultimato nel 515. Nella seconda parte (Esd 7-10) è descritta l'opera del sacerdote Esdra per una profonda riforma religiosa secondo la legge mosaica. Nella terza parte (Ne 1-7) l'alto funzionario del re Artaserse, Neemia, ottiene l'autorizzazione ad andare a visitare la città santa e a iniziare la ricostruzione delle mura. Nella quarta parte (Ne 8-9) Esdra restaura il culto e la celebrazione delle feste in conformità con la legge di Mosè. Nella quinta parte (Ne 10-13) Neemia, durante un secondo soggiorno a Gerusalemme, inaugura solennemente le mura riedificate e prende varie misure per riformare la vita morale e civile della comunità giudaica.

La nazione giudaica, privata dell'indipendenza nazionale e politica, doveva dar vita a una comunità religiosa che affrontasse con coraggio la nuova situazione. L'osservanza della legge mosaica, letta e spiegata al popolo (Ne 8), era il mezzo fondamentale per conservare la propria identità religiosa e nazionale di popolo dell'alleanza con Dio. Quest'opera, la cui cronologia è molto problematica, è l'unica che offre informazioni sulla comunità giudaica dalla fine dell'esilio agli ultimi decenni del 400 a.C.

L'EDITTO DI CIRO E IL RITORNO DEGLI EBREI

1 ¹Nell'anno primo di Ciro, re di Persia, il Signore, per compiere la promessa fatta per bocca di Geremia, suscitò lo spirito di Ciro, re di Persia, il quale diffuse un proclama in tutto il suo regno, anche per iscritto, annunciando: ²«Così dice il re di Persia, Ciro. Il Signore, Dio del cielo, mi ha consegnato tutti i regni della terra e mi ha comandato di edificargli un tempio in Gerusalemme, che è in Giuda. ³Chi tra voi appartiene al suo popolo? Il suo Dio sia con lui: torni a Gerusalemme, che è in Giuda, e costruisca il tempio del Signore Dio d'Israele, Dio che è in Gerusalemme. ⁴Tutti i superstiti fra i deportati di Giuda, ovunque dimorino, siano forniti, dalle popolazioni dei luoghi dove risiedono, d'argento, d'oro, di doni in natura, di bestiame e di offerte volontarie per il tempio di Dio che è in Gerusalemme».

⁵Allora i capifamiglia di Giuda e di Beniamino, i sacerdoti e i leviti, assieme a tutti coloro ai quali Dio aveva ridestato lo spirito, si misero in viaggio per far ritorno a Gerusalemme e costruire il tempio del Signore. ⁶E tutti i loro vicini fecero a gara per provvederli di oggetti d'argento, d'oro, di doni in natura, di bestiame e di cose preziose in quantità, senza contare le altre offerte spontanee.

---

1. - 1. *Ciro* regnava da quasi vent'anni sulla Persia e la Media, ma qui è considerato come suo primo anno di regno il 539 in cui divenne re di Babilonia e quindi anche dei Giudei. *La promessa fatta per bocca di Geremia*: il profeta, in 25,10-11, aveva predetto la supremazia di Babilonia sul Medio Oriente, e quindi anche su Giuda, indicandone pure la durata in cifra tonda: settant'anni. Ciò che infatti avvenne dal 605 al 539 a.C.

⁷Il re Ciro fece trarre fuori le suppellettili del tempio del Signore, che Nabucodonosor aveva portato via da Gerusalemme e aveva collocate nel tempio del suo dio. ⁸Ciro, re di Persia, le fece prelevare per mezzo di Mitridate, il tesoriere, il quale le consegnò contate a Sesbassar, principe di Giuda. ⁹Questo è il loro computo: trenta bacinelle d'oro, mille bacinelle d'argento, ventinove coltelli, ¹⁰trenta coppe d'oro, quattrocentodieci coppe d'argento di second'ordine, mille altri arredi. ¹¹Le suppellettili d'oro e d'argento erano tutte insieme cinquemilaquattrocento. Sesbassar le riportò tutte a Gerusalemme, quando gli esuli vi poterono far ritorno da Babilonia.

LA LISTA DEI RIMPATRIATI CON ZOROBABELE

2 ¹Questi sono gli Ebrei della provincia di Giudea che tornarono dall'esilio, coloro che Nabucodonosor, re di Babilonia, aveva deportato. Essi tornarono a Gerusalemme e nella Giudea, ciascuno alla sua città. ²Vennero con Zorobabele, Giosuè, Neemia, Seraia, Reelaia, Mardocheo, Bilsan, Mispar, Bigvai, Recum, Baana.

Numero degli uomini del popolo d'Israele:

³ Figli di Paros: duemilacentosettantadue.
⁴ Figli di Sefatia: trecentosettantadue.
⁵ Figli di Arach: settecentosettantacinque.
⁶ Figli di Pacat-Moab, cioè i figli di Giosuè e di Ioab: duemilaottocentodieci.
⁷ Figli di Elam: milleduecentocinquantaquattro.
⁸ Figli di Zattu: novecentoquarantacinque.
⁹ Figli di Zaccai: settecentosessanta.
¹⁰ Figli di Bani: seicentoquarantadue.
¹¹ Figli di Bebai: seicentoventitré.
¹² Figli di Azgad: milleduecentoventidue.
¹³ Figli di Adonikam: seicentosessantasei.
¹⁴ Figli di Bigvai: duemilacinquantasei.
¹⁵ Figli di Adin: quattrocentocinquantaquattro.
¹⁶ Figli di Ater, cioè di Ezechia: novantotto.
¹⁷ Figli di Bezai: trecentoventitré.
¹⁸ Figli di Iora: centododici.
¹⁹ Figli di Casum: duecentoventitré.
²⁰ Figli di Ghibbar: novantacinque.
²¹ Figli di Betlemme: centoventitré.

²² Uomini di Netofa: cinquantasei.
²³ Uomini di Anatot: centoventotto.
²⁴ Figli di Azmavet: quarantadue.
²⁵ Figli di Kiriat-Iearim, di Chefira e di Beerot: settecentoquarantatré.
²⁶ Figli di Rama e di Gheba: seicentoventuno.
²⁷ Uomini di Micmas: centoventidue.
²⁸ Uomini di Betel e di Ai: duecentoventitré.
²⁹ Figli di Nebo: cinquantadue.
³⁰ Figli di Magbis: centocinquantasei.
³¹ Figli di un altro Elam: milleduecentocinquantaquattro.
³² Figli di Carim: trecentoventi.
³³ Figli di Lod, Cadid e Ono: settecentoventicinque.
³⁴ Figli di Gerico: trecentoquarantacinque.
³⁵ Figli di Senaa: tremilaseicentotrenta.
³⁶ I sacerdoti: figli di Iedaia della casa di Giosuè: novecentosettantatré.
³⁷ Figli di Immer: millecinquantadue.
³⁸ Figli di Pascur: milleduecentoquarantasette.
³⁹ Figli di Carim: millediciassette.
⁴⁰ I leviti: figli di Giosuè e di Kadmiel, di Binnui e di Odavia: settantaquattro.
⁴¹ I cantori: figli di Asaf: centoventotto.
⁴² I portinai: figli di Sallum, figli di Ater, figli di Talmon, figli di Akkub, figli di Catita, figli di Sobai: in tutto centotrentanove.
⁴³ Gli oblati: figli di Zica, figli di Casufa, figli di Tabbaot, ⁴⁴figli di Keros, figli di Siaa, figli di Padon, ⁴⁵figli di Lebana, figli di Cagaba, figli di Akkub, ⁴⁶figli di Cagab, figli di Samlai, figli di Canan, ⁴⁷figli di Ghiddel, figli di Gacar, figli di Reaia, ⁴⁸figli di Rezin, figli di Nekoda, figli di Gazzam, ⁴⁹figli di Uzza, figli di Paseach, figli di Besai, ⁵⁰figli di Asna, figli di Meunim, figli dei Nefisim, ⁵¹figli di Bakbuk, figli di Cakufa, figli di Carcur, ⁵²figli di Bazlut, figli di Mechida, figli di Carsa,

---

8. *Sesbassar* è un personaggio sconosciuto. Il nome è babilonese. C'è chi lo identifica con Zorobabele. Altri, più probabilmente, lo considerano personaggio distinto, chiamato *principe di Giuda* per l'incarico del re Ciro che lo costituì suo rappresentante presso i Giudei di ritorno alla loro patria.

⁵³figli di Barkos, figli di Sisara,
figli di Temach, ⁵⁴figli di Nesiach,
figli di Catifa.

⁵⁵ Figli dei servi di Salomone:
figli di Sotai, figli di Assoferet,
figli di Peruda, ⁵⁶figli di Iaala,
figli di Darkon, figli di Ghiddel,
⁵⁷figli di Sefatia, figli di Cattil,
figli di Pocheret Azzebaim,
figli di Ami.

⁵⁸ Totale degli oblati e dei figli dei servi
di Salomone: trecentonovantadue.

⁵⁹I seguenti rimpatriati da Tel-Melach, Tel-Carsa, Cherub-Addan, Immer, non potevano dimostrare se il loro casato e la loro discendenza fossero d'Israele: ⁶⁰figli di Delaia, figli di Tobia, figli di Nekoda: seicentocinquantadue.

⁶¹Tra i sacerdoti i seguenti: figli di Cobaia, figli di Akkoz, figli di Barzillai, il quale aveva preso in moglie una delle figlie di Barzillai il galaadita e aveva assunto il suo nome, ⁶²cercarono il loro registro genealogico, ma non lo trovarono; allora furono esclusi dal sacerdozio. ⁶³Il governatore ordinò loro che non mangiassero le cose santissime, finché non si presentasse un sacerdote con urim e tummim. ⁶⁴Tutta la comunità così radunata era di quarantaduemilatrecentosessanta persone; ⁶⁵inoltre vi erano i loro schiavi e le loro schiave: questi erano settemilatrecentotrentasette; poi vi erano i cantori e le cantanti: duecento.

⁶⁶I loro cavalli: settecentotrentasei. I loro muli: duecentoquarantacinque. ⁶⁷I loro cammelli: quattrocentotrentacinque. I loro asini: seimilasettecentoventi.

⁶⁸Alcuni capifamiglia, al loro arrivo al tempio che è in Gerusalemme, fecero offerte volontarie per il tempio, perché fosse ripristinato nel suo stato. ⁶⁹Secondo le loro possibilità diedero al tesoro della fabbrica: oro: dramme sessantunmila; argento: mine cinquemila; tuniche da sacerdoti: cento.

⁷⁰Poi i sacerdoti, i leviti, alcuni del popolo, i cantori, i portinai e gli oblati si stabilirono nelle rispettive città e tutti gli Israeliti nelle loro città.

---

3. - 1. *Settimo mese* era Tisri (settembre-ottobre). Era l'anno del ritorno. Prima preoccupazione fu il ristabilimento del culto, per riprendere così le relazioni con il Dio dell'alleanza che li aveva ricondotti in patria dopo il lungo e doloroso esilio.

LA RICOSTRUZIONE DELL'ALTARE E I PRIMI LAVORI DEL TEMPIO

3 ¹Come giunse il settimo mese, mentre i figli d'Israele erano nelle loro città, il popolo si radunò come un sol uomo in Gerusalemme. ²Si levò allora Giosuè, figlio di Iozadak, assieme ai suoi fratelli, ai sacerdoti e a Zorobabele, figlio di Sealtiel, con i suoi fratelli, e si misero al lavoro per ricostruire l'altare del Dio d'Israele, per offrirvi olocausti, come sta scritto nella legge di Mosè, uomo di Dio. ³Ristabilirono l'altare sul suo basamento, nonostante il timore che incutevano loro le popolazioni del paese; sopra di esso offrirono olocausti al Signore, cioè gli olocausti del mattino e della sera. ⁴Celebrarono la festa delle Capanne secondo il rituale e offrirono olocausti ogni giorno, nella quantità stabilita dal regolamento per ogni giorno. ⁵Da allora si continuò ad offrire l'olocausto perpetuo e l'olocausto per i noviluni e per tutti i tempi sacri al Signore, oltre alle offerte volontarie al Signore.

⁶Cominciarono a offrire olocausti al Signore dal primo giorno del settimo mese, benché le fondamenta del tempio del Signore non fossero ancora state poste. ⁷Diedero allora denaro ai tagliapietre e ai legnaioli, viveri, bevande e olio a quelli di Sidone e di Tiro, perché facessero giungere legni di cedro dal Libano a Giaffa, per mare, secondo l'autorizzazione di Ciro, re di Persia, a loro favore. ⁸Nel secondo anno dal loro arrivo al tempio di Dio in Gerusalemme, nel secondo mese, Zorobabele, figlio di Sealtiel, e Giosuè, figlio di Iozadak, e gli altri loro fratelli sacerdoti e leviti e quanti erano tornati dalla prigionia a Gerusalemme, si misero all'opera. Posero a dirigere i lavori del tempio del Signore i leviti dai vent'anni in su. ⁹Giosuè, i suoi figli e fratelli, Kadmiel, Binnui e Odavia dirigevano come un sol uomo gli esecutori del lavoro nel tempio di Dio; così pure i figli di Chenadad, i loro figlioli e i loro fratelli leviti.

¹⁰Mentre i costruttori gettavano le fondamenta del tempio del Signore, i sacerdoti assistevano nei loro paramenti con trombe, mentre i leviti, figli di Asaf, inneggiavano al Signore con cembali secondo gli ordini di Davide, re d'Israele. ¹¹Lodavano e ringraziavano il Signore, «perché egli è buono, perché la sua bontà verso Israele dura per sempre!».

Tutto il popolo mandava alte grida di gioia lodando il Signore, perché venivano poste le fondamenta del tempio del Signore. [12]Molti fra i sacerdoti, i leviti e i capifamiglia, ormai vecchi, i quali avevano visto l'antico tempio e ora vedevano con i loro occhi che si gettavano le fondamenta di questo nuovo, piangevano dirottamente; ma i più alzavano grida di gioia e di allegrezza. [13]Nessuno avrebbe potuto distinguere in quella turba le voci di gioia da quelle di pianto, poiché tutti levavano alte grida e il frastuono si udiva da lontano.

L'OPPOSIZIONE AI LAVORI

4 [1]Quando i nemici di Giuda e di Beniamino vennero a sapere che i deportati costruivano un tempio al Signore, Dio d'Israele, [2]si recarono da Zorobabele, da Giosuè e dai capifamiglia e dissero loro: «Vogliamo costruire assieme a voi, perché anche noi invochiamo il vostro Dio, come voi, e gli offriamo sacrifici sin dal tempo di Assarhaddon, re di Assiria, che ci condusse qua». [3]Ma Zorobabele, Giosuè e i capifamiglia d'Israele risposero loro: «Non conviene che voi e noi costruiamo insieme il tempio al nostro Dio! Noi soltanto lo ricostruiremo al Signore, Dio di Israele, come ci ha comandato Ciro, re di Persia». [4]La gente del paese si diede allora a scoraggiare il popolo di Giuda e a intimidirlo, perché cessasse di costruire. [5]Inoltre cercarono di accaparrarsi contro di loro la complicità di alcuni funzionari del re, per mandare a monte il loro progetto. Questo durò per tutto il tempo di Ciro, re di Persia, sino al regno di Dario, re di Persia. [6]Durante il regno di Serse, all'inizio del suo regno, essi scrissero una lettera d'accusa contro gli abitanti di Giuda e di Gerusalemme. [7]Poi, al tempo di Artaserse, Bislam, Mitridate, Tabeel e altri loro colleghi scrissero ad Artaserse, re di Persia. Lo scritto era in caratteri aramaici e in lingua aramaica.

[8]Infine il governatore Recum e il segretario Simsai scrissero al re Artaserse contro Gerusalemme la seguente lettera: [9]«Recum, governatore, Simsai, segretario, e gli altri loro colleghi, i giudici, i controllori, i funzionari persiani, gente di Uruk, di Babilonia e di Susa, cioè di Elam, [10]e degli altri popoli che l'illustre e grande Asnappar ha deportato e stabilito nella città di Samaria e nel resto della regione dell'Oltrefiume».

[11]Questa è la copia della lettera che essi gli inviarono: «Al re Artaserse, i tuoi servitori, uomini della regione dell'Oltrefiume. [12]Sia reso noto al re che i Giudei, partiti da te e arrivati fra noi a Gerusalemme, stanno riedificando la città ribelle e malvagia, ricostruiscono le mura e riparano le fondamenta. [13]Ebbene, sia dunque reso noto al re che se questa città viene riedificata e le mura ricostruite, né tributo né imposta né pedaggio essi pagheranno più; e alla fine ne saranno danneggiati i re. [14]Ora, poiché noi siamo mantenuti e stipendiati dal palazzo reale, non giudichiamo tollerabile il disprezzo che vien fatto al re; perciò inviamo questa comunicazione al re, [15]affinché siano fatte ricerche nel Libro delle Memorie dei tuoi padri. Tu troverai in questo Libro delle Memorie e verrai a sapere che questa città è ribelle, fonte di guai per i re e per le province, e che in essa si fomentano ribellioni sin dai tempi antichi. Perciò questa città fu distrutta. [16]Noi facciamo sapere al re che se questa città sarà riedificata e le sue mura saranno ricostruite, non ti resterà di conseguenza nessun possedimento nella regione dell'Oltrefiume».

[17]Il re mandò questa risposta: «A Recum, governatore, e a Simsai, segretario, e agli altri loro colleghi, che dimorano in Samaria e altrove nella regione dell'Oltrefiume, salute! [18]La lettera che mi avete mandato è stata letta in traduzione davanti a me. [19]Io ho dato ordine che si facessero ricerche e si è trovato che questa città sin dai tempi antichi si è ribellata contro i re e in essa sono avvenute sedizioni e rivolte. [20]A Gerusalemme vi sono stati re potenti, che comandavano su tutto il territorio dell'Oltrefiume, sicché tributi, imposte e pedaggio venivano pagati a loro. [21]Perciò date ordine che quella gente sospenda i lavori e che la città non sia ricostruita fino a che io non ne abbia dato l'ordine. [22]E badate di non essere negligenti

---

4. - 2. Assarhaddon regnò in Ninive dal 681 al 668. Chi fa la richiesta sono gli importati nel regno d'Israele, contemporaneamente alla deportazione degli Israeliti, dopo la caduta di Samaria nel 722/1 (2Re 17,24-33).

5. A Ciro successe Cambise, che morì nel 522. Nel 521 salì al trono *Dario I*, il quale fu favorevole ai culti stranieri: sotto di lui, dietro esortazione di Aggeo e Zaccaria, Zorobabele riprese i lavori del tempio che fu finito l'anno sesto di Dario (515 a.C.).

a fare ciò, perché non ne venga maggior danno al re».

23Non appena la copia della lettera del re Artaserse venne letta davanti a Recum e a Simsai, segretario, e ai loro colleghi, essi si recarono in fretta a Gerusalemme, dai Giudei, e li fecero desistere dai lavori con la forza delle armi. 24La costruzione del tempio di Dio venne sospesa; e sospesa rimase fino al secondo anno del regno di Dario, re di Persia.

LA RIPRESA DEI LAVORI

5 1Intanto i profeti Aggeo e Zaccaria, figlio di Iddo, si rivolsero ai Giudei che erano in Giuda e a Gerusalemme, profetando nel nome del Dio d'Israele, che li ispirava. 2Allora Zorobabele, figlio di Sealtiel, e Giosuè, figlio di Iozadak, si decisero a riprendere la costruzione del tempio di Dio a Gerusalemme; con essi erano i profeti di Dio, che li sostenevano.

3In quel tempo Tattenai, governatore della regione dell'Oltrefiume, Setar-Boznai e i loro colleghi vennero a trovarli e dissero: «Chi vi ha dato ordine di edificare questo tempio e di costruire queste mura? 4Chi sono e come si chiamano gli uomini che costruiscono questo edificio?».

5Ma il Signore vegliava sugli anziani dei Giudei, e non li poterono costringere a sospendere i lavori fino a che non si fosse inviato un rapporto a Dario e si fosse avuta una risposta in merito.

6Copia della lettera che Tattenai, governatore dell'Oltrefiume, Setar-Boznai e i loro colleghi, controllori dell'Oltrefiume, inviarono al re Dario. 7Gli inviarono un rapporto in cui era scritto:

«Al re Dario salute perfetta! 8Sia noto al re che noi siamo andati nella provincia della Giudea, al tempio del grande Dio. Questo viene ricostruito con blocchi di pietra e con legname alle pareti. Il lavoro viene svolto con cura e procede bene nelle loro mani. 9Noi abbiamo interrogato quegli anziani e abbiamo loro domandato: Chi vi ha dato ordine di edificare questo tempio e costruire queste mura? 10Abbiamo anche chiesto i loro nomi per fartelo conoscere; così abbiamo scritto il nome degli uomini che stanno loro a capo. 11Ecco l'informazione che ci hanno dato: Noi siamo i servi del Dio del cielo e della terra e ricostruiamo il tempio che nel passato era rimasto in piedi per lunghi anni. Un grande re d'Israele l'aveva costruito e adornato. 12Ma da quando i nostri padri provocarono l'ira del Dio del cielo, egli li abbandonò in mano di Nabucodonosor, re di Babilonia, il caldeo. Egli distrusse questo tempio e deportò il popolo a Babilonia. 13Ma nel primo anno di Ciro, re di Babilonia, il re Ciro diede ordine di ricostruire questo tempio di Dio.

14Anche gli arredi in oro e argento della casa di Dio, che Nabucodonosor aveva tolto dal tempio di Gerusalemme e trasferito nel tempio di Babilonia, il re Ciro li ha fatti togliere dal tempio di Babilonia e li ha fatti consegnare a un tale di nome Sesbassar, che egli aveva costituito governatore, 15dicendogli: Prendi questi arredi e portali nel tempio di Gerusalemme. E il tempio di Dio venga riedificato sul suo posto. 16Allora questo Sesbassar venne e pose le fondamenta del tempio di Dio a Gerusalemme. Ebbene, da allora sino ad oggi esso è in costruzione, ma non è ancora terminato. 17Pertanto, se così piace al re, si facciano ricerche nell'archivio del re in Babilonia, se per caso sia stato dato un ordine, da parte del re Ciro, perché fosse costruito questo tempio in Gerusalemme. Poi il re ci mandi, a tal proposito, la sua decisione».

L'INTERVENTO DEL RE DARIO

6 1Allora il re Dario ordinò che si facessero ricerche a Babilonia, nell'archivio, dove sono conservati i tesori, 2e nella fortezza di Ecbatana, che è nella provincia di Media, fu trovato un rotolo nel quale stava scritto così:

«Memoriale. 3Anno primo del re Ciro. Il re Ciro ha ordinato riguardo al tempio di Dio in Gerusalemme: Il tempio sia ricostruito come luogo dove si offrano sacrifici. Le fondamenta siano saldamente piantate. La sua altezza sia di sessanta cubiti e la sua larghezza di sessanta cubiti. 4Vi siano tre spessori di blocchi di pietra e uno spessore di legno. La spesa sia sostenuta dalla casa

Esd

5. - 3-7. *Tattenai* era il satrapo delle terre a occidente dell'Eufrate, quindi era sopra Zorobabele o Sesbassar, capo dei Giudei.

del re. [5]Inoltre, gli utensili della casa di Dio, fatti in oro e argento, che Nabucodonosor fece togliere dal tempio di Gerusalemme e fece portare a Babilonia, siano restituiti. Tornino al loro posto, nel tempio di Gerusalemme, e siano ricollocati nella casa di Dio. [6]Pertanto voi, Tattenai, governatore dell'Oltrefiume, e Setar-Boznai, con i vostri colleghi, controllori dell'Oltrefiume, tenetevi in disparte! [7]Lasciate proseguire il lavoro di questo tempio di Dio. Il governatore dei Giudei e gli anziani dei Giudei ricostruiranno questo tempio al suo posto. [8]Ecco i miei ordini riguardo a quanto dovete fare in favore degli anziani dei Giudei per la ricostruzione del tempio: la paga per quegli uomini sia defalcata dalle entrate del re, che provengono dai tributi della regione dell'Oltrefiume, puntualmente, in maniera che non vi sia interruzione. [9]Le cose necessarie per gli olocausti al Dio del cielo, giovenchi, arieti, agnelli, frumento, sale, vino e olio, vengano loro date giorno per giorno, senza esitazione, secondo le richieste dei sacerdoti di Gerusalemme, [10]così che essi offrano sacrifici di soave odore al Dio del cielo e preghino per la vita del re e dei suoi figli. [11]L'ordine è dato da me. Se qualcuno contravverrà a questo decreto, si prenda una trave dalla sua casa, la si drizzi ed egli vi sia impiccato; poi la sua casa venga ridotta a immondezzaio. [12]Il Dio, che ha fatto dimorare là il suo nome, distrugga ogni re o ogni popolo che stenderà la sua mano per disobbedire e distruggere questo tempio che è in Gerusalemme. Io, Dario, ho dato quest'ordine. Sia eseguito con precisione».

[13]Allora Tattenai, governatore dell'Oltrefiume, Setar-Boznai e i loro colleghi eseguirono puntualmente ciò che il re Dario aveva comandato. [14]Gli anziani dei Giudei continuarono a costruire con successo, sostenuti dalla parola del profeta Aggeo e di Zaccaria, figlio di Iddo. Essi completarono la costruzione secondo la volontà del Dio d'Israele e secondo il decreto di Ciro, di Dario e di Artaserse, re di Persia.

[15]Questo tempio fu portato a termine il terzo giorno del mese di Adar, nel sesto anno del regno del re Dario. [16]Allora i figli d'Israele, i sacerdoti, i leviti e gli altri deportati celebrarono con gioia la dedicazione di questa casa di Dio. [17]Offrirono per la dedicazione di questa casa di Dio cento tori, duecento arieti, quattrocento agnelli e dodici capri, secondo il numero delle tribù d'Israele, come sacrificio di espiazione per il peccato di tutto Israele. [18]Poi ristabilirono i sacerdoti divisi secondo le loro classi e i leviti secondo i loro turni, per il servizio liturgico che si svolge a Gerusalemme, come è prescritto dal libro di Mosè.

[19]I deportati celebrarono la Pasqua il quattordicesimo giorno del primo mese, [20]poiché i sacerdoti e i leviti s'erano purificati tutti insieme come un solo uomo; tutti erano puri. Immolarono la Pasqua per tutti i deportati, per i loro fratelli sacerdoti e per se stessi. [21]Ne mangiarono i figli d'Israele, che erano tornati dalla prigionia, e tutti quelli che dall'impurità dei popoli del paese si erano uniti a loro, per cercare il Signore, Dio d'Israele. [22]Celebrarono in letizia la festa degli Azzimi per sette giorni, perché il Signore li aveva colmati di gioia, piegando a loro favore il cuore del re d'Assiria, così da incoraggiarli nella costruzione del tempio del Signore, Dio d'Israele.

L'ATTIVITÀ DI ESDRA

[7] [1]Dopo questi avvenimenti, sotto il regno di Artaserse, re di Persia, Esdra, figlio di Seraia, figlio di Azaria, figlio di Chelkia, [2]figlio di Sallum, figlio di Zadok, figlio di Achitub, [3]figlio di Amaria, figlio di Azaria, figlio di Meraiot, [4]figlio di Zerachia, figlio di Uzzi, figlio di Bukki, [5]figlio di Abisua, figlio di Finees, figlio di Eleazaro, figlio di Aronne, sommo sacerdote: [6]questo Esdra ritornò da Babilonia. Egli era uno scriba esperto

---

6. - 22. È la quarta volta, fin qui, che la Bibbia parla di solenne celebrazione della Pasqua, sempre dopo una grande esperienza salvifica: la notte dell'esodo (Es 12,1-27; 13,1-10); dopo l'entrata nella terra promessa (Gs 5,10-12); dopo la rinnovazione dell'alleanza sotto Giosia (2Re 23,21-23). Ogni riavvicinamento a Dio è consacrato con una celebrazione pasquale: la Pasqua è una presa di coscienza della legge del Sinai, di ciò che Dio vuole dal suo popolo per potergli accordare la salvezza, cioè amore e fedeltà.

7. - 1-6. Esdra: la sua genealogia è priva di molti anelli. È presentato come lo scriba esperto nella legge mosaica, preoccupato della formazione giuridica e religiosa della comunità. Probabilmente egli era già stato a Gerusalemme sotto Neemia (Ne 8,1); ma, come Neemia, era tornato nella terra d'esilio. Nel 398 ritornò a Gerusalemme. Scriba (v. 6): dopo l'esilio questo nome indica la professione di chi scrive, cioè copia, studia la legge e la spiega al popolo.

nella legge di Mosè, data dal Signore, Dio d'Israele. Il re gli concesse tutto quanto egli chiese, perché la mano del Signore, suo Dio, era su di lui.

[7]Nel settimo anno del re Artaserse, partirono per Gerusalemme anche alcuni dei figli d'Israele, sacerdoti, leviti, cantori, portinai e oblati. [8]Egli arrivò a Gerusalemme nel quinto mese: era l'anno settimo del re. [9]Il primo giorno del primo mese egli era partito da Babilonia, e il primo giorno del quinto mese egli arrivò a Gerusalemme, poiché la mano benevola del suo Dio era su di lui. [10]Infatti, Esdra si era applicato con tutto il cuore a studiare la legge del Signore, a metterla in pratica e ad istruire Israele nelle leggi e negli statuti di Dio.

[11]Ecco la copia della lettera che il re Artaserse consegnò a Esdra, sacerdote e scriba, esperto nei comandamenti pronunciati dal Signore e nei suoi statuti dati a Israele: [12]«Artaserse, re dei re, a Esdra, sacerdote e scriba della legge del Dio del cielo, salute. [13]È stato da me ordinato che quanti tra il popolo d'Israele, i suoi sacerdoti e i suoi leviti, dimoranti nel mio regno, desiderano ritornare a Gerusalemme, possano venire con te. [14]Tu sei inviato da parte del re e dei suoi sette consiglieri per una inchiesta su Giuda e Gerusalemme, per vedere come è osservata la legge del tuo Dio, che è nelle tue mani, [15]e a portare l'argento e l'oro che il re e i suoi consiglieri hanno spontaneamente offerto al Dio d'Israele, la cui dimora è a Gerusalemme, [16]come pure tutto l'argento e l'oro che potrai trovare nell'intera provincia di Babilonia, insieme con le offerte volontarie del popolo e dei sacerdoti, donate per il tempio del loro Dio, che è a Gerusalemme. [17]Con questo argento tu avrai cura di comperare tori, arieti, agnelli e quanto occorre per le loro oblazioni e libagioni, e li offrirai sull'altare del tempio del vostro Dio, che è in Gerusalemme. [18]Quanto al rimanente argento e oro, farete quello che a te e ai tuoi fratelli sembrerà bene, secondo la volontà

del vostro Dio. [19]Gli arredi, che ti saranno dati per il servizio del tempio del tuo Dio, riponili davanti al Dio di Gerusalemme. [20]Il rimanente di quanto occorre per il tempio del tuo Dio, e che spetta a te di fornire, lo provvederai a spese del tesoro reale. [21]E da parte mia, io, re Artaserse, do ordine a tutti i tesorieri della regione dell'Oltrefiume: tutto ciò che vi domanderà Esdra, sacerdote, scriba della legge del Dio del cielo, dateglielo puntualmente, [22]fino a cento talenti d'argento, cento kor di grano, cento bat di vino, cento bat di olio e sale, senza limitazioni. [23]Tutto ciò che il Dio del cielo ordina, venga eseguito diligentemente per il tempio del Dio del cielo, affinché la sua collera non venga sul regno, sul re e sopra i suoi figli. [24]Inoltre vi rendiamo noto che non è permesso prelevare tributo, imposta o pedaggio da nessuno dei sacerdoti, leviti, cantori, portinai, oblati e servi di questo tempio di Dio.

[25]E tu, o Esdra, secondo la sapienza del tuo Dio, che ti è stata data, stabilisci magistrati e giudici che amministrino la giustizia per tutto il popolo della regione dell'Oltrefiume, cioè per tutti coloro che conoscono i decreti del tuo Dio. A chi non li conosce, voi li insegnerete. [26]Di quanti poi non osservassero la legge del tuo Dio e il decreto del re, sia fatta rigorosa giustizia o con la morte o con il bando o con la confisca dei beni o con la prigione».

[27]Benedetto il Signore, Dio dei nostri padri, che ha disposto il cuore di questo re ad onorare il tempio del Signore che è a Gerusalemme, [28]e mi ha fatto trovare benevolenza presso il re, presso i suoi consiglieri e tutti i più potenti prìncipi reali! Allora io mi feci coraggio, perché la mano del Signore mio Dio era su di me, e radunai i capi d'Israele perché partissero con me.

LA LISTA DEI RIMPATRIATI CON ESDRA

8 [1]Questi sono, con le loro indicazioni genealogiche, i capifamiglia che partirono con me da Babilonia durante il regno del re Artaserse.

[2]Dei figli di Finees: Ghersom; dei figli di Itamar: Daniele; dei figli di Davide: Cattus, [3]figlio di Secania; dei figli di Paros: Zaccaria; con lui furono registrati centocinquanta ma-

---

12-26. Questo decreto d'Artaserse fonda il giudaismo. Sembra redatto da un giudeo influente alla corte. Esdra è mandato in Palestina in missione ufficiale, v. 14, con incarichi importanti, tra cui quello d'insegnare la legge a chi ancora non la conoscesse, poiché essa era divenuta pure *decreto del re*, vv. 25-26; in base ad essa dovevano essere giudicati gli abitanti di quella regione da giudici istituiti da Esdra, v. 25. È il trionfo della legge di Dio.

schi; [4]dei figli di Pacat-Moab: Elioenai, figlio di Zerachia, e con lui duecento maschi; [5]dei figli di Zattu: Secania, figlio di Iacaziel, e con lui trecento maschi; [6]dei figli di Adin: Ebed, figlio di Gionata, e con lui cinquanta maschi; [7]dei figli di Elam: Isaia, figlio di Atalia, e con lui settanta maschi; [8]dei figli di Sefatia: Zebadia, figlio di Michele, e con lui ottanta maschi; [9]dei figli di Ioab: Obadia, figlio di Iechiel, e con lui duecentodiciotto maschi; [10]dei figli di Bani: Selomit, figlio di Iosifia, e con lui centosessanta maschi; [11]dei figli di Bebai: Zaccaria, figlio di Bebai, e con lui ventotto maschi; [12]dei figli di Azgad: Giovanni, figlio di Akkatan, e con lui centodieci maschi; [13]dei figli di Adonikam: gli ultimi, di cui ecco i nomi: Elifelet, Ieiel e Semaia, e con loro sessanta maschi; [14]dei figli di Bigvai: Utai, figlio di Zaccur, e con lui settanta maschi. [15]Io li radunai presso il fiume che scorre verso Aava e là rimanemmo accampati per tre giorni. Passai in rassegna il popolo e i sacerdoti e non vi trovai nessuno dei figli di Levi. [16]Allora feci venire i capi Eliezer, Ariel, Semaia, Elnatan, Iarib, Natan, Zaccaria, Mesullam e gli istruttori Ioiarib ed Elnatan [17]e li mandai da Iddo, il capo della borgata di Casifia. Io misi sulle loro labbra le parole da dire a Iddo e ai suoi fratelli oblati nella borgata di Casifia, che ci mandassero cioè degli inservienti per il tempio del nostro Dio. [18]Poiché la mano benevola del nostro Dio era su di noi, ci inviarono un uomo prudente, uno dei figli di Macli, figlio di Levi, figlio d'Israele, cioè Serebia, con i suoi figli e fratelli, in numero di diciotto persone; [19]inoltre Casabia e con lui Isaia, dei figli di Merari, suo fratello e i loro figli, in numero di venti persone. [20]Degli oblati, che Davide e i capi avevano dato in servizio ai leviti, duecentoventi. Tutti furono registrati con i loro nomi.

[21]Là, presso il fiume Aava, io bandii un digiuno, per umiliarci davanti al nostro Dio e per impetrare un viaggio felice per noi, per i nostri figli e per tutti i nostri averi. [22]Infatti avevo avuto vergogna di chiedere al re soldati e cavalieri, che ci difendessero dal nemico lungo il cammino. Anzi avevamo detto così al re: «La mano del nostro Dio è su quanti lo cercano per il loro bene, e invece la sua potenza e la sua collera su quanti lo abbandonano». [23]Digiunammo dunque e invocammo il nostro Dio per questo favore, ed egli ci esaudì.

[24]Quindi scelsi dodici tra i capi dei sacerdoti, e cioè Serebia e Casabia, con dieci dei loro fratelli, [25]consegnai loro a peso l'argento, l'oro e gli utensili che il re, i suoi consiglieri, i suoi capi e tutti gli Israeliti là dimoranti avevano offerto in dono al tempio del nostro Dio. [26]Pesai dunque il tutto e consegnai nelle loro mani seicentocinquanta talenti d'argento, cento utensili d'argento da due talenti, cento talenti d'oro, [27]venti coppe d'oro da mille darici e due vasi di rame splendente, preziosi come l'oro. [28]Poi dissi loro: «Voi siete consacrati al Signore. Anche gli utensili sono sacri. L'argento e l'oro sono offerta volontaria al Signore, Dio dei nostri padri. [29]Sorvegliateli e custoditeli fino a quando li peserete davanti ai capi dei sacerdoti e dei leviti e ai capifamiglia d'Israele, a Gerusalemme, nelle stanze del tempio del Signore». [30]Allora i sacerdoti e i leviti presero in consegna l'argento, l'oro e gli utensili che erano stati pesati, per portarli a Gerusalemme, nel tempio del nostro Dio. [31]Partimmo dal fiume Aava il dodici del primo mese, incamminandoci verso Gerusalemme. La mano del nostro Dio era su di noi e ci liberò, lungo il cammino, dagli assalti dei nemici e dei predoni. [32]Giungemmo a Gerusalemme e riposammo qui tre giorni. [33]Il quarto giorno vennero pesati l'argento, l'oro e gli utensili nel tempio del nostro Dio, nelle mani del sacerdote Meremot, figlio di Uria; con lui vi era Eleazaro, figlio di Finees, e con essi i leviti Iozabad, figlio di Giosuè, e Noadia, figlio di Binnui. [34]Si computò numero e peso di ogni cosa e fu registrato l'importo totale.

In quel tempo, [35]coloro che erano venuti dall'esilio, cioè i deportati, offrirono olocausti al Dio d'Israele: dodici tori per l'intero Israele, novantasei arieti, settantasette agnelli e dodici capri per il peccato: tutto come olocausto al Signore. [36]Poi consegnarono i decreti del re ai satrapi reali e ai governatori dell'Oltrefiume, i quali vennero in aiuto del popolo e del tempio di Dio.

I MATRIMONI CON DONNE STRANIERE

9 [1]Terminate queste cose, i capi si accostarono a me dicendo: «Il popolo d'Israele, i sacerdoti e i leviti non si sono separati dalle abominazioni delle popolazioni locali:

Cananei, Hittiti, Perizziti, Gebusei, Ammoniti, Moabiti, Egiziani e Amorrei. ²Hanno infatti preso in moglie le loro figlie per sé e per i propri figli e la stirpe santa si è contaminata con le popolazioni locali. E a compiere tale profanazione i capi e i magistrati sono stati i primi».

³Quando udii questa cosa mi stracciai la veste e il mantello, mi strappai i capelli del capo e i peli della barba e mi sedetti costernato. ⁴Allora tutti coloro che tremavano per i giudizi del Dio d'Israele su questa trasgressione, compiuta dai rimpatriati, si radunarono presso di me. Io rimasi là, costernato, fino al momento del sacrificio della sera. ⁵All'ora del sacrificio della sera mi alzai dal luogo della mia afflizione e con la veste e il mantello a brandelli caddi in ginocchio. Stesi le mani verso il Signore, Dio mio, ⁶e dissi: «Mio Dio! Io sono confuso e mi vergogno di alzare la faccia verso di te, o mio Dio, poiché i nostri delitti si sono moltiplicati fin sopra la nostra testa e la nostra colpa è grande fino al cielo. ⁷Dai giorni dei nostri padri sino ad oggi noi siamo molto colpevoli. Per le nostre iniquità, noi, i nostri re e i nostri sacerdoti siamo stati dati nelle mani dei re delle nazioni e abbandonati alla spada, alla deportazione, alla rapina, all'obbrobrio, fino ad oggi. ⁸Ma adesso il Signore nostro Dio ci ha dimostrato all'improvviso la sua misericordia, lasciando sopravvivere un piccolo gruppo di noi e concedendoci un rifugio nel suo santo luogo. Così il nostro Dio ha illuminato i nostri occhi e ci ha dato un po' di ristoro nella nostra schiavitù, ⁹poiché noi siamo schiavi. Ma nella nostra schiavitù il nostro Dio non ci ha abbandonati. Ci ha resi graditi ai re di Persia, dandoci il coraggio e la forza per ricostruire il tempio del nostro Dio, restaurandone le rovine, e concedendoci un riparo in Giuda e in Gerusalemme. ¹⁰Ma, ora, che cosa potremo dire dopo tutto ciò, o nostro Dio? Abbiamo infatti abbandonato i tuoi comandamenti, ¹¹che tu avevi dato per mezzo dei tuoi servi, i profeti, dicendo: Il paese, in cui entrate per prenderne possesso, è un paese contaminato dalle abominazioni delle popolazioni locali e dalle impurità di cui l'hanno riempito da un capo all'altro con le loro nefandezze. ¹²Per questo non dovete dare le vostre figlie ai loro figli, né prendere le loro figlie per i vostri figli! Non cercate mai la loro prosperità né il loro benessere, affinché possiate diventare voi forti, potendo mangiare i frutti migliori del paese e lasciare una eredità ai vostri figli per sempre.

¹³Ma dopo quanto ci è accaduto a causa delle nostre azioni malvagie e per la nostra grande colpa, benché tu, o nostro Dio, ci abbia punito meno di quanto meritavano le nostre iniquità e abbia concesso che un piccolo resto di noi sopravvivesse, ¹⁴torneremo noi forse a violare i tuoi comandamenti, imparentandoci con questi popoli abominevoli? Non ti adireresti contro di noi fino a distruggerci, così che non vi sia più né un resto né un superstite? ¹⁵O Signore, Dio d'Israele, tu sei giusto: è per questo che noi oggi sopravviviamo come un resto. Eccoci davanti a te con le nostre colpe, anche se, a causa di esse, non possiamo resistere alla tua presenza!».

LA CONDANNA DEI MATRIMONI MISTI

10 ¹Mentre Esdra pregava e faceva questa confessione piangendo, prostrato davanti al tempio di Dio, una grande folla di Israeliti, composta di uomini, donne e fanciulli, si riunì intorno a lui. Il popolo piangeva dirottamente. ²Allora Secania, figlio di Iechiel, dei figli di Elam, prese a dire a Esdra: «Abbiamo peccato contro il nostro Dio, sposando donne straniere, prese dalle popolazioni locali. Tuttavia rimane ancora una speranza per Israele! ³Suvvia, stringiamo un patto con il nostro Dio: rimanderemo tutte le donne straniere e i figli nati da esse, secondo il consiglio del mio signore Esdra e di quanti tremano davanti al comando del nostro Dio. Si farà secondo la legge! ⁴Alzati, perché questo compito spetta a te. Noi saremo con te. Fatti coraggio e mettiti all'opera!».

⁵Allora Esdra si alzò e fece giurare ai capi dei sacerdoti, dei leviti e di tutto Israele che avrebbero agito in questa maniera. Essi giurarono. ⁶Poi Esdra, allontanatosi

9. - 13-14. *Resto*: è il piccolo numero dei componenti il popolo eletto che si mantenne fedele a Dio. Di esso aveva già parlato Dio a Elia, 1Re 19,18; Isaia a Ezechia, 2Re 19,31; vi accennano Esd 9,8.13.14; Is 10,21s; 37,32; Mic 5,2.7; Sap 2,9; ecc.

dal tempio di Dio, andò nella camera di Giovanni, figlio di Eliasìb. Là egli passò la notte senza mangiar pane né bere acqua, tanto era desolato per la trasgressione dei rimpatriati. [7]Fu poi emanato un ordine in Giuda e a Gerusalemme, diretto a tutti i deportati, affinché si radunassero a Gerusalemme: [8]se qualcuno non fosse venuto entro tre giorni, tutti i suoi beni, secondo il consiglio dei capi e degli anziani, sarebbero stati votati allo sterminio e lui stesso sarebbe stato escluso dall'assemblea dei rimpatriati. [9]Entro tre giorni, tutti gli uomini di Giuda e Beniamino si radunarono a Gerusalemme. Era il ventesimo giorno del nono mese. Tutto il popolo prese posto sulla piazza del tempio di Dio, tremante per l'avvenimento e per le piogge veementi. [10]Si alzò il sacerdote Esdra e disse loro: «Voi avete prevaricato, sposando donne straniere e avete così accresciuto la colpa d'Israele! [11]Ma ora date gloria al Signore, Dio dei vostri padri, e compite la sua volontà; separatevi dalle popolazioni locali e dalle donne straniere!».

[12]Tutta l'assemblea rispose dichiarando a gran voce: «Sì! Noi dobbiamo fare come tu hai detto! [13]Tuttavia il popolo è numeroso ed è la stagione delle piogge; non ci è possibile restare all'aperto. D'altra parte questo non è lavoro di un giorno o di due, perché siamo stati in molti a peccare in questa materia. [14]Rimangano qui perciò i nostri capi a rappresentare l'intera assemblea; e tutti quelli delle nostre città che hanno sposato donne straniere vengano poi, in tempi determinati, accompagnati dagli anziani e dai giudici della rispettiva città, finché non avremo allontanato da noi l'ira terribile del nostro Dio per questa causa».

[15]Soltanto Gionata, figlio di Asael, e Iaczeia, figlio di Tikva, vi si opposero, appoggiati da Mesullam e dal levita Sabbetai. [16]Ma i rimpatriati si comportarono come era stato proposto. Il sacerdote Esdra scelse alcuni capifamiglia secondo il loro casato e tutti designati per nome. Il primo giorno del decimo mese iniziarono le sedute per esaminare la questione. [17]Il primo giorno del primo mese terminarono di esaminare tutti coloro che avevano sposato donne straniere.

[18]Si trovò che tra gli appartenenti ai sacerdoti che avevano sposato donne straniere c'erano: dei figli di Giosuè, figlio di Iozadak, e tra i suoi fratelli: Maaseia, Eliezer, Iarib e Godolia. [19]Essi promisero con giuramento di rimandare le loro donne e offrirono un ariete in espiazione della loro colpa. [20]Dei figli di Immer: Canani e Zebadia. [21]Dei figli di Carim: Maaseia, Elia, Semaia, Iechiel e Uzzia. [22]Dei figli di Pascur: Elioenai, Maaseia, Ismaele, Natanaele, Iozabad ed Eleasa.

[23] Tra gli appartenenti ai leviti: Iozabad, Simei, Chelaia, chiamato il chelita, Petachia, Giuda ed Eliezer.

[24] Tra i cantori: Eliasìb.
Tra i portinai: Sallum, Telem e Uri.

[25] Tra gli Israeliti: dei figli di Paros: Ramia, Izzia, Malchia, Miamin, Eleazaro, Malchia e Benaia.

[26] Dei figli di Elam: Mattania, Zaccaria, Iechiel, Abdi, Ieremot ed Elia.

[27] Dei figli di Zattu: Elioenai, Eliasìb, Mattania, Ieremot, Zabad e Aziza.

[28] Dei figli di Bebai: Giovanni, Anania, Zabbai e Atlai.

[29] Dei figli di Bani: Mesullam, Malluch, Adaia, Iasub, Seal e Ieramot.

[30] Dei figli di Pacat-Moab: Adna, Kelal, Benaia, Maaseia, Mattania, Bezaleel, Binnui e Manasse.

[31] Dei figli di Carim: Eliezer, Ishshia, Malchia, Semaia, Simeone, [32]Beniamino, Malluch, Semaria.

[33] Dei figli di Casum: Mattenai, Mattatta, Zabad, Elifelet, Ieremai, Manasse e Simei.

[34] Dei figli di Bani: Maadai, Amram, Uel, [35]Benaia, Bedia, Cheluu, [36]Vania, Meremot, Eliasìb, [37]Mattenai, Iaasai.

[38] Dei figli di Binnui: Simei, [39]Selemia, Natan, Adaia.

[40] Dei figli di Azzur: Sasai, Sarai, [41]Azareel, Selemia, Semaria, [42]Sallum, Amaria, Giuseppe.

[43] Dei figli di Nebo: Ieiel, Mattitia, Zabad, Zebina, Iaddai, Gioele, Benaia.

[44] Tutti questi avevano sposato donne straniere e rimandarono le donne insieme con i figli che avevano avuti da esse.

NEEMIA

LA PREGHIERA DI NEEMIA

1 ¹Parole di Neemia, figlio di Acalia. Nel ventesimo anno, nel mese di Casleu, mentre io mi trovavo nella cittadella di Susa, ²arrivò dalla Giudea Canani, uno dei miei fratelli, assieme ad alcuni altri. Io chiesi loro notizie a riguardo dei Giudei che erano rimpatriati, superstiti della deportazione, e a riguardo di Gerusalemme. ³Essi mi dissero: «I superstiti della deportazione sono laggiù nella provincia, in grande miseria e umiliazione; le mura di Gerusalemme sono piene di brecce e le sue porte distrutte dal fuoco». ⁴Quando udii queste parole, mi posi a sedere e piansi. Feci lutto per parecchi giorni e stetti in digiuno, pregando al cospetto del Dio del cielo. ⁵Dissi: «Ah! Signore, Dio del cielo, Dio grande e terribile, che mantieni l'alleanza e la misericordia per coloro che ti amano e osservano i tuoi comandamenti! ⁶Siano i tuoi orecchi attenti e i tuoi occhi aperti, ascolta la preghiera che il tuo servo rivolge ora a te, giorno e notte, per i figli d'Israele, tuoi servi! Io confesso i peccati che noi, figli d'Israele, abbiamo commesso contro di te! Anch'io e la casa di mio padre abbiamo peccato. ⁷Ci siamo comportati iniquamente verso di te; non abbiamo osservato i comandamenti, le leggi e le prescrizioni che tu ordinasti a Mosè, tuo servo. ⁸Ma ricordati, ti prego, della parola che hai confidato a Mosè, tuo servo, dicendo: Se voi sarete infedeli, io vi disperderò fra i popoli; ⁹se però tornerete a me e osserverete i miei comandamenti e li eseguirete, anche se i vostri esiliati fossero ai confini del cielo, io li radunerò di là e li ricondurrò nel luogo che ho scelto per farvi dimorare il mio nome. ¹⁰Questi sono ora i tuoi servi e il tuo popolo, che hai redento con la tua grande potenza e la tua formidabile mano. ¹¹Ah, Signore! Siano i tuoi orecchi attenti alla supplica del tuo servo e alla supplica dei tuoi servi che desiderano temere il tuo nome. Oggi stesso, ti prego, concedi un favorevole esito al tuo servo e fagli trovare buona accoglienza presso quest'uomo».

Io ero allora coppiere del re.

NEEMIA È AUTORIZZATO A RIMPATRIARE

2 ¹Nel mese di Nisan, l'anno ventesimo del re Artaserse, essendo io incaricato del vino, presi il vino e lo porsi al re. Non ero mai stato triste in sua presenza. ²Mi disse il re: «Perché questo volto triste? Eppure non sei malato! Non può essere che un'afflizione del cuore». Allora fui preso da una grande paura ³e dissi al re: «Viva il re in eterno! Come potrebbe non essere addolorato il mio volto, quando la città dove stanno i sepolcri dei miei padri è distrutta e le sue porte sono state divorate dal fuoco?». ⁴Il re mi domandò: «Che cosa desideri?». Invocai allora il Dio del cielo ⁵e risposi al re: «Se questo piace al re e se il tuo servo è gradito ai tuoi occhi, fammi andare in Giudea, alla città dei sepolcri dei miei padri, affinché io la riedifichi». ⁶Il re, che aveva al suo fianco la regina, mi domandò: «Quanto tempo durerà il tuo viaggio e quando ritornerai?». Parve bene al re di lasciarmi partire e io gli fissai una data. ⁷Dissi ancora al re: «Se piace al re, mi vengano date lettere per i governatori della regione dell'Oltrefiume, affinché mi lascino passare ed entrare in Giudea; ⁸e una lettera per Asaf, custode del parco reale, affinché mi dia legname per ricostruire le porte della cittadella del tempio,

---

1. - 1. *Neemia* è l'uomo d'azione, intrepido di fronte alle molteplici difficoltà, dotato di una grande forza d'animo e tuttavia tanto abile da ottenere l'appoggio delle autorità centrali. *Casleu*: nono mese (novembre-dicembre). *Nel ventesimo anno* del regno di Artaserse Longimano (465-423), quindi nel 445 a.C.

per le mura della città e per la casa in cui dovrò abitare». Il re me le diede, perché la mano benevola del mio Dio era su di me. [9]Giunsi presso i governatori della regione dell'Oltrefiume e diedi loro le lettere del re. Con me il re aveva inviato anche alcuni capi dell'esercito e un gruppo di cavalieri. [10]Quando però Sanballat, il coronita, e Tobia, il servo ammonita, ne ebbero notizia, si irritarono grandemente, perché era giunto un uomo che avrebbe ricercato il bene dei figli d'Israele. [11]Arrivai dunque a Gerusalemme e vi stetti tre giorni; [12]poi mi levai di notte, assieme a pochi uomini, senza aver manifestato a nessuno che cosa il mio Dio mi andava suggerendo di fare per Gerusalemme. Non avevo con me alcun giumento tranne quello che io cavalcavo. [13]Uscii nottetempo per la porta della Valle, verso la sorgente del Dragone, e quindi verso la porta del Letame, ispezionando le mura di Gerusalemme diroccate e le porte divorate dal fuoco. [14]Proseguii verso la porta della Sorgente e la piscina del re, ma non v'era posto per cui potesse passare il giumento su cui stavo. [15]Risalii allora per la valle, sempre ispezionando le mura, di notte, e, rientrando per la porta della Valle, rincasai. [16]I magistrati non avevano saputo dove io fossi andato né che cosa intendessi fare. Fino a quel momento non l'avevo infatti manifestato né ai Giudei, né ai sacerdoti, né ai notabili, né ai magistrati, né ad altri che avessero qualche carica. [17]Allora dissi loro: «Voi vedete la sciagura in cui ci troviamo. Gerusalemme è distrutta e le sue porte sono consunte dal fuoco. Venite, ricostruiamo le mura di Gerusalemme, e non saremo più oggetto di derisione!». [18]Raccontai loro come la mano benevola del mio Dio era stata su di me e anche le parole che il re mi aveva detto. Allora essi esclamarono: «Su, mettiamoci a costruire!». E le loro mani presero vigore per compiere questa bella impresa. [19]Quando però lo vennero a sapere Sanballat, il coronita, Tobia, il servo ammonita, e Ghesem, l'arabo, si fecero beffe di noi e dicevano, deridendoci: «Che cosa state facendo? Volete forse ribellarvi al re?». [20]Ma io li rimbeccai e dissi: «Sarà il Dio del cielo a farci avere un esito felice. Noi, suoi servi, ci accingiamo a costruire; per voi invece non vi sarà né parte, né diritto, né ricordo in Gerusalemme!».

L'ORGANIZZAZIONE DEI LAVORI

3 [1]Il sommo sacerdote Eliasib e gli altri sacerdoti, suoi fratelli, intrapresero a ricostruire la porta delle Pecore. Essi stessi la consacrarono e vi misero i battenti. Continuarono a costruire fino alla torre di Mea, che poi consacrarono, e fino alla torre di Cananeel. [2]Al loro fianco lavoravano gli uomini di Gerico e, accanto a questi, Zaccur, figlio di Imri.

[3]I figli di Senaa ricostruirono la porta dei Pesci; ne fecero l'intelaiatura, vi misero i battenti, le serrature e le sbarre. [4]Accanto a loro lavorava alle riparazioni Meremot, figlio di Uria, figlio di Akkoz; vicino a costui lavorava Mesullam, figlio di Berechia, figlio di Mesezabeel; accanto a questi lavorava alle riparazioni Zadok, figlio di Baana. [5]Accanto a loro lavoravano alle riparazioni gli abitanti di Tekoa; ma i loro notabili si rifiutarono di lavorare per il loro Signore.

[6]Ioiada, figlio di Paseach, e Mesullam, figlio di Besodia, ripararono la porta Vecchia. Essi ne fecero l'intelaiatura, vi misero i battenti, le serrature e le sbarre. [7]Accanto a loro restauravano Melatia il gabaonita, Iadon il meronotita e gli uomini di Gabaon e di Mizpa per conto del governatore della regione dell'Oltrefiume.

[8]Vicino a costoro lavorava alle riparazioni Uzziel, figlio di Caraia, uno degli orefici, e accanto a lui lavorava Anania, uno dei profumieri. Essi restaurarono Gerusalemme fino al Muro Largo. [9]Al loro fianco lavorava alle riparazioni Refaia, figlio di Cur, capo di metà del distretto di Gerusalemme.

[10]Al loro fianco lavorava Iedaia, figlio di Carumaf, dirimpetto alla propria casa. Vicino a lui lavorava Cattus, figlio di Casabnia. [11]Malchia, figlio di Carim, e Cassub, figlio di Pacat-Moab, restaurarono il tratto seguente di mura e la torre dei Forni. [12]Al loro fianco, Sallum, figlio di Alloches, capo di metà del distretto di Gerusalemme, lavorava alle riparazioni con le sue figlie.

[13]Canun e gli abitanti di Zanoach ripararono la porta della Valle. Essi la ricostruirono, vi misero i battenti, le serrature e le sbarre. Ricostruirono inoltre mille cubiti di muro, sino alla porta del Letame.

---

2. - 10. *Sanballat* è il governatore di Samaria. *Tobia* è forse il suo segretario.

¹⁴Malchia, figlio di Recab, capo del distretto di Bet-Kerem, riparò la porta del Letame; la ricostruì, vi mise i battenti, le serrature e le sbarre. ¹⁵La porta della Sorgente la restaurò Sallum, figlio di Col-Coze, capo del distretto di Mizpa. Egli la ricostruì, la ricoperse, vi pose i battenti, le serrature e le sbarre. Ricostruì inoltre il muro della cisterna di Siloe, presso il giardino del re, fino ai gradini che scendono dalla città di Davide. ¹⁶Dopo di lui Neemia, figlio di Azbuk, capo di metà del distretto di Bet-Zur, lavorò alle riparazioni dirimpetto ai sepolcri di Davide, fino alla cisterna artificiale e fino alla casa dei Prodi. ¹⁷Dopo di lui lavorarono alle riparazioni i leviti, tra i quali Recum, figlio di Bani, e vicino a lui lavorava Casabia, capo di metà del distretto di Keila, per il suo distretto. ¹⁸Dopo di loro lavorarono alle riparazioni i loro fratelli: Binnui, figlio di Chenadad, capo dell'altra metà del distretto di Keila.

¹⁹Accanto a lui Ezer, figlio di Giosuè, capo di Mizpa, restaurò un altro settore, di fronte alla salita dell'arsenale, verso l'angolo. ²⁰Dopo di lui Baruch, figlio di Zaccai, restaurò un altro settore, dall'angolo fino all'ingresso della casa del sommo sacerdote Eliasib. ²¹Meremot, figlio di Uria, figlio di Akkoz, restaurò, dopo di lui, un altro settore, dall'ingresso della casa di Eliasib sino alla fine di essa. ²²Dopo di lui lavorarono alle riparazioni i sacerdoti, abitanti delle adiacenze.

²³Dopo di loro Beniamino e Cassub restaurarono dirimpetto alle loro case. Dopo di loro Azaria figlio di Maaseia, figlio di Anania, lavorò alle riparazioni presso la sua casa. ²⁴Binnui, figlio di Chenadad, restaurò dopo di lui un altro settore, dalla casa di Azaria fino alla curva, cioè all'angolo. ²⁵Palal, figlio di Uzai, lavorò di fronte all'angolo e alla torre che sporge dalla casa superiore del re, che dà sul cortile della prigione. Dopo di lui lavorò Pedaia, figlio di Paros.

²⁶Gli oblati che abitavano l'Ofel restaurarono fin davanti alla porta delle Acque, verso oriente, e di fronte alla torre sporgente. ²⁷Dopo di loro gli abitanti di Tekoa restaurarono un altro settore di fronte alla grande torre sporgente e fino al muro dell'Ofel. ²⁸Al di sopra della porta dei Cavalli i sacerdoti lavorarono alle riparazioni, ciascuno di fronte alla propria casa.

²⁹Zadok, figlio di Immer, restaurò dopo di loro, di fronte alla propria casa. E dopo di lui restaurò Semaia, figlio di Secania, custode della porta Orientale. ³⁰Dopo di lui Anania, figlio di Selemia, e Canun, sesto figlio di Zalaf, riparono un altro settore. Dopo di loro Mesullam, figlio di Berechia, restaurò di fronte alla sua camera. ³¹Malchia, uno degli orefici, restaurò dopo di lui sino alla casa degli oblati e dei mercanti, di fronte alla porta della Rassegna e fino alla sala alta dell'angolo. ³²Tra la sala alta dell'angolo e la porta delle Pecore lavorarono alle riparazioni gli orefici e i mercanti.

³³Quando Sanballat venne a sapere che noi edificavamo le mura, s'indignò e si adirò terribilmente. Prese a schernire i Giudei, ³⁴gridando davanti ai suoi fratelli e ai soldati di Samaria: «Che cosa stanno facendo questi miserabili Giudei? Dovremo forse lasciarli fare? Vorranno forse finire in un sol giorno e offrire subito sacrifici? Faranno forse rivivere dai mucchi di polvere le pietre già bruciate dal fuoco?». ³⁵Tobia l'ammonita, che gli stava a fianco, esclamò: «Costruiscano pure! Ma se uno sciacallo si lancerà contro, farà cadere il loro muro di pietra!».

³⁶Ascolta, o nostro Dio, come siamo oggetto di scherno! Fa' ricadere sul loro capo il loro disprezzo e abbandonali al saccheggio in una terra di schiavitù! ³⁷Non nascondere la loro iniquità, e il loro peccato non sia cancellato al tuo cospetto, perché essi hanno pronunciato insulti in faccia ai costruttori. ³⁸Orbene, noi ricostruimmo le mura, completandole totalmente fino a metà altezza. Il popolo aveva preso a cuore il lavoro.

OSTACOLI E MISURE DI SICUREZZA

4 ¹Ma quando Sanballat, Tobia, gli Arabi, gli Ammoniti e gli Asdoditi vennero a sapere che la riparazione delle mura di Gerusalemme avanzava e che le brecce cominciavano a chiudersi; andarono in grande collera. ²E tutti insieme congiurarono di venire ad attaccare Gerusalemme e crearvi tumulti. ³Ma noi invocammo il nostro Dio e ponemmo sentinelle contro di essi giorno e notte, per difenderci dai loro attacchi.

⁴Quelli di Giuda però cominciarono a dire: «Le forze dei manovali vengono meno, ed enormi sono le macerie: non saremo in grado di rialzare le mura!». ⁵I nostri nemici proclamavano: «Senza che se n'accorgano noi

piomberemo in mezzo a loro e li massacreremo; così faremo cessare i lavori». [6]Poiché i Giudei che abitavano vicino a loro vennero a riferirci dieci volte da quali luoghi i nemici sarebbero saliti contro di noi, [7]io allora, nelle parti più basse del terreno dietro le mura, stabilii degli spiazzi e vi disposi il popolo per famiglie, con le loro spade, le lance e gli archi. [8]Dopo aver ispezionato bene, mi alzai e dissi ai notabili, ai magistrati e al resto del popolo: «Non temeteli! Ricordatevi del Signore grande e terribile. Combattete per i vostri fratelli, i vostri figli e le vostre figlie, per le vostre mogli e le vostre case!».

[9]Quando i nostri nemici si accorsero che noi eravamo stati informati, Dio annientò il loro piano e noi tornammo tutti alle mura, ciascuno al suo lavoro. [10]Da quel giorno, metà dei miei uomini si occupava dei lavori e l'altra metà, munita di lance, scudi, archi e corazze, stava dietro a tutta la gente di Giuda, assieme ai capi.

[11]Coloro che costruivano le mura e coloro che portavano o caricavano i pesi, con una mano lavoravano e con l'altra impugnavano la loro arma. [12]I costruttori, mentre lavoravano, portavano ciascuno la spada cinta ai fianchi. Accanto a me stava il suonatore di tromba. [13]Io dissi ai notabili, ai magistrati e al resto del popolo: «I lavori sono importanti e molto estesi, mentre noi siamo dispersi lungo le mura, lontani l'uno dall'altro. [14]Orbene, da qualsiasi parte udrete il suono della tromba, radunatevi attorno a noi. Il nostro Dio combatterà per noi».

[15]Così portavamo avanti il lavoro, mentre la metà della mia gente impugnava le lance dallo spuntare dell'aurora fino all'apparire delle stelle.

[16]In quella stessa occasione dissi pure al popolo: «Ciascuno passi la notte dentro Gerusalemme, assieme ai suoi uomini, per fare con noi la guardia durante la notte e riprendere il lavoro di giorno». [17]D'altra parte, né io, né i miei fratelli, né i miei uomini di guardia, che mi seguivano, ci togliemmo mai le vesti. Ciascuno teneva nella destra la sua spada.

LA RIFORMA SOCIALE DI NEEMIA

5 [1]Si levò un gran lamento da parte della gente del popolo e delle loro mogli contro i Giudei, loro fratelli. [2]C'era chi diceva: «Noi, i nostri figli e le nostre figlie siamo numerosi: ci venga dunque dato del grano per mangiare e vivere!». [3]C'era chi diceva: «Noi siamo costretti a ipotecare i nostri campi, le nostre vigne e le nostre case per acquistare grano durante la carestia!». [4]Altri ancora dicevano: «Abbiamo preso denaro in prestito per pagare i tributi del re. [5]Eppure la nostra carne è come la carne dei nostri fratelli e i nostri figli sono come i loro figli! Ecco, noi dobbiamo vendere come schiavi i nostri figli e le nostre figlie! Alcune delle nostre figlie sono state già ridotte in schiavitù e noi non abbiamo più nessuna possibilità, perché i nostri campi e le nostre vigne appartengono ad altri».

[6]Quando udii il loro lamento e queste parole, mi indignai fortemente. [7]Dopo aver deliberato dentro di me, ripresi duramente i notabili e i magistrati, dicendo loro: «Dunque voi esercitate l'usura, ciascuno verso il suo fratello?». Convocai allora una grande assemblea contro di loro [8]e dissi: «Secondo le nostre possibilità, noi abbiamo riscattato i nostri fratelli Giudei, che erano stati venduti agli stranieri. Voi invece vendete i vostri fratelli, perché noi li riscattiamo?». Essi tacquero, non trovando parole. [9]Io esclamai: «Non è bene ciò che state facendo! Non dovreste piuttosto camminare nel timore del nostro Dio, per non essere scherniti dagli stranieri, nostri nemici? [10]Anch'io, i miei fratelli e i miei uomini abbiamo prestato loro denaro e grano. Ma condoniamo loro, vi prego, questo debito! [11]Restituite ad essi oggi stesso i loro campi, le vigne, gli uliveti, le case e il prestito del denaro del grano, del mosto e dell'olio che avete richiesto loro». [12]Essi risposero: «Restituiremo e non esigeremo più nulla da loro. Faremo come tu dici». Chiamai allora i sacerdoti e davanti a loro li feci giurare che avrebbero mantenuto questa promessa. [13]Poi scossi la piega anteriore del mio mantello ed esclamai: «Così scuota Dio dalla sua casa e dai suoi beni chiunque non manterrà questa promessa! Così egli venga scosso e svuotato!». Tutta l'assemblea gridò: «Amen!», glorificando il Signore. Il popolo mantenne quella promessa. [14]Inoltre, dal giorno in cui il re stabilì che io fossi loro

----

5. - 1-5. Per comprendere questi lamenti bisogna notare che il debitore che non pagava rischiava di diventare, con i figli, schiavo del creditore, e che nel prestito ipotecario il raccolto era del creditore.

governatore in terra di Giuda, cioè dall'anno ventesimo del re Artaserse fino al trentadue-simo, per dodici anni io e i miei fratelli non mangiammo mai della provvista assegnata al governatore. [15]Invece i governatori antichi, che mi avevano preceduto, avevano gravato il popolo, prendendo giornalmente da esso quaranta sicli d'argento in pane e vino. Perfino i loro servi avevano angariato il popolo. Ma io non ho agito così, perché ho avuto timore di Dio. [16]Ho anche lavorato fortemente nella ricostruzione di queste mura, benché non possedessi alcun terreno; eppure i miei servitori erano tutti assieme là, al lavoro! [17]Avevo a mensa centocinquanta uomini, fra Giudei e magistrati, oltre a quelli che venivano a noi dai popoli confinanti. [18]Ciò che si preparava giorno per giorno, veniva preparato a mie spese: un bue, sei arieti scelti e uccellame; e ogni dieci giorni otri di vino in abbondanza. Ma non ho mai chiesto la provvista assegnata al governatore, perché una grave servitù pesava già su questo popolo. [19]Ricordati di me in bene, mio Dio, per quanto ho fatto a questo popolo!

IL COMPLETAMENTO DELLE MURA

6 [1]Quando Sanballat, Tobia, Ghesem l'arabo e gli altri nostri nemici furono informati che io avevo ricostruito le mura e che non vi era più alcuna breccia (quantunque fino allora non avessi ancora messo i battenti alle porte), [2]Sanballat e Ghesem mi mandarono a dire: «Vieni, incontriamoci a Chefirim, nella valle di Ono». Essi però tramavano di farmi del male. [3]Mandai loro dei messaggeri a dire: «Sono occupato in un lavoro enorme; non posso scendere. Perché dovrei sospendere il lavoro? Dovrei interromperlo per scendere da voi?». [4]Per quattro volte essi mandarono a dirmi la stessa cosa e io replicai nella stessa maniera. [5]Allora Sanballat mandò a dirmi per una quinta volta le medesime cose per mezzo del suo servo, il quale aveva in mano una lettera aperta. [6]Vi stava scritto: «Si sente dire fra queste nazioni, e Gasmu lo afferma, che tu e i Giudei tramate di ribellarvi. È per questo che tu ricostruisci le mura! Secondo queste voci anzi, tu diverresti il loro re, [7]e hai persino stabilito dei profeti che proclamino di te, a Gerusalemme: C'è un re in

Giuda! Ora, simili notizie saranno riferite al re. Perciò vieni e consultiamoci insieme». [8]Io gli mandai a dire: «Le cose non stanno come tu dici, ma tu stai inventando!». [9]In realtà, tutta quella gente voleva atterrirci e diceva: «Le loro mani abbandoneranno l'impresa, che resterà incompiuta». Ma tu, o Dio, fortifica adesso le mie mani! [10]Io mi recai alla casa di Semaia, figlio di Delaia, figlio di Meetabel, che si trovava impedito. Egli disse: «Incontriamoci nel tempio di Dio, dentro al santuario, e chiudiamo le porte del santuario, perché verranno ad ucciderti. Verranno questa notte ad ucciderti». [11]Ma io risposi: «Si darà forse alla fuga un uomo come me? D'altra parte, può un uomo della mia condizione entrare nel santuario e sopravvivere? Non vi entrerò!». [12]Capii allora che Dio non l'aveva mandato. Certo, egli aveva pronunciato una profezia a mio danno, perché Tobia e Sanballat l'avevano pagato. [13]Per questo era stato prezzolato, perché mi spaventassi talmente da agire in quel modo e peccare. Avrebbero così trovato un pretesto per farmi una cattiva fama e coprirmi di vergogna. [14]O mio Dio! Ricordati del modo con cui hanno agito Tobia e Sanballat! E anche della profetessa Noadia e degli altri profeti che volevano terrorizzarmi! [15]Le mura furono completate il venticinquesimo giorno di Elul, in cinquantadue giorni. [16]Quando tutti i nostri nemici lo vennero a sapere, tutti i popoli vicini furono presi da timore e si sentirono fortemente umiliati ai propri occhi e riconobbero che quest'impresa era stata compiuta per l'intervento del nostro Dio. [17]In quei giorni i notabili di Giuda mandavano frequenti lettere all'indirizzo di Tobia e altrettante ne ricevevano. [18]Molti in Giuda erano infatti legati a lui con giuramento, perché era genero di Secania, figlio di Arach, e perché suo figlio Giovanni aveva sposato la figlia di Mesullam, figlio di Berechia. [19]Persino in mia presenza parlavano dei meriti di lui e le mie parole gli venivano riferite, mentre Tobia mandava lettere per spaventarmi.

L'ORGANIZZAZIONE
DELLA VITA CIVILE

7 [1]Quando le mura furono completate e io ebbi restaurate le porte, i portinai, i cantori e i leviti furono stabiliti nei loro uffici. ²Allora posi al comando di Gerusalemme mio fratello Canani e ad Anania diedi il governo della cittadella, perché egli era un uomo fedele e timorato di Dio più di tanti altri. ³Dissi loro: «Le porte di Gerusalemme non si aprano finché il sole non cominci a scaldare, e appena il calore si smorza, i battenti vengano chiusi e sbarrati. Si stabiliscano posti di guardia per gli abitanti di Gerusalemme: ciascuno al suo posto, ciascuno di fronte alla propria casa».

⁴La città era spaziosa e grande, ma dentro la gente era poca e non si fabbricavano case. ⁵Il mio Dio mi suggerì di radunare i notabili, i magistrati e il popolo allo scopo di farne il censimento. Trovai il registro genealogico di coloro che erano tornati dall'esilio per primi. In esso trovai scritto:

⁶«Questi sono gli abitanti della provincia che sono tornati dall'esilio, coloro che Nabucodonosor, re di Babilonia, aveva esiliati e che erano ritornati a Gerusalemme e in Giudea, ciascuno alla sua città.

⁷Essi erano tornati con Zorobabele, Giosuè, Neemia, Azaria, Raamia, Nacamani, Mardocheo, Bilsan, Misperet, Bigvai, Necum e Baana.

Numero degli uomini del popolo d'Israele:

⁸ Figli di Paros: duemilacentosettantadue.

⁹ Figli di Sefatia: trecentosettantadue.

¹⁰ Figli di Arach: seicentocinquantadue.

¹¹ Figli di Pacat-Moab,
   cioè i figli di Giosuè e di Ioab:
   duemilaottocentodiciotto.

¹² Figli di Elam:
   milleduecentocinquantaquattro.

¹³ Figli di Zattu: ottocentoquarantacinque.

¹⁴ Figli di Zaccai: settecentosessanta.

¹⁵ Figli di Binnui: seicentoquarantotto.

¹⁶ Figli di Bebai: seicentoventotto.

¹⁷ Figli di Azgad: duemilatrecentoventidue.

¹⁸ Figli di Adonikam:
   seicentosessantasette.

¹⁹ Figli di Bigvai: duemilasessantasette.

²⁰ Figli di Adin: seicentocinquantacinque.

²¹ Figli di Ater, cioè di Ezechia: novantotto.

²² Figli di Casum: trecentoventotto.

²³ Figli di Bezai: trecentoventiquattro.

²⁴ Figli di Carif: centododici.

²⁵ Figli di Gabaon: novantacinque.

²⁶ Uomini di Betlemme e di Netofa:
   centottantotto.

²⁷ Uomini di Anatot: centoventotto.

²⁸ Uomini di Bet-Azmavet: quarantadue.

²⁹ Uomini di Kiriat-Iearim, di Chefira
   e di Beerot: settecentoquarantatré.

³⁰ Uomini di Rama e di Gheba:
   seicentoventuno.

³¹ Uomini di Micmas: centoventidue.

³² Uomini di Betel e di Ai: centoventitré.

³³ Uomini di un altro Nebo: cinquantadue.

³⁴ Figli di un altro Elam:
   milleduecentocinquantaquattro.

³⁵ Figli di Carim: trecentoventi.

³⁶ Figli di Gerico: trecentoquarantacinque.

³⁷ Figli di Lod, di Cadid e di Ono:
   settecentoventuno.

³⁸ Figli di Senaa: tremilanovecentotrenta.

³⁹ I sacerdoti: figli di Iedaia della casa
   di Giosuè: novecentosettantatré.

⁴⁰ Figli di Immer: millecinquantadue.

⁴¹ Figli di Pascur:
   milleduecentoquarantasette.

⁴² Figli di Carim: millediciassette.

⁴³ I leviti: figli di Giosuè, cioè di Kadmiel,
   di Binnui e di Odeva: settantaquattro.

⁴⁴ I cantori: figli di Asaf: centoquarantotto.

⁴⁵ I portinai: figli di Ater, figli di Talmon,
   figli di Akkub, figli di Catita,
   figli di Sobai: centotrentotto.

⁴⁶Gli oblati: figli di Zica, figli di Casufa, figli di Tabbaot, ⁴⁷figli di Keros, figli di Sia, figli di Padon, ⁴⁸figli di Lebana, figli di Cagaba, figli di Salmai, ⁴⁹figli di Canan, figli di Ghiddel, figli di Gacar, ⁵⁰figli di Reaia, figli di Rezin, figli di Nekoda, ⁵¹figli di Gazzam, figli di Uzza, figli di Paseach, ⁵²figli di Besai, figli dei Meunim, figli dei Nefisesim, ⁵³figli di Bakbuk, figli di Cakufa, figli di Carcur, ⁵⁴figli di Baslit, figli di Mechida, figli di Carsa, ⁵⁵figli di Barkos, figli di Sisara, figli di Temach, ⁵⁶figli di Nesiach, figli di Catifa. ⁵⁷Discendenti dei servi di Salomone: figli di Sotai, figli di Soferet, figli di Perida, ⁵⁸figli di Iaala, figli di Darkon, figli di Ghiddel, ⁵⁹figli di Sefatia, figli di Cattil, figli di Pocheret-Azzebaim, figli di Amon.

⁶⁰Totale degli oblati e dei discendenti dei servi di Salomone: trecentonovantadue.

⁶¹Ecco quelli che tornarono da Tel-Melach, da Tel-Carsa, da Cherub-Addon e da Immer e che non avevano potuto stabilire il loro casato per dimostrare che erano della stirpe di Israele: ⁶²figli di Delaia, figli di Tobia, figli di Nekoda: seicentoquarantadue. ⁶³Tra i sacerdoti: figli di Cobaia, figli di Akkoz, figli di Barzillai, il quale aveva sposato

una delle figlie di Barzillai, il galaadita, e fu chiamato con il suo nome.
[64]Questi cercarono il loro registro genealogico, ma non lo trovarono e furono quindi esclusi dal sacerdozio; [65]il governatore ordinò loro di non mangiare cose santissime finché non si presentasse un sacerdote con urim e tummim.
[66]La comunità nel suo totale era di quarantaduemilatrecentosessanta persone, [67]oltre ai loro schiavi e alle loro schiave in numero di settemilatrecentotrentasette. Avevano anche duecentoquarantacinque cantori e cantanti. [68]Avevano settecentotrentasei cavalli, duecentoquarantacinque muli, [69]quattrocentotrentacinque cammelli, seimilasettecentoventi asini. [70]Alcuni dei capifamiglia offrirono doni per la fabbrica. Il governatore diede al tesoro mille dracme d'oro, cinquanta coppe e cinquecentotrenta tuniche sacerdotali. [71]Alcuni capifamiglia donarono al tesoro della fabbrica ventimila dracme d'oro e duemiladuecento mine d'argento.
[72]Il resto del popolo offrì ventimila dracme d'oro, duemila mine d'argento e sessantanove tuniche sacerdotali. [73a]I sacerdoti, i leviti, i portinai, i cantori, una parte del popolo, gli oblati e tutti gli Israeliti si stabilirono nelle loro città». [73b]Come giunse il settimo mese, gli Israeliti dimoravano nelle loro città.

LA SOLENNE LETTURA DELLA LEGGE

8 [1]Allora tutto il popolo si radunò come un sol uomo nella piazza che sta dinanzi alla porta delle Acque e disse allo scriba Esdra di portare il libro della legge di Mosè, che il Signore aveva dato a Israele. [2]Il primo giorno del settimo mese, il sacerdote Esdra portò la legge davanti all'assemblea degli uomini e delle donne e di quanti erano in grado d'intendere.
[3]Sulla piazza che sta dinanzi alla porta delle Acque egli ne diede lettura dall'alba fino a mezzogiorno, davanti agli uomini, alle donne e a quanti erano in grado d'intendere.

Gli orecchi di tutto il popolo erano volti al libro della legge. [4]Esdra, lo scriba, stava ritto sopra una tribuna di legno, che avevano costruito per l'occorrenza. Stavano al suo fianco, sulla destra, Mattitia, Sema, Anaia, Uria, Chelkia e Maaseia; sulla sinistra Pedaia, Misael, Malchia, Casum, Casbaddana, Zaccaria e Mesullam.
[5]Esdra aprì il libro alla presenza di tutto il popolo, poiché egli stava più in alto di tutti, e quando l'aprì tutto il popolo si alzò in piedi. [6]Esdra benedisse il Signore, Dio grande, e tutto il popolo rispose: «Amen! Amen!», elevando le mani. Poi s'inchinarono e si prostrarono davanti al Signore, con il volto a terra. [7]I leviti Giosuè, Bani, Serebia, Iamin, Akkub, Sabbetai, Odia, Maaseia, Kelita, Azaria, Iozabad, Canan e Pelaia spiegavano al popolo la legge, mentre il popolo se ne stava in piedi. [8]Lessero il libro della legge di Dio a brani distinti, spiegandone il significato, così da far comprendere ciò che si leggeva.
[9]Mentre Esdra, sacerdote e scriba, e i leviti ammaestravano il popolo, Neemia, che era il governatore, disse a tutto il popolo: «Questo giorno è sacro al Signore, vostro Dio. Non fate lutto e non piangete!». Infatti, tutto il popolo piangeva, ascoltando le parole della legge. [10]Disse ancora: «Andate, mangiate carni grasse, bevete vini dolci e mandatene porzioni a chi non ha nulla di preparato, perché questo giorno è sacro al Signore nostro. Non rattristatevi, poiché la gioia del Signore è la vostra forza!». [11]I leviti cercavano di tener tranquillo tutto il popolo, dicendo: «Fate silenzio, perché questo giorno è sacro. Non vi addolorate!».
[12]Tutto il popolo se ne andò allora a mangiare e a bere, a mandare porzioni ai poveri e a far grande festa. Avevano ben compreso infatti le parole che erano state loro proclamate. [13]Il secondo giorno i capifamiglia di tutto il popolo, i sacerdoti e i leviti si radunarono presso Esdra, lo scriba, per esaminare le parole della legge. [14]Trovarono scritto nella legge, data dal Signore per mezzo di Mosè, che gli Israeliti dovevano dimorare in capanne durante la festa del settimo mese. [15]Allora fecero sapere la cosa e pubblicarono questo bando in tutte le loro città e in Gerusalemme: «Andate alla montagna e prendete rami d'olivo, di pino, di mirto, di palma e di alberi frondosi, per farne capanne, come sta scritto». [16]Allora il popolo

---

8. - 1. Nulla valeva la restaurazione materiale di Gerusalemme senza la restaurazione morale. Il fattore spirituale era la base su cui doveva fondarsi il nuovo Israele: il ritorno alla legge gli assicurava la propria personalità e indipendenza di fronte ai nemici che lo attorniavano. *Esdra* ricevette l'incarico della riforma spirituale.

se ne andò fuori e portò i rami e si costruì capanne, ciascuno sul terrazzo della propria casa, nei propri cortili, nel cortile del tempio di Dio, sulla piazza della porta delle Acque e sulla piazza della porta d'Efraim. [17]Tutta l'assemblea, cioè coloro che erano tornati dalla deportazione, costruì capanne e le abitò. Dai tempi di Giosuè, figlio di Nun, a quel giorno, non avevano più fatto nulla di simile. E l'esultanza fu grandissima. [18]Esdra diede lettura del libro della legge di Dio, ogni giorno, dal primo fino all'ultimo. Celebrarono la festa per sette giorni; nell'ottavo giorno ci fu adunanza solenne, come vuole la legge.

LA PREGHIERA PENITENZIALE

9 [1]Il ventiquattresimo giorno dello stesso mese i figli d'Israele si radunarono per un digiuno, vestiti di sacco e cosparsi di polvere. [2]Gli Israeliti si separarono da tutti gli stranieri e si presentarono per confessare i loro peccati e le iniquità dei loro padri. [3]In piedi e ciascuno al suo posto, lessero il libro della legge del Signore, loro Dio, per un quarto della giornata; per un altro quarto essi fecero la confessione dei loro peccati e si prostrarono davanti al Signore, loro Dio. [4]Sul palco dei leviti si alzarono Giosuè, Bani, Kadmiel, Sebania, Bunni, Serebia, Bani e Kenani e invocarono ad alta voce il Signore, loro Dio. [5]I leviti Giosuè, Kadmiel, Bani, Casabnia, Serebia, Odia, Sebania e Petachia dissero: «Alzatevi! Benedite il Signore, Dio vostro, ora e sempre! Si benedica il tuo nome glorioso, che sorpassa ogni benedizione e lode! [6]Tu sei il Signore, tu solo! Tu hai fatto il cielo, i cieli dei cieli e tutte le loro schiere, la terra e tutto ciò che sta su di essa, le acque e tutto quanto v'è in esse. Tu dài la vita a tutti e le schiere del cielo si prostrano davanti a te! [7]Sei tu, Signore, il Dio che hai scelto Abram, l'hai fatto uscire da Ur dei Caldei e gli hai posto nome Abramo. [8]Hai trovato il suo cuore fedele verso di te e hai stretto con lui un'alleanza per dare la terra dei Cananei, degli Hittiti, degli Amorrei, dei Perizziti, dei Gebusei e dei Gergesei a lui e alla sua posterità. E tu hai mantenuto la tua parola, perché sei giusto! [9]Tu hai visto l'afflizione dei nostri padri in Egitto, hai ascoltato il loro grido presso il Mar Rosso. [10]Hai operato segni e prodigi contro il Faraone, contro tutti i suoi servitori e contro tutto il popolo della sua terra, perché sapevi che essi avevano agito arrogantemente contro i nostri padri. E ti sei fatto una tale celebrità che dura ancora oggi. [11]Hai diviso il mare davanti a loro ed essi sono passati sull'asciutto attraverso le acque, mentre tu precipitavi nell'abisso gli inseguitori, come una pietra in acque violente. [12]Li hai guidati di giorno con una colonna di nubi e di notte con una colonna di fuoco, per rischiarare loro la strada su cui camminare. [13]Sulla montagna del Sinai tu sei disceso e hai parlato con loro dal cielo. Hai dato loro prescrizioni giuste, leggi di verità, buoni precetti e comandi. [14]Hai reso noto ad essi il tuo santo sabato, e hai dato loro, per mezzo di Mosè, tuo servo, comandi, precetti e una legge. [15]Per fame hai dato ad essi un pane dal cielo; hai fatto sgorgare, per la loro sete, acque dalla rupe. E hai ordinato loro di andare a impossessarsi di una terra che avevi giurato di dare loro.

[16]Ma essi, i nostri padri, divennero arroganti, indurirono le loro cervici e non ascoltarono i tuoi comandamenti. [17]Si rifiutarono di obbedire e non si ricordarono più dei miracoli che avevi compiuto in loro favore. Indurirono le loro cervici e, nella loro ostinazione, si scelsero un capo per tornare alla loro schiavitù. Ma tu sei un Dio che perdona, clemente e misericordioso, lento all'ira e grande nell'amore! [18]Tu non li hai abbandonati, nemmeno quando si fecero un vitello di metallo fuso proclamando: Ecco il tuo Dio che ti ha fatto uscire dall'Egitto!, e ti hanno insultato gravemente. [19]Nella tua immensa pietà tu non li hai abbandonati nel deserto. La colonna di nube non si allontanò da loro durante il giorno per guidarli nel cammino, e la colonna di fuoco non ha cessato di rischiarare loro la strada su cui camminavano di notte. [20]Per ammaestrarli hai concesso loro il tuo buono spirito. Alle loro bocche non hai rifiutato la tua manna e hai donato ad essi l'acqua per la loro sete. [21]Per quarant'anni ti sei preso cura di loro nel deserto e non mancò loro nulla; le loro vesti non si logorarono, né si gonfiarono i loro piedi.

---

9. - 12-37. È una delle più belle preghiere corali della Bibbia in cui si alternano il ricordo dei benefici di Dio, l'infedeltà del popolo e l'implorazione della misericordia e dell'aiuto divino, soprattutto ora che Israele è schiavo nella sua stessa terra, piccola provincia dell'impero persiano.

²²Hai donato loro regni e popoli; hai distribuito loro quelle regioni ed essi entrarono in possesso della terra di Sicon, cioè della terra del re di Chesbon e della terra di Og, re di Basan. ²³Hai moltiplicato i loro figli come le stelle del cielo e li hai introdotti nella terra in cui avevi promesso ai loro padri di farli entrare per possederla. ²⁴I loro figli vi sono entrati e hanno preso in possesso la terra. Davanti a loro hai umiliato gli abitanti del paese, i Cananei. Hai dato nelle loro mani i re e i popoli del paese, perché li trattassero a loro piacimento. ²⁵S'impadronirono di città fortificate e di un fertile suolo. Possedettero case piene d'ogni bene, cisterne scavate, vigne, uliveti e alberi da frutto in abbondanza. Mangiarono, si saziarono, si irrobustirono e vissero nelle delizie per merito della tua grande bontà.

²⁶Eppure si ribellarono, insorgendo contro di te! Gettarono la tua legge dietro le loro spalle, uccisero i tuoi profeti, che li esortavano a ritornare a te, compirono enormi oltraggi. ²⁷Perciò tu li desti nelle mani dei loro nemici, che li oppressero. Nel tempo della loro angustia, tuttavia, essi gridarono a te e tu dal cielo li ascoltasti e, secondo la tua grande misericordia, desti loro dei liberatori, che li salvarono dalle mani dei nemici. ²⁸Ma quando avevano pace, essi tornavano a compiere il male dinanzi a te, perciò tu li abbandonavi nelle mani dei loro avversari, che li opprimevano; poi quando tornavano a supplicarti, tu li esaudivi dal cielo. Così nella tua misericordia molte volte li hai salvati. ²⁹Tu li ammonivi per ricondurli alla tua legge, ma essi, orgogliosi e protervi, non obbedivano ai tuoi comandamenti e peccavano contro le tue prescrizioni, che danno la vita a chi le osserva. Scrollavano le loro spalle, indurivano le loro cervici e non ascoltavano. ³⁰Pazientasti con loro molti anni, scongiurandoli per mezzo del tuo spirito e per bocca dei tuoi profeti, ma non prestarono orecchio! Allora tu li hai consegnati in mano ai popoli stranieri, ³¹ma, nella tua grande pietà, tu non li hai lasciati sterminare né li hai abbandonati, perché tu sei un Dio clemente e misericordioso.

³²Ma ora, o Dio nostro, Dio grande, potente e terribile, tu che mantieni l'alleanza e la misericordia, non sembrino poca cosa dinanzi a te tutte le tribolazioni che sono cadute su di noi, sui nostri re, sui nostri capi, sui sacerdoti, sui profeti, sui nostri padri e su tutto il tuo popolo, dal tempo del re d'Assiria fino a oggi. ³³Tu sei stato giusto in tutto quello che ci è sopravvenuto. Sì, tu hai agito fedelmente, mentre noi abbiamo agito con perfidia! ³⁴I nostri re, i capi, i sacerdoti e i nostri padri non hanno messo in pratica la tua legge, né hanno obbedito ai tuoi comandamenti, né agli avvertimenti con cui li ammonivi. ³⁵E mentre stavano nel loro regno e nella grande prosperità che tu avevi elargito loro, sul suolo vasto e fertile che avevi messo a loro disposizione, non ti hanno servito né si sono convertiti dalle loro pessime azioni.

³⁶Ed eccoci, oggi, schiavi! Siamo schiavi nella terra che avevi donato ai nostri padri, perché si nutrissero dei suoi frutti e dei suoi beni! ³⁷E gli abbondanti prodotti sono per i re ai quali ci hai sottoposti a causa dei nostri peccati. Essi dominano a loro arbitrio sulle nostre persone e sul nostro bestiame. E noi ci troviamo in un'amarezza sconfinata».

IL SOLENNE IMPEGNO
DELLA COMUNITÀ GIUDAICA

10 ¹«A causa di tutto ciò noi prendiamo oggi un impegno e lo mettiamo per iscritto. Sul documento sigillato figurano i nostri capi, i nostri leviti, i nostri sacerdoti». ²Sul documento sigillato firmarono Neemia il governatore, figlio di Acalìa, e Sedecìa, ³Seraia, Azarìa, Geremìa, ⁴Pascur, Amarìa, Malchìa, ⁵Cattus, Sebanìa, Malluch, ⁶Carim, Meremot, Abdia, ⁷Daniele, Ghinneton, Baruch, ⁸Mesullam, Abia, Miamin, ⁹Maazia, Bilgài, Semaìa; questi sono i sacerdoti. ¹⁰Leviti: Giosuè, figlio di Azanìa, Binnui dei figli di Chenadad, Kadmiel, ¹¹e i loro fratelli Sebanìa, Odia, Kelita, Pelaia, Canan, ¹²Mica, Recob, Casabìa, ¹³Zaccur, Serebia, Sebanìa, ¹⁴Odia, Bani, Beninu. ¹⁵Capi del popolo: Paros, Pacat-Moab, Elam, Zattu, Bani, ¹⁶Bunni, Azgad, Bebai, ¹⁷Adonìa, Bigvai, Adin, ¹⁸Ater, Ezechia, Azzur, ¹⁹Odia, Casum, Bezai, ²⁰Carif, Anatot, Nebai, ²¹Magpias, Mesullam, Chezir, ²²Mesezabeel, Zadok, Iaddua, ²³Pelatia, Canan, Anaia, ²⁴Osea,

Ne

---

10. - 2. Dopo la firma di Neemia seguono quelle dei capi delle famiglie sacerdotali, levitiche e del popolo, in modo che tutti si sentano personalmente obbligati a mantenere quanto promesso.

Anania, Cassub, 25Alloches, Pilca, Sobek, 26Recum, Casabna, Maaseia, 27Achia, Canan, Anan, 28Malluch, Carim, Baana.

29Il resto del popolo, i sacerdoti, i leviti, i portinai, i cantori, gli oblati e tutti coloro che si erano separati dalle popolazioni locali per seguire la legge di Dio, le loro spose, i loro figli e le loro figlie, cioè tutti coloro che erano capaci d'intendere, 30si unirono ai loro fratelli più potenti e si impegnarono con giuramento a camminare secondo la legge di Dio, data per mezzo di Mosè, servo di Dio, e ad osservare e mettere in pratica tutti i comandi del Signore nostro Dio, le sue prescrizioni e le sue leggi; 31a non dare le nostre figlie alle popolazioni locali e a non prendere le loro figlie per i nostri figli; 32a non acquistare nulla in giorno di sabato o in altro giorno sacro dalle popolazioni locali che portassero a vendere in giorno di sabato ogni specie di mercanzia o di derrate: a lasciare a riposo la terra ogni settimo anno e a condonare ogni debito.

33Ci siamo anche imposti per legge di dare annualmente un terzo di siclo per il servizio nel tempio del nostro Dio, 34per i pani dell'offerta, per il sacrificio continuo, per l'olocausto perenne, per i sacrifici dei sabati, dei noviluni e delle feste, per le offerte sacre, per i sacrifici espiatori in favore di Israele e per ogni lavoro della casa del nostro Dio.

35Noi sacerdoti, leviti e popolo abbiamo tirato a sorte per sapere il tempo e l'ordine in cui provvedere al tempio del nostro Dio la legna che ciascuna famiglia doveva portare ogni anno, in data stabilita, per mantenere il fuoco sull'altare del Signore nostro Dio, come prescritto nella legge.

36Ci siamo imposti di portare ogni anno le primizie della nostra terra e le primizie di tutti i frutti d'ogni albero al tempio del Signore, 37come anche i primogeniti dei nostri figli e del nostro bestiame, secondo quanto sta scritto nella legge, e i primi parti delle mandrie e delle greggi, per presentarli nel tempio del nostro Dio ai sacerdoti che prestano servizio nel tempio del nostro Dio.

38Ci siamo anche impegnati a portare ai sacerdoti, nelle stanze annesse al tempio del nostro Dio, la parte migliore delle nostre farine, delle offerte, del frutto di qualunque albero, del vino e dell'olio, e a dare ai leviti la decima delle rendite della nostra terra. I leviti stessi preleveranno queste decime del nostro lavoro in tutte le terre da noi coltivate. 39Un sacerdote, discendente di Aronne, sarà con i leviti quando questi preleveranno le decime. I leviti porteranno un decimo della decima al tempio del nostro Dio nelle stanze del tesoro. 40In queste stanze, infatti, i figli d'Israele e i figli di Levi devono portare l'offerta del grano, del vino e dell'olio. Qui sono gli arredi del santuario, i sacerdoti che prestano servizio, i portinai e i cantori. Noi non trascureremo più il tempio del nostro Dio!

GERUSALEMME VIENE RIPOPOLATA

11 1I capi del popolo presero dimora in Gerusalemme; il resto del popolo tirò a sorte per far venire ad abitare a Gerusalemme, la città santa, un uomo su dieci; gli altri nove avrebbero abitato nelle rimanenti città. 2Il popolo benedisse tutti coloro che spontaneamente presero dimora in Gerusalemme. 3Questi sono i capi della provincia che si stabilirono a Gerusalemme, mentre nelle città di Giuda ciascuno abitava nella sua proprietà e nella sua città: Israele, i sacerdoti, i leviti, gli oblati e i figli dei servi di Salomone. 4Si stabilì a Gerusalemme una parte dei figli di Giuda e di Beniamino. Dei figli di Giuda: Ataia, figlio di Uzzia, figlio di Zaccaria, figlio di Amaria, figlio di Sefatia, figlio di Macalaleel; dei figli di Perez: 5Maaseia, figlio di Baruch, figlio di Col-Coze, figlio di Cazaia, figlio di Adaia, figlio di Ioiarib, figlio di Zaccaria, figlio della famiglia selanita. 6Totale dei figli di Perez che si sono stabiliti a Gerusalemme: quattrocentosessantotto uomini valorosi.

7Questi sono i figli di Beniamino: Sallu, figlio di Mesullam, figlio di Ioed, figlio di Pedaia, figlio di Kolaia, figlio di Maaseia, figlio di Itiel, figlio di Isaia; 8dopo di lui, Gabbai, Sallai: in tutto, novecentoventotto. 9Gioele, figlio di Zicri, era loro capo, e Giuda, figlio di Assenua, era il secondo capo della città. 10Dei sacerdoti: Iedaia, Ioiarib, Iachin, 11Seraia, figlio di Chelkia, figlio di Mesullam, figlio di Zadok, figlio di Meraiot, figlio di Achitub, capo del tempio, 12e i loro fratelli addetti al lavoro del tempio, in numero di ottocentoventidue; Adaia, figlio di Ierocam, figlio di Pelalia, figlio di Amsi, figlio di Zaccaria, figlio di Pascur, figlio di Malchia, 13e i suoi fratelli, capi delle casate, in numero di duecentoquarantadue; Amasai, figlio di Azareel, figlio di Aczai, figlio di Mesillemot, figlio di Immer, [14]e i loro fratelli uomini valorosi, in numero di centoventotto; Zabdiel, figlio di Ghedolim, era loro capo.

[15]Dei leviti: Semaia, figlio di Cassub, figlio di Azrikam, figlio di Casabia, figlio di Bunni; [16]Sabbetai e Iozabad, preposti al servizio esterno del tempio, fra i capi dei leviti; [17]Mattania, figlio di Mica, figlio di Zabdi, figlio di Asaf, il capo della salmodia, che intonava le lodi durante la preghiera; Bakbukia che gli veniva secondo tra i suoi fratelli; Abda, figlio di Sammua, figlio di Galal, figlio di Ieditun. [18]Totale dei leviti nella città santa: duecentottantaquattro.

[19]I portinai: Akkub, Talmon e i loro fratelli, custodi delle porte: centosettantadue.

[20]Il resto d'Israele, dei sacerdoti e dei leviti si è stabilito in tutte le città di Giuda, ognuno nella sua proprietà.

[21]Gli oblati si sono stabiliti sull'Ofel, e Zica e Ghispa erano a capo degli oblati. [22]Il capo dei leviti a Gerusalemme era Uzzi, figlio di Bani, figlio di Casabia, figlio di Mattania, figlio di Mica, dei figli di Asaf, che erano i cantori addetti al servizio del tempio; [23]poiché vi era un ordine del re che riguardava i cantori e vi era una provvista assicurata loro ogni giorno.

[24]Petachia, figlio di Mesezabeel, dei figli di Zerach, figlio di Giuda, suppliva il re per tutti gli affari del popolo.

[25]Quanto ai villaggi con le loro campagne, alcuni figli di Giuda si sono stabiliti in Kiriat-Arba e nei villaggi dipendenti, in Dibon e nei suoi villaggi, in Iekabzeel e nei suoi villaggi, [26]in Iesua, in Molada, in Bet-Pelet, [27]in Cazar-Sual, in Bersabea e nei suoi villaggi, [28]in Ziklag, in Mecona e nei suoi villaggi, [29]in En-Rimmon, in Zorea, in Iarmut, [30]in Zanoach, in Adullam e nei suoi villaggi, in Lachis e nei suoi villaggi, in Azeka e nei suoi villaggi. Si sono stabiliti da Bersabea fino alla valle di Innom.

[31]I figli di Beniamino si sono stabiliti a Gheba, Micmas, Aiia, Betel e nei luoghi che ne dipendevano; [32]ad Anatot, Nob, Anania; [33]a Cazor, Rama, Ghittaim, [34]a Cadid, Zeboim, Neballat; [35]a Lod e Ono, nella valle degli Artigiani. [36]Dei leviti, parte si è stabilita con Giuda, parte con Beniamino.

SACERDOTI E LEVITI RIMPATRIATI

12 [1]Questi sono i sacerdoti e leviti che sono tornati con Zorobabele, figlio di Sealtiel, e con Giosuè: Seraia, Geremia, Esdra, [2]Amaria, Malluch, Cattus, [3]Secania, Recum, Meremot, [4]Iddo, Ghinneton, Abia, [5]Miamin, Maadia, Bilga, [6]Semaia, Ioiarib, Iedaia, [7]Sallu, Amok, Chelkia, Iedaia. Questi erano i capi dei sacerdoti e dei loro fratelli al tempo di Giosuè.

[8]Leviti: Giosuè, Binnui, Kadmiel, Serebia, Giuda, Mattania, che con i suoi fratelli era preposto al canto degli inni di lode. [9]Bakbukia e Unni, loro fratelli, stavano di fronte a loro secondo i loro turni di servizio.

[10]Giosuè generò Ioiachim; Ioiachim generò Eliasib, Eliasib generò Ioiada; [11]Ioiada generò Gionata; Gionata generò Iaddua.

[12]Al tempo di Ioiachim, i sacerdoti che erano i capi delle casate sacerdotali erano i seguenti: del casato di Seraia, Meraia; di quello di Geremia, Anania; [13]di quello di Esdra, Mesullam; di quello di Amaria, Giovanni; [14]di quello di Malluch, Gionata; di quello di Sebania, Giuseppe; [15]di quello di Carim, Adna; di quello di Meraiot, Chelkai; [16]di quello di Iddo, Zaccaria; di quello di Ghinneton, Mesullam; [17]di quello di Abia, Zicri; di quello di Miniamin...; di quello di Moadia, Piltai; [18]di quello di Bilga, Sammua; di quello di Semaia, Gionata; [19]di quello di Ioiarib, Mattenai; di quello di Iedaia, Uzzi; [20]di quello di Sallu, Kallai; di quello di Amok, Eber; [21]di quello di Chelkia, Casabia; di quello di Iedaia, Netaneel.

[22]I leviti furono registrati quanto ai capi dei casati, al tempo di Eliasib, di Ioiada, di Giovanni e di Iaddua; e i sacerdoti sotto il regno di Dario il persiano. [23]I capi dei casati levitici sono registrati nel libro delle Cronache fino al tempo di Giovanni, figlio di Eliasib. [24]I capi dei leviti, cioè Casabia, Serebia, Giosuè, figlio di Kadmiel, insieme con i loro fratelli che stavano di fronte a loro, dovevano cantare inni e lodi a turni alternati, secondo l'ordine di Davide, uomo di Dio. [25]Mattania, Bakbukia, Abdia, Mesullam, Talmon, Akkub erano portinai e facevano la guardia ai magazzini delle porte. [26]Questi vivevano al tempo di Ioiachim, figlio di Giosuè, figlio di Iozadak, e al tempo del governatore Neemia e di Esdra, sacerdote e scriba.

[27]Per la dedicazione delle mura di Gerusalemme si mandarono a cercare i leviti

Ne

da tutti i luoghi dove si trovavano, perché venissero a Gerusalemme e si potesse celebrare nella gioia la dedicazione con inni e canti, cembali, arpe e cetre. [28]Si radunarono dunque i cantori dalla regione attorno a Gerusalemme e dai villaggi dei Netofatiti, [29]da Bet-Galgala e dalle campagne di Gheba e di Azmavet, poiché i cantori si erano edificati villaggi nei dintorni di Gerusalemme. [30]I sacerdoti e i leviti si purificarono e purificarono il popolo, le porte e le mura.

[31]Allora io feci salire i capi di Giuda sulle mura e formai due grandi cori: il primo procedeva sulle mura a destra, verso la porta del Letame. [32]Dietro ad esso camminavano Osea e la metà dei capi di Giuda, [33]poi Azaria, Esdra, Mesullam, [34]Giuda, Beniamino, Semaia, Geremia, [35]appartenenti al coro dei sacerdoti, con trombe; Zaccaria, figlio di Gionata, figlio di Semaia, figlio di Mattania, figlio di Michea, figlio di Zaccur, figlio di Asaf, [36]e i suoi fratelli Semaia, Azareel, Milalai, Ghilalai, Maai, Netaneel, Giuda, Canani, con gli strumenti musicali di Davide, uomo di Dio. Esdra, lo scriba, camminava davanti ad essi. [37]Giunti alla porta della Sorgente, salirono frontalmente al di sopra dei gradini della città di Davide, fino alla porta delle Acque, a oriente.

[38]Il secondo coro s'incamminò verso sinistra. Io lo seguivo con l'altra metà dei princìpi del popolo, sulle mura. Si passò per la torre dei Forni, fino al Muro Largo, [39]poi oltre la porta di Efraim, la porta Vecchia e la porta dei Pesci, la torre di Cananeel e la torre di Mea, fino alla porta delle Pecore. Si fece sosta alla porta della Prigione.

[40]I due cori si fermarono poi nel tempio di Dio. Così feci anch'io, con la metà dei magistrati che erano con me, [41]e i sacerdoti Eliakim, Maaseia, Miniamin, Michea, Elioenai, Zaccaria, Anania con le trombe, [42]e Maaseia, Semaia, Eleazaro, Uzzi, Giovanni, Malchia, Elam, Ezer. I cantori fecero sentire la loro voce mentre Izrachia li dirigeva.

[43]In quel giorno il popolo offrì molti sacrifici e si rallegrò, perché Dio lo aveva allietato con una gioia straordinaria. Anche le donne e i fanciulli presero parte alla letizia e il tripudio di Gerusalemme si sentiva da lontano.

[44]In quell'occasione alcuni uomini furono preposti alle stanze che servivano da magazzini per le offerte, per le primizie e per le decime, allo scopo di raccogliere, dalle campagne dipendenti dalle città, le parti assegnate dalla legge per i sacerdoti e i leviti. Infatti i sacerdoti e i leviti nelle loro funzioni erano la gioia dei Giudei. [45]Essi assicuravano quanto riguardava il servizio di Dio e il servizio delle purificazioni; altrettanto facevano i cantori e i portinai, secondo l'ordine di Davide e di Salomone, suo figlio. [46]Fin dall'antichità infatti, dai tempi di Davide e di Asaf, vi erano capi cantori e venivano innalzati a Dio cantici di lode e di ringraziamento. [47]Al tempo di Zorobabele e al tempo di Neemia tutto Israele dava ogni giorno le porzioni assegnate ai cantori e ai portinai; dava ai leviti le offerte sacre e i leviti ne davano ai figli di Aronne.

LA RIFORMA DI NEEMIA

13 [1]In quel tempo si lesse il libro di Mosè alla presenza del popolo. Vi si trovò scritto che l'Ammonita e il Moabita non dovranno mai entrare nell'assemblea di Dio, [2]perché non vennero incontro ai figli d'Israele con pane e acqua, anzi prezzolarono contro di loro Balaam per maledirli. Ma il nostro Dio cambiò quella maledizione in benedizione. [3]Com'ebbero ascoltato la legge, essi esclusero da Israele tutti i forestieri.

[4]Prima di questi fatti, il sacerdote preposto alle stanze del tempio di Dio, Eliasib, parente di Tobia, [5]aveva preparato per costui un'ampia camera, là dove prima venivano riposte le offerte, l'incenso, gli arredi, le decime del grano, del vino e dell'olio, ossia quanto spettava per legge ai leviti, ai cantori, ai portinai, e il contributo per i sacerdoti. [6]In tutto questo periodo io non ero a Gerusalemme, perché nell'anno trentaduesimo di Artaserse, re di Babilonia, ero ritornato presso il re.

Dopo un certo tempo, avendone fatto richiesta al re, [7]ritornai a Gerusalemme. Mi resi conto allora del male che aveva fatto Eliasib, a vantaggio di Tobia, adattandogli una stanza nei cortili del tempio di Dio. [8]La

---

13. - 6. Neemia, dopo dodici anni, nel 433 (trentaduesimo di Artaserse) tornò a fare il coppiere reale. Artaserse era anche re di Babilonia.

7. Forse Neemia tornò a *Gerusalemme* prima del 425, sempre sotto Artaserse e con i medesimi poteri, e probabilmente morì in Gerusalemme prima del 407.

cosa mi irritò a tal punto che feci gettare tutte le masserizie della casa di Tobia fuori della camera [9]e ordinai che le stanze venissero purificate. Poi vi feci ricollocare gli arredi del tempio di Dio, le offerte e l'incenso. [10]Venni anche a sapere che le porzioni dovute ai leviti non erano state consegnate e che i leviti e i cantori, che prestavano servizio, se n'erano fuggiti ciascuno al suo paese. [11]Rimproverai allora i magistrati e dissi: «Per quale ragione la casa di Dio è stata abbandonata?». Poi radunai i leviti e li ristabilii nel loro ufficio. [12]Allora tutto Giuda portò ai magazzini le decime del grano, del vino e dell'olio. [13]Affidai la sorveglianza dei magazzini al sacerdote Selemia, allo scriba Zadok e a Pedaia, uno dei leviti, e al loro aiutante Canan, figlio di Zaccur, figlio di Mattania, giacché costoro erano ritenuti persone di fiducia. Spettava ad essi il compito di fare le ripartizioni tra i loro fratelli.

[14]Per questo ricordati di me, Dio mio, e non dimenticare le opere di pietà che ho compiuto per il tempio del mio Dio e per il suo servizio.

[15]In quel tempo osservai in Giuda alcuni che in giorno di sabato pigiavano l'uva, portavano mucchi di derrate e caricavano sugli asini vino, uva, fichi e ogni sorta di fardelli e li introducevano di sabato a Gerusalemme. Allora li rimproverai a motivo del giorno in cui vendevano derrate.

[16]Alcune persone di Tiro, che avevano preso dimora in Gerusalemme, importavano pesce e ogni specie di mercanzia e poi la vendevano ai figli di Giuda in giorno di sabato e in Gerusalemme. [17]Allora rimproverai i notabili di Giuda e dissi loro: «Che cos'è questa cattiva azione che fate, profanando il giorno di sabato? [18]Non fecero lo stesso i vostri padri? Per questo il nostro Dio ha fatto venire tutta questa rovina su noi e su questa città! Voi accrescete la sua ira contro Israele, profanando il sabato!».

[19]E diedi ordine che appena le porte di Gerusalemme cominciavano ad essere nell'ombra, prima del sabato, queste venissero chiuse. Aggiunsi che non si dovevano aprire fino a dopo il sabato. Collocai anche qualcuno dei miei uomini davanti alle porte, affinché nessun carico entrasse in giorno di sabato. [20]Ma i mercanti e i venditori di ogni sorta di mercanzie una o due volte passarono la notte fuori di Gerusalemme. [21]Allora io li rimproverai fortemente e dissi loro: «Per qual ragione voi passate la notte davanti alle mura? Se lo fate ancora una volta, vi farò arrestare!». Da quel momento non vennero più di sabato. [22]Ordinai inoltre ai leviti che, dopo essersi purificati, venissero a custodire le porte per santificare il giorno di sabato.

Anche per questo ricordati di me, mio Dio, e abbi pietà di me secondo la tua grande misericordia!

[23]Sempre in quei giorni notai che alcuni Giudei avevano sposato donne asdodite, ammonite e moabite; [24]la metà dei loro figli parlava la lingua di Asdod, oppure la lingua di questo o quel popolo, e non sapeva parlare la lingua giudaica. [25]Allora io li svergognai, li maledissi, ne picchiai alcuni, strappai loro i capelli e li feci giurare nel nome di Dio: «Non date le vostre figlie ai loro figli, né prendete tra le loro figlie le spose per i vostri figli, né per voi! [26]Non peccò forse per colpa di esse Salomone, re d'Israele? Non c'era fra i molti popoli un re simile a lui; era amato dal suo Dio e Dio l'aveva costituito re di tutto Israele. Eppure le donne straniere fecero peccare anche lui! [27]Si dovrà dunque sentir dire che anche voi commettete questo grande male, col tradire il nostro Dio prendendo mogli straniere?». [28]Un figlio di Ioiada, figlio di Eliasib, sommo sacerdote, era genero di Sanballat il coronita: io lo cacciai via da me. [29]Ricordati di loro, mio Dio, perché hanno profanato il sacerdozio e l'alleanza dei sacerdoti e dei leviti!

[30]Così io li purificai da ogni forestiero; fissai gli uffici per i sacerdoti e i leviti, assegnando a ciascuno il suo lavoro. [31]Diedi pure disposizioni circa la provvista della legna alle date stabilite e circa le primizie.

Ricordati di me in bene, mio Dio!

TOBIA

Il nome posto come titolo del libro designa uno dei protagonisti dell'opera, il figlio di Tobi. In ebraico Tobia significa "Jhwh è buono".

Un'introduzione (cc. 1-3), descrive la dolorosa sorte di Tobi e Sara, due ebrei, osservanti della legge, deportati in Assiria dopo la distruzione del regno d'Israele (721 a.C.). Segue il racconto dell'intervento di Dio (cc. 4-13) che viene in aiuto degli oppressi mediante l'angelo Raffaele che assume una forma visibile e guida le vicende che portano i tribolati alla liberazione e alla felicità. Nell'epilogo (c. 14) vengono menzionati gli ultimi anni felici di Tobi e del figlio Tobia.

Per forma e contenuto il libro appartiene al genere sapienziale. L'autore, che scrisse probabilmente intorno al 200 a.C., voleva trasmettere ai suoi contemporanei una lezione morale e religiosa mediante una narrazione drammatica che prende forse spunto da qualche racconto tramandato nel suo ambiente.

Il dramma di Tobia illustra l'insegnamento tradizionale circa la retribuzione terrena del bene. La Provvidenza divina mette alla prova i buoni, ma ascolta le loro preghiere nella tribolazione e restituisce loro la felicità. Per comunicare con gli uomini Dio si serve del ministero degli angeli. Raffaele, che significa "medicina di Dio", è guaritore, ma anche custode e accompagnatore degli uomini giusti.

La pietà illustrata nel libro si concretizza nella pratica dell'elemosina, nella cura dei morti, nell'osservanza delle feste giudaiche, nella giustizia verso gli operai, nel rispetto per i genitori. La preghiera è tenuta in grande considerazione.

LA PIETÀ DI TOBI

1 ¹Storia di Tobi, figlio di Tobiel, figlio di Ananiel, figlio di Aduel, figlio di Gabael, della famiglia di Asiel, della tribù di Neftali. ²Al tempo di Salmanassar, re degli Assiri, egli fu deportato da Tisbe, che si trova a sud di Kades di Neftali, nell'alta Galilea, sopra Aser, verso occidente, a nord di Sefet. ³Io, Tobi, mi comportai con sincerità e giustizia per tutto il tempo della mia vita e feci molte elemosine ai miei parenti e ai compatrioti che furono deportati con me a Ninive, nel paese degli Assiri. ⁴Da giovane, quando mi trovavo in Israele, mia patria, tutta la tribù del mio antenato, Neftali, si separò dalla dinastia di Davide e da Gerusalemme, la città scelta tra tutte le tribù d'Israele come luogo dei loro sacrifici, essendo stato ivi edificato e consacrato, per tutte le generazioni future, il tempio, dimora dell'Altissimo. ⁵Tutti i miei parenti e la casa di Neftali, mio antenato, offrivano sacrifici al vitello che Geroboamo, re d'Israele, aveva collocato in Dan, sulle montagne di Galilea; ⁶molte volte io ero l'unico che andavo a Gerusalemme per le feste, come prescrive a tutto Israele una legge perpetua. Correvo a Gerusalemme con le primizie dei frutti e degli animali, con le decime del bestiame e con la prima lana delle pecore. ⁷Consegnavo tutto per il culto ai sacerdoti, figli di Aronne, mentre le decime del grano, del vino, dell'olio, delle melagrane, dei fichi e degli altri frutti le consegnavo ai leviti che officiavano a Gerusalemme. Per sei anni consecutivi cambiavo in denaro la seconda decima e andavo ogni anno a spenderla a Gerusalemme. ⁸La terza decima la davo ogni tre anni agli orfani, alle vedove e ai forestieri che si trovavano con gli Israeliti. La consumavamo insieme secondo la prescrizione della legge di Mosè concer-

nente le decime e secondo le istruzioni date da Debora, moglie di Ananiel, nostro nonno, perché mio padre morì lasciandomi orfano. [9]Giunto all'età adulta, presi in moglie Anna, una donna della mia parentela, e da essa ebbi un figlio, cui diedi il nome di Tobia. [10]Dopo che mi deportarono in Assiria, andai come prigioniero a Ninive. [11]Tutti i miei parenti e compatrioti mangiavano i cibi dei pagani, io invece mi guardavo bene dal farlo. [12]Siccome rimasi fedele a Dio con tutto il cuore, [13]l'Altissimo mi fece guadagnare il favore di Salmanassar, diventando suo provveditore. [14]Finché egli rimase in vita, solevo andare nella Media, dove compravo per lui tutto quello che gli era necessario. Così depositai a Rage di Media presso Gabael, un mio parente, figlio di Gabri, dei sacchetti di denaro del valore di dieci talenti d'argento. [15]Quando morì Salmanassar, suo figlio Sennacherib gli succedette sul trono. Le strade della Media si chiusero e io non potei ritornarvi. [16]Al tempo di Salmanassar avevo fatto molte elemosine ai miei compatrioti; [17]davo il pane agli affamati, vestivo gli ignudi; se vedevo qualcuno dei miei connazionali morto e gettato dietro le mura di Ninive, lo seppellivo. [18]Seppellii anche còloro che Sennacherib aveva ucciso, quando ritornò fuggendo dalla Giudea; il re del cielo lo castigò per le sue bestemmie ed egli nel suo furore uccise molti Israeliti; io sottraevo i loro corpi e li seppellivo, mentre Sennacherib li faceva cercare, ma invano. [19]Sennonché uno degli abitanti di Ninive andò a denunciarmi al re, dicendo che ero stato io a seppellirli. Mi nascosi dunque, ma quando seppi che il re era al corrente del fatto ed ero ricercato per essere messo a morte, ebbi paura e mi diedi alla fuga. [20]Furono confiscati tutti i miei beni, che passarono in blocco al tesoro reale; non mi fu lasciata che la moglie Anna con il figlio Tobia. [21]Ma non passarono quaranta giorni che il re fu assassinato da due dei suoi figli, i

quali poi fuggirono sui monti dell'Ararat. Gli succedette allora sul trono il figlio Assarhaddon. Questi pose Achikar, figlio di mio fratello Anael, a capo di tutte le finanze del regno con autorità su tutta l'amministrazione. [22]Allora Achikar intercedette per me e potei ritornare a Ninive. Durante il regno di Sennacherib di Assiria, Achikar era stato gran coppiere, guardasigilli, capo dell'amministrazione e della contabilità, e Assarhaddon l'aveva mantenuto in carica. Egli era mio nipote, uno della mia parentela.

TOBI DIVENTA CIECO

2 [1]Durante il regno di Assarhaddon ritornai a casa mia e mi furono ridati la moglie Anna e il figlio Tobia. Alla nostra festa di Pentecoste, cioè la festa delle Settimane, mi prepararono un lauto pranzo e mi misi a tavola: [2]la tavola era imbandita di varie vivande. Dissi a mio figlio Tobia: «Figlio mio, va' a vedere se incontri qualche povero fra i compatrioti deportati a Ninive, qualcuno che con tutto il cuore si ricordi del Signore, e conducilo perché pranzi insieme con noi. Ti aspetto, figlio mio, fino al tuo ritorno». [3]Tobia uscì in cerca di un povero tra i nostri fratelli. Di ritorno disse: «Padre!». Gli risposi: «Ebbene, figlio mio?». Mi rispose: «Padre, hanno assassinato uno della nostra gente e l'hanno gettato sulla piazza. L'hanno strangolato solo un momento fa». [4]Allora mi alzai, lasciando il pranzo intatto, tolsi il corpo dalla piazza e lo deposi in una camera in attesa del tramonto del sole, per poterlo seppellire. [5]Ritornato a casa, feci un bagno e presi il pasto con tristezza, [6]ricordando la frase del profeta Amos contro Betel:

«Si cambieranno le vostre feste
    in lutto
e tutti i vostri canti in lamento».

[7]Allora piansi. Quando poi tramontò il sole, andai a scavare una fossa e lo seppellii. [8]I miei vicini mi deridevano dicendo: «Non ha più paura! Proprio per questo motivo lo hanno già ricercato per ucciderlo ed è fuggito; ora eccolo di nuovo a seppellire i morti». [9]In quella notte, dopo il bagno, entrai nel mio cortile e mi addormentai lungo il muro del cortile con la faccia scoperta a causa

---

1. - 21. *Achikar* era il saggio consigliere e tesoriere di Sennacherib (705-681) e di Assarhaddon (681-668). Questo personaggio leggendario è protagonista di un noto racconto, conservato in buona parte in documenti aramaici del V sec. a.C. trovati nell'isola di Elefantina nel 1906-1907, che ne narra la vita e ne conserva i detti sapienziali.

2. - 1. Sull'incerto quadro storico tracciato nel primo capitolo, l'autore sacro costruisce ora la sua opera, per insegnare che la divina Provvidenza non abbandona chi in essa confida, anche se, a fin di bene, sottopone alla prova.

del caldo. [10]Non sapevo che sopra di me sul muro c'erano dei passeri; i loro escrementi ancora caldi caddero sui miei occhi e mi produssero delle macchie bianche. Mi rivolsi ai medici per curarmi, però quanto più mi applicavano unguenti, tanto più mi si oscuravano gli occhi per le macchie bianche, fino a perdere completamente la vista. Rimasi cieco per quattro anni; tutti i miei parenti ne ebbero pena. Achikar provvide al mio sostentamento durante i due anni che precedettero la sua partenza per l'Elimàide. [11]In quel tempo mia moglie Anna faceva lavori femminili a pagamento. [12]Quando essa consegnava i lavori, i clienti le davano la paga. Ora, nel settimo giorno del mese di Distro, terminato il pezzo che aveva tessuto e inviatolo ai clienti, questi, oltre alla paga pattuita, le fecero dono di un capretto per la tavola. [13]Quando il capretto entrò da me, cominciò a belare. Chiamata allora la moglie, le dissi: «Da dove viene questo capretto? Non sarà stato rubato? Restituiscilo ai padroni, poiché non abbiamo il diritto di mangiare alcuna cosa rubata». [14]Essa mi rispose: «È un regalo che mi è stato dato in più del prezzo stabilito». Però io non le credevo e insistevo perché lo restituisse ai proprietari, arrossendo per quello che aveva fatto. Essa mi replicò: «E dove sono le tue elemosine? Dove sono le tue buone opere? Lo si vede da come sei ridotto!».

LA PREGHIERA DI TOBI E SARA

3 [1]Con l'animo profondamente rattristato, mi misi a gemere e a piangere e in mezzo ai singhiozzi cominciai a pregare: [2]«Tu sei giusto, o Signore, e tutte le tue opere sono giuste. Tu agisci con misericordia e lealtà, tu sei il giudice del mondo. [3]Ora, Signore, ricordati di me e guardami; non castigarmi per i miei peccati, per gli errori miei e dei miei padri commessi al tuo cospetto, [4]disobbedendo ai tuoi precetti. Ci hai consegnato al saccheggio, alla deportazione e alla morte, per essere la favola, la burla e l'insulto di tutte le nazioni, tra le quali ci hai dispersi. [5]Sì, tutte le tue sentenze sono giuste, quando mi tratti così per i miei peccati, perché non abbiamo osservato i tuoi precetti, camminando lealmente alla tua presenza. [6]Ora trattami secondo il tuo volere; ordina

che mi venga tolta la vita, in modo che sparisca dalla faccia della terra e divenga terra, poiché per me è meglio morire che vivere. Mi sono sentito insultare senza motivo e provo un grande dolore. Ordina, o Signore, che io sia liberato da questa prova. Lasciami partire per la dimora eterna e non distogliere da me il tuo volto, o Signore. Per me, infatti, è meglio morire che vivere sottoposto a questa grande prova e sentendomi insultare». [7]Nello stesso giorno avvenne che Sara, figlia di Raguele, abitante a Ecbàtana di Media, dovette anche essa ascoltare degli insulti da parte di una serva di suo padre. [8]Bisogna sapere che Sara si era maritata sette volte, ma il cattivo demonio Asmodeo aveva ucciso i mariti prima che potessero unirsi con lei, come si fa con le mogli. Ora una serva le disse: «Sei tu che uccidi i tuoi mariti! Ecco, ti sei maritata sette volte e non porti il nome di nessuno di essi. [9]Perché vuoi colpire noi se i tuoi mariti sono morti? Vattene con loro! E che da te non ci sia dato di vedere né figlio né figlia in eterno!». [10]In quel giorno dunque Sara, profondamente afflitta, si mise a piangere e salì nella camera del padre con l'intenzione di impiccarsi. Ma ritornando a riflettere pensò: «Che non abbiano poi ad insultare mio padre e non gli dicano: La sola figlia che avevi, tanto amata, si è impiccata per le sue sventure. Così farei precipitare negli inferi il mio vecchio padre per l'angoscia. È meglio che non m'impicchi, ma supplichi il Signore di farmi morire per non ascoltare più oltraggi nella mia vita». [11]In quel momento stese le mani verso la finestra e pregò: «Benedetto sei tu, Dio misericordioso, e benedetto il tuo nome nei secoli! Ti benedicano tutte le tue opere per i secoli! [12]Ora verso di te elevo la mia faccia e i miei occhi. [13]Ordina che io sia tolta dalla terra, perché non abbia più ad ascoltare insulti. [14]Tu sai, Signore, che sono pura da ogni peccato con uomo. [15]Non ho macchiato il mio nome né quello di mio padre nella terra dell'esilio. Sono l'unica figlia di mio padre, egli non ha altri figli che possano ereditare da lui, né un fratello vicino, né un parente per il quale io possa serbarmi come sposa. Ho perduto già sette mariti; perché dovrei vivere ancora? Se tu non vuoi che io

---

3 - 9. Augurare la sterilità a una donna era la più grande imprecazione che, nell'antichità, le si potesse lanciare.

muoia, volgiti a me con benevolenza: che io non senta più insulti!».

[16]Nel medesimo momento la preghiera di ambedue fu accolta davanti alla gloria di Dio, [17]e fu inviato Raffaele a guarire i due: a togliere le macchie bianche dagli occhi di Tobi, perché potesse vedere con i suoi occhi la luce di Dio; a dare Sara, figlia di Raguele, in sposa a Tobia, figlio di Tobi, liberandola dal cattivo demonio Asmodeo. Tobia, infatti, aveva più diritto di averla in sposa che tutti gli altri pretendenti. Proprio allora Tobi rientrava in casa dal cortile, e Sara, figlia di Raguele, stava scendendo dalla camera.

I CONSIGLI DI TOBI AL FIGLIO

4 [1]In quel giorno Tobi si ricordò del denaro che aveva depositato presso Gabael, in Rage di Media, [2]e pensò tra sé: «Ho invocato la morte. Perché dunque non chiamare mio figlio Tobia e informarlo, prima di morire, di questa somma di denaro?». [3]Chiamò il figlio Tobia e, quando questi si presentò, gli disse: «Quando sarò morto, dammi una onorevole sepoltura; onora tua madre e non abbandonarla finché vive, fa' ciò che è di suo gradimento e non contristare il suo cuore per nessun motivo. [4]Ricordati, figlia, dei tanti pericoli che corse per te, quando eri nel suo seno. Quando morirà, dàlle sepoltura vicino a me, in una medesima tomba. [5]Figlio, ricordati del Signore tutti i giorni della tua vita; non voler peccare né trasgredire i suoi precetti. Compi opere buone durante tutta la tua vita e non metterti sul cammino dell'ingiustizia. [6]Perché se fai il bene, riusciranno le tue imprese, come per tutti quelli che praticano la giustizia. [7]Fa' l'elemosina di ciò che possiedi. Il tuo occhio non sia sprezzante nel fare l'elemosina. Non distogliere lo sguardo del povero e Dio non distoglierà il suo sguardo da te. [8]Fa' l'elemosina in proporzione di ciò che possiedi: se hai molto, da' molto; se hai poco, non temere di dare in elemosina secondo quel poco;

[9]così ti metti in serbo un buon tesoro per il giorno in cui sarai nella strettezza, [10]poiché l'elemosina libera dalla morte e impedisce di cadere nelle tenebre. [11]Per tutti quelli che la compiono, l'elemosina è una bella offerta agli occhi dell'Altissimo.

[12]Guardati, o figlio, da ogni fornicazione e prima di tutto prendi una moglie dalla stirpe dei tuoi antenati; non prendere una moglie straniera, che non sia della tribù di tuo padre, perché noi siamo figli di profeti. Ricordati, figlio, che già dai tempi antichi i nostri antenati Noè, Abramo, Isacco e Giacobbe presero moglie fra i loro parenti e furono benedetti nei loro figli, e la loro discendenza avrà in eredità la terra. [13]Ama, o figlio, i tuoi parenti e non disprezzare i figli e le figlie del tuo popolo, disdegnando di prendere moglie tra di essi; perché l'orgoglio è causa di rovina e di grande inquietudine; l'incuria porta all'indigenza e alla miseria, perché l'ignavia è madre della fame.

[14]Non ritenere presso di te il salario di qualunque operaio, ma consegnaglielo subito; se servi Dio, egli ti ricompenserà. Sta' attento, figlio, a tutto ciò che fai e sii ben educato in ogni tuo comportamento. [15]Non fare a nessuno ciò che non piace a te. Non bere vino fino ad ubriacarti. L'ubriachezza non ti accompagni nel tuo cammino. [16]Da' il tuo pane a chi ha fame e fa' parte dei tuoi vestiti agli ignudi. Da' in elemosina quanto ti sopravanza e il tuo sguardo non sia malevolo quando fai l'elemosina. [17]Versa il tuo vino e offri il tuo pane sulla tomba dei giusti e non darlo ai peccatori.

[18]Prendi consiglio da ogni persona assennata e non disprezzare nessun consiglio utile. [19]In ogni circostanza benedici il Signore Dio e chiedigli di appianare le tue vie, e che giungano a buon fine tutti i tuoi passi e i tuoi progetti, poiché nessun popolo possiede la saggezza, ma è il Signore che concede ogni bene secondo il suo volere o umilia fino al profondo dell'abisso. Dunque, figlio, ricordati di queste norme e non si cancellino dalla tua memoria.

[20]Ora, figlio, ti faccio sapere che ho depositato dieci talenti d'argento presso Gabael, figlio di Gabri, in Rage di Media. [21]Non temere, o figlio, se siamo poveri; avrai grandi ricchezze, se temerai Dio, se fuggirai da ogni peccato e farai ciò che è gradito al Signore tuo Dio».

---

17. *Raffaele* significa medicina o guarigione di Dio. *Aveva più diritto*: queste parole lasciano capire che gli altri pretendenti di Sara non erano nelle condizioni volute dalla legge per sposare una figlia unica, che perciò era anche ereditiera (Nm 27,8).

Tb

IL MISTERIOSO COMPAGNO

5 ¹Allora Tobia rispose al padre: «Padre, farò tutto ciò che mi hai ordinato. ²Però come potrò ricuperare la somma, dato che né lui conosce me, né io conosco lui? Quale segno potrò dargli, perché mi riconosca, mi creda e mi consegni il denaro? Inoltre non conosco il cammino da prendere per andare nella Media». ³Rispose Tobi al figlio: «Egli mi diede un documento autografo e anch'io gli ho consegnato un documento scritto; lo divisi in due parti e ne prendemmo ciascuno una parte; l'altra parte la lasciai presso di lui con il denaro. Sono ora vent'anni da quando ho depositato questa somma. Ed ora, figlio, cercati un uomo di fiducia che ti possa accompagnare. Lo pagheremo per tutto il tempo fino al tuo ritorno. Va', dunque, a riprendere questo denaro da Gabael».

⁴Tobia uscì in cerca di qualcuno pratico della strada che lo accompagnasse nella Media. Appena uscito, trovò l'angelo Raffaele, già pronto, non sospettando che fosse un angelo di Dio. ⁵Gli disse: «Di dove sei, o giovane?». Rispose: «Sono un Israelita, tuo compatriota, venuto qui a cercare lavoro». Rispose Tobia: «Conosci la strada che porta nella Media?». ⁶Gli disse: «Certo, sono stato là più volte e conosco molto bene tutte le strade. Mi sono recato spesso nella Media, alloggiando presso Gabael, nostro compatriota, che abita a Rage di Media. Ci sono due giorni interi di cammino da Ecbatana a Rage. Le due città infatti si trovano in montagna». ⁷Tobia gli disse: «Aspettami qui, o giovane, finché vada ad informare mio padre. Ho bisogno che tu venga con me e ti darò il tuo salario». ⁸L'altro rispose: «Bene, ti aspetto qui, però non tardare». ⁹Tobia andò ad informare Tobi, suo padre, dicendogli: «Ecco, ho trovato un Israelita, nostro compatriota». Tobi gli disse: «Chiamalo, perché io sappia da quale famiglia e da quale tribù proviene e se è persona fidata per accompagnarti, o figlio». ¹⁰Tobia uscì a chiamarlo: «O giovane – gli disse – mio padre ti chiama».

Quando l'angelo entrò, Tobi lo salutò per primo. L'angelo rispose: «Ti auguro felicità in abbondanza». Tobi rispose: «Che felicità posso io ancora avere? Sono un uomo cieco e non posso vedere la luce del cielo. Vivo nell'oscurità, come i morti che non vedono più la luce. Anche se vivo, abito tra i morti; sento la voce degli uomini, ma non li vedo». L'angelo gli disse: «Fatti coraggio! Dio non tarderà a guarirti, fatti coraggio!». Poi Tobi gli chiese: «Mio figlio Tobia ha intenzione di andare nella Media. Non potresti tu accompagnarlo facendogli da guida? Io ti pagherò, fratello!». Egli rispose: «Sì, posso accompagnarlo; conosco tutte le strade. Mi sono recato spesso nella Media, ho attraversato tutte le sue pianure e i suoi monti e ne conosco tutte le strade». ¹¹Tobi gli domandò: «Fratello, di che famiglia e di che tribù sei? Dimmelo, fratello!». ¹²Ed egli: «Che t'importa di conoscere la tribù?». Tobi disse: «Voglio conoscere esattamente, o fratello, di chi sei figlio e quale è il tuo nome». ¹³Raffaele rispose: «Sono Azaria, figlio dell'illustre Anania, un tuo compatriota».

¹⁴Allora Tobi gli disse: «Sii benvenuto e in buona salute, o fratello. Non avertene a male, o fratello, se ho voluto sapere esattamente di che famiglia sei. Ora risulta che tu sei un nostro parente e di famiglia molto eccellente. Conoscevo Anania e Natan, i due figli dell'illustre Semeia. Venivano con me a Gerusalemme per adorare insieme Dio e non hanno abbandonato il retto cammino. I tuoi sono brava gente; tu sei di buona radice; sii benvenuto!». ¹⁵E aggiunse: «Ti do come salario una dracma al giorno e tutto il necessario per il tuo mantenimento, come a mio figlio. Accompagna, dunque, mio figlio e aggiungerò ancora qualcosa al tuo salario». ¹⁶L'angelo rispose: «Lo accompagnerò, non temere; sani e salvi partiremo e sani e salvi ritorneremo da te, perché il cammino è sicuro». ¹⁷Tobi gli disse: «Sii benedetto, o fratello!». Tobi chiamò il figlio e gli disse: «Prepara, o figlio, quanto occorre per il viaggio e parti con questo tuo parente. Dio, che è nei cieli, vi conservi incolumi fin là e vi riconduca sani e salvi presso di me. Il suo angelo vi accompagni con la sua protezione, o figlio!».

¹⁸Tobia uscì per mettersi in viaggio, baciò il padre e la madre, mentre Tobi gli diceva:

---

5. - 5. L'angelo si qualifica come figlio d'Israele e si dice Azaria figlio d'Anania (v. 13). Questo nome è vero anche nel suo significato reale, perché *Azaria* vuol dire "aiuto del Signore", *Anania* "bontà del Signore", quindi Raffaele dice di essere "aiuto del Signore, figlio della bontà del Signore".

«Buon viaggio!». [19]Però sua madre si mise a piangere e disse a Tobi: «Perché hai fatto partire mio figlio? Non è lui il nostro appoggio, non lo abbiamo sempre avuto vicino? Si faccia a meno di aggiungere denaro a denaro e non conti per nulla in cambio di nostro figlio? [20]Ci era sufficiente vivere con quello che Dio ci dava». [21]Ma Tobi le disse: «Non stare in pensiero; nostro figlio viaggerà sano e salvo e ritornerà sano e salvo da noi. Con i tuoi occhi vedrai il giorno in cui ritornerà da te sano e salvo. [22]Non stare in pensiero, non temere per essi, o sorella. Un angelo buono lo accompagnerà, il suo viaggio riuscirà bene e ritornerà sano e salvo». [23]Essa allora cessò di piangere.

IL PESCE PROVVIDENZIALE

6 [1]Il giovane partì insieme con l'angelo e anche il cane li seguì e si avviò con loro. Camminarono insieme finché li sorprese la prima notte; allora si accamparono presso il fiume Tigri. [2]Il giovane scese verso il fiume per lavarsi i piedi, quando un grosso pesce balzò dall'acqua tentando di divorare il piede del ragazzo, che si mise a gridare. [3]Allora l'angelo disse al giovane: «Afferralo e non lasciarlo fuggire». Impadronitosi del pesce, Tobia lo tirò a riva. [4]L'angelo gli disse: «Aprilo e togline il fiele, il cuore e il fegato; mettili in disparte e getta via invece gli intestini. Il fiele, il cuore e il fegato possono essere utili come farmaci». [5]Squartato il pesce, il giovane ne raccolse il fiele, il cuore e il fegato; arrostì una porzione del pesce e la mangiò, mentre l'altra parte la conservò dopo averla salata. [6]Poi ambedue ripresero insieme il cammino fino a che non giunsero vicino alla Media. [7]Allora il giovane rivolse all'angelo questa domanda: «Fratello Azaria, che farmaco ci può essere nel cuore, nel fegato e nel fiele del pesce?». [8]Gli rispose: «Quanto al cuore e al fegato del pesce, se ne fai salire il fumo davanti a un uomo o a una donna, tormentati da un demonio o da uno spirito malvagio, cesserà ogni attacco contro di loro e non ne resterà più traccia alcuna. [9]Quanto al fiele, se ne ungi gli occhi di colui che è affetto da macchie bianche e soffi su quelle macchie, gli occhi guariscono».

[10]Erano già arrivati nella Media e stavano avvicinandosi a Ecbatana, [11]quando Raffaele disse al giovane: «Fratello Tobia!». Gli rispose: «Eccomi!». Riprese: «Bisogna che passiamo questa notte in casa di Raguele. È un tuo parente e ha una figlia di nome Sara. [12]Non ha né figlio maschio né figlia all'infuori dell'unica Sara. Essendo tu il suo più prossimo parente, hai diritto di sposarla più di qualunque altro uomo e di avere in eredità i beni di suo padre. È una ragazza seria, coraggiosa e molto graziosa e suo padre è una brava persona». [13]Aggiunse: «Tu hai diritto di sposarla. Ascoltami, fratello! Questa notte stessa io parlerò della ragazza con il padre di lei, perché possiamo ottenerla come fidanzata. Quando ritorneremo da Rage, faremo le nozze. So che Raguele non può assolutamente rifiutartela e fidanzarla con un altro; egli si esporrebbe alla pena di morte secondo la prescrizione della legge di Mosè, poiché egli sa che prima di ogni altro spetta a te avere sua figlia in sposa. Ascoltami, dunque, fratello: questa stessa notte parleremo della ragazza e ne domanderemo la mano. Poi, quando ritorneremo da Rage, la prenderemo e la condurremo con noi a casa tua».

[14]Tobia rispose a Raffaele: «Fratello Azaria, ho sentito dire che essa è già stata data in moglie a sette mariti, ed essi sono morti nella stanza nuziale nella notte stessa in cui dovevano unirsi a lei. Ho inteso dire da alcuni che fu un demonio ad ucciderli. [15]Perciò ho paura; a lei non fa del male, ma se qualcuno intende accostarsi a lei, lo uccide. Siccome sono l'unico figlio di mio padre, ho paura di morire e di far discendere nella tomba la vita di mio padre e di mia madre, pieni di angoscia per la mia perdita. Non hanno un altro figlio che li possa seppellire». [16]L'angelo gli disse: «Non ti ricordi delle raccomandazioni che ti fece tuo padre di prendere in moglie una donna della tua famiglia? Ascoltami, dunque, fratello: non preoccuparti di questo demonio e sposala. Sono certo che questa sera stessa essa ti sarà data in moglie. [17]Quando però sarai entrato nella camera nuziale, prendi il cuo-

---

6. - 8-9. Il *cuore*, il *fiele* e il *fegato* del pesce non potevano avere tali virtù; chi cacciò il demonio e guarì Tobi fu l'angelo (8,3); il cuore, il fegato, il fiele furono semplici strumenti che servirono a nascondere l'angelo che non voleva farsi ancora conoscere.

re e il fegato del pesce e mettine un poco sulla brace degli incensi. Allorché si spanderà l'odore, il demonio lo dovrà annusare, fuggirà e non comparirà mai più intorno a lei. [18]Poi, quando sarai sul punto di unirti a lei, alzatevi tutti e due a pregare. Supplicate il Signore del cielo perché venga su di voi la sua grazia e la sua salvezza. Non temere; essa ti è stata destinata da sempre. Tu la dovrai salvare. Essa ti seguirà e penso che da lei avrai dei figli che saranno per te come fratelli. Non stare in pensiero».

[19]Quando Tobia udì le parole di Raffaele e apprese che Sara era sua parente, discendente della famiglia di suo padre, l'amò appassionatamente e il suo cuore aderì a lei.

IL MATRIMONIO DI TOBIA E SARA

7 [1]Entrando in Ecbatana, Tobia disse: «Fratello Azaria, conducimi direttamente dal nostro parente Raguele». L'angelo lo condusse nella casa di Raguele. Lo trovarono seduto presso la porta del cortile e lo salutarono per primi. Raguele rispose: «Salute, fratelli, siate benvenuti!». E li fece entrare in casa. [2]Disse alla moglie Edna: «Quanto somiglia questo giovane al mio parente Tobi!». [3]Edna domandò loro: «Di dove siete, fratelli?». Le risposero: «Siamo della tribù di Neftali, deportati a Ninive». [4]Edna soggiunse: «Conoscete il nostro parente Tobi?». Le dissero: «Sì, lo conosciamo». [5]Riprese: «Come sta?». Risposero: «Vive e sta bene». E Tobia aggiunse: «È mio padre». [6]Allora Raguele balzò in piedi e l'abbracciò piangendo. Poi gli disse: «Sii benedetto, o figlio! Hai un ottimo padre. Che disgrazia che sia diventato cieco un uomo così giusto, che faceva elemosine!». Si gettò al collo del suo parente Tobia e si rimise a piangere. [7]Piansero anche la moglie Edna e la figlia Sara. [8]Poi Raguele macellò un montone del gregge, facendo loro una calorosa accoglienza.

[9]Dopo essersi lavati e fatte le abluzioni si misero a tavola. Tobia disse a Raffaele: «Fratello Azaria, chiedi a Raguele che mi dia in moglie la mia parente Sara». [10]Udite queste parole Raguele disse al giovane: «Mangia, bevi e sta' allegro questa sera, poiché nessuno all'infuori di te, mio parente, ha il diritto di sposare mia figlia Sara; del

resto neppure io ho la facoltà di darla ad un altro uomo all'infuori di te, poiché tu sei il parente più stretto. Tuttavia, figlio, ti devo parlare con tutta franchezza. [11]L'ho data a sette mariti appartenenti alla mia famiglia e tutti sono morti nella notte in cui stavano per accostarsi a lei. Ora mangia e bevi, figlio; il Signore provvederà per voi!». [12]Tobia replicò: «Non mangerò affatto né berrò fino a che non avrai deciso questo mio affare». Raguele gli disse: «Lo farò. Poiché essa ti viene data secondo la prescrizione del libro di Mosè, è il cielo che decide che ti venga data. Accogli, dunque, tua cugina. D'ora in poi tu sei suo fratello ed essa è tua sorella. Da oggi essa è tua per sempre. Il Signore del cielo vi aiuti questa notte, o figlio, e vi conceda la sua grazia e la sua pace!».

[13]Allora Raguele chiamò sua figlia Sara, e quando essa venne la prese per mano e l'affidò a Tobia con queste parole: «Ricevila secondo la legge e la prescrizione del libro di Mosè, che ordina che ti sia data in moglie. Prendila e conducila sana e salva dal padre tuo. Che il Dio del cielo vi conceda pace e benessere!». [14]Poi chiamò la madre di Sara e le disse di portare un foglio; su di esso scrisse l'atto di matrimonio secondo il quale concedeva in moglie a Tobia la propria figlia, in base alla prescrizione della legge di Mosè. Dopo di ciò cominciarono a banchettare. [15]Raguele chiamò sua moglie Edna e le disse: «Sorella, prepara l'altra camera e conducila dentro». [16]Essa andò a preparare un letto nella camera, come le aveva ordinato, e vi condusse la figlia. Pianse per lei, poi si asciugò le lacrime e disse: [17]«Coraggio, o figlia, il Signore del cielo cambi in gioia la tua tristezza! Coraggio, figlia!». E uscì.

LA FATIDICA NOTTE NUZIALE

8 [1]Terminata la cena, decisero di andare a dormire. Accompagnarono il giovane e lo introdussero nella camera da letto. [2]Allora Tobia si ricordò delle parole di Raffaele: prese dal suo sacco il fegato e il cuore del pesce e li pose sul portabrace dell'incenso. [3]L'odore del pesce arrestò il demonio, che

---

8. - 3. Il demonio dicesi *incatenato*, perché l'angelo, con la potenza avuta da Dio, gli impedì di nuocere.

fuggì nelle regioni dell'alto Egitto. Raffaele lo seguì sull'istante e in quel luogo lo incatenò legandolo mani e piedi. ⁴Quando gli altri uscirono, chiusero la porta della camera. Allora Tobia si alzò dal letto e disse a Sara: «Alzati, sorella, preghiamo e supplichiamo il Signore perché abbia misericordia di noi e ci protegga». ⁵Essa si alzò e cominciarono a pregare e a supplicare, chiedendo a Dio che li proteggesse, e Tobia si mise a dire: «Benedetto sei tu, Dio dei nostri padri, e benedetto sia il tuo nome per tutte le generazioni! Ti benedicano i cieli e tutte le tue creature nei secoli! ⁶Tu hai creato Adamo e come aiuto e sostegno gli hai creato la moglie Eva; da loro due nacque il genere umano. Tu dicesti: Non è bene che l'uomo resti solo, facciamogli un aiuto simile a lui! ⁷Ora non per lussuria io sposo con questa mia parente, ma con retta intenzione. Degnati di aver misericordia di me e di lei e di farci giungere insieme alla vecchiaia». ⁸Poi dissero insieme: «Amen, amen!». ⁹E dormirono per tutta la notte.

¹⁰Ora Raguele, alzatosi, chiamò i servi e andò con loro a scavare una fossa. Diceva, infatti: «Caso mai sia morto, non abbiamo a diventare oggetto di derisione e di insulto». ¹¹Quando ebbero finito di scavare la fossa, Raguele ritornò in casa e, chiamata la moglie, ¹²le disse: «Manda in camera una delle serve per vedere se è vivo, perché, se è morto, lo seppelliremo senza che nessuno lo sappia». ¹³Mandarono avanti la serva e, accesa la lampada, aprirono la porta. Essa entrò e li trovò insieme profondamente addormentati. ¹⁴La serva uscì e riferì loro che era vivo e che non era successo nulla di male. ¹⁵Allora benedissero il Dio del cielo dicendo: «Tu sei benedetto, o Dio, degno di ogni pura benedizione. Ti benedicano per tutti i secoli! ¹⁶Sei benedetto perché mi hai rallegrato e non è avvenuto ciò che temevo, ma ci hai trattato secondo la tua grande misericordia.

¹⁷Tu sei benedetto, perché hai avuto compassione di due figli unici. Sii misericordioso con loro, o Signore, e proteggili! Falli giungere al termine della loro vita nella gioia e nella grazia!».

¹⁸Allora Raguele ordinò ai servi di riempire la fossa, prima che si facesse giorno. ¹⁹Poi ordinò alla moglie di fare dei pani in abbondanza; andò al gregge e prese due vitelli e

quattro montoni; li fece macellare e cominciarono così a preparare il banchetto. ²⁰Poi, chiamato Tobia, gli disse: «Per quattordici giorni non ti muoverai di qui, ma ti fermerai da me a banchettare e così allieterai l'anima già tanto afflitta di mia figlia. ²¹Prenditi sin d'ora la metà dei miei beni e ritorna sano e salvo da tuo padre. L'altra metà sarà vostra quando io e mia moglie saremo morti. Coraggio, o figlio, io sono tuo padre e Edna è tua madre; noi apparteniamo a te e a questa tua sorella, da ora e per sempre. Coraggio, figlio!».

RAFFAELE RITIRA IL DENARO

9 ¹Allora Tobia chiamò Raffaele e gli disse: ²«Fratello Azaria, prendi con te quattro servitori e due cammelli e recati in Rage. ³Va' da Gabael, consegnagli il documento, riporta il denaro e conduci anche lui con te alle feste di nozze. ⁴Tu sai, infatti, che mio padre sta già contando i giorni; se ritardo di un solo giorno, gli recherò un grande dispiacere. Vedi bene che cosa ha giurato Raguele e io non posso trasgredire il suo giuramento». ⁵Allora Raffaele partì con i quattro servitori e i due cammelli per Rage di Media e passarono la notte in casa di Gabael. Consegnatogli il documento, Raffaele lo informò che Tobia, figlio di Tobi, aveva preso moglie e che lo invitava alle nozze. Gabael andò subito a prendere i sacchetti ancora sigillati e li contò in sua presenza, poi li caricarono sui cammelli. ⁶Di buon mattino partirono insieme per recarsi alle nozze. Giunti nella casa di Raguele, trovarono Tobia seduto a tavola. Questi balzò in piedi per salutare Gabael, che piangendo lo benedisse con queste parole: «Figlio ottimo di un uomo ottimo, giusto e caritatevole! Che il Signore conceda la benedizione del cielo a te, a tua moglie, al padre e alla madre di tua moglie! Benedetto Dio, perché ho visto mio cugino Tobi vedendo te che tanto gli assomigli».

IL RITORNO DI TOBIA

10 ¹Intanto un giorno dietro l'altro Tobi faceva il conto dei giorni necessari a Tobia per l'andata e il ritorno. Quando i giorni furono al termine e il figlio non era ancora ritornato, [2]pensò: «È stato forse trattenuto laggiù? O forse sarà morto Gabael e non c'era nessuno per consegnargli il denaro?». [3]Pertanto cominciò a rattristarsi. [4]La moglie Anna diceva: «Mio figlio è perito e non è più tra i vivi, perché troppo è il ritardo!». [5]Allora cominciò a piangere e a lamentarsi sul proprio figlio, dicendo: «Ahimè, figlio, ho lasciato partire te che sei la luce dei miei occhi!». [6]Tobi le rispondeva: «Taci, non stare in pensiero, sorella, egli sta bene. Certamente li trattiene là un contrattempo, poiché colui che lo accompagna è un uomo fidato ed è uno dei nostri fratelli. Non affliggerti per lui, sorella; tra poco sarà qui». [7]Ma essa replicava: «Lasciami stare e non ingannarmi! Mio figlio è perito». Ogni giorno usciva per controllare la strada per la quale era partito il figlio, perché non si fidava di nessuno. Dopo il tramonto del sole essa rientrava a piangere e a lamentarsi per tutta la notte, senza poter dormire.

[8]Passati i quattordici giorni delle feste nuziali che Raguele con giuramento aveva stabilito di organizzare per sua figlia, Tobia andò a dirgli: «Lasciami partire, poiché sono sicuro che mio padre e mia madre non hanno più speranza di rivedermi. Ti prego, dunque, padre, lasciami partire e ritornare da mio padre; ti ho già spiegato in quale situazione l'ho lasciato». [9]Rispose Raguele a Tobia: «Resta con me, figlio, resta con me. Invierò dei messaggeri a tuo padre Tobi, perché lo informino sul tuo conto». Ma Tobia rispose: «No, no, ti prego, lasciami andare da mio padre». [10]Allora Raguele, alzatosi, consegnò a Tobia la sposa Sara con metà di tutti i suoi beni: servi e serve, buoi e pecore, asini e cammelli, vesti, denaro e masserizie. [11]Li lasciò partire sani e salvi e a Tobia rivolse questo saluto: «Sta' bene, o figlio, e fa' buon viaggio! Che il Signore del cielo vi guidi, te e tua moglie Sara, e che io possa vedere i vostri figli prima di morire». [12]Poi disse alla figlia Sara: «Onora i tuoi suoceri, poiché da questo momento essi sono i tuoi genitori, come coloro che ti hanno dato la vita. Va' in pace, o figlia, e possa sentire buone notizie a tuo riguardo, finché sarò in vita». Poi li abbracciò e li lasciò partire.

[13]A sua volta Edna disse a Tobia: «Figlio e parente carissimo, che il Signore ti riconduca a casa e possa io vedere, finché vivo, i tuoi figli e quelli di mia figlia Sara prima di morire, per gioire davanti al Signore! Ti affido mia figlia in custodia. Non contristarla in nessun giorno della sua vita. Figlio, va' in pace. D'ora innanzi io sono tua madre e Sara è tua sorella. Possiamo tutti insieme avere buona fortuna per tutto il tempo della nostra vita!». Dopo averli baciati tutti e due, li lasciò partire sani e salvi. [14]Così Tobia partì da Raguele, sano e gioioso, benedicendo il Signore del cielo e della terra, il re dell'universo, perché aveva dato buon esito al viaggio. Raguele gli disse: «Possa tu avere la fortuna di onorare i tuoi genitori tutti i giorni della tua vita».

LA GUARIGIONE DI TOBI

11 [1]Quando giunsero nei pressi di Caserin, di fronte a Ninive, Raffaele disse: [2]«Tu sai in quale condizione abbiamo lasciato tuo padre. [3]Corriamo avanti, prima di tua moglie, e prepariamo la casa, mentre gli altri arrivano». [4]Partirono ambedue insieme e Raffaele gli disse: «Prendi in mano il fiele». Il cane li seguiva. [5]Anna intanto stava seduta intenta a scrutare la strada per la quale era partito il figlio. [6]Avuto il presentimento che ritornava, disse al padre di lui: «Ecco, arriva tuo figlio insieme a colui che l'ha accompagnato». [7]Prima che si avvicinasse al padre, Raffaele disse a Tobia: «Sono sicuro che i suoi occhi si apriranno. [8]Spalma il fiele del pesce sui suoi occhi; il farmaco intaccherà e asporterà come scaglie le macchie bianche dai suoi occhi, così tuo padre riavrà la vista e vedrà la luce». [9]Anna corse avanti e si gettò al collo del figlio dicendogli: «Ti rivedo, o figlio; ora posso morire!». Poi scoppiò in pianto. [10]Tobi si alzò e, incespicando, uscì dalla porta del cortile. [11]Tobia gli andò incontro tenendo in mano il fiele del pesce; soffiò sui suoi occhi e, tirandolo vicino, gli disse: «Coraggio, padre!». Subito applicò il farmaco e glielo tenne fermo. [12]Poi con ambedue le mani distaccò le scaglie bianche dai margini degli occhi. [13]Allora Tobi gli si gettò al collo e tra le lacrime gli disse: «Ti rivedo, o figlio, luce dei miei occhi!». [14]E aggiunse: «Benedetto Dio! Benedetto il suo grande nome! Benedetti tutti i suoi santi angeli! Che il suo nome glorioso ci protegga! Benedetti siano gli angeli per tutti i secoli! Poiché egli mi ha colpito, ma mi ha usato misericordia, e ora vedo il mio figlio Tobia!».

[15]Tobia entrò in casa lieto, benedicendo Dio a piena voce. Poi Tobia informò suo padre del buon esito del viaggio, del denaro che aveva riportato e di Sara, figlia di Raguele, che aveva preso in moglie e che stava arrivando, trovandosi ormai vicina alla porta di Ninive.

[16]Allora Tobi, lieto e benedicendo Dio, uscì incontro alla sposa di lui verso la porta di Ninive. Quando la gente di Ninive lo vide camminare e circolare con tutto il vigore di un tempo, senza che nessuno lo conducesse per mano, rimase meravigliata. Tobi proclamava davanti a loro che Dio aveva avuto pietà di lui e che gli aveva aperto gli occhi. [17]Avvicinatosi poi a Sara, la moglie di suo figlio Tobia, la benedisse con queste parole: «Sii benvenuta, o figlia! Sia benedetto il tuo Dio che ti ha fatto venire da noi, o figlia! Benedetto sia tuo padre, benedetto il mio figlio Tobia e benedetta tu, o figlia! Entra nella casa, che è tua, in buona salute, in benedizione e gioia, entra, o figlia!». [18]In quel giorno ci fu una grande festa per tutti i Giudei di Ninive. [19]Achikar e Nadab, nipoti di Tobi, vennero a congratularsi con lui. [20]E si festeggiarono le nozze di Tobia con gioia per sette giorni.

RAFFAELE SI FA CONOSCERE

12 [1]Terminate le feste nuziali, Tobi chiamò suo figlio Tobia e gli disse: «Figlio, pensa a dare la ricompensa pattuita al tuo compagno di viaggio, aggiungendovi qualche cosa». [2]Tobia gli rispose: «Padre, quanto gli devo dare come ricompensa? Non ci perderei anche se gli dessi la metà dei beni che egli ha portato con me. [3]Mi ha ricondotto sano e salvo, mi ha guarito la moglie, è andato a prendere per me il denaro e ha guarito te. Quanto posso ancora dargli come ricompensa?». [4]Tobi gli rispose: «Figlio, è giusto che egli prenda la metà di tutti i beni che ha riportato». [5]Tobia chiamò l'angelo e gli disse: «Prendi come ricompensa la metà di tutto ciò che hai riportato e va' in pace!».

[6]Allora Raffaele li chiamò ambedue in disparte e disse loro: «Benedite Dio e proclamate davanti a tutti i viventi i benefici che vi ha fatto, perché sia benedetto e celebrato il suo nome. Fate conoscere a tutti gli uomini le opere di Dio, come è giusto, e non siate negligenti nel rendergli grazie.

[7]È bene tener nascosto il segreto del re, ma è giusto rivelare e manifestare le opere di Dio. Fate il bene e non vi colpirà nessuna disgrazia. [8]Vale più la preghiera sincera e l'elemosina generosa che non la ricchezza acquistata ingiustamente. È meglio fare l'elemosina che ammassare denaro. [9]L'elemosina libera dalla morte e purifica da ogni peccato. Coloro che praticano l'elemosina godranno lunga vita. [10]Coloro invece che commettono il peccato e l'ingiustizia sono nemici della propria vita. [11]Vi scoprirò ora tutta la verità senza nascondervi nulla. Vi ho già insegnato che è bene tenere nascosto il segreto del re, ma è cosa gloriosa rivelare le opere di Dio. [12]Ebbene, quando tu e Sara stavate pregando, io presentavo l'attestato della vostra preghiera davanti alla gloria del Signore. Così anche quando tu seppellivi i morti. [13]Quando poi non hai esitato ad alzarti da mensa, abbandonando il tuo pranzo, per andare a seppellire quel morto, allora io sono stato inviato a metterti alla prova. [14]Ora Dio mi ha inviato per guarire te e Sara, tua nuora. [15]Io sono Raffaele, uno dei sette angeli che sono al servizio di Dio e hanno accesso alla maestà del Signore».

[16]Allora tutti e due, scossi com'erano, caddero con la faccia a terra, pieni di terrore. [17]Ma l'angelo disse loro: «Non temete, la pace sia con voi! Benedite Dio per tutti i secoli! [18]Quando ero con voi, non stavo con voi per mia iniziativa, ma per la volontà di Dio; lui dovete benedire sempre, a lui cantare inni. [19]Benché mi abbiate visto mangiare, non mangiavo nulla; ciò che vedevate era solo apparenza. [20]Benedite perciò il Signore sulla terra e rendete grazie a Dio. Ecco, io risalgo presso colui che mi ha mandato. Mettete per iscritto tutto ciò che vi è accaduto». E salì in alto. [21]Essi si rialzarono, ma non poterono più vederlo. [22]Allora andavano benedicendo e celebrando Dio e gli rendevano grazie per tutte le grandi opere che aveva fatto, perché era loro apparso un angelo di Dio.

IL CANTICO DI TOBI

13 ¹Allora Tobi disse:

² «Benedetto sia Dio che vive in eterno;
il suo regno dura per tutti i secoli.
Egli castiga e usa misericordia,
fa scendere fino all'abisso più profondo
della terra
e fa risalire dalla grande perdizione;
non c'è nulla che sfugga alla sua mano.

³ Celebratelo, figli d'Israele,
davanti alle nazioni,
perché egli vi ha dispersi
in mezzo ad esse,

⁴ e qui vi ha fatto vedere la sua grandezza.
Esaltatelo davanti ad ogni vivente,
perché egli è il nostro Signore
e il nostro Dio,
egli è il nostro Padre,
il Dio per tutti i secoli.

⁵ Vi castiga a causa delle vostre iniquità,
ma avrà pietà di tutti voi
in mezzo a tutte le nazioni,
fra le quali siete stati dispersi.

⁶ Quando vi sarete convertiti a lui
con tutto il cuore e con tutta l'anima
e agirete con sincerità davanti a lui,
allora egli si volgerà verso di voi
e non vi nasconderà più il suo volto.

⁷ Ora considerate ciò che ha operato
per voi
e celebratelo a piena voce.
Benedite il Signore della giustizia
ed esaltate il re dei secoli.

⁸ Io lo celebro nel paese del mio esilio
e annuncio la sua potenza
e la sua grandezza
a un popolo di peccatori.
Convertitevi, o peccatori,
e operate la giustizia davanti a lui.
Chi sa che non torni ad amarvi
e vi usi misericordia?

⁹ Io esalto il mio Dio e celebro il re
del cielo
ed esulto per la sua grandezza.

¹⁰ Che tutti lo lodino
e gli rendano grazie in Gerusalemme.
Gerusalemme, città santa,
Dio ti ha castigata per le opere
dei tuoi figli,
ma avrà di nuovo pietà dei figli
dei giusti.

¹¹ Da' lode al Signore degnamente,
benedici il re dei secoli,
e il tuo tempio sarà ricostruito con gioia.

¹² Che egli rallegri in te tutti i deportati
e ami in te tutti gli sventurati,
per tutte le generazioni dei secoli.

¹³ Una splendida luce brillerà
in tutte le regioni della terra;
nazioni numerose verranno a te
da lontano
e gli abitanti di tutti i confini
della terra
verranno verso la dimora
del tuo santo nome,
portando in mano i doni per il re
del cielo.
Generazioni e generazioni
esprimeranno in te l'esultanza
e il nome della città eletta durerà
per sempre.

¹⁴ Maledetti coloro che ti insultano,
maledetti saranno quanti
ti distruggono,
demoliscono le tue mura,
rovinano le tue torri e incendiano
le tue abitazioni.
Ma benedetti per sempre coloro
che ti temono.

¹⁵ Sorgi, allora, ed esulta a causa
dei figli dei giusti,
perché tutti presso di te
si raduneranno
e benediranno il Signore dei secoli.
Beati coloro che ti amano,
beati coloro che gioiscono
per la tua prosperità.

¹⁶ Beati tutti quelli che avranno fatto lutto
per te
a causa di tutte le tue prove,
perché gioiranno per te,
vedendo tutta la tua gioia per sempre.
Anima mia, benedici il Signore,
il gran re,

¹⁷ perché Gerusalemme sarà ricostruita
e nella città il suo tempio
durerà per sempre.
Beato sarò io,
se rimane qualcuno
della mia discendenza
per vedere la tua gloria e celebrare
il re del cielo.
Le porte di Gerusalemme
saranno ricostruite
con zaffiro e smeraldo
e tutte le sue mura con pietre preziose.

Le torri di Gerusalemme
saranno costruite con oro
e i suoi baluardi con oro finissimo.
Le piazze di Gerusalemme
saranno lastricate
con turchese e pietre di Ofir.
¹⁸ Le porte di Gerusalemme
risuoneranno di canti di giubilo
e tutte le sue case acclameranno:
Alleluia,
benedetto il Dio d'Israele.
Coloro che sono da lui benedetti
benediranno il suo santo nome
nei secoli, per sempre».

GLI ULTIMI AVVENIMENTI
DI TOBI E DEL FIGLIO TOBIA

14 ¹Qui finirono le parole di ringraziamento pronunciate da Tobi.
²Tobi morì in pace all'età di centododici anni
e fu sepolto con onore a Ninive. Aveva sessantadue anni quando perdette la vista e,
dopo averla ricuperata, visse nell'abbondanza, praticando l'elemosina; continuò
sempre a benedire Dio e a celebrare la sua
grandezza.
³Sul punto di morire, fece venire il figlio
Tobia e gli diede queste istruzioni: «Figlio,
porta via i tuoi figli ⁴e rifugiati nella Media,
perché credo all'oracolo divino preannun-
ciato da Naum contro Ninive; tutto si realizzerà e accadrà all'Assiria e a Ninive, come
hanno predetto i profeti d'Israele, inviati da
Dio; non una delle loro parole cadrà. Ogni
cosa capiterà a suo tempo. Nella Media ci
sarà più sicurezza che nell'Assiria o in Babilonia. Lo so e ne sono convinto: quanto
Dio ha predetto si compirà e si realizzerà
senza che venga meno una sola parola
delle profezie. I nostri fratelli che abitano
nella terra d'Israele saranno tutti dispersi
e deportati lontano dal loro paese, tutto il
paese d'Israele sarà ridotto a un deserto.

Anche Samaria e Gerusalemme diventeranno un deserto e il tempio di Dio si troverà in una desolante condizione e rimarrà
bruciato fino a un certo tempo. ⁵Ma Dio avrà
di nuovo pietà di loro e li farà ritornare nel
paese d'Israele; ricostruiranno il tempio, ma
non uguale al primo, finché sarà completo
il computo dei tempi. Dopo, ritorneranno
tutti dall'esilio e ricostruiranno splendidamente Gerusalemme; il tempio di Dio sarà
ricostruito in essa, come preannunciarono i
profeti d'Israele. ⁶Tutte le nazioni della terra
si convertiranno e temeranno Dio sincera-
mente. Tutti abbandoneranno i loro idoli,
che li hanno fatti errare nella menzogna, e
benediranno, com'è giusto, il Dio dei secoli.
⁷Tutti gli Israeliti, che si saranno salvati in
quei giorni e si ricorderanno di Dio con sincerità, si riuniranno e si recheranno a Gerusalemme e abiteranno per sempre tranquilli
nel paese di Abramo, che sarà dato in loro
possesso. Coloro che amano sinceramente Dio si rallegreranno, mentre coloro che
commettono il peccato e l'iniquità scompariranno dalla terra.
⁸Ora, figli, vi raccomando di servire Dio
sinceramente e di fare ciò che a lui piace.
Anche ai vostri figli insegnate l'obbligo di
praticare l'elemosina e le opere di carità, di
ricordarsi di Dio, di benedire sinceramente
il suo nome in ogni momento e con tutte le
forze. ⁹Quanto a te, figlio, parti da Ninive e
non restare più qui. Quando avrai sepol-
to tua madre presso di me, non passare
nemmeno una notte in più nel territorio di
questa città: vedo infatti trionfare in essa
molta ingiustizia e grande perfidia, senza
che nessuno se ne vergogni. ¹⁰Vedi, figlio,
quanto fece Nadab al padre adottivo Achi-
kar. Non l'ha costretto a scendere vivo sotto
terra? Ma Dio ripiegò l'infamia in faccia al
colpevole: Achikar ritornò alla luce, mentre
Nadab entrò nelle tenebre eterne per aver
tentato di far morire Achikar. A causa delle
sue elemosine Achikar sfuggì al laccio mortale tesogli da Nadab, Nadab invece cadde
nel laccio mortale che lo fece perire. ¹¹Così,
figli, considerate quali sono i frutti dell'elemosina e quali quelli dell'ingiustizia: questa
conduce alla morte. Ma, ecco, la vita mi abbandona». Essi lo distesero sul letto; morì
e fu sepolto con onore.
¹²Quando poi morì la madre, Tobia la sep-
pellì vicino al padre e partì con la moglie e i

---

14. - 10. *Nadab* era un parente di Achikar, da questi beneficato; con somma ingratitudine egli non solo dimenticò i benefici ricevuti, ma calunniò il benefattore stesso. Achikar
dovette nascondersi per sfuggire a una ingiusta punizione.
Scopertasi poi la calunnia, fu castigato Nadab e rimesso in
onore Achikar. Ciò che qui si vuole insegnare è l'esercizio
dell'elemosina, la quale, se anche a volte non sia riconosciuta e non ottenga ricompensa qui sulla terra, non è mai
dimenticata da Dio il quale la premia sempre.

figli per la Media. Si stabilirono a Ecbatana, presso il suocero Raguele. ¹³Trattò con riguardo i suoi suoceri nella loro vecchiaia e li seppellì a Ecbatana nella Media, ereditando così i beni di Raguele e quelli del proprio padre Tobi. ¹⁴Morì stimato da tutti all'età di centodiciassette anni. ¹⁵Prima di morire fu testimone della rovina di Ninive e vide arrivare nella Media i suoi abitanti, deportati da Achiacar, re della Media. Benedisse allora il Signore per tutto ciò che aveva fatto nei confronti degli abitanti di Ninive e dell'Assiria. Prima di morire poté rallegrarsi della sorte di Ninive e benedisse il Signore Dio nei secoli dei secoli.

GIUDITTA

Il libro di Giuditta è così chiamato dal nome della protagonista, che in modo straordinario liberò il paese di Giuda e la città santa, qui chiamata Betulia (cioè "casa di Dio"), da un agguerrito nemico rivale di Dio.

La narrazione è distribuita in tre parti. Nella prima (cc. 1-3) è esposta la minaccia che grava sul popolo giudaico da parte dell'esercito al servizio dell'empio re Nabucodonosor. La seconda parte (4-8) descrive l'oppressione dei Giudei assediati che, stremati di forze, chiedono la capitolazione della città, mentre Giuditta li esorta a continuare la resistenza. Nella terza parte (9-16) viene narrata la liberazione ottenuta con l'ardito intervento di Giuditta, che riesce con l'inganno a uccidere Oloferne, comandante dell'esercito nemico. Dopo la vittoria il paese di Giuda gode di un lungo periodo di pace. Il modo col quale Giuditta ottiene la vittoria (inganno, seduzione, assassinio) è il suo modo di difendere dall'aggressore la sua città e il suo popolo a proprio rischio e pericolo.

I dati storici, cronologici e topografici della narrazione lasciano perplessi, ma l'autore, che scrive verso la metà del II secolo a.C., prende elementi da varie situazioni difficili in cui si è trovato il popolo di Dio lungo la sua storia per comporre un racconto edificante, non il resoconto storico di un determinato evento.

Nel libro è particolarmente significativo il senso dato alle sventure e sofferenze nella vita dell'uomo e del popolo d'Israele. Non sempre sono punizioni: spesso sono prove che servono a confermare la fedeltà verso Dio che non manca di intervenire. Questo insegnamento costituisce il vertice dottrinale dell'opera e riflette tante istruzioni contenute nei libri sapienziali.

IL RE NABUCODONOSOR, DOMINATORE DELL'ORIENTE

1 [1]Nell'anno dodicesimo del regno di Nabucodonosor, che regnò sugli Assiri nella grande città di Ninive, Arpacsad regnava sui Medi a Ecbatana. [2]Egli edificò intorno a Ecbatana delle mura con pietre squadrate della larghezza di tre cubiti e della lunghezza di sei, portando l'altezza del muro a settanta cubiti e la larghezza a cinquanta. [3]Alle porte della città eresse torri alte cento cubiti con fondamenta larghe sessanta cubiti. [4]Costruì le porte con un'apertura di settanta cubiti di altezza e quaranta di larghezza, così da permettere l'uscita del grosso delle sue forze e la sfilata della sua fanteria. [5]In quel tempo il re Nabucodonosor fece guerra contro il re Arpacsad nella grande pianura, che si trova nel territorio di Ragau. [6]Intorno a lui si raccolsero tutti gli abitanti della regione montuosa, tutti quelli che risiedevano lungo l'Eufrate, il Tigri, l'Idaspe e nelle pianure di Arioch, re degli Elamiti; così molti popoli accorsero a schierarsi con la gente di Cheleud.

[7]Nabucodonosor, re degli Assiri, inviò un messaggio a tutti gli abitanti della Persia e a tutti gli abitanti dell'occidente, cioè della Cilicia, di Damasco, del Libano e dell'Antilibano, a tutti quelli che abitavano lungo la costa marittima, [8]alle popolazioni del Carmelo, di Galaad, della Galilea superiore,

---

1. - 1. Le difficoltà storiche e geografiche di questo libro dimostrano che non si tratta di un libro "storico", ma di un racconto epico, in cui Giuditta (= la giudea) simboleggia la nazione giudaica trionfante sui nemici, con la protezione di Dio.

della estesa pianura di Esdrelon, [9]alle genti della Samaria e delle sue città, a quelle della regione al di là del Giordano fino a Gerusalemme, Batane, Chelus, Kades e al torrente d'Egitto, a Tafni, a Ramesse e a tutta la regione di Gessen, [10]fino ad arrivare oltre Tanis e Menfi e a tutti quelli che risiedevano in Egitto, sino ai confini dell'Etiopia. [11]Ma tutti gli abitanti di queste regioni respinsero l'appello di Nabucodonosor, re degli Assiri, e non si unirono a lui per far la guerra. Essi infatti non avevano alcun timore di lui, essendo ai loro occhi un uomo qualunque, perciò rinviarono i suoi messaggeri a mani vuote e con disonore. [12]Allora Nabucodonosor s'irritò terribilmente contro tutte queste regioni e giurò per il suo trono e per il suo regno di vendicarsi, sterminando con la spada tutte le regioni della Cilicia, di Damasco e della Siria, tutti gli abitanti del paese di Moab, gli Ammoniti, tutta la Giudea e tutti gli abitanti dell'Egitto, fino alle frontiere dei due mari.

[13]Nell'anno decimosettimo assalì con il suo esercito il re Arpacsad e lo vinse in combattimento sbaragliandone tutto l'esercito, tutta la sua cavalleria e tutti i suoi carri. [14]Si impadronì delle sue città giungendo fino a Ecbatana e ne espugnò le torri, ne depredò le piazze e ne mutò lo splendore in ludibrio. [15]Poi fece prigioniero Arpacsad sulle montagne di Ragau, lo trafisse con le sue lance e lo sterminò per sempre. [16]Fece quindi ritorno a Ninive con le sue truppe e con l'immensa moltitudine di guerrieri, che lo avevano seguito, e lì si diedero a feste e banchetti per centoventi giorni.

LA SPEDIZIONE DI OLOFERNE

2 [1]Nell'anno decimottavo, il giorno ventidue del primo mese, corse la voce nella reggia di Nabucodonosor, re degli Assiri, ch'egli avrebbe fatto vendetta di tutta la terra, come aveva deciso. [2]Convocati tutti i suoi ministri e tutti i notabili, espose loro il suo intento segreto, decidendo egli stesso la totale distruzione di quelle regioni. [3]Costoro furono del parere di far perire tutti quelli che non avevano seguito l'ordine da lui emanato.

[4]Terminata dunque la consultazione, Nabucodonosor, re degli Assiri, convocò Oloferne, comandante in capo del suo esercito,

che teneva il secondo posto dopo di lui e gli disse: [5]«Così parla il gran re, il signore di tutta la terra: Ecco, quando tu sarai partito dalla mia presenza, prenderai con te uomini di indiscusso valore, circa centoventimila fanti e un contingente di cavalli con dodicimila cavalieri. [6]Marcerai contro tutti i paesi d'occidente, perché hanno disobbedito all'ordine della mia bocca. [7]Ingiungerai loro di preparare terra e acqua, perché con furore muoverò contro di loro; coprirò tutta la faccia della terra con i piedi del mio esercito e te la darò al saccheggio. [8]I loro feriti riempiranno le valli e ogni torrente e fiume rigurgiterà di cadaveri fino a straripare, [9]e li condurrò prigionieri fino agli estremi limiti della terra. [10]Tu, dunque, va' e occupa per me tutto il loro territorio; si arrenderanno a te, e tu me li conserverai per il giorno del loro castigo. [11]Il tuo occhio non abbia pietà di coloro che non si vorranno assoggettare; li voterai al massacro e al saccheggio in tutto il territorio. [12]Come è vero che io vivo e vive la potenza del mio regno, questo ho detto e questo eseguirò con il mio braccio. [13]Tu non trasgredire nessuno degli ordini del tuo signore, ma eseguili fedelmente secondo ciò che ti ho comandato e non indugiare a metterli in esecuzione».

[14]Partito dalla presenza del suo signore, Oloferne convocò tutti i capi, i generali e gli ufficiali dell'esercito assiro; [15]quindi scelse e contò gli uomini per la spedizione, come gli aveva ordinato il suo signore, in numero di circa centoventimila, più dodicimila arcieri a cavallo [16]e li dispose come viene schierata la truppa in assetto di guerra. [17]Prese inoltre una moltitudine immensa di cammelli, di asini e di muli per il loro equipaggiamento, e pecore, buoi e capre in quantità innumerevole per il loro vettovagliamento. [18]Fece abbondanti provviste di viveri per ciascun uomo e gran rifornimento d'oro e d'argento dalla cassa del re.

[19]Quindi lui e tutto l'esercito si misero in marcia per precedere il re Nabucodonosor e coprire tutta la terra d'occidente con carri, cavalieri e fanti scelti. [20]Con loro si mise in

2. - 2-3. Ferito nel suo amor proprio, Nabucodonosor decide di sottomettere le nazioni che avevano respinto il suo appello. La data della decisione coincide con quella della caduta di Gerusalemme.

4. *Oloferne*: nome di origine persiana che significa "fortunato". Il racconto dirà quanto.

cammino una moltitudine varia, simile alle cavallette e alla sabbia della terra. Nessuna cifra varrebbe ad indicarne il numero. [21]Partiti da Ninive con una marcia di tre giorni, raggiunsero la pianura di Bectilet e da Bectilet andarono ad accamparsi presso il monte che si eleva a sinistra della Cilicia superiore. [22]Di là Oloferne mosse con tutto l'esercito, i fanti, i cavalieri e i carri, verso la regione montagnosa. [23]Distrusse Fud e Lud, e depredò tutti i Rassiti e gli Ismaeliti, che si trovavano al margine del deserto, a sud di Cheleon. [24]Passato l'Eufrate, percorse la Mesopotamia abbattendo tutte le città elevate lungo il torrente Abrona, giungendo fino al mare. [25]Poi si impadronì dei territori della Cilicia, sterminando tutti quelli che gli opponevano resistenza, e arrivò fino ai confini di Iafet, situati a sud di fronte all'Arabia. [26]Accerchiò tutti i Madianiti, bruciando le loro tende e saccheggiando le loro mandrie. [27]Scese poi nella pianura di Damasco, al tempo della mietitura del grano, mettendo a fuoco tutti i loro campi; distrusse greggi e armenti, saccheggiò le loro città, distrusse le loro campagne e passò a fil di spada tutta la loro gioventù. [28]Il timore e il terrore davanti a lui invasero allora anche gli abitanti della costa, quelli di Sidone e di Tiro, gli abitanti di Sur e Okina e tutti gli abitanti di Iemnaan. Anche gli abitanti di Azoto e Ascalon ebbero grande timore di lui.

LA RESA DI FRONTE A OLOFERNE

3 [1]Gli inviarono perciò dei messaggeri con proposte di pace, in questi termini: [2]«Ecco, noi servitori del gran re Nabucodonosor ci mettiamo davanti a te; fa' di noi ciò che è gradito al tuo cospetto. [3]Ecco, le nostre abitazioni, ogni nostro podere, tutti i campi di grano, le greggi, gli armenti e tutte le mandrie dei nostri attendamenti sono a tua disposizione: servitene come ti piace. [4]Anche le nostre città e i loro abitanti sono tuoi servitori: vieni e trattali nel modo migliore che credi». [5]Si presentarono dunque ad Oloferne quegli uomini e gli riferirono tali parole. [6]Allora discese con il suo esercito verso la costa, costituendo presidi nelle città fortificate e prelevando da esse uomini scelti come ausiliari. [7]Gli abitanti di quelle città e di tutta la regione circostante lo accolsero con corone, danze e al suono di timpani. [8]Ma egli demolì tutti i templi e tagliò i loro boschi sacri, perché aveva avuto l'ordine di distruggere tutti gli dèi della terra, in modo che tutti i popoli adorassero solo Nabucodonosor, e tutte le lingue e le tribù lo invocassero come dio. [9]Poi giunse dinanzi a Esdrelon, vicino a Dotain, che si trova di fronte alla grande catena montuosa della Giudea. [10]Si accamparono tra Gebe e Scitopoli, e Oloferne rimase là un mese intero per poter raccogliere tutto il vettovagliamento per il suo esercito.

Gdt

ALLARME E PAURA IN GIUDEA

4 [1]Allora gli Israeliti, che abitavano la Giudea, udirono tutto ciò che Oloferne, comandante in capo di Nabucodonosor, re degli Assiri, aveva fatto ai diversi popoli, come aveva saccheggiato e votato alla distruzione tutti i loro templi, [2]e furono presi da indicibile terrore all'avanzare di quell'uomo e trepidarono per Gerusalemme e per il tempio del Signore, loro Dio. [3]Erano infatti appena ritornati dalla prigionia, e tutto il popolo della Giudea si era da poco riunito; le suppellettili, l'altare e il tempio erano stati riconsacrati dopo la profanazione.

[4]Inviarono pertanto messaggeri in tutto il territorio della Samaria, a Cona, a Bet-Oron, a Belmain, a Gerico, a Coba, ad Esora e nella vallata di Salem; [5]occuparono in anticipo tutte le vette dei monti più alti, cinsero di mura i villaggi che si trovavano su di essi, ammassarono vettovaglie in preparazione alla guerra, poiché di poco tempo erano stati mietuti i loro campi.

[6]Poi il sommo sacerdote Ioakim, che si trovava in quel periodo di tempo a Gerusalemme, scrisse agli abitanti di Betulia e di Betomestaim, che si trova di fronte a Esdrelon, all'imbocco della pianura vicino a Dotain, [7]ordinando loro di occupare i valichi dei monti, perché di là si entrava nella Giudea. D'altronde era agevole arrestare gli assalitori, giacché la strettezza del valico per-

---

4. - 6. Avendo il libro un carattere religioso, è naturale che a capo della resistenza al nemico del popolo di Dio sia messo il sommo sacerdote. *Betulia* e *Betomestaim* sono nomi simbolici; inutile cercarne la posizione geografica. Betulia, "casa di Dio", deve la sua rinomanza al fatto di essere stata teatro degli avvenimenti narrati in questo libro.

metteva il passaggio a due soli uomini per volta. [8]I figli d'Israele fecero come avevano loro ordinato il sommo sacerdote Ioakim e il consiglio degli anziani di tutto il popolo d'Israele, che si trovava a Gerusalemme.

[9]Inoltre ogni Israelita levò alte grida a Dio con viva insistenza e tutti si umiliarono con fervida perseveranza. [10]Essi, le loro donne e i bambini, i loro armenti, ogni straniero e mercenario e i loro schiavi cinsero di sacco i loro fianchi. [11]Ogni Israelita, le donne e i bambini, che abitavano a Gerusalemme, si prostrarono dinanzi al tempio, cosparsero di cenere le loro teste e dispiegarono i loro vestiti di sacco davanti al Signore. [12]Ricoprirono di sacco anche l'altare e alzarono il loro grido al Dio di Israele tutti insieme, senza interruzione, supplicandolo che i loro figli non venissero abbandonati allo sterminio, le loro mogli alla schiavitù, le città in loro possesso alla distruzione, il santuario alla profanazione e al ludibrio in mano ai pagani. [13]Il Signore ascoltò il loro grido e si volse alla loro tribolazione, mentre il popolo continuava a digiunare per molti giorni in tutta la Giudea e a Gerusalemme, davanti al santuario del Signore onnipotente.

[14]Il sommo sacerdote Ioakim, tutti gli altri sacerdoti che stavano al cospetto del Signore e i ministri del Signore, con i fianchi cinti di sacco, offrivano l'olocausto perenne, i sacrifici votivi e le offerte volontarie del popolo. [15]Con i turbanti cosparsi di cenere, essi invocavano con tutto il fervore il Signore, perché vegliasse benignamente su tutta la casa d'Israele.

OLOFERNE SI INFORMA SUGLI ISRAELITI

5 [1]Intanto fu riferito a Oloferne, comandante in capo dell'esercito assiro, che gli Israeliti si preparavano alla guerra e che avevano sbarrato i passi montani, fortificato tutte le sommità degli alti monti e posto barriere nelle pianure. [2]Allora, montato in gran furore, egli convocò tutti i capi di Moab, i generali di Ammon e tutti i satrapi del litorale [3]e disse loro: «Spiegatemi un po', o uomini di Canaan, chi è questo popolo che risiede nella regione montuosa? Quali sono le città che abita? Qual è l'importanza del suo esercito? Dove risiedono la loro potenza e la loro

forza? Chi si è messo alla loro testa come re e comanda il loro esercito? [4]Perché, a differenza di tutti gli abitanti dell'occidente, essi hanno rifiutato di venirmi incontro?».

[5]Allora Achior, capo di tutti gli Ammoniti, gli rispose: «Ascolti bene il mio signore la risposta dalla bocca del suo servo: io ti riferirò la verità sul conto di questo popolo che abita questa regione montuosa, vicino al luogo dove risiedi; non uscirà menzogna dalla bocca del tuo servo. [6]Questo popolo discende dai Caldei; [7]dapprima andarono ad abitare nella Mesopotamia, perché non vollero seguire gli dèi dei loro padri che si trovavano nel paese dei Caldei. [8]Abbandonata la religione dei loro padri, adorarono il Dio del cielo, il Dio che essi avevano riconosciuto. Cacciati dal cospetto dei loro dèi, essi si rifugiarono nella Mesopotamia, dove soggiornarono per lungo tempo. [9]Ma il loro Dio comandò loro di uscire dal paese che li ospitava e di recarsi nel paese di Canaan. Qui si stabilirono e si arricchirono d'oro, d'argento e di moltissimo bestiame. [10]Poi discesero in Egitto, perché la fame s'era estesa a tutto il paese di Canaan e vi rimasero come stranieri, finché ebbero di che nutrirsi. Là divennero pure una grande moltitudine, e la loro stirpe era innumerevole. [11]Ma il re d'Egitto si levò contro di loro e li sfruttò, costringendoli a fabbricare mattoni; perciò furono umiliati e fatti schiavi. [12]Essi gridarono al loro Dio, che percosse tutto il paese d'Egitto con piaghe, alle quali non c'era rimedio; perciò gli Egiziani li cacciarono dal loro paese.

[13]Davanti a loro Dio prosciugò il Mar Rosso [14]e li diresse per la via del Sinai e di Cadesbarne; poi, cacciati tutti gli abitanti del deserto, [15]si stabilirono nel territorio degli Amorrei e con la loro potenza sterminarono tutti gli abitanti di Esebon; quindi passarono il Giordano e s'impossessarono di tutta la regione montuosa, [16]scacciando davanti a loro il Cananeo, il Perizzita, il Gebuseo, il Sichemita e tutti i Gergesei, e abitarono nel loro territorio per molto tempo. [17]Difatti, finché non peccarono contro il loro Dio, godettero prosperità, perché hanno con loro un Dio che odia l'iniquità. [18]Invece quando si allontanarono dalla via che aveva loro assegnato, soffrirono tremende distruzioni in molte guerre, e furono condotti prigionieri in terra straniera, il tempio del loro Dio fu raso

al suolo e le loro città furono conquistate dagli avversari. [19]Ma ora, essendosi convertiti al loro Dio, hanno fatto ritorno dai luoghi dov'erano stati dispersi, hanno ripreso possesso di Gerusalemme, dove si trova il loro santuario, e si sono ristabiliti nella regione montuosa, che prima era deserta. [20]E ora, potente signore, accertiamoci se in questo popolo vi è qualche colpa per aver essi peccato contro il loro Dio, vediamo se c'è tra loro questo scandalo, e poi avanziamo e attacchiamoli. [21]Ma se tra la loro gente non c'è nessuna trasgressione, il mio signore passi oltre, perché il loro Signore e loro Dio non si faccia loro scudo e noi diventiamo oggetto di scherno al cospetto di tutta la terra».

[22]Quando Achior finì di dire queste parole, tutta la gente che circondava la tenda e stava intorno cominciò ad agitarsi e gli ufficiali di Oloferne e tutti gli abitanti del litorale e di Moab proponevano di farlo a pezzi. [23]«Non dobbiamo aver paura degli Israeliti – dicevano –, è un popolo, infatti, che non possiede né esercito né forza per un valido schieramento. [24]Perciò avanziamo ed essi saranno un facile boccone per tutto il tuo esercito, o sovrano Oloferne».

LA REAZIONE DI OLOFERNE

6 [1]Cessato il tumulto della gente radunata tutt'intorno in assemblea, Oloferne, comandante in capo dell'esercito di Assur, si rivolse ad Achior in presenza di tutta quella folla di stranieri e a tutti i Moabiti: [2]«Chi sei, o Achior, tu e i mercenari di Efraim, per fare il profeta in mezzo a noi, come hai fatto oggi, e suggerire di non far guerra al popolo d'Israele, perché il loro Dio farà loro da scudo? Chi è dio all'infuori di Nabucodonosor? Egli invierà le sue forze e li sterminerà dal-

la faccia della terra, e il loro Dio non potrà salvarli; [3]ma noi, suoi servitori, li colpiremo come un sol uomo, perché non potranno sostenere l'impeto dei nostri cavalli. [4]Li bruceremo sul loro territorio, i loro monti saranno ebbri del loro sangue, i loro campi saranno ripieni dei loro cadaveri, non potrà resistere la pianta dei loro piedi davanti a noi, ma saranno certamente annientati. Questo dice il re Nabucodonosor, il signore di tutta la terra. Egli infatti ha parlato e le sue parole non cadranno a vuoto. [5]Quanto a te, Achior, mercenario di Ammon, che hai proferito queste parole nel giorno della tua sventura, a partire da questo giorno non vedrai più la mia faccia fino a quando non mi sarò vendicato di questa razza che viene dall'Egitto. [6]Allora il ferro del mio esercito e la moltitudine dei miei ministri ti trapasseranno i fianchi, e cadrai in mezzo ai loro morti, quando ritornerò a vederti. [7]I miei servi per ora ti esporranno sulla montagna e ti lasceranno in una delle città di accesso, [8]e non perirai finché non sarai sterminato con loro. [9]Se poi davvero speri in cuor tuo che essi non saranno presi, non tenere un'aria così abbattuta. Ho detto: nessuna delle mie parole cadrà a vuoto».

[10]Oloferne quindi ordinò ai suoi servi, che prestavano servizio nella tenda, di prendere Achior, di condurlo verso Betulia e di consegnarlo nelle mani degli Israeliti. [11]Così i suoi servi lo presero, lo condussero fuori dell'accampamento verso la pianura, poi dalla pianura lo spinsero verso la montagna, finché giunsero alle sorgenti che erano sotto Betulia. [12]Quando gli uomini della città li videro salire sulla cresta del monte, impugnarono le armi, uscirono dalla città dirigendosi verso la sommità della montagna, mentre tutti i frombolieri, dopo aver occupato la via d'accesso, lanciavano pietre su di loro. [13]Questi, scendendo a ridosso del monte, legarono Achior e, dopo averlo gettato a terra alle falde del monte, lo abbandonarono e fecero ritorno al loro signore. [14]Scesi dalla loro città, gli Israeliti gli si accostarono, lo slegarono, lo condussero a Betulia e lo presentarono ai capi della loro città, [15]che erano allora Ozia, figlio di Mica, della tribù di Simeone, Cabri, figlio di Gotoniel, e Carmi, figlio di Melchiel.

[16]Convocarono subito tutti gli anziani della città, ma anche tutti i giovani e le donne

---

5. - 20. Dal discorso di Achior, Oloferne può dedurre che le domande che egli aveva posto ai suoi capi, v. 3, erano del tutto inutili: l'unica cosa utile a sapersi era se i Giudei avevano peccato contro Dio o no. In caso affermativo, Oloferne poteva attaccarli; ma in caso negativo, combatterli significava firmare la propria rovina. In queste parole sta la teologia del libro di Giuditta.

6. - 2. *Chi è dio...*: l'arrogante risposta di Oloferne al discorso di Achior mette in rilievo l'aspetto religioso che l'autore vuole dare al libro: le forze del male s'innalzano contro Dio e il suo popolo e lo combattono, ma egli risponderà distruggendo queste forze. E lo farà, non senza ironia, servendosi di una donna.

accorsero all'adunanza. Achior fu posto in mezzo a tutto il popolo e Ozia lo interrogò su ciò che era accaduto. [17]In risposta egli riferì loro le parole del consiglio di Oloferne e tutto il discorso che egli stesso aveva pronunciato in mezzo ai capi degli Assiri e con quanta insolenza Oloferne si era espresso contro il popolo d'Israele. [18]Allora il popolo si prostrò per adorare Dio ed elevò suppliche dicendo: [19]«Signore, Dio del cielo, guarda il loro smisurato orgoglio e abbi pietà dell'umiliazione della nostra stirpe; in questo giorno volgi il tuo sguardo benigno verso coloro che ti sono consacrati». [20]Poi rincuorarono Achior e gli espressero la loro profonda compiacenza. [21]Dopo l'adunanza, Ozia lo accolse nella sua casa e offrì un banchetto agli anziani. Per tutta quella notte invocarono l'aiuto del Dio d'Israele.

BETULIA ASSEDIATA

7 [1]Il giorno seguente Oloferne diede ordine a tutto il suo esercito e a tutta la moltitudine di coloro che si erano uniti a lui come alleati di muovere il campo contro Betulia, occupare le vie di accesso della montagna e far guerra contro gli Israeliti. [2]In quel giorno quindi ogni uomo valido tra loro si mise in marcia. L'esercito di quei guerrieri era di centosettantamila fanti e di dodicimila cavalieri, senza contare gli addetti ai servizi e altri uomini che erano a piedi con loro, in numero immenso. [3]Si accamparono nella vallata vicino a Betulia, presso la sorgente, estendendosi in profondità sopra Dotain fino a Belbaim e in lunghezza da Betulia fino a Kiamon, situata dirimpetto a Esdrelon. [4]Quando videro la loro moltitudine, gli Israeliti rimasero molto costernati e si dicevano l'un l'altro: «Ora costoro inghiottiranno tutto il nostro paese; né i monti più alti, né le valli profonde, né le colline potranno resistere al loro peso». [5]Ognuno prese le proprie armi e dopo aver acceso fuochi sulle torri, stettero a fare la guardia per tutta quella notte. [6]Il secondo giorno, Oloferne fece uscire tutta la sua cavalleria alla vista degli Israeliti che erano in Betulia, [7]ispezionò le vie d'accesso alla loro città, fece una ricognizione delle sorgenti d'acqua e le occupò collocandovi guarnigioni di uomini armati; quindi ritornò al suo esercito.

[8]Allora gli si accostarono tutti gli Idumei e tutti i comandanti del popolo di Moab e gli strateghi della costa e gli dissero: [9]«Ascolta, o signore nostro, una proposta, per evitare ogni inconveniente al tuo esercito. [10]Questo popolo degli Israeliti non fa affidamento tanto sulle proprie lance, quanto sull'altezza dei monti sui quali esso abita, e certo non è facile scalare le creste dei loro monti. [11]Pertanto, o signore, non combattere contro costoro come si usa in una battaglia campale, così nessun uomo del tuo esercito cadrà. [12]Rimani, invece, nel tuo accampamento e lì fa' rimanere anche ogni uomo del tuo esercito: intanto i tuoi servitori vadano ad impadronirsi della sorgente d'acqua che scaturisce alla radice del monte, [13]perché di là attingono acqua tutti gli abitanti di Betulia. Vedrai che la sete li consumerà e consegneranno la loro città. Noi e la nostra gente saliremo sulle vicine creste dei monti, ci accamperemo su di esse per sorvegliare che nessun uomo esca dalla città. [14]Saranno consunti dalla fame, loro, le loro mogli e i loro figli, e, prima che la spada piombi su di loro, giaceranno distesi sulle piazze, fra le loro case. [15]Così avrai dato loro un duro contraccambio, perché si sono ribellati e non sono voluti uscire pacificamente incontro a te».

[16]Il loro discorso piacque ad Oloferne e a tutti i suoi ministri e perciò egli diede ordine di fare come avevano proposto. [17]Si mosse quindi un distaccamento di Moabiti e cinquemila Assiri con loro, si accamparono nella vallata e occuparono le sorgenti d'acqua degli Israeliti. [18]A loro volta gli Idumei e gli Ammoniti, con dodicimila Assiri, salirono e si accamparono sulla montagna di fronte a Dotain, da dove inviarono parte dei loro uomini verso meridione e ad oriente, di fronte a Egrebel, situata vicino a Chus, sul torrente Mochmur. Il resto dell'esercito degli Assiri si accampò nella pianura, ricoprendo tutta la superficie del paese. Le tende e i loro equipaggiamenti, essendo molto ingenti, formavano un accampamento di grande mole.

[19]Gli Israeliti allora elevarono grida al Signore, loro Dio, con l'animo scoraggiato, perché i loro nemici li avevano circondati e non era possibile passare in mezzo a loro. [20]Il campo assiro al completo, fanti, carri e cavalli, mantenne l'accerchiamento per

trentaquattro giorni, e a tutti gli abitanti di Betulia si esaurì ogni riserva d'acqua. ²¹Le cisterne si vuotarono e non ebbero acqua da bere a sazietà neppure per un giorno, perché veniva loro distribuita in misura razionata. ²²I loro fanciulli si accasciavano, le donne e i giovani venivano meno per la sete e cadevano nelle piazze della città e agli sbocchi delle porte, non rimanendo in essi alcuna energia.

²³Allora tutto il popolo si radunò intorno a Ozia e ai capi della città, con giovani, donne e bambini, e gridarono ad alta voce dicendo al cospetto di tutti gli anziani: ²⁴«Che Dio sia giudice tra voi e noi, perché voi ci avete fatto un grave torto, rifiutando di svolgere trattative di pace con gli Assiri. ²⁵Ora non c'è nessuno che ci possa aiutare, perché Dio ci ha venduti nelle loro mani per essere abbattuti davanti a loro dalla sete e da grande rovina. ²⁶Ormai chiamateli e consegnate la città intera alla gente di Oloferne e a tutto il suo esercito perché la saccheggino. ²⁷È meglio per noi essere loro preda; diventeremo certo loro schiavi, ma almeno rimarremo vivi e non vedremo con i nostri occhi la morte dei nostri bambini, né le donne e i nostri figli esalare l'ultimo respiro. ²⁸Vi scongiuriamo per il cielo e la terra, per il nostro Dio e Signore dei nostri padri, che ci punisce secondo i nostri peccati e le colpe dei nostri padri, a prendere questa decisione oggi stesso». ²⁹Vi fu allora un pianto generale in mezzo all'assemblea e tutti a gran voce gridarono al Signore Dio.

³⁰Ozia disse loro: «Coraggio, fratelli, resistiamo ancora cinque giorni, durante i quali il Signore nostro Dio ci userà di nuovo misericordia. Non è possibile che egli ci abbandoni fino all'ultimo. ³¹Se, passati questi giorni, non ci giungerà alcun aiuto, farò come avete proposto». ³²Così rimandò il popolo, ciascuno nel suo quartiere; gli uomini ritornarono sulle mura e sulle torri della città, mentre rimandò le donne e i bambini alle loro case; ma tutti nella città erano in grande costernazione.

LA FEDE DI GIUDITTA

8 ¹In quei giorni venne a conoscenza di questi fatti Giuditta, figlia di Merari, figlio di Oks, figlio di Giuseppe, figlio di Oziel, figlio di Elkia, figlio di Anania, figlio di Gedeone, figlio di Rafain, figlio di Achitob, figlio di Elia, figlio di Chelkia, figlio di Eliab, figlio di Natanael, figlio di Salamiel, figlio di Sarasadai, figlio d'Israele. ²Suo marito era stato Manasse, della stessa tribù e della stessa famiglia di lei; egli era morto al tempo della mietitura dell'orzo. ³Stava infatti sorvegliando quelli che legavano i covoni nella campagna, quando fu colpito da un'insolazione al capo; dovette adagiarsi sul letto e morì in Betulia, sua città. Lo seppellirono con i suoi padri nel campo tra Dotain e Balamon. ⁴Giuditta, rimasta vedova, viveva nella sua casa da tre anni e quattro mesi. ⁵Si era fatta costruire una tenda sul terrazzo della propria casa, aveva cinto i suoi fianchi di sacco e portava gli abiti della vedovanza. ⁶Digiunava tutti i giorni, da quando era vedova, eccettuate le vigilie dei sabati e i sabati, le vigilie dei noviluni e i noviluni, le feste e i giorni di letizia per il popolo d'Israele. ⁷Era bella d'aspetto e molto avvenente a vederla, e suo marito Manasse le aveva lasciato oro e argento, servi e ancelle, bestiame e terreni, ed ella continuava a prendersene cura. ⁸Non c'era nessuno che potesse dir male sul suo conto, perché temeva molto Dio.

⁹Ella dunque venne a conoscenza delle esasperate parole che il popolo aveva rivolto ai capi, perché si erano scoraggiati per la penuria d'acqua e venne pure a conoscere tutte le risposte che aveva dato loro Ozia, e come egli avesse giurato loro di consegnare la città agli Assiri dopo cinque giorni. ¹⁰Allora mandò la sua ancella, preposta all'amministrazione di tutte le sue sostanze, a chiamare Cabri e Carmi, che erano gli anziani della sua città.

¹¹Giunti che furono presso di lei, disse loro: «Ascoltatemi, o capi degli abitanti di Betulia! Non è stato opportuno il discorso che avete fatto oggi davanti al popolo, interponendo il giuramento che avete pronunciato tra Dio e voi, di consegnare cioè la città ai nostri nemici, se nel frattempo il Signore non vi viene in aiuto. ¹²Ora, chi siete voi che avete tentato Dio in mezzo ai figli degli uomini? ¹³Certo, voi volete mettere alla prova il Signore onnipotente, ma non comprenderete mai nulla. ¹⁴Se non siete capaci di scrutare la profondità del cuore dell'uomo né di afferrare i pensieri della sua mente, come potrete scandagliare Dio, che ha fatto tutte queste cose, e conoscere i suoi pensieri o comprendere

Gdt

i suoi disegni? No, fratelli, non vogliate irritare il Signore nostro Dio. [15]Perché se non vorrà aiutarci in questi cinque giorni, egli ha il potere di difenderci nei giorni che vuole, come pure di distruggerci davanti ai nostri nemici. [16]Voi però non vogliate ipotecare i disegni del Signore, nostro Dio, perché Dio non è come un uomo cui si possano fare delle minacce, o un figlio d'uomo sul quale si possano esercitare delle pressioni. [17]Perciò attendiamo con fiducia la salvezza che viene da lui, invochiamolo in nostro aiuto ed egli esaudirà il nostro grido, se a lui piacerà. [18]In realtà, in questa nostra generazione non c'è stata, né esiste oggi tribù o famiglia o popolo o città che adori gli dèi fatti da mano d'uomo, come avvenne nei tempi passati. [19]Per questo i nostri padri furono abbandonati alla spada e alla devastazione e caddero miseramente al cospetto dei loro nemici. [20]Noi invece non riconosciamo altro Dio all'infuori di lui e per questo speriamo che non vorrà disprezzare noi e neppure la nostra nazione. [21]Perché se noi saremo presi, sarà presa anche l'intera Giudea, sarà saccheggiato il nostro santuario e Dio chiederà conto al nostro sangue di quella profanazione. [22]L'uccisione dei nostri fratelli, la deportazione del paese, la devastazione della nostra eredità, Dio la farà ricadere sul nostro capo in mezzo alle nazioni pagane, tra le quali diventeremo schiavi: saremo allora motivo di scandalo e di derisione di fronte ai nostri padroni. [23]La nostra schiavitù non si volgerà in benevolenza, ma il Signore Dio nostro la volgerà a nostro disonore.

[24]Dunque, fratelli, dimostriamo ai nostri fratelli che da noi dipende la loro vita e che le cose sante, il tempio e l'altare poggiano su di noi. [25]Oltre tutto ringraziamo il Signore, nostro Dio, che ci mette alla prova come ha fatto con i nostri padri. [26]Ricordate quanto fece con Abramo, a quante prove sottopose Isacco e quanto avvenne a Giacobbe in Mesopotamia di Siria, quando pascolava le greggi di Labano, suo zio materno. [27]Poiché, come ha messo alla prova costoro non altrimenti che per scrutare i loro cuori, così ora non vuole far vendetta di noi, ma è a scopo di correzione che il Signore castiga quelli che gli sono vicini».

[28]Ozia le rispose: «Tutto ciò che hai detto, l'hai proferito con cuore retto e nessuno può contraddire le tue parole. [29]Perché non da oggi è manifesta la tua sapienza, ma dall'inizio dei tuoi giorni tutto il popolo riconosce la tua prudenza, così come è nobile l'indole del tuo cuore. [30]Ma il popolo soffre tremendamente la sete e ci ha costretto ad agire come noi abbiamo loro promesso e a prendere su di noi la responsabilità di un giuramento che non potremo violare. [31]Ma ora, prega per noi, tu che sei una donna pia, e il Signore invierà la pioggia a riempire le nostre cisterne e noi non verremo meno». [32]Giuditta rispose loro: «Ascoltatemi! Voglio compiere un'azione che passerà di generazione in generazione ai figli del nostro popolo. [33]Questa notte voi vi troverete alla porta della città: io uscirò con la mia ancella e, prima dello scadere dei giorni, dopo i quali voi avete promesso di consegnare la città ai nostri nemici, il Signore per mano mia visiterà Israele. [34]Voi però non cercate di voler conoscere questa mia impresa: non vi dirò nulla, fino a quando non sarà compiuto ciò che ho in mente di fare». [35]Ozia e i capi le risposero: «Va' in pace e il Signore sia con te per far vendetta dei nostri nemici». [36]Se ne andarono quindi dalla sua tenda e raggiunsero le loro postazioni.

LA PREGHIERA DI GIUDITTA

9 [1]Allora Giuditta cadde con la faccia a terra, si gettò della cenere sul capo e mise allo scoperto il sacco di cui sotto era rivestita. Era l'ora in cui nel tempio di Dio a Gerusalemme veniva offerto il sacrificio vespertino, e Giuditta ad alta voce gridò al Signore: [2]«Signore, Dio del padre mio Simeone, tu hai messo nella sua mano una spada per far vendetta degli stranieri, che avevano sciolto la cintura di una vergine per contaminarla, ne avevano denudato i fianchi per disonorarla e ne avevano violato il grembo per infliggerle ignominia. Tu avevi detto: Non si deve fare così; essi invece hanno agito in questo modo. [3]Per questo hai consegnato alla morte i loro capi e al sangue quel giaciglio, macchiato del loro inganno, ripagato con l'inganno. Hai percosso gli schiavi con i loro capi e i capi sui loro troni.

[4]Hai consegnato le loro donne alla rapina, le loro figlie alla deportazione e tutte le loro spoglie alla divisione tra i tuoi figli prediletti, i quali arsero di zelo per te, rimasero inorriditi

per la profanazione del loro sangue e ti invocarono chiamandoti in aiuto. Dio, Dio mio, ascolta anche me che sono vedova! ⁵Sei stato tu l'autore di questi fatti precedenti, di quelli presenti e dei futuri. Tu hai disposto il presente e l'avvenire e ciò che hai predisposto si è avverato. ⁶Quelle cose che tu hai predisposto ti si sono presentate e hanno detto: Eccoci qui, poiché tutte le tue vie sono preparate e i tuoi giudizi sono determinati in precedenza. ⁷Ora, ecco, gli Assiri si sono gonfiati nella loro potenza, vanno orgogliosi dei loro cavalli e cavalieri, si vantano del valore dei loro fanti, pongono la loro fiducia negli scudi, nelle frecce e negli archi e non sanno che tu sei il Signore, che frantumi le guerre. ⁸Signore è il tuo nome. Abbatti la loro forza con la tua potenza, infrangi il loro potere con il tuo furore, perché hanno deciso di profanare il tuo santuario, di contaminare il tabernacolo in cui riposa il tuo nome glorioso, di abbattere con il ferro il corno del tuo altare. ⁹Guarda la loro alterigia, fa' cadere la tua ira sulle loro teste, da' alla mia mano di vedova la forza di compiere ciò che ho progettato. ¹⁰Con l'inganno delle mie labbra colpisci il servo insieme al padrone e il padrone insieme al suo ministro; abbatti la loro tracotanza per mano di una donna! ¹¹La tua forza, infatti, non sta nel numero, né la tua signoria si appoggia sui violenti; tu invece sei il Dio degli umili, sei il soccorritore dei piccoli, il difensore dei deboli, il protettore dei derelitti, il salvatore dei disperati. ¹²Sì, sì, o Dio del padre mio, o Dio d'Israele tua eredità, Signore del cielo e della terra, creatore delle acque, re di ogni tua creatura, ascolta la mia preghiera! ¹³Fa' che la mia lusinghiera parola diventi una ferita e un colpo mortale per coloro che hanno progettato aspri disegni contro la tua alleanza e il tuo tempio consacrato, contro il monte Sion e la casa in cui dimorano i tuoi figli. ¹⁴Fa' che tutto il tuo popolo e ogni tribù conoscano che tu sei Dio, il Dio di ogni potenza e forza, e non c'è altri all'infuori di te che possa proteggere la stirpe d'Israele».

GIUDITTA VA AL CAMPO NEMICO

10 ¹Quando Giuditta ebbe cessato di invocare il Dio d'Israele, ed ebbe terminato di pronunciare tutte queste parole, ²si alzò da terra, chiamò la sua an-

cella e discese nell'appartamento in cui soleva passare i giorni dei sabati e le sue feste. ³Si tolse di dosso il sacco di cui era rivestita, depose le sue vesti vedovili, lavò con acqua il proprio corpo ungendosi con uno spesso unguento, e spartì i capelli del capo e vi impose un diadema. Indossò gli abiti da festa che usava quando suo marito Manasse era ancora in vita. ⁴Si mise i sandali ai piedi, cinse i braccialetti, le collane, gli anelli, gli orecchini e ogni altro ornamento, rendendosi molto avvenente, tanto da sedurre gli sguardi degli uomini che l'avrebbero vista. ⁵Poi porse alla sua ancella un otre di vino e un orciuolo d'olio, riempì una bisaccia di grano tostato, di fichi secchi e di pani puri e, fatto un involto di tutti questi recipienti, glielo affidò.

⁶Allora uscirono verso la porta della città di Betulia e trovarono lì sul luogo Ozia e gli anziani della città, Cabri e Carmi. ⁷Questi, come la videro trasformata nell'aspetto e con gli abiti mutati, rimasero molto ammirati della sua bellezza e le dissero: ⁸«Il Dio dei nostri padri ti conceda di trovare favore e di portare a compimento i tuoi disegni per la glorificazione dei figli d'Israele e per l'esaltazione di Gerusalemme». ⁹Dopo aver adorato Dio, essa rispose loro: «Ordinate che mi si apra la porta della città e io uscirò per dar compimento alle parole augurali che mi avete rivolto». Quelli diedero ordine ai giovani di guardia di aprirle, come aveva chiesto. ¹⁰Così fecero e Giuditta uscì con l'ancella. Gli uomini della città continuarono ad osservarla mentre discendeva il monte, finché, attraversata la vallata, non poterono più scorgerla.

¹¹Marciando diritte nella valle, si imbatterono nelle sentinelle avanzate degli Assiri, ¹²le quali la presero e la interrogarono: «Di che gente sei, da dove vieni e dove vai?». Essa rispose: «Sono figlia degli Ebrei e fuggo da loro, perché stanno per essere consegnati in pasto a voi. ¹³Voglio recarmi alla presenza di Oloferne, comandante in capo del vostro esercito, per rivolgergli delle parole di verità; gli indicherò la via per la quale potrà passare e rendersi padrone di tutta la montagna, senza perdere neppure uno dei suoi uomini né un alito di vita».

¹⁴Quando gli uomini ebbero udito le sue parole e osservato l'aspetto di lei, che appariva loro come un prodigio di bellezza, le

Gdt

dissero: [15]«Hai messo in salvo la tua vita, scendendo in fretta e venendo al cospetto del nostro signore. Va' pure alla sua tenda; alcuni di noi ti accompagneranno, finché non ti abbiano affidato alle sue mani. [16]Quando poi starai al suo cospetto, non temere nel tuo cuore, ma riferisci a lui quello che ci hai detto ed egli ti tratterà bene».

[17]Scelsero pertanto tra loro un centinaio di uomini che si affiancarono ad essa e alla sua ancella e le condussero alla tenda di Oloferne. [18]In tutto il campo ci fu un accorrere da ogni parte, poiché la notizia del suo arrivo si era sparsa negli attendamenti. I sopraggiunti le facevano cerchio, mentre essa stava fuori della tenda di Oloferne, in attesa che gliela annunziassero. [19]Erano ammirati della sua bellezza e a motivo di lei ammiravano gli Israeliti, dicendosi a vicenda: «Chi potrebbe disprezzare un popolo che possiede tali donne? Non è bene lasciar sopravvivere neppure uno di loro, perché, liberi, sarebbero capaci di abbindolare tutto il mondo». [20]Allora uscirono le guardie del corpo di Oloferne e tutti i suoi aiutanti e la introdussero nella tenda. [21]Oloferne si riposava nel suo letto sotto le cortine, che erano intessute di porpora, d'oro, di smeraldo e di pietre preziose. [22]Gli annunziarono la presenza di lei ed egli si recò verso l'entrata della tenda, preceduto da fiaccole d'argento. [23]Quando Giuditta si trovò alla presenza di lui e dei suoi aiutanti, tutti rimasero stupiti della bellezza del suo volto. Ella si prostrò con la faccia a terra per adorarlo, ma i servi la fecero alzare.

GIUDITTA DI FRONTE A OLOFERNE

11 [1]Allora Oloferne le disse: «Sta' tranquilla, o donna, non temere in cuor tuo, perché io non ho mai fatto male a nessuno che abbia accettato di servire Nabucodonosor, re di tutta la terra. [2]Certo, se il tuo popolo che abita sulla montagna non mi avesse disprezzato, non avrei levato la mia lancia contro di loro; ma sono essi che si sono procurati questo trattamento. [3]Ma ora dimmi: per qual motivo sei fuggita da loro e sei venuta da noi? Certamente sei venuta per metterti in salvo. Fatti animo: rimarrai in vita questa notte e in avvenire! [4]Nessuno, infatti,

ti farà torto, anzi ti tratteranno bene, come si usa con i servi del mio signore, il re Nabucodonosor».

[5]Giuditta gli rispose: «Degnati di accogliere le parole della tua serva e la tua ancella possa parlare in tua presenza; non pronuncerò menzogna in questa notte al mio signore. [6]Se vorrai seguire le parole della tua serva, Dio porterà felicemente a termine la tua impresa e il mio signore non rimarrà deluso nei suoi progetti. [7]Viva, sì, Nabucodonosor, re di tutta la terra, e viva la potenza di colui che ha inviato te a riportare sul giusto cammino ogni essere vivente; poiché per tuo mezzo non soltanto gli uomini servono a lui, ma per mezzo della tua potenza anche gli animali selvatici, gli armenti e gli uccelli del cielo vivranno per l'onore di Nabucodonosor e di tutta la sua casa. [8]Abbiamo, infatti, udito parlare della tua sapienza e delle abili astuzie del tuo genio ed è risaputo in tutta la terra che tu solo sei valente in tutto il regno, potente nel sapere e meraviglioso nelle imprese militari. [9]Quanto al discorso tenuto da Achior nel tuo consiglio, ne abbiamo appreso il contenuto, perché gli uomini di Betulia l'hanno risparmiato ed egli ha rivelato loro quanto aveva detto in tua presenza. [10]Perciò, o potente sovrano, non trascurare le sue parole, ma ponile nel tuo cuore, perché sono vere; il nostro popolo infatti non sarà punito, né la spada prevarrà contro di lui, se non avrà peccato contro il suo Dio. [11]Orbene, perché il mio signore non venga ricacciato senza poter far nulla, sappia che la morte piomberà certamente su di loro; li ha stretti infatti il peccato, col quale provocano all'ira il loro Dio ogni volta che commettono un'azione inconsulta. [12]Siccome i cibi erano venuti loro a mancare e tutta l'acqua si era fatta rara, decisero di mettere le mani sul loro bestiame e risolvettero di consumare tutto quanto Dio con le sue leggi aveva vietato loro di mangiare. [13]Deliberarono di consumare perfino le primizie del frumento e le decime del vino e dell'olio che conservavano come cose sante per i sacerdoti, che a Gerusalemme servono al cospetto del nostro Dio; queste cose a nessuno del popolo era permesso di toccare nemmeno con le mani. [14]E hanno inviato dei messi a Gerusalemme, dove anche quegli abitanti hanno fatto altrettanto, perché portino loro il per-

messo da parte del consiglio degli anziani. [15]Ma avverrà che quando sarà stata portata loro la risposta e la eseguiranno, in quello stesso giorno verranno consegnati a te per essere distrutti. [16]Per questo io, tua serva, sapendo tutto ciò, sono fuggita da loro. Dio mi ha inviata a compiere con te una impresa che farà stupire tutta la terra, ovunque ne giungerà la fama.

[17]La tua serva è pia, e notte e giorno serve il Dio del cielo. Orbene, io mi propongo di rimanere presso di te, o mio signore, ma la tua serva uscirà di notte nella valle; io pregherò il mio Dio ed egli mi rivelerà quando essi avranno commesso i loro peccati. [18]Allora ritornerò per riferirti; tu uscirai con tutto il tuo esercito e nessuno di essi potrà opporti resistenza. [19]Poi ti guiderò attraverso la Giudea fino a giungere davanti a Gerusalemme, e porrò il tuo trono in mezzo ad essa. Tu li condurrai come pecore che non hanno pastore e non ci sarà nemmeno un cane ad abbaiare contro di te. Queste cose mi sono state dette secondo la mia preveggenza: io ne ho avuto la rivelazione e l'incarico di annunciartele».

[20]Le parole di lei piacquero ad Oloferne e a tutti i suoi ufficiali, che rimasero stupiti della sua sapienza e dissero: [21]«Da un capo all'altro della terra non c'è una donna simile per la bellezza dell'aspetto e per la saggezza della parola». [22]Oloferne poi le disse: «Ha fatto bene Dio a inviarti innanzi al tuo popolo, affinché ci sia la forza nelle nostre mani e vadano in rovina quelli che hanno disprezzato il mio signore. [23]Ebbene tu sei graziosa d'aspetto e saggia nelle parole; se farai come hai detto, il tuo Dio sarà il mio Dio e tu potrai sedere nel palazzo del re Nabucodonosor e sarai famosa in tutta la terra».

IL BANCHETTO DI OLOFERNE

12 [1]Poi ordinò di introdurla dove era riposta la sua argenteria e di prepararle da mangiare con i cibi approntati per lui e darle da bere il suo vino. [2]Ma

Giuditta rispose: «Non mangerò di questi cibi, perché non diventino un'occasione di colpa, ma mi saranno serviti quelli che ho portato con me». [3]Oloferne le disse: «Quando saranno consumate le cose che hai con te, dove andremo a rifornirci di cibi uguali per darteli? Infatti in mezzo a noi non c'è nessuno della tua gente». [4]Giuditta gli rispose: «Per la tua vita, o mio signore, la tua serva non consumerà le provviste che ho con me prima che il Signore non compia per mano mia ciò che ha stabilito».

[5]Gli ufficiali di Oloferne la condussero nella tenda ed essa dormì fino a mezzanotte. Verso la veglia del mattino si alzò [6]e mandò a dire ad Oloferne: «Dia ordine il mio signore che lascino uscire la tua serva per la preghiera».

[7]Oloferne comandò alle guardie del corpo di non impedirla. Essa rimase nell'accampamento tre giorni: nottetempo usciva nella valle di Betulia e si lavava nella zona dell'accampamento presso la sorgente d'acqua. [8]Quando risaliva pregava il Signore, Dio d'Israele, di guidare i suoi passi verso l'esaltazione dei figli del suo popolo. [9]Rientrando purificata, essa rimaneva nella tenda, finché verso sera le si apprestava il cibo.

[10]Ora, il quarto giorno, Oloferne offrì un banchetto ai soli suoi servi, senza invitare nessuno dei funzionari. [11]E disse a Bagoa, l'eunuco preposto a tutte le sue cose: «Va' e persuadi la donna ebrea, che è presso di te, a venire con noi per mangiare e bere insieme a noi, [12]poiché è cosa disonorevole per la nostra reputazione se lasciamo andare una simile donna senza godere della sua compagnia; se non riusciremo ad attirarla, si farà beffe di noi». [13]Bagoa, uscito dalla presenza di Oloferne, entrò da lei e disse: «Non esiti questa bella ragazza a venire dal mio signore, per essere onorata alla sua presenza e bere insieme a noi il vino nell'allegria e diventare in questo giorno come una figlia degli Assiri, che si trovano nel palazzo di Nabucodonosor». [14]Giuditta gli rispose: «Chi sono io per contraddire il mio signore? Tutto quanto sarà gradito ai suoi occhi lo eseguirò senza indugio, e ciò sarà per me motivo di letizia fino al giorno della mia morte».

[15]Poi, alzatasi, si adornò delle vesti e di tutti gli ornamenti femminili. La sua ancella

Gdt

---

11. - 17-20. Giuditta, sfruttando l'idea dei pagani che credevano alle comunicazioni divine date come oracoli in determinati luoghi e quasi sempre di notte, dice che andrà a prendere gli ordini del suo Dio fuori dal campo; in tal modo avrà la possibilità di fuggire appena avrà ucciso Oloferne.

le andò innanzi e stese per terra, davanti ad Oloferne, le pellicce che aveva ricevuto da Bagoa per suo uso quotidiano, onde prendere cibo distesa su di esse. [16]Giuditta entrò e si adagiò. Il cuore di Oloferne ne fu estasiato e il suo spirito si agitò, preso com'era dall'intensa passione di unirsi a lei, perché dal giorno in cui l'aveva vista, cercava il momento favorevole di sedurla. [17]Oloferne le disse: «Bevi, dunque, e datti con noi alla gioia». [18]Giuditta rispose: «Sì, berrò, o signore, perché in tutti i giorni della mia esistenza non mi è mai apparsa così bella la vita come oggi!». [19]E prese a mangiare e bere davanti a lui ciò che la sua ancella aveva preparato. [20]Oloferne si deliziava alla sua presenza e bevve una tale quantità di vino, quanta non ne aveva mai bevuto in un solo giorno da quando era nato.

GIUDITTA UCCIDE OLOFERNE

13 [1]Quando si fece buio, i suoi servi si affrettarono a ritirarsi. Bagoa chiuse la tenda dall'esterno e allontanò dalla vista del suo signore le guardie, che se ne andarono ai loro giacigli; tutti infatti erano fiaccati, perché il bere era stato eccessivo. [2]Giuditta rimase sola nella tenda e Oloferne era sprofondato sul suo letto, annegato nel vino. [3]Allora Giuditta ordinò all'ancella di stare fuori della tenda e di aspettare che uscisse, come aveva fatto ogni giorno; aveva detto, infatti, che sarebbe uscita per la preghiera e anche a Bagoa aveva parlato in questi termini. [4]Tutti si erano allontanati dalla loro presenza e nessuno, grande o piccolo, era rimasto nella tenda. Giuditta, ritta presso il letto di Oloferne, disse in cuor suo: «O Signore, Dio onnipotente, guarda propizio in quest'ora all'opera delle mie mani per l'esaltazione di Gerusalemme. [5]Ora è il momento di soccorrere la tua eredità e di far riuscire il mio progetto per la rovina dei nemici che sono insorti contro di noi». [6]Avvicinatasi alla colonna del letto, situata dalla parte del capo di Oloferne, ne staccò la scimitarra di lui [7]e, accostatasi al letto, afferrò la testa di lui per la chioma e disse: «Dammi forza, o Signore Dio d'Israele, in questo momento»; [8]e con tutta la sua forza lo colpì per due volte al collo e ne staccò

la testa. [9]Poi fece rotolare il corpo giù dal giaciglio e staccò le cortine dai sostegni. Quindi uscì e consegnò la testa di Oloferne alla sua ancella, [10]la quale la mise nella bisaccia dei viveri. Poi uscirono insieme, secondo il loro uso, per la preghiera. Attraversato l'accampamento, fecero il giro della valle, poi salirono sul monte verso Betulia e giunsero alle porte della città.

[11]Da lontano Giuditta gridò alle sentinelle: «Aprite, aprite subito la porta! Dio, il nostro Dio è con noi, per dimostrare la sua potenza in Israele e la sua forza contro i nemici, come ha fatto oggi». [12]Quando gli uomini della sua città udirono la sua voce, si affrettarono a scendere verso la porta della città e convocarono gli anziani. [13]Accorsero tutti, piccoli e grandi, perché non si aspettavano che essa tornasse. Aprirono la porta e accolsero le due donne, poi, acceso il fuoco per far luce, si strinsero loro intorno. [14]Giuditta disse loro a gran voce: «Lodate Dio, lodatelo, lodate Dio che non ha ritirato la sua misericordia dalla casa d'Israele, ma in questa notte ha colpito i nostri nemici per mano mia». [15]Tirata fuori la testa dalla bisaccia, la mostrò dicendo: «Ecco la testa di Oloferne, comandante in capo dell'esercito assiro, ed ecco la cortina sotto la quale giaceva ubriaco: Dio l'ha colpito per mano di una donna.

[16]Viva il Signore che mi ha protetto nella mia impresa, perché il mio volto ha sedotto Oloferne per sua rovina, senza che egli abbia potuto commettere peccato con me, a mia contaminazione e disonore».

[17]Tutto il popolo fu colpito da grande stupore e, inchinatosi ad adorare Dio, esclamò in coro: «Benedetto sei tu, o Dio nostro, che hai annientato in questo giorno i nemici del tuo popolo». [18]Ozia a sua volta le disse: «Benedetta sei tu, o figlia, da parte dell'altissimo Dio, più di tutte le donne che sono sulla terra, e benedetto il Signore Dio, che ha creato il cielo e la terra e ti ha guidato fino a troncare la testa del capo dei nostri nemici. [19]Il coraggio di cui hai dato prova non scomparirà dal cuore degli uomini, che ricorderanno per sempre la potenza di Dio. [20]Voglia Dio che tu possa, per tua eterna esaltazione, essere ricolma di beni, perché non hai risparmiato la tua vita di fronte all'umiliazione della nostra stirpe, ma hai scongiurato la nostra rovina, camminando

rettamente davanti al nostro Dio». Tutto il popolo rispose: «Amen! Amen!».

LA DISFATTA DEGLI ASSIRI

14 ¹Quindi Giuditta disse loro: «Ascoltatemi, fratelli! Prendete questa testa e appendetela sugli spalti delle vostre mura. ²Quando poi apparirà la luce del mattino e il sole sorgerà sulla terra, ognuno prenda la propria armatura di guerra e ogni uomo valido esca dalla città. Iniziate l'azione contro di loro, come se voleste scendere nella pianura contro l'avanguardia degli Assiri, ma in realtà non scenderete. ³Quelli prenderanno le loro armi, correranno nel loro accampamento a svegliare i generali dell'esercito assiro, si precipiteranno verso la tenda di Oloferne, ma non lo troveranno e così si lasceranno prendere dal terrore e fuggiranno davanti a voi. ⁴Allora voi e tutti gli abitanti dell'intero territorio d'Israele inseguiteli e abbatteteli sul loro cammino. ⁵Ma prima di compiere ciò chiamatemi Achior, l'ammonita, perché veda e riconosca colui che ha disprezzato la casa d'Israele e che l'ha inviato tra noi come per votarlo alla morte». ⁶Chiamarono subito Achior dalla casa di Ozia. Quando venne e vide la testa di Oloferne nella mano di un uomo in mezzo al popolo, cadde a terra e svenne. ⁷Quando l'ebbero risollevato, si gettò ai piedi di Giuditta e, prostrato davanti a lei, disse: «Benedetta sei tu in tutte le tende di Giuda e fra tutti i popoli, che si sentiranno scossi quando udranno il tuo nome! ⁸Ma ora raccontami tutto quanto hai compiuto in questi giorni».

Giuditta, stando in mezzo al popolo, gli raccontò tutto ciò che aveva fatto dal giorno in cui si era allontanata fino al momento in cui parlava loro. ⁹Quando ebbe cessato di parlare, il popolo scoppiò in alte esclamazioni di giubilo e riempì la città di grida festose. ¹⁰Achior, vedendo quanto aveva fatto il Dio d'Israele, credette fermamente in Dio, si fece circoncidere la carne del prepuzio e fu aggregato alla casa d'Israele fino al presente. ¹¹Quando spuntò il mattino, appesero la testa di Oloferne alle mura; ognuno impugnò le proprie armi e quindi, distribuiti in schiere, uscirono verso i pendii della montagna.

¹²Quando li videro, gli Assiri mandarono ad informare i loro capi; questi corsero dai generali, dai chiliarchi e da tutti gli ufficiali. ¹³Poi si recarono alla tenda di Oloferne e dissero a colui che era preposto a tutte le sue cose: «Sveglia il nostro signore, perché quegli schiavi hanno avuto l'ardire di scendere a battaglia contro di noi, per farsi annientare completamente». ¹⁴Bagoa entrò e bussò alla cortina della tenda; pensava infatti che egli dormisse con Giuditta. ¹⁵Siccome nessuno si faceva sentire, aprì, entrò nella camera e lo trovò morto, disteso al suolo senza la testa, che gli era stata portata via. ¹⁶Allora si mise a gridare con pianti e lamenti, urlando con tutte le forze e strappandosi le vesti. ¹⁷Poi entrò nella tenda dove era alloggiata Giuditta e non la trovò. Allora si precipitò fuori davanti al popolo, gridando: ¹⁸«Quegli schiavi hanno agito perfidamente! Una sola donna ebrea ha gettato la vergogna sulla casa del re Nabucodonosor. Ecco, Oloferne giace a terra e la testa non è più su di lui!». ¹⁹Udite queste parole, i capi dell'esercito assiro, sconvolti, lacerarono i loro mantelli ed elevarono in mezzo all'accampamento altissime grida e urla di dolore.

IL TRIONFO DI GIUDITTA

15 ¹Quando quelli che erano ancora nelle tende udirono ciò che era accaduto, rimasero sgomenti, ²colpiti da terrore e panico; nessuno volle più restare vicino al compagno, ma tutti si dispersero fuggendo per ogni sentiero della pianura e della montagna. ³Anche quelli che erano accampati sulla montagna intorno a Betulia si diedero alla fuga. Allora gli Israeliti, cioè quanti tra loro erano capaci di combattere, si buttarono su di essi.

⁴Ozia mandò subito messi a Betomestaim, a Bebai, a Coba, a Cola e in tutto il territorio d'Israele ad annunciare ciò che era accaduto e ad invitarli a scagliarsi contro i nemici e sterminarli. ⁵Appena gli Israeliti udirono ciò, tutti si precipitarono compatti su di loro e li fecero a pezzi, giungendo fino a Coba. Sopraggiunsero anche quelli di Gerusalemme e di tutta la regione montuosa, perché era stato loro annunciato ciò che era accaduto nell'accampamento dei loro nemici. Gli abitanti di Galaad e di Ga-

lilea li accerchiarono di fianco, colpendoli con grande strage, arrivando fin oltre Damasco e il suo territorio. [6]Gli altri abitanti di Betulia fecero irruzione nel campo assiro e lo depredarono, impossessandosi di un'ingente ricchezza. [7]Gli Israeliti ritornati dalla strage s'impadronirono del resto, così che i villaggi e le borgate della montagna e della pianura vennero in possesso di abbondante bottino, poiché ve n'era una quantità molto considerevole.

[8]Allora il sommo sacerdote Ioakim e il consiglio degli anziani degli Israeliti, che abitavano in Gerusalemme, vennero a vedere i benefici che il Signore aveva concesso a Israele, e inoltre per vedere Giuditta e salutarla. [9]Appena entrarono da lei, tutti insieme le rivolsero parole di benedizione dicendole: «Tu sei la gloria di Gerusalemme, tu sei il grande orgoglio di Israele, tu sei lo splendido onore della nostra stirpe. [10]Compiendo tutto questo con la tua mano, tu hai operato nobili cose a vantaggio d'Israele e di esse Dio si è compiaciuto. Sii benedetta in eterno dal Signore onnipotente!». Tutto il popolo soggiunse: «Amen!».

[11]Per trenta giorni tutto il popolo continuò a saccheggiare l'accampamento. A Giuditta fu data la tenda di Oloferne, tutte le argenterie, i divani, i vasi e tutto l'arredamento. Essa prese tutto ciò e lo caricò sulla sua mula; poi aggiogò i suoi carri e vi accumulò sopra la roba. [12]Intanto tutte le donne d'Israele accorsero per vederla, la elogiarono ed eseguirono tra loro una danza in suo onore. Essa prese nelle sue mani dei tirsi e li distribuì alle donne che l'accompagnavano. [13]Poi, insieme con esse, si incoronò di ramoscelli di olivo e, mettendosi a capo di tutto il popolo, Giuditta guidò la danza di tutte le donne, mentre tutti gli Israeliti seguivano, rivestiti delle loro armi, portando corone e cantando inni.

[14]In mezzo a tutto Israele, Giuditta intonò questo canto di ringraziamento e tutto il popolo ripeteva a gran voce questa lode.

IL CANTICO DI GIUDITTA

16 [1]Giuditta disse:

«Inneggiate a Dio con i timpani,
cantate al Signore con cembali,

componete per lui un salmo di lode,
esaltate e invocate il suo nome!
[2] Sì, il Signore è il Dio che stronca
le guerre,
egli ha posto il suo accampamento
in mezzo al suo popolo,
mi ha salvato dalla mano
dei miei persecutori.
[3] Venne Assur dalle montagne,
dal settentrione,
venne con le miriadi del suo esercito;
la loro moltitudine ostruì i torrenti,
i loro cavalli coprirono i colli.
[4] Decretò di mettere a fuoco la mia terra,
di far passare a fil di spada
i miei giovani,
di sbattere al suolo i miei lattanti,
di consegnare in bottino
i miei fanciulli,
di prendere come spoglie
le mie vergini.
[5] Il Signore onnipotente li ha respinti
per la mano di una donna!
[6] Poiché il loro eroe non cadde
sotto il colpo di giovani,
né figli di titani lo colpirono,
né eccelsi giganti lo sopraffecero,
ma Giuditta, figlia di Merari,
con la bellezza del suo volto lo fiaccò.
[7] Essa depose l'abito di vedova
per il conforto degli afflitti in Israele,
unse il suo volto con profumo,
[8] cinse le sue chiome con un diadema,
rivestì una veste di lino per sedurlo.
[9] I suoi sandali rapirono lo sguardo di lui,
la sua bellezza avvinse il suo cuore,
e la scimitarra trapassò il suo collo.
[10] Fremettero i Persiani per la sua audacia,
e i Medi si sbigottirono per il suo ardore.
[11] Allora i miei poveri alzarono grida
di guerra,
e quelli furono atterriti;
i miei deboli gridarono
e quelli crollarono;
elevarono la loro voce e quelli presero
la fuga.
[12] Figli di giovinette li trafissero,
li trapassarono come figli di disertori,
perirono nella battaglia
del mio Signore.
[13] Canterò al mio Dio un cantico nuovo:
Signore, grande sei tu e glorioso,
mirabile nella tua potenza
e insuperabile!

¹⁴ Ti serva tutta la tua creazione,
perché hai pronunciato una parola
e tutte le cose furono create,
hai inviato il tuo spirito
e furono formate;
non c'è nessuno che possa resistere
alla tua voce.

¹⁵ Dalle fondamenta i monti crolleranno
per mescolarsi con le acque,
le rocce si fonderanno davanti a te
come cera;
ma a quelli che ti temono
ti mostrerai sempre propizio.

¹⁶ Poca cosa è per te ogni sacrificio
di soave odore,
e meno ancora è per te il grasso
degli olocausti;
ma chi teme il Signore è più grande
di tutto.

¹⁷ Guai alle nazioni che insorgono
contro il mio popolo;
il Signore onnipotente le castigherà
nel giorno del giudizio,
immettendo fuoco e vermi
nelle loro carni,
ed esse piangeranno di dolore
per sempre».

¹⁸Quando giunsero a Gerusalemme, adorarono Dio e, dopo che il popolo fu purificato, offrirono i loro olocausti, le offerte volontarie e i doni. ¹⁹Giuditta dedicò come cosa consacrata a Dio tutti gli oggetti di Oloferne, che il popolo le aveva donato, e la cortina che aveva preso ella stessa nella tenda di lui. ²⁰Il popolo si diede a far festa in Gerusalemme davanti al santuario per tre mesi, e Giuditta rimase con loro.

²¹Trascorsi quei giorni, ciascuno fece ritorno alla propria dimora e Giuditta, ritiratasi a Betulia, dimorò nei suoi possedimenti, diventando famosa in tutto il paese finché visse. ²²Molti se ne invaghirono, ma nessun uomo ebbe rapporti con lei durante tutti i giorni della sua vita, da quando suo marito Manasse morì e fu riunito al suo popolo. ²³La sua fama andava crescendo ogni giorno e invecchiò nella casa di suo marito, raggiungendo l'età di centocinque anni. Concesse la libertà alla sua ancella; poi morì a Betulia e fu sepolta nella grotta sepolcrale del marito Manasse. ²⁴La casa d'Israele la pianse per sette giorni. Prima di morire aveva distribuito i suoi beni tra i parenti di Manasse, suo marito, e tra i parenti più stretti della sua famiglia. ²⁵Non vi fu più alcuno che incutesse timore agli Israeliti al tempo di Giuditta e per lungo tempo ancora, dopo la sua morte.

ESTER

Il libro deve il titolo all'eroina che è al centro della narrazione. Al testo ebraico dell'opera, composta verso il 150 a.C., sono stati aggiunti dieci frammenti scritti in greco, a complemento del testo ebraico (contrassegnati nel testo da un medesimo numero di versetto seguito da una lettera dell'alfabeto (cfr., per es., il primo cap.: 1,1a, 1b, 1c...).

Il racconto si struttura in tre parti. La prima (cc. 1-2) prepara il dramma: Assuero ripudia la regina Vasti e sceglie Ester, che entra alla corte persiana. Nella seconda parte (3-8) il ministro Aman ordisce un complotto contro i Giudei, che devono essere sterminati; ma Mardocheo, zio e tutore di Ester, la induce come regina a intervenire presso il re. In conseguenza Aman viene impiccato, mentre Mardocheo diventa primo ministro del regno. Nella terza parte, che serve di conclusione (9-10), viene narrata l'istituzione della festa dei Purim che ricorda l'evento.

Il quadro storico, in cui è inserita l'azione, corrisponde ai costumi e alle istituzioni dell'impero persiano. Però vi sono tante inverosimiglianze nel libro. Alla sua origine sta probabilmente qualche sollevazione popolare contro i Giudei, favorita dalle autorità locali, da cui essi hanno potuto salvarsi.

Il racconto di Ester ha quindi lo scopo di sottolineare che Dio viene sempre in aiuto del suo popolo in pericolo anche se minacciato da un potente nemico. La liberazione ottenuta da Ester si situa nella linea delle liberazioni degli Ebrei a partire da quella dall'Egitto. I mezzi per ottenere l'intervento divino sono il digiuno e la preghiera. Inoltre viene illustrato in modo spettacolare il principio sapienziale secondo il quale si viene castigati da ciò con cui si pecca (Sap 11,16; Pro 15,33).

IL SOGNO DI MARDOCHEO

1 [1a]Nell'anno secondo del regno di Assuero, il gran re, il primo giorno di Nisan, Mardocheo, figlio di Iair, figlio di Simei, figlio di Kis, della tribù di Beniamino, [1b]ebreo che dimorava nella città di Susa, uomo eminente, addetto alla corte del re, ebbe un sogno. [1c]Egli era del numero dei deportati che Nabucodonosor, re di Babilonia, aveva condotto in schiavitù da Gerusalemme, insieme con Ieconia, re di Giuda.

[1d]Questo fu il sogno: ecco, si levarono grida e tumulto, tuoni e terremoti, sgomento sulla terra. [1e]Ed ecco, due dragoni enormi avanzarono, ambedue pronti alla lotta. Lanciarono un grande urlo [1f]e al loro urlo tutte le nazioni si accinsero alla guerra, per combattere il popolo dei giusti. [1g]Ecco, un giorno di tenebre e di buio, di angustia e affanno, di tribolazione e grande spavento sulla terra. [1h]Tutto il popolo dei giusti fu sgomento, temendo disgrazie, si preparò a perire e gridò a Dio. [1i]Al suo grido scaturì, come un grande fiume da una piccola fonte, una grande abbondanza di acqua. [1k]La luce e il sole si levarono, gli umili furono esaltati e divorarono i potenti. [1l]Destatosi, Mardocheo, dopo aver avuto il sogno, si domandò: «Che cosa vorrà fare Dio?». Continuò a pensarci e desiderava penetrarne in ogni particolare il significato, fino a notte. [1m]Mardocheo alloggiava alla corte insieme con Bigtan e Teres, due eunuchi del re, guardie del palazzo. [1n]Avendo inteso i loro discorsi e investigato i loro piani, venne a sapere che essi si preparavano a mettere le mani sul re Assuero. Allora ne informò il re.

---

1. - Il nostro testo dà, intercalate dove corrispondono, le parti di questo libro conservate solo in greco (numeri di versetto con lettera alfabetica).

[10]Il re interrogò i due eunuchi e, avendo essi confessato, furono condannati a morte. [1p]Il re fece scrivere questi fatti come memoriale e anche Mardocheo, dal canto suo, li mise per iscritto. [1q]Il re affidò poi a Mardocheo un incarico a corte e gli fece regali per il servizio reso. [1r]Ma Aman, figlio di Ammedata, agaghita, era molto stimato presso il re e volle danneggiare Mardocheo e il suo popolo, a causa dei due eunuchi del re.

[1]Si era al tempo di Assuero, quell'Assuero il cui regno si stendeva dall'India all'Etiopia, cioè su centoventisette province. [2]A quei tempi, quando il re Assuero sedeva sul trono regale nella cittadella di Susa, [3]nell'anno terzo del suo regno, fece un banchetto per tutti i suoi prìncipi e ministri, per gli uomini più eminenti di Persia e di Media, per i nobili e i prìncipi delle province.

[4]Egli fece mostra della ricchezza e della gloria del suo regno e dello splendente fasto della sua grandezza per molti giorni: centottanta. [5]Trascorsi questi giorni, il re fece un banchetto di sette giorni, nel recinto del giardino della reggia, per tutto il popolo che si trovava nella cittadella di Susa, invitando tutti, dal più grande al più piccolo. [6]C'erano tende bianche e celesti, tenute sospese con corde di bisso e di porpora ad anelli d'argento e a colonne di marmo; letti d'oro e d'argento sopra un pavimento di marmo verde, bianco, rosa e nero. [7]Le bevande erano servite in vasi d'oro, di varie forme. Il vino del re era offerto in abbondanza, grazie alla liberalità regale. [8]Si beveva, come d'abitudine, senza limitazione, perché così aveva prescritto il re a tutti i funzionari della sua casa: che ognuno facesse come voleva. [9]Anche la regina Vasti aveva imbandito un banchetto per le donne nella reggia del re Assuero. [10]Nel giorno settimo, quando il cuore del re era allegro per il vino, disse a Meuman, a Bizzeta, a Carbona, a Bigta, ad Abagta, a Zetar e a Carcas, i sette eunuchi che erano adibiti al servizio del re Assuero, [11]di far venire la regina Vasti alla presenza del re, con la corona regale, per mostrare al popolo e ai prìncipi la sua bellezza; essa in-

fatti era di bell'aspetto. [12]Ma la regina Vasti rifiutò di andare, contro l'ordine del re, dato per mezzo degli eunuchi; il re si adirò assai e l'ira divampò in lui.

[13]Il re disse ai sapienti, versati nella conoscenza delle leggi (poiché gli affari del re si regolavano alla presenza degli esperti delle leggi e del diritto; [14]i più vicini a lui erano Carsena, Setar, Admata, Tarsis, Meres, Marsena e Memucan, sette prìncipi di Persia e Media, ammessi alla presenza del re, che sedevano al primo posto nel regno): [15]«Secondo la legge, che cosa si deve fare alla regina Vasti, che non ha obbedito alla parola del re Assuero, trasmessa per mezzo degli eunuchi?».

[16]Memucan disse davanti al re e ai prìncipi: «La regina Vasti non soltanto ha mancato nei riguardi del re, ma anche nei riguardi dei prìncipi e di tutti i popoli che si trovano nelle province del re Assuero. [17]Infatti il modo di comportarsi della regina sarà risaputo da tutte le donne, che ne trarranno motivo per disprezzare i loro mariti, dicendo: Il re Assuero aveva ordinato alla regina Vasti di presentarsi a lui ed ella non vi è andata. [18]Allora le principesse di Persia e di Media, che avranno appreso la condotta della regina, ne parleranno a tutti i prìncipi del re e ne nascerà disprezzo e ira.

[19]Se sembrerà bene al re, proclami egli un editto reale da inserire nelle leggi dei Persiani e dei Medi e sia irrevocabile: per esso la regina Vasti non potrà più comparire alla presenza del re Assuero, e il re darà il suo titolo di regina ad un'altra migliore di lei. [20]Quando l'editto del re sarà conosciuto in tutte le province del suo vasto impero, tutte le mogli rispetteranno i loro mariti, siano di alta o bassa condizione».

[21]Piacque la proposta al re e ai prìncipi e il re fece come aveva detto Memucan. [22]Mandò lettere a tutte le province del regno, a ogni provincia secondo la sua scrittura e a ogni popolo secondo la sua lingua, perché ognuno era padrone a casa sua, e parlava la lingua del suo popolo.

ESTER ELETTA REGINA

[1]Dopo questi avvenimenti, quando l'ira del re si fu calmata, egli si ricordò di Vasti e di quello che aveva fatto e quello che era stato deciso a suo riguardo. [2]I ministri

Est

---

1. *Al tempo di Assuero*: è Serse I (486-465), figlio di Dario I.
2. - 2. Sembra che Assuero voglia riprendere Vasti e che i ministri, temendone le vendette, cerchino e trovino l'espediente di popolare d'altre vergini l'*harem* reale, mantenendo in vigore, nel medesimo tempo, il decreto pubblicato (1,19).

del re dissero: «Si cerchino ragazze vergini e di bell'aspetto per il re; [3]il re incarichi alcuni funzionari in ogni provincia del suo regno ed essi raccolgano tutte le ragazze vergini di bell'aspetto nella cittadella di Susa, nel gineceo affidato a Egai, eunuco del re e custode delle donne. Egli darà loro quanto è necessario per rendersi attraenti, [4]e quella che fra tutte piacerà al re, sarà regina al posto di Vasti». La proposta piacque al re e così fu fatto.

[5]A Susa c'era un ebreo che si chiamava Mardocheo, figlio di Iair, figlio di Simei, figlio di Kis, della tribù di Beniamino, [6]che era stato deportato da Gerusalemme fra quelli condotti in esilio con Ieconia, re di Giuda, da Nabucodonosor, re di Babilonia. [7]Egli era il tutore di Adassa, cioè Ester, figlia di un suo zio, orfana di padre e di madre. La ragazza era graziosa di forme e di bell'aspetto, e quando suo padre e sua madre morirono, egli la prese con sé come se fosse stata sua figlia. [8]Quando si conobbero l'editto del re e il suo ordine, vennero radunate nella cittadella di Susa molte ragazze, sotto la sorveglianza di Egai. Anche Ester fu condotta nella reggia, sotto la sorveglianza di Egai, custode delle donne. [9]La ragazza gli piacque e guadagnò il suo favore; egli si affrettò a darle il necessario per l'abbigliamento e il vitto; le diede anche sette ancelle scelte nella reggia e le assegnò il miglior appartamento nel gineceo.

[10]Ester non fece sapere a quale popolo e a quale famiglia ella appartenesse, perché Mardocheo le aveva ordinato di non dirlo. [11]Mardocheo tutti i giorni passeggiava davanti al cortile del gineceo, per avere notizie della salute di Ester e di quanto le avveniva. [12]Perché arrivasse il turno di ciascuna ragazza per presentarsi al re Assuero dovevano trascorrere, secondo le norme relative alle donne, dodici mesi dal suo arrivo, perché soltanto allora terminava il tempo dei loro preparativi: sei mesi per profumarsi con olio di mirra e sei mesi con aromi e altri cosmetici femminili. [13]Trascorso questo periodo, la ragazza si presentava al re, e poteva portare con sé tutto quello che voleva dal gineceo alla casa del re. [14]La ragazza vi andava la sera, e la mattina tornava al secondo gineceo, sotto la sorveglianza di Saasgaz, eunuco del re e custode delle concubine. Poi non tornava più dal re, a meno che egli la desiderasse e la facesse chiamare esplicitamente.

[15]Quando arrivò per Ester, figlia di Abicail, zio di Mardocheo, che l'aveva presa con sé come figlia, il turno di andare dal re, ella non chiese nulla oltre a quello che le indicò Egai, eunuco del re e custode delle donne, ed Ester guadagnò il favore di tutti quelli che la vedevano. [16]Ester fu condotta dal re Assuero nella sua reggia nel decimo mese, cioè nel mese di Tebet, nell'anno settimo del suo regno. [17]Il re amò Ester più di tutte le altre donne ed ella fu gradita e favoreggiata da lui più di tutte le altre vergini. Egli pose sul suo capo la corona regale e la fece regnare al posto di Vasti. [18]Poi il re fece un gran banchetto per tutti i suoi prìncipi e ministri, che fu il banchetto di Ester; concesse riposo alle province e fece elargizioni con munificenza regale.

[19]Ora, la seconda volta che si radunavano le vergini, Mardocheo era addetto alla porta del re. [20]Ester non aveva rivelato né la sua patria né il popolo al quale apparteneva, seguendo l'ordine di Mardocheo; ella aveva eseguito le istruzioni di Mardocheo, come quando era sotto la sua tutela.

[21]A quel tempo, quando Mardocheo era addetto alla porta del re, due eunuchi del re, Bigtan e Teres, che facevano parte della guardia del soglio, irritati contro il re Assuero, cercarono il modo di congiurare contro il re. [22]La cosa fu risaputa da Mardocheo, che la riferì alla regina Ester ed Ester lo disse al re a nome di Mardocheo. [23]Furono fatte indagini e, trovata vera la cosa, i due eunuchi furono impiccati a un albero, e il fatto venne scritto nelle cronache, alla presenza del re.

AMAN, IL NEMICO DEGLI EBREI

3 [1]Qualche tempo dopo il re promosse Aman, figlio di Ammedata, agaghita, alla più alta dignità e pose il suo seggio al di sopra di quelli di tutti i prìncipi che stavano con lui. [2]Tutti i ministri del re, addetti alla porta del re, si inchinavano e si prostravano davanti ad Aman, perché così aveva ordinato il re; ma Mardocheo non si inchinava né si prostrava. [3]I ministri del re, addetti alla porta del re, dissero a Mardocheo: «Perché trasgredisci l'ordine del re?». [4]Poiché essi glielo ripetevano ogni giorno ed egli non li

ascoltava, riferirono la cosa ad Aman, per vedere se Mardocheo avesse persistito nei suoi propositi; era stato infatti detto loro che era ebreo. [5]Aman vide che Mardocheo non si inchinava né si prostrava davanti a lui e fu pieno d'ira. [6]Ma disdegnò di alzare la mano sul solo Mardocheo, perché gli avevano riferito a quale popolo egli apparteneva, e quindi cercò di distruggere tutti gli Ebrei che si trovavano in tutto il regno di Assuero.

[7]Nel primo mese, cioè nel mese di Nisan, nell'anno dodicesimo del regno di Assuero, alla presenza di Aman fu gettato il *pur*, cioè fu tirato a sorte il giorno e il mese per sterminare in una giornata la stirpe di Mardocheo; e la sorte cadde sul tredicesimo giorno del dodicesimo mese, chiamato Adar.

[8]Aman disse al re Assuero: «C'è un popolo sparso fra i popoli di tutte le province del tuo regno, che vive appartato dagli altri e le cui leggi sono diverse da quelle di tutti gli altri popoli e che non osserva le leggi del re. Non conviene quindi al re lasciarli in pace. [9]Se sembrerà bene al re, si ordini che esso sia distrutto; io farò passare diecimila talenti d'argento ai tuoi funzionari, perché li versino nei tesori del re». [10]Il re si tolse l'anello di mano e lo diede ad Aman, agaghita, figlio di Ammedata e nemico degli Ebrei; [11]disse inoltre il re ad Aman: «Il denaro sia per te e, quanto al popolo, fanne quello che ti parrà meglio».

[12]Nel primo mese, nel tredicesimo giorno, furono chiamati gli scribi del re e fu messo per scritto tutto quello che aveva comandato Aman ai satrapi del re e ai governatori di ogni popolo (a ogni provincia secondo la propria scrittura, e a ogni popolo secondo la propria lingua); tutto fu scritto in nome del re Assuero e sigillato con il sigillo del re. [13]Le lettere furono mandate per mezzo di corrieri in ogni provincia del re, con l'ordine di distruggere, uccidere e annientare tutti gli Ebrei, dai ragazzi ai vecchi, dai bambini alle donne, in un sol giorno, il tredici del dodicesimo mese, cioè il mese di Adar, e di dare al saccheggio i loro beni.

[13a]Ecco il testo della lettera: «Il gran re Assuero scrive ai satrapi delle centoventisette province che vanno dall'India all'Etiopia e ai governatori suoi subordinati. [13b]Essendo io alla testa di molti popoli e dominando tutta la terra, non esaltato dall'orgoglio del potere, ma governando con moderazione e benevolenza, ho voluto rendere la vita dei miei sudditi sempre tranquilla e, mantenendo il regno tranquillo e ordinato da una frontiera all'altra, instaurare la pace desiderata da tutti gli uomini. [13c]Avendo chiesto il parere dei consiglieri per raggiungere questo scopo, Aman, che eccelle tra noi per la prudenza, per l'inalterata devozione e la sicura fedeltà e che è stato elevato alla seconda dignità nel regno, [13d]ci ha informato che in mezzo a tutte le stirpi che vi sono nel mondo c'è un popolo ostile, che con le sue leggi si oppone a ogni nazione e che trascura continuamente gli ordini del re, fino al punto che l'unità dell'impero da noi irreprensibilmente perseguita non può essere tranquillamente stabilita. [13e]Considerando quindi che questo solo popolo è in continua opposizione con tutti, differenziandosi per uno strano regime di leggi, e che, complottando contro i nostri interessi e contro la stabilità del regno, compie le peggiori malvagità, [13f]abbiamo dato ordine che quanti sono segnalati nelle lettere scritte da Aman, preposto ai nostri affari e per noi come un secondo padre, siano tutti radicalmente sterminati, insieme con le donne e i bambini, per mezzo delle spade dei loro nemici, senza alcuna pietà né compassione, il quattordicesimo giorno del mese di Adar del presente anno, [13g]in modo che, precipitati violentemente negli inferi in un sol giorno i ribelli di ieri e di oggi, ci sia concessa per l'avvenire una condizione stabile e tranquilla».

[14]Il testo dello scritto doveva essere promulgato come legge in ogni provincia e reso noto a tutti i popoli, perché si tenessero pronti per quel giorno. [15]I corrieri partirono in tutta fretta secondo l'ordine del re e la legge fu promulgata nella cittadella di Susa. Il re e Aman sedevano a banchettare, mentre la città di Susa era nella costernazione.

IL DOLORE DI MARDOCHEO

4 [1]Mardocheo seppe tutto quello che era stato fatto e si stracciò le vesti, si coprì di sacco e di cenere e uscì per la città emettendo alte grida di dolore. [2]Arrivò fin davanti

Est

---

3. - 5. Aman e Mardocheo rappresentano due mondi opposti religiosamente e politicamente, che si odiano a vicenda: uno forte, convinto e fiducioso nella propria forza; l'altro debole e disprezzato, però fiducioso nella potenza e protezione del suo Dio.

alla porta del re, perché non era permesso entrare per la porta del re vestiti di sacco. ³In ogni provincia, dove arrivava l'ordine del re e il suo editto, si faceva gran lutto da parte degli Ebrei, si digiunava, si piangeva e si faceva lamento; molti si coprivano di sacco e di cenere.

⁴Vennero anche le serve di Ester e i suoi eunuchi e la misero al corrente. La regina fu presa da grande angoscia; mandò vestiti a Mardocheo perché se ne rivestisse togliendosi il sacco, ma egli non li accettò. ⁵Chiamò allora Atach, uno degli eunuchi del re che la serviva, ordinandogli di andare da Mardocheo per sapere che cosa succedeva e per quale ragione si comportava così. ⁶Atach andò da Mardocheo, sulla piazza della città, davanti alla porta del re, ⁷e Mardocheo lo informò di tutto quello che era successo e della somma di denaro che Aman aveva detto di versare nei tesori del re in cambio dello sterminio degli Ebrei. ⁸Gli diede anche la copia del testo di sterminio che era stata promulgata a Susa, perché la mostrasse a Ester, gliela facesse conoscere e le ingiungesse di andare dal re per implorarlo e chiedergli grazia per il suo popolo. ⁸ᵃLe fece dire: «Ricordati dei giorni della tua miseria, quando fosti nutrita da me, perché Aman, il secondo dopo il re, ha parlato contro di noi per farci mettere a morte. Invoca il Signore e parla al re in nostro favore; salvaci dalla morte». ⁹Atach andò a riferire a Ester le parole di Mardocheo. ¹⁰Ester gli ordinò di andare a dire a Mardocheo: ¹¹«Tutti i dipendenti del re e il popolo delle province sanno che chiunque vada dal re nella corte interna, senza essere stato chiamato, deve essere messo a morte, secondo la legge, a meno che il re stenda verso di lui lo scettro d'oro; in tal caso sarà salvo. Io non sono stata chiamata per andare dal re da trenta giorni».

¹²Riferirono a Mardocheo le parole di Ester, ¹³e Mardocheo le fece rispondere: «Non pensare che gli Ebrei che si trovano nella reggia scamperanno allo sterminio degli altri Ebrei. ¹⁴Perché se tu in questo momento taci, liberazione e salvezza verranno per gli Ebrei da qualche altro luogo, ma tu e la casa di tuo padre perirete. E chi può sapere se non è proprio in previsione di una circostanza come questa che tu sei diventata regina?». ¹⁵Allora Ester fece rispondere a Mardocheo: ¹⁶«Va', raduna tutti gli Ebrei che si trovano

a Susa e digiunate per me; non mangiate né bevete per tre giorni, né di notte né di giorno; anch'io e le mie serve digiuneremo. Così io andrò dal re, sebbene ciò sia contro la legge, e se dovrò morire, morirò». ¹⁷Mardocheo se ne andò e fece tutto quello che gli aveva ordinato Ester.

¹⁷ᵃPoi pregò il Signore, ricordando tutte le sue opere, e disse: ¹⁷ᵇ«Signore, Signore, re che tutto puoi, poiché tutto è in tuo potere, nessuno può opporsi alla tua volontà di salvare Israele. ¹⁷ᶜTu hai fatto il cielo e la terra, e ogni meraviglia che si trova sotto il cielo. Tu sei il Signore di tutte le cose e non c'è chi possa resistere a te, Signore. ¹⁷ᵈTu conosci tutto; tu sai, o Signore, che non per orgoglio, né per superbia, né per amor di gloria ho fatto il gesto di non prostrarmi all'altezzoso Aman. Volentieri avrei baciato la pianta dei suoi piedi per la salvezza d'Israele. ¹⁷ᵉMa ho fatto questo per non mettere la gloria dell'uomo al di sopra della gloria di Dio. Io non mi prostrerò mai davanti a nessuno, all'infuori di te, mio Signore, ma non farò così per alterigia. ¹⁷ᶠE ora, Signore Dio, re, Dio di Abramo, risparmia il tuo popolo! Poiché c'è chi guarda a noi per la nostra rovina, c'è chi desidera distruggere la tua antica eredità. ¹⁷ᵍNon trascurare il tuo possesso, che per te hai salvato dalla terra d'Egitto. ¹⁷ʰAscolta la mia preghiera e sii propizio alla tua eredità; cambia il nostro lutto in gioia, affinché noi viviamo per inneggiare al tuo nome, Signore, e non chiudere la bocca di coloro che ti lodano, Signore». ¹⁷ⁱTutti gli Israeliti gridarono con tutte le loro forze, perché la morte era davanti ai loro occhi. ¹⁷ᵏLa regina Ester cercò rifugio anch'essa nel Signore, presa da un'angoscia mortale. Tolte le vesti sontuose, indossò vesti di mestizia e di lutto e, invece degli abbondanti profumi, cosparse la sua testa di cenere e fango. Mortificò duramente il suo corpo e con i capelli sconvolti si muove-

---

4. - 8a-14. Mardocheo prevede una possibilità di salvezza nell'influenza personale di Ester, la quale, invece, teme d'essere in disgrazia del re che da circa un mese non si cura di lei, e vorrebbe aspettare giorni migliori, poiché c'è quasi un anno prima dello sterminio decretato.

17d-e. Mardocheo riconosce che la causa prima del decreto di sterminio dei Giudei fu il suo rifiuto di prostrarsi ad Aman, 3,3-11, perciò nella sua preghiera protesta dicendo che tale rifiuto non aveva altro motivo che la fedeltà al culto del vero Dio, disprezzato dal superbo Aman.

va dove prima era abituata agli ornamenti festivi. [17l]Poi pregò il Signore Dio d'Israele e disse: «Mio Signore, nostro re, tu solo sei Dio. Vieni in aiuto a me che sono sola, e non ho altro aiuto all'infuori di te, poiché il pericolo mi sovrasta. [17m]Io ho appreso, fin dalla mia nascita, in seno alla mia famiglia, che tu, Signore, hai eletto Israele fra tutti i popoli, e i nostri padri fra tutti i loro antenati, perché fossero la tua eterna eredità, e hai fatto loro secondo quanto avevi promesso. [17n]Ma ora abbiamo peccato davanti a te, e tu ci hai consegnato nelle mani dei nostri nemici perché abbiamo onorato i loro dèi. Tu sei giusto, Signore!

[17o]Ma essi non si sono accontentati dell'amarezza della nostra servitù e hanno messo le loro mani in quelle dei loro idoli per abolire il decreto della tua bocca, per sterminare la tua eredità, per chiudere le bocche di coloro che ti lodano, per estinguere lo splendore della tua casa e del tuo altare, [17p]per aprire le bocche delle nazioni alla lode di idoli vani e per onorare in eterno un re di carne. [17q]Non abbandonare, Signore, il tuo scettro agli dèi, che sono nulla, e non permettere che essi ridano della nostra rovina, ma volgi contro di loro questi loro progetti e colpisci con un castigo esemplare il primo dei nostri persecutori. [17r]Ricordati, Signore; manifestati nell'ora della nostra tribolazione, dammi coraggio, o Re degli dèi e Signore di ogni autorità. [17s]Metti un linguaggio armonioso nella mia bocca, quando sarò di fronte al leone, e volgi il suo cuore all'odio contro colui che ci perseguita, verso la rovina sua e di coloro che sono d'accordo con lui. [17t]Salvaci con la tua mano, e aiuta me che sono sola e non ho altri all'infuori di te, Signore. [17u]Di ogni cosa tu hai conoscenza, e sai che io detesto la gloria degli empi e detesto il letto degli incirconcisi e di ogni straniero. [17v]Tu conosci la mia angustia, sai che io detesto il segno della mia grandezza, che sta sul mio capo nei giorni in cui devo presentarmi al re; io lo detesto come un panno imbrattato, e non lo porto nei giorni in cui mi tengo appartata. [17x]La tua serva non ha mangiato alla mensa

di Aman, né ha apprezzato il banchetto del re, né bevuto il vino delle libagioni. [17y]La tua serva, dal giorno in cui ha cambiato condizione fino ad oggi, non ha gioito di nulla se non di te, Signore, Dio di Abramo. [17z]O Dio, che sei il più potente di tutti, ascolta la voce di chi non ha speranza, liberaci dalle mani dei malvagi e liberami dalla paura!».

ESTER SI PRESENTA AL RE ASSUERO

5 [1]Il terzo giorno, quando Ester cessò di pregare, si tolse le vesti umili e si ammantò del suo splendore. [1a]Divenuta meravigliosa, dopo aver invocato Dio, che tutti custodisce e salva, prese con sé due ancelle, si appoggiò ad una delicatamente, mentre l'altra seguiva, reggendo il suo strascico. [1b]Ella era splendida, al massimo della sua bellezza; il suo volto era raggiante, come pervaso d'amore, ma il suo cuore fremeva di terrore. [1c]Passate tutte le porte, si pose di fronte al re, che stava seduto sul suo trono regale rivestito in tutto il suo splendore, tutto coperto d'oro e di pietre preziose, e aveva un aspetto terrificante.

[1d]Sollevò il suo volto splendente di gloria e guardò pieno d'ira. La regina cadde e, nel venir meno, il suo colore cambiò ed ella si piegò sul capo dell'ancella che la precedeva. [1e]Ma Dio cambiò lo spirito del re, volgendolo alla dolcezza; sconvolto, balzò dal trono, la prese fra le braccia fino a che rinvenne, le rivolse parole rasserenanti e le disse: [1f]«Che hai, Ester? Io sono tuo fratello. Sta' di buon animo: non morrai! Il nostro ordine è solo per la gente comune. Avvicinati!».

[2]Alzato il suo scettro d'oro, lo pose sul collo di Ester, l'abbracciò e le disse: «Parlami!». [2a]Ella disse: «Ti ho visto come un angelo di Dio e il mio cuore si è turbato per il timore del tuo splendore. Tu infatti sei meraviglioso e il tuo volto è pieno di grazia». [2b]Mentre parlava, ella venne meno. Il re si turbò e tutti i ministri cercavano di rianimarla. [3]Il re le disse: «Che cosa c'è, regina Ester? Quale richiesta hai da farmi? Fosse pure metà del mio regno, l'avrai!». [4]Ester rispose: «Se sembrerà bene al re, venga oggi il re con Aman al banchetto che ho preparato per lui». [5]Il re disse: «Affrettatevi a cercare Aman, per fare quello che ha detto Ester». Così il re e Aman vennero al banchetto che

---

17o. Distruggendo il popolo ebraico restavano vane le promesse divine, specialmente la grande promessa del Messia che doveva nascere da tale popolo. Sarebbe anche finito sulla terra il culto del vero Dio, praticato e propagato dal popolo d'Israele.

aveva preparato Ester. [6]Mentre si beveva il vino, il re disse ad Ester: «Qual è la tua richiesta? Ti sarà concessa! Qual è il tuo desiderio? Fosse anche la metà del mio regno, sarà fatto!». [7]Ester rispose: «Ecco la mia domanda e il mio desiderio: [8]Se ho trovato grazia agli occhi del re e se sembra bene al re di concedermi quanto domando e di soddisfare il mio desiderio, venga il re con Aman anche domani al banchetto che io farò per essi, e io risponderò alla domanda del re».

[9]Aman quel giorno uscì tutto allegro e di buon umore, ma quando alla porta del re vide Mardocheo, che non si alzava e non si muoveva al suo passaggio, fu pieno d'ira verso di lui. [10]Tuttavia Aman si dominò, andò a casa sua e fece chiamare i suoi fedeli e Zeres, sua moglie. [11]Parlò loro della magnificenza della sua ricchezza, dei suoi numerosi figli e di come il re lo avesse promosso, innalzandolo sopra i prìncipi e i ministri del re. [12]Aggiunse ancora Aman: «Anche la regina Ester non ha invitato che me al banchetto insieme con il re, e anche domani io sono invitato da lei con il re. [13]Eppure tutto questo non ha valore per me, fin quando io vedrò Mardocheo, l'ebreo che siede alla porta del re». [14]La moglie Zeres e i suoi fedeli gli dissero: «Si faccia un patibolo alto cinquanta cubiti e domattina di' al re che vi sia impiccato Mardocheo, poi va' contento al banchetto con il re». Piacque la cosa ad Aman e fu preparato il patibolo.

AMAN È COSTRETTO AD ONORARE MARDOCHEO

6 [1]Quella notte il re non riusciva a prendere sonno. Allora ordinò che gli si portasse il libro delle memorie, le cronache, e se ne fece la lettura davanti al re. [2]Egli vi trovò scritto che Mardocheo aveva riferito al re riguardo a Bigtan e Teres, i due eunuchi del re, appartenenti alla guardia del soglio, che volevano uccidere il re Assuero, [3]e domandò: «Che onore e che distinzione abbiamo dato a Mardocheo per questo?». Gli risposero i giovani addetti al suo servizio: «Non gli è stato dato nulla». [4]Il re allora domandò: «Chi c'è nell'atrio?». Proprio Aman era venuto nell'atrio esterno della reggia per chiedere al re di impiccare Mardocheo al patibolo che aveva preparato per lui. [5]I giovani servi del re risposero: «Ecco, c'è Aman nell'atrio». Il re disse: «Entri!». [6]Aman entrò e il re gli disse: «Che cosa si deve fare a un uomo che il re ha piacere di onorare?». Aman pensò in cuor suo: «Chi più di me il re ha piacere di onorare?», [7]e rispose al re: «Per l'uomo che il re si compiace di onorare [8]si facciano venire vesti regali che ha indossato il re e un cavallo che è stato montato dal re, e sul suo capo sia posta una corona regale. [9]Il vestito e il cavallo siano consegnati a uno dei più eminenti prìncipi del re; costui farà indossare il vestito all'uomo che il re si compiace di onorare e lo farà montare sul cavallo nella piazza della città, gridando davanti a lui: Così si fa all'uomo che il re si compiace di onorare». [10]Il re disse ad Aman: «Presto, prendi il vestito e il cavallo di cui hai parlato, e fa' così a Mardocheo, l'ebreo che siede alla porta del re. Non tralasciare nulla di quello che hai detto».

[11]Aman prese il vestito e il cavallo, rivestì Mardocheo, lo fece montare sul cavallo nella piazza della città e proclamò davanti a lui: «Così si fa all'uomo che il re si compiace di onorare».

[12]Quindi Mardocheo se ne ritornò alla porta del re, mentre Aman si affrettò a rientrare a casa sua, triste e con il volto turbato. [13]Raccontò a Zeres, sua moglie, e ai suoi fedeli tutto quello che era successo. I suoi consiglieri e Zeres, sua moglie, gli dissero: «Se Mardocheo, davanti al quale hai cominciato ad abbassarti, è della stirpe degli Ebrei, non potrai resistergli, ma cadrai davanti a lui». [14]Non avevano ancora finito di parlare che arrivarono gli eunuchi del re, i quali si affrettarono a condurre Aman al banchetto che Ester aveva preparato.

AMAN APPESO AL PATIBOLO

7 [1]Il re e Aman andarono dunque al banchetto con la regina Ester, [2]e anche il secondo giorno il re disse a Ester, mentre si beveva il vino: «Qual è la tua richiesta, regina Ester? Io te la concederò! Qual è il tuo desiderio? Fosse anche la metà del mio

---

6. - 13. Sembra che i pagani avessero riconosciuto ai Giudei una speciale protezione da parte di un Dio ad essi ignoto e da essi temuto.

regno, ti sarà concessa!». [3]La regina Ester rispose: «Se ho trovato grazia agli occhi del re e se al re sembrerà bene, la mia richiesta è che mi sia concessa la vita e il mio desiderio è che sia risparmiata la vita del mio popolo. [4]Perché siamo stati venduti, io e il mio popolo, per essere sterminati, uccisi e distrutti. Se fossimo stati venduti schiavi e schiave, avrei taciuto; ma il nostro nemico non potrebbe compensare il danno che verrebbe al re con la nostra morte». [5]Il re domandò alla regina Ester: «Chi è e dove sta colui che ha concepito nel suo cuore di fare una cosa simile?». [6]Ester rispose: «Il persecutore e nemico è questo perfido Aman». Aman fu preso allora da terrore davanti al re e alla regina. [7]Il re si alzò pieno d'ira dal banchetto per andare nel giardino del palazzo e Aman restò a supplicare Ester per la sua vita, perché aveva capito che da parte del re la sua rovina era stata ormai decisa. [8]Il re tornò dal giardino del palazzo nel luogo del banchetto, mentre Aman si era lasciato cadere sul divano su cui stava Ester. Allora il re esclamò: «Anche alla regina vuol fare violenza in casa mia, nel palazzo?». Un ordine uscì dalla bocca del re e subito posero un velo sul volto di Aman. [9]Carbona, uno degli eunuchi, disse al re: «Ecco, c'è il patibolo che Aman aveva preparato per Mardocheo, quello che ha parlato nell'interesse del re: è rizzato nella casa di Aman, alto cinquanta cubiti». Il re disse: «Impiccatevi lui!». [10]Così Aman fu impiccato sul patibolo che aveva preparato per Mardocheo e l'ira del re si placò.

MARDOCHEO AL POSTO DI AMAN

8 [1]In quello stesso giorno il re Assuero diede alla regina Ester la casa di Aman, il persecutore degli Ebrei, e Mardocheo fu introdotto alla presenza del re, perché Ester

gli aveva detto chi era per lei. [2]Il re si tolse l'anello che aveva ripreso ad Aman e lo diede a Mardocheo, ed Ester lo nominò capo della casa di Aman. [3]Ester parlò ancora al re, prostrata a terra, pianse e supplicò perché annullasse il malvagio progetto di Aman, l'agaghita, e quanto egli aveva macchinato contro gli Ebrei.

[4]Il re tese verso Ester lo scettro d'oro, ed Ester si levò in piedi davanti al re [5]e disse: «Se sembra bene al re e se ho trovato grazia ai suoi occhi, se la cosa pare conveniente al re e se io sono gradita ai suoi occhi, si scriva di ritirare le lettere, frutto della malizia di Aman, figlio di Ammedata, l'agaghita, che egli scrisse per sterminare gli Ebrei che si trovano in tutte le province del re. [6]Come potrei infatti resistere al vedere la sventura che colpirebbe il mio popolo e come potrei resistere al vedere lo sterminio della mia stirpe?».

[7]Il re Assuero disse alla regina Ester e a Mardocheo, l'ebreo: «Ecco, io ho dato a Ester la casa di Aman e questi è stato impiccato al patibolo, perché volle stendere la mano contro gli Ebrei. [8]Voi scrivete agli Ebrei come meglio vi sembra, a nome del re, e sigillate con l'anello reale, perché le lettere scritte a nome del re e sigillate con l'anello reale sono irrevocabili».

[9]Allora, nel terzo mese, cioè nel mese di Sivan, il giorno ventitré, furono chiamati gli scribi del re, secondo gli ordini di Mardocheo, e fu scritto agli Ebrei, ai satrapi, ai governatori e ai prìncipi delle centoventisette province, dall'India fino all'Etiopia, a ogni provincia secondo la propria scrittura e a ogni popolo secondo la propria lingua, e agli Ebrei nella loro scrittura e nella loro lingua. [10]Fu scritto a nome del re Assuero e si sigillarono le lettere con l'anello reale e si mandarono per mezzo di corrieri a cavallo, che montavano superbi cavalli di razza. [11]Il re dava agli Ebrei di ogni città il potere di riunirsi e di difendere la loro vita, di distruggere, uccidere e sterminare tutti coloro che avessero voluto attaccarli, a qualunque popolo o provincia appartenessero, compresi i bambini e le donne, e di impossessarsi dei loro beni; [12]e ciò in un medesimo giorno in tutte le province del re Assuero: il tredici del dodicesimo mese, cioè il mese di Adar.

[12a]Ciò che segue è la copia della lettera: [12b]«Il grande re Assuero ai satrapi delle

---

7. - 3-4. La preghiera di Ester è fatta in modo da commuovere il re: prima gli dice d'essere condannata a morte anche lei, e poi che per lo sterminio d'un popolo il re ne avrà la vergogna e il danno, perché la somma che Aman promette all'erario non equivale ai servigi dei Giudei, buoni contribuenti e ottimi soldati.

8. - 7-8. Assuero dice che ha fatto quello che poteva e che non può revocare un editto reale; ma insinua di stendere un editto che distrugga il primo non nelle parole, ma nella sostanza, dando ai Giudei il diritto di difendersi.

centoventisette province che si estendono
dall'India all'Etiopia e a coloro che hanno a
cuore i nostri interessi, salute!
[12c]Molti uomini, quanto più spesso vengono
onorati dalla grande benignità dei benefattori, tanto più si inorgogliscono e non solo cercano di recare danno ai nostri sudditi, ma,
incapaci di mantenersi all'altezza della loro
stessa prosperità, tramano insidie perfino
contro i loro stessi benefattori. [12d]Essi non
soltanto cancellano la gratitudine fra gli uomini, ma, ubriacati dalle approvazioni di chi
ignora il bene, si lusingano di sfuggire alla
incorrotta giustizia di Dio, che tutto vede.
[12e]Così spesso avvenne a molti costituiti
in autorità, che, per aver affidato ad amici
l'amministrazione degli affari pubblici ed essersi lasciati influenzare da loro, divennero
corresponsabili di riprovevoli azioni sanguinarie, al prezzo di disgrazie senza rimedio,
[12f]poiché avevano sviato, con i falsi ragionamenti della loro perversa indole, l'integra
assennatezza dei governanti.
[12g]È possibile riscontrare simili fatti non soltanto nelle antiche storie tramandate, ma
anche esaminando le azioni ora compiute
dalla bassezza di coloro che indegnamente
detengono il potere.
[12h]Ci impegneremo per l'avvenire ad assicurare a tutti gli uomini un regno tranquillo
e pacifico, [12i]operando cambiamenti opportuni e giudicando gli avvenimenti, che si
svolgono sotto i nostri occhi, nel modo più
conveniente.
[12k]Così è il caso di Aman, un Macedone, figlio di Ammedata, in realtà un estraneo al
sangue dei Persiani e molto lontano dalla
nostra benevolenza. Egli era stato accolto
come ospite presso di noi, [12l]aveva tanto
approfittato della bontà che usiamo a ogni
nazione da esser chiamato nostro padre ed
esser riverito da tutti, come colui che detiene il secondo posto presso il trono del re,
davanti al quale tutti si prostrano. [12m]Ma non
riuscendo a frenare il suo orgoglio, tramò
di toglierci il regno e anche la vita, [12n]e con
falsi e tortuosi argomenti richiese la pena
di morte per il nostro salvatore e perpetuo
benefattore Mardocheo, per l'irreprensibile
compagna del nostro regno, Ester, e per tutto il loro popolo. [12o]Con questi raggiri pensava, cogliendoci di sorpresa, di far passare il
dominio dai Persiani ai Macedoni.
[12p]Noi però abbiamo trovato che gli Ebrei,
destinati all'annientamento dal più detestabile degli uomini, non sono per nulla
criminali, ma vivono secondo le più giuste
leggi, [12q]sono figli del Dio vivente, eccelso
e supremo, che in favore nostro e dei nostri
antenati dirige il regno nella più invidiabile
delle condizioni. [12r]Pertanto farete bene a
non obbedire alle lettere mandate da Aman,
figlio di Ammedata, poiché colui che le ha
scritte è stato impiccato davanti alle porte di
Susa con tutta la sua famiglia, avendo Dio
onnipotente fatto ricadere su di lui senza
indugio una giusta punizione.
[12s]Pubblicate in ogni luogo una copia di questa lettera; permettete agli Ebrei di seguire
i loro legittimi costumi e aiutateli affinché
il tredici del dodicesimo mese, chiamato
Adar, si possano difendere da coloro che li
attaccassero nel giorno della persecuzione.
[12t]Infatti è questo il giorno in cui Dio, padrone di tutte le cose, invece dello sterminio ha
concesso questa gioia alla nazione eletta.
[12u]Quanto a voi, Ebrei, tra le vostre feste
solenni, celebrate questo giorno particolare
con ogni sorta di banchetti, in modo che ora
e in futuro sia ricordo di salvezza per noi e
per gli amici dei Persiani, invece per coloro
che hanno tramato contro di noi sia ricordo
della loro distruzione. [12v]Qualunque città e
provincia che non abbia eseguito queste
disposizioni sarà inesorabilmente messa a
ferro e a fuoco; essa diverrà inaccessibile
non solo agli uomini, ma odiosa alle fiere e
agli uccelli per sempre».
[13]La copia della lettera doveva essere promulgata come legge in ogni provincia e doveva essere resa nota a tutti popoli, perché
gli Ebrei fossero pronti per quel giorno a
vendicarsi dei loro nemici. [14]I corrieri, montati sui cavalli reali, uscirono rapidi e svelti
e corsero secondo l'ordine del re, mentre la
legge fu promulgata nella cittadella di Susa.
[15]Mardocheo uscì dalla presenza del re
con vesti regali, celesti e bianche, con una
grande corona d'oro e un mantello di bisso
e di porpora, e la città di Susa fu nella gioia
e nell'allegria. [16]Per gli Ebrei fu un giorno di
luce e di allegria, di gioia e di tripudio. [17]In
ogni provincia e in ogni città, dove arrivavano l'ordine del re e il suo editto, gli Ebrei si
rallegravano e gioivano, facevano banchetti
e feste, e molti fra i popoli del paese si fecero Ebrei, perché il timore degli Ebrei era
caduto sopra di essi.

LA FESTA DI PURIM
E L'ECCIDIO DEI PERSECUTORI

9 ¹Nel dodicesimo mese, cioè il mese di Adar, nel giorno tredicesimo, quando arrivò l'ordine del re e il suo editto stava per essere eseguito, nel giorno in cui i nemici degli Ebrei speravano di trionfare su di essi, la situazione si capovolse e gli Ebrei trionfarono su coloro che li odiavano. ²Gli Ebrei si radunarono nelle loro città in ogni provincia del re Assuero, per alzare la mano contro coloro che avessero voluto far loro del male, e nessuno resistette loro, perché il timore di essi aveva preso tutti i popoli. ³Tutti i prìncipi delle province, i satrapi e i governatori al servizio del re sostenevano gli Ebrei, perché anch'essi erano presi dal timore di Mardocheo. ⁴Mardocheo infatti era grande nella reggia e la sua fama si spargeva in ogni provincia, tanto che egli, Mardocheo, diventava sempre più importante. ⁵Gli Ebrei colpirono i loro nemici a colpi di spada, uccidendoli e sterminandoli; fecero dei nemici quello che vollero. ⁶Anche nella cittadella di Susa gli Ebrei uccisero e sterminarono cinquecento persone; ⁷misero a morte Parsandata, Dalfon, Aspata, ⁸Porata, Adalia, Aridata, ⁹Parmasta, Arisai, Aridai e Vaizata, ¹⁰i dieci figli di Aman, figlio di Ammedata, persecutore degli Ebrei, ma non si diedero al saccheggio.

¹¹Quando il re venne a conoscenza del numero degli uccisi, ¹²disse alla regina Ester: «Nella cittadella di Susa gli Ebrei hanno ucciso cinquecento uomini e i dieci figli di Aman; nelle altre province del re che cosa avranno mai fatto? Ora, che cosa chiedi di più? Ti sarà dato. Che altro desideri, perché ti sia fatto?». ¹³Ester disse: «Se sembrerà conveniente al re, sia concesso agli Ebrei di applicare ancora domani l'editto come hanno fatto oggi, e i dieci figli di Aman siano appesi a un patibolo». ¹⁴Il re ordinò che così fosse fatto. L'editto fu promulgato nella cittadella di Susa e i figli di Aman furono appesi al patibolo. ¹⁵Gli Ebrei che si trovavano a Susa si radunarono anche il quattordici

del mese di Adar e uccisero a Susa trecento uomini, ma non si diedero al saccheggio. ¹⁶Gli altri Ebrei delle province del re si radunarono per difendere la loro vita e per mettersi al sicuro dagli attacchi dei loro nemici; fra quelli che li odiavano uccisero settantacinquemila persone, ma non si diedero al saccheggio. ¹⁷Questo avvenne il giorno tredici del mese di Adar; il quattordici si riposarono e fecero banchetti e allegria. ¹⁸Gli Ebrei che si trovavano a Susa si radunarono il giorno tredici e il quattordici dello stesso mese, il quindici si riposarono e nello stesso giorno fecero banchetti e allegria. ¹⁹È per questo che gli Ebrei della campagna, che abitano in città non circondate da mura, il quattordici del mese di Adar fanno allegria, banchetti e festa e si scambiano doni. ¹⁹ᵃInvece gli abitanti delle grandi città celebrano, come giorno di allegra festività, il quindici di Adar, mandando regali ai vicini. ²⁰Mardocheo mise in iscritto tutti questi avvenimenti e mandò lettere a tutti gli Ebrei che si trovavano nelle province del re Assuero, in quelle vicine e in quelle lontane, ²¹perché ogni anno celebrassero il giorno quattordici del mese di Adar e il giorno quindici dello stesso mese, ²²essendo questi i giorni nei quali gli Ebrei ebbero pace dai loro nemici, ed essendo questo il mese in cui la loro sorte cambiò dall'angoscia alla gioia, dal lutto alla festa, e perché facessero, di questi giorni, giorni di banchetto e di gioia, di scambio di doni e di offerte ai poveri.

²³Gli Ebrei si impegnarono a continuare quelle cose che avevano cominciato a fare e che Mardocheo aveva scritto loro. ²⁴Aman, infatti, il figlio di Ammedata, l'agaghita, persecutore di tutti gli Ebrei, decretò di sterminare gli Ebrei e gettò il *pur*, cioè la sorte, per massacrarli e distruggerli. ²⁵Ma quando la regina Ester si fu presentata al re, egli ordinò con uno scritto che la malvagità che Aman aveva tramato contro gli Ebrei ricadesse sul suo capo e fece impiccare lui e i suoi figli al patibolo. ²⁶Perciò quei giorni furono chiamati *purim*, dalla parola *pur*. In base al contenuto di questa lettera e in seguito a quello che avevano visto ed era accaduto loro, ²⁷gli Ebrei stabilirono di assumersi l'impegno, essi e i loro figli e tutti coloro che sarebbero venuti a unirsi a loro, di non mancare di festeggiare ogni anno questi due giorni, secondo le disposizioni di quello scritto e

Est

---

9. - 26-28. La festa dei *purim*, cioè delle sorti, è celebrata anche oggi dagli Ebrei: il 13 di Adar (febbraio-marzo) si fa digiuno e viene letto il libro di Ester; il 14, dopo nuova lettura del libro di Ester, viene trascorso gioiosamente ricordando e celebrando i divini benefici.

alla data fissata. ²⁸Questi giorni vengono ricordati e festeggiati in ogni generazione, in ogni famiglia, in ogni provincia e città; i giorni di *purim* non dovranno sparire in mezzo agli Ebrei e il loro ricordo non dovrà mai cancellarsi fra i loro discendenti.

²⁹La regina Ester, figlia di Abicàil, e l'ebreo Mardocheo scrissero con ogni autorità per dare valore a questa seconda lettera relativa ai *purim*. ³⁰E mandarono lettere a tutti gli Ebrei, nelle centoventisette province del regno di Assuero, con parole di saluto e di fedeltà, ³¹affinché osservassero questi giorni di *purim* nel tempo stabilito, come avevano deciso l'ebreo Mardocheo e la regina Ester, e come essi stessi li avevano stabiliti per sé e per i loro discendenti, in occasione del loro digiuno e della loro invocazione. ³²Così un ordinamento di Ester fissò la prassi di questa festa di *purim* e fu scritto in un libro.

ELOGIO DI MARDOCHEO

10¹Il re Assuero stabilì un'imposta sul paese e sulle isole del mare. ²Quanto poi a tutti i fatti concernenti la potenza e la grandezza di Mardocheo, che il re esaltò, sono cose scritte nel libro delle cronache dei re di Media e di Persia. ³Infatti l'ebreo Mardocheo era il secondo dopo il re Assuero ed era grande in mezzo agli Ebrei, benvoluto dalla maggioranza dei suoi fratelli; egli cercava il bene del suo popolo e aveva a cuore la felicità di tutti quelli della sua stirpe.

³ᵃMardocheo disse: «Tutte queste cose sono state fatte da Dio. ³ᵇInfatti mi ricordo del sogno che ebbi riguardo a queste cose: tutto si è avverato. ³ᶜC'era la piccola fontana che divenne un fiume e poi c'erano la luce e il sole e molta acqua. Il fiume è Ester, che il re ha sposato e costituito regina. ³ᵈI due dragoni siamo io e Aman. ³ᵉLe nazioni sono quelle che si sono coalizzate per la distruzione degli Ebrei. ³ᶠIl mio popolo è quello di Israele, che ha gridato a Dio ed è stato salvato. Sì, il Signore ha liberato il suo popolo e ci ha riscattato da tutti i mali, operando segni e prodigi così grandi che non sono stati mai fatti in mezzo ai popoli. ³ᵍEgli ha stabilito due sorti, una per il popolo di Dio e una per tutti i popoli. ³ʰQueste due sorti si realizzarono in un momento stabilito e in un giorno stabilito dal giudizio di Dio per tutti i popoli. ³ⁱDio si è ricordato del suo popolo e ha reso giustizia alla sua eredità. ³ᵏGli Ebrei osserveranno questi giorni del mese di Adar, il quattordici e il quindici del mese, con riunioni, gioia e allegria al cospetto di Dio, per tutte le generazioni e per sempre nel suo popolo Israele».

³ˡNell'anno quarto del regno di Tolomeo e Cleopatra, Dositeo, che diceva di essere sacerdote e levita, e Tolomeo, suo figlio, portarono in Egitto la presente lettera riguardante la festa di *purim*, affermando che si trattava della lettera autentica tradotta da Lisimaco, figlio di Tolomeo, residente a Gerusalemme.

PRIMO LIBRO DEI MACCABEI

I due libri dei Maccabei sono opere del tutto diverse per autore, finalità e mezzi espressivi. Ambedue però si riferiscono al periodo duro e glorioso della lotta del giudaismo contro il paganesimo ellenista, imposto anche con la persecuzione violenta.

La parola Maccabeo, che significa forse "martello" o "designato da Jhwh", è un soprannome dato ai figli di Mattatia, capi e animatori della lotta.

Il primo libro contiene la storia di una quarantina d'anni, dall'avvento al trono di Siria di Antioco Epifane (175 a.C.), il persecutore, fino alla morte di Simone, ultimo dei Maccabei (135 a.C.).

Un'introduzione (cc. 1-2) descrive il propagarsi del paganesimo tra gli Ebrei e il formarsi della resistenza giudaica guidata da Mattatia. La prima parte (3,1 - 9,22) è dedicata a Giuda, il Maccabeo per antonomasia; egli riporta brillanti vittorie sui generali di Siria, organizza la purificazione del tempio profanato e muore gloriosamente in battaglia nel 160. La seconda parte (9,23 - 12,54) è dedicata al fratello Gionata che, grazie a un'abile azione diplomatica, ottiene vari vantaggi religiosi, politici ed economici, però muore vittima di un tranello del nemico. La terza parte (cc. 13-16) tratta di Simone, che porta a termine l'opera dei fratelli ottenendo il pieno riconoscimento della libertà politica e religiosa per i Giudei.

Il giudaismo ha lottato per la libertà di poter vivere secondo la legge di Dio e le proprie tradizioni, e questa libertà coincideva allora con la libertà politica. È comprensibile la fusione tra il sentimento religioso e nazionale che ha prodotto tanto eroismo. Non sono mancati i tradimenti e le vigliaccherie, ma l'eroismo ha vinto e ha salvato il popolo, la sua fede e la sua libertà.

ALESSANDRO MAGNO E I SUOI SUCCESSORI

1 [1]Avvenne che Alessandro il macedone, figlio di Filippo, uscito dal paese dei Chittim, dopo aver sconfitto Dario, re dei Persiani e dei Medi, regnò al suo posto, cominciando dalla Grecia. [2]Intraprese poi molte guerre, s'impadronì di fortezze e uccise i re della terra, [3]giunse fino alle estremità della terra e portò via le spoglie di una moltitudine di popoli. Davanti a lui la terra tacque, ma il suo cuore montò in superbia. [4]Radunò un esercito molto potente e sottomise regioni, nazioni e prìncipi, che divennero suoi tributari. [5]Ma dopo tali imprese cadde ammalato e comprese che doveva morire. [6]Perciò chiamò i suoi ufficiali più illustri, che erano stati educati con lui fin dalla fanciullezza, e divise tra loro il suo regno mentre era ancora vivo.

[7]Alessandro aveva regnato dodici anni; quando morì, [8]i suoi ufficiali presero il comando, ciascuno nel proprio territorio. [9]Cinsero il diadema dopo che egli fu morto e così i loro figli dopo di essi per molti anni, moltiplicando i mali sulla terra. [10]Da loro uscì una radice perversa, Antioco Epifane, figlio del re Antioco, il quale era stato ostaggio a Roma. Egli incominciò a regnare l'anno centotrentasette del regno dei Greci.

1. - 10. *Da loro*: dai discendenti di coloro che si fecero re dopo Alessandro, cioè dai Seleucidi. *Antioco IV Epifane* era stato a Roma fra i venti ostaggi che Antioco III il Grande (223-187 a.C.), suo padre, aveva dovuto consegnare ai Romani dopo la battaglia di Magnesia (189); ma nel 175 a.C., corrispondente al 137 *del regno dei Greci*, si fece riconoscere re dai Romani.

¹¹In quei giorni sorsero in Israele figli iniqui, i quali sedussero molte persone dicendo: «Andiamo e facciamo alleanza con le genti che sono intorno a noi, poiché, da quando ci siamo separati da esse, ci sono capitati molti mali». ¹²Questo discorso parve buono ai loro occhi. ¹³Perciò alcuni tra il popolo s'incaricarono di andare dal re, il quale diede loro facoltà di introdurre le usanze dei pagani. ¹⁴Costruirono un ginnasio in Gerusalemme secondo l'uso dei pagani, ¹⁵cancellarono i segni della circoncisione e si allontanarono dall'alleanza santa: così si associarono ai pagani e si vendettero per fare il male.

¹⁶Quando gli parve che il regno fosse ben consolidato, Antioco volle estendere il suo potere sulla terra d'Egitto per dominare sui due regni: ¹⁷con un'armata imponente di carri, elefanti, cavalli e con una grande flotta invase l'Egitto ¹⁸e affrontò in battaglia Tolomeo, re d'Egitto. Davanti a lui Tolomeo ripiegò e poi fuggì, e molti caddero colpiti a morte. ¹⁹Così Antioco conquistò le città fortificate che erano nella terra d'Egitto e prese il suo bottino. ²⁰Dopo aver battuto l'Egitto nell'anno centoquarantatré, Antioco prese la via del ritorno e marciò contro Israele, salendo fino a Gerusalemme con una grande armata.

²¹Entrò nel santuario con arroganza e ne asportò l'altare d'oro, il candelabro delle luci con tutti i suoi accessori, ²²la tavola dell'offerta, le coppe, i calici, gli incensieri d'oro, il velo, le corone e ogni ornamento d'oro che stava sulla facciata del tempio. Tutto spogliò. ²³Prese inoltre l'argento, l'oro e i vasi preziosi, come pure i tesori nascosti che poté trovare. ²⁴Poi, raccolta ogni cosa, se ne tornò alla sua terra, dopo aver fatto una strage e proferito parole di grande insolenza.

²⁵ Allora vi fu un grande lamento
    per Israele,
  in tutto il suo territorio.
²⁶ Gemettero i prìncipi e gli anziani,
    languirono fanciulle e ragazzi
  e venne meno la bellezza delle donne.
²⁷ Ogni giovane sposo alzò un lamento,
    nella camera nuziale la sposa
    mise il lutto.
²⁸ Anche la terra sussultò
    per i suoi abitanti,
  e tutta la casa di Giacobbe
    si rivestì di vergogna.

²⁹Due anni dopo il re inviò un sovrintendente ai tributi nelle città di Giuda, il quale venne a Gerusalemme con una grande armata. ³⁰Rivolse loro con inganno discorsi di pace ed essi gli prestarono fede. Ma poi, all'improvviso, piombato sulla città, le inflisse un colpo terribile e fece perire molta gente in Israele. ³¹Saccheggiata la città, vi appiccò il fuoco e ne distrusse le case e le mura di cinta. ³²Fecero schiavi donne e bambini e si impossessarono del bestiame. ³³Fortificarono la città di Davide con un muro grande e robusto e con delle torri potenti e ne fecero la loro roccaforte. ³⁴Vi stabilirono gente empia, uomini iniqui, e vi si fortificarono. ³⁵Vi ammassarono armi e vettovaglie e vi depositarono il bottino raccolto in Gerusalemme. Divenne così un grande tranello. ³⁶Fu un'insidia per il santuario, un nemico perverso per Israele in ogni momento.

³⁷ Sparsero sangue innocente
    intorno al santuario,
  e profanarono il santuario.
³⁸ Per causa loro fuggirono gli abitanti
    da Gerusalemme,
  che divenne abitazione di estranei;
  divenne estranea alla sua stessa gente
  e i suoi figli l'abbandonarono.
³⁹ Il suo santuario fu desolato
    come un deserto,
  le sue feste si mutarono in lutto,
  i suoi sabati in derisione
  e il suo onore in disprezzo.
⁴⁰ Pari alla sua gloria fu il suo disonore
  e il suo splendore si mutò in lutto.

⁴¹Il re poi emanò per tutto il suo regno un decreto, secondo il quale tutti dovevano formare un popolo solo, ⁴²rinunziando ciascuno alle proprie usanze. Tutte le nazioni accettarono l'ordine del re ⁴³e anche in Israele molti abbracciarono la sua religione, sacrificando agli idoli e profanando il sabato. ⁴⁴Per mezzo di messaggeri il re inviò lettere

---

11. L'isolamento ebraico era considerato dagli ellenisti come barbarie. D'altra parte, la libertà dei costumi, di espressione e di organizzazione in atto presso i pagani attirava molti ebrei anche della classe dirigente. I più esaltati chiedevano addirittura l'abolizione della legge mosaica.

33. L'Acra, così era chiamata la fortezza, costituì per 27 anni il più formidabile baluardo della repressione e dell'autorità sira, e cadde in mano giudaica solamente ad opera di Simone (cfr. 13,49-52).

anche a Gerusalemme e alle città di Giuda con l'ordine di seguire usanze estranee al loro paese, [45]di far cessare gli olocausti, il sacrificio e le libagioni nel santuario, di profanare i sabati e le feste, [46]di contaminare il santuario e i fedeli, [47]di costruire altari, tempietti ed edicole, di immolare porci e animali immondi, [48]di lasciare i loro figli incirconcisi e di rendere abominevoli le loro anime con ogni sorta d'impurità e di profanazione, [49]così da dimenticare la legge e cambiare le tradizioni. [50]Chiunque non avesse agito secondo l'ordine del re, sarebbe stato messo a morte. [51]In conformità a tutti questi ordini, che aveva inviato in tutto il regno, stabilì poi ispettori per tutto il popolo e ingiunse alle città di Giuda di offrire sacrifici, città per città. [52]Molti tra il popolo si unirono ad essi, tutta la gente che aveva abbandonato la legge, e fecero del male nel paese, [53]costringendo Israele a vivere nei nascondigli e in ogni sorta di rifugio.

[54]Il giorno quindici di Casleu, nell'anno centoquarantacinque, costruirono l'abominio della desolazione sull'altare degli olocausti, e nelle città di Giuda circonvicine costruirono altari. [55]Sulle porte delle case e nelle piazze si offrivano sacrifici. [56]Stracciavano i libri della legge che riuscivano a trovare e li gettavano nel fuoco. [57]Se presso qualcuno veniva scoperto il libro dell'alleanza o se qualche altro osservava la legge, era ordine del re che venisse condannato a morte. [58]Così essi trattavano violentemente gli Israeliti sorpresi nelle ispezioni che ogni mese venivano fatte nelle città. [59]Il venticinque del mese si offrivano sacrifici sull'ara che era sull'altare degli olocausti. [60]Secondo l'editto, mettevano a morte le donne che avevano fatto circoncidere i loro figli, [61]con i loro bambini appesi al collo, con i loro familiari e quelli che avevano praticato la circoncisione. [62]Tuttavia molti in Israele si dimostrarono forti e restarono fermi nel non mangiare cose impure. [63]E, preferendo morire per non contaminarsi con cibi immondi e per non profanare l'alleanza santa, di fatto morirono. [64]Fu davvero grande l'ira su Israele!

_____
2. - 1. La famiglia di Mattatia fu detta degli Asmonei, forse da un Asmon loro antenato; fu pure detta dei Maccabei, da Giuda Maccabeo, loro eroe, e anche perché Maccabeo può significare "martello": ed essi furono un vero martello per i nemici.

MATTATIA E I SUOI FIGLI

2 [1]In quei giorni sorse Mattatia, figlio di Giovanni, figlio di Simone, sacerdote della stirpe di Ioarib, di Gerusalemme, e si stabilì a Modin. [2]Aveva cinque figli: Giovanni, detto Gaddi, [3]Simone, detto Tassi, [4]Giuda, detto Maccabeo, [5]Eleazaro, detto Auaran, Gionata, detto Affus. [6]Egli vide le nefandezze che si commettevano in Giuda e in Gerusalemme [7]e disse: «Ohimè! Perché mai sono nato per vedere la rovina del mio popolo e la rovina della città santa restando qui seduto, mentre essa è consegnata nelle mani dei nemici e il santuario nelle mani di stranieri?

[8] Il suo tempio è divenuto
       come un uomo ignobile.
[9] Gli ornamenti della sua gloria
       sono stati portati via come bottino
         di guerra,
     i suoi fanciulli sono stati uccisi
         sulle piazze
     e i suoi giovani con la spada del nemico.
[10] Quale popolo non ha invaso il suo regno
       e non si è impadronito
         delle sue spoglie?
[11] Ogni suo ornamento è stato rapito,
       e da libera è diventata schiava.
[12] Or ecco il nostro luogo santo,
       la nostra bellezza e la nostra gloria,
       è stato devastato e i pagani
         l'hanno profanato.
[13] Perché vivere ancora?».

[14]Mattatia e i suoi figli si stracciarono le vesti, si rivestirono di sacco e si misero in grande lutto.

[15]Gli ufficiali del re, incaricati di costringere all'apostasia, giunsero nella città di Modin per far offrire sacrifici. [16]Molti Israeliti si unirono a loro, ma Mattatia e i suoi figli si tennero in disparte. [17]Allora, prendendo la parola, gli ufficiali del re si rivolsero a Mattatia dicendogli: «Tu sei un capo nobile e potente in questa città, sostenuto da figli e fratelli. [18]Avvicinati perciò per primo e adempi il comando del re, come fanno tutti i popoli e gli stessi uomini di Giuda che sono rimasti in Gerusalemme. Così tu e i tuoi figli passerete nel numero degli amici del re, e tu e i tuoi figli sarete onorati con argento, oro e doni in quantità». [19]Ma Mattatia rispose a

1Mac

gran voce: «Anche se tutti i popoli che sono nell'ambito del regno del re obbediscono a lui, abbandonando ciascuno la religione dei padri per conformarsi ai suoi precetti, ²⁰io, i miei figli e i miei fratelli continueremo a camminare nell'alleanza dei nostri padri. ²¹Dio ci guardi dall'abbandonare la legge e le consuetudini! ²²Noi non ascolteremo mai gli ordini del re per deviare dalla nostra religione, a destra o a sinistra».

²³Com'egli ebbe finito di pronunziare queste parole, un uomo di Giuda si avvicinò, sotto gli occhi di tutti, per sacrificare sull'altare che era in Modin, secondo il comando del re. ²⁴Come lo vide, Mattatia s'infiammò di zelo e fremette nel suo intimo; ribollì di giusta ira e, precipitandosi, lo trucidò sull'altare. ²⁵Uccise pure, nel medesimo tempo, l'inviato del re che costringeva a sacrificare e rovesciò l'altare. ²⁶Egli agiva per zelo verso la legge, come aveva fatto Finees contro Zambri, figlio di Salom. ²⁷Poi Mattatia si mise a gridare per la città: «Chiunque ha zelo per la legge e sta per l'alleanza, mi segua!». ²⁸Fuggì con i suoi figli verso i monti, lasciando tutto ciò che avevano in città.

²⁹Allora molti che avevano zelo per la giustizia e per il diritto discesero nel deserto e vi si stabilirono ³⁰con i loro figli, le loro mogli e il loro bestiame, poiché i mali si erano moltiplicati su di loro. ³¹Quando agli uomini del re e alle milizie che erano in Gerusalemme, nella città di Davide, fu annunziato che quegli uomini che avevano infranto l'ordine del re erano discesi nei nascondigli del deserto, ³²molti corsero ad inseguirli e, raggiuntili, si accamparono di fronte ad essi, preparandosi a dar loro battaglia in giorno di sabato. ³³Quindi dissero loro: «Ora basta! Uscite fuori! Fate secondo l'ordine del re e vivrete». ³⁴Risposero: «Non usciremo né faremo secondo l'ordine del re, profanando il sabato». ³⁵Quelli allora attaccarono subito battaglia. ³⁶Ma essi non risposero; non lanciarono una sola pietra né barricarono i nascondigli. ³⁷Dissero: «Moriamo tutti nella nostra innocenza! Ci sono testimoni il cielo e la terra che ci fate morire ingiustamente». ³⁸Quelli però si lanciarono sopra di essi combattendo di sabato. In questo modo essi morirono con le loro mogli, i loro bambini e il loro bestiame, in numero di circa mille persone.

³⁹Quando Mattatia e i suoi amici ne vennero a conoscenza, si rattristarono fortemente per essi ⁴⁰e si dissero l'un l'altro: «Se faremo tutti come hanno fatto i nostri fratelli e non combatteremo contro i pagani per la nostra vita e per le nostre tradizioni, in breve ci stermineranno dalla terra». ⁴¹E in quel giorno stesso presero questa decisione: «Chiunque verrà contro di noi per combatterci in giorno di sabato, noi combatteremo contro di lui e non moriremo tutti come sono morti i nostri fratelli nei nascondigli».

⁴²Allora si unì ad essi un gruppo di Asidei, uomini molto forti in Israele, ognuno pronto alla difesa della legge. ⁴³Similmente tutti quelli che fuggivano davanti alle sventure si univano a loro e divenivano loro sostegno. ⁴⁴Costituirono così un esercito e colpirono nella loro ira i peccatori e gli uomini iniqui nella loro collera; gli scampati, per salvarsi, si rifugiarono presso i pagani. ⁴⁵Poi Mattatia e i suoi amici fecero un'ispezione nel paese e distrussero gli altari, ⁴⁶circoncisero a forza i bambini incirconcisi che trovavano nel territorio di Israele ⁴⁷e diedero la caccia alla genìa dei tracotanti. Per loro merito l'impresa ebbe buon esito ⁴⁸e riuscirono a difendere la legge dalla prepotenza dei pagani e dei re, non permettendo ai peccatori di rinforzarsi.

⁴⁹Come si avvicinarono i giorni della morte, Mattatia disse ai suoi figli: «Ora trionfano l'insolenza e l'oltraggio, è un tempo di sconvolgimento e d'ira furente. ⁵⁰Orsù, figlioli, abbiate zelo per la legge e donate le vostre vite per l'alleanza dei nostri padri. ⁵¹Ricordate le opere compiute dai vostri padri nei loro giorni e ne riceverete una gloria grande e un nome eterno. ⁵²Abramo non fu forse trovato fedele nella prova e non gli fu ciò computato a giustizia? ⁵³Giuseppe, al tempo della sua angustia, custodì i precetti e divenne signore dell'Egitto. ⁵⁴Finees, nostro padre, per aver avuto un grande zelo, ottenne l'alleanza di un sacerdozio eterno. ⁵⁵Giosuè, per aver obbedito alla divina parola, divenne giudice in Israele. ⁵⁶Caleb, per aver testimoniato nell'assemblea, ottenne l'eredità

---

29. *Nel deserto* di Giuda, sulle rive occidentali del Mar Morto, arido, ma ricco di vegetazione intorno alle sorgenti.
42. *Asidei*: in ebraico *h+asidîm*, "pii": erano un gruppo di Giudei da alcuni paragonati agli esseni; erano attaccatissimi alla legge e ostili ai costumi pagani. Si unirono ai Maccabei per difendere il patrimonio comune della legge, senza rinunziare ai loro scopi e ad agire liberamente.

nel paese. [57]Davide, per la sua pietà, ebbe in eredità un trono regale per i secoli. [58]Elia, avendo avuto grande zelo per la legge, fu rapito fino in cielo. [59]Anania, Azaria e Misaele, avendo avuto fede, furono salvati dalle fiamme. [60]Daniele, per la sua innocenza, fu liberato dalla bocca dei leoni. [61]E così, riflettete, di generazione in generazione: tutti quelli che sperano in lui non verranno meno. [62]Non abbiate paura delle parole dell'uomo peccatore, poiché la sua gloria finirà in letame e in vermi. [63]Oggi egli è esaltato, ma domani non si troverà più, perché sarà già ritornato alla sua polvere e il suo disegno sarà annientato. [64]Figlioli, siate valorosi e forti nella legge, poiché per essa sarete glorificati. [65]Ecco Simone, vostro fratello; io so che è un uomo saggio, ascoltatelo sempre; egli sarà il vostro padre. [66]Giuda Maccabeo, forte guerriero fin dalla sua giovinezza, sarà per voi il capo dell'esercito e guiderà la guerra contro i pagani. [67]Radunate attorno a voi tutti quelli che osservano la legge e vendicate il vostro popolo. [68]Rendete ai pagani ciò che si meritano e attenetevi a quanto stabilisce la legge». [69]Quindi li benedisse e si riunì ai suoi padri. [70]Morì nell'anno centoquarantasei e fu sepolto nel sepolcro dei suoi padri, in Modin. Tutto Israele lo pianse con grande lutto.

GIUDA MACCABEO, CAPO DEI GIUDEI

3 [1]Al suo posto sorse il figlio di lui, Giuda, detto Maccabeo. [2]Tutti i suoi fratelli e quanti avevano aderito a suo padre gli diedero il loro appoggio e combatterono la guerra d'Israele con entusiasmo.

[3] Egli accrebbe la gloria del suo popolo,
  qual gigante indossò la corazza
  e cinse le sue armi di guerra;
  sostenne battaglie
  e protesse l'accampamento
    con la spada.
[4] Fu simile a un leone nelle sue imprese
  e a un leoncello ruggente sulla preda.

[5] Inseguì gli empi che scovava
  e diede alle fiamme i perturbatori
    del suo popolo.
[6] Venivano meno gli empi per paura di lui
  e tutti gli operatori di iniquità
    restavano sconvolti.
  Per suo mezzo la liberazione
    ebbe buon esito.
[7] Amareggiò molti re
  e rallegrò Giacobbe
    con le sue imprese.
  La sua memoria sarà sempre
    in benedizione.
[8] Percorse le città di Giuda
  e vi sterminò gli empi.
  Distolse l'ira da Israele.
[9] Si rese famoso fino all'estremità
    della terra
  e radunò i dispersi.

[10]Apollonio aveva radunato, oltre ai pagani, un grosso esercito dalla Samaria per combattere contro Israele. [11]Come Giuda lo seppe, gli mosse contro, lo batté e l'uccise. Molti caddero colpiti a morte e altri fuggirono. [12]Presero le loro spoglie, ma la spada di Apollonio se la prese Giuda, che poi l'adoperò in guerra per tutto il tempo della sua vita. [13]Seron, capo dell'esercito di Siria, udito che Giuda aveva radunato attorno a sé uno stuolo di fedeli e di uomini pronti ad uscire in guerra, [14]disse: «Mi farò un nome e mi coprirò di gloria nel regno, combattendo contro Giuda e contro i suoi uomini che disprezzano il comando del re». [15]Partì e con lui si mosse una forte armata di empi per aiutarlo a vendicarsi degli Israeliti. [16]Giunti alla salita di Bet-Oron, Giuda gli mosse contro con pochi uomini. [17]Come videro l'armata che marciava contro di essi, questi dissero a Giuda: «Come faremo, noi che siamo così pochi, a combattere contro una moltitudine così grande e forte? Siamo anche sfiniti, perché oggi non abbiamo mangiato niente». [18]Ma Giuda rispose: «È facile che molti cadano per mano di pochi e non fa differenza per il cielo salvare per mezzo di molti o di pochi, [19]perché in guerra la vittoria non sta nella grandezza dell'esercito, ma è dal cielo che viene la forza. [20]Costoro ci vengono contro pieni di insolenza e di empietà, per disperdere noi, le nostre mogli e i nostri figli e per spogliarci, [21]ma noi combatteremo per

1Mac

---

3. - 3-9. Bell'elogio di Giuda Maccabeo, eroe del jahvismo, che con le sue imprese farà risuonare il nome giudeo anche fuori della Palestina. Il suo amore alle tradizioni ebraiche è superiore ad ogni encomio.

la nostra vita e per le nostre leggi. ²²Egli li annienterà dinanzi a noi. Perciò non abbiate paura di loro».

²³Come ebbe finito di parlare, irruppe sopra di loro all'improvviso e Seron e la sua armata rimasero annientati davanti a lui. ²⁴Li inseguirono per la discesa di Bet-Oron fino alla pianura. Di essi caddero circa ottocento uomini; gli altri fuggirono nella regione dei Filistei. ²⁵Così Giuda e i suoi fratelli cominciarono ad essere temuti e lo spavento si sparse sulle genti all'intorno. ²⁶La sua fama giunse fino al re, e delle sue imprese militari parlavano le genti.

²⁷Appena il re Antioco udì queste notizie, arse di sdegno e diede ordine di radunare tutte le forze del suo regno: un'armata molto potente. ²⁸Aprì il suo erario e pagò il soldo alle truppe per un anno, ordinando loro di tenersi pronte per qualunque necessità. ²⁹Vedendo però che il denaro veniva a mancare dalle sue riserve e che i tributi della regione erano scarsi a causa delle discordie e delle calamità che egli stesso aveva procurato nel paese per abolire le usanze che esistevano fin dai tempi antichi, ³⁰temette di non poter disporre, come altre volte per il passato, delle risorse per le spese e per i donativi che faceva con tanta prodigalità, superando i re precedenti. ³¹Preso da grande angustia, decise di recarsi in Persia per raccogliere i tributi delle province e per radunare molto denaro. ³²Pertanto lasciò Lisia, uomo illustre e di stirpe regale, alla direzione degli affari del regno, dal fiume Eufrate fino ai confini dell'Egitto, ³³e come tutore di suo figlio Antioco fino al suo ritorno. ³⁴Gli affidò metà delle truppe e gli elefanti e gli diede istruzioni per tutte le cose che voleva fossero eseguite; riguardo agli abitanti della Giudea e di Gerusalemme ³⁵gli ordinò di mandare contro di loro un esercito per abbattere e distruggere le forze d'Israele e quanto restava di Gerusalemme e cancellare il loro ricordo dalla regione; ³⁶di collocare nel loro territorio abitanti stranieri, distribuendo per lotti la loro terra. ³⁷Poi il re prese l'altra metà delle truppe, partì da Antiochia, capitale del suo regno, nell'anno centoquarantasette e, attraversato il fiume Eufrate, si mise a percorrere le regioni settentrionali.

³⁸Allora Lisia scelse Tolomeo, figlio di Dorimene, Nicanore e Gorgia, uomini potenti tra gli amici del re, ³⁹e li inviò con quarantamila uomini e settemila cavalli ad invadere la terra di Giuda e a devastarla, secondo il comando del re. ⁴⁰Essi partirono con tutte le loro truppe e vennero ad accamparsi nei pressi di Emmaus, nella pianura. ⁴¹I mercanti della regione, quando ne ebbero notizia, si fornirono d'oro e d'argento in grande quantità e di catene, e vennero all'accampamento per acquistare come schiavi gli Israeliti. Ad essi si unirono milizie della Siria e di paesi stranieri.

⁴²Giuda e i suoi fratelli videro che i mali si erano moltiplicati e che le truppe si stavano accampando ai loro confini e vennero a sapere quanto il re aveva ordinato di fare per la distruzione totale del loro popolo. ⁴³Perciò si dissero l'un l'altro: «Rialziamo il nostro popolo dall'abbattimento e combattiamo per il nostro popolo e per il santuario!». ⁴⁴Allora si convocò l'assemblea per prepararsi alla guerra, per pregare e per implorare pietà e misericordia.

⁴⁵ Gerusalemme era spopolata
   come un deserto,
non vi era, tra i suoi figli, chi entrasse
   e uscisse.
Il santuario era calpestato
e figli di stranieri erano nell'Acra,
divenuta abitazione per i pagani.
La gioia era sparita da Giacobbe,
il flauto e la cetra erano scomparsi.

⁴⁶Si radunarono, dunque, e vennero a Masfa, di fronte a Gerusalemme. In Masfa, infatti, anticamente vi era stato un luogo di preghiera per Israele. ⁴⁷Digiunarono quel giorno e si rivestirono di sacco, sparsero cenere sul loro capo e si stracciarono le vesti. ⁴⁸Aprirono il libro della legge per scoprirvi quelle cose che i pagani cercavano di sapere dai simulacri dei loro idoli. ⁴⁹Portarono le vesti dei sacerdoti, le primizie e le decime, fecero venire i nazirei, che avevano compiuto i giorni del loro voto, ⁵⁰e alzarono la voce al cielo dicendo: «Che cosa faremo di costoro e dove li condurremo? ⁵¹Il tuo santuario è calpestato e profanato; i tuoi sacerdoti sono nel lutto e nell'umiliazione. ⁵²Ecco, i pagani si sono radunati contro di noi per annientarci. Tu sai ciò che essi tramano contro di noi. ⁵³Come potremo resistere davanti a loro, se tu non ci aiuti?».

⁵⁴Poi fecero risuonare le trombe e alzarono grandi grida. ⁵⁵Dopo questo, Giuda stabilì i comandanti del popolo, capi di mille, di cento, di cinquanta e di dieci. ⁵⁶Disse a coloro che stavano edificando una casa o che dovevano prendere moglie o che avevano piantato una vigna e ai paurosi di tornarsene a casa loro, secondo la legge. ⁵⁷Quindi l'esercito si mosse e si accampò a sud di Emmaus. ⁵⁸Disse Giuda: «Cingete le armi. Siate forti e state pronti fin dal mattino per combattere contro questi stranieri che si sono radunati per distruggere noi e il nostro santuario. ⁵⁹Infatti è meglio per noi morire in battaglia che vedere la rovina della nostra gente e del santuario. ⁶⁰Accadrà ciò che vuole il cielo».

LA BATTAGLIA DI EMMAUS E LA DEDICAZIONE DELL'ALTARE

4 ¹Gorgia prese con sé cinquemila uomini e mille cavalieri scelti. L'armata partì di notte, ²in modo da piombare addosso all'armata dei Giudei e colpirli all'improvviso. Gli uomini dell'Acra gli facevano da guida. ³Giuda, appena lo seppe, partì anch'egli con i suoi guerrieri per colpire le forze del re che erano in Emmaus, ⁴mentre le schiere erano ancora disperse lontano dal campo. ⁵Gorgia giunse di notte al campo di Giuda, ma non vi trovò nessuno. Perciò si mise a cercarli tra i monti. Diceva infatti: «Essi fuggono davanti a noi». ⁶Giuda, invece, sul far del giorno, apparve nella pianura con tremila uomini, i quali però non avevano né armature né spade, come avrebbero desiderato. ⁷Videro l'accampamento dei pagani difeso e fortificato, circondato dalla cavalleria e tutti esperti nella guerra. ⁸Giuda perciò disse agli uomini che erano con lui: «Non temete il loro numero e non abbiate paura dei loro assalti. ⁹Ricordate come i nostri padri furono salvati nel Mar Rosso, quando il Faraone li inseguiva con l'esercito. ¹⁰Ora alziamo la nostra voce al cielo, perché ci usi benevolenza e si ricordi dell'alleanza con i nostri padri e voglia abbattere quest'armata davanti a noi oggi. ¹¹Allora tutte le genti riconosceranno che vi è chi redime e salva Israele».

¹²Quando gli stranieri alzarono gli occhi e se li videro venire avanti, ¹³uscirono dall'accampamento per combattere. Quelli di Giuda, suonate le trombe, ¹⁴si gettarono nella mischia e riuscirono ad abbattere i pagani che fuggirono verso la pianura, ¹⁵mentre quelli che erano rimasti indietro caddero sotto la spada. Li inseguirono fino a Ghezer e fino alle pianure dell'Idumea, di Asdod e di Iamnia; ne caddero circa tremila. ¹⁶Giuda, di ritorno dall'inseguimento con il suo esercito, ¹⁷disse al popolo: «Non siate avidi di bottino, poiché un'altra battaglia ci sta davanti. Gorgia con l'esercito è sulla montagna vicino a noi. ¹⁸Ora perciò resistete davanti ai nostri nemici e combattete contro di essi; poi raccoglierete tranquillamente il bottino». ¹⁹Mentre Giuda stava per finire di dire tali cose, ecco che una schiera apparve, sbucando dalla montagna. ²⁰Avevano visto che i loro erano stati messi in fuga e che il campo era in fiamme. Il fumo che si vedeva rivelava, infatti, ciò che era accaduto. ²¹Vedendo ciò, furono presi da grande paura. Inoltre, vedendo che l'esercito di Giuda era in pianura pronto per lo scontro, ²²se ne fuggirono tutti nel territorio dei Filistei. ²³Giuda allora tornò a saccheggiare l'accampamento e raccolse molto oro e argento, stoffe tinte di porpora violetta e marina e ricchezze in quantità. ²⁴Di ritorno, cantavano e benedicevano il cielo «perché egli è buono ed eterno è il suo amore». ²⁵Fu quello un giorno di grande liberazione per Israele.

²⁶Quanti degli stranieri si erano salvati, andarono da Lisia e gli narrarono tutto ciò che era successo. ²⁷Egli allora, udendo ciò, rimase sconvolto e scoraggiato, poiché le cose in Israele non erano andate com'egli desiderava, né come il re gli aveva comandato. ²⁸Perciò l'anno seguente egli radunò sessantamila uomini scelti e cinquemila cavalieri per mandarli a combattere. ²⁹Vennero nell'Idumea e si accamparono a Bet-Zur. Giuda allora gli mosse contro con diecimila uomini ³⁰e, quando ebbe visto il loro potente schieramento, pregò dicendo: «Benedetto sei tu, o salvatore d'Israele, che hai fiaccato l'impeto del gigante per mano del tuo servo Davide e hai fatto cadere l'esercito dei Filistei nelle mani di Gionata, figlio di Saul, e di colui che portava le sue armi. ³¹Allo stesso

1Mac

---

4. - 2. *Gli uomini dell'Acra*, cioè la guarnigione sira che era in Gerusalemme, vicino al tempio: alcuni di quei soldati s'erano recati a far da guida all'esercito amico.

modo fa' cadere questo esercito nelle mani del tuo popolo Israele; fa' che restino confusi nella loro forza e con la loro cavalleria. [32]Infondi in loro spavento e spezza l'audacia della loro forza, e siano travolti nella loro disfatta. [33]Gettali sotto la spada di coloro che ti amano; ti lodino con canti tutti quelli che riconoscono il tuo nome». [34]Poi i due schieramenti vennero a battaglia e caddero davanti ai Giudei circa cinquemila uomini del campo di Lisia. [35]Lisia, vedendo la ritirata della sua armata e l'audacia dimostrata da quelli di Giuda, come cioè erano pronti a vivere o a morire da prodi, fece ritorno ad Antiochia, dove cominciò a reclutare mercenari stranieri più numerosi per venire di nuovo in Giudea.

[36]Intanto Giuda e i suoi fratelli dissero: «Ecco, i nostri nemici sono stati sconfitti. Andiamo a purificare il santuario e a riconsacrarlo». [37]Si riunì, allora, tutto l'esercito e salirono sul monte Sion. [38]Videro così il santuario deserto, l'altare profanato, le porte bruciate, le piante cresciute nei cortili come in un luogo selvatico o montuoso e gli appartamenti sacri in rovina. [39]Si stracciarono le vesti, fecero un grande lamento, si cosparsero di cenere, [40]caddero con la faccia a terra e, al segnale delle trombe, elevarono grida al cielo. [41]Giuda allora ordinò ai suoi uomini di combattere contro quelli che erano nell'Acra fino a quando egli non avesse purificato il santuario. [42]Scelse pure sacerdoti senza macchia, osservanti della legge, [43]i quali purificarono il santuario e trasportarono le pietre profanate in un luogo impuro. [44]Si consultarono poi per decidere che cosa fare circa l'altare degli olocausti che era stato profanato. [45]Venne loro la felice idea di demolirlo, affinché non fosse per loro causa di vergogna, essendo stato profanato dai pagani. Demolirono, dunque, l'altare [46]e ne deposero le pietre sul monte del tempio, in un luogo conveniente, finché non fosse venuto un profeta a decidere il da farsi.

[47]Poi presero pietre intatte conformi alla legge e costruirono un nuovo altare sul modello del precedente. [48]Ripararono il santuario e consacrarono l'interno del tempio e i cortili. [49]Fecero fare nuovi arredi sacri e portarono dentro il tempio il candelabro, l'altare dei profumi e la tavola. [50]Bruciarono incenso sull'altare e accesero le lampade del candelabro, che risplendettero nel tempio. [51]Posero sulla tavola i pani, distesero le cortine e terminarono tutti i lavori che avevano intrapreso.

[52]Il giorno venticinque del nono mese, cioè il mese di Casleu, nell'anno centoquarantotto, si levarono di buon mattino [53]e offrirono un sacrificio, in conformità alla legge, sul nuovo altare degli olocausti che avevano costruito. [54]Esattamente nel tempo e nel giorno in cui i pagani lo avevano profanato, esso fu inaugurato fra canti e suoni di cetre, di arpe e di cembali. [55]Tutto il popolo si prostrò con la faccia a terra, adorando e benedicendo il cielo che li aveva condotti al successo. [56]Celebrarono la dedicazione dell'altare per otto giorni, offrirono sacrifici con gioia e offrirono pure un sacrificio di ringraziamento e di lode. [57]Ornarono la facciata del tempio con corone d'oro e scudi, inaugurarono le porte e gli appartamenti sacri e vi rimisero i battenti. [58]Grandissima fu la gioia del popolo, perché era stata cancellata l'onta dei pagani.

[59]Poi Giuda, i suoi fratelli e tutta l'assemblea d'Israele stabilirono che i giorni della dedicazione dell'altare si celebrassero nella loro ricorrenza, ogni anno, per otto giorni, a partire dal venticinque del mese di Casleu, con festa e gioia. [60]In quello stesso tempo costruirono intorno al monte Sion alte mura e torri robuste per impedire che i pagani tornassero a calpestarlo, come avevano fatto in precedenza. [61]Giuda vi stabilì un presidio per difenderlo e poi fortificò anche Bet-Zur, affinché il popolo avesse una difesa contro l'Idumea.

ALTRE IMPRESE VITTORIOSE DI GIUDA

5 [1]Quando i popoli vicini udirono che l'altare era stato ricostruito e il tempio rinnovato come prima, ne restarono fortemente irritati. [2]Decisero perciò di sterminare quelli della stirpe di Giacobbe che si trovavano in mezzo a loro e cominciarono così a uccidere e a far strage tra il popolo.

---

56. *Dedicazione*: la celebrazione di questa festa è anche ricordata nel vangelo (Gv 10,22). Presso gli Ebrei tale festa è ancora oggi celebrata sotto l'originario nome di *H+anukkah*. Con questa festa termina la prima fase dell'insurrezione maccabaica.

³Allora Giuda iniziò a combattere contro i figli di Esaù, nell'Idumea e nella regione di Acrabattene, perché essi tenevano gli Israeliti in stato d'assedio. Inflisse loro una grave sconfitta, li umiliò e prese le loro spoglie. ⁴Poi si ricordò della perfidia dei figli di Bean, i quali erano per il popolo un laccio e un inciampo, perché tendevano ad esso insidie sulle vie. ⁵Li costrinse a rifugiarsi nelle torri, li assediò e li votò allo sterminio, appiccando il fuoco alle torri con tutti quelli che vi erano dentro. ⁶Passò poi contro gli Ammoniti e vi trovò un forte esercito e un popolo numeroso, il cui capo era Timoteo. ⁷Fece contro di loro numerose battaglie, li mise in rotta davanti a sé e riuscì a batterli. ⁸Infine, impadronitosi di Iazer e delle sue dipendenze, fece ritorno in Giudea.

⁹Anche i pagani del Galaad si erano coalizzati contro gli Israeliti che erano nel loro territorio e volevano sterminarli. Questi, allora, rifugiatisi nella fortezza di Datema, ¹⁰mandarono lettere a Giuda e ai fratelli, nelle quali si diceva: «I pagani attorno a noi si sono coalizzati per sterminarci ¹¹e si apprestano a venire ad occupare la fortezza, nella quale ci siamo rifugiati. Timoteo è a capo del loro esercito. ¹²Ora vieni e liberaci dalle loro mani. Molti di noi, infatti, sono caduti ¹³e tutti i nostri fratelli, che erano nella regione di Tobia, sono stati messi a morte, mentre le loro mogli, i loro figli e i loro averi se li sono portati via. Sono periti là circa un migliaio di uomini».

¹⁴Si stavano ancora leggendo queste lettere, quand'ecco altri messaggeri giunsero dalla Galilea con le vesti stracciate, annunziando le medesime cose ¹⁵e riferendo come contro di essi si erano coalizzati quelli di Tolemaide, di Tiro e di Sidone e tutta la parte pagana della Galilea, per sterminarli. ¹⁶Quando Giuda e il popolo ebbero udito queste cose, si radunò una grande assemblea per decidere cosa dovessero fare per i loro fratelli che erano nella tribolazione, combattuti dai pagani. ¹⁷Disse Giuda a Simone, suo fratello: «Scegliti degli uomini e va' a liberare i tuoi fratelli che sono in Galilea, mentre io e Gionata, mio fratello, andremo nel Galaad». ¹⁸Lasciò Giuseppe, figlio di Zaccaria, e Azaria, capo del popolo, con il resto dell'esercito a guardia della Giudea, ¹⁹e diede loro quest'ordine: «Presiedete a questo popolo e non attaccate guerra contro i pagani fino al nostro ritorno». ²⁰A Simone furono assegnati tremila uomini per andare in Galilea, a Giuda ottomila per il Galaad.

²¹Simone partì per la Galilea e ingaggiò molte battaglie contro i pagani. Questi rimasero sconfitti davanti a lui ²²ed egli li inseguì fino alle porte di Tolemaide. Tra i pagani caddero circa tremila uomini e Simone prese le loro spoglie. ²³Raccolti poi gli Israeliti della Galilea e dell'Arbatta con le mogli, i figli e quanto avevano, li condusse in Giudea con grande gioia.

²⁴Frattanto Giuda Maccabeo e Gionata, suo fratello, passarono il Giordano e camminarono per tre giorni nel deserto, ²⁵finché s'imbatterono nei Nabatei, i quali li accolsero pacificamente e riferirono loro tutte le cose che erano accadute ai loro fratelli nel Galaad: ²⁶«Molti di essi si trovano assediati a Bozra, Bozor, Alema, Casfo, Maked e Karnain, tutte città fortificate e grandi. ²⁷Anche nelle altre città del Galaad sono assediati. Si è fissato per domani di attaccare le fortezze, di conquistarle e di sterminare in un solo giorno tutti quelli che vi si trovano».

²⁸Allora Giuda col suo esercito cambiò subito cammino per il deserto, alla volta di Bozra, e, occupata la città, ne uccise tutti i maschi a fil di spada, prese tutte le loro spoglie e la incendiò. ²⁹Di notte ripartì di là e si portarono fin nei pressi della fortezza. ³⁰Come si fece giorno, alzarono gli occhi ed ecco una folla innumerevole, che rizzava scale e macchine per espugnare la fortezza e già attaccava gli assediati. ³¹Giuda allora, vedendo che la battaglia era cominciata, mentre le grida della città salivano fino al cielo tra un fragore di trombe e un clamore assordante, ³²disse agli uomini del suo esercito: «Combattete oggi per i vostri fratelli!». ³³Li lanciò in tre schiere alle loro spalle, suonando le trombe e alzando grida d'invocazione. ³⁴Le truppe di Timoteo, accortesi che c'era il Maccabeo, fuggirono davanti a lui; egli inflisse loro una grande sconfitta e ne rimasero uccisi in quel giorno circa ottomila. ³⁵Egli allora piegò su Alim, l'attaccò e la conquistò; uccise tutti i suoi maschi, prese le sue spoglie e l'incendiò. ³⁶Poi, partito di là, conquistò Casfo, Maked, Bozor e tutte le altre città del Galaad.

³⁷Dopo questi fatti, Timoteo radunò un altro esercito e venne ad accamparsi di fronte a Rafon, al di là del torrente. ³⁸Giuda allora

mandò ad esplorare l'accampamento e gli riferirono: «Presso di lui si sono radunati tutti i pagani che ci circondano e l'esercito è molto grande. 39Hanno assoldato gli Arabi come ausiliari e si sono accampati al di là del torrente, pronti ad attaccare battaglia con te». Giuda mosse loro contro; 40ma Timoteo disse ai generali del suo esercito, mentre Giuda e il suo esercito si avvicinavano al torrente: «Se passa verso di noi per primo, non possiamo resistergli, perché sicuramente ci vincerà; 41se invece ha paura e si accampa al di là del fiume, andremo noi contro lui e lo vinceremo».

42Come Giuda si fu avvicinato al corso d'acqua, dispose gli scribi del popolo lungo il torrente e diede loro quest'ordine: «Non permettete che nessuno si fermi, ma tutti vadano in battaglia». 43Poi passò egli stesso, per primo, contro i nemici e tutto il popolo lo seguì. Davanti a loro tutti i pagani furono travolti, abbandonarono le armi e si rifugiarono nel tempio di Karnain. 44Allora essi occuparono la città, incendiarono il tempio con tutti quelli che vi erano dentro, e così Karnain fu espugnata e non poté più resistere davanti a Giuda.

45Giuda radunò tutti gli Israeliti che erano nel Galaad, dal più piccolo al più grande, con le donne, i figli e il loro bagaglio, una folla stragrande, per andare alla volta della terra di Giuda. 46Giunsero a Efron, grande città ben fortificata, che era sulla strada e da cui non si poteva piegare né a destra né a sinistra, ma bisognava attraversarla. 47Quelli della città però chiusero loro il passaggio e con pietre barricarono le porte. 48Giuda mandò a dir loro in termini pacifici: «Attraverseremo la tua terra solo per tornare alla nostra terra. Nessuno vi farà del male. Vogliamo soltanto passare a piedi». Ma quelli non vollero aprirgli. 49Giuda perciò ordinò di proclamare nel campo che ciascuno si fermasse nel luogo dove si trovava.

50Gli uomini della truppa presero posizione e combatterono contro la città per tutto quel giorno e tutta la notte; la città alla fine dovette arrendersi. 51Giuda passò a fil di spada tutti i maschi, la distrusse fino alle fondamenta, prese le sue spoglie e attraversò la città passando sui cadaveri.

52Poi attraversarono il Giordano verso la grande pianura, di fronte a Beisan. 53Giuda badava a raggruppare quanti rimanevano indietro e a incoraggiare il popolo lungo tutto il viaggio, finché giunsero nella Giudea. 54Salirono al monte Sion con gioia ed esultanza e offrirono olocausti, perché nessuno di loro era caduto ed erano ritornati in pace.

55Nei giorni in cui Giuda e Gionata erano nella terra di Galaad, e Simone loro fratello in Galilea davanti a Tolemaide, 56Giuseppe, figlio di Zaccaria, e Azaria, comandanti dell'esercito, avendo avuto notizia delle gesta valorose e delle battaglie che quelli avevano compiuto, 57dissero: «Facciamoci anche noi onore e andiamo a combattere contro i pagani che sono intorno a noi». 58Diedero dunque ordini ai soldati che erano con loro e marciarono su Iamnia. 59Ma Gorgia uscì dalla città con i suoi uomini contro di loro per combatterli, 60e Giuseppe e Azaria furono sconfitti, inseguiti fino ai monti della Giudea e in quel giorno caddero circa duemila uomini del popolo d'Israele. 61Fu una grande sconfitta per il popolo, perché non avevano ascoltato Giuda e i suoi fratelli, credendo di fare prodezze. 62Costoro non erano della stirpe di quegli uomini per le cui mani si doveva compiere la salvezza di Israele.

63Il valoroso Giuda e i suoi fratelli crebbero in grande onore davanti a tutto Israele e davanti a tutte le genti alle quali giungeva la fama del loro nome, 64sicché si radunavano intorno a loro per congratularsi.

65Giuda uscì ancora con i suoi fratelli per combattere contro i figli di Esaù, nella terra del mezzogiorno. Colpì Ebron e le sue dipendenze, espugnò le sue fortezze e incendiò le sue torri all'intorno. 66Partì poi di là per recarsi nella terra dei Filistei e attraversò Maresa. 67In quel giorno però caddero in battaglia alcuni sacerdoti, che volevano compiere imprese, uscendo sconsideratamente al combattimento. 68Giuda si diresse verso Asdod, terra dei Filistei: abbatté i loro altari, gettò nel fuoco le statue degli dèi, prese le spoglie delle città e ritornò in Giudea.

IL RE ANTIOCO MUORE E GLI SUCCEDE IL FIGLIO

6 1Il re Antioco, mentre percorreva le regioni settentrionali, sentì dire che in Persia vi era la città di Elimaide, famosa per ricchezza, argento e oro, 2e che il suo tem-

pio era molto ricco, poiché vi si trovavano armature d'oro, corazze e armi lasciate là da Alessandro, figlio di Filippo, il re macedone che per primo regnò sui Greci. ³Vi andò, allora, e cercò di occupare la città e di depredarla; ma non vi riuscì perché gli abitanti della città, conosciuto il suo disegno, ⁴insorsero contro di lui con le armi ed egli fuggì, allontanandosi di lì, con grande dispiacere, per far ritorno in Babilonia.

⁵Mentre era ancora in Persia, giunse poi un tale ad annunziargli che le truppe inviate contro Giuda erano state travolte. ⁶Lisia, in particolare, partito con un forte esercito, era stato respinto dagli Israeliti, i quali si erano rinforzati con le armi, i mezzi di guerra e l'ingente bottino tolto alle truppe sopraffatte. ⁷Essi inoltre avevano abbattuto l'abominazione che egli aveva eretto sull'altare in Gerusalemme e avevano circondato con mura alte come prima il santuario e Bet-Zur, che era una sua città.

⁸All'udire queste notizie, il re restò sbigottito e fortemente agitato, si gettò sul letto e cadde ammalato per il dispiacere che non si era realizzato ciò che egli desiderava. ⁹Rimase così per molti giorni, mentre una profonda tristezza si rinnovava continuamente in lui. Pensò che stava per morire. ¹⁰Perciò chiamò tutti i suoi amici e disse loro: «Il sonno s'è ritirato dai miei occhi e il mio cuore è abbattuto per l'inquietudine. ¹¹Mi sono detto: A quale afflizione sono giunto e in quale grande tempesta mi dibatto! Ero, infatti, felice e amato nella mia potenza. ¹²Ora, invece, mi assale il ricordo dei mali che ho fatto a Gerusalemme, quando presi tutti i suoi oggetti d'oro e d'argento e quando inviai a sterminare gli abitanti di Giuda senza motivo. ¹³Riconosco che è a causa di tali cose che questi mali mi hanno colpito; ed ecco con profonda tristezza muoio in una terra straniera». ¹⁴Chiamò Filippo, uno dei suoi amici, e lo costituì capo di tutto il suo regno. ¹⁵Gli consegnò il diadema, il suo manto e l'anello; l'incaricò di guidare suo figlio Antioco e di prepararlo al trono. ¹⁶Poi il re Antioco morì in quel luogo, nell'anno centoquarantanove. ¹⁷Lisia, appena seppe che il re era morto, proclamò re suo figlio Antioco, che egli aveva educato fin da piccolo, e gli diede il nome di Eupatore.

¹⁸Ora quelli che erano nell'Acra tenevano assediati gli Israeliti intorno al santuario, cercando sempre di nuocere loro e di sostenere invece gli stranieri. ¹⁹Giuda perciò, avendo deciso di sterminarli, fece convocare tutto il popolo per assediarli. ²⁰Si radunarono dunque e nell'anno centocinquanta posero l'assedio all'Acra, costruendo piattaforme e macchine. ²¹Alcuni degli assediati, tuttavia, riuscirono a rompere l'accerchiamento e, unitisi a loro alcuni Israeliti rinnegati, ²²andarono dal re e gli dissero: «Fino a quando tarderai a far giustizia e a vendicare i nostri fratelli? ²³Noi accettammo volentieri di servire tuo padre, di seguire le sue parole e di osservare i suoi comandi. ²⁴Per questa ragione i figli del nostro popolo hanno posto assedio alla fortezza e si sono estraniati da noi. Anzi, quanti di noi vengono scovati sono messi a morte e i nostri campi sono devastati. ²⁵E non è contro di noi soltanto che hanno steso la mano, ma anche contro tutti i loro confinanti. ²⁶Ecco, ora stanno accampati intorno all'Acra, in Gerusalemme, per espugnarla, e hanno fortificato il santuario e Bet-Zur. ²⁷Se non ti affretti a prevenirli, faranno cose più gravi di queste e tu non potrai più arrestarli». ²⁸All'udire ciò, il re si adirò e fece radunare tutti i suoi amici, comandanti dell'esercito e preposti alla cavalleria. ²⁹Accorsero da lui truppe mercenarie anche da altri regni e dalle isole del mare. ³⁰Il numero delle sue truppe era di centomila fanti, ventimila cavalieri e trentadue elefanti addestrati alla guerra. ³¹Passarono per l'Idumea e posero l'accampamento contro Bet-Zur. Combatterono per molti giorni e allestirono delle macchine. Gli assediati, però, fecero una sortita e le incendiarono, combattendo valorosamente.

³²Giuda allora partì anch'egli dall'Acra e si accampò presso Bet-Zaccaria di fronte al campo del re. ³³Il re, però, si levò di buon mattino e trasferì l'armata, piena d'ardore, sulla strada di Bet-Zaccaria, dove le truppe si disposero al combattimento e suonarono le trombe. ³⁴Per aizzarli al combattimento, misero davanti agli elefanti succo di uva e di more. ³⁵Distribuirono queste bestie tra le varie falangi e intorno a ciascun elefante disposero mille uomini con corazze a maglia e con elmi di bronzo in testa, mentre cinquecento cavalieri scelti erano disposti intorno a ciascuna bestia. ³⁶Costoro in ogni caso si tenevano ai lati della bestia; l'accompagnavano ovunque andava e giammai si allontanavano da essa. ³⁷Sopra

ogni elefante erano assicurate delle torri di legno mediante congegni e in ciascuna torre vi erano quattro uomini armati che di là combattevano, e un conducente indiano. [38]Quanto al resto della cavalleria, il re la dispose di qua e di là, ai due lati dello schieramento, per sconvolgere il nemico e proteggere le falangi. [39]Quando poi il sole brillò sugli scudi d'oro e di bronzo, le montagne ne furono illuminate e brillarono come fiaccole ardenti. [40]Una parte dell'armata del re si schierò sulle alture della montagna, un'altra invece nella pianura e incominciarono ad avanzare cautamente e ordinatamente. [41]Restavano tutti scossi quelli che udivano il clamore della loro moltitudine, il calpestio di tanta gente e l'urto delle armi. Era, infatti, un esercito straordinariamente grande e potente. [42]Giuda avanzò col suo esercito all'attacco e nell'esercito del re caddero seicento uomini. [43]Eleazaro, detto Auaran, vedendo uno degli elefanti bardato con armature regali e più alto di tutti gli altri, credendo che sopra di esso vi fosse il re, [44]volle sacrificarsi per salvare il suo popolo e per acquistarsi un nome eterno. [45]Corse arditamente verso di esso in mezzo alla falange, uccidendo a destra e a sinistra, sicché i nemici si dividevano davanti a lui da una parte e dall'altra. [46]Cacciatosi sotto l'elefante, lo colpì di sotto e l'uccise. La bestia però cadde a terra sopra di lui ed egli morì. [47]I Giudei, tuttavia, vedendo la forza del re e lo slancio delle sue truppe, si ritirarono.

[48]Allora gli uomini dell'armata del re salirono contro di essi alla volta di Gerusalemme. Il re fece porre il campo contro la Giudea e contro il monte Sion, [49]mentre egli trattò la pace con quelli che erano in Bet-Zur, i quali uscirono dalla città perché non avevano più viveri per sostenervi un assedio, essendo la terra in riposo. [50]Così il re prese Bet-Zur e vi pose un presidio per custodirla; [51]tenne assediato per molti giorni il santuario, erigendovi piattaforme, macchine, lanciafiamme, baliste e scorpioni per scagliare frecce e proiettili. [52]Anche i Giudei però opposero macchine alle loro macchine e combatterono per molti giorni. [53]Ma non essendovi più viveri nei depositi, perché quello era l'anno sabbatico e gli Israeliti che erano tornati in Giudea dalle altre nazioni avevano consumato tutte le riserve, [54]furono lasciati nel santuario soltanto pochi uomini, e gli altri,

presi dalla fame, si dispersero ciascuno al suo paese.

[55]Frattanto Lisia venne a sapere che Filippo – incaricato dal re Antioco, ancora vivente, di educare suo figlio Antioco per prepararlo al trono – [56]era ritornato dalla Persia e dalla Media con le truppe che avevano accompagnato il re e cercava di impadronirsi del potere. [57]Allora in tutta fretta egli manifestò il pensiero di voler partire dicendo al re, ai comandanti dell'esercito e ai soldati: «Noi ci esauriamo di giorno in giorno, il cibo è poco e il luogo che teniamo assediato è fortificato, mentre gli affari del regno incombono su di noi. [58]Ora, perciò, offriamo la destra a questi uomini e facciamo pace con loro e con tutta la loro gente. [59]Concediamo loro di poter vivere secondo le loro leggi come prima, poiché è a causa delle loro leggi, che noi abbiamo abolito, che essi si sono irritati e hanno fatto tutte queste cose». [60]Il suo discorso piacque al re e ai prìncipi. Si mandò perciò a trattare la pace con i Giudei e questi accettarono. [61]Il re e i prìncipi giurarono davanti a loro ed essi a tali patti uscirono dalla fortezza. [62]Però il re, recatosi sul monte Sion e visto il luogo fortificato, ruppe il giuramento che aveva fatto e comandò di abbattere il muro all'intorno. [63]Quindi partì in fretta e fece ritorno ad Antiochia, dove trovò Filippo che si era impadronito della città. Combatté contro di lui e con la forza occupò la città.

DEMETRIO I, NUOVO RE IN SIRIA

7 [1]L'anno centocinquantuno, Demetrio, figlio di Seleuco, scappò da Roma, s'imbarcò con pochi uomini verso una città del-

6. - 49. *La terra in riposo*: cioè era l'anno sabbatico (ricorreva ogni sette anni). In esso era proibito coltivare la terra e i frutti prodotti spontaneamente erano di tutti (Es 23,11; Lv 25,2-7). 59. *Come prima*, cioè con il diritto di vivere secondo le proprie leggi, pur riconoscendo la sovranità seleucida sulla Palestina. Lisia capì che la politica di violenza adottata contro Israele non conduceva a nulla di buono.

7. - 1. *Demetrio* era figlio di Seleuco IV Filopatore, fratello di Antioco IV, il quale usurpò il trono mentre il giovanetto era ostaggio a Roma. Alla morte di Antioco IV, Demetrio reclamò il suo diritto, ma Roma, che preferiva come re in Asia un ragazzo, favorì Antioco V. Demetrio, riuscito a fuggire su una nave cartaginese, andò a conquistare il regno di suo padre. *Una città della costa*: è Tripoli di Siria (2Mac 14,1). Da Tripoli andò ad Antiochia.

la costa e incominciò a regnare. ²Quando Antioco raggiunse il palazzo reale dei suoi padri, le truppe catturarono lui e Lisia per condurglieli. ³Ma egli, conosciuto il fatto, disse: «Non fatemi vedere la loro faccia». ⁴Le truppe perciò li uccisero e così Demetrio si assise sul trono del suo regno.

⁵Allora vennero da lui tutti gli uomini iniqui ed empi d'Israele, guidati da Alcimo che voleva diventare sommo sacerdote, ⁶e cominciarono ad accusare il popolo presso il re dicendo: «Giuda con i suoi fratelli ha fatto perire tutti i tuoi amici e ha cacciato noi dalla nostra terra. ⁷Ora manda un uomo fidato perché vada a vedere quanto danno egli ha fatto a noi e ai domini del re e a punire quella gente con tutti quelli che li aiutano». ⁸Il re scelse Bacchide, uno degli amici del re, governatore della regione al di là del fiume, grande del regno e fedele al re. ⁹Lo inviò insieme all'empio Alcimo, a cui conferì il sommo sacerdozio, e gli comandò di far vendetta contro i figli d'Israele. ¹⁰Costoro partirono con un grande esercito e vennero nella terra di Giuda. Inviarono messaggeri a Giuda e ai suoi fratelli con false parole di pace.

¹¹Ma questi non si fidarono dei loro discorsi. Vedevano, infatti, che erano venuti con un grosso esercito. ¹²Un gruppo di scribi, tuttavia, si radunò presso Alcimo e Bacchide per chiedere patti giusti. ¹³Gli Asidei furono i primi tra i figli d'Israele a chiedere loro la pace. ¹⁴Dicevano infatti: «È un sacerdote della stirpe di Aronne colui che è venuto con le truppe. Egli non ci farà cose ingiuste». ¹⁵Egli fece con loro discorsi pacifici e giurò pure dicendo: «Non faremo alcun male, né a voi né ai vostri amici». ¹⁶Gli credettero: ma egli fece arrestare tra loro sessanta uomini e li uccise in un solo giorno, secondo la parola che è scritta:

¹⁷ «Le carni dei tuoi santi e il loro sangue
hanno sparso intorno a Gerusalemme
e non vi era chi li seppellisse».

¹⁸Allora il timore e il terrore si impadronirono di tutto il popolo. Si diceva: «Non c'è in loro né verità né giustizia. Infatti hanno violato il patto e il giuramento prestato».

¹⁹Bacchide poi partì da Gerusalemme e venne ad accamparsi a Bet-Zait. Mandò ad arrestare molti degli uomini che erano passati dalla sua stessa parte e alcuni del popolo e li fece sparire in un grande pozzo. ²⁰Affidò la regione ad Alcimo e lasciò con lui un esercito per sostenerlo. Quindi Bacchide se ne tornò dal re, ²¹mentre Alcimo rivendicava con le armi il sommo sacerdozio. ²²Tutti i perturbatori del popolo si unirono a lui, si impadronirono della terra di Giuda e causarono gravi danni in Israele. ²³Giuda vide tutto il male che facevano ai figli d'Israele Alcimo e i suoi aderenti, più che gli stessi pagani, ²⁴e incominciò a percorrere tutto il territorio della Giudea, per far vendetta dei disertori, impedendo loro di far scorrerie nella regione. ²⁵Quando Alcimo vide che Giuda con i suoi aveva il sopravvento ed egli non poteva resistergli, tornò dal re e li accusò di gravi misfatti.

²⁶Allora il re inviò Nicanore, uno dei suoi più illustri generali, che odiava e detestava Israele, ordinandogli di sterminare il popolo. ²⁷Nicanore venne a Gerusalemme con un grosso esercito e mandò alcuni da Giuda e dai suoi fratelli a dire con false parole di pace: ²⁸«Non ci sia guerra tra me e voi. Verrò con pochi uomini per vedere i vostri volti da amico». ²⁹Venne infatti da Giuda e si salutarono scambievolmente in modo amichevole, mentre i nemici stavano pronti per rapire Giuda. ³⁰Giuda però si accorse che egli era venuto da lui con inganno, ne rimase spaventato e non volle più vedere la sua faccia. ³¹Nicanore allora, come vide che il suo disegno era stato scoperto, uscì per combattere contro Giuda a Cafarsalama, ³²dove una parte di Nicanore caddero cinquecento uomini e gli altri si rifugiarono nella città di Davide. ³³Dopo questi fatti, Nicanore salì al monte Sion e alcuni sacerdoti e anziani del popolo uscirono dal santuario per salutarlo amichevolmente e per mostrargli il sacrificio che veniva offerto per il re. ³⁴Ma egli li schernì, ridendo di loro, oltraggiandoli e pronunziando parole insolenti. ³⁵Adirato, fece pure questo giuramento: «Se Giuda non viene consegnato subito nelle mie mani insieme al suo esercito, quando ritornerò vittorioso brucerò questo tempio». E se ne andò tutto furioso. ³⁶I sacerdoti, allora, rientrarono e andarono a porsi davanti all'altare e al tempio piangendo e dicendo: ³⁷«Tu hai scelto questo tempio perché su di esso fosse invocato il tuo nome e fosse casa di preghiera e di implorazione per il tuo popolo. ³⁸Fa' dunque vendetta di quest'uomo e del

suo esercito e periscano di spada! Ricordati delle loro bestemmie: non permettere che vivano ancora!».

[39]Nicanore uscì da Gerusalemme e andò ad accamparsi a Bet-Oron, dove gli andò incontro l'esercito di Siria. [40]Giuda si accampò ad Adasa con tremila uomini e pregò: [41]«Quando i messi del re assiro bestemmiarono, uscì il tuo angelo e ne abbatté centottantacinquemila. [42]Allo stesso modo abbatti questo esercito che ci sta davanti, affinché gli altri sappiano che egli ha parlato empiamente contro il tuo santuario e giudicalo secondo la sua malvagità».

[43]Gli eserciti attaccarono battaglia il tredici del mese di Adar. L'esercito di Nicanore però fu sconfitto ed egli stesso cadde per primo nel combattimento.

[44]Quando i suoi soldati videro che Nicanore era caduto, gettarono le armi e fuggirono. [45]I Giudei da Adasa li inseguirono fino a Ghezer, suonando dietro loro le trombe per dare l'allarme. [46]Uscirono, allora, uomini da tutti i villaggi che si trovavano all'intorno, li accerchiarono e li fecero rivoltare gli uni contro gli altri. Così caddero tutti a fil di spada e non ne rimase neppure uno. [47]Presero le loro spoglie e il bottino, mozzarono la testa di Nicanore e la sua destra, che egli aveva stesa arrogantemente, le portarono a Gerusalemme e là le esposero. [48]Il popolo se ne rallegrò grandemente e fece di quel giorno un grande giorno di allegrezza. [49]Poi stabilirono di celebrare ogni anno quel giorno, il tredici di Adar. [50]Così la terra di Giuda per un po' di tempo rimase tranquilla.

LA POTENZA DEI ROMANI

8 [1]Frattanto Giuda venne a conoscere la fama dei Romani, come cioè essi erano potenti in guerra e benevoli verso tutti quelli che si univano a loro, come stringevano amicizia con quanti a loro si rivolgevano e come erano forti e potenti. [2]Gli parlarono pure delle guerre e degli atti di valore da essi compiuti tra i Galli e come li avevano sottomessi e resi tributari. [3]Aveva saputo quanto avevano fatto nella regione della Spagna per impadronirsi delle miniere d'oro e d'argento che vi si trovano [4]e come si erano impadroniti di tutta la regione con la loro prudenza e perseveranza, sebbene il luogo fosse molto

distante da loro. Avevano sconfitto e inflitto gravi colpi ai re che erano andati contro di essi fin dall'estremità della terra e avevano costretto gli altri a pagare loro un tributo annuale. [5]Sconfissero pure in guerra Filippo e Perseo, re dei Chittim, e quanti si erano ribellati, assoggettandoli a sé. [6]Anche Antioco, il grande re dell'Asia, che mosse contro di loro in guerra con centoventi elefanti, cavalleria, carri e un esercito molto grande, fu da essi sconfitto; [7]lo catturarono vivo e gli imposero di pagare, lui e i suoi successori, un grande tributo, di consegnare ostaggi e di cedere [8]regioni quali l'India, la Media e la Lidia, le migliori delle sue province, che essi tolsero a lui per darle al re Eumene. [9]Quelli della Grecia, infine, avevano deciso di andare a sterminarli, [10]ma quando essi seppero la cosa, inviarono contro di loro un solo generale, combatterono contro di loro, ne fecero cadere molti trafitti, condussero in schiavitù le loro mogli e i loro figli, saccheggiarono i loro beni, si impadronirono della loro terra, abbatterono le loro fortezze e se li resero soggetti fino a oggi. [11]Quanto agli altri regni e alle isole che si erano loro opposti, li distrussero e li sottomisero. Con i loro amici invece, e con quelli che si fidavano di loro, essi mantennero amicizia. [12]Estesero il loro potere su re vicini e lontani, e quanti udivano il loro nome ne avevano timore. [13]Quelli che essi vogliono aiutare e far regnare, regnano; quelli che essi, invece, non vogliono, li depongono; e così si sono molto innalzati in potenza. [14]Con tutto ciò, neppure uno di essi ha cinto il diadema, né si è rivestito di porpora per grandeggiare.

[15]Hanno invece formato un senato e ogni giorno trecentoventi uomini si consultano sugli affari del popolo, per fare quello che è più conveniente. [16]Ogni anno affidano il comando e il governo di tutti i loro domini ad un solo uomo. Tutti obbediscono a questo solo e non vi è tra loro né invidia né gelosia. [17]Giuda, pertanto, scelse Eupolemo, figlio di Giovanni, figlio di Accos, e Giasone, figlio di Eleazaro, e li inviò a Roma per stringere con essi amicizia e alleanza, [18]affinché li liberassero dal giogo dei Greci che, come vedevano, erano decisi a ridurre Israele in schiavitù. [19]Giunsero a Roma dopo un viaggio molto lungo; entrarono nel senato e, presa la parola, dissero: [20]«Giuda, detto Maccabeo, i suoi fratelli e il popolo dei Giudei ci hanno

inviato a voi per stabilire con voi alleanza e pace e per essere iscritti tra i vostri alleati e amici». [21]Il discorso piacque ai presenti. [22]Ecco la copia della lettera che essi fecero incidere su tavole di bronzo e che inviarono a Gerusalemme perché vi rimanesse come documento di pace e di alleanza:

[23]«Salute ai Romani e alla nazione dei Giudei in mare e sulla terra per sempre! La spada e l'inimicizia siano lontane da essi! [24]Se sarà mossa guerra prima contro i Romani o a qualunque dei loro alleati in tutto il loro dominio, [25]la nazione dei Giudei combatterà al loro fianco, come le circostanze permetteranno, con piena lealtà. [26]Non daranno ai nemici né forniranno loro grano, armi, denaro o navi, secondo la decisione di Roma, ma manterranno i loro impegni senza pretendere nulla. [27]Allo stesso modo, se capiterà prima alla nazione dei Giudei una guerra, i Romani di cuore combatteranno al suo fianco, come le circostanze permetteranno loro. [28]Ai nemici non sarà dato né grano né armi, né denaro né navi, secondo la decisione di Roma, ma manterranno questi impegni senza inganno. [29]È in questi termini che i Romani hanno stretto alleanza con il popolo dei Giudei. [30]Se dopo queste decisioni gli uni o gli altri vorranno aggiungere o togliere qualche cosa, lo faranno a loro piacimento e ciò che avranno aggiunto o tolto sarà obbligatorio. [31]Riguardo ai mali che il re Demetrio ha loro causato, abbiamo scritto a lui dicendogli: Perché fai pesare il tuo giogo sui nostri amici e alleati Giudei? [32]Se, dunque, essi si appelleranno ancora contro di te, renderemo loro giustizia e ti faremo guerra per mare e per terra».

LA MORTE DI GIUDA MACCABEO

9 [1]Demetrio, avendo appreso che Nicanore era caduto in battaglia e il suo esercito distrutto, decise d'inviare di nuovo Bacchide e Alcimo nella terra di Giuda, alla testa dell'ala destra dell'esercito. [2]Questi presero la strada di Galgala e vennero ad accamparsi a Mesalot, nell'Arbela, la occuparono e fecero perire molte persone. [3]Nel primo mese dell'anno centocinquanta-

due posero il campo a Gerusalemme; [4]poi partirono e andarono a Berea con ventimila uomini e duemila cavalieri. [5]Giuda intanto si era accampato ad Elasa con tremila uomini scelti. [6]Come videro quella grande moltitudine di soldati, ne ebbero grande paura e molti fuggirono dal campo, non rimanendo che ottocento uomini. [7]Giuda, allora, come vide che il suo esercito si era dileguato mentre la battaglia incalzava, ebbe una stretta al cuore, perché non aveva più tempo di radunarli. [8]Avvilito, disse a quelli che erano rimasti: «Leviamoci e marciamo contro i nostri avversari, se mai possiamo combattere contro di essi». [9]Quelli però lo dissuadevano dicendo: «Non possiamo; ma ora salviamo piuttosto le nostre vite e poi ritorneremo con i nostri fratelli e combatteremo contro di loro. Siamo così pochi!». [10]Giuda replicò: «Non sia mai che io faccia una cosa simile, fuggendo davanti a costoro! Se la nostra ora è arrivata, moriamo con coraggio per i nostri fratelli, senza lasciare questa macchia alla nostra gloria». [11]L'esercito nemico uscì dal campo e i Giudei si disposero per affrontarlo. La cavalleria era divisa in due parti; i frombolieri e gli arcieri procedevano davanti all'esercito e in prima fila stavano tutti i più forti, mentre Bacchide era all'ala destra. [12]La falange si avvicinò dalle due parti, suonando le trombe. Quelli di Giuda fecero risuonare anch'essi le trombe. [13]La terra tremò per il fragore degli eserciti e la battaglia durò dal mattino fino alla sera. [14]Giuda vide che Bacchide e il forte dell'esercito erano dalla parte destra: allora si radunarono attorno a lui tutti i più coraggiosi [15]e l'ala destra per loro mezzo fu battuta e l'inseguirono fino al monte di Asdod. [16]Quelli dell'ala sinistra, però, come videro che l'ala destra era stata battuta, si voltarono sui passi di Giuda e dei suoi, stringendoli alle spalle. [17]La battaglia si fece aspra da una parte e dall'altra e molti caddero trafitti. [18]Cadde anche Giuda e gli altri fuggirono. [19]Gionata e Simone, allora, raccolsero Giuda, loro fratello, e lo seppellirono nel sepolcro dei suoi padri in Modin. [20]Tutto Israele lo pianse e fece un grande lutto su di lui, ripetendo per più giorni questo lamento: [21]«Come mai è caduto l'eroe, il salvatore d'Israele?». [22]Il resto delle azioni di Giuda, delle sue guerre, degli atti di valore da lui compiuti e della

---

9. - 10. Forse si poteva conciliare la prudenza con l'onore, ma noi non conosciamo tutte le circostanze.

sua grandezza non è stato scritto. Erano infatti troppo numerose.

²³Dopo la morte di Giuda, i senza legge riapparvero su tutto il territorio d'Israele e tutti coloro che operavano ingiustizie si risollevarono. ²⁴In quei giorni, poi, vi fu una carestia assai grande e il paese passò dalla loro parte. ²⁵Bacchide, da parte sua, scelse uomini empi e li pose al governo della regione. ²⁶Questi ricercavano gli amici di Giuda e, rintracciatili, li conducevano da Bacchide, il quale si vendicava di essi e li scherniva. ²⁷Fu una grande tribolazione per Israele, quale non vi era stata mai dal giorno in cui non era più apparso un profeta in mezzo a loro.

²⁸Si riunirono perciò tutti gli amici di Giuda e dissero a Gionata: ²⁹«Da quando tuo fratello Giuda è morto non vi è uomo simile a lui che possa combattere contro i nostri nemici, contro Bacchide e contro quelli che sono ostili alla nostra gente. ³⁰Ora, perciò, noi eleggiamo te al suo posto, nostro capo e condottiero nelle nostre guerre». ³¹Così Gionata in quello stesso giorno assunse il comando e prese il posto di Giuda, suo fratello.

³²Quando lo seppe, Bacchide cercava di ucciderlo. ³³Ma Gionata, Simone, suo fratello, e tutti quelli che erano con lui lo seppero e fuggirono nel deserto di Tekoa, accampandosi presso la cisterna di Asfar. ³⁴Bacchide lo venne a sapere in un giorno di sabato e anch'egli andò con tutto il suo esercito al di là del Giordano. ³⁵Gionata mandò suo fratello, capo della turba, a chiedere ai Nabatei suoi amici di poter deporre presso di loro i propri bagagli, che erano molti. ³⁶Ma da Madaba uscirono i figli di Iambri, catturarono Giovanni con tutte le cose che aveva e se le portarono via. ³⁷Dopo questo fatto, fu riferito a Gionata e a Simone suo fratello: «I figli di Iambri celebrano un grande sposalizio e da Nadabat accompagnano la sposa, figlia di uno dei più grandi signori di Canaan, con un corteo solenne».

³⁸Si ricordarono allora del sangue di Giovanni, loro fratello, e andarono a nascondersi al riparo di un monte. ³⁹Alzarono gli occhi per osservare ed ecco, tra un vocìo confuso, un grande corteo con lo sposo, i suoi amici e i suoi fratelli, che muovevano incontro a quelli con tamburi, strumenti musicali e arnesi in quantità. ⁴⁰Si gettarono allora su di essi dal loro nascondiglio e li massacrarono. Molti caddero trafitti e gli altri fuggirono verso la montagna. Essi ne raccolsero il bottino ⁴¹e così lo sposalizio si cambiò in pianto e il suono dei loro strumenti musicali in lamento. ⁴²Avendo in tal modo vendicato il sangue del loro fratello, se ne tornarono alle paludi del Giordano.

⁴³Bacchide, avendolo saputo, andò anch'egli in giorno di sabato fino alle rive del Giordano con un grande esercito. ⁴⁴Gionata disse a quelli che erano con lui: «Leviamoci e combattiamo per le nostre vite, poiché oggi non è come gli altri giorni. ⁴⁵Ecco, abbiamo i nemici di fronte a noi e alle spalle, da una parte l'acqua del Giordano e dall'altra le paludi o la boscaglia, sicché non c'è via di scampo. ⁴⁶Ora, dunque, alzate le vostre grida al cielo, perché possiate salvarvi dalle mani dei vostri nemici». ⁴⁷Si attaccò battaglia e Gionata stese la mano per colpire Bacchide, ma questi gli sfuggì e si tirò indietro. ⁴⁸Allora Gionata balzò con i suoi nel Giordano e a nuoto raggiunsero l'altra parte. Gli altri però non attraversarono il Giordano per inseguirli. ⁴⁹In quel giorno caddero circa mille uomini di Bacchide.

⁵⁰Poi Bacchide tornò a Gerusalemme; fece costruire molte fortificazioni nella Giudea: le fortezze di Gerico, Emmaus, Bet-Oron, Betel, Tamnata, Piraton e Tefon, con alte mura, porte e sbarre ⁵¹e vi pose guarnigioni per infierire contro Israele. ⁵²Fortificò ancora la città di Bet-Zur, di Ghezer e l'Acra e vi pose soldati e provviste di viveri. ⁵³Prese inoltre i figli dei capi della regione come ostaggi e li pose sotto custodia nell'Acra, a Gerusalemme. ⁵⁴Nell'anno centocinquantatré, nel secondo mese, Alcimo comandò di abbattere il muro del cortile interno del santuario, distruggendo così l'opera dei profeti. Fu iniziata l'opera di demolizione, ⁵⁵ma in quel tempo Alcimo ebbe un colpo e la sua opera fu interrotta. La sua bocca si chiuse e restò paralizzata, cosicché non poté più articolare parola e impartire ordini riguardo alla sua casa.

⁵⁶Alcimo morì in quel tempo, con grande spasimo, ⁵⁷e Bacchide, appena vide che Alcimo era morto, fece ritorno dal re e così la Giudea rimase tranquilla per due anni.

30-31. *Gionata* ebbe il comando militare, forse restò sempre a Simone quello civile: Gionata non è un eroe come Giuda, ma ha l'accortezza e l'abilità politica per cui riuscirà a rendere indipendente Israele, nonostante le potenti forze avversarie.

⁵⁸Allora tutti gli iniqui tennero questo consiglio: «Ecco, Gionata e i suoi vivono tranquilli e sicuri. Facciamo dunque venire Bacchide ed egli li prenderà tutti in una sola notte». ⁵⁹Andarono a consigliarsi con lui ⁶⁰ed egli si mosse per venire con un esercito numeroso e inviò in segreto delle lettere a tutti i suoi fautori in Giudea, affinché catturassero Gionata con i suoi. Non vi riuscirono, perché il loro disegno fu svelato. ⁶¹Anzi, questi catturarono una cinquantina di uomini della regione, che erano stati istigatori di tale iniquità, e li uccisero.

⁶²Poi Gionata e Simone con i loro uomini si ritirarono a Bet-Basi, nel deserto, ne ripararono le rovine e la fortificarono. ⁶³Quando lo seppe, Bacchide radunò tutta la sua gente e ne informò quelli della Giudea. ⁶⁴Poi venne a porre il campo contro Bet-Basi e l'assediò per molti giorni, facendovi costruire anche macchine. ⁶⁵Gionata, intanto, lasciato suo fratello Simone nella città, uscì per la regione, percorrendola con pochi uomini. ⁶⁶Batté Odomera con i suoi fratelli e i figli di Fasiron nelle loro tende, iniziando così i suoi successi e aumentando le sue forze. ⁶⁷Anche Simone e i suoi uscirono dalla città e incendiarono le macchine. ⁶⁸Affrontarono Bacchide, che fu da essi sconfitto, e gli inflissero una grande umiliazione. Il suo disegno, infatti, e il suo intervento erano stati resi vani. ⁶⁹Fortemente adirato contro gli uomini senza legge che gli avevano consigliato di venire nel paese, ne uccise molti; poi decise di ritornare nella sua terra.

⁷⁰Gionata, appena lo seppe, gli inviò messaggeri per concludere la pace con lui e scambiare i prigionieri. ⁷¹Egli accettò, facendo secondo le sue parole, e gli giurò che non avrebbe cercato più di fargli del male per tutti i giorni della sua vita. ⁷²Gli restituì i prigionieri che aveva catturato in passato nella terra di Giuda; poi, voltatosi, se ne andò al suo paese e non pensò più di tornare nel loro territorio. ⁷³Così si ripose la spada in Israele e Gionata si stabilì a Micmas. Ivi Gionata cominciò a giudicare il popolo e fece sparire gli empi da Israele.

LE IMPRESE DI GIONATA

10 ¹Nell'anno centosessanta Alessandro Epifane, figlio di Antioco, si imbarcò e occupò Tolemaide, dove fu ben accolto, e incominciò a regnare. ²Avendolo saputo, il re Demetrio radunò un numerosissimo esercito e uscì per combattere contro di lui. ³Allo stesso tempo Demetrio inviò a Gionata lettere con parole di amicizia per esaltarlo. ⁴Pensava infatti: «Affrettiamoci a concludere la pace con costoro, prima che egli la concluda con Alessandro contro di noi. ⁵Poiché egli certamente si ricorderà di tutti i mali che abbiamo causato a lui, ai suoi fratelli e alla sua nazione». ⁶Pertanto gli diede il potere di radunare truppe, di fabbricarsi armi e di considerarsi suo alleato; inoltre comandò che gli fossero consegnati gli ostaggi che erano nell'Acra.

⁷Gionata, allora, venne a Gerusalemme e lesse le lettere davanti a tutto il popolo e a quelli dell'Acra, ⁸i quali furono presi da gran timore all'udire che il re gli aveva dato il potere di arruolare un esercito. ⁹Quelli dell'Acra perciò consegnarono a Gionata gli ostaggi ed egli li restituì ai loro genitori. ¹⁰Gionata, pertanto, stabilitosi a Gerusalemme, cominciò a ricostruire e a rinnovare la città, ¹¹ordinando a quelli che eseguivano i lavori di costruire le mura e la cinta muraria del monte Sion con pietre quadrate come per una fortezza. Quelli fecero così. ¹²Allora gli stranieri, che erano nelle fortezze costruite da Bacchide, fuggirono ¹³e ognuno abbandonò la sua postazione per far ritorno alla propria terra, ¹⁴ad eccezione di alcuni di quelli che avevano abbandonato la legge e i comandamenti, i quali rimasero a Bet-Zur e ne fecero il loro rifugio.

¹⁵Il re Alessandro venne a sapere delle promesse che Demetrio aveva fatto a Gionata. Gli parlarono pure delle guerre e degli atti di valore compiuti da lui e dai suoi fratelli, nonché delle pene che essi avevano sopportato. ¹⁶Allora disse: «Troveremo forse un altro uomo come lui? Facciamocelo perciò

67-69. Assalito di fronte e alle spalle, Bacchide decide di togliere l'assedio e ritornarsene in patria. Ma forse intervennero anche altre circostanze.

10. - 1. *L'anno centosessanta*: corrisponderebbe al 152/151 a.C. *Alessandro Epifane*: di bassi natali, viveva oscuro a Smirne, quando Attalo II re di Pergamo, vedendo che rassomigliava meravigliosamente ad Antioco Eupatore, figlio di Antioco IV Epifane (1Mac 7,4), fece spargere la notizia che era figlio di Antioco Epifane e lo fece riconoscere come tale dal senato romano, aiutandolo poi a conquistarsi il regno.

nostro amico e alleato». [17]Scrisse pertanto una lettera e gliela inviò, esprimendosi in questi termini:

[18]«Il re Alessandro al fratello Gionata, salute! [19]Abbiamo saputo di te che sei un uomo valoroso e che sei disposto ad essere nostro amico. [20]Perciò ti costituiamo oggi sommo sacerdote della tua nazione e amico del re – e gli inviò la porpora e una corona d'oro – affinché tu favorisca la nostra causa e conservi con noi amicizia».

[21]Gionata incominciò a rivestirsi delle sacre vesti il settimo mese dell'anno centosessanta, nella festa delle Capanne; radunò truppe e si fabbricò armi in quantità.

[22]Avendo saputo queste cose, Demetrio se ne rattristò e disse: [23]«Che cosa abbiamo fatto! Alessandro ci ha prevenuti nello stringere amicizia con i Giudei a suo vantaggio. [24]Anch'io scriverò loro parole di incitamento con promesse di onori e di doni, affinché mi prestino aiuto». [25]Inviò loro una lettera con queste parole:

«Il re Demetrio alla nazione dei Giudei, salute! [26]Abbiamo sentito con gioia che avete osservato i patti stabiliti con noi, che siete rimasti fedeli alla nostra amicizia e che non siete passati dalla parte dei nostri nemici. [27]Perseverate ancora nel conservarci fedeltà; noi in contraccambio vi benefícheremo, [28]vi concederemo molte immunità e vi invieremo doni per quello che farete per noi. [29]Già da ora sciolgo ed esento tutti i Giudei dai tributi, dalla tassa del sale e dalle corone. [30]Rinuncio anche da oggi in poi a riscuotere dalla Giudea e dai tre distretti che le sono annessi, dalla Samaria e dalla Galilea, la terza parte del seminato e la metà dei frutti degli alberi che mi toccherebbe da oggi e per sempre. [31]Gerusalemme con il suo territorio sia santa ed esente dalle decime e dai tributi. [32]Rinuncio anche al diritto sull'Acra in Gerusalemme e la cedo al sommo sacerdote, affinché vi ponga gli uomini che vorrà scegliere per custodirla. [33]Infine rimetto in libertà gratuitamente ogni giudeo, condotto in schiavitù fuori dalla terra di Giuda in qualunque parte del mio regno, e tutti siano esenti dai tributi, anche da quello sul loro bestiame. [34]Tutte le feste, i sabati, i noviluni, i giorni stabiliti, i tre giorni prima della festa e i tre dopo la festa siano tutti giorni di esenzione e di immunità per tutti i Giudei che sono nel mio regno; [35]nessuno avrà

il potere di intentare causa o di molestare qualcuno di loro per qualunque motivo.

[36]Saranno reclutati tra i Giudei per gli eserciti del re circa tremila uomini, ai quali sarà pagato il soldo che è dovuto a tutte le truppe del re. [37]Alcuni di loro saranno posti nelle maggiori fortezze del re e altri saranno preposti agli affari di fiducia del regno. I loro superiori e comandanti siano scelti tra di loro e possano vivere secondo le loro leggi, come il re ha prescritto anche per la Giudea.

[38]I tre distretti che dalla regione di Samaria sono stati annessi alla Giudea siano riconosciuti alla Giudea e considerati come dipendenti da uno solo e non obbediscano ad altra autorità che a quella del sommo sacerdote. [39]Assegno Tolemaide e le sue dipendenze in dono al tempio di Gerusalemme per le spese necessarie al santuario. [40]Da parte mia dono ogni anno quindicimila sicli d'argento, da prendersi dalle casse del re sui proventi delle regioni più consistenti. [41]Tutto il sovrappiù che gli amministratori non hanno consegnato negli ultimi anni, da questo momento lo consegneranno per le opere del tempio. [42]Oltre a ciò, i cinquemila sicli d'argento che venivano prelevati dall'ammontare delle entrate annuali del tempio siano condonati, perché appartengono ai sacerdoti che prestano servizio. [43]Tutti quelli che si rifugiano nel tempio di Gerusalemme e dentro tutte le sue dipendenze, perché gravati da debiti verso il re o da qualunque altra obbligazione, siano lasciati liberi con tutti i beni che possiedono nel mio regno. [44]Per i lavori di ricostruzione e di restauro del tempio si provvederà alla spesa a conto del re. [45]Anche per ricostruire le mura di Gerusalemme e per le fortificazioni all'intorno si provvederà alla spesa a conto del re, come pure per ricostruire altre mura in Giudea».

[46]Quando Gionata e il popolo ebbero udito queste parole, non vi prestarono fede né le accettarono, perché si ricordavano del grande male che egli aveva fatto in Israele e della sua violenta oppressione. [47]Si decisero, invece, in favore di Alessandro, perché egli si era loro rivolto per primo con parole di amicizia e divennero suoi alleati per sempre.

[48]Il re Alessandro radunò grandi forze e marciò contro Demetrio. [49]I due re attaccarono battaglia, ma l'armata di Demetrio si diede alla fuga; Alessandro l'inseguì ed

ebbe il sopravvento. [50]La battaglia si fece aspra fino al tramonto del sole e anche Demetrio cadde ucciso in quel giorno.

[51]Alessandro mandò ambasciatori a Tolomeo, re di Egitto, per dirgli: [52]«Ecco, sono tornato nel mio regno e mi sono assiso sul trono dei miei padri. Ho preso il potere e ho sconfitto Demetrio. Egli si era impadronito del mio territorio, [53]ma io gli ho mosso guerra ed egli e il suo esercito furono sconfitti dal nostro e ci siamo assisi sul suo trono regale. [54]Stringiamo amicizia tra noi; tu dammi tua figlia in moglie, io diventerò tuo genero e darò a te e a lei regali degni di te».

[55]Il re Tolomeo rispose: «Felice il giorno in cui sei tornato nella terra dei tuoi padri e ti sei assiso sul loro trono regale! [56]Farò per te quanto mi hai scritto, ma vienimi incontro a Tolemaide affinché possiamo vederci l'un l'altro, e ti farò mio genero, come hai chiesto».

[57]Tolomeo partì dall'Egitto con Cleopatra, sua figlia, e venne a Tolemaide nell'anno centosessantadue. [58]Il re Alessandro gli andò incontro e Tolomeo gli diede sua figlia Cleopatra, celebrando le sue nozze come sogliono fare i re, con grande sfarzo.

[59]Il re Alessandro scrisse pure a Gionata affinché gli andasse incontro [60]e questi si recò a Tolemaide con grande parata. Incontrò i due re e diede loro, al pari dei loro amici, oro e argento e altri doni, guadagnandosi il loro favore. [61]Contro di lui, tuttavia, si accordarono alcuni uomini pestiferi d'Israele, uomini iniqui, che volevano deporre contro di lui; ma il re non prestò loro attenzione. [62]Il re, anzi, comandò che togliessero a Gionata i vestiti che indossava e lo rivestissero di porpora, e così fecero. [63]Poi il re lo fece sedere accanto a sé e disse ai suoi ufficiali: «Uscite con lui al centro della città e fate proclamare che nessuno porti accuse contro di lui per qualunque motivo e nessuno gli rechi molestia per qualsiasi ragione». [64]Quando i suoi accusatori videro che egli era onorato conformemente a quanto il re aveva fatto proclamare, e come era stato rivestito di porpora, se ne fuggirono tutti. [65]Il re lo colmò di onori, lo pose tra i suoi primi amici e lo costituì stratega e governatore della provincia. [66]Quindi Gionata ritornò a Gerusalemme con serenità e gioia.

[67]Nell'anno centosessantacinque, Demetrio, figlio di Demetrio, da Creta venne nella terra dei suoi padri. [68]Appena lo seppe, il re Alessandro fu assai preoccupato e fece ritorno in Antiochia. [69]Intanto Demetrio costituì Apollonio capo della Celesiria, e questi, radunato un grosso esercito, andò ad accamparsi a Iamnia. Quindi mandò a dire al sommo sacerdote Gionata: [70]«Tu sei il solo a levarti contro di noi e io sono diventato oggetto di derisione e di scherno a causa tua. Perché ti fai forte contro di noi stando sui monti? [71]Se hai fiducia nelle tue truppe, scendi verso di noi nella pianura e misuriamoci l'un l'altro, poiché con me c'è la forza delle città. [72]Informati e saprai chi sono io e chi sono quelli che ci aiutano. Ti diranno: Non potrete tenere saldo il piede davanti a noi. Già due volte infatti i tuoi padri sono stati messi in fuga nella loro terra. [73]Non potrai perciò resistere davanti alla cavalleria e a un esercito come il nostro in pianura, dove non v'è né pietra né rupe, né luogo in cui rifugiarsi».

[74]Quando Gionata udì le parole di Apollonio, il suo animo ne restò agitato. Scelti perciò diecimila uomini, uscì da Gerusalemme e Simone suo fratello gli andò incontro per aiutarlo. [75]Si accampò davanti a Giaffa; ma quelli della città gli chiusero le porte perché in Giaffa vi era una guarnigione di Apollonio. Egli allora l'attaccò [76]e, spaventati, quelli della città gli aprirono. Così Gionata si impadronì di Giaffa.

[77]Quando lo seppe, Apollonio equipaggiò tremila cavalieri e un grande esercito e si diresse verso Asdod, come se volesse andarvi, ma subito piegò verso la pianura, poiché aveva una cavalleria numerosa sulla quale contava. [78]Gionata l'inseguì in direzione di Asdod e i due eserciti attaccarono battaglia. [79]Apollonio aveva lasciato mille cavalieri nascosti alle loro spalle, [80]i quali, benché Gionata si fosse accorto che vi era un pericolo dietro alle sue spalle, circondarono il suo esercito, lanciando frecce contro le truppe, dalla mattina fino alla sera. [81]Ma le truppe resistettero, come aveva ordinato Gionata, e perciò i loro cavalli si stancarono. [82]Allora Simone fece avanzare il suo esercito e attaccò la falange; e poiché la cavalleria era stremata, furono sconfitti e fuggirono, [83]mentre la cavalleria si disperse per la pianura. Fuggirono verso Asdod e per salvarsi entrarono in Bet-Dagon, che è il loro tempio idolatrico.

[84]Gionata allora incendiò Asdod e le città circonvicine; prese le loro spoglie e incen-

diò pure il tempio di Dagon con quelli che vi si erano rifugiati. [85]Gli uccisi di spada e i morti per le fiamme furono circa ottomila. [86]Partito di lì, Gionata andò ad accamparsi davanti ad Ascalon e quelli della città gli andarono incontro con grande onore. [87]Poi Gionata se ne tornò a Gerusalemme con i suoi uomini, carichi di bottino.

[88]Il re Alessandro, conosciuti questi fatti, volle onorare ancora di più Gionata. [89]Gli inviò una fibbia d'oro, che si usa donare ai parenti del re, e gli diede in proprietà Accaron e tutto il suo territorio.

GIONATA CONTINUA LA LOTTA IN FAVORE DEL SUO POPOLO

11 [1]Il re dell'Egitto radunò truppe numerose come la sabbia che è sulla riva del mare e molte navi, volendo impadronirsi con astuzia del regno di Alessandro, per annetterlo al proprio regno. [2]Si mosse alla volta della Siria con parole di pace e gli abitanti delle città gli aprivano le porte e gli andavano incontro, poiché il re Alessandro, essendo suo suocero, aveva ordinato di andargli incontro. [3]Tolomeo, però, una volta entrato nelle città, lasciava in ognuna le sue truppe per custodirle. [4]Quando giunse ad Asdod, gli mostrarono il tempio di Dagon incendiato, Asdod stessa e i suoi sobborghi distrutti, i cadaveri abbandonati e i resti di quelli che Gionata aveva fatto bruciare in guerra: i cittadini li avevano ammucchiati lungo il percorso del re. [5]Gli raccontarono pure quanto aveva fatto Gionata, pensando che egli lo avrebbe biasimato, ma il re tacque. [6]Gionata, con grande sfarzo, andò ad incontrare il re a Giaffa; si salutarono l'un l'altro e passarono la notte là. [7]Gionata poi andò con il re fino al fiume chiamato Eleutero e quindi se ne tornò a Gerusalemme. [8]Il re Tolomeo divenne così padrone delle città del litorale fino a Seleucia Marittima, mentre meditava cattivi progetti ai danni di Alessandro. [9]Egli poi inviò degli ambasciatori a dire al re Demetrio: «Vieni, facciamo alleanza tra noi. Ti darò mia figlia, che Alessandro ha in moglie, e regnerai nel regno di tuo padre. [10]Io, infatti, mi sono pentito di avergli dato mia figlia, poiché egli ha cercato di uccidermi».

[11]In realtà egli lo biasimava perché bramava di impossessarsi del suo regno. [12]Quindi, toltagli sua figlia, la diede a Demetrio. In questo modo si separò da Alessandro e la loro inimicizia si fece manifesta.

[13]Tolomeo poi entrò in Antiochia e vi cinse la corona dell'Asia: pose sulla sua testa due corone, quella dell'Egitto e quella dell'Asia. [14]Il re Alessandro in quei giorni era in Cilicia, perché gli abitanti di quelle zone gli si erano ribellati. [15]Come Alessandro fu informato di ciò, marciò contro di lui in guerra; ma Tolomeo, uscito fuori, gli mosse contro con grande potenza e lo mise in fuga. [16]Alessandro fuggì in Arabia per trovarvi scampo; il re Tolomeo invece trionfò. [17]L'arabo Zabdiel mozzò la testa ad Alessandro e la mandò a Tolomeo. [18]Ma tre giorni dopo anche il re Tolomeo morì e i suoi uomini, che erano nelle fortezze, furono uccisi da altri che si trovavano nelle fortezze stesse. [19]Così Demetrio incominciò a regnare nell'anno centosessantasette.

[20]In quei giorni Gionata radunò gli uomini della Giudea per espugnare l'Acra, in Gerusalemme, e fece allestire molte macchine da guerra per usarle contro di essa. [21]Allora alcuni uomini iniqui, che odiavano la propria gente, andarono dal re e gli riferirono che Gionata assediava l'Acra. [22]Udito ciò, il re si adirò e, avutane conferma, levò subito il campo e si recò a Tolemaide, e scrisse a Gionata di togliere l'assedio e di andargli incontro al più presto a Tolemaide, per conferire con lui.

[23]Udito ciò, Gionata comandò di continuare l'assedio, poi, scelti alcuni anziani d'Israele e alcuni sacerdoti, affrontò il pericolo. [24]Prese con sé argento, oro, vestiti e molti altri doni, si recò dal re a Tolemaide e trovò favore presso di lui. [25]Alcuni traditori del suo popolo tentarono di deporre contro di lui, [26]ma il re lo trattò come lo avevano trattato i suoi predecessori e lo esaltò davanti a tutti i suoi amici. [27]Gli confermò il sommo sacerdozio e tutte le altre cariche, di cui era stato precedentemente investito, e volle che fosse annoverato tra i primi amici. [28]Gionata chiese al re di rendere la Giudea esente dalle imposte al pari delle tre toparchie e della Samaria, promettendogli trecento talenti. [29]Il re accondiscese e scrisse a Gionata, intorno a tutte queste cose, lettere così concepite:

³⁰«Il re Demetrio al fratello Gionata e alla nazione dei Giudei, salute! ³¹Una copia della lettera che abbiamo scritto a Lastene, nostro parente, a vostro riguardo, la scriviamo anche per voi, affinché ne prendiate conoscenza. ³²Il re Demetrio al padre Lastene, salute! ³³Alla nazione dei Giudei, che sono nostri amici e osservano ciò che è giusto verso di noi, abbiamo deciso di far del bene in ragione dei buoni sentimenti che hanno per noi. ³⁴Pertanto confermiamo loro il possesso dei territori della Giudea e dei tre distretti di Aferema, Lidda e Ramataim. Questi, con tutte le loro dipendenze, restano trasferiti dalla Samaria alla Giudea in favore di quanti offrono sacrifici in Gerusalemme, in compenso delle imposte regali che il re prelevava in passato ogni anno da loro sui prodotti della terra e sui frutti degli alberi. ³⁵Quanto agli altri diritti che abbiamo sulle decime e sulle tasse a noi dovute, sulle saline e le corone a noi spettanti, da questo momento vi rinunciamo completamente. ³⁶Nessuna di queste disposizioni sarà revocata a partire da questo momento e per sempre. ³⁷Abbiate dunque cura di fare una copia della presente e di consegnarla a Gionata, affinché sia collocata sul monte santo in luogo visibile».

³⁸Il re Demetrio, vedendo che il paese era in pace sotto di lui e che nessuno gli si opponeva, congedò tutte le sue truppe, rimandando ciascuno a casa sua, ad eccezione delle truppe straniere, che egli aveva reclutato dalle isole dei pagani. Allora tutte le truppe che erano state con i suoi padri incominciarono ad osteggiarlo. ³⁹Trifone, che prima era stato dalla parte di Alessandro, vedendo che tutte le truppe mormoravano contro Demetrio, si recò presso l'arabo Imalcue, che allevava il piccolo Antioco, figlio di Alessandro, ⁴⁰e lo circuiva affinché glielo consegnasse per farlo regnare al posto di suo padre. Gli parlò pure delle cose che Demetrio aveva ordinato e dell'inimicizia che i suoi soldati nutrivano per lui, e rimase lì per molti giorni. ⁴¹Gionata intanto mandò a chiedere al re Demetrio di rimuovere da Gerusalemme gli uomini che erano nell'Acra e quelli che erano nelle altre fortezze, perché facevano

guerra ad Israele. ⁴²Demetrio, però, mandò a dire a Gionata: «Non solo questo farò per te e per la tua nazione, ma colmerò di onori te e la tua nazione, appena mi si presenti la buona occasione. ⁴³Ora, tuttavia, farai bene a inviarmi uomini che combattano con me, poiché tutte le mie truppe si sono ritirate». ⁴⁴Gionata gli inviò ad Antiochia tremila uomini molto valorosi e, quando questi giunsero presso il re, il re si rallegrò per il loro arrivo. ⁴⁵Gli abitanti della capitale si radunarono al centro della città in numero di circa centoventimila e volevano eliminare il re. ⁴⁶Il re, però, si rifugiò nel palazzo, mentre i cittadini invadevano le vie della città e incominciavano a combattere. ⁴⁷Il re allora chiamò in aiuto i Giudei e questi si radunarono presso di lui tutti insieme, poi si dispersero per la città e ne uccisero, in quel giorno, circa centomila. ⁴⁸Diedero quindi fuoco alla città, fecero in quel giorno un gran bottino e salvarono il re. ⁴⁹Ora i cittadini, quando videro che i Giudei si erano impadroniti della città a loro piacimento, si persero d'animo e incominciarono ad elevare supplice al re dicendo: ⁵⁰«Dacci la destra e cessino i Giudei di combattere contro di noi e contro la città!». ⁵¹Deposero le armi e fecero la pace. Così i Giudei si coprirono di gloria davanti al re e a tutti i cittadini del suo regno e ritornarono a Gerusalemme portando un grande bottino.

⁵²In questo modo il re Demetrio poté sedersi sul trono del suo regno e il paese fu in pace sotto di lui. ⁵³In seguito, però, egli rinnegò tutto ciò che aveva promesso, si mostrò ostile a Gionata e non ricambiò i favori che questi gli aveva reso; anzi, incominciò a contrastarlo duramente.

⁵⁴Dopo questi fatti, Trifone ritornò con Antioco, ancora molto giovane, il quale cominciò a regnare e cinse il diadema. ⁵⁵Si radunarono attorno a lui tutte le truppe che Demetrio aveva congedato e combatterono contro di lui; egli fu messo in fuga e travolto, ⁵⁶mentre Trifone catturò gli elefanti e si impadronì di Antiochia. ⁵⁷Il giovanetto Antioco scrisse allora a Gionata dicendogli: «Ti confermo il sommo sacerdozio, ti pongo a capo dei quattro distretti e ti annovero tra gli amici del re». ⁵⁸Gli inviò vasellame d'oro e un servizio da tavola, gli diede facoltà di bere nei vasi d'oro, d'indossare la porpora e di portare una fibbia d'oro. ⁵⁹Inoltre costituì suo

1Mac

---

11. - 57. *Quattro distretti*: Efraim, Ramataim, Lidda, Accaron.

fratello Simone stratega dalla Scala di Tiro sino ai confini dell'Egitto. [60]Gionata cominciò a percorrere la provincia dell'Oltrefiume e le varie città, e tutto l'esercito di Siria si unì a lui per combattere insieme. Andò ad Ascalon e gli abitanti della città lo ricevettero con onore. [61]Di qui andò a Gaza, ma quelli di Gaza gli chiusero le porte. Allora egli l'assediò, incendiò i suoi sobborghi e li saccheggiò. [62]Quelli di Gaza allora supplicarono Gionata ed egli diede loro la destra; prese tuttavia come ostaggi i figli dei loro capi e li spedì a Gerusalemme. Quindi attraversò la regione fino a Damasco. [63]Ma poi, avendo saputo che i generali di Demetrio si trovavano a Kedes, in Galilea, con un grande esercito e che volevano fargli abbandonare l'impresa, [64]marciò contro di loro, lasciando suo fratello Simone nella regione. [65]Simone venne ad accamparsi sotto Bet-Zur e per molti giorni combatté contro di essa, tenendola assediata. [66]Lo supplicarono di accettare la loro destra ed egli acconsentì. Tuttavia li espulse di lì, occupò la città e vi pose una guarnigione. [67]Gionata e il suo esercito invece andarono ad accamparsi presso le acque di Genesaret e, di buon mattino, giunsero nella pianura di Cazor. [68]Ed ecco che l'esercito degli stranieri stava loro davanti nella pianura, mentre altri si erano appostati per organizzare un'imboscata contro di lui sui monti. Quelli avanzarono frontalmente, [69]quando gli appostati, usciti dalle loro posizioni, attaccarono battaglia. [70]Gli uomini di Gionata fuggirono; nessuno di loro rimase all'infuori di Mattatia, figlio di Assalonne, e Giuda, figlio di Calfi, capi dell'esercito. [71]Gionata si stracciò le vesti, si cosparse il capo di polvere e pregò. [72]Poi tornò a combattere contro di loro, li sconfisse e li mise in fuga. [73]Visto ciò, quelli che erano fuggiti tornorono da lui e con lui li inseguirono fino al loro accampamento, a Kedes. Là anch'essi si accamparono. [74]Gli stranieri caduti in quel giorno furono circa tremila. Quindi Gionata fece ritorno a Gerusalemme.

LE IMPRESE DI GIONATA E SIMONE

12 [1]Gionata, vedendo che le circostanze lo favorivano, scelse alcuni uomini e li inviò a Roma per confermare e rinnovare l'amicizia con quel popolo. [2]Anche a Sparta e in altri luoghi egli inviò lettere nel medesimo senso. [3]Quelli andarono a Roma, entrarono nel senato e dissero: «Il sommo sacerdote Gionata e la nazione dei Giudei ci hanno inviato affinché vogliate rinnovare l'amicizia e l'alleanza con loro come la prima volta». [4]I Romani consegnarono loro lettere per le autorità dei vari luoghi, affinché li facessero proseguire in pace fino alla terra di Giuda.

[5]Ecco la copia della lettera che Gionata scrisse agli Spartani: [6]«Gionata, sommo sacerdote, il senato della nazione, i sacerdoti e il resto del popolo dei Giudei agli Spartani, loro fratelli, salute! [7]Già nel tempo passato fu inviata al sommo sacerdote Onia una lettera da parte di Areo, vostro re, nella quale si diceva che siete nostri fratelli, come risulta dalla copia allegata. [8]Onia ricevette con onore l'uomo che gli era stato inviato e accettò la lettera, nella quale si parlava chiaramente di alleanza e di amicizia. [9]Noi, dunque, pur non avendone bisogno, poiché abbiamo per nostra consolazione i libri santi che sono nelle nostre mani, [10]abbiamo provato ad inviarvi alcuni per rinnovare la nostra fratellanza e amicizia con voi, in modo da non diventare per voi degli estranei. Infatti sono passati molti anni da quando voi ci inviaste messaggeri. [11]Noi, dunque, in ogni tempo e ininterrottamente, nelle feste e negli altri giorni stabiliti, facciamo memoria di voi nei sacrifici che offriamo e nelle preghiere, perché è giusto e conveniente ricordarsi dei fratelli. [12]Ci rallegriamo per la vostra gloria. [13]Quanto a noi, invece, molte tribolazioni e molte guerre ci hanno stretto all'intorno, poiché i re dei vari paesi vicini ci hanno combattuto. [14]Durante queste guerre non abbiamo voluto molestare né voi né altri alleati e amici nostri, [15]perché abbiamo dal cielo l'aiuto sicuro per noi, grazie al quale siamo stati liberati dai nemici ed essi sono stati umiliati. [16]Avendo perciò scelto Numenio, figlio di Antioco, e Antipatro, figlio di Giasone, per inviarli presso i Romani a rinnovare l'antica nostra amicizia e alleanza con loro, [17]abbiamo comandato loro di passare anche presso di voi, di

---

12. - 7. *Onia*: probabilmente Onia I, contemporaneo d'Alessandro Magno, di Seleuco I e di Tolomeo I, che esercitò il sacerdozio dal 323 al 300.

salutarvi e di consegnarvi da parte nostra questa lettera, riguardante la rinnovazione della nostra fratellanza. [18]Ora, perciò, farete bene a risponderci in proposito».

[19]Ecco la copia della lettera che essi avevano inviato a Onia: [20]«Areo, re degli Spartani, a Onia, sommo sacerdote, salute! [21]Si è trovato in uno scritto, riguardante gli Spartani e i Giudei, che sono fratelli e che sono della stirpe di Abramo. [22]Or dunque, dal momento che noi abbiamo appreso ciò, farete bene a scriverci riguardo ai vostri sentimenti di amicizia. [23]Da parte nostra noi vi scriviamo: Il vostro bestiame e le vostre sostanze sono nostri e i nostri beni sono i vostri. Ordiniamo perciò che di queste cose vi sia data notizia».

[24]In seguito Gionata, avendo saputo che i generali di Demetrio erano ritornati con un esercito più numeroso di prima per fargli guerra, [25]partì da Gerusalemme e andò a incontrarli nella regione di Amat, senza dar loro tempo di penetrare nel suo territorio. [26]Inviò spie nel loro accampamento e queste, tornate, gli riferirono che si erano già disposti per piombare loro addosso la notte stessa. [27]Come il sole fu tramontato, Gionata comandò ai suoi di vegliare e di tenersi in armi, in modo da essere pronti al combattimento durante tutta la notte; poi dispose sentinelle tutto attorno all'accampamento. [28]Gli avversari però, come seppero che Gionata e i suoi erano pronti al combattimento, ebbero paura e si spaventarono nel loro cuore. Perciò accesero fuochi nel loro accampamento e fuggirono. [29]Gionata e i suoi non se ne accorsero fino al mattino, poiché vedevano ardere i fuochi. [30]Gionata allora si mise ad inseguirli, ma non riuscì a raggiungerli, poiché avevano già attraversato il fiume Eleutero. [31]Gionata si diresse contro gli Arabi, chiamati Zabadei, li batté e prese le loro spoglie. [32]Quindi, tolto il campo, andò a Damasco e percorse tutta la regione.

[33]Anche Simone era partito e si era recato fino ad Ascalon e alle fortezze vicine, poi piegò su Giaffa e l'occupò. [34]Egli infatti aveva saputo che volevano consegnare questa fortezza ai partigiani di Demetrio; perciò vi pose una guarnigione e la fece presidiare. [35]Appena tornato, Gionata convocò gli anziani del popolo e con loro decise di edificare fortezze nella Giudea, [36]di sopraelevare le mura di Gerusalemme e di alzare una grande barriera fra l'Acra e la città per isolarla dalla città, in maniera tale che quelli dell'Acra non potessero né comprare né vendere. [37]Allora si riunirono per riedificare la città e, poiché era rovinata parte del muro sul torrente dal lato orientale, Gionata fece riparare il quartiere che si chiama Kafenata. [38]Simone a sua volta riedificò Adida, nella Sefela, la fortificò e la munì di porte e di sbarre. [39]Trifone, intanto, cercava di diventare re dell'Asia e di cingere il diadema, stendendo la mano contro il re Antioco. [40]Temeva, però, che Gionata non glielo permettesse e che gli avrebbe fatto guerra. Perciò cercava il modo di catturarlo e di farlo perire. Pertanto si mosse e si recò a Beisan. [41]Anche Gionata, uscito contro di lui con quarantamila uomini scelti per il combattimento, andò a Beisan. [42]Quando Trifone vide che era venuto con un esercito numeroso, ebbe paura di stendere la mano contro di lui. [43]Anzi, lo ricevette con onore e lo presentò a tutti i suoi amici, gli offrì doni e ordinò ai suoi amici e alle sue truppe di obbedirgli come a lui stesso. [44]Poi disse a Gionata: «Perché hai scomodato tutta questa gente, se non vi è nessuna guerra tra noi? [45]Su, rimandali alle loro case, scegliti pochi uomini che stiano con te e vieni con me a Tolemaide. Io te la consegnerò insieme alle altre fortezze, alle altre truppe e a tutti i funzionari; poi tornerò indietro e me ne andrò, poiché per questo sono venuto».

[46]Gionata gli prestò fede e fece come lui aveva detto. Rimandò le truppe, che ritornarono nella terra di Giuda, [47]e trattenne con sé tremila uomini, dei quali lasciò duemila in Galilea e gli altri mille andarono con lui. [48]Ma quando Gionata fu entrato in Tolemaide, gli abitanti della città chiusero le porte, lo catturarono e passarono a fil di spada quanti erano entrati con lui.

[49]Trifone poi inviò le truppe e la cavalleria in Galilea e nella grande pianura, allo scopo di annientare tutti gli uomini di Gionata. [50]Ma questi, saputo che Gionata era stato

1Mac

---

39. *Trifone* oppose Antioco VI Dionisos, fanciullo di circa sette anni, a Demetrio II, regnò per lui, lo uccise dopo circa tre anni, usurpandone la corona (142). Morì ad Apamea nel 138 a.C., assediato da Antioco VII Cidete, il quale successe a Demetrio II. Voleva eliminare Gionata che si opponeva ai suoi progetti.

catturato e che era finita per lui e per i suoi, si incoraggiarono a vicenda e avanzarono schierati, pronti a combattere. ⁵¹Allora gli inseguitori, vedendo che essi erano decisi a difendersi, tornarono indietro. ⁵²Così essi tornarono tutti sani e salvi in Giudea; piansero Gionata con i suoi compagni e furono presi da gran timore. Tutto Israele fece un grande lutto. ⁵³Allora tutte le nazioni che erano intorno a loro cercavano di distruggerli. Esse infatti dicevano: «Non hanno più un capo né uno che li aiuti. Scendiamo ora in guerra contro di loro e cancelliamo il loro ricordo di mezzo agli uomini».

SIMONE, NUOVO CAPO DEI GIUDEI. MORTE E SEPOLTURA DI GIONATA

13 ¹Simone apprese che Trifone aveva radunato un grande esercito per venire in Giudea e devastarla. ²Vedendo che il popolo era impaurito e spaventato, salì a Gerusalemme e radunò il popolo; ³quindi li esortò e disse loro: «Voi conoscete quanto io, i miei fratelli e la casa di mio padre abbiamo fatto per le leggi e per il luogo santo e le guerre e le difficoltà che abbiamo sostenuto. ⁴È per questo che i miei fratelli sono tutti periti per la causa d'Israele e io sono rimasto solo. ⁵Ora non sia mai che io voglia risparmiare la mia vita di fronte a qualunque tribolazione! Non sono, infatti, migliore dei miei fratelli. ⁶Piuttosto vendicherò la mia nazione, il luogo santo, le vostre mogli e i vostri figli, poiché tutte le genti, spinte dall'odio, si sono coalizzate per sterminarci».

⁷All'udire queste parole lo spirito del popolo si riaccese ⁸e risposero a gran voce dicendo: «Tu sei il nostro capo al posto di Giuda e di Gionata, tuo fratello. ⁹Combatti la nostra battaglia e tutte le cose che dirai noi le faremo».

¹⁰Allora egli radunò tutti gli uomini atti a combattere e si affrettò a terminare le mura di Gerusalemme, fortificandola all'intorno. ¹¹Poi inviò Gionata, figlio di Assalonne, con un numeroso esercito a Giaffa e questi ne scacciò via gli occupanti e vi si stabilì.

¹²Intanto Trifone si mosse da Tolemaide con un grande esercito per andare in Giudea, portando con sé Gionata sotto buona scorta. ¹³Simone allora andò ad accamparsi in Adida, di fronte alla pianura. ¹⁴Quando Trifone seppe che Simone aveva preso il posto di Gionata, suo fratello, e che stava per dargli battaglia, gli inviò messaggeri per dirgli: ¹⁵«Noi tratteniamo tuo fratello Gionata a causa del denaro che egli doveva all'erario del re per gli affari da lui amministrati. ¹⁶Ora mandaci cento talenti d'argento e due dei suoi figli in ostaggio, perché, una volta rimesso in libertà, egli non si allontani per ribellarsi a noi, e noi lo lasceremo». ¹⁷Simone capì che parlavano con inganno e tuttavia mandò a prendere il denaro e i fanciulli, per non suscitare una grande ostilità tra il popolo, ¹⁸il quale avrebbe detto: «È per il fatto che non gli ha inviato il denaro e i fanciulli che Gionata è perito». ¹⁹Perciò gli mandò i cento talenti e i fanciulli. Ma quello, avendo mentito, non lasciò libero Gionata.

²⁰Dopo ciò, Trifone riprese la sua marcia per invadere la regione e per devastarla, aggirandola per la via di Adora; ma Simone con il suo esercito gli si opponeva dovunque egli andasse. ²¹Frattanto quelli dell'Acra inviarono messi a Trifone per sollecitarlo ad andare in loro aiuto per la via del deserto e ad inviare loro viveri. ²²Trifone fece preparare tutta la sua cavalleria per andare, ma in quella stessa notte cadde molta neve e, a causa della neve, egli non poté andare. Perciò levò il campo e se ne andò in Galaad. ²³Come giunse nei pressi di Bascama, uccise Gionata e lo seppellì sul posto. ²⁴Trifone quindi si mosse di lì e fece ritorno alla sua terra.

²⁵Simone mandò a prendere le ossa di Gionata, suo fratello, e lo seppellì in Modin, città dei suoi padri. ²⁶Tutto Israele lo pianse con grande lamento e fece lutto su di lui per molti giorni. ²⁷Simone poi fece una costruzione sul sepolcro di suo padre e dei suoi fratelli e la pose bene in vista con pietre levigate, dietro e davanti. ²⁸Vi drizzò sette piramidi, l'una di fronte all'altra, per suo padre, per sua madre e per i suoi quattro fratelli; ²⁹le fece decorare con grandi colonne all'intorno e sulle colonne fece scolpire armi a ricordo perpetuo; a fianco delle armi fece scolpire alcune navi che si potessero vedere da tutti coloro che navigavano sul mare. ³⁰Questo è il sepolcro che egli fece erigere in Modin e che esiste fino ad oggi.

³¹Trifone si comportava con inganno verso il giovanissimo re Antioco e lo uccise. ³²Re-

gnò al suo posto, cinse il diadema dell'Asia e procurò grandi rovine al paese.

³³Intanto Simone ricostruì le fortezze della Giudea, le munì di alte torri, di grandi mura, di porte e di sbarre e rifornì tali fortezze di viveri. ³⁴Inoltre scelse alcuni uomini e li inviò dal re Demetrio per ottenere l'immunità al paese, poiché tutte le azioni di Trifone non erano che rapine. ³⁵Il re Demetrio gli inviò una risposta conforme alle sue richieste e gli scrisse una lettera di questo tenore: ³⁶«Il re Demetrio a Simone, sommo sacerdote e amico del re, agli anziani e alla nazione dei Giudei, salute! ³⁷Abbiamo gradito la corona d'oro e la palma che ci avete inviato, siamo pronti a fare una pace durevole con voi e a scrivere ai funzionari di concedervi le immunità. ³⁸Quanto abbiamo stabilito nei vostri riguardi resta stabilito, e anche le fortezze che voi avete edificato restino di vostra proprietà.

³⁹Condoniamo gli errori e le mancanze commesse fino ad oggi e così pure la corona che ci dovete. Se qualche altro tributo gravasse su Gerusalemme, non sia più da riscuotere. ⁴⁰Se poi vi sono tra voi uomini atti ad essere arruolati per la nostra guardia, si arruolino e vi sia pace tra noi».

⁴¹Nell'anno centosettanta fu tolto il giogo dei pagani da Israele ⁴²e il popolo incominciò a scrivere nei documenti e nei contratti: «Anno primo di Simone, sommo sacerdote insigne, stratega e capo dei Giudei».

⁴³In quei giorni Simone si accampò sotto Ghezer e la circondò con le sue truppe, costruì una torre mobile, l'accostò alla città e, abbattuta una torre, se ne impadronì. ⁴⁴Quelli che erano nella torre mobile fecero irruzione nella città e vi fu in essa una grande agitazione. ⁴⁵Gli abitanti della città allora salirono con le mogli e con i figli sulle mura e, stracciatesi le vesti, incominciarono a gridare ad alta voce, supplicando Simone di dar loro la destra. ⁴⁶Dicevano: «Non trattar-

ci secondo le nostre malvagità, ma secondo la tua clemenza». ⁴⁷Simone si accordò con loro e non li combatté più. Tuttavia li cacciò dalla città e ne purificò le case, nelle quali vi erano idoli, ed entrò in essa tra canti di lode e di ringraziamento. ⁴⁸Egli eliminò da essa ogni impurità e vi stabilì uomini osservanti della legge; la fortificò e vi edificò una casa per sé.

⁴⁹Ora quelli dell'Acra a Gerusalemme, impediti di uscire e di andare nel paese a comprare e a vendere, erano estremamente affamati e molti di essi erano già morti per la fame. ⁵⁰Perciò supplicarono Simone di accettare la loro destra ed egli la concesse; ma li scacciò di lì e purificò l'Acra dalle contaminazioni. ⁵¹Vi entrarono il ventitré del secondo mese dell'anno centosettantuno, con canti di lode e rami di palme, con cetre, cembali e arpe, inni e canti, poiché un grande nemico era stato eliminato da Israele.

⁵²Simone stabilì di celebrare ogni anno tale giorno con letizia. Fortificò il monte del tempio accanto all'Acra e vi andò ad abitare insieme ai suoi.

⁵³Simone vide allora che suo figlio Giovanni era ormai un uomo e lo pose a capo di tutte le truppe. Costui pose la sua residenza a Ghezer.

ELOGIO DI SIMONE

14 ¹Nell'anno centosettantadue il re Demetrio radunò le sue truppe e si recò in Media per procurarsi rinforzi e combattere Trifone. ²Ma Arsace, re della Persia e della Media, seppe che Demetrio era entrato nei suoi territori e mandò uno dei suoi generali a prenderlo vivo. ³Questi andò, batté l'armata di Demetrio, lo catturò e lo condusse da Arsace, il quale lo mise in prigione.

⁴ La terra di Giuda rimase tranquilla
per tutti i giorni di Simone.
Egli cercò il bene della sua nazione,
e a questa piacque la sua autorità
e la sua gloria per tutti i giorni.
⁵ Oltre a tutte le altre sue glorie,
egli prese Giaffa con il porto
e lo aprì alle isole del mare.
⁶ Estese i confini della sua nazione
e fu padrone della regione.

---

13. - 41. L'anno 142 a.C. (170 dei Seleucidi) è una data memoranda per Israele, perché in tale anno divenne stato indipendente. Simone incominciò a coniare moneta con l'appellativo di *hēgoúmenos*, prendendo così in forma ufficiale possesso delle due dignità di sommo sacerdote e di etnarca.

51. *Il ventitré del secondo mese*: ai primi di giugno del 141 a.C. Anche questa è una data memoranda, perché Israele non solo fu indipendente, ma da allora non ebbe più presidio straniero nel suo territorio, sino alla sottomissione ai Romani.

7 Raccolse numerosi prigionieri,
  e s'impadronì di Ghezer, di Bet-Zur
  e dell'Acra;
  ne tolse via le impurità,
  e non vi era chi potesse resistergli.
8 In pace si diedero a coltivare la loro terra
  e la terra dava i suoi prodotti
  e gli alberi della campagna il loro frutto.
9 I vecchi sedevano sulle piazze,
  interessandosi del bene comune,
  mentre i giovani indossavano
      vesti di gloria
  e armature per la guerra.
10 Alle città provvide alimenti
  e le munì di fortificazioni,
  sicché la fama della sua gloria
  pervenne fino all'estremità della terra.
11 Ristabilì la pace nel paese
  e Israele ne provò una grande gioia.
12 Ciascuno sedeva sotto la sua vite
  e sotto il suo fico,
  e non vi era chi incutesse loro timore.
13 Chi li combatteva scomparve dal paese
  e in quei giorni anche i re
      furono battuti.
14 Rinvigorì tutti gli umili del suo popolo,
  fu zelante della legge
  e scacciò ogni empio e malvagio.
15 Rese glorioso il tempio santo,
  e lo rifornì di vasi sacri.

16 A Roma e a Sparta si seppe che Gionata era morto e se ne rattristarono grandemente. 17 Ma come seppero che Simone, suo fratello, era diventato sommo sacerdote al suo posto e che continuava a mantenere il dominio della regione e delle sue città, 18 gli scrissero una lettera su tavole di bronzo, per rinnovare con lui l'amicizia e l'alleanza, che avevano concluso con Giuda e con Gionata, suoi fratelli. 19 La lettera fu letta davanti all'assemblea in Gerusalemme.

20 Ecco ora la copia della lettera che inviarono gli Spartani: «I prìncipi e il popolo degli Spartani a Simone, sommo sacerdote, agli anziani, ai sacerdoti e al resto del popolo dei Giudei, loro fratelli, salute! 21 I messaggeri inviati presso il nostro popolo ci hanno informato della vostra gloria e del vostro onore. Noi ci siamo rallegrati per il loro arrivo 22 e abbiamo registrato le cose da loro dette tra le decisioni del popolo in questo modo: Numenio, figlio di Antioco, e Antipatro, figlio di Giasone, messaggeri dei Giudei, sono venuti presso di noi per rinnovare la loro amicizia con noi. 23 È piaciuto al popolo di accogliere tali uomini con onore e di depositare copia dei loro discorsi nei libri riservati al popolo, affinché il popolo degli Spartani ne conservi il ricordo. Una copia di queste cose viene scritta per Simone sommo sacerdote».

24 Dopo ciò, Simone inviò Numenio a Roma con un grande scudo d'oro, del valore di mille mine, per confermare l'alleanza con loro. 25 Quando il popolo seppe queste cose, disse: «Quale favore renderemo a Simone e ai suoi figli? 26 Egli, infatti, con i suoi fratelli e la casa di suo padre è stato forte, ha combattuto e ricacciato i nemici d'Israele e ha ristabilito la libertà». Scrissero perciò un documento su tavole di bronzo e lo apposero su colonne sul monte Sion.

27 Ecco la copia del documento: «Il diciotto di Elul dell'anno centosettantadue, che è il terzo anno di Simone, sommo sacerdote insigne, in Asaramel, 28 nella grande assemblea dei sacerdoti, del popolo, dei prìncipi della nazione e degli anziani della regione, ci è stato reso noto: 29 Poiché più volte vi furono guerre nella regione, Simone, figlio di Mattatia e sacerdote della stirpe di Ioarib, con i suoi fratelli affrontarono il pericolo e resistettero agli avversari del loro popolo, perché il luogo santo e la legge rimanessero stabili; così resero grande onore alla loro nazione. 30 Gionata radunò la sua nazione, ne divenne sommo sacerdote e poi si riunì ai suoi antenati.

31 Poi i loro nemici volevano invadere la loro regione e stendere la mano contro il santuario. 32 Allora Simone si levò contro di essi, combatté per il suo popolo e spese molte delle sue sostanze per equipaggiare gli uomini dell'esercito e pagare loro lo stipendio. 33 Fortificò le città della Giudea e Bet-Zur, che è ai confini della Giudea, dove prima c'era la roccaforte dei nemici, e vi pose un presidio di soldati giudei. 34 Fortificò pure Giaffa, che è sul mare, e Ghezer, che è ai confini di Asdod; in essa prima abitavano i nemici, ma egli vi stabilì i Giudei e vi depositò quanto era necessario al loro sostentamento.

35 Il popolo vide la fede di Simone e la gloria che egli aveva voluto procurare alla sua nazione. Pertanto lo costituirono loro capo e sommo sacerdote, per queste sue imprese e per la giustizia e la fede che aveva custodito verso la sua nazione e perché,

con ogni mezzo, aveva cercato di esaltare il suo popolo. [36]Durante i suoi giorni si
riuscì, per mezzo suo, ad eliminare dal loro
paese i pagani e quelli che erano nella città
di Davide in Gerusalemme, che vi avevano
costruito l'Acra, e ne uscivano profanando
i dintorni del santuario e recando grande
offesa alla sua santità. [37]Egli la fece abitare
da soldati giudei, la fortificò per la sicurezza
della regione e della città e innalzò le mura
di Gerusalemme.
[38]Per questo il re Demetrio gli confermò il
sommo sacerdozio, [39]lo annoverò tra i suoi
amici e gli conferì grandi onori. [40]Egli, infatti, aveva appreso che i Giudei erano stati
chiamati amici, alleati e fratelli dai Romani;
che questi erano andati incontro con onore ai messaggeri di Simone, [41]che i Giudei
e i sacerdoti avevano giudicato bene che
Simone fosse loro capo e sommo sacerdote per sempre, fino a quando sorgerà un
profeta fedele; [42]che fosse loro stratega e si
prendesse cura del luogo santo, stabilendo egli stesso chi deve presiedere ai suoi
lavori, alla regione, agli armamenti e alle
fortezze; [43]che si prendesse cura del luogo
santo e fosse ascoltato da tutti; che nel suo
nome si scrivessero tutti i documenti nella
regione e egli potesse rivestirsi di porpora e portare ornamenti d'oro. [44]Pertanto, a
nessuno del popolo e dei sacerdoti sarà
lecito abrogare alcunché di queste cose, né
parlare contro ciò che egli avrà detto, convocare senza di lui una riunione nella regione né rivestirsi di porpora o portare la fibbia
d'oro. [45]Se qualcuno agirà contro tali cose o
ne violerà qualcuna, sarà passibile di pena.
[46]Il popolo tutto giudicò bene di accordare a
Simone di poter agire in conformità a questi
decreti. [47]Simone, da parte sua, accettò e
gradì di esercitare il sommo sacerdozio, di
essere anche stratega ed etnarca dei Giudei e dei sacerdoti e capo di tutti».
[48]Ordinarono di redigere questo documento
su tavole di bronzo da collocarsi nel recinto
del tempio, in un posto visibile, [49]e che una
copia fosse riposta nel tesoro, a disposizione di Simone e dei suoi figli.

ANTIOCO VII, NUOVO RE DI SIRIA

15 [1]Antioco, figlio del re Demetrio, inviò dalle isole del mare una lettera
a Simone, sacerdote ed etnarca dei Giudei, e a tutta la nazione.
[2]Essa era così concepita: «Il re Antioco a
Simone, sommo sacerdote ed etnarca, e
alla nazione dei Giudei, salute! [3]Poiché alcuni uomini pestiferi si sono impadroniti del
regno dei miei padri, io voglio rivendicare
tale regno in modo da riordinarlo com'era
prima. Pertanto, avendo raccolto grande
quantità di truppe mercenarie ed equipaggiato navi da guerra, [4]intendo sbarcare
nella regione per far vendetta su coloro che
hanno rovinato il nostro paese e devastato
molte città del mio regno. [5]Ora perciò ti confermo tutte le immunità che ti concessero i
re miei predecessori e tutti gli altri donativi
dai quali essi ti esentarono; [6]ti permetto di
battere moneta propria con corso legale
nella tua regione; [7]Gerusalemme e il suo
luogo santo siano liberi; tutte le armi che hai
fabbricato e le fortezze che hai edificato, e
che occupi, restino in tuo possesso. [8]Ogni
debito che hai o potrai avere verso il re, da
questo momento e per sempre, ti sia rimesso. [9]Quando poi avremo riconquistato il
nostro regno, renderemo grandi onori a te,
alla tua nazione e al tempio, in modo da far
conoscere la vostra gloria su tutta la terra».
[10]Nell'anno centosettantaquattro
entrò nella terra dei suoi padri e tutte le truppe si unirono a lui, così che pochi rimasero
con Trifone. [11]Antioco si mise ad inseguirlo
ed egli, fuggendo, giunse fino a Dora, sul
mare. [12]Egli infatti sapeva che i mali si erano
riversati su di lui perché le truppe lo avevano abbandonato. [13]Antioco allora andò ad
accamparsi davanti a Dora con centoventimila armati e ottomila cavalli. [14]Circondò la
città, mentre le navi l'attaccavano dal mare;
così, stringendo in una morsa la città dalla
terra e dal mare, non permetteva a nessuno
di uscire o di entrare.
[15]Intanto giunse da Roma Numenio con i
suoi compagni, portando delle lettere per i
re delle varie regioni. Vi era scritto: [16]«Lucio,
console dei Romani, al re Tolomeo, salute!
[17]Gli ambasciatori dei Giudei sono venuti da
noi come nostri amici e alleati per rinnovare
l'antica amicizia e alleanza, inviati dal sommo sacerdote Simone e dal popolo dei Giudei. [18]Ci hanno portato uno scudo d'oro di
mille mine. [19]Ci è piaciuto, perciò, scrivere ai
re delle varie regioni perché non procurino
loro alcun male, né facciano guerra contro

1Mac

di loro, contro le loro città e contro la loro regione, né facciano alleanza con quelli che combattono contro di loro. ²⁰Ci è parso bene anche di accettare il loro scudo. ²¹Se poi uomini pestiferi dalla loro regione sono fuggiti presso di voi, consegnateli al sommo sacerdote Simone, affinché li punisca secondo la loro legge».

²²Queste medesime cose furono scritte al re Demetrio, ad Attalo, ad Ariarate, ad Arsace ²³e a tutte le regioni: a Sampsame, agli Spartani, a Delo, a Mindo, a Sicione, alla Caria, a Samo, alla Panfilia, alla Licia, ad Alicarnasso, a Rodi, a Faselide, a Coo, a Side, ad Arado, a Gortina, a Cnido, a Cipro e a Cirene. ²⁴Una copia la scrissero anche per il sommo sacerdote Simone.

²⁵Il re Antioco, dunque, stava accampato davanti a Dora da due giorni, spingendo continuamente contro di essa le schiere e costruendo macchine da guerra. Teneva così accerchiato Trifone in modo che non poteva né uscire né entrare. ²⁶Simone, allora, gli inviò duemila uomini scelti per combattere al suo fianco, nonché argento, oro e molti equipaggiamenti. ²⁷Il re, però, non volle accettarli, anzi revocò tutte le concessioni che gli aveva fatto precedentemente e gli si mostrò ostile. ²⁸Gli inviò poi Atenobio, uno dei suoi amici, a trattare con lui e dirgli: «Voi avete occupato Giaffa, Ghezer e l'Acra di Gerusalemme, che sono città del mio regno. ²⁹Avete devastato i loro territori, avete prodotto una grande piaga nel paese e vi siete impadroniti di molte altre località nel mio regno. ³⁰Ora, perciò, consegnate le città che avete occupato e i tributi delle località di cui vi siete impadroniti fuori dei confini della Giudea. ³¹Oppure dateci in cambio cinquecento talenti d'argento per le devastazioni da voi compiute e altri cinquecento talenti per i tributi delle città. Altrimenti verremo e vi faremo guerra».

³²Atenobio, amico del re, venne a Gerusalemme e, avendo visto la gloria di Simone, il vasellame d'oro e d'argento e il suo grande fasto, ne rimase stupefatto. Gli riferì poi le parole del re; ³³ma Simone gli rispose: «Non abbiamo occupato terra di altri, né ci siamo impossessati dei beni altrui, ma dell'eredità dei nostri padri, che ingiustamente, a un certo momento, era stata occupata dai nostri nemici. ³⁴Noi quindi, avutane l'opportunità, abbiamo ricuperato l'eredità dei nostri

padri. ³⁵Quanto a Giaffa e a Ghezer, che tu reclami, esse causarono grandi mali al nostro paese: per esse ti daremo cento talenti». ³⁶Atenobio non rispose parola e, adirato, se ne tornò presso il re, a cui riferì questi discorsi, la gloria di Simone e quanto aveva visto. Anche il re si adirò furiosamente. ³⁷Trifone intanto, salito su una nave, fuggì a Ortosia. ³⁸Il re allora nominò Cendebeo stratega della costa e gli affidò un'armata di fanti e di cavalieri. ³⁹Gli comandò di porre il campo di fronte alla Giudea, di ricostruire Cedron, di fortificare le porte e di combattere contro il popolo. Il re intanto si mise ad inseguire Trifone. ⁴⁰Come Cendebeo giunse a Iamnia, incominciò a provocare il popolo e a invadere la Giudea, a ridurre in schiavitù la popolazione e a uccidere. ⁴¹Ricostruì Cedron e vi collocò cavalieri e truppe perché potessero uscire e perlustrare le strade della Giudea, come gli aveva ordinato il re.

SIMONE VIENE UCCISO

16 ¹Allora Giovanni salì da Ghezer e riferì a Simone, suo padre, quanto Cendebeo stava compiendo. ²Simone chiamò i suoi due figli più anziani, Giuda e Giovanni, e disse loro: «Io, i miei fratelli e la casa di mio padre abbiamo combattuto le guerre d'Israele dalla giovinezza fino ad oggi, e ci riuscì di liberare Israele più volte con le nostre mani. ³Ora io sono vecchio mentre voi, per divina misericordia, siete in florida età. Prendete il mio posto e quello di mio fratello e uscite a combattere per la nostra nazione. L'aiuto del cielo sia con voi!». ⁴Poi egli scelse nella regione ventimila combattenti e cavalieri e questi si misero in marcia contro Cendebeo. Passarono la notte a Modin, ⁵e la mattina, levatisi, avanzarono verso la pianura. Ma ecco, dinanzi a loro, un grande esercito di fanti e cavalieri. Li separava solo un torrente. ⁶Giovanni con la sua gente pose il campo di fronte; poi, vedendo che i suoi esitavano ad attraversare il torrente, passò per primo; gli altri, vedendolo, lo attraversarono dopo di lui. ⁷Divise poi la sua gente e pose i cavalieri in mezzo ai fanti. La cavalleria dei nemici era infatti molto numerosa. ⁸Allora suonarono le trombe e Cendebeo e la sua armata furono travolti; molti di essi caddero colpiti a morte e i superstiti fuggirono verso la fortezza. [9]In quell'occasione anche Giuda, fratello di Giovanni, rimase ferito; ma Giovanni li inseguì fino a che raggiunse Cedron, che Cendebeo aveva ricostruito. [10]Altri fuggirono fino alle torri che sono sulle campagne di Asdod; ma egli vi appiccò il fuoco e così caddero circa duemila nemici. Giovanni poi tornò in pace nella Giudea.

[11]Tolomeo, figlio di Abubo, era stato costituito stratega della pianura di Gerico. Egli aveva molto argento e oro. [12]Era, infatti, genero del sommo sacerdote. [13]Il suo cuore, però, si insuperbì e, volendo diventare padrone della regione, andava facendo subdoli progetti contro Simone e i suoi figli per eliminarli. [14]Mentre Simone stava visitando le città della regione, interessandosi delle loro necessità, scese a Gerico con i suoi figli Mattatia e Giuda. Era l'anno centosettantasette, l'undicesimo mese, cioè il mese di Sabat. [15]Il figlio di Abubo li ricevette con inganno nella piccola fortezza chiamata Dok, che egli stesso aveva costruito; fece loro un grande banchetto e intanto teneva nascosti alcuni uomini. [16]Come Simone e i suoi figli furono inebriati, Tolomeo e i suoi uomini si alzarono e, impugnate le armi, si gettarono su Simone nella sala del banchetto e uccisero lui, i suoi due figli e alcuni dei suoi servi. [17]Egli così commise una grande perfidia e rese male per bene. [18]Tolomeo poi scrisse un rapporto su queste cose e lo spedì al re, affinché gli inviasse truppe in aiuto e gli affidasse il comando della regione e delle città. [19]Mandò anche altri uomini a Ghezer per eliminare Giovanni e inviò lettere ai suoi comandanti, affinché si recassero da lui, poiché voleva dare loro argento, oro e regali. [20]Altri ancora li inviò a occupare Gerusalemme e il monte del tempio. [21]Un tale, tuttavia, corse avanti ad annunziare a Giovanni in Ghezer che suo padre era morto insieme ai suoi fratelli, aggiungendo: «Ha inviato uomini per uccidere anche te!». [22]Udendo ciò, Giovanni fu grandemente sconvolto. Prese gli uomini mandati per ucciderlo e li mise a morte. Aveva saputo, infatti, che cercavano di ucciderlo. [23]Quanto alle altre azioni di Giovanni, le sue guerre, gli atti di valore che egli compì, la costruzione delle mura da lui eseguita e le sue imprese, [24]tutte queste cose sono scritte negli annali del suo sommo sacerdozio, da quando divenne sommo sacerdote, dopo la morte di suo padre.

1Mac

SECONDO LIBRO DEI MACCABEI

LE DUE LETTERE
AI GIUDEI D'EGITTO

1 ¹«Ai fratelli giudei sparsi nell'Egitto i fratelli giudei, che sono in Gerusalemme e nella regione della Giudea, augurano salute e pace. ²Dio vi ricolmi di benefici e si ricordi della sua alleanza con Abramo, Isacco e Giacobbe, suoi servi fedeli. ³Doni a tutti volontà per onorarlo e per compiere i suoi voleri, con cuore grande e animo volenteroso. ⁴Vi apra il cuore alla sua legge e ai suoi precetti e vi dia pace. ⁵Ascolti le vostre preghiere, si riconcili con voi e non vi abbandoni nell'ora della sventura. ⁶Noi qui preghiamo per voi. ⁷Sotto il regno di Demetrio, nell'anno centosessantanove, noi Giudei vi scrivemmo: Nella tribolazione e nell'angustia che si è abbattuta su di noi in questi anni, da quando Giasone e i suoi, tradita la terra santa e il regno, ⁸incendiarono il portale e versarono sangue innocente, noi abbiamo pregato il Signore e siamo stati esauditi; abbiamo offerto un sacrificio e fior di farina, abbiamo acceso le lampade e presentato i pani. ⁹E ora vi scriviamo affinché celebriate i giorni delle Capanne del mese di Casleu. L'anno centottantotto».

¹⁰«Gli abitanti di Gerusalemme e della Giudea, il consiglio degli anziani e Giuda, ad Aristobulo, precettore del re Tolomeo, della stirpe dei sacerdoti consacrati, e ai Giudei che sono in Egitto, salute e prosperità!

¹¹Da Dio salvati da grandi pericoli, lo ringraziamo molto per esserci potuti schierare contro il re, ¹²poiché egli stesso ha ricacciato coloro che si erano schierati contro la santa città. ¹³Infatti il loro capo, recatosi in Persia con il suo esercito, che sembrava imbattibile, fu ucciso nel tempio della dea Nanea, grazie ad un tranello tesogli dai sacerdoti di Nanea. ¹⁴Con il pretesto di celebrare le nozze con la dea, Antioco si era recato con i suoi amici in quel luogo, per prelevarne le immense ricchezze a titolo di dote. ¹⁵Quando egli si presentò con poche persone nel recinto sacro, i sacerdoti del tempio di Nanea gliele mostrarono; ma, appena Antioco fu entrato, essi chiusero il tempio alle sue spalle, ¹⁶aprirono una porta segreta del soffitto e, scagliando pietre, fulminarono il principe e i suoi; li fecero a pezzi e ne gettarono le teste mozzate a quelli di fuori. ¹⁷In tutto sia benedetto il nostro Dio, che ha consegnato alla morte gli empi. ¹⁸Stando noi per celebrare, il venticinque di Casleu, la purificazione del tempio, abbiamo creduto necessario informarvi affinché anche voi celebriate la festa delle Capanne e del fuoco, apparso quando Neemia offrì i sacrifici, dopo aver riedificato il tempio e l'altare.

¹⁹Infatti quando i nostri padri furono condotti in Persia, alcuni pii sacerdoti, preso il fuoco dall'altare, segretamente lo nascosero nella cavità di un pozzo asciutto e là lo posero al sicuro, in modo che il luogo rimanesse a tutti ignoto. ²⁰Passati molti anni, quando a Dio piacque, Neemia, rilasciato dal re di Persia, mandò a cercare il fuoco per mezzo dei discendenti di quei sacerdoti che lo avevano nascosto. Avendo, però, questi riferito di non aver trovato il fuoco, bensì acqua densa, egli comandò loro di attingerla e di portarla. ²¹Quando tutto fu pronto per i sacrifici, Neemia comandò ancora ai sacerdoti di cospargere con l'acqua la legna e

---

1. - 1-9. I Giudei in Egitto erano numerosi, fin dal tempo della distruzione di Gerusalemme ad opera di Nabucodonosor (586 a.C.). Avevano eretto un tempio nell'isola di Elefantina, distrutto nel 411 a.C., e verso l'anno 170 a.C. il figlio del sommo sacerdote Onia III si era rifugiato a Leontopoli, costruendovi un tempio.

9. La festa *delle Capanne*, ordinata dalla legge, si celebrava in ottobre; questa di Casleu, nono mese (novembre-dicembre), era la festa della Dedicazione del tempio riconquistato e purificato da Giuda Maccabeo (1Mac 4,59).

quanto vi era sopra. [22]Così fu fatto e dopo qualche tempo il sole, che prima era velato da nubi, incominciò a risplendere e si accese un gran fuoco, sicché tutti ne restarono ammirati. [23]Mentre il sacrificio si consumava, i sacerdoti facevano la preghiera e con essi tutti gli altri. Gionata incominciava e gli altri con Neemia rispondevano.

[24]La preghiera era così formulata: Signore, Signore Dio, creatore di tutte le cose, terribile, forte, giusto e misericordioso, tu solo sei re e buono, [25]tu solo generoso, tu solo giusto, onnipotente ed eterno, che salvi Israele da ogni male, che hai scelto i nostri padri e li hai santificati; [26]accetta il sacrificio per tutto il tuo popolo Israele, custodisci la tua porzione e santificala. [27]Raduna i nostri dispersi, libera quelli che sono schiavi in mezzo ai pagani, volgi il tuo sguardo a coloro che sono disprezzati e oltraggiati, e i pagani riconoscano che tu sei il nostro Dio. [28]Castiga quelli che ci opprimono e ci ingiuriano con superbia. [29]Stabilisci il tuo popolo nel tuo santo luogo, come ha detto Mosè.

[30]I sacerdoti, intanto, cantavano inni. [31]Quando il sacrificio fu consumato, Neemia ordinò di versare l'acqua rimanente su grandi pietre. [32]Come ciò fu fatto, apparve una fiamma, la quale fu assorbita dalla luce che risplendeva sull'altare.

[33]Quando il fatto fu divulgato, anche al re dei Persiani fu riferito che nel luogo ove i sacerdoti deportati avevano nascosto il fuoco era apparsa un'acqua, con la quale i compagni di Neemia avevano purificato l'occorrente per il sacrificio. [34]Accertatosi del fatto, il re fece allora recingere il luogo e lo dichiarò sacro. [35]Il re ricevette anche molti doni da quelli che egli aveva favorito e ne dava loro. [36]I compagni di Neemia chiamarono questo luogo Neftar, che significa "purificazione"; ma dai più è chiamato Neftai».

COME GEREMIA NASCOSE L'ARCA E ALTRI OGGETTI SACRI

2 [1]Nei documenti si trova scritto che il profeta Geremia ordinò ai deportati di prendere del fuoco, come già si è detto, [2]e che il medesimo profeta raccomandò ai deportati, consegnando loro la legge, di non dimenticarsi dei comandamenti del Signore e di non lasciarsi sviare nei pensieri, alla vista delle statue d'oro e d'argento e dei loro ornamenti. [3]Con altri simili avvertimenti li esortava a non allontanare la legge dal loro cuore.

[4]In quello scritto vi era pure che il profeta, avvertito da un oracolo, ordinò che lo seguissero con la tenda e l'arca, mentre egli si recava al monte sul quale Mosè era salito per contemplare l'eredità di Dio. [5]Giunto là, Geremia trovò un abitacolo a forma di caverna; v'introdusse la tenda, l'arca e l'altare dei profumi e ne sbarrò l'ingresso. [6]Alcuni di quelli che l'avevano seguito si avvicinarono per segnare il tracciato, ma non riuscirono a trovarlo. [7]Quando Geremia lo seppe, li rimproverò dicendo: Il luogo resterà ignoto sino a quando Dio avrà radunato la comunità e le userà misericordia. [8]Allora il Signore mostrerà di nuovo queste cose e apparirà la gloria del Signore e la nube, come si mostrava al tempo di Mosè e quando Salomone pregò affinché il tempio fosse consacrato con magnificenza.

[9]Vi si narra pure come costui, da saggio qual era, offrì sacrifici per la dedicazione e il compimento del tempio. [10]Allo stesso modo che Mosè aveva pregato il Signore e dal cielo era disceso il fuoco che aveva consumato le vittime, così anche Salomone pregò e il fuoco disceso dall'alto consumò gli olocausti. [11]Mosè aveva detto: Poiché non è stato mangiato, il sacrificio per il peccato è stato distrutto. [12]Allo stesso modo anche Salomone celebrò gli otto giorni di festa. [13]Oltre a queste cose, nei documenti e nelle memorie di Neemia vi è narrato pure come questi, fondata una biblioteca, vi radunò i libri riguardanti i re e i profeti, gli scritti di Davide e le lettere dei re riguardanti le oblazioni votive. [14]Similmente anche Giuda ha radunato i libri che erano andati dispersi a causa della guerra che ci è stata fatta. Essi sono presso di noi. [15]Se, perciò, ne avete bisogno, mandate persone con l'incarico di portarveli. [16]Noi vi scriviamo mentre stiamo per celebrare la purificazione. Farete bene, perciò, a celebrare questi giorni. [17]Poiché Dio ha salvato tutto il suo popolo e ha restituito a tutti l'eredità, il regno, il sacerdozio e la santità, [18]come aveva promesso

---

2. - 18. Qui finisce la lettera dei Giudei ad Aristobulo, lettera senza data, ma che probabilmente è del 163-162 a.C., ai tempi di Giuda Maccabeo. È da notare il linguaggio messianico di cui fa uso.

nella legge, noi speriamo che questo Dio ci usi presto misericordia e voglia presto radunarci nel luogo santo da ogni regione che è sotto il cielo. Poiché è lui che ci ha liberato da grandi mali e ha purificato questo luogo».

[19]I fatti riguardanti Giuda Maccabeo e i suoi fratelli, la purificazione del grande tempio e l'inaugurazione dell'altare, [20]come pure le guerre contro Antioco Epifane e suo figlio Eupatore, [21]le apparizioni dal cielo avvenute a favore di quelli che generosamente hanno lottato per il giudaismo, riuscendo in pochi a saccheggiare l'intera regione e a inseguire le orde barbare, [22]a recuperare il tempio più famoso in tutto il mondo, a liberare la città e a ristabilire le leggi che stavano per essere abolite, avendoli il Signore favoriti con grande benevolenza: [23]tutte queste cose, che furono esposte da Giasone di Cirene in cinque libri, noi tenteremo di riassumerle in un solo volume.

[24]Considerando, infatti, la massa di numeri e la difficoltà che vi è per coloro che vogliono addentrarsi nelle vicende di questa storia, a causa della vastità della materia, [25]ci siamo preoccupati di procurare diletto a quelli che vogliono leggerla, facilità a quelli che pensano di mandarla a memoria e utilità a quanti capiterà in mano. [26]Invero non è cosa facile per noi, che ci siamo assunti il duro compito di suntegiare, anzi è un'impresa piena di sudori e di veglie, [27]così come non è facile preparare un banchetto e cercare di soddisfare i gusti degli altri. Nondimeno, per l'utilità del pubblico volentieri sopporteremo la fatica, [28]lasciando all'autore l'accuratezza dei singoli particolari e studiandoci invece di seguire gli schemi di un riassunto. [29]Come, infatti, l'architetto di una casa nuova deve aver cura di tutta la costruzione, mentre chi si accinge a dipingerla e a decorarla deve ricercare quanto è adatto all'ornamento, così penso che sia anche per noi. [30]Certo, il penetrare gli argomenti e il passare in rassegna i fatti, esaminandoli nei particolari, sono un dovere per l'autore di una storia. [31]Ma a chi ne fa un riassunto si deve concedere di guardare alla brevità della narrazione e di tralasciare l'esposizione minuziosa dei fatti. [32]A questo punto, dunque, daremo inizio alla narrazione, senza nulla aggiungere a quanto già detto, poiché sarebbe sciocco essere prolissi in ciò che precede la storia e poi concisi nella storia medesima.

IL MINISTRO ELIODORO A GERUSALEMME

3 [1]Quando la città santa godeva di una pace completa e le leggi erano osservate nel migliore dei modi, grazie alla pietà del sommo sacerdote Onia e al suo odio per il male, [2]gli stessi re onoravano il luogo santo e glorificavano il tempio con i doni più splendidi, [3]al punto che anche Seleuco, re dell'Asia, provvedeva con le proprie rendite a tutte le spese occorrenti per la liturgia dei sacrifici. [4]Ora un certo Simone, della tribù di Bilga, essendo stato costituito sovrintendente del tempio, venne a trovarsi in contrasto con il sommo sacerdote circa l'amministrazione della città. [5]Pertanto, non riuscendo a prevalere su Onia, andò da Apollonio di Tarso, che in quel tempo era governatore della Celesiria e della Fenicia, [6]e gli riferì che la stanza del tesoro in Gerusalemme era talmente piena di ricchezze, che la quantità delle somme era incalcolabile; esse poi non servivano per le spese dei sacrifici ed era possibile farle passare in potere del re. [7]Apollonio, a sua volta, incontratosi con il re, lo mise al corrente delle ricchezze che gli erano state denunciate. Questi, allora, scelto il ministro Eliodoro, lo inviò a Gerusalemme, dandogli ordine di compiere la confisca delle predette ricchezze.

[8]Eliodoro si mise subito in cammino, in apparenza come per visitare le città della Celesiria e della Fenicia, ma in realtà per eseguire il disegno del re. [9]Giunto a Gerusalemme e accolto con benevolenza dal sommo sacerdote e dalla città, riferì l'informazione ricevuta e manifestò il motivo per cui era venuto, chiedendo poi se le cose stessero veramente in tal modo.

[10]Il sommo sacerdote allora gli spiegò che i depositi erano delle vedove e degli orfani [11]e una parte anche di Ircano, figlio di Tobia, uomo di condizione assai elevata; che, al contrario di quanto falsamente aveva detto l'empio Simone, si trattava in tutto di quattrocento talenti d'argento e duecento d'oro; [12]e che, infine, doveva essere assolutamente impossibile permettere che fossero

---

20. *Antioco* IV *Epifane* o "illustre". *Eupatore*: Antioco V. 2Mac, se si eccettua l'episodio di Eliodoro e le lettere riportate all'inizio del libro, comprende fatti avvenuti sotto Antioco IV e Antioco V, nello spazio di circa 16 anni (175-160).

defraudati coloro che avevano confidato nella santità del luogo e nel carattere sacro e inviolabile del tempio, venerato in tutto il mondo. [13]Eliodoro, però, in forza degli ordini che aveva dal re, rispose che in ogni modo quelle ricchezze dovevano essere confiscate a favore del tesoro reale. [14]Fissò quindi un giorno e si presentò per dirigere l'ispezione. In tutta la città vi era intanto una grande agitazione.

[15]I sacerdoti, prostrati davanti all'altare nelle loro vesti sacre, invocavano il cielo che, avendo fissato la legge sui depositi, conservasse intatti tali beni a coloro che li avevano depositati. [16]Chi poi osservava l'aspetto del sommo sacerdote ne era ferito fino al cuore, poiché il volto e il cambiamento di colore rivelavano l'interno dolore dell'animo. [17]Il suo corpo, infatti, era pervaso da una tale paura e da un tale tremito che lasciavano trapelare il dolore del suo cuore.

[18]Dalle case, intanto, gli uomini uscivano per accorrere in folla a una pubblica supplica, a causa dell'affronto che il luogo santo stava per subire. [19]Le donne, a loro volta, cingendo il cilicio sotto il petto, affluivano per le strade, mentre le fanciulle, di solito appartate, accorrevano alcune alle porte e altre sulle mura, mentre alcune si affacciavano dalle finestre. [20]Tutte, con le mani tese al cielo, recitavano preghiere. [21]Era commovente vedere la prostrazione di quella folla confusa e l'ansietà del sommo sacerdote in preda ad una grande angoscia. [22]Essi invocavano il Signore onnipotente affinché custodisse intatti, in piena sicurezza, i depositi di coloro che li avevano consegnati. [23]Eliodoro, invece, eseguiva quanto aveva deciso. [24]Con i suoi uomini egli era già sul posto, presso la stanza del tesoro, quando il Signore degli spiriti e di ogni potenza compì un'apparizione così grande che tutti coloro che avevano osato entrare, colpiti dalla potenza di Dio, rimasero privi di forze e pieni di spavento. [25]Apparve loro un cavallo, ornato di una magnifica bardatura e montato da un terribile cavaliere. Si muoveva impetuosamente e lanciava contro Eliodoro i suoi zoccoli anteriori. Chi lo cavalcava sembrava avere un'armatura d'oro. [26]Davanti a lui comparvero altri due giovani, straordinari per la forza, splendidi di bellezza e magnifici nel loro abbigliamento, i quali, postiglisi ciascuno da un lato, lo

flagellavano ininterrottamente, sferrandogli numerose sferzate. [27]Eliodoro cadde d'un tratto a terra e, avvolto da una fitta oscurità, dovettero prenderlo e deporlo su una lettiga. [28]Egli, che poco prima era entrato nella suddetta stanza del tesoro con numeroso seguito e con tutta la sua guardia, fu portato via impotente ad aiutarsi, riconoscendo tutti apertamente la potenza di Dio. [29]Così, mentre egli, prostrato dalla forza divina, giaceva senza parola e privo di ogni speranza di salvezza, [30]gli altri benedicevano il Signore che aveva glorificato il suo luogo. Il tempio, che poco prima era pieno di terrore e spavento, dopo l'intervento di Dio onnipotente si riempì di gioia e di letizia.

[31]Subito, però, alcuni dei compagni di Eliodoro pregarono Onia di supplicare l'Altissimo, affinché facesse grazia della vita a costui che ormai era all'ultimo respiro. [32]Il sommo sacerdote, allora, temendo che forse il re avrebbe avuto il sospetto che qualche tranello fosse stato teso dai Giudei contro Eliodoro, offrì un sacrificio per la salute dell'uomo. [33]Mentre il sommo sacerdote compiva il rito propiziatorio, gli stessi giovani comparvero di nuovo ad Eliodoro, rivestiti delle medesime vesti e, restando in piedi, gli dissero: «Abbi molta gratitudine per il sommo sacerdote Onia, perché per merito suo il Signore ti ha fatto grazia della vita. [34]Tu, poi, che hai sperimentato il castigo del cielo, annunzia a tutti la grande potenza di Dio». Ciò detto, sparirono. [35]Eliodoro, allora, offerto un sacrificio al Signore e innalzate grandi preghiere a chi lo aveva fatto vivere, salutò Onia e fece ritorno dal re, [36]rendendo testimonianza a tutti delle opere del grandissimo Dio, che egli aveva visto con i suoi occhi.

[37]In seguito, avendo il re domandato a Eliodoro chi fosse adatto ad essere inviato ancora una volta a Gerusalemme, egli rispose: [38]«Se hai qualche nemico o avversario negli affari, mandalo là e lo avrai indietro castigato per bene, se pure ne uscirà salvo, poiché intorno a quel luogo vi è veramente una forza divina. [39]Infatti colui che ha un'abitazione nei cieli è vigile custode di quel luogo e percuote e annienta coloro che vi si avvicinano per operarvi il male».

[40]In questo modo, dunque, si svolsero i fatti relativi a Eliodoro e alla conservazione del tesoro.

ONIA, GIASONE E MENELAO

4 ¹Il suddetto Simone, che si era fatto delatore delle ricchezze e della patria, calunniava Onia, quasi che questi avesse percosso Eliodoro e fosse stato l'artefice dei suoi mali. ²Osava chiamare eversore della cosa pubblica il benefattore della città, il protettore dei connazionali e il custode zelante delle leggi! ³La sua ostilità era giunta a tal punto che furono compiuti omicidi da uno di coloro che erano stati arruolati dallo stesso Simone. ⁴Allora Onia, considerando i pericoli dell'ostilità e il fatto che Apollonio, figlio di Menesteo, governatore della Celesiria e della Fenicia, fomentava la cattiveria di Simone, ⁵si recò dal re, non per farsi accusatore dei cittadini, ma per provvedere al bene comune del popolo e di ciascuno in particolare. ⁶Egli infatti vedeva bene che, senza una decisione del re, sarebbe stato impossibile ristabilire la pace nella vita pubblica e far cessare Simone dalle sue follie.

⁷Intanto, passato Seleuco all'altra vita e avendo occupato il regno Antioco, soprannominato Epifane, Giasone, fratello di Onia, si procurò per corruzione il sommo sacerdozio, ⁸promettendo al re, durante un incontro, trecentosessanta talenti d'argento e altri ottanta, riscossi da qualche altra entrata. ⁹Inoltre si impegnò a versargliene altri centocinquanta, se gli fosse stato concesso di erigere, di sua autorità, una palestra e un campo di addestramento e di costituire un'associazione di Antiocheni in Gerusalemme. ¹⁰Avendo il re acconsentito, egli, ottenuto il potere, si diede subito a trasformare i connazionali alla maniera greca. ¹¹Annullò le benigne concessioni fatte dal re ai Giudei per opera di Giovanni, padre di quell'Eupolemo che poi compì l'ambasciata presso i Romani per fare amicizia e alleanza; quindi, abolite le istituzioni patrie, instaurò consuetudini inique. ¹²Con piacere, infatti, eresse una palestra proprio sotto l'acropoli, e indusse i migliori giovani a portare il petaso. ¹³Ciò costituiva il culmine dell'ellenizzazione e un completo passaggio verso i costumi stranieri, dovuto all'eccessiva corruzione dell'empio e falso sommo sacerdote Giasone. ¹⁴Perciò i sacerdoti non erano più zelanti nel servizio all'altare; anzi, disprezzando il tempio e trascurando i sacrifici, si affrettavano a prendere parte nella palestra, dopo

il segnale dato con il disco, ai giochi contrari alla legge, ¹⁵non facendo più alcun conto delle glorie patrie e stimando, invece, ottime le glorie ellenistiche.

¹⁶A causa di ciò una dura sventura piombò su di essi, trovando i loro nemici e giustizieri proprio in coloro le cui istituzioni seguivano con zelo e a cui avevano voluto in tutto assomigliare. ¹⁷Veramente non si violano impunemente le leggi divine. Ma questo lo dimostrerà il periodo storico seguente.

¹⁸Celebrandosi in Tiro i giochi quinquennali alla presenza del re, ¹⁹l'empio Giasone vi mandò, come rappresentanti, alcuni Antiocheni di Gerusalemme, i quali portavano trecento dracme d'argento per il sacrificio a Ercole. Ma coloro che le portavano giudicarono non essere conveniente usarle per il sacrificio, bensì destinarle ad altra spesa. ²⁰Perciò quanto era stato inviato per il sacrificio a Ercole, per merito dei latori fu versato per l'allestimento di triremi.

²¹Da Apollonio, figlio di Menesteo, che era stato inviato in Egitto per l'intronizzazione del re Filometore, Antioco apprese che costui era divenuto ostile al suo governo e perciò si preoccupò della sua sicurezza. Per questa ragione, si recò prima a Giaffa, poi mosse alla volta di Gerusalemme. ²²Accolto magnificamente da Giasone e dalla città, fu ricevuto con fiaccole e acclamazioni. Di qui poi marciò verso la Fenicia.

²³Tre anni dopo, Giasone inviò Menelao, fratello del menzionato Simone, a portare denaro al re e per sbrigare le pratiche relative ad affari urgenti. ²⁴Questi, presentatosi al re e adulandolo con le maniere di una persona importante, si accaparrò il sommo sacerdozio, superando l'offerta di Giasone di trecento talenti d'argento. ²⁵Ricevute le lettere commendatizie, si ripresentò in città, nulla avendo che fosse degno del sommo sacerdozio, ma piuttosto avendo in sé i sentimenti d'un tiranno crudele uniti alla ferocia di una belva. ²⁶Così Giasone, che aveva ingannato il proprio fratello, ingannato a sua volta da un altro, fu costretto a fuggire nella regione dell'Ammanitide.

²⁷Menelao pertanto si era impadronito del potere, ma non si curava affatto del denaro promesso al re. ²⁸Sostrato, allora, che era comandante dell'acropoli, gliene fece richiesta, giacché spettava a lui la riscossione delle imposte. Per questa ragione furono

ambedue convocati dal re. [29]Menelao lasciò come sostituto nel sommo sacerdozio il proprio fratello Lisimaco; Sostrato lasciò Cratete, comandante dei Ciprioti.

[30]Stavano così le cose, quando le città di Tarso e di Mallo si ribellarono per essere state date in dono ad Antiochide, concubina del re. [31]Il re partì in fretta per sistemare l'affare e lasciò come sostituto Andronico, uno dei grandi dignitari. [32]Menelao, allora, pensando di aver trovato l'occasione buona, sottrasse alcuni oggetti d'oro del tempio e ne fece dono ad Andronico, mentre altri riuscì a venderli a Tiro e nelle città vicine. [33]Venuto a conoscenza della cosa, Onia lo rimproverò, mettendosi però al sicuro in un luogo inviolabile a Dafne, che è vicino ad Antiochia. [34]Per questo, Menelao, preso Andronico in disparte, lo sollecitò a uccidere Onia. Quello, allora, recatosi da Onia e ottenutane la fiducia con inganno, dandogli perfino la destra con giuramento, lo persuase, benché rimanesse ancora in sospetto, a uscire dal luogo del suo rifugio e subito lo uccise, senza alcun rispetto per la giustizia.

[35]In seguito a ciò non solo i Giudei, ma anche molti di altre nazioni restarono indignati e afflitti per l'ingiusta uccisione di quest'uomo. [36]Quando il re tornò dalle località della Cilicia, i Giudei della città andarono da lui insieme ad alcuni Greci, che come loro esecravano l'uccisione di Onia contro ogni diritto. [37]Antioco, profondamente rattristato e commosso, pianse per la prudenza e la grande moderazione del defunto. [38]Poi, infiammato d'ira, tolse immediatamente ad Andronico la porpora e gli stracciò le vesti, lo fece condurre per tutta la città fino al luogo in cui aveva commesso la sua empietà contro Onia e in quel luogo stesso eliminò questo sanguinario. Così il Signore gli rese la degna punizione. [39]Intanto molti furti sacrileghi erano stati compiuti in città da Lisimaco, col consenso di Menelao. Essendosene sparsa la notizia anche al di fuori, il popolo insorse contro Lisimaco, quando già molti oggetti preziosi erano andati dispersi. [40]La folla era eccitata e piena d'ira, e Lisimaco, allora, armati tremila uomini, diede inizio ad atti di violenza. Loro capo era un certo Aurano, uomo avanzato in età e non meno in follia. [41]Accortisi dell'attacco di Lisimaco, quelli del popolo afferrarono chi pietre e chi robusti bastoni, mentre alcuni raccoglievano a manciate la polvere da terra, e si lanciarono alla rinfusa contro gli uomini di Lisimaco. [42]In tal modo ne coprirono molti di ferite e ne abbatterono altri; li costrinsero tutti alla fuga e misero a morte lo stesso ladro sacrilego presso la stanza del tesoro.

[43]Per questi fatti fu poi intentato un processo contro Menelao. [44]Giunto il re a Tiro, tre uomini inviati dal consiglio degli anziani fecero la loro requisitoria contro di lui. [45]Menelao, vedendosi già battuto, promise somme rilevanti a Tolomeo, figlio di Dorimene, perché persuadesse il re. [46]Tolomeo, allora, condotto il re sotto un porticato come per fargli prendere aria, gli fece cambiare parere. [47]Così egli mandò assolto dalle accuse Menelao, che era la causa di tutto quel male; condannò invece a morte quegli infelici, i quali, se avessero discusso la causa anche davanti agli Sciti, sarebbero stati prosciolti come innocenti. [48]Immediatamente subirono l'ingiusta pena coloro che avevano parlato in difesa della città, del popolo e degli arredi sacri. [49]Per questo motivo perfino gli abitanti di Tiro, che avevano sdegno per il male commesso, provvidero generosamente all'occorrente per la loro sepoltura. [50]Ma Menelao, grazie alla cupidigia dei potenti, rimase al potere, crescendo in malvagità e facendosi grande traditore dei concittadini.

LA FINE DI GIASONE

5 [1]In questo periodo di tempo, mentre Antioco preparava la seconda spedizione contro l'Egitto, [2]accadde che per tutta la città, quasi per quaranta giorni, si videro correre per l'aria cavalieri dalle vesti d'oro, armati di lance roteanti e di spade sguainate, [3]squadroni schierati di cavalleria, assalti e incursioni sferrati da una e dall'altra parte, movimenti di scudi, foreste di aste, lanci di dardi, bagliori di armature d'oro e corazze d'ogni genere. [4]Tutti, perciò, pregavano perché l'apparizione fosse di buon augurio. [5]Essendosi sparsa la falsa notizia che Antioco era passato all'altra vita, Giasone, presi con sé non meno di mille uomini, all'improv-

---

5. - 2. È difficile spiegare la natura di queste apparizioni e gli esegeti non sono del medesimo parere. Si può dire in generale che corrispondono al gusto popolare del tempo.

viso sferrò un attacco contro la città. Battuti gli uomini che erano sulle mura, la città era ormai occupata, quando Menelao si rifugiò nell'acropoli. [6]Giasone, allora, incominciò a far strage dei propri concittadini senza pietà, non considerando che un successo contro la propria gente è un grandissimo insuccesso, ma credendo di riportare trionfi su nemici e non su connazionali. [7]Tuttavia egli non riuscì a impadronirsi del potere, anzi, alla fine, conscio della vergogna della sua cospirazione, fuggì di nuovo nell'Ammanitide. [8]Alla fine incontrò una pessima sorte. Accusato presso Areta, re degli Arabi, fuggendo poi di città in città e perseguitato da tutti, detestato come traditore delle leggi ed esecrato come carnefice della patria e dei concittadini, fu spinto in Egitto. [9]Così, colui che aveva mandato esuli molti figli della sua patria, perì esule tra gli Spartani, presso i quali si era recato per trovarvi un riparo in nome della comune origine. [10]Lui, che aveva fatto gettar via tanta gente senza sepoltura, finì senza rimpianto, non ebbe un funerale né un posto nel sepolcro dei suoi padri.

[11]Quando il re venne a conoscenza di questi fatti, pensò che la Giudea si fosse ribellata. Perciò, tornando dall'Egitto con animo inferocito, occupò la città con le armi [12]e ordinò ai soldati di colpire senza pietà quanti incontravano e di trucidare quelli che si rifugiavano nelle case. [13]Vi fu uno sterminio di giovani e vecchi, un massacro di uomini, donne e ragazzi, una strage di fanciulle e bambini. [14]In soli tre giorni perirono ottantamila persone: quarantamila nel corso della lotta e in numero non inferiore agli uccisi furono quelli venduti come schiavi.

[15]Non contento di questo, osò entrare nel tempio più santo di tutta la terra, avendo come guida quel Menelao che si era fatto traditore delle leggi e della patria. [16]Con le sue mani impure prese i vasi sacri e con le sue mani sacrileghe spazzò via i doni offerti dagli altri re, deposti per l'abbellimento, lo splendore e la gloria di quel luogo. [17]Antioco si inorgoglì, non considerando che il Signore si era irritato per breve tempo a causa dei peccati degli abitanti della città, e perciò quel luogo era stato abbandonato. [18]Infatti, se il popolo non si fosse macchiato di molti peccati, egli, come era accaduto ad Eliodoro, che il re Seleuco aveva mandato a ispezionare la stanza del tesoro, appena

entrato sarebbe stato subito colpito e distolto dalla sua impresa temeraria. [19]Ma il Signore non ha scelto il popolo per amore del luogo, ma il luogo per amore del popolo. [20]Per questo anche il luogo, dopo aver partecipato alle disgrazie accadute al popolo, ne condivise poi i benefici; dopo essere stato abbandonato a causa dell'ira dell'Onnipotente, di nuovo, quando avvenne la riconciliazione con il grande Sovrano, è stato ricostituito in tutta la sua gloria.

[21]Antioco, dunque, sottratti milleottocento talenti d'argento dal tempio, tornò in fretta ad Antiochia immaginando, nel suo orgoglio di mente esaltata, di aver reso la terra navigabile e il mare transitabile a piedi. [22]Egli lasciò dei sovrintendenti per opprimere la popolazione. A Gerusalemme lasciò Filippo, frigio di origine, ma di carattere più barbaro di colui che l'aveva investito della carica; [23]sul Garizim invece Andronico; oltre ad essi Menelao, che più di tutti era accanito contro i cittadini, poiché era pieno di odio contro i Giudei. [24]Poi il re mandò il misarca Apollonio con un esercito di ventiduemila uomini e con l'ordine di trucidare tutti gli adulti e di vendere le donne e i più giovani. [25]Costui, giunto a Gerusalemme, simulò un contegno pacifico, attendendo fino al giorno sacro del sabato. Poi, sorprendendo i Giudei nel riposo, ordinò ai suoi una parata militare; [26]fece trafiggere così tutti coloro che erano usciti per lo spettacolo e quindi, fatta irruzione con le armi nella città, uccise una grande moltitudine di persone.

[27]Ma Giuda, detto anche Maccabeo, con una decina di uomini si ritirò nel deserto, dove, sulle montagne, viveva con i suoi tra le fiere. Vivevano nutrendosi di erbe, per non aver parte alla contaminazione generale.

LA PERSECUZIONE RELIGIOSA E IL MARTIRIO DI ELEAZARO

6 [1]Non molto tempo dopo, il re inviò un vecchio ateniese per costringere i Giudei ad abbandonare le leggi dei padri e a non vivere più secondo le leggi di Dio, [2]inoltre per profanare il tempio di Gerusalemme e dedicare questo a Giove Olimpio e quello

---

17-20. Tutte queste calamità sono attribuite dall'autore ai peccati del popolo eletto.

sul Garizim, come avevano ottenuto gli abitanti del luogo, a Giove Ospitale.

³Grave e a tutti insopportabile divenne il dilagare del male. ⁴Il tempio, infatti, era pieno della dissolutezza e delle orge dei pagani, che vi si divertivano con le amiche e sotto i portici si accoppiavano alle donne, introducendovi pure cose sconvenienti. ⁵L'altare, poi, era pieno di cose empie, proibite dalle leggi. ⁶Non si poteva né celebrare il sabato né osservare le feste dei padri né semplicemente confessare di essere Giudeo. ⁷Si era condotti con dura forza ogni mese, nel giorno natalizio del re, al banchetto sacrificale e, al giungere delle feste dionisiache, si era costretti a sfilare in corteo, portando corone di edera in onore di Dioniso.

⁸Per istigazione della gente di Tolemaide fu poi emanato un decreto, affinché nelle città ellenistiche vicine si tenesse la medesima condotta contro i Giudei e li si facesse partecipare ai banchetti sacri, ⁹uccidendo coloro che non si risolvevano a passare alle usanze ellenistiche. Era possibile, quindi, intravedere la sciagura che incombeva.

¹⁰Infatti due donne furono deferite per aver circonciso i loro figli. Appesi i bambini ai loro seni, le condussero in giro pubblicamente per la città e le precipitarono giù dalle mura. ¹¹Altri poi, che si erano radunati nelle grotte vicine per celebrare segretamente il sabato, denunziati a Filippo, furono bruciati, poiché ebbero scrupolo di difendersi, per il rispetto di quel giorno santissimo.

¹²Ora io esorto coloro che leggeranno questo libro a non sconcertarsi per tali sventure e a pensare piuttosto che i castighi furono dati non per la rovina, ma per la correzione della nostra gente. ¹³Poiché il non lasciare impuniti per molto tempo coloro che commettono empietà, ma colpirli subito con castighi, è segno di grande benevolenza. ¹⁴Difatti il longanime Sovrano ha giudicato di comportarsi con noi non come fa con le altre genti, che egli aspetta fino a che siano giunte al colmo dei peccati per punirle. ¹⁵E ciò per non dover punirci alla fine, quando i nostri peccati fossero giunti a colmare la misura.

¹⁶Perciò egli non ritira mai da noi la sua misericordia, ma, correggendoci con la sventura, non abbandona il suo popolo. ¹⁷Ciò sia detto da noi per ricordare questa verità. Dopo di che ritorniamo alla narrazione.

¹⁸Un certo Eleazaro, uno dei principali scribi, uomo già avanzato in età e dall'aspetto venerando, veniva costretto ad aprire la bocca per ingoiare carne suina. ¹⁹Preferendo una morte gloriosa ad una vita ignominiosa, spontaneamente si avviò al supplizio, ²⁰sputando il boccone e comportandosi come dovrebbero fare coloro che hanno il coraggio di rifiutare quei cibi di cui non è lecito nutrirsi per il desiderio di sopravvivere. ²¹Allora quelli che erano preposti a quell'empio pasto sacrificale, conoscendo l'uomo da vecchio tempo, presolo in disparte lo esortavano a farsi portare carni di cui gli era lecito cibarsi e a prepararsele da se stesso, fingendo di mangiare le carni del sacrificio comandate dal re, ²²di modo che, agendo così, sarebbe stato liberato dalla morte e trattato con umanità, in nome dell'antica amicizia che aveva con loro.

²³Egli, però, prese una nobile risoluzione, degna dell'età, del prestigio della vecchiaia, della veneranda canizie e dell'ottima condotta tenuta fin da fanciullo, ma soprattutto della santa legge stabilita da Dio, e rispose subito che lo mandassero alla morte. ²⁴«Infatti – disse – non è degno della nostra età fingere, in modo che molti giovani, credendo che a novant'anni Eleazaro sia passato alla moda straniera, ²⁵siano sviati anch'essi a causa mia, per la mia simulazione in vista di una breve ed esigua vita, e io mi procuri vergogna e infamia per la vecchiaia. ²⁶Infatti, anche se al presente riuscissi ad evitare il castigo degli uomini, non potrei sfuggire, né vivo né morto, alle mani dell'Onnipotente. ²⁷Invece, morendo ora da forte, apparirò degno della mia vecchiaia, ²⁸lasciando ai giovani un nobile esempio di come si debba morire, coraggiosamente e nobilmente, per le sante e venerande leggi». Dette queste parole, si avviò prontamente al supplizio.

²⁹Quelli che ve lo conducevano cambiarono in durezza la simpatia di poco prima, ritenendo che le parole da lui dette fossero una pazzia. ³⁰Egli però, mentre stava per morire sotto i colpi, disse tra i gemiti: «Il Signore, che possiede la santa scienza, sa bene come io, pur potendo scampare alla morte,

6. - 18. Il primo martire memorabile della persecuzione è questo venerabile Eleazaro, vecchio d'età ma d'una fortezza d'animo degna d'ogni elogio. Il suo martirio è descritto con molti particolari.

26. *Né vivo né morto*: primo accenno alla retribuzione dopo la morte, che sarà sviluppata nel capitolo seguente.

sopporto nel corpo dure sofferenze mentre sono flagellato, e come le sopporto volentieri nell'anima per il timore che ho verso di lui». [31]In questo modo egli morì, lasciando non solo ai giovani, ma anche alla maggioranza della nazione, un esempio di nobiltà e un ricordo di virtù.

IL MARTIRIO DI SETTE FRATELLI E DELLA LORO MADRE

7 [1]Ci fu anche il fatto di sette fratelli che, arrestati con la loro madre, furono costretti dal re a prendere carni suine proibite e tormentati con flagelli e nerbate. [2]Uno di essi, facendosi portavoce di tutti, disse: «Che cosa cerchi e che cosa vuoi sapere da noi? Siamo pronti a morire, piuttosto che trasgredire le leggi dei padri». [3]Il re, adiratosi, ordinò che si accendesse il fuoco sotto le padelle e le caldaie. [4]Poi, appena furono roventi, ordinò che a quello che si era fatto loro portavoce fosse tagliata la lingua e, dopo averlo scorticato, gli tagliassero le estremità, sotto gli sguardi degli altri fratelli e della madre. [5]Quando fu ridotto agli estremi, comandò di avvicinarlo al fuoco e di gettarlo sulla padella, mentre ancora respirava. Mentre il vapore si diffondeva abbondantemente dalla padella, gli altri si esortavano a vicenda con la madre a morire da forti, dicendo: [6]«Il Signore Dio ci vede dall'alto e sicuramente egli ha pietà di noi, come ha dichiarato Mosè nel suo cantico di protesta: Egli avrà pietà dei suoi servi». [7]Morto in tal maniera il primo, condussero al supplizio il secondo. Dopo avergli strappata la pelle del capo con i capelli, gli domandarono: «Vuoi mangiare, prima di essere torturato in tutte le parti del corpo?». [8]Ma egli rispose nella lingua dei padri e disse: «No». Perciò anch'egli subì il supplizio come il primo. [9]Giunto, però, all'ultimo respiro, disse: «Tu, scellerato, ci elimini dalla vita presente, ma il re del mondo farà risorgere alla una risurrezione eterna di vita noi che moriamo per le sue leggi».

[10]Dopo di lui fu torturato il terzo. Alla loro richiesta, egli subito mise fuori la lingua e stese avanti le mani coraggiosamente, [11]dicendo con fierezza: «Dal cielo ho queste membra, ma a causa delle sue leggi le disprezzo, perché da lui spero di riaverle

nuovamente». [12]Lo stesso re, con quelli che erano con lui, restò ammirato dalla fierezza di questo giovane, che non si curava affatto delle sofferenze.

[13]Passato anche lui all'altra vita, straziarono il quarto con gli stessi supplizi. [14]Ormai vicino a morire, disse: «È meglio essere messi a morte dagli uomini, quando in Dio si ha la speranza di essere da lui risuscitati. Per te, però, non ci sarà davvero risurrezione alla vita». [15]Subito dopo condussero il quinto e lo torturarono. [16]Ma egli, fissando il re, disse: «Poiché hai autorità sugli uomini, tu, benché mortale, fai ciò che vuoi. Non credere, però, che la nostra gente sia stata abbandonata da Dio. [17]Quanto a te, aspetta e vedrai la sua grande potenza, come strazierà te e la tua discendenza».

[18]Dopo di lui condussero il sesto. Stando per morire, disse: «Non ti illudere stoltamente! Noi, infatti, soffriamo queste cose per causa nostra, perché abbiamo peccato contro il nostro Dio. È per questo che ci accadono cose da destar meraviglia. [19]Ma tu non credere di restare impunito, dopo aver avuto l'ardire di combattere contro Dio».

[20]Ma soprattutto fu ammirevole e degna di una felice memoria la madre, la quale, vedendosi uccisi i suoi sette figli nello spazio di un sol giorno, sopportò tutto di buon animo, per la speranza che ella aveva nel Signore. [21]Esortava ciascuno di essi nella lingua dei padri e, piena di nobili sentimenti, univa alla sua tenerezza di donna un coraggio virile, dicendo loro: [22]«Io non so come voi siete apparsi nel mio seno; non sono stata io a donarvi lo spirito e la vita, né io a formare e disporre le membra di ciascuno di voi. [23]Perciò il creatore del mondo, che ha formato il genere umano e ha disposto l'origine di tutte le cose, nella sua misericordia vi darà di nuovo lo spirito e la vita, perché voi ora, per amore delle sue leggi, non vi curate di voi stessi».

[24]Antioco, credendosi disprezzato e pen-

---

7. - 1. Altro esempio di amore e attaccamento alle leggi patrie è quello di sette fratelli e della loro madre, narrato dettagliatamente, per dimostrare che anche i giovani erano disposti a sacrificare la vita per la nazione e per mantenersi fedeli ai precetti divini. *Sette fratelli*: sono detti Maccabei, non perché della famiglia di Giuda Maccabeo, ma perché martirizzati al tempo dei Maccabei.

9. Chiara affermazione della fede nella risurrezione finale dei giusti.

sando che quel linguaggio fosse offensivo, mentre il più giovane era ancora vivo, prese ad esortarlo non solo a parole ma anche ad assicurarlo con giuramento che lo avrebbe fatto ricco e felice e che, se avesse abbandonato le tradizioni dei padri, l'avrebbe ritenuto come amico e gli avrebbe affidato alti incarichi. ²⁵Poiché il giovane non gli prestava attenzione, il re, chiamata la madre, l'invitava a farsi consigliera di salvezza per il ragazzo. ²⁶Dopo averla tanto invitata, ella accettò di persuadere il figliolo.

²⁷Curvatasi su di lui, beffandosi del crudele tiranno, disse nella lingua dei padri: «Figlio, abbi pietà di me che per nove mesi ti ho portato in seno e per tre anni ti ho allattato, ti ho nutrito, allevato e portato a questa età. ²⁸Ti prego, figliolo, guarda il cielo e la terra e osserva tutte le cose che sono in essi. Sappi che Dio le ha create non da cose esistenti e che allo stesso modo è stato creato anche il genere umano. ²⁹Non temere questo carnefice, ma, mostrandoti degno dei tuoi fratelli, accetta la morte, affinché io ti riacquisti con i tuoi fratelli nel giorno della misericordia».

³⁰Mentre ella ancora parlava, il giovane disse: «Che aspettate? Non obbedisco al comando del re, ma al comando della legge che fu data ai nostri padri per mezzo di Mosè. ³¹Tu, però, che sei stato l'artefice di tutti i mali contro gli Ebrei, non sfuggirai alle mani di Dio. ³²Noi, infatti, soffriamo per i nostri peccati. ³³Se il Signore vivente si è sdegnato con noi per breve tempo, per punirci e correggerci, egli si riconcilierà di nuovo con i suoi servi. ³⁴Ma tu, uomo empio e scelleratissimo, non esaltarti invano, nutrendo inutili speranze, mentre alzi la mano contro i figli del cielo, ³⁵poiché non sei ancora sfuggito al giudizio dell'Onnipotente, che tutto vede. ³⁶Già ora, infatti, i nostri fratelli, dopo aver sopportato un breve tormento, hanno raggiunto la divina promessa di una vita eterna; tu invece nel giudizio di Dio riporterai il giusto castigo della tua superbia. ³⁷Io, come i miei fratelli, sacrifico il corpo e la vita per le leggi dei padri, invocando Dio che si mostri quanto prima misericordioso con la mia gente e che, mediante prove e flagelli, costringa te a confessare che egli solo è Dio. ³⁸Possa, infine, arrestarsi in me e nei miei fratelli l'ira dell'Onnipotente, che giustamente si è abbattuta su tutta la nostra stirpe!». ³⁹Adirato, il re infierì su di lui più

crudelmente che sugli altri, mal sopportando lo scherno. ⁴⁰Così anch'egli, puro, passò all'altra vita, confidando totalmente nel Signore. ⁴¹Ultima, dopo i figli, morì la madre. ⁴²Ma, riguardo ai banchetti sacrificali e alle incredibili crudeltà, sia sufficiente quanto è stato detto.

L'INSURREZIONE DI GIUDA MACCABEO

8 ¹Intanto Giuda Maccabeo e i suoi compagni, introducendosi segretamente nei villaggi, chiamavano a sé i parenti e, raccogliendo quanti erano rimasti fedeli al giudaismo, formarono un gruppo di circa seimila persone. ²Supplicavano il Signore di volgere lo sguardo al popolo da tutti calpestato, di aver pietà del tempio profanato dagli uomini empi, ³di aver compassione anche della città in rovina e prossima ad essere rasa al suolo, di ascoltare il sangue che gridava verso di lui, ⁴di ricordarsi dell'iniquo massacro di bambini innocenti e di mostrare il suo sdegno per le bestemmie lanciate contro il suo nome. ⁵Organizzato il gruppo, il Maccabeo divenne ben presto invincibile per i pagani, poiché l'ira di Dio si era cambiata in misericordia. ⁶Giungendo all'improvviso, incendiava città e villaggi, occupava le migliori postazioni e metteva in fuga non pochi nemici. ⁷Per queste incursioni egli sceglieva soprattutto la complicità della notte. La fama della sua bravura, intanto, si diffondeva dappertutto. ⁸Filippo, vedendo che quest'uomo a poco a poco faceva progressi e riportava successi sempre più frequenti, scrisse a Tolomeo, stratega della Celesiria e della Fenicia, di venirgli in aiuto per gli affari del re. ⁹Costui scelse subito Nicanore, figlio di Patroclo, uno dei primi amici del re, e, postolo al comando di non meno di ventimila uomini di ogni nazione, lo inviò a sterminare tutta la razza dei Giudei. A lui associò pure Gorgia, stratega di professione, che aveva esperienza di cose di guerra.

¹⁰Nicanore si era proposto di ricavare dalla vendita dei Giudei fatti schiavi la somma di duemila talenti, per pagare così il tributo che il re doveva ai Romani. ¹¹Perciò diramò subito nelle città del litorale l'invito a comprare schiavi giudei, promettendo di cederne novanta per un talento, non imma-

ginando che la giustizia dell'Onnipotente stava per raggiungerlo.

[12]La notizia della spedizione di Nicanore giunse a Giuda; ma quando egli comunicò ai suoi compagni l'avvicinarsi dell'esercito, [13]quelli che avevano paura e quanti non confidavano nella giustizia di Dio cercarono scampo altrove e si allontanarono. [14]Gli altri, invece, vendevano quanto era loro rimasto e al medesimo tempo pregavano il Signore di liberare quelli che l'empio Nicanore aveva venduto prima ancora dello scontro: [15]se non per i loro meriti, almeno per riguardo all'alleanza stretta con i loro padri e per riguardo al suo augusto e magnifico nome invocato sopra di essi.

[16]Il Maccabeo, allora, radunati i suoi uomini in numero di seimila, li esortava a non spaventarsi davanti ai nemici e a non temere la moltitudine dei pagani che ingiustamente li aggredivano, ma a combattere eroicamente, [17]tenendo davanti agli occhi l'empio oltraggio da essi compiuto contro il luogo santo, l'ingiuria della città vilipesa e la soppressione dell'ordinamento politico degli antenati.

[18]Disse: «Quelli confidano nelle armi e nella loro audacia, noi invece confidiamo in Dio onnipotente, che può abbattere quanti vengono contro di noi e il mondo intero con un solo cenno». [19]Quindi egli ricordò anche gli interventi divini a favore degli antenati, soprattutto quello contro Sennacherib, quando perirono centottantacinquemila uomini, [20]e la battaglia che ebbe luogo in Babilonia contro i Galati, quando ottomila Giudei con quattromila Macedoni si gettarono tutti nel combattimento; ma essendosi poi i Macedoni trovati in difficoltà, gli ottomila sterminarono centoventimila nemici con l'aiuto venuto loro dal cielo, riportandone un grande vantaggio.

[21]Dopo averli con queste parole rinfrancati e resi pronti a morire per le leggi e per la patria, divise in qualche modo l'esercito in quattro parti, [22]ponendo a capo di ciascun corpo i suoi fratelli Simone, Giuseppe e Gionata, affidando a ciascuno di essi millecinquecento uomini. [23]Fece inoltre leggere da Eleazaro il libro sacro e, data come parola d'ordine "Aiuto di Dio", si mise egli stesso a capo del primo gruppo e si lanciò contro Nicanore.

[24]L'Onnipotente si fece loro alleato ed essi uccisero più di novemila nemici, ferirono e mutilarono nelle membra la maggior parte dei soldati di Nicanore e costrinsero tutti alla fuga. [25]S'impadronirono anche del denaro di coloro che erano venuti per comperarli; li inseguirono a lungo, ma poi, costretti dall'ora tarda, tornarono indietro. [26]Si era, infatti, alla vigilia del sabato, e per questa ragione non si attardarono ad inseguirli. [27]Raccolte le armi e prese le spoglie dei nemici, passarono il sabato benedicendo e lodando incessantemente il Signore, che li aveva salvati in tale giorno e aveva così iniziato ad usare misericordia con loro.

[28]Passato il sabato, distribuirono parte del bottino ai danneggiati, alle vedove e agli orfani, mentre essi e i loro figli si divisero il resto. [29]Compiute queste cose, si misero a pregare tutti insieme il Signore misericordioso, supplicandolo di riconciliarsi pienamente con i suoi servi.

[30]In seguito, combatterono contro gli uomini di Timoteo e di Bacchide, uccidendone più di ventimila, si impadronirono saldamente di alte fortezze e divisero l'abbondante bottino in parti uguali per sé, per i danneggiati, per gli orfani, per le vedove e anche per i vecchi. [31]Poi, raccolte le armi e riposto diligentemente tutto in luoghi sicuri, trasportarono il resto del bottino a Gerusalemme. [32]Uccisero pure il comandante delle guardie di Timoteo, uomo scelleratissimo, che aveva fatto molto soffrire i Giudei. [33]Poi, mentre in patria celebravano la vittoria, diedero fuoco a quelli che avevano incendiato le porte sacre, compreso Callistene, che si era rifugiato in una casa e che così ricevette la giusta mercede della sua empietà.

[34]Lo scelleratissimo Nicanore, che aveva fatto venire mille mercanti per la vendita dei Giudei, [35]umiliato, con l'aiuto del Signore, da coloro che da lui erano reputati un nulla, deposta la splendida veste e reso il suo aspetto selvaggio come quello di un fuggitivo, attraverso i campi giunse ad Antiochia, riuscendo ad avere una fortuna straordinaria dopo la distruzione dell'esercito.

[36]Intanto colui che si era impegnato a pagare il tributo ai Romani, con la vendita dei prigionieri di Gerusalemme, andava dicendo che i Giudei avevano un difensore e che gli stessi Giudei erano invincibili, perché obbedivano alle leggi da lui stabilite.

LA MORTE DI ANTIOCO EPIFANE

9 [1]Quasi nello stesso tempo, Antioco tornava con disonore dalle regioni della Persia. [2]Infatti egli si era recato nella città chiamata Persepoli e aveva tentato di spogliarne il tempio e di opprimere la stessa città, ma la folla eccitata era corsa alle armi e così era accaduto che Antioco, messo in fuga dagli abitanti, fosse stato costretto a ritirarsi vergognosamente. [3]Giunto presso Ecbatana, venne informato di quanto era accaduto a Nicanore e agli uomini di Timoteo. [4]Fuori di sé dal furore, pensava di far pesare sui Giudei anche l'ingiuria di coloro che l'avevano costretto alla fuga. Perciò ordinò al cocchiere di accelerare il viaggio, marciando senza posa. Ma ormai incombeva su di lui il giudizio del cielo, poiché nella sua superbia aveva detto: «Appena vi sarò giunto, farò di Gerusalemme il cimitero dei Giudei». [5]Ma il Signore che tutto vede, il Dio d'Israele, lo colpì con una piaga incurabile e invisibile. Infatti, appena ebbe pronunziato tali parole, lo colse un atroce dolore alle viscere con terribili spasimi intestinali. [6]Ciò era perfettamente giusto, poiché egli aveva tormentato le viscere di altri con numerose e inaudite torture. [7]Tuttavia non desistette affatto dalla sua ferocia. Anzi, ancor più pieno di arroganza e spirando fuoco d'ira contro i Giudei, comandò di accelerare la corsa. Ma cadde dal carro, che correva precipitosamente, e per la violenta caduta riportò contusioni in tutte le membra del corpo. [8]Colui che fino ad allora aveva creduto, nella sua arroganza da superuomo, di comandare ai flutti del mare e di pesare sulla bilancia le cime dei monti, stramazzato a terra, veniva ora portato in lettiga, manifestando chiaramente a tutti la potenza di Dio. [9]Dal corpo di quell'empio, infatti, scaturivano vermi e, mentre era ancora vivo, le carni gli si staccavano tra spasimi e dolori, mentre, a causa della putredine, l'intero esercito era nauseato dal suo fetore. [10]Colui che poco prima credeva di toccare gli astri del cielo, ora nessuno poteva sopportarlo, a causa della intollerabile intensità del fetore. [11]Allora finalmente, coperto di ferite, cominciò a deporre gran parte della sua superbia e a tornare alla ragione, sotto l'influsso del flagello divino, mentre era tormentato senza tregua dai dolori. [12]Non potendo neppure

lui sopportare il suo fetore, disse: «È giusto sottomettersi a Dio e non pretendere di essere uguali alla divinità, quando si è mortali». [13]Quindi quello scellerato cominciò a pregare quel Signore che ormai non avrebbe più avuto misericordia di lui e diceva [14]che avrebbe dichiarato libera quella città santa, verso la quale si era diretto in fretta per raderla al suolo e per farne un cimitero; [15]che avrebbe reso simili agli Ateniesi tutti i Giudei che aveva giudicato neppure degni della sepoltura, ma piuttosto di essere gettati in pasto alle fiere insieme con i loro bambini; [16]che avrebbe ornato con le più belle offerte votive il tempio santo da lui in precedenza saccheggiato; che avrebbe restituito in abbondanza tutti i vasi sacri e provveduto a sue spese alle somme occorrenti per i sacrifici; [17]e, inoltre, che si sarebbe fatto Giudeo e si sarebbe recato in ogni luogo abitato per annunciare la potenza di Dio. [18]Siccome poi le sofferenze non cessavano affatto, poiché il giusto giudizio di Dio si era riversato su di lui, disperando ormai di sé, scrisse ai Giudei la seguente lettera, che aveva la forma di una supplica, così concepita:

[19]«Ai nobili cittadini Giudei, il re e stratega Antioco: salute, benessere e felicità perfetta! [20]Se voi state bene con i vostri figli e se i vostri affari procedono secondo le vostre attese, io, che ripongo la mia speranza nel cielo, [21]ricordo con affetto il vostro onore e la vostra benevolenza. Ritornato dalle regioni della Persia e caduto in una sgradevole malattia, ho creduto necessario preoccuparmi della comune sicurezza di tutti. [22]Non è che disperi di me stesso, avendo, al contrario, molta speranza di sfuggire a questa infermità. [23]Ma considerando che anche mio padre, tutte le volte che faceva delle spedizioni nelle regioni settentrionali, designava il successore [24]affinché, se fosse accaduto qualcosa di inatteso o fosse annunziato qualcosa di spiacevole, gli abitanti del paese non si sollevassero, ben sapendo in quali mani erano stati lasciati gli affari; [25]inoltre, riflettendo come i sovrani confinanti e i nostri vicini spiano il momento opportuno e attendono gli eventi, ho designato come re mio figlio Antioco, che spesso, quando salivo verso le satrapie settentrionali, affidai e raccomandai alla maggioranza di voi. Ho scritto anche a lui la lettera qui allegata. [26]Vi raccomando,

2Mac

dunque, e vi prego affinché, memori dei benefici da me ricevuti in pubblico e in privato, ciascuno di voi conservi verso di me e mio figlio la consueta benevolenza. [27]Sono persuaso, infatti, che egli, eseguendo questa mia deliberazione, si comporterà verso di voi con bontà e moderazione».

[28]Così quell'omicida e bestemmiatore, soffrendo le pene più orribili, come le aveva fatte subire agli altri, finì la sua vita in modo miserabile in terra straniera, sulle montagne. [29]Il suo compagno d'infanzia, Filippo, ne trasportò via il corpo; ma, temendo il figlio di Antioco, si ritirò in Egitto presso Tolomeo Filometore.

LA PURIFICAZIONE DEL TEMPIO

10 [1]Il Maccabeo e i suoi compagni, sotto la guida del Signore, rioccuparono allora il tempio e la città, [2]abbatterono gli altari costruiti dagli stranieri sulle piazze e così pure i tempietti. [3]Quindi, purificato il tempio, vi costruirono un altro altare e, ottenuto il fuoco con pietre focaie, vi offrirono sacrifici, dopo un'interruzione di due anni; bruciarono l'incenso, accesero le lampade e rinnovarono i pani dell'offerta.
[4]Compiute queste cose, pregarono il Signore, prostrati a terra, di non farli più cadere in quei mali, ma, nel caso che avessero peccato, di essere da lui corretti con clemenza e non consegnati a genti blasfeme e barbare.
[5]Nel giorno in cui il tempio era stato profanato dagli stranieri, in quello stesso giorno accadde loro di farne la purificazione, il venticinque dello stesso mese, cioè di Casleu.
[6]Con grande gioia celebrarono otto giorni di festa come nella festa delle Capanne, ricordando che poco tempo prima, durante la festa delle Capanne, erano dispersi sui monti e nelle caverne come le fiere. [7]Perciò, con in mano tirsi, rami verdi e palme, innalzarono inni a colui che li aveva guidati felicemente fino alla purificazione del suo proprio tempio. [8]Quindi, con pubblico decreto e suffragio, prescrissero a tutta la nazione dei Giudei di celebrare ogni anno tali giorni.
[9]Così andarono le cose circa la fine di Antioco, detto Epifane. [10]Ora invece esporremo quelle relative ad Antioco Eupatore, che era figlio di quell'empio, limitandoci ai mali collegati alle sue guerre.

[11]Costui, dunque, ottenuto il regno, designò come capo degli affari un certo Lisia, comandante supremo della Celesiria e della Fenicia. [12]Infatti Tolomeo, detto Macrone, che aveva iniziato a praticare la giustizia verso i Giudei in riparazione dell'ingiustizia commessa verso di essi, si era sforzato di regolare pacificamente le loro questioni. [13]Ma, essendo stato per questo accusato dagli amici presso l'Eupatore e sentendosi, ad ogni occasione, chiamare traditore per aver abbandonato Cipro, affidatagli dal Filometore, e per essere passato dalla parte di Antioco Epifane, non potendo più tenere con onore quell'alta dignità, si tolse la vita avvelenandosi.
[14]Gorgia, divenuto stratega della regione, manteneva milizie straniere e, ad ogni occasione, alimentava la guerra contro i Giudei. [15]Nel medesimo tempo anche gli Idumei, che possedevano fortezze importanti, molestavano i Giudei e tentavano di alimentare la guerra, dando asilo a tutti i fuoriusciti da Gerusalemme. [16]I compagni del Maccabeo, perciò, dopo aver innalzato preghiere e chiesto a Dio di farsi loro alleato, si lanciarono contro le fortezze degli Idumei [17]e, assalitele con vigore, si impadronirono delle loro postazioni, respinsero tutti coloro che combattevano sulle mura, trafissero quanti capitavano a tiro e ne uccisero non meno di ventimila. [18]Non meno di novemila tuttavia fuggirono e raggiunsero due torri saldamente fortificate e munite di tutto l'occorrente per sostenere un assedio. [19]Il Maccabeo, allora, lasciando Simone e Giuseppe, Zaccheo e i suoi uomini in numero sufficiente per continuare l'assedio, si trasferì in luoghi dove era più urgente la sua presenza. [20]Gli uomini di Simone, però, attratti dal guadagno, si lasciarono corrompere col denaro da alcuni di quelli che erano nelle torri e, ricevute settantamila dracme, ne lasciarono fuggire alcuni. [21]Informato di ciò che era accaduto, il Maccabeo radunò i capi del popolo e accusò

---

9. - 28. *Finì la sua vita...* nella primavera del 163 a.C. Questa è la narrazione dell'autore sacro, mentre in 1,10-17 riportava una lettera di altri. Antioco IV morì entro i confini dei suoi stati, ma fuori del suo palazzo e della sua città. Secondo Strabone, morì in un luogo di montagna, rifugio di ladroni.
10. - 3. *Vi costruirono... le lampade*: è questa l'origine della festa delle luci (gr. *Enkaínia*, lat. Encaènia), di cui parla Gv 10,22: dal punto di vista religioso è l'avvenimento più importante e decisivo.

i colpevoli d'aver venduto i fratelli per denaro, lasciando liberi i loro nemici. ²²Fece uccidere, dunque, costoro come traditori e immediatamente occupò le due torri. ²³E poiché con le armi alla mano tutto gli andò bene, uccise nelle due fortezze più di ventimila uomini.

²⁴Timoteo, che precedentemente era stato battuto dai Giudei, raccolse una moltitudine di truppe straniere, radunò non pochi cavalieri provenienti dall'Asia e avanzò con l'intenzione di conquistare la Giudea con le armi. ²⁵Al suo avvicinarsi, gli uomini del Maccabeo si cosparsero la testa di cenere e, cintisi i fianchi di sacco, si misero a supplicare Dio. ²⁶Si prostrarono ai piedi dell'altare e lo pregarono di mostrarsi misericordioso con loro e di farsi nemico dei loro nemici e avversario dei loro avversari, come dichiara la legge. ²⁷Terminata la preghiera, presero le armi e avanzarono per un buon tratto fuori della città, finché, avvicinatisi ai nemici, si fermarono. ²⁸Appena spuntata l'alba, iniziò l'attacco dalle due parti: gli uni avendo come garanzia di successo e di vittoria, oltre al valore, la fiducia nel Signore; gli altri, invece, prendendo come guida nel combattimento il loro furore. ²⁹Quando la battaglia si fece più violenta, apparvero dal cielo ai nemici cinque uomini maestosi, su cavalli dalle briglie d'oro, che si misero alla guida dei Giudei. ³⁰Gli stessi, poi, preso il Maccabeo in mezzo a loro e riparandolo con le loro armature, lo rendevano invulnerabile, mentre lanciavano saette e folgori sugli avversari che, scompigliati e accecati, si dispersero, pieni di spavento. ³¹Furono così uccisi ventimilacinquecento soldati e seicento cavalieri. ³²Lo stesso Timoteo dovette rifugiarsi in una località fortificata, chiamata Ghezer, cittadella molto importante, il cui comandante era Cherea. ³³Allora gli uomini del Maccabeo assediarono con entusiasmo la cittadella per quattro giorni. ³⁴Gli uomini che vi erano dentro, confidando nella solidità del luogo, bestemmiavano in modo orribile e lanciavano parole da scellerati. ³⁵Appena spuntato il quinto giorno, venti giovani del Maccabeo, infiammati di sdegno per le bestemmie, si lanciarono coraggiosamente sulle mura e con feroce ardore abbattevano chiunque trovavano. ³⁶Altri, intanto, prendendo gli assediati dal lato opposto, incendiarono le torri

e, accesi dei fuochi, bruciarono vivi quei bestemmiatori. Altri, infine, abbattute le porte e fatto entrare il resto dell'esercito, occuparono la città. ³⁷Quindi uccisero Timoteo, che si era nascosto in una cisterna, suo fratello Cherea e Apollofane.

³⁸Compiute tali cose, con inni e canti di lode benedicevano il Signore, che aveva fatto grandi cose per Israele e aveva concesso loro la vittoria.

LA PRIMA CAMPAGNA DI LISIA CONTRO I GIUDEI

11 ¹Poco tempo dopo, Lisia, tutore del re, suo parente e capo degli affari, mal sopportando quanto era accaduto, ²radunò circa ottantamila soldati e tutta la sua cavalleria e mosse contro i Giudei, con l'intenzione di ridurre la città a dimora dei Greci, ³di sottoporre il tempio al tributo, al pari degli altri luoghi di culto dei pagani, e di mettere in vendita ogni anno il sommo sacerdozio, ⁴non tenendo in alcun conto la potenza di Dio, ma confidando soltanto nelle sue miriadi di fanti, nelle sue migliaia di cavalli e nei suoi ottanta elefanti.

⁵Giunto in Giudea, si avvicinò a Bet-Zur, che era una località fortificata, distante circa venti miglia da Gerusalemme, e la cinse d'assedio. ⁶Quando gli uomini del Maccabeo appresero che egli assediava le fortezze, tra gemiti e lacrime supplicarono con tutto il popolo il Signore che inviasse un angelo buono a salvare Israele. ⁷Poi il Maccabeo stesso, per primo, prese le armi ed esortò gli altri ad affrontare il pericolo insieme a lui, per andare in aiuto dei loro fratelli. Allora si mossero tutti insieme con coraggio. ⁸Mentre erano ancora presso Gerusalemme, apparve alla loro testa un cavaliere vestito di bianco, che agitava armi d'oro. ⁹Tutti insieme allora benedissero Dio misericordioso e si rinvigorirono nell'animo, pronti ad assalire non solo gli uomini, ma anche le fiere più feroci e mura di ferro. ¹⁰Avanzarono in ordine di battaglia con quell'alleato venuto dal cielo, grazie al Signore che aveva avuto misericordia di loro. ¹¹Quindi, gettatisi sui nemici come leoni, abbatterono undicimila fanti e milleseicento cavalieri, costringendo tutti gli altri alla fuga. ¹²La maggior parte di

questi si mise in salvo, ma rimanendo feriti e senza armi. Anche Lisia si salvò, fuggendo vergognosamente.

[13]Questi però, che non era privo d'intelligenza, riflettendo sulla disfatta subita, comprese che gli Ebrei erano invincibili perché l'onnipotente Dio combatteva per essi. [14]Perciò inviò loro ambasciatori e li persuase a venire ad un accordo su quanto era giusto. A questo scopo egli avrebbe persuaso anche il re, facendo in modo che diventasse loro amico. [15]Il Maccabeo acconsentì a tutte le cose che Lisia gli aveva proposto, preoccupato solo del bene comune. Perciò quanto il Maccabeo aveva presentato per iscritto a Lisia riguardo ai Giudei, il re lo concesse.

[16]La lettera scritta da Lisia ai Giudei era concepita in questo modo: «Lisia al popolo dei Giudei, salute! [17]Giovanni e Assalonne, da voi inviati, mi consegnarono il documento qui allegato, pregandomi di ratificare quanto era in esso contenuto. [18]Io, quanto ho esposto al re bisognava riferirgli ed egli ha accordato ciò che era accettabile. [19]Se dunque manterrete un atteggiamento favorevole verso il governo, io mi sforzerò di procurarvi benefici per l'avvenire. [20]Quanto a queste cose e ad altre in particolare, ho dato ordine ai vostri e ai miei inviati di discuterne con voi. [21]State bene! L'anno centoquarantotto, il ventiquattro del mese di Dioscorinzio».

[22]La lettera del re si esprimeva così: «Il re Antioco al fratello Lisia, salute! [23]Dopo che nostro padre è passato tra gli dèi, volendo che i cittadini del regno attendano tranquillamente alla cura dei propri affari, [24]abbiamo sentito che i Giudei non vogliono adottare i costumi greci, come voleva nostro padre, ma, preferendo il loro modo di vivere, chiedono che sia loro permesso di attenersi alle proprie leggi. [25]Volendo, perciò, che anche questo popolo viva senza timore, decretiamo che sia loro restituito il tempio e che possano vivere secondo le consuetudini dei loro antenati. [26]Farai bene, dunque, ad inviare loro messaggeri e a dare loro la destra, affinché, conoscendo la nostra decisione, stiano di buon animo e attendano con amore alla cura dei loro affari».

[27]La lettera indirizzata dal re al popolo era così formulata: «Il re Antioco al consiglio dei Giudei e agli altri Giudei, salute! [28]Se state bene, è quanto noi desideriamo. Anche noi stiamo bene. [29]Menelao ci ha fatto sapere che voi volete tornare a vivere nelle vostre sedi. [30]Pertanto, a coloro che fino al trenta del mese di Xantico si metteranno in viaggio, offriamo protezione con l'assicurazione [31]che i Giudei potranno attenersi alle loro usanze e alle loro leggi, come prima, e nessuno di essi sarà molestato in nessuna maniera per quanto avesse commesso per ignoranza. [32]Ho inviato anche Menelao per tranquillizzarvi. [33]State bene! L'anno centoquarantotto, il quindici del mese di Xantico».

[34]Anche i Romani inviarono ai Giudei una lettera così concepita: «Quinto Memmio e Tito Manlio, legati romani, al popolo dei Giudei, salute! [35]Riguardo alle cose che Lisia, parente del re, vi ha concesso, anche noi siamo d'accordo. [36]Per le cose, invece, che egli ha giudicato di dover sottoporre al re, voi, dopo averle esaminate, mandateci subito qualcuno affinché provvediamo in modo conveniente per voi. Noi ora siamo in viaggio per Antiochia. [37]Affrettatevi dunque a mandarci qualcuno per farci conoscere di quale opinione siete. [38]State bene! L'anno centoquarantotto, il quindici del mese di Xantico».

ALCUNE SPEDIZIONI DI GIUDA CONTRO I POPOLI VICINI

12 [1]Conclusi questi accordi, Lisia se ne tornò presso il re, mentre i Giudei ripresero il lavoro dei campi. [2]Ma alcuni dei comandanti che erano rimasti nella regione, Timoteo e Apollonio, figlio di Genneo, nonché Ieronimo e Demofonte e, oltre a questi, Nicanore, comandante dei mercenari di Cipro, non li lasciavano vivere tranquilli né in pace.

[3]Gli abitanti di Giaffa, poi, compirono un'empietà di questo genere: invitarono i Giudei che abitavano con loro a salire con le mogli e con i figli su alcune barche allestite da loro, come se non avessero alcuna intenzione ostile. [4]Secondo la decisione di tutta

---

11. - 16. Le quattro lettere che seguono indicano la crescente considerazione per gli Ebrei. Essi, dopo la morte di Antioco IV, loro gran nemico, ebbero sempre maggior successo, prima militare, con Giuda, e poi specialmente politico, con Gionata e Simone, sino a raggiungere una relativa indipendenza politica e la piena libertà religiosa.

la città, i Giudei accettarono, perché desideravano fare la pace e non avevano alcun sospetto; ma quando furono al largo, quelli ne fecero affondare non meno di duecento. [5]Quando Giuda fu informato della crudeltà commessa contro i suoi connazionali, diede ordini ai suoi uomini [6]e, invocando Dio, giusto giudice, marciò contro gli uccisori dei suoi fratelli; incendiò di notte il porto, bruciò le barche e passò a fil di spada quanti vi si erano rifugiati. [7]Poi, siccome la città era stata chiusa, ripartì con l'intenzione di tornare di nuovo e di sterminare tutti gli abitanti di Giaffa. [8]Intanto, avendo appreso che anche i cittadini di Iamnia volevano fare la stessa cosa ai Giudei che abitavano con loro, [9]piombò di notte sui cittadini di Iamnia e incendiò il porto con la flotta, così che i riflessi del bagliore delle fiamme si vedevano fino a Gerusalemme, distante duecentoquaranta stadi.

[10]Allontanatisi di là per nove stadi, mentre marciavano contro Timoteo, non meno di cinquemila Arabi con cinquecento cavalieri si lanciarono contro di lui. [11]Vi fu una violenta battaglia, ma gli uomini di Giuda, grazie all'aiuto di Dio, ebbero la meglio e perciò i nomadi, sopraffatti, supplicarono Giuda di dar loro la destra, promettendo di donargli del bestiame e di essergli utili in ogni altra cosa. [12]Giuda, persuaso che davvero gli sarebbero stati utili in molte cose, accondiscese a fare la pace con loro ed essi, strette le destre, si ritirarono nelle loro tende.

[13]Giuda assalì anche una città fortificata con argini e circondata da mura, che era abitata da gente di ogni stirpe, chiamata Casfin. [14]Quelli che erano dentro, fidando nella robustezza delle mura e nella provvista di viveri, insultavano in modo triviale gli uomini di Giuda, schernendoli, bestemmiando e dicendo cose sconvenienti. [15]Gli uomini di Giuda, allora, invocato il grande Dominatore del mondo, che senza arieti e macchine da guerra fece crollare Gerico al tempo di Giosuè, assalirono furiosamente le mura. [16]Impadronitisi della città per volere di Dio, vi fecero una strage indescrivibile, sicché il lago vicino, che ha la larghezza di due stadi, sembrava pieno di sangue.

[17]Allontanatisi poi di là settecentocinquanta stadi, raggiunsero Caraca, presso i Giudei chiamati Tubiani. [18]Ma in quei luoghi non trovarono Timoteo, che era partito senza aver concluso nulla, lasciando sul posto una guarnigione ben equipaggiata. [19]Allora Dositeo e Sosipatro, che erano tra i comandanti degli uomini del Maccabeo, fecero una sortita e annientarono gli uomini lasciati da Timoteo nella fortezza, che erano più di diecimila. [20]Il Maccabeo, a sua volta, ordinò il suo esercito dividendolo in schiere, pose costoro a capo delle schiere e mosse contro Timoteo, che aveva con sé centoventimila fanti e duemilacinquecento cavalieri.

[21]Informato dell'avanzata di Giuda, Timoteo mandò avanti le donne, i bambini e tutto il bagaglio verso una località chiamata Carnion. Era, infatti, un posto inespugnabile e di difficile accesso, a causa della strettezza di tutti i passaggi. [22]All'apparire della prima schiera di Giuda, i nemici furono presi di timore e spavento, anche in seguito all'apparizione di colui che dall'alto tutto vede. Si diedero alla fuga, correndo chi da una parte e chi dall'altra, al punto che spesso venivano travolti dai propri compagni e trafitti dalle punte delle loro spade. [23]Giuda, poi, li inseguiva vigorosamente, trafiggendo quegli scellerati e uccidendone circa trentamila. [24]Timoteo stesso, caduto nelle mani degli uomini di Dositeo e Sosipatro, chiedeva con molta astuzia di essere rilasciato sano e salvo, dicendo che aveva in suo potere i genitori di molti di loro e di alcuni i fratelli, i quali non sarebbero stati risparmiati se egli fosse stato ucciso. [25]Avendo egli assicurato che li avrebbe restituiti illesi, secondo i patti convenuti, lo lasciarono libero, in considerazione della salvezza dei propri fratelli. [26]Quindi Giuda mosse contro Carnion e l'Atergateo e uccise venticinquemila uomini.

[27]Dopo la disfatta di questi e la loro distruzione, marciò anche contro Efron, città fortificata, nella quale abitava Lisia con una moltitudine di gente di ogni razza. Giovani robusti, disposti davanti alle mura, combattevano vigorosamente, mentre all'interno vi era una grande provvista di macchine da guerra e di proiettili. [28]Ma, dopo aver invocato il Sovrano che con potenza abbatte le forze dei nemici, i Giudei si impadronirono della città e uccisero venticinquemila di coloro che vi stavano dentro.

---

12. - 20. La sproporzione dei soldati dei due eserciti è nello spirito dell'autore di 2Mac, preoccupato di far risaltare l'intervento divino nelle gesta dei suoi eroi. La cifra dell'esercito di Timoteo non può essere presa alla lettera: è data per far risaltare la moltitudine dell'esercito nemico.

²⁹Partiti di là, mossero alla volta di Beisan, città che è a seicento stadi da Gerusalemme. ³⁰Poiché i Giudei che vi abitavano avevano testimoniato quale simpatia gli abitanti di Beisan avevano avuto verso di essi e quale accoglienza avevano da loro ricevuto anche in tempi di sventura, ³¹questi li ringraziarono e li esortarono ad essere ben disposti anche in avvenire verso la loro stirpe. Quindi raggiunsero Gerusalemme, essendo ormai vicina la festa delle Settimane. ³²Dopo la festa detta di Pentecoste, mossero contro Gorgia, stratega dell'Idumea. ³³Questi uscì in campo con tremila fanti e quattrocento cavalieri. ³⁴Schieratisi in battaglia, caddero alcuni tra i Giudei. ³⁵Un certo Dositeo, degli uomini di Bacenore, valoroso cavaliere, aveva afferrato Gorgia e, tenendolo per la clamide, lo trascinava a gran forza, per prendere vivo questo scellerato. Ma uno dei cavalieri traci gli si lanciò contro e gli mozzò il braccio. Così Gorgia poté fuggire a Maresa. ³⁶Poiché gli uomini di Esdrin combattevano da lungo tempo ed erano affaticati, Giuda supplicò il Signore che si mostrasse loro alleato e guida nel combattimento. ³⁷Quindi, intonato nella lingua paterna il grido di guerra con inni, assalì improvvisamente gli uomini di Gorgia e li costrinse alla fuga. ³⁸Giuda poi, radunato l'esercito, raggiunse la città di Odollam. Sopraggiunto il settimo giorno, si purificarono secondo l'uso e celebrarono il sabato. ³⁹Il giorno seguente gli uomini di Giuda, quando ormai la cosa era necessaria, andarono a raccogliere i corpi dei caduti, per deporli insieme ai parenti nei sepolcri dei loro padri. ⁴⁰Trovarono, però, sotto le tuniche di ciascuno dei morti oggetti sacri agli idoli di Iamnia, che la legge proibisce ai Giudei. Così fu a tutti palese per quale causa costoro erano morti. ⁴¹Tutti, perciò, dopo aver benedetto il Signore, giusto giudice, che rende manifeste le cose occulte, ⁴²si diedero a fare preghiere, supplicando che il peccato commesso fosse completamente cancellato. Il nobile Giuda, allora, esortò la sua gente a conservarsi senza peccati, avendo visto con i propri occhi quanto era avvenuto a causa del peccato dei caduti. ⁴³Quindi, fatta una colletta con un tanto a testa, inviò a Gerusalemme circa duemila dracme d'argento per far offrire un sacrificio per il peccato, compiendo così un'azione buona e nobile, ispirata dal pensiero della risurrezione. ⁴⁴Infatti, se egli non avesse sperato che i caduti sarebbero risuscitati, sarebbe stato superfluo e vano pregare per i morti. ⁴⁵Ma se egli pensava alla magnifica ricompensa riservata a quelli che si addormentano nella pietà, il suo pensiero era santo e pio. Per questo egli fece compiere il sacrificio di espiazione per quelli che erano morti, affinché fossero assolti dal peccato.

LA SECONDA CAMPAGNA DI LISIA E LA MORTE DI MENELAO

13 ¹Nell'anno centoquarantanove giunse notizia agli uomini di Giuda che Antioco Eupatore si avvicinava con le sue truppe alla Giudea; ²con lui vi era anche Lisia, suo tutore e ministro, con un esercito greco di centodiecimila fanti, cinquemilatrecento cavalli, ventidue elefanti e trecento carri falcati. ³Si era unito a loro anche Menelao, il quale incitava Antioco con grande astuzia, non per la salvezza della patria, ma con la speranza di ottenere nuovamente il potere.

⁴Il Re dei re, però, eccitò lo sdegno di Antioco contro questo scellerato. Quando Lisia glielo presentò come la causa di tutti i mali, egli ordinò di condurlo a Berea e di metterlo a morte come si usa in quel luogo. ⁵Vi è, infatti, in quel luogo, una torre di cinquanta cubiti, piena di cenere e munita di un ordigno girevole, che da ogni parte fa cadere a precipizio sulla cenere. ⁶Dall'alto di essa, chi è colpevole di furto sacrilego o ha raggiunto il colmo di certi altri delitti, viene da tutti spinto alla morte. ⁷In tal modo morì l'iniquo Menelao, senza avere neppure la sepoltura. ⁸E molto giustamente poiché, dopo aver compiuto molti delitti contro l'altare, il cui fuoco è sacro al pari della cenere, nella cenere trovò la morte.

⁹Il re dunque, pieno di feroci sentimenti, veniva per far provare ai Giudei cose peggiori di quelle subìte sotto suo padre. ¹⁰Quando Giuda venne a conoscenza di ciò, ordinò al popolo di invocare giorno e notte il Signore

---

44. È ammessa la risurrezione dei morti e il purgatorio. Il sacrificio espiatorio per i caduti suppone nell'altra vita una fase di purificazione, abbreviata dai sacrifici e dalle preghiere dei vivi.

affinché, come altre volte, così anche ora aiutasse coloro che stavano per essere privati della legge, della patria e del santo tempio, [11]e non permettesse che il popolo, che da poco aveva ripreso animo, cadesse nelle mani di quegli infami pagani.

[12]Quando tutti insieme ebbero fatto ciò ed ebbero implorato il Signore misericordioso per tre giorni ininterrotti con lamenti, digiuni e prostrazioni, Giuda li esortò a tenersi pronti. [13]Quindi, incontratosi a parte con gli anziani, fu deciso di uscire a battaglia, prima che l'esercito del re invadesse la Giudea e si impadronisse della città, e di rimettere all'aiuto di Dio la riuscita dell'impresa. [14]Perciò, affidato l'esito dell'impresa al Creatore del mondo ed esortati i suoi uomini a lottare eroicamente fino alla morte per le leggi, il tempio, la città, la patria e le istituzioni, fece porre l'accampamento nei pressi di Modin. [15]Data ai suoi uomini la parola d'ordine: "Vittoria di Dio", con alcuni giovani scelti tra i migliori, piombò di notte nella tenda del re e nell'accampamento, uccise circa duemila uomini e trafisse il più grosso degli elefanti insieme con il suo guidatore. [16]Alla fine, riempito l'accampamento di spavento e di confusione, si ritirarono con pieno successo. [17]Quando già spuntava il giorno, l'impresa era compiuta, per la protezione del Signore che aveva assistito Giuda.

[18]Allora il re, avendo avuto questa prova dell'audacia dei Giudei, tentò di occupare quei luoghi con stratagemmi. [19]Marciò contro Bet-Zur, postazione fortificata dei Giudei, ma fu respinto, ostacolato e battuto, [20]poiché Giuda riuscì a far pervenire il necessario agli assediati. [21]Ma un certo Rodoco, appartenente alle file dei Giudei, aveva comunicato ai nemici i segreti dell'esercito giudaico. Fu perciò ricercato, catturato e ucciso. [22]Il re trattò per la seconda volta con gli uomini di Bet-Zur, offrì loro la destra di pace, la ricevette e andò via. Attaccò gli uomini di Giuda, ma ebbe la peggio.

[23]Venne poi a sapere che ad Antiochia, Filippo, lasciato a capo degli affari, si era ribellato. Costernato, convocò i Giudei, si sottomise, giurò di rispettare ogni giusta condizione, si riconciliò, offrì un sacrificio, onorò il tempio e fu generoso con il luogo santo.

[24]Poi salutò il Maccabeo e lasciò Egemonide come stratega da Tolemaide fino al paese dei Gerreni. [25]Passò per Tolemaide;

ma gli abitanti di Tolemaide erano irritati per quegli accordi. Infatti erano indignati contro coloro che avevano voluto abolire i loro privilegi. [26]Lisia, però, salì sulla tribuna, si difese come poté, li calmò, se li rese favorevoli e partì per Antiochia. In questo modo andarono le cose circa la spedizione e la ritirata del re.

LA SPEDIZIONE DI NICANORE

14 [1]Dopo un periodo di tre anni, giunse notizia agli uomini di Giuda che Demetrio, figlio di Seleuco, sbarcato nel porto di Tripoli con un forte esercito e la flotta, [2]si era impadronito della regione, dopo aver ucciso Antioco e il suo tutore Lisia.

[3]Ora un certo Alcimo, che in precedenza era divenuto sommo sacerdote, ma che si volontariamente contaminato al tempo della rivolta, accorgendosi che per lui non vi era più salvezza né possibilità di accedere al santo altare, [4]andò dal re Demetrio verso l'anno centocinquantuno e gli offrì una corona d'oro e una palma, oltre ai tradizionali ramoscelli di ulivo del tempio. Per quel giorno rimase quieto. [5]Ma colse l'occasione propizia alla sua follia, quando da Demetrio fu convocato a colloquio e interrogato su quale disposizione d'animo si trovassero i Giudei. A questa richiesta rispose: [6]«Quei Giudei che sono chiamati Asidei, a capo dei quali è Giuda Maccabeo, fomentano la guerra e la sedizione, non permettendo che il regno ritrovi la tranquillità. [7]Perciò anch'io, privato della dignità degli avi, cioè del sommo sacerdozio, sono venuto qui: [8]in primo luogo spinto da sincero interesse per gli affari del re e poi anche preoccupandomi dei miei concittadini, poiché per la sconsideratezza delle suddette persone tutta la nostra gente soffre non poco. [9]Tu, o re, che conosci bene ciascuna di queste cose, provvedi al paese e alla nostra gente minacciata secondo quell'amabile clemenza che mostri verso tutti. [10]Infatti, finché Giuda rimane in vita, è impossibile che la situazione ritorni pacifica».

[11]Appena egli ebbe detto tali cose, anche gli altri amici del re, che nutrivano rancori verso Giuda, provocarono Demetrio.

[12]Costui, scelto subito Nicanore, che era a capo degli elefanti, lo nominò stratega della

Giudea e ve lo inviò, [13]dandogli ordine di eliminare Giuda, di disperdere gli uomini che erano con lui e di costituire Alcimo sommo sacerdote del grande tempio. [14]Allora i pagani della Giudea, che erano fuggiti davanti a Giuda, si unirono in massa a Nicanore, stimando che le sventure e le disgrazie dei Giudei sarebbero tornate a loro vantaggio. [15]Avuta notizia della spedizione di Nicanore e dell'aggressione dei pagani, i Giudei, cosparsi di cenere, elevarono suppliche a colui che per l'eternità aveva costituito il suo popolo e con apparizioni aveva sempre sostenuto coloro che sono sua porzione. [16]Quindi, al comando del loro capo, subito si mossero di là e si scontrarono col nemico presso il villaggio di Dessau. [17]Simone, fratello di Giuda, si era già spinto contro Nicanore; ma, a causa dell'arrivo improvviso dei nemici, lentamente aveva dovuto cedere. [18]Tuttavia Nicanore, conoscendo il valore degli uomini di Giuda e il coraggio con cui essi combattevano per la patria, non osava decidere la questione con spargimento di sangue. [19]Perciò inviò Posidonio, Teodoto e Mattatia a dare e ricevere la destra per la pace. [20]Fatta un'ampia discussione in proposito, il comandante ne diede comunicazione alle truppe e queste, con parere concorde, assentirono agli accordi. [21]Pertanto fissarono un giorno nel quale incontrarsi privatamente in uno stesso luogo. Dall'una e dall'altra parte avanzò una lettiga e si disposero i seggi. [22]Intanto Giuda aveva disposto degli uomini armati nei luoghi più adatti, per timore di qualche improvvisa perfidia da parte dei nemici. Conclusero così l'incontro in pieno accordo. [23]Nicanore, poi, si trattenne a Gerusalemme senza fare nulla di riprovevole; anzi sciolse quei gruppi di gente che si erano radunati intorno a lui. [24]Voleva continuamente Giuda accanto a sé ed era cordialmente affezionato a quest'uomo. [25]Lo esortò a sposarsi e ad avere figli. Giuda si sposò, stette in pace e godette la sua parte nella vita. [26]Ma Alcimo, venuto a sapere della benevolenza dell'uno per l'altro, dopo essersi procurato una copia dei patti conclusi, si recò da Demetrio e accusò Nicanore di avere sentimenti contrari al governo, poiché aveva designato come suo successore Giuda, il sobillatore del regno. [27]Il re, adirato e provocato dalle calunnie di quello scellerato, scrisse a Nicanore, dichiarandogli che mal sopportava questi patti d'amicizia e ordinandogli di mandare subito ad Antiochia il Maccabeo in catene. [28]Come gli giunsero questi ordini, Nicanore rimase sconcertato ed era riluttante a violare i patti, non avendo quell'uomo fatto nulla di male. [29]Poiché, tuttavia, non era possibile agire contro il re, cercava l'occasione di eseguire l'ordine con qualche stratagemma. [30]Ora il Maccabeo, accortosi che Nicanore si comportava con lui in modo più riservato e che nei consueti incontri si mostrava piuttosto aspro, pensò che tale freddezza non presagiva nulla di buono. Perciò, radunati non pochi dei suoi uomini, si sottrasse a Nicanore. [31]Quando l'altro si accorse di essere stato abilmente giocato da Giuda, salì al santo e sublime tempio, mentre i sacerdoti compivano i consueti sacrifici, e comandò di consegnargli quell'uomo. [32]I sacerdoti dichiararono con giuramento che non sapevano dove poteva essere il ricercato. [33]Egli, allora, stesa la destra verso il tempio, fece questo giuramento: «Se non mi consegnate Giuda in catene, raderò al suolo questa dimora di Dio, abbatterò l'altare e innalzerò qui uno splendido tempio a Dioniso». [34]Ciò detto, se ne andò.

Allora i sacerdoti, stese le mani al cielo, incominciarono ad invocare colui che è stato sempre il difensore del nostro popolo, dicendo: [35]«Tu, o Signore, che non hai bisogno di nulla, hai voluto che vi fosse in mezzo a noi un tempio per la tua dimora. [36]Ora, perciò, o Signore, santo dei santi, custodisci per sempre incontaminata questa casa, che da poco è stata purificata».

[37]Un certo Razis, che era degli anziani di Gerusalemme, fu denunziato a Nicanore come uomo pieno di amore per la città e tenuto in grande considerazione. Per la sua bontà era chiamato padre dei Giudei. [38]Egli, infatti, nei giorni precedenti la rivolta, aveva subìto una condanna per la sua fedeltà al giudaismo e veramente si era dato, corpo e anima, con invincibile costanza alla causa del giudaismo. [39]Nicanore, volendo manife-

---

14. - 37-46. L'episodio appartiene al genere letterario del martirologio. Il suicidio del vegliardo, che in altra occasione sarebbe apparso come un crimine, viene equiparato all'eroico gesto di un martire e diventa un supremo appello alla giustizia divina. Vale la frase di s. Agostino: "Tutto ciò che è grande non è necessariamente buono".

stare quale fosse il suo odio verso i Giudei, mandò più di cinquecento soldati ad arrestarlo, [40]poiché credeva che, arrestando lui, avrebbe inflitto un grave danno agli altri.

[41]Le truppe stavano già per occupare la torre e forzavano la porta del cortile, dando ordine di portare il fuoco per appiccarlo alle porte, quando Razis, accerchiato da ogni parte, si gettò sulla sua spada, [42]preferendo morire nobilmente piuttosto che cadere nelle mani di quegli scellerati ed essere oltraggiato in modo indegno della sua nobiltà. [43]Ma poiché, per la furia della lotta, non aveva portato a segno il colpo e le truppe erano già penetrate dentro le porte, corse coraggiosamente sulle mura e si precipitò sulla folla con gesto da prode. [44]Questa, subito indietreggiando, fece largo e così egli venne a cadere in mezzo allo spazio vuoto. [45]Respirando ancora e infiammato d'ardore, si rialzò, mentre il sangue gli scorreva abbondantemente e le ferite lo straziavano; di corsa passò in mezzo alla folla e, salito su una roccia scoscesa, [46]già completamente esangue, si strappò gli intestini, li prese con le mani e li lanciò sulla folla, invocando il Padrone della vita e dello spirito, perché di nuovo glieli restituisse. Così egli morì.

LA DISFATTA E LA MORTE DI NICANORE

15 [1]Nicanore, avendo appreso che gli uomini di Giuda si trovavano nella regione della Samaria, decise di assalirli a colpo sicuro nel giorno del riposo. [2]Gli dissero, allora, i Giudei che erano stati costretti a seguirlo: «Non ucciderli in modo così selvaggio e barbaro, ma rispetta quel giorno che, a preferenza degli altri, è stato onorato e santificato da colui che veglia su tutte le cose». [3]Ma quell'uomo tre volte scellerato domandò se vi fosse in cielo un sovrano che avesse ordinato di celebrare il giorno del sabato. [4]Gli risposero: «C'è il Signore vivente. Egli è il sovrano del cielo, che ha ordinato di osservare il sabato». [5]L'altro ribatté: «Anch'io sono un sovrano sulla terra e comando di prendere le armi e di eseguire gli ordini del re». Tuttavia non riuscì ad eseguire il suo crudele disegno. [6]In verità Nicanore, ormai al colmo di tutta la sua arroganza, aveva deciso di erigere un pubblico trofeo con le spoglie degli uomini di Giuda. [7]Il Maccabeo, invece, era fermamente convinto, con ogni speranza, di ottenere l'aiuto dal Signore. [8]Perciò esortava i suoi a non temere l'attacco dei pagani, ma a tener impressi nella mente gli aiuti che in passato erano stati loro concessi dal cielo e a sperare che, anche nel presente, l'Onnipotente avrebbe loro concesso la vittoria. [9]Confortandoli, così, con le parole della legge e dei profeti e ricordando loro anche le battaglie che avevano già combattuto, li rese più audaci. [10]Rinfrancati così i loro animi, denunziò e insieme dimostrò la perfidia dei pagani e la violazione dei giuramenti. [11]Avendo in questo modo armato ciascuno di loro non con la sicurezza degli scudi e delle lance, ma con il conforto delle buone parole, narrò infine un sogno degno di fede, una specie di visione che li rallegrò tutti.

[12]La sua visione era questa. Onia, che era stato sommo sacerdote, uomo onesto e buono, modesto nell'aspetto, mite nel tratto, elegantemente ornato nel parlare e fin da fanciullo esercitato nella pratica di tutte le virtù, con le mani protese pregava per tutta la comunità dei Giudei. [13]Poi, nello stesso modo, era apparso anche un uomo distinto per età e maestà, circondato da una gloria meravigliosa e splendidissima. [14]Prendendo la parola, Onia disse: «Questi è l'amico dei suoi fratelli, colui che prega molto per il popolo e per la santa città, Geremia, il profeta di Dio». [15]Quindi Geremia, stendendo la destra, consegnò a Giuda una spada d'oro, dicendo nell'atto di consegnargliela: [16]«Prendi questa santa spada, dono di Dio; con essa abbatterai i nemici».

[17]Incoraggiati da queste parole di Giuda, veramente belle e capaci di spingere all'eroismo e di rendere virili anche gli animi dei giovani, essi stabilirono di non attardarsi nell'accampamento, ma di attaccare coraggiosamente e di decidere la sorte gettandosi nella mischia con tutto il vigore, perché tanto la città quanto le cose sante e il tempio erano in pericolo. [18]Infatti per le mogli e per i figli, come per i fratelli e i parenti, il pensiero era minore, mentre la massima e principale apprensione era per il tempio consacrato. [19]Anche per quelli rimasti in città non era piccola l'angustia, preoccupati com'erano per la sorte di coloro che combattevano in aperta campagna. [20]Tutti

2Mac

ormai attendevano una risoluzione imminente, essendo già i nemici vicini, l'esercito schierato, gli elefanti disposti in posizione adatta e la cavalleria ordinata ai lati. [21]Vedendo avanzare una tale moltitudine con uno svariato equipaggiamento di armi e la ferocia delle bestie, il Maccabeo stese le mani al cielo e invocò il Signore, operatore di prodigi. Sapeva che egli concede la vittoria non con la forza delle armi, ma la dona a chi ne crede degno. [22]Pregando, si espresse in questo modo: «Tu, o Sovrano, al tempo di Ezechia re della Giudea, inviasti il tuo angelo, il quale fece perire nel campo di Sennacherib centottantacinquemila uomini. [23]Invia anche ora, o Sovrano del cielo, un angelo buono davanti a noi per incutere timore e spavento. [24]Con la potenza del tuo braccio siano colpiti quelli che, bestemmiando, sono venuti contro il tuo santo popolo». Con queste parole egli terminò.

[25]Gli uomini di Nicanore, intanto, avanzavano al suono delle trombe e dei canti di guerra. [26]Gli uomini di Giuda, invece, si gettarono nella mischia contro i nemici con invocazioni e preghiere. [27]Con le mani essi combattevano, ma nel cuore pregavano Dio: così abbatterono non meno di trentacinquemila uomini, rallegrandosi grandemente per questa manifestazione divina. [28]Cessato il combattimento, mentre ritornavano con gioia, riconobbero Nicanore caduto con la sua armatura. [29]Fu un esplodere di grida e di entusiasmo, mentre benedicevano l'Onnipotente nella lingua paterna. [30]Quindi colui che, corpo e anima, era stato sempre in prima linea nella lotta per i suoi concittadini e che aveva conservato per i suoi connazionali l'affetto dell'età giovanile, comandò che tagliassero la testa di Nicanore e la sua

destra con il braccio e li portassero a Gerusalemme. [31]Quando anch'egli vi fu giunto, dopo aver convocato i connazionali e i sacerdoti, stando davanti all'altare, mandò a chiamare quelli dell'Acra. [32]Mostrò loro la testa dell'empio Nicanore e la mano che quel bestemmiatore aveva steso con arroganza contro la santa casa dell'Onnipotente. [33]Tagliata poi la lingua del sacrilego Nicanore, la fece gettare a pezzi agli uccelli e ordinò di appendere davanti al tempio lo strumento della sua follia. [34]Tutti allora, rivolti al cielo, benedissero il Signore glorioso, dicendo: «Benedetto colui che ha conservato inviolata la sua dimora!». [35]Giuda poi fece appendere all'Acra la testa di Nicanore, quale segno chiaro e manifesto dell'aiuto di Dio. [36]Infine tutti, di comune accordo, decretarono con voto pubblico di non lasciar passare inosservato quel giorno, ma di solennizzarlo il tredici del dodicesimo mese, che in lingua siriaca si chiama Adar, un giorno prima della festa di Mardocheo. [37]Così, dunque, andarono le cose riguardo a Nicanore. E poiché da quei tempi la città rimase in possesso degli Ebrei, anch'io chiudo qui la narrazione. [38]Se l'esposizione dei fatti è riuscita bene, è ciò che anch'io volevo; ma se è riuscita imperfetta e mediocre, questo è quanto ho potuto fare. [39]Come il bere solo vino e anche il bere solo acqua è nocivo, mentre il vino mescolato con acqua è gradevole e procura un piacere delizioso, così l'arte di saper ben disporre i fatti delizia gli orecchi di chi legge la storia. Così qui termino.

---

15. - 37. L'autore termina qui la sua storia: gli basta aver dato ragione di due feste, della Dedicazione e di Nicanore, che costituiscono due ricordi gloriosi nella storia della riscossa giudaica.

LIBRI SAPIENZIALI

La sapienza in Israele

Sapienza è un termine che assume una vasta gamma di significati. In generale si può descriverla come applicazione della mente ad acquisire conoscenze e a riflettere sull'esperienza umana per ricavarne indicazioni utili a dirigere con rettitudine, correttezza e successo la propria vita. Più in concreto, è abilità pratica nella conduzione dei propri affari, nell'esercizio della professione; abilità tecnica e artigianale; prudenza nel linguaggio, nei gesti e nel comportamento per avanzare nella carriera; discernimento per giudicare ciò che è bene e ciò che è male per l'uomo, non solo in senso morale, abilità e scaltrezza nello sfuggire pericoli e inganni... La finalità delle conoscenze e delle riflessioni è sempre eminentemente pratica e rimane tale anche quando si affrontano problemi più generali come il senso della vita umana o la sofferenza dell'innocente.

Le conoscenze e l'esperienza che si accumulano nella vita dell'individuo e nel succedersi delle generazioni si fissano spesso in massime, sentenze, proverbi brevi, ritmati, formulati mediante un'immagine o un paragone. Questa sapienza proverbiale, come la riflessione più elaborata su temi più impegnativi dell'esistenza, era già coltivata in Egitto e nella Mesopotamia prima ancora che Israele esistesse. I molteplici contatti e paralleli che si riscontrano tra le letterature sapienziali di questi popoli e quella ebraica fanno apparire quest'ultima come il filone giudaico di una corrente culturale internazionale. Anche in Israele si è compreso ben presto che la sapienza è un valore prezioso per la vita, la quale non poteva essere regolata in tutto e per tutto dalla legge di Mosè e dalla parola dei profeti.

A confronto con la legge, la storia e i profeti, balza evidente nei libri sapienziali un grande spostamento o, per meglio dire, un grande allargamento d'interesse e di attenzione: dal popolo all'individuo; dalla vicenda storica del popolo dell'alleanza all'esistenza umana nel mondo della creazione con tutti i suoi enigmi; dalla parola annunciata dai profeti come incontestabile «oracolo del Signore» all'uso di tutte le risorse della ragione e della prudenza per regolare la propria vita; dall'imposizione della legge al consiglio ed esortazione; dalla sanzione concepita come pena esterna positiva di una trasgressione, alla sanzione come conseguenza di una scelta errata e di un atto insipiente.

Sapienza e timor di Dio

La vita d'Israele è stata segnata indelebilmente dalle vicende che lo hanno costituito come popolo, e come popolo dell'alleanza con Dio. La sua sapienza non potrà mai prescindere da questo dato di fatto; non si sviluppa quindi in un terreno neutro. Se essa promuove e valorizza la ricerca, la conoscenza della realtà, chi vi si dedica possiede già dei criteri con cui confrontarla. I saggi sembrano averli condensati nella formula: «Inizio della sapienza è il timore del Signore, "di Jhwh"» (cfr. Pro 1,7; 9,10; 15,33; Sal 111,10; Gb 28,28; vedi anche Qo 12,13; Sir 1,9-18, specie 1,12). Il timor di Dio è una nozione complessa che contiene praticamente tutto l'atteggiamento dell'ebreo verso Dio, cioè tutta la religione; quindi è il riconoscimento, l'adorazione e la totale adesione all'unico Dio che Israele conosce, perché ne ha sperimentato la presenza, la potenza benefica e la fedeltà; tale adesione si concretizza nell'obbedienza alla sua legge e nell'abbandono fiducioso alla sua volontà. Una tale insistenza su questa formula appare sintomatica. Per i saggi d'Israele non

c'è sapienza che porti a una valida conoscenza della realtà e a una retta direzione
della vita, se non si basa sul timòr di Dio; è
questa la condizione previa e imprescindi-
bile. Israele ha fondato la sua ricerca e ha
assimilato la sapienza dei popoli vicini sulla
base della sua esperienza religiosa e della
conoscenza del Dio che gli si era rivelato.

I libri sapienziali

Tradizionalmente, l'origine di questa corrente di pensiero si fa risalire a Salomone (ca.
970-930), al quale Dio donò la sapienza di
ben governare e anche quella più vasta, di
carattere enciclopedico si direbbe oggi, per
cui Salomone divenne celebre in tutto il Medio Oriente (cfr. 1Re 3,4-15; 5,9-14), il proto-
tipo dei sapienti d'Israele. E a lui furono attribuiti vari libri sapienziali, scritti secoli
dopo di lui e in greco, come la Sapienza.
Questa attribuzione era anche un modo di
affermare la fedeltà al tipo di sapienza propria d'Israele e quindi alla tradizione.
I libri sapienziali – detti anche poetici, per la
loro forma letteraria, e didattici, perché insegnano in senso generale la sapienza – sono:
Proverbi, Giobbe, Qohelet (o Ecclesiaste),
Cantico dei Cantici, Sapienza, Siracide (o
Ecclesiastico). La loro pubblicazione si sca-
gliona nei secoli V-I a.C.
Proverbi: libro formato da nove collezioni di
proverbi; le due raccolte più estese e antiche
(10,1 - 22,16 e cc. 25-29) sono dette salomoniche perché molti dei loro proverbi risalgono
al tempo di Salomone. La prima collezione
(cc. 1-9), la più recente, è una lunga esortazione ad amare e acquisire la sapienza.

Giobbe: il poema grandioso dell'innocente
oppresso dalla sofferenza immeritata, ma
che non cessa di cercare Dio.
Qohelet: raccolta di riflessioni disincantate
sull'esistenza umana in cui tutto appare
vano e senza senso.
Cantico dei Cantici: idillio che sotto forma
dell'amore fra due giovani suggerisce il rapporto tra Israele e il suo Dio.
Siracide: insegnamenti e riflessioni, frutto
della scuola tenuta dall'autore come maestro di sapienza. Vera sapienza è la *Tôrah*
(legge) data da Dio a Israele come suprema norma di vita e di felicità (c. 24). Chi ha
seguito la sua parola, ha avuto successo e
ha beneficato il suo popolo (cc. 44-50).
Sapienza: riflessioni sul diverso destino di
chi segue la vera sapienza e chi la rifiuta: c'è
un giudizio di Dio e un'altra vita che attende
l'uomo; dopo una descrizione entusiastica
della sapienza l'autore mostra come essa
abbia guidato alla salvezza il popolo di Dio,
soprattutto al tempo dell'esodo.
Pur formando un libro del tutto a parte, in
questo gruppo vengono inseriti pure i *Salmi*,
la raccolta di preghiere usate anche nelle
celebrazioni liturgiche d'Israele. Il libro contiene 150 preghiere in forma poetica in cui
si esprime tutta la gamma della religiosità
d'Israele come popolo dell'alleanza con Dio.
Vi sono inni e lodi a Dio creatore dell'universo e salvatore d'Israele, canti di ringraziamento, lamentazioni e suppliche individuali
e nazionali, esaltazione dei re come figure
del Messia, salmi di riflessione sul senso
della vita e del dolore… Questa raccolta si
è formata lungo tutta la storia d'Israele per
circa un millennio.

GIOBBE

Il libro di Giobbe è un capolavoro della letteratura universale, sia per l'eterno problema che agita, il dolore dell'innocente, ma anche per la smagliante veste letteraria che l'anonimo autore ebreo del V secolo ha saputo dargli.

Un prologo (cc. 1-2) e un epilogo (42,7-17) in prosa riprendono un'antica tradizione che narrava di Giobbe, uomo retto, religioso e ricco, privato in breve dei beni, dei figli e della salute. Di fronte allo sfacelo della sua vita egli continua a benedire Dio, da cui viene ogni bene e ogni male. Dopo qualche tempo il paziente Giobbe viene reintegrato nello stato primitivo.

Tra il prologo e l'epilogo si inserisce il poema: un lungo dialogo fra Giobbe e tre amici venuti a trovarlo (cc. 3-27). Questi sostengono la tesi della giusta retribuzione di Dio che premia i buoni e punisce i malvagi, mentre Giobbe contesta questa posizione, forte della sua coscienza e di altri casi che l'esperienza gli ha fatto osservare. In un ultimo soliloquio (cc. 29-31) provoca Dio a intervenire nel dibattito. Dio interviene (cc. 38-41) e gli fa comprendere la sua posizione di creatura immersa in una fitta rete di mistero che Dio conosce e governa. Ma l'aver incontrato Dio che non l'ha condannato significa tutto per Giobbe: ha ritrovato il suo Dio. In seguito sono stati aggiunti i prolissi discorsi di Eliu (cc. 32-37) e un inno alla sapienza misteriosa di Dio (c. 28).

L'autore di Giobbe non accetta un Dio automa che garantisce disgrazie ai malvagi e successo ai buoni. Egli ha assunto il problema del dolore innocente come il caso limite per scuotere certezze che non rispondono alla realtà né stimolano quella fede che si affida a Dio, certa che la sua ultima volontà è la felicità della creatura che lo cerca. L'epilogo lo dimostra.

LE PROVE DI GIOBBE

1 ¹C'era nella regione di Uz un uomo chiamato Giobbe. Quest'uomo era integro e retto, timorato di Dio e alieno dal male. ²Gli erano nati sette figli e tre figlie. ³Possedeva settemila pecore, tremila cammelli, cinquecento coppie di buoi, cinquecento asine e una numerosissima servitù. Quest'uomo era il più ricco fra tutti gli orientali.

⁴Ora i suoi figli solevano celebrare dei banchetti a turno in casa di uno o dell'altro e invitavano anche le loro tre sorelle per ban-

chettare insieme. ⁵Terminato il turno dei giorni del banchetto, Giobbe li faceva venire per purificarli; si alzava di buon mattino e offriva un olocausto per ognuno di essi, perché diceva: «Forse i miei figli hanno peccato, oltraggiando Dio nel loro cuore». Giobbe soleva fare così immancabilmente.

⁶Un giorno avvenne che i figli di Dio andarono a presentarsi davanti al Signore e tra di essi venne anche Satana. ⁷Il Signore disse a Satana: «Da dove vieni?». Satana rispose al Signore: «Dal percorrere la terra e dall'aggirarmi su di essa». ⁸Il Signore disse a Satana: «Hai fatto attenzione al mio servo Giobbe? Sulla terra non c'è un altro come lui: uomo integro e retto, timorato di Dio e alieno dal male». ⁹Satana rispose al Signore: «Forse che Giobbe teme Dio per niente? ¹⁰Non hai forse protetto con una siepe lui, la sua casa

---

1. - 7. *Satana*: nel testo ebraico è preceduto dall'articolo (cfr. Zc 3,1s), poiché viene considerato non quale nome personale, ma comune. Indica propriamente uno che si oppone a un altro per distoglierlo dal fare qualcosa o per accusarlo in giudizio.

e tutto ciò che possiede? Tu hai benedetto le sue imprese e i suoi greggi si dilatano nella regione. ¹¹Ma stendi la tua mano e colpisci i suoi averi e vedrai come ti maledirà in faccia!». ¹²Il Signore disse a Satana: «Ecco, quanto possiede è in tuo potere; però non stendere la tua mano sulla sua persona». E Satana si allontanò dalla presenza del Signore. ¹³Or avvenne che il giorno in cui i suoi figli e le sue figlie mangiavano e bevevano in casa del loro fratello maggiore, ¹⁴giunse un messaggero da Giobbe e disse: «Mentre i buoi stavano arando e le asine erano al pascolo nelle vicinanze, ¹⁵sono piombati su di essi i Sabei, li hanno predati e hanno passato a fil di spada i guardiani. Io solo sono scampato per venirtelo a dire».

¹⁶Mentre costui stava ancora parlando, giunse un altro a dire: «Un fuoco divino è caduto dal cielo e ha bruciato le pecore e i guardiani, incenerendoli. Io solo sono scampato per venirtelo a dire». ¹⁷Mentre costui stava ancora parlando, giunse un altro a dire: «I Caldei, divisi in tre bande, si sono precipitati sui cammelli, li hanno presi e hanno passato a fil di spada i guardiani. Io solo sono scampato per venirtelo a dire». ¹⁸Mentre costui stava ancora parlando, giunse un altro a dire: «I tuoi figli e le tue figlie stavano ancora mangiando e bevendo vino nella casa del loro fratello maggiore, ¹⁹quando un vento impetuoso, venuto da oltre il deserto, ha investito i quattro angoli della casa, che è rovinata sui giovani e sono morti. Io solo sono scampato per venirtelo a dire». ²⁰Allora Giobbe, alzatosi, si stracciò le vesti, si rase il capo, si gettò a terra, si prostrò ²¹e disse:

«Nudo sono uscito dal ventre
  di mia madre
e nudo vi farò ritorno!
Il Signore ha dato e il Signore ha tolto.
Sia benedetto il nome del Signore».

²²In tutto ciò, Giobbe non commise peccato né proferì alcuna insolenza contro Dio.

LA MALATTIA DI GIOBBE

2 ¹Avvenne che un giorno i figli di Dio andarono a presentarsi davanti al Signore; fra essi venne anche Satana per presentarsi davanti al Signore. ²Il Signore disse a Sa-

tana: «Da dove vieni?». Satana rispose al Signore: «Dal percorrere la terra e dall'aggirarmi su di essa». ³Il Signore replicò a Satana: «Hai fatto attenzione al mio servo Giobbe? Sulla terra non c'è un altro come lui: uomo integro e retto, timorato di Dio e alieno dal male. Egli persevera ancora nella sua integrità e senza ragione tu mi hai spinto contro di lui per rovinarlo». ⁴Ma Satana rispose al Signore: «Pelle per pelle! Tutto quanto possiede, l'uomo è pronto a darlo per la sua vita. ⁵Ma stendi, di grazia, la tua mano e colpisci le sue ossa e la sua carne; vedrai se non ti maledirà in faccia!». ⁶Allora il Signore disse a Satana: «Eccolo in tuo potere! Soltanto risparmia la sua vita».

⁷Allontanatosi dalla presenza del Signore, Satana colpì Giobbe con una piaga maligna dalla pianta dei piedi fino alla cima del capo. ⁸Giobbe prese un coccio per grattarsi e si mise seduto in mezzo alla cenere. ⁹Allora sua moglie gli disse: «Rimani ancora fermo nella tua integrità? Maledici Dio e muori!». ¹⁰Ma egli rispose: «Parli come un'insensata! Se da Dio accettiamo il bene, perché non dovremmo accettare anche il male?». In tutto questo, Giobbe non peccò con le sue labbra.

¹¹Frattanto tre amici di Giobbe, apprese tutte queste disgrazie che si erano abbattute su di lui, partirono ciascuno dal suo paese: Elifaz il temanita, Bildad il suchita e Zofar il naamatita; insieme si accordarono per andare a commiserarlo e a consolarlo. ¹²Alzando i loro occhi da lontano, non lo riconobbero. Allora si misero a piangere a gran voce. Ognuno si stracciò le vesti e si cosparse di polvere il capo. ¹³Poi si sedettero a terra presso di lui per sette giorni e sette notti. Nessuno gli rivolse la parola, perché avevano visto quanto grande era il suo dolore.

IL LAMENTO DI GIOBBE

3 ¹Allora Giobbe aprì la bocca e maledisse il suo giorno. ²Giobbe prese la parola e disse:

³ «Perisca il giorno nel quale sono nato,
   e la notte che ha detto:
      È stato concepito un uomo!
⁴ Quel giorno sia tenebre,
   dall'alto Dio non se ne prenda cura,
   non brilli su di esso la luce!

⁵ Lo rivendichino tenebre e morte,
   su di esso si posi una nube,
   le eclissi lo rendano spaventoso!
⁶ Quella notte la possegga il buio,
   essa non si aggiunga
      ai giorni dell'anno
   e non entri nel computo dei mesi!
⁷ Sì, quella notte sia infeconda
   e non vi penetri l'allegrezza.
⁸ La maledicano quelli che imprecano
      all'Oceano,
   coloro che sono esperti nel risvegliare
      Leviatan.
⁹ Si oscurino le stelle della sua alba,
   attenda la luce e non venga,
   non veda i guizzi dell'aurora,
¹⁰ perché essa non mi ha chiuso il varco
    del grembo materno,
    e non ha nascosto ai miei occhi
       tanta miseria.
¹¹ Perché non sono morto
    fin dal seno materno,
    e non sono spirato, appena uscito
       dal grembo?
¹² Perché due ginocchia mi hanno accolto
    e perché due mammelle
       mi hanno allattato?
¹³ Sì, ora giacerei tranquillo,
    dormirei e godrei il riposo,
¹⁴ insieme ai re e ai governanti della terra,
    che si sono costruiti mausolei,
¹⁵ o insieme ai nobili che possiedono oro
    e riempiono d'argento i loro palazzi.
¹⁶ O perché non sono stato
       come un aborto interrato,
    come i bimbi che non hanno visto
       la luce?
¹⁷ Laggiù i malvagi cessano di agitarsi
    e là riposano gli sfiniti di forze.
¹⁸ I prigionieri stanno tranquilli
       insieme a loro,
    senza udire più la voce dell'aguzzino.
¹⁹ Laggiù, piccoli e grandi si confondono
    e lo schiavo è libero dal suo padrone.
²⁰ Perché dar la luce ad un infelice
    e la vita a chi ha l'amarezza nell'animo,
²¹ a coloro che attendono la morte
       che non viene

e si affannano a ricercarla
   più di un tesoro,
²² che godono andando verso il tumulo
    ed esultano perché trovano
       una tomba;
²³ a un uomo il cui cammino è nascosto
    e che Dio da ogni parte ha sbarrato?
²⁴ Perciò i gemiti sono il mio cibo
    e i miei lamenti sgorgano come acqua;
²⁵ perché ciò che io temo, mi accade,
    e ciò che mi spaventa, mi sopraggiunge.
²⁶ Non ho tranquillità, non ho pace,
    non ho riposo, mi assale il tormento».

DISCORSO DI ELIFAZ:
FIDUCIA IN DIO

4 ¹Elifaz il temanita prese la parola e disse:

² «Come tentare di rivolgerti la parola?
   Tu sei oppresso!
   Eppure chi potrebbe trattenere
      il discorso?
³ Vedi, tu hai istruito molti
   e hai rinvigorito le mani infiacchite.
⁴ Le tue parole sostenevano i vacillanti
   e rinfrancavano le ginocchia
      che si piegavano.
⁵ Ma ora che tocca a te, ti abbatti;
   ora che il colpo ti raggiunge,
      ne sei sconvolto.
⁶ La tua pietà non era forse la tua fiducia,
   e l'integrità della tua condotta, la tua
      speranza?
⁷ Rammenta, dunque: quale innocente
      è mai perito
   e dove mai si son visti i giusti
      sterminati?
⁸ Per quanto ho osservato,
      coloro che coltivano malizia
   e seminano miseria mietono tali cose.
⁹ Periscono a un soffio di Dio
   e sono annientati dallo sfogo
      della sua ira.
¹⁰ Il ruggito del leone, le urla della belva
    e i denti dei leoncelli sono frantumati.
¹¹ Muore il leone per mancanza di preda
    e i piccoli della leonessa
       devono disperdersi.
¹² Ora mi fu detta furtivamente una parola
    e il mio orecchio ne carpì il mormorìo,
¹³ tra i fantasmi di visioni notturne,
    quando il letargo cade sugli uomini.

Gb

---

3. - 8. *Leviatan*: in 40,25 indica il coccodrillo, in Sal 104,26
ogni grosso cetaceo marino. Qui invece è evocato come
mostro marino, simbolo del caos primitivo.

4. - 7. Emerge qui l'opinione che i cattivi sono sempre puniti
e che nessuno, quindi neppure Giobbe, può essere innocente dinanzi a Dio se viene a trovarsi nella sventura.

¹⁴ Un terrore mi prese e uno spavento,
　　che fece tremare tutte le mie ossa.
¹⁵ Un vento mi passò sulla faccia
　　e si rizzarono i peli sulla mia carne.
¹⁶ Uno stava in piedi,
　　　ma non ne distinguevo l'aspetto,
　　solo una figura apparve ai miei occhi;
　　poi udii una voce sommessa:
¹⁷ Può l'uomo essere giusto davanti a Dio
　　o un mortale essere puro davanti
　　　al suo creatore?
¹⁸ Vedi, egli non si fida nemmeno
　　　dei suoi servi
　　e nei suoi angeli riscontra difetti;
¹⁹ quanto più in coloro che abitano
　　　case di fango,
　　le cui fondamenta si trovano
　　　nella polvere
　　e sono corrose dal tarlo!
²⁰ Fra il mattino e la sera sono ridotti
　　　in polvere,
　　senza che nessuno se ne accorga,
　　periscono per sempre.
²¹ Non sono forse già strappate
　　　le corde della loro tenda
　　e muoiono senza sapere come?».

DIO È RIFUGIO

5 ¹«Grida, dunque! C'è forse qualcuno
　　che ti risponde?
　　A chi tra i santi ti rivolgerai?
² In verità il dolore reca la morte
　　　allo stolto
　　e la collera fa morire l'inesperto.
³ Ho visto lo stolto mettere radici,
　　e subito ho visto maledetta
　　　la sua dimora.
⁴ I suoi figli sono privi di aiuto,
　　sono oppressi in tribunale,
　　　senza difensore.
⁵ Le loro messi le divora l'affamato,
　　rubandole nonostante le siepi,
　　e l'assetato ne inghiotte gli averi.
⁶ Certo, la sventura non nasce dal suolo
　　e la disgrazia non germoglia
　　　dalla terra,
⁷ ma è l'uomo che genera la miseria,
　　come le scintille volano in alto.
⁸ Quanto a me, mi rivolgerei a Dio,
　　a Dio affiderei la mia causa:
⁹ a lui che compie prodigi insondabili
　　e meraviglie senza numero,

¹⁰ che manda la pioggia sulla terra
　　e versa le acque sulle campagne.
¹¹ Innalza gli umili
　　e gli afflitti solleva a prosperità;
¹² rende vani i piani degli astuti,
　　così che le loro mani non realizzino
　　　le loro previsioni;
¹³ sorprende i sapienti nelle loro astuzie
　　e manda in rovina gli intrighi
　　　degli scaltri.
¹⁴ In pieno giorno incappano
　　　nelle tenebre
　　e a mezzogiorno brancolano
　　　come di notte.
¹⁵ Così Dio salva dalle loro bocche
　　　il povero
　　e il debole dalla mano del prepotente.
¹⁶ C'è una speranza per il misero,
　　mentre l'ingiustizia chiude la bocca.
¹⁷ Perciò felice l'uomo che Dio corregge.
　　Non ricusare, dunque, la correzione
　　　dell'Onnipotente,
¹⁸ perché è lui che produce la piaga
　　　e la guarisce,
　　colpisce e con le sue mani risana.
¹⁹ Da sei angustie ti libererà,
　　e alla settima non soffrirai nessun male.
²⁰ In tempo di fame ti scamperà
　　　dalla morte
　　e nel combattimento dal filo della spada.
²¹ Sarai al riparo dalla lingua pungente
　　e non avrai timore, quando giunge
　　　la rovina.
²² Te ne riderai della sventura e della fame
　　e non temerai le fiere della campagna.
²³ Farai un'alleanza con le pietre
　　　del campo
　　e sarai in pace con le bestie selvagge.
²⁴ Sperimenterai la prosperità
　　　della tua tenda
　　e, controllando le tue proprietà,
　　　non mancherà nulla.
²⁵ Scoprirai che la tua prole è numerosa
　　e i tuoi rampolli come l'erba del prato.
²⁶ Te ne andrai alla tomba
　　　in piena maturità,
　　come il grano raccolto nella sua stagione.
²⁷ Ecco quanto abbiamo osservato
　　　a fondo: è così.
　　Ascoltalo e fanne profitto».

NUOVO INTERVENTO DI GIOBBE: DELUSIONE COMPLETA

6 ¹Allora Giobbe rispose:

² «Oh, se si potesse pesare il mio cruccio
   e si mettesse sulla bilancia
   la mia sventura,
³ certamente sarebbe più pesante
   della sabbia del mare!
   Per questo le mie parole sono confuse.
⁴ Sì, le frecce dell'Onnipotente
   mi stanno infitte,
   il mio spirito ne succhia il veleno
   e i terrori di Dio si schierano
   contro di me.
⁵ Raglia forse l'asino di fronte all'erba
   o muggisce il bue innanzi
   al suo foraggio?
⁶ Ciò che è insipido si può forse
   mangiare senza sale?
   O che gusto c'è nella chiara d'uovo?
⁷ Ciò che mi rifiutavo di toccare
   è ora il mio cibo nauseante!
⁸ Oh, se si realizzasse il mio desiderio,
   e Dio mi concedesse ciò che spero!
⁹ Volesse Dio schiacciarmi,
   stendere la sua mano e sopprimermi!
¹⁰ Sarebbe per me un conforto,
   salterei di gioia, pur nell'angoscia
   senza pietà,
   per non aver rinnegato i decreti
   del Santo.
¹¹ Qual è la mia forza per poter resistere
   o qual è la mia fine per prolungare
   la mia vita?
¹² È forse la mia forza quella delle pietre
   e la mia carne è forse di bronzo?
¹³ Non è forse vero che non c'è più aiuto
   per me
   e ogni soccorso mi è precluso?
¹⁴ L'uomo sfinito ha diritto alla pietà
   del suo prossimo,
   anche se avesse abbandonato
   il timore dell'Onnipotente.
¹⁵ I miei fratelli mi hanno tradito
   come un torrente,
   come l'alveo dei torrenti che scompaiono.
¹⁶ Erano gonfi allo sciogliersi del ghiaccio,
   quando su di essi fondevano le nevi,

¹⁷ ma al tempo della siccità svaniscono
   e con l'arsura scompaiono dai loro letti.
¹⁸ Le carovane dèviano dalle loro piste,
   avanzano nel deserto e vi si perdono.
¹⁹ Le carovane di Tema fissano attente
   (il loro corso),
   i convogli di Saba contano sui torrenti;
²⁰ però rimangono delusi per aver sperato
   e, quando arrivano, rimangono confusi.
²¹ Ebbene, così siete ora voi per me:
   vedete che faccio orrore e avete paura.
²² Vi ho forse detto: Datemi qualcosa?
   Oppure: Dei vostri beni fatemi un regalo?
²³ O vi ho chiesto: Liberatemi dalle mani
   del nemico?
   Oppure: Riscattatemi dal potere
   dei violenti?
²⁴ Istruitemi e starò in silenzio,
   fatemi conoscere in che cosa
   ho sbagliato.
²⁵ Sarebbero forse offensive
   le parole giuste?
   Ma che cosa provano i vostri argomenti?
²⁶ Forse voi pensate di criticare
   espressioni
   e parole che un disperato getta al vento?
²⁷ Ma voi gettereste la sorte
   anche su un orfano
   e vendereste anche un vostro amico.
²⁸ E, ora, degnatevi di volgervi verso di me:
   certo, non vi mentirò in faccia.
²⁹ Ricordatevi: basta con le ingiustizie!
   Ricredetevi: la mia giustizia
   è ancora qui!
³⁰ C'è forse iniquità sulle mie labbra
   o il mio palato non distingue
   più le sventure?».

SFOGO CON DIO

7 ¹«Non sta forse compiendo l'uomo
   un duro lavoro sulla terra
   e i suoi giorni non sono come quelli
   di un mercenario?
² Come lo schiavo sospira l'ombra
   e come il mercenario aspetta il salario,
³ così a me sono toccati in sorte
   mesi d'illusione
   e notti d'affanno mi sono state
   assegnate.
⁴ Se mi corico, penso: Quando mi alzerò?
   Ma la notte si prolunga
   e sono stanco di rigirarmi sino all'alba.

─────────────────
6. - 2. Giobbe non nega di avere in qualche cosa peccato; sostiene però che le sofferenze sono sproporzionate rispetto alle sue mancanze.

5 La mia carne è ricoperta di vermi
   e croste,
  la mia pelle si raggrinza e si squama.

6 I miei giorni scorrono più veloci
   di una spola
  e svaniscono senza più un filo
   di speranza.

7 Ricorda che la mia vita non è
   che un soffio
  e i miei occhi non rivedranno più il bene.

8 Non mi scorgerà più l'occhio
   di chi mi vede:
  i tuoi occhi saranno su di me e io sarò
   scomparso.

9 Come una nube si dilegua e se ne va,
  così chi scende agl'inferi
   più non risale.

10 Non tornerà più nella sua casa
   e non lo rivedrà più la sua dimora.

11 Perciò io non terrò chiusa la bocca,
   parlerò nell'angoscia del mio spirito,
   mi lamenterò nell'amarezza
    del mio cuore.

12 Sono forse io il mare
    oppure un mostro marino,
   perché tu mi faccia sorvegliare
    da una guardia?

13 Quando penso che il mio giaciglio
    mi darà sollievo
   e il mio letto allevierà la mia sofferenza,

14 allora tu mi terrorizzi con sogni
   e mi atterrisci con fantasmi.

15 Preferirei essere soffocato e morire,
   piuttosto che avere queste mie pene!

16 Sono sfinito, non vivrò più a lungo;
   lasciami, perché un soffio
    sono i miei giorni.

17 Che cos'è l'uomo che tu ne fai
    tanto conto
   e a lui rivolgi la tua attenzione,

18 così da scrutarlo ogni mattina
   e metterlo alla prova ogni istante?

19 Perché non cessi di spiarmi
   e non mi lasci nemmeno inghiottire
    la saliva?

20 Se ho peccato, che cosa ho fatto a te,
   scrutatore dell'uomo?
   Perché mi hai preso come bersaglio
   e ti sono diventato di peso?

21 Perché non perdoni il mio peccato
   e non allontani la mia colpa?
   Giacché ben presto giacerò
    nella polvere;
   tu mi cercherai, ma io più non sarò».

IL DISCORSO DI BILDAD:
DIO È GIUSTO

8 ¹Allora Bildad il suchita prese la parola
  e disse:

2 «Fino a quando dirai simili cose,
   e vento impetuoso saranno le parole
   che escono dalla tua bocca?

3 Può forse Dio far deviare il giudizio
   o l'Onnipotente sconvolgere la giustizia?

4 Se i tuoi figli hanno peccato contro di lui,
   egli li ha abbandonati alla loro iniquità.

5 Se tu ricercherai Dio e implorerai
    l'Onnipotente,

6 se sei onesto e retto,
   certamente fin d'ora veglierà su di te
   e ti ristabilirà nella tua giustizia.

7 La tua primitiva condizione
    sarà poca cosa
   di fronte al tuo magnifico futuro.

8 Interroga, infatti, le generazioni passate
   e rifletti sull'esperienza dei loro padri,

9 poiché noi siamo di ieri
   e non sappiamo nulla:
   i nostri giorni sulla terra
    sono come un'ombra.

10 Ma essi ti istruiranno, ti informeranno
   traendo le parole dal loro cuore.

11 Cresce forse il papiro fuori dalla palude
   e si sviluppa forse il giunco senz'acqua?

12 Ancora in germoglio, non pronto
    per il taglio,
   si secca prima di tutte le altre erbe.

13 Tale è il destino di coloro
    che dimenticano Dio,
   così svanisce la speranza dell'empio.

14 La sua fiducia è come un filo
   e una tela di ragno è la sua sicurezza.

15 Cerca appoggio sulla sua casa,
    ma essa non tiene,
   vi si aggrappa, ma essa non regge.

16 È albero rigoglioso in faccia al sole
   e sopra il giardino si spandono
    i suoi rami;

17 le sue radici s'intrecciano nella pietraia,
   fra le pietre attinge la vita.

---

7. - 7. Ridotto senza speranza terrena, Giobbe si rivolge a
Dio, che non osa neppure nominare.

8. - 3. La domanda richiede naturalmente risposta negativa.
Con essa Bildad ripropone la tesi: Dio non può essere ingiusto e castigare un innocente; se dunque tu sei afflitto, ciò
significa che sei peccatore. Pèntiti, per non essere castigato
come i tuoi figli.

¹⁸ Ma se lo si strappa dal suo posto,
   questo lo rinnega: Non ti ho mai visto!
¹⁹ Ecco la sorte della sua vita,
   mentre altri rispuntano dalla terra.
²⁰ Vedi: Dio non rigetta l'uomo integro,
   né presta man forte ai malfattori.
²¹ Può ancora colmare la tua bocca
      di sorriso
   e le tue labbra di giubilo.
²² Coloro che ti odiano saranno coperti
      di vergogna
   e la tenda degli empi sparirà».

INTERVENTO DI GIOBBE:
INUTILE LOTTARE CON DIO

9 ¹Giobbe rispose dicendo:

² «Certo, so che è così;
   come può un uomo essere giusto
   davanti a Dio?
³ Se uno volesse disputare con lui,
   non gli risponderebbe una volta su mille.
⁴ Chi, saggio di mente e potente
      per la forza,
   gli si è opposto ed è rimasto illeso?
⁵ Egli sposta le montagne
      senza che se ne avvedano
   e le sconvolge nella sua collera.
⁶ Egli scuote la terra dal suo posto
   e le sue colonne vacillano.
⁷ Ordina al sole ed esso non sorge
   e mette un sigillo alle stelle.
⁸ Egli da solo dispiega i cieli
   e cammina sulle onde del mare.
⁹ Egli forma l'Orsa e Orione,
   le Pleiadi e le costellazioni del sud.
¹⁰ Compie prodigi insondabili
   e meraviglie senza numero.
¹¹ Ecco, mi passa vicino e non lo vedo,
   se ne va, e di lui non mi accorgo.
¹² Se rapisce qualcosa,
      chi lo può impedire?
   Chi può dirgli: Che cosa fai?
¹³ Dio non ritira la sua collera,
   sotto di lui si curvano le schiere di Raab.
¹⁴ Tanto meno potrei io rispondergli
   o scegliere argomenti contro di lui!

¹⁵ Anche se avessi ragione,
      non riceverei risposta,
   dovrei chiedere grazia al mio giudice.
¹⁶ Anche se rispondesse al mio appello,
   non crederei che ascolti la mia voce,
¹⁷ lui, che mi schiaccia nell'uragano
   e moltiplica senza ragione le mie ferite.
¹⁸ Non mi lascia riprendere fiato,
   anzi mi sazia di amarezze.
¹⁹ Se si tratta di forza, è lui il vigoroso;
   se si tratta di giudizio,
      chi lo farà comparire?
²⁰ Anche se fossi innocente,
   il mio parlare mi condannerebbe;
   se fossi giusto, egli mi dichiarerebbe
      colpevole.
²¹ Sono innocente? Non lo so neppure io;
   detesto la mia vita!
²² Però è lo stesso, ve lo assicuro:
   egli fa perire l'innocente e il reo!
²³ Se una calamità miete vittime
      in un istante,
   egli se ne ride della disgrazia
      degli innocenti.
²⁴ Lascia la terra in potere dei malvagi,
   egli vela il volto dei suoi governanti:
   se non è lui, chi dunque può essere?
²⁵ I miei giorni passano più veloci
      di un corriere,
   fuggono senza gustare alcun bene.
²⁶ Scorrono veloci come barche di giunco,
   come aquila che piomba sulla preda.
²⁷ Se dico: Voglio dimenticare
      la mia afflizione,
   voglio cambiare il mio volto
      ed essere lieto,
²⁸ mi spavento per tutte le sofferenze;
   e poi so che tu non mi riterrai innocente.
²⁹ Se sono colpevole, perché affaticarmi
      invano?
³⁰ Anche se mi lavassi con la neve
   e pulissi le mie mani con la soda,
³¹ tu mi tufferesti nel fango
   e le mie vesti mi avrebbero in orrore.
³² Egli, infatti, non è un uomo come me,
   perché io possa rispondergli:
   Presentiamoci alla pari in giudizio.
³³ Non c'è un arbitro tra noi
   che ponga la mano su noi due,
³⁴ che allontani da me la sua verga,
   in modo che il suo terrore
      non mi spaventi.
³⁵ Allora potrei parlare senza temerlo.
   Ma poiché non è così,
      sono solo con me stesso».

Gb

9. - 13. *Raab*, violenza, tracotanza (cfr. anche 26,12), qui
pare la personificazione di un altro mostro marino affine a
Leviatan (3,8). Il senso è che le più tremende forze della
natura devono tutte inchinarsi a Dio: quanto più un uomo
debole e solo qual è Giobbe.

L'AMARO SFOGO DI GIOBBE

10 ¹«Sono nauseato della mia vita:
voglio dare libero sfogo
ai miei lamenti,
parlare nell'amarezza del mio animo.
² Dirò a Dio: Non condannarmi!
Fammi sapere il motivo
della lite contro di me.
³ Ti pare bello essere violento,
disprezzare l'opera delle tue mani
e favorire i progetti dei malvagi?
⁴ Hai tu forse occhi di carne
o vedi tu come vede un uomo?
⁵ Sono forse i tuoi giorni come quelli
di un mortale,
e i tuoi anni come quelli di un uomo,
⁶ perché tu debba indagare la mia colpa
ed esaminare il mio peccato,
⁷ pur sapendo che non sono colpevole
e che nessuno mi può liberare
dalla tua mano?
⁸ Le tue mani mi hanno formato
e modellato
integro in ogni parte:
vorresti ora distruggermi?
⁹ Ricordati che mi hai plasmato
come argilla
e mi farai ritornare in polvere!
¹⁰ Non m'hai colato forse come latte
e fatto coagulare come formaggio?
¹¹ Di pelle e di carne mi hai rivestito,
di ossa e di nervi mi hai intessuto.
¹² Vita e benevolenza mi hai concesso,
e la tua provvidenza ha custodito
il mio spirito.
¹³ Eppure nascondevi questo nel tuo cuore;
ora so che pensavi così.
¹⁴ Se pecco, tu mi sorvegli
e non mi lasci impunito per la mia colpa.
¹⁵ Se sono colpevole, guai a me!
Se sono innocente, non oso alzare
il capo,
sazio come sono d'ignominia
e colmo di miseria.
¹⁶ Se alzo la fronte mi dai la caccia
come un leone,
rinnovando le tue prodezze contro di me.
¹⁷ Ripeti i tuoi assalti contro di me,
aumentando contro di me la tua ira,
lanciando truppe sempre fresche
contro di me.
¹⁸ Perché, dunque, mi hai fatto uscire
dal seno materno?

Fossi morto, e nessun occhio
mi avesse mai visto!
¹⁹ Sarei come se non fossi mai esistito,
condotto dal ventre alla tomba!
²⁰ Non sono poca cosa i giorni
della mia esistenza?
Lasciami, allora, così che possa
respirare un poco,
²¹ prima che me ne vada,
per non tornare più,
nella regione delle tenebre
e dell'ombra di morte,
²² terra oscura come caligine,
regione di tenebre e di disordine,
dove il chiarore è simile alla notte buia».

IL DISCORSO DI ZOFAR:
DIO È SAPIENTE E BUONO

11 ¹Allora Zofar il naamatita prese la
parola e disse:

² «Una tale quantità di parole
resterà senza risposta?
L'uomo loquace dovrà sempre
aver ragione?
³ I tuoi sproloqui faranno tacere la gente?
Ti farai beffe senza che nessuno
ti confonda?
⁴ Tu hai detto: La mia condotta è pura
e io sono irreprensibile davanti a te!
⁵ Ah, se Dio volesse parlare
e aprire le sue labbra contro di te!
⁶ Se ti rivelasse i segreti della sapienza,
che sono difficili da intendere,
allora tu sapresti che Dio perdona
parte della tua colpa.
⁷ Pretendi forse di sondare l'intimo di Dio
o di penetrare la perfezione
dell'Onnipotente?
⁸ Essa è più alta dei cieli:
che cosa puoi fare?
È più profonda degli inferi:
che ne puoi sapere?
⁹ È più estesa della terra
nella sua dimensione
ed è più vasta del mare.

---

11. - 6. Giobbe aveva espresso il desiderio di poter trattare
da pari a pari con Dio, senza essere sopraffatto dalla sua
potenza e maestà (9,33-35). Zofar gli risponde che se tale
cosa avvenisse, Giobbe stesso potrebbe constatare di
quante colpe non tiene conto Dio.

¹⁰ Se egli assale e imprigiona
  e cita in giudizio,
    chi glielo può impedire?

¹¹ Sì, egli conosce gli uomini falsi,
  vede l'iniquità e l'osserva:

¹² l'uomo stolto metterà giudizio
  quando un puledro d'asino
    diventerà uomo!

¹³ Tu, invece, se rivolgi il tuo cuore a Dio
  e stendi verso di lui le tue mani,

¹⁴ se allontani dalla tua mano l'iniquità,
  se non permetterai all'ingiustizia
    di abitare nella tua tenda,

¹⁵ allora potrai alzare la faccia
  senza macchia,
  starai saldo e non avrai timore.

¹⁶ Allora dimenticherai le disgrazie,
  le ricorderai come acqua passata.

¹⁷ La tua vita risorgerà più bella
  di un meriggio
  e le tenebre diventeranno
    come un mattino.

¹⁸ Sarai sicuro, perché c'è speranza,
  e, guardandoti intorno,
    riposerai tranquillo.

¹⁹ Dormirai senza che nessuno ti disturbi,
  anzi molti cercheranno il tuo favore.

²⁰ Invece gli occhi dei malvagi
  si consumano,
  ogni scampo verrà loro a mancare,
  unica loro speranza è l'ultimo respiro!».

NUOVO INTERVENTO DI GIOBBE: DIO È ONNIPOTENTE

12 ¹Giobbe allora rispose:

² «Davvero voi siete
  un popolo importante
  e con voi morirà la sapienza!

³ Ma anch'io ho senno come voi,
  non sono da meno di voi.
  Del resto chi ignora tali cose?

⁴ Sono oggetto di ludibrio per il mio vicino,
  io che gridavo a Dio per avere
    una risposta;
  ludibrio il giusto, il perfetto!

⁵ "Per la sventura, disprezzo",
  pensa la gente che sta bene,

"una spinta per coloro i cui piedi
  vacillano".

⁶ Sono tranquille le tende dei razziatori,
  c'è sicurezza per coloro
    che provocano Dio,
  pensando di ridurlo in loro potere.

⁷ Ma interroga pure le bestie,
  esse ti istruiranno;
  gli uccelli del cielo, essi ti informeranno;

⁸ o i rettili della terra,
  essi ti daranno lezione;
  te lo faranno sapere i pesci del mare.

⁹ Chi non sa, tra tutti questi esseri,
  che la mano del Signore
    ha fatto questo?

¹⁰ Egli tiene in suo potere l'anima
  di ogni vivente
  e il soffio di ogni carne umana.

¹¹ Forse che l'orecchio non distingue
  le parole
  e il palato non gusta i cibi?

¹² Presso gli anziani sta la sapienza
  e nella vita lunga la prudenza.

¹³ In lui risiede la sapienza e la forza,
  suoi sono il consiglio e la prudenza.

¹⁴ Ecco, se egli distrugge,
  non si può ricostruire;
  se imprigiona qualcuno,
    non si può liberare.

¹⁵ Se trattiene le acque, è la siccità;
  se le lascia scorrere,
    devastano la terra.

¹⁶ Egli possiede potenza ed efficacia,
  in suo potere sono l'ingannato
    e l'ingannatore.

¹⁷ Fa andare scalzi i consiglieri
  e priva di senno i giudici.

¹⁸ Spoglia i re delle loro insegne
  e cinge con una corda i loro fianchi.

¹⁹ Fa andare scalzi i sacerdoti
  e rovescia i potenti.

²⁰ Toglie la parola ai più eloquenti
  e priva di senno gli anziani.

²¹ Versa il disprezzo sui nobili
  e allenta la cintura dei robusti.

²² Svela gli abissi delle tenebre
  ed espone alla luce l'ombra di morte.

²³ Fa grandi i popoli e poi li fa perire;
  espande le nazioni e poi le sopprime.

²⁴ Toglie il senno ai capi del paese
  e li fa vagare per solitudini impervie.

²⁵ Brancolano a tentoni nelle tenebre,
  senza luce,
  e li fa barcollare come ubriachi».

Gb

---

12. - 5. Il pregiudizio che la sventura sia sempre una pena del peccato, può indurre a credere giusto l'inveire contro il tribolato.

ACCUSE E DIFESA

13 [1]«Sì, il mio occhio ha visto
tutto questo,
il mio orecchio l'ha udito
e l'ha compreso.

[2] Ciò che voi sapete, lo so anch'io;
non sono da meno di voi.

[3] Però io voglio rivolgermi all'Onnipotente,
desidero discutere con Dio.

[4] Voi invece siete manipolatori di falsità,
siete tutti medici da nulla.

[5] Oh, se taceste del tutto!
Sarebbe per voi un atto di sapienza!

[6] Ascoltate, vi prego, la mia difesa,
e fate attenzione alle discussioni
delle mie labbra.

[7] Volete forse dire il falso in difesa di Dio
e in suo favore parlare con inganno?

[8] Volete prendere le difese di Dio
e farvi suoi avvocati?

[9] Sarebbe bene per voi se egli
vi esaminasse?
O credete di ingannarlo come si inganna
un uomo?

[10] Certamente egli vi riprenderà,
anche se in segreto ne sostenete la parte.

[11] La sua maestà non vi spaventa
e il terrore di lui non vi assale?

[12] Le vostre sentenze sono proverbi
di cenere,
le vostre risposte sono difese d'argilla.

[13] Tacete, lasciatemi; ora voglio parlare io,
qualunque cosa mi possa capitare.

[14] Voglio afferrare la mia carne con i denti
e mettere la mia vita sulle mie mani.

[15] Mi uccida pure, non m'importa;
purché possa difendere
la mia condotta davanti a lui.

[16] Già questo sarà per me una vittoria,
perché un empio non si presenterebbe
davanti a lui.

[17] Ascoltate attentamente le mie parole,
e il mio discorso giunga ai vostri orecchi.

[18] Ecco, ho preparato un processo,
cosciente di essere innocente.

[19] Chi dunque vuole contendere con me?
Tacere ora, sarebbe morire.

[20] Solo, assicurami queste due cose,
e allora non mi nasconderò davanti a te:

[21] allontana da me la tua mano,
e il tuo terrore più non mi spaventi;

[22] poi interrogami e io risponderò,
oppure parlerò io e tu mi risponderai.

[23] Quante sono le mie colpe
e i miei peccati?
Fammi conoscere le mie trasgressioni
e le mie mancanze!

[24] Perché mi nascondi il tuo volto
e mi consideri come un tuo nemico?

[25] Perché vuoi spaventare una foglia
sbattuta dal vento
e accanirti contro una paglia secca?

[26] Infatti tu hai scritto contro di me
un'amara sentenza
e mi rinfacci le colpe della mia
giovinezza;

[27] metti i miei piedi nei ceppi
e sorvegli tutti i miei passi,
rilevando le impronte dei miei piedi.

[28] Intanto io mi consumo come legno
tarlato
o come un vestito corroso dalla tignola».

IL TRISTE DESTINO DELL'UOMO

14 [1]«L'uomo, nato da donna,
ha vita breve e piena di affanni,

[2] sboccia come fiore e appassisce,
fugge come l'ombra e mai si ferma.

[3] E tu tieni aperti gli occhi su di lui
e lo citi in giudizio con te!

[4] Chi può trarre il puro dall'immondo?
Nessuno!

[5] Se i suoi giorni sono contati,
se conosci il numero dei suoi mesi,
se hai fissato un termine che non può
oltrepassare,

[6] distogli lo sguardo da lui
e lascialo stare,
finché non abbia portato a termine
la sua giornata come un salariato.

[7] Anche per l'albero, infatti,
c'è una speranza:
se viene tagliato, ancora ributta
e il suo germoglio non cessa di crescere.

[8] Anche se la sua radice invecchia
sotto la terra
e il suo tronco muore nel suolo,

[9] al sentore dell'acqua rinverdisce
e mette rami come una giovane pianta.

[10] L'uomo, invece, se muore, resta inerte;
dov'è più il mortale, quando spira?

[11] Potranno venir meno le acque del mare
e i fiumi prosciugarsi e seccare,

---

13. - 27. Il v. 28 si legge meglio dopo 14,2.

¹² ma l'uomo che giace, più non si alzerà;
    finché durano i cieli, non si sveglierà,
    né più si desterà dal suo sonno.
¹³ Oh, volessi tu nascondermi
        nel regno dei morti
    e occultarmi, finché sarà passata
        la tua ira,
    fissarmi un termine e poi ricordarti di me!
¹⁴ Se l'uomo che muore potesse rivivere,
    allora io aspetterei tutti i giorni
        del mio servizio,
    finché giunga il mio cambio!
¹⁵ Mi chiameresti e io risponderei,
    quando tu avessi nostalgia per l'opera
        delle tue mani.
¹⁶ Mentre ora tu vai contando i miei passi,
    non spieresti più il mio peccato:
¹⁷ sigilleresti in un sacco il mio peccato
    e cancelleresti la mia colpa.
¹⁸ Ma come una montagna cade e si sfalda
    e come una rupe si stacca dal suo posto,
¹⁹ e le acque corrodono le pietre
    e l'alluvione inonda la superficie
        della terra,
    così tu annienti la speranza dell'uomo!
²⁰ Tu lo abbatti per sempre ed egli se ne va,
    ne sfiguri il volto e lo cacci via.
²¹ Se i suoi figli sono onorati, egli non lo sa;
    se sono disprezzati, egli lo ignora.
²² Egli sente solamente il tormento
        della sua carne,
    sente solo la pena della sua anima».

L'INTERVENTO DI ELIFAZ: LA PRESUNZIONE DELL'UOMO

15 ¹Elifaz il temanita prese a sua volta
        la parola e disse:

² «Un sapiente risponde forse
        con parole vane
    e si riempie il ventre con vento
        d'oriente?
³ Si difende forse con ragioni inconsistenti
    e con discorsi che non servono a nulla?
⁴ Tu, anzi, giungi a distruggere la pietà
    e a impedire la preghiera davanti a Dio.
⁵ Sì, la tua colpa ispira le tue parole
    e tu stesso adotti il linguaggio dei furbi.
⁶ È la tua bocca che ti condanna, non io,
    e le tue labbra testimoniano contro di te.
⁷ Sei forse tu il primo uomo che è nato,
    o sei stato generato prima dei monti?

⁸ Hai assistito ai segreti consigli di Dio
    e ti sei accaparrata tu solo la sapienza?
⁹ Che cosa sai tu che noi non sappiamo?
    Che cosa comprendi che non sia
        a noi familiare?
¹⁰ Anche tra noi c'è il vecchio
        e c'è il canuto,
    qualcuno che è più anziano di tuo padre.
¹¹ Ti sembrano poca cosa le consolazioni
        di Dio
    e la parola soave che ti è rivolta?
¹² Perché ti trasporta la passione
    e perché si storcono i tuoi occhi,
¹³ quando rivolgi contro Dio il tuo furore
    e fai uscire tali parole dalla tua bocca?
¹⁴ Che cosa è l'uomo perché
        si ritenga puro
    e un nato da donna perché si dica giusto?
¹⁵ Ecco, neppure dei suoi santi
    egli ha fiducia,
    e i cieli non sono puri ai suoi occhi;
¹⁶ quanto meno un essere detestabile
        e corrotto,
    l'uomo, che beve l'iniquità come acqua!
¹⁷ Voglio spiegartelo, ascoltami;
    ti racconterò ciò che ho visto,
¹⁸ ciò che narrano i saggi,
    senza nulla nascondere,
    secondo quanto essi hanno udito
        dai loro padri.
¹⁹ Ad essi soli fu concesso questo paese,
    quando nessuno straniero
        si era infiltrato tra loro.
²⁰ Il malvagio si tormenta tutta la vita;
    è contato il numero degli anni riservati al
        violento.
²¹ Grida di spavento risuonano
        nei suoi orecchi
    e, quando sta in pace, lo assalta
        il brigante.
²² Non spera di uscire dalle tenebre,
    sentendosi destinato alla spada.
²³ Vaga in cerca di cibo, ma dove andare?
    Sa che la sua sventura è vicina.
²⁴ Il giorno tenebroso lo spaventa,
    l'ansietà e l'angoscia lo assalgono,
    come un re pronto all'assalto.
²⁵ Infatti ha steso contro Dio la sua mano,
    ha osato sfidare l'Onnipotente;
²⁶ correva contro di lui a testa alta,
    protetto al riparo dei suoi scudi,
²⁷ poiché aveva la faccia coperta
        di grasso
    e i fianchi circondati di pinguedine.

28 Abiterà in città diroccate,
in case non più adatte a dimora,
destinate a diventare macerie.

29 Non si arricchirà, non durerà
la sua fortuna;
non metterà radici sulla terra.

30 Non sfuggirà alle tenebre,
una fiamma seccherà i suoi germogli
e il vento porterà via i suoi frutti.

31 Non confidi nella vanità che inganna,
perché la vanità sarà la sua ricompensa.

32 La sua fronda sarà tagliata
prima del tempo
e i suoi rami non rinverdiranno più.

33 Sarà spogliato come vite della sua uva
ancora acerba,
come ulivo che perde la fioritura.

34 Sì, la stirpe degli empi è sterile,
e il fuoco divora le tende
dell'uomo venale.

35 Chi concepisce malizia,
genera sventura,
e nel suo seno alleva la delusione».

GIOBBE REPLICA: DIO MI CONSEGNA AI MALVAGI

16 ¹Allora Giobbe replicò:

2 «Ne ho sentiti già molti
di discorsi come questi!
Siete tutti consolatori importuni.

3 Non c'è un limite per i discorsi vuoti?
O che cosa ti spinge
a rispondere ancora?

4 Anch'io sarei capace di parlare come voi,
se foste al mio posto:
vi sommergerei di parole
e scuoterei contro di voi il mio capo.

5 Vi farei coraggio con la mia bocca
e il tremito delle mie labbra cesserebbe.

6 Ma se parlo, non cessa il mio dolore;
se taccio, chi lo allontana da me?

7 Ora, però, egli mi ha spossato, fiaccato,
con tutte le sue forze egli mi afferra.

8 È insorto a testimoniare contro di me;
il mio calunniatore depone contro di me.

9 Il suo furore mi dilania e mi perseguita,
digrigna i denti contro di me;
il mio avversario aguzza contro di me
gli occhi.

10 Spalancano contro di me la bocca,
con ingiurie mi percuotono le guance,
si uniscono insieme contro di me.

11 Dio mi consegna ai malvagi,
mi getta nelle mani degli scellerati.

12 Vivevo tranquillo ed egli mi ha rovinato;
mi ha afferrato per il collo
e mi ha stritolato,
ha fatto di me il suo bersaglio.

13 Le sue frecce mi circondano
da ogni parte,
mi trafigge i fianchi senza pietà
e versa a terra il mio fiele.

14 Mi apre ferita su ferita,
mi assale come un guerriero.

15 Ho cucito un sacco sulla mia pelle
e ho prostrato la fronte nella polvere.

16 La mia faccia è rossa per il pianto
e sulle mie palpebre è l'ombra di morte,

17 Eppure non c'è violenza nelle mie mani
e la mia preghiera è sincera.

18 O terra, non coprire il mio sangue
e il mio grido non abbia sosta!

19 Ma, ecco, sin d'ora il mio testimone
è nei cieli,
il mio difensore è lassù in alto.

20 Miei difensori presso Dio
sono i miei lamenti,
mentre verso di lui alzo i miei occhi piangenti.

21 Se ci fosse un arbitro tra l'uomo e Dio,
come c'è tra un uomo
e il suo avversario!

22 Ma passano i miei anni contati
e io me ne vado per una via
senza ritorno».

ACCORATO LAMENTO

17 ¹«Il mio spirito è turbato,
i miei giorni si spengono;
non c'è per me che la tomba!

2 Io non sono che circondato da beffardi
e fra i loro insulti veglia il mio occhio.

3 Sii, dunque, tu la mia garanzia
presso di te;
altrimenti chi mi stringerebbe la destra?

---

16. - 7-8. Dio ha colpito Giobbe con il dolore, nonostante la sua innocenza, ed egli non sa scoprire il perché. Espone con parole amare la propria situazione, ridotto com'è ad essere oggetto di disprezzo e di accuse. Presenta i suoi nemici come una ciurma accanita contro di lui, che lo tormenta senza dargli respiro.

18. Non coprire il mio sangue: era convinzione comune che il sangue innocente sparso per terra non venisse assorbito e continuasse a chiedere vendetta.

⁴ Poiché tu hai privato del senno
   il loro cuore,
   per questo essi non potranno prevalere;
⁵ come chi invita gli amici alla sua mensa,
   mentre gli occhi dei suoi figli languiscono.
⁶ Sono divenuto ludibrio delle genti;
   sono divenuto lo scherno di tutti.
⁷ Il mio occhio si offusca per il dolore,
   tutte le mie membra non sono che ombra.
⁸ I giusti si stupiscono di ciò
   e l'innocente si indigna contro
   il malvagio.
⁹ Ma il giusto si conferma nella sua condotta
   e chi ha le mani pure raddoppia
   il coraggio.
¹⁰ Quanto a voi, ritornate tutti;
   venite, dunque,
   anche se non trovo un sapiente fra di voi.
¹¹ I miei giorni sono passati,
   sono svaniti i miei progetti, i desideri del
   mio cuore.
¹² Cambiano la notte in giorno,
   pretendono che la luce sia imminente,
   quando giungono le tenebre.
¹³ Che cosa posso sperare? Il sepolcro
   è la mia dimora;
   nelle tenebre distendo il mio giaciglio.
¹⁴ Al sepolcro io grido: Tu sei mio padre!
   Ai vermi io dico: Voi mi siete madre
   e sorelle!
¹⁵ Dov'è, dunque, la mia speranza?
   Il mio benessere chi lo vedrà?
¹⁶ Scenderà con me nella tomba,
   quando caleremo insieme nella polvere».

L'INTERVENTO DI BILDAD:
LA SORTE DELL'EMPIO

18 ¹Allora Bildad il suchita prese a dire:

² «Quando porrai fine ai tuoi discorsi?
   Rifletti bene e poi parleremo!
³ Perché siamo considerati come bestie
   e passiamo per stolti ai tuoi occhi?

---

⁴ Tu che ti rodi nella tua rabbia,
   forse per causa tua la terra
   sarà abbandonata
   o la roccia si staccherà dal suo posto?
⁵ Sì, la luce del malvagio si spegne
   e la fiamma del suo focolare
   non brilla più.
⁶ Si oscura la luce nella sua tenda
   e la lucerna si estingue sopra di lui.
⁷ I suoi passi vigorosi si accorciano,
   i suoi progetti lo fanno stramazzare.
⁸ Infatti, con i suoi piedi incappa nella rete
   e cammina sopra un tranello.
⁹ Un laccio lo afferra per il tallone,
   un nodo lo stringe intorno.
¹⁰ Gli è nascosta per terra una fune
   e gli è tesa una trappola sul sentiero.
¹¹ Da ogni parte lo atterriscono gli spaventi
   e lo inseguono alle calcagna.
¹² La sua ricchezza si muta in fame
   e la sfortuna gli si mette al fianco.
¹³ La sua pelle è corrosa dalla malattia,
   il primogenito della morte gli consuma
   le membra.
¹⁴ È strappato dalla sua tenda,
   dove si sentiva sicuro,
   per essere trascinato davanti al re
   dei terrori.
¹⁵ Potresti abitare nella tenda
   che non è più sua;
   sulla sua dimora si sparge lo zolfo.
¹⁶ In basso le sue radici si seccheranno;
   in alto saranno tagliati i suoi rami.
¹⁷ Il suo ricordo è sparito dalla terra
   e il suo nome non si udrà più
   nella contrada.
¹⁸ Lo cacceranno dalla luce nelle tenebre
   e lo bandiranno dall'universo.
¹⁹ Non avrà né figli né discendenza
   nel suo popolo,
   non vi sarà superstite nella sua dimora.
²⁰ Della sua fine stupirà l'occidente
   e l'oriente sarà preso dal brivido.
²¹ Ecco qual è la sorte dell'empio:
   questa è la dimora di chi
   misconosce Dio».

---

17. - 8-9. Espressione biblica per indicare l'apprensione
prodotta dal castigo divino dei colpevoli in quelli che ne sono
testimoni. Così gli amici di Giobbe: alla vista dei suoi mali,
essi gioiscono della giustizia di Dio, secondo i princìpi tradizionali del castigo degli empi su questa terra. Giobbe invece
si scaglia contro questa sapienza e questa pietà conservate
per tradizione, ma che rifiutano di guardare la realtà.
18. - 14. Il *re dei terrori* è chiamato, secondo la mitologia
orientale e greca, il personaggio preposto alla custodia dei
morti, come Nergal o Plutone.
15. *Zolfo*: simbolo di sterilità.

NUOVA DICHIARAZIONE DI GIOBBE:
IL TRIONFO DELLA FEDE

19 ¹Giobbe allora rispose:

² «Fino a quando mi tormenterete
   e mi affliggerete con i vostri discorsi?

3 Sono già dieci volte che mi ingiuriate:
  non avete vergogna di torturarmi?

4 È poi vero che io abbia mancato
  e che persista nel mio errore?

5 Oppure è vero che voi volete prevalere
    contro di me,
  rimproverandomi ciò di cui ho vergogna?

6 Sappiate, dunque, che Dio
    mi ha fatto torto
  e mi ha impigliato nella sua rete.

7 Ecco, se grido contro la violenza,
    non ricevo risposta;
  se invoco aiuto, non mi si fa giustizia.

8 Mi ha sbarrato la strada perché
    non possa passare,
  sui miei sentieri ha disteso le tenebre.

9 Mi ha spogliato del mio onore,
  mi ha tolto il diadema dal capo.

10 Mi demolisce da ogni parte
     e io devo andarmene,
   sradica come un albero la mia speranza.

11 La sua ira si è infiammata contro di me
   e mi considera come un avversario.

12 Giungono in massa le sue schiere,
   dirigono i loro passi contro di me
     e pongono l'assedio intorno
       alla mia tenda.

13 I miei fratelli si sono allontanati da me
   e i miei conoscenti mi si sono fatti
       estranei.

14 Scomparsi sono i miei parenti
     e familiari;
   mi hanno dimenticato gli ospiti di casa.

15 Le mie ancelle mi trattano
     come un estraneo,
   sono un forestiero ai loro occhi.

16 Chiamo il mio servo
     ed egli non risponde;
   devo supplicarlo con la mia bocca.

17 Il mio fiato ripugna a mia moglie;
   faccio nausea ai figli di mia madre.

18 Anche i monelli mi disprezzano:
   mi insultano, se provo ad alzarmi.

19 Mi hanno in orrore tutti i miei confidenti
   e quelli che amavo si sono rivoltati
     contro di me.

20 Le mie ossa si attaccano alla pelle
     e alla carne
   e sono rimasto solo con la pelle
     dei miei denti.

21 Pietà di me, pietà di me, amici miei,
   perché la mano di Dio mi ha colpito.

22 Perché mi perseguitate come fa Dio
   e non siete mai sazi della mia carne?

23 Ah, se si scrivessero le mie parole,
   se si fissassero in un libro;

24 con stilo di ferro e di piombo
   fossero scolpite per sempre sulla roccia!

25 Io so che il mio Vendicatore è vivo
   e che, ultimo, si ergerà sulla polvere!

26 Dopo che questa mia pelle
     sarà distrutta,
   io, senza la mia carne, vedrò Dio.

27 Io lo vedrò, io stesso;
   i miei occhi lo contempleranno,
     e non un altro.
   Le mie viscere si consumano
     dentro di me.

28 Poiché voi dite: Come lo perseguiteremo,
   se la radice del suo danno è in lui?,

29 dovete temere proprio voi la spada,
   perché la spada è punitrice di iniquità,
   affinché sappiate che c'è un giudice!».

L'INTERVENTO DI ZOFAR:
LA ROVINA DEL MALVAGIO

20 ¹Allora Zofar il naamatita prese a
   dire:

2 «I miei pensieri mi spingono
     a rispondere
   e perciò v'è questa fretta dentro di me.

3 Ho ascoltato un rimprovero
     per me umiliante,
   ma l'ispirazione del mio senno
     mi fa replicare.

4 Non sai tu che da sempre,
   da quando l'uomo fu posto sulla terra,

5 il trionfo dei malvagi è effimero
   e la gioia degli empi dura un istante?

6 Anche se la sua ambizione
     sale fino al cielo
   e il suo capo tocca le nubi,

---

19. - 25-27. Questi vv. contengono le parole che Giobbe
vorrebbe fossero incise sulla pietra e conservate. Purtroppo
il testo in cui sono giunte è alquanto corrotto. Pare tuttavia
che il paziente conforti se stesso con una visione di quanto
avverrà un giorno. Nonostante la carne sia ora così mal ridotta e gli si consumi addosso, sino a ridurlo inevitabilmente
alla morte, egli sa che ciò non è conseguenza di una colpa,
e Dio, che ora tace e si nasconde, lo sa. E giorno verrà in
cui Dio stesso, nella sua qualità di *Vendicatore*, cioè di chi
ristabilisce i diritti di Giobbe, interverrà a dichiararne pubblicamente l'innocenza; allora Giobbe, ritornato in possesso
dell'integrità del suo corpo, potrà contemplare, con quegli
stessi suoi occhi, Dio. Questa speranza è radicata nel suo
cuore e lo strugge il desiderio che si realizzi.

⁷ perirà per sempre, come il suo
   escremento,
e chi l'ha visto dirà: Dov'è?
⁸ Svanisce come un sogno e più
   non si trova;
si dilegua come una visione notturna.
⁹ L'occhio che prima lo vedeva,
   non lo scorge più;
né più lo scorgerà la sua dimora.
¹⁰ I suoi figli dovranno risarcire i poveri
   e le loro mani restituiranno
   le sue ricchezze.
¹¹ Le sue ossa, ancor piene di vigore,
   con lui giacciono nella polvere.
¹² Se fu dolce il male alla sua bocca,
   se lo nascondeva sotto la lingua,
¹³ assaporandolo senza inghiottirlo
   e trattenendolo contro il palato:
¹⁴ il suo cibo si altera nelle sue viscere,
   divenendo un veleno di vipera
   dentro di lui.
¹⁵ I beni che aveva divorato, ora li rivomita;
   Dio glieli caccia fuori dal ventre.
¹⁶ Ha succhiato veleno di aspide,
   una lingua di vipera ora lo uccide.
¹⁷ Non vedrà più ruscelli d'olio,
   torrenti di miele e fior di latte.
¹⁸ Restituisce il frutto della fatica,
   senza averne goduto,
   e non gode del frutto del suo commercio,
¹⁹ perché ha oppresso e lasciato
   in miseria i poveri
   e si è appropriato di case
   che non aveva costruito;
²⁰ perché il suo ventre non ha saputo
   accontentarsi,
   non poteva sottrarsi al suo appetito.
²¹ Niente sfuggiva alla sua voracità,
   perciò il suo benessere non durerà.
²² Nel colmo dell'abbondanza si troverà
   in strettezze,
   tutti i colpi della sventura piomberanno su
   di lui.
²³ Quando starà per riempire
   il suo ventre,
   Dio scatenerà contro di lui l'ardore
   della sua ira
   e gli farà piovere addosso brace.
²⁴ Se sfugge a un'arma di ferro,
   lo trafiggerà un arco di bronzo:
²⁵ gli uscirà la freccia dalla schiena,
   una spada lucente dal fegato;
   terrori di morte lo assaliranno.
²⁶ Tutte le tenebre sono a lui riservate,

lo divorerà un fuoco non acceso
   da uomo,
esso consumerà quanto è rimasto
   nella sua tenda.
²⁷ Il cielo gli rivelerà la sua iniquità
   e contro di lui si solleverà la terra.
²⁸ Un'alluvione travolgerà la sua casa,
   acque tumultuose nel giorno
   della sua ira.
²⁹ Questa è la sorte che Dio riserva
   all'uomo malvagio,
   la parte di eredità a lui aggiudicata
   da Dio».

PARLA DI NUOVO GIOBBE:
IL SUCCESSO DEI MALVAGI

21 ¹Giobbe rispose:

² «Ascoltate attentamente le mie parole,
   e sia questo almeno il conforto
   che mi date.
³ Abbiate pazienza mentre parlo;
   e quando avrò parlato, deridetemi pure.
⁴ Forse io mi lamento di un uomo?
   Perché, dunque, non dovrei
   impazientirmi?
⁵ Volgetevi a me e stupite,
   portatevi la mano alla bocca!
⁶ Quando ci penso, rimango scosso
   e la mia carne è presa da un brivido.
⁷ Perché vivono felici i malvagi
   e invecchiano potenti e gagliardi?
⁸ Sono circondati da numerosa prole
   e vedono crescere i loro discendenti.
⁹ Le loro case sono sicure, senza pericoli,
   e la verga di Dio non pesa su di loro.
¹⁰ Il loro toro è sempre fecondo
   e non falla,
   la loro vacca genera senza abortire.
¹¹ Mandano fuori i loro ragazzi
   come un gregge
   e i loro figli si danno alla danza.
¹² Cantano al suono di timpani e di cetre
   e si divertono al suono del flauto.
¹³ Finiscono i loro giorni nel benessere
   e scendono tranquilli negli inferi.
¹⁴ Eppure dicevano a Dio:
   Allontànati da noi,
   perché non vogliamo saperne
   delle tue vie.
¹⁵ Chi è l'Onnipotente, perché dobbiamo
   servirlo?
   Che cosa ci giova pregarlo?

Gb

¹⁶ Il benessere non è forse nelle loro mani?
Il consiglio degli empi non è lontano
da lui?

¹⁷ Quante volte si spegne la lampada
dei malvagi,
o su di essi si abbatte la disgrazia,
o l'ira di Dio assegna loro sofferenze,

¹⁸ o diventano come paglia di fronte
al vento,
o come pula in balìa della bufera?

¹⁹ Dio riserva il castigo ai suoi figli?
Mandi a lui il castigo, perché impari!

²⁰ Veda con i suoi occhi la sua rovina
e beva la collera dell'Onnipotente!

²¹ Che cosa gl'importa della sua casa,
dopo la morte,
quando è finito il numero dei suoi mesi?

²² Si può forse dare lezioni a Dio,
a lui che giudica gli esseri superiori?

²³ Uno muore in pieno vigore,
tutto tranquillo e sicuro.

²⁴ I suoi fianchi sono coperti di grasso
e il midollo delle sue ossa è ancora
fresco.

²⁵ Un altro muore pieno di amarezza,
senza aver mai goduto la felicità.

²⁶ I due giacciono insieme nella polvere,
ricoperti di vermi.

²⁷ Sì, conosco i vostri pensieri
e le perfidie che ordite contro di me.

²⁸ Infatti voi dite: Dov'è la casa
del prepotente
e dov'è la tenda abitata dai malvagi?

²⁹ Perché non lo chiedete ai viandanti
e non credete alle loro attestazioni?

³⁰ Nel giorno della sventura il malvagio
è preservato,
nel giorno dell'ira è messo in salvo.

³¹ Chi gli rinfaccia la sua condotta
e di quel che ha fatto chi lo ripaga?

³² Quando sarà condotto al sepolcro,
si veglia sul suo tumulo;

³³ gli sono dolci le zolle della tomba.
Trae dietro di sé tutta la gente
e davanti a sé una folla senza numero.

³⁴ Perché, dunque, perdervi
in consolazioni?
Delle vostre risposte non rimane
che inganno».

L'INTERVENTO DI ELIFAZ:
I PECCATI DI GIOBBE

22 ¹Allora Elifaz il temanita prese a
dire:

² «Può forse un uomo essere utile a Dio,
mentre il saggio giova solo a se stesso?

³ Che interesse ha l'Onnipotente
che tu sia giusto?
O che cosa ci guadagna,
se la tua condotta è perfetta?

⁴ È forse a motivo della tua pietà
che ti riprende
e ti convoca in giudizio?

⁵ O non è piuttosto per la tua grande
malvagità
e per le tue innumerevoli colpe?

⁶ Infatti, per un nulla esigevi i pegni
dai tuoi fratelli
e spogliavi delle vesti gli ignudi.

⁷ Non davi da bere all'assetato
e rifiutavi il pane all'affamato.

⁸ Ai prepotenti cedevi la terra,
e vi si istallavano i tuoi favoriti.

⁹ Le vedove le rimandavi a mani vuote
e spezzavi le braccia degli orfani.

¹⁰ Per questo ti circondano i lacci
e sei turbato da un improvviso spavento.

¹¹ Tenebra è la tua luce e più non ti fa
vedere,
mentre la piena delle acque ti sommerge.

¹² Ma Dio non sta forse nell'alto dei cieli?
Guarda il vertice delle stelle:
come sono alte!

¹³ E tu dici: Che cosa ne sa Dio?
Può forse giudicare dietro le nubi?

¹⁴ Le nubi gli fanno velo e non vede,
mentre cammina sulla volta dei cieli.

¹⁵ Vuoi tu seguire la via antica
già battuta da uomini perversi,

¹⁶ che furono spazzati via prima
del tempo,
quando un fiume travolse
le loro fondamenta?

¹⁷ Dicevano a Dio: Allontànati da noi!
Che cosa ci può fare l'Onnipotente?

¹⁸ Eppure egli aveva colmato di beni
le loro case,
ma essi lo escludevano dai loro piani
perversi.

---

22. - 6-9. Elifaz fa un elenco di supposti peccati di Giobbe,
cui aveva già fatto velata allusione Zofar (20,19-21).

¹⁹ I giusti vedono ciò e si rallegrano
   e l'innocente si beffa di loro:
²⁰ Sì, certo, è stata annientata
    la loro fortuna,
   e il fuoco ne ha divorato gli avanzi!
²¹ Orsù, riconcìliati con lui e fa' la pace,
   così riavrai la felicità.
²² Accetta dalla sua bocca l'istruzione
   e imprimiti nel cuore le sue parole.
²³ Se ritorni all'Onnipotente con umiltà,
   se allontani l'ingiustizia dalla tua dimora,
²⁴ se consideri l'oro come polvere
   e il metallo di Ofir come i sassi
    del torrente,
²⁵ allora sarà l'Onnipotente il tuo oro
   e sarà per te argento brillante.
²⁶ Allora, sì, troverai delizia
    nell'Onnipotente
   e verso Dio alzerai la faccia.
²⁷ Quando lo supplicherai, egli ti esaudirà
   e tu adempirai i tuoi voti.
²⁸ Se deciderai una cosa, ti riuscirà
   e la luce brillerà sul tuo cammino.
²⁹ Poiché egli umilia l'alterigia del superbo
   e salva coloro che si umiliano.
³⁰ Egli libera l'innocente
   e tu sarai liberato per la purezza
    delle tue mani».

LA RISPOSTA DI GIOBBE: DIO È LONTANO

23 ¹Giobbe allora rispose:

² «Anche oggi il mio lamento è una rivolta
   e la sua mano pesa sui miei gemiti.
³ Oh, potessi sapere dove trovarlo
   e arrivare fino alla sua sede!
⁴ Esporrei davanti a lui la mia causa
   e riempirei la mia bocca di argomenti.
⁵ Verrei a sapere con quali parole
    egli mi risponde
   e capirei quello che mi dice.
⁶ Dovrebbe discutere con me
    con grande forza?
   No, non avrebbe che da ascoltarmi.
⁷ Allora sarebbe un uomo giusto
   a discutere con lui,

   e io guadagnerei definitivamente
    la mia causa.
⁸ Ecco, se mi dirigo verso oriente,
    egli non c'è;
   se mi dirigo verso ponente,
    non lo distinguo.
⁹ Lo cerco a sinistra e non lo scorgo;
   mi volgo a destra e non lo vedo.
¹⁰ Egli però conosce la mia condotta;
   se mi esamina, ne esco puro
    come oro.
¹¹ Il mio piede ha seguito le sue orme,
   mi sono attenuto al suo cammino
    e non ho deviato.
¹² Non mi sono scostato dai comandi
    delle sue labbra,
   nel cuore ho riposto i detti
    della sua bocca.
¹³ Ma se egli ha deciso,
   chi lo farà cambiare?
   Se una cosa gli piace, egli la realizza.
¹⁴ Così egli compie il mio destino,
   e di simili piani ne ha molti.
¹⁵ Perciò sono atterrito al suo cospetto;
   se ci penso, provo spavento.
¹⁶ Dio fa smarrire il mio cuore
   e l'Onnipotente mi atterrisce.
¹⁷ No, non è a causa delle tenebre
    che sono abbattuto,
   anche se le tenebre mi coprono il volto».

LE INGIUSTIZIE DELLA SOCIETÀ

24 ¹«Perché l'Onnipotente non si riserva i suoi tempi
   e i suoi fedeli non vedono i suoi giorni?
² I malvagi spostano i confini,
   rubano le greggi e le guidano al pascolo.
³ Portano via l'asino degli orfani
   e prendono in pegno il bue della vedova.
⁴ Spingono i poveri fuori strada;
   tutti i miseri del paese sono costretti
    a nascondersi.
⁵ Eccoli, simili agli onagri del deserto,
    escono al lavoro;
   di buon mattino vanno in cerca
    di nutrimento;
   la steppa offre loro cibo per i figli.
⁶ Mietono nel campo che non è loro
   e racimolano la vigna del malvagio.
⁷ Passano la notte nudi, non avendo
    di che vestirsi,
   non hanno da coprirsi contro il freddo.

Gb

---

24. - 5-8. Parla del caso in cui dei buoni e innocenti sono miseri e vanno penosamente racimolando un po' di cibo, e, non avendo di che coprirsi né casa alcuna, si ritirano in grotte per ripararsi.

8 Inzuppati dall'acqua dei monti,
  per mancanza di riparo si stringono
    contro le rocce.
9 Spogliano fin dal seno materno gli orfani,
  prendono in pegno ciò che copre
    il povero.
10 Se ne vanno nudi, senza vesti
  e, affamati, portano i covoni.
11 Tra le due mole spremono l'olio,
  pigiano l'uva e soffrono la sete.
12 Dalla città sale il gemito dei moribondi
  e i feriti chiedono aiuto,
  ma Dio non presta attenzione
    alla preghiera.
13 Altri si ribellano alla luce;
  non ne vogliono conoscere le vie
  né vogliono frequentarne i sentieri.
14 All'alba si alza l'assassino
  per uccidere il povero e l'indigente,
  e nella notte si aggira come un ladro,
    mettendosi un velo sulla faccia.
15 L'occhio dell'adultero spia il crepuscolo,
  pensando: Nessun occhio mi vede!
16 Nelle tenebre irrompono nelle case;
  di giorno se ne stanno nascosti,
  non vogliono saperne della luce.
17 Certo, per tutti costoro l'alba
    è come ombra di morte;
  quando si fa giorno, provano i terrori
    delle tenebre.
18 Fuggono veloci sulla superficie
    dell'acqua;
  maledetta è la loro porzione di campo
    sulla terra,
  non prendono più il cammino
    della loro vigna.
19 Come la siccità e il calore
  assorbono l'acqua delle nevi,
  così la morte con il peccatore.
20 Lo dimentica il seno materno,
  i vermi ne fanno la loro delizia;
  non se ne conserva la memoria,
  è troncata come un albero l'iniquità.
21 Perché egli maltrattava la sterile
    senza figli
  e non soccorreva la vedova.
22 Con la sua forza trascinava i potenti,
  ma quando si alzava, non poteva più
    contare sulla vita.
23 Dio gli concedeva sicurezza e appoggio,
  ma i suoi occhi osservavano
    la sua condotta.
24 Vengono innalzati per breve tempo,
  poi non sono più.

Vengono abbattuti e marciscono
    come tutti;
  vengono falciati come la testa
    della spiga.
25 Non è forse così? Chi può smentirmi
  e ridurre a nulla le mie parole?».

L'INTERVENTO DI BILDAD:
LA SUBLIMITÀ DI DIO

25 [1] Allora Bildad il suchita prese a dire:

2 «A lui appartengono dominio e forza:
  egli mantiene la pace nell'alto dei cieli.
3 Si possono forse contare le sue schiere?
  E sopra chi non sorge la sua luce?
4 Come può, dunque,
    l'uomo essere giusto davanti a Dio,
  e apparire puro il nato da donna?
5 Se neppure la luna brilla
  e le stelle non sono pure davanti
    ai suoi occhi,
6 quanto meno l'uomo, questo verme,
  l'essere umano, questo bruco!».

LA REPLICA DI GIOBBE:
LA POTENZA DI DIO

26 [1] Giobbe rispose:

2 «Quanto aiuto hai prestato al debole
  e come hai soccorso il braccio
    senza vigore!
3 Come hai consigliato l'ignorante,
  e quanta intelligenza hai dimostrato!
4 A chi hai rivolto le tue parole
  e da chi viene l'ispirazione
    che emana da te?
5 I morti tremano sotto terra,
  come pure le acque e i loro abitanti.
6 Il sepolcro è scoperto davanti a lui
  e il regno della morte non ha velo.

---

9. Riprende a parlare del malvagio. Forse questo v. è da
trasportarsi dopo il v. 4; nei vv. 10-11 riprende il discorso sui
buoni.
18-25. In questi vv. Giobbe pare far sua l'opinione degli
amici sul castigo repentino degli empi: per questo motivo
parecchi commentatori li transportano dopo 27,23, ponendone le parole sulle labbra di Zofar.
25. - 1-6. Il discorso di Bildad è insolitamente breve, perciò
molti commentatori lo vedono continuare in 26,5ss, spo-
stando l'intervento di Giobbe contenuto in 26,1-4 dopo
26,14.

⁷. Egli distende il settentrione
  sopra il vuoto
  e tiene sospesa la terra sopra il nulla.
⁸ Rinchiude le acque nelle nubi,
  senza che queste si squarcino sotto
  il loro peso.
⁹ Copre la vista del suo trono,
  stendendo su di esso la sua nube.
¹⁰ Traccia un cerchio sulla superficie
  delle acque,
  sino al confine tra la luce e le tenebre.
¹¹ Le colonne del cielo si scuotono
  e fremono alla sua minaccia.
¹² Con la sua forza sconvolge il mare,
  con la sua intelligenza sfracella Raab.
¹³ Al suo soffio i cieli si rasserenano;
  la sua mano trafigge il serpente tortuoso.
¹⁴ Ecco, queste non sono che le frange
  delle sue opere;
  quanto lieve è il sussurro che noi
  ne percepiamo!
  Chi potrà comprendere il tuono
  della sua potenza?».

LA PROTESTA D'INNOCENZA

27 ¹Allora Giobbe continuò a pronunciare il suo discorso, dicendo:

² «Per la vita di Dio, che mi nega
  giustizia,
  per l'Onnipotente che mi amareggia
  l'animo,
³ finché ci sarà in me un soffio di vita
  e l'alito di Dio nelle mie narici,
⁴ mai le mie labbra diranno falsità
  né la mia lingua proferirà menzogna!
⁵ Non sia mai che io vi dia ragione;
  fino all'ultimo respiro rivendicherò
  la mia integrità.
⁶ Mi terrò saldo nella mia innocenza,
  senza cedere;

la coscienza non mi rimprovera
  uno solo dei miei giorni.
⁷ Che il mio nemico abbia la sorte
  dell'iniquo
  e il mio rivale quella dell'ingiusto!
⁸ Qual è infatti la speranza dell'empio
  quando finirà,
  quando Dio gli toglierà la vita?
⁹ Ascolterà forse Dio il suo grido,
  quando lo colpirà la sventura?
¹⁰ Sarà forse l'Onnipotente la sua delizia?
  Invocherà forse Dio ad ogni istante?
¹¹ Io vi mostrerò il potere di Dio,
  non vi nasconderò ciò che dispone
  l'Onnipotente.
¹² Ecco, voi tutti l'avete constatato;
  perché dunque vi perdete in cose vane?
¹³ Questa è la sorte che Dio riserva
  al malvagio
  e la porzione che i violenti ricevono
  dall'Onnipotente.
¹⁴ Se ha molti figli, saranno per la spada;
  e i suoi discendenti non avranno
  pane per sfamarsi.
¹⁵ I superstiti li seppellirà la peste
  e le loro vedove non piangeranno.
¹⁶ Se ammassa l'argento come polvere
  e fa provvista di vesti come fango,
¹⁷ egli le prepara, ma il giusto le indosserà
  e l'argento lo erediterà l'innocente.
¹⁸ Se costruisce la casa,
  sarà come ragnatela,
  come una capanna fatta da un guardiano.
¹⁹ Si corica ricco, ma è per l'ultima volta;
  quando apre gli occhi,
  non avrà più nulla.
²⁰ I terrori lo assalgono in pieno giorno,
  mentre di notte un uragano lo travolge.
²¹ Il vento orientale lo solleva e se ne va,
  lo strappa lontano dal suo posto.
²² Dio lo incalza senza pietà,
  mentre egli tenta di sfuggire
  alla sua mano.
²³ Si battono le mani su di lui
  e si fischia contro di lui da ogni parte».

Gb

---

27. - 13-23. Sono qui addotti gli stessi argomenti con cui gli amici di Giobbe sostenevano la propria tesi, che cioè gli empi non hanno sulla terra prosperità duratura, ma solo disgrazie. Il testo attuale pone questo argomento sulle labbra di Giobbe, il che contraddice quanto costantemente sostenuto finora da lui. Per tale motivo, e per il fatto che il terzo amico di Giobbe in questa terza replica non dice nulla, molti autori ritengono che queste parole non siano da riferirsi a Giobbe, bensì a Zofar. A queste fanno poi seguire quelle contenute in 24,18-24.
28. - 1-28. Il significato di questo inno alla sapienza pare il seguente: l'ingegno umano può bensì penetrare nelle vi-

L'ELOGIO DELLA SAPIENZA

28 ¹«Certo, vi sono miniere
  per l'argento,
  e per l'oro luoghi dove viene raffinato.
² Il ferro viene estratto dal suolo,
  e la pietra fusa libera il rame.

³ L'uomo pone un termine alle tenebre,
e scava fino all'estremo limite
rocce caliginose e oscure.
⁴ Perfora gallerie inaccessibili,
in luoghi mai calpestati
dal piede dell'uomo;
oscilla sospeso, lontano dalla gente.
⁵ La terra, dalla quale si estrae il pane,
è sconvolta di sotto, come dal fuoco.
⁶ Le sue pietre sono giacimenti di zaffiri
e la sua sabbia contiene dell'oro.
⁷ L'avvoltoio ne ignora il sentiero
e non lo scorge l'occhio del falco;
⁸ non è stato battuto dalle bestie feroci,
né attraversato dai leoni.
⁹ L'uomo porta la mano contro i macigni,
sconvolgendo i monti dalla radice.
¹⁰ Nelle rocce scava gallerie,
posando il suo occhio su tutto ciò
che è prezioso.
¹¹ Scandaglia le sorgenti dei fiumi
e porta alla luce ciò che è nascosto.
¹² Ma la sapienza da dove si estrae?
Dov'è il giacimento della prudenza?
¹³ L'uomo non ne conosce la via
e non si trova nella terra dei viventi.
¹⁴ L'abisso dice: Non è in me!
E il mare risponde: Neppure presso
di me!
¹⁵ Non si scambia con l'oro migliore,
né si pesa l'argento per comperarla.
¹⁶ Non si acquista con l'oro di Ofir,
né con l'onice pregiato o con lo zaffiro.
¹⁷ Non la pareggiano l'oro e il cristallo,
né si scambia con vasi d'oro puro.
¹⁸ Coralli e perle non meritano menzione,
il possesso della sapienza è migliore
delle perle.
¹⁹ Non la eguaglia il topazio di Etiopia,
non si può scambiare a peso
con l'oro puro.
²⁰ Ma la sapienza da dove viene?
Dov'è il giacimento della prudenza?
²¹ Essa è nascosta agli occhi
di ogni vivente,
ed è ignota agli uccelli del cielo.
²² L'abisso e la morte proclamano:
Con i nostri orecchi ne udimmo
la fama.
²³ Dio solo ne conosce la via
ed egli solo sa dove si trovi.
²⁴ Perché egli volge lo sguardo
sino ai confini della terra,
e vede tutto ciò che è sotto il cielo.

²⁵ Quando determinò il peso del vento
e definì la misura delle acque,
²⁶ quando impose una legge alla pioggia
e una via al lampo dei tuoni,
²⁷ allora la vide e la misurò,
la scrutò e la stabilì,
²⁸ dicendo all'uomo:
Ecco, temere Dio, questo è sapienza;
e fuggire il male, questo è prudenza».

GIOBBE RIMPIANGE I GIORNI FELICI

29 ¹Giobbe riprese il suo discorso, dicendo:

² «Chi mi farà tornare come nei giorni
antichi,
quando Dio mi proteggeva;
³ quando la sua lucerna brillava
sopra il mio capo
e alla sua luce camminavo in mezzo
alle tenebre;
⁴ com'ero ai giorni del mio autunno,
quando l'amicizia di Dio riposava
sulla mia tenda;
⁵ quando l'Onnipotente era ancora con me
e i miei figli mi stavano intorno;
⁶ quando lavavo i piedi nel latte
e la roccia mi versava ruscelli d'olio?
⁷ Quando uscivo verso la porta della città
e disponevo il mio seggio in piazza,
⁸ i giovani, vedendomi, si tiravano
in disparte;
gli anziani si alzavano e rimanevano
in piedi.
⁹ I notabili si astenevano dal parlare
e si ponevano la mano alla bocca.
¹⁰ La voce dei capi si smorzava
e la loro lingua si incollava al palato.
¹¹ L'orecchio che mi ascoltava,
mi proclamava felice,
e l'occhio che mi vedeva, mi rendeva
testimonianza;

---

scere della terra e produrre le meraviglie della metallurgia
(vv. 1-11), ma non può penetrare il perché delle cose (vv.
12-22). Perché soffre il giusto? Lo sa Dio; a noi, in cambio
di tale scienza speculativa, è data una sapienza pratica:
temere Iddio e fuggire il male (vv. 23-28). Conclusione:
facciamo il nostro dovere senza pretendere di capire i disegni imperscrutabili di Dio.
29. - Giobbe dà un ultimo sfogo al suo cocente dolore con
un lungo monologo, comprendente i cc. 29-31, e termina
con un accorato appello a Dio, affinché voglia ascoltarlo e
rendergli giustizia (31,35-40).

12 perché soccorrevo il povero
   che chiedeva aiuto
   e l'orfano che nessuno assisteva.

13 La benedizione del morente scendeva
   su di me
   e infondevo la gioia al cuore della vedova.

14 Mi ero rivestito di giustizia
   come di un vestimento,
   la mia equità era come mantello
   e turbante.

15 Ero occhi per il cieco e piedi
   per lo zoppo;

16 ero padre per i poveri
   ed esaminavo la causa dello sconosciuto.

17 Spezzavo le mascelle dell'iniquo
   e dai suoi denti strappavo la preda.

18 E pensavo: Spirerò nel mio nido
   e moltiplicherò i miei giorni
   come la sabbia.

19 La mia radice si stenderà verso le acque
   e la rugiada cadrà di notte sul mio ramo.

20 Il mio prestigio sarà sempre nuovo
   e il mio arco si rinforzerà nella mia mano.

21 Mi ascoltavano in fiduciosa attesa
   e tacevano per udire il mio consiglio.

22 Dopo che avevo parlato,
   non replicavano;
   su di loro scendevano goccia a goccia
   i miei detti.

23 Li attendevano come si aspetta
   la pioggia
   e li bevevano come acqua di primavera.

24 Se sorridevo loro, non osavano crederlo
   e non lasciavano cadere
   nemmeno un gesto del mio favore.

25 Seduto come capo, indicavo loro la via
   da seguire;
   rimanevo con loro come un re
   fra le sue schiere
   o come un consolatore di afflitti».

L'INFELICITÀ PRESENTE

30 [1] «Ora invece si fanno beffe di me
   i più giovani di me in età,
   i cui padri avrei rifiutato
   di mettere tra i cani del mio gregge.

2 Del resto, a che cosa mi sarebbe servita
   la forza delle loro mani?
   In esse è spento ogni vigore.

3 Disfatti per la miseria e la fame,
   andavano brucando per l'arido deserto,
   terra di devastazione e di desolazione,

4 raccogliendo l'erba salata accanto
   ai cespugli
   e alimentandosi delle radici di ginestra.

5 Cacciati via dal consorzio umano,
   si urlava dietro a loro come a ladri.

6 Abitavano nei dirupi delle valli,
   nelle caverne della terra e nelle rocce.

7 Gridavano fra gli arbusti,
   accalcandosi sotto i roveti.

8 Razza di stolti e gente senza nome,
   sono cacciati dal paese.

9 Ora sono diventato io la loro canzone,
   sono diventato il loro zimbello!

10 Mi aborriscono, si tengono lontano
   da me;
   non hanno risparmiato gli sputi
   al mio volto.

11 Dio ha sciolto la corda del mio arco
   e mi ha umiliato,
   rompendo ogni freno davanti a me.

12 Alla mia destra insorge la canaglia,
   smuovono i miei passi
   e preparano la via della mia rovina.

13 Demoliscono il mio sentiero,
   cospirando per la mia disfatta,
   senza che nessuno si opponga loro.

14 Irrompono come per una vasta breccia,
   strisciano in mezzo alle macerie.

15 Mi piomba addosso lo spavento,
   si dissipa come il vento la mia grandezza,
   si dilegua come nube la mia felicità.

16 Ora io mi struggo nell'intimo
   e mi opprimono giorni di tristezza.

17 Di notte mi si slogano le ossa
   e i dolori che mi rodono
   non hanno tregua.

18 A gran forza egli mi afferra per la veste,
   mi stringe il collo della tunica.

19 Mi getta nel fango,
   e mi confondo con la polvere e la cenere.

20 Io grido a te e tu non rispondi;
   sto innanzi a te, ma tu non badi a me.

21 Ti sei fatto crudele con me
   e mi perseguiti con tutta la forza
   del tuo braccio.

22 Mi sollevi e mi poni a cavallo del vento,
   mi fai travolgere dalla bufera.

23 So bene che mi conduci alla morte,
   alla casa dove si radunano tutti i viventi.

24 Eppure io non portavo la mano
   contro il povero,
   se nella sua sventura gridava verso di me.

25 Non ho pianto io forse con l'oppresso,
   non ho avuto compassione del povero?

Gb

²⁶ Mi aspettavo la felicità ed è venuta
   la sventura;
   aspettavo la luce ed è venuto il buio.

²⁷ Le mie viscere ribollono senza posa
   e giorni di affanno mi sono venuti
   incontro.

²⁸ Cammino triste, senza conforto,
   nell'assemblea mi alzo per invocare
   aiuto.

²⁹ Sono diventato fratello degli sciacalli
   e compagno degli struzzi.

³⁰ La mia pelle si è annerita e si stacca
   e le mie ossa bruciano per la febbre.

³¹ La mia cetra serve per lamenti
   e il mio flauto per la voce di chi piange».

GIOBBE
PROTESTA LA SUA INNOCENZA

31 ¹«Avevo stretto un patto
   con i miei occhi,
   di non fissare lo sguardo sulle ragazze.

² Qual è la sorte che Dio ha assegnato
   di lassù
   e l'eredità che l'Onnipotente
   ha preparato dall'alto?

³ Non è forse la rovina per il perverso
   e la sventura per chi compie il male?

⁴ Non vede egli la mia condotta
   e non conta tutti i miei passi?

⁵ Ho forse agito con falsità,
   e il mio piede si è affrettato verso
   la frode?

⁶ Mi pesi pure sulla bilancia della giustizia
   e Dio riconoscerà la mia integrità!

⁷ Se il mio passo ha errato fuori strada
   e il mio cuore ha seguito i miei occhi,
   o una sozzura si è attaccata
   alle mie mani,

⁸ un altro mangi ciò che io ho seminato
   e siano sradicati i miei germogli!

⁹ Se il mio cuore fu sedotto da una donna
   e ho spiato alla porta del mio prossimo,

¹⁰ mia moglie macini per un altro,
   e altri si accostino ad essa!

¹¹ Questa, infatti, è un'infamia,
   un delitto da deferire ai giudici.

¹² Quello è un fuoco che divora
   fino alla distruzione,
   e avrebbe consumato
   tutto il mio raccolto.

¹³ Se ho disprezzato il diritto
   del mio schiavo

e della mia schiava, quando erano in lite
   con me,

¹⁴ che cosa farei, quando Dio
   si ergerà giudice,
   che cosa risponderei,
   quando mi interrogherà?

¹⁵ Chi ha fatto me nel seno materno,
   non ha fatto anche lui?
   Non fu lo stesso a formarci nel seno?

¹⁶ Ho forse negato ai poveri
   quanto desideravano,
   oppure ho lasciato languire
   gli occhi della vedova?

¹⁷ Ho forse mangiato da solo
   il mio tozzo di pane,
   senza spartirlo con l'orfano?

¹⁸ Poiché fin dalla mia giovinezza
   egli si è curato di me come un padre
   e mi ha guidato fin dal grembo
   di mia madre.

¹⁹ Se mai ho visto un misero privo di vesti
   o un indigente senza coperta,

²⁰ non mi hanno forse benedetto
   i suoi fianchi
   o non si è forse riscaldato con la lana
   dei miei agnelli?

²¹ Se ho alzato la mano contro l'orfano
   sapendomi sostenuto dal tribunale,

²² mi si stacchi la spalla dalla nuca
   e il mio braccio si spezzi dal gomito!

²³ Poiché mi spaventa la disgrazia
   che Dio invia,
   non reggerei davanti alla sua maestà.

²⁴ Ho forse riposto la mia fiducia nell'oro
   e detto all'oro fino: Tu sei
   la mia sicurezza?

²⁵ Mi sono forse compiaciuto
   perché molti erano i miei beni
   e perché la mia mano aveva accumulato
   la ricchezza?

²⁶ Quando vedevo risplendere il sole
   e la luna che avanzava maestosa,

²⁷ si lasciò forse sedurre segretamente
   il mio cuore,
   mandando un bacio con la mano
   alla bocca?

²⁸ Anche questo sarebbe stato
   un delitto capitale,
   perché avrei rinnegato Dio
   che sta in alto.

²⁹ Mi sono forse rallegrato della disgrazia
   del mio nemico
   e ho goduto quando lo ha colpito
   la sventura?

³⁰ Non ho neppure permesso
   alla mia lingua di peccare,
augurandogli la morte
   con un'imprecazione!
³¹ Non diceva forse la gente
   della mia tenda:
Chi non si è sfamato alla sua mensa?
³² Il forestiero non passava la notte
   all'aperto
e al viandante io aprivo le mie porte.
³³ Non ho nascosto, alla maniera
   degli uomini, la mia colpa,
tenendo celato il mio delitto dentro
   di me,
³⁴ come se temessi l'opinione della folla
e il disprezzo della famiglia
   mi spaventasse,
sì da starmene zitto senza uscir di casa.
³⁵ Oh, avessi uno che mi ascoltasse!
Ecco la mia firma! L'Onnipotente
   mi risponda!
Il mio rivale scriva il suo rotolo:
³⁶ io lo porterei sulle mie spalle
e me lo cingerei come un diadema.
³⁷ Gli darei resoconto di tutta
   la mia condotta;
mi presenterei a lui come un principe.
³⁸ Se la mia terra ha gridato contro di me
e i suoi solchi hanno pianto con essa;
³⁹ se ho mangiato i suoi frutti senza pagarli,
facendo esalare l'ultimo respiro
   ai suoi coltivatori,
⁴⁰ crescano spine al posto del frumento
e ortiche al posto dell'orzo!».

Fine delle parole di Giobbe

L'INTERVENTO DI ELIU
E IL SUO PRIMO DISCORSO

32 ¹Allora quei tre personaggi cessarono di replicare a Giobbe, perché egli si riteneva giusto. ²Ma Eliu, figlio di Barachele, il buzita, del clan di Ram, si accese di sdegno contro Giobbe. Il suo sdegno si accese perché questi pretendeva di aver ragione di fronte a Dio. ³Si mise in collera anche contro i suoi tre amici perché, non avendo trovato una risposta,

avevano riconosciuto Dio colpevole. ⁴Ora Eliu aveva atteso, mentre essi parlavano con Giobbe, perché erano più anziani di lui. ⁵Quando però vide che non c'era più alcuna risposta sulla bocca di questi tre uomini, Eliu si accese di sdegno.
⁶Presa quindi la parola, Eliu, figlio di Barachele, il buzita, disse:

«Io sono ancora giovane e voi anziani;
   per questo ho esitato e ho avuto timore
   di esporvi la mia opinione.
⁷ Pensavo: Parleranno gli anni,
   e l'età avanzata insegnerà la sapienza.
⁸ Però nell'uomo c'è uno spirito,
   il soffio dell'Onnipotente, che rende
   intelligente.
⁹ Non sono i molti anni a dare la sapienza,
   né perché si è anziani si sa discernere
   ciò che è giusto.
¹⁰ Perciò oso dire: Ascoltatemi,
   voglio esporre anch'io la mia opinione.
¹¹ Ecco, ho seguito i vostri discorsi,
   ho prestato attenzione ai vostri
   argomenti,
finché ricercavate delle risposte.
¹² Per quanto ascoltassi con attenzione,
   nessuno di voi è stato capace
   di confutare Giobbe,
di rispondere alle sue parole.
¹³ Non dite dunque: Noi abbiamo trovato
   la sapienza,
ma solo Dio lo può confutare,
   non un uomo.
¹⁴ Giobbe non ha rivolto a me
   le sue parole,
e non gli risponderò
   con i vostri ragionamenti.
¹⁵ Essi sono sconcertati,
   non rispondono più,
mancano loro le parole.
¹⁶ Debbo ancora attendere,
   dato che non parlano
e stanno lì senza sapere
   che cosa rispondere?
¹⁷ Voglio dire anch'io la mia parte,
   voglio esporre anch'io ciò che so.
¹⁸ Perché sono pieno di cose da dire,
   mi preme lo spirito che è dentro di me.
¹⁹ Ecco, dentro di me c'è come un vino
   che non ha sfogo,
come degli otri nuovi che scoppiano.
²⁰ Parlerò, dunque, e ne avrò sollievo,
   aprirò la bocca e risponderò.

---

32. - 2. *Buzita*, discendente di Buz, fratello di Uz (Gn 22,21), della posterità di Nacor, perciò di stirpe affine a quella di Giobbe (1,1). I discorsi di Eliu sono considerati un'aggiunta posteriore.

²¹ Non guarderò in faccia a nessuno,
   non adulerò nessuno,
²² perché non so adulare:
   altrimenti il mio creatore in breve
   mi eliminerebbe».

RIMPROVERO A GIOBBE

33 ¹«Ascolta dunque, Giobbe,
       le mie parole,
   presta orecchio a tutti i miei detti!
² Ecco, apro la mia bocca,
   la mia lingua parla sotto il mio palato.
³ Parlo con cuore sincero,
   le mie labbra diranno la pura verità.
⁴ Lo spirito di Dio mi ha fatto
   e il soffio dell'Onnipotente mi ha dato
   la vita.
⁵ Se puoi, rispondimi,
   preparati pure a resistermi.
⁶ Ecco, io sono come te davanti a Dio,
   anch'io sono stato tratto dal fango.
⁷ Così non avrai timore di me,
   né graverò su di te la mia mano.
⁸ Dunque, tu hai detto alle mie orecchie
   e io ho udito bene il suono
   delle tue parole:
⁹ Puro sono io, senza peccato,
   sono innocente, non ho colpa!
¹⁰ Eppure Dio trova pretesti contro
    di me
   e mi considera come suo nemico;
¹¹ pone in ceppi i miei piedi
   e scruta tutti i miei passi.
¹² Ebbene, in questo non hai ragione,
    io ti rispondo,
   perché Dio è più grande dell'uomo.
¹³ Perché gli hai intentato un processo,
    dato che non risponde
    ad ogni tua parola?
¹⁴ Dio parla in un modo o in un altro,
    ma nessuno fa attenzione:
¹⁵ nel sogno, in una visione notturna,
    quando il torpore scende sugli uomini
    addormentati nel loro giaciglio,
¹⁶ Allora egli apre l'orecchio degli uomini
    e vi sigilla gli avvertimenti
    che rivolge loro,
¹⁷ per distogliere l'uomo dalle sue cattive
    azioni
   e preservare il mortale dall'orgoglio,
¹⁸ per impedirgli di cadere nella fossa
   e di passare il canale.

¹⁹ Lo corregge pure sul suo letto
    con il dolore
   e con l'incessante tortura delle sue ossa,
²⁰ quando ha nausea del cibo
   e gli ripugna ogni vivanda delicata;
²¹ quando la sua carne si consuma
    a vista d'occhio
   e le ossa, che non si vedevano prima,
    spuntano fuori.
²² Allora la sua esistenza si avvicina
    alla fossa
   e la sua vita agli sterminatori.
²³ Ma se c'è con lui un angelo,
    un solo intercessore tra mille,
    per annunciare all'uomo il suo dovere,
²⁴ abbia compassione di lui e dica:
    Preservalo dallo scendere nella fossa;
    ho trovato per lui il riscatto!
²⁵ Allora la sua carne sarà più florida
    che in gioventù,
   tornerà come ai giorni
    della sua adolescenza:
²⁶ invocherà Dio e questi gli sarà propizio,
    gli mostrerà con gioia il suo volto
   e renderà all'uomo la sua giustizia.
²⁷ Allora si rivolgerà agli uomini e dirà:
    Avevo peccato e violato la giustizia,
    ma Dio non si è comportato con me
    come meritavo.
²⁸ Mi ha scampato dalla fossa
   e la mia vita contempla la luce.
²⁹ Ecco, tutto questo fa Dio,
    due volte, tre volte con l'uomo,
³⁰ per sottrarlo vivo dalla fossa
   e illuminarlo con la luce dei viventi.
³¹ Giobbe, sta' attento, ascoltami,
    sta' in silenzio e io parlerò.
³² Se hai qualcosa da dire, rispondimi;
    parla, perché vorrei darti ragione.
³³ Se no, ascoltami,
    taci, e io ti insegnerò la sapienza».

---

33. - 14-28. Giobbe s'era lamentato che Dio lo castigava senza ragione. Eliu risponde che i disegni di Dio sono più alti di quelli che l'uomo può comprendere; Dio può in modi diversi rivolgersi all'uomo, p. es. con visione profetica (vv. 15-18), con le prove temporali, specie con le malattie (vv. 19-22), e con la parola dei ministri sacri o di amici e consiglieri (vv. 23-28): ciò non sempre per castigarlo, ma anche per non lasciarlo cadere nel male o per provarlo nel bene.

GLI ERRORI DI GIOBBE

34 ¹Eliu seguitò, dicendo:

² «Ascoltate, o saggi, le mie parole,
e voi, sapienti, porgetemi l'orecchio,

³ perché l'orecchio valuta i discorsi,
come il palato assapora il cibo.

⁴ Esaminiamo tra noi la questione,
indaghiamo tra noi ciò che è bene.

⁵ Giobbe ha affermato: Sono innocente,
ma Dio mi nega giustizia.

⁶ Nonostante io abbia ragione,
passo per bugiardo;
inguaribile è la mia piaga, benché io sia
senza colpa.

⁷ Chi è come Giobbe,
che beve il sarcasmo come acqua,

⁸ si associa ai malfattori
e va in compagnia degli iniqui?

⁹ Infatti egli ha affermato:
Non giova all'uomo l'essere gradito a Dio.

¹⁰ Perciò voi, uomini di senno, ascoltatemi!
Lungi da Dio il fare il male
e dall'Onnipotente l'ingiustizia!

¹¹ Egli infatti ripaga l'uomo secondo
le sue opere
e tratta ciascuno secondo
la sua condotta.

¹² No, in verità, Dio non fa il male
e l'Onnipotente non viola il diritto.

¹³ Chi mai gli ha affidato la terra
e chi ha disposto il mondo intero?

¹⁴ Se egli non pensasse che a se stesso
e ritirasse a sé il suo spirito
e il suo respiro,

¹⁵ morirebbe all'istante ogni creatura
e l'uomo ritornerebbe in polvere.

¹⁶ Se sei intelligente, ascolta bene questo,
porgi l'orecchio al suono
delle mie parole!

¹⁷ Chi odia la giustizia potrebbe forse
governare?
E tu osi condannare il sommo Giusto?

¹⁸ Si dice forse a un re: Iniquo?
E ai prìncipi: Malvagi?

¹⁹ Egli non è parziale in favore dei potenti
e non preferisce il ricco al povero,
perché tutti sono opera delle sue mani.

²⁰ In un istante essi muoiono e,
nel cuore della notte,
vacillano i popoli e periscono,
e, senza sforzo, vengono deposti
i tiranni.

²¹ Perché Dio tiene gli occhi
sulla condotta dell'uomo
e osserva tutti i suoi passi.

²² Non vi sono tenebre né oscurità,
dove si possano nascondere i malfattori.

²³ Poiché non si pone all'uomo un termine
per comparire in giudizio davanti a Dio.

²⁴ Senza fare inchieste egli fiacca i potenti
e mette altri al loro posto.

²⁵ Poiché egli conosce le loro opere,
in una notte li travolge e sono schiacciati.

²⁶ Come malvagi li colpisce alla vista
di tutti,

²⁷ perché si sono allontanati da lui,
senza curarsi delle sue vie,

²⁸ fino a far giungere verso di lui il grido
dei poveri,
così da fargli udire il lamento
degli oppressi.

²⁹ Ma se egli resta impassibile,
chi lo condannerà?
Se nasconde la sua faccia,
chi potrà vederlo?
Egli perciò veglia sui popoli
come sui singoli,

³⁰ non volendo che l'empio regni
e che al popolo si pongano inciampi.

³¹ Si può dunque dire a Dio:
Porto la pena, senza aver fatto il male?

³² Ciò che sfugge alla mia vista,
mostramelo tu;
se ho commesso il male, non lo farò più.

³³ Forse, secondo te, egli dovrebbe
ricompensare,
dato che tu rifiuti il suo giudizio?
Poiché tu devi scegliere e non io,
di', dunque, quello che sai!

³⁴ Gli uomini di senno mi diranno
come ogni saggio che mi ascolta:

³⁵ Giobbe non parla con conoscenza
di causa
e le sue parole sono prive di senno.

³⁶ Sia, dunque, Giobbe esaminato
a fondo,
per aver parlato da uomo empio,

³⁷ poiché ha aggiunto la ribellione
al peccato,
si burla di noi e moltiplica contro Dio
le sue parole».

Gb

---

34. - 13. Dio non governa l'universo per incarico di altri né
applica il diritto stabilito da altri: è la sua stessa onnipotenza
che ha fondato il diritto. Perciò egli non può violare la giustizia, né per interesse né per costrizione.

L'IMPASSIBILITÀ DI DIO

35 ¹Eliu riprese a dire:

² «Ti sembra giusto ciò che dici:
Ho ragione davanti a Dio?

³ Oppure quando dici: Che te ne importa?
Che profitto avrei dall'essere
senza peccato?

⁴ Risponderò a te con discorsi
e ai tuoi amici insieme con te.

⁵ Contempla il cielo e osserva,
considera le nubi: sono più alte di te.

⁶ Se pecchi, che torto gli fai?
Se moltiplichi i tuoi delitti,
che danno gli arrechi?

⁷ Se tu sei giusto, che cosa gli dai?
Riceve forse qualcosa da te?

⁸ La tua malizia ricada su un uomo
come te,
su un figlio d'uomo la tua giustizia!

⁹ Si geme sotto gli eccessi
dell'oppressione,
si invoca aiuto sotto il braccio
dei potenti,

¹⁰ però nessuno dice: Dov'è Dio
che ci ha fatto,
che nella notte ci concede la forza,

¹¹ che ci rende più sapienti delle bestie
selvatiche
e più intelligenti degli uccelli del cielo?

¹² Allora si grida, ma Dio non risponde
a causa dell'arroganza dei malvagi.

¹³ Poiché Dio non ascolta la falsità
e l'Onnipotente non vi bada.

¹⁴ Ancora meno se tu osi dire
che non lo vedi,
che la tua causa sta dinanzi a lui
e tu stai ad attendere,

¹⁵ oppure se tu osi dire che la sua ira
non punisce,
e che egli non si cura del peccato.

¹⁶ Dicendo così, Giobbe apre a vuoto
la sua bocca
e moltiplica discorsi senza senno».

IL SIGNIFICATO DELLA SOFFERENZA

36 ¹Eliu continuò a dire:

² «Abbi un po' di pazienza e io ti istruirò,
perché ci sono altre cose da dire
in difesa di Dio.

³ Trarrò il mio insegnamento da lontano,
per rendere giustizia a colui
che mi ha creato.

⁴ Certo, le mie parole
non sono menzognere:
è un sapiente consumato quello
che parla con te.

⁵ Ecco, Dio è grande e non si ritrae,
è grande per la fermezza delle sue
decisioni.

⁶ Non lascia vivere il malvagio
e rende giustizia agli oppressi.

⁷ Non distoglie dai giusti i suoi occhi,
li fa sedere sul trono insieme ai re
e li esalta per sempre.

⁸ Ma se vengono legati in catene
e sono stretti dai lacci del dolore,

⁹ egli mostra ad essi le loro opere
e le loro infedeltà, perché
si insuperbirono;

¹⁰ apre loro gli orecchi per la correzione
e li esorta ad allontanarsi dal male.

¹¹ Se ascoltano e si sottomettono,
finiranno i loro giorni nel benessere
e i loro anni nelle delizie.

¹² Ma se non ascoltano, periranno di spada,
spireranno senza neppure
rendersene conto.

¹³ I perversi di cuore accumulano ira,
non invocano aiuto, quando Dio
li avvince in catene:

¹⁴ perdono la vita nel pieno
della giovinezza
e la loro esistenza in mezzo ai dissoluti.

¹⁵ Ma egli salva il povero mediante
l'afflizione
e gli apre l'udito mediante la sofferenza.

¹⁶ Anche te intende sottrarre dal morso
dell'angustia:
avrai in cambio un luogo ampio
e aperto,
e la tavola che ti sarà imbandita
sarà colma di vivande grasse.

¹⁷ Ma se tu incorri in un verdetto
di condanna,
prevarranno la giustizia e la condanna.

---

35. - 2-8. Eliu risponde ad alcune affermazioni di Giobbe, secondo il quale su questa terra non giova all'uomo vivere da virtuoso, perché Dio non se ne cura (29,14-30). Eliu risponde: è vero che virtù o delitto non recano vantaggio o danno a Dio, tuttavia egli se ne prende pensiero perché ha cura del prossimo cui nuoce il vizio.

36. - 17-21. Testo corrotto. Il senso generale pare questo: chi si ostina nel male ne subirà la debita pena.

¹⁸ Fa' in modo che la collera
   non ti trascini all'insulto
   né ti faccia fuorviare l'abbondanza
      del riscatto.
¹⁹ Può forse liberarti dall'angustia il gridare?
   O i tuoi sforzi vigorosi?
²⁰ Non sospirare quella notte
   in cui i popoli vanno al loro luogo!
²¹ Bada di non volgerti all'iniquità,
   perché per questo sei stato provato
      dall'afflizione.
²² Ecco, Dio è sublime nella sua potenza:
   quale dominatore è come lui?
²³ Chi può indicargli il cammino
   e chi può dirgli: Hai commesso
      ingiustizia?
²⁴ Ricordati di celebrare la sua opera,
   che altri uomini hanno cantato.
²⁵ Tutti gli uomini la ammirano,
   i mortali la contemplano da lontano.
²⁶ Sì, Dio è grande, anche se
      non lo riconosciamo;
   il numero dei suoi anni è incalcolabile.
²⁷ Egli attira le gocce d'acqua
   e fonde in pioggia i suoi vapori:
²⁸ le nubi la versano
   e la spandono in abbondanza
      sugli uomini.
²⁹ Chi può calcolare l'estensione delle nubi,
   l'alta posizione della sua tenda?
³⁰ Ecco, come dall'alto spande la sua luce,
   così con essa ricopre le profondità
      del mare.
³¹ In tal modo sostenta i popoli,
   e dà loro il cibo in abbondanza.
³² Arma le mani di folgori
   e le scaglia contro il bersaglio.
³³ Il suo tuono lo annuncia,
   strumento d'ira contro l'iniquità».

CELEBRAZIONE DELLE OPERE DI DIO

37 ¹«Per questo trepida il mio cuore
   e mi balza fuori dal petto.

² Udite, udite il fragore della sua voce
   e lo strepito che esce dalla sua bocca!
³ Egli lascia vagare sotto tutto il cielo
   il suo lampo,

che giunge fino all'estremità
   della terra.
⁴ Dietro di esso rumoreggia il tuono
   e rimbomba con voce profonda:
   nulla trattiene i lampi, quando
      si è udita la sua voce.
⁵ Dio tuona con voce maestosa
   e compie prodezze
   che non comprendiamo.
⁶ Dice infatti alla neve: Cadi sulla terra;
   e alle piogge dirotte: Siate violente.
⁷ Sulla mano di ognuno pone un sigillo,
   perché tutti riconoscano la sua opera.
⁸ Le fiere rientrano nelle loro tane,
   si accovacciano nei loro nascondigli.
⁹ Dal meridione irrompe la tempesta
   e dal settentrione il freddo.
¹⁰ Al soffio di Dio si forma il ghiaccio
   e la distesa delle acque si congela.
¹¹ Carica di umidità le nuvole
   e le nubi ne diffondono le folgori.
¹² Egli le fa vagare dappertutto secondo
      i suoi ordini,
   per eseguire ciò che egli comanda loro
      su tutta la distesa della terra.
¹³ Le manda o per castigo della terra
   o in segno di bontà.
¹⁴ Porgi l'orecchio a questo, Giobbe,
   soffermati e considera le meraviglie
      di Dio!
¹⁵ Sai tu come Dio diriga le nubi
   e come esse producano il lampo?
¹⁶ Sai tu come la nube si libri nell'aria,
   miracolo di chi ha scienza perfetta?
¹⁷ Come le tue vesti si scaldino,
   quando la terra illanguidisce
      per lo scirocco?
¹⁸ Hai tu forse disteso con lui
      il firmamento
   solido come specchio di metallo fuso?
¹⁹ Facci sapere cosa dovremmo dirgli:
   noi siamo senza parole a causa
      delle tenebre.
²⁰ Gli si può forse ordinare: Parlerò io?
   C'è qualcuno che può dire di essere
      annientato?
²¹ Ed ecco, non si vede più la luce,
   è oscurata dalle nubi:
   ma tira il vento e le spazza via.
²² Dal settentrione giunge un aureo
      splendore,
   Dio si circonda di tremenda maestà.
²³ È l'Onnipotente: noi non lo possiamo
      raggiungere,

Gb

---

22. Eliu inizia un inno alla sublimità, potenza, sapienza e provvidenza di Dio, per far capire a Giobbe come possono essere incomprensibili e troppo alti per l'uomo i disegni di lui.

tanto è sublime in potenza
e rettitudine
e grande per giustizia: egli non opprime.
²⁴ Per questo gli uomini lo temono,
ma egli non tiene conto di coloro
che si credono sapienti».

IL DISCORSO DEL SIGNORE:
LA DIVINA SAPIENZA
NELLA CREAZIONE

38 ¹Allora il Signore rispose a Giobbe di
mezzo al turbine così:

² «Chi è costui che denigra la provvidenza
con parole insensate?
³ Cingiti i fianchi come un prode:
io ti interrogherò e tu mi istruirai.
⁴ Dov'eri tu quando io mettevo
le basi della terra?
Dillo, se hai tanta sapienza!
⁵ Chi ha fissato le sue dimensioni,
se lo sai,
e chi ha teso su di essa la corda?
⁶ Dove affondano i suoi pilastri,
o chi ha posto la sua pietra angolare,
⁷ mentre le stelle del mattino
gioivano insieme
e plaudivano tutti i figli di Dio?
⁸ Chi ha rinchiuso tra due battenti
il mare,
quando usciva impetuoso
dal seno materno,
⁹ quando lo circondavo di nubi per vestirsi
e di foschia per fasciarsi?
¹⁰ Poi gli ho posto un limite,
fissandogli catenacci e porte,
¹¹ e gli ho ordinato: Fin qui arriverai
e non oltre,
qui si arresterà la superbia
delle tue onde!
¹² Da quando tu vivi hai mai comandato
al mattino
e assegnato all'aurora il suo posto,
¹³ perché essa afferri la terra ai suoi angoli
e ne scuota i malvagi?
¹⁴ Allora la terra prende forma
come creta sotto il sigillo
e si tinge come un vestito.
¹⁵ Allora viene tolta ai malvagi la loro luce
e viene spezzato il braccio altero.
¹⁶ Sei mai giunto alle sorgenti del mare
o hai passeggiato sul fondo dell'abisso?

¹⁷ Ti sono state indicate le porte
della morte
e hai visto i portali dell'ombra funerea?
¹⁸ Ti sei reso conto dell'ampiezza
della terra?
Dillo, se sai tutto questo!
¹⁹ Per quale via si va dove abita la luce?
E le tenebre dove hanno dimora?
²⁰ Potresti tu condurle al loro posto,
dato che conosci il sentiero
delle loro dimore?
²¹ Certo, tu lo sai, perché allora
eri già nato
e il numero dei tuoi anni è assai grande!
²² Sei mai entrato nei serbatoi della neve,
hai mai visto i depositi della grandine,
²³ che io tengo in serbo per il tempo
della tribolazione,
per il giorno di lotta e di battaglia?
²⁴ Da quale parte si diffonde la luce?
Per quale via lo scirocco invade la terra?
²⁵ Chi ha scavato il canale
per le acque torrenziali
e una strada alla nube tonante,
²⁶ per far piovere su una terra disabitata,
su un deserto, dove non c'è uomo,
²⁷ per dissetare regioni desolate
e squallide
e far germogliare e spuntare l'erba?
²⁸ La pioggia ha forse un padre?
Chi genera le gocce di rugiada?
²⁹ Dal seno di chi è nato il ghiaccio
e la brina del cielo chi l'ha generata?
³⁰ Le acque si solidificano come pietra
e la superficie dell'abisso si raggela.
³¹ Puoi tu annodare i legami delle Pleiadi
o sciogliere i vincoli di Orione?
³² Fai tu spuntare a suo tempo la stella
del mattino,
o puoi tu guidare l'Orsa con i suoi piccini?
³³ Conosci tu le leggi del cielo
e determini tu i loro influssi sulla terra?

---

38. - 1. Dio stesso, apparendo in *mezzo al turbine*, che era
il modo ordinario delle teofanie nell'AT, risponde a Giobbe
che si era tanto sovente appellato a lui. Non risolve però il
suo problema: gli darà bensì ragione contro le accuse degli
amici, ma prima lo prostra con la descrizione della propria
potenza e sapienza, facendogli così conoscere quanto si
fosse mostrato presuntuoso nel voler quasi chiedere ragione
a Dio del suo agire.
4ss. L'universo viene descritto secondo i concetti degli antichi, per i quali la terra era un'isola su un'immensa distesa
d'acqua, il firmamento una gran calotta sostenuta da enormi
colonne, il sole e la luna due luminari con il proprio ripostiglio
nelle montagne che circondavano e delimitavano l'oceano.

³⁴ Puoi tu dar ordini alle nubi,
   perché una massa d'acqua ti inondi?
³⁵ Scagli tu i fulmini e partono, dicendoti:
   Eccoci?
³⁶ Chi ha concesso all'ibis la sapienza
   e chi ha dato al gallo intelligenza?
³⁷ Chi può contare le nubi con esattezza
   e chi riversa gli otri del cielo,
³⁸ quando la polvere si fonde in una massa
   e le zolle si attaccano insieme?
³⁹ Vai tu a caccia di preda
      per la leonessa
   e sazi la fame dei leoncelli,
⁴⁰ quando sono accovacciati nelle tane
   o stanno in agguato fra le macchie?
⁴¹ Chi procura il nutrimento al corvo,
   quando i suoi nati gridano verso Dio
   e si agitano per mancanza di cibo?».

IL DOMINIO DI DIO
SUL REGNO ANIMALE

39 ¹«Conosci tu il tempo
   in cui partoriscono le camozze?
   Hai assistito al parto delle cerve?
² Sai contare i mesi della loro gravidanza
   e conosci il tempo del loro parto?
³ Si curvano e depongono i loro piccoli,
   mettendo fine alle loro doglie.
⁴ I loro piccoli crescono, si sviluppano,
   corrono all'aperto e non ritornano più.
⁵ Chi lascia libero l'asino selvatico
   e chi scioglie i legami dell'onagro,
⁶ al quale ho assegnato come dimora
      la steppa
   e come abitazione la terra salmastra?
⁷ Egli sprezza il chiasso della città
   e non dà ascolto alle grida di chi lo sprona;
⁸ gira per le montagne, suo pascolo,
   andando in cerca di qualsiasi erba.
⁹ Il bufalo si lascerà piegare
      al tuo servizio
   e passerà la notte presso
      la tua greppia?
¹⁰ Potrai legarlo con la corda, perché ari,
   o perché dissodi le valli dietro a te?
¹¹ Ti fiderai di lui, perché la sua forza
      è grande
   e addosserai a lui le tue fatiche?

---

36. Ai due animali qui nominati era attribuita una facoltà di
previsione: l'ibis annunzia le inondazioni del Nilo e il gallo
l'aurora.

¹² Conterai su di lui, che ritorni
   e raduni il grano sulla tua aia?
¹³ L'ala dello struzzo batte festante,
   ma è forse penna e piuma di cicogna?
¹⁴ Abbandona al suolo le uova
   e le lascia riscaldare nella sabbia,
¹⁵ dimenticando che un piede
      le può schiacciare
   e una bestia selvatica calpestarle.
¹⁶ Tratta duramente i figli,
      come se non fossero suoi,
   e non si preoccupa della sua inutile
      fatica,
¹⁷ perché Dio gli ha negato la sapienza
   e non gli ha dato in sorte l'intelligenza.
¹⁸ Ma appena si leva in alto,
   si beffa del cavallo e del suo cavaliere.
¹⁹ Sei tu che dai la forza al cavallo
   e lo rivesti di criniera al collo?
²⁰ Lo fai tu saltare come una locusta?
   Il suo alto nitrito incute spavento.
²¹ Scalpita nella valle, giulivo,
   e con impeto va incontro alle armi.
²² Se ne ride della paura e non trema,
   non retrocede davanti alla spada.
²³ Sopra di lui tintinna la faretra,
   il luccichio della lancia e del dardo.
²⁴ Fremendo d'impazienza divora lo spazio
   e non si trattiene più al suono del corno.
²⁵ Al primo squillo di tromba nitrisce: Aah!,
   e da lontano fiuta la battaglia,
   gli urli dei capi, il fragore della mischia.
²⁶ È forse per la tua intelligenza che vola
      o sparviero
   e spiega le sue ali verso il meridione?
²⁷ È al tuo comando che l'aquila s'innalza
   e costruisce il suo nido sulle vette?
²⁸ Abita le rocce e vi pernotta
   su un dente di roccia inespugnabile.
²⁹ Di lassù spia la sua preda,
   i suoi occhi la vedono a distanza.
³⁰ I suoi aquilotti succhiano il sangue,
   e dove sono i cadaveri, là essa si trova».

LA POTENZA DI DIO NEL CREATO

40 ¹Il Signore si rivolse a Giobbe dicendo:

² «Chi ha mosso causa all'Onnipotente
   si dà per vinto?
   L'accusatore di Dio risponda!».
³ Giobbe rispose al Signore dicendo:

Gb

4 «Ecco, sono ben meschino:
    che cosa posso replicare?
  Mi porto la mano alla bocca.
5 Ho parlato una volta, ma non insisterò;
  ho parlato due volte,
    ma non aggiungerò nulla».
6 Il Signore rispose a Giobbe dal turbine
    e disse:
7 «Cingiti i fianchi come un eroe;
  io ti interrogherò e tu mi istruirai.
8 Oseresti proprio cancellare
    il mio giudizio,
  per condannarmi e avere ragione tu?
9 Hai tu un braccio come quello di Dio
  e puoi tuonare con voce pari alla sua?
10 Ornati, dunque, di gloria e di maestà,
   rivestiti di splendore e di fasto.
11 Riversa i furori della tua collera
   e con uno sguardo abbatti tutti i superbi.
12 Umilia con uno sguardo ogni arrogante,
   schiaccia i malvagi ovunque si trovino.
13 Nascondili nella polvere tutti insieme,
   rinchiudi al buio i loro volti.
14 Allora anch'io ti renderò omaggio,
   perché la tua destra ti ha dato vittoria.
15 Ecco, il Beemot, che io ho creato
     al pari di te,
   mangia l'erba come il bue.
16 Osserva la forza dei suoi fianchi
   e la potenza del suo ventre muscoloso.
17 Esso drizza la sua coda come un cedro,
   i nervi delle sue cosce si intrecciano saldi.
18 Le sue ossa sono tubi di bronzo,
   le sue vertebre come spranghe di ferro.
19 Esso è la prima delle opere di Dio;
   solo il suo creatore lo minaccia di spada.
20 Benché i monti gli offrano
     i loro prodotti
   e tutte le bestie domestiche
     gli si trastullino intorno,
21 esso si sdraia sotto le piante di loto,
   nel folto del canneto e della palude.
22 Gli fanno ombra i loti selvatici,
   lo circondano i salici del torrente.
23 Se il fiume si gonfia, esso non trema;
   è sicuro, anche se il Giordano
     gli salisse fino alla bocca.
24 Chi mai potrà prenderlo per gli occhi
   o afferrarlo con lacci e forargli le narici?
25 Puoi tu pescare con l'amo il Leviatan
   e con una fune legare la sua lingua?
26 Puoi tu ficcargli un giunco nelle narici
   e con un uncino forargli la mascella?
27 Ti rivolgerà forse molte suppliche
   e ti indirizzerà dolci parole?

28 Concluderà forse un patto con te,
   perché tu lo prenda come servo
     per sempre?
29 Giocherai tu con lui come
     con un passerotto
   e lo legherai per trastullare le tue figlie?
30 Lo metteranno in vendita i pescatori
   e lo spartiranno tra i mercanti?
31 Gli puoi tempestare di frecce le squame
   e colpirgli la testa con la fiocina?
32 Metti su di lui la mano:
   pensando alla grande lotta,
   non vi proverai due volte!».

IL SIGNORE
CONTINUA A PARLARE A GIOBBE

41 1«Vedi com'è fallita la tua speranza:
     al solo vederlo uno resta sgomento.
2 Nessuno è tanto audace
  da osare di provocarlo
  e chi mai potrebbe resistere
    davanti a lui?
3 Chi mai lo ha affrontato ed è rimasto
    incolume?
  Nessuno sotto tutto il cielo.
4 Non passerò sotto silenzio la forza
    delle sue membra:
  quanto alla forza non ha pari.
5 Chi mai gli ha aperto sul davanti
    il manto di pelle
  ed è penetrato nella sua doppia corazza?
6 Chi mai ha aperto la porta
    delle sue fauci,
  circondate da denti spaventosi?
7 Il suo dorso è una distesa di squame,
  strettamente saldate con un suggello.
8 L'una con l'altra si toccano
    così che neppure un filo d'aria
    passa in mezzo:
9 saldate le une con le altre,
  sono compatte e non possono separarsi.
10 Il suo starnuto irradia luce
   e i suoi occhi sono come le palpebre
     dell'aurora.
11 Dalle sue fauci partono vampate,
   sprizzano scintille di fuoco.
12 Dalle sue narici esce fumo,
   come da pentola che bolle sul fuoco.

---

40. - 8ss. Dio fa risaltare più che mai agli occhi dell'attonito
Giobbe le meraviglie della potenza divina. Le descrizioni che
seguono dell'ippopotamo e del coccodrillo sono tra le più
realistiche e potenti che la letteratura mondiale possegga.

13 Il suo fiato incendia carboni
    e dalle sue fauci escono fiamme.
14 Nel suo collo ha sede la forza
    e innanzi a lui incede il terrore.
15 Le giogaie della sua carne
      sono ben compatte,
   sono ben salde su di lui
    e non si muovono.
16 Il suo cuore è duro come pietra,
    solido come la pietra inferiore
      della mola.
17 Quando si alza, si spaventano i forti,
    e per il terrore restano smarriti.
18 La spada che lo raggiunge
      non gli si infigge,
    né lancia, né freccia, né giavellotto.
19 Considera il ferro come paglia
    e il bronzo come legno tarlato.
20 La freccia non lo mette in fuga,
    le pietre della fionda si cambiano
      per lui in pula.
21 La mazza è per lui come stoppia
    e si fa beffe del vibrare dell'asta.
22 Ha sotto di sé delle punte acuminate
    e striscia come erpice sul molle terreno.
23 Fa ribollire i gorghi come pentola
    e trasforma il mare in vaso d'unguento.
24 Si lascia dietro una scia di luce
    e l'abisso sembra coperto di canizie.
25 Non v'è nulla sulla terra che lo domini,
    lui che fu fatto per essere senza paura.
26 Lo teme tutto ciò che è fiero,
    poiché è lui il re di tutte le fiere superbe!».

GIOBBE SI DICHIARA VINTO
E VIENE RIABILITATO DA DIO

42 ¹Allora Giobbe rispose al Signore
    e disse:

² «Riconosco che puoi tutto
    e che nessuna cosa ti è impossibile.

---

41. - 23. Quando il coccodrillo nuota, l'acqua da lui mossa spumeggia, e lo scintillio delle goccioline sollevate rassomiglia ad esalazione di un unguento.

42. - 3-4. I primi due stichi del v. 3, come pure il v. 4, da alcuni commentatori sono ritenuti come una ripetizione delle parole dette da Giobbe in 38,2-3; in realtà, qui non hanno senso. Se invece si sopprimono, il senso appare chiaro: Giobbe riconosce umilmente di aver parlato senza cognizione, presumendo di sé. Perciò, riconoscendo ora la sua immensa inferiorità dinanzi a Dio, chiede perdono di quanto imprudentemente ha detto e promette di far penitenza *sulla polvere e sulla cenere* (v. 6).

---

³ Chi è colui che, senza nulla sapere,
    può oscurare i tuoi piani?
    È vero, senza nulla sapere
    io ho detto cose troppo superiori a me,
    che io stesso non comprendo.
⁴ Ascoltami, di grazia, e io parlerò,
    io ti interrogherò e tu mi istruirai.
⁵ Io ti conoscevo per sentito dire,
    ma ora i miei occhi ti hanno visto.
⁶ Perciò mi ricredo e mi pento
    sulla polvere e sulla cenere».

⁷Dopo che il Signore ebbe rivolto queste parole a Giobbe, disse ad Elifaz il temanita: «La mia ira si è accesa contro di te e contro i tuoi due amici, perché non avete detto di me cose rette, come ha fatto il mio servo Giobbe. ⁸Ora prendete sette vitelli e sette montoni, andate dal mio servo Giobbe e offrite un olocausto per voi. Il mio servo Giobbe intercederà per voi, affinché io, per riguardo a lui, non punisca la vostra stoltezza, perché non avete parlato rettamente di me come ha fatto il mio servo Giobbe».
⁹Andarono, dunque, Elifaz il temanita, Bildad il suchita e Zofar il naamatita, e fecero come aveva ordinato loro il Signore e il Signore ebbe riguardo di Giobbe.
¹⁰Dio ristabilì Giobbe nello stato di prima, perché egli aveva pregato per i suoi amici, e gli rese il doppio di quanto aveva posseduto. ¹¹Tutti i suoi fratelli, le sue sorelle, i suoi conoscenti di prima vennero a trovarlo e mangiarono con lui nella sua casa. Lo commiserarono e lo consolarono di tutte le sventure che il Signore gli aveva inviato e gli regalarono ognuno un pezzo d'argento e un anello d'oro.
¹²Il Signore benedisse la nuova condizione di Giobbe più della prima. Possedette quattordicimila pecore e seimila cammelli, mille paia di buoi e mille asine. ¹³Ebbe pure sette figli e tre figlie. ¹⁴Alla prima diede il nome di Colomba, alla seconda quello di Cassia e alla terza Fiala di stibio. ¹⁵In tutto il paese non c'erano donne così belle come le figlie di Giobbe e il loro padre le mise a parte dell'eredità insieme con i loro fratelli. ¹⁶Dopo tutto questo, Giobbe visse ancora centoquarant'anni, e vide i suoi figli e i figli dei suoi figli per quattro generazioni. ¹⁷Poi Giobbe morì, vecchio e sazio di giorni.

SALMI

I Salmi, raccolta di 150 preghiere, erano usati soprattutto nella liturgia del tempio di Gerusalemme. Composti lungo l'arco di un millennio, dal secolo XI al II a.C., rispecchiano la reazione di fede d'Israele alla rivelazione di Dio nella storia con i suoi eventi lieti e tristi. Essi esprimono inoltre la profonda religiosità che si sviluppava nelle persone più sensibili al rapporto con Dio. Si incontrano così varie categorie di salmi:

a) *Salmi di lode, o inni, che cantano l'onnipotenza e magnificenza di Dio nella creazione e nella storia d'Israele.*

b) *Salmi di ringraziamento per la protezione di Dio sperimentata in situazioni di pericolo.*

c) *Salmi di supplica che invocano la salvezza di fronte a pericoli e situazioni dolorose, o il perdono per colpe commesse.*

d) *Salmi regali composti in occasione di eventi di corte (matrimoni, nascite, salita al trono), legati alla dinastia davidica. Questi assunsero in seguito una tonalità messianica nell'attesa del figlio di Davide, il Messia (Sal 2; 72; 110; 144). Tra questi salmi alcuni cantano la regalità universale ed eterna di Dio sull'universo (Sal 93; 96; 99).*

e) *Salmi sapienziali, preghiere intessute di riflessioni sul modo saggio di vedere il mondo e condurre la propria vita, sul problema del bene e del male (Sal 1), sul dono della legge (Sal 119).*

I Salmi sono diventati preghiera anche dei cristiani perché esprimono sentimenti religiosi profondi e universali, inoltre guardano spesso al futuro messianico e rievocano un rapporto tra Dio e il suo popolo che, al di là delle circostanze particolari, rimane valido anche per tutto il popolo di Dio che è la chiesa.

LIBRO PRIMO (Salmi 1-41)

Salmo 1 - Le due vie e i due destini

1 Beato l'uomo che non segue
   il consiglio degli empi,
   non si ferma sulla via dei peccatori
   e non siede in compagnia
   degli insolenti;
2 ma trova la sua gioia nella legge
   del Signore
   e sulla sua legge medita giorno e notte.
3 Egli sarà come un albero
   piantato lungo corsi d'acqua,
   che dà i suoi frutti nella sua stagione
   e le sue foglie mai appassiscono:
   in ogni cosa che fa, egli ha sempre
   successo.
4 Non così gli empi:

essi al contrario saranno come pula
che il vento sospinge.
5 Per questo gli empi non potranno
   alzarsi nel giudizio,
   né i peccatori nell'assemblea dei giusti.
6 Perché il Signore conosce la via
   dei giusti,
   mentre la via degli empi andrà in rovina.

Salmo 2 - Il re messia

1 Perché sono insorte le nazioni
   e i popoli fanno vani progetti?
2 Si accampano i re della terra
   e i principi congiurano insieme
   contro il Signore e contro il suo Messia:
3 «Spezziamo le loro catene
   e il loro giogo gettiamo via da noi».

4 Colui che siede nei cieli se ne ride,
il mio Signore si fa beffe di loro.

5 Poi parlerà loro nella sua ira
e nel suo sdegno li metterà in scompiglio:

6 «Io ho consacrato il mio re
sul Sion, mio santo monte».

7 Proclamerò il decreto del Signore,
egli mi ha detto: «Tu sei mio figlio,
oggi io ti ho generato.

8 Solo che tu me lo chieda,
io ti darò in eredità le nazioni
e in tuo possesso i confini della terra.

9 Li spezzerai con scettro di ferro,
come vaso di argilla li frantumerai».

10 E ora intendete, o re,
lasciatevi correggere, o giudici della terra.

11 Servite il Signore con timore
e gioite con tremore;

12 rendete omaggio al figlio
così che non si adiri e voi periate
nella via,
perché in un baleno la sua ira divampa.
Beati tutti quelli che confidano in lui.

Salmo 3 - Preghiera nei pericoli

1 *Salmo di Davide, quando fuggì davanti ad Assalonne, suo figlio.*

2 Signore, quanto sono numerosi
i miei avversari!
Molti sono insorti contro di me,

3 molti sono quelli che dicono di me:
«Non c'è salvezza per lui presso Dio!».

4 Ma tu, Signore, sei uno scudo
intorno a me,
tu sei la mia gloria e in alto sollevi
il mio capo.

5 Quando innalzo la mia voce al Signore,
egli mi risponde dal suo santo monte.

6 Ecco, io mi corico e mi addormento,
poi mi sveglio, perché il Signore
mi sostiene.

7 Io non temo la moltitudine di genti
che si scaglia contro di me da ogni parte.

8 Sorgi, Signore; salvami, Dio mio!
Sì, colpisci sulla guancia tutti
i miei nemici,
manda in frantumi i denti degli empi.

9 Al Signore appartiene la salvezza:
sul tuo popolo scenda la tua benedizione.

---

3. - 6. Esprime la piena tranquillità del salmista, sicuro della protezione di Dio nonostante gli intrighi dei suoi avversari.

Salmo 4 - La vera pace è in Dio

1 *Al maestro di coro. Per strumenti a corda. Salmo. Di Davide.*

2 Quando a te grido rispondimi,
Dio, mia giustizia;
nell'angustia tu mi hai fatto spazio,
abbi pietà di me e ascolta
la mia preghiera.

3 Fino a quando voi, figli degli uomini,
oltraggerete la mia gloria,
adorerete il nulla e ricercherete
la menzogna?

4 Sappiate che il Signore
ha magnificato il suo amore con me:
il Signore ascolta quando a lui innalzo
il mio grido.

5 Trepidate e non peccate;
sui vostri giacigli riflettete
nel vostro cuore e siate tranquilli.

6 Offrite sacrifici giusti
e abbiate fiducia nel Signore.

7 Molti sono quelli che dicono:
«Chi ci farà gustare il bene?».
Risplenda su di noi, Signore, la luce
del tuo volto.

8 Tu hai messo nel mio cuore più gioia
di quando altri hanno grano
e vino in abbondanza.

9 In pace, appena mi corico,
mi addormento,
perché tu solo, Signore,
tranquillo mi fai riposare.

Salmo 5 - Preghiera del mattino

1 *Al maestro di coro. Al suono del flauto. Salmo. Di Davide.*

2 Ascolta, Signore, le mie parole,
comprendi il mio gemito.

3 Sii attento al grido
della mia implorazione,
mio re e mio Dio,
perché a te, Signore,
rivolgo la mia preghiera.

4 Al mattino ascolta la mia voce,
al mattino mi dispongo innanzi a te
e sto in attesa.

5 Poiché tu sei un Dio
che non si compiace del male,
nessun malvagio può essere tuo ospite.

6 Davanti ai tuoi occhi non possono
resistere gli arroganti,

tu hai in odio tutti gli operatori
di iniquità.

7 Tu fai perire quelli che dicono menzogne.
Il Signore detesta gli uomini sanguinari
e fraudolenti.

8 Io, invece, per la tua grande bontà,
posso entrare nella tua casa
e prostrarmi verso il tuo santo tempio,
nel tuo timore.

9 Guidami, Signore, nella tua giustizia
a causa di quanti mi tendono insidie;
appiana davanti a me la tua via.

10 Perché non c'è sincerità
nella loro bocca:
malvagità è il loro interno,
sepolcro aperto è la loro gola;
seminano rovina con le loro lingue.

11 Falli perire, Dio;
rimangano delusi dai loro consigli;
per i loro crimini senza numero
disperdili,
perché contro di te si sono ribellati.

12 Gioiscano, invece, quanti in te
si rifugiano;
eterna sia la loro esultanza.
Poiché tu li proteggi, si allieteranno in te
quanti amano il tuo nome.

13 Sì, tu benedici il giusto, Signore:
come scudo lo circonderai
con il tuo favore.

Salmo 6 - Implorazione nella prova

1 *Al maestro di coro. Per strumenti a corda.
Sull'ottava. Salmo. Di Davide.*

2 Signore, nella tua ira
non mi riprendere,
nel tuo sdegno non mi punire.

3 Abbi pietà di me, Signore,
perché sono affranto;
guariscimi, Signore, perché le mie ossa
sono inaridite.

4 L'anima mia è molto turbata,
e tu, Signore, fino a quando?

5 Volgiti, Signore, e libera la mia anima;
salvami per la tua bontà.

6 Perché non c'è chi si ricorda di te
nella morte;
negli ìnferi chi celebra le tue lodi?

7 A causa del mio gemere io sono
stremato,
inondo ogni notte il mio giaciglio
e bagno di lacrime il mio letto.

8 I miei occhi si consumano
per l'afflizione,
invecchio dinanzi a tutti i miei nemici.

9 Via da me, voi tutti operatori di iniquità,
perché il Signore ha udito la voce
del mio pianto.

10 Il Signore ha udito la mia implorazione,
il Signore ha accolto la mia preghiera.

11 Arrossiscano e siano completamente
sconvolti
tutti i miei nemici.
Indietreggino, confusi, all'istante!

Salmo 7 - Preghiera del giusto perseguitato

1 *Lamento che Davide rivolse al Signore a
causa del beniaminita Cus.*

2 Signore, mio Dio, in te mi rifugio;
salvami da chi mi insegue e liberami,

3 perché non sbrani come un leone
la mia anima,
la strappi via e non ci sia chi mi porga
aiuto.

4 Signore, mio Dio, se ho fatto questo:
se c'è ingiustizia nelle mie mani,

5 se ho ripagato con il male il mio amico,
se ho spogliato chi mi opprime
senza motivo,

6 mi insegua il mio nemico
e mi raggiunga,
calpesti a terra la mia vita
e getti nella polvere il mio onore.

7 Sorgi, Signore, nella tua ira,
alzati contro l'arroganza
dei miei avversari,
destati in mio favore, nel giudizio
che hai stabilito.

8 Circondato dall'assemblea dei popoli,
su di essa tu presiedi con maestà.
Il Signore giudica i popoli:

9 giudicami, Signore, secondo
la mia giustizia
e secondo l'innocenza che
è in mio favore.

---

6. - 6. Rispecchia le idee anticotestamentarie sulla retribuzione dopo la morte. La rivelazione non era ancora completa; le anime dopo la morte erano considerate esistenti,
ma senz'alcuna attività.

7. - 4. Si riferisce alle accuse lanciate contro Davide dal
beniaminita Cus, quando egli fuggiva da Gerusalemme dinanzi all'avanzare di Assalonne. L'episodio è narrato in
2Sam 15.

¹⁰ Fa' cessare la malvagità degli empi,
   sostieni l'uomo retto,
   perché colui che scruta i reni e i cuori
      è il Dio giusto.
¹¹ Il mio scudo è in Dio,
   che salva i retti di cuore.
¹² Dio è un giudice giusto,
   è un Dio che si adira ogni giorno.
¹³ Non torna egli forse ad affilare la spada?
   Ha teso il suo arco e lo punta.
¹⁴ Per sé ha preparato strumenti di morte,
   ha reso infuocate le sue frecce.
¹⁵ Ecco, l'empio concepisce iniquità,
   porta in seno malizia e genera inganno.
¹⁶ Ha scavato un pozzo e l'ha reso
      profondo,
   ma è caduto nella fossa che ha fatto.
¹⁷ La sua malizia ricade sulla sua testa
   e sul suo capo discende la sua violenza.
¹⁸ Voglio lodare il Signore per la sua
      giustizia
   e voglio cantare inni al nome
      del Signore, l'Altissimo.

Salmo 8 - Inno alla gloria di Dio
e alla dignità dell'uomo

¹Al maestro di coro. Secondo la melodia ghittita. Salmo. Di Davide.
² Signore, Signore nostro,
   quanto è glorioso il tuo nome
      su tutta la terra!
   Tu hai posto la tua maestà sopra i cieli.
³ Con le labbra dei bambini e dei lattanti
   hai affermato la tua forza contro
      i tuoi avversari,
   per ridurre al silenzio il nemico
   e il vendicatore.
⁴ Quando contemplo i tuoi cieli,
      opera delle tue dita,
   la luna e le stelle che tu hai fissato,
⁵ che cosa è l'uomo, perché ti ricordi
      di lui,
   e un figlio d'uomo, perché te ne prenda
      cura?
⁶ Sì, tu l'hai fatto di poco inferiore a un dio
   e l'hai coronato di gloria e di onore.

⁷ Tu l'hai costituito signore sulle opere
      delle tue mani;
   tutto hai posto sotto i suoi piedi:
⁸ tutte le greggi e gli armenti,
   e anche le bestie della campagna,
⁹ gli uccelli del cielo e i pesci del mare,
   ogni essere che percorre le vie del mare.
¹⁰ Signore, Signore nostro,
   quanto è glorioso il tuo nome
      su tutta la terra!

Salmo 9 (9 A) - Inno alfabetico
alla giustizia di Dio

¹Al maestro di coro. Secondo «La morte del
figlio». Salmo. Di Davide.
Alef – ²Ti voglio lodare, Signore,
   con tutto il mio cuore,
   voglio cantare tutte le tue azioni
      prodigiose;
³ voglio rallegrarmi ed esultare in te,
   voglio cantare inni al tuo nome,
      o Altissimo.
Bet – ⁴I miei nemici nel volgersi
      in fuga inciampano
   e si dileguano davanti a te,
⁵ perché tu hai sostenuto la mia causa
   e il mio giudizio;
   ti sei assiso sul trono, giusto giudice.
Ghimel – ⁶Hai minacciato le genti,
   hai annientato gli empi,
   hai cancellato il loro nome in eterno
   e per sempre.
⁷ Sono annientati i miei nemici,
   sono divenuti rovine per sempre
   e delle città che tu hai raso al suolo
      si è perso il ricordo.
He – ⁸Ecco, il Signore è assiso
      per sempre;
   ha eretto il suo trono per il giudizio.
⁹ È lui che giudica il mondo con giustizia,
   che governa i popoli con rettitudine.
Vau – ¹⁰Il Signore sarà un rifugio sicuro
      per l'oppresso,
   un rifugio sicuro nel tempo
      dell'angoscia.
¹¹ In te si rifugeranno quanti conoscono
      il tuo nome,
   perché tu non abbandoni, Signore,
   quelli che ti cercano.
Zain – ¹²Cantate inni al Signore
   che dimora in Sion,
   fra i popoli annunziate le sue opere;

Sal

---

8. - 1. Non sappiamo precisamente che cosa sia la *ghittita*:
forse uno strumento a corde oppure un motivo musicale.
Queste indicazioni, poste al principio di parecchi salmi, non
appartengono al testo sacro e sono per lo più annotazioni
liturgiche.

[13] poiché egli è vindice del sangue,
se ne ricorda,
non dimentica il grido dei miseri.

Het – [14]Abbi pietà di me, Signore,
guarda la mia afflizione
a causa di quelli che mi odiano,
tu che mi fai salire dalle porte
della morte,

[15] perché io possa proclamare tutte
le tue lodi
alle porte della figlia di Sion
ed esultare per la tua salvezza.

Tet – [16]Sprofondano le genti nella fossa
che hanno scavato,
nella rete che hanno teso si impiglia
il loro piede.

[17] Il Signore si è manifestato,
ha fatto giustizia;
l'empio è incappato nell'opera
delle sue stesse mani.

Jod – [18]Ritornino i malvagi negli inferi,
tutte le genti che dimenticano Dio.

Kaf – [19]Perché il misero non sarà
dimenticato per sempre,
né per sempre resterà delusa l'attesa
dei poveri.

[20] Sorgi, Signore, non prevalga l'uomo:
al tuo cospetto siano giudicate le genti.

[21] Infondi in loro, Signore, il tuo spavento.
I popoli riconoscano che sono mortali.

Salmo 10 (9 B) - Dio abbatte gli empi e salva i giusti

Lamed – [1]Perché, Signore,
te ne stai lontano,
ti tieni nascosto nel tempo dell'angoscia?

[2] Con arroganza l'empio opprime
il misero:
siano presi nelle trame che hanno
ordito.

[3] Perché l'empio si gloria
per i desideri della sua anima,
mentre chi è avido di guadagno
si proclama beato
e disprezza il Signore.

Nun – [4]L'empio, nella sua arroganza, dice:
«Non dovrò rendere conto a Dio.
Dio non c'è».
Questi sono tutti i suoi pensieri.

[5] Le sue vie sono prospere in ogni tempo.
Troppo alti per lui sono i tuoi giudizi;
egli disprezza tutti i suoi nemici.

[6] Nel suo cuore egli dice: «Non vacillerò.
Non avrò alcun male di generazione
in generazione».

Pe – [7]Di imprecazioni è piena
la sua bocca,
di frodi e di violenza;
sotto la sua lingua sono oppressione
e iniquità.

[8] Egli sta in agguato nei recinti;
uccide l'innocente in luoghi nascosti;
i suoi occhi sono fissi sul debole.

Ain – [9]Sta in agguato nel nascondiglio,
come il leone nella sua tana;
sta in agguato per depredare il misero,
depreda il misero, trascinandolo
nella sua rete.

[10] Balza a terra, si china e cadono i deboli
sotto la forza dei suoi artigli.

[11] Nel suo cuore egli dice:
«Dio dimentica, nasconde il volto,
non vedrà mai!».

Qof – [12]Sorgi, Signore Dio,
alza la tua mano,
non dimenticare i poveri.

[13] Perché l'empio disprezza Dio
e dice nel suo cuore: «Non dovrò
renderti conto»?

Resh – [14]Sì, tu hai visto fatica e afflizione
e stai all'erta per ripagarle
con la tua mano.
A te si abbandona il debole:
tu sei il sostegno dell'orfano.

Shin – [15]Spezza il braccio dell'empio
e del malvagio:
cercherai il suo peccato,
ma non lo troverai.

[16] Re è il Signore, in eterno e per sempre:
le genti sono scomparse dalla sua terra.

Tau – [17]Tu, Signore, ascolti il gemito
dei poveri,
tu rinfranchi il loro cuore,
tu protendi il tuo orecchio.

[18] Se tu difendi l'orfano e l'oppresso,
l'uomo, che è fatto di terra,
non continuerà a spargere terrore.

Salmo 11 (10) - Fiducia del giusto nel suo Dio

[1]*Al maestro di coro. Di Davide.*
Presso il Signore mi sono rifugiato;
come potete dirmi:
«Vola verso i monti, come un uccello»?

² Perché, ecco, i malvagi stanno
   per tendere l'arco;
hanno messo la loro freccia sulla corda
   per colpire nel buio i retti di cuore.
³ Se vengono meno le fondamenta,
   il giusto che cosa può fare?
⁴ Il Signore è nel suo tempio santo,
   il Signore ha nei cieli il suo trono.
I suoi occhi osservano,
   le sue pupille scrutano i figli degli uomini.
⁵ Il Signore scruta il giusto e il malvagio,
   egli odia chi ama la violenza;
⁶ fa piovere sui malvagi carboni accesi,
   fuoco e zolfo;
vento infuocato sarà la porzione
   del loro calice.
⁷ Poiché giusto è il Signore,
   egli ama le cose giuste;
gli uomini retti contempleranno
   il suo volto.

Salmo 12 (11) - Contro la menzogna e l'arroganza

¹*Al maestro di coro. Sull'ottava. Salmo. Di Davide.*
² Salvami, Signore, perché non c'è più
   un uomo giusto
   e i fedeli sono scomparsi tra i figli
   degli uomini.
³ Ciascuno dice falsità al suo prossimo,
   parla con labbro adulatore e con cuore
   doppio.
⁴ Possa stroncare il Signore ogni labbro
   adulatore
   e ogni lingua dalle parole arroganti!
⁵ Poiché hanno detto:
   «Con le nostre lingue saremo potenti;
   le nostre labbra sono in nostro favore,
   chi potrà dominarci?».
⁶ «Al pianto dei poveri, al gemito dei miseri,
   ora io sorgerò – dice il Signore –
   e darò la salvezza a colui che è
   disprezzato».
⁷ Le parole del Signore sono parole pure,
   argento raffinato nella fornace,
   sette volte purificato dalla terra.
⁸ Tu, Signore, le manterrai
   e ci custodirai da questa gente
   per sempre.
⁹ Dappertutto si aggirano gli empi,
   mentre si innalzano gli insolenti
   in mezzo ai figli degli uomini.

Salmo 13 (12) - Invocazione fiduciosa

¹*Al maestro di coro. Salmo. Di Davide.*
² Fino a quando, Signore,
   mi dimenticherai? Per sempre?
   Fino a quando mi nasconderai
   il tuo volto?
³ Fino a quando avrò l'ansia
   nella mia anima,
   la tristezza nel mio cuore tutto il giorno?
   Fino a quando si ergerà il mio nemico
   su di me?
⁴ Guarda, rispondimi, Signore, mio Dio!
   Da' luce ai miei occhi
   perché io non mi addormenti nel sonno
   della morte,
⁵ perché il mio nemico non dica:
   «L'ho sopraffatto»,
   e i miei avversari si rallegrino
   al mio vacillare.
⁶ Ma io confido nella tua bontà:
   gioisca il mio cuore nella tua salvezza
   e io canterò al Signore che mi ha
   beneficato.

Salmo 14 (13) - Depravazione generale

¹*Al maestro di coro. Di Davide.*
   Dice lo stolto nel suo cuore:
   «Non c'è Dio».
   Sono corrotti, compiono azioni
   abominevoli;
   non c'è nessuno che faccia il bene.
² Il Signore dai cieli rivolge lo sguardo
   sui figli degli uomini,
   per vedere se c'è chi intenda,
   chi ricerchi Dio.
³ Tutti hanno deviato, insieme si sono
   corrotti:
   non c'è nessuno che faccia il bene,
   neppure uno.
⁴ Sono forse senza conoscenza
   tutti gli operatori di iniquità,
   che divorano il mio popolo
   come se mangiassero pane,
   e non invocano il Signore?
⁵ Allora saranno colti da un grande
   spavento,
   perché Dio è con la generazione
   dei giusti.
⁶ Voi confondete le speranze del misero,
   ma il Signore è il suo rifugio.
⁷ Oh, venga da Sion la salvezza di Israele!

Quando il Signore cambierà la sorte
del suo popolo,
esulti Giacobbe, gioisca Israele.

Salmo 15 (14) - L'ospite del Signore

¹*Salmo. Di Davide.*
Signore, chi potrà dimorare nella tua
tenda,
chi potrà abitare sul tuo santo monte?
² Chi cammina nell'integrità,
pratica la giustizia
e dice la verità che è nel suo cuore.
³ Chi non calunnia con la sua lingua,
non fa del male al suo prossimo
e non lancia insulti contro il suo vicino.
⁴ Chi disprezza l'uomo perverso,
ma onora quelli che temono il Signore
e, anche se ha giurato a proprio
danno, non cambia.
⁵ Chi non dà il suo denaro a usura
e non accetta doni contro l'innocente.
Chi agisce così, non vacillerà mai.

Salmo 16 (15) - Il Signore, mia eredità e mio bene

¹*Inno. Di Davide.*
Custodiscimi, Dio: in te mi rifugio.
² Ho detto al Signore:
«Sei tu il mio Signore,
all'infuori di te non ho alcun bene».
³ Per i santi che sono sulla terra,
a loro e a quanti sono nella gloria,
va tutto il mio compiacimento.
⁴ Moltiplicano i loro affanni
quanti seguono un dio straniero.
Io non verserò le loro libagioni
di sangue,
né le mie labbra proferiranno
i loro nomi.
⁵ Il Signore è mia parte di eredità
e mio calice:
tu tieni salda la mia sorte.
⁶ Le corde della misurazione si sono
posate per me in luoghi deliziosi:
la mia eredità mi piace davvero!
⁷ Voglio benedire il Signore
che mi ha dato consiglio;
anche di notte mi ammoniscono
i miei reni.
⁸ Io pongo sempre il Signore davanti a me:

poiché egli è alla mia destra,
io non vacillerò.
⁹ Per questo si rallegra il mio cuore
ed esulta il mio intimo,
perfino la mia carne riposa al sicuro.
¹⁰ Sì, tu non consegnerai la mia anima
agli inferi,
non permetterai al tuo fedele di vedere
la fossa.
¹¹ Mi farai conoscere il sentiero della vita:
gioia in abbondanza alla tua presenza,
delizia senza fine alla tua destra.

Salmo 17 (16) - Supplica del giusto contro i persecutori

¹*Preghiera. Di Davide.*
Ascolta, Signore, la giusta causa,
presta attenzione al mio lamento,
ascolta la mia preghiera,
che non viene da labbra ingannatrici.
² Dalla tua presenza proceda il mio
giudizio,
i tuoi occhi vedano ciò che è retto.
³ Scruta il mio cuore, vaglialo nella notte,
provami nel crogiuolo:
non troverai una mia colpa;
la mia bocca non ha trasgredito
⁴ secondo l'agire degli uomini.
Con la parola delle tue labbra
io mi sono guardato dai sentieri
del violento,
⁵ tenendo i miei passi sulle tue orme,
perché non vacillassero i miei piedi.
⁶ Io ti chiamo, Dio, e tu mi rispondi.
Tendi verso di me il tuo orecchio:
ascolta le mie parole.
⁷ Mostra la tua bontà,
tu che salvi dai nemici
quanti cercano rifugio presso
la tua destra.
⁸ Custodiscimi come la pupilla
dell'occhio,
nascondimi, all'ombra delle tue ali,
⁹ dai malvagi che mi usano violenza,
dai nemici mortali che da ogni parte
mi stringono.
¹⁰ Hanno chiuso il loro intimo,
hanno in bocca parole arroganti;

---

16. - 10. San Pietro usa questo versetto per provare la risurrezione di Gesù (At 2,25-28). Il senso messianico era ammesso già dal giudaismo.

¹¹ stanno in agguato, mi hanno
      già circondato,
   volgono i loro occhi per abbattermi.
¹² Il loro aspetto è quello di un leone
   che brama sbranare la preda
   e di un leoncello che sta in agguato
      nei nascondigli.
¹³ Sorgi, Signore, affronta il suo volto
      e abbattilo;
   con la tua spada liberami dall'empio;
¹⁴ con la tua mano, Signore, liberami
      dagli uomini mortali,
   dagli uomini mortali del mondo,
      la cui sorte è tra i viventi
   e il cui ventre tu riempi con i tuoi beni;
   di questi si saziano i figli e ne lasciano
      un resto per i loro piccoli.
¹⁵ Io, nella giustizia, voglio contemplare
      il tuo volto;
   voglio saziarmi, al risveglio,
      della tua presenza.

Salmo 18 (17) - "Te Deum" regale

¹Al maestro di coro. Del servo del Signore, di
Davide, il quale rivolse al Signore le parole
di questo canto nel giorno in cui il Signore lo
liberò dalla mano di tutti i suoi nemici e dalla
mano di Saul, ²dicendo:
   Ti amo, Signore, mia forza;
³ Signore, mia roccia,
      mia fortezza, mio liberatore;
   mio Dio, mia rupe in cui mi rifugio;
   mio scudo, mia potente salvezza,
      mio baluardo,
⁴ degno di ogni lode.
   Ho invocato il Signore
   e sono stato salvato dai miei nemici.
⁵ Mi circondarono i flutti della morte
   e mi travolsero i torrenti di Belial,
⁶ mi avvolsero le funi degli inferi,
   mi avvinsero i lacci della morte.
⁷ Nella mia angoscia invocai il Signore
   e gridai al mio Dio;
   egli udì la mia voce dal suo tempio
   e il mio grido giunse a lui, ai suoi orecchi.
⁸ Allora vacillò la terra e sussultò
   e le basi dei monti tremarono,
   si scossero perché egli era sdegnato.
⁹ Salì fumo dalle sue narici
   e fuoco divorante dalla sua bocca,
   carboni ardenti sprizzavano
      dalla sua persona.

¹⁰ Allora piegò i cieli e discese,
   con una nube sotto i suoi piedi;
¹¹ salì sopra un cherubino e volò,
   librandosi sulle ali del vento.
¹² Pose intorno a sé le tenebre
      come suo velo,
   e come sua tenda l'oscurità
      delle acque e le fitte nubi.
¹³ Dallo splendore della sua presenza
   svanivano le sue nubi con grandine
      e carboni ardenti.
¹⁴ Il Signore tuonò dal cielo
   e l'Altissimo emise la sua voce;
¹⁵ scagliò le sue frecce e li disperse,
   lanciò folgori in gran numero
      e li sbaragliò.
¹⁶ Allora apparvero le profondità del mare,
   si scoprirono le fondamenta del mondo,
   alla tua minaccia, Signore,
   al soffio del vento delle tue narici.
¹⁷ Egli stese la mano dall'alto e mi prese,
   mi trasse fuori dalle acque profonde,
¹⁸ mi liberò da nemici potenti
   e da quelli che mi odiavano,
      benché più forti di me.
¹⁹ Mi affrontarono nel giorno
      della mia sventura,
   ma il Signore fu il mio sostegno.
²⁰ Mi fece uscire al largo,
   mi trasse in salvo, perché mi vuole bene.
²¹ Il Signore mi ha trattato secondo
      la mia giustizia,
   mi ha ripagato secondo la purezza
      delle mie mani.
²² Sì, ho osservato le vie del Signore
   e non ho agito con empietà lontano
      dal mio Dio.
²³ Sì, tutti i suoi giudizi sono dinanzi a me
   e non ho rifiutato i suoi precetti.
²⁴ Sono stato retto con lui
   e mi sono guardato dalla mia iniquità.
²⁵ Il Signore mi ha ripagato secondo
      la mia giustizia,
   secondo la purezza delle mie mani
      davanti ai suoi occhi.
²⁶ Con l'uomo fedele tu sei fedele,
   con l'uomo retto tu sei retto,
²⁷ con l'uomo puro tu sei puro
   e con chi è perverso ti mostri astuto,
²⁸ perché tu sei colui che salva
      il popolo umile
   e abbassi gli occhi dei superbi.
²⁹ Sì, tu sei la mia lampada, Signore,
   il mio Dio che illumina la mia oscurità.

30 Sì, con te sono pieno di forza
   quando assalgo le schiere,
   e con il mio Dio scavalcherò le mura.
31 La via di Dio è perfetta,
   la parola del Signore è purissima;
   egli è uno scudo per quanti si rifugiano
      in lui.
32 Perché, all'infuori del Signore, chi è Dio?
   O chi è rupe, all'infuori del nostro Dio?
33 Il Dio che mi ha cinto di forza
   e ha reso perfetto il mio cammino,
34 che ha reso i miei piedi simili
      a quelli delle cerve
   e sopra le alture mi fa stare sicuro;
35 che mi ha addestrato le mie mani alla guerra
   e le mie braccia a tendere l'arco
      di bronzo.
36 Tu mi hai dato il tuo scudo di salvezza;
   con la tua destra sei stato
      il mio sostegno
   e la tua bontà mi ha reso grande.
37 Hai reso larga la via ai miei passi
   e i miei talloni, sotto di me,
      non hanno ceduto.
38 Ho inseguito i miei nemici
      e li ho raggiunti
   e non sono tornato senza averli
      annientati.
39 Li ho abbattuti e non hanno potuto
      rialzarsi,
   sono caduti sotto i miei piedi.
40 Tu mi hai cinto di forza per la battaglia,
   hai piegato sotto di me i miei avversari;
41 hai fatto voltare le spalle ai miei nemici
      davanti a me,
   e io ho sterminato quelli che mi odiavano.
42 Hanno gridato, ma nessuno li ha salvati;
   hanno gridato al Signore,
   ma egli non ha risposto.
43 Li ho dispersi come polvere del suolo,
   li ho calpestati come fango delle strade.
44 Tu mi hai liberato dal popolo in rivolta,
   mi hai posto a capo delle nazioni;
   un popolo che non conoscevo
   mi è stato sottomesso.
45 All'udirmi, essi mi obbediscono,
   gli stranieri si inchinano davanti a me;
46 cadono esausti gli stranieri
   ed escono trepidanti dai loro rifugi.
47 Viva il Signore e sia benedetta
      la mia rupe,
   sia esaltato il Dio della mia salvezza,
48 il Dio che mi ha accordato la vendetta
   e sotto di me ha soggiogato i popoli!

49 Mi ha liberato dai nemici,
   anzi mi ha innalzato sopra i miei avversari,
   mi ha sottratto agli uomini violenti.
50 Per questo ti lodo, Signore, fra i popoli
   e voglio cantare inni al tuo nome.
51 Egli ha dato al suo re strepitose vittorie
   e ha usato benevolenza verso
      il suo consacrato,
   verso Davide e la sua discendenza
      per sempre.

Salmo 19 (18) - Inno al Signore, sole di giustizia

1 Al maestro di coro. Salmo. Di Davide.
2 I cieli narrano la gloria di Dio
   e il firmamento annunzia l'opera
      delle sue mani.
3 Un giorno rivolge parole all'altro
   e una notte trasmette conoscenza
      all'altra.
4 Non vi è linguaggio e non vi sono parole,
   non si ha percezione del loro suono:
5 in tutta la terra si espande la loro voce
   e ai confini del mondo le loro parole.
   In essi ha posto una tenda per il sole,
6 che esce come uno sposo
      dalla sua stanza nuziale,
   gioisce come un prode che
      percorre la via.
7 Egli esce da un'estremità dei cieli
   e il suo giro raggiunge l'altra estremità:
   nulla può sottrarsi al suo calore.
8 La legge del Signore è perfetta:
   rinfranca l'anima.
   La testimonianza del Signore è fedele:
   dà saggezza ai semplici.
9 I precetti del Signore sono retti:
   danno gioia al cuore.
   Il comandamento del Signore è limpido:
   illumina gli occhi.
10 La parola del Signore è pura:
   rimane in eterno.
   I giudizi del Signore sono veri,
   sono tutti giusti;
11 essi sono più preziosi dell'oro,
   più di molto oro purissimo;
   sono più dolci del miele
   e di un favo stillante.
12 Sebbene il tuo servo si lasci guidare
      da essi

_____

18. - 51. Il *consacrato* di cui parla il versetto è Davide.

e nella loro osservanza trovi una grande
   ricompensa,
13 gli errori chi li comprende?
   Purificami da quelli che mi sono occulti.
14 Anche dall'orgoglio custodisci
      il tuo servo,
   perché non abbia a prevalere su di me;
   allora sarò purificato da una grave colpa.
15 Incontrino il tuo favore le parole
      della mia bocca
   e il palpito del mio cuore giunga
      al tuo cospetto,
   Signore, mia rupe e mia difesa.

Salmo 20 (19) - Preghiera
per la vittoria del re

1 Al maestro di coro. Salmo. Di Davide.
2 Ti esaudisca il Signore,
   nel giorno dell'avversità, ti tragga
      in alto, in salvo
   il nome del Dio di Giacobbe.
3 Ti mandi l'aiuto dal santuario
   e ti sostenga da Sion.
4 Ricordi ogni tua offerta
   e accetti ogni tuo olocausto.
5 Ti conceda quanto desidera il tuo cuore
   e porti a compimento ogni tuo progetto.
6 Ci rallegreremo per la tua vittoria
   e alzeremo i vessilli nel nome
      del nostro Dio:
   il Signore esaudisca tutte le tue richieste.
7 Ora so che il Signore ha dato vittoria
      al suo consacrato,
   lo esaudisce dal suo cielo santo
   con le gesta vittoriose della sua destra.
8 Chi confida nei carri e chi nei cavalli,
   ma noi ci ricordiamo del nome
      del Signore nostro Dio.
9 Essi sono inciampati e caduti,
   ma noi restiamo in piedi e siamo saldi.
10 Signore, salva il re
   e ascoltaci quando ti invochiamo.

Salmo 21 (20) - Ringraziamento
per la preghiera esaudita

1 Al maestro di coro. Salmo. Di Davide.
2 Nella tua forza, Signore, il re si allieti
   e nella tua salvezza esulti grandemente!

3 Esaudisci i desideri del suo cuore
   e non respingere le richieste
      delle sue labbra.
4 Sì, tu gli andrai incontro con ricche
      benedizioni,
   gli porrai sul capo una corona di oro puro.
5 La vita che ti chiede, tu gliela concedi:
   lunghezza di giorni, una durata eterna,
      senza fine.
6 Grande è la sua gloria per la tua
      salvezza,
   lo avvolgi di splendore e di maestà.
7 Sì, tu gli accorderai benedizioni
      per sempre,
   lo ricolmerai di gioia alla tua presenza.
8 Sì, il re si rifugia nel Signore
   e per la benevolenza dell'Altissimo
      mai vacillerà.
9 La tua mano raggiungerà tutti
      i tuoi nemici,
   la tua destra raggiungerà quelli
      che ti odiano.
10 Tu li porrai come in una fornace
      ardente, al solo tuo apparire;
   il Signore, nel suo sdegno, li annienterà
   e li divorerà il fuoco.
11 Farai sparire dalla terra il loro frutto
   e la loro discendenza tra i figli
      degli uomini.
12 Benché abbiano tramato il male
   e ordito trame contro di te,
   non prevarranno.
13 Sì, tu li stenderai con la schiena a terra,
   con le corde del tuo arco
   mirerai diritto alla loro faccia.
14 Innàlzati, Signore, nella tua forza:
   noi canteremo le tue gesta vittoriose,
      canteremo inni.

Salmo 22 (21) - Sofferenze e speranze
del giusto

1 Al maestro di coro. Sulla melodia «Le cerve
dell'aurora». Salmo. Di Davide.
2 Dio mio, Dio mio, perché
      mi hai abbandonato,
   e tieni lontane dalla mia salvezza
   le parole del mio lamento?
3 Dio mio, io grido di giorno
   e tu non rispondi,
   e anche di notte e non c'è quiete per me.
4 Eppure tu sei il Santo,
   tu dimori tra le lodi di Israele.

Sal

---
22. - 2. Salmo recitato da Gesù in croce (Mt 27,46 par.).

5 In te hanno confidato i nostri padri,
hanno confidato e tu li hai liberati.

6 A te hanno gridato e sono stati salvati,
in te hanno confidato e non sono
rimasti delusi.

7 Ma io sono un verme e non un uomo,
ludibrio della gente e scherno del popolo.

8 Tutti, al vedermi, si fanno beffe di me,
storcono la bocca, scuotono il capo:

9 «Si è affidato al Signore, lo liberi dunque,
lo salvi, se davvero gli vuole bene!».

10 Sì, tu mi hai tratto dal grembo materno,
al petto di mia madre mi hai affidato.

11 A te fui affidato quando ero ancora
nelle viscere materne,
dal seno di mia madre sei tu il mio Dio.

12 Non stare lontano da me,
perché la sventura è vicina e nessuno
mi aiuta.

13 Grossi tori mi hanno circondato,
giovenchi di Basan mi hanno accerchiato.

14 Tengono aperta su di me la loro bocca,
come leoni ruggenti, pronti a sbranare.

15 Come acqua mi sento disciolto
e si sono slogate tutte le mie ossa;
il mio cuore è come la cera,
si strugge dentro il mio petto.

16 La mia gola è inaridita come un coccio
e la mia lingua si è incollata al palato;
in polvere di morte tu mi riduci.

17 Sì, un branco di cani mi sta accerchiando,
una folla di malfattori mi sta d'intorno.
Hanno scavato le mie mani
e i miei piedi,

18 posso contare tutte le mie ossa.
Essi protendono lo sguardo,
mi osservano,

19 si dividono le mie vesti fra loro
e sul mio vestito gettano la sorte.

20 Ma tu, Signore, non stare lontano,
mia forza, vieni presto in mio aiuto.

21 Strappa dalla spada l'anima mia
e dalla stretta dei cani me,
che sono solo;

22 salvami dalla bocca del leone
e dalle corna dei bufali:
tu mi hai esaudito.

23 Io annunzierò il tuo nome
ai miei fratelli,
ti loderò in mezzo all'assemblea.

24 Voi che temete il Signore, lodatelo!
Voi tutti, discendenti di Giacobbe,
rendetegli gloria,
temetelo voi tutti, discendenti di Israele!

25 Perché egli non ha disprezzato
né sdegnato l'afflizione del misero,
non gli ha nascosto il suo volto
e al suo grido di aiuto lo ha ascoltato.

26 A te proclamerò la mia lode
nella grande assemblea,
scioglierò i miei voti davanti
a quelli che lo temono.

27 Mangino i poveri e si sazino,
lodino il Signore quelli che lo cercano,
viva il loro cuore in eterno.

28 Si ricordino e ritornino al Signore
tutti i confini della terra,
si prostrino davanti a te tutte
le famiglie delle genti:

29 perché al Signore appartiene il regno,
egli domina sulle nazioni.

30 Tutti i potenti della terra
gli renderanno omaggio
e si inchineranno davanti a lui tutti quelli
che scendono nella polvere.
L'anima mia vivrà per lui:

31 la mia discendenza lo servirà,
celebrerà per sempre il mio Signore.

32 Essi verranno e proclameranno
la sua giustizia
al popolo che nascerà:
«Sì, egli ha fatto questo!».

Salmo 23 (22) - Dio, pastore e ospite

1 *Salmo. Di Davide.*
Il Signore è il mio pastore:
nulla mi mancherà.

2 In pascoli verdeggianti mi fa riposare,
verso acque tranquille mi conduce.

3 Egli rinfranca la mia anima,
mi guida in sentieri di giustizia
in grazia del suo nome.

4 Anche se camminassi in una valle
dall'ombra di morte,
non temerei alcun male,
perché tu sei con me;
il tuo bastone e la tua verga,
sono essi la mia difesa.

5 Per me tu prepari una mensa
di fronte ai miei avversari;

---

13. I nemici del salmista sono paragonati a grossi tori minacciosi, tra i quali erano famosi quelli della regione di Basan.
17. I cani accorrono come attorno a un cadavere: sono i nemici che cantano già vittoria. *Hanno scavato* o trafitto: è la più commovente tra le allusioni profetiche alla crocifissione di Gesù (cfr. Mt 27,35).

hai unto con olio il mio capo,
il mio calice è traboccante.
6 Certo, bontà e fedeltà
  mi accompagneranno
per tutti i giorni della mia vita,
e abiterò nella casa del Signore
per lunghi anni.

Salmo 24 (23) - Liturgia di ingresso nel tempio

[1]Di Davide. Salmo.
Al Signore appartiene la terra
  e quanto contiene,
il mondo e quanti vi abitano,
2 poiché sui mari egli l'ha fondata
  e sui fiumi l'ha stabilita.
3 Chi può salire sul monte del Signore?
Chi può restare nel suo santo luogo?
4 Chi ha le mani innocenti e il cuore puro,
chi non si rivolge agli idoli vani
e non fa giuramenti a scopo d'inganno.
5 Egli riceverà benedizione dal Signore
e giustizia dal Dio della sua salvezza.
6 Tale è la generazione
  di quanti lo cercano,
di quanti desiderano il tuo volto,
  Dio di Giacobbe.
7 Sollevate, porte, i vostri architravi,
innalzatevi, porte eterne,
perché entri il re della gloria.
8 Chi è questo re della gloria?
Il Signore, il forte, l'eroe,
il Signore, l'eroe in battaglia.
9 Sollevate, porte, i vostri architravi,
innalzatevi, porte eterne,
perché entri il re della gloria.
10 Chi è questo re della gloria?
Il Signore degli eserciti,
egli è il re della gloria.

Salmo 25 (24) - Inno alfabetico alla bontà di Dio

[1]Di Davide.
Alef – In te, Signore, io pongo
  la mia speranza,
elevo l'anima mia [2]al mio Dio.
Bet – In te mi rifugio:
  fa' che io non sia deluso,
  che i miei nemici non trionfino
  su di me.

Ghimel – [3]Anche quanti sperano
  in te non restino delusi,
siano delusi quanti tradiscono
  senza motivo.
Dalet – [4]Mostrami, Signore, le tue vie,
istruiscimi nei tuoi sentieri.
He – [5]Fammi camminare nella tua
  fedeltà e istruiscimi,
perché sei tu il Dio della mia salvezza
Vau – e io spero in te ogni giorno.
Zain – [6]Ricorda, Signore, i gesti
  della tua compassione
e della tua bontà, che durano
  da sempre.
Het – [7]Dimentica i peccati
  della mia giovinezza
e le mie trasgressioni;
secondo la tua compassione
  ricordati di me,
in grazia della tua bontà, Signore.
Tet – [8]Buono e retto è il Signore,
per questo insegnerà ai peccatori la via.
Jod – [9]Farà camminare i poveri
  nella giustizia
e ai poveri insegnerà la sua via.
Kaf – [10]Tutti i sentieri del Signore
  sono bontà e fedeltà
per quelli che custodiscono
  la sua alleanza e i suoi precetti.
Lamed – [11]Per amore del tuo nome,
  Signore,
perdona il mio peccato,
  per quanto grande esso sia.
Mem – [12]Chi è l'uomo che teme
  il Signore?
Egli lo ammaestra sulla via che dovrà
  scegliere.
Nun – [13]La sua vita trascorrerà nel bene
e la sua discendenza erediterà la terra.
Samech – [14]L'amicizia del Signore
  è per quelli che lo temono:
egli fa loro conoscere la sua alleanza.
Ain – [15]I miei occhi sono sempre
  rivolti al Signore,
perché egli libera dalla rete i miei piedi.
Pe – [16]Volgiti a me e abbi pietà di me,
  perché io sono misero e solo.
Sade – [17]Allevia le angustie
  del mio cuore,
fammi uscire da ogni mia strettezza.
18 Guarda la mia afflizione e la mia pena
e perdona tutti i miei peccati.
Resh – [19]Guarda come sono numerosi
  i miei nemici

Sal

e con quanta violenza
e odio mi avversano!
Shin – [20]Custodiscimi e salva la mia anima:
fa' che io non resti deluso,
perché mi sono rifugiato in te.
Tau – [21]Innocenza e rettitudine
mi custodiscano,
perché in te, Signore, io ho posto
la mia speranza.
[22] Dio, libera Israele
da tutte le sue angustie!

Salmo 26 (25) - Preghiera dell'innocente

[1]*Di Davide.*
Sii tu il mio giudice, Signore,
perché io ho camminato nella mia
integrità:
nel Signore confido, non posso vacillare.
[2] Scrutami, Signore, e mettimi alla prova,
passa al crogiuolo i miei reni e il mio
cuore.
[3] Sì, la tua bontà è davanti ai miei occhi
e io cammino nella tua fedeltà.
[4] Non mi siedo con uomini iniqui
e non mi incammino con chi cerca
l'inganno;
[5] ho in odio la compagnia degli empi
e non prendo posto insieme con i malvagi.
[6] Nell'innocenza voglio lavare
le mie mani
e girare intorno al tuo altare, Signore,
[7] per far udire la voce della lode
e proclamare a tutti le tue meraviglie.
[8] Io amo, Signore, dimorare nella tua casa
e nel luogo dove ha sede la tua gloria.
[9] Non associare con i peccatori
la mia anima,
né la mia vita con gli uomini sanguinari,
[10] nelle cui mani non è che inganno,
mentre la loro destra è colma
di ciò che corrompe.
[11] Io, invece, cammino nella mia integrità:
liberami e abbi pietà di me.
[12] Il mio piede sta saldo su terra piana.
Nelle assemblee ti benedirò, Signore.

Salmo 27 (26) - Ferma fiducia in Dio

[1]*Di Davide.*
Il Signore è mia luce e mia salvezza,
di chi avrò timore?

Il Signore è difesa della mia vita,
di chi avrò paura?
[2] Se gli empi mi assalgono per divorare
la mia carne,
essi, che mi sono nemici e avversari,
vacillano e cadono.
[3] Se si accampa contro di me un esercito,
non teme il mio cuore;
se infuria contro di me la battaglia,
proprio allora avrò più fiducia.
[4] Una sola cosa chiedo al Signore,
questa sola ardentemente io cerco:
abitare nella casa del Signore
tutti i giorni della mia vita,
per godere della soavità del Signore
e vegliare nel suo tempio.
[5] Sì, egli mi custodirà nella sua tenda
nel giorno della sventura,
mi nasconderà nell'interno
della sua dimora,
sulla roccia, in alto, mi solleverà.
[6] E ora si innalzi il mio capo
sui miei nemici che mi circondano,
e io possa offrire sacrifici con gioia
nella sua dimora.
Allora canterò al Signore, canterò inni.
[7] Ascolta, Signore, la mia voce!
Io grido, abbi pietà di me e rispondimi.
[8] A te parla il mio cuore, te cerca
il mio volto;
il tuo volto, Signore, io cerco.
[9] Non nascondere da me il tuo volto,
non respingere con sdegno il tuo servo,
tu che sei la mia difesa.
Non mi scacciare, non mi abbandonare,
Dio, mia salvezza.
[10] Ecco, mio padre e mia madre
mi hanno abbandonato,
il Signore invece mi ha accolto.
[11] Indicami, Signore, la tua via
e guidami sul retto sentiero,
a causa di quelli che mi insidiano.
[12] Non lasciarmi in balìa dei miei nemici,
poiché sono sorti contro di me
falsi testimoni e gente che spira
violenza.
[13] Che sarebbe stato di me, se non avessi
avuto la certezza
di godere della bontà del Signore
nella terra dei viventi?
[14] Spera nel Signore.
Sii forte, si rinfranchi il tuo cuore
e spera nel Signore!

Salmo 28 (27) - Supplica e ringraziamento

[1] *Di Davide.*
  A te grido, Signore, mia roccia;
  non essere sordo con me,
  perché, se tu con me stai in silenzio,
  io verrò annoverato
  fra quelli che scendono nella tomba.
[2] Ascolta la voce della mia supplica
  quando grido a te,
  quando alzo le mie mani
  verso il tuo santo tempio.
[3] Non trascinarmi via con gli empi
  e con quanti operano il male.
  Essi parlano di pace con i loro vicini,
  ma hanno la malizia nel loro cuore.
[4] Trattali secondo le loro opere
  e secondo la malvagità delle loro azioni;
  trattali secondo l'opera delle loro mani,
  rendi loro ciò che meritano.
[5] Poiché non hanno prestato attenzione
    alle opere del Signore,
  né a quanto le sue mani hanno fatto,
  egli li distruggerà e non saranno
    più edificati.
[6] Benedetto il Signore,
  che ha dato ascolto alla voce
    della mia afflizione.
[7] Il Signore è mia forza e mio scudo:
  in lui confida il mio cuore.
  Egli è venuto in mio aiuto,
  per questo esulta il mio cuore
  e con il mio canto voglio rendergli grazie.
[8] Il Signore è forza per il suo popolo
  e baluardo di salvezza per il suo
    consacrato.
[9] Salva il tuo popolo e benedici
    la tua eredità,
  sii il loro pastore e il loro sostegno
    per sempre.

Salmo 29 (28) - Inno alla potenza di Dio nel creato

[1] *Salmo. Di Davide.*
  Date al Signore, figli di Dio,
  date al Signore gloria e potenza,
[2] date al Signore la gloria del suo nome;
  prostratevi davanti al Signore
  alla sua santa apparizione.
[3] La voce del Signore è sulle acque:
  il Dio della gloria ha tuonato.
  Il Signore è sulle grandi acque.

[4] La voce del Signore è vigorosa,
  la voce del Signore è maestosa.
[5] La voce del Signore schianta i cedri:
  il Signore schianta i cedri del Libano;
[6] fa balzare il Libano come un vitello
  e il Sirion come un giovane bufalo.
[7] La voce del Signore fa guizzare i fulmini.
[8] La voce del Signore sconvolge il deserto,
  il Signore sconvolge il deserto di Kades.
[9] La voce del Signore scuote le querce
  e sfronda le selve.
  Nel suo tempio tutto esclama: «Gloria!».
[10] Il Signore è assiso sul diluvio,
  il Signore si è assiso re per sempre.
[11] Il Signore darà forza al suo popolo,
  il Signore benedirà il suo popolo
    con la pace.

Salmo 30 (29) - Inno di ringraziamento

[1] *Salmo. Inno per la dedicazione del tempio. Di Davide.*
[2] Ti voglio esaltare, Signore,
  perché mi hai tratto in alto, in salvo,
  e non hai permesso che i miei nemici
  si rallegrassero di me.
[3] Signore, mio Dio,
  ho gridato a te e tu mi hai guarito.
[4] Signore, tu hai fatto risalire dagli inferi
    l'anima mia,
  mi hai ridato la vita
  perché non scendessi nella fossa.
[5] Cantate inni al Signore, suoi fedeli,
  elevate la lode nel ricordare
    la sua santità,
[6] perché la sua ira dura un momento,
  ma la sua benevolenza è per tutta
    la vita.
  Alla sera permane il pianto
  e al mattino la gioia.
[7] Io avevo detto nella mia prosperità:
  «Non vacillerò in eterno».
[8] Signore, nella tua benevolenza
  tu mi avevi reso saldo
    come le montagne possenti;
  poi hai nascosto il tuo volto
  e io sono rimasto smarrito.
[9] A te, Signore, ho gridato
  e dal mio Signore ho implorato pietà:
[10] «Quale guadagno hai tu dal mio sangue,
  se io discendo nella tomba?
  Ti renderà forse grazie la polvere,
  o proclamerà la tua fedeltà?

Sal

¹¹ Ascolta, Signore, e fammi grazia;
   sii tu, Signore, il mio difensore».
¹² Hai cambiato in gioia per me il mio lutto,
   hai sciolto la mia veste di sacco
   e mi hai rivestito di gioia.
¹³ Per questo il mio intimo ti canterà inni
   e non tacerà.
   Signore, mio Dio, per sempre ti voglio
   rendere grazie.

Salmo 31 (30) - Preghiera nella prova

¹ *Al maestro di coro. Salmo. Di Davide.*
² In te, Signore, mi rifugio:
   fa' che io non sia mai deluso,
   salvami nella tua giustizia.
³ Porgi verso di me il tuo orecchio:
   vieni presto a liberarmi;
   sii per me come una rocca di salvezza,
   come un rifugio inaccessibile
      per la mia salvezza.
⁴ Sì, mia rupe e mia rocca sei tu;
   per amore del tuo nome tu mi guiderai
   e mi condurrai al sicuro.
⁵ Mi trarrai dalla rete che mi hanno teso
      di nascosto,
   perché tu sei il mio rifugio;
⁶ nelle tue mani affido il mio spirito:
   liberami, Signore, Dio fedele.
⁷ Detesto quanti si affidano agli idoli vani;
   io, invece, ho posto la mia fiducia
      nel Signore.
⁸ Voglio gioire ed esultare per la tua
      benevolenza,
   perché hai guardato alla mia afflizione,
   hai conosciuto le angustie dell'anima mia
⁹ e non mi hai consegnato nella mano
      del nemico,
   hai posto i miei piedi in luogo spazioso.
¹⁰ Abbi pietà di me, Signore,
   perché sono nell'angoscia:
   si consumano nel dolore il mio occhio,
   la mia anima e le mie viscere.
¹¹ Sì, nella tristezza si consuma la mia vita
   e i miei anni nel gemito;
   per l'afflizione viene meno il mio vigore
   e si logorano le mie ossa.
¹² Sono diventato un obbrobrio
   per tutti quelli che mi opprimono
   e molto di più per i miei vicini,
   un terrore per i miei conoscenti:
   quanti mi vedono lungo la strada
   fuggono lontano da me.

¹³ Sono tutto inaridito come un morto,
      senza vita,
   sono diventato come un oggetto
      consunto.
¹⁴ Sì, ho udito la calunnia di molti,
   lo spavento mi circonda da ogni parte,
   quando insieme essi congiurano
      contro di me
   e deliberano la rovina dell'anima mia.
¹⁵ Ma io in te confido, Signore;
   dico: «Tu sei il mio Dio,
¹⁶ nelle tue mani stanno le mie sorti».
   Liberami dal potere dei miei nemici
   e da quelli che mi inseguono.
¹⁷ Fa' risplendere il tuo volto
      sul tuo servo;
   salvami per la tua benevolenza.
¹⁸ Signore, che io non sia confuso
   perché ti ho invocato.
   I malvagi invece siano confusi
   e siano ridotti al silenzio negli inferi.
¹⁹ Ammutoliscano le labbra bugiarde,
   che con superbia e arroganza
   proferiscono contro il giusto parole
      insolenti.
²⁰ Quanto è grande, Signore, la tua bontà
   che tu riservi per quelli che ti temono
   e prepari, davanti ai figli degli uomini,
   per quelli che si rifugiano in te!
²¹ Tu li nascondi all'ombra del tuo volto,
   al riparo dai lacci dell'uomo;
   li preservi nella tenda dalla contesa
      delle lingue.
²² Benedetto sia il Signore,
   perché su di me fa risplendere
      il suo amore
   nella città fortificata.
²³ Nella mia costernazione, io pensavo:
   «Sono respinto dalla tua presenza»;
   invece, quando ti ho invocato,
   tu hai dato ascolto alla voce
      delle mie suppliche.
²⁴ Amate il Signore, voi tutti suoi devoti;
   il Signore difende i suoi fedeli
   e punisce con rigore chi agisce
      con superbia.
²⁵ Siate forti, si rinfranchi il vostro cuore,
   voi tutti che sperate nel Signore.

---

30. - 12. *La mia veste di sacco*, cioè l'abbigliamento di lutto.

Salmo 32 (31) - Lode a Dio per il perdono del peccato

[1] *Di Davide. Maskil.*
Beato l'uomo a cui è stata tolta la colpa
e perdonato il peccato.

[2] Beato l'uomo a cui il Signore
non imputa la colpa
e nel cui spirito non c'è inganno.

[3] Sì, tacevo, si logoravano le mie ossa
per i lamenti che facevo tutto il giorno;

[4] poiché giorno e notte la tua mano
pesava su di me;
il mio vigore svaniva come nell'arsura
dell'estate.

[5] Ti ho fatto conoscere il mio peccato,
non ho nascosto la mia colpa e ho detto:
«Voglio confessare al Signore
le mie colpe»,
e tu hai perdonato la colpa
e il mio peccato.

[6] Per questo ogni fedele si rivolgerà
a te nella preghiera,
quando la sventura lo colpisce.
Anche se irromperanno le grandi acque,
a lui non giungeranno.

[7] Tu sei per me un rifugio,
mi proteggi nella sventura,
mi circondi con canti di liberazione.

[8] Ti voglio istruire,
ti voglio mostrare la via da percorrere,
fissando su di te il mio occhio, ti voglio
consigliare.

[9] Non siate come il cavallo o il mulo,
che non hanno intelligenza:
con morso e briglia
si può frenare il loro impeto,
altrimenti non ti si avvicinano.

[10] Molti sono i tormenti dell'empio,
ma chi confida nel Signore
sarà circondato dalla sua bontà.

[11] Rallegratevi nel Signore ed esultate,
giusti,
gioite voi tutti, retti di cuore.

Salmo 33 (32) - Inno a Dio, Signore del creato

[1] Rallegratevi, giusti, nel Signore;
agli uomini retti si addice la lode.

[2] Lodate il Signore con la cetra,
con l'arpa a dieci corde a lui cantate inni.

[3] Cantate a lui un canto nuovo,
suonate con arte tra acclamazioni
di festa.

[4] Poiché retta è la parola del Signore
e con fedeltà è fatta ogni sua opera.

[5] Egli ama la giustizia e il diritto;
dell'amore del Signore è piena la terra.

[6] Con la parola del Signore furono fatti
i cieli
e con il soffio della sua bocca
tutto l'universo.

[7] Egli riunì come in un otre le acque
del mare,
rinchiuse gli oceani in serbatoi.

[8] Tema davanti al Signore tutta la terra,
davanti a lui tremino tutti gli abitanti
del mondo;

[9] perché egli ha parlato e tutto fu fatto,
egli ha comandato e tutto venne
all'esistenza.

[10] Il Signore annulla il piano dei popoli,
rende vani i propositi delle nazioni.

[11] Il piano del Signore sussiste
per sempre,
i propositi del suo cuore per ogni
generazione.

[12] Beata la nazione il cui Dio è il Signore,
il popolo che egli ha scelto
per sua eredità.

[13] Il Signore guarda dal cielo,
osserva tutti i figli degli uomini;

[14] dal luogo della sua dimora egli guarda
su tutti gli abitanti della terra,

[15] egli che ha plasmato il cuore di ognuno,
che scruta tutte le loro azioni.

[16] Nessun re può salvarsi
con un grande esercito;
nessun prode trova scampo
con la prestanza del suo vigore.

[17] Il cavallo è un inganno per la salvezza
e non può liberare nessuno
con la sua grande forza.

[18] Ecco, l'occhio del Signore è su quelli
che lo temono,
su quelli che sperano nel suo amore,

[19] per liberare dalla morte la loro vita
e per farli sopravvivere in tempo
di fame.

[20] La nostra anima anela al Signore:
egli è nostro aiuto e nostro scudo.

[21] Sì, in lui gioisce il nostro cuore;
sì, noi confidiamo nel suo santo nome.

[22] Sia su di noi, Signore, il tuo amore,
perché in te abbiamo posto la nostra
fiducia.

Salmo 34 (33) - Inno alfabetico di lode a Dio

[1]*Di Davide, quando si finse pazzo davanti ad Abimelech, tanto che questi lo costrinse ad andarsene.*

Alef – [2]Benedirò il Signore in ogni tempo, la sua lode sia sempre sulla mia bocca.

Bet – [3]Nel Signore si gloria l'anima mia, i poveri ascoltino e si rallegrino.

Ghimel – [4]Magnificate con me il Signore ed esaltiamo insieme il suo nome.

Dalet – [5]Mi sono rivolto al Signore ed egli mi ha risposto, da ogni mia apprensione mi ha liberato.

He – [6]Guardate a lui e sarete raggianti e i vostri volti non dovranno arrossire.

Zain – [7]Questo misero ha gridato e il Signore lo ha esaudito: lo ha liberato da tutte le sue angustie.

Het – [8]L'angelo del Signore si accampa attorno a quelli che lo temono e li libera.

Tet – [9]Gustate e vedete quanto è buono il Signore: beato l'uomo che in lui si rifugia.

Jod – [10]Temete il Signore, suoi santi, poiché nulla verrà a mancare a quelli che lo temono.

Kaf – [11]I potenti sono caduti in miseria e soffrono la fame, ma quelli che si rivolgono al Signore non mancheranno di alcun bene.

Lamed – [12]Venite, figli, ascoltatemi: io vi insegnerò il timore del Signore.

Mem – [13]Chi è l'uomo che desidera la vita, che ama i giorni in cui vedere il bene?

Nun – [14]Trattieni la tua lingua dal male e le tue labbra dal parlare con inganno.

Samech – [15]Allontanati dal male e fa' il bene, ricerca la pace e seguila.

Ain – [16]Gli occhi del Signore sono sui giusti e i suoi orecchi sono attenti al loro grido di aiuto.

Pe – [17]Il volto del Signore è contro quanti fanno il male, per distruggere dalla terra il loro ricordo.

Sade – [18]I giusti gridano e il Signore li ascolta, li libera da tutte le loro angustie.

Qof – [19]Il Signore è vicino a chi ha il cuore affranto e salva chi ha il cuore contrito.

Resh – [20]Molti sono i mali del giusto, ma da tutti lo libera il Signore.

Shin – [21]Egli custodisce tutte le sue ossa, neppure uno sarà spezzato.

Tau – [22]La malvagità fa perire l'empio e quanti odiano il giusto saranno ritenuti colpevoli.

[23] Il Signore riscatta la vita dei suoi servi e non saranno ritenuti colpevoli quanti confidano in lui.

Salmo 35 (34) - Preghiera del giusto perseguitato

[1]*Di Davide.*
Signore, scendi in giudizio contro quelli che mi accusano; combatti contro quelli che mi combattono.

[2] Impugna i tuoi scudi, il piccolo e il grande, e sorgi in mia difesa.

[3] Afferra la lancia e sbarra il passo di fronte a quelli che mi inseguono. Di' alla mia anima: «Sono io la tua salvezza!».

[4] Siano confusi e coperti di vergogna quelli che cercano di togliermi la vita; indietreggino e siano umiliati quelli che meditano la mia rovina.

[5] Siano come pula davanti al vento e l'angelo del Signore li disperda.

[6] La loro strada sia buia e scivolosa, quando li incalza l'angelo del Signore.

[7] Poiché senza motivo mi hanno teso la loro rete, senza motivo hanno scavato per me una fossa.

[8] Li sorprenda una sventura improvvisa, siano presi nella rete che essi hanno teso, cadano in essa con rovina.

[9] Ma l'anima mia esulterà nel Signore, si rallegrerà della sua salvezza.

[10] Tutte le mie ossa diranno: «Chi è come te, Signore, che liberi il misero da chi è più forte di lui, e il misero e il povero da chi vuole derubarli?».

[11] Sorgono contro di me perfidi testimoni, mi chiedono conto di ciò che non conosco,

12 mi rendono male per bene:
quale desolazione per l'anima mia!

13 Io, invece, quando erano malati,
indossavo vesti di sacco,
affliggevo nel digiuno l'anima mia,
echeggiava nel mio seno la mia
preghiera

14 come per un amico,
come per un fratello.
Sono andato in giro
come chi è in lutto per la propria madre,
triste, a capo chino.

15 Ma, alla mia caduta, essi hanno gioito
e si sono radunati;
si sono radunati contro di me
per colpirmi a sorpresa;
non hanno cessato di straziarmi.

16 Mi mettono alla prova, mi deridono,
digrignano i loro denti contro di me.

17 Fino a quando, Signore,
starai a guardare?
Libera la mia anima dalle loro violenze,
dai leoncelli l'unico mio bene.

18 Ti loderò nella grande assemblea,
a te canterò in mezzo a un popolo
numeroso.

19 Non si rallegrino su di me
i miei nemici menzogneri,
né strizzino l'occhio
quanti mi odiano senza ragione.

20 Sì, essi non parlano di pace
e contro la gente pacifica del paese
meditano inganni.

21 Spalancano contro di me la loro bocca
e dicono:
«Bene! Bene! Abbiamo visto
con i nostri occhi».

22 Anche tu hai visto, Signore,
non restartene muto;
mio Signore, non rimanere lontano
da me.

23 Destati, sorgi per il mio giudizio,
per la mia causa, mio Dio
e mio Signore!

24 Giudicami secondo la mia giustizia,
Signore, mio Dio;
fa' che essi non si rallegrino di me.

25 Non dicano nei loro cuori:

«Era questo il nostro desiderio!».
Non dicano: «L'abbiamo sopraffatto!».

26 Siano insieme confusi
e coperti di vergogna
tutti quelli che si rallegrano del mio male;
siano ricoperti di vergogna e di disonore
quelli che si innalzano superbi
contro di me.

27 Gioiscano e si rallegrino invece
quelli che amano la mia giustizia;
possano dire sempre:
«Sia magnificato il Signore
che vuole la pace del suo servo!».

28 La mia lingua proclamerà
la tua giustizia,
tutto il giorno la tua lode.

Salmo 36 (35) - Malizia del peccatore e bontà di Dio

1 *Al maestro di coro. Di Davide, servo del Signore.*

2 Il peccato parla all'empio nell'intimo
del suo cuore,
davanti ai suoi occhi non c'è timore
di Dio.

3 Perché egli si illude ai suoi stessi occhi
che la sua colpa non verrà scoperta
né detestata.

4 Malvagità e inganno sono le parole
della sua bocca;
rifiuta di essere saggio e di fare il bene.

5 Medita malizia sul suo giaciglio,
si tiene sulla via non buona,
non vuole respingere il male.

6 Signore, fino ai cieli giunge il tuo amore,
fino alle nubi la tua fedeltà.

7 La tua giustizia si innalza come i monti
altissimi,
il tuo giudizio come l'immenso abisso.
Uomini e fiere tu salvi, Signore.

8 Quanto è prezioso il tuo amore, Dio!
I figli degli uomini cercano rifugio
all'ombra delle tue ali.

9 Della ricchezza della tua casa
essi si inebriano,
e al torrente delle tue delizie
tu li disseti.

10 Perché in te è la fonte della vita,
nella tua luce noi vedremo la luce.

11 Mantieni il tuo amore
verso quelli che ti riconoscono,
e la tua giustizia verso i retti di cuore.

Sal

---

35. - 17. *La mia anima*: cioè la vita, la cosa più preziosa per l'uomo.

36. - 3. Il male stesso chiude gli occhi all'empio, ne annulla la coscienza, così che egli non si accorge del male e non pensa a convertirsi.

¹² Non permettere che mi raggiunga
   il piede dei superbi
   e la mano degli empi non mi costringa
   alla fuga.
¹³ Ecco, quelli che fanno il male
   sono caduti,
   sono inciampati e non si possono
   rialzare.

Salmo 37 (36) - Meditazione alfabetica sulla sorte del giusto e dell'empio

¹*Di Davide.*
Alef – Non irritarti a causa dei malvagi,
   non invidiare quanti commettono
   il male.
² Poiché saranno presto falciati
   còme fieno
   e appassiranno come l'erba
   verdeggiante.
Bet – ³Confida nel Signore e fa' il bene,
   abita nella terra e goditi le sue ricchezze.
⁴ Poni la tua gioia nel Signore
   ed egli appagherà i desideri
   del tuo cuore.
Ghimel – ⁵Al Signore affida la tua via,
   confida in lui ed egli interverrà;
⁶ farà risplendere come luce
   la tua giustizia
   e il tuo diritto come il meriggio.
Dalet – ⁷Rimani in silenzio davanti
   al Signore e spera in lui,
   non irritarti per chi ha successo,
   per l'uomo che agisce con scaltrezza.
He – ⁸Trattieniti dall'ira e non cedere
   allo sdegno;
   non irritarti: ne verrebbe solo male.
⁹ Perché i malvagi saranno sterminati,
   mentre quelli che sperano nel Signore
   erediteranno la terra.
Vau – ¹⁰Ancora un poco e l'empio
   scomparirà,
   ne cercherai il posto, ed egli
   non ci sarà più.
¹¹ I poveri invece erediteranno la terra
   e potranno godere di una grande pace.
Zain – ¹²L'empio complotta
   contro il giusto
   e digrigna i denti contro di lui.
¹³ Il Signore se ne ride,
   perché sa che verrà il suo giorno.
Het – ¹⁴Gli empi impugnano la spada
   e tendono il loro arco

per colpire il misero e il povero,
   per uccidere quelli che camminano
   per la retta via.
¹⁵ La loro spada penetrerà nel loro cuore
   e i loro archi saranno spezzati.
Tet – ¹⁶Il poco del giusto
   vale più dell'abbondanza degli empi.
¹⁷ Perché le braccia degli empi saranno
   spezzate,
   mentre il Signore sostiene i giusti.
Jod – ¹⁸Il Signore conosce i giorni
   degli uomini integri
   e la loro eredità durerà in eterno.
¹⁹ Non saranno delusi nel tempo
   della sventura
   e nei giorni della carestia potranno
   saziarsi.
Kaf – ²⁰Sì, gli empi periranno
   e i nemici del Signore svaniranno
   come lo splendore dei prati,
   più presto del fumo essi svaniranno.
Lamed – ²¹L'empio prende in prestito
   e non restituisce,
   mentre il giusto ha pietà e dona.
²² Sì, quelli che da lui sono benedetti
   erediteranno la terra,
   ma quelli che sono maledetti
   ne saranno esclusi.
Mem – ²³Il Signore rende sicuri i passi
   dell'uomo
   e si compiace del suo cammino.
²⁴ Se cade, non rimarrà a terra,
   perché il Signore sorregge la sua mano.
Nun – ²⁵Sono stato giovane e ora
   sono anche vecchio,
   ma non ho mai visto un giusto
   abbandonato,
   né un suo discendente mendicare
   il pane.
²⁶ Ogni giorno egli ha pietà
   e dà in prestito,
   la sua discendenza sarà benedetta.
Samech – ²⁷Allontanati dal male
   e fa' il bene,
   così la tua dimora sarà stabile
   per sempre.
²⁸ Perché il Signore ama la giustizia
   e non abbandona i suoi fedeli.
Ain – I malvagi saranno distrutti
   per sempre
   e verrà sterminata la discendenza
   degli empi.
²⁹ I giusti erediteranno la terra
   e sarà loro dimora per sempre.

Pe – [30]La bocca del giusto
    proferisce sapienza
e la sua lingua parla secondo giustizia.
[31] La legge del suo Dio è nel suo cuore:
    i suoi passi non vacillano.
Sade – [32]L'empio tende agguati al giusto
    e cerca di farlo morire.
[33] Il Signore non lo lascia in suo potere,
    né permette che egli venga condannato
    nel giudizio.
Qof – [34]Spera nel Signore e custodisci
    la sua via:
egli ti esalterà e tu erediterai la terra,
    vedrai lo sterminio degli empi.
Resh – [35]Ho visto l'empio prepotente
    ergersi come un cedro verdeggiante.
[36] Sono passato, ed ecco, non c'era più;
    l'ho cercato, ma non si è più trovato.
Shin – [37]Custodisci l'integrità e segui
    la rettitudine,
perché l'uomo di pace avrà
    una discendenza.
[38] Ma i malvagi saranno distrutti insieme,
    la discendenza degli empi
    verrà sterminata.
Tau – [39]La salvezza dei giusti viene
    dal Signore,
egli è loro difesa nel tempo
    dell'angoscia.
[40] Il Signore li protegge e li libera,
    li libera dagli empi e li salva,
    perché in lui hanno cercato rifugio.

Salmo 38 (37) - Preghiera nell'angoscia

[1]*Salmo. Di Davide. In memoria.*
[2] Signore, nella tua ira
    non mi rimproverare,
    nel tuo sdegno non mi punire!
[3] Perché le tue frecce mi hanno trafitto
    e la tua mano si è abbattuta su di me.
[4] Nulla di sano c'è nel mio corpo,
    a causa della tua ira.
    Nulla di integro c'è nelle mie ossa,
    a causa del mio peccato.
[5] Sì, le mie colpe sorpassano
    il mio capo,
    mi opprimono come un pesante
    fardello,
    superiore alle mie forze.
[6] Le mie piaghe sono ributtanti
    e purulente
    a causa della mia stoltezza.

[7] Sono diventato curvo e accasciato
    all'estremo,
    triste vado in giro tutto il giorno.
[8] Sì, i miei fianchi bruciano per la febbre
    e nulla c'è di sano nel mio corpo.
[9] Sono sfinito e affranto all'estremo,
    ruggisco per il fremito del mio cuore.
[10] Mio Signore, dinanzi a te sta ogni
    mio gemito
    e il mio sospiro non ti è nascosto.
[11] È preso da forti palpiti il mio cuore,
    il mio vigore mi abbandona,
    e la luce dei miei occhi
    – anch'essa – non è più con me.
[12] I miei amici e i miei compagni stanno
    lontano dalla mia piaga,
    e i miei vicini si fermano a distanza.
[13] Tendono lacci quanti attentano
    alla mia vita,
    lanciano insulti
    quelli che cercano la mia rovina
    e meditano inganni tutto il giorno.
[14] Ma io mi comporto come un sordo
    che non ode
    e come un muto che non apre bocca;
[15] sono come un uomo che non sente
    e che non ha risposte sulla sua bocca.
[16] Sì, io spero in te, Signore,
    tu mi risponderai, mio Signore,
    mio Dio.
[17] Perché ho detto: «Non si rallegrino
    di me;
    se il mio piede vacilla
    non si innalzino orgogliosi su di me.
[18] Sì, io sono sul punto di cadere
    e il mio dolore è sempre davanti a me».
[19] Sì, io confesso la mia colpa,
    sono in ansia per il mio peccato.
[20] Sono vivi e forti quelli che mi avversano,
    sono molti quelli che mi odiano
    ingiustamente;
[21] anche quelli che mi rendono male
    per bene
    mi sono nemici, perché io seguo
    il bene.
[22] Non abbandonarmi, Signore;
    mio Dio, non stare lontano da me.
[23] Affrettati in mia difesa,
    mio Signore, mia salvezza!

Sal

Salmo 39 (38) - Fragilità e precarietà dell'uomo

[1] *Al maestro di coro. Per Idutun. Salmo. Di Davide.*

[2] Ho detto: «Voglio fare attenzione
alla mia condotta
per non peccare con la mia lingua;
voglio mettere un freno alla mia bocca
finché l'empio mi sta davanti».

[3] Sono rimasto muto, in silenzio,
ho taciuto, anche se lontano dal bene.
Il mio dolore si è inasprito;

[4] ardeva il mio cuore dentro di me:
mentre sospiravo, si accendeva
un fuoco.
Ho detto con la mia lingua:

[5] «Fammi conoscere, Signore,
la mia fine,
quale sia l'estensione dei miei giorni:
comprenderò quanto io sono fragile.

[6] Ecco, in pochi palmi hai fissato
i miei giorni
e la durata della mia vita è come
un nulla davanti a te.
Sì, come un soffio si regge ogni
essere umano!

[7] Sì, come un'ombra va e viene
ogni mortale!
Egli si affanna per nulla,
accumula ricchezze e non sa chi
le avrà in eredità!».

[8] E ora, che cosa potrei attendere,
mio Signore?
In te è la mia speranza.

[9] Liberami da tutte le mie colpe;
non rendermi lo scherno dello stolto.

[10] Sto in silenzio, non apro la mia bocca,
perché sei tu che hai agito.

[11] Allontana da me la tua piaga!
Io sono distrutto dalla forza
della tua mano.

[12] Con il castigo delle sue colpe
tu correggi l'uomo,
e come la tignola corrodi tutto ciò
che gli è caro.
Sì, un soffio è ogni essere umano!

[13] Ascolta la mia preghiera, Signore,
porgi l'orecchio al mio grido di aiuto;
non rimanere in silenzio davanti
alle mie lacrime.
Perché io sono un pellegrino presso
di te,
un forestiero, come tutti i miei padri.

[14] Distogli da me il tuo sguardo,
perché io abbia sollievo,
prima che me ne vada e non ci sia più.

Salmo 40 (39) - Ringraziamento e supplica

[1] *Al maestro di coro. Di Davide. Salmo.*

[2] Nel Signore ho posto tutta
la mia speranza;
egli si è chinato su di me
e ha ascoltato il mio grido;

[3] mi ha sollevato dalla fossa di perdizione
e dal fango della palude;
ha fatto posare sulla roccia i miei piedi
e ha reso sicuri i miei passi.

[4] Egli ha messo sulla mia bocca
un canto nuovo,
una lode per il nostro Dio.
Molti vedranno e temeranno
e porranno la loro fiducia nel Signore.

[5] Beato l'uomo che ha posto
la sua fiducia nel Signore
e non si rivolge agli idoli vani,
né a chi segue la menzogna.

[6] Hai moltiplicato i tuoi prodigi, Signore,
mio Dio,
e le tue sollecitudini per noi.
Non c'è chi possa paragonarsi a te!
Vorrei annunziarli, vorrei proclamarli,
ma sorpassano ogni descrizione.

[7] Sacrificio e offerta tu non gradisci;
gli orecchi mi hai aperto!
Olocausto e sacrificio per il peccato
tu non domandi:

[8] allora ho detto: «Ecco, io vengo!
Nel rotolo del libro di me è scritto

[9] che devo compiere la tua volontà.
Mio Dio, lo voglio:
la tua legge è nel profondo
delle mie viscere».

[10] Ho proclamato la giustizia nella grande
assemblea;
ecco, non tengo chiuse le mie labbra:
Signore, tu lo sai.

---

39. - 2-5. Il salmista propone di non lamentarsi della Provvidenza divina e tace per non favorire le derisioni dell'empio, ma il tacere inasprisce il dolore, finché, non resistendo più, chiede di sapere quanto durerà ancora la sua vita.

40. - 7. Aprire l'orecchio è segno di obbedienza. La lettera agli Ebrei (10,5-7) applica i vv. 7-8 a Gesù Cristo, seguendo il testo greco che ha: «mi hai preparato un corpo» invece di: «mi hai aperto le orecchie».

11 Non ho nascosto la tua giustizia
   nel profondo del mio cuore;
ho proclamato la tua fedeltà
   e la tua salvezza;
non ho nascosto la tua bontà
   e la tua verità
nella grande assemblea.
12 Non rifiutarmi, Signore,
   la tua misericordia;
la tua bontà e la tua verità
sempre mi custodiscano,
13 perché mi circondano mali
   senza numero,
le mie colpe mi hanno sopraffatto
e non posso più vedere;
sono più numerose dei capelli
   del mio capo.
14 Fammi grazia, Signore, salvami,
affrettati, Signore, in mio aiuto.
15 Siano insieme confusi e coperti
   di vergogna
quanti attentano alla mia vita;
si volgano indietro e siano umiliati
quelli che desiderano la mia rovina.
16 Siano confusi per la loro vergogna
quelli che mi dicono: «Bene! Bene!».
17 Si rallegrino e gioiscano in te tutti
quelli che ti cercano;
quanti amano la tua salvezza dicano
   sempre:
«Il Signore è grande!».
18 Ma io sono povero e misero:
il mio Signore si prende cura di me.
Tu sei il mio aiuto e il mio liberatore:
non tardare, mio Dio!

Salmo 41 (40) - Preghiera del malato
abbandonato

1 *Al maestro di coro. Salmo. Di Davide.*
2 Beato l'uomo che ha cura
   del misero:
nel giorno della sventura lo libererà
   il Signore.
3 Il Signore lo custodirà e gli darà vita;
sarà felice sulla terra
e tu non lo abbandonerai alle brame
   dei suoi nemici.

42-43. - Il ritornello che si ripete in 42,6.12 e 43,5 indica che
questi salmi originariamente ne formavano uno solo, in cui
il salmista cerca di sollevarsi alla fiducia in Dio in un momento di particolare sofferenza.

4 Il Signore lo sosterrà sul letto
   del dolore:
nella sua malattia tu rovesci
   ogni suo giaciglio.
5 Io ho detto: «Pietà di me, Signore!
Guarisci l'anima mia, perché
   ho peccato contro di te».
6 I miei nemici mi augurano il male:
«Quando morirà e sarà dimenticato
   il suo nome?».
7 Se uno viene a farmi visita,
   il suo cuore dice il falso,
accumula malvagità dentro di sé, esce
   fuori e sparla.
8 Tutti insieme sussurrano contro di me
quelli che mi odiano,
su di me fanno previsioni funeste:
9 «Una malattia mortale è piombata
   su di lui;
egli che ora giace infermo mai più
   si alzerà».
10 Anche il mio intimo amico,
quello in cui io nutrivo fiducia
e che mangiava il mio stesso pane,
ha alzato il calcagno contro di me.
11 Ma tu, Signore, abbi pietà di me,
fa' che io mi rialzi, perché possa
   ripagarli.
12 In questo io conosco che tu
   mi vuoi bene:
se il mio nemico non trionferà su di me.
13 Quanto a me, tu mi sosterrai nella mia
   innocenza
e mi farai stare per sempre
   alla tua presenza.
14 Benedetto il Signore, Dio di Israele,
da sempre e per sempre.
Amen, amen.

LIBRO SECONDO (Salmi 42-72)

Salmo 42 (41) - Lamento dell'esule

1 *Al maestro di coro. Maskil. Dei figli di Coré.*
2 Come una cerva anela ai corsi d'acqua,
   così l'anima mia anela a te, Dio.
3 L'anima mia ha sete di Dio,
   del Dio vivente.
Quando potrò venire a contemplare
   il volto di Dio?
4 Le mie lacrime sono diventate
   il mio cibo
di giorno e di notte,

mentre mi dicono tutto il giorno:
«Dov'è il tuo Dio?».

5 Questo io voglio ricordare,
mentre la mia anima si effonde su di me:
procedevo tra la folla
e avanzavo fino alla casa di Dio,
fra voci di esultanza e di lode
di una folla festante.

6 Perché ti abbatti, anima mia, e fremi
dentro di me?
Spera in Dio, perché ancora potrò
lodarlo:
egli è la salvezza del mio volto
e il mio Dio.

7 Su di me si abbatte l'anima mia,
perciò io mi ricordo di te dalla terra
del Giordano e dell'Ermon,
dal monte Misar:

8 un abisso chiama un altro abisso,
al mormorio dei tuoi ruscelli.
Tutte le tue onde e i tuoi flutti
su di me sono passati.

9 Di giorno il Signore disponga
la sua grazia
e di notte il suo canto sarà con me,
come preghiera al Dio della mia vita.

10 Vorrei dire a Dio, mia roccia:
«Perché mi hai dimenticato?
Perché triste devo camminare
sotto l'oppressione del nemico?».

11 Le mie ossa sono trafitte
dagli insulti dei miei avversari,
che tutto il giorno mi ripetono:
«Dov'è il tuo Dio?».

12 Perché ti abbatti, anima mia, e fremi
dentro di me?
Spera in Dio, perché ancora potrò lodarlo:
egli è la salvezza del mio volto
e il mio Dio.

Salmo 43 (42) - Supplica a Dio
per ottenere la liberazione

1 Sii il mio giudice, Dio,
e difendi la mia causa da gente
che non è leale;
liberami dall'uomo falso e malvagio.

2 Sì, tu sei il Dio che mi dà forza:
perché mi hai abbandonato?
Perché triste devo camminare
sotto l'oppressione del nemico?

3 Manda la tua luce e la tua verità:
esse mi guidino,

mi conducano sul tuo monte santo
e alla tua dimora,

4 perché io possa avvicinarmi all'altare
di Dio,
al Dio della mia gioiosa esultanza,
e possa lodare sulla cetra te, Dio, mio Dio.

5 Perché ti abbatti, anima mia,
e fremi dentro di me?
Spera in Dio, perché ancora potrò lodarlo:
egli è la salvezza del mio volto
e il mio Dio.

Salmo 44 (43) - Lamento e supplica
del popolo oppresso

1 *Al maestro di coro. Dei figli di Core. Maskil.*

2 Dio, noi abbiamo udito con i nostri
orecchi,
i nostri padri ci hanno raccontato
le gesta che tu hai compiuto
ai loro giorni,
nei tempi antichi.

3 Tu con la tua mano hai scacciato
le nazioni per stabilire loro;
hai distrutto i popoli
per fare posto a loro.

4 Sì, essi non conquistarono la terra
con la loro spada,
né fu il loro braccio a salvarli,
ma la tua destra e il tuo braccio
e la luce del tuo volto,
perché tu avevi posto in loro
la tua compiacenza.

5 Tu sei il mio re, Dio,
sei tu che concedi le vittorie a Giacobbe.

6 Con te abbiamo affrontato
i nostri nemici,
nel tuo nome abbiamo calpestato
i nostri oppositori.

7 Perché io non ho posto fiducia
nel mio arco
e la mia spada non mi otterrà salvezza.

8 Ma sei tu che ci hai salvati
dai nostri nemici
e hai umiliato quelli che ci odiavano.

9 In Dio ci glorieremo ogni giorno
e loderemo il tuo nome in eterno.

10 Eppure tu ci hai respinti e coperti
di vergogna
e non esci più alla testa dei nostri eserciti;

11 ci hai fatto indietreggiare davanti
al nemico
e quelli che ci odiano ci hanno depredati.

¹² Ci hai resi come gregge da macello
    e ci hai dispersi in mezzo alle nazioni.

¹³ Hai venduto il tuo popolo senza
    alcun guadagno
    e non ti sei arricchito con la sua vendita.

¹⁴ Ci hai resi ludibrio dei nostri vicini,
    oggetto di scherno e di derisione
    di chi ci sta intorno.

¹⁵ Ci hai resi una favola in mezzo
    alle nazioni
    e motivo di scherno fra i popoli.

¹⁶ La vergogna mi sta davanti ogni giorno
    e il mio volto è coperto di rossore,

¹⁷ a causa delle parole di chi mi oltraggia
    e insulta,
    alla vista del nemico e del vendicatore.

¹⁸ Tutto questo ci è sopraggiunto,
    ma non ti avevamo dimenticato
    né avevamo tradito la tua alleanza.

¹⁹ Il nostro cuore non si è volto indietro
    e i nostri passi non si sono allontanati
    dal tuo sentiero.

²⁰ Eppure tu ci hai abbattuti e ridotti
    a un luogo di sciacalli,
    e hai disteso su di noi l'ombra della morte.

²¹ Se avessimo dimenticato il nome
    del nostro Dio
    e avessimo teso le nostre mani
    verso un dio straniero,

²² Dio forse non l'avrebbe scoperto,
    poiché egli conosce i segreti del cuore?

²³ Sì, a causa tua siamo messi a morte
    ogni giorno,
    siamo trattati come gregge da macello.

²⁴ Destati, perché dormi, Signore?
    Svegliati, non respingerci per sempre!

²⁵ Perché nascondi il tuo volto
    e non ti curi della nostra miseria
    e afflizione?

²⁶ Sì, l'anima nostra è abbattuta
    nella polvere,
    aderisce alla terra il nostro ventre.

²⁷ Sorgi in nostro aiuto,
    liberaci per la tua bontà.

Salmo 45 (44) - Inno per le nozze del re

¹ *Al maestro di coro. Su «I gigli». Dei figli di*
Core. Maskil. Canto d'amore.

² Dal mio cuore sgorga una parola soave,
    io dedico al re il mio poema,
    la mia lingua è come la penna
    di un abile scrittore.

³ Il più bello tu sei tra i figli degli uomini,
    diffusa è la grazia sulle tue labbra,
    per questo Dio ti ha benedetto in eterno.

⁴ Cingi ai fianchi la tua spada, o eroe;
    rivestiti di gloria e di splendore

⁵ e avanza con successo;
    cavalca per la causa della verità,
    della mansuetudine e della giustizia.
    Cose stupende ti insegni la tua destra.

⁶ Le tue frecce sono acuminate;
    sotto di te cadono i popoli,
    esse penetrano nel cuore dei nemici
    del re.

⁷ In eterno e per sempre è stabile
    il tuo trono, Dio.
    Scettro di giustizia è lo scettro
    del tuo regno.

⁸ Hai amato la giustizia e hai odiato
    l'iniquità:
    per questo ti ha unto Dio, il tuo Dio,
    con olio di letizia più dei tuoi compagni.

⁹ I tuoi vestiti sono tutti mirra,
    aloè e cassia.
    Dai palazzi d'avorio le corde dell'arpa
    ti rallegrano.

¹⁰ Figlie di re sono tra le tue predilette,
    alla tua destra è la regina,
    con oro di Ofir.

¹¹ Ascolta, figlia, guarda e porgi
    il tuo orecchio,
    dimentica il tuo popolo e la casa
    di tuo padre.

¹² Al re piacerà la tua bellezza;
    sì, egli è il tuo signore: inchinati a lui.

¹³ La figlia di Tiro viene con doni,
    i più ricchi del popolo ricercano
    il tuo volto.

¹⁴ Tutta splendore è la figlia del re
    nell'interno:
    tessuto in oro è il suo vestito,

¹⁵ in vesti ricamate viene condotta al re.
    Le vergini, sue compagne,
    dietro a lei, a te sono presentate.

¹⁶ Sono introdotte con gioia e letizia
    ed esse entrano nel palazzo del re.

¹⁷ Al posto dei tuoi padri ci saranno
    i tuoi figli;
    li costituirai prìncipi su tutta la terra.

¹⁸ Voglio far ricordare il tuo nome
    di generazione in generazione:
    per questo i popoli ti loderanno
    in eterno e per sempre.

Sal

Salmo 46 (45) - Dio è sempre con noi

[1] *Al maestro di coro. Dei figli di Core. Su «Le vergini». Canto.*

[2] Dio è per noi rifugio e forza:
nell'angoscia, egli si è mostrato
grande nell'aiuto.

[3] Perciò non temiamo se la terra viene
sconvolta
e se i monti precipitano nel profondo
del mare.

[4] Fremono, spumeggiano le sue acque,
sobbalzano i monti al suo impeto.

[5] C'è un fiume che, con i suoi canali,
allieta la città di Dio,
il luogo più santo in cui dimora
l'Altissimo.

[6] Dio sta in mezzo ad essa: non potrà
vacillare.
Dio le verrà in aiuto al sorgere
del mattino.

[7] Fremettero le genti, vacillarono i regni;
egli emise il suo grido, si scosse la terra.

[8] Il Signore degli eserciti è con noi,
rifugio sicuro è per noi il Dio di Giacobbe.

[9] Venite, contemplate le opere del Signore,
perché egli compie cose stupende
sulla terra;

[10] fa cessare le guerre fino ai confini
della terra:
spezza l'arco, frantuma la lancia,
dà alle fiamme i carri di guerra.

[11] Fermatevi e riconoscete che io, Dio,
trionfo sui popoli, trionfo sulla terra.

[12] Il Signore degli eserciti è con noi,
rifugio sicuro è per noi il Dio
di Giacobbe.

Salmo 47 (46) - Inno al Signore, re di tutta la terra

[1] *Al maestro di coro. Dei figli di Core. Salmo.*

[2] Popoli tutti battete le mani,
acclamate Dio con grida festose.

[3] Perché il Signore, l'Altissimo,
è tremendo,
re grande su tutta la terra.

[4] Egli sottomette a noi i popoli
e pone le nazioni sotto i nostri piedi.

[5] Egli ha scelto per noi la nostra eredità,
gloria di Giacobbe, che egli ama.

[6] È asceso Dio tra le acclamazioni,
il Signore al suono del corno.

[7] Cantate inni a Dio, cantate inni;
cantate inni al nostro re,
cantate inni.

[8] Poiché Dio è re di tutta la terra,
cantate inni con arte.

[9] Dio regna sui popoli,
Dio è assiso sul suo santo trono.

[10] I capi dei popoli si riuniscono
insieme al popolo del Dio di Abramo.
Poiché a Dio appartengono quanti
governano la terra,
egli su tutti si innalza.

Salmo 48 (47) - Inno a Sion, monte di Dio

[1] *Inno. Salmo. Dei figli di Core.*

[2] Grande è il Signore
e degno di ogni lode
nella città del nostro Dio.
Il suo santo monte,

[3] che si eleva nella bellezza,
è la gioia di tutta la terra:
il monte Sion, parte estrema
del settentrione,
città del grande re.

[4] Dio nei suoi palazzi
si è dimostrato rifugio sicuro.

[5] Perché, ecco, i re si erano radunati,
avanzavano uniti,

[6] ma appena essi videro,
rimasero stupefatti
e, atterriti, si diedero alla fuga.

[7] Là il terrore li colse,
doglie come di donna che partorisce,

[8] come al soffiare del vento d'oriente
che sconquassa le navi di Tarsis.

[9] Come avevamo udito,
così abbiamo visto,
nella città del Signore degli eserciti,
nella città del nostro Dio.
Dio la renderà salda per sempre.

[10] Abbiamo ripensato, Dio, al tuo amore
nell'interno del tuo tempio.

[11] Come il tuo nome, Dio,
così la tua lode giunge fino
alle estremità della terra:
la tua destra è piena di giustizia.

[12] Si rallegri il monte Sion,
esultino le figlie di Giuda
per i tuoi giudizi.

[13] Girate intorno a Sion e andatele attorno:
contate le sue torri;

[14] fissate il vostro cuore alle sue mura,

passate in rassegna i suoi palazzi,
perché possiate riferire
alla generazione che verrà:
15 «Questo è Dio, il nostro Dio,
in eterno e per sempre;
egli è colui che ci guida».

Salmo 49 (48) - Le ricchezze sono un nulla

1 *Al maestro di coro. Dei figli di Core. Salmo.*
2 Ascoltate questo, popoli tutti,
udite, voi tutti abitanti del mondo,
3 anche voi gente comune,
anche voi nobili,
ricchi e poveri insieme.
4 La mia bocca dirà parole sagge
e il mio cuore mediterà cose assennate.
5 Porgerò il mio orecchio
a un proverbio,
proporrò al suono dell'arpa
il mio enigma.
6 Perché dovrei temere nei giorni
di sventura,
quando mi circonda la malvagità
di quelli che m'inseguono?
7 Essi confidano nei loro beni
e si vantano delle loro grandi ricchezze.
8 Certo, nessun uomo potrà riscattare
se stesso
né pagare a Dio il prezzo
del suo riscatto.
9 Troppo alto sarebbe il prezzo
dell'anima sua,
non basterebbe mai,
10 perché essa viva per sempre
e non debba vedere la tomba.
11 Perché, ecco, muoiono i sapienti,
alla stessa maniera periscono lo stolto
e l'empio
e lasciano ad altri le loro ricchezze.
12 Il sepolcro sarà la loro dimora
per sempre,
la loro abitazione di generazione
in generazione;
essi, che avevano dato il loro nome
alle terre!

13 Ma l'uomo, nella ricchezza,
non comprende
di essere simile agli animali
che periscono.
14 Questa è la sorte di quelli che
pongono in se stessi la loro fiducia;
la fine di quelli che si compiacciono
delle loro parole.
15 Come un gregge sono cacciati
negli inferi,
la morte sarà il loro pastore,
vi scenderanno a precipizio;
al mattino la loro figura svanirà,
gli inferi saranno la loro abitazione.
16 Ma Dio riscatterà la mia vita,
sì, mi strapperà dalla mano degli inferi.
17 Non temere se un uomo si arricchisce
e accresce lo sfarzo della sua casa,
18 perché, alla sua morte, non porterà
nulla con sé,
il suo sfarzo non scenderà dietro a lui.
19 Benché egli, mentre vive,
si ritenga benedetto:
«Ti loderanno, perché hai buona
fortuna»,
20 andrà con la generazione dei suoi padri,
che non vedranno mai più la luce.
21 Ma l'uomo, nella ricchezza,
non comprende
di essere simile agli animali
che periscono.

Salmo 50 (49) - Il culto gradito a Dio

1 *Salmo. Di Asaf.*
Il Signore, il Dio degli dèi, parla
e chiama la terra da oriente a occidente.
2 Da Sion, perfetta nella sua bellezza,
Dio risplende.
3 Viene il nostro Dio e non tacerà:
fuoco divorante è davanti a lui
e intorno a lui grande tempesta.
4 Dall'alto egli chiama i cieli e la terra
per assistere al giudizio del suo popolo:
5 «Radunate davanti a me i miei fedeli,
che hanno stretto con me l'alleanza,
attraverso un sacrificio».
6 I cieli annunciano la sua giustizia,
perché Dio stesso sta per giudicare.
7 Ascolta, popolo mio, e io parlerò,
contro di te, Israele, io testimonierò:
Io sono Dio, il tuo Dio.
8 Non ti rimprovero per i tuoi sacrifici

Sal

---

49. - Tratta il problema della prosperità degli empi. Le riflessioni del salmista sono quelle tradizionali: vv. 8-9: nonostante le ricchezze, gli empi non sfuggiranno alla morte; v. 15: scenderanno nel sepolcro senza lasciare ricordo di sé; vv. 13.21: anche su questa terra il ricco non comprende quale sia il vero bene.

né per i tuoi olocausti, che sono sempre
dinanzi a me.

9 Non esigo tori dalla tua casa
né arieti dai tuoi ovili.

10 Perché mie sono tutte le fiere
della foresta,
mio è il bestiame che sta sui monti,
a migliaia.

11 A me sono noti tutti gli uccelli dei monti
e mio è ciò che brulica nel campo.

12 Se avessi fame non mi rivolgerei a te,
perché mio è il mondo e tutto ciò
che contiene.

13 Ho forse bisogno di mangiare la carne
dei tori
e di bere il sangue degli arieti?

14 Offri a Dio come sacrificio
il ringraziamento
e mantieni le promesse fatte
all'Altissimo,

15 poi nel giorno dell'angustia invocami:
io ti libererò e tu mi glorificherai.

16 All'empio Dio dice:
«Perché ti dai pensiero di recitare
i miei precetti
e poni sulla tua bocca la mia alleanza,

17 proprio tu che hai in odio
la correzione
e hai gettato dietro le spalle
le mie parole?

18 Se vedi un ladro, tu stai volentieri
con lui
e ti fai compagno degli adùlteri;

19 rivolgi la tua bocca al male
e la tua lingua a intessere inganni.

20 Ti siedi, parli contro il tuo fratello,
getti disonore contro il figlio
di tua madre.

21 Queste cose tu fai e io dovrei tacere?
Credi forse che io sia proprio
come te?
Io ti riprenderò e porrò la mia accusa
davanti ai tuoi occhi.

22 Comprendete questo,
voi che dimenticate Dio,
perché io non vi colpisca e nessuno
possa salvarvi.

23 Chi mi offre come sacrificio
il ringraziamento
mi glorifica,
e a chi cammina rettamente
io farò vedere la salvezza di Dio».

Salmo 51 (50) - «Abbi pietà di me, Dio»

[1] *Al maestro di coro. Salmo. Di Davide.*
[2] *Quando si presentò a lui il profeta Natan,
dopo che egli era entrato da Betsabea.*

3 Abbi pietà di me, Dio,
nella tua bontà,
nella tua grande compassione
cancella il mio peccato;

4 lavami tutto dalla mia colpa
e purificami dal mio peccato.

5 Sì, io riconosco la mia colpa
e il mio peccato mi sta sempre dinanzi.

6 Contro te, contro te solo ho peccato
e quello che ai tuoi occhi è male,
io l'ho fatto:
perciò tu sei giusto nella tua sentenza,
retto nel tuo giudizio.

7 Ecco, nella colpa io sono stato generato
e nel peccato mi ha concepito
mia madre.

8 Ecco, tu ami la verità che è nell'intimo
e nel profondo mi insegni la sapienza.

9 Purificami con l'issopo e sarò puro;
lavami e sarò più bianco della neve.

10 Fammi risentire gioia e letizia,
fa' che esultino le ossa che hai fiaccato.

11 Distogli il tuo sguardo dai miei peccati
e cancella tutte le mie colpe.

12 Un cuore puro crea in me, Dio,
e uno spirito saldo rinnova dentro di me.

13 Non respingermi lontano
dalla tua presenza
e non togliermi il tuo santo spirito.

14 Rendimi la gioia della tua salvezza
e rafforzami con uno spirito risoluto.

15 Insegnerò ai trasgressori le tue vie
e a te ritorneranno i peccatori.

16 Liberami dal sangue versato, Dio,
Dio della mia salvezza;
la mia lingua esalterà la tua giustizia.

17 Signore, apri tu le mie labbra
e la mia bocca proclamerà la tua lode.

18 Perché tu non ami il sacrificio
e, se offro l'olocausto,
tu non lo gradisci.

19 Sacrificio gradito a Dio
è uno spirito contrito;
un cuore contrito e umiliato
tu, Dio, non disprezzi.

---

51. - Il sangue (v. 16) di Uria, fatto uccidere da Davide, grida
vendetta; per di più agli adùlteri era comminata la morte per
lapidazione.

20 Nella tua benevolenza sii propizio
    a Sion,
  riedifica le mura di Gerusalemme.
21 Allora gradirai i sacrifici legittimi,
  l'olocausto e l'intera oblazione;
  allora si potranno offrire tori
    sul tuo altare.

Salmo 52 (51) - La sorte del malvagio

¹*Al maestro di coro. Maskil. Di Davide.* ²*Quando venne Doeg l'idumeo, e riferì a Saul: «Davide è entrato in casa di Achimelech».*

3 Perché ti vanti del male,
    uomo prepotente?
  La bontà di Dio dura per sempre.
4 Tu progetti rovine,
  la tua lingua è come lama affilata,
  artefice di inganni.
5 Tu preferisci il male al bene,
  mentire piuttosto che parlare
    con giustizia.
6 Tu preferisci ogni parola di rovina,
  o lingua fraudolenta.
7 Ma Dio ti abbatterà per sempre,
  ti annienterà e ti strapperà dalla tenda
  e ti sradicherà dalla terra dei viventi.
8 I giusti vedranno e temeranno,
  poi rideranno di lui:
9 «Ecco l'uomo che non aveva fatto
    di Dio il suo rifugio,
  ma aveva confidato nell'abbondanza
    delle sue ricchezze,
  si faceva forte della sua perversità!».
10 Io, invece, come un olivo verdeggiante
    nella casa di Dio
  ho confidato nella bontà di Dio
  per sempre, in eterno.
11 Sempre ti loderò per quello
    che hai fatto;
  spero nel tuo nome,
  perché tu sei buono verso i tuoi fedeli.

Salmo 53 (52) - L'uomo stolto, che non pensa a Dio

¹*Al maestro di coro. Secondo «Machalat». Maskil. Di Davide.*

2 Dice lo stolto nel suo cuore:
  «Non c'è Dio».
  Sono corrotti, commettono iniquità,
  non c'è nessuno che faccia il bene.

3 Dio dai cieli volge lo sguardo sui figli
    degli uomini
  per vedere se c'è chi intenda,
    chi ricerchi Dio.
4 Tutti hanno deviato, insieme si sono
    corrotti:
  non c'è nessuno che faccia il bene,
    neppure uno.
5 Sono forse senza conoscenza
    gli operatori di iniquità,
  che divorano il mio popolo come
    se mangiassero pane,
  e non invocano Dio?
6 Allora tremeranno di spavento
    là dove non c'era da temere,
  perché Dio ha disperso le ossa
    di quelli che ti assediavano:
  sono confusi, perché Dio li ha respinti.
7 Oh, venga da Sion la salvezza di Israele!
  Quando Dio cambierà la sorte
    del suo popolo,
  esulti Giacobbe, gioisca Israele.

Salmo 54 (53) - Preghiera nel pericolo   Sal

¹*Al maestro di coro. Per strumenti a corda. Maskil. Di Davide.* ²*Quando gli Zifiti si presentarono a Saul e gli dissero: «Non sta forse Davide nascosto presso di noi?».*

3 Salvami, Dio, per il tuo nome
  e rendimi giustizia per la tua potenza.
4 Ascolta, Dio, la mia preghiera,
  porgi l'orecchio alle parole
    della mia bocca.
5 Perché contro di me sono insorti
    degli stranieri
  e i violenti attentano alla mia vita:
  davanti a sé essi non pongono Dio.
6 Ecco, Dio verrà in mio aiuto,
  il mio Signore è il sostegno
    dell'anima mia.
7 Ricada il male sui miei avversari,
  annientali nella tua fedeltà.
8 Con spontaneità ti offrirò sacrifici
  e loderò il tuo nome, Signore,
    perché è buono;
9 perché mi ha liberato da ogni angustia
  e ha permesso al mio occhio
    di vedere la sconfitta dei miei nemici.

Salmo 55 (54) - Preghiera di un perseguitato

[1] *Al maestro di coro. Per strumenti a corda. Maskil. Di Davide.*

[2] Ascolta, Dio, la mia preghiera
e non ti sottrarre alla mia supplica;

[3] prestami attenzione ed esaudiscimi;
sono in ansia nella mia tristezza
e sono sconvolto

[4] per le grida del nemico,
per l'incalzare del malvagio;
perché fanno ricadere su di me
l'iniquità
e con furore mi aggrediscono.

[5] Il mio cuore palpita violentemente
dentro di me
e su di me si sono abbattuti terrori
di morte.

[6] Timore e tremore mi assalgono
e lo spavento mi circonda.

[7] Per questo dico: «Oh, se avessi le ali!
Come colomba volerei in cerca
di riposo.

[8] Ecco, fuggirei lontano
e andrei a posarmi in un luogo solitario;

[9] mi affretterei a ripararmi
dal vento impetuoso e dalla tempesta».

[10] Disperdili, Signore, confondi
le loro lingue,
perché io vedo violenza e contesa
nella città;

[11] giorno e notte si aggirano sulle sue mura
e in essa si trovano malvagità
e ingiustizia.

[12] Insidie si trovano nel suo interno
e non si allontanano dalle sue piazze
violenza e inganno.

[13] Certo, non è un nemico colui
che mi insulta:
lo potrei sopportare.
Non è uno che mi odia colui
che insorge contro di me:
mi potrei nascondere da lui.

[14] Ma proprio tu, l'uomo che io
consideravo pari a me,
mio amico e mio intimo confidente!

[15] Perché un dolce colloquio era fra noi
e in festa camminavamo
verso la casa di Dio.

[16] Si abbatta la morte su di loro,
scendano vivi negli inferi,
perché la malvagità è nelle loro
dimore, nell'animo loro.

[17] Io invoco Dio
e il Signore mi salverà.

[18] Alla sera, al mattino e a mezzogiorno
mi lamenterò e gemerò,
finché egli non udrà la mia voce.

[19] Egli libererà in pace la mia anima
da quelli che mi assalgono,
perché in molti si sono levati
contro di me.

[20] Dio ascolterà e li umilierà,
egli che siede da sempre sul suo trono;
perché per loro non ci sono cambiamenti
e non temono Dio.

[21] Ognuno ha steso le mani contro
chi viveva in pace con lui,
ha violato il suo patto.

[22] Più morbida del burro è la sua bocca,
ma nel cuore ha la guerra;
più fluide dell'olio sono le sue parole,
ma esse sono spade affilate.

[23] Getta sul Signore il tuo affanno,
ed egli ti sosterrà:
non permetterà mai che il giusto vacilli.

[24] Ma tu, Dio, li farai scendere
nella fossa di perdizione.
Gli uomini sanguinari e ingannatori
non raggiungeranno la metà
dei loro giorni;
io invece confiderò in te.

Salmo 56 (55) - Fiducia nella parola di Dio

[1] *Al maestro di coro. Secondo «La colomba dei terebinti lontani». Di Davide. Miktam. Quando i Filistei lo tenevano prigioniero a Gat.*

[2] Abbi pietà di me, Dio,
perché gli uomini mi insidiano;
tutto il giorno, lottando, mi opprimono.

[3] I miei nemici mi insidiano tutto il giorno:
sì, sono molti quelli che dall'alto
mi combattono.

[4] Quando sono preso dal timore,
in te io confido:

[5] in Dio, di cui lodo la parola,
in Dio confido e non temerò:
che cosa potrà farmi un essere mortale?

[6] Tutto il giorno parlano e complottano,
alla mia rovina sono rivolti tutti
i loro piani.

---

55. - 16. La morte, specialmente improvvisa e prematura, era il castigo dell'empio (cfr. Is 38,10; Ger 17,11; Gb 15,32).

7 Congiurano, tendono agguati,
   osservano le mie orme,
   come chi attenta alla mia vita.
8 Per la loro malvagità non abbiano
      scampo!
   Nella tua ira, Dio, abbatti i popoli!
9 I passi del mio vagare tu hai contato,
   le mie lacrime hai raccolto nel tuo otre;
   non sono forse esse nel tuo libro?
10 Allora si volgeranno indietro
      i miei nemici
   nel giorno in cui io ti invocherò.
   Questo io so, che Dio è per me.
11 In Dio, di cui lodo la parola,
   nel Signore, di cui lodo la parola,
12 in Dio confido, e non temerò:
   che cosa potrà farmi un uomo?
13 Voglio mantenere, Dio, le promesse
      che ti ho fatto,
   a te voglio rendere grazie,
14 perché hai strappato dalla morte
      l'anima mia,
   hai preservato i miei piedi dalla caduta,
   perché io possa camminare,
      davanti a Dio,
   nella luce dei viventi.

Salmo 57 (56) - All'ombra delle ali di Dio

1 *Al maestro di coro. Su «Non distrugge-re». Di Davide. Miktam. Quando fuggì dalla presenza di Saul, nella caverna.*
2 Abbi pietà di me, Dio, abbi pietà,
   perché in te si rifugia l'anima mia;
   all'ombra delle tue ali io mi rifugio
   finché non sia passato il pericolo.
3 Invocherò Dio, l'Altissimo,
   Dio che compie le sue opere
      in mio favore.
4 Egli manderà dal cielo a salvarmi,
   colpirà quelli che insidiano l'anima mia.
   Dio manderà la sua grazia
   e la sua fedeltà.
5 La mia anima si trova in mezzo a leoni
   che cercano di divorare i figli
      degli uomini;
   i loro denti sono lance e frecce,
   la loro lingua è spada affilata.
6 Sii esaltato fino ai cieli, Dio,
   su tutta la terra la tua gloria.

7 Una rete essi avevano teso davanti
      ai miei piedi,
   mi avevano piegato,
   avevano scavato davanti a me una fossa:
   essi vi sono caduti dentro.
8 Pronto è il mio cuore, Dio,
   pronto è il mio cuore: voglio cantare,
      voglio cantare inni.
9 Svegliati, animo mio,
   svegliatevi, arpa e cetra,
   che io possa risvegliare l'aurora!
10 Ti loderò tra i popoli, mio Signore,
   canterò inni a te fra le nazioni,
11 perché grande fino ai cieli è la tua bontà
   e fino alle nubi la tua fedeltà.
12 Sii esaltato fino ai cieli, Dio,
   su tutta la terra la tua gloria.

Salmo 58 (57) - Contro i giudici iniqui

1 *Al maestro di coro. Su «Non distruggere». Di Davide. Miktam.*
2 Amministrate forse la giustizia
      con fedeltà, o potenti?
   Giudicate forse con rettitudine, o figli
      degli uomini?
3 Voi invece operate iniquità nel cuore,
   nel paese fate pesare la violenza
      delle vostre mani.
4 Gli empi sono sviati fin dalla nascita,
   fin dal seno materno sono traviati
   quelli che dicono menzogne.
5 Hanno veleno simile a quello
      del serpente,
   sono come vipera sorda, che si tura
      le orecchie,
6 che non dà ascolto alla voce
      dell'incantatore,
   del mago esperto di incantesimi.
7 Dio, spezza loro i denti nella bocca,
   frantuma, Signore, le loro zanne
      da leoni!
8 Si disperdano come le acque,
      scorrano via con esse,
   dissecchino come fieno che si calpesta.
9 Siano come lumaca che si scioglie
      strisciando,
   come aborto di donna che non ha
      mai visto il sole.
10 Prima che le vostre pentole sentano
      il fuoco dei rovi,
   ancor vivo, come in un turbine,
   egli lo porti via!

Sal

---

58. - 10. Verso corrotto e difficile a tradursi; vuol dire che il
Signore farà morire prematuramente i cattivi.

11 Si rallegrerà il giusto nel vedere
   la vendetta,
   laverà i suoi piedi nel sangue
   degli empi.
12 E dirà la gente:
   «Certo, c'è una ricompensa per il giusto!
   Certo, c'è un Dio che fa giustizia
   sulla terra!».

Salmo 59 (58) - Contro gli empi

1 *Al maestro di coro. Su «Non distruggere».
Di Davide. Miktam. Quando Saul mandò ad
accerchiare la casa per farlo morire.*
2 Liberami dai miei nemici, mio Dio,
   mettimi al sicuro dai miei aggressori.
3 Liberami dagli operatori di iniquità
   e salvami dagli uomini sanguinari.
4 Perché, ecco, essi tendono insidie
   all'anima mia;
   uomini potenti si avventano
   contro di me,
   senza colpa né peccato da parte mia,
   Signore.
5a Senza alcuna colpa da parte mia
   essi accorrono e si appostano.
6a Ma tu, Signore, Dio degli eserciti,
   Dio di Israele,
5b destati, vienimi incontro e guarda:
6b alzati a giudicare tutti i popoli,
   non avere pietà di chiunque fa il male.
7 Ritornano alla sera, abbaiano come cani
   e vanno in giro per la città.
8 Ecco, fanno uscire bava
   dalle loro bocche,
   hanno spade fra le loro labbra:
   «Chi mai ascolta?».
9 Ma tu, Signore, riderai di loro,
   ti farai beffe di tutti i popoli.
10 O mia forza, a te io mi protendo:
   sì, tu, Dio, sei il mio sicuro rifugio.
11 Mi venga incontro il mio Dio fedele,
   mi faccia gioire Dio su quelli
   che mi avversano.
12 Non ucciderli, perché il mio popolo
   non dimentichi;
   disperdili nella tua forza e umiliali,
   tu, mio Signore, che sei il nostro scudo.
13 Ogni parola delle loro labbra
   è un peccato della loro bocca,
   ma saranno vittime del loro orgoglio.
   Per le maledizioni e le menzogne
   che proferiscono

14 annientali con furore,
   annientali in modo che più non esistano.
   Sapranno così fino alle estremità
   della terra
   che Dio domina su Giacobbe.
15 Ritornano alla sera, abbaiano come cani
   e vanno in giro per la città,
16 vanno in cerca di cibo
   e, se non riescono a saziarsi,
   passano così la notte.
17 Ma io canterò la tua potenza
   e loderò al mattino la tua bontà.
   Perché tu sei stato per me un sicuro
   rifugio e una fortezza
   nel giorno della mia angoscia.
18 O mia forza, a te io canterò inni,
   perché tu, Dio, sei il mio sicuro rifugio,
   il Dio che vuole il mio bene.

Salmo 60 (59) - Preghiera
dopo la sconfitta

1 *Al maestro di coro. Su «I gigli della testimonianza». Miktam. Di Davide. Per l'ap-
prendimento.* 2*Quando combatteva contro
gli Aramei della Valle dei due fiumi e contro
gli Aramei di Zoba, e quando Ioab tornò e
sconfisse gli Edomiti – dodicimila – nella
Valle del sale.*
3 Dio, tu ci hai abbandonati, ci hai dispersi,
   ti sei sdegnato: ritorna a noi!
4 Hai scosso la terra, l'hai spaccata:
   guarisci le sue ferite, perché vacilla.
5 Dure prove hai fatto sperimentare
   al tuo popolo,
   ci hai dato da bere vino che stordisce.
6 Hai concesso un vessillo
   a quelli che ti temono,
   perché possano fuggire dinanzi all'arco.
7 Perché i tuoi amici siano liberati,
   dona la salvezza con la tua destra
   ed esaudiscici.
8 Dio parla nel suo santuario:
   «Io trionferò, spartirò Sichem
   e misurerò la valle di Succot.
9 Mio è Galaad e mio è Manasse,
   Efraim è l'elmo del mio capo,
   Giuda è il mio scettro,
10 Moab è il catino in cui mi lavo,
   su Edom getto i miei sandali,
   sulla Filistea voglio gridare vittoria».
11 Chi vorrà portarmi nella città fortificata?
   Chi vorrà guidarmi fino a Edom?

12 Non sei stato forse tu, Dio,
  ad abbandonarci?
  E non esci più, Dio,
  alla testa delle nostre schiere?
13 Donaci il tuo aiuto contro l'avversario,
  perché vana è la salvezza dell'uomo.
14 Con Dio noi faremo prodezze
  ed egli schiaccerà i nostri nemici.

Salmo 61 (60) - Preghiera di un esiliato

1 *Al maestro di coro. Per strumenti a corda.*
Di Davide.
2 Ascolta, Dio, il mio grido,
  sii attento alla mia preghiera.
3 Dai confini della terra io ti invoco,
  mentre viene meno il mio cuore.
  Conducimi tu sulla rupe,
  che per me è troppo elevata;
4 perché tu sei per me un rifugio,
  una torre fortificata davanti al nemico.
5 Possa io abitare nella tua tenda
  per sempre,
  possa rifugiarmi all'ombra delle tue ali!
6 Sì, tu, Dio, hai esaudito i miei voti,
  mi hai dato l'eredità di quanti temono
  il tuo nome:
7 «Molti giorni aggiungi ai giorni del re,
  i suoi anni durino per molte generazioni!
8 Sieda sul trono per sempre al cospetto
  di Dio;
  la grazia e la fedeltà lo custodiscano
  sempre!».
9 Così canterò inni al tuo nome
  per sempre,
  adempirò i miei voti di giorno in giorno.

Salmo 62 (61) - Inno a Dio,
unica speranza

1 *Al maestro di coro. Su Idutun. Salmo. Di*
Davide.
2 Solo in Dio riposa l'anima mia:
  da lui la mia salvezza.
3 Egli solo è mia rupe e mia salvezza;
  è il mio sicuro rifugio: non potrò
  vacillare.
4 Fino a quando vi scaglierete contro
  un uomo
  e cercherete di abbatterlo tutti insieme,
  come fosse una parete inclinata,
  un muro pericolante?

5 Certo, essi tramano di precipitarlo
  dall'alto;
  si compiacciono della menzogna,
  benedicendo con la bocca
  e maledicendo nel loro intimo.
6 Solo in Dio riposa l'anima mia,
  perché da lui è la mia speranza.
7 Egli solo è mia rupe e mia salvezza;
  è il mio sicuro rifugio:
  non potrò vacillare.
8 In Dio trovo la mia salvezza
  e la mia gloria;
  la mia rocca di difesa e il mio rifugio
  sono presso Dio.
9 Confidate in lui in ogni tempo,
  voi suo popolo,
  davanti a lui aprite il vostro cuore:
  Dio è un rifugio per noi.
10 Null'altro che un soffio sono i figli
  degli uomini,
  null'altro che menzogna sono
  gli esseri mortali.
  Messi insieme sulla bilancia,
  essi sono più leggeri di un soffio.
11 Non abbiate fiducia nella violenza
  e non riponete vane speranze
  nella rapina;
  alla ricchezza, anche se abbonda,
  non attaccate il cuore.
12 Una cosa ha detto Dio,
  due ne ho udite da lui:
  a Dio appartiene il potere
13 e a te, mio Signore, la grazia.
  Sì, tu ripaghi ciascuno
  secondo le sue opere.

Sal

Salmo 63 (62) - Il desiderio
dell'esperienza di Dio

1 *Salmo. Di Davide. Quando era nel deserto*
di Giuda.
2 Dio, Dio mio, fin dall'aurora io ti cerco;
  di te ha sete l'anima mia;
  verso di te anela la mia carne,
  in una terra deserta e arida,
  senza acqua.
3 Così nel santuario ti vorrei contemplare,
  per vedere la tua potenza e la tua gloria.
4 Poiché la tua grazia vale più della vita,
  le mie labbra proclameranno
  le tue lodi.
5 Così ti benedirò per tutta la mia vita,
  nel tuo nome stenderò le mie palme.

6 Come a lauto convito si sazierà
   l'anima mia
   e con labbra esultanti ti loderà
   la mia bocca.
7 Se mi ricordo di te sul mio giaciglio,
   penso a te nelle veglie notturne.
8 Poiché tu sei stato il mio aiuto
   io esulto di gioia all'ombra delle tue ali.
9 A te si stringe l'anima mia,
   la tua destra mi sostiene.
10 Ma quanti cercano la rovina
   dell'anima mia,
   scenderanno nelle profondità della terra;
11 saranno consegnati in potere
   della spada,
   saranno preda degli sciacalli.
12 Il re invece gioirà in Dio
   e si glorieranno tutti quelli che giurano
   su di lui.
   Sì, verrà chiusa la bocca di quanti
   dicono menzogne.

Salmo 64 (63) - Il castigo dei calunniatori

1 *Al maestro di coro. Salmo. Di Davide.*
2 Ascolta, Dio, la mia voce
   quando ti rivolgo il mio lamento;
   dal terrore del nemico salva la mia vita;
3 proteggimi dalla congiura dei malvagi,
   dagli intrighi di quanti compiono il male.
4 Perché affilano la loro lingua
   come spada,
   scagliano le loro frecce – parole amare –,
5 per colpire di nascosto l'innocente;
   all'improvviso lo colpiscono
   e non hanno timore.
6 Si fanno forti del loro agire perverso,
   si mettono d'accordo nel nascondere
   tranelli,
   dicono: «Chi potrà vederli?».
7 Essi fanno progetti perversi,
   hanno portato a compimento un piano
   ben meditato.
   Un baratro è l'uomo, un abisso il cuore.
8 Ma Dio ha scagliato contro di loro
   le sue frecce:
   all'improvviso essi saranno coperti
   di ferite.
9 Li ha fatti cadere con le loro stesse
   lingue
   e tutti, al vederli, scuoteranno la testa.
10 Allora tutti gli uomini saranno presi
   da timore,

racconteranno le opere di Dio
   e comprenderanno ciò che egli ha fatto.
11 Il giusto si rallegrerà nel Signore
   e confiderà in lui,
   e gioiranno tutti i retti di cuore.

Salmo 65 (64) - Inno di ringraziamento

1 *Al maestro di coro. Salmo. Di Davide. Canto.*
2 Per te il silenzio è lode, Dio, in Sion
   e per te si adempie il voto.
3 A te, che esaudisci la preghiera,
   viene ogni creatura.
4 Pesano su di noi le nostre colpe,
   ma tu perdoni i nostri peccati.
5 Beato l'uomo che scegli
   e chiami vicino a te
   perché abiti nei tuoi atri.
   Ci sazieremo dei beni della tua casa:
   santo è il tuo tempio!
6 Con prodigi tu ci rispondi,
   nella tua giustizia,
   Dio della nostra salvezza,
   speranza di tutti i confini della terra
   e dei mari lontani.
7 Tu con la tua forza hai reso stabili
   i monti,
   tu che ti cingi di potenza.
8 Tu hai messo a tacere il fragore
   dei mari,
   il fragore dei loro flutti e lo strepito
   dei popoli.
9 Gli abitanti degli estremi confini
   hanno tremato
   davanti ai tuoi prodigi;
   tu ricolmi di gioia le porte
   dove sorge l'aurora e il giorno tramonta.
10 Hai cura della terra e la irrighi,
   la fai produrre con ogni abbondanza.
   I ruscelli di Dio sono pieni di acqua;
   tu prepari per loro il frumento,
   perché così hai disposto.
11 Tu irrighi i suoi solchi, ne spiani
   le zolle,
   la bagni con le piogge, ne benedici
   i germogli.
12 Coroni l'anno con i tuoi benefici
   e i tuoi sentieri stillano abbondanza.
13 Stillano i pascoli del deserto
   e le colline si cingono di gioia.
14 Si rivestono i prati di greggi
   e le valli si coprono di frumento:
   gridano di gioia, anzi cantano.

Salmo 66 (65) - Ringraziamento a Dio dopo la prova

[1] *Al maestro di coro. Canto. Salmo.*
Acclamate a Dio, voi tutti della terra,
[2] cantate inni alla gloria del suo nome;
rendete splendida la sua lode.
[3] Dite a Dio: «Come sono stupende
le tue opere!
Per la grandezza della tua forza
davanti a te si piegano i tuoi nemici.
[4] Davanti a te si prostra tutta la terra
e canta inni a te, canta inni
al tuo nome».
[5] Venite e vedete le meraviglie di Dio:
mirabile è il suo agire verso i figli
degli uomini.
[6] Egli cambiò il mare in terra asciutta
ed essi passarono il fiume a piedi:
là abbiamo gioito in lui.
[7] Con la sua potenza egli domina
in eterno,
i suoi occhi scrutano le nazioni;
i ribelli non si sollevino contro di lui.
[8] Benedite, popoli, il nostro Dio
e proclamate a piena voce la sua lode.
[9] Egli ha conservato in vita la nostra anima
e non ha permesso che vacillassero
i nostri piedi.
[10] Sì, Dio, tu ci hai messi alla prova,
ci hai passati al crogiuolo,
come si passa l'argento.
[11] Ci hai fatti cadere in un agguato,
hai posto un grave peso ai nostri fianchi.
[12] Hai fatto cavalcare gli uomini
sulle nostre teste;
siamo passati attraverso il fuoco
e l'acqua,
ma poi ci hai tratti fuori in un luogo
di refrigerio.
[13] Voglio entrare nella tua casa
con olocausti,
per te voglio adempiere le mie promesse,
[14] che le mie labbra hanno pronunziato
e la mia bocca ha proferito nella mia
angoscia.
[15] A te voglio offrire olocausti di grassi
animali,
insieme con il profumo degli arieti;
a te voglio immolare buoi e capri.
[16] Venite e ascoltate,
voi tutti che temete Dio,
voglio narrarvi ciò che egli ha fatto
per l'anima mia.

[17] A lui ho gridato con la mia bocca
e l'ho esaltato con la mia lingua.
[18] Se avessi riscontrato una colpa
nel mio cuore,
il Signore non mi avrebbe esaudito.
[19] Ma Dio mi ha esaudito,
è stato attento alla voce
della mia preghiera.
[20] Sia benedetto Dio,
che non ha respinto la mia preghiera
e non mi ha rifiutato la sua grazia.

Salmo 67 (66) - Lode a Dio da tutti i popoli

[1] *Al maestro di coro. Per strumenti a corda.*
Salmo. Canto.
[2] Dio abbia pietà di noi e ci benedica,
faccia splendere il suo volto su di noi,
[3] perché si conosca sulla terra la tua via,
fra tutte le genti la tua salvezza.
[4] Ti lodino i popoli, Dio,
ti lodino i popoli tutti.
[5] Esultino e gridino di gioia le nazioni,
perché tu giudichi i popoli
con giustizia
e guidi le nazioni sulla terra.
[6] Ti lodino i popoli, Dio,
ti lodino i popoli tutti.
[7] La terra ha dato il suo frutto:
ci benedica Dio, il nostro Dio.
[8] Ci benedica Dio
e lo temano tutti i confini della terra.

Salmo 68 (67) - Inno di lode a Dio, Signore della storia

[1] *Al maestro di coro. Di Davide. Salmo. Canto.*
[2] Sorge Dio: si disperdono i suoi nemici
e fuggono dalla sua presenza
quelli che lo odiano.
[3] Come si disperde il fumo, tu li disperdi;
come la cera si scioglie davanti al fuoco,
sono annientati i malvagi davanti a Dio.
[4] I giusti invece si rallegrano,
esultano alla presenza di Dio
e innalzano canti di gioia.
[5] Cantate a Dio, cantate inni al suo nome;
preparate la via a colui che cavalca
sulle nubi.
Signore è il suo nome: esultate
alla sua presenza.

6 Padre degli orfani e difensore
    delle vedove
  è Dio nella sua santa dimora.
7 A quelli che sono soli Dio fa abitare
    una casa,
  libera i prigionieri e dà loro prosperità;
  solo i ribelli rimangono in una terra arida.
8 Dio, quando tu uscivi alla testa
    del tuo popolo,
  quando attraversavi il deserto,
9 tremò la terra, stillarono i cieli
    davanti al Dio del Sinai,
    davanti a Dio, il Dio di Israele.
10 Pioggia abbondante tu riversavi, Dio;
    alla tua eredità esausta infondevi vigore.
11 La tua terra, in cui presero dimora,
    tu, Dio, hai reso sicura nella tua bontà
      verso il povero.
12 Il Signore dà una parola:
    grande è la schiera di quanti l'annunziano.
13 I re degli eserciti fuggono, fuggono
    e le donne, nella casa, dividono
      il bottino.
14 Anche per voi, rimasti tranquilli
      tra gli ovili,
    si coprono d'argento le ali della colomba
    e le sue piume di un riflesso d'oro.
15 Quando l'Onnipotente là disperdeva i re,
    nevicava sullo Zalmon.
16 Monte altissimo è il monte di Basan,
    monte dalle alte cime è il monte di Basan.
17 Perché, monti dalle alte cime,
    guardate con invidia il monte
    che Dio ha scelto per sua dimora?
    Sì, il Signore vi abiterà per sempre.
18 I carri di Dio sono miriadi e miriadi,
    migliaia di migliaia:
    il mio Signore viene dal Sinai
      nel santuario.
19 Tu sei salito in alto, hai fatto
      dei prigionieri,
    hai ricevuto doni dagli uomini.
    Sì, anche i ribelli dovranno piegarsi,
      Signore Dio.
20 Benedetto il Signore ogni giorno,
    egli ha cura di noi:
    Dio è la nostra salvezza.
21 Dio è per noi il Dio delle vittorie
    e il Signore, il mio Signore, ci preserva
      dalla morte.
22 Sì, Dio schiaccerà la testa
      dei suoi nemici,
    il capo altero di chi cammina
      nei propri delitti.

23 Il mio Signore ha parlato: «Da Basan
      li farò tornare,
    li farò tornare dagli abissi del mare,
24 perché tu lavi nel sangue il tuo piede
    e la lingua dei tuoi cani riceva
      la sua parte dai nemici».
25 Ecco il tuo corteo, Dio,
    il corteo del mio Dio, del mio re,
      nel santuario.
26 Vanno avanti i cantori,
    dietro vengono i suonatori,
    in mezzo le fanciulle che suonano
      i cembali.
27 Benedite Dio nelle vostre assemblee,
    il mio Signore, voi che discendete
      dalla stirpe di Israele.
28 Ecco Beniamino,
    il più piccolo, ma loro condottiero;
    i capi di Giuda con le loro schiere,
    i capi di Zabulon, i capi di Neftali.
29 Dispiega, Dio, la tua potenza;
    conferma, Dio, ciò che hai operato per noi!
30 Per il tuo tempio, che è in Gerusalemme,
    a te i re porteranno doni.
31 Minaccia la belva del canneto,
    il branco dei tori, con i vitelli dei popoli,
    che si prostrano portando verghe
      d'argento;
    disperdi i popoli che amano la guerra.
32 Metallo splendente porteranno
      dall'Egitto,
    l'Etiopia protenderà le mani a Dio.
33 Regni della terra, cantate a Dio,
    cantate inni al mio Signore;
34 egli cavalca i cieli, i cieli eterni,
    ecco, emette la sua voce,
      una voce potente.
35 Riconoscete a Dio la potenza:
    su Israele è la sua maestà e sulle nubi
      è la sua potenza.
36 Mirabile è Dio dal suo santuario.
    Il Dio di Israele: è lui che dà al popolo
    forza e vigore.
    Sia benedetto Dio!

---

68. - 13-15. Versetti oscuri nel testo e nel senso. Il salmista
ricorda avvenimenti passati, forse la vittoria di Debora e
Barak (Gdt 5,16ss), e si rivolge alle tribù che non vollero
prendere parte alla battaglia.
19. Il salmista loda Dio per aver vinto i nemici del popolo
eletto.
31. Il significato pare questo: Dio, che ha portato alla vittoria
il suo popolo, continui ancora nella sua protezione umiliando
l'Egitto, la *belva del canneto*, e tutti i nemici d'Israele, il
branco dei tori.

Salmo 69 (68) - Preghiera di un sofferente

[1] *Al maestro di coro. Su «I gigli». Di Davide.*

[2] Salvami, Dio,
  perché mi è giunta l'acqua fino alla gola.

[3] Sono immerso in un fango profondo
  e non trovo alcun sostegno.
  Sono scivolato in acque profonde
  e la corrente mi travolge.

[4] Sono sfinito dal gridare;
  è riarsa la mia gola,
  i miei occhi si consumano
  per l'attesa del mio Dio.

[5] Sono più numerosi dei capelli
    del mio capo
  quelli che mi odiano ingiustamente.
  Sono potenti quelli che vogliono
    distruggermi,
  i miei nemici bugiardi.
  Quanto non ho rubato,
  lo dovrei ora restituire?

[6] Dio, tu conosci la mia stoltezza
  e le mie colpe non ti sono nascoste.

[7] Non rimangano confusi per causa mia
  quelli che sperano in te, mio Signore,
    Signore degli eserciti;
  non arrossiscano per causa mia
  quelli che cercano te, Dio di Israele.

[8] Sì, per amore tuo io sopporto gli insulti,
  il mio volto si copre di vergogna.

[9] Sono un estraneo per i miei fratelli
  e un forestiero per i figli di mia madre.

[10] Perché lo zelo per la tua casa
    mi ha divorato
  e gli oltraggi di quanti ti insultano
  sono caduti su di me.

[11] Mi sono estenuato nel digiuno
  ed è stata un'infamia per me.

[12] Ho indossato come vestito un sacco
  e sono diventato il loro scherno.

[13] Sparlano di me quelli che siedono
    alla porta
  e sono diventato la canzone
    degli ubriachi.

[14] Ma io rivolgo a te la mia preghiera:
  possa essere questo, Signore,
    un tempo favorevole!
  Nella tua grande bontà esaudiscimi, Dio,
  per la fedeltà della tua salvezza.

[15] Estraimi dal fango,
    perché io non affondi;
  liberami da quanti mi odiano
  e dalle acque profonde.

[16] Non mi sommerga la corrente
    delle acque,
  non mi travolga il fango
  e la voragine non chiuda su di me
    la sua bocca.

[17] Esaudiscimi, Signore,
  perché benefica è la tua grazia;
  volgiti a me nel tuo grande
    e tenero amore.

[18] Non nascondere il tuo volto al tuo servo,
  perché l'angoscia mi stringe:
  affrettati a rispondermi!

[19] Avvicìnati all'anima mia e riscattala,
  liberami a causa dei miei nemici.

[20] Tu conosci la mia infamia,
  la mia vergogna e il mio disonore;
  davanti a te sono tutti i miei nemici.

[21] L'oltraggio ha spezzato il mio cuore
  e mi sento venire meno.
  Ho sperato in un conforto, ma invano;
  ho aspettato che qualcuno
    mi consolasse,
  ma non l'ho trovato.

[22] Mi hanno invece dato fiele come cibo
  e come bevanda mi hanno offerto aceto.

[23] La loro tavola imbandita diventi
    per essi una trappola
  e i loro banchetti un tranello.

[24] Si offuschino i loro occhi,
    così che non vedano,
  e indebolisci per sempre
  il vigore dei loro fianchi.

[25] Effondi su di loro la tua ira
  e li raggiunga l'ardore del tuo sdegno.

[26] Diventi un deserto il loro
    accampamento,
  non si trovi alcuno che abiti nelle loro
    tende.

[27] Perché essi hanno perseguitato
  colui che tu avevi colpito
  e hanno aggravato il dolore
  di quelli che da te erano stati feriti.

[28] Aggiungi peccato al loro peccato,
  così che non possano godere
    della tua giustizia.

[29] Siano cancellati dal libro dei viventi
  e non siano iscritti fra i giusti.

[30] Ma io sono misero e sofferente:
  la tua salvezza, Dio, mi conceda sollievo.

[31] Voglio lodare il nome di Dio con il canto
  ed esaltarlo con un inno di grazie.

[32] Ciò sarà gradito al Signore
    più che un giovenco,
  più che un torello con corna e unghie.

Sal

³³ I poveri vedano e si rallegrino,
si ravvivi il cuore di quanti cercano Dio.
³⁴ Perché il Signore ascolta gli umili
e non disprezza i suoi prigionieri.
³⁵ Lo lodino i cieli e la terra,
i mari e quanto in essi si muove.
³⁶ Sì, Dio darà la sua salvezza a Sion
e ricostruirà le città di Giuda:
essi vi abiteranno e ne avranno
il possesso.
³⁷ La stirpe dei suoi servi ne avrà l'eredità
e quanti amano il suo nome
vi prenderanno dimora.

Salmo 70 (69) - Grido di angoscia

¹ *Al maestro di coro. Di Davide. In memoria.*
² Salvami, Dio,
affrettati, Signore, in mio aiuto!
³ Siano confusi e coperti di vergogna
quanti attentano alla mia vita;
si volgano indietro e siano umiliati
quanti desiderano la mia rovina.
⁴ Si ritirino a causa della loro vergogna
quelli che mi dicono: «Bene! Bene!».
⁵ Si rallegrino e gioiscano in te
tutti quelli che ti cercano;
quanti amano la tua salvezza
dicano sempre:
«Dio è grande!».
⁶ Ma io sono povero e misero:
Dio, affrettati verso di me.
Tu sei il mio aiuto e il mio liberatore:
Signore, non tardare!

Salmo 71 (70) - Preghiera nella vecchiaia

¹ In te mi rifugio, Signore,
fa' che io non sia confuso in eterno!
² Per la tua giustizia liberami e difendimi,
tendi verso di me il tuo orecchio
e salvami.
³ Sii per me come rupe di difesa,
rifugio in cui sempre entrare.
Tu hai dato ordine di salvarmi,
perché sei la mia rupe e la mia fortezza.
⁴ Mio Dio, salvami dalla mano dell'empio,
dal potere del nemico e dell'oppressore.
⁵ Perché tu, mio Signore,
sei la mia speranza,
tu, Signore, sei la mia fiducia
fin dalla mia giovinezza.

⁶ Su di te mi sono appoggiato
fin dal grembo materno;
dal seno di mia madre tu sei stato
il mio sostegno;
a te si innalza sempre la mia lode.
⁷ .Io sono per molti come un prodigio,
ma tu sei il mio rifugio sicuro.
⁸ È piena la mia bocca della tua lode,
della tua gloria tutto il giorno.
⁹ Non mi respingere nel tempo
della vecchiaia;
quando viene meno il mio vigore,
non mi abbandonare.
¹⁰ Perché i miei nemici parlano
contro di me
e quelli che mi spiano congiurano
insieme.
¹¹ Dicono: «Dio lo ha abbandonato;
inseguitelo e prendetelo,
perché non c'è nessuno che lo liberi».
¹² Dio, non allontanarti da me;
mio Dio, affrettati in mio aiuto.
¹³ Siano confusi, siano annientati
quelli che accusano l'anima mia;
siano coperti di vergogna e di disonore
quelli che cercano la mia sventura.
¹⁴ Ma io sempre spero
e voglio intensificare ogni mia lode
per te.
¹⁵ La mia bocca proclamerà la tua giustizia,
tutto il giorno la tua salvezza,
anche se non ne conosco l'estensione.
¹⁶ Entrerò proclamando le gesta
vittoriose del mio Signore;
Signore, ricorderò la tua giustizia,
la tua soltanto.
¹⁷ Dio, tu mi hai reso saggio fin dalla mia
giovinezza
e io, fino a oggi, ho annunziato
le tue azioni prodigiose.
¹⁸ E anche nella vecchiaia e nella
canizie, Dio, non abbandonarmi,
fino a che io annunzi la potenza
del tuo braccio
a questa generazione
e la tua potenza a quelli che verranno.
¹⁹ La tua giustizia, Dio, è eccelsa;
per le grandi cose che hai fatto
chi è come te, Dio?
²⁰ Tu, che mi hai fatto sperimentare
molte e gravi sventure,
mi darai di nuovo la vita
e dagli abissi della terra di nuovo
mi farai risalire.

²¹ Tu accrescerai la mia grandezza
   e ti volgerai per consolarmi.
²² Anch'io ti renderò grazie con l'arpa
   per la tua fedeltà, mio Dio,
   ti canterò inni sulla cetra,
   Santo di Israele.
²³ Esulteranno di gioia le mie labbra
   quando canterò inni a te,
   e anche la mia anima che tu
      hai riscattato.
²⁴ Anche la mia lingua ogni giorno
   mediterà la tua giustizia,
   quando saranno confusi e umiliati
   quelli che cercano la mia rovina.

Salmo 72 (71) - Il re messianico promesso

¹ *Di Salomone.*
   Dio, affida al re il tuo giudizio
   e al figlio del re la tua giustizia:
² egli giudicherà il tuo popolo
      con giustizia
   e i tuoi poveri con rettitudine.
³ I monti portino pace al popolo
   e le colline giustizia.
⁴ Egli renderà giustizia ai miseri
      del popolo,
   salverà i figli dei poveri
   e annienterà gli oppressori.
⁵ I suoi giorni durino come il sole,
   quanto la luna, di generazione
      in generazione.
⁶ Egli scenderà come pioggia sull'erba,
   come scroscio che irriga la terra.
⁷ Nei suoi giorni fiorirà il giusto e vi sarà
      abbondanza di pace
   finché non si estingua la luna.
⁸ Egli dominerà da mare a mare
   e dal fiume sino ai confini della terra.
⁹ Davanti a lui si piegheranno gli abitanti
      del deserto
   e i suoi nemici lambiranno la polvere.
¹⁰ I re di Tarsis e delle isole offriranno doni;
   i re di Sceba e di Saba porteranno tributi.
¹¹ Davanti a lui si prostreranno tutti i re,
   lo serviranno tutte le nazioni.
¹² Perché egli libererà il povero
      che invoca aiuto
   e il misero che non ha sostegno alcuno.

¹³ Avrà pietà del debole e del povero
   e salverà la vita dei miseri.
¹⁴ Li riscatterà dall'oppressione
      e dalla violenza,
   perché il loro sangue è prezioso
      ai suoi occhi.
¹⁵ Egli vivrà e a lui sarà dato oro di Sceba,
   per lui salirà incessante la preghiera,
   ogni giorno egli sarà benedetto.
¹⁶ Vi sarà abbondanza di frumento
      sulla terra,
   ondeggerà sulle cime dei monti;
   il suo frutto fiorirà come il Libano
   e si raccoglierà come l'erba dei prati.
¹⁷ Il suo nome durerà in eterno,
   il suo nome sussisterà quanto il sole.
   In lui saranno benedette tutte le genti
      della terra,
   tutte le nazioni lo proclameranno beato.
¹⁸ Sia benedetto il Signore Dio,
      Dio di Israele:
   egli solo opera prodigi.
¹⁹ Sia benedetto il suo nome glorioso
      in eterno.
   Della sua gloria sia piena tutta la terra.
      Amen. Amen.
²⁰ Fine delle preghiere di Davide,
      figlio di Iesse.

LIBRO TERZO (Salmi 73-89)

Salmo 73 (72) - Meditazione sulla sorte umana

¹ *Salmo. Di Asaf.*
   Veramente Dio è buono con Israele,
   con quelli che sono puri di cuore.
² Quanto a me, per poco
      non inciampavano i miei piedi,
   per un nulla vacillavano i miei passi,
³ perché avevo preso a invidiare
      i prepotenti,
   a osservare la prosperità dei malvagi.
⁴ Sì, per essi non vi sono dolori
      fino alla loro morte
   e il loro corpo è ben nutrito;
⁵ non si trovano nella tribolazione
      come gli altri mortali
   e non vengono colpiti insieme
      con gli altri uomini.
⁶ Al contrario, l'orgoglio li circonda come
      una collana,
   la violenza li avvolge come un manto.

---

72. - 3. Il salmo è un canto al re Messia: questo v. indica, a
norma del passo parallelo di Is 45,8, che verranno dall'alto
la pace e la giustizia.

7 Il loro occhio esce dal grasso dell'orbita,
   dal loro cuore traboccano
      perversi pensieri.
8 Scherniscono, parlano con malizia,
   con prepotenza fanno minacce dall'alto;
9 levano la loro bocca fino ai cieli
   e la loro lingua percorre la terra.
10 Perciò siedono in alto
   e la piena delle acque non li raggiunge.
11 Essi dicono: «Che cosa può saperne
      Dio?
   C'è forse conoscenza presso
      l'Altissimo?».
12 Ecco chi sono gli empi: sempre tranquilli,
   essi non fanno che accrescere
      la loro potenza.
13 Invano allora ho conservato puro
      il mio cuore
   e nell'innocenza ho lavato le mie mani,
14 perché sono colpito tutto il giorno
   e castigato ogni mattina.
15 Se avessi detto: «Voglio parlare
      come loro»,
   ecco, avrei rinnegato la generazione
      dei tuoi figli.
16 Ho voluto riflettere per comprendere
      questo,
   ma è stato arduo ai miei occhi,
17 finché non sono entrato nel santuario
      di Dio
   e ho compreso qual era la loro fine.
18 Veramente tu li poni su terreno
      scivoloso
   e li fai cadere in rovina.
19 Come si sono ridotti in macerie
      in un istante!
   Sono venuti meno, disfatti dal terrore!
20 Come un sogno al risveglio, mio Signore,
   quando tu sorgi fai svanire la loro figura.
21 Quando si agitava il mio cuore
   e nel mio intimo mi sentivo trafitto,
22 allora io ero stolto e senza intelligenza,
   un animale davanti a te.
23 Eppure io sono sempre con te:
   tu mi hai preso per la mano destra.
24 Con il tuo consiglio mi guidi
   e mi accoglierai nella gloria.
25 Chi altri avrò per me nei cieli?
   Fuori di te, nessun altro io bramo
      sulla terra.
26 Possono venire meno la mia carne
      e il mio cuore,
   ma Dio è la roccia del mio cuore
   e la mia parte di eredità, in eterno.

27 Perché, ecco, quelli che si allontanano
      da te periscono;
   tu distruggi chiunque ti è infedele.
28 Quanto a me, il mio bene è stare unito
      a Dio.
   Nel mio Signore, nel Signore ho posto
      il mio rifugio,
   per poter narrare tutte le tue gesta.

Salmo 74 (73) - Lamento per la devastazione del tempio

1 *Maskil. Di Asaf.*
   Perché, Dio, ci respingi per sempre
   e divampa la tua ira
      contro il gregge del tuo pascolo?
2 Ricordati della tua comunità
   che ti sei acquistata dai tempi antichi,
   che hai riscattata quale tribù
      della tua eredità,
   di questo monte Sion, dove hai fissato
      la tua dimora.
3 Volgi i tuoi passi a queste rovine
      sconfinate:
   il nemico ha devastato tutto
      nel santuario.
4 Ruggirono i tuoi nemici
   nel luogo delle tue assemblee;
   là issarono i loro vessilli come insegne.
5 Sembrava come gente che vibra
      in alto le scuri
   nel fitto di una selva;
6 abbatterono le sue porte
      in un solo colpo,
   le frantumarono con ascia e scure.
7 Hanno dato alle fiamme il tuo santuario,
   hanno abbattuto e profanato la dimora
      del tuo nome.
8 Hanno detto nel loro cuore:
   «Distruggiamoli tutti in un solo colpo!».
   Hanno incendiato tutti i luoghi
      delle assemblee di Dio nel paese.
9 Noi non vediamo più le nostre insegne,
   non si trova più un profeta
   e tra di noi non c'è alcuno che sappia
      fino a quando.
10 Fino a quando, Dio, lancerà insulti
      l'avversario?
   Il nemico potrà forse per sempre
      disprezzare il tuo nome?
11 Perché ritiri la tua mano
   e la tua destra rimane inerte in mezzo
      al tuo petto?

¹² Eppure Dio è il mio re dai tempi antichi,
    è lui che opera la salvezza
        in mezzo alla terra.
¹³ Tu con la tua potenza hai diviso
        il mare,
    hai schiacciato la testa ai mostri marini
        sulle acque.
¹⁴ Tu hai spezzato le teste al Leviatan,
    lo hai dato in pasto alla schiera
        delle fiere.
¹⁵ Tu hai fatto scaturire fonti e torrenti,
    hai fatto seccare fiumi perenni.
¹⁶ Tuo è il giorno e tua è la notte,
    tu hai stabilito la luna e il sole.
¹⁷ Tu hai fissato i confini della terra,
    hai formato l'estate e l'inverno.
¹⁸ Ricordati di questo: il nemico
        ha oltraggiato Dio
    e un popolo stolto ha insultato
        il tuo nome.
¹⁹ Non abbandonare alle fiere la vita
        della tua tortora,
    non dimenticare per sempre la vita
        dei tuoi poveri.
²⁰ Sii fedele all'alleanza,
    perché i luoghi nascosti della terra
    sono pieni di covi di violenza.
²¹ L'umile non ritorni confuso,
    l'afflitto e il povero lodino il tuo nome.
²² Sorgi, Dio, difendi la tua causa;
    ricordati degli insulti che verso di te
    lo stolto rivolge tutto il giorno.
²³ Non dimenticare lo strepito
        dei tuoi nemici,
    il tumulto sempre crescente di quanti
        a te si ribellano.

Salmo 75 (74) - Inno di grazie a Dio,
giusto giudice

¹ Al maestro di coro. Su «Non distruggere».
Salmo. Di Asaf. Canto.
² Noi ti rendiamo grazie, Dio,
    ti rendiamo grazie.
    Quelli che invocano il tuo nome
    proclamano le tue meraviglie.
³ Sì, io fisserò un termine
    in cui formulerò i miei giudizi
        con rettitudine.

---

74. - 13-14. I *mostri marini* e il *Leviatan*, mitologico mostro
marino, sono simboli dell'Egitto e degli Egiziani, travolti dalle
onde del Mar Rosso.

⁴ Siano pure scossi la terra
    e tutti i suoi abitanti,
    ma io rendo stabili le sue colonne.
⁵ Dico agli arroganti: «Non siate superbi!».
    E agli empi: «Non alzate la fronte!».
⁶ Non alzate la vostra fronte verso l'alto,
    non parlate con collo insolente.
⁷ Perché non dall'oriente
        né dall'occidente,
    né dal deserto viene la capacità
        d'innalzarsi,
⁸ ma è Dio colui che giudica:
    egli abbassa gli uni e innalza gli altri.
⁹ Ecco, nella mano del Signore
        c'è una coppa
    con vino spumeggiante, pieno di aromi.
    Egli ne ha versato: sino alla feccia
        ne sorseggeranno,
    ne berranno tutti gli empi della terra.
¹⁰ Io invece magnificherò l'Eterno,
    canterò inni al Dio di Giacobbe.
¹¹ Egli annienterà tutta la potenza
        degli empi,
    mentre sarà innalzata la potenza
        dei giusti.

Sal

Salmo 76 (75) - Inno di trionfo
dopo la vittoria

¹ Al maestro di coro. Su strumenti a corda.
Salmo. Di Asaf. Canto.
² Dio è conosciuto in Giuda,
    grande è il suo nome in Israele.
³ La sua dimora è in Salem
    e la sua abitazione è in Sion.
⁴ Qui spezzò le frecce dell'arco,
    lo scudo, la spada e la guerra.
⁵ Splendido tu sei apparso,
    maestoso più dei monti della preda.
⁶ I valorosi furono spogliati,
    sorpresi nel loro sonno.
    Nessun prode più trovava il vigore
        delle sue mani.
⁷ Alla tua minaccia, Dio di Giacobbe,
    rimasero storditi carri e cavalli.
⁸ Terribile tu sei.
    Chi può resistere davanti a te,
        durante la tua ira?
⁹ Hai fatto udire dai cieli la sentenza:
    la terra è sbigottita e tace
¹⁰ quando Dio si alza per giudicare,
    per offrire la salvezza a tutti i poveri
        della terra.

11 Anche il furore dell'uomo ti darà lode,
   quanti scampano dal furore
     ti faranno festa.
12 Fate voti al Signore, vostro Dio,
   e adempiteli;
   tutti quelli che gli stanno attorno
     portino doni al Terribile:
13 egli toglie il respiro ai potenti,
   si mostra terribile verso i re della terra.

Salmo 77 (76) - Meditazione sul passato di Israele

1 Al maestro di coro. Su Idutun. Di Asaf. Salmo.
2 La mia voce sale a Dio e grido aiuto.
   La mia voce sale a Dio
     ed egli mi porge ascolto.
3 Nel giorno della mia angoscia
     io cerco il Signore,
   nella notte è protesa la mia mano
   e non si stanca;
   l'anima mia rifiuta ogni conforto.
4 Mi ricordo di Dio e sospiro;
   rifletto e viene meno il mio spirito.
5 Tu tieni aperte le palpebre dei miei occhi,
   io sono turbato e non posso parlare.
6 Ripenso ai giorni passati,
   agli anni da lungo tempo trascorsi.
7 Ricordo il mio canto nella notte,
   medito nel mio cuore e il mio spirito
     si interroga:
8 «Forse il Signore ci respinge
     per sempre?
   Non vorrà più mostrare la sua bontà?
9 La sua fedeltà è venuta a mancare
     per sempre?
   La sua parola è venuta meno
     per ogni generazione?
10 Dio ha forse dimenticato
     di avere pietà?
   Oppure ha offuscato nell'ira
     il suo amore?».
11 Allora ho detto: «Ecco il mio tormento:
   è mutata la destra dell'Altissimo».
12 Ricorderò le gesta del Signore,
   sì, voglio ricordare le tue meraviglie
     fin dai tempi antichi,
13 voglio meditare su tutte le tue opere
   e ripensare a tutte le tue gesta.
14 Dio, la tua via è santa;
   quale dio è grande come il nostro Dio?
15 Tu sei il Dio che compie prodigi,
   la tua potenza si conosce fra i popoli:

16 con il tuo braccio hai riscattato
     il tuo popolo,
   i figli di Giacobbe e di Giuseppe.
17 Ti videro le acque, Dio,
   ti videro le acque e tremarono,
   sussultarono anche gli abissi.
18 Le nubi rovesciarono acqua,
   i cieli fecero udire la loro voce,
   perfino le tue saette guizzarono
     da ogni parte.
19 Il fragore del tuo tuono era nel turbine,
   i tuoi lampi rischiararono il mondo,
   la terra fu scossa e sussultò.
20 Nel mare apristi la tua via
   e i tuoi sentieri in mezzo
     alle grandi acque,
   ma le tue orme rimasero invisibili.
21 Guidasti il tuo popolo come un gregge
   per mano di Mosè e di Aronne.

Salmo 78 (77) - Rievocazione della storia di Israele

1 Maskil. Di Asaf.
   Popolo mio, presta attenzione al mio
     insegnamento,
   porgi il tuo orecchio alle parole
     della mia bocca.
2 Voglio aprire la mia bocca
     con un proverbio,
   voglio rievocare gli enigmi
     dei tempi antichi.
3 Quello che abbiamo udito e appreso
   e che ci hanno narrato i nostri padri
4 non lo terremo nascosto ai loro figli;
   narreremo alla generazione futura
     le lodi del Signore,
   la sua potenza e le azioni prodigiose
     che egli ha compiuto.
5 Egli ha stabilito una testimonianza
     in Giacobbe
   e ha posto una legge in Israele,
   che ha comandato ai nostri padri
   di far conoscere ai loro figli,
6 perché le apprenda la generazione
     futura
   e i figli che nasceranno sorgano
     a narrarle ai loro figli,
7 perché pongano in Dio la loro fiducia
   e non dimentichino le opere di Dio,
   ma osservino i suoi precetti,
8 e non siano come i loro padri,
   generazione caparbia e ribelle,

generazione il cui cuore
  non fu costante
e il cui spirito non fu fedele a Dio.
⁹ I figli di Efraim, che tendono
  e scoccano l'arco,
voltarono le spalle nel giorno
  della battaglia.
¹⁰ Non osservarono l'alleanza di Dio
  e si rifiutarono di camminare
  nella sua legge.
¹¹ Dimenticarono le sue opere
  e le azioni prodigiose che egli aveva loro
  mostrato.
¹² In presenza dei loro padri
  egli fece prodigi
nel paese d'Egitto, nella campagna
  di Soan.
¹³ Divise il mare e li fece passare,
  e le acque si fermarono come un argine.
¹⁴ Li guidò con una nube di giorno
  e tutta la notte con un bagliore di fuoco.
¹⁵ Percosse le rupi nel deserto
  e diede loro da bere come da sorgenti
  di acque profonde.
¹⁶ Fece scaturire ruscelli dalla roccia
  e fece scorrere acqua a torrenti.
¹⁷ Eppure essi continuarono
  a peccare contro di lui,
ribellandosi all'Altissimo nel deserto.
¹⁸ Tentarono Dio nel loro cuore
  chiedendo cibo per le loro brame.
¹⁹ Mormorarono contro Dio, dicendo:
  «Potrà forse Dio imbandire una mensa
  nel deserto?».
²⁰ Ecco, egli percosse una rupe,
  ne scaturì acqua e strariparono torrenti.
«Potrà forse dare anche del pane
  o procurare carne per il suo popolo?».
²¹ Perciò il Signore udì e ne fu irritato:
  un fuoco divampò contro Giacobbe
  e anche l'ira esplose contro Israele,
²² perché non ebbero fede in Dio
  e non ebbero speranza
  nella sua salvezza.
²³ Eppure egli comandò alle nubi dall'alto
  e aprì le porte del cielo,
²⁴ fece piovere su di loro manna
  da mangiare
  e diede loro frumento del cielo.
²⁵ L'uomo mangiò il pane dei forti,
  egli mandò loro cibo a sazietà.
²⁶ Scatenò nel cielo il vento d'oriente
  e fece soffiare con la sua veemenza
  il vento del meridione;

²⁷ fece piovere su di essi carne
  come polvere
e uccelli alati come sabbia del mare;
²⁸ li fece cadere in mezzo al loro
  accampamento,
tutt'intorno alle loro tende.
²⁹ Essi ne mangiarono e rimasero ben sazi,
  furono soddisfatti nel loro desiderio.
³⁰ Non si erano nauseati della loro avidità,
  il loro cibo era ancora nella loro bocca,
³¹ quando l'ira del Signore piombò
  su di loro,
uccise i più vigorosi tra loro
  e abbatté i migliori di Israele.
³² Con tutto questo peccarono ancora
  e non prestarono fede alle sue azioni
  prodigiose.
³³ Allora egli dissipò in un soffio
  i loro giorni
e i loro anni in un terrore improvviso.
³⁴ Quando li faceva morire,
  essi lo cercavano,
si convertivano e si rivolgevano a Dio;
³⁵ si ricordavano che Dio era la loro roccia
  e Dio, l'Altissimo, il loro redentore.
³⁶ Ma essi lo lusingavano con la loro bocca
  e lo ingannavano con la loro lingua,
³⁷ mentre il loro cuore non era sincero
  con lui
e non si mostravano fedeli
  alla sua alleanza.
³⁸ Egli invece si lasciava impietosire,
  perdonava la colpa e non li distruggeva.
Più volte trattenne la sua ira
  e non lasciò divampare tutto il suo furore,
³⁹ ricordando che essi sono uomini mortali,
  un soffio che va e non ritorna.
⁴⁰ Quante volte nel deserto si ribellarono
  a lui,
quante volte lo irritarono nella steppa!
⁴¹ Ripetutamente tentarono Dio
  e provocarono il Santo di Israele.
⁴² Non si ricordarono della sua mano
  potente,
del giorno in cui egli li riscattò
  dall'oppressione,
⁴³ quando compì i suoi prodigi in Egitto
  e i suoi portenti nella campagna di Soan.
⁴⁴ Egli mutò i loro fiumi e i loro ruscelli
  in sangue,
perché non vi potessero più bere.
⁴⁵ Mandò in mezzo a loro tafani
  a divorarli
  e rane a molestarli.

Sal

⁴⁶ Diede alle cavallette i loro raccolti
   e ai bruchi il frutto delle loro fatiche.
⁴⁷ Distrusse con la grandine i loro vigneti
   e i loro sicomori con la brina.
⁴⁸ Consegnò alla peste il loro bestiame
   e le loro greggi ai fulmini.
⁴⁹ Scatenò contro di loro il furore
      della sua ira,
   collera, sdegno e sventura:
   una moltitudine di messaggeri di rovina.
⁵⁰ Lasciò alla sua ira tutto il suo corso,
   non risparmiò dalla morte la loro anima
   e diede la loro vita in preda alla peste.
⁵¹ Colpì tutti i primogeniti dell'Egitto,
   le primizie del vigore nelle tende di Cam,
⁵² ma fece partire il suo popolo
      come un gregge
   e lo guidò attraverso il deserto
      come una mandria.
⁵³ Li condusse sicuri ed essi
      non ebbero paura,
   mentre i loro nemici venivano
      sommersi nel mare.
⁵⁴ Li fece entrare nella sua santa regione,
   questo monte che la sua destra aveva
      conquistato.
⁵⁵ Scacciò le genti davanti a loro,
   distribuì a sorte l'eredità fra loro
   e fece abitare nelle loro tende le tribù
      di Israele.
⁵⁶ Ma essi ancora lo tentarono,
   si ribellarono a Dio, l'Altissimo,
   e non osservarono i suoi precetti.
⁵⁷ Si sviarono, si mostrarono infedeli come
      i loro padri,
   vennero meno, come un arco che fallisce.
⁵⁸ Lo provocarono all'ira con le loro alture
   e lo resero geloso con i loro idoli.
⁵⁹ Dio udì, ne fu irritato
   e si disgustò molto di Israele.
⁶⁰ Abbandonò la dimora di Silo,
   la tenda in cui egli aveva abitato
      tra gli uomini.
⁶¹ Lasciò condurre la sua forza in schiavitù
   e la sua gloria in potere del nemico.
⁶² Consegnò alla spada il suo popolo
   e si adirò contro la sua eredità.
⁶³ Il fuoco divorò i suoi giovani
   e le sue vergini non ebbero canti nuziali.
⁶⁴ I suoi sacerdoti caddero di spada
   e le sue vedove non fecero lamento.
⁶⁵ Ma poi il Signore si risvegliò
      come da un sonno,
   come un prode assopito dal vino.

⁶⁶ Colpì alle spalle i suoi nemici,
   li ricoprì di eterna vergogna.
⁶⁷ Ripudiò la tenda di Giuseppe
   e sulla tribù di Efraim non cadde
      la sua scelta.
⁶⁸ Scelse invece la tribù di Giuda,
   il monte Sion, che egli ama.
⁶⁹ Costruì il suo tempio, simile a luoghi
      altissimi,
   come la terra lo rese stabile per sempre.
⁷⁰ Scelse Davide, suo servo,
   e lo prese dagli ovili delle pecore.
⁷¹ Lo fece venire dal seguito delle pecore
      che allattavano,
   per pascere Giacobbe, suo popolo,
   e Israele, sua eredità.
⁷² Egli li fece pascere
   secondo l'integrità del suo cuore
   e li guidò con la destrezza delle sue mani.

Salmo 79 (78) - Lamento nazionale

¹ *Salmo. Di Asaf.*
   Dio, le nazioni sono giunte
      nella tua eredità,
   hanno profanato il tuo santo tempio,
   hanno ridotto Gerusalemme
      in un cumulo di macerie.
² Hanno dato i corpi dei tuoi servi
      in pasto agli uccelli del cielo,
   la carne dei tuoi fedeli agli animali
      della campagna.
³ Hanno versato come acqua
      il loro sangue,
   intorno a Gerusalemme,
   senza che alcuno desse loro sepoltura.
⁴ Siamo diventati una vergogna
      per i nostri vicini,
   scherno e derisione per quelli
      che ci stanno intorno.
⁵ Fino a quando, Signore?
   Sarai forse adirato per sempre?
   Arderà come fuoco la tua gelosia?
⁶ Riversa il tuo furore
   sulle nazioni che non ti riconoscono
   e sui regni che non invocano
      il tuo nome;
⁷ perché hanno divorato Giacobbe
   e hanno devastato la sua dimora.
⁸ Non imputarci le colpe degli antenati,
   affrettati a venirci incontro
      con la tua misericordia,
   perché siamo molto afflitti.

⁹ Aiutaci, Dio, nostro salvatore,
   per la gloria del tuo nome;
   salvaci e perdona le nostre colpe,
   in grazia del tuo nome.

¹⁰ Perché le nazioni dovrebbero dire:
   «Dov'è il loro Dio»?
   Si conosca tra le nazioni,
   sotto i nostri occhi,
   la vendetta per il sangue dei tuoi servi,
   che è stato versato.

¹¹ Giunga fino al tuo cospetto il gemito
   dei prigionieri;
   secondo la potenza del tuo braccio
   salva quelli che sono votati alla morte.

¹² Fa' ricadere ai nostri vicini, nel seno,
   sette volte tanto
   l'oltraggio che ti hanno fatto,
   mio Signore.

¹³ E noi, tuo popolo e gregge
   del tuo pascolo,
   ti renderemo grazie per sempre,
   di generazione in generazione
   proclameremo le tue lodi.

Salmo 80 (79) - Preghiera per la rinascita di Israele

¹Al maestro di coro. Su «I gigli della testimonianza». Di Asaf. Salmo.

² Tu, pastore di Israele, ascolta,
   tu che guidi Giuseppe come un gregge,
   tu che siedi sopra i cherubini
   fa' splendere la tua gloria.

³ Davanti a Efraim, Beniamino e Manasse
   risveglia la tua potenza e vieni
   a salvarci.

⁴ Rialzaci, Dio,
   fa' splendere il tuo volto
   e noi saremo salvi.

⁵ Signore, Dio degli eserciti,
   fino a quando fremerai di sdegno
   contro la preghiera del tuo popolo?

⁶ Hai dato loro da mangiare pane intriso
   di lacrime
   e hai dato loro da bere lacrime
   in abbondanza.

⁷ Tu ci hai resi lo scherno dei nostri vicini
   e i nostri nemici ridono di noi.

⁸ Rialzaci, Dio degli eserciti,
   fa' splendere il tuo volto
   e noi saremo salvi.

⁹ Hai sradicato una vite dall'Egitto,
   hai scacciato le nazioni per trapiantarla.

¹⁰ Le hai preparato il terreno
   ed essa mise radici e riempì la terra.

¹¹ I monti furono coperti con la sua ombra
   e i cedri maestosi con i suoi rami.

¹² Ha esteso i suoi tralci fino al mare
   e i suoi germogli sino al fiume.

¹³ Perché hai abbattuto la sua cinta,
   così che quanti passano per la via
   la vendemmiano?

¹⁴ La devasta il cinghiale del bosco
   e se ne pasce l'animale della campagna.

¹⁵ Dio degli eserciti, ritorna,
   guarda dal cielo e vedi e visita
   questa vigna,

¹⁶ il giardino che la tua destra ha piantato,
   il germoglio che hai reso forte per te!

¹⁷ Quelli che l'hanno bruciata con il fuoco
   e l'hanno recisa
   periscano alla minaccia del tuo volto!

¹⁸ Sia la tua mano sull'uomo
   della tua destra,
   sul figlio d'uomo che hai reso forte
   per te,

¹⁹ e noi non ci allontaneremo più da te,
   ci farai vivere e invocheremo il tuo nome.

²⁰ Signore, Dio degli eserciti, rialzaci,
   fa' splendere il tuo volto e noi
   saremo salvi.

Salmo 81 (80) - Inno di lode a Jhwh, unico Dio di Israele

¹Al maestro di coro. Secondo la melodia ghittita. Di Asaf.

² Esultate in Dio, nostra forza,
   acclamate al Dio di Giacobbe.

³ Intonate il salmo e suonate il timpano,
   la cetra melodiosa con l'arpa.

⁴ Suonate il corno nel novilunio,
   nel plenilunio, quale nostro giorno
   di festa.

⁵ Perché questa è una legge per Israele,
   un decreto del Dio di Giacobbe,

⁶ una testimonianza imposta a Giuseppe,
   quando uscì contro il paese di Egitto.
   Io sento un linguaggio
   che non conoscevo:

⁷ «Ho liberato dal peso la sua spalla,
   le sue mani hanno deposto la cesta.

⁸ Nell'angoscia tu hai gridato
   e io ti ho liberato;
   ti ho dato risposta nel luogo segreto
   del tuono,

ti ho messo alla prova alle acque
di Merìba.

9 Ascolta, popolo mio, ti voglio ammonire,
Israele, se tu mi ascoltassi!

10 Non vi sia in mezzo a te nessun
dio straniero
e non adorare un dio estraneo.

11 Io sono il Signore, il tuo Dio,
che ti ho fatto risalire dal paese
di Egitto;
apri la tua bocca e io la riempirò.

12 Ma il mio popolo non ha ascoltato
la mia voce,
Israele non mi ha obbedito.

13 Perciò l'ho abbandonato alla durezza
del suo cuore,
lasciando che seguissero i loro progetti.

14 Oh, se il mio popolo mi ascoltasse,
se Israele camminasse nelle mie vie!

15 Umilierei in breve i suoi nemici
e contro i suoi avversari volgerei
la mia mano.

16 Quelli che odiano il Signore
gli sarebbero sottomessi
e la loro sorte sarebbe segnata
per sempre.

17 Lo nutrirei con fiore di frumento
e lo sazierei con miele che stilla
dalla roccia».

Salmo 82 (81) - Contro i giudici corrotti

1 *Salmo. Di Asaf.*
Dio si erge nell'assemblea divina,
egli giudica in mezzo agli dèi:

2 «Fino a quando giudicherete
ingiustamente
e prenderete le parti degli empi?

3 Fate giustizia al debole e all'orfano,
rendete giustizia al misero e al povero.

4 Liberate il debole e il bisognoso,
salvatelo dalla mano degli empi».

5 Essi non capiscono,
non possono intendere;
camminano nelle tenebre,
vacillano tutte le fondamenta della terra.

6 Io ho detto: «Voi siete dèi
e siete tutti figli dell'Altissimo!

7 Eppure morirete come ogni uomo,
come ogni altro potente voi cadrete!».

8 Sorgi, Dio, giudica la terra,
perché a te appartengono tutti i popoli.

Salmo 83 (82) - Invocazione contro
i nemici di Israele

1 *Canto. Salmo. Di Asaf.*

2 Dio, non restare in silenzio!
Non tacere, non rimanere inerte, Dio!

3 Pèrché, ecco, i tuoi nemici si agitano
e i tuoi avversari alzano la testa.

4 Contro il tuo popolo tramano insidie
e contro quelli che tu proteggi
essi fanno complotti.

5 Hanno detto: «Venite, distruggiamoli,
in modo che non siano più un popolo
e non sia più ricordato il nome
di Israele!».

6 Sì, tutti insieme si sono messi d'accordo
per stringere un'alleanza contro di te:

7 le tende di Edom e gli Ismaeliti,
Moab e gli Agareni,

8 Ghebal, Ammon e Amalek,
la Filistea insieme con gli abitanti
di Tiro.

9 Perfino Assur si è associato con loro:
sono divenuti un braccio per i figli di Lot.

10 Agisci con loro come facesti con Madian,
come facesti con Sisara e Iabin
al torrente Kison:

11 essi furono sterminati in Endor
e diventarono concime per la terra.

12 Rendi i loro capi come Oreb e Zeeb,
tutti i loro prìncipi come Zebak
e come Zalmunna.

13 Essi avevano detto:
«Impossessiamoci delle regioni di Dio!».

14 Dio mio, rendili simili al turbine,
come pula in balìa del vento.

15 Come un fuoco che incendia la selva
e come una fiamma che divora i monti,

16 così tu inseguili con la tua tempesta
e spaventali con il tuo uragano.

17 Copri di vergogna il loro volto,
perché cerchino il tuo nome, Signore.

18 Rimangano delusi e pieni di spavento
per sempre,
siano svergognati e perìscano.

19 Conosceranno così che tu solo
– che hai il nome di «Signore» –
sei l'Altissimo su tutta la terra.

---

82. - 5. Fondamenti dell'umana società sono il diritto e
l'equità: se vengono a mancare non vi è più sicurezza.
6. Titoli attribuiti ai magistrati, perché partecipi dell'autorità
divina. Gesù si richiamò a questa frase per insinuare la
propria filiazione divina (Gv 10,34).

Salmo 84 (83) - Inno di pellegrinaggio

[1]*Al maestro di coro. Secondo la melodia
ghittita. Dei figli di Core. Salmo.*

[2] Quanto sono amabili le tue dimore,
  Signore degli eserciti!

[3] L'anima mia languisce
  e si strugge per gli atri del Signore;
  il mio cuore e la mia carne
  esultano nel Dio vivente.

[4] Anche il passero trova una casa
  e la rondine il nido dove porre
    i suoi piccoli,
  presso i tuoi altari, Signore degli eserciti,
  mio re e mio Dio.

[5] Beati quelli che abitano nella tua casa:
  essi sempre possono cantare le tue lodi.

[6] Beati quelli che in te trovano rifugio
  e le tue vie sono nel loro cuore.

[7] Quelli che passano per la valle del pianto
  la trasformano in sorgente;
  anche la prima pioggia l'ammanta
    di benedizioni.

[8] Lungo il cammino aumenta la loro forza,
  finché compariranno davanti a Dio
    in Sion.

[9] Signore, Dio degli eserciti, ascolta
    la mia preghiera,
  porgi l'orecchio, Dio di Giacobbe!

[10] Il nostro scudo vedi, o Dio,
  guarda il volto del tuo consacrato.

[11] Sì, un giorno nei tuoi atri
  vale più di mille.
  Io ho scelto di stare sulla soglia
    della casa del mio Dio,
  piuttosto che abitare nelle tende
    degli empi.

[12] Perché sole e scudo è il Signore Dio,
  il Signore concede grazia e gloria.
  Egli non rifiuta di fare il bene
  a quelli che camminano nell'integrità.

[13] Signore degli eserciti,
  beato l'uomo che confida in te.

Salmo 85 (84) - Preghiera
per la giustizia e la pace

[1]*Al maestro di coro. Dei figli di Core. Salmo.*

[2] Sei stato propizio, Signore, alla tua terra,
  hai cambiato le sorti di Giacobbe.

[3] Hai perdonato l'iniquità
    del tuo popolo,
  hai cancellato ogni loro peccato.

[4] Hai placato tutto il tuo sdegno,
  hai desistito dalla tua ira furente.

[5] Rialzaci, Dio, nostra salvezza,
  e fa' cessare il tuo sdegno contro di noi.

[6] Forse per sempre sarai in collera
    con noi?
  Di generazione in generazione
    prolungherai la tua ira?

[7] Non vorrai forse ridonarci la vita,
  perché il tuo popolo si rallegri in te?

[8] Mostraci, Signore, il tuo amore
  e donaci la tua salvezza.

[9] Voglio ascoltare ciò che dice Dio,
    il Signore:
  sì, egli parla di pace
  per il suo popolo e per i suoi fedeli,
  per quelli che ritornano a lui con fiducia.

[10] Certo, la sua salvezza è vicina
    a chi lo teme,
  per far dimorare la gloria
    nella nostra terra.

[11] La bontà e la fedeltà si sono abbracciate,
  la giustizia e la pace si sono baciate.

[12] La fedeltà germoglierà dalla terra
  e la giustizia si affaccerà dal cielo.

[13] E anche il Signore concederà ogni bene
  e la nostra terra produrrà il suo frutto.

[14] La giustizia camminerà davanti a lui
  e i suoi passi traceranno il cammino.

Salmo 86 (85) - Preghiera nella prova

[1]*Preghiera. Di Davide.*
  Tendi il tuo orecchio, Signore,
    e rispondimi,
  perché io sono povero e misero.

[2] Custodisci l'anima mia, perché io
    ti sono fedele;
  mio Dio, salva il tuo servo
    che spera in te.

[3] Abbi pietà di me, mio Signore,
  perché io grido a te tutto il giorno.

[4] Rallegra l'anima del tuo servo,
  perché a te, mio Signore,
    elevo l'anima mia.

[5] Sì, tu sei buono, mio Signore,
    e concedi il perdono,
  sei grande nell'amore con quanti
    ti invocano.

[6] Tendi l'orecchio, Signore,
    alla mia preghiera
  e sii attento alla voce delle mie
    suppliche.

Sal

⁷ Quando l'angoscia mi stringe,
  io ti invoco,
  perché tu mi rispondi.

⁸ Non c'è nessuno pari a te fra gli dèi,
  mio Signore,
  non ci sono opere simili alle tue.

⁹ Tutte le genti che hai creato verranno
  e si prostreranno davanti a te,
  mio Signore,
  e renderanno gloria al tuo nome:

¹⁰ «Sì, tu sei grande e compi azioni
  prodigiose:
  tu solo sei Dio!».

¹¹ Insegnami la tua via, Signore,
  e io camminerò nella tua verità;
  orienta il mio cuore a temere
  il tuo nome.

¹² Ti renderò grazie con tutto il cuore,
  mio Signore, mio Dio,
  e darò gloria per sempre al tuo nome,

¹³ perché grande è la tua bontà verso di me
  e hai strappato la mia anima
  dal profondo degli inferi.

¹⁴ Gli arroganti sono insorti contro di me,
  Dio,
  una schiera di violenti attenta
  alla mia vita
  e non hanno posto te davanti
  ai loro occhi.

¹⁵ Ma tu, mio Signore,
  sei un Dio misericordioso
  e pronto alla compassione,
  lento all'ira e ricco in bontà e verità.

¹⁶ Volgiti a me e abbi pietà di me,
  concedi al tuo servo la tua forza
  e salva il figlio della tua schiava.

¹⁷ Compi per me un segno di benevolenza,
  così che quanti mi odiano
  rimangano confusi,
  vedendo che tu, Signore, mi aiuti
  e mi consoli.

Salmo 87 (86) - Inno a Sion, città di Dio e madre di tutti i popoli

¹*Dei figli di Core. Salmo. Canto.*
  Le sue fondamenta sono sui monti santi:

² il Signore ama le porte di Sion
  più di tutte le dimore di Giacobbe.

³ Cose stupende si dicono di te,
  città di Dio!

⁴ Iscriverò Raab e Babilonia
  fra quelli che mi conoscono.

Ecco, la Filistea e Tiro,
  insieme con l'Etiopia:
  «Costui è nato là».

⁵ E di Sion sarà proclamato:
  «L'uno e l'altro è nato in essa
  e l'Altissimo, lui stesso, la sostiene».

⁶ Il Signore registrerà, quando scriverà
  i nomi dei popoli:
  «Costui è nato là».

⁷ Ed essi cantano come i danzatori:
  «Sono in te tutte le mie sorgenti».

Salmo 88 (87) - Preghiera dal profondo dell'angoscia

¹*Canto. Salmo. Dei figli di Core. Al maestro di coro. Secondo «Machalat». Maskil. Di Eman, l'ezraita.*

² Signore, Dio della mia salvezza,
  io grido aiuto giorno e notte davanti a te.

³ Giunga al tuo cospetto
  la mia preghiera;
  tendi il tuo orecchio al mio lamento,

⁴ perché la mia anima è sazia di mali
  e la mia vita è giunta agli inferi.

⁵ Io sono annoverato fra quelli
  che scendono nella fossa,
  sono come un uomo privo di vigore.

⁶ Fra i morti è la mia dimora,
  come gli uccisi che giacciono
  nei sepolcri;
  di essi tu non hai più alcun ricordo:
  sono tagliati fuori, lontano
  dalla tua mano.

⁷ Mi hai collocato nella fossa più profonda,
  nelle tenebre e nelle profondità
  dell'abisso.

⁸ Su di me si è abbattuto il tuo furore
  e hai fatto venire su di me
  tutti i tuoi flutti.

⁹ Hai allontanato da me i miei conoscenti,
  mi hai reso abominevole per loro.
  Sono un recluso, senza via di scampo.

¹⁰ I miei occhi si consumano di dolore;
  ti invoco, Signore, ogni giorno
  e tendo verso di te le mie palme.

¹¹ Forse tu compi prodigi per i morti?
  O sorgono le ombre a celebrare
  le tue lodi?

¹² Si parlerà forse della tua bontà,
  nel sepolcro?
  O della tua fedeltà, nel luogo
  della distruzione?

[13] Forse nelle tenebre si annunzieranno
    le tue meraviglie?
    O la tua giustizia, nella terra dell'oblio?

[14] Ma io a te, Signore, grido aiuto
    e al mattino la mia preghiera
    ti viene incontro.

[15] Perché, Signore, respingi l'anima mia
    e mi nascondi il tuo volto?

[16] Io sono misero e agonizzante
    fin dalla giovinezza;
    porto il peso dei tuoi terrori, sono sfinito.

[17] Sopra di me è passata la tua ira,
    i tuoi spaventi mi hanno annientato;

[18] mi avvolgono come acqua tutto il giorno;
    tutti insieme si riversano su di me.

[19] Hai allontanato da me amici e vicini,
    miei conoscenti sono le tenebre.

Salmo 89 (88) - Inno e preghiera
al Dio fedele

[1] *Maskil. Di Etan, l'ezraita.*

[2] La tua bontà, Signore, voglio cantare
    senza fine;
    di generazione in generazione
    voglio annunziare la tua fedeltà
    con la mia bocca.

[3] Perché ho detto:
    La bontà resterà edificata per sempre,
    come i cieli, è resa stabile in essi
    la tua fedeltà.

[4] «Ho stretto un'alleanza con il mio eletto,
    ho giurato a Davide mio servo:

[5] Renderò stabile per sempre
    la tua discendenza,
    ti edificherò un trono per tutte
    le generazioni».

[6] Signore, i cieli lodino le tue meraviglie,
    la tua fedeltà nell'assemblea dei santi.

[7] Perché chi, sulle nubi, può
    paragonarsi al Signore?
    Chi tra i figli di Dio è simile al Signore?

[8] Dio è tremendo nell'assemblea dei santi,
    grande e terribile fra quelli
    che lo circondano.

[9] Signore, Dio degli eserciti, chi è potente
    come te, Signore?
    La tua fedeltà forma la tua corona.

[10] Tu domini l'orgoglio del mare,
    tu plachi il tumulto delle acque.

[11] Tu hai calpestato Raab come
    si calpesta un caduto in battaglia.
    Con la potenza del tuo braccio
    hai disperso i tuoi nemici.

[12] Tuoi sono i cieli e tua è la terra,
    tu hai fondato il mondo
    e tutto ciò che esso contiene.

[13] Il settentrione e il mezzogiorno
    tu li hai creati,
    il Tabor e l'Ermon esultano
    nel tuo nome.

[14] Potente è il tuo braccio,
    forte la tua mano, elevata la tua destra.

[15] Giustizia e diritto formano la base
    del tuo trono,
    bontà e fedeltà vanno innanzi
    al tuo volto.

[16] Beato il popolo che ti sa acclamare,
    che cammina, Signore, alla luce
    del tuo volto:

[17] nel tuo nome esulta tutto il giorno
    e nella tua giustizia trova la sua gloria.

[18] Sì, sei tu la sua splendida forza
    e nella tua benevolenza tu elevi
    la nostra fronte.

[19] Sì, proprio il Signore è il nostro scudo
    e il Santo di Israele è il nostro re.

[20] Una volta tu parlasti ai tuoi fedeli
    in visione
    e dicesti: «Ho posto il diadema
    su di un prode,
    ho innalzato un eletto fra il popolo.

[21] Ho trovato Davide, mio servo,
    l'ho unto con il mio sacro olio.

[22] Sì, la mia mano sarà pronta a sostenerlo
    e il mio braccio lo rafforzerà.

[23] Il nemico non trionferà su di lui
    e l'uomo perverso non l'opprimerà.

[24] Annienterò davanti a lui i suoi avversari
    e colpirò quelli che lo odiano.

[25] La mia fedeltà e la mia bontà
    saranno con lui
    e nel mio nome si eleverà la sua fronte.

[26] Stenderò sul mare la sua mano
    e sui fiumi la sua destra.

[27] Egli mi invocherà: Mio padre sei tu,
    mio Dio, rupe della mia salvezza.

[28] E io lo costituirò come primogenito,
    il più alto fra i re della terra.

[29] Gli conserverò in eterno la mia grazia
    e rimarrà stabile la mia alleanza
    con lui.

[30] Renderò eterna la sua discendenza
    e il suo trono come i giorni dei cieli.

Sal

---

89. - 11. *Raab*, nome di un mostro mitologico, personificazione del caos marino e qualche volta dell'Egitto.

31 Se i suoi figli abbandoneranno
la mia legge
e non seguiranno i miei decreti,
32 se violeranno i miei statuti
e non osserveranno i miei precetti,
33 io punirò con la verga il loro peccato
e con i flagelli la loro colpa.
34 Ma non ritrarrò mai da lui la mia grazia
e non verrò meno alla mia fedeltà.
35 Non violerò la mia alleanza
e non muterò quanto è uscito
dalle mie labbra.
36 Una volta per sempre ho giurato
per la mia santità
e non mentirò a Davide:
37 la sua discendenza durerà in eterno
e il suo trono sarà come il sole
al mio cospetto.
38 Sarà stabile per sempre come la luna,
e il testimone nel cielo è fedele».
39 Ma tu lo hai respinto e ripudiato,
ti sei sdegnato contro il tuo consacrato.
40 Hai rinnegato l'alleanza del tuo servo,
hai profanato nel fango il suo diadema.
41 Hai abbattuto tutte le sue mura,
hai ridotto in rovine le sue fortezze.
42 Tutti i passanti lo hanno depredato,
è diventato uno scherno per i suoi vicini.
43 Hai fatto trionfare la destra
dei suoi avversari,
hai rallegrato tutti i suoi nemici.
44 Hai fatto ripiegare la lama
della sua spada
e nella battaglia non lo hai sostenuto.
45 Hai posto fine al suo splendore
e hai rovesciato a terra il suo trono.
46 Hai abbreviato i giorni
della sua giovinezza,
lo hai coperto di vergogna.
47 Fino a quando, Signore, continuerai
a nasconderti?
Per sempre arderà come fuoco
la tua ira?
48 Ricorda, Signore, quanto io sia
di breve durata.
Hai creato forse per il nulla tutti i figli
degli uomini?
49 Qual è l'uomo che viva senza vedere
la morte?
Che sia capace di sottrarre la sua anima
dal potere degli inferi?
50 Dov'è, mio Signore, la tua bontà
d'un tempo,
che giurasti a Davide nella tua fedeltà?

51 Ricorda, mio Signore, l'oltraggio fatto
ai tuoi servi.
Io porto nel mio seno quello
di tutti i grandi popoli,
52 l'oltraggio che ti hanno lanciato,
Signore, i tuoi nemici,
e che hanno lanciato sui passi
del tuo consacrato.
53 Benedetto il Signore in eterno.
Amen, amen.

LIBRO QUARTO (Salmi 90-106)

Salmo 90 (89) - La condizione debole
e fragile dell'uomo

1 *Preghiera. Di Mosè, uomo di Dio.*
Mio Signore, tu sei stato un rifugio
per noi
di generazione in generazione.
2 Prima che i monti nascessero
e venissero alla luce la terra e il mondo,
da sempre e per sempre tu sei, Dio.
3 Tu fai ritornare l'uomo nella polvere
e dici: «Ritornate, figli degli uomini!».
4 Sì, mille anni ai tuoi occhi
sono come il giorno di ieri che è passato
e come un turno di guardia nella notte.
5 Tu li sommergi: un sogno essi sono;
al mattino sono come l'erba
che verdeggia:
6 al mattino germoglia e verdeggia,
alla sera è falciata e dissecca.
7 Sì, siamo distrutti dalla tua ira
e siamo atterriti dal tuo furore.
8 Tu metti davanti a te le nostre colpe,
i nostri segreti alla luce del tuo volto.
9 Sì, svaniscono tutti i nostri giorni
a causa della tua ira,
i nostri anni finiscono come un soffio.
10 Gli anni della nostra vita, in sé,
sono settanta,
ottanta per i più robusti;
ma per la maggior parte di essi
non v'è che fatica e affanno.
Sì, essi passano in fretta e noi
voliamo via.
11 Chi può conoscere la forza della tua ira?
E chi ha il timore della violenza
del tuo sdegno?
12 Insegnaci perciò a contare i nostri giorni
e giungeremo ad avere un cuore
sapiente.

¹³ Volgiti, Signore, fino a quando?
    Muoviti a compassione dei tuoi servi.
¹⁴ Saziaci al mattino con la tua grazia
    e noi esulteremo e ci rallegreremo
        per tutti i nostri giorni.
¹⁵ Rendici la gioia per i giorni in cui
        ci hai afflitti,
    per gli anni in cui abbiamo visto
        la sventura.
¹⁶ Si manifesti la tua opera ai tuoi servi
    e la tua gloria sui loro figli.
¹⁷ Sia su di noi la bontà del mio Signore,
        nostro Dio.
    Rafforza per noi l'opera delle nostre
        mani,
    l'opera delle nostre mani rafforza.

Salmo 91 (90) - La protezione divina

¹ Chi si pone sotto la protezione
        dell'Altissimo
    e dimora all'ombra dell'Onnipotente
² dica al Signore: «Mio rifugio
        e mia fortezza,
    mio Dio, in cui confido».
³ Sì, egli ti libererà dal laccio
        del cacciatore,
    dalla peste che conduce a rovina.
⁴ Egli ti coprirà con le sue penne
    e sotto le sue ali troverai rifugio.
    Scudo e corazza è la sua fedeltà.
⁵ Non dovrai temere lo spavento
        della notte,
    la freccia che vola di giorno,
⁶ la peste che vaga nelle tenebre,
    il flagello che infuria a mezzogiorno.
⁷ Mille cadranno al tuo fianco
    e diecimila alla tua destra:
    a te non si avvicinerà.
⁸ Solo che tu osservi con i tuoi occhi,
    potrai vedere il castigo degli empi.
⁹ Sì, il mio rifugio sei tu, Signore!
    Tu hai fatto dell'Altissimo il tuo riparo:
¹⁰ non ti colpirà alcun male,
    né alcuna piaga raggiungerà
        la tua tenda.
¹¹ Perché egli darà ordine ai suoi angeli
    di custodirti in tutte le tue vie:
¹² sulle loro mani ti prenderanno,
    perché il tuo piede non inciampi
        in nessuna pietra.
¹³ Su leoni e aspidi camminerai,
    calpesterai leoncelli e draghi.

¹⁴ «Poiché mi ama, io lo salverò;
    lo proteggerò, perché conosce
        il mio nome.
¹⁵ Quando mi chiamerà, io gli darò risposta;
    con lui sarò nella sventura;
    lo salverò e lo renderò glorioso.
¹⁶ Lo sazierò di lunghi giorni
    e gli farò vedere la mia salvezza».

Salmo 92 (91) - Inno di lode del giusto

¹ *Salmo. Canto. Per il giorno di sabato.*
² È bello dare lode al Signore,
    cantare inni al tuo nome, Altissimo,
³ proclamare al mattino la tua bontà
    e la tua fedeltà lungo la notte,
⁴ sull'arpa a dieci corde e sulla lira,
    con melodia sonora, con la cetra!
⁵ Poiché tu mi rallegri, Signore,
        con le tue azioni,
    io esulto per le opere delle tue mani.
⁶ Quanto sono grandi le tue opere,
        Signore!
    Molto profondi sono i tuoi pensieri!
⁷ L'uomo insensato non conosce
    e lo stolto non può comprendere questo:
⁸ se gli empi germogliano come l'erba
    e tutti i malfattori fioriscono,
    è perché li attende una rovina eterna.
⁹ Tu invece, Signore,
    rimani per sempre l'Eccelso.
¹⁰ Perché, ecco, i tuoi nemici, Signore,
    ecco, i tuoi nemici periranno,
    saranno dispersi tutti i malfattori.
¹¹ Tu hai rafforzato il mio vigore
    come quello di un bufalo,
    mi hai cosparso di olio profumato.
¹² I miei occhi hanno visto la rovina
    di quelli che mi insidiano;
    i miei orecchi hanno udito cose infauste
    riguardo ai malvagi,
    che si avventano contro di me.
¹³ Il giusto fiorirà come palma,
    crescerà come cedro del Libano;
¹⁴ quelli che sono piantati nella casa
        del Signore,
    fioriranno negli atri del nostro Dio.
¹⁵ Nella vecchiaia porteranno
        ancora frutto,
    saranno pieni di vigore e rigogliosi,
¹⁶ per proclamare che retto è il Signore:
    egli è la mia rupe, e in lui non vi è
        ingiustizia.

Sal

Salmo 93 (92) - Inno a Dio, rivestito di maestà

1 Il Signore regna! Egli si è rivestito
    di maestà,
  il Signore si è rivestito, si è cinto di forza.
  Ha reso saldo il mondo, non vacillerà.
2 Saldo è il tuo trono da sempre:
  dall'eternità tu sei.
3 Innalzano i fiumi, Signore,
  innalzano i fiumi la loro voce,
  innalzano i fiumi il loro fragore.
4 Più dello scroscio delle grandi
    e potenti acque,
  più dei flutti del mare,
  il Signore è potente nell'alto.
5 I tuoi statuti sono perfettamente stabili,
  la santità si addice alla tua casa
  per la durata dei giorni, Signore.

Salmo 94 (93) - Inno a Dio, giusto giudice

1 Dio, vendicatore delle colpe, Signore,
  Dio, vendicatore delle colpe, mostrati
    nel tuo splendore!
2 Alzati, giudice della terra,
  infliggi ai superbi il meritato castigo.
3 Fino a quando gli empi, Signore,
  fino a quando gli empi trionferanno?
4 Sparlano, dicono insolenze,
  parlano con arroganza tutti i malfattori.
5 Calpestano il tuo popolo, Signore,
  e opprimono la tua eredità.
6 Uccidono la vedova e il forestiero,
  mettono a morte gli orfani
7 e dicono: «Il Signore non vede,
  il Dio di Giacobbe non se ne preoccupa».
8 Cercate di capire, insensati fra il popolo,
  e voi, stolti, quando diventerete
    sapienti?
9 Colui che ha fissato l'orecchio,
  forse non potrà udire?
  Colui che ha plasmato l'occhio,
  forse non potrà vedere?
10 Colui che ammonisce i popoli,
  non dovrebbe punire?
  Colui che istruisce l'uomo,
  sarebbe privo di scienza?
11 Il Signore conosce i pensieri dell'uomo:
  sì, essi sono un soffio.
12 Beato l'uomo che tu ammonisci,
    Signore,
  e che istruisci nella tua legge!

13 Gli darai riposo nei giorni di sventura,
  mentre per l'empio viene scavata
    la fossa.
14 Perché il Signore non respinge
    il suo popolo
  e non abbandona la sua eredità.
15 Sì, il giudizio tornerà di nuovo conforme a
    giustizia
  e lo seguiranno tutti i retti di cuore.
16 Chi potrà alzarsi a mia difesa
    contro gli empi?
  Chi sarà al mio fianco contro
    i malfattori?
17 Se il Signore non fosse stato il mio aiuto,
  in breve l'anima mia sarebbe discesa
    nella dimora del silenzio.
18 Se dicevo: «Il mio piede vacilla»,
  la tua grazia, Signore, mi sosteneva.
19 Se grandi angosce erano nel mio intimo,
  le tue consolazioni davano sollievo
    al mio animo.
20 Può dirsi tuo alleato un tribunale
    corrotto,
  che commette angherie in nome
    della legge?
21 Si avventano contro la vita del giusto
  e dichiarano colpevole il sangue
    innocente.
22 Ma il Signore è il mio rifugio sicuro
  e il mio Dio è la rupe in cui trovo riparo.
23 Egli farà ricadere su di essi
    la loro malvagità
  e li farà perire per la loro perfidia,
  li farà perire il Signore, il nostro Dio.

Salmo 95 (94) - Invito all'adorazione

1 Venite, applaudiamo al Signore,
  acclamiamo alla rupe della nostra
    salvezza;
2 presentiamoci a lui nella lode,
  a lui acclamiamo con canti di gioia.
3 Perché il Signore è un Dio grande
  e un re grande, sopra tutti gli dèi.
4 In suo potere sono le profondità
    della terra
  e sono sue le alte vette dei monti.
5 Suo è il mare, perché egli lo ha fatto,
  e la terra asciutta che le sue mani
    hanno plasmato.
6 Venite, adoriamo e inchiniamoci,
  inginocchiamoci davanti al Signore,
    nostro creatore.

⁷ Perché egli è il nostro Dio
e noi il popolo del suo pascolo,
il gregge che egli conduce.
Possiate oggi ascoltare la sua voce:
⁸ «Non indurite il vostro cuore
come a Merìba,
come nel giorno di Massa nel deserto,
⁹ dove mi tentarono i vostri padri,
mi misero alla prova,
pur avendo visto le mie opere.
¹⁰ Per quarant'anni ebbi in disgusto
quella generazione e dissi:
Sono un popolo dal cuore sviato
e non vogliono conoscere le mie vie.
¹¹ Per questo ho giurato nel mio sdegno:
Non entreranno nel mio riposo!».

Salmo 96 (95) - Inno al Signore, re e giudice

¹ Cantate al Signore un canto nuovo,
cantate al Signore, voi tutti della terra.
² Cantate al Signore, benedite
il suo nome,
annunziate di giorno in giorno
la sua salvezza.
³ Proclamate tra le genti la sua gloria,
tra tutti i popoli le sue azioni prodigiose.
⁴ Perché grande è il Signore e degno
di ogni lode,
egli è tremendo sopra tutti gli dèi.
⁵ Sì, tutti gli dèi delle nazioni
sono un nulla,
il Signore invece ha fatto i cieli.
⁶ Maestà e splendore sono davanti a lui,
forza e bellezza sono nel suo santuario.
⁷ Date al Signore, famiglie dei popoli,
date al Signore gloria e potenza,
⁸ date al Signore la gloria del suo nome,
portate offerte ed entrate nei suoi atri.
⁹ Prostratevi davanti al Signore
alla sua santa apparizione.
Tremate davanti a lui, voi tutti
della terra.
¹⁰ Proclamate tra i popoli:
«Il Signore regna»:
il mondo così è stabile e non potrà
vacillare,
egli giudicherà i popoli con rettitudine.
¹¹ Gioiscano i cieli ed esulti la terra,
frema il mare e quanto contiene;
¹² si rallegri la campagna e tutto ciò
che è in essa;

tutti gli alberi della foresta esultino
di gioia
¹³ davanti al Signore, perché egli viene,
perché viene a giudicare la terra.
Egli giudicherà il mondo con giustizia
e i popoli con la sua fedeltà.

Salmo 97 (96) - Inno a Dio, Signore della gloria

¹ Il Signore regna: esulti la terra,
si rallegrino le isole tutte.
² Nubi e tenebre lo avvolgono,
giustizia e diritto sono la base
del suo trono.
³ Il fuoco va innanzi a lui
e consuma tutt'intorno i suoi nemici.
⁴ I suoi lampi rischiarano il mondo:
la terra vede e si scuote.
⁵ I monti fondono come cera
davanti al Signore,
davanti al Signore di tutta la terra.
⁶ I cieli annunziano la sua giustizia
e tutti i popoli contemplano la sua gloria.
⁷ Resteranno confusi tutti gli adoratori
degli idoli,
quanti si gloriano di ciò che è un nulla.
Davanti a lui si prostrino tutti gli dèi.
⁸ Sion ascolta e gioisce,
esultano le figlie di Giuda,
per i tuoi giudizi, Signore.
⁹ Sì, tu sei l'Altissimo, Signore,
su tutta la terra,
tu sei molto più in alto di tutti gli dèi.
¹⁰ Voi che amate il Signore, odiate il male!
Egli custodisce la vita dei suoi fedeli,
li libera dalla mano degli empi.
¹¹ Una luce è sorta per i giusti
e gioia per i retti di cuore.
¹² Gioite nel Signore, giusti,
elevate la lode nel ricordare
la sua santità.

Salmo 98 (97) - Inno a Dio, che dona la salvezza

¹ *Salmo.*
Cantate al Signore un canto nuovo,
perché egli ha compiuto azioni
prodigiose.
Gli hanno dato vittoria la sua destra
e il suo santo braccio.

Sal

2 Il Signore ha manifestato
   la sua salvezza,
   agli occhi delle genti ha rivelato
   la sua giustizia.

3 Si è ricordato della sua bontà
   e della sua fedeltà verso la casa
   di Israele.
   Tutti i confini della terra hanno visto
   la salvezza del nostro Dio.

4 Acclamate al Signore,
   voi tutti della terra,
   gridate, esultate, cantate inni.

5 Cantate inni al Signore con l'arpa,
   con l'arpa e con voce melodiosa.

6 Con le trombe e al suono del corno
   acclamate davanti al re, il Signore.

7 Frema il mare e quanto contiene,
   il mondo e i suoi abitanti.

8 I fiumi battano le mani,
   esultino insieme i monti

9 davanti al Signore, perché viene
   a giudicare la terra;
   egli giudicherà il mondo con giustizia
   e i popoli con rettitudine.

Salmo 99 (98) - Inno a Dio, re giusto e santo

1 Il Signore regna: tremino i popoli.
   Egli siede sui cherubini: si scuota
   la terra.

2 Grande è il Signore in Sion
   ed eccelso sopra tutti i popoli.

3 Lodino il tuo nome, grande e terribile.
   Egli è santo!

4 Re potente, che ami il diritto,
   tu hai stabilito ciò che è retto;
   tu hai operato in Giacobbe
   diritto e giustizia.

5 Esaltate il Signore, nostro Dio,
   e prostratevi allo sgabello dei suoi piedi.
   Egli è santo!

6 Mosè e Aronne tra i suoi sacerdoti,
   Samuele, fra quanti invocavano
   il suo nome,
   invocavano il Signore ed egli li esaudiva.

7 Parlava con loro da una colonna
   di nubi;
   essi custodivano i suoi statuti
   e la legge che aveva loro data.

8 Signore, nostro Dio, tu li esaudivi.
   Eri per loro un Dio paziente,
   pur castigando le loro cattive azioni.

9 Esaltate il Signore, nostro Dio,
   prostratevi davanti al suo monte santo,
   perché santo è il Signore, nostro Dio.

Salmo 100 (99) - Invito alla lode

1 *Salmo. In rendimento di grazie.*
   Acclamate al Signore, voi tutti
   della terra,

2 servite il Signore nella gioia,
   presentatevi a lui con esultanza.

3 Riconoscete che il Signore è Dio;
   egli ci ha fatti e noi siamo suoi,
   suo popolo e gregge del suo pascolo.

4 Varcate le sue porte con inni di grazie,
   i suoi atri con canti di lode;
   lodatelo, benedite il suo nome.

5 Perché buono è il Signore,
   il suo amore dura in eterno
   e la sua fedeltà per ogni generazione.

Salmo 101 (100) - Solenne impegno del re per la giustizia

1 *Di Davide. Salmo.*
   Voglio cantare la bontà e la giustizia,
   a te, Signore, voglio cantare inni.

2 Voglio agire con saggezza nella via
   dell'innocenza:
   quando verrai a me?
   Voglio camminare nell'integrità
   del mio cuore,
   nell'interno della mia casa.

3 Non voglio porre davanti ai miei occhi
   alcuna azione malvagia.
   Detesto chi commette delitti,
   non si unirà a me.

4 Allontanerò da me chiunque
   ha il cuore perverso;
   non vorrò saperne del malvagio.

5 Chi calunnia in segreto il suo prossimo,
   io lo farò perire.
   Chi ha l'occhio altezzoso
   e il cuore superbo,
   io non lo sopporterò.

6 I miei occhi saranno rivolti ai fedeli
   del paese,
   perché stiano accanto a me;
   chi cammina nella via dell'innocenza,
   questi sarà mio servitore.

7 Non dimorerà nella mia casa
   chi agisce con inganno,

chi dice menzogne non reggerà
   davanti ai miei occhi.
8 Ogni mattina farò perire tutti gli empi
   del paese,
   per estirpare dalla città del Signore
   tutti i malfattori.

Salmo 102 (101) - Invocazione di aiuto nella prova

1 *Preghiera di un afflitto che è abbattuto e
sfoga davanti al Signore il suo lamento.*
2 Signore, ascolta la mia preghiera
   e giunga fino a te il mio grido.
3 Non nascondermi il tuo volto
   nel giorno in cui sono nell'angoscia.
   Protendi verso di me il tuo orecchio:
   nel giorno in cui ti invoco
      affrettati a rispondermi.
4 Sì, svaniscono come fumo
      i miei giorni
   e ardono come brace le mie ossa.
5 Il mio cuore, afflitto, inaridisce
      come erba,
   tanto che dimentico di mangiare
      il mio pane.
6 A causa del mio gemere
   le mie ossa si sono attaccate
      alla mia carne.
7 Sono diventato come una civetta
      del deserto,
   sono simile a un gufo fra le macerie.
8 Veglio insonne e mi lamento,
   sono come un passero, tutto solo
      sul tetto.
9 Mi insultano tutto il giorno i miei nemici,
   sono furenti, imprecano contro di me.
10 Sì, io mi nutro di cenere come di pane
   e mescolo lacrime alle mie bevande,
11 a causa della tua ira e del tuo sdegno,
   perché mi hai sollevato e mi hai gettato
      lontano.
12 I miei giorni sono come ombra
      che si allunga
   e io mi sento inaridire come erba.
13 Ma tu, Signore, rimani per sempre
   e il tuo ricordo dura di generazione
      in generazione.
14 Tu sorgerai e avrai pietà di Sion,
   perché è tempo di usarle misericordia;
   sì, il momento fissato è giunto.
15 Sì, i tuoi servi amano le sue pietre
   e sentono pietà per le sue rovine.

16 Allora le nazioni temeranno
      il nome del Signore
   e tutti i re della terra la tua gloria.
17 Sì, il Signore ha ricostruito Sion
   ed è apparso nella sua gloria.
18 Egli ha esaudito la preghiera degli afflitti
   e non ha disprezzato la loro
      implorazione.
19 Questo venga scritto per la generazione
      futura
   e un popolo rigenerato dia lode
      al Signore.
20 Sì, egli ha guardato dall'alto
      del suo santuario,
   dal cielo il Signore ha osservato
21 per ascoltare il gemito del prigioniero,
   per liberare i condannati a morte,
22 perché proclamino in Sion il nome
      del Signore
   e la sua lode in Gerusalemme,
23 quando insieme si raduneranno
      i popoli
   e i regni per servire il Signore.
24 Egli ha abbattuto lungo il cammino
      il mio vigore,
   ha abbreviato i miei giorni.
25 Io dico: «Mio Dio, non portarmi via
      a metà dei miei giorni.
   I tuoi anni durano di generazione
      in generazione.
26 All'inizio tu hai fondato la terra
   e i cieli sono opera delle tue mani.
27 Essi periranno, ma tu rimarrai;
   tutti si logoreranno come un vestito,
   come un abito tu li cambierai
      ed essi saranno cambiati.
28 Ma tu sei sempre lo stesso
   e i tuoi anni non avranno fine.
29 I figli dei tuoi servi avranno una dimora
   e la loro discendenza sarà stabile
      davanti a te».

Salmo 103 (102) - Inno di lode alla bontà di Dio

1 *Di Davide.*
   Benedici il Signore, anima mia,
   quanto è in me benedica il suo
      santo nome.
2 Benedici il Signore, anima mia,
   e non dimenticare tutti i suoi benefici.
3 Egli ha perdonato tutte le tue colpe,
   ti ha guarito da ogni malattia;

Sal

⁴ ha strappato dalla fossa la tua vita,
   ti ha coronato di grazia e di tenerezza.
⁵ Ha saziato di bontà la tua vecchiaia
   e tu rinnovi come aquila il tuo vigore
      giovanile.
⁶ Il Signore compie atti di giustizia
   e gesti di equità verso tutti gli oppressi.
⁷ Egli ha fatto conoscere a Mosè
   le sue vie,
   ai figli di Israele le sue opere.
⁸ Tenero e compassionevole
      è il Signore,
   lento all'ira e grande nell'amore.
⁹ Egli non rimprovera per sempre
   e non conserva in eterno la sua ira.
¹⁰ Non ci tratta secondo i nostri peccati
   e non ci ripaga secondo le nostre colpe.
¹¹ Sì, come è alto il cielo al di sopra
      della terra,
   così è forte il suo amore su quelli
      che lo temono;
¹² come l'oriente dista dall'occidente,
   così egli ha allontanato da noi
      le nostre colpe.
¹³ Come un padre ha tenerezza per i figli,
   così con quanti lo temono è tenero
      il Signore.
¹⁴ Sì, egli conosce di che cosa siamo fatti,
   ricorda che noi siamo polvere.
¹⁵ L'uomo: come l'erba sono i suoi giorni,
   come il fiore del campo così
      egli fiorisce.
¹⁶ Sì, lo sfiora il vento ed egli scompare
   e il suo posto più non si trova.
¹⁷ Ma la bontà del Signore è da sempre,
   dura in eterno per quanti lo temono,
   e la sua giustizia per i figli dei figli,
¹⁸ per quanti custodiscono
      la sua alleanza
   e si ricordano di osservare
      i suoi precetti.
¹⁹ Il Signore ha stabilito il suo trono
      nei cieli
   e la sua regalità domina su tutto.
²⁰ Benedite il Signore, voi suoi angeli,
   potenti e forti esecutori della sua parola,
   che ascoltate il suono della sua parola.
²¹ Benedite il Signore,
      voi tutte sue schiere,
   voi suoi ministri, esecutori
      del suo volere.
²² Benedite il Signore, voi tutte sue opere,
   in qualunque parte del suo dominio.
   Benedici il Signore, anima mia.

Salmo 104 (103) - Inno di lode a Dio
per le meraviglie del creato

¹ Benedici il Signore, anima mia.
   Signore mio Dio, tu sei veramente
      grande!
   Sei vestito di splendore e maestà,
² sei avvolto di luce come di un manto.
   Egli fissa i cieli come una tenda,
³ costruisce sulle acque le sue alte stanze;
   fa delle nubi il suo carro,
   cammina sulle ali del vento;
⁴ fa dei venti i suoi messaggeri,
   delle fiamme guizzanti i suoi ministri.
⁵ Egli ha fondato la terra sui suoi
      basamenti,
   mai vacillerà, in eterno.
⁶ L'abisso l'avvolgeva come un manto;
   le acque si erano fermate sui monti.
⁷ Alla tua minaccia si ritirarono,
   al fragore del tuo tuono fuggirono
      spaventate.
⁸ Scavalcarono i monti, discesero
      per le vallate
   verso il luogo che tu avevi fissato
      per loro.
⁹ Tracciasti ad esse un limite,
      che non oltrepasseranno:
   non torneranno più a coprire la terra.
¹⁰ Tu facesti scaturire sorgenti nelle valli,
   esse scorrono fra i monti;
¹¹ procurano da bere a tutte le bestie
      della campagna,
   gli asini selvatici vi estinguono
      la loro sete.
¹² Lungo il loro corso vivono gli uccelli
      del cielo,
   tra le fronde fanno udire la loro voce.
¹³ Dalle sue alte dimore egli disseta
      le montagne;
   sazi la terra con il frutto delle tue opere.
¹⁴ Fai crescere il fieno per il bestiame
   e l'erba che l'uomo coltiva
   per trarre dalla terra il suo nutrimento:
¹⁵ il vino, che allieta il cuore dell'uomo,
   l'olio, che fa brillare il suo volto,
   e il pane, che sostiene il cuore dell'uomo.
¹⁶ Si saziano gli alberi del Signore,
   i cedri del Libano che egli ha piantato.
¹⁷ Là gli uccelli fanno il loro nido
   e la cicogna sui cipressi
      ha la sua casa.
¹⁸ Le alte montagne sono per i camosci,
   le rocce, un rifugio per gli iraci.

[19] Egli ha fatto la luna per segnare i tempi,
il sole che conosce il suo tramonto.
[20] Tu stendi le tenebre e viene la notte,
in essa si muovono tutte le fiere
della foresta.
[21] Ruggiscono i leoncelli in cerca di preda
e chiedono a Dio il loro cibo.
[22] Fai sorgere il sole ed essi si ritirano
e rimangono tranquilli nelle loro tane.
[23] L'uomo esce per il suo lavoro
e per la sua fatica fino alla sera.
[24] Quanto sono numerose le tue opere,
Signore!
Tu le hai fatte tutte con sapienza;
la terra è piena delle tue creature.
[25] Ecco il mare, grande e spazioso,
dove sono rettili innumerevoli,
animali piccoli insieme con i grandi.
[26] Lo percorrono le navi e il Leviatan,
che tu hai plasmato perché vi si diverta.
[27] Tutti da te aspettano
che tu dia loro il cibo a tempo opportuno.
[28] Tu lo provvedi ed essi lo raccolgono;
apri la tua mano e si saziano di beni.
[29] Tu nascondi il tuo volto
ed essi vengono meno;
togli loro il respiro ed essi muoiono
e ritornano alla loro polvere.
[30] Mandi il tuo spirito ed essi sono creati
e rinnovi la faccia della terra.
[31] La gloria del Signore duri per sempre,
gioisca il Signore per le sue opere.
[32] Egli guarda la terra ed essa trema,
tocca i monti ed essi fumano.
[33] Canterò al Signore finché avrò vita,
canterò inni al mio Dio finché io esisterò.
[34] Giunga a lui gradita la mia meditazione;
nel Signore io voglio gioire.
[35] Spariscano dalla terra i peccatori
e non ci siano più gli empi.
Benedici il Signore, anima mia.
Alleluia.

Salmo 105 (104) - Rievocazione della storia meravigliosa di Israele

[1] Lodate il Signore, invocate il suo nome;
proclamate fra i popoli le sue imprese.
[2] Cantate in suo onore, a lui cantate inni,
meditate su tutte le sue azioni prodigiose.
[3] Gloriatevi del suo santo nome;
si rallegri il cuore di quanti cercano
il Signore.

[4] Cercate il Signore e la sua potenza,
cercate sempre il suo volto.
[5] Ricordate le azioni prodigiose
che egli ha compiuto,
i suoi portenti e i giudizi della sua bocca:
[6] voi, discendenza di Abramo, suo servo,
voi, figli di Giacobbe, suo eletto.
[7] Egli è il Signore, nostro Dio:
i suoi giudizi su tutta la terra.
[8] Egli si ricorda per sempre
della sua alleanza
– parola data per mille generazioni –,
[9] che aveva stretto con Abramo,
e del suo giuramento a Isacco,
[10] che confermò a Giacobbe
come uno statuto
e a Israele come eterna alleanza,
[11] quando disse: «A te darò la terra
di Canaan,
come parte della vostra eredità».
[12] Quando essi erano in piccolo numero,
pochi e forestieri in quella terra,
[13] e vagavano da una nazione all'altra,
da un regno a un altro popolo,
[14] egli non permise che alcuno
li opprimesse
e punì i re a causa loro:
[15] «Non toccate i miei consacrati
e ai miei profeti non fate del male!».
[16] Allora chiamò la fame sulla terra,
tolse ogni sostegno di pane.
[17] Davanti a loro mandò un uomo,
Giuseppe, che fu venduto
come schiavo.
[18] Strinsero in ceppi i suoi piedi,
nel ferro passò la sua gola,
[19] finché la sua parola non si fu avverata,
e la promessa del Signore
non gli rese giustizia.
[20] Il re mandò a scioglierlo,
il dominatore dei popoli mandò
a liberarlo.
[21] Lo costituì signore della sua casa
e governatore di tutti i suoi possessi,
[22] perché istruisse i suoi prìncipi secondo
il suo volere
e insegnasse la saggezza
ai suoi anziani.
[23] Allora Israele entrò in Egitto
e Giacobbe abitò come straniero
nella terra di Cam.
[24] Ma Dio rese molto fecondo
il suo popolo,
lo fece crescere più dei suoi nemici.

Sal

25 Mutò il loro cuore perché odiassero
   il suo popolo,
   perché contro i suoi servi agissero
   con inganno.
26 Egli mandò Mosè, suo servo,
   e Aronne, che aveva scelto.
27 Pose in loro le sue parole portentose
   e i suoi prodigi nella terra di Cam.
28 Inviò le tenebre e si fece buio,
   ma essi non rispettarono
   le sue parole.
29 Mutò in sangue le loro acque
   e fece morire i loro pesci.
30 Il loro paese brulicò di rane
   fino nelle stanze dei loro sovrani.
31 Diede un comando, e vennero
   le mosche,
   e le zanzare in tutto il loro territorio.
32 Mandò loro grandine invece di pioggia,
   fuoco e vampe nel loro paese.
33 Poi colpì le loro vigne e i loro fichi
   e spezzò gli alberi del loro territorio.
34 Diede un comando,
   e vennero cavallette
   e bruchi innumerevoli:
35 divorarono ogni erba del loro paese
   e distrussero i frutti del loro suolo.
36 Poi colpì ogni primogenito
   nella loro terra,
   primizia di tutto il loro vigore.
37 Allora li fece uscire con argento e oro
   e nelle loro tribù nessuno venne meno.
38 Gli Egiziani si rallegrarono
   per la loro partenza,
   perché erano stati presi da terrore
   a causa loro.
39 Egli distese una nube a loro protezione
   e un fuoco per illuminarli nella notte.
40 Alla loro richiesta fece venire le quaglie
   e li saziò con pane del cielo.
41 Aprì una rupe e ne scaturì acqua:
   essa scorreva come un fiume
   nel deserto.
42 Sì, egli si ricordò della sua santa parola,
   e di Abramo, suo servo.
43 Fece uscire il suo popolo in festa,
   i suoi eletti tra canti di gioia.
44 Diede loro le terre delle nazioni
   ed essi ereditarono la fatica dei popoli,
45 perché osservassero i suoi precetti
   e custodissero le sue leggi.
   Alleluia.

Salmo 106 (105) - Rievocazione delle infedeltà di Israele e della bontà di Dio

1 Lodate il Signore, perché egli è buono,
  perché eterno è il suo amore.
2 Chi può narrare le gesta vittoriose
   del Signore
  e far risuonare tutta la sua lode?
3 Beati quelli che osservano il diritto
  e agiscono con giustizia in ogni tempo.
4 Ricordati di me, Signore, per amore
   del tuo popolo,
  visitami con la tua salvezza,
5 perché io veda la felicità dei tuoi eletti,
  mi rallegri della gioia del tuo popolo
  ed esulti con la tua eredità.
6 Noi e i nostri padri abbiamo peccato,
  abbiamo commesso misfatti e iniquità.
7 I nostri padri in Egitto non compresero
   i tuoi prodigi,
  non si ricordarono di tanti tuoi benefici
  e si ribellarono presso il mare,
   presso il Mar Rosso.
8 Ma egli li salvò per amore del suo nome,
  per far conoscere la sua potenza.
9 Minacciò il Mar Rosso ed esso
   si prosciugò;
  li condusse tra gli abissi,
   come in un deserto.
10 Li salvò dalla mano di chi li odiava
   e li riscattò dalla mano del nemico.
11 Le acque sommersero i loro avversari,
   non sopravvisse neppure uno di loro.
12 Allora credettero alle sue parole
   e cantarono la sua lode.
13 Ma dimenticarono presto le sue opere,
   non attesero con fiducia l'adempimento
   del suo progetto.
14 Si accesero le loro brame nel deserto
   e tentarono Dio nella steppa.
15 Ed egli concesse loro quanto
   chiedevano,
   soddisfece la loro ingordigia.
16 Divennero invidiosi di Mosè
   nell'accampamento
   e di Aronne, il santo del Signore.
17 Allora si aprì la terra e inghiottì Datan,
   e seppellì il gruppo di Abiram.
18 Il fuoco divampò nel loro gruppo
   e la fiamma divorò i ribelli.
19 Fecero un vitello sull'Oreb
   e adorarono un'immagine
   di metallo fuso;

²⁰ scambiarono la loro Gloria
   con la figura di un toro che mangia fieno.
²¹ Si erano dimenticati di Dio,
   che li aveva salvati,
   che aveva fatto cose grandi in Egitto:
²² azioni prodigiose nella terra di Cam,
   azioni formidabili presso il Mar Rosso.
²³ Allora egli pensò di sterminarli,
   se Mosè, suo eletto,
   non si fosse eretto sulla breccia,
      davanti a lui,
   per stornare la sua ira dallo sterminio.
²⁴ Rifiutarono una terra di delizie,
   non credettero alla sua parola.
²⁵ Mormorarono nelle loro tende,
   non diedero ascolto alla voce
      del Signore.
²⁶ Allora egli alzò su di loro la mano,
   giurando che li avrebbe abbattuti
      nel deserto
²⁷ e avrebbe disperso fra le nazioni
      i loro discendenti,
   li avrebbe disseminati per varie regioni.
²⁸ Si asservirono a Baal-Peor
   e mangiarono sacrifici di morti.
²⁹ Lo provocarono con le loro azioni
   e tra essi scoppiò una pestilenza.
³⁰ Intervenne Finees e agì da giudice,
   e cessò la pestilenza;
³¹ ciò gli fu computato a giustizia
   di generazione in generazione,
      per sempre.
³² Lo irritarono presso le acque di Merìba
   e Mosè fu punito per causa loro;
³³ perché avevano amareggiato
      il suo animo
   ed egli disse cose insensate
      con la sua bocca.
³⁴ Essi non sterminarono i popoli,
   come aveva loro ordinato il Signore,
³⁵ ma si mescolarono con le nazioni
   e impararono a compiere le loro opere.
³⁶ Prestarono culto ai loro idoli,
   che diventarono per loro un tranello.
³⁷ Immolarono i loro figli
   e le loro figlie ai falsi dèi.
³⁸ Versarono il sangue innocente,
   il sangue dei loro figli e delle loro figlie,

che avevano immolato agli idoli
   di Canaan,
e la terra fu profanata dal sangue
   versato.
³⁹ Si contaminarono con le loro azioni
   e si prostituirono con i loro misfatti.
⁴⁰ Allora scoppiò l'ira del Signore
   contro il suo popolo
   ed egli prese in abominio la sua eredità.
⁴¹ Li consegnò in potere delle nazioni
   e li dominarono i loro avversari;
⁴² li oppressero i loro nemici
   e dovettero piegarsi sotto il loro dominio.
⁴³ Molte volte li aveva salvati,
   ma essi si ostinarono nei loro disegni
   e furono abbattuti per le loro iniquità.
⁴⁴ Allora Dio guardò con favore
      alla loro sventura,
   quando udì il loro grido.
⁴⁵ Si ricordò della sua alleanza
   e si mosse a pietà di loro
   per il suo grande amore;
⁴⁶ fece sì che trovassero favore
   presso tutti quelli che li avevano
      deportati.
⁴⁷ Salvaci, Signore, nostro Dio,
   e radunaci dalle nazioni,
   perché possiamo lodare il tuo santo
      nome
   e allietarci della tua lode.
⁴⁸ Benedetto il Signore, Dio di Israele,
   da sempre e per sempre.
   Tutto il popolo dica: «Amen».
   Alleluia.

LIBRO QUINTO (Salmi 107-150)

Salmo 107 (106) - Inno
di ringraziamento

¹ Lodate il Signore, perché egli è buono,
   perché eterno è il suo amore.
² Lo dicano quelli che il Signore
      ha riscattato,
   che egli ha riscattato dalla mano
      del nemico
³ e ha radunato dalle varie regioni,
   dall'oriente e dall'occidente,
   dal settentrione e dal mare.
⁴ Quelli che vagavano nel deserto,
      nella steppa,
   non trovavano il cammino
      verso una città in cui abitare.

---

106. - 20. La *Gloria* è Dio, chiamato con questo nome anche
in altre parti della Bibbia (Dt 10,21; Ger 2,11).
107. - Il salmo descrive in quattro quadri simbolici i mali
dell'esilio e la felicità del ritorno: 4-9; 10-16; 17-22; 23-32.
L'ultima parte, 33-43, sta a sé e sviluppa il tema della sollecitudine divina.

Sal

5 Soffrivano la fame e la sete,
la loro vita in essi languiva.
6 Ma nella loro angoscia gridarono
al Signore
ed egli li liberò dalle loro strettezze:
7 li fece camminare nella via giusta,
perché giungessero a una città
in cui abitare.
8 Rendano grazie al Signore
per il suo amore,
per le sue azioni prodigiose in favore
degli uomini;
9 perché egli ha ristorato la gola
dell'assetato
e ha ricolmato di beni la gola
dell'affamato.
10 Quelli che dimoravano nelle tenebre
e nell'ombra della morte,
erano prigionieri dell'afflizione
e delle catene di ferro,
11 perché si erano ribellati alle parole
di Dio
e avevano disprezzato i consigli
dell'Altissimo.
12 Il loro cuore era abbattuto nella pena,
giacevano oppressi e nessuno
li aiutava.
13 Ma nella loro angoscia gridarono
al Signore
ed egli li salvò dalle loro strettezze:
14 li fece uscire dalle tenebre e dall'ombra
della morte,
frantumando le loro catene.
15 Rendano grazie al Signore
per il suo amore,
per le sue azioni prodigiose in favore
degli uomini;
16 perché egli ha infranto le porte
di bronzo
e ha spezzato le sbarre di ferro.
17 Gli stolti soffrivano per la loro condotta
malvagia
e per le loro colpe:
18 ogni cibo disgustava la loro gola
e già toccavano le soglie della morte.
19 Ma nella loro angoscia gridarono
al Signore
ed egli li salvò dalle loro strettezze:
20 inviò la sua parola e li guarì,
li strappò dalle loro fosse.
21 Rendano grazie al Signore
per il suo amore,
per le sue azioni prodigiose
in favore degli uomini.

22 Offrano a lui sacrifici di lode
e proclamino con gioia le sue opere.
23 Quelli che scendevano in mare
sulle navi,
facendo commercio sulle grandi acque,
24 videro le opere del Signore
e le sue azioni prodigiose
nelle profondità del mare.
25 Egli comandò e fece soffiare un vento
di tempesta,
sollevando in alto le onde del mare;
26 salivano fino al cielo, sprofondavano
fino nell'abisso;
la loro anima languiva per l'angoscia;
27 vacillavano, barcollavano come ubriachi
ed era svanita tutta la loro perizia.
28 Ma nella loro angoscia gridarono
al Signore
ed egli li fece uscire dalle loro strettezze:
29 ridusse la tempesta al silenzio
e le onde del mare si calmarono.
30 Al vederle tranquille, essi furono
pieni di gioia
ed egli li guidò al porto che bramavano.
31 Rendano grazie al Signore
per il suo amore,
per le sue azioni prodigiose
in favore degli uomini.
32 Lo esaltino nell'assemblea del popolo
e lo lodino nel consiglio degli anziani.
33 Egli cambiò i fiumi in deserto
e le sorgenti d'acqua in terra arida,
34 la terra fertile in pianura di sale,
a causa della malvagità dei suoi abitanti.
35 Trasformò poi il deserto in lago
e la terra arida in sorgenti d'acqua.
36 Là fece dimorare quanti erano affamati
ed essi costruirono una città
in cui abitare.
37 Seminarono campi, piantarono vigne
e raccolsero in abbondanza i frutti.
38 Egli li benedisse ed essi divennero
molto numerosi,
e non fece diminuire il loro bestiame.
39 Ma poi furono ridotti a pochi e umiliati
per le oppressioni, le avversità
e gli affanni.
40 Colui che getta il disprezzo sui potenti
li fece vagare in un deserto senza strade,
41 ma sollevò il povero dalla miseria
e rese le famiglie numerose
come un gregge.
42 Vedano i giusti e si rallegrino,
ma ogni malvagio chiuda la sua bocca.

⁴³ Chi è saggio da fare attenzione
    a queste cose
    e quanti potranno comprendere l'amore
    del Signore?

Salmo 108 (107) - Inno di lode e invocazione di aiuto

¹*Canto. Salmo. Di Davide.*
² Pronto è il mio cuore, Dio:
    voglio cantare, voglio cantare inni;
    così pure l'anima mia.
³ Svegliatevi, arpa e cetra:
    che io possa risvegliare l'aurora!
⁴ Ti loderò tra i popoli, Signore,
    e canterò inni a te fra le nazioni;
⁵ perché grande fino ai cieli è la tua bontà
    e fino alle nubi la tua fedeltà.
⁶ Sii esaltato fino ai cieli, Dio,
    e su tutta la terra sia la tua gloria.
⁷ Perché quelli che ami siano liberati,
    salvaci con la tua destra ed esaudiscici!
⁸ Dio parla nel suo santuario:
    «Io trionferò, spartirò Sichem
    e misurerò la valle di Succot.
⁹ Mio è Galaad e mio è Manasse:
    Efraim è l'elmo del mio capo,
    Giuda è il mio scettro,
¹⁰ Moab è il catino in cui mi lavo,
    su Edom getto i miei sandali,
    sulla Filistea voglio gridare vittoria».
¹¹ Chi vorrà portarmi nella città fortificata?
    Chi vorrà guidarmi fino a Edom?
¹² Non sei stato forse tu, Dio,
    ad abbandonarci?
    E non esci più, Dio,
    alla testa delle nostre schiere?
¹³ Donaci il tuo aiuto contro l'avversario,
    perché vana è la salvezza dell'uomo.
¹⁴ Con Dio noi faremo prodezze
    ed egli schiaccerà i nostri nemici.

Salmo 109 (108) - Invocazione contro gli empi

¹*Al maestro di coro. Di Davide. Salmo.*
    Dio della mia lode, non rimanere
    in silenzio,

---

109. - Falsamente accusato, il fedele si appella al braccio vendicatore di Dio. La serie delle imprecazioni, 6-20, nelle quali abbonda l'iperbole, si fonda sulla legge del taglione e sul principio della solidarietà collettiva.

² perché la bocca del malvagio
    e la bocca di chi inganna
    si sono aperte contro di me;
    con lingua bugiarda hanno parlato
    contro di me;
³ con parole di odio mi hanno circondato
    e mi hanno assalito senza motivo.
⁴ In cambio del mio amore,
    essi mi accusano,
    mentre io sono solo preghiera.
⁵ Mi hanno reso male in cambio di bene
    e odio in cambio del mio amore.
⁶ «Sia designato un empio contro di lui
    e alla sua destra stia un accusatore.
⁷ Dal giudizio esca condannato
    e la sua preghiera si muti in colpa.
⁸ Diventino brevi i suoi giorni
    e il suo incarico lo prenda un altro.
⁹ Diventino orfani i suoi figli
    e vedova la sua sposa.
¹⁰ I suoi figli se ne vadano mendicando
    e debbano cercare tra le loro rovine.
¹¹ Il creditore divori tutto ciò
    che gli appartiene
    ed estranei portino via il frutto
    delle sue fatiche.
¹² Non vi sia per lui chi abbia compassione,
    né per i suoi orfani chi abbia pietà.
¹³ Sia votata allo sterminio
    la sua discendenza,
    nella generazione che segue si estingua
    il suo nome.
¹⁴ Davanti al Signore sia ricordata
    la colpa dei suoi padri
    e non sia cancellato il peccato
    di sua madre:
¹⁵ siano sempre davanti al Signore
    ed egli faccia scomparire il suo ricordo
    dalla terra,
¹⁶ perché non si è ricordato
    di avere compassione,
    ma ha perseguitato un uomo misero
    e povero,
    uno che era affranto nel cuore,
    per farlo morire.
¹⁷ Egli ha preferito la maledizione
    ed essa è venuta su di lui;
    non ha voluto la benedizione
    e questa si è allontanata da lui.
¹⁸ Si è vestito della maledizione
    come di un manto,
    come acqua essa è penetrata
    dentro di lui
    e come olio nelle sue ossa.

Sal

¹⁹ Sia per lui come la veste che indossa
e come la cintura che lo stringe
per sempre».
²⁰ Sia questa da parte del Signore
la ricompensa per i miei accusatori
e per quanti proferiscono il male
contro l'anima mia.
²¹ Ma tu, Signore, mio Signore,
agisci con me per amore
del tuo nome;
liberami, perché buona è la tua grazia.
²² Sì, io sono misero e povero
e il mio cuore è ferito dentro di me.
²³ Come ombra che si allunga
io me ne vado;
sono cacciato via come una cavalletta.
²⁴ Vacillano le mie ginocchia per il digiuno
e il mio corpo è dimagrito
per mancanza di grasso.
²⁵ Sono diventato per loro un oggetto
di scherno:
quando mi vedono scuotono il loro capo.
²⁶ Aiutami, Signore, mio Dio,
salvami per il tuo amore;
²⁷ così sapranno che questa è opera
della tua mano,
che sei tu, Signore, che l'hai fatta.
²⁸ Maledicano essi, ma tu benedici;
insorgano, ma siano umiliati
e il tuo servo si rallegrerà.
²⁹ Siano coperti di infamia i miei accusatori
e siano avvolti di vergogna come
di un manto.
³⁰ Renderò grazie al Signore
con la mia bocca
e in mezzo alla moltitudine lo loderò,
³¹ perché egli sta alla destra del povero
per salvarlo da quelli che giudicano
la sua vita.

Salmo 110 (109) - Il Messia,
re e sacerdote

¹Di Davide. Salmo.
Oracolo del Signore al mio Signore:
«Siedi alla mia destra,
finché io ponga i tuoi nemici
a sgabello per i tuoi piedi».
² Lo scettro della tua potenza stenderà
il Signore da Sion.
Domina in mezzo ai tuoi nemici!
³ Il tuo popolo è pronto nel giorno
del tuo valore;

per te, in sacri splendori, dal grembo
dell'aurora
è il fiore della tua gioventù.
⁴ Il Signore ha giurato e non si pente:
«Tu sei sacerdote per sempre
secondo l'ordine di Melchisedek».
⁵ Il mio Signore starà alla tua destra:
abbatterà i re nel giorno della sua ira.
⁶ Egli sarà giudice fra le genti,
ammucchierà cadaveri,
abbatterà teste su vasta regione.
⁷ Lungo il cammino berrà al torrente,
per questo terrà alta la testa.

Salmo 111 (110) - Inno alfabetico
alla provvidenza divina

¹Alleluia.
Alef – Renderò grazie al Signore
con tutto il cuore,
Bet – nel convegno dei giusti
e nell'assemblea.
Ghimel – ²Grandi sono le opere
del Signore,
Dalet – le ricerchi chiunque in esse
si compiace.
He – ³Splendido e maestoso
è il suo agire
Vau – e la sua giustizia dura per sempre.
Zain – ⁴Ha lasciato un ricordo
dei suoi prodigi:
Het – pietoso e compassionevole
è il Signore.
Tet – ⁵Egli dà il cibo a quelli
che lo temono,
Jod – si ricorda sempre della sua
alleanza.
Kaf – ⁶La potenza delle sue opere
lo rese noto al suo popolo,
Lamed – quando diede ad essi l'eredità
delle nazioni.
Mem – ⁷Le opere delle sue mani
sono verità e diritto,
Nun – stabili sono tutti i suoi precetti.
Samech – ⁸Immutabili nei secoli,
per sempre,
Ain – da eseguire con fedeltà
e rettitudine.
Pe – ⁹Egli ha mandato a liberare
il suo popolo,
Sade – ha stabilito la sua alleanza
per sempre.
Qof – Santo e terribile è il suo nome!

Resh – ¹⁰Principio della sapienza
    è il timore del Signore:
Sin – hanno il discernimento del bene tutti
    quelli che lo praticano.
Tau – La sua lode durerà per sempre.

Salmo 112 (111) - Inno alfabetico
alla felicità dell'uomo giusto e retto

¹Alleluia.
Alef – Beato l'uomo che teme il Signore
Bet – e molto si compiace nei suoi
    comandamenti.
Ghimel – ²Potente sulla terra sarà
    la sua discendenza,
Dalet – la generazione degli uomini retti
    sarà benedetta.
He – ³Abbondanza e ricchezza
    si trovano nella sua casa
Vau – e la sua giustizia dura per sempre.
Zain – ⁴Spunta nelle tenebre una luce
    per gli uomini retti,
Het – per chi è pietoso,
    compassionevole e giusto.
Tet – ⁵Buono è l'uomo
    che ha compassione e dà in prestito;
Jod – amministra i suoi affari
    con giustizia.
Kaf – ⁶Sì, egli non vacillerà in eterno,
Lamed – il giusto sarà ricordato
    per sempre.
Mem – ⁷Egli non temerà cattive notizie,
Nun – saldo è il suo cuore
    e fiducioso nel Signore.
Samech – ⁸Il suo cuore è sicuro
    e non teme,
Ain – finché non trionferà
    sui suoi avversari.
Pe – ⁹Egli dona con abbondanza
    ai poveri,
Sade – la sua giustizia dura per sempre,
Qof – la sua potenza si innalza
    nella gloria.
Resh – ¹⁰L'empio vede
    ed è preso dall'ira,
Shin – digrigna i denti e si consuma,
Tau – il desiderio degli empi
    andrà in rovina.

Salmo 113 (112) - Inno
alla grandezza divina

¹Alleluia.
    Lodate, servi del Signore,
    lodate il nome del Signore.
² Sia benedetto il nome del Signore,
    ora e sempre.
³ Dal sorgere del sole al suo tramonto
    sia lodato il nome del Signore.
⁴ Eccelso è il Signore su tutte
    le nazioni,
    più alta dei cieli è la sua gloria.
⁵ Chi è come il Signore, nostro Dio,
    che siede nell'alto
⁶ e si china a guardare
    nei cieli e sulla terra?
⁷ Egli solleva il debole dalla polvere,
    rialza il povero dall'immondizia,
⁸ per farlo sedere con i prìncipi,
    con i prìncipi del suo popolo.
⁹ Fa abitare nella casa la donna sterile,
    gioiosa madre di figli.
    Alleluia.

Sal

Salmo 114 (113 A) - Rievocazione
delle meraviglie dell'esodo

¹ Quando Israele uscì dall'Egitto,
    la casa di Giacobbe da un popolo
        straniero,
² Giuda divenne il suo santuario,
    Israele il suo dominio.
³ Il mare vide e fuggì,
    il Giordano si volse indietro;
⁴ i monti saltellarono come arieti,
    le colline come agnelli di un gregge.
⁵ Che hai tu, mare, per fuggire,
    e tu, Giordano, per volgerti indietro?
⁶ Perché voi, monti, saltellate come arieti
    e voi, colline, come agnelli di un gregge?
⁷ Trema, o terra, davanti al Signore,
    davanti al Dio di Giacobbe:
⁸ egli muta la rupe in un lago,
    la roccia in sorgente d'acqua.

Salmo 115 (113 B) - L'inutilità degli idoli
e l'agire efficace del vero Dio

¹ Non a noi, Signore, non a noi,
    ma al tuo nome da' gloria,
    per il tuo amore e per la tua fedeltà.

2 Perché dovrebbero dire le genti:
«Dov'è dunque il loro Dio?».

3 Ma il nostro Dio è nei cieli;
egli compie tutto ciò che a lui piace.

4 I loro idoli sono argento e oro,
opera delle mani dell'uomo.

5 Hanno bocca e non parlano,
hanno occhi e non vedono,

6 Hanno orecchi e non odono,
hanno narici e non sentono gli odori.

7 Le loro mani sono insensibili,
i loro piedi non camminano,
non escono suoni dalla loro gola.

8 Diventino come loro quelli
che li fabbricano
e chiunque in essi confida.

9 Israele, confida nel Signore:
egli è loro aiuto e loro scudo.

10 Casa di Aronne, confidate nel Signore:
egli è loro aiuto e loro scudo.

11 Voi che temete il Signore, confidate
nel Signore:
egli è loro aiuto e loro scudo.

12 Il Signore si è ricordato di noi:
egli benedirà;
benedirà la casa di Israele,
benedirà la casa di Aronne.

13 Benedirà quelli che temono il Signore,
i piccoli e i grandi.

14 Vi renda numerosi il Signore,
voi e i vostri figli.

15 Siate benedetti dal Signore,
egli ha fatto cieli e terra.

16 I cieli sono i cieli del Signore,
ma la terra l'ha data ai figli degli uomini.

17 Non i morti lodano il Signore
né tutti quelli che scendono nel silenzio;

18 ma noi benediciamo il Signore,
ora e sempre.
Alleluia.

Salmo 116 (114: vv. 1-9; 115: vv. 10-19) - Inno di ringraziamento per la salvezza ricevuta

1 Amo il Signore, perché ha dato ascolto
alla voce della mia supplica;

2 perché ha teso verso di me
il suo orecchio
nei giorni in cui lo invocavo.

3 Mi stringevano funi di morte
e i lacci degli inferi mi avvincevano,
mi opprimevano tristezza e angoscia.

4 Ma io ho invocato il nome del Signore:
«Ti prego, Signore, salvami!».

5 Pietoso e giusto è il Signore,
e pronto alla compassione
è il nostro Dio.

6 Il Signore protegge gli umili:
io ero misero ed egli mi ha salvato.

7 Ritorna, anima mia, al tuo riposo,
perché il Signore ti ha beneficato.

8 Sì, dalla morte hai liberato l'anima mia,
il mio occhio dal pianto,
il mio piede dalla caduta.

9 Camminerò alla presenza del Signore
nella terra dei viventi.

10 Ho avuto fede, anche se dicevo:
«Sono molto afflitto».

11 Dicevo nel mio turbamento:
«Tutti gli uomini sono bugiardi».

12 Come ricambierò al Signore
tutti i benefici che mi ha fatto?

13 Alzerò il calice della salvezza
e invocherò il nome del Signore.

14 Scioglierò i miei voti al Signore,
davanti a tutto il suo popolo.

15 Preziosa agli occhi del Signore
è la morte dei suoi fedeli.

16 Ti prego, Signore, perché io sono
tuo servo,
io sono tuo servo, figlio della tua schiava.
Tu hai sciolto le mie catene.

17 A te offrirò un sacrificio
di ringraziamento
e invocherò il nome del Signore.

18 Scioglierò i miei voti al Signore,
davanti a tutto il suo popolo,

19 negli atri della casa del Signore,
in mezzo a te, Gerusalemme.
Alleluia.

Salmo 117 (116) - Invito alla lode

1 Lodate il Signore, nazioni tutte,
voi tutti, popoli, dategli gloria,

2 perché forte è il suo amore per noi
e la fedeltà del Signore dura per sempre.
Alleluia.

Salmo 118 (117) - Inno di gioia e di vittoria

1 Lodate il Signore, perché egli è buono,
perché eterno è il suo amore.

2 Dica Israele:
«Sì, eterno è il suo amore».
3 Dica la casa di Aronne:
«Sì, eterno è il suo amore».
4 Dicano quelli che temono il Signore:
«Sì, eterno è il suo amore».
5 Nell'angoscia ho gridato al Signore:
il Signore mi ha risposto
e mi ha tratto al largo.
6 Il Signore è per me, non avrò timore:
che cosa può farmi un uomo?
7 Il Signore è per me, tra quelli
che mi aiutano,
e io potrò sfidare quelli che mi odiano.
8 È meglio rifugiarsi nel Signore,
anziché confidare nell'uomo.
9 È meglio rifugiarsi nel Signore,
anziché confidare nei potenti.
10 Tutte le nazioni mi avevano circondato:
nel nome del Signore, sì,
io le ho sconfitte.
11 Mi avevano circondato, mi avevano
accerchiato:
nel nome del Signore, sì,
io le ho sconfitte.
12 Mi avevano circondato come api,
divamparono come fuoco fra le spine:
nel nome del Signore, sì,
io le ho sconfitte.
13 Mi avevano spinto con violenza
per farmi cadere,
ma il Signore è venuto in mio aiuto.
14 Mia forza e mio canto è il Signore,
egli è stato la mia salvezza.
15 Un grido di esultanza e di vittoria
risuona nelle tende dei giusti:
«La destra del Signore ha compiuto
meraviglie,
16 la destra del Signore si è innalzata,
la destra del Signore ha compiuto
meraviglie».
17 Io non morirò, anzi resterò in vita
e annunzierò le opere del Signore.
18 Mi ha colpito, il Signore, mi ha colpito,
ma non mi ha consegnato alla morte.
19 Apritemi le porte della giustizia:
voglio entrarvi e rendere grazie
al Signore.

20 Questa è la porta del Signore,
i giusti entreranno per essa.
21 Ti rendo grazie, perché mi hai esaudito
e sei stato la mia salvezza.
22 La pietra che i costruttori avevano
scartato
è diventata la pietra angolare.
23 Da parte del Signore
è stato fatto questo:
è una meraviglia ai nostri occhi.
24 Questo è il giorno che ha fatto
il Signore:
rallegriamoci ed esultiamo in esso.
25 Signore, ti preghiamo, dona la salvezza!
Signore, ti preghiamo, dona la vittoria!
26 Benedetto colui che viene nel nome
del Signore;
vi benediciamo dalla casa del Signore.
27 Dio è il Signore e ci ha illuminati.
Ordinate il corteo con rami frondosi
fino ai lati dell'altare.
28 Tu sei il mio Dio e ti rendo grazie;
sei il mio Dio e ti esalto.
29 Lodate il Signore, perché è buono,
perché eterno è il suo amore.

**Salmo 119 (118) - Il grande elogio
alfabetico della legge di Dio**

Alef – 1Beati quelli che sono integri
nella loro via,
che camminano nella legge
del Signore.
2 Beati quelli che osservano i suoi voleri
e lo cercano con tutto il cuore.
3 Essi, certo, non commettono iniquità,
ma camminano nelle sue vie.
4 Tu hai promulgato i tuoi comandi
perché siano custoditi con cura.
5 Siano stabili le mie vie
nel custodire i tuoi decreti.
6 Allora non dovrò arrossire,
se avrò obbedito ai tuoi precetti.
7 Ti renderò grazie con cuore retto,
quando avrò appreso le tue giuste
sentenze.
8 Custodirò i tuoi decreti:
non abbandonarmi mai.
Bet – 9Come potrà un giovane
tenere puro il suo sentiero?
Custodendolo secondo la tua parola.
10 Con tutto il mio cuore ti cerco:
non farmi deviare dai tuoi precetti.

---

119. - È il salmo più lungo di tutti. È composto di 22 strofe,
quante sono le lettere dell'alfabeto ebraico, con cui hanno
inizio gli otto distici di ciascuna di esse. Canta la bellezza
della legge divina che il salmista si propone di osservare.
109. La vita del salmista è in continuo pericolo.

¹¹ Conservo nel mio cuore la tua promessa,
   per non peccare contro di te.
¹² Benedetto sii tu, Signore:
   insegnami i tuoi decreti.
¹³ Ho enumerato con le mie labbra
   tutti i giudizi della tua bocca.
¹⁴ Nella via dei tuoi voleri è la mia gioia,
   più che in ogni altro bene.
¹⁵ Voglio meditare sui tuoi comandi
   e considerare i tuoi sentieri.
¹⁶ La mia gioia è nei tuoi decreti,
   non dimenticherò la tua parola.

Ghimel – ¹⁷Sii benevolo con il tuo servo:
   io vivrò e custodirò la tua parola.
¹⁸ Apri i miei occhi,
   perché io veda le meraviglie
      della tua legge.
¹⁹ Pellegrino io sono sulla terra:
   non tenermi nascosti i tuoi precetti.
²⁰ La mia anima si consuma nel desiderio
   dei tuoi giudizi, in ogni tempo.
²¹ Tu minacci i superbi, i maledetti,
   che si allontanano dai tuoi precetti.
²² Allontana da me vergogna e disprezzo,
   perché ho osservato i tuoi voleri.
²³ Anche se i potenti siedono e parlano
      contro di me,
   il tuo servo medita i tuoi decreti.
²⁴ Anzi i tuoi voleri sono la mia gioia,
   essi sono i miei consiglieri.

Dalet – ²⁵La mia anima è avvilita
      nella polvere:
   fammi vivere secondo la tua parola.
²⁶ Ti ho esposto le mie vie e tu
      mi hai risposto;
   insegnami i tuoi decreti.
²⁷ Fammi comprendere la via
      dei tuoi comandamenti
   e mediterò le tue meraviglie.
²⁸ La mia anima si consuma nelle
      lacrime per la tristezza:
   dammi vigore secondo la tua parola.
²⁹ Tieni lontano da me la via
      della menzogna
   e fammi dono della tua legge.
³⁰ Io ho scelto la via della fedeltà,
   ho preferito i tuoi giudizi.
³¹ Ho aderito ai tuoi voleri:
   fa', Signore, che io non rimanga confuso.
³² Io corro per la via dei tuoi precetti,
   perché tu dilati il mio cuore.

He – ³³Insegnami, Signore,
   la via dei tuoi decreti
   e la seguirò sino alla fine.

³⁴ Dammi intelligenza e io seguirò
      la tua legge,
   la custodirò con tutto il cuore.
³⁵ Dirigimi sul sentiero dei tuoi precetti,
   perché in esso trovo la mia gioia.
³⁶ Piega il mio cuore verso i tuoi voleri
   e non verso la sete di guadagno.
³⁷ Distogli i miei occhi dal guardare
      cose vane;
   fammi vivere nella tua via.
³⁸ Conferma per il tuo servo
      la tua promessa,
   che conduce al tuo timore.
³⁹ Allontana la mia vergogna
      che mi spaventa,
   perché i tuoi giudizi sono buoni.
⁴⁰ Ecco, io anelo verso
      i tuoi comandamenti:
   fammi vivere nella tua giustizia.

Vau – ⁴¹E a me giunga, Signore,
      il tuo amore,
   la tua salvezza, secondo
      la tua promessa.
⁴² A chi mi insulta saprò rispondere,
   perché ho fiducia nella tua parola.
⁴³ Non sottrarre mai dalla mia bocca
   la parola di verità,
   perché io confido nel tuo giudizio.
⁴⁴ Custodirò sempre la tua legge,
   nei secoli, in eterno.
⁴⁵ Camminerò in luoghi spaziosi,
   perché ricerco i tuoi comandamenti.
⁴⁶ Davanti ai re parlerò dei tuoi voleri
   e non dovrò vergognarmi.
⁴⁷ Gioirò per i tuoi precetti,
   perché li amo.
⁴⁸ Alzerò le mie palme ai tuoi precetti
      che amo
   e mediterò i tuoi decreti.

Zain – ⁴⁹Ricordati della parola
      detta al tuo servo,
   con la quale tu mi hai dato speranza.
⁵⁰ Questo mi ha consolato
      nella mia miseria:
   sì, la tua promessa mi ha fatto rivivere.
⁵¹ Mi hanno insultato aspramente
      i superbi;
   non ho deviato dalla tua legge.
⁵² Ricordo i tuoi giudizi eterni, Signore,
   e ne sono consolato.
⁵³ Mi ha preso lo sdegno contro gli empi,
   perché abbandonano la tua legge.
⁵⁴ Sono canti per me i tuoi voleri
   nella dimora del mio pellegrinaggio.

⁵⁵ Nella notte, Signore, ricordo
   il tuo nome
e custodisco la tua legge.
⁵⁶ Questo mi avviene,
   perché osservo i tuoi precetti.
Het – ⁵⁷La mia sorte – ho detto –,
   Signore,
è custodire le tue parole.
⁵⁸ Con tutto il cuore io cerco il tuo volto:
   fammi grazia secondo la tua promessa.
⁵⁹ Ho esaminato le mie vie
   e ho rivolto i miei passi verso
   i tuoi voleri.
⁶⁰ Mi affretto e non voglio tardare
   nel custodire i tuoi precetti.
⁶¹ Mi hanno avvinto i lacci degli empi:
   io non dimentico la tua legge.
⁶² Nel cuore della notte mi alzo
   a renderti grazie
per i tuoi giusti giudizi.
⁶³ Io sono amico di tutti quelli
   che ti temono
e di quelli che custodiscono
   i tuoi comandamenti.
⁶⁴ Del tuo amore, Signore, è piena la terra:
   fa' che io apprenda i tuoi decreti.
Tet – ⁶⁵Tu hai agito bene con il tuo servo,
   Signore,
secondo la tua parola.
⁶⁶ Insegnami bontà di giudizio
   e conoscenza,
perché io ho fiducia nei tuoi precetti.
⁶⁷ Prima di essere umiliato andavo errando,
   ma ora mi attengo alla tua promessa.
⁶⁸ Tu sei buono e tratti con benevolenza:
   insegnami i tuoi decreti.
⁶⁹ I superbi hanno scagliato menzogne
   contro di me:
con tutto il cuore io osservo i tuoi ordini.
⁷⁰ Torpido come il grasso è il loro cuore:
   io trovo la mia gioia nella tua legge.
⁷¹ È un bene per me se sono stato
   umiliato:
così imparerò la tua legge.
⁷² È un bene per me la legge
   della tua bocca,
più che migliaia di pezzi d'oro
   e d'argento.
Jod – ⁷³Le tue mani mi hanno fatto
   e plasmato:
fammi capire e imparerò i tuoi precetti.
⁷⁴ Mi vedranno quelli che ti temono
   e ne avranno gioia,
perché io spero nella tua parola.

⁷⁵ So che sono giusti i tuoi giudizi,
   Signore,
e con ragione mi hai umiliato.
⁷⁶ Ti prego, sia il tuo amore
   il mio conforto,
secondo la tua promessa al tuo servo.
⁷⁷ Venga su di me la tua compassione,
   e io vivrò,
perché io trovo la mia gioia
   nella tua legge.
⁷⁸ Siano presi dalla vergogna i superbi
   che mi opprimono ingiustamente:
io mediterò i tuoi comandamenti.
⁷⁹ Si volgano a me quelli che ti temono
   e quelli che conoscono i tuoi voleri.
⁸⁰ Sia integro il mio cuore nei tuoi decreti,
   perché io non abbia ad arrossire.
Kaf – ⁸¹La mia anima si strugge
   per il desiderio della tua salvezza;
io spero nella tua parola.
⁸² I miei occhi si struggono
   per la tua promessa
e dico: «Quando mi darai conforto?».
⁸³ Sì, io sono come un otre esposto
   al fumo,
ma non ho dimenticato i tuoi decreti.
⁸⁴ Quanti saranno i giorni del tuo servo?
   Quando pronuncerai la sentenza
contro quelli che mi perseguitano?
⁸⁵ Mi hanno scavato fosse gli insolenti
   che non seguono la tua legge.
⁸⁶ Tutti i tuoi precetti sono veri.
   A torto mi perseguitano: accorri in mio
   aiuto!
⁸⁷ Per poco non mi hanno eliminato
   dalla terra,
ma io non ho abbandonato
   i tuoi comandamenti.
⁸⁸ Dammi vita secondo il tuo amore
   e custodirò i voleri della tua bocca.
Lamed – ⁸⁹Per sempre, Signore,
   la tua parola è stabile nei cieli.
⁹⁰ Per ogni generazione dura
   la tua fedeltà;
hai reso salda la terra ed essa sussiste.
⁹¹ Per i tuoi giudizi tutto oggi sussiste,
   perché tutte le cose sono al tuo servizio.
⁹² Se la tua legge non fosse stata
   la mia gioia,
da tempo sarei morto nella mia afflizione.
⁹³ Mai dimenticherò i tuoi comandamenti,
   perché con essi tu mi fai vivere.
⁹⁴ Io sono tuo: salvami!
   Sì, io cerco i tuoi comandamenti.

Sal

⁹⁵ Gli empi mi insidiano per farmi perire:
   io cerco di comprendere i tuoi voleri.
⁹⁶ Di ogni cosa perfetta ho visto il limite:
   il tuo decreto è esteso, senza limiti.
Mem – ⁹⁷Quanto amo la tua legge!
   Tutto il giorno essa è la mia
      meditazione.
⁹⁸ Il tuo precetto mi rende più sapiente
      dei miei nemici,
   perché esso sempre è con me.
⁹⁹ Sono diventato più saggio
      dei miei maestri,
   perché i tuoi voleri sono la mia
      meditazione.
¹⁰⁰Ho più intelligenza degli anziani,
   perché osservo i tuoi comandamenti.
¹⁰¹Da ogni sentiero cattivo tengo lontano
      il mio piede,
   per custodire la tua parola.
¹⁰²Non mi allontano dai tuoi giudizi,
   perché sei tu ad ammaestrarmi.
¹⁰³Quanto sono dolci al mio palato
      le tue promesse,
   più del miele alla mia bocca!
¹⁰⁴Dai tuoi comandamenti
      sono reso saggio,
   perciò detesto ogni sentiero
      di menzogna.
Nun – ¹⁰⁵Lampada per i miei passi
      è la tua parola
   e luce per il mio cammino.
¹⁰⁶Lo giuro e lo confermo:
   voglio custodire i tuoi giusti giudizi.
¹⁰⁷Io sono molto afflitto:
   dammi vita, Signore, secondo
      la tua parola.
¹⁰⁸Signore, gradisci le offerte
      della mia bocca
   e insegnami i tuoi giudizi.
¹⁰⁹La mia anima sta sempre
      nelle mie palme,
   ma io non dimentico la tua legge.
¹¹⁰Gli empi hanno teso lacci contro di me,
   ma io non ho deviato dai tuoi
      comandamenti.
¹¹¹Mia eredità per sempre sono
      i tuoi voleri,
   perché essi sono la gioia del mio cuore.
¹¹²Ho piegato il mio cuore a compiere
      i tuoi decreti,
   per sempre, sino alla fine.
Samech – ¹¹³Io detesto
      quelli che sono incostanti,
   amo invece la tua legge.

¹¹⁴Mio riparo e mio scudo tu sei:
   io spero nella tua parola.
¹¹⁵Allontanatevi da me, malvagi:
   io voglio osservare i precetti
      del mio Dio.
¹¹⁶Sostienimi secondo la tua promessa
      e vivrò;
   non deludermi nella mia speranza.
¹¹⁷Sostienimi e sarò salvo
   e il mio sguardo fisserà sempre
      i tuoi decreti.
¹¹⁸Tu disprezzi tutti quelli che
      abbandonano i tuoi decreti,
   perché vano risulterà il loro pensiero.
¹¹⁹Tu consideri scorie tutti gli empi
      del paese;
   per questo io amo i tuoi voleri.
¹²⁰La mia carne freme per paura di te
   e io ho timore dei tuoi giudizi.
Ain – ¹²¹Ho praticato il giudizio
      e la giustizia:
   non abbandonarmi ai miei oppressori.
¹²²Garantisci il bene al tuo servo:
   non mi opprimano gli insolenti.
¹²³I miei occhi si struggono per il desiderio
      della tua salvezza
   e per la promessa della tua giustizia.
¹²⁴Agisci con il tuo servo secondo
      il tuo amore
   e insegnami i tuoi decreti.
¹²⁵Io sono tuo servo: dammi intelligenza
   perché io possa conoscere i tuoi voleri.
¹²⁶È tempo che tu agisca, Signore:
   essi hanno trasgredito la tua legge.
¹²⁷Perciò io amo i tuoi precetti
   più dell'oro, dell'oro più fino.
¹²⁸Per questo io ritengo giusti
      tutti i tuoi comandamenti
   e detesto ogni sentiero di menzogna.
Pe – ¹²⁹Meravigliosi sono i tuoi voleri;
   per questo li osserva l'anima mia.
¹³⁰La rivelazione delle tue parole illumina,
   dona intelligenza ai semplici.
¹³¹Apro anelante la mia bocca,
   perché io bramo i tuoi precetti.
¹³²Mostrami il tuo volto e abbi pietà di me,
   secondo il giudizio che riservi
      a chi ama il tuo nome.
¹³³Rinsalda i miei passi secondo
      la tua promessa
   e non lasciare che alcun male
      prevalga su di me.
¹³⁴Riscattami dall'oppressione dell'uomo
   e custodirò i tuoi comandamenti.

[135]Sul tuo servo fa' risplendere il tuo volto
   e insegnami i tuoi decreti.
[136]Torrenti di lacrime scorrono
      dai miei occhi,
   perché la tua legge non è osservata.

Sade – [137]Tu sei giusto, Signore,
   e retti sono i tuoi giudizi.
[138]Tu hai stabilito i tuoi voleri con giustizia
   e con grande fedeltà.
[139]Mi divora lo zelo per te,
   perché i miei nemici hanno dimenticato
      le tue parole.
[140]Purissima è la tua promessa
   e il tuo servo la ama.
[141]Io sono piccolo e disprezzato:
   non dimentico i tuoi comandamenti.
[142]La tua giustizia è giustizia eterna
   e verità è la tua legge.
[143]Angustia e affanno mi hanno colto:
   i tuoi precetti sono la mia gioia.
[144]Giustizia eterna sono i tuoi voleri:
   fammi comprendere e avrò la vita.

Qof – [145]Io grido con tutto il cuore:
      rispondimi, Signore!
   Voglio osservare i tuoi decreti.
[146]Io innalzo a te il mio grido: salvami!
   Voglio custodire i tuoi voleri.
[147]Mi alzo prima dell'alba e grido aiuto:
   io spero nelle tue parole.
[148]I miei occhi anticipano le veglie
      della notte
   nel meditare la tua promessa.
[149]Ascolta, Signore, la mia voce secondo
      il tuo amore;
   dammi vita secondo i tuoi giudizi.
[150]Si avvicinano quelli che vanno dietro
      all'infamia:
   essi sono lontani dalla tua legge.
[151]Tu sei vicino, Signore,
   e veri sono tutti i tuoi precetti.
[152]Conosco da tempo i tuoi voleri,
   perché tu li hai fissati per sempre.

Resh – [153]Volgi lo sguardo verso
      la mia miseria e salvami,
   perché io non dimentico la tua legge.
[154]Difendi la mia causa e riscattami;
   dammi vita secondo la tua promessa.
[155]Lontana dai malvagi è la salvezza,
   perché essi non cercano i tuoi decreti.
[156]Grande è, Signore, la tua bontà:
   dammi vita secondo i tuoi decreti.
[157]Sono molti gli avversari
      che mi inseguono,
   io non ho deviato dai tuoi voleri.

[158]Ho visto i traditori e li ho detestati,
   perché non custodiscono
      la tua promessa.
[159]Vedi, Signore, che io amo i tuoi precetti;
   dammi vita secondo il tuo amore.
[160]Il fondamento della tua parola
      è la fedeltà
   e ogni tuo giusto giudizio dura in eterno.

Sin – [161]I potenti mi perseguitano
      senza motivo,
   ma il mio cuore teme solo davanti
      alle tue parole.
[162]Io trovo gioia nella tua promessa,
   come chi trova un grande bottino.
[163]Ho in odio la menzogna e la detesto;
   amo invece la tua legge.
[164]Sette volte al giorno io ti lodo
   per i tuoi giusti giudizi.
[165]Grande pace per quelli che amano
      la tua legge;
   non c'è per loro alcun inciampo.
[166]Spero nella tua salvezza, Signore,
   e metto in pratica i tuoi precetti.
[167]La mia anima custodisce i tuoi voleri
   e li ama intensamente.
[168]Custodisco i tuoi comandamenti
      e i tuoi voleri,
   perché davanti a te sono tutte le mie vie.

Tau – [169]Giunga fino a te, Signore,
      la mia implorazione:
   fammi comprendere secondo
      le tue parole.
[170]Giunga la mia supplica al tuo cospetto:
   liberami secondo la tua promessa.
[171]Le mie labbra si effondano
      nella tua lode,
   perché tu mi insegni i tuoi decreti.
[172]Canti la mia lingua la tua promessa,
   perché tutti i tuoi precetti sono giusti.
[173]Venga in mio aiuto la tua mano,
   perché io ho scelto
      i tuoi comandamenti.
[174]Io desidero la tua salvezza, Signore,
   e la tua legge è la mia gioia.
[175]Possa l'anima mia vivere e lodarti
   e mi proteggeranno i tuoi giudizi.
[176]Come pecora smarrita io vado errando:
   cerca il tuo servo, perché
      io non dimentico i tuoi precetti.

Salmo 120 (119) - L'invocazione di un calunniato

[1] *Canto delle salite.*
Nella mia angustia ho gridato al Signore
ed egli mi ha risposto.
[2] «Signore, libera l'anima mia
dalle labbra di menzogna, dalla lingua
ingannatrice».
[3] Che cosa ti dovrà dare,
o che cosa aggiungere,
lingua menzognera?
[4] Frecce appuntite di un guerriero,
con carboni di ginepro.
[5] Me infelice, perché abito come straniero
in Mesech,
dimoro fra le tende di Kedar!
[6] Troppo a lungo ha dimorato l'anima mia
con gente nemica della pace!
[7] Io sono per la pace,
ma, quando parlo,
essi sono per la guerra.

Salmo 121 (120) - Inno di lode a Dio, custode di Israele

[1] *Canto delle salite.*
Alzo i miei occhi verso i monti:
da dove verrà il mio aiuto?
[2] Il mio aiuto viene dal Signore:
egli ha fatto cieli e terra.
[3] Non permetterà che il tuo piede vacilli,
non si addormenterà il tuo custode.
[4] Ecco, non si addormenta,
non cede al sonno il custode di Israele.
[5] Il Signore è il tuo custode,
il Signore è la tua ombra,
che sta alla tua destra.
[6] Non ti colpirà il sole di giorno
né la luna di notte.
[7] Il Signore ti custodirà da ogni male,
egli custodirà la tua vita.
[8] Il Signore ti custodirà quando parti
e quando arrivi,
da ora e per sempre.

Salmo 122 (121) - Inno all'arrivo a Gerusalemme

[1] *Canto delle salite. Di Davide.*
Mi rallegrai quando mi dissero:
«Andiamo alla casa del Signore».

[2] I nostri piedi si sono fermati
alle tue porte, Gerusalemme!
[3] Gerusalemme è costruita come città,
in sé ben compatta e unita.
[4] Là salgono le tribù, le tribù del Signore,
secondo la legge data a Israele,
per lodare il nome del Signore.
[5] Poiché là si ergevano i seggi del giudizio,
i seggi della casa di Davide.
[6] Chiedete la pace di Gerusalemme:
vivano tranquilli quanti ti amano!
[7] Sia pace fra le tue mura,
tranquillità fra i tuoi palazzi.
[8] Per amore dei miei fratelli
e dei miei amici
io dirò: Sia pace in te!
[9] Per amore della casa del Signore,
nostro Dio,
io chiederò per te il bene.

Salmo 123 (122) - Abbandono fiducioso in Dio

[1] *Canto delle salite.*
Sollevo i miei occhi verso di te,
che abiti nei cieli.
[2] Ecco, come gli occhi dei servi
alla mano dei loro padroni,
come gli occhi di una schiava
alla mano della sua padrona,
così i nostri occhi al Signore, nostro Dio,
finché egli si muova a pietà di noi.
[3] Pietà di noi, Signore, pietà di noi,
poiché troppo ci hanno colmati
di disprezzo.
[4] La nostra anima è troppo colma
dello scherno degli arroganti,
del disprezzo degli insolenti.

Salmo 124 (123) - Inno a Dio, nostro aiuto

[1] *Canto delle salite. Di Davide.*
Se il Signore non fosse stato
dalla nostra parte
– lo dica Israele –,
[2] se il Signore non fosse stato
dalla nostra parte,
quando gli uomini si sollevarono
contro di noi,

---

120. - 4. Il Signore castigherà con il ferro e il fuoco il perfido
che va spargendo calunnie.

³ allora ci avrebbero inghiottiti vivi,
quando divampò il loro furore
    contro di noi.
⁴ Allora ci avrebbero travolti le acque,
un torrente sarebbe passato su di noi.
⁵ Allora sarebbero passate su di noi
le acque impetuose.
⁶ Sia benedetto il Signore,
perché non ha permesso che fossimo
    preda dei loro denti.
⁷ L'anima nostra è stata liberata,
come l'uccello dal laccio del cacciatore:
il laccio si è spezzato
    e noi siamo tornati in libertà.
⁸ Il nostro aiuto è nel nome del Signore:
egli ha fatto cieli e terra.

Salmo 125 (124) - La salda protezione di Dio

¹ *Canto delle salite.*
Quelli che confidano nel Signore
sono come il monte Sion,
che non vacilla, che è stabile in eterno.
² I monti sono intorno a Gerusalemme
e il Signore sta intorno al suo popolo,
ora e sempre.
³ Sì, lo scettro degli empi non resterà
sull'eredità dei giusti,
perché i giusti non tendano le loro mani
    a compiere il male.
⁴ Sii buono, Signore, con i buoni
e con quanti sono retti nel loro cuore.
⁵ Ma quelli che deviano per sentieri
    tortuosi
il Signore li accomunerà
    con quanti compiono il male.
    Pace su Israele!

Salmo 126 (125) - Supplica a Dio per ottenere la sua protezione

¹ *Canto delle salite.*
Quando il Signore cambiò le sorti
    di Sion,
ci sembrava di sognare.
² Allora la nostra bocca si riempì
    di sorriso
e la nostra lingua di canti di gioia.

---

126. - 4. *Negheb:* regione arida al sud della Palestina che rinverdisce quando è irrigata dalle piogge.

Allora si diceva fra le nazioni:
«Il Signore ha compiuto grandi cose
    per loro!».
³ Grandi cose ha compiuto il Signore
    per noi:
eravamo felici!
⁴ Cambia, Signore, le nostre sorti,
come i torrenti che scorrono nel Negheb.
⁵ Quelli che seminano nel pianto,
mieteranno nella gioia.
⁶ Va piangendo colui che porta il seme
    da spargere,
mentre viene con gioia colui che porta i
    suoi covoni.

Salmo 127 (126) - Fiducia in Dio e nella sua provvidenza

¹ *Canto delle salite. Di Salomone.*
Se il Signore non costruisce la casa,
invano si affaticano quelli
    che la costruiscono.
Se il Signore non protegge la città,
invano veglia chi ne fa la guardia.
² Invano vi alzate di buon mattino
e andate tardi a riposare,
voi che mangiate un pane,
    frutto di fatiche:
egli ne darà altrettanto a chi ama,
    durante il sonno.
³ Ecco, eredità del Signore sono i figli,
è un premio il frutto del grembo.
⁴ Come frecce nella mano di un prode,
così sono i figli della giovinezza.
⁵ Beato l'uomo che di essi ha piena
    la faretra!
Non resterà confuso quando verrà
    alla porta
per trattare con i suoi nemici.

Salmo 128 (127) - Felicità della famiglia benedetta da Dio

¹ *Canto delle salite.*
Beato ogni uomo che teme il Signore
e cammina nelle sue vie!
² Mangerai della fatica delle tue mani,
sarai beato e avrai prosperità.
³ La tua sposa come vite feconda
nell'intimità della tua casa;
i tuoi figli come virgulti d'ulivo,
intorno alla tua mensa.

4 Ecco, così è benedetto
   l'uomo che teme il Signore.
5 Ti benedica il Signore da Sion
   e possa tu vedere la prosperità
      di Gerusalemme
   per tutti i giorni della tua vita!
6 Possa tu vedere i figli dei tuoi figli!
   Pace su Israele!

Salmo 129 (128) - Inno di fiducia in Dio, difensore di Israele

1 *Canto delle salite.*
   Molto mi hanno oppresso
      fin dalla mia giovinezza,
   – sì, lo dica Israele –,
2 molto mi hanno oppresso
      fin dalla mia giovinezza,
   ma non hanno prevalso su di me.
3 Hanno arato sul mio dorso gli aratori,
   hanno tracciato i loro lunghi solchi.
4 Giusto è il Signore:
   egli ha reciso i lacci degli empi.
5 Rimangano confusi e volgano le spalle
   tutti quelli che odiano Sion!
6 Siano come l'erba dei tetti,
   che, prima di essere strappata,
      è già secca!
7 Non se ne riempie la mano colui
      che miete
   né il grembo colui che raccoglie,
8 e i passanti non dicono:
   «La benedizione del Signore
      sia su di voi;
   noi vi benediciamo nel nome
      del Signore».

Salmo 130 (129) - Invocazione a Dio, redentore di Israele

1 *Canto delle salite.*
   Dall'abisso a te grido, Signore:
2 mio Signore, ascolta la mia voce;
   siano attenti i tuoi orecchi alla voce della
      mia preghiera.
3 Se tu tieni conto delle colpe, Signore,
   mio Signore, chi potrà sussistere?
4 Ma con te è il perdono,
   perché tu sia onorato.
5 Io spero nel Signore;
   spera l'anima mia
   e attendo la sua parola.

6 L'anima mia è rivolta al mio Signore
   più che le sentinelle all'aurora
   – più che le sentinelle all'aurora –.
7 Attendi, Israele, il Signore,
   perché con il Signore è la misericordia,
   abbondante è con lui la redenzione.
8 Egli redimerà Israele
   da tutte le sue colpe.

Salmo 131 (130) - Abbandono filiale in Dio

1 *Canto delle salite. Di Davide.*
   Signore, non si inorgoglisce il mio cuore
   e i miei occhi non guardano in alto,
   non aspiro a cose grandi,
      più meravigliose di me.
2 Anzi, mantengo nella calma
   e nel silenzio la mia anima:
   come un bambino svezzato in braccio
      a sua madre,
   come un bambino svezzato è in me
      l'anima mia.
3 Spera, Israele, nel Signore,
   ora e sempre!

Salmo 132 (131) - Inno a Dio, fedele alle sue promesse

1 *Canto delle salite.*
   Ricordati, Signore, di Davide
   e di tutte le sue fatiche,
2 come egli giurò al Signore,
   fece voto al Potente di Giacobbe:
3 «Non entrerò nella tenda
      della mia casa,
   non salirò sul letto del mio riposo,
4 non concederò sonno ai miei occhi
   né riposo alle mie palpebre,
5 finché non avrò trovato
   una sede per il Signore,
   una dimora per il Potente di Giacobbe».
6 Ecco, ne abbiamo sentito parlare
      in Efrata,
   l'abbiamo trovata nei campi di Iaar.
7 Andiamo alla sua dimora,
   prostriamoci allo sgabello dei suoi piedi!
8 Sorgi, Signore, verso il tuo riposo,
   tu e l'arca della tua potenza.
9 I tuoi sacerdoti si vestano di giustizia
   e i tuoi fedeli esultino di gioia.
10 Per amore di Davide, tuo servo,
   non respingere il volto del tuo consacrato.

11 Il Signore ha giurato a Davide,
   verità da cui non tornerà indietro:
   «Il frutto del tuo seno io porrò
      sul tuo trono.
12 Se i tuoi figli custodiranno
      la mia alleanza
   e i miei precetti che insegnerò loro,
   anche i loro figli, di età in età,
   sederanno sul tuo trono».
13 Sì, il Signore ha scelto Sion,
   l'ha voluta per sua dimora:
14 «Qui sarà il mio riposo per sempre,
   qui risiederò, perché l'ho voluto.
15 Io benedirò largamente i suoi prodotti,
   sazierò di pane i suoi poveri.
16 Rivestirò di salvezza i suoi sacerdoti
   ed esulteranno di gioia i suoi fedeli.
17 Là farò germogliare per Davide
      una potenza,
   preparerò una lampada
      per il mio consacrato.
18 Rivestirò di vergogna i suoi nemici,
   mentre su di lui fiorirà il suo diadema».

Salmo 133 (132) - Inno all'amore fraterno

1 *Canto delle salite. Di Davide.*
   Ecco, come è bello e come è piacevole
   che i fratelli abitino così insieme!
2 È come l'olio prezioso sul capo
   che scende fin sulla barba
   – la barba di Aronne –,
   che scende fino all'orlo della sua veste.
3 È come la rugiada dell'Ermon
   che scende sui monti di Sion;
   perché là ha disposto il Signore
      la benedizione,
   una vita senza fine.

Salmo 134 (133) - Invito a lodare il Signore

1 *Canto delle salite.*
   Ecco, benedite il Signore
   voi tutti, servi del Signore,
   voi che state nella casa del Signore
      durante le notti.
2 Alzate le vostre mani verso il santuario
   e benedite il Signore.
3 Ti benedica il Signore da Sion:
   egli ha fatto cieli e terra.

Salmo 135 (134) - Inno di lode a Dio, che guida la storia

1 *Alleluia.*
   Lodate il nome del Signore,
   lodatelo, servi del Signore,
2 voi che state nella casa del Signore,
   negli atri della casa del nostro Dio.
3 Lodate il Signore, perché il Signore
      è buono,
   cantate inni al suo nome,
   perché è amabile.
4 Sì, il Signore si è scelto Giacobbe,
   Israele come suo possesso.
5 Sì, io riconosco che il Signore è grande,
   e che il nostro Signore è al di sopra
      di tutti gli dèi.
6 Tutto ciò che a lui piace il Signore
      lo compie:
   nei cieli e sulla terra,
   nei mari e in tutti gli abissi.
7 Fa salire le nubi dall'estremità
      della terra;
   produce le folgori per la pioggia,
   fa uscire i venti dalle sue riserve.
8 Egli colpì i primogeniti dell'Egitto,
   dagli uomini fino al bestiame.
9 Mandò segni e prodigi in mezzo a te,
      Egitto,
   contro il Faraone e tutti i suoi servi.
10 Egli colpì numerose nazioni
   e uccise re potenti:
11 Sicon, re degli Amorrei, e Og, re
      di Basan,
   e tutti i regni di Canaan.
12 Diede la loro terra in eredità,
   in eredità a Israele, suo popolo.
13 Signore, il tuo nome è per sempre,
   Signore, il tuo ricordo di età in età.
14 Sì, il Signore farà giustizia al suo popolo
   e si muoverà a compassione
      dei suoi servi.
15 Gli idoli delle nazioni sono argento e oro,
   opera delle mani dell'uomo:
16 hanno bocca e non parlano,
   hanno occhi e non vedono;
17 hanno orecchi e non odono,
   non c'è respiro nella loro bocca.
18 Siano come loro quelli che li fabbricano,
   chiunque confida in essi!
19 Voi della casa di Israele,
      benedite il Signore;
   voi della casa di Aronne,
      benedite il Signore;

Sal

20 voi della casa di Levi, benedite il Signore;
   voi che temete il Signore,
      benedite il Signore.
21 Sia benedetto il Signore da Sion,
   lui che abita in Gerusalemme.
   Alleluia.

Salmo 136 (135) - Inno litanico all'amore eterno di Dio

1 Lodate il Signore, perché egli è buono,
   perché eterno è il suo amore.
2 Lodate il Dio degli dèi,
   perché eterno è il suo amore.
3 Lodate il Signore dei signori,
   perché eterno è il suo amore.
4 Egli solo ha fatto grandi meraviglie,
   perché eterno è il suo amore.
5 Ha fatto i cieli con sapienza,
   perché eterno è il suo amore.
6 Ha fissato la terra sulle acque,
   perché eterno è il suo amore.
7 Ha fatto le grandi luci,
   perché eterno è il suo amore.
8 Il sole, che ha il dominio sul giorno,
   perché eterno è il suo amore.
9 La luna e le stelle, che hanno il dominio
      sulla notte,
   perché eterno è il suo amore.
10 Egli colpì l'Egitto nei suoi primogeniti,
   perché eterno è il suo amore.
11 Fece uscire Israele di mezzo a loro,
   perché eterno è il suo amore.
12 Con mano forte e braccio disteso,
   perché eterno è il suo amore.
13 Divise il Mar Rosso in parti,
   perché eterno è il suo amore.
14 Fece passare in mezzo ad esso Israele,
   perché eterno è il suo amore.
15 Travolse il Faraone e il suo esercito
      nel Mar Rosso,
   perché eterno è il suo amore.
16 Fece camminare il suo popolo
      nel deserto,
   perché eterno è il suo amore.
17 Colpì grandi re,
   perché eterno è il suo amore.
18 Uccise re potenti,
   perché eterno è il suo amore.
19 Sicon, re degli Amorrei,
   perché eterno è il suo amore.
20 Og, re di Basan,
   perché eterno è il suo amore.

21 Diede la loro terra in eredità,
   perché eterno è il suo amore.
22 In eredità a Israele suo servo,
   perché eterno è il suo amore.
23 Quando eravamo umiliati,
   egli si è ricordato di noi,
   perché eterno è il suo amore.
24 Ci ha liberati dai nostri nemici,
   perché eterno è il suo amore.
25 Egli dà il cibo a ogni vivente,
   perché eterno è il suo amore.
26 Lodate il Dio dei cieli,
   perché eterno è il suo amore.

Salmo 137 (136) - Il canto nostalgico degli esuli

1 Lungo i fiumi di Babilonia,
   là sedevamo e piangevamo,
   ricordandoci di Sion.
2 Ai salici di quella terra
   tenevamo appese le nostre cetre,
3 perché là ci chiedevano parole di canto
   quelli che ci avevano deportati,
   e canti gioiosi quelli che ci tenevano
      oppressi:
   «Cantateci dei canti di Sion!».
4 Come cantare i canti del Signore
   in terra straniera?
5 Se mi dimentico di te, Gerusalemme,
   si dimentichi di sé la mia destra;
6 si attacchi al palato la mia lingua,
   se non mi ricordo di te,
   se non innalzo Gerusalemme
   al di sopra di ogni mia gioia.
7 Ricorda, Signore, contro i figli di Edom,
   il giorno di Gerusalemme,
   quando essi dicevano:
   «Spianatela, spianatela, fino alle sue
      fondamenta!».
8 Figlia di Babilonia, votata alla distruzione:
   beato chi ti ricambierà quanto tu
      hai fatto a noi.
9 Beato chi prenderà i tuoi piccoli
   e li sfracellerà contro la roccia.

Salmo 138 (137) - Inno di ringraziamento

1 *Di Davide.*
   Ti rendo grazie, Signore, con tutto
      il cuore,
   davanti agli dèi, io canto inni a te.

2 Voglio prostrarmi verso
   il tuo santo tempio
e rendere grazie al tuo nome,
per il tuo amore e per la tua fedeltà,
perché hai reso la tua promessa
   più grande di ogni tuo nome.
3 Quando ti ho invocato,
   tu mi hai risposto;
hai accresciuto il vigore nell'anima mia.
4 Ti loderanno, Signore, tutti i re
   della terra,
quando avranno udito le promesse
   della tua bocca,
5 e canteranno le vie del Signore,
perché grande è la gloria del Signore.
6 Sì, eccelso è il Signore, eppure
   ha riguardo per l'umile,
e da lontano conosce il superbo.
7 Se cammino in mezzo alla sventura,
   tu mi dai vita contro l'ira
   dei miei nemici.
Tu stendi la tua mano e la tua destra
   mi salva.
8 Il Signore compirà in mio favore
   la sua opera.
Signore, il tuo amore dura in eterno:
non abbandonare le opere
   delle tue mani!

Salmo 139 (138) - Lode a Dio, che tutto conosce

1 Al maestro di coro. Di Davide. Salmo.
Signore, tu mi scruti e mi conosci.
2 Tu sai quando mi siedo e quando
   mi alzo;
tu comprendi da lontano
   il mio pensiero.
3 Tu sorvegli il mio cammino
   e il mio riposo
e conosci a fondo tutte le mie vie.
4 Sì, la parola non è ancora
   sulla mia lingua
ed ecco, Signore, tu la conosci tutta.
5 Alle spalle e di fronte tu mi stringi
e poni su di me la tua mano.
6 Stupenda è per me la tua conoscenza,
troppo alta: non riesco a raggiungerla.

7 Dove potrei andare lontano
   dal tuo spirito?
Dove fuggire lontano dalla tua presenza?
8 Se scalassi i cieli, là tu sei,
se discendessi negli inferi, eccoti.
9 Se prendessi le ali dell'aurora
   e riuscissi ad abitare all'estremità
   del mare,
10 anche là mi guiderebbe la tua mano
e mi prenderebbe la tua destra.
11 Allora ho detto: «Almeno le tenebre
   mi potrebbero coprire
e la luce potrebbe diventare notte
   intorno a me».
12 Ebbene, per te le tenebre
   non sono oscure
e la notte risplende come il giorno:
come le tenebre, così è la luce per te.
13 Sì, tu hai plasmato i miei reni,
mi hai tessuto nel grembo di mia madre.
14 Ti rendo grazie
perché sono stato formato
   in modo stupendo:
stupende sono le tue opere
e la mia anima lo sa molto bene.
15 Non ti erano nascoste le mie membra
quando venivo formato nel segreto,
ricamato nel profondo della terra.
16 I tuoi occhi hanno visto il mio embrione
e nel tuo libro erano tutti scritti
i giorni che mi erano stati fissati,
quando neppure uno di essi
   esisteva ancora.
17 Quanto sono insondabili per me
   i tuoi pensieri,
quanto grande il loro numero, Dio!
18 Se volessi contarli, sono più
   della sabbia.
Al mio risveglio sono ancora con te.
19 Se tu, Dio, sterminassi l'empio!
Allontanatevi da me, uomini sanguinari.
20 Essi dicono contro di te cose inique;
si sono sollevati, ma invano, contro di te.
21 Non odio forse quelli che ti odiano,
   Signore?
E non detesto quelli che insorgono contro di te?
22 Io li odio di un odio perfetto:
essi sono nemici per me.
23 Scrutami, Dio, e conosci il mio cuore;
mettimi alla prova e conosci
   i miei pensieri.
24 Vedi se c'è in me una via di menzogna
e guidami per la via eterna.

139. - 14-16. Il salmista è meravigliato di fronte al mistero
dell'origine umana, opera occulta della divina provvidenza
tramite le forze della natura. Nel profondo della terra: il
grembo materno, misterioso e segreto.

Sal

Salmo 140 (139) - Preghiera nella persecuzione

[1] *Al maestro di coro. Salmo. Di Davide.*

[2] Salvami, Signore, dall'uomo malvagio,
proteggimi dall'uomo violento.

[3] Essi tramano malvagità nel loro cuore,
scatenano guerre ogni giorno.

[4] Rendono acuta la loro lingua
come il serpente,
veleno di vipera è sotto le loro labbra.

[5] Salvami, Signore, dalle mani degli empi,
proteggimi dagli uomini violenti:
essi tramano di far vacillare i miei piedi.

[6] I superbi hanno nascosto per me lacci
e funi,
hanno teso una rete sul ciglio
della strada,
hanno preparato tranelli per me.

[7] Io dico al Signore: «Sei tu il mio Dio!
Ascolta, Signore, la voce
della mia supplica.

[8] Signore, mio Signore, tu sei la forza
che mi salva,
tu hai protetto il mio capo nel giorno
della battaglia.

[9] Non assecondare, Signore, i desideri
degli empi,
non favorire i loro disegni».

[10] Alzano il capo quanti mi stanno d'intorno:
ricada su loro stessi la malizia
delle loro labbra.

[11] Piovano su di loro carboni accesi.
Siano gettati nell'abisso profondo
e non possano più rialzarsi.

[12] L'uomo dalla lingua perfida non duri
sulla terra;
la sventura spinga l'uomo violento
fino alla rovina.

[13] Io so che il Signore difenderà la causa
del misero,
il diritto del povero.

[14] Sì, i giusti renderanno grazie
al tuo nome;
gli uomini retti abiteranno
alla tua presenza.

Salmo 141 (140) - Invocazione del giusto

[1] *Salmo. Di Davide.*
Signore, a te io grido, accorri
in mio aiuto!
Ascolta la mia voce, quando a te io grido.

[2] Stia la mia preghiera come incenso
davanti a te,
l'elevazione delle mie mani come
l'offerta della sera.

[3] Poni, Signore, una guardia
alla mia bocca,
veglia sulla porta delle mie labbra.

[4] Non permettere che il mio cuore
si pieghi
ad alcuna parola malvagia,
per compiere azioni inique
con i malfattori:
non voglio gustare i loro cibi deliziosi.

[5] Mi percuota il giusto e il fedele
mi rimproveri,
ma l'olio dell'empio rifiuti il mio capo.
Sì, la mia preghiera continua
tra le loro malvagità.

[6] I loro giudici siano gettati
contro la roccia
e si darà ascolto alle mie parole,
perché sono piacevoli.

[7] Come quando si ara e si fende la terra,
siano disperse le loro ossa alla bocca
degli inferi.

[8] Sì, a te, Signore, mio Signore,
sono rivolti i miei occhi;
in te mi sono rifugiato:
non abbandonare l'anima mia.

[9] Preservami dal laccio che mi hanno teso
e dalle insidie di quanti compiono
il male.

[10] Cadano insieme gli empi nelle loro reti,
io invece vi passerò oltre.

Salmo 142 (141) - Grido di aiuto

[1] *Maskil. Di Davide. Quando era nella caverna. Preghiera.*

[2] Con la mia voce io grido al Signore,
con la mia voce io imploro il Signore;

[3] davanti a lui effondo il mio lamento,
davanti a lui espongo la mia tribolazione,

[4] mentre in me viene meno il mio spirito.
Eppure tu conosci il mio cammino:
nel sentiero che stavo percorrendo
hanno teso un laccio per me.

[5] Guarda alla mia destra e vedi:
non c'è nessuno che mi riconosca;

---

141. - 5. Questo v. è oscuro. Può intedersi: non rifiuto la medicina, anche se amara, qual è il rimprovero, se fattomi a fin di bene.

è scomparso per me ogni rifugio,
nessuno si prende cura dell'anima mia.

⁶ A te io grido, Signore, e dico:
«Sei tu il mio rifugio,
sei tu la mia eredità nella terra
dei viventi».

⁷ Presta attenzione al mio grido di aiuto,
perché sono molto afflitto;
liberami da quelli che mi perseguitano,
perché sono più forti di me.

⁸ Fa' uscire dal carcere l'anima mia,
perché io possa rendere grazie
al tuo nome.
Intorno a me si stringeranno i giusti
quando tu mi mostrerai
la tua benevolenza.

Salmo 143 (142) - Preghiera fiduciosa a Dio, che libera dai nemici

¹*Salmo. Di Davide.*
Ascolta, Signore, la mia preghiera,
porgi l'orecchio alle mie suppliche,
per la tua fedeltà;
esaudiscimi, per la tua giustizia.

² Non entrare in giudizio con il tuo servo,
poiché nessun vivente sarà trovato
giusto al tuo cospetto.

³ Sì, il nemico ha perseguitato
l'anima mia,
ha prostrato a terra la mia vita,
mi ha fatto abitare in luoghi tenebrosi,
come i morti per sempre.

⁴ In me viene meno il mio spirito,
nel mio interno si strugge il mio cuore.

⁵ Ricordo i giorni passati,
medito su ogni tua azione,
rifletto sulle opere delle tue mani.

⁶ Protendo verso di te le mie mani,
la mia anima è davanti a te
come terra arida.

⁷ Fa' presto, Signore, rispondimi,
viene meno il mio spirito.
Non nascondermi il tuo volto,
perché io non sia accomunato
a quelli che discendono nella fossa.

⁸ Fammi sentire al mattino il tuo amore,
perché in te io confido.
Fammi conoscere la via da percorrere,
perché a te io innalzo l'anima mia.

⁹ Liberami, Signore, dai miei nemici:
in te io mi rifugio.

¹⁰ Insegnami a fare la tua volontà,

perché tu sei il mio Dio;
il tuo spirito buono mi guidi verso
una terra piana.

¹¹ Per amore del tuo nome dammi vita,
Signore;
per la tua giustizia fa' uscire
dalla tribolazione l'anima mia.

¹² Per il tuo amore annienta
i miei nemici,
distruggi tutti quelli che opprimono
l'anima mia,
perché io sono tuo servo.

Salmo 144 (143) - Invocazione a Dio, fonte di ogni bene

¹*Di Davide.*
Benedetto il Signore, mia roccia,
che addestra le mie mani alla guerra,
le mie dita alla battaglia!

² Mio alleato fedele e mia fortezza,
mio sicuro rifugio e mia liberazione,
mio scudo, sotto il quale mi rifugio,
colui che a me sottomette il mio popolo.

³ Signore, che cosa è l'uomo, perché tu
te ne curi?
Un figlio d'uomo, perché tu
te ne dia pensiero?

⁴ L'uomo è simile a un soffio,
i suoi giorni come ombra che svanisce.

⁵ Signore, piega i tuoi cieli e scendi,
tocca i monti ed essi emetteranno fumo.

⁶ Manda fulmini e disperdili,
invia le tue saette e sconvolgili.

⁷ Stendi le tue mani dall'alto:
salvami e liberami dalle acque
profonde,
dalla mano di gente straniera,

⁸ la cui bocca parla con menzogna
e la cui destra è piena di falsità.

⁹ Dio, ti canterò un canto nuovo,
con l'arpa a dieci corde a te
canterò inni,

¹⁰ a te, che dai vittoria ai re,
che liberi Davide, tuo servo,
dalla spada iniqua.

¹¹ Salvami e liberami dalla mano di gente
straniera,
la cui bocca parla con menzogna
e la cui destra è piena di falsità.

¹² I nostri figli siano come piante
ben cresciute nella loro giovinezza;
le nostre figlie come colonne d'angolo

Sal

ben scolpite per la costruzione
di un palazzo,
[13] Siano pieni i nostri granai,
ricolmi di ogni genere di viveri;
si riproducano i nostri greggi a migliaia,
a miriadi nelle nostre campagne.
[14] Siano carichi i nostri buoi;
nessuna breccia, nessuna incursione,
nessun lamento sia nelle nostre
piazze.
[15] Beato il popolo che possiede
queste cose:
beato il popolo il cui Dio è il Signore!

Salmo 145 (144) - Inno alfabetico di lode a Dio, potente e buono

[1] *Lode. Di Davide.*
Alef – Voglio esaltarti, mio Dio, o re,
voglio benedire il tuo nome,
in eterno e per sempre.
Bet – [2] Ogni giorno voglio benedirti
e lodare il tuo nome,
in eterno e per sempre.
Ghimel – [3] Grande è il Signore,
degno di ogni lode,
insondabile è la sua grandezza.
Dalet – [4] Le generazioni
che si susseguono
narrino le tue opere
e annunzino le tue gesta vittoriose.
He – [5] Voglio meditare sul glorioso
splendore della tua maestà
e sulle tue azioni prodigiose.
Vau – [6] E gli uomini parlino
della potenza dei tuoi prodigi
e narrino le tue gesta vittoriose.
Zain – [7] Diffondano il ricordo
della tua grande bontà
e acclamino alla tua giustizia.
Het – [8] Paziente e compassionevole
è il Signore,
lento all'ira e grande nell'amore.
Tet – [9] Buono è il Signore verso tutti
e verso tutte le sue opere si estende
la sua tenerezza.
Jod – [10] Ti lodino, Signore,
tutte le tue creature
e ti benedicano i tuoi fedeli.
Kaf – [11] Dicano la gloria del tuo regno
e parlino delle tue gesta vittoriose,
Lamed – [12] per far conoscere
ai figli degli uomini

le sue gesta vittoriose,
la gloria e lo splendore del suo regno.
Mem – [13] Il tuo regno è un regno
di tutti i secoli
e il tuo dominio si estende a tutte
le generazioni.
Nun – Fedele è il Signore in tutte
le sue promesse
e santo in tutte le sue opere.
Samech – [14] Il Signore sostiene tutti quelli
che vacillano
e rialza quanti sono caduti.
Ain – [15] A te sono rivolti in attesa
gli occhi di tutti
e tu dai loro il cibo a tempo opportuno.
Pe – [16] Tu apri la tua mano
e sazi il desiderio di ogni vivente.
Sade – [17] Giusto è il Signore in tutte
le sue vie
e benevolo in tutte le sue opere.
Qof – [18] Il Signore sta vicino a quanti
lo invocano,
a tutti quelli che lo invocano
con sincerità.
Resh – [19] Appaga il desiderio di quanti
lo temono,
ascolta il loro grido di aiuto e li salva.
Shin – [20] Il Signore custodisce tutti quelli
che lo amano,
ma annienta tutti gli empi.
Tau – [21] Canti la mia bocca la lode
del Signore
e ogni vivente benedica il suo santo
nome,
in eterno e per sempre.

Salmo 146 (145) - Inno di lode a Dio, che protegge i deboli

[1] *Alleluia.*
Loda il Signore, anima mia!
[2] Loderò il Signore finché avrò vita,
canterò inni al mio Dio per tutta
la mia esistenza.
[3] Non confidate nei potenti,
in un figlio d'uomo, che non dà salvezza.
[4] Esala il suo spirito e ritorna alla terra:
in quel giorno vanno in rovina
i suoi progetti.
[5] Beato chi ha per aiuto il Dio
di Giacobbe,
la sua speranza è nel Signore, suo Dio.
[6] Egli ha fatto cieli e terra,

il mare e tutto ciò che esso contiene.
Egli custodisce la verità per sempre.

7 Rende giustizia agli oppressi,
dà il pane agli affamati.
Il Signore libera i prigionieri,

8 il Signore ridona la vista ai ciechi,
il Signore rialza quanti sono caduti,
il Signore ama i giusti.

9 Il Signore custodisce gli stranieri,
sostiene l'orfano e la vedova,
ma sconvolge la via degli empi.

10 Il Signore regnerà in eterno,
il tuo Dio, Sion, di generazione
in generazione.

Salmo 147 (146: vv. 1-11; 147: 12-20) - Inno di lode a Dio onnipotente

1 *Alleluia.*
Sì, è bello cantare inni al nostro Dio;
sì, è dolce e gradevole la lode.

2 Il Signore ricostruisce Gerusalemme,
raduna i dispersi di Israele.

3 Egli risana i contriti di cuore
e fascia le loro ferite.

4 Egli conta il numero delle stelle,
le chiama tutte per nome.

5 Grande è il nostro Dio,
immensa la sua potenza,
incalcolabile la sua sapienza.

6 Il Signore sostiene gli umili,
ma abbassa fino a terra gli empi.

7 Cantate al Signore con canti di lode,
con la cetra cantate inni al nostro Dio.

8 Egli copre il cielo di nubi,
prepara la pioggia per la terra,
fa germogliare i monti con l'erba.

9 Dà il cibo agli animali,
ai piccoli del corvo che gridano.

10 Non tiene conto del vigore del cavallo,
non gradisce le veloci gambe
dell'uomo.

11 Il Signore gradisce quanti lo temono,
quanti sperano nel suo amore.

12 Glorifica il Signore, Gerusalemme,
loda il tuo Dio, Sion;

13 perché ha rinforzato le sbarre
delle tue porte,
in mezzo a te ha benedetto i tuoi figli.

14 Egli rende sicuri i tuoi confini,
ti sazia con fior di frumento.

15 Invia sulla terra la sua promessa,
corre veloce la sua parola.

16 Egli dà la neve come lana,
sparge la brina come cenere;

17 egli getta il suo ghiaccio come briciole:
di fronte al suo gelo chi resiste?

18 Manda la sua parola e li scioglie,
fa soffiare il suo alito e scorrono
le acque.

19 Annunzia la sua parola a Giacobbe,
i suoi decreti e i suoi giudizi a Israele.

20 Egli non ha agito così
con nessun'altra nazione,
non ha fatto conoscere loro
i suoi giudizi.
Alleluia.

Salmo 148 - Inno di lode a Dio da tutte le sue creature

1 *Alleluia.*
Lodate il Signore dai cieli,
lodatelo nei luoghi altissimi.

2 Lodatelo, voi tutti suoi angeli,
lodatelo, voi tutte sue schiere.

3 Lodatelo, sole e luna,
lodatelo, voi tutte stelle lucenti.

4 Lodatelo, cieli dei cieli,
e voi acque che siete al di sopra
dei cieli.

5 Lodino il nome del Signore,
perché egli ha comandato
e sono stati creati;

6 li ha resi stabili per sempre,
in eterno:
ha dato un ordine che non verrà
mai meno.

7 Lodate il Signore dalla terra:
voi mostri marini e voi tutti abissi,

8 fuoco e grandine, neve e nebbia,
vento di tempesta che esegue
la sua parola.

9 Voi monti e voi tutte alture,
alberi fruttiferi e voi tutti cedri,

10 Voi fiere e voi tutti animali domestici,
rettili e uccelli alati.

11 Re della terra e voi popoli tutti,
prìncipi e voi tutti,
giudici della terra.

12 Giovani e ragazze,
vecchi e bambini

13 lodino il nome del Signore,
perché solo il suo nome è sublime
e la sua maestà è al di sopra della terra
e dei cieli.

Sal

14 Egli ha innalzato la potenza
   del suo popolo,
egli è motivo di lode per tutti
   i suoi fedeli,
per i figli di Israele, popolo
   a lui vicino.

Salmo 149 - Inno di lode a Dio, che dona vittoria e salvezza

1 *Alleluia.*
   Cantate al Signore un canto nuovo,
   la sua lode nell'assemblea dei fedeli.
2 Gioisca Israele nel suo creatore,
   esultino nel loro re i figli di Sion.
3 Lodino il suo nome con la danza,
   a lui con il tamburello
   e con la cetra cantino inni.
4 Perché il Signore si compiace
   del suo popolo,
   incorona gli umili di salvezza.
5 Esultino i fedeli nella gloria,
   facciano festa sui loro giacigli.
6 Le lodi di Dio sulla loro bocca
   e la spada a doppio taglio
   nella loro mano,
7 per fare vendetta fra le nazioni,
   punizione fra i popoli;

8 per stringere in catene i loro capi
   e i loro nobili in ceppi di ferro;
9 per eseguire su di loro la sentenza
   già scritta:
   un onore è questo per tutti i suoi fedeli.
   Alleluia.

Salmo 150 - Da tutto il creato lode al Signore Dio

1 *Alleluia.*
   Lodate Dio nel suo santuario,
   lodatelo nel firmamento
     della sua potenza.
2 Lodatelo per le sue gesta vittoriose,
   lodatelo per l'immensa sua grandezza.
3 Lodatelo con il suono del corno,
   lodatelo con l'arpa e la cetra.
4 Lodatelo con il tamburello e la danza,
   lodatelo con gli strumenti a corda
     e con il flauto.
5 Lodatelo con cimbali squillanti,
   lodatelo con cimbali sonori.
6 Ogni essere che ha respiro
   dia lode al Signore.
   Alleluia.

PROVERBI

Il libro dei Proverbi raccoglie un materiale che si estende nell'arco di cinque secoli circa (dal X al V a.C.) ed è costituito da nove collezioni di proverbi, appartenenti ad autori ed epoche diversi: I. 1,8 - 9,18; II. 10,1 - 22,16; III. 22,17 - 24,22; IV. 24,23-34; V. cc. 25-29; VI. 30,1-14; VII. 30,15-33; VIII. 31,1-9; IX. 31,10-31.

Nonostante il titolo iniziale «Proverbi di Salomone» (1,1), a lui vengono attribuite solo le due collezioni maggiori, la II e la V; la III ha evidenti affinità con una raccolta egiziana detta massime di Amenemope, risalenti a prima del 1000 a.C. La prima e l'ultima sono dette solo impropriamente collezioni: la I – la più recente, da attribuirsi al redattore finale – è una lunga esortazione ad acquistare la sapienza, fonte di vita e felicità, e ad evitare gli ostacoli che impediscono tale conquista; l'ultima è un poemetto che traccia l'ideale ebraico della donna perfetta.

Nelle due collezioni salomoniche è confluito il materiale più antico, che può risalire in parte all'epoca di Salomone (970-930 a.C.) e contenere detti del re sapiente per antonomasia.

La maggior parte delle sentenze raccolte nel libro sono veri e propri proverbi: massime brevi, formate generalmente da due versi, ben ritmate e basate spesso su un'immagine o un paragone.

Particolare importanza riveste la prima parte, cc. 1-9, che mette in scena la sapienza personificata che proviene da Dio e ha presieduto come mediatrice e ordinatrice alla creazione. Essa non desidera altro che comunicarsi all'uomo per orientarlo a una vera conoscenza e a un giusto rapporto con la realtà in cui vive, cosicché in tale realtà possa incontrare Dio: «Chi trova me, trova la vita e ottiene il favore del Signore» (8,35).

LA SAPIENZA E I SUOI CONSIGLI

1 ¹Questi sono i proverbi di Salomone,
   figlio di Davide, re d'Israele,
² per conoscere sapienza e disciplina,
   per comprendere massime istruttive,
³ per apprendere destrezza e acutezza,
   giustizia, equità e rettitudine;
⁴ per dare agli inesperti la prudenza
   e ai giovani scienza e assennatezza.
⁵ Ascolti chi è saggio e aumenterà
   il sapere,
   e l'intelligente acquisterà in abilità,
⁶ per imparare i proverbi
   e le parole profonde,
   i detti dei sapienti e i loro enigmi.
⁷ Il timore del Signore è l'inizio
   della scienza;
   sapienza e disciplina sono disprezzate
   dagli stolti.
⁸ Sii docile, figlio mio, alla disciplina
   di tuo padre,
   non trascurare l'insegnamento
   di tua madre.
⁹ Essi, infatti, sono come una splendida
   corona
   sul tuo capo,
   come una collana intorno
   al tuo collo.
¹⁰ Figlio mio, se i peccatori cercano
   di sedurti,
   tu non acconsentire.

---

1. - 2. *Sapienza*: è l'insieme delle massime necessarie per dirigere la vita secondo la volontà di Dio.
7. Con queste parole, che sono l'idea fondamentale del libro, termina il prologo e comincia l'esortazione all'acquisto della sapienza, che va fino al c. 9 incluso.

11 Se ti dicono: «Vieni con noi,
   insidiamo l'orfano,
 tendiamo una rete all'innocente!
12 Inghiottiamoli vivi, come fanno gli inferi,
 tutt'interi, come quelli che cadono
   in un pozzo;
13 troveremo così tutte le cose preziose,
 e riempiremo le nostre case
   con il frutto della rapina.
14 Anche tu sorteggerai con noi
   la tua parte
 e tutti noi lo stesso sacco»,
15 figlio mio, non t'incamminare con loro,
 scosta il tuo piede dalle loro vie!
16 Veramente i loro piedi corrono
   verso il male
 e si affrettano a versare sangue.
17 Veramente si tende invano la rete
 sotto gli occhi degli uccelli.
18 Veramente costoro tendono insidie
   a se stessi
 e tramano a proprio danno.
19 Così sono i sentieri di chiunque
   si dà alla rapina:
 essa prenderà la vita di coloro
   che ne sono dominati.
20 La sapienza grida nelle strade,
 nelle piazze fa sentire la sua voce;
21 all'incrocio delle vie affollate
   essa chiama
 e nei vani delle porte della città ripete
   i suoi detti:
22 «Fino a quando, o inesperti, amerete
   l'inesperienza?
 Fino a quando gli insolenti
   si compiaceranno
 della loro insolenza
 e gli insipienti odieranno la scienza?
23 Volgetevi al mio rimprovero!
 Ecco, vi comunicherò i sentimenti
   del mio spirito,
 vi farò conoscere le mie parole.
24 Poiché vi ho chiamato e avete rifiutato,
 ho steso la mia mano e nessuno
   ha fatto attenzione,
25 avete trascurato tutti i miei consigli
 e non avete apprezzato
   il mio rimprovero:
26 anch'io nella vostra sventura riderò,
 sorriderò quando vi coglierà lo spavento,
27 quando, come una tempesta,
   verrà ciò che temete
 e la sventura vi raggiungerà
   come il vento,

quando verranno su di voi la prova
   e la tribolazione.
28 Allora mi chiameranno,
   ma io non risponderò,
 mi cercheranno, ma non mi troveranno.
29 Poiché hanno odiato la scienza
 e non hanno scelto il timore del Signore;
30 non hanno accettato il mio consiglio
 e hanno disprezzato ogni mio rimprovero;
31 mangeranno il frutto delle loro azioni
 e dei loro consigli si sazieranno.
32 Li ucciderà la caparbietà degli inesperti
 e l'indolenza degli stolti li farà perire.
33 Chi, invece, mi ascolta, riposa sicuro,
 tranquillo, senza timore di sventura».

LA SAPIENZA VIENE DAL SIGNORE

2 1 Figlio mio, se tu accoglierai
   le mie parole
 e conserverai in te i miei precetti,
2 volgendo alla sapienza il tuo orecchio
 e inclinando il tuo cuore all'intelligenza;
3 se veramente invocherai la prudenza
 e all'intelligenza innalzerai la tua voce;
4 se la ricercherai come l'argento
 e per essa scaverai come si fa
   per un tesoro:
5 allora scoprirai il timore del Signore
 e la scienza di Dio tu troverai.
6 Infatti il Signore dona la sapienza,
 dalla sua bocca vengono scienza
   e intelligenza.
7 Egli riserva ai retti la protezione,
 è scudo per chi cammina integramente.
8 Proteggendo le vie della giustizia
 egli custodisce il cammino dei suoi amici.
9 Allora comprenderai la giustizia
   e il diritto,
 l'equità e ogni via che conduce
   alla felicità.

---

20. *La sapienza* è personificata per la prima volta e appare
come maestra del popolo. Il sapiente, per dare maggiore
efficacia al suo dire, mette in scena la stessa sapienza di
Dio (1,20-33; 8-9).
22. La sapienza si rivolge a tre classi di uomini: agli *inesperti*,
bisognosi d'istruzione; agli *insolenti*, che non s'interessano
di religione e morale; agli *insipienti*, che, rifuggendo la sapienza e la disciplina, diventano insensibili alla legge morale.
2. - 2. Il cuore, nella Bibbia, è considerato come sede dell'intelligenza, degli affetti e della coscienza morale.
6-8. Questi versetti possono considerarsi come un inciso,
per dimostrare che la sapienza viene da Dio e vani sono gli
sforzi umani senza di lui.

¹⁰ Quando la sapienza sarà entrata
      nel tuo cuore
   e la scienza avrà deliziato la tua anima,
¹¹ la prudenza veglierà su di te
   e l'assennatezza ti custodirà,
¹² strappandoti dalla via del male,
   dall'uomo dalle idee perverse,
¹³ da quelli che abbandonano le vie diritte
   per camminare nelle vie delle tenebre,
¹⁴ che si dilettano nel fare il male,
   si compiacciono nelle perversità
      del vizio,
¹⁵ seguono sentieri tortuosi,
   sviano nei loro cammini;
¹⁶ strappandoti dalla donna altrui,
   dalla straniera che sa adoperare
      parole melliflue,
¹⁷ che ha lasciato il compagno
      della sua giovinezza
   e ha dimenticato l'alleanza con il suo Dio.
¹⁸ Veramente la sua casa va verso la morte
   e verso il regno delle ombre
      i suoi sentieri.
¹⁹ Chi si incammina verso di lei
      non ritorna indietro
   e non raggiunge i sentieri della vita.
²⁰ Perciò tu dovrai camminare
      per la via dei buoni
   e seguire i sentieri dei giusti.
²¹ Sì, i retti dimoreranno nella terra
   e i puri vi saranno lasciati.
²² Gli empi, invece, saranno sterminati
      dalla terra
   e i malfattori saranno da essa sradicati.

I BENEFICI DELLA SAPIENZA

3 ¹Figlio mio, non dimenticare
      il mio insegnamento
   e il tuo cuore custodisca i miei precetti,
² perché essi renderanno lunghi
      i tuoi giorni e i tuoi anni,
   e ti procureranno prosperità.
³ Amore e fedeltà non ti abbandonino!
   Legali intorno al tuo collo,
   scrivili sulla tavola del tuo cuore.
⁴ Troverai grazia e buona fortuna
   agli occhi di Dio e dell'uomo.
⁵ Confida nel Signore con tutto il cuore

   e non ti appoggiare sulla tua
      intelligenza.
⁶ Invocalo in tutte le tue vie
   ed egli raddrizzerà i tuoi sentieri.
⁷ Non ritenerti saggio ai tuoi occhi,
   temi piuttosto il Signore e fuggi dal male:
⁸ ciò sarà medicina al tuo corpo,
   ristoro alle tue ossa.
⁹ Onora il Signore con i tuoi beni
   e con le primizie di tutti i tuoi averi.
¹⁰ I tuoi granai saranno pieni di frumento,
   i tuoi tini traboccheranno di mosto.
¹¹ Figlio mio, non disprezzare la disciplina
      del Signore
   e al suo rimprovero non ribellarti,
¹² perché il Signore rimprovera
      colui che ama,
   come fa un padre verso il figlio
      a cui vuol bene.
¹³ Beato l'uomo che ha trovato la sapienza
   e l'uomo che ha acquistato la prudenza,
¹⁴ poiché il suo acquisto vale più
      di quello dell'argento
   e il suo possesso più dell'oro.
¹⁵ Essa è più preziosa delle perle
   e niente di ciò che puoi desiderare
      la uguaglia.
¹⁶ Lunghezza di giorni è nella sua destra
   e nella sua sinistra si trovano
      ricchezza e onore.
¹⁷ Le sue vie sono vie deliziose
   e tutti i suoi sentieri sono pace.
¹⁸ Albero di vita è per chi l'ha afferrata
   e quelli che ad essa si stringono
      sono beati.
¹⁹ Il Signore con la sapienza ha fondato
      la terra
   e ha reso stabili i cieli con l'intelligenza.
²⁰ Per la sua scienza si sono aperti
      gli abissi
   e le nubi hanno stillato rugiada.
²¹ Figlio mio, non perdere mai di vista
      queste cose:
   custodisci prudenza e accortezza.
²² Saranno vita per l'anima tua
   e ornamento per il tuo collo.
²³ Allora percorrerai sicuro la tua strada
   e il tuo piede non vacillerà.
²⁴ Quando ti coricherai, non avrai paura:
   ti coricherai e il tuo sonno
      sarà tranquillo.
²⁵ Non temere uno spavento improvviso
   né la tempesta degli empi quando
      si avvicina,

Pr

---

3. - 7. *Temi... il Signore e fuggi dal male*: è la massima che
racchiude tutta la sapienza pratica e l'etica del libro (cfr.
Gb 28,28).

²⁶ perché il Signore sarà il tuo baluardo,
   proteggerà dal laccio il tuo piede.
²⁷ Non rifiutare il bene a chi lo chiede,
   quando la tua mano ha la possibilità
      di farlo.
²⁸ Non dire al tuo prossimo: «Va', ripassa,
   te lo darò domani», se tu hai ciò
      che ti chiede.
²⁹ Non progettare alcun male
      contro il tuo prossimo,
   mentre egli vive fiducioso presso di te.
³⁰ Non litigare con un altro senza motivo,
   se non ti ha fatto del male.
³¹ Non invidiare un uomo violento
   e non imitare in nulla la sua condotta,
³² perché il Signore ha in abominio
      il malvagio,
   mentre riserva la sua amicizia
      agli uomini retti.
³³ La maledizione del Signore
      è sulla casa dell'empio,
   mentre egli benedice la dimora dei giusti.
³⁴ Agli insolenti egli risponde con ira,
   ai poveri, invece, dona la grazia.
³⁵ Gloria erediteranno i sapienti,
   gli stolti invece possederanno ignominia.

ESORTAZIONI VARIE

4 ¹Ascoltate, figli, l'esortazione
   di un padre,
   state attenti ad apprendere la sapienza,
² poiché io vi comunico una dottrina
      buona;
   non disprezzate il mio insegnamento.
³ Infatti anch'io sono stato un figlio
      per mio padre,
   tenero e prediletto agli occhi
      di mia madre.
⁴ Egli mi istruiva e mi diceva:
   «Che il tuo cuore accolga
      le mie parole,
   custodisci i miei precetti e vivrai!
⁵ Acquista sapienza, acquista
      intelligenza,
   non la dimenticare e non ti allontanare
   dalle parole della mia bocca.
⁶ Non l'abbandonare ed essa ti custodirà,
   amala e ti proteggerà.
⁷ Questo è l'inizio della sapienza:
   acquista la sapienza
   e con ogni tuo avere acquista
      l'intelligenza.

⁸ Tienila stretta e ti esalterà,
   ti farà onore se tu l'abbraccerai;
⁹ metterà sulla tua testa un diadema
      di grazia,
   ti circonderà di una corona
      di splendore».
¹⁰ Ascolta, figlio mio, accogli le mie parole
   e si moltiplicheranno per te
      gli anni della vita.
¹¹ Nella via della sapienza t'istruisco,
   ti guido per i sentieri della rettitudine.
¹² Quando camminerai,
   il tuo passo non sarà impedito,
   se correrai, tu non vacillerai.
¹³ Afferra la disciplina, non l'abbandonare,
   custodiscila, perché è la tua vita.
¹⁴ Nel sentiero degli empi non andare
   e non procedere per la via dei malvagi.
¹⁵ Evitala, non ci passare,
   allontanati da essa e passa oltre.
¹⁶ Essi non si addormentano
   se non hanno fatto il male,
   svanisce il loro sonno
   se non hanno fatto inciampare
      qualcuno.
¹⁷ Essi mangiano il pane dell'empietà
   e bevono il vino dei violenti.
¹⁸ La via dei giusti è come la luce
      dell'aurora,
   il cui splendore aumenta fino all'apparir
      del giorno.
¹⁹ La via degli empi invece è come
      l'oscurità;
   non sanno in che cosa inciamperanno.
²⁰ Figlio mio, sii attento alle mie parole,
   tendi il tuo orecchio ai miei detti.
²¹ Non si allontanino mai dai tuoi occhi,
   custodiscili nel tuo cuore.
²² Perché sono vita per chi li trova,
   per ogni corpo sono guarigione.
²³ Con ogni cura custodisci il tuo cuore,
   perché è da esso che sgorga la vita.
²⁴ Rimuovi da te la falsità della bocca
   e allontana dalle tue labbra
      le parole perverse.
²⁵ I tuoi occhi guardino avanti,
   il tuo sguardo sia diritto davanti a te.
²⁶ Spiana il sentiero al tuo piede
   e tutte le tue vie saranno sicure.
²⁷ Non ti voltare né a destra né a sinistra,
   allontana il tuo piede dal male.

---

4. - 12. La vita è paragonata a un viaggio: la sapienza farà
superare tutte le difficoltà e gli ostacoli.

AMMONIMENTI
CONTRO L'ADULTERIO

5 ¹Figlio mio, sii attento
alla mia sapienza,
al mio insegnamento tendi
il tuo orecchio,

² perché tu possa conservare consigli
assennati
e le tue labbra possano custodire
la scienza.

³ Veramente le labbra della straniera
stillano miele
e il suo palato è più molle dell'olio;

⁴ ma la sua fine è amara come assenzio,
affilata come spada a doppio taglio.

⁵ I suoi piedi scendono verso la morte,
i suoi passi conducono agli inferi.

⁶ Essa non segue il cammino della vita,
i suoi sentieri vacillano, ma non lo sa.

⁷ E ora, figlio mio, ascoltami:
non allontanarti dalle parole
della mia bocca.

⁸ Allontana da lei il tuo cammino,
non ti avvicinare alla porta
della sua casa.

⁹ Perché tu non dia ad altri il tuo splendore,
i tuoi anni a uomini spietati;

¹⁰ perché non godano gli altri
della tua forza
e i tuoi guadagni non vadano nella casa
di un estraneo,

¹¹ così che alla fine tu non abbia a gemere,
quando saranno consumati
il tuo corpo e la tua carne.

¹² Allora tu dirai: «Ohimè! Ho odiato
la disciplina
e il mio cuore ha disprezzato
il rimprovero;

¹³ non ho ascoltato la voce
dei miei maestri,
a chi mi insegnava non ho prestato
l'orecchio.

¹⁴ Un altro poco e sarei giunto al colmo
dell'infelicità
in mezzo all'assemblea e alla comunità».

¹⁵ Bevi l'acqua della tua cisterna
e quella che zampilla dal tuo pozzo.

¹⁶ Non scorrano fuori le tue fontane,
né sulle piazze i tuoi ruscelli.

¹⁷ Siano per te soltanto
e non per gli estranei insieme a te.

¹⁸ Sia benedetta la tua sorgente!
Possa tu trovare la gioia nella donna
della tua giovinezza,

¹⁹ amabile cerbiatta e gazzella deliziosa.
I suoi seni ti inebrino in ogni tempo:
sii tu sempre attratto dal suo amore!

²⁰ Perché lasciarti attrarre, figlio mio,
da una straniera
e stringerti al seno un'altra donna?

²¹ Infatti le vie dell'uomo sono tutte
conosciute dal Signore
ed egli scruta tutti i suoi sentieri.

²² L'empio rimane prigioniero
delle sue stesse colpe
ed è afferrato dalle funi dei suoi stessi
peccati.

²³ Egli morrà, perché senza disciplina,
e perirà, per l'eccesso della sua stoltezza.

ALCUNE NORME
DI COMPORTAMENTO

6 ¹Figlio mio, se ti sei fatto garante
per il tuo prossimo,
se ti sei impegnato per uno straniero,

² se ti sei compromesso con le parole
delle tue labbra
e ti sei lasciato catturare dai detti
della tua bocca,

³ fa' così, figlio mio: disimpegnati;
giacché sei caduto in balìa
del tuo prossimo,
va', gettati ai suoi piedi, importuna
i tuoi vicini.

⁴ Non concedere sonno ai tuoi occhi,
né riposo alle tue palpebre.

⁵ Lìberati, come gazzella, dalla sua mano,
come uccello dalla mano del cacciatore.

⁶ Va' dalla formica, poltrone,
osserva le sue abitudini e diventa saggio.

⁷ Essa non ha un capo,
né un sorvegliante, né un padrone,

⁸ eppure d'estate prepara
il suo alimento
e raduna il suo cibo durante la mietitura.

⁹ Fino a quando, poltrone, riposerai?
Quando ti alzerai dal tuo giaciglio?

¹⁰ Un po' dormire, un po' sonnecchiare,
un po' star con le mani in mano sul letto:

---

5. - 9-10. Enumera i danni dell'adulterio: perdita del vigore,
inimicizia col marito ingannato, risarcimento dei danni, perdita della salute, pubblica condanna.

15-19. Delicate immagini per dire: sii fedele alla tua legittima
consorte. In questi vv. è chiaramente supposta la monoga-
mia a cui ritornerà la legge evangelica (Mt 19,4-8).

¹¹ così giunge a te la miseria
come un vagabondo
e la povertà come un mendicante.

¹² Un poco di buono, un essere malvagio
è colui che si muove con la doppiezza
sulle labbra,

¹³ strizza gli occhi, batte i piedi a terra
e fa segni con le dita;

¹⁴ cose perverse rimugina dentro di sé
e non fa che causare risse.

¹⁵ Perciò la sua rovina verrà all'improvviso,
in un attimo sarà annientato
e non vi sarà rimedio.

¹⁶ Sei cose odia il Signore, anzi sette
ne detesta:

¹⁷ occhi alteri, lingua bugiarda,
mani che versano sangue innocente,

¹⁸ cuore che ordisce trame malvagie,
piedi che corrono in fretta verso il male,

¹⁹ falso testimone che sparge menzogne
e chi provoca discordie in mezzo
ai fratelli.

²⁰ Osserva, figlio mio, il precetto
di tuo padre,
non rifiutare l'insegnamento di tua madre.

²¹ Appendili sul tuo cuore per sempre,
fissali intorno al tuo collo.

²² Quando tu cammini, essa ti guida,
quando riposi, essa ti custodisce
e quando ti svegli, essa ti saluta.

²³ Il comando, infatti, è una lampada,
l'insegnamento è una luce
e via della vita sono il rimprovero
e la correzione,

²⁴ per proteggerti dalla donna malvagia
e dalle lusinghe della donna altrui.

²⁵ Non bramare in cuor tuo la sua bellezza
e non lasciarti adescare dai suoi occhi.

²⁶ Poiché se per una prostituta
basta un pezzo di pane,
la donna sposata mira a qualcosa
di più prezioso.

²⁷ Può un uomo portare il fuoco sul petto
senza bruciarsi le vesti,

²⁸ o camminare su carboni accesi
senza scottarsi i piedi?

²⁹ Così chi va dalla donna altrui:
non rimarrà impunito chi la tocca.

³⁰ Non si disprezza il ladro se ruba
per riempire il suo stomaco affamato;

³¹ ma se viene scoperto, deve pagare
sette volte tanto,
deve consegnare tutti i beni
della sua casa.

³² Chi commette adulterio con una donna
è un insensato:
solo chi vuole rovinare se stesso
compie una simile cosa.

³³ Piaga e disprezzo egli incontrerà
e la sua vergogna non verrà cancellata.

³⁴ Perché accende la gelosia del marito,
che sarà senza pietà nel giorno
della vendetta.

³⁵ Egli non accetterà compenso alcuno,
né sarà pago, per quanto tu moltiplichi
i tuoi doni.

GUARDARSI DALLE LUSINGHE
DELLA PROSTITUTA

7 ¹ Figlio mio, custodisci le mie parole,
conserva dentro di te i miei precetti.

² Custodisci i miei precetti e vivrai,
e il mio insegnamento sia come
la pupilla
dei tuoi occhi.

³ Legali alle tue dita,
scrivili sulla tavola del tuo cuore.

⁴ Di' alla sapienza: «Tu sei mia sorella»,
chiama amica l'intelligenza,

⁵ affinché ti custodiscano dalla donna
altrui,
dalla straniera che usa parole seducenti.

⁶ Alla finestra della mia casa
stavo osservando dietro le grate,

⁷ quand'ecco vidi tra gli inesperti,
notai tra i giovani un ragazzo
senza prudenza.

⁸ Passando per la strada dietro l'angolo,
si incamminava verso la casa
della straniera

⁹ al crepuscolo dopo il tramontar
del giorno,
all'apparire della notte e dell'oscurità.

¹⁰ Ecco una donna farglisi incontro,
vestita da prostituta, astuta nella mente.

¹¹ garrula e sempre in giro,
perché non sa tenere i piedi in casa sua.

¹² Ora è per la strada, ora è per le piazze
e ad ogni angolo sta in agguato.

¹³ Lo tira a sé, lo stringe
e con un fare sfrontato gli dice:

---

6. - 26. Fa notare che, se la prostituta fa perdere le sostanze, la donna d'altri attira addosso a chi l'avvicina danni assai maggiori, vv. 33-35, perché l'adultero era punito con la morte.

¹⁴ «Dovevo offrire dei sacrifici
e proprio oggi ho adempiuto
i miei voti;
¹⁵ per questo sono uscita incontro a te
col desiderio di vederti e ti ho trovato.
¹⁶ Ho ricoperto il mio giaciglio
con soffici cuscini,
tessuti con fine stoffa egiziana.
¹⁷ Ho cosparso il mio letto di mirra,
di aloè e di cinnamomo.
¹⁸ Vieni! Inebriamoci di amore
fino al mattino,
godiamo insieme nel piacere,
¹⁹ poiché mio marito non è in casa,
è partito per un viaggio lontano;
²⁰ ha preso con sé il sacchetto del denaro
e soltanto al plenilunio farà ritorno
a casa».
²¹ A furia di insistere lo piega,
con le lusinghe delle sue labbra
lo seduce.
²² Andando dietro a lei, lo scioccherello
è condotto come un bue al macello
e come un cervo che è preso al laccio,
²³ finché una spina non gli trafigge il fegato;
come un uccello che si affretta
verso la rete
e ignora che la sua vita è in pericolo.
²⁴ E ora, figlio mio, ascoltami,
fa' attenzione alle parole della mia bocca:
²⁵ non si lasci trascinare il tuo cuore,
seguendo le sue strade,
non inoltrarti mai per i suoi sentieri.
²⁶ Molti sono stati da lei feriti a morte,
i più robusti sono stati sue vittime.
²⁷ La via della sua casa è la via degli inferi,
è la discesa verso i palazzi della morte!

LA SAPIENZA FA IL PROPRIO ELOGIO

8 ¹Non è forse la sapienza che chiama?
L'intelligenza non fa sentir la voce?
² In cima alle alture, lungo la strada,

agli incroci delle vie essa si pone;
³ accanto alle porte, all'ingresso
dei villaggi,
sulle vie di scorrimento essa grida:
⁴ «A voi, uomini, io mi rivolgo,
ai figli dell'uomo è diretto il mio grido.
⁵ Imparate, inesperti, la prudenza,
e voi, insensati, diventate giudiziosi!
⁶ Ascoltate, perché io dirò cose importanti
e aprirò le labbra per pronunciare
cose giuste.
⁷ Sì, la mia bocca proclama la verità
e abominio per le mie labbra è l'empietà.
⁸ Giuste sono tutte le parole
della mia bocca,
niente vi è in esse di tortuoso
o perverso.
⁹ Tutte sono sincere per chi le sa
comprendere,
e rette per chi ha trovato la scienza.
¹⁰ Preferite la mia dottrina all'argento
e la scienza all'oro fino,
¹¹ perché la sapienza è migliore delle perle
e niente di ciò che si può desiderare
la uguaglia.
¹² Io, la sapienza, abito insieme
alla prudenza
e possiedo scienza e riflessione.
¹³ Il timore del Signore consiste
nell'odiare il male.
Io odio superbia, orgoglio,
cattiva condotta
e bocca perversa.
¹⁴ A me appartengono il consiglio
e l'abilità;
io sono l'intelligenza e a me appartiene
la forza.
¹⁵ Per mezzo mio i re regnano
e i capi amministrano la giustizia;
¹⁶ per mezzo mio i prìncipi governano
e i nobili giudicano la terra.
¹⁷ Io amo coloro che mi amano
e quanti mi cercano mi troveranno.
¹⁸ Ricchezza e gloria sono presso di me,
pienezza di beni e giustizia.
¹⁹ Il mio frutto è migliore dell'oro, quello fino,
i miei prodotti sono preferibili
all'argento puro.
²⁰ Nella via della giustizia io cammino
e sui sentieri del diritto,
²¹ per arricchire coloro che mi amano
e riempire i loro tesori.
²² Il Signore mi ha creato all'inizio
del suo operare,

8. - 1-11. La *sapienza* è qui personificata, come già in 1,20-33; per i padri della chiesa è la Sapienza divina, la seconda Persona della ss.ma Trinità, il Verbo che, incarnandosi, ha assunto la natura umana per comunicare con l'uomo in modo umano.

22. Questo sublime canto della sapienza ce la presenta esistente prima di tutte le cose create, ordinatrice dell'universo, creatrice. Da questa personificazione della sapienza, primizia dell'opera divina, sboccerà la sublime riflessione sul *Logos* di san Giovanni.

Pr

come la prima delle sue opere,
fin d'allora.

23 Dall'eternità sono stata costituita,
dall'inizio, prima che fosse fatta
la terra.

24 Quando non c'erano ancora gli abissi,
io fui generata,
quando non c'erano ancora le sorgenti
cariche di acque.

25 Prima che le montagne fossero fissate
e prima delle colline, io sono stata
generata;

26 prima che egli avesse fatto la terra
e le campagne
e i primi elementi del mondo.

27 Quando egli fissava il cielo, io ero là;
quando disegnava il firmamento
sulla faccia dell'abisso;

28 quando condensava le nuvole del cielo;
quando regolava le sorgenti dell'abisso;

29 quando fissava al mare il suo limite,
perché le acque non ne
oltrepassassero le spiagge;
quando consolidava le fondamenta
della terra,

30 io ero al suo fianco, come architetto,
ed ero la sua delizia ogni giorno,
rallegrandomi sempre alla sua presenza;

31 mi ricreavo sulla superficie della terra
e la mia delizia era tra i figli dell'uomo.

32 E ora, figli, ascoltatemi:
felici quelli che custodiscono le mie vie!

33 Ascoltate l'ammonimento e siate saggi,
non lo trascurate!

34 Felice l'uomo che mi ascolta,
vegliando alle mie porte ogni giorno,
custodendone i battenti!

35 Sì, chi trova me, trova la vita
e ottiene il favore del Signore.

36 Ma chi mi offende, distrugge se stesso;
tutti coloro che mi odiano,
amano la morte».

IL CONTRASTO TRA LA SAPIENZA E LA STOLTEZZA

9 ¹La sapienza ha costruito la sua casa,
ha drizzato le sue sette colonne.

2 Ha ucciso i suoi animali,
ha attinto il suo vino,
ha imbandito la sua tavola.

3 Ha inviato le sue ancelle
a gridare sulle alture del villaggio:

4 «Chi è inesperto accorra qui!».
A chi è privo di senno essa dice:

5 «Venite, mangiate il mio pane,
bevete il vino che ho preparato.

6 Abbandonate la stoltezza e vivrete,
andate diritti per la via dell'intelligenza!

7 Chi corregge il beffardo ne riceve
disprezzo,
chi rimprovera l'empio se ne attira
l'oltraggio.

8 Non rimproverare il beffardo, altrimenti
ti odierà;
rimprovera il saggio ed egli ti amerà.

9 Istruisci il saggio ed egli diventerà
ancor più saggio,
ammaestra il giusto e accrescerà
la sua dottrina.

10 L'inizio della sapienza è il timore
del Signore,
la scienza del Santo è intelligenza.

11 Per mezzo mio si moltiplicheranno
i tuoi giorni,
aumenteranno gli anni della tua vita.

12 Se sei saggio, lo sei a tuo profitto;
se sei stolto, tu solo ne porterai
le conseguenze».

13 La stoltezza, invece, è una donna
tutta irrequieta,
sciocca e senza cervello.

14 Sta seduta alla porta della sua casa,
sopra un trono, sulle alture del villaggio,

15 per invitare i passanti
che vanno diritti per la loro strada:

16 «Chi è inesperto accorra qui!».
A chi è privo di senno essa dice:

17 «Le acque furtive sono dolci,
il pane mangiato di nascosto
è più saporito».

18 Ed egli non sa che là ci sono le ombre
e che i suoi invitati scenderanno
nel profondo degli inferi.

9. - 1. La sapienza è rappresentata come una matrona nel suo palazzo, che prepara un sontuoso banchetto a cui invita molti. Questa idea del banchetto avrà i suoi riflessi anche nel NT (cfr. Mt 22,1-11; Lc 14,16-24; Gv 2,1-11; 6,25ss).
13. Dopo il banchetto della sapienza, è descritto quello della *stoltezza*, pure personificata. Mentre il convito della sapienza è sorgente di vita, la casa della stoltezza è come una tomba in cui cadono quanti vi entrano.
17. *Acque furtive*: il v. descrive perfettamente la suggestione psicologica, provocata da ciò che è proibito, sugli ingenui e i semplici.

PRIMA RACCOLTA
DEI PROVERBI DI SALOMONE

10 ¹Questi sono proverbi di Salomone.
Un figlio saggio dà gioia al padre,
un figlio stolto è la tristezza
    di sua madre.
² Non fanno profitto i tesori
    male acquistati,
mentre la giustizia libera dalla morte.
³ Il Signore non fa morire di fame il giusto,
ma reprime l'ingordigia degli empi.
⁴ Produce indigenza una mano indolente,
una mano svelta, invece, arricchisce.
⁵ Chi ammassa d'estate è un uomo
    assennato,
ma chi dorme al tempo del raccolto
    è un uomo spregevole.
⁶ Le benedizioni del Signore
    sono sul capo del giusto,
ma un dolore immaturo chiude la bocca
    degli empi.
⁷ La memoria del giusto è in benedizione,
il nome degli empi, invece, svanisce.
⁸ Il saggio di cuore accetta i precetti,
ma lo sconsiderato nei suoi discorsi
    va in rovina.
⁹ Chi cammina nell'integrità,
    cammina sicuro,
ma chi imbocca vie tortuose
    verrà smascherato.
¹⁰ Chi strizza l'occhio procura tristezza,
ma chi corregge apertamente
    procura pace.
¹¹ Sorgente di vita è la bocca del giusto,
ma la bocca degli empi racchiude
    la violenza.
¹² L'odio suscita contese,
ma l'amore copre tutte le colpe.
¹³ Sulla bocca dell'uomo assennato
    si trova la saggezza,
ma il bastone è per la schiena
    dell'insensato.
¹⁴ I saggi fanno tesoro della scienza,
ma la bocca dello stolto è una rovina
    che incombe.
¹⁵ I beni del ricco sono la sua roccaforte,
ma la rovina dei poveri è la loro
    indigenza.
¹⁶ Il salario del giusto procura la vita,
ma il guadagno dell'empio è la rovina.
¹⁷ Si incammina sulla via della vita
chi custodisce la disciplina,
    ma chi trascura la correzione sbanda.

¹⁸ Placano l'odio le labbra giuste,
ma chi sparge calunnie è uno stolto.
¹⁹ Troppe parole non sono senza colpa,
ma chi frena la lingua è un uomo
    prudente.
²⁰ Argento pregiato è la lingua del giusto,
ma il cuore degli empi non vale nulla.
²¹ Le labbra del giusto nutrono le folle,
gli stolti invece muoiono in povertà.
²² La benedizione del Signore arricchisce,
ma niente le aggiunge la nostra fatica.
²³ Allo stolto dà gioia il compiere il male,
ma al saggio la dona l'agire con sapienza.
²⁴ Ciò che l'empio teme gli accadrà,
ma il desiderio dei giusti si adempirà.
²⁵ Passa l'uragano e l'empio non c'è più,
il giusto, invece, resta saldo in eterno.
²⁶ Come l'aceto per i denti e il fumo
    per gli occhi,
così è il pigro per chi gli affida
    un incarico.
²⁷ Il timore del Signore aumenta i giorni,
ma gli anni degli empi sono accorciati.
²⁸ L'attesa dei giusti è la gioia,
ma la speranza degli empi va in fumo.
²⁹ Il Signore è un rifugio per l'onesto,
ma è una rovina per chi opera il male.
³⁰ Il giusto mai vacillerà,
ma gli empi non abiteranno la terra.
³¹ La bocca del giusto esprime sapienza,
ma la lingua perversa verrà estirpata.
³² Le labbra del giusto spandono
    benevolenza,
ma la bocca degli empi perversità.

GIUSTIZIA E MALVAGITÀ

11 ¹Una bilancia falsa è in abominio
al Signore,
un peso esatto, invece, gli è gradito.
² Dove c'è orgoglio c'è anche disonore,
con gli umili, invece, c'è la saggezza.
³ L'integrità guida gli uomini giusti,
ma la perversità rovina i perfidi.
⁴ Non giova la ricchezza nel giorno
    della collera,
invece la giustizia libera dalla morte.
⁵ La giustizia spiana la via all'uomo
    integro,
ma l'empio cade nella sua empietà.
⁶ La giustizia salva gli uomini retti,
ma gli iniqui sono presi dalla loro
    malvagità.

Pr

⁷ Con la morte dell'empio finisce ogni
   sua speranza,
 come pure ogni attesa dei perversi
   resta delusa.
⁸ Il giusto è liberato dall'angoscia,
 al suo posto, invece, vi cade l'empio.
⁹ Con la sua bocca l'empio manda
   in rovina il prossimo,
 ma con la scienza i giusti si salvano.
¹⁰ Per il benessere dei giusti la città gioisce,
 ma per la rovina degli empi fa festa.
¹¹ Per la benedizione degli uomini retti
   una città prospera,
 ma per la bocca degli empi va in rovina.
¹² Chi disprezza il prossimo
   è privo di senno,
 l'uomo intelligente, invece, sa tacere.
¹³ Chi va gironzolando svela i suoi segreti,
 ma la persona fidata non fa trapelare
   quanto sa.
¹⁴ Senza governo un popolo decade,
 il benessere, invece, dipende dai molti
   consiglieri.
¹⁵ Di certo si troverà male
   chi garantisce per un forestiero,
 chi rifiuta garanzie, invece, è al sicuro.
¹⁶ Una donna benefica si acquista fama,
 gli uomini energici acquistano ricchezza.
¹⁷ Arricchisce se stesso l'uomo benevolo,
 il crudele, invece, tortura il proprio
   corpo.
¹⁸ L'empio si affanna per un salario
   insicuro,
 ma per chi semina la giustizia
   la ricompensa è certa.
¹⁹ Chi persegue la giustizia è destinato
   alla vita,
 ma chi persegue il male è destinato
   alla morte.
²⁰ Sono in abominio al Signore
   coloro che hanno il cuore perverso,
 ma sono sua delizia
   coloro che conducono una vita integra.
²¹ Sicuramente il cattivo non resterà
   impunito,
 la stirpe dei giusti, invece, sarà salva.
²² Anello d'oro al muso di un maiale
   è una donna bella, ma senza cervello.
²³ Il desiderio dei giusti è solo il bene,
 ma la speranza degli empi è la rovina.
²⁴ Chi largheggia diventa sempre più
   ricco,
 chi, invece, si trattiene fuor di misura
   finisce nella miseria.

²⁵ L'uomo benefico avrà sempre
   prosperità,
 e chi irriga verrà a sua volta irrigato.
²⁶ Chi accaparra frumento viene maledetto
   dal popolo,
 ma la benedizione viene invocata
   su chi lo vende.
²⁷ Chi è sollecito nel bene
   trova compiacenza,
 ma chi cerca il male, raccoglierà male.
²⁸ Chi confida nella propria ricchezza
   andrà in rovina,
 i giusti, invece, sbocceranno
   come germoglio.
²⁹ Chi mette lo scompiglio in casa propria
   erediterà vento,
 e lo stolto diverrà schiavo del saggio.
³⁰ Il frutto del giusto è l'albero di vita
 e il saggio conquista gli animi.
³¹ Se il giusto è ricompensato sulla terra,
 quanto più lo saranno l'empio
   e il peccatore!

BUONI E CATTIVI

12 ¹Chi ama la disciplina,
   ama la scienza,
 ma chi odia il rimprovero è uno stolto.
² L'uomo buono si attira il favore
   del Signore,
 ma l'uomo intrigante viene condannato.
³ L'uomo non ha solide basi con l'empietà,
 ma la radice dei giusti non sarà
   mai smossa.
⁴ Una buona moglie è la corona
   del marito,
 ma quella che lo disonora è come
   carie nelle ossa.
⁵ I pensieri dei giusti sono retti,
 ma le trame degli empi sono fraudolente.
⁶ Le parole degli empi sono insidie mortali,
 ma la bocca degli uomini retti
   è salvezza per loro.
⁷ Gli empi precipitano e non tornano più,
 ma la casa dei retti rimane salda
   per sempre.
⁸ L'uomo è lodato in proporzione
   della sua saggezza,
 chi invece è perverso viene disprezzato.
⁹ L'uomo di umile condizione
   e che ha un solo schiavo
 vale più di quello vanitoso,
   ma privo di pane.

¹⁰ Il giusto ha cura di ognuno dei suoi
   animali,
ma i sentimenti degli empi sono crudeli.
¹¹ Chi coltiva la propria terra si sazia
   di pane,
ma chi va dietro a chimere è privo
   di senno.
¹² L'empio brama la rete dei cattivi,
ma la radice dei giusti è rigogliosa.
¹³ Dal peccato delle sue labbra è preso
   il malvagio,
il giusto, invece, sfugge al loro morso.
¹⁴ Ogni uomo si sazia del frutto
   della sua bocca
e ciascuno riceve la ricompensa
del lavoro delle sue mani.
¹⁵ La via dell'empio è diritta ai propri occhi,
ma chi ascolta il consiglio è saggio.
¹⁶ Lo stolto manifesta subito
   il suo disappunto,
ma il sapiente sa nascondere l'offesa.
¹⁷ Chi dice il vero proclama la giustizia,
ma il falso testimone proclama la frode.
¹⁸ C'è chi parlando trafigge
   come una spada,
mentre la lingua dei saggi risana.
¹⁹ Una lingua veritiera rimane salda
   in eterno,
una lingua bugiarda dura quanto
   un batter d'occhio.
²⁰ Delusione è nel cuore di chi trama
   il male,
gioia, invece, possiede chi consiglia
   la pace.
²¹ Al giusto non giunge alcun malanno,
gli empi, invece, sono pieni di mali.
²² Il Signore ha in abominio una lingua
   bugiarda,
ma si compiace di chi fa la verità.
²³ L'uomo prudente nasconde
   il suo sapere,
ma il cuore degli stolti fa sfoggio
della propria stoltezza.
²⁴ La mano dell'uomo solerte
   signoreggia,
ma quella dell'uomo indolente
   sarà sottomessa.
²⁵ Basta un affanno del cuore e l'uomo
   si deprime,
ma una buona parola lo riempie di gioia.

²⁶ Trova il suo pascolo il giusto,
ma la via degli empi lo fa smarrire.
²⁷ L'indolenza non cuoce la propria preda,
ma è ricchezza preziosa per l'uomo
   la diligenza.
²⁸ Sul sentiero della giustizia si trova
   la vita,
la sua strada non va mai alla morte.

SAPIENZA E STOLTEZZA

13 ¹Un figlio saggio ama la disciplina,
   un insensato non accetta rimproveri.
² Dal frutto della sua bocca
l'uomo mangia ciò che è buono,
ma il ventre dei malvagi si ciba
   di violenza.
³ Chi custodisce la sua bocca, protegge la
   sua vita,
per chi la spalanca troppo c'è solo rovina.
⁴ Il pigro brama, ma non ha mai nulla,
l'uomo laborioso, invece, viene saziato.
⁵ Il giusto odia ogni parola bugiarda,
il cattivo disonora e diffama.
⁶ La giustizia custodisce colui che è retto,
il peccato manda in rovina il peccatore.
⁷ C'è chi si mostra ricco
   senza avere niente,
e c'è chi, pur sembrando povero,
   ha molto.
⁸ Per riscattare la vita di un uomo
   c'è la ricchezza,
però il povero non si sente
   mai minacciato.
⁹ La luce dei giusti risplende gioiosa,
la lampada degli empi va spegnendosi.
¹⁰ L'orgoglio genera soltanto contese,
la saggezza sta con chi chiede consiglio.
¹¹ Accumulata in fretta, la ricchezza
   svanisce;
chi invece l'accumula piano piano,
   si fa ricco.
¹² Una speranza prolungata fa male
   al cuore,
un desiderio soddisfatto è albero di vita.
¹³ Chi disprezza un comando si rovina,
ma chi rispetta un ordine
   ha la ricompensa.
¹⁴ L'insegnamento del saggio
   è una sorgente di vita
per sfuggire ai lacci della morte.
¹⁵ La vera intelligenza conferisce grazia,
ma il contegno dei perfidi è scostante.

Pr

---

16 L'uomo avveduto agisce
   con intelligenza,
lo stolto fa sfoggio della propria
   insipienza.

17 Un empio messaggero cade in disgrazia,
un messaggero fedele apporta salvezza.

18 Povertà e disonore a chi rifiuta
   la disciplina,
invece chi tien conto del rimprovero
   è onorato.

19 Un desiderio soddisfatto è dolcezza
   per l'anima,
ma è abominio per gli stolti staccarsi
   dal male.

20 Chi va con i sapienti diventa sapiente,
chi pratica gli stolti si perverte.

21 La disgrazia insegue i peccatori,
il bene ricompensa i giusti.

22 Chi è buono trasmette l'eredità
   ai figli dei figli,
ma le ricchezze dell'empio diventano
   tesoro dei giusti.

23 Ricco nutrimento sono i campi
   dei poveri,
ma c'è chi muore perché è privo
   di senno.

24 Chi risparmia il bastone odia il proprio
   figlio,
chi lo ama non gli risparmia
   la correzione.

25 Il giusto mangia fino a saziarsi,
ma il ventre degli empi resta vuoto.

IL COMPORTAMENTO DEL SAGGIO
E DELLO STOLTO

14 ¹La sapienza costruisce la sua casa,
   la stoltezza con le proprie mani
   la distrugge.

2 Chi cammina nella rettitudine
   ha il timor di Dio,
ma chi cammina per vie storte
   lo disprezza.

3 Nella bocca dello stolto c'è un germoglio
   di superbia,
ma le labbra dei saggi sono
   la loro custodia.

4 Dove mancano i buoi, il granaio
   è vuoto,
l'abbondanza del raccolto sta nella forza
   del toro.

5 Un testimone sincero non mentisce,
un falso testimone dice menzogne.

6 Cerca la sapienza l'insolente, ma invano;
per l'intelligente, invece, la sapienza
   è cosa facile.

7 Guarda di star lontano dall'insipiente,
perché non troverai in lui
   labbra sapienti.

8 Chi è prudente studia bene la sua strada,
ma la follia degli stolti è sbandamento.

9 Nelle tende degli insolenti c'è il castigo,
ma nelle case dei giusti c'è la grazia.

10 Il cuore conosce la propria amarezza
e alla sua gioia non partecipa l'estraneo.

11 La casa degli empi sarà abbattuta,
ma la tenda dei giusti fiorirà.

12 Una strada sembra diritta per qualcuno,
all'altra estremità, però,
   c'è un trabocchetto.

13 Anche ridendo può essere triste il cuore
e la gioia stessa può finire in afflizione.

14 Chi ha il cuore traviato
si nutre del frutto della sua condotta,
ma l'uomo buono si nutre
   delle sue azioni.

15 L'ingenuo crede ad ogni parola;
chi è prudente, invece,
   veglia sui suoi passi.

16 Il saggio teme e sfugge il male,
lo stolto, invece, va avanti
   e sta tranquillo.

17 Chi è facile all'ira commette
   ogni stoltezza
e l'uomo che trama il male attira l'odio.

18 Gli stolti hanno in sorte l'insipienza,
gli accorti si fanno corona del sapere.

19 I cattivi si inchineranno ai buoni
e gli empi davanti alle porte dei giusti.

20 Il povero è odiato anche dal suo simile,
ma gli amici del ricco sono molti.

21 Chi disprezza il prossimo fa peccato,
ma chi ha pietà dei miseri è beato.

22 Non vanno forse smarriti quanti fanno
   il male?
Benevolenza e fedeltà sono per quanti
   fanno il bene.

23 In ogni lavoro c'è un guadagno,
solo le parole inutili portano all'indigenza.

24 Corona dei saggi è la loro ricchezza,
ma la stoltezza degli sciocchi rimane
   stoltezza.

25 Un testimone sincero salva molti,
ma chi dice menzogne è una rovina.

26 Nel timore del Signore c'è un sicuro
   rifugio
ed egli è un riparo per i suoi figli.

²⁷ Il timore del Signore è sorgente di vita
    per sfuggire ai lacci della morte.
²⁸ L'onore del re è un popolo numeroso,
    mentre un esiguo popolo è la rovina
      del principe.
²⁹ Chi è lento alla collera ha molta
      intelligenza,
    mentre chi è facile a infiammarsi
      mostra stoltezza.
³⁰ Un cuore tranquillo è vita del corpo,
    ma l'invidia è tarlo delle ossa.
³¹ Chi opprime il povero offende
      il suo Creatore,
    ma chi ha pietà dell'umile lo onora.
³² Dalla sua malizia è rovinato l'empio,
    ma il giusto è fiducioso perfino
      nella morte.
³³ Nel cuore intelligente risiede
      la sapienza,
    ma in mezzo agli stolti essa
      non è conosciuta.
³⁴ La giustizia innalza una nazione,
    ma il peccato segna il declino dei popoli.
³⁵ Il re si compiace d'un servo intelligente,
    ma la sua collera è per chi lo disonora.

CIÒ CHE È GRADITO AL SIGNORE
E CIÒ CHE NON LO È

15 ¹Una risposta gentile allontana
      la collera,
    una parola pungente fa crescere l'ira.
² La lingua dei saggi esprime la scienza,
    la bocca degli stolti produce stoltezza.
³ Gli occhi del Signore sono dovunque
    per osservare buoni e cattivi.
⁴ Una lingua benevola è un albero di vita,
    una lingua perversa distrugge lo spirito.
⁵ Lo stolto disprezza la correzione
      di suo padre,
    chi invece apprezza il rimprovero
      è saggio.
⁶ Nella casa del giusto c'è molta
      ricchezza,
    ma i guadagni dell'empio producono
      insicurezza.
⁷ Le labbra del giusto diffondono
      la scienza,
    ma non così il cuore degli stolti.
⁸ Il sacrificio degli empi è in abominio
      al Signore,
    egli, invece, gradisce la preghiera
      dei giusti.

⁹ La condotta dei peccatori è in abominio
      al Signore,
    egli, invece, ama chi cerca la giustizia.
¹⁰ Una correzione severa tocca
    a chi abbandona il sentiero;
    chi odia il rimprovero, morirà.
¹¹ Inferi e abisso sono davanti al Signore,
    quanto più i cuori degli uomini!
¹² L'insolente non ama chi lo ammonisce,
    egli non vuole frequentare i sapienti.
¹³ Un cuore gioioso distende la faccia,
    ma la tristezza del cuore deprime
      lo spirito.
¹⁴ Un cuore intelligente cerca la scienza,
    ma la bocca degli stolti si pasce
      di stoltezza.
¹⁵ Per chi è in angustia i giorni
      sono tutti cattivi,
    ma per chi ha il cuore tranquillo
      è sempre una festa.
¹⁶ Un po' di felicità nel timore del Signore
    vale più di un grande tesoro
      con l'inquietudine.
¹⁷ È meglio un piatto di legumi
      dove c'è amore
    che un bue grasso dove c'è odio.
¹⁸ L'uomo irascibile suscita contese,
    l'uomo paziente, invece, smorza le liti.
¹⁹ La strada del pigro è come una siepe
      spinosa,
    il sentiero dei retti è scorrevole.
²⁰ Il figlio sapiente allieta il padre,
    l'uomo stolto disprezza sua madre.
²¹ La stoltezza allieta chi è privo di senno,
    chi è intelligente va diritto
      per la sua strada.
²² I progetti falliscono per mancanza
      di discussione,
    riescono, invece, quando molti discutono.
²³ È una gioia per l'uomo saper dare
      una risposta;
    una parola detta a suo tempo quanto
      è gradita!
²⁴ C'è un sentiero di vita per il saggio,
      in alto,
    per tenerlo lontano dagli inferi, in basso.
²⁵ Il Signore abbatte la casa dei superbi,
    consolida, invece, il confine della vedova.
²⁶ Il Signore ha in abominio
      i disegni malvagi,
    ma gli sono gradite le parole benevole.
²⁷ Sconvolge la sua casa chi ammassa
      rapine,
    ma chi disprezza i regali avrà la vita.

Pr

²⁸ Il cuore del giusto riflette prima
  di rispondere,
  ma la bocca degli empi
  vomita malvagità.

²⁹ Il Signore sta lontano dagli empi,
  ascolta, invece, la preghiera dei giusti.

³⁰ Uno sguardo luminoso dà gioia
  al cuore,
  una buona notizia ingrassa le ossa.

³¹ L'orecchio che ascolta una salutare
  ammonizione
  avrà dimora in mezzo ai sapienti.

³² Chi rigetta la correzione disprezza
  se stesso,
  chi ascolta il rimprovero acquista senno.

³³ Il timore del Signore è saggia
  disciplina
  e prima della gloria c'è l'umiltà.

SAPIENZA E RETTITUDINE

16 ¹All'uomo appartengono i progetti
  del cuore,
  ma dal Signore viene la risposta
  della lingua.

² Tutte le vie dell'uomo sono pure
  ai suoi occhi,
  ma chi scruta gli spiriti è il Signore.

³ Affida al Signore le tue opere
  e i tuoi progetti si realizzeranno.

⁴ Ogni opera del Signore tende verso
  un fine;
  perfino l'empio, che tende verso
  il giorno di sventura.

⁵ Il Signore detesta ogni cuore orgoglioso:
  certamente non resterà impunito.

⁶ Con la bontà e la fedeltà si espia
  il peccato
  e con il timore del Signore ci si allontana
  dal male.

⁷ Quando il Signore si compiace
  delle vie di un uomo,
  gli riconcilia anche i suoi nemici.

⁸ È meglio poco con giustizia
  che molti beni senza l'onestà.

⁹ Il cuore dell'uomo decide la sua strada,
  ma è il Signore che consolida
  il suo passo.

¹⁰ C'è un oracolo sulle labbra del re,
  nel giudizio la sua bocca non sbaglia.

¹¹ La bilancia e i piatti giusti sono
  del Signore,
  tutti i pesi del sacco sono sua opera.

¹² I re detestano fare il male,
  perché il trono si consolida
  con la giustizia.

¹³ Delizia dei re sono le labbra giuste,
  essi amano chi dice cose rette.

¹⁴ L'ira del re è messaggera di morte,
  ma l'uomo saggio la placa.

¹⁵ Nello splendore del volto del re
  c'è la vita,
  il suo favore è come pioggia primaverile.

¹⁶ È meglio possedere la sapienza che l'oro
  e l'intelligenza più che l'argento.

¹⁷ La via dei retti è fuggire il male;
  chi vuol custodire la sua anima
  sorveglia la sua strada.

¹⁸ All'origine della rovina c'è l'orgoglio
  e all'origine della caduta lo spirito altero.

¹⁹ Meglio l'umiltà dello spirito
  con i poveri
  che spartire la preda con i superbi.

²⁰ Chi è prudente nel parlare trova il bene
  e chi confida nel Signore è beato.

²¹ Chi è saggio di cuore è chiamato
  intelligente
  e chi parla dolcemente è più persuasivo.

²² Sorgente di vita è la sapienza
  per chi la possiede
  e castigo degli stolti è la stoltezza.

²³ Il cuore del saggio rende prudente
  la bocca
  e più persuasive le labbra.

²⁴ Un favo di miele sono le parole gentili,
  dolcezza per l'anima e salute
  per il corpo.

²⁵ Agli occhi dell'uomo una strada
  sembra diritta,
  ma all'altro capo sbocca in sentieri
  di morte.

²⁶ L'appetito del lavoratore lavora per lui,
  perché su di lui fa forza la sua bocca.

²⁷ L'uomo depravato causa disgrazie
  e sulle sue labbra c'è come un fuoco
  ardente.

²⁸ L'uomo perverso fa nascere
  la discordia
  e chi diffama divide gli amici.

²⁹ L'uomo violento seduce il suo prossimo
  e lo conduce per una via non buona.

---

16. - 4. Dio ha fatto tutto per la sua gloria e, sebbene voglia
tutti salvi, la gloria di Dio esige che anche l'empio punito (*il
giorno di sventura*) manifesti la giustizia di Dio.
10-15. Per comprendere le sentenze di questi vv. bisogna
tener presente l'autorità assoluta di cui godevano i re orientali, padroni persino della vita dei sudditi.

³⁰ Chi strizza l'occhio trama cose false,
   chi stringe le labbra compie il male.
³¹ Corona di gloria è la canizie
   ed essa si trova sul sentiero
      della giustizia.
³² È meglio un uomo lento all'ira
      che un eroe,
   e chi domina se stesso
      vale più di chi conquista una città.
³³ Nel cavo della veste si getta la sorte,
   ma la decisione dipende tutta
      dal Signore.

PRUDENZA NEL PARLARE E NELL'AGIRE

17 ¹È meglio una crosta di pane secco
      e la tranquillità
   che una casa piena di conviti
      e di discordia.
² Il servo intelligente si imporrà
      su un figlio snaturato
   e avrà parte all'eredità dei fratelli.
³ Il crogiuolo è per l'argento e il forno
      è per l'oro,
   ma è il Signore che scruta i cuori.
⁴ Il maligno presta attenzione
      a labbra inique,
   il bugiardo presta l'orecchio
      a lingua malevola.
⁵ Chi deride il povero oltraggia il creatore,
   chi gode dell'altrui sventura
      non resterà impunito.
⁶ Corona degli anziani sono i figli
      dei loro figli,
   onore dei figliuoli sono i loro padri.
⁷ Allo stolto non si addice un parlare
      elevato,
   meno ancora all'onesto una lingua
      menzognera.
⁸ Il dono è come una pietra preziosa
      per il proprietario:
   dovunque si volga, egli ottiene tutto.
⁹ Chi copre gli sbagli si procura l'amicizia,
   ma chi rimugina i fatti si priva di un amico.
¹⁰ Fa più male un rimprovero
      all'uomo intelligente
   che cento colpi all'uomo senza senno.

¹¹ Solo di ribellioni va in cerca
      chi è malvagio,
   ma un messaggero crudele
      gli vien mandato contro.
¹² Meglio incontrare un'orsa a cui
      han rapito i cuccioli
   che uno stolto nella sua stoltezza.
¹³ Chi rende male per bene
   non vedrà mai allontanarsi la disgrazia
      dalla sua casa.
¹⁴ L'inizio d'una rissa è come l'acqua
   che comincia a straripare:
      prima che la rissa scoppi, fuggi via.
¹⁵ Giustificare l'empio e accusare il giusto
   sono due cose che il Signore detesta.
¹⁶ A che serve il denaro in mano
      all'insensato?
   Per comprare la sapienza?
      Ma non ne ha l'animo!
¹⁷ L'amico ama in ogni circostanza,
   è un fratello nell'avversità.
¹⁸ Uomo privo di senno è chi s'impegna
   e si fa garante per un altro.
¹⁹ Chi ama le contese ama il peccato;
   chi innalza la sua porta cerca la rovina.
²⁰ Un cuore perverso mai troverà fortuna;
   chi ha una lingua falsa cadrà
      nella sventura.
²¹ Chi genera uno stolto ne avrà dispiaceri;
   non può certo rallegrarsi il padre
      di uno stolto.
²² Un cuore contento è un buon rimedio,
   uno spirito abbattuto inaridisce
      le ossa.
²³ L'empio accetta un dono di nascosto
   per sovvertire il corso della giustizia.
²⁴ Lo sguardo dell'uomo intelligente
      è fisso alla sapienza;
   gli occhi dello stolto vagano
      verso le estremità della terra.
²⁵ Tristezza per il padre è un figlio stolto
   e amarezza per colei
      che l'ha generato.
²⁶ Punire l'uomo giusto non è bene,
   colpire le persone innocenti
      è contro l'equità.
²⁷ Chi modera le parole mostra
      la sua scienza
   e chi sa dominarsi è un uomo
      intelligente.
²⁸ Anche lo stolto, se tace, è reputato
      saggio;
   chi chiude le sue labbra è un uomo
      intelligente.

Pr

---

17. - 24. Il saggio bada a se stesso; lo stolto va con gli occhi
sino alle estremità della terra, ma non guarda se stesso: si
preoccupa, cioè, di molte cose, ma dimentica le più importanti: le sue.

IMPORTANZA DELLA PAROLA

18 ¹Chi si apparta dagli altri
segue il proprio capriccio,
e con ogni mezzo attacca lite.

² Lo stolto non ama avere la scienza,
ma solo far mostra di avere
intelligenza.

³ Con l'empietà viene anche il disprezzo
e con il disonore la vergogna.

⁴ Acque profonde sono le parole
che pronuncia l'uomo,
torrente straripante è la fonte
della sapienza.

⁵ Non è bene favorire il malvagio
per far torto al giusto in giudizio.

⁶ Le labbra dello stolto portano alla lite
e la sua bocca gli procura le percosse.

⁷ La bocca dello stolto è la sua rovina
e le sue labbra sono un laccio
per la sua vita.

⁸ Le parole del denigratore
sono come bocconi deliziosi
che scendono fino nel profondo
delle viscere.

⁹ Chi si mostra negligente nel lavoro
è fratello di chi lo vuol distruggere.

¹⁰ Una fortezza è il nome del Signore:
a lui ricorre il giusto e si trova al sicuro.

¹¹ I beni del ricco sono la sua fortezza
e, nella sua opinione, sono come
un alto muro.

¹² Prima della rovina il cuore dell'uomo
si insuperbisce,
ma prima della gloria c'è l'umiliazione.

¹³ Chi risponde prima di ascoltare
dimostra stoltezza e ne avrà confusione.

¹⁴ Lo spirito dell'uomo sostiene
la sua fragilità,
ma lo spirito abbattuto chi lo solleverà?

¹⁵ Un cuore intelligente acquista sapere
e l'orecchio dei saggi ricerca la scienza.

¹⁶ Il dono spalanca ogni porta all'uomo
e lo conduce alla presenza dei grandi.

¹⁷ Si dà ragione al primo che parla
in una lite,
ma poi viene il suo avversario
e lo contesta.

¹⁸ La sorte mette fine alle contese
e decide tra i potenti.

¹⁹ Un fratello aiutato da un fratello
è come una fortezza
e gli amici sono come le sbarre
di un castello.

²⁰ Con il lavoro della bocca si sazia
lo stomaco dell'uomo
ed egli si sazia con il frutto
delle sue labbra.

²¹ Morte e vita sono in potere della lingua;
chi ne sa fare uso ne assaggerà il frutto.

²² Chi ha trovato una sposa ha trovato
un tesoro,
ha ottenuto una grazia dal Signore.

²³ Il povero parla supplicando;
il ricco, invece, risponde con durezza.

²⁴ Ci sono amici che mandano in rovina,
ma c'è anche l'amico più affezionato
di un fratello.

SENTENZE VARIE

19 ¹Vale più un povero
dalla condotta onesta
che un ricco dai costumi perversi.

² Senza saggezza neppure lo zelo
è buono,
e chi affretta il passo inciampa.

³ La stoltezza dell'uomo rovina
la sua strada
e poi egli si irrita contro il Signore.

⁴ La ricchezza moltiplica gli amici,
ma il povero è abbandonato
anche dall'amico che ha.

⁵ Il falso testimone non resterà impunito
e chi dice menzogne non la scamperà.

⁶ Molti adulano il potente
e ognuno vuol farsi amico di chi fa doni.

⁷ Tutti i fratelli del povero lo sfuggono:
quanto più gli amici si allontaneranno
da lui!
Egli cerca di dire parole,
ma non ne trova.

⁸ Chi possiede senno ama se stesso
e chi custodisce l'intelligenza
troverà fortuna.

⁹ Il falso testimone
non rimarrà impunito
e chi dice menzogne perirà.

¹⁰ Non si addice allo stolto una vita agiata,
ancor meno a uno schiavo
comandare ai capi.

¹¹ Il buon senso trattiene l'uomo dall'ira
ed è sua gloria passar sopra
alle offese.

---

18. - 1. L'individualista non vuol neppure ascoltare i pareri
altrui, irritandosi contro chi lo vuole consigliare.

¹² Come il ruggito del leone è l'ira del re,
    ma come rugiada sull'erba
        è il suo favore.
¹³ Una sventura per il padre
        è un figlio stolto
    e uno stillicidio continuo è una moglie
        litigiosa.
¹⁴ La casa e la ricchezza si ereditano
        dai padri,
    ma è dono del Signore una moglie
        intelligente.
¹⁵ La pigrizia fa cadere nel torpore
    e un uomo indolente patirà la fame.
¹⁶ Chi osserva il comandamento custodisce
        la sua vita,
    ma chi disprezza la parola morirà.
¹⁷ Chi ha pietà del misero fa un prestito
        al Signore,
    che gli renderà il contraccambio.
¹⁸ Correggi tuo figlio, perché c'è sempre
        speranza,
    ma non trascendere fino ad ammazzarlo.
¹⁹ Chi è molto iracondo ne porterà la pena;
    se lo risparmi, aumenterai la sua collera.
²⁰ Ascolta il consiglio e accetta
        il rimprovero,
    affinché tu possa arrivare
        ad essere saggio.
²¹ Molti sono i progetti nel cuore dell'uomo,
    ma solo il disegno del Signore si realizza.
²² Ciò che si desidera dall'uomo
        è la bontà:
    meglio un povero che un bugiardo.
²³ Il timore del Signore conduce alla vita:
    l'uomo che lo possiede non incorrerà
        in alcun male.
²⁴ Tuffa il pigro la mano nel piatto,
    ma non riesce a portarla fino alla bocca.
²⁵ Colpisci l'insensato, e l'inesperto
        diverrà accorto;
    riprendi l'intelligente
        ed egli comprenderà l'insegnamento.
²⁶ Chi insulta il padre e fa fuggire
        la madre,
    è un figlio disonorato e infame.
²⁷ Figlio mio, smetti pure di ascoltare
        l'istruzione,
    ma così ti allontanerai dalle parole
        della scienza.
²⁸ Il testimone malvagio si beffa
        della giustizia
    e la bocca degli empi divora l'iniquità.
²⁹ Per gli insensati sono pronti i castighi
    e le percosse per le spalle degli stolti.

PROVERBI INDIPENDENTI

20 ¹ Il vino è un beffardo, il liquore
        un insolente:
    chiunque se ne inebria non può essere
        saggio.
² Come il ruggito del leone è l'ira del re:
    chiunque lo irrita nuoce a se stesso.
³ È un onore per l'uomo evitare le risse,
    ma tutti gli stolti vi si gettano a capofitto.
⁴ Alla stagione nuova il pigro non lavora;
    al tempo del raccolto cercherà,
        ma inutilmente.
⁵ Come acqua profonda è il consiglio
        nel cuore dell'uomo,
    ma l'uomo intelligente vi saprà attingere.
⁶ Molti vantano la propria bontà,
    ma chi trova una persona fidata?
⁷ Il giusto cammina nella sua integrità:
    beati i suoi figli dopo di lui!
⁸ Un re che siede sopra un trono
        di giustizia
    disperde con lo sguardo ogni malvagio.
⁹ Chi può dire: «Ho purificato il mio cuore,
    sono puro dal mio peccato»?
¹⁰ Peso diverso da peso ed efa diversa
        da efa
    sono due cose che il Signore
        ha in abominio.
¹¹ Già dalle azioni del fanciullo
        si può conoscere
    se la sua condotta sarà pura e retta.
¹² L'orecchio che intende e l'occhio
        che vede:
    entrambi li ha fatti il Signore.
¹³ Non amare il sonno per non diventar
        povero,
    tieni aperti gli occhi e avrai pane a sazietà.
¹⁴ «Non vale niente, non vale niente»,
        dice chi compera;
    ma mentre se ne va, allora loda la merce.
¹⁵ C'è l'oro e ci sono molte perle,
    ma la cosa più preziosa sono le labbra
        assennate.
¹⁶ Prendi pure il vestito
    di chi l'ha impegnato per uno straniero
    e tienilo in pegno per gli sconosciuti.
¹⁷ Dolce è per l'uomo il cibo procurato
        con frode,
    ma poi la sua bocca si trova piena
        di ghiaia.
¹⁸ Consolida i tuoi progetti facendoti
        consigliare
    e fa' la guerra con un piano ben preciso.

Pr

¹⁹ Chi va in giro chiacchierando rivela
i segreti,
ma tu non associarti con chi tien sempre
le labbra aperte.

²⁰ Chi maledice il padre e la madre,
vedrà spegnersi la sua lampada
come quando fa buio.

²¹ L'eredità agognata troppo in fretta
all'inizio,
non sarà benedetta alla fine.

²² Non dire: «Renderò male per male»,
ma spera nel Signore ed egli ti salverà.

²³ Il peso falso è in abominio al Signore
e le bilance false non sono cosa buona.

²⁴ Dal Signore sono diretti i passi dell'uomo:
come può, dunque, l'uomo conoscere
la propria via?

²⁵ È un laccio per l'uomo dire in fretta:
«È cosa sacra»,
per poi ripensarci dopo aver fatto il voto.

²⁶ Un re saggio passa al vaglio i malvagi
e su di essi fa passare la ruota
della trebbiatura.

²⁷ Lo spirito dell'uomo è una luce divina,
che scruta fin nelle profondità
del suo essere.

²⁸ Bontà e fedeltà vegliano sul re,
grazie alla giustizia si consolida
il suo trono.

²⁹ Vanto dei giovani è il loro vigore,
ornamento dei vecchi è la canizie.

³⁰ Le ferite sanguinanti sono rimedio
per il male
e le percosse lo sono per le profondità
dell'animo.

L'AGIRE DEL GIUSTO E DELL'EMPIO

21 ¹Simile a corsi d'acqua è il cuore
del re
nelle mani del Signore:
egli lo piega verso tutto ciò che vuole.

² Agli occhi dell'uomo tutte le vie
sembrano rette,
ma chi pesa i cuori è il Signore.

³ Praticare la giustizia e l'equità
per il Signore vale più di un sacrificio.

⁴ Occhi alteri e cuore superbo…:
lampada dei malvagi è il peccato.

⁵ I progetti dell'uomo abile conducono
all'abbondanza,
ma chi è precipitoso certamente
va in rovina.

⁶ Fare fortuna con una lingua bugiarda
è vanità effimera di chi cerca la morte.

⁷ La violenza degli empi li travolge,
perché essi rifiutano di agire
onestamente.

⁸ Tortuosa è la via dell'uomo criminale,
ma l'agire dell'innocente è retto.

⁹ È meglio abitare sotto l'angolo
di un tetto
che in una grande casa con una donna
litigiosa.

¹⁰ L'anima dell'empio desidera il male
e ai suoi occhi il prossimo
non trova grazia.

¹¹ Quando il beffardo viene punito,
l'inesperto diviene saggio,
e quando il saggio viene istruito,
egli accresce il sapere.

¹² Il Giusto osserva la casa dell'empio
e precipita gli empi nella sventura.

¹³ Chi chiude l'orecchio al grido del povero,
quando a sua volta invocherà,
non otterrà risposta.

¹⁴ Un dono fatto in segreto placa l'ira
e un regalo sotto mano calma
il violento furore.

¹⁵ È una gioia per il giusto che si faccia
giustizia,
ma è un terrore per coloro
che compiono il male.

¹⁶ L'uomo che devia dal sentiero
della prudenza
si ritroverà nell'assemblea delle ombre.

¹⁷ Diventerà indigente chi ama il piacere
e chi ama vino e profumi
non si arricchirà.

¹⁸ L'empio serve da riscatto per il giusto
e al posto degli onesti c'è il ribelle.

¹⁹ È meglio abitare in un deserto
che con una donna litigiosa e aspra.

²⁰ Tesori preziosi e olio sono nella casa
del saggio,
ma l'uomo stolto li divora.

²¹ Chi persegue giustizia e bontà
troverà vita e gloria.

²² Il sapiente espugna una città
di uomini forti
e abbatte le difese in cui essa confidava.

²³ Chi custodisce la bocca e la lingua
preserva se stesso dalle angosce.

20. - 20. Non avrà fortuna e avrà la vita corta (cfr. Es 20,12).
25. Raccomanda prudenza prima di legarsi con un voto,
perché poi incombe l'obbligo stretto di osservarlo.

²⁴ Orgoglioso e superbo sono i nomi
    del beffardo,
  egli è uno che reagisce con orgoglio
    smisurato.
²⁵ Il desiderio uccide chi è pigro,
  perché le sue mani rifiutano di lavorare.
²⁶ L'empio vorrebbe sempre ricevere
    dagli altri;
  il giusto, invece, presta e mai rifiuta.
²⁷ Il sacrificio degli empi è un abomìnio,
  tanto più se viene offerto con cattiva
    intenzione.
²⁸ Il falso testimone perirà,
  ma l'uomo che ascolta potrà
    sempre parlare.
²⁹ L'empio si dà una grande importanza;
  l'uomo retto, invece, sorveglia
    i propri passi.
³⁰ Non c'è sapienza né intelligenza
  né consiglio che si oppongano
    al Signore.
³¹ Per il giorno della battaglia si prepara
    il cavallo,
  ma al Signore appartiene la salvezza.

RACCOMANDAZIONI VARIE

22 ¹Un nome famoso val più
       di molta ricchezza
  e la reputazione più dell'argento
    e dell'oro.
² Il ricco e il povero s'incontrano:
  il Signore ha creato entrambi.
³ L'uomo assennato vede il pericolo
    e si mette al riparo,
  ma gli imprudenti vanno avanti
    e ne riportano danno.
⁴ Frutti dell'umiltà sono il timore
    del Signore,
  la ricchezza, la gloria e la vita.
⁵ Spine e lacci sono sulla strada
    del perverso,
  chi ha cura di se stesso se ne sta
    lontano.
⁶ Istruisci il giovane sulla via da seguire
  e anche da vecchio non se ne
    allontanerà.
⁷ Il ricco domina sui poveri
  e il debitore è schiavo del creditore.

⁸ Chi semina iniquità raccoglie disgrazia
  e il bastone della sua collera colpirà
    lui stesso.
⁹ L'occhio benevolo sarà benedetto,
  perché dona del suo pane al povero.
¹⁰ Scaccia il beffardo e la discordia
    se ne andrà,
  e cesseranno le liti e gli insulti.
¹¹ Chi ama la purezza di cuore
  e ha la grazia sulle labbra è amico del re.
¹² Gli occhi del Signore proteggono
    la scienza,
  ma egli confonde le parole del bugiardo.
¹³ Dice il pigro: «C'è un leone là fuori!
  Verrei sbranato in mezzo alla strada!».
¹⁴ Fossa profonda è la bocca
    della donna altrui,
  colui che il Signore detesta vi cadrà.
¹⁵ La stoltezza è legata al cuore
    del giovane:
  il bastone della correzione l'allontanerà
    da lui.
¹⁶ Chi opprime il povero lo fa ricco,
  chi dà al ricco non fa che impoverirsi.

Prima raccolta delle parole dei sapienti

¹⁷ Tendi l'orecchio e ascolta le parole
    dei sapienti,
  applica il tuo cuore per poterle
    comprendere.
¹⁸ Perché è piacevole
  quando tu le custodisci nel tuo intimo
  e quando esse sono tutte pronte sulle
    tue labbra.
¹⁹ Affinché la tua fiducia sia riposta
    nel Signore,
  voglio indicarti oggi la tua strada.
²⁰ Non ho forse scritto per te trenta parole,
  riguardanti consigli e conoscenza,
²¹ perché tu possa far conoscere la verità
  e rispondere a coloro che ti interrogano?
²² Non derubare il povero, perché è povero,
  e non opprimere alla porta l'infelice,
²³ perché il Signore difenderà la loro causa
  e priverà della vita i loro oppressori.
²⁴ Non diventare amico di un uomo
    collerico
  e non frequentare l'iracondo,
²⁵ per non imparare i suoi costumi
  e mettere un laccio alla tua vita.
²⁶ Non essere di quelli che offrono
    la destra
  o che si fanno garanti per i debiti altrui,

---

22. - 16. Le sofferenze patite a causa dell'oppressione si
cambieranno per il povero in benedizioni divine, perché Dio
è dalla sua parte.

²⁷ perché, se non hai da rendere,
   ti prenderanno anche il letto da sotto
   a te.
²⁸ Non spostare il vecchio confine
   che posero i tuoi padri.
²⁹ Tu vedi un uomo svelto al suo lavoro?
   Costui starà alla presenza dei sovrani
   e non starà più davanti a gente oscura.

CONSIGLI E SUGGERIMENTI

23 ¹Quando siedi a mensa
   con un potente
   fa' ben attenzione a ciò che ti sta
   davanti:
² mettiti un coltello alla gola,
   se sei uno che ha molto appetito.
³ Non bramare le sue pietanze squisite,
   perché sono un cibo che inganna.
⁴ Non ti affannare per accumulare
   ricchezza,
   rinunzia a un simile pensiero.
⁵ Infatti, appena la guardi, essa già
   non c'è più,
   perché mette ali come aquila che vola
   verso il cielo.
⁶ Non mangiare il pane di un uomo
   malvagio
   e non bramare i suoi cibi prelibati,
⁷ perché, da buon calcolatore quale egli è,
   ti dirà: «Mangia e bevi!»,
   ma il suo cuore non è con te.
⁸ Dovrai rigettare il boccone
   che hai mangiato
   e avrai sprecato le tue parole gentili.
⁹ Non parlare alle orecchie di uno stolto,
   perché egli disprezzerebbe
   i tuoi saggi discorsi.
¹⁰ Non spostare il confine della vedova
   e non entrare nei campi degli orfani,
¹¹ perché il loro difensore è potente
   e difenderà contro di te la loro causa.
¹² Applica il tuo cuore all'istruzione
   e il tuo orecchio alle parole della scienza.
¹³ Non ricusare al giovane la correzione:
   anche se lo colpisci con il bastone,
   non morirà;
¹⁴ anzi, colpendolo con il bastone,
   lo libererai dagli inferi.
¹⁵ Figlio mio, se il tuo cuore è saggio,
   si allieterà anche il mio cuore.
¹⁶ Nel mio intimo esulterò,
   se le tue labbra diranno cose rette.

¹⁷ Non abbia invidia il tuo cuore
   per i peccatori,
   ma si mantenga ogni giorno nel timore
   del Signore,
¹⁸ perché certamente ci sarà per te
   un avvenire
   e la tua speranza non sarà delusa.
¹⁹ Tu ascolta, figlio mio, sii saggio
   e dirigi il tuo cuore sul retto cammino.
²⁰ Non metterti con i bevitori di vino,
   né con coloro che si rimpinzano
   di carne,
²¹ perché chi si ubriaca e gozzoviglia
   diventa povero
   e il dormiglione veste di stracci.
²² Ascolta tuo padre, che ti ha generato,
   non disprezzare tua madre,
   anche se vecchia.
²³ Compra la verità e non la rivendere:
   cioè la sapienza, la disciplina
   e l'intelligenza.
²⁴ Il padre del giusto è pieno d'allegrezza
   e chi ha generato un saggio ne gioisce.
²⁵ Si rallegri per te tuo padre,
   esulti colei che ti ha dato la vita.
²⁶ Dammi, figlio mio, il tuo cuore,
   e i tuoi occhi si dilettino delle mie vie.
²⁷ Perché fossa profonda è la prostituta
   e un pozzo stretto è la donna altrui.
²⁸ Come un ladro essa sta in agguato
   e fra gli uomini aumenta il numero
   dei malvagi.
²⁹ Per chi i guai? Per chi i lamenti?
   Per chi le risse? Per chi i gemiti?
   Per chi le ferite senza alcun motivo?
   Per chi gli occhi sempre offuscati?
³⁰ Per chi si perde dietro al vino,
   per chi va in cerca di vino pregiato.
³¹ Non guardare il vino, come è rosso,
   come mostra il suo splendore
   nella coppa,
   e va giù così soavemente!
³² Alla fine esso morde come una serpe,
   e come una vipera avvelena.
³³ Allora i tuoi occhi vedranno cose strane
   e il tuo cuore dirà cose sconnesse.
³⁴ Sarai come chi giace in mezzo al mare
   o siede sopra l'albero maestro.
³⁵ «Mi hanno percosso, ma io
   non sento niente!
   Mi hanno bastonato, ma io
   non me ne sono accorto!
   Quando mi sveglierò,
   continuerò a domandarne ancora».

MASSIME DI VITA PRATICA

24 ¹Non invidiare i malvagi
e non desiderare di stare con loro,
² perché il loro cuore medita rovina,
le loro labbra parlano di far male.
³ Con la saggezza si edifica la casa
e con l'intelligenza la si sostiene;
⁴ con la scienza si riempiono le stanze
di ogni bene prezioso e bello.
⁵ Vale più un uomo saggio che uno forte,
un uomo di scienza che uno valido solo
di muscoli,
⁶ perché con saggi consigli si può far
la guerra
e la vittoria sta nel numero
dei consiglieri.
⁷ Troppo alta è per lo stolto la sapienza,
alla porta egli non apre mai la bocca.
⁸ Colui che pensa a fare il male
è chiamato intrigante raffinato.
⁹ Trama dello stolto è il peccato,
obbrobrio degli uomini è il beffardo.
¹⁰ Se ti lasci andare nel giorno dell'angoscia,
il tuo coraggio si riduce a ben poco.
¹¹ Libera quelli che sono condotti alla morte,
salva coloro che sono trascinati
al supplizio.
¹² Se dici: «Ecco, noi non lo sapevamo!»,
forse chi pesa i cuori
non ha intelligenza?
Colui che custodisce la tua anima
non lo sa?
Egli darà a ciascuno secondo
le sue opere.
¹³ Mangia, figlio mio, il miele perché
è buono;
una goccia di miele è dolce al tuo palato:
¹⁴ così, devi saperlo, è la sapienza per te.
Se la trovi ci sarà per te un avvenire
e la tua speranza non sarà distrutta.
¹⁵ Non insidiare, o malvagio,
l'abitazione del giusto,
non saccheggiare il luogo dove si riposa;
¹⁶ perché sette volte il giusto cade
e subito si rialza;
gli empi, invece, piombano nella sventura.
¹⁷ Quando il tuo nemico cade, non gioire,
e quando vacilla, il tuo cuore non esulti,

¹⁸ perché il Signore non veda
e se ne dispiaccia
e allontani da lui la sua ira.
¹⁹ Non irritarti per chi fa il male
e non invidiare gli empi,
²⁰ perché per il malvagio non
ci sarà avvenire
e la lampada degli empi si estinguerà.
²¹ Figlio mio, temi il Signore e il re;
con i novatori non aver a che fare,
²² perché improvvisamente verrà
la loro rovina,
e chi può misurarne la disgrazia?

Altra raccolta delle parole dei sapienti

²³ Anche queste sono parole
dei sapienti.
Far preferenze in giudizio non è bene.
²⁴ Chi dice all'empio: «Tu sei giusto»,
sarà maledetto dai popoli,
sarà detestato dalle nazioni.
²⁵ Ma a coloro che fanno giustizia
tutto andrà bene,
su di loro scenderà una benedizione
feconda.
²⁶ Dà un bacio sulle labbra
colui che parla con franchezza.
²⁷ Assicura prima ciò di cui hai bisogno
e metti in assetto il tuo campo,
poi costruirai la tua casa.
²⁸ Non testimoniare a cuor leggero
contro il prossimo
e non ingannare con le tue labbra.
²⁹ Non dire: «Come ha fatto a me,
così io farò a lui;
renderò a ciascuno secondo quello
che ha fatto!».
³⁰ Sono passato accanto al campo
del pigro
e presso la vigna d'un uomo
fannullone.
³¹ Ecco: dovunque crescevano
le ortiche,
le spine coprivano il suolo
e la siepe di pietra era crollata.
³² Io guardai e riflettei dentro di me,
osservai e ricavai una lezione:
³³ un po' dormire, un po' appisolarsi,
un po' incrociare le braccia
per riposarsi,
³⁴ ed ecco sopraggiungere la povertà
come un viandante
e la miseria come un uomo armato.

Pr

---

24. - 27. Prima di metter su famiglia bisogna assicurare
l'avvenire. In senso più generale: prima d'iniziare qualcosa,
pensa se hai i mezzi per compierla. Meglio non cominciarla
che doverla abbandonare incompiuta.

SECONDA RACCOLTA DEI PROVERBI DI SALOMONE

25 ¹Anche questi sono proverbi di Salomone, che hanno trascritto gli uomini di Ezechia, re di Giuda.

² È gloria di Dio nascondere una cosa,
   ma è gloria dei re penetrarla.

³ I cieli in alto, la terra in basso,
   e il cuore dei re sono cose impenetrabili.

⁴ Togli le scorie dall'argento
   e l'orefice ne trarrà un capolavoro;

⁵ togli l'empio dalla presenza del sovrano
   e il suo trono si consoliderà
   nella giustizia.

⁶ Non ti gloriare davanti al re
   e non metterti al posto dei grandi,

⁷ perché è meglio che ti dicano:
   «Sali più su»,
   piuttosto che essere umiliato
   davanti al principe.

⁸ Ciò che i tuoi occhi hanno visto
   non affrettarti a riferirlo nel processo;
   cosa farai, infatti, alla fine,
   quando il tuo avversario
   ti avrà smentito?

⁹ Risolvi la tua lite con il tuo prossimo,
   ma senza rivelare ad altri il tuo segreto,

¹⁰ perché chi ascolta non abbia a biasimarti
   e tu perda la reputazione.

¹¹ Come mele d'oro su piatti d'argento
   così è una parola detta al tempo giusto.

¹² Come anello d'oro e collana d'oro fino
   così è il rimprovero del saggio
   per un orecchio attento.

¹³ Come il fresco della neve al tempo
   della mietitura
   così è un messaggero fedele
   per chi l'ha inviato;
   egli ravviva l'anima del suo signore.

¹⁴ Nuvole e vento e niente pioggia:
   tale è l'uomo che promette un regalo
   e non lo fa.

¹⁵ Con la pazienza si placa un principe
   e una lingua dolce spezza le ossa.

¹⁶ Hai trovato il miele? Mangiane
   con moderazione,
   perché non ti dia nausea
   e debba vomitarlo.

¹⁷ Trattieni il piede dall'entrare spesso
   nella casa del tuo vicino,
   perché non si stanchi di te e ti prenda
   a noia.

¹⁸ Mazza, spada, freccia appuntita

è l'uomo che testimonia il falso contro
   il prossimo.

¹⁹ Dente cariato e piede zoppicante
   è chi tradisce nel giorno dell'angustia,

²⁰ chi toglie il mantello in un giorno
   di freddo.
   Come aceto su una piaga
   è cantare canzoni a un cuore afflitto.

²¹ Se il tuo nemico ha fame,
   dagli da mangiare;
   e se ha sete, dagli da bere:

²² così tu ammasserai carboni ardenti
   sul suo capo
   e il Signore ti ricompenserà.

²³ La tramontana porta la pioggia,
   la faccia irritata genera una lingua
   indiscreta.

²⁴ È meglio abitare sotto l'angolo
   di un tetto
   che con una donna litigiosa
   in una stessa casa.

²⁵ Come acqua fresca per una gola assetata
   è una buona notizia da un paese lontano.

²⁶ Sorgente torbida e fontana inquinata
   è il giusto che tentenna davanti all'empio.

²⁷ Mangiare troppo miele non è bene:
   risparmia dunque parole lusinghiere.

²⁸ Una città aperta, senza mura,
   è l'uomo che non sa dominare se stesso.

LO STOLTO, IL PIGRO E IL BUGIARDO

26 ¹Come la neve d'estate e come la pioggia durante la mietitura, così non si addice l'onore allo stolto.

² Come svolazza il passero e come vola
   la rondine,
   così la maledizione non meritata
   non ha effetto.

³ La frusta per il cavallo, il freno
   per l'asino
   e il bastone per la schiena degli stolti.

⁴ Non rispondere allo stolto secondo
   la sua stoltezza,
   per non essere anche tu come lui.

---

25. - 21-22. Cfr. Rm 12,20, dove Paolo cita questi vv. Il senso non è chiaro. Forse vuol dire che, beneficando il nemico, gli si produce rimorso, inducendolo al pentimento e alla riconoscenza, attirando su se stesso la benedizione di Dio.
26. - 4-5. Le due massime, apparentemente contrarie, vogliono dire che si deve rispondere allo stolto, ma non da stolti, cioè soltanto per fargli comprendere la sua stoltezza e ignoranza.

⁵ Rispondi allo stolto secondo
  la sua stoltezza,
  perché non si creda di essere saggio.

⁶ Si taglia i piedi e beve amarezza
  chi invia un messaggio per mezzo
  di uno stolto.

⁷ Non hanno forza le gambe dello zoppo,
  così il proverbio sulla bocca degli stolti.

⁸ Come chi mette una pietra nella fionda
  così è chi attribuisce onori allo stolto.

⁹ Come una spina penetrata nella mano
  dell'ubriaco
  così è il proverbio sulla bocca degli stolti.

¹⁰ Arciere che ferisce ogni passante
  è colui che ingaggia uno stolto.

¹¹ Come un cane ritorna al suo vomito
  così lo stolto ripete la sua stoltezza.

¹² Hai visto un uomo che si crede saggio?
  C'è da sperare più dallo stolto che da lui.

¹³ Dice il pigro: «C'è una belva nella strada,
  un leone si aggira per le piazze!».

¹⁴ Come la porta gira sul suo cardine
  così il pigro sul suo letto.

¹⁵ Allunga il pigro la sua mano al piatto,
  ma fa fatica a portarla alla bocca.

¹⁶ Il pigro si reputa più saggio
  di sette persone che rispondono
  con senno.

¹⁷ Come chi prende per la coda
  il cane che passa,
  così è chi si impiccia di una lite
  che non lo riguarda.

¹⁸ Come colui che per fare il pazzo
  tira giavellotti, frecce e morte,

¹⁹ così è l'uomo che mente al suo prossimo
  e poi dice: «Non lo faccio forse
  per divertirmi?».

²⁰ Se si finisce la legna, il fuoco si spegne;
  se non c'è il denigratore, la contesa
  si placa.

²¹ Carbone sulle braci e legna sul fuoco,
  tale è l'uomo rissoso che attizza
  sempre liti.

²² Le parole del denigratore sono
  come cibi deliziosi
  che scendono fino al fondo
  delle viscere.

²³ Vernice d'argento spalmata sulla creta,
  tali sono le labbra ardenti
  e il cuore malvagio.

²⁴ Chi odia parla con simulazione,
  ma cova nel suo intimo l'inganno.

²⁵ Se la sua voce si fa suadente,
  non gli credere,
  perché egli cova mille pensieri
  abominevoli.

²⁶ L'odio si può nascondere
  con la dissimulazione:
  ma la sua malizia verrà svelata
  nell'assemblea.

²⁷ Chi scava una fossa vi cade
  e la pietra ricade su chi la rotola.

²⁸ Una lingua bugiarda odia la verità
  e una bocca adulatrice produce
  la rovina.

VANITÀ E INVIDIA, AMICIZIA
E CURA DELLE COSE

27 ¹Non ti lodare per il domani,
  perché non sai neppure
  che cosa riserva l'oggi.

² Ti lodi un altro e non la tua bocca,
  un estraneo e non le tue labbra!

³ Greve è la pietra e pesante la sabbia,
  ma l'atteggiamento irritante dello stolto
  pesa più di tutt'e due.

⁴ La collera è crudele e l'ira è impetuosa:
  ma chi può resistere alla gelosia?

⁵ Meglio un rimprovero aperto
  che un amore nascosto.

⁶ Leali sono le ferite di un amico,
  ingannevoli i baci di un nemico.

⁷ Gola sazia disprezza il miele,
  gola affamata trova dolce anche l'amaro.

⁸ Come il passero che erra lontano
  dal nido
  così è l'uomo che va errando lontano
  dal suo paese.

⁹ L'olio e il profumo rallegrano il cuore
  e la dolcezza di un amico
  consola l'anima.

¹⁰ Non abbandonare il tuo amico
  né quello di tuo padre
  e non entrare in casa di tuo fratello
  nel giorno in cui sei nella tristezza.
  È meglio un amico vicino
  che un fratello lontano.

¹¹ Sii saggio, figlio mio, e rallegra
  il mio cuore,
  così potrò rispondere a chi mi oltraggia.

¹² L'uomo assennato vede il pericolo
  e si mette al riparo,

---

12. Il presuntuoso, che si crede saggio e superiore agli altri,
è più restio dello stolto ad accettare correzioni e consigli.
27. - 8. Chi abbandona la famiglia, il paese, l'occupazione
scelta o a lui confacente, si espone a molti affanni.

Pr

ma gli imprudenti vanno avanti
e ne riportano danno.

¹³ Prendi pure il vestito
di chi l'ha impegnato per uno straniero
e tienilo in pegno per gli sconosciuti.

¹⁴ A chi benedice il suo prossimo
ad alta voce fin dall'alba,
ciò verrà imputato come maledizione.

¹⁵ Goccia continua in giorno di pioggia
e donna litigiosa si assomigliano:

¹⁶ chi la vuole trattenere
è come volesse trattenere il vento
e raccogliere l'olio con la destra.

¹⁷ Il ferro si lima con il ferro
e l'uomo affina le maniere
del suo prossimo.

¹⁸ Chi ha cura del suo fico ne mangia
i frutti;
chi veglia sul suo padrone
sarà onorato.

¹⁹ Come nell'acqua il volto riflette se stesso
così il cuore rivela l'uomo all'uomo.

²⁰ Inferi e abisso mai si saziano,
così non si saziano mai gli occhi
dell'uomo.

²¹ Come il crogiuolo è per l'argento
e il forno per l'oro,
così per l'uomo è la sua reputazione.

²² Anche se tu pestassi lo stolto
in un mortaio,
in mezzo ai chicchi con un pestello,
non elimineresti la sua stoltezza.

²³ Preoccupati del tuo gregge
e abbi cura delle tue mandrie,

²⁴ perché la ricchezza non è eterna
e un tesoro non dura all'infinito.

²⁵ Appena tolto il fieno, appare
l'erba fresca
e si raccoglie il foraggio sopra i monti.

²⁶ Ci siano agnelli per vestirti
e capretti come prezzo per comprare
un campo;

²⁷ le capre ti diano latte abbondante
come cibo per la tua famiglia
e per il sostentamento
delle tue ancelle.

MASSIME VARIE

28 ¹L'empio fugge, anche se nessuno
lo insegue;
il giusto, invece, sta tranquillo come un
giovane leone.

² Quando un paese è in subbuglio, molti
sono i prìncipi,
ma l'ordine dura a lungo
con un uomo intelligente e saggio.

³ Un uomo empio che opprime i poveri
è come pioggia che devasta
e fa mancare il pane.

⁴ Chi trasgredisce la legge esalta l'empio,
ma chi osserva la legge è in lotta
contro di lui.

⁵ I malvagi non comprendono la giustizia,
ma chi cerca il Signore comprende tutto.

⁶ Vale più un povero che vive
onestamente,
di un ricco dalla condotta perversa.

⁷ Chi osserva la legge è un figlio
intelligente,
chi frequenta i libertini disonora il padre.

⁸ Chi aumenta la ricchezza con l'usura
e l'interesse,
l'ammassa per chi ha pietà dei poveri.

⁹ Se uno distoglie l'orecchio
per non ascoltare la legge,
anche la sua preghiera verrà ripudiata.

¹⁰ Chi trascina i retti in una via malvagia
cadrà nella sua fossa,
ma gli uomini integri possederanno
la felicità.

¹¹ C'è chi si crede saggio perché è ricco,
ma il povero che ha senno lo smaschera.

¹² Quando prevalgono i giusti
si fa gran festa,
ma quando si innalzano gli empi,
ognuno si nasconde.

¹³ Chi nasconde le proprie colpe
non avrà successo;
chi le confessa e se ne allontana,
troverà misericordia.

¹⁴ Beato l'uomo che sempre coltiva
il timore;
chi indurisce il cuore cadrà
nella sventura.

¹⁵ Leone ruggente e orso affamato,
tale è l'empio che domina
su un popolo povero.

¹⁶ Un principe privo d'intelligenza
moltiplica i balzelli,
ma chi si guarda dall'avidità
prolungherà i suoi giorni.

---

20. Gli *inferi* sono la dimora dei morti: tanti ne muoiono, tanti
ne vanno; ugualmente l'ingordigia umana non è mai sazia.
21. La lode prova l'uomo: chi se ne insuperbisce è un miserabile; chi ci soffre, perché se ne sente indegno, è sapiente.

¹⁷ Un uomo che è inseguito
  per un omicidio,
fuggirà fino alla tomba:
  non lo trattenere!
¹⁸ Chi si comporta onestamente sarà salvo;
  chi vuole stare su due strade,
  in una inciamperà.
¹⁹ Chi lavora la sua terra si sazierà di pane,
  chi insegue chimere si sazierà
  di miseria.
²⁰ L'uomo leale sarà colmo di benedizioni;
  chi ha fretta d'arricchirsi non sarà esente
  da colpa.
²¹ Essere parziali con le persone
  non è bene,
  per un pezzo di pane l'uomo
  può peccare.
²² L'uomo avaro corre dietro alla ricchezza
  e non sa che lo insegue la miseria.
²³ Chi corregge un altro, alla fine troverà
  più favore
  di chi adula con la lingua.
²⁴ Chi ruba al padre o alla madre
  e dice: «Non è peccato», è compagno
  dell'assassino.
²⁵ Chi è invidioso suscita le risse,
  ma chi ha fiducia nel Signore
  avrà successo.
²⁶ Chi confida nel suo cuore è uno stolto,
  ma chi cammina nella sapienza
  sarà salvo.
²⁷ Chi dà al povero non avrà mai bisogno,
  ma chi chiude gli occhi avrà
  grandi maledizioni.
²⁸ Quando gli empi si innalzano,
  ognuno si nasconde,
  ma quando essi periscono, i giusti
  si moltiplicano.

VALE LA PENA ESSERE SAGGIO

29 ¹ L'uomo che, sebbene rimproverato,
  persiste nell'errore,
andrà incontro a una rovina improvvisa
  e irreparabile.
² Quando governano i giusti, il popolo
  si allieta;
  quando dominano gli empi,
  il popolo sospira.

³ Chi ama la sapienza allieta il padre;
  chi frequenta le prostitute dissipa
  i propri beni.
⁴ Con la giustizia un re consolida il paese;
  chi eccede nelle imposte lo conduce
  alla rovina.
⁵ L'uomo che adula il prossimo
  gli tende un laccio sui suoi passi.
⁶ Il peccato dell'empio è un trabocchetto,
  il giusto, invece, esulta e si rallegra.
⁷ Il giusto si interessa al processo
  dei poveri,
  ma l'empio è privo di tale interesse.
⁸ Gli uomini senza scrupoli turbano
  la città,
  i saggi, invece, placano i furori.
⁹ Un uomo saggio ha un processo
  con lo stolto?
  Si agiti o rida, non approderà mai a nulla.
¹⁰ Gli omicidi odiano chi è retto,
  i giusti, invece, si prendono cura di lui.
¹¹ Lo stolto dà sfogo a tutta la sua ira,
  il saggio, invece, la reprime
  e la trattiene.
¹² Se chi comanda presta ascolto
  alle menzogne,
  anche tutti i suoi subalterni
  saranno malvagi.
¹³ Il povero e il suo oppressore
  si incontrano:
  il Signore illumina gli occhi di ambedue.
¹⁴ Un re che giudica con equità i poveri
  rende saldo il suo trono per sempre.
¹⁵ Verga e correzione danno la sapienza,
  ma il giovane lasciato a se stesso
  disonora sua madre.
¹⁶ Quando dominano gli empi,
  cresce l'iniquità,
  ma i giusti assisteranno alla loro rovina.
¹⁷ Correggi tuo figlio e ti darà conforto;
  procurerà delizie alla tua anima.
¹⁸ Quando non c'è visione il popolo
  è sfrenato,
  ma chi osserva la legge è felice.
¹⁹ Con i discorsi non si corregge un servo;
  egli comprende, ma non obbedisce.
²⁰ Hai visto un uomo precipitoso
  nel parlare?
  C'è più da sperare in uno stolto
  che in lui!
²¹ Chi vizia il suo servo dall'infanzia,
  alla fine lo renderà insolente.
²² L'uomo collerico suscita le liti
  e l'uomo passionale moltiplica i peccati.

Pr

---

28. - 23. La correzione è grande atto di carità che sul momento può urtare, ma poi, riconsiderata a mente calma, viene apprezzata.

²³ L'orgoglio dell'uomo ne provoca
   umiliazione,
   ma l'umile di spirito avrà onore.
²⁴ È complice del ladro e odia se stesso
   chi sente la maledizione
   e non denunzia nulla.
²⁵ La paura dell'uomo ti crea un laccio,
   ma chi confida nel Signore è al sicuro.
²⁶ Molti cercano i favori di chi comanda,
   ma dal Signore dipende la sorte
   di ciascuno.
²⁷ È un abominio per il giusto l'uomo empio
   e per l'empio è un abominio
   l'uomo retto.

PAROLE DI AGUR

30 ¹Parole di Agur, figlio di Iake, da
Massa. Oracolo di costui per Iteel,
per Iteel e per Ukal.

² Sì, io sono il più stupido degli uomini
   e non ho un'intelligenza come gli altri;
³ non ho appreso la sapienza
   e ignoro la scienza del Santo.
⁴ Chi è salito al cielo e ne è disceso?
   Chi ha raccolto il vento nelle sue palme?
   Chi ha racchiuso le acque nel mantello?
   Chi ha fissato tutti i confini della terra?
   Qual è il suo nome? Qual è il nome
   di suo figlio?
   Lo sai?
⁵ Ogni parola di Dio è provata al fuoco.
   Egli è scudo per chi in lui confida.
⁶ Non aggiungere nulla alle sue parole,
   perché non ti riprenda come un bugiardo.
⁷ Due cose io ti chiedo,
   non negarmele prima che io muoia:
⁸ allontana da me falsità e menzogna,
   non darmi né povertà né ricchezza,
   ma fammi avere il cibo necessario,
⁹ perché, una volta sazio, io non ti rinneghi
   e dica: «Chi è il Signore?»,
   oppure, ridotto in povertà, non abbia
   a rubare
   e profanare il nome del mio Dio.
¹⁰ Non calunniare un servo davanti
   al suo padrone,
   perché egli non ti maledica e tu
   non ne abbia danno.
¹¹ C'è una generazione che maledice
   il proprio padre
   e non benedice la propria madre;

¹² c'è una generazione che si ritiene pura,
   ma la sua impurità non è stata cancellata;
¹³ c'è una generazione che ha occhi alteri
   e ciglia superbe;
¹⁴ c'è una generazione che ha i denti
   come spade
   e ha le mascelle come coltelli,
   per divorare i deboli e farli scomparire
   dal paese,
   i poveri e farli scomparire dalla terra.

Proverbi numerici

¹⁵ La sanguisuga ha due figlie:
   «Dammi! Dammi!».
   Tre cose non si saziano mai,
   anzi quattro non dicono mai: «Basta!»:
¹⁶ gli inferi, il seno sterile,
   la terra mai sazia di acqua
   e il fuoco, che mai dice: «Basta!».
¹⁷ L'occhio, che disprezza il padre
   e rifiuta l'obbedienza alla madre,
   lo strapperanno i corvi del torrente
   e lo divoreranno le aquile.
¹⁸ Tre cose sono troppo ardue per me,
   anzi quattro non le capisco:
¹⁹ il cammino dell'aquila nel cielo,
   il cammino del serpente sulla roccia,
   il cammino della nave in mezzo al mare
   e il cammino dell'uomo
   verso una ragazza.
²⁰ Questa è la condotta dell'adultera:
   mangia, si pulisce la bocca
   e dice: «Non ho fatto alcun male!».
²¹ Per tre cose freme la terra,
   anzi quattro cose non le può sopportare:
²² uno schiavo che si fa re,
   uno stolto che si sazia di pane,
²³ una donna sgraziata che prende marito
   e una serva che soppianta la padrona.
²⁴ Quattro esseri sono i più minuscoli
   sopra la terra,
   eppure sono più saggi dei saggi:
²⁵ le formiche, che sono un popolo minuto,
   ma ammassano d'estate il loro cibo;

---

29. - 24. Il complice del ladro già merita il castigo di lui; però
se il giudice lo chiama a testimoniare, scongiurandolo di dire
la verità, ed egli la tace, odia se stesso perché si rende
passibile di doppia pena.
30. - 1. *Agur* è un personaggio a noi completamente sconosciuto; probabilmente è israelita, poiché adora Jhwh.
2-4. L'uomo più sapiente senza luce soprannaturale si sente
assediato dai misteri ed esclama sgomento: «Io non so
nulla!» (cfr. Gb 42,1-6).

²⁶ gli iraci, che sono un popolo senza vigore,
   ma pongono sulla roccia la loro dimora;
²⁷ le cavallette, che non hanno un re,
   ma escono come un esercito schierato;
²⁸ la lucertola, che si può prendere
      con le mani,
   ma penetra anche nei palazzi dei re.
²⁹ Tre cose hanno un portamento solenne,
   anzi quattro hanno un'andatura
      maestosa:
³⁰ il leone, che è il re degli animali
   e non indietreggia davanti a nessuno;
³¹ il gallo, che domina in mezzo alle galline;
   l'ariete, che cammina in testa al gregge,
   e il re, quando è in mezzo
      al suo esercito.
³² Se tu sei stato stolto al punto
      da insuperbirti,
   ma poi hai cambiato, mettiti la mano
      sulla bocca.
³³ Pressando il latte, si produce il burro;
   stringendo il naso, si fa uscire il sangue;
   così chi spreme l'ira, ne fa uscire le liti.

PAROLE DI LEMUEL

31 ¹ Parole di Lemuel, re di Massa,
   insegnategli da sua madre.
² E che, figlio mio! E che,
      figlio del mio seno!
   E che, figlio dei miei voti!
³ Non concedere alle donne il tuo vigore,
   i tuoi fianchi a quelle che corrompono
      i sovrani!
⁴ Non conviene ai re, o Lemuel,
   non conviene ai re bere vino,
   né ai prìncipi desiderare liquori,
⁵ per timore che, bevendo, dimentichino
      i loro decreti
   e alterino il diritto di tutti gli infelici!
⁶ Date bevande forti a chi sta per morire
   e vino a chi è nell'amarezza.
⁷ Beva per dimenticare la sua miseria
   e non ricordarsi più della sua pena.

---

31. - 11. Il marito che ha avuto la fortuna di avere tale donna,
affida a lei la famiglia e la casa con tutta sicurezza.
18. La *lampada* stava sempre accesa nelle case e si spe-
gneva soltanto nella sventura. Vuol dire che la prosperità
regnerà nella sua famiglia.
23. *È stimato alla porta*: nelle piccole e antiche città palestinesi, appena dentro la porta delle mura vi era una piccola
piazza in cui si radunavano gli anziani e i cittadini per trattare
i pubblici affari.

⁸ Apri la tua bocca in favore del muto,
   in difesa di tutti i derelitti.
⁹ Apri la tua bocca e giudica
      con giustizia,
   rendi giustizia all'infelice e al povero!

*Elogio alfabetico della donna ideale
e operosa*

Alef – ¹⁰Una donna efficiente
      chi sa trovarla?
   È superiore alle perle il suo valore.
Bet – ¹¹In lei confida il cuore del marito,
   che ne ricaverà sempre un vantaggio.
Ghimel – ¹²Essa gli dà felicità
      e non dispiacere, mai,
   per tutti i giorni della sua vita.
Dalet – ¹³Si interessa della lana
      e del lino,
   e lavora alacremente con le sue mani.
He – ¹⁴È come le navi d'un mercante,
   che fa venire da lontano il suo pane.
Vau – ¹⁵Si alza quando è ancora buio,
      per distribuire il vitto ai suoi familiari
   e dare ordini alle sue domestiche.
Zain – ¹⁶Mette l'occhio su un campo
      e l'acquista,
   e con il guadagno delle sue mani pianta
      una vigna.
Het – ¹⁷Stringe forte i propri fianchi
   e irrobustisce le sue braccia.
Tet – ¹⁸Vede con gioia l'utilità
      del suo lavoro,
   neppure di notte si spegne
      la sua lampada.
Iod – ¹⁹Le sue mani sono intente
      alla conocchia
   e le sue dita si occupano del fuso.
Kaf – ²⁰Apre le sue palme al povero
   e le sue dita stende all'infelice.
Lamed – ²¹Non teme la neve
      per i suoi familiari,
   perché tutti in casa hanno doppia veste.
Mem – ²²Si è procurata bei tappeti,
   bisso e porpora sono le sue vesti.
Nun – ²³Suo marito è stimato
      alla porta della città,
   quando siede con gli anziani del paese.
Samech – ²⁴Tesse drappi di lino
      e li rivende,
   fornisce cinture al commerciante.
Ain – ²⁵Forza e splendore sono
      il suo vestito,
   va incontro sicura all'avvenire.

Pe – ²⁶Apre la sua bocca con saggezza
  e la legge della dolcezza
  è sulla sua lingua.
Sade – ²⁷Sorveglia l'andamento
  della sua casa,
  il pane che mangia non è frutto
  di pigrizia.
Qof – ²⁸I suoi figli sorgono
  a proclamarla beata
  e anche suo marito la loda:

Resh – ²⁹«Molte donne sono state
  efficienti,
  ma tu le hai superate tutte!».
Shin – ³⁰Un inganno è l'avvenenza,
  un soffio la bellezza!
  La donna saggia, quella sì,
  è da lodare!
Tau – ³¹Datele il frutto delle proprie mani,
  e le sue stesse opere la lodino
  alle porte della città.

QOHELET

L'operetta giunta a noi sotto il nome di «Qohelet» (o Ecclesiaste) contiene riflessioni disincantate sull'esistenza umana, annotate senz'ordine e sistematicità da un saggio ebreo vissuto verso la fine del III secolo a.C. Qohelet significa propriamente «colui che parla nell'assemblea», titolo attribuito all'autore e divenuto poi una specie di nome proprio.

Nella sua esistenza, questo saggio ha sentito profondamente la «vanità di tutto», cioè l'inconsistenza e l'incomprensibilità della vita e delle cose, espressa nel celebre detto: «Vanità delle vanità: tutto è vanità» (1,2; 12,8).

Osservando la realtà che lo circonda, Qohelet la trova piena di cose incomprensibili: la natura, apparentemente in continuo movimento, in effetti ripete incessantemente gli stessi cicli ed è quindi immobile; la storia non porta nulla di nuovo sotto il sole, perché ogni generazione ripete quanto hanno fatto le generazioni precedenti; l'incongruenza e il caso dominano nella vita, non solo perché non si dà un chiaro nesso tra capacità e successo, impegno e risultati, ma soprattutto perché manca ogni legge di retribuzione che convinca inequivocabilmente l'uomo del valore del suo comportamento morale.

Il libro di Qohelet è una pietra miliare nel cammino della rivelazione e ha quindi tutto il senso di un'attesa. Qohelet è un israelita e, se non ha ragioni per spiegare quanto avviene sotto il sole, sa che sopra il firmamento c'è Qualcuno che tutto conosce, per cui un senso il mondo deve averlo. Egli quindi è un testimone paradossale della fede nel Dio d'Israele, tanto più eroica quanto più la ragione è messa a dura prova. Egli è testimone dell'attesa di una «luce vera che illumina ogni uomo, quella che veniva dal mondo» (Gv 1,9).

TUTTO È VANITÀ, VUOTO IMMENSO

1 ¹Parole di Qohelet, figlio di Davide, re di Gerusalemme.
² Vanità delle vanità, dice Qohelet,
vanità delle vanità: tutto è vanità.
³ Che vantaggio viene all'uomo
da tutta la fatica
che lo fiacca sotto il sole?
⁴ Una generazione va
e una generazione viene,
eppure la terra sta sempre ferma.
⁵ Il sole sorge, il sole tramonta
e si affretta verso quel luogo
da cui rispunterà.
⁶ Il vento soffia dal sud e gira
a settentrione;
passa girando e rigirando il vento
e ritorna sempre sulle sue spire.
⁷ Tutti i fiumi scorrono verso il mare,
eppure il mare mai si colma;
i fiumi fluiscono verso la foce
e di là essi riprendono a scorrere.
⁸ Le parole son divenute tutte
così logore
che non si possono più esprimere.
L'occhio non si sazia di ciò che vede,
né l'orecchio si riempie di ciò che ode.
⁹ Quel che è stato, sarà,
e ciò che è stato fatto, si rifarà.
Niente di nuovo avviene sotto il sole.

---

1. - 1. *Qohelet*, in greco e latino «Ecclesiastes», è il nome accademico dell'autore: «colui che parla nell'assemblea». *Figlio di Davide*: tale è Salomone, ma qui è una finzione letteraria per dar valore al libro.

[10]Qualche volta si sente dire: «Ecco, questa è una cosa nuova». Ma proprio questa è già accaduta nei secoli che furono prima di noi.

[11]Non ci si ricorda degli antichi, ma neppure dei posteri si conserverà la memoria presso coloro che verranno in seguito.

[12]Io, Qohelet, sono stato re d'Israele in Gerusalemme. [13]Mi sono proposto di investigare e di riflettere, per mezzo della sapienza, su tutto ciò che avviene sotto il cielo. Questa è un'occupazione gravosa che Dio ha dato agli uomini, perché in essa si tormentino. [14]Così ho osservato tutte le opere che si fanno sotto il sole e ho concluso che tutto è vanità e occupazione senza senso.

[15] Ciò che è storto non si può raddrizzare
    e ciò che manca non si può contare.

[16]Pensavo in cuor mio: «Ecco, sono diventato più grande e più sapiente di quanti hanno regnato prima di me in Gerusalemme; la mia mente ha acquistato molta sapienza e scienza».

[17]Ma, dopo essermi dato alla ricerca della sapienza e della scienza, della follia e della stoltezza, sono arrivato alla conclusione che anche questa è un'occupazione assurda, perché

[18] dove c'è molta sapienza,
    c'è molto tormento,
    e se si aumenta il sapere, si aumenta
    il dolore.

LE ASSURDITÀ DELLA VITA

2 [1]Ho detto in cuor mio: «Su, voglio farti provare gioia: Gusta i piaceri!».
Ma mi accorsi che anche questa era vanità; [2]al riso, infatti, ho detto: «Stolto!», e all'allegria: «A che serve?».
[3]Decisi allora di darmi al vino, in questa mia ricerca della sapienza, e di far mia tutta la follia, per poter comprendere quale fosse il bene per gli uomini, un bene che essi possano realizzare nei giorni contati della loro vita.
[4]Ho intrapreso, perciò, grandi lavori: mi sono costruito case e mi sono piantato vigne, [5]mi sono preparato giardini e parchi, piantandovi alberi fruttiferi di ogni specie. [6]Mi sono scavato cisterne piene d'acqua,

per poter irrigare tutti quegli alberi. [7]Mi sono comprato schiavi e schiave, mi sono nati servi in casa e ho posseduto armenti e greggi più numerosi di tutti quelli dei miei predecessori in Gerusalemme. [8]Ho accumulato anche argento, oro e tesori di re e di province. Mi sono procurato cantori e cantatrici e, delizia dell'uomo, principesse in gran numero. [9]Così divenni più grande e più potente dei miei predecessori in Gerusalemme e avevo sempre ben salda la mia sapienza.

[10] Tutto quanto i miei occhi chiedevano
    non l'ho negato loro,
    né ho rifiutato al mio cuore
        alcun piacere.
    Anzi, il fatto che il mio cuore
        fosse contento
    di ogni mia fatica,
    questo era il solo guadagno
        che mi veniva
    da ogni mia fatica.

[11]Ho poi confrontato tutte le opere che le mie mani avevano fatto e la fatica compiuta nell'eseguirle, e mi sono convinto che tutto è vanità e agire senza senso, e che non c'è alcun vantaggio sotto il sole.
[12]Allora mi sono rivolto a riflettere sulla sapienza e sulla scienza, sulla follia e sulla stoltezza, pensando: «Che cosa farà l'uomo che mi succederà?». Farà ciò che è già stato fatto.
[13]Mi sono reso conto che la sapienza è superiore alla stoltezza quanto la luce alle tenebre:

[14] il sapiente ha gli occhi ben aperti in testa,
    lo stolto invece cammina nelle tenebre.

Ma mi sono anche subito reso conto che un'unica sorte toccherà ad entrambi.
[15]Allora ho pensato fra me: «Toccherà anche a me la stessa sorte dello stolto! A che

---

18. La sapienza accresce lo sdegno, perché essa fa vedere come le cose dovrebbero essere e non sono; la scienza aumenta gli affanni, perché non è altro che un indice delle cose che non sappiamo se non superficialmente.

2. - 3-10. Qo va in cerca della felicità e quindi tenta di trovarla nei piaceri, gustati con prudenza e onestà.

15. Qo parla della sapienza umana, ed è certo che anche la scienza, se non ha scopi oltre la vita, è una delle più grandi vanità. Che giova all'uomo essere stato il più grande sapiente se non salva la sua anima?

scopo, allora, sono diventato tanto sapiente?». Così ho concluso fra me che anche questo è un'assurdità. [16]Infatti la memoria del sapiente scompare come quella dello stolto, per sempre; ben presto entrambi saranno dimenticati. Dunque, anche il sapiente muore proprio come muore lo stolto! [17]Ho preso in odio la vita, perché ogni cosa che avviene sotto il sole mi disgusta. Tutto è vanità e agire senza senso.

[18]Ho preso a odiare tutta la fatica che compio sotto il sole, perché devo lasciar tutto all'uomo che mi succederà. [19]E chi sa se sarà sapiente o stolto? Ma è certo che sarà suo tutto ciò che ho fatto con la mia fatica e con la mia sapienza sotto il sole. Anche questo è vanità. [20]Allora la disperazione ha invaso il mio cuore pensando a tutta la fatica che ho compiuto sotto il sole, [21]perché chi ha faticato con sapienza, con scienza e con impegno deve lasciare ciò che è suo a un altro, che non ha per nulla faticato. Anche questo è vanità e grande sciagura.

[22]Infatti che cosa rimane all'uomo di tutta la sua fatica e di tutto l'affanno del suo cuore, in cui si è affaticato sotto il sole? [23]Sì, per tutti i giorni della sua vita il suo lavoro è dolore e tristezza. Il suo cuore non riposa nemmeno di notte. Anche questo è vanità. [24]Non c'è di meglio per l'uomo che mangiare e bere e godere il frutto delle proprie fatiche.

Ma io ho capito che anche questo viene dalla mano di Dio. [25]Chi infatti può mangiare e godere senza di lui? [26]All'uomo che gli è gradito egli concede sapienza, scienza e gioia, mentre al peccatore dà l'affanno di raccogliere e ammucchiare per poi lasciare tutto a chi è gradito a Dio. Anche questo è vanità e occupazione senza senso.

---

3. - 1. Tutto è determinato e coordinato da Dio nel *momento* opportuno nello scorrere del *tempo*. L'uomo può giungere a comprendere l'attimo, mai però afferrare da capo a fondo quello che Dio fa.

11. L'uomo può disputare sul mondo senza poter mutare l'opera di Dio e l'ordine stabilito; ma dopo tutte le dispute non potrà penetrare i disegni di Dio nel governo del mondo.

18-20. Qo prende l'uomo nel suo aspetto materiale, nel corpo, e dice che non si differenzia dalle bestie; ma in 12,7, parlando dell'anima, la dice immortale. L'uguaglianza tra l'uomo e la bestia è dunque solamente riposta nella necessità di morire, uguale per tutti i viventi.

C'È UN TEMPO PER OGNI COSA

3 [1]Ogni cosa ha il suo momento, ogni evento ha il suo tempo sotto il cielo:

[2] Tempo di nascere e tempo di morire,
    tempo di piantare e tempo di sradicare,
[3] tempo di uccidere e tempo di curare,
    tempo di demolire e tempo di costruire,
[4] tempo di piangere e tempo di ridere,
    tempo di lutto e tempo di allegria,
[5] tempo di gettare le pietre e tempo
     di raccoglierle,
    tempo di abbracciare e tempo
     di allontanarsi,
[6] tempo di guadagnare e tempo di perdere,
    tempo di conservare e tempo di gettare,
[7] tempo di stracciare e tempo di cucire,
    tempo di tacere e tempo di parlare,
[8] tempo di amare e tempo di odiare,
    tempo di guerra e tempo di pace.

[9]Quale vantaggio viene all'uomo da tutto ciò che compie con fatica?

[10]Ho osservato l'occupazione che Dio ha dato agli uomini perché vi si impegnino. [11]Egli ha fatto ogni cosa proporzionata al suo tempo; ha posto nell'uomo anche una certa visione d'insieme, senza però che gli riesca di afferrare l'inizio e la fine dell'opera che Dio ha fatto. [12]Così ho capito che per l'uomo non c'è alcun bene se non starsene allegro e godersi la vita. [13]Ma che l'uomo mangi e beva e goda il frutto della sua fatica, anche questo è dono di Dio. [14]Ho capito che tutto ciò che Dio fa durerà sempre, senza che vi si possa aggiungere o togliere nulla. Dio agisce così perché si abbia il suo santo timore.

[15]Ciò che già è stato, è; ciò che sarà, già da tempo è accaduto. Dio riporta sempre ciò che è scomparso.

[16]Un'altra cosa ho visto sotto il sole: al posto del diritto c'è l'iniquità, al posto della giustizia c'è l'empietà. [17]Ne ho concluso che il giusto e l'empio sono sotto il giudizio di Dio, perché c'è un tempo per ogni cosa e un giudizio per ogni azione.

[18]Ho poi pensato in cuor mio a proposito degli uomini: Dio fa questo per provarli e per mostrare che essi, per sé, non sono che bestie. [19]Infatti la sorte degli uomini è la stessa di quella degli animali: come muoiono questi, così muoiono quelli. Gli uni e gli altri hanno uno stesso soffio vitale, senza

che l'uomo abbia nulla in più rispetto all'animale. Sì, gli uni e gli altri sono vanità. [20]Essi vanno tutti verso lo stesso luogo: gli uni e gli altri vengono dalla polvere, gli uni e gli altri tornano alla polvere. [21]Chi sa se il soffio vitale dell'uomo sale in alto e se quello dell'animale scende in basso, nella terra? [22]Così ho compreso che non c'è alcun bene per l'uomo se non che egli goda di ciò che fa, perché questo è il suo destino. Nessuno infatti lo porterà a vedere ciò che accadrà dopo di lui.

MASSIME VARIE

4 [1]Ho poi esaminato tutte le violenze perpetrate sotto il sole. Ho considerato il pianto degli oppressi e ho visto che nessuno li consola. Dalla mano dei loro oppressori non esce che violenza: nessuno li consola. [2]Allora ho proclamato i morti, ormai trapassati, più felici dei vivi che sono ancora in vita. [3]Ma più felice di tutti e due, chi ancora non è nato e non ha visto tutto il male perpetrato sotto il sole.
[4]Ho pure visto che tutta la fatica e tutto l'impegno che l'uomo mette nelle sue opere non è che invidia dell'uno per l'altro. Anche questo è vanità e occupazione senza senso. [5]Lo stolto tiene le mani in mano e sciupa la sua vita.
[6]Meglio una mano piena senza far niente che due colme con fatica: attività senza senso.
[7]Inoltre mi sono messo a considerare un'altra vanità sotto il sole. [8]C'è un uomo che non ha nessuno, né un figlio né un fratello: eppure la sua fatica non conosce limiti, né smette mai di sognare nuove ricchezze. Ma per chi si affatica e si priva di ogni soddisfazione? Anche questo è vanità e occupazione sciagurata.
[9]Meglio essere in due che uno solo, perché due hanno maggior vantaggio nella loro fatica. [10]Se infatti uno cade, può essere rialzato dal compagno. Guai, invece, a chi è solo: se cade non c'è chi lo rialzi. [11]Anche se si va a letto, in due ci si può scaldare, ma chi è solo come fa a scaldarsi? [12]E se uno è aggredito, in due possono resistere: non si spezza facilmente una fune a più capi.
[13]Meglio un giovane di bassa origine, ma sapiente, che un re vecchio, ma stolto, che non sappia più usare la propria mente.

[14]Infatti il giovane potrebbe uscire dalla prigione per salire sul trono, pur essendo nato povero quando quell'altro regnava. [15]Ho visto allora tutta la gente, che vive sotto il sole, schierarsi dalla parte di questo giovane, che va a mettersi nel posto dell'altro. [16]Era innumerevole la folla che lo seguiva. Eppure quelli che verranno dopo non saranno contenti di lui! Anche questo è vanità e occupazione senza senso.
[17]Quando ti rechi al tempio, controlla i tuoi passi. È meglio accostarsi al tempio con l'animo disposto all'obbedienza che offrire sacrifici come fanno gli stolti, i quali non conoscono neppure il male che fanno.

IL TIMORE DI DIO
E LA VANITÀ DELLA RICCHEZZA

5 [1]Quando parli davanti a Dio, non avere fretta con le tue labbra e non essere precipitoso, perché Dio sta in cielo e tu sulla terra. Per questo siano poche le tue parole. [2]Infatti quando ci si dà troppo da fare, nascono i sogni; e quando si parla troppo, ha origine il discorso dello stolto.
[3]Quando fai un voto a Dio, non tardare a scioglierlo, perché a lui non piacciono i negligenti: il voto che fai, sciogliilo! [4]Meglio non fare voti, che farli e poi non mantenerli.
[5]Non permettere alla tua lingua di renderti colpevole e non dire mai davanti al rappresentante di Dio che si trattava di una promessa fatta a cuor leggero, perché Dio non abbia ad adirarsi per quello che hai detto e distrugga ciò che hai realizzato con il tuo lavoro. [6]Quando si moltiplicano i sogni e le cose senza senso, allora abbondano le parole. Tu, invece, temi Dio.
[7]Se vedi che nel paese il povero è oppresso e la legge e la giustizia sono calpestate, non ti meravigliare: al di sopra di uno che è in autorità veglia un altro che gli è superiore e su di loro esercita il controllo uno ancora

---

21. Qo parla del soffio vitale (ebr. *rûaḥ*), e non sa che differenza ci sia tra quello dell'uomo e quello delle bestie. Questo spirito Dio lo infonde nella produzione dell'individuo vivente (Gn 2,7) e lo ritira alla morte. Esso non è l'anima: quando il nostro autore parla dell'anima (ebr. *nefesh*), la dice immortale nella regione dei morti (9,10).

5. - 7-8. Il senso non è chiaro, ma sembra che Qo indichi come causa dei mali sociali le troppe autorità del regno: moltiplicandosi i capi si moltiplicano gli oppressori.

più elevato in autorità. [8]Prima di tutto viene l'interesse del paese: il re, infatti, viene servito per il bene del territorio su cui regna.

[9]Chi ama il denaro, mai di denaro è sazio; e chi è attaccato alle ricchezze, non ne ha mai a sufficienza. Anche questo è vanità.

[10]Quando le ricchezze aumentano, crescono anche quelli che le divorano, e che vantaggio ne ha il proprietario se non quello di sapere di essere ricco?

[11]Il sonno di chi lavora è dolce, sia che abbia poco o molto da mangiare, mentre la sazietà del ricco non gli permette di dormire.

[12]Un'altra triste sciagura ho visto sotto il sole: una ricchezza che il proprietario custodisce, ma a proprio danno. [13]Quel patrimonio è andato in rovina per un cattivo affare, e nelle mani del figlio che aveva generato non rimane nulla. [14]Come è uscito nudo dal ventre di sua madre, così se ne tornerà come è venuto, e dalle sue fatiche non ricaverà nulla da portare con sé.

[15]Anche questa è una triste sciagura: come uno è venuto, così se ne va. E quale vantaggio ricava dall'aver faticato per nulla? [16]E, in più, dopo aver consumato tutti i suoi giorni nell'oscurità, tra molti guai, malanni e arrabbiature.

[17]Ecco, ora ho capito in che cosa consiste il bene dell'uomo: consiste nel mangiare, nel bere e nel vedere il successo di tutta la fatica con cui egli si affanna sotto il sole nei giorni di vita contati che Dio gli ha concesso: questo è il suo destino. [18]E c'è anche questo da dire: se Dio concede all'uomo ricchezze abbondanti e la possibilità di goderle, di prenderne la propria parte e di godere della propria fatica, anche questo è dono di Dio. [19]Così l'uomo non penserà continuamente alla sua vita che passa, perché Dio lo tiene occupato con la gioia del suo cuore.

L'UOMO È SEMPRE INSÒDDISFATTO

6 [1]C'è un'altra sciagura che ho visto sotto il sole e che pesa molto sull'uomo. [2]È il caso di colui al quale Dio concede ricchezze, tesori e onori, senza fargli mancare nulla di quanto potrebbe desiderare; ma Dio non gli concede di poterne godere, perché sarà invece un estraneo che ne godrà. Ciò è vanità e disgrazia grande.

[3]Anche se quest'uomo generasse cento figli, vivesse molti anni e grande fosse il numero dei giorni della sua vita, ma se non trova soddisfazione nei beni che possiede e per di più non ha nemmeno una tomba, io dico che migliore di lui è un aborto. [4]Infatti questi viene dal vuoto e se ne va nella tenebra, e l'oscurità copre il suo nome. [5]Per quanto non abbia visto né conosciuto il sole, tuttavia la sua sorte resta sempre migliore di quella dell'altro. [6]E se quello vivesse anche due volte mille anni, senza però poter godere i suoi beni, non va forse a finire nello stesso luogo dell'aborto?

[7]Tutta la fatica dell'uomo è per la sua bocca, eppure il suo desiderio non si sazia mai. [8]E allora quale vantaggio ha il sapiente sullo stolto? Che serve al poveraccio sapersi destreggiare nella vita?

[9]Meglio vedere con gli occhi che vagare con la fantasia. Anche questo è vanità e occupazione senza senso.

[10]Ciò che è, già da tempo ha avuto la sua sorte. Che cos'è un uomo, già è risaputo: egli non può contendere con chi è più forte di lui. [11]Infatti, moltiplicando le parole si ottiene solo di aumentare il vuoto e la delusione, e l'uomo quale vantaggio ne trae? [12]Chi sa che cosa è bene per l'uomo nella sua vita, nei giorni contati della sua vana esistenza, che sfuma come un'ombra? Chi può predire all'uomo che cosa avverrà in futuro sotto il sole?

ALTRE MASSIME

7 [1]Meglio un buon nome che un buon profumo
e il giorno della morte che quello della nascita.
[2] Meglio andare in una casa dove si è in lutto
che in una casa dove si fa baldoria,

Qo

12-16. Dopo aver deriso il ricco avaro (vv. 9-11), mostra l'infelicità, causata da rovesci di fortuna che lo mettono sul lastrico con i figli. Ma anche se muore ricco, non porta niente nell'altro mondo, dopo aver tanto sofferto per accumulare.

6. - 7. L'uomo lavora per mangiare e per soddisfare bisogni materiali, ma non sarà mai sazio, perché si crea sempre nuovi bisogni.

10. Il senso della frase è che l'uomo è ciò che fu e sarà sempre: niente più che uomo, il quale non può fare nulla contro il governo di Dio, di cui non può cambiare i piani per farli collimare con i propri desideri.

perché è quella la fine di tutti gli uomini,
e chi vive ad essa rivolge il pensiero.

3 Meglio la tristezza del riso,
perché davanti a un volto triste
il cuore si fa migliore.

4 Il pensiero del sapiente è rivolto
alla casa in lutto,
il pensiero dello stolto alla casa in festa.

5 Meglio ascoltare il rimprovero del sapiente
piuttosto che l'adulazione degli stolti:

6 perché com'è il crepitio degli sterpi sotto
la pentola
così è il riso dello stolto.
E anche questo è vanità.

7 Infatti le pressioni possono far deviare
anche il sapiente,
e i doni possono corrompere la coscienza.

8 Meglio la fine di una cosa
che il suo inizio,
meglio uno spirito paziente
che uno orgoglioso.

9Non essere facile ad irritarti nell'intimo, perché l'irritazione dimora in seno agli stolti. 10Non ti domandare perché i tempi antichi erano migliori del presente: tale domanda non è ispirata da saggezza. 11È bene avere, oltre alla sapienza, un patrimonio: è un vantaggio per quelli che vedono il sole. 12Infatti si vive all'ombra della sapienza come si vive all'ombra del denaro, ma vale di più il sapere, perché la sapienza fa vivere chi la possiede. 13Cerca di capire l'opera di Dio, perché nessuno può raddrizzare ciò che egli ha fatto curvo. 14Nei giorni felici sii lieto e nei giorni del dolore rifletti: gli uni come gli altri sono opera di Dio, perché l'uomo non possa sapere mai nulla del proprio futuro. 15Tutto ho visto nei giorni della mia vana esistenza: il giusto che perisce nonostante la sua giustizia, e l'empio che vive a lungo nonostante la sua malvagità.

16 Cerca perciò di non essere
né troppo giusto
né troppo saggio, se non vuoi perire.

17 Ma non essere nemmeno troppo cattivo
né troppo stolto,
se non vuoi perire prima del tuo tempo.

18È bene che tu stia attaccato a una cosa, ma anche che tu non ti discosti dall'altra. Quel che conta è che tu tema Dio, e riuscirai in entrambe le cose.

19La sapienza rappresenta per il saggio una forza maggiore di quella di dieci potenti in una città. 20Certo, non c'è sulla terra un uomo così giusto che faccia solo il bene senza peccare.

21Inoltre, non prestare attenzione a tutte le parole che si dicono e così non sentirai il tuo servo parlar male di te, 22perché la tua coscienza sa bene che anche tu molte volte hai parlato male degli altri.

23Poiché è con la sapienza che avevo fatto tutte queste considerazioni, decisi di diventare sapiente, ma la sapienza era ancora lontana da me. 24Rimane lontano ciò che è lontano e profondo ciò che è profondo: chi lo potrà raggiungere?

25Allora mi sono applicato con tutto il cuore a cercare la sapienza e il perché delle cose e a riconoscere che la malvagità è stoltezza, la stoltezza è follia. 26E ho scoperto che la donna è più amara della morte, perché essa è un laccio, il suo cuore è una rete e catene le sue braccia. Chi è gradito a Dio da lei fuggirà via, ma il peccatore sarà sua preda. 27Ecco, questo è ciò che ho scoperto – dice Qohelet – nel cercare la ragione di tutto, vagliando le cose una ad una. 28Quello che io cerco ancora e non ho trovato è questo:

Un vero uomo su mille l'ho trovato,
ma una donna fra tutte non l'ho trovata.

29Questo solo, vedi, ho trovato: Dio ha fatto l'uomo semplice; è lui che va in cerca di tanti e tanti perché.

IL SAPIENTE

8 1Chi è come il sapiente?
Chi conosce il senso delle cose?

---

7. - 16. *Troppo giusto*: la «giustizia» per gli Ebrei abbracciava molte piccole cose, anche di per sé insignificanti; quindi la frase vuol dire: non essere scrupoloso.

17. Non si approva qui una «malizia» moderata. L'autore non si preoccupa degli atti in relazione alla morale, ma ha sott'occhio la condotta di coloro che, considerando l'assenza di sanzione morale, si buttano a capofitto nel male, sperando di trovare in esso la felicità: arriverebbero solo a una morte prematura.

26. Qo va in cerca della felicità e la chiede alla donna; ma non *trova* la donna ideale sognata dal cuore: le donne che trova sono piene di *lacci*, di *reti* e di *catene*. Qo non condanna la donna, ma dice che cosa sia la donna per colui che cerca la «felicità» in lei e non in Dio.

La sapienza dell'uomo illumina
il suo volto
mentre l'ira lo sfigura.

[2]Obbedisci alla parola del re, perché l'hai giurato davanti a Dio. [3]Non allontanarti in fretta dal suo cospetto. Non ostinarti in una opinione che a lui non piaccia, perché egli può fare tutto ciò che vuole. [4]Infatti la parola del re è sovrana, e chi gli può chiedere: «Che cosa fai?». [5]Ma chi esegue i suoi ordini non incappa in alcun guaio.
La mente del sapiente conosce il tempo e il giudizio. [6]Infatti per ogni cosa vi è un tempo e un giudizio, perché grande è il male che grava sull'uomo. [7]Egli ignora ciò che accadrà e non c'è chi gli possa dire come andranno le cose.

[8]Nessuno è capace di dominare il proprio soffio vitale così da trattenerlo, né il giorno della morte è in nostro potere. Nella battaglia della vita nessuno scampa: nemmeno il male salva chi lo commette.

[9]Tutto questo ho visto, riflettendo su ogni cosa che si fa sotto il sole, quando un uomo domina su un altro uomo per fargli del male. [10]Inoltre ho visto i malvagi portati al sepolcro. Si andava e veniva dal luogo santo sicuri di sé e ci si dimenticava nella città del loro modo di agire. Anche questo è vanità. [11]Poiché non si emette subito la sentenza contro le azioni del malvagio, il cuore dell'uomo è pronto a fare il male. [12]Per di più, il peccatore che fa il male cento volte ha lunga vita. Tuttavia ho capito anche questo: sarà felice chi teme Dio, proprio perché lo teme, [13]ma non sarà felice il malvagio e i suoi giorni non si allungheranno come un'ombra, perché egli non teme Dio.

[14]E c'è ancora un'altra vanità presente sulla terra: ci sono giusti trattati secondo la condotta dei malvagi e ci sono malvagi trattati secondo la condotta dei giusti. Anche questo, mi sono detto, è vanità.
[15]Io, allora, esalto l'allegria, perché per l'uomo non c'è altro bene sotto il sole, se non mangiare, bere e stare allegro. È questa la sola cosa che gli faccia buona compagnia nella sua fatica, nei giorni di vita contati che Dio gli concede sotto il sole.
[16]E come mi sono applicato a riflettere sulla sapienza e a considerare il lavoro che si fa sulla terra – per cui l'uomo non conosce riposo né di giorno né di notte –, [17]allora ho considerato anche tutte le opere di Dio e mi sono reso conto che l'uomo non può arrivare a scoprire il senso di tutto quanto avviene sotto il sole. Per quanto si affatichi a cercare, nulla scoprirà. E anche se il sapiente dicesse di conoscerlo, in realtà non potrebbe scoprirlo.

TUTTO DIPENDE DA DIO

9 [1]Ho riflettuto su tutto ciò e sono arrivato alla conclusione che i giusti, i sapienti e le loro azioni sono nelle mani di Dio.
Gli uomini non conoscono nemmeno l'amore e l'odio, per quanto tutto si svolga davanti a loro.

[2] Unica è la sorte che tocca a tutti,
al giusto e all'empio, al buono e al cattivo,
al puro e all'impuro,
a chi offre sacrifici e a chi non li offre,
all'onesto e al peccatore,
a chi giura e a chi teme di giurare.

[3]Questo è il male che investe tutto ciò che si fa sotto il sole: la stessa sorte tocca a tutti e, per di più, il cuore dell'uomo è pieno di cattiveria. La follia è nel suo cuore durante la vita e, dopo, giù nel soggiorno dei morti. [4]Finché uno è vivo, c'è speranza, perché è meglio un cane vivo che un leone morto. [5]Infatti i vivi sanno che devono morire, ma i morti non sanno nulla; per loro non c'è più guadagno; il loro ricordo svanisce. [6]Il loro amore, il loro odio, la loro ambizione: tutto ormai è scomparso. Non avranno più parte alcuna con il mondo, con tutto ciò che accade sotto il sole.

---

9. - 1. *Ho riflettuto... e sono arrivato alla conclusione che i giusti, i sapienti*: è l'assillante problema che si pone Qo: il mistero della giustizia divina nel mondo. I buoni e i cattivi sono trattati allo stesso modo da Dio; anzi i buoni soffrono e i cattivi godono. E siccome tutto è *nelle mani di Dio,* l'uomo non sa come giustificare né l'amore né l'odio. L'amore e l'odio, per l'uomo, sono ciechi al pari della sorte. Però la retribuzione terrena non può essere criterio proporzionato per giudicare l'eterna e perfetta giustizia divina, e l'uomo, per le opere sue, non può sapere se è o non è gradito a Dio. 5. Per comprendere quanto qui si dice, si tengano presenti i concetti dell'AT riguardo ai morti. Essi, secondo il concetto antico, vivono negli inferi o sheol come ombre, senza nessuna relazione col mondo né con Dio (Sal 31,13; 88,6), dimentichi e dimenticati. Qo ignora completamente la dottrina della retribuzione futura, ciò che acutizza il suo problema e dà un senso di smarrimento a tutte le sue constatazioni.

[7] E allora, via, mangia nella gioia
il tuo pane
e bevi con cuore lieto il tuo vino,
perché questo è quanto Dio vuole
che tu faccia.
[8] In ogni tempo siano candide le tue vesti,
né manchi il profumo sul tuo capo.
[9] Godi la vita con la donna che ami,
giorno per giorno, durante questa vita
fugace
che ti è stata data sotto il sole.
Questo, infatti, è quanto solo ti spetta
per la vita e per tutta la fatica
che tu sopporti sotto il sole.

[10]Tutto ciò che fai, fallo finché ne hai la
forza, perché non ci saranno né azione né
pensiero, né scienza né sapienza negli inferi, dove tu stai andando.
[11]Ho scoperto un'altra cosa sotto il sole: la
corsa non la vince chi è veloce, né la battaglia la vincono i più forti, né ai sapienti tocca il pane, né agli abili le ricchezze, né agli
accorti il favore, perché su tutti incombono
il caso e l'occasione.
[12]E, per di più, l'uomo non conosce il giorno della sua morte: è come i pesci che
incappano in una rete maledetta e come
gli uccelli che vengono presi con il laccio.
Allo stesso modo viene sorpreso l'uomo
nel giorno fatale che gli piomberà addosso
all'improvviso.
[13]Ho visto anche quest'altro esempio di sapienza sotto il sole, che per me ha molto
valore: [14]c'era una piccola città con pochi
abitanti e un grande re venne contro di
essa. L'assediò, erigendole attorno grandi
fortificazioni. [15]In essa si trovava, però, un
uomo di umile origine ma sapiente, che con
la sua sapienza salvò la città. Eppure nessuno ha più ricordato quell'uomo umile.
[16]Ho concluso allora che la sapienza vale
più della forza, ma che la sapienza dell'umile è disprezzata e le sue parole non sono
ascoltate.
[17]Le parole dei sapienti pronunciate con
calma si capiscono meglio delle urla di un
potente che parla in mezzo agli stolti.
[18]Vale più la sapienza degli strumenti da
guerra, ma un solo sbaglio può rovinare un
gran bene.

I PROVERBI DL QOHELET

10 [1]Una mosca morta guasta
un intero vasetto di unguento;
un po' di stoltezza
ha più peso della sapienza
e della gloria.
[2] Il sapiente rivolge il cuore
alla sua destra,
lo stolto alla sua sinistra.

[3]Qualunque direzione prenda, lo stolto è
sempre senza cervello e pensa che tutti gli
altri siano stolti.
[4]Se l'ira di un potente si scatena su di te,
non abbandonare il tuo posto, perché la
calma placa offese anche grandi.
[5]Un altro male ho visto sotto il sole, cioè il
comportamento avventato di chi è al potere: [6]lo stolto viene chiamato a coprire alte
cariche e i meritevoli giacciono nelle più
umili posizioni. [7]Ho visto servi a cavallo e
prìncipi camminare a piedi come servi.

[8] Chi scava una fossa vi può cadere,
e chi demolisce un muro
può essere morso da una serpe.
[9] Chi trasporta pietre si può ferire,
e chi taglia la legna si può far male.
[10] Se il ferro si ottunde e non gli si fa
di nuovo il filo,
bisogna raddoppiare lo sforzo.
Ogni riuscita è possibile
a chi si applica alla sapienza.
[11] Se un serpente non si lascia incantare
e morde, a nulla serve l'incantatore.
[12] Le parole che escono dalla bocca
del sapiente
gli procurano gradimento,
ma quelle che escono dalle labbra
dello stolto
lo mandano in rovina.
[13] Se l'inizio del suo parlare è stoltezza,
la conclusione del suo discorso
è tragica follia.

[14]Lo stolto moltiplica le parole. Ma l'uomo
non sa che cosa avverrà, perché nessuno
gli può predire che cosa succederà in futuro.

[15] La fatica dello stolto lo spossa,
perché non sa neppure rientrare
nella sua città.

[16] Guai a te, o nazione, governata da un re
    che è un ragazzo,
    e i cui prìncipi banchettano fin dal mattino!
[17] Beata te, o nazione, governata da un re
    nobile,
    e i cui prìncipi banchettano quando
      è il momento.
[18] Mani pigre lasciano crollare il soffitto,
    mani inerti lasciano piovere in casa.
[19] Per stare allegri si fanno banchetti
    e il vino rallegra la vita;
    il denaro, poi, provvede a tutto.

[20]Non parlar male del re neppure con il pensiero e non parlar male del potente neppure nella tua stanza da letto, perché un uccello del cielo riferirà le tue parole e un alato ripeterà i tuoi discorsi.

INVITO ALLA GIOIA

11 [1]Getta il tuo pane sulla superficie dell'acqua, perché col passare dei giorni lo ritroverai. [2]Investi i tuoi beni in sette o anche otto modi, perché non puoi sapere quali guai ti capiteranno sulla terra.

[3] Quando le nubi sono piene,
    rovesciano la pioggia sulla terra.
    Quando un albero cade, verso sud
      o verso nord,
    là dove cade, rimane.
[4] Chi bada al vento non semina,
    e chi sta a guardare le nubi non miete.

[5]Come ignori per quale via lo spirito vitale si fa ossa nel seno della donna incinta, così ignori l'opera di Dio che fa tutto.

[6] Getta il tuo seme fin dal mattino
    e anche alla sera non dar tregua
      alla tua mano,

---

11. - 1-2. Invita all'operosità, anche quando si tratta di rischio. Però con prudenza, e cioè non ponendo tutto il capitale in una sola impresa, ma in molte, in modo che se una va male, non si perda tutto.
12. - 3-4. Sono descritti mirabilmente gli effetti della vecchiaia nel corpo, paragonato a una casa: le mani sono i *guardiani*, gli *uomini robusti* sono le gambe, le *donne che macinano* (allora le donne macinavano) sono i denti; gli occhi guardano per le *finestre*, i *battenti* sono le labbra, il *rumore della mola* è la voce (la *macina* è la bocca). I vecchi (forse tale parola deriva da vegghiare, vegliare) sono svegli al canto del gallo, e sono costretti a levarsi perché tutti indolenziti.

perché tu non sai quale seme
    si svilupperà,
se questo o quello, o se entrambi
    saranno fecondi.
[7] Dolce è la luce
    e bello è per l'occhio guardare il sole.
[8] Se un uomo vive anche
    per molti anni,
    cerchi di goderseli tutti,
    pensando che i giorni tenebrosi
      saranno lunghi
    e che, qualunque cosa avvenga,
      tutto è vanità.
[9] Sii allegro, o giovane,
    nella tua adolescenza,
    e nei giorni della tua giovinezza
    sia felice il tuo cuore!
    Va' dove ti conducono gli impulsi
      del tuo cuore
    e segui ciò che ai tuoi occhi piace!
    Sappi, però, che di tutto questo
    Dio ti chiederà conto.
[10] Caccia dal tuo cuore la malinconia
    e tieni lontano il dolore da te,
    perché giovinezza e capelli neri
      sono un soffio.

LA VECCHIAIA E LA MORTE

12 [1]Ricordati del tuo Creatore nei giorni della tua giovinezza,
prima che vengano i giorni tristi
e sopraggiungano gli anni di cui dirai:
«Non mi piacciono»,
[2] prima che si oscurino il sole e la luce,
    la luna e le stelle,
    prima che tornino le nubi
      dopo il temporale.
[3] In quei giorni vacilleranno i guardiani
      della casa,
    si curveranno gli uomini robusti,
    cesseranno dal lavoro le donne
      che macinano,
    perché rimaste in poche,
    caleranno le tenebre su quelle
      che guardano
    attraverso le finestre,
[4] si chiuderanno i battenti che danno
      sulla via,
    si abbasserà il rumore della mola,
    languirà il gorgheggio degli uccelli,
    si affievoliranno tutti i ritmi
      delle canzoni,

⁵ si avrà paura delle salite
  e degli spauracchi della strada,
  fiorirà il mandorlo, si muoverà lenta
    la cavalletta,
  sarà messo da parte il cappero
e l'uomo se ne va alla sua dimora eterna
con il corteo di coloro che alzano grida di
lamento lungo la strada.

⁶ Allora si troncherà il filo d'argento,
  si romperà la sfera d'oro,
  si frantumerà la brocca alla fonte,
  si spaccherà la carrucola per finire
    nel pozzo.
⁷Allora la polvere ritornerà alla terra da
dove è venuta, e il soffio vitale ritornerà a
Dio che lo ha dato.
⁸Vanità delle vanità, dice Qohelet, tutto è
vanità.

Epilogo

⁹Qohelet, oltre ad essere un sapiente, in-
segnò anche la scienza al popolo. Ascoltò,

meditò, scrisse molte massime. ¹⁰Qohelet
si sforzò di trovare parole piacevoli e scrisse la verità onestamente.
¹¹Le parole dei sapienti sono come pungoli
e come chiodi ben piantati sono le raccolte
delle loro sentenze: le une e le altre vengono dallo stesso pastore.
¹²Da ciò che va oltre questo, figlio mio, fa'
attenzione: non si finirebbe mai di scrivere
libri su libri e il molto studio logora l'uomo.
¹³Ecco la conclusione di tutto quello che
c'era da dire e da ascoltare: temi Dio e osserva i suoi comandamenti, perché questo
per l'uomo è tutto. ¹⁴Dio giudicherà ogni
azione, anche quelle nascoste, sia buone
che cattive.

---

5. Il vecchio sale con difficoltà e ha sempre paura di cadere.
Fiorirà il mandorlo: i capelli bianchi; *cavalletta*: il corpo una
volta così leggero diventerà pesante; il *cappero* era la misura del gusto e quindi vuol dire che il vecchio ha perduto
anche il gusto.

8. Con queste parole è cominciato il libro e con esse termina. Ricordiamo l'aggiunta dell'*Imitazione di Cristo*:
«Tutto... fuorché amare Dio e servire a lui solo».

CANTICO DEI CANTICI

Il titolo di questo libretto significa «canto sublime», o «canto per eccellenza», secondo un modo ebraico di esprimere il superlativo. Si tratta di un poema in cui un giovane e una fanciulla, tra i quali si inserisce di tanto in tanto il coro (le figlie di Gerusalemme), cantano il loro amore reciproco, in un alternarsi di situazioni (lontananza, ricerca, incontro) che si ripetono varie volte. Questo ripetersi offre un criterio di divisione, sul quale però gli studiosi non sono d'accordo; lo proponiamo a titolo indicativo: 1,1-4 prologo; 1,5 - 2,7; 2,8 - 3,5; 3,6 - 5,1; 5,2 - 6,3; 6,4 - 8,4; 8,5-7 epilogo; 8,8-14 appendice. Il criterio di distinzione, non in tutti i casi evidente, è dato dal ripetersi della situazione di lontananza dei due giovani dopo un precedente incontro.

Una prima lettura, secondo il senso ovvio e immediato del testo, vi coglierà il canto dell'amore umano autentico che unisce l'uomo e la donna secondo il disegno del Creatore, posto in rilievo con tanta accuratezza da Gn 2,18-25. Il Cantico fa dell'amore il più alto valore della vita (8,6-7), quello che la coinvolge totalmente.

Nel Cantico non vi è indizio di un significato simbolico, oltre il senso letterale. C'è invece tutta una tradizione ebraica e poi cristiana che, sulla scia di tante pagine profetiche, vi ha letto in trasparenza una parabola dell'amore reciproco tra Dio e Israele che, ammaestrato dalla dura prova dell'esilio, cerca senza più tentennamenti Jhwh, suo unico Dio. Una lettura né solo letterale né solo simbolica sembra quindi rendere meglio giustizia alla comprensione di questo gioiello poetico, di cui un grande rabbino del II secolo d.C. diceva: «L'universo intero non vale il giorno in cui Israele ebbe il Cantico dei Cantici».

DESIDERIO D'AMORE

1 ¹Cantico dei Cantici, che è di Salomone.

Lei

² Baciami con i baci della tua bocca:
le tue carezze sono migliori del vino.
³ I tuoi profumi sono soavi a respirare,
aroma che si effonde è il tuo nome:
per questo ti amano le fanciulle.
⁴ Attirami a te, corriamo!
Fammi entrare, o re, nelle tue stanze:
esulteremo e gioiremo per amore tuo,
celebreremo i tuoi amori più che il vino.
Com'è bello amarti!

⁵ Io sono bruna ma graziosa,
figlie di Gerusalemme,
come le tende di Kedar,
come le cortine di Salma.
⁶ Non fissatevi sulla mia pelle resa scura:
è il sole che mi ha abbronzata.
I figli di mia madre si sono adirati
con me:
mi hanno messo a guardia delle vigne,
ma la mia vigna, la mia,
non ho custodito.
⁷ Dimmi, o amato dell'anima mia: •
dove pasci il gregge?
Dove lo fai riposare a mezzogiorno,
perché io non sia come una che si vela
in vista dei greggi dei tuoi compagni?

Coro

⁸ Se non lo sai, o bellissima tra le donne,
segui le orme delle greggi

---

1. - 1. *Di Salomone*: attribuito al grande sapiente, che è presentato nel libro come uno dei pretendenti.
4. *Re* è chiamato lo sposo. Secondo l'uso orientale, lo sposo e la sposa sono chiamati re e regina.

e pascola le tue caprette
presso le tende dei pastori.

Lui

9 A una cavalla dei cocchi del Faraone
io ti paragono, o mia amica!
10 Belle sono le tue guance fra gli orecchini
e il tuo collo fra le perle.
11 Noi faremo per te orecchini d'oro
con intarsi d'argento.

Lei

12 Mentre il re è nel suo recinto,
il mio nardo effonde il suo profumo.
13 Un sacchetto di mirra è per me
il mio amato,
pernotta fra i miei seni.
14 Un grappolo di cipro è per me il mio amato,
nelle vigne di Engaddi.

Lui

15 Quanto sei bella, amica mia,
quanto sei bella!
I tuoi occhi sono colombe.

Lei

16 Quanto sei bello, mio amato, anzi,
incantevole!
Anche il nostro giaciglio è lussureggiante.
17 I cedri sono le travi della nostra casa,
i cipressi sono il nostro soffitto!

DOLCE INTIMITÀ

2 *Lei*

1 Io sono un narciso di Saron,
un giglio delle valli.

Lui

2 Come un giglio tra i rovi,
così è la mia amica fra le giovani.

Lei

3 Come un melo fra le piante selvatiche,
così è il mio amato fra i giovani.
Alla sua ombra anelo di sedermi
e il suo frutto è dolce al mio palato.
4 Mi ha condotto nella casa del vino
e la sua armata contro di me è l'amore.
5 Rinvigoritemi con focacce d'uva,
ristoratemi con mele:
sono malata d'amore, io!

6 La sua mano sinistra è sotto il mio capo
e la sua destra mi abbraccia.
7 Vi scongiuro, figlie di Gerusalemme,
per le gazzelle e per le cerve del campo:
non svegliate, non risvegliate l'amore,
finché non lo desideri!
8 Una voce! È il mio amato:
ecco, egli viene saltando sui monti,
balzando sui colli.
9 Il mio amato è simile a una gazzella,
o a un cucciolo di cervi.
Eccolo! È già dietro al nostro muro,
guarda per le finestre,
spia fra i cancelli.
10 Il mio amato parla e dice:
«Alzati, amica mia,
mia bella, e vieni!
11 Ecco, l'inverno è passato,
cessata è la pioggia, se n'è andata.
12 Riappaiono i fiori sulla terra,
è giunto il tempo del canto della potatura,
e la voce della tortora si ode
nella nostra terra.
13 Il fico emette le sue gemme
e le viti in fiore esalano profumo.
Alzati, amica mia,
mia bella, e vieni!
14 O mia colomba, che stai negli intagli
della roccia,
negli anfratti dei dirupi,
fammi vedere il tuo viso,
fammi udire la tua voce:
la tua voce è dolce,
incantevole è il tuo viso».

Coro

15 Prendeteci le volpi,
le piccole volpi che devastano le vigne:
le nostre vigne sono in fiore!

Lei

16 Il mio amato è mio
e io sono sua:
egli pascola il gregge fra i gigli.
17 Prima che soffi la brezza del giorno
e le ombre fuggano,
ritorna, mio amato, simile a gazzella

12-13. La sposa assicura che penserà sempre al suo Diletto, paragonato al sacchetto di mirra che le donne orientali portavano sempre sul petto.

2. - 8ss. La scena è tutta un monologo della sposa che descrive una visita dello sposo con l'invito a uscire con lui, per andare a godere del loro mutuo amore. Ella è rinchiusa in casa, come in luogo inaccessibile, v. 14.

o al cucciolo dei cervi,
sulle montagne di Beter!

CERCO L'AMATO DEL MIO CUORE

3 *Lei*

1 Sul mio letto, lungo la notte,
  ho cercato colui che il mio cuore ama:
  l'ho cercato e non l'ho trovato.
2 Mi alzerò, dunque,
  percorrerò la città,
  per le strade e per le piazze
  cercherò colui che il mio cuore ama:
  l'ho cercato e non l'ho trovato.
3 M'hanno incontrato le sentinelle,
  quelle che fanno la ronda per la città:
  «Avete visto colui che il mio cuore ama?».
4 Le avevo appena oltrepassate
  quando ho ritrovato colui che il mio
    cuore ama.
  L'ho afferrato e non l'ho più lasciato,
  finché non l'ho condotto
  nella casa di mia madre,
  nella stanza di colei che mi ha concepito.
5 Vi scongiuro, figlie di Gerusalemme,
  per le gazzelle e per le cerve del campo:
  non svegliate, non risvegliate l'amore,
  finché non lo desideri!

Coro

6 Che cos'è che sale dal deserto
  come colonna di fumo,
  tra la fragranza della mirra e dell'incenso
  e di ogni aroma di profumiere?

Lei

7 Ecco la lettiga di Salomone:
  sessanta prodi le fanno scorta
  fra i più forti di Israele.
8 Tutti maneggiano la spada
  e sono esperti nella guerra;
  ognuno cinge la spada al fianco
  contro le insidie della notte.

9 Un baldacchino si è fatto il re Salomone
  con legno di alberi del Libano:
10 ne ha fatto le colonne d'argento
   e la spalliera d'oro;
   il seggio in porpora
   e l'interno è intarsiato con amore
   dalle figlie di Gerusalemme.
11 Uscite, figlie di Sion, contemplate
     il re Salomone,
   adorno della corona
   con cui sua madre l'ha incoronato
   nel giorno del suo sposalizio,
   nel giorno della gioia del suo cuore.

L'INCANTO DELL'AMATA

4 *Lui*

1 Quanto sei bella, amica mia,
  quanto sei bella!
  I tuoi occhi sono colombe
  attraverso il tuo velo;
  i tuoi capelli sono come un gregge
    di capre
  che scendono dalla montagna del Galaad.
2 I tuoi denti sono come un gregge
    di pecore tosate
  che salgono dal bagno:
  tutti sono appaiati
  e nessuno è isolato.
3 Le tue labbra sono come un nastro
    scarlatto
  e il tuo parlare è incantevole.
  Come uno spicchio di melagrana
  è la tua guancia attraverso il tuo velo.
4 Il tuo collo è come la torre di Davide,
  costruita per trofei:
  mille scudi vi sono appesi,
  tutte armature di guerrieri.
5 I tuoi seni sono come due caprioli,
  gemelli di gazzella,
  che pascolano fra i gigli.
6 Prima che soffi la brezza del giorno
  e le ombre fuggano,
  salirò sul monte della mirra
  e sul colle dell'incenso.
7 Tutta bella sei tu, amica mia,
  e nessuna macchia è in te.
8 Vieni dal Libano, sposa,
  vieni dal Libano, ritorna!
  Avanza dalla cima dell'Amana,
  dalla cima del Senir e dell'Ermon,

Ct

---

3. - 1. Parla la sposa che rievoca la sua ricerca dell'amato
che non desiste di fronte a nessun ostacolo.
6-11. Alcuni considerano questo brano come un pezzo staccato, fuori scena. Altri come descrizione di un coro che,
magnificando gli splendori della corte di Salomone, a cui non
manca assolutamente nulla, cerca di suscitare nella Sulammita il desiderio di darsi a lui, abbandonando il pastorello.
4. - 1. Elogio dello sposo alla sposa che si protrae fino a 5,1
e che utilizza paragoni per noi sconcertanti ma che esprime-
vano bellezza e fascino nell'ambiente pastorale ebraico.

dalle tane dei leoni, dai monti
dei leopardi!

9 Mi hai ferito il cuore,
sorella mia, sposa,
mi hai ferito il cuore
con uno solo dei tuoi sguardi,
con una sola gemma della tua collana.

10 Quanto sono soavi le tue carezze,
sorella mia, sposa,
quanto più inebrianti del vino
le tue carezze!
Il profumo dei tuoi unguenti
è più soave di tutti gli aromi!

11 Nettare stillano le tue labbra, o sposa,
miele e latte sono sotto la tua lingua
e la fragranza delle tue vesti
è come la fragranza del Libano.

12 Un giardino chiuso tu sei,
sorella mia, sposa,
un giardino chiuso, una fonte sigillata.

13 I tuoi germogli sono un paradiso
di melograni
con i frutti più squisiti:
cipro con nardi,

14 nardo e zafferano, cannella e cinnamomo,
con ogni albero d'incenso,
di mirra e di aloè,
con tutti i più preziosi aromi.

15 Fontana che irrora i giardini,
pozzo di acque vive,
che scaturiscono dal Libano.

Lei

16 Destati, aquilone; entra, austro:
soffia sul mio giardino,
stillino i suoi aromi!
Entri il mio amato nel suo giardino
e ne mangi i frutti più squisiti!

RICERCA AFFANNOSA DELL'AMATO

5 *Lui*

1 Sono entrato nel mio giardino,
sorella mia, sposa,
ho raccolto la mia mirra e il mio balsamo;
ho mangiato il mio favo e il mio miele,
ho bevuto il mio vino e il mio latte.

Coro

Mangiate, amici, bevete
e inebriatevi, o cari!

Lei

2 Io dormivo, ma il mio cuore era desto.
Una voce! È il mio amato che bussa:

Lui

«Aprimi, sorella mia, amica mia,
mia colomba, mia perfetta,
perché il mio capo è pieno di rugiada,
i miei riccioli di gocce della notte».

Lei

3 «Mi sono già levata la tunica,
come indossarla di nuovo?
Ho lavato i miei piedi,
perché sporcarli di nuovo?».

4 Il mio amato ha spinto la sua mano
nella serratura,
e le mie viscere si sono commosse
per lui.

5 Mi sono alzata per aprire al mio
amato:
le mie mani si sono impregnate di mirra
e le mie dita di mirra liquida
sulla maniglia del chiavistello.

6 Ho aperto allora al mio amato,
ma il mio amato era scomparso,
era fuggito.
La mia anima venne meno
al suo parlare.
L'ho cercato, ma non l'ho trovato,
l'ho chiamato, ma non mi ha risposto.

7 Mi hanno incontrato le sentinelle,
quelle che fanno la ronda per la città:
mi hanno percossa, ferita,
mi hanno tolto il mantello
le sentinelle delle mura.

8 Vi scongiuro, figlie di Gerusalemme,
se troverete il mio amato,
che cosa gli direte?
Che sono malata d'amore, io!

Coro

9 In che cosa il tuo amato
è migliore di ogni altro amato,
o bellissima tra le donne?
In che cosa il tuo amato

---

5. - 4. Le porte erano chiuse dall'interno con un paletto che,
quando non era fermato, poteva togliersi inserendo la mano
e il braccio in un buco fatto nella porta. Il Diletto tenta di togliere il paletto, ma, trovandolo bloccato, se ne va.
5. La sposa, piena d'angoscia e pentita, si alza per aprire.
Mirra: forse s'era profumata, ma è simbolo dell'amarezza
per la partenza del Diletto. Ricomincia la ricerca con un
frasario che richiama 3,1-5.

è migliore di ogni altro amato,
poiché tu ci scongiuri così?

Lei

¹⁰ Il mio amato è bianco e rosso,
lo si riconosce fra diecimila!
¹¹ Il suo capo è oro, oro puro,
i suoi riccioli sono grappoli di palma,
neri come il corvo.
¹² I suoi occhi sono come colombe
su rivoli d'acque;
i suoi denti lavati nel latte
si posano in una perfetta incastonatura.
¹³ Le sue guance sono come aiuole
di balsamo,
scrigni di erbe aromatiche;
le sue labbra sono gigli,
stillano mirra liquida.
¹⁴ Le sue mani sono anelli d'oro,
tempestati di gemme di Tarsis;
il suo ventre è avorio levigato,
incrostato di zaffiri.
¹⁵ Le sue gambe sono colonne d'alabastro
che poggiano su basi d'oro puro;
il suo aspetto è come il Libano,
maestoso come i cedri.
¹⁶ Il suo palato è la dolcezza stessa
ed egli è tutto una delizia.
Questo è il mio amato,
questo è il mio amico,
o figlie di Gerusalemme!

FASCINO DELL'AMATA

6 *Coro*

¹ Dov'è andato il tuo amato,
o bellissima tra le donne?
Dove si è diretto il tuo amato,
perché noi lo possiamo cercare con te?

Lei

² Il mio amato è sceso nel suo giardino,
tra le aiuole di balsamo,

a pascolare nei giardini e a cogliere
i gigli.
³ Io sono del mio amato
e il mio amato è mio:
egli pascola il gregge fra i gigli.

Lui

⁴ Tu sei bella, amica mia, come Tirza,
graziosa come Gerusalemme,
stupenda come un esercito a vessilli
spiegati.
⁵ Distogli da me i tuoi occhi,
perché essi mi sconvolgono!
I tuoi capelli sono come un gregge
di capre
che scendono dal Galaad.
⁶ I tuoi denti sono come un gregge
di pecore
che salgono dal bagno:
tutti sono appaiati
e nessuno di loro è isolato.
⁷ Come uno spicchio di melagrana
è la tua guancia attraverso il tuo velo.
⁸ Sessanta sono le regine,
ottanta le concubine
e innumerevoli le fanciulle.
⁹ Ma una sola è la mia colomba,
la mia perfetta,
ella è l'unica per sua madre,
la prediletta per colei che
l'ha generata.
Al vederla, le fanciulle la proclamano
felice,
le regine e le concubine
ne fanno le lodi:

Coro

¹⁰ «Chi è costei che s'affaccia
come l'aurora,
bella come la luna,
splendente come il sole,
stupenda come un esercito a vessilli
spiegati?».

Lui

¹¹ Nel giardino dei noci io sono sceso
per vedere i germogli del torrente,
per vedere le gemme della vite
e se sono fioriti i melograni.
¹² Allora più non compresi: l'anima mia
mi aveva reso come i carri
di Ammi-nadib.

Ct

---

10. Alle figlie di Gerusalemme, che domandano come sia il
suo Diletto per aiutarla a cercarlo, la sposa risponde con la
bellissima descrizione dei vv. 10-16.
6. - 4. Dopo il lungo monologo della sposa entra in scena lo
sposo, che proclama le bellezze della sposa.
12. Il v. è oscurissimo. Forse vuol dire che l'amore lo aveva
già fatto sognare d'essere coronato principe, come erano
considerati i giovani sposi nel giorno delle nozze.

LA BELLEZZA DELLA SPOSA

7 *Coro*

1 «Vòltati, vòltati, Sulammita.
   Vòltati, vòltati: vogliamo vederti!».

Lui

   «Che cosa volete vedere
      nella Sulammita
   durante la danza dei due campi?
2 Come sono belli i tuoi piedi nei sandali,
   o figlia di principe!
   Le curve dei tuoi fianchi sono come
      monili,
   capolavoro di mani d'artista.
3 Il tuo ombelico è una coppa rotonda,
   ove non manca mai vino aromatico.
   Il tuo ventre è un mucchio di grano,
   contornato di gigli.
4 I tuoi seni somigliano a due caprioli,
   gemelli di gazzella.
5 Il tuo collo è come una torre d'avorio,
   i tuoi occhi sono come le vasche
      di Chesbon,
   presso la porta di Bat-Rabbim;
   il tuo naso è come la torre del Libano,
   che vigila verso Damasco.
6 Il tuo capo si erge su di te
      come il Carmelo
   e le chiome del tuo capo sono come
      la porpora:
   un re è rimasto preso nelle loro
      ondulazioni.
7 Quanto sei bella, quanto sei
      incantevole,
   o amore, figlia di delizie!
8 La tua statura assomiglia alla palma
   e i tuoi seni ai grappoli.
9 Mi sono detto:
   Voglio salire sulla palma
   e afferrarne i rami più alti.
   Mi siano i tuoi seni come i grappoli
      della vite,
   il profumo del tuo respiro
   come quello dei cedri,
10 e il tuo palato come ottimo vino
   che scende dritto alla mia bocca
   e fluisce sulle labbra e sui denti!

Lei

11 «Io sono del mio amato
   e a me è rivolta la sua passione d'amore.

12 Vieni, mio amato,
   usciamo verso la campagna,
   passiamo la notte nei villaggi!
13 All'alba scenderemo nelle vigne,
   vedremo se la vite germoglia,
   se sbocciano i fiori,
   se fioriscono i melograni:
   là ti darò le mie carezze!
14 Le mandragore esalano profumo
   e alle nostre porte
   c'è ogni sorta di frutti squisiti,
   quelli nuovi e anche quelli stagionati:
   o mio amato, io li ho conservati per te!».

IL VERO AMORE

8 *Lei*

1 «Oh, se qualcuno ti avesse potuto dare
   a me come fratello,
   che ha succhiato i seni di mia madre!
   Incontrandoti all'aperto
   avrei potuto baciarti,
   e nessuno mi avrebbe disprezzata.
2 Ti avrei condotto, e ti avrei introdotto
   nella casa di mia madre;
   tu mi avresti iniziata all'amore
   e io ti avrei dato da bere vino aromatico
   e succo di melograni!
3 La sua mano sinistra è sotto il mio capo
   e la sua destra mi abbraccia».
4 Vi scongiuro, figlie di Gerusalemme,
   non svegliate, non risvegliate l'amore,
   finché non lo desideri!

Coro

5 «Chi è costei che sale dal deserto,
   appoggiata al suo amato?».

Lei

   «Sotto il melo ti ho svegliato,
   là dove ti ha concepito tua madre,
   là dove ha concepito e generato te.

---

8. - 1. Parla la sposa e desidera che il suo Diletto sia suo
fratello per poterlo baciare più liberamente.
2. Già altra volta la sposa aveva manifestato questo desiderio per potersi finalmente dare tutta all'amato. Il *vino aromatico* e il *succo di melagrana* simboleggiano la donazione amo-
rosa nella sua prima manifestazione coniugale.
3. Lo sposo si è prestato ai desideri dell'amata ed ella si
sente estasiata per la felicità.
5. Un coro accenna appena al corteo nuziale, per poi ritirarsi
e lasciare gli sposi liberi d'intrattenersi in un dialogo amo-
roso che sigilla l'unione.

⁶ Ponimi come sigillo sul tuo cuore,
  come sigillo sul tuo braccio:
  perché insaziabile come la morte
    è l'amore,
  insaziato come gli inferi è l'ardore:
  le sue vampe sono vampe di fuoco,
  le sue fiamme, fiamme del Signore!
⁷ Le molte acque non possono spegnere
    l'amore
  né i fiumi travolgerlo.
  Se un uomo offrisse
  tutte le ricchezze della sua casa
  in cambio dell'amore,
  sarebbe sicuramente disprezzato».

Coro

⁸ «Noi abbiamo una piccola sorella
  e non ha ancora i seni:
  che cosa faremo della nostra sorella
  il giorno in cui si tratterà per lei?
⁹ Se ella fosse un muro,

_____

6. La sposa promette eterno amore allo sposo. Il *sigillo* era un cilindro in pietra dura incisa ed era tenuto appeso al collo o legato al braccio: non era lasciato mai. Tale vuole essere la sposa per lo sposo, e dice che il suo amore forte come la morte, inesorabile come l'inferno, durerà per l'eternità.
8-12. Quest'appendice non ha una connessione chiara con il resto del Ct. Nei vv. 8-9 i fratelli sembrano preoccupati della sorte della sorella che pare loro ancora piccola: ella risponde che può già pensare e disporre di sé (v. 10). Il v. 11 potrebbe essere interpretato come una tentazione per la sposa, per invitarla ad amare il pretendente ricco e dovizioso. In tal caso, la sposa risponderebbe sdegnosamente che ella possiede finalmente la sua vigna (cfr. 1,6), cioè che ha già fatto la sua scelta.

vi costruiremmo sopra merlature
  d'argento;
se fosse una porta,
  la rafforzeremmo con sbarre
    di cedro».

Lei

¹⁰ «Io sono un muro
  e i miei seni sono come torri.
  Per questo ai suoi occhi
  sono diventata come colei
  che ha trovato pace».

Lui

¹¹ «Salomone aveva una vigna
    in Baal-Amon.
  Egli affidò la vigna ai custodi,
  che si sarebbero obbligati a pagare
    per i suoi frutti
  mille sicli d'argento.
¹² La mia vigna, proprio la mia,
  è dinanzi ai miei occhi:
  i mille sicli a te, Salomone,
  e duecento ai custodi dei suoi frutti!
¹³ O abitatrice dei giardini,
  gli amici sono in ascolto della tua voce:
  fammela sentire!».

Lei

Corri, mio Diletto,
  sii simile alla gazzella
  o al cucciolo dei cervi,
  sui monti degli aromi!».

Ct

SAPIENZA

Scritto direttamente in greco da un ebreo residente in Egitto, verso il 50 a.C., questo è forse l'ultimo libro dell'Antico Testamento. Il titolo «Sapienza di Salomone» è chiaramente fittizio.

Il libro si compone di tre parti. La prima (1,1 - 6,21) presenta la sapienza come guida alla vita immortale per chi la segue e come testimone delle colpe per chi la rifiuta. Una serie di quadri mette a confronto la situazione attuale dei giusti e degli empi e la loro situazione finale al giudizio di Dio, quando sarà svelata la verità delle cose, spesso mascherata dalle vicende umane. La seconda (6,22 - 9,18) è un lungo elogio della sapienza che si conclude con una preghiera per ottenerla da Dio. La terza parte (cc. 10-19) mostra la sapienza in azione in alcuni momenti della storia della salvezza, particolarmente nel periodo dell'esodo, che per l'autore diventa emblematico della condotta di Dio verso l'uomo. In questa rievocazione storica schematizzata gli Ebrei rappresentano il tipo di chi segue la sapienza e giunge alla salvezza; gli Egiziani sono il tipo di chi rifiuta la sapienza e va incontro alla rovina e alla morte.

Il linguaggio e lo stile, come le considerazioni sull'idolatria, le sue origini e conseguenze nefaste (13,1 - 15,17), mostrano nell'autore una buona conoscenza della lingua e cultura ellenistica.

La prospettiva di una vita di eterna felicità conferisce al libro una nota di ottimismo: più che alla situazione in cui l'uomo è ridotto, l'autore guarda alla possibilità ancora offerta all'uomo di raggiungere l'incorruttibilità per cui era stato creato originariamente. Questo relativizza le vicende terrene, senza togliere loro importanza, perché solo vivendo al seguito della sapienza in questa vita si raggiunge la vita vera.

LA SAPIENZA, FONTE DI VITA

1 ¹Amate la giustizia, voi che governate
la terra,
abbiate verso il Signore retti sentimenti
e cercatelo con cuore semplice,
² perché egli si fa trovare da quanti
non lo tentano
e si manifesta a quanti non diffidano di lui.
³ Infatti i ragionamenti distorti separano
da Dio,
ma l'onnipotenza, messa alla prova,
convince gli stolti di delitto.
⁴ La sapienza non entra in un'anima
che opera il male,
né dimora in un corpo schiavo
del peccato.
⁵ Poiché il santo spirito, che istruisce,
fugge l'inganno,

sta lontano dai ragionamenti insensati
e si offusca al sopraggiungere
dell'ingiustizia.
⁶ La sapienza è uno spirito
che ama l'uomo,
ma non lascerà impunito
il bestemmiatore per i suoi discorsi,
perché Dio è testimone dei suoi pensieri,
sorvegliante leale del suo cuore
e uditore della sua parola.
⁷ Lo spirito del Signore riempie l'universo
e colui che tiene insieme ogni cosa
ne conosce la voce.
⁸ Per questo non potrà restar nascosto
chi proferisce cose ingiuste,

---

1. - 7. Dio riempie con la sua immensità l'universo, e quindi non ci può essere pensiero o parola o azione a cui non sia presente.

né lo risparmierà la giustizia
che corregge.
⁹ Si indagherà, infatti, sui progetti
dell'empio
e l'eco delle sue parole giungerà
fino al Signore,
a condanna dei suoi misfatti;
¹⁰ poiché un orecchio geloso ascolta
ogni cosa,
perfino il sussurro delle mormorazioni
non gli resterà nascosto.
¹¹ Guardatevi, dunque, dall'inutile
mormorazione,
preservate la lingua dalla maldicenza,
perché neppure una parola segreta
andrà a vuoto,
una bocca menzognera uccide l'anima.
¹² Desistete dal ricercare la morte
con gli errori della vostra vita,
e di attirarvi la rovina con le opere
delle vostre mani,
¹³ perché Dio non ha fatto la morte,
né gode per la rovina dei viventi.
¹⁴ Egli ha creato tutte le cose
perché esistano:
sono sane le cose nate nel mondo,
in esse non c'è veleno di morte,
né gli inferi dominano sulla terra.
¹⁵ La giustizia infatti è immortale.
¹⁶ Ma gli empi con gesti e con parole
invocano su di sé la morte;
credendola amica, si consumano per essa
e con essa fanno alleanza,
perché sono degni di appartenerle.

IL DISCORSO DEGLI EMPI

2 ¹Essi, infatti, non ragionano rettamente
e dicono fra loro:
«Breve e triste è la nostra vita,
il rimedio non sta nella fine dell'uomo,
né si conosce qualcuno che sia
tornato dagli inferi.

² Per caso siamo nati
e dopo morte saremo come se
non fossimo stati:
fumo è il soffio nelle nostre narici
e la parola è una scintilla
nel palpito del nostro cuore,
³ spenta la quale, il corpo diventerà
cenere
e lo spirito si disperderà come aria
leggera.
⁴ Anche il nostro nome sarà dimenticato
col tempo
e nessuno si ricorderà delle nostre opere.
La nostra vita passerà come traccia
di nube
e si disperderà come nebbia,
sospinta dai raggi del sole e disciolta
dal suo calore.
⁵ La nostra esistenza, infatti,
è come il passare di un'ombra,
irreversibile è la nostra fine,
perché il sigillo è posto
e nessuno può tornare indietro.
⁶ Su, dunque, godiamo dei beni presenti
e serviamoci delle cose create
con ardore giovanile!
⁷ Inebriamoci di vino pregiato e di profumi
e non lasciamoci sfuggire alcun fiore
primaverile;
⁸ coroniamoci di boccioli di rose
prima che appassiscano!
⁹ Nessuno di noi manchi alle nostre orge,
ovunque lasciamo segni di allegria,
perché questa è la nostra parte
e il nostro destino.
¹⁰ Opprimiamo il povero innocente,
non risparmiamo le vedove,
né rispettiamo la longeva canizie
del vecchio.
¹¹ La nostra forza sia regola della giustizia,
perché ciò che è debole si dimostra
inutile.
¹² Tendiamo insidie al giusto,
perché ci è molesto,
si oppone alle nostre azioni,
ci rinfaccia le trasgressioni della legge
e ci rimprovera le trasgressioni contro
l'educazione da noi ricevuta.
¹³ Proclama di possedere la conoscenza
di Dio
e si dichiara servo del Signore.
¹⁴ È diventato un rimprovero continuo
dei nostri pensieri;
ci è insopportabile anche il vederlo,

Sap

---

2. - 1-19. La sapienza conduce alla riflessione sul destino
dell'uomo, partendo dall'idea che ne ha l'empio.
2. Sono i discorsi dei materialisti epicurei d'allora, o più facilmente di Ebrei apostati. Gli orientali spesso chiamavano
cuore ciò che noi diciamo cervello.
12ss. Ogni giusto è figlio adottivo di Dio, ma questo passo,
come i seguenti vv. fino al 20, dai padri della chiesa sono
applicati a Cristo vero Figlio di Dio, e certo a nessuno con-
vengono come a lui, e sembrano anticipare il racconto della
passione di Gesù (cfr. Mt 27,40-44; Gv 19,7).

¹⁵ perché diversa dagli altri è la sua vita
e differente la sua condotta.

¹⁶ Siamo considerati da lui come bastardi
e si tiene lontano dalla nostra condotta
come dalle impurità;
dichiara beata la fine dei giusti
e si vanta di aver Dio per padre.

¹⁷ Vediamo se le sue parole sono vere
e proviamo ciò che gli accadrà alla fine.

¹⁸ Se il giusto è veramente figlio di Dio,
egli lo soccorrerà
e lo libererà dalle mani degli avversari.

¹⁹ Mettiamolo alla prova con oltraggi
e tormenti,
per conoscere la sua mitezza
e verificare la sua rassegnazione;

²⁰ condanniamolo a una morte
ignominiosa,
perché, secondo le sue parole,
Dio si prenderà cura di lui».

²¹ Così ragionano, ma s'ingannano;
la loro malizia, infatti, li ha accecati:

²² non capiscono i misteri di Dio,
non sperano che vi sia ricompensa
per la pietà,
né credono che vi sia un premio
per le anime irreprensibili.

²³ Sì, Dio ha creato l'uomo
in vista dell'incorruttibilità
e lo ha fatto a immagine della propria
natura;

²⁴ ma per invidia del diavolo
la morte è entrata nel mondo
e ne fanno esperienza quanti
gli appartengono.

LA SOFFERENZA DEL GIUSTO
E LA PROSPERITÀ DELL'EMPIO

3 ¹ Le anime dei giusti, invece,
sono nelle mani di Dio
e nessun tormento le toccherà.

² Agli occhi degli stolti parve
che morissero;
la loro fine fu ritenuta una sciagura

³ e la loro uscita dal nostro mondo
una rovina,
ma essi sono nella pace.

⁴ Anche se agli occhi degli uomini
sembrano subire tormenti,
la loro speranza è piena d'immortalità.

⁵ Dopo un breve soffrire,
saranno largamente beneficati,

perché Dio li ha provati
e li ha trovati degni di sé;

⁶ li ha saggiati come oro nel crogiuolo
e li ha graditi come un sacrificio perfetto.

⁷ Nel giorno in cui saranno giudicati,
risplenderanno
e come scintille nella paglia scorreranno.

⁸ Governeranno le nazioni,
avranno potere sui popoli
e il Signore sarà loro re per sempre.

⁹ Quanti confidano in lui comprenderanno
la verità
e i fedeli dimoreranno presso di lui
nell'amore,
perché grazia e misericordia sono
per i suoi eletti.

¹⁰ Gli empi, invece,
conforme ai loro pensieri riceveranno
il castigo,
essi che non si sono presi cura
del giusto
e si sono allontanati dal Signore.

¹¹ Chi disprezza la sapienza
e l'educazione è infelice.
Vana la loro speranza, inutili
le loro fatiche
e senza profitto le loro opere.

¹² Le loro mogli sono stolte,
cattivi i loro figli,
maledetta la loro discendenza.

¹³ Beata la sterile non contaminata,
che non ha conosciuto unione
nel peccato;
essa ne avrà il frutto nella visita
delle anime.

¹⁴ Beato anche l'eunuco,
che non ha dato mano a opere inique
e non ha rivolto pensieri malvagi
contro il Signore;
a lui, infatti, per la fedeltà
sarà data una grazia speciale
e una sorte graditissima nel tempio
del Signore.

¹⁵ Poiché glorioso è il frutto
delle buone fatiche
e imperitura è la radice della saggezza.

¹⁶ Ma i figli degli adulteri resteranno
imperfetti

---

3. - 3. La morte del giusto a volte ha tutte le apparenze della
distruzione, ma in realtà non è che l'ingresso nella vera vita.
10-15. Risposta ad altro problema assillante: perché vi sono
giusti che muoiono giovani, mentre vi sono degli empi che
vivono a lungo? Una risposta: affinché i buoni non diventino
cattivi.

e il seme di un'unione illegittima
sarà sterminato.

[17] Anche se avranno lunga vita,
come cosa da nulla saranno considerati
e, infine, la loro vecchiaia
sarà senza onore.

[18] Se poi moriranno presto, non avranno
speranza
né conforto nel giorno del giudizio,

[19] poiché triste è la fine di una generazione
ingiusta.

LA VIRTÙ E IL VIZIO.
LA MORTE PREMATURA DEL GIUSTO

4 [1] È meglio essere senza figli
e avere la virtù,
poiché nel ricordo di essa c'è immortalità,
per il fatto che è riconosciuta
da Dio e dagli uomini.

[2] Presente la imitano, assente
la rimpiangono,
nell'eternità trionfa, incoronata,
per avere vinto la lotta di gare
incontaminate.

[3] Ma la prolifica folla degli empi
non servirà a nulla.
Nata da polloni bastardi, non getterà
profonde radici,
né metterà solida base.

[4] Anche se per un certo tempo germoglia
nei rami,
quei getti così malfermi saranno
scossi dal vento
e sradicati dalla violenza della bufera.

[5] I ramoscelli ancora teneri saranno
spezzati,
il loro frutto sarà inutile,
non maturo per essere mangiato
e buono a nulla.

[6] Infatti i figli nati da sonni iniqui
sono testimoni della perversità
dei genitori
quando saranno interrogati.

[7] Il giusto, anche se muore
prematuramente,
godrà il riposo.

[8] Infatti vecchiaia veneranda
non è la longevità,
né essa si misura con il numero degli anni,

[9] ma canizie per gli uomini è la saggezza
ed età senile è una vita senza macchia.

[10] Divenuto gradito a Dio, fu da lui amato
e, poiché viveva in mezzo ai peccatori,
fu trasferito.

[11] Fu rapito perché la malizia
non mutasse la sua mente
o l'inganno non seducesse la sua anima,

[12] poiché il fascino del vizio oscura il bene
e l'agitarsi della passione
travolge una mente semplice.

[13] Divenuto in breve perfetto,
ha compiuto le opere di molti anni.

[14] La sua anima era gradita a Dio,
perciò egli si affrettò a toglierla
di mezzo al male.
I popoli vedono, ma senza comprendere
e senza riflettere sul fatto

[15] che grazia e misericordia sono
per i suoi eletti
e che la protezione divina è riservata
ai suoi santi.

[16] Il giusto, morendo, condanna gli empi
rimasti in vita
e una giovinezza giunta in breve
alla perfezione
condanna la lunga vecchiaia
dell'ingiusto.

[17] Le folle vedranno la fine del saggio,
ma non comprenderanno
qual era la volontà di Dio su di lui
e per qual motivo il Signore l'ha posto
al sicuro.

[18] Vedranno e disprezzeranno,
ma il Signore si riderà di loro.

[19] Ben presto diventeranno un cadavere
disonorato
e un'ignominia fra i morti per sempre:
Dio li prostrerà ammutoliti faccia a terra,
li scuoterà dalle fondamenta,
saranno completamente annientati,
saranno nel dolore
e il loro ricordo perirà.

[20] Verranno pieni di timore
al rendiconto dei loro peccati
e le loro violazioni della legge
staranno contro di essi per accusarli.

IL GIUDIZIO FINALE

5 [1] Allora il giusto starà con molta
franchezza
di fronte a quanti l'hanno oppresso

---

4. - 20. *Verranno pieni di timore* al giudizio di Dio, dove li
accuseranno i loro stessi peccati.

e a quanti hanno disprezzato
le sue sofferenze.

2 Vedendolo, saranno sconvolti
da terribile paura
e resteranno stupefatti per l'inaspettata
salvezza.

3 Pentiti, diranno fra di loro,
gemendo nello spirito tormentato:

4 «Questi è colui che una volta
noi abbiamo considerato come
un oggetto di scherno
e fatto bersaglio di oltraggi. Insensati!
Abbiamo stimato la sua vita una follia
e la sua fine un disonore.

5 Come mai è computato tra i figli di Dio
e tra i santi è la sua sorte?

6 Abbiamo dunque deviato dalla via
della verità,
la luce della giustizia non è brillata
per noi
e il sole non è sorto per noi.

7 Ci siamo saziati lungo i sentieri
dell'iniquità
e della perdizione,
abbiamo percorso deserti impraticabili,
ma non abbiamo conosciuto la via
del Signore.

8 Che cosa ci ha giovato l'orgoglio?
Quale utilità ci hanno dato la ricchezza
e l'arroganza?

9 Tutto è passato come ombra
e come fugace notizia,

10 come nave che fende l'acqua agitata,
del cui passaggio non resta traccia
né solco della sua carena nei flutti;

11 o come uccello che vola per l'aria,
della cui corsa non si trova alcun segno:
percuote con le ali l'aria leggera,
la squarcia col forte impeto delle sue ali
e l'attraversa senza lasciare in essa
segno del suo passaggio;

12 o come quando, scoccata una freccia
verso il bersaglio,
l'aria tagliata rifluisce subito su se stessa,
e così non si può riconoscere
il suo percorso;

13 allo stesso modo anche noi, appena nati,
abbiamo cessato di essere,
non abbiamo mostrato alcun segno
di virtù
e ci siamo consumati nella nostra
malvagità!».

14 La speranza dell'empio è come pula
portata via dal vento,

come tenue schiuma sospinta
dalla bufera;
è dispersa come il fumo dal vento
e si dilegua come il ricordo dell'ospite
di un solo giorno.

15 I giusti, invece, vivono in eterno,
la loro ricompensa è presso il Signore
e l'Altissimo si prende cura di loro.

16 Per questo riceveranno una magnifica
corona regale
e uno splendido diadema dalla mano
del Signore,
perché li proteggerà con la destra
e con il braccio li difenderà.

17 Egli prenderà come armatura il suo zelo
e userà come arma il creato
per far vendetta dei nemici.

18 Indosserà come corazza la giustizia
e cingerà come elmo un giudizio
senza finzione.

19 Abbraccerà come scudo
un'inattaccabile santità,

20 affilerà come spada un'ira inesorabile,
e il mondo combatterà con lui
contro gli insensati.

21 I fulmini partiranno come frecce
ben aggiustate
e come da un arco ben teso, dalle nubi,
si slanceranno contro il bersaglio;

22 dalla fionda saranno scagliati
chicchi di grandine pieni di furore;
infurierà contro di loro l'acqua del mare
e i fiumi strariperanno senza pietà.

23 Si leverà su di loro lo Spirito
dell'Onnipotente,
li disperderà come un uragano:
l'iniquità renderà deserta tutta la terra
e la malvagità travolgerà i troni
dei potenti.

INVITO A RICERCARE LA SAPIENZA

6 ¹Ascoltate, dunque, o re,
e fate attenzione!
Imparate, o governanti delle regioni
della terra!

2 Udite, voi che dominate le moltitudini
e siete orgogliosi per il gran numero
di popoli;

3 dal Signore vi è stato dato il dominio
e il potere dall'Altissimo,
il quale esaminerà le vostre opere
e scruterà i vostri pensieri,

⁴ poiché, essendo ministri del suo regno,
   non avete governato rettamente,
   né avete osservato la legge,
   né avete camminato secondo il volere
   di Dio.
⁵ Terribile e inatteso egli si ergerà
   contro di voi,
   poiché vi sarà un severo giudizio
   contro coloro che stanno in alto.
⁶ Senza dubbio l'inferiore è meritevole
   di misericordia,
   ma i potenti saranno esaminati
   con rigore.
⁷ Infatti il padrone di tutte le cose
   non teme alcuno,
   né si preoccupa della grandezza,
   perché egli ha fatto il piccolo e il grande
   e si prende cura ugualmente di tutti;
⁸ ma su quanti dominano incombe
   un giudizio severo.
⁹ Per voi, dunque, o sovrani, sono
   le mie parole,
   perché impariate la sapienza
   e non possiate prevaricare.
¹⁰ Quanti osservano santamente
    le leggi divine
    saranno riconosciuti santi,
    e quanti le avranno apprese
    vi troveranno una difesa.
¹¹ Desiderate, pertanto, le mie parole,
    bramatele e sarete istruiti.
¹² Splendida e incorruttibile è la sapienza,
    facilmente è conosciuta da quanti
    la amano
    e si lascia trovare da quanti la cercano.
¹³ Per farsi riconoscere,
    essa previene quanti la desiderano.
¹⁴ Chi si leva per essa di buon mattino
    non dovrà faticare,
    perché la troverà seduta alla sua porta.
¹⁵ Pensare ad essa è perfetta intelligenza,
    e chi veglia per lei sarà presto
    senza pena;
¹⁶ perché essa va in cerca di quanti
    sono degni di lei,
    nelle strade appare loro con benevolenza
    e va loro incontro in ogni loro progetto.
¹⁷ Suo principio è un sincero desiderio
    di istruzione;
¹⁸ la cura dell'istruzione è amore;
    l'amore è osservanza delle sue leggi;
    il rispetto delle sue leggi è garanzia
    di incorruttibilità
¹⁹ e l'incorruttibilità ci fa stare vicini a Dio:

²⁰ così il desiderio della sapienza conduce
    al regno.
²¹ Se dunque, sovrani dei popoli,
    vi dilettate di troni e di scettri,
    onorate la sapienza, perché possiate
    regnare in eterno.
²² Io vi annunzierò che cos'è la sapienza
    e come essa è nata:
    non vi nasconderò i misteri,
    anzi dal principio della creazione
    ne seguirò le orme,
    metterò in luce la sua conoscenza
    e non mi allontanerò dalla verità.
²³ Non mi accompagnerò con l'invidia
    che consuma,
    poiché essa non ha niente in comune
    con la sapienza.
²⁴ La moltitudine dei sapienti è la salvezza
    del mondo
    e un re saggio è la prosperità del popolo.
²⁵ Lasciatevi, dunque, istruire
    dalle mie parole
    e ne trarrete profitto.

SALOMONE PARLA DELLA SAPIENZA

7 ¹Anch'io sono un uomo mortale
     come tutti
    e discendente del primo essere,
    plasmato di terra.
    Nel seno di una madre fu scolpita
    la mia carne,
² durante dieci mesi presi consistenza
   nel sangue
   dal seme maschile e dal piacere,
   compagno del sonno.
³ Appena nato, anch'io ho respirato
   l'aria comune
   e sono caduto su una terra
   che ha le medesime sofferenze;
   come per tutti, anche la mia prima voce
   è stata il vagito.
⁴ Fui allevato in fasce,
   tra preoccupazioni.
⁵ Nessun re ebbe diverso principio
   di nascita:
⁶ uguale è l'ingresso di tutti nella vita
   e uguale l'uscita da essa.
⁷ Per questo pregai, e mi fu data
   l'intelligenza;
   invocai, e venne in me lo spirito
   di sapienza.
⁸ La preferii agli scettri e ai troni

Sap

e stimai le ricchezze un nulla
al suo confronto;

9 non la paragonai neppure alla pietra
più preziosa,
perché tutto l'oro al suo cospetto
è un po' di sabbia,
e come fango sarà computato
di fronte ad essa l'argento.

10 L'amai più della salute e della bellezza,
preferii il suo possesso in cambio
della luce,
perché lo splendore che da essa promana
non conosce tramonto.

11 Tutti i beni mi sono venuti insieme
con essa
e incalcolabili ricchezze sono
nelle sue mani.

12 Di tutti questi beni mi sono rallegrato,
perché ne è guida la sapienza,
ma ignoravo che essa ne fosse
anche la madre.

13 Senza frode io l'ho appresa
e senza invidia la comunico;
non nascondo le sue ricchezze.

14 Essa è un tesoro inesauribile
per gli uomini;
quanti lo acquistano, ottengono
l'amicizia con Dio
e sono a lui graditi
per i doni del suo insegnamento.

15 Mi conceda Dio di parlarne
come desidero
e di formulare pensieri degni dei doni
ricevuti,
perché egli è guida della sapienza
e dirige i sapienti.

16 Infatti in mano sua siamo noi
e le nostre parole,
tutta la nostra intelligenza e la nostra
abilità.

17 Egli mi ha dato la vera conoscenza
delle cose,
per comprendere il sistema
dell'universo
e la forza degli elementi,

18 il principio, la fine e la metà dei tempi,
l'avvicendarsi dei solstizi e il succedersi
delle stagioni,

19 i cicli degli anni e la posizione
degli astri,

20 la natura degli animali e l'istinto
delle bestie,
il potere degli spiriti e i ragionamenti
degli uomini,

la varietà delle piante e le proprietà
delle radici.

21 Ciò che è nascosto e ciò che è
manifesto
io lo conosco,
perché la sapienza, artefice di tutto,
mi ha ammaestrato.

22 In essa c'è uno spirito intelligente, santo,
unico, molteplice, sottile,
mobile, perspicace, senza macchia,
terso, inoffensivo, amante del bene,
acuto,

23 incoercibile, benefico, amante
dell'uomo,
immutabile, fermo,
senza preoccupazioni,
onnipotente, onniveggente
e che penetra tutti gli spiriti
intelligenti, puri e sottilissimi.

24 La sapienza è più agile di ogni moto,
per la sua purezza pervade e penetra
in ogni cosa.

25 È esalazione della potenza di Dio,
effluvio puro della gloria
dell'Onnipotente;
per questo nulla d'impuro penetra
in essa.

26 È irradiazione della luce eterna,
specchio tersissimo dell'attività di Dio
e immagine della sua bontà.

27 Pur essendo unica, essa può tutto;
restando in se stessa, rinnova ogni cosa;
entrando nelle anime sante
di ogni generazione,
forma gli amici di Dio e i profeti.

28 Nulla, infatti, Dio ama
se non chi condivide l'intimità
con la sapienza.

29 Essa è più bella del sole
e supera ogni costellazione;
paragonata alla luce, risulta
più splendida;

30 a questa, infatti, succede la notte,
ma la malvagità non può prevalere
sulla sapienza.

---

7. - 23-30. L'autore sacro ci presenta in questo brano la
natura della sapienza attraverso i suoi attributi o proprietà.
Con quanto contenuto in Pro 1,20-33; 8,1-36; Sir 24, abbiamo qui la più sublime rivelazione anticotestamentaria
sulla divina sapienza, in ordine al mistero della ss.ma Trinità.
Enumera 21 attributi – che non ha voluto mettere in ordine
logico – e ciascuno di essi è attributo di Dio, così che il
passo alla personificazione della sapienza, che farà il NT,
ormai è brevissimo (cfr. Eb 1,1-5; Gv 1,1-14).

I VANTAGGI DELLA SAPIENZA

8 ¹Essa si estende con forza
da un'estremità all'altra del mondo
e governa ogni cosa con bontà.

² Questa ho amato e ricercato
fin dalla mia giovinezza,
ho cercato di prendermela come sposa
e mi sono innamorato della sua bellezza.

³ Essa rende onore alla sua nobiltà,
perché vive nell'intimità con Dio,
e il padrone di tutte le cose l'ha amata.

⁴ Essa, infatti, è partecipe dei segreti
della scienza di Dio
e sceglie le sue opere.

⁵ Se la ricchezza è un bene desiderabile
in vita,
che cosa c'è di più ricco della sapienza,
la quale tutto produce?

⁶ Se l'intelligenza opera,
chi, tra gli esseri, è artefice più di essa?

⁷ Se uno ama la giustizia,
i suoi frutti sono le virtù:
essa, infatti, insegna temperanza
e prudenza,
giustizia e fortezza,
delle quali nulla è più utile agli uomini
nella vita.

⁸ Se, poi, uno brama una vasta esperienza,
essa conosce le cose passate
e indovina quelle future;
è esperta nei detti difficili
e nell'interpretazione degli enigmi;
prevede segni e prodigi
e le vicende dei tempi e delle epoche.

⁹ Ho deciso, dunque, di prenderla
per compagna della vita,
sapendo che mi sarà consigliera di bene
e consolatrice nelle preoccupazioni
e nel dolore.

¹⁰ Per essa avrò gloria nelle adunanze
e, pur essendo giovane, riceverò
onore dagli anziani.

¹¹ Sarò stimato acuto nel giudicare
e di fronte ai potenti sarò ammirato.

¹² Se farò silenzio, staranno in attesa;
se parlerò, mi si avvicineranno;
se converserò a lungo,
porranno la mano sulla loro bocca.

¹³ Per essa otterrò l'immortalità
e lascerò un ricordo eterno
a quanti verranno dopo di me.

¹⁴ Governerò i popoli
e le nazioni mi saranno soggette;

¹⁵ tiranni crudeli, sentendo parlare di me,
avranno paura;
in mezzo al popolo mi mostrerò buono
e in guerra coraggioso.

¹⁶ Rientrato nella mia casa, troverò
riposo accanto a lei,
perché la sua compagnia non procura
amarezza,
né dolore la sua convivenza,
ma letizia e gioia.

¹⁷ Considerando queste cose in me stesso
e meditando nel mio cuore
che nell'unione con la sapienza
c'è immortalità,

¹⁸ nella sua amicizia gioia eccellente,
nell'opera delle sue mani ricchezza
incalcolabile,
nell'assiduità della sua compagnia
intelligenza
e nella partecipazione ai suoi discorsi
celebrità,
andavo cercando come poterla
prendere con me.

¹⁹ Ero un ragazzo di belle qualità
e avevo ricevuto in sorte un'anima
buona,

²⁰ o, piuttosto, essendo buono,
ero entrato in un corpo incontaminato.

²¹ Ma sapendo che non l'avrei ottenuta
diversamente,
se Dio non la concede
– anche questo fa parte dell'intelligenza:
conoscere da chi viene il dono –,
mi rivolsi al Signore e lo pregai,
dicendo con tutto il mio cuore:

Sap

LA PREGHIERA DI SALOMONE

9 ¹«Dio dei padri e Signore
di misericordia,
che con la tua parola hai fatto l'universo

² e per mezzo della tua sapienza
hai formato l'uomo,
perché domini sulle creature
che tu hai fatto,

³ governi il mondo con santità e giustizia
e pronunzi giudizi con animo retto,

⁴ dammi la sapienza che siede accanto
al tuo trono,
e non mi escludere dal numero
dei tuoi servi,

⁵ perché io sono tuo servo e figlio
della tua serva,

uomo debole e di vita breve,
incapace di comprendere la giustizia
e le leggi.

6 Infatti, anche se uno fosse il più perfetto
tra gli uomini,
senza la sapienza che viene da te
sarebbe stimato un nulla.

7 Tu mi hai prescelto come re
del tuo popolo
e giudice dei tuoi figli e delle tue figlie;

8 mi hai ordinato di edificare un tempio
sul tuo santo monte,
un altare nella città della tua dimora,
immagine della tenda santa
che avevi preparato fin da principio.

9 Con te è la sapienza, che conosce
le tue opere,
che era presente quando formasti
il mondo;
essa conosce ciò che è gradito
ai tuoi occhi
e ciò che è conforme ai tuoi
comandamenti.

10 Inviala dai santi cieli,
mandala dal trono della tua gloria,
perché sia vicino a me
e mi affianchi nella fatica,
e io possa conoscere ciò che ti è gradito.

11 Essa, infatti, che tutto conosce
e comprende,
mi guiderà con saggezza nelle mie azioni
e mi custodirà nella sua gloria.

12 Allora ti saranno gradite le mie opere,
governerò il tuo popolo con giustizia
e sarò degno del trono di mio padre.

13 Quale uomo, infatti,
può conoscere il volere di Dio?
Chi può immaginare che cosa vuole
il Signore?

14 Timidi sono i ragionamenti dei mortali
e incerti i nostri pensieri;

15 perché un corpo corruttibile
appesantisce l'anima
e la tenda terrena opprime la mente,
agitata da molti pensieri.

16 A stento ci raffiguriamo le cose terrene
e con fatica comprendiamo quelle
che sono a portata di mano;
ma chi potrà rintracciare le cose celesti?

17 Chi avrebbe potuto conoscere
il tuo consiglio,
se tu non gli avessi dato la sapienza
e non gli avessi inviato dall'alto
il tuo santo spirito?

18 Così furono raddrizzati i sentieri
di chi è sulla terra,
gli uomini impararono le cose
che ti sono gradite
e per mezzo della sapienza essi furono
salvati».

LA SAPIENZA NELLA STORIA DI ISRAELE

10 1Essa custodì il primo uomo,
il padre del mondo,
quando fu creato solo,
lo liberò dalla sua caduta

2 e gli diede il potere di dominare
su tutte le cose.

3 Ma quando un ingiusto, nel suo furore,
si separò da essa,
perì a causa del suo odio fratricida.

4 Quando la terra fu sommersa
per colpa sua,
la sapienza la salvò di nuovo
guidando il giusto per mezzo
di un fragile legno.

5 Quando le genti, concordi solo nel fare
il male,
furono confuse,
essa riconobbe il giusto,
lo conservò irreprensibile davanti a Dio
e lo mantenne forte, al di sopra
dell'affetto per il figlio.

6 Essa liberò dallo sterminio degli empi
un giusto
che fuggiva il fuoco disceso
sulla Pentapoli.

7 A testimonianza di quella malvagità
resta ancora una terra desolata
e fumante,
insieme con alberi che producono
frutti immaturi;
a ricordo di un'anima incredula
si innalza una colonna di sale.

8 Avendo abbandonato la sapienza,
non solo subirono il danno
di non conoscere il bene,

---

10. - 1. La sapienza custodì Adamo fin dal primo momento,
prima che fosse creata la donna, e poi con la penitenza lo
tolse dal peccato.

5. Si parla d'Abramo che, quando i popoli erano immersi
nell'idolatria, fu da Dio separato per avviare sulla terra la
vera religione, e fu reso forte e disponibile fino a sacrificare
il figlio Isacco, se l'angelo non fosse venuto a trattenergli la
mano (Gn 22).

ma lasciarono ai viventi un ricordo
di insipienza,
così da non rimanere nascosti
nelle perversioni che commisero.

9 Ma la sapienza liberò i suoi fedeli
dagli affanni.

10 Essa guidò per vie diritte il giusto
che fuggiva dall'ira del fratello,
gli mostrò il regno di Dio
e gli diede la conoscenza
delle cose sante;
lo fece prosperare nelle fatiche
e moltiplicò i suoi guadagni.

11 Lo assistette contro l'ingordigia
degli oppressori
e lo fece ricco;

12 lo custodì dai nemici,
lo difese da quanti lo insidiavano
e gli assegnò il premio di un aspro
combattimento,
perché sperimentasse che la pietà
è più potente di ogni cosa.

13 Essa non abbandonò il giusto venduto,
ma lo preservò dal peccato.

14 Scese con lui nel carcere
e non lo abbandonò nelle catene,
finché gli procurò lo scettro regale
e autorità sui suoi oppressori;
dimostrò la falsità di quanti
lo diffamavano
e gli diede una gloria eterna.

15 Essa liberò un popolo santo
e una stirpe irreprensibile
da una nazione di oppressori.

16 Entrò nell'anima di un servo del Signore
e con portenti e segni si oppose
a re terribili.

17 Diede ai santi il premio delle loro fatiche,
li guidò per una via meravigliosa,
divenne per loro un riparo di giorno
e una luce di astri nella notte.

18 Fece loro passare il Mar Rosso
e li condusse attraverso molte acque;

19 sommerse invece i loro nemici
e li vomitò dal profondo dell'abisso.

20 Per questo i giusti spogliarono gli empi,
celebrarono, Signore, il tuo santo nome
e unanimi lodarono la tua mano
protettrice;

21 perché la sapienza aprì la bocca
dei muti
e sciolse la lingua dei fanciulli.

LA SORTE DEI GIUSTI E DEGLI EMPI NELL'ESODO

11 ¹Essa condusse felicemente
le loro imprese
per mano di un santo profeta.

2 Percorsero un deserto inospitale
e fissarono le tende in luoghi
impraticabili:

3 si opposero ai nemici e respinsero
gli avversari.

4 Ebbero sete e gridarono a te,
e fu data loro acqua da una roccia
scoscesa
e rimedio alla sete da una dura pietra.

5 Infatti ciò che servì per castigare
i loro nemici,
fu per essi di beneficio nel bisogno.

6 Invece dell'acqua di un fiume perenne,
reso torbido da un putrido sangue,

7 in punizione di un decreto infanticida,
tu desti loro inaspettatamente acqua
abbondante,

8 dimostrando, per mezzo della sete
che allora pativano,
in che modo furono castigati i nemici.

9 Difatti, quando furono messi alla prova,
benché puniti con misericordia,
compresero come gli empi dovettero
soffrire
sotto un giudizio adirato.

10 Infatti tu provasti gli uni
come un padre che ammonisce,
mentre punisti gli altri
come un re severo che condanna.

11 Lontani o vicini,
costoro erano ugualmente tormentati:

12 li colse, infatti, una duplice sofferenza
e un gemito per i ricordi delle cose
passate.

13 Quando udirono che per mezzo
delle loro pene
quelli erano stati beneficati,
vi scorsero il Signore.

14 Poiché colui che prima avevano
esposto
e poi pubblicato deriso,
al termine degli avvenimenti dovettero
ammirarlo,

Sap

---

11. - 6-7. Paragone fra il prodigio dell'acqua fatta uscire
dalla rupe e quello dell'acqua mutata in sangue putrido: il
primo sazia la sete, il secondo l'acuisce (cfr. Es 7,19-25).
Fiume perenne: il Nilo.

dopo aver sofferto una sete diversa
da quella dei giusti.

¹⁵ In pena dei loro stolti e ingiusti
  ragionamenti,
per cui deviarono e adorarono
animali senza ragione e vili bestie,
tu inviasti contro di loro per punizione
una moltitudine di animali senza ragione,

¹⁶ perché comprendessero che ognuno
  è punito
per mezzo di quelle stesse cose
per le quali pecca.

¹⁷ Alla tua mano onnipotente,
che aveva creato il mondo da materia
  informe,
non era certo difficile mandare
  contro di loro
una moltitudine di orsi o di leoni feroci,

¹⁸ o di fiere sconosciute, furibonde,
  di nuova creazione,
o che spirano alito infuocato,
o che esalano vapore di fumo,
o che sprizzano dagli occhi
  terribili scintille,

¹⁹ delle quali non solo il morso poteva
  sterminarli,
ma anche lo sguardo spaventoso
  poteva annientarli.

²⁰ Ma anche senza queste cose,
con un solo soffio essi potevano cadere,
perseguitati dalla giustizia
e annientati dal tuo soffio onnipotente;
ma tu hai disposto ogni cosa
con misura, numero e peso.

²¹ Poiché la tua straordinaria potenza
  è sempre con te,
chi potrà resistere alla forza
  del tuo braccio?

²² Tutto l'universo davanti a te
  è come polvere sulla bilancia
e come una goccia di rugiada
che di buon mattino scende sulla terra.

²³ Tu hai pietà di tutti, perché tutto puoi
e dimentichi i peccati degli uomini
in vista della conversione.

²⁴ Infatti tu ami tutte le cose
  che esistono
e niente detesti di ciò che hai fatto,
perché se tu odiassi qualche cosa,
  neppure l'avresti formata.

²⁵ E come potrebbe sussistere una cosa,
se tu non volessi?
O come potrebbe conservarsi
ciò che non è stato da te chiamato?

²⁶ Ma tu hai pietà di tutte le cose,
  perché sono tue,
Signore, amante della vita.

LA MISERICORDIA DI DIO

12 ¹Il tuo spirito incorruttibile è,
infatti, in tutte le cose.

² Per questo tu castighi a poco a poco
quelli che cadono
e li correggi ricordando loro le cose
nelle quali hanno peccato,
perché, liberati dalla malizia,
credano in te, Signore.

³ Anche gli antichi abitanti
  della tua terra santa,

⁴ che tu odiavi per le cose abominevoli
che compivano,
le pratiche di magia e le iniziazioni
  sacrileghe

⁵ – crudeli uccisori di figli,
divoratori di visceri in banchetti
di carne umana e di sangue,
iniziati a orge abominevoli,

⁶ genitori omicidi di vite indifese –,
tu hai voluto distruggere
per mano dei nostri padri,

⁷ perché accogliesse la degna colonia
  dei figli di Dio
la terra che più di tutte ti è cara.

⁸ Ma anche questi, perché uomini,
tu trattasti con moderazione,
e inviasti le vespe come precursori
  del tuo esercito,
perché a poco a poco li sterminassero.

⁹ Non ti era impossibile in battaglia
  dare gli empi
in potere dei giusti,
o sterminarli in un attimo
  con bestie feroci
o con ordine perentorio;

¹⁰ ma punendo a poco a poco,
davi luogo alla conversione,
non ignorando che malvagia
  era la loro stirpe,
innata la loro malizia,
e che certamente non sarebbe mai mutato
il loro modo di pensare,

¹¹ perché era un seme maledetto
  fin da principio.
Non è per timore di qualcuno
che tu lasciavi impuniti
  quelli che peccavano.

¹² Chi, infatti, potrebbe dire:
Che cosa hai fatto?
O chi oserebbe opporsi alla tua sentenza?
Chi, poi, potrebbe accusarti
di far perire le genti
che tu stesso hai creato?
O chi potrebbe presentarsi contro di te,
come difensore di uomini ingiusti?
¹³ Infatti non c'è Dio fuori di te,
a cui tutto stia a cuore,
perché tu debba dimostrare
che non hai giudicato ingiustamente;
¹⁴ né c'è re o tiranno che possa resisterti
in difesa di quelli che tu hai punito.
¹⁵ Ma, essendo giusto, governi ogni cosa
con giustizia,
consideri cosa incompatibile
con la tua onnipotenza
condannare chi non merita
di essere punito.
¹⁶ La tua forza, infatti, è principio di giustizia
e il tuo dominio universale ti fa trattare
tutti con clemenza.
¹⁷ Certo, tu mostri la forza contro
chi non crede
nella perfezione della tua potenza
e reprimi la temerarietà in coloro
che la conoscono.
¹⁸ Ma tu, che sei padrone della forza,
giudichi con moderazione
e ci governi con grande clemenza,
perché il potere, quando vuoi,
è sempre a tua disposizione.
¹⁹ Agendo così hai insegnato al tuo popolo
che il giusto deve essere umano,
e hai dato ai tuoi figli la dolce speranza
che tu concedi la conversione
per i peccati.
²⁰ Infatti, se i nemici dei tuoi figli,
pur degni di morte,
li hai puniti con tanto riguardo
e indulgenza,

dando tempo e modo per liberarsi
dalla malizia,
²¹ con quanta maggior precauzione
hai giudicato i tuoi figli,
ai cui padri hai concesso giuramenti
e patti di così buone promesse?
²² Pertanto, correggendo noi,
tu flagelli i nostri nemici in mille modi,
perché quando giudichiamo, pensiamo
alla tua bontà,
e quando siamo giudicati,
con fiducia attendiamo la tua misericordia.
²³ Perciò quanti vissero ingiustamente
nella stoltezza della loro esistenza,
li hai tormentati con le loro stesse
abominazioni.
²⁴ Veramente essi molto deviarono
sulla via dell'errore,
fino a ritenere dèi anche i più vili
tra gli animali disprezzati,
ingannati come bambini
senza intelligenza.
²⁵ Per questo, come a fanciulli
senza ragione,
mandasti loro un castigo per derisione.
²⁶ Ma quanti non si sono lasciati correggere
da tali punizioni irrisorie,
dovranno sperimentare un castigo
degno di Dio.
²⁷ Indignati per le sofferenze causate loro
da quegli stessi animali che essi
avevano ritenuto dèi,
e vedendo che erano usati
per loro castigo,
riconobbero come vero Dio
colui che prima avevano rifiutato
di riconoscere.
Per questo si abbatté su di loro
l'estrema condanna.

STOLTEZZA DELL'IDOLATRIA

13 ¹Veramente sono stolti per natura
tutti gli uomini che ignorano Dio
e che dai beni visibili non furono capaci
di conoscere colui che è,
né, considerandone le opere,
seppero riconoscere l'artefice;
² ma o il fuoco o il vento o l'aria veloce
o la volta stellata o l'acqua impetuosa
o le luci del cielo considerarono
come dèi,
governatori del mondo.

Sap

---

12. - 12-13. Magnifiche affermazioni del potere sovrano di Dio su tutte le creature, poiché è lui che ha fatto il piccolo e il grande, ha cura di tutto e di tutti, e tutti giudicherà secondo la sua legge eterna.

13. - 1. *Colui che è*: è il nome di Dio, l'essere assoluto e necessario (cfr. Es 3,14, ove Dio stesso rivela a Mosè il suo nome: Jhwh).

2-5. Dalla considerazione delle creature si può arrivare a scoprire il Creatore e i suoi attributi di bontà, bellezza, onnipotenza. Dio stesso creò l'intelligenza umana capace di queste elevazioni, affinché glorificasse Dio con cognizione di causa (Rm 1,19-20).

3 Se, attratti dalla loro bontà,
    hanno ritenuto dèi tali cose,
  sappiano quanto migliore
    è il loro Signore,
  perché chi li ha creati è la sorgente
    della bontà.
4 Se li ha colpiti la loro forza
    e la loro energia,
  riconoscano quanto è più potente
  colui che le ha formate.
5 Infatti dalla grandezza e bontà
    delle creature
  per analogia si può conoscere
    il loro autore.
6 Tuttavia, per costoro il biasimo è minore,
  perché essi forse s'ingannano
  mentre cercano Dio e vorrebbero
    trovarlo.
7 Vivendo in mezzo alle sue opere,
    le ammirano
  ma si lasciano persuadere
    dall'apparenza,
  perché sono belle le cose
    che si vedono.
8 Ma neppure costoro sono scusabili;
9 perché se tanto furono capaci
    di conoscere,
  fino a scrutare il corso del mondo,
  come mai non hanno trovato
    più presto il loro Signore?
10 Infelici, invece, sono coloro
    le cui speranze sono in cose morte,
  coloro che invocarono come dèi
    le opere
  delle mani dell'uomo,
  oro e argento, lavorati con arte,
  immagini di animali
  o pietre inutili, scolpite un tempo
  dalla mano dell'uomo.
11 Così un abile falegname
  ha tagliato un albero adatto al suo lavoro,
  ne ha staccato diligentemente
    tutta la corteccia,
  lo ha lavorato con arte
  e ne ha ricavato un oggetto utile
    ai bisogni della vita.
12 Con gli avanzi del suo lavoro
  si è poi preparato il cibo e si è sfamato.
13 Il rimanente ormai più buono a nulla,
  un pezzo di legno tortuoso e pieno
    di nodi,
  egli si è messo a lavorarlo con cura
  nei momenti di tempo libero
  e, con abile arte, gli ha dato una forma,

rendendolo simile a un'immagine
    di uomo,
14 o a quella di qualche vile animale.
  L'ha verniciato con minio
  e ne ha colorato di rosso la superficie,
  facendo così scomparire
    ogni sua macchia.
15 Quindi gli ha preparato un'abitazione
    degna di lui
  e l'ha collocato sulla parete, fissandolo
    con un ferro.
16 Provvide così che non cadesse,
  sapendo bene che non può aiutarsi
    da sé:
  infatti è solo un'immagine
  e ha bisogno di aiuto.
17 Eppure non si vergogna di rivolgersi
  a quell'oggetto inanimato quando
    lo prega
  per i suoi beni, per le sue nozze
    e per i figli.
  Così per la sua salute invoca ciò
    che è debole,
18 per la sua vita prega ciò che è morto,
  per un aiuto supplica uno che
    non ne è capace,
  per un viaggio chi non sa camminare,
19 per gli acquisti, il lavoro e il successo
    negli affari
  chiede energia a chi neppure
    sa muovere le mani.

CONDANNA DELL'IDOLATRIA

14 ¹C'è anche chi, accingendosi
    a navigare
e stando per attraversare i vorticosi flutti,
invoca un legno ben più fragile
della nave che lo porta.
2 Certamente è stato per il desiderio
    di guadagno
  che l'uomo ha inventato la nave,
  e l'ha costruita con ingegno di artista.
3 Ma è la tua provvidenza, o Padre,
    a pilotarla,
  perché anche nel mare hai tracciato
    una strada
  e fra le onde un sentiero sicuro,

6-9. Gli adoratori delle creature, meravigliose opere di Dio,
non sono i peggiori, benché non scusabili, perché furono
ammaliati da bellezza e potenza immensamente superiori
ad essi. Molto più riprovevoli sono gli adoratori di idoli fatti
dalle proprie mani (vv. 10-19).

4 mostrando che puoi salvare
    da ogni pericolo,
  di modo che, anche se uno
    è privo d'esperienza,
    possa imbarcarsi.
5 Tu non vuoi che le opere della tua
    sapienza
  restino inoperose:
    per questo gli uomini affidano la vita
    anche a un piccolissimo legno
  e, attraversando i flutti con una zattera,
    giungono sani e salvi.
6 Anche in principio,
    quando perivano i superbi giganti,
  la speranza del mondo si rifugiò
    su di una fragile barca
  che, guidata dalla tua mano,
    conservò al mondo
  il seme della generazione.
7 Benedetto, quindi, è il legno
    per mezzo del quale viene la salvezza,
8 ma l'idolo è maledetto, lui e chi
    lo ha fatto:
  questi per averlo lavorato,
  quello perché, essendo corruttibile,
    è chiamato dio.
9 A Dio infatti sono ugualmente odiosi
    l'empio e la sua empietà:
10 così l'opera sarà punita
    con il suo artefice.
11 Per questo vi sarà un giudizio
    anche per gli idoli delle nazioni,
  perché nella creazione di Dio
    essi sono diventati un abominio,
  uno scandalo per le anime degli uomini
  e un laccio per i piedi degli stolti.
12 L'idea di fare idoli fu l'inizio
    della fornicazione
  e la loro scoperta portò la corruzione
    nella vita.
13 Essi non esistevano in principio,
    né mai esisteranno.
14 Entrarono nel mondo per la vanità
    degli uomini,
  e per questo è stata decretata per loro
    una rapida fine.
15 Un padre, afflitto da un lutto prematuro,
    fece fare un'immagine del figlio,
    rapidamente portato via;
  incominciò a onorare come un dio
    l'uomo che era morto,
  e ne trasmise ai sudditi il culto
    e i riti misterici.
16 Consolidatasi col tempo,

questa empia usanza fu osservata come
    una legge.
17 Per ordine dei sovrani si adoravano
    anche le statue:
  quanti non potevano onorarli di persona,
    perché abitavano lontano,
  ne ritrassero le sembianze lontane
  e fecero un'immagine visibile del re
    venerato,
  perché colui che era assente
    fosse sollecitamente adulato
    come presente.
18 L'ambizione dell'artista spinse
    anche quelli che non lo conoscevano
    a propagarne il culto.
19 Infatti questi, volendo far piacere
    al sovrano,
  per mezzo dell'arte ne rese più bella
    l'immagine;
20 e la folla, attirata dalla grazia del lavoro,
    considerò oggetto di adorazione colui
  che poco prima aveva onorato
    come uomo.
21 Questa cosa risultò una trappola
    per il mondo,
  perché gli uomini,
    sotto il giogo della sventura
    o della tirannide,
  imposero a pietre e a legni il nome
    incomunicabile.
22 Inoltre non bastò l'errare
    intorno alla conoscenza di Dio,
  ma, invischiati nella crudele guerra
    d'ignoranza,
  danno il nome di pace a mali così grandi.
23 Praticando riti infanticidi
    o misteri nascosti
  o sfrenate orge dallo strano rituale,
24 più non conservano puri né la vita
    né il matrimonio
  e uno uccide l'altro a tradimento
    o l'affligge con l'adulterio.
25 Ovunque, senza distinzione, dominano
    sangue e omicidio, furto e inganno,
  corruzione, infedeltà, anarchia, spergiuro,
26 persecuzione dei buoni, ingratitudine
    per i favori,
  contaminazione delle anime, inversione
    dei sessi,
  irregolarità dei matrimoni, stupro
    e sfrenatezza.
27 Il culto reso a idoli innominabili
  è principio, causa e fine di tutti i mali.
28 Gli idolatri, in effetti,

o celebrano feste frenetiche
o profetizzano il falso,
o vivono nell'ingiustizia o spergiurano
con facilità.

29 Riponendo la fiducia in idoli inanimati,
non si aspettano di essere puniti
per avere giurato il falso.

30 Ma la sentenza li colpirà per entrambi
questi motivi:
perché pensarono male di Dio,
seguendo gli idoli,
e giurarono contro verità e giustizia,
disprezzando la santità di Dio.

31 Infatti non è il potere di coloro
per i quali si giura,
ma la giustizia, che si vendica
dei peccatori,
a perseguitare sempre le trasgressioni
degli ingiusti.

ISRAELE NON ADORA GLI IDOLI COME GLI ALTRI POPOLI

15 ¹Ma tu, nostro Dio, sei buono e fedele,
sei paziente e governi ogni cosa
con misericordia.

2 Anche se pecchiamo, siamo tuoi,
perché riconosciamo la tua potenza,
ma non peccheremo, sapendo
che apparteniamo a te.

3 Conoscere te, infatti, è perfetta giustizia
e riconoscere la tua potenza è radice
d'immortalità.

4 Non ci indussero in errore
né la malvagia invenzione degli uomini,
né la vana fatica dei pittori,
con le loro figure imbrattate
di vari colori,

5 la cui vista eccita il desiderio dello stolto
e gli fa desiderare la figura esanime
di un'immagine morta.

6 Amanti del male e degni di simili
speranze
sono quanti li fanno, li desiderano
e li onorano.

7 Ecco, ad esempio, un vasaio che impasta
con fatica la molle argilla
e modella ogni cosa per la nostra utilità.
Ma dalla stessa argilla sono plasmati
vasi
destinati a usi nobili
come quelli a uso contrario,
tutti allo stesso modo;

quale debba essere l'uso di ciascuno
di essi,
è il vasaio a stabilirlo.

8 Dalla stessa argilla, con ignobile fatica,
plasma una divinità vana,
egli che, nato da poco dalla terra,
ritornerà presto alla terra da cui fu tratto,
quando gli sarà domandato conto
della vita.

9 Ma egli non si preoccupa di dover
presto morire,
né di avere una vita breve;
anzi gareggia con orefici e argentieri,
imita i lavoratori del bronzo
e reputa un vanto modellare cose false.

10 Polvere è il suo cuore,
la sua speranza è più vile della terra
e la sua vita è più spregevole dell'argilla,

11 perché non conosce chi l'ha plasmato,
chi gli inspirò un'anima attiva
e chi gli infuse uno spirito vitale.

12 Per lui la nostra vita è come un giuoco
di bambini
e l'esistenza come un mercato
per guadagnare.
Egli, infatti, dice: «Da tutto,
anche dal male,
è necessario guadagnare».

13 Più di ogni altro egli sa di peccare,
producendo con la stessa argilla
fragili vasi e idoli.

14 Ma fra tutti, più insensati e miseri
dell'anima di un bambino
sono i nemici del tuo popolo,
che l'hanno oppresso,

15 perché considerarono dèi
anche tutti gli idoli delle genti,
i quali non hanno né l'uso degli occhi
per vedere,
né narici per aspirare aria, né orecchie
per sentire,
né dita delle mani per palpare
e i loro piedi sono incapaci
di camminare.

16 Li ha fatti un uomo
e li ha plasmati uno
che ha avuto in prestito lo spirito:
nessun uomo, infatti, può plasmare
un dio simile a sé.

---

15. - 3. La conoscenza di Dio speculativa e pratica, che si
risolve in una vita conforme alla sua volontà, costituisce la
perfetta giustizia e l'assicurazione del premio eterno (cfr. Gv
17,3).

¹⁷ Essendo egli mortale,
  con le sue mani empie
non può formare che una cosa morta:
egli, infatti, è superiore ai suoi idoli,
perché lui almeno ha ricevuto la vita,
  ma loro no.
¹⁸ Inoltre essi venerano gli animali più
  odiosi:
infatti, per stupidità, sono inferiori
  a tutti gli altri.
¹⁹ Inoltre non sono così belli da rendersi
  desiderabili
come avviene alla vista di altri animali;
anzi sono rimasti senza l'approvazione
  di Dio,
senza la sua benedizione.

SEQUENZA DI SCENE ANTITETICHE TRA EGIZIANI ED EBREI

Gli animali: castigo e beneficio

16 ¹Per questo furono degnamente puniti con simili animali
e tormentati da una moltitudine
  di bestiole.
² Invece di questo castigo, tu beneficasti il
  tuo popolo;
per soddisfarne il forte appetito
gli preparasti un cibo di gusto squisito,
  le quaglie.
³ Così, mentre quelli desideravano il cibo,
ma, per il disgusto delle bestie
  inviate loro contro,
perdettero anche l'appetito naturale,
questi, invece, dopo una privazione
  di breve durata,
gustarono un cibo meraviglioso.
⁴ Veramente era necessario
  che su quei tiranni
piombasse una tremenda carestia
e che a questi si mostrasse soltanto
come erano tormentati i loro nemici.

Il flagello dei serpenti

⁵ Quando infatti sopravvenne su di loro
  la furia terribile delle belve
ed erano sterminati dai morsi
  di velenosi serpenti,
  la tua ira non durò sino alla fine.
⁶ Ma per breve tempo furono tormentati
  e a loro correzione,

avendo così un segno di salvezza,
affinché si ricordassero dei precetti
  della tua legge.
⁷ Infatti chi vi si volgeva
  non era salvato da ciò che guardava,
  ma da te, salvatore di tutti.
⁸ Anche in tal modo hai dato prova
  ai nostri nemici
che sei tu colui che libera da ogni male.
⁹ Essi infatti furono uccisi dai morsi
  di cavallette e di mosche,
  né si trovò un rimedio per la loro vita,
perché meritavano di essere castigati
  da tali bestie.
¹⁰ Invece i denti di serpenti velenosi
  non vinsero i tuoi figli,
poiché intervenne la tua misericordia
  e li guarì.
¹¹ Affinché si ricordassero delle tue parole,
venivano feriti dai morsi e subito guariti,
per timore che, caduti in un profondo
  oblio,
fossero esclusi dai tuoi benefici.
¹² Non li guarì né erba né unguento,
  ma la tua parola, Signore, che tutto sana.
¹³ Tu, infatti, hai potere sulla vita
  e sulla morte,
conduci alle porte degli inferi
  e fai risalire.
¹⁴ L'uomo nella sua malvagità può uccidere,
  ma non può richiamare lo spirito
  già esalato,
né liberare un'anima che è stata
  rinchiusa.
¹⁵ È impossibile sfuggire alla tua mano.

Gli elementi atmosferici:
castigo e beneficio

¹⁶ Gli empi, che rifiutavano di conoscerti,
  furono puniti con la forza del tuo braccio,
perseguitati da insolite piogge,
  da grandine e da uragani spaventosi
  e consumati dal fuoco.
¹⁷ E, cosa incredibile, nell'acqua
  che tutto spegne
  il fuoco prendeva maggior vigore,
poiché difensore dei giusti è l'universo.
¹⁸ Talvolta veramente la fiamma si mitigava
per non consumare gli animali inviati
  contro gli empi,
affinché essi, a tal vista,
comprendessero che erano incalzati
  dal giudizio di Dio.

Sap

¹⁹ Altre volte anche in mezzo all'acqua
la fiamma bruciava oltre la potenza
del fuoco,
per distruggere i prodotti di una terra
iniqua.

²⁰ Al contrario nutristi il tuo popolo
con il cibo degli angeli
e preparasti per loro dal cielo un pane
già pronto, senza fatica,
capace di procurare ogni delizia
e di soddisfare ogni gusto.

²¹ Veramente quel tuo sostentamento
manifestava
la tua dolcezza verso i tuoi figli
e, adattandosi al desiderio di chi
ne mangiava,
si trasformava nel gusto che ciascuno
preferiva.

²² Neve e ghiaccio resistevano al fuoco
senza sciogliersi,
perché comprendessero che il fuoco,
divampante tra la grandine
e sfolgorante tra la pioggia,
distruggeva i frutti dei nemici.

²³ Al contrario, per nutrire i giusti,
dimenticava perfino la propria
potenza.

²⁴ La creazione, infatti, servendo a te,
suo Creatore,
si rafforza per punire gli ingiusti
e si attenua per beneficare quanti
confidano in te.

²⁵ Per questo anche allora, piegandosi
a tutto,
serviva alla tua benignità
che tutto nutre,
secondo il desiderio di quanti erano
nel bisogno,

²⁶ perché i tuoi figli che ami, Signore,
imparassero
che non le diverse specie di frutti
fanno vivere l'uomo,
ma la tua parola conserva in vita
quanti credono in te.

²⁷ Infatti ciò che non era stato distrutto
dal fuoco
subito si scioglieva, appena riscaldato
da un semplice raggio di sole,

²⁸ perché fosse noto che è necessario
prevenire il sole per renderti grazie
e incontrarti al sorgere della luce,

²⁹ poiché la speranza dell'ingrato
si scioglierà come brina invernale
e si disperderà come acqua inutile.

TENEBRE E LUCE

17 ¹Profondi e imperscrutabili
sono i tuoi giudizi:
così si traviarono le anime indocili.

² Persuasi, infatti, di poter opprimere
il popolo santo, gli iniqui giacevano inerti,
prigionieri delle tenebre, avvolti
da una lunga notte,
rinchiusi dentro le loro case,
esclusi dalla provvidenza eterna.

³ Credendo di restare nascosti
con gli occulti peccati,
sotto l'oscuro velo dell'oblio,
furono dispersi, colpiti da orribile
spavento
e sconvolti da fantasmi.

⁴ Neppure il nascondiglio che li accoglieva
poté preservarli dalla paura,
ma rumori sconvolgenti risuonavano
intorno a loro
e apparivano spettri minacciosi
dai volti tristi.

⁵ Nessun fuoco, per quanto potente,
aveva la forza di far luce,
né le luci fulgide degli astri
potevano illuminare quella orribile notte.

⁶ Appariva loro soltanto un improvviso
bagliore,
che incuteva paura
e, atterriti da quella visione
non percepita,
credevano ancora peggiori le cose
che vedevano.

⁷ Le risorse dell'arte magica fallivano
e vergognosa era la confutazione
della scienza dell'arrogante.

⁸ Quanti promettevano di cacciare
i timori e i turbamenti dell'anima
abbattuta,
languivano essi stessi di paura ridicola.

⁹ Anche se nulla di spaventoso
li intimoriva,
atterriti dal passaggio delle bestie
e dal sibilo dei serpenti, morivano
di paura
e si rifiutavano persino di guardare l'aria,
che in nessun modo si può evitare.

¹⁰ La malvagità, quando è condannata,

---

16. - 26. Gesù ricorderà un giorno: «Non di solo pane vivrà
l'uomo, ma di ogni *parola* che esce dalla bocca di Dio»
(Mt 4,4).
28. Il suggerimento di pregare Dio di buon mattino è frequente nella Bibbia: cfr. Sal 59,17; 88,14.

si rivela particolarmente vile;
oppressa dalla coscienza, suppone
   sempre il peggio.
[11] Il timore, infatti, non è altro
   che l'abbandono
dell'aiuto della ragione:
[12] quanto minore è internamente l'attesa
   dell'aiuto,
tanto più si valuta l'ignoranza della causa
   che procura il tormento.
[13] Ma essi, durante quella notte
   veramente impotente
e uscita dai recessi degli inferi
   senza potere,
assopiti da un medesimo sonno,
[14] ora erano agitati da spettri mostruosi,
ora erano paralizzati per l'abbattimento
   dell'anima,
poiché li colse un improvviso
   e inaspettato timore.
[15] E così chiunque, cadendo là dove
   si trovava,
veniva rinchiuso in un carcere
   senza catenaccio:
[16] fosse egli agricoltore o pastore
od operaio che si affatica in luoghi
   solitari,
sorpreso dalle tenebre,
doveva subire l'ineluttabile destino,
perché tutti erano legati all'unica
   catena delle tenebre.
[17] Il sibilo del vento,
il melodioso canto di uccelli
   tra i rami di alberi frondosi,
il mormorio dell'acqua che scorre
   con forza,
il fragore possente di massi cadenti,
[18] la corsa invisibile di animali saltellanti,
il ruggito di selvagge fiere ululanti,
l'eco ripercossa dalle cavità dei monti
li paralizzavano per lo spavento.
[19] Mentre tutto il mondo era illuminato
   da una splendida luce
e ognuno attendeva senza ostacoli
   alle sue occupazioni,
[20] soltanto su di essi si stendeva
   una notte profonda,
immagine delle tenebre che stavano
   per avvolgerli.
Ma essi erano a se stessi più pesanti
   delle tenebre.

LA COLONNA DI FUOCO

18 [1]Per i tuoi santi, invece,
   splendeva una grandissima luce.
Gli Egiziani, udendo la loro voce
senza vederne la persona,
   li proclamavano beati,
perché non soffrivano quelle pene,
[2] e rendevano grazie perché, pur offesi
   per primi,
non ricambiavano le ingiurie,
e chiedevano perdono per averli
   trattati da nemici.
[3] Invece delle tenebre desti loro
   una colonna di fuoco
come guida nell'ignoto cammino,
e come sole innocuo nel loro glorioso
   pellegrinaggio.
[4] Veramente quelli meritavano
di essere privati della luce
e di essere prigionieri delle tenebre,
essi che avevano tenuto chiusi
   in carcere i tuoi figli,
per mezzo dei quali stavi per dare
   al mondo
l'incorruttibile luce della legge.

La morte dei primogeniti

[5] Poiché essi avevano deliberato
   di uccidere i figli dei santi
– e un solo bambino fu salvato
   dopo essere stato esposto –,
per castigo eliminasti la moltitudine
   dei loro figli
e li facesti perire tutti insieme
   nell'acqua impetuosa.
[6] Quella notte fu resa nota già prima
   ai nostri padri,
perché, sapendo con certezza
a quali giuramenti avevano creduto,
   stessero di buon animo.
[7] Il tuo popolo attendeva, quindi,
la salvezza dei giusti e lo sterminio
   dei nemici.
[8] Perché come punisti gli avversari
così glorificasti noi, chiamandoci a te.
[9] I santi, figli dei buoni, offrivano
   il sacrificio in segreto
e di comune accordo s'imposero
   questa legge divina:
i santi sarebbero diventati ugualmente
   partecipi

Sap

dei beni e dei pericoli,
cantando prima gli inni dei loro padri.

¹⁰ Faceva eco il grido confuso dei nemici
e si diffondeva il lamento di quanti
piangevano i figli.

¹¹ Con la stessa pena lo schiavo era colpito
insieme con il padrone
e l'uomo del popolo soffriva
le stesse pene del re.

¹² Tutti ugualmente, con lo stesso genere
di morte,
annoverarono un gran numero di caduti
e i vivi non erano sufficienti
per seppellirli,
perché in un istante
la loro generazione più nobile
fu distrutta.

¹³ Quanti erano rimasti increduli a tutto
a causa delle loro magie,
alla morte dei primogeniti confessarono
che quel popolo era figlio di Dio.

¹⁴ Mentre un quieto silenzio avvolgeva
tutte le cose
e la notte era a metà del suo corso,

¹⁵ la tua parola onnipotente dal cielo,
dal tuo trono regale,
come guerriero implacabile si slanciò
in mezzo alla terra votata alla morte,
portando, come spada affilata,
l'irrevocabile tuo decreto.

¹⁶ Fermatasi, riempì l'universo di morte;
toccava il cielo e percorreva la terra.

¹⁷ Allora li sconvolsero improvvise
apparizioni di terribili sogni,
sopraggiunsero timori inaspettati

¹⁸ e, cadendo qua e là mezzo morti,
manifestavano la causa per cui morivano.

¹⁹ I loro sogni terrificanti li avevano
preavvisati,
perché non perissero
ignorando l'oscuro male
per cui soffrivano.

L'intervento di Aronne nel deserto

²⁰ La prova della morte raggiunse
anche i giusti
e nel deserto ci fu una strage di molti,
ma l'ira divina non durò a lungo,

²¹ perché un uomo irreprensibile
s'affrettò a difenderli;
portando le armi del suo ministero,
la preghiera e l'incenso espiatorio,
si oppose alla collera divina

e mise fine alla calamità,
mostrando di essere tuo servo.

²² Egli vinse la collera divina
non con la forza del corpo,
né con l'efficacia delle armi,
ma con la parola placò colui che puniva,
ricordandogli i giuramenti
fatti ai padri e l'alleanza.

²³ Già i morti si ammassavano
gli uni sugli altri,
quando egli, stando in mezzo,
arrestò l'ira
e le tagliò la strada verso i viventi.

²⁴ Sulla sua lunga tunica vi era tutto
il mondo,
sui quattro ordini di pietre preziose
erano scolpite le glorie dei padri
e sul diadema del suo capo
la tua maestà.

²⁵ Dinanzi a queste insegne
lo sterminatore indietreggiò
e ne ebbe timore,
poiché era sufficiente una sola
dimostrazione dell'ira divina.

IL PASSAGGIO DEL MAR ROSSO

19 ¹Sugli empi si riversò sino alla fine
una collera senza pietà,
perché Dio prevedeva
anche ciò che essi avrebbero fatto,

² che cioè, dopo aver loro permesso
di andarsene
e averli fatti partire in fretta,
se ne sarebbero pentiti e li avrebbero
inseguiti.

³ Infatti, mentre erano ancora in lutto
e facevano lamenti sulle tombe
dei morti,
li sconvolse un'altra insensata decisione
e si misero ad inseguire come fuggitivi
proprio quelli che essi avevano
pregato di partire.

⁴ Li ha trascinati a questo estremo
un giusto destino
che fece loro dimenticare
le cose accadute,
perché scontassero il castigo
che ancora mancava ai loro tormenti,

⁵ e mentre il tuo popolo intraprendeva
un viaggio straordinario,
quelli andassero incontro a una morte
inaudita.

La creazione come strumento di Dio

⁶ Pertanto tutta la creazione assumeva
   da capo, nel suo genere, nuove forme
   obbedendo ai tuoi ordini,
   perché i tuoi figli fossero conservati
      illesi.
⁷ La nube copriva d'ombra
      l'accampamento,
   dov'era prima l'acqua
   si vide emergere la terra asciutta,
   dal Mar Rosso si vide aprirsi
      una strada libera,
   e dai flutti impetuosi
   apparve una pianura verdeggiante.
⁸ Per essa passò tutto il tuo popolo,
   i protetti dalla tua mano,
   spettatori di meravigliosi prodigi.
⁹ Furono condotti al pascolo come puledri
   e come agnelli saltellavano qua e là,
   lodando te, Signore, loro liberatore.
¹⁰ Ricordavano ancora le cose accadute
      in terra straniera:
   come il suolo, cioè, invece
      dei diversi generi
   di animali, produsse mosche,
   e come il fiume, invece di animali
      acquatici,
   vomitò una moltitudine di rane.
¹¹ Più tardi videro anche un nuovo genere
      di uccelli,
   quando, spinti dall'appetito,
   chiesero cibi delicati;
¹² poiché per soddisfarli salirono per loro
   le quaglie dal mare.
¹³ Sui peccatori invece vennero
      i castighi,
   non senza essere stati prima provati
   dalla violenza dei fulmini.
   Essi soffrivano giustamente
      per la loro malvagità,
   avendo nutrito un profondo odio
      verso il forestiero.

¹⁴ Alcuni rifiutarono l'accoglienza
   a degli sconosciuti al loro arrivo,
   questi invece avevano reso schiavi
   ospiti benèfici.
¹⁵ Non solo, ma se ci sarà qualche
      clemenza,
   questa sarà per quelli
   che accoglievano ostilmente soltanto
      degli stranieri.
¹⁶ Ma questi, dopo aver accolto
      festosamente gli Ebrei
   e averli già fatti partecipi dei loro
      stessi diritti,
   li maltrattarono, condannandoli
      a duri lavori.
¹⁷ Furono perciò colpiti da cecità
   come quelli alla porta del giusto,
   quando, avvolti da fitte tenebre,
   ognuno cercava l'ingresso
      della propria porta.
¹⁸ Gli elementi si armonizzavano
      tra di loro,
   come le note in un'arpa variano
      l'armonia,
   pur mantenendo sempre il medesimo
      tono.
   E proprio questo si può ben
      comprendere
   dalla considerazione delle cose
      accadute:
¹⁹ difatti, animali terrestri si mutavano
      in acquatici,
   quelli che nuotavano passavano
      sulla terra,
²⁰ il fuoco nell'acqua aumentava
      la propria potenza
   e l'acqua dimenticava
   la sua proprietà naturale di spegnere;
²¹ al contrario le fiamme non consumavano
      le carni
   di gracili animali che vi passeggiavano
      dentro,
   né scioglievano quella specie
      di cibo celeste,
   simile alla brina e facile a fondersi.

Conclusione

²² In tutto, o Signore, hai reso grande
      il tuo popolo
   e lo hai glorificato
   e non l'hai trascurato,
   assistendolo in ogni tempo
      e in ogni luogo.

19. - 14-17. I Sodomiti peccarono perché non osservarono
i precetti sacri dell'ospitalità e vollero abusare di uomini
stranieri. Gli Egiziani, invece, beneficati da Giuseppe e dal
lavoro compiuto dagli Israeliti, li oppressero contro ogni diritto. Perciò giustamente furono più gravemente castigati.
18-22. Gli ultimi versetti del libro sono un riassunto di quanto
detto nei capitoli precedenti, in cui l'autore ha voluto far risaltare come gli elementi della natura, nelle mani onnipotenti
di Dio, sono serviti a castigare i cattivi e a provare o pre-
miare i buoni, come le corde di uno strumento musicale che,
mosse dalle dita di un valente musicista, danno suoni diversi
pur mantenendosi nel ritmo della scala musicale.

Sap

SIRACIDE

«*Siracide*» o Ben Sirach è il nome dell'autore di questo libro sapienziale chiamato anche Ecclesiastico. Il libro si compone di una prima parte più propriamente sapienziale, sul genere e lo stile dei Proverbi (1,1 - 42,14), e di una seconda parte che celebra la sapienza di Dio nella natura (42,15 - 43,33) e nella vita degli uomini illustri della storia d'Israele (cc. 44-50). Una preghiera e un'ultima esortazione alla sapienza formano un'appendice al libro (c. 51).

Il testo ebraico andò perduto (ne sono stati scoperti vari manoscritti parziali), ma il nipote dell'autore nel 132 a.C. tradusse in greco l'opera del nonno conclusa verso il 180 a.C. Questa traduzione entrò nella Bibbia come testo canonico.

Il Siracide riconosce come fonte prima delle sue massime e dei suoi consigli la legge dell'Altissimo, in cui è condensata la vera sapienza data da Dio a Israele (24,1-22; 39,1-8; cfr. Dt 4,6-8). L'identificazione tra sapienza e legge di Dio è l'affermazione più nuova e caratteristica di Ben Sirach, come è nuovo l'inserimento della storia nel genere sapienziale.

La sua galleria di ritratti passa in rassegna uomini saggi che hanno seguito la parola che Dio loro rivolgeva, hanno avuto successo e hanno beneficato il loro popolo.

La prospettiva di Ben Sirach si colloca sulla linea tradizionale: l'uomo, nella sua vita presa globalmente, trova ciò che sceglie. Dio lo ha dotato di tanti doni e della libertà (15,11-20; 17,1-12): faccia quindi le sue scelte. Ben Sirach tuttavia sa che anche chi si impegna nell'osservanza della legge incontra sofferenza e difficoltà (2,1-18). Ma una vita guidata dal timore di Dio godrà della sua benedizione: questo gli hanno insegnato la sua esperienza personale e la sua riflessione.

PROLOGO DEL TRADUTTORE GRECO

Attraverso la legge, i profeti e gli altri scritti successivi, ci sono stati comunicati molti e straordinari insegnamenti, per i quali è giusto ammirare Israele quanto a dottrina e sapienza. Non è però giusto che ne vengano a conoscenza solo quelli che li leggono, ma è bene che questi intenditori si rendano utili, con la parola e con lo scritto, anche a quelli che ne sono un po' lontani.

Per questo motivo, mio nonno Gesù, dopo essersi dedicato per tanto tempo alla lettura della legge, dei profeti e degli altri libri dei nostri padri, avendone conseguito una notevole competenza, fu indotto a scrivere qualcosa, anche da parte sua, su ciò che riguarda la dottrina e la sapienza, affinché, venendolo a conoscere quanti amano lo studio, possano progredire sempre più nel vivere in maniera conforme alla legge.

Pertanto siete pregati di farne la lettura con benevolenza e attenzione e a usare indulgenza con noi quando, nonostante l'impegno con cui ci siamo applicati alla traduzione, sembrerà che non siamo riusciti a rendere bene certe espressioni. Queste, infatti, non hanno la stessa forza quando sono dette in ebraico e quando vengono tradotte in un'altra lingua. Ciò non vale solo per questo libro, ma anche per la stessa legge, i profeti e i rimanenti libri, che presentano una non piccola differenza nel loro tenore originale.

Nell'anno trentottesimo del re Evergete venni in Egitto e là mi stabilii. Dopo aver scoperto che lo scritto aveva un non trascurabile valore educativo, ho sentito la necessità di dedicare, da parte mia, zelo e fatica per tradurre questo libro. Nel tempo che frattanto è trascorso, ho impiegato molte veglie e tanta scienza per condurre a termine questo libro e pubblicarlo a beneficio di quelli che sono all'estero e, riformando i loro costumi, desiderano imparare a vivere secondo la legge.

LA SAPIENZA DI DIO
NELLA VITA DELL'UOMO

1 ¹Tutta la sapienza viene dal Signore
e con lui rimane per sempre.

² La sabbia dei mari, le gocce della
pioggia,
i giorni dei secoli, chi può contarli?

³ L'altezza del cielo, la distesa della terra,
la profondità dell'abisso,
chi può esplorarle?

⁴ La sapienza fu creata prima d'ogni cosa,
e l'intelligenza che comprende
c'è da sempre.

⁵ La radice della sapienza a chi fu rivelata?
E le sue sottigliezze chi le conosce?

⁶ Uno solo è sapiente, egli è molto
terribile
e sta assiso sul suo trono.

⁷ Il Signore stesso l'ha creata,
l'ha vista e l'ha misurata,
l'ha riversata su tutte le sue opere,

⁸ su ogni vivente, secondo la sua
generosità,
e l'ha dispensata a quanti lo amano.

⁹ Il timore del Signore è gloria e vanto,
è allegrezza e corona di festa.

¹⁰ Il timore del Signore rallegra il cuore,
dà gioia, letizia e abbondanza di giorni.

¹¹ Chi teme il Signore si troverà bene
alla fine,
nel giorno della sua morte sarà
benedetto.

¹² Principio della sapienza è temere
il Signore;
essa è data ai fedeli nel seno materno.

¹³ Ha posto il suo nido fra gli uomini
con fondamenta eterne:
sarà quindi affidata alla loro discendenza.

¹⁴ Pienezza della sapienza è temere
il Signore;
essa inebria con i suoi frutti.

¹⁵ Riempirà la loro casa secondo
i loro desideri,
e con i suoi prodotti i loro magazzini.

¹⁶ Corona della sapienza è il timore
del Signore;
essa genera pace e buona salute,

¹⁷ effonde scienza e conoscenza
intelligente,
esalta la gloria di quanti la possiedono.

¹⁸ Radice della sapienza è temere
il Signore;
i suoi rami sono abbondanza di giorni.

¹⁹ La collera ingiusta non sarà scusata,
perciò l'eccesso della sua ira sarà
causa della sua caduta.

²⁰ L'uomo paziente si domina in tempo,
ma poi avrà soddisfazione.

²¹ Per un certo tempo nasconde
i suoi pensieri,
ma le labbra di molti celebreranno
la sua prudenza.

²² Nei tesori della sapienza sono racchiuse
le massime che istruiscono,
ma per il peccatore la pietà verso Dio
è cosa abominevole.

²³ Se desideri la sapienza, osserva
i comandamenti,
così il Signore te la concederà;

²⁴ perché nel timore del Signore
c'è sapienza e istruzione,
ed egli ama la fedeltà e la mansuetudine.

²⁵ Non disprezzare il timore del Signore
e non avvicinarti a lui con doppiezza
di cuore.

²⁶ Non fare l'ipocrita davanti agli uomini,
ma controlla le tue parole.

²⁷ Non ti esaltare, per non cadere
e attirare su di te il disonore;

²⁸ il Signore svelerà i tuoi segreti
e ti svergognerà davanti all'assemblea,

²⁹ perché non hai camminato nel timore
del Signore
e il tuo cuore è pieno d'inganno.

PAZIENZA E FIDUCIA NELLA PROVA

2 ¹Figlio, se ti presenti per servire
il Signore
prepara il tuo animo alla prova;

² tieni pronto il tuo cuore, fatti coraggio
e non smarrirti nel tempo della sventura.

³ Tieniti unito a lui e non allontanartene,
perché tu, alla fine, possa godere
nell'abbondanza.

⁴ Accetta tutto quello che s'abbatte
su di te
e nelle vicende più umilianti sii paziente:

⁵ come l'oro si purifica nel fuoco
così gli eletti nel crogiuolo del dolore.

Sir

---

1. - 1-10. *Sapienza*: come in Pro, questa parola riguarda la
sapienza creata, comunicata da Dio agli uomini e poeticamente personificata.
12. *Temere il Signore*: significa dipendere rispettosamente
da Dio con il timore di offenderlo e con la preoccupazione di
glorificarlo.

⁶ Confida in lui, egli ti aiuterà,
  raddrizza le tue vie e spera in lui.
⁷ Quanti temete il Signore,
  attendete la sua misericordia;
  non deviate, per non cadere.
⁸ Quanti temete il Signore, confidate in lui,
  perché non vi mancherà
    la sua ricompensa.
⁹ Quanti temete il Signore, sperate
    nei suoi beni,
  nella gioia che non ha fine e nella sua
    misericordia.
¹⁰ Considerate le generazioni passate
    e osservate:
  chi ha confidato nel Signore
    ed è rimasto confuso?
  Chi ha perseverato nel temerlo
    ed è stato abbandonato?
  Chi l'ha invocato ed è stato da lui
    trascurato?
¹¹ Perché il Signore è pieno
    di compassione e di misericordia,
  perdona i peccati e salva nel tempo
    della tribolazione.
¹² Guai ai cuori deboli e alle mani fiacche,
  al peccatore che cammina
    su due sentieri.
¹³ Guai al cuore meschino che non crede,
  perché non avrà protezione.
¹⁴ Guai a voi che avete perduto la costanza:
  che cosa farete quando il Signore
    compirà la sua visita?
¹⁵ Quanti temono il Signore
  non diffidano delle sue parole,
  e quanti lo amano praticano le sue vie.
¹⁶ Quanti temono il Signore vogliono
    piacergli,
  e quanti lo amano osservano la sua legge.
¹⁷ Quanti temono il Signore
  tengono pronto il loro cuore
  e si umiliano al suo cospetto.
¹⁸ Gettiamoci nelle mani del Signore
  e non nelle mani degli uomini,
  perché, come è la sua grandezza,
    così è la sua misericordia.

ONORA IL PADRE E LA MADRE

3 ¹Figli, ascoltate l'ammonizione del padre,
    mettetela in pratica per essere salvi:
² il Signore vuole che il padre
    sia onorato dai figli,
  ha imposto sui figli il diritto della madre.

³ Chi rispetta il padre espia i peccati
⁴ e chi onora la madre accumula tesori.
⁵ Chi rispetta il padre avrà gioia dai figli
  e nel giorno della sua preghiera
    sarà esaudito.
⁶ Chi onora il padre avrà lunga vita,
  chi è docile al Signore conforta la madre.
⁷ Chi teme il Signore onora il padre
  e serve i genitori come padroni.
⁸ Onora tuo padre con le opere
    e le parole,
  perché passi su di te la sua benedizione:
⁹ la benedizione del padre rinvigorisce
    le case dei figli,
  la maledizione della madre ne sradica
    le fondamenta.
¹⁰ Non puoi essere fiero se tuo padre
    è nel disonore,
  il suo disonore non è per te una gloria:
¹¹ è gloria per un uomo la reputazione
    del padre,
  ed è obbrobrio per i figli la madre
    disprezzata.
¹² Figlio, abbi cura del padre
    nella sua vecchiaia
  e non contristarlo finché è in vita;
¹³ anche se le sue capacità vengono
    meno, compatiscilo
  e non disprezzarlo, mentre tu sei
    nel pieno vigore.
¹⁴ La compassione per il padre non sarà
    dimenticata,
  sarà un tesoro per espiare i tuoi peccati;
¹⁵ nel giorno della tua tribolazione
    sarà ricordata,
  e come brina sotto il sole
    si scioglieranno i tuoi peccati.
¹⁶ Abbandonare il padre
    è come bestemmiare,
  il Signore maledice chi inasprisce
    la madre.
¹⁷ Figlio, compi le tue opere con senso
    di modestia
  e sarai amato più di chi è munifico.
¹⁸ Quanto più sei grande, tanto più umiliati,
  così troverai grazia al cospetto
    del Signore.
¹⁹ Poiché grande è la potenza
    del Signore
²⁰ ed egli viene glorificato dagli umili.
²¹ Non cercare le cose troppo difficili
  e non investigare quelle troppo oscure;
²² le cose comandate, queste, sì,
    devi considerare,

perché non hai bisogno
di quelle nascoste.

²³ Non preoccuparti di ciò che supera
le tue capacità,
perché ti è stato rivelato
ciò che supera la mente umana.

²⁴ La presunzione, infatti, ha ingannato
molti,
e la falsa illusione ha sedotto
la loro ragione.

²⁵ Il cuore indurito finirà male,
e chi ama il pericolo vi si perderà.

²⁶ Il cuore indurito sarà oppresso
dagli affanni,
e il peccatore aggiungerà peccato
a peccato.

²⁷ Per la sventura del superbo non c'è
rimedio,
perché la pianta del male ha messo
in lui radici.

²⁸ Il cuore del saggio medita le parabole,
desidera solo un orecchio attento.

²⁹ L'acqua spegne il fuoco che divampa,
così l'elemosina espia i peccati.

³⁰ Chi ricambia con il bene viene ricordato
anche dopo,
e al momento della sua caduta troverà
sostegno.

L'AIUTO PER I POVERI
E L'AMORE PER LA SAPIENZA

4 ¹Figlio, non defraudare il povero
di quanto gli è necessario per vivere
e non essere insensibile allo sguardo
di chi è nel bisogno.

² Non disprezzare chi ha fame
e non irritare chi è già in difficoltà.

³ Non inasprire il cuore di chi è
esasperato
e non rifiutare un dono a chi chiede.

⁴ Non respingere l'afflitto che ti supplica
e non distogliere lo sguardo dal povero.

⁵ Non sviare l'occhio dal bisognoso,
per non dargli motivo di maledirti:

⁶ se ti maledice nell'amarezza
del suo cuore,
colui che l'ha creato esaudirà
la sua preghiera.

⁷ Renditi amabile con l'assemblea,
ma davanti alle autorità china il capo.

⁸ Piega verso il povero il tuo orecchio
e rispondigli miti parole di pace.

⁹ Libera l'oppresso dalla mano
dell'oppressore,
senza essere timido nel dare il giudizio.

¹⁰ Sii un padre per gli orfani
e come un marito per le loro madri:
così tu sarai vero figlio dell'Altissimo,
che ti amerà più di tua madre.

¹¹ La sapienza fa crescere i suoi figli
e ha cura di quanti la cercano.

¹² Chi l'ama, ama la vita,
si rallegreranno quanti l'aspettano
prima dell'aurora.

¹³ Chi la possiede erediterà la gloria,
dovunque vada, il Signore lo benedirà.

¹⁴ Chi vi si consacra serve il Santo,
il Signore ama quanti l'amano.

¹⁵ Chi le è docile giudicherà le nazioni,
e chi la coltiva avrà la casa tranquilla.

¹⁶ Se uno le si affida, l'avrà in possesso,
e ne saranno ripieni i suoi discendenti.

¹⁷ Dapprima lo farà camminare per vie
tortuose,
incutendogli paura e trepidazione,
lo tormenterà con la sua disciplina,
prima di affidarsi a lui,
e lo metterà alla prova con i suoi decreti;

¹⁸ ma dopo un poco tornerà verso di lui
e lo rallegrerà,
gli farà noti i suoi segreti.

¹⁹ Se poi lui si allontana, essa l'abbandona
e lo consegna nelle mani della sua
rovina.

²⁰ Figlio, pondera le circostanze
e temi il male,
ma non vergognarti di te stesso:

²¹ perché c'è una vergogna che conduce
al peccato
e c'è una vergogna che porta gloria
e grazia.

²² Non rinnegare te stesso per riguardo
agli altri,
non essere timido quando rischi
la rovina.

²³ Non trattenere la parola quando
è necessaria
e non nascondere la tua sapienza,

²⁴ perché nella parola si riconosce
la sapienza,
e l'intelligenza nella risposta della lingua.

²⁵ Non contrastare la verità,
ma vergognati della tua ignoranza.

²⁶ Non vergognarti di ammettere
i tuoi peccati
e non opporti alla corrente del fiume.

Sir

²⁷ Non sottometterti allo stolto
e non aver soggezione del potente.
²⁸ Lotta per la verità sino alla morte
e il Signore Dio combatterà al tuo fianco.
²⁹ Non essere temerario con la lingua
e poi pigro e inerte nel tuo lavoro.
³⁰ Non essere come un leone
nella tua casa
e non fare l'eroe davanti ai tuoi servi.
³¹ Non sia la tua mano tesa per prendere
e chiusa nel dare.

EVITARE GLI ECCESSI

5 ¹Non confidare nelle tue ricchezze
e non dire: «Sono autosufficiente».
² Non fidarti di te stesso e della tua forza,
assecondando i desideri del tuo cuore.
³ Non dire: «Chi può comandarmi?»,
perché il Signore ti punirà.
⁴ Non dire: «Ho peccato e che cosa
mi è successo?»,
perché il Signore ha sempre tempo.
⁵ Sapendo che egli ti perdona,
non essere sfacciato così
da aggiungere peccato a peccato.
⁶ Non dire: «La sua misericordia è grande,
perdonerà i miei peccati, anche se molti»,
perché presso di lui vi sono misericordia
e ira,
il suo furore scenderà sui peccatori.
⁷ Non ritardare la conversione al Signore
e non differirla di giorno in giorno,
perché l'ira del Signore verrà improvvisa
e nel tempo del giudizio sarai distrutto.
⁸ Non confidare nelle ricchezze ingiuste:
non ti gioveranno nel giorno
della sventura.
⁹ Non essere uno che vaglia il grano
ad ogni vento
e non andare per ogni sentiero,
come fanno il peccatore e il simulatore.
¹⁰ Sii costante in quello che pensi
e sia una sola la tua parola.
¹¹ Sii pronto nell'ascoltare e ponderato
nel rispondere.
¹² Se puoi, rispondi al tuo prossimo,
se non puoi, poni la mano sulla bocca.
¹³ Gloria e disonore sono in potere
di colui che parla:
la lingua dell'uomo è la sua rovina.
¹⁴ Non farti la fama di uomo doppio
e non calunniare con la tua lingua,

perché se c'è vergogna per il ladro,
c'è amara condanna per l'uomo falso.
¹⁵ Non sbagliare nelle grandi cose
come nelle piccole,
e non mutarti da amico in nemico.

CAUTELA NELLE AMICIZIE
E RICERCA DELLA SAPIENZA

6 ¹La cattiva fama porterà vergogna
e biasimo:
tale è la sorte del peccatore,
falso nelle sue parole.
² Non eccedere nelle smanie
della passione,
che abbatte la tua forza come un toro;
³ divorerà le tue foglie e devasterà
i tuoi frutti,
per lasciarti come albero avvizzito.
⁴ La passione sfrenata rovina
chi la possiede
e lo rende ridicolo ai suoi nemici.
⁵ Il parlare dolce moltiplica gli amici
e il linguaggio gentile trova accoglienza.
⁶ Siano molti coloro che vivono
in pace con te,
ma i tuoi consiglieri uno su mille.
⁷ Prima di farti un amico mettilo alla prova,
non confidarti subito con lui.
⁸ C'è chi è amico quando gli conviene,
ma non resiste nel giorno
della tua disgrazia.
⁹ C'è l'amico che diventa nemico
e svela agli altri i vostri litigi.
¹⁰ C'è l'amico compagno dei banchetti,
che si dilegua nel giorno
della tua disgrazia.
¹¹ Nella tua prosperità si sentirà come te,
comanderà anche ai tuoi servi.
¹² Ma se la sventura ti colpisce, si ergerà
contro di te
e non si farà più vedere da te.
¹³ Tienti lontano dai nemici,
sii circospetto anche con gli amici.
¹⁴ L'amico fedele è solido rifugio:
chi lo trova, trova un tesoro.
¹⁵ L'amico fedele non ha prezzo,
non c'è misura per il suo valore.
¹⁶ L'amico fedele è medicina che dà vita,
lo troveranno quanti temono il Signore.
¹⁷ Chi teme il Signore è cauto
nelle sue amicizie:
come è lui, tali saranno i suoi amici.

¹⁸ Figlio, fin da giovane ricerca l'istruzione
   e fino alla vecchiaia acquisterai
      la sapienza.
¹⁹ Avvicinati ad essa come chi ara
      e semina,
   e attendi poi i suoi buoni frutti;
   con poca fatica la coltiverai
   e mangerai presto le sue primizie.
²⁰ La sapienza è difficile per gli ignoranti,
   l'insensato non vi si applica.
²¹ È pietra pesante che spossa
      la sua forza,
   non tarderà a scrollarsela d'addosso.
²² La sapienza è come vuole il suo nome:
   non si manifesta a molti.
²³ Ascolta, figlio, ti mostrerò
      il mio pensiero;
   non rifiutare il mio consiglio.
²⁴ Introduci i piedi nei suoi ceppi
   e il collo nel suo giogo.
²⁵ Piega le tue spalle per caricartela,
   non infastidirti per i suoi legami.
²⁶ Avvicinati ad essa con tutto l'animo,
   con tutta la forza osserva le sue vie.
²⁷ Ricerca le sue tracce e si farà
      conoscere,
   una volta afferrata, non l'abbandonare.
²⁸ Alla fine otterrai il suo riposo
   ed essa si trasformerà per te
      in godimento.
²⁹ I suoi ceppi saranno per te
      una robusta difesa,
   i suoi legami una veste sontuosa.
³⁰ Essa porta un ornamento d'oro,
   i suoi ceppi sono fili di porpora.
³¹ L'indosserai come veste sontuosa,
   la cingerai come corona d'allegrezza.
³² Se lo vuoi, figlio, puoi diventare saggio,
   e se poni attenzione, diventerai
      perspicace;
³³ se ti piace ascoltare, apprenderai;
   se apri il tuo orecchio, diventerai
      sapiente.
³⁴ Sta' dove ci sono molti anziani,
   affezionati alla loro sapienza.
³⁵ Ascolta volentieri ogni discorso divino,
   non ti sfuggano i proverbi della sapienza.
³⁶ Se vedi un sapiente, avvicinalo
      di buon mattino,
   il tuo piede pesti sempre la sua soglia.
³⁷ Medita i comandamenti del Signore,
   óccupati sempre dei suoi precetti.
   Egli renderà forte il tuo cuore,
   ti sarà data la sapienza che desideri.

CONSIGLI VARI SULLA VITA MORALE E SOCIALE

7 ¹Non fare il male e il male
      non ti prenderà.
² Allontanati dall'ingiustizia
   ed essa starà lontana da te.
³ Non seminare nei solchi dell'ingiustizia
   perché tu non debba raccoglierne
      sette volte tanto.
⁴ Non chiedere al Signore il potere
   né al re un posto di prestigio.
⁵ Non giustificarti davanti al Signore
   e non fare il saggio al cospetto del re.
⁶ Non cercare di diventare giudice
   se ti manca la forza di estirpare
      l'ingiustizia,
   per non avere intimidazioni dal potente
   e non venire a compromesso
      con la tua onestà.
⁷ Non fare un sopruso contro la città
   per non inimicarti tutto il popolo.
⁸ Non legarti due volte con il peccato,
   perché già con una sei colpevole.
⁹ Non dire: «Egli guarderà all'abbondanza
      dei miei doni
   e sarà accetta la mia offerta
      al Dio altissimo».
¹⁰ Non essere impaziente
      nella tua preghiera
   e non trascurare di fare l'elemosina.
¹¹ Non deridere un uomo nella sua
      amarezza:
   uno solo è colui che umilia ed esalta.
¹² Non spargere menzogna contro
      il tuo fratello
   e non fare altrettanto contro l'amico.
¹³ Evita di dire qualsiasi menzogna:
   è un'abitudine che non giova al bene.
¹⁴ Non essere chiacchierone fra gli anziani
   e non ripetere le parole nella preghiera.
¹⁵ Non disprezzare il lavoro pesante
   né l'agricoltura creata dall'Altissimo.
¹⁶ Non associarti nella compagnia
      dei peccatori:
   ricordati che l'ira non tarderà.
¹⁷ Umilia profondamente te stesso,
   perché castigo dell'empio sono fuoco
      e vermi.
¹⁸ Non tradire un amico per denaro
   né un vero fratello per l'oro di Ofir.
¹⁹ Non perdere l'occasione d'una moglie
      saggia e buona,
   perché la sua grazia vale più dell'oro.

Sir

20 Non maltrattare il servo che lavora
fedelmente
né l'operaio che impegna
tutte le sue forze.

21 Ama lo schiavo giudizioso,
non rifiutargli la libertà.

22 Hai armenti? Curali attentamente;
se sono produttivi, mantienili.

23 Hai figli? Pensa alla loro educazione
e piegali alla sottomissione
fin da bambini.

24 Hai figlie? Veglia sul loro corpo,
e con loro non mostrarti troppo
indulgente.

25 Sposa tua figlia,
così risolverai un grosso problema,
ma sposala ad un uomo assennato.

26 Hai una moglie che ti piace?
Non ripudiarla;
ma non confidarti con la moglie,
se la detesti.

27 Onora tuo padre con tutto il cuore
e non dimenticare le doglie di tua madre.

28 Ricordati che da loro fosti generato;
potrai ricambiarli per quanto
hanno fatto?

29 Temi il Signore con tutta l'anima
e riverisci i suoi sacerdoti.

30 Ama con tutta la forza colui
che ti ha creato
e non trascurare i suoi ministri.

31 Temi il Signore e onora il sacerdote,
dagli la sua parte, come è prescritto:
le primizie, i sacrifici di espiazione
e la porzione delle spalle,
il sacrificio di santificazione
e le primizie sacre.

32 Stendi la tua mano anche al povero,
perché sia piena la tua benedizione.

33 Se il dono piace ai vivi,
anche ai morti non negare la tua grazia.

34 Non voltare le spalle a chi è nel pianto
e soffri con coloro che soffrono.

35 Non temere di visitare gli ammalati,
perché da loro sarai riamato.

36 In tutte le tue parole ricorda la fine
e così mai peccherai.

ATTEGGIAMENTI SCONSIGLIATI

8 1 Non contrastare con un potente
per non cadere nelle sue mani.

2 Non litigare con un uomo ricco,

perché non ti soverchi col suo peso;
l'oro è stato la perdizione per molti
e ha pervertito il cuore dei re.

3 Non contrastare con il chiacchierone
e non aggiungere legna sul suo fuoco.

4 Non scherzare con l'uomo rozzo,
perché non siano insultati
i tuoi antenati.

5 Non sgridare chi si ravvede dal peccato;
ricordati che tutti siamo colpevoli.

6 Non disprezzare chi è nella vecchiaia,
perché anche di noi
alcuni invecchieranno.

7 Non gioire per la morte di qualcuno;
ricordati che tutti moriremo.

8 Non trascurare gli insegnamenti
dei saggi;
interèssati delle loro sentenze,
perché da loro apprenderai la disciplina,
per star bene al servizio dei grandi.

9 Non sdegnare la conversazione
dei vecchi,
perché anch'essi hanno imparato
dai loro padri;
da loro imparerai a ragionare,
per dare una risposta a tempo opportuno.

10 Non accendere i carboni del peccatore
per non bruciare nel fuoco
della sua fiamma.

11 Non cedere davanti all'insolente,
perché egli non si ponga in agguato
alle tue parole.

12 Non prestare a chi è più influente di te;
se hai prestato, la somma è già perduta.

13 Non garantire oltre le tue forze;
se l'hai fatto, preparati a rimetterci.

14 Non far questione con un giudice,
perché il giudizio sarebbe in suo favore.

15 Con un temerario non metterti in viaggio,
per non aggravare i tuoi guai;
egli agirà a suo capriccio
e la sua stoltezza rovinerà entrambi.

16 Con l'iracondo non litigare
e non andare con lui in luogo deserto,
perché il sangue ai suoi occhi
è un niente
e dove non c'è possibilità di aiuto
ti aggredirà.

17 Con lo stolto non consigliarti,
perché non sa mantenere il riserbo.

18 Con l'estraneo non usare intimità,
perché non sai cosa ne può nascere.

19 Non rivelare a chiunque il tuo cuore,
perché non ti venga tolta la felicità.

REGOLE DI PRUDENZA

9 ¹Non essere geloso con la donna che ami,
per non insegnarle a fare il male
a tuo danno.

² Non abbandonarti in potere della donna,
perché non svilisca le tue forze.

³ Non avvicinare una donna licenziosa,
per non cadere nei suoi lacci.

⁴ Non intrattenerti con una cantante,
per non cadere nelle sue seduzioni.

⁵ Non stare ad osservare una vergine,
per non essere punito insieme con lei.

⁶ Non darti in balìa delle prostitute,
per non perdere il tuo patrimonio.

⁷ Non curiosare per le vie della città
e non vagare nei suoi angoli deserti.

⁸ Allontana l'occhio dalla donna avvenente
e non fissare le bellezze d'una estranea:
molti ha sedotto la bellezza d'una donna,
il suo amore brucia come un fuoco.

⁹ Non sederti insieme con la moglie
d'un altro,
in sua compagnia non bere ad una festa,
perché la tua anima non le corra dietro
e tu cada, insanguinato, nella perdizione.

¹⁰ Non lasciare il vecchio amico,
perché quello nuovo non è uguale a lui.
L'amico nuovo è come il vino nuovo:
lo bevi con piacere quando
è invecchiato.

¹¹ Non invidiare il successo del peccatore,
perché non sai quale sarà la sua fine.

¹² Non gioire con gli empi contenti,
perché saranno puniti prima
di scendere negli inferi.

¹³ Sta' lontano da chi ha il potere
di uccidere,
così non avrai paura della morte;
ma se l'avvicini, non sbagliare,
perché egli non ti tolga la vita;
ricordati che ti aggiri tra i lacci
e cammini sui bastioni della città.

¹⁴ Per quanto puoi, pondera i tuoi vicini
e consigliati con quelli che sono saggi.

¹⁵ Conversa con gente assennata
e discorri sempre sulla legge
dell'Altissimo.

¹⁶ I tuoi commensali siano gli uomini giusti
e sia tua gloria temere il Signore.

¹⁷ Come l'artigiano è lodato per la sua
mano,
così un capo di popolo
per la parola saggia.

¹⁸ Il chiacchierone è temuto nella città
e chi non sa controllare le parole è odiato.

L'ORGOGLIO DEI GOVERNANTI
E IL VERO ONORE

10 ¹Il giudice saggio educa il suo popolo
e il governo di un uomo prudente
sarà ordinato.

² Quale il giudice del popolo,
tali i suoi ministri;
gli abitanti della città somigliano
a chi la governa.

³ Il re sregolato rovina il suo popolo
e la saggezza dei capi edifica la città.

⁴ Il governo del mondo è in mano
'al Signore;
ad esso destina, a suo tempo,
l'uomo adatto.

⁵ Nella mano del Signore è il successo
dell'uomo;
è lui che dona allo scriba la sua gloria.

⁶ Non sdegnarti con il prossimo
per i suoi errori,
e non agire mai con tracotanza.

⁷ L'arroganza spiace al Signore
e agli uomini;
entrambi odiano l'ingiustizia.

⁸ L'impero passa da una nazione all'altra
con l'inganno, l'ambizione
e la cupidigia.

⁹ Perché si insuperbisce chi non è
che terra e cenere?
Anche da vivo vomita gli intestini.

¹⁰ La grave malattia si burla del medico;
chi oggi è re, domani morirà.

¹¹ Questa è la sorte dell'uomo che muore:
serpenti, bestie feroci e vermi.

¹² Chi si allontana da Dio è sulla via
dell'arroganza,
egli distoglie il cuore dal creatore.

¹³ L'arroganza, infatti, comincia
con il peccato;
da chi vi si abbandona provengono cose
abominevoli;
perciò il Signore li punisce con portenti,
li sconvolge fino ad annientarli.

¹⁴ Il Signore abbatte i prìncipi dai troni
per farvi sedere gli uomini miti.

Sir

---

10. - 10. La vita umana pende da un filo sottile: un leggero
malore, che lascia tranquillo il medico, può portare alla
tomba.

15 Il Signore estirpa le radici delle nazioni
e pianta gli umili al loro posto.

16 Il Signore devasta le terre dei popoli
e le distrugge sino dalle fondamenta;

17 le estirpa di mezzo agli uomini
e le annienta,
cancella dalla terra il loro ricordo.

18 L'arroganza non fu creata per gli uomini
né l'ira per i nati di donna.

19 C'è una specie che merita onore?
Gli uomini.
C'è una specie che merita onore?
Quanti temono il Signore.

20 C'è una specie che merita disprezzo?
Gli uomini.
C'è una specie che merita disprezzo?
Quanti violano la legge.

21 Tra i fratelli è onorato il loro capo,
ma agli occhi del Signore coloro
che lo temono.

22 Forestiero o pellegrino, straniero
o povero
hanno il loro onore nel timore
del Signore.

23 Non è giusto disprezzare il povero
che è saggio,
né conviene onorare il peccatore.

24 Sono degni d'onore il principe,
il giudice e il potente,
ma nessuno è più onorato
di chi teme il Signore.

25 Gli uomini liberi serviranno
lo schiavo saggio,
e l'uomo che capisce non protesterà.

26 Non atteggiarti a saggio quando
attendi al tuo lavoro,
e non gloriarti al momento
del bisogno.

27 Val più lavorare e abbondare in tutto
che andare in giro con boria
e senza pane.

28 Figlio, sii modesto, ma pensa
al tuo onore;
fatti valere secondo il tuo merito.

29 Chi riparerà al male che uno fa
a se stesso
e chi l'onorerà se egli si disonora?

30 Il povero si farà onore con la saggezza
e il ricco si farà onore
con la ricchezza.

31 L'onore del povero crescerà
con la ricchezza,
ma il disprezzo del ricco crescerà
con la povertà.

GUARDARSI DALLE APPARENZE

11 1La sapienza del povero
gli fa tenere alta la testa
e lo fa sedere tra i nobili.

2 Non lodare un uomo per la sua bellezza
e non condannarlo per la sua apparenza.

3 Piccola è l'ape tra i volatili,
ma il suo frutto è il più dolce di tutti.

4 Non inorgoglirti per gli abiti che porti
e non esaltarti nel giorno della gloria;
perché le opere del Signore
sono imprevedibili
e restano nascoste agli occhi
degli uomini.

5 Molti tiranni sedettero sulla polvere
e uno sconosciuto cinse la corona.

6 Molti potenti caddero nel disonore
e dalla gloria passarono in potere altrui.

7 Non condannare senza previo esame,
prima rifletti e poi giudica.

8 Non rispondere prima d'aver ascoltato,
non interrompere il discorso di un altro.

9 Non t'infervorare in ciò
che non ti riguarda,
non t'immischiare nelle liti
dei peccatori.

10 Figlio, non occuparti di molti affari:
con molti impegni dovrai fare imbrogli;
se insegui molte cose, in nessuna
riuscirai
e, se pensi di sottrartene,
non puoi sfuggirne.

11 C'è chi si stanca, s'affatica e s'affretta,
eppure resta sempre in penuria.

12 E c'è chi è lento, bisognoso d'aiuto,
privo di forza e pieno di povertà,
ma il Signore lo guarda
con benevolenza
e lo solleva dalla sua miseria;

13 perciò tiene alta la testa
e molti si meravigliano di lui.

14 Il bene e il male, la vita e la morte,
la povertà e la ricchezza vengono
dal Signore.

15 La sapienza, l'intelligenza
e la conoscenza della legge
vengono dal Signore,
come pure l'amore e la pratica
delle opere buone.

16 L'errore e l'oscurità sono creati
con i peccatori;
quanti godono nel male invecchiano
nel male.

¹⁷ Il dono che il Signore fa ai suoi devoti
    rimane per sempre,
    la sua compiacenza appiana loro la via.

¹⁸ C'è chi s'arricchisce tra privazioni
    e risparmi,
    ma questa è la sua ricompensa:

¹⁹ quando dirà: «Ho trovato riposo,
    ora posso godere i miei beni»,
    non sa che verrà il tempo
    di lasciarli agli altri e morire.

²⁰ Persevera e impegnati nel lavoro
    che hai scelto,
    invecchia nel tuo mestiere.

²¹ Non ammirare le opere del peccatore,
    confida nel Signore e persevera
    nella tua fatica,
    perché è facile agli occhi del Signore
    arricchire improvvisamente il povero.

²² La benedizione del Signore è il premio
    del giusto:
    in un istante questi avrà successo.

²³ Non dire: «Che bisogno ho io?
    Che altro mi manca ancora?».

²⁴ Non dire: «Non mi manca nulla,
    in quale sventura potrò incorrere?».

²⁵ Nel benessere si dimentica la miseria
    e nella miseria non si ricorda il benessere.

²⁶ Per il Signore è facile nel giorno
    della morte
    rendere a ciascuno secondo
    le sue opere.

²⁷ Nell'ora del dolore si dimentica l'allegria,
    nella morte dell'uomo si manifestano
    le sue opere.

²⁸ Non elogiare nessuno prima che muoia,
    perché l'uomo si conosce veramente
    dalla sua fine.

²⁹ Non introdurre chiunque nella tua casa,
    perché sono molti gli agguati
    dell'imbroglione.

³⁰ Come pernice che, chiusa in gabbia,
    fa da richiamo
    e come sentinella che attende la caduta,
    così è il cuore dell'uomo superbo:

³¹ sta in agguato, cambia il bene in male
    e biasima le cose buone.

³² Dalla scintilla il fuoco s'espande
    nei carboni,

così il peccatore tende insidie
    per spargere sangue.

³³ Guardati dal malvagio che fomenta
    il male,
    perché non rovini per sempre
    il tuo nome.

³⁴ Con un estraneo in casa avrai
    il disordine,
    per lui sarai in disaccordo con i tuoi.

DISCERNIMENTO NEL FARE IL BENE

12 ¹ Se fai il bene, sappi a chi lo fai,
    e avrai riconoscenza
    per la tua bontà.

² Se aiuti un uomo pio, avrai
    la ricompensa,
    se non da lui, certo dall'Altissimo.

³ Non avrà alcun bene chi si ostina
    nel male
    e non fa mai l'elemosina.

⁴ Da' all'uomo pio e non preoccuparti
    del peccatore.

⁵ Benefica l'umile e non dare all'empio;
    rifiutagli il pane, non dargli nulla,
    perché non ne approfitti a tuo danno;
    riceveresti il doppio in male
    per tutto il bene che gli hai fatto.

⁶ Perché anche l'Altissimo odia
    i peccatori
    e darà agli empi la sua punizione.

⁷ Da' all'uomo buono e non preoccuparti
    del peccatore.

⁸ L'amico non si rivela nella prosperità
    né il nemico si nasconde nell'avversità.

⁹ La prosperità rende tristi i nemici,
    ma l'avversità allontana anche
    gli amici.

¹⁰ Non confidarti mai con il tuo nemico,
    perché la sua cattiveria fa ruggine
    come il metallo.

¹¹ Anche se si umilia e fa tanti inchini,
    fa' attenzione e guardati da lui;
    comportati con lui come chi pulisce
    lo specchio,
    sapendo che la ruggine non è profonda.

¹² Non porlo accanto a te,
    perché non ti scavalchi
    e prenda il tuo posto;
    non farlo sedere alla tua destra,
    perché non ambisca il tuo posto;
    allora, ma tardi, ricorderesti
    le mie parole

---

12. - 4-7. Sembrano massime contrarie a quelle del vangelo, dove è comandato di fare il bene anche ai nemici. Prima di tutto bisogna notare che siamo ancora nell'AT, in secondo luogo che qui non si tratta d'elemosina fatta ai bisognosi, ma di benefici, e questi, certo, è meglio farli alla gente onesta che ai malvagi.

e sentiresti rimorso per le mie
ammonizioni.

[13] Chi si commuove per un incantatore
morso da un serpente,
o di quanti s'accostano alle bestie
feroci?

[14] Così è per chi frequenta il peccatore
e si associa ai suoi peccati.

[15] Può rimanere un'ora con te,
ma se tu cadi, egli non reggerà più.

[16] Il nemico ha parole dolci sulle labbra,
ma nel cuore medita di gettarti
nella fossa;
potrà anche lacrimare con gli occhi,
ma, all'occasione, neppure il sangue
lo tratterrà.

[17] Se avrai un malanno, te lo troverai
accanto,
ma, fingendo d'aiutarti, ti farà scivolare.

[18] Scuoterà la testa, ma si fregherà le mani,
sparlerà di te voltandoti la faccia.

COME COMPORTARSI CON I RICCHI

13 [1] Chi tocca la pece s'imbratta,
chi frequenta l'arrogante lo imita.

[2] Non sollevare un peso troppo grande
per te
e non frequentare chi è più forte
e più ricco di te.
Perché accostare la brocca
con la pentola?
Se l'una cozza, l'altra si spezza.

[3] Il ricco compie ingiustizia e per di più
minaccia,
il povero subisce l'ingiustizia
e deve chiedere anche perdono.

[4] Se gli sei utile, ti sfrutta;
se hai bisogno, ti abbandona.

[5] Se possiedi qualcosa, starà con te
e ti spoglierà senza il minimo rimorso.

[6] Se ha bisogno di te, t'imbroglia,
ti sorride, ti dà speranze
e ti chiede gentilmente: «Ti occorre
qualcosa?».

[7] Ti renderà confuso con i suoi pranzi,
finché non ti spillerà due o tre volte tanto;
così alla fine sarà lui a deriderti,
poi, vedendoti, ti eviterà,
anzi scuoterà la testa davanti a te.

[8] Guardati dal farti ingannare,
affinché non venga umiliato
per la tua leggerezza.

[9] Se un potente t'invita, fa' resistenza,
così insisterà nell'invitarti.

[10] Non essere sfacciato per non venire
respinto,
non stare appartato per non essere
dimenticato.

[11] Non parlargli da pari a pari,
non ti fidare delle sue molte parole;

[12] perché spesso egli parla per metterti
alla prova
e t'indaga anche sorridendo.

[13] Egli non ha riguardi per i tuoi segreti
e non ti risparmierà guai e catene.

[14] Fa' attenzione e sii molto cauto,
perché stai andando verso la tua rovina.

[15] Ogni vivente ama il suo simile
e ogni uomo il suo prossimo.

[16] Ogni essere è attratto verso
la stessa specie,
perciò l'uomo si associa a chi gli è simile.

[17] Forse il lupo coabiterà con l'agnello?
Così il peccatore con l'uomo pio.

[18] C'è pace tra la iena e il cane?
E c'è pace tra il ricco e il povero?

[19] I leoni nel deserto vanno a caccia di onagri,
così i poveri sono il pascolo dei ricchi.

[20] Per il superbo la povertà è un abominio,
così il ricco ha in abominio il povero.

[21] Il ricco che vacilla è sostenuto dagli amici,
ma il povero che cade è respinto
anche dagli amici.

[22] Il ricco che sbaglia ha molti difensori;
se dice sciocchezze, lo scusano.
Se sbaglia il povero, lo condannano;
se parla con senno, non l'ascoltano.

[23] Parla il ricco e tutti tacciono,
innalzano il suo dire fino al cielo.
Parla il povero e dicono: «Chi è costui?».
Se inciampa, lo spingono a terra.

[24] La ricchezza, se è senza peccato,
è un bene;
la povertà è un male, se giudicata
dall'empio.

[25] I sentimenti modificano il volto dell'uomo,
sia verso il bene sia verso il male.

[26] Il viso contento è segno di cuore
soddisfatto,
ma i proverbi si scoprono con riflessione
e fatica.

---

13. - 24. In questo v. si vuol dire che ricchezza e povertà
sono di per sé indifferenti, e che la loro bontà o malizia sono
determinate da altri elementi: se un lavoro coscienzioso e
assiduo procura benessere, questo è buono; se una vita
disordinata e viziosa getta nella povertà, questa è cattiva.

GRETTEZZA E GENEROSITÀ

14 ¹Beato l'uomo che non pecca
con la lingua,
e non è afflitto dalla pena del peccato.
² Beato chi non ha nulla da rimproverarsi
e non ha perduto la sua speranza.
³ All'uomo gretto non si addice
la ricchezza
e a che cosa servono i tesori
all'invidioso?
⁴ Chi accumula a forza di privazioni
accumula per gli altri;
costoro potranno sperperare
i suoi beni.
⁵ Chi è nocivo per sé come potrà
essere utile agli altri?
Egli non godrà le sue ricchezze.
⁶ Non c'è uomo peggiore di chi è geloso
di se stesso
e questa è la ricompensa del suo errore:
⁷ se fa il bene, lo fa per distrazione,
ma alla fine sarà manifesto il suo errore.
⁸ L'uomo dall'occhio invidioso
è un perverso,
volge altrove la faccia e non vede
il bisogno.
⁹ L'occhio dell'avaro non si sazia
con la sua parte,
l'iniqua ingiustizia gli inaridisce l'anima.
¹⁰ L'occhio malvagio invidia il pane altrui,
perciò la sua tavola è vuota.
¹¹ Figlio, goditi quanto possiedi,
ma offri al Signore sacrifici generosi.
¹² Ricordati che la morte non perde tempo,
né ti è stato rivelato il decreto degli inferi.
¹³ Prima di morire fa' del bene all'amico,
impegnati quanto puoi per aiutarlo.
¹⁴ Non privarti dei giorni lieti
e non ti sfugga nulla di ogni
buon desiderio.
¹⁵ Non lascerai ad altri il frutto
delle tue fatiche
e non passerà agli eredi il frutto
dei tuoi sacrifici?
¹⁶ Da' e prendi, goditi la vita,
perché negli inferi non si cerca l'allegria.
¹⁷ Ogni esistenza invecchia come
un mantello,

perché da sempre vige questa legge:
tu devi morire.
¹⁸ Come foglie verdeggianti su florido
albero,
alcune cadono e altre germogliano;
così è per la razza di carne e di sangue,
alcuni muoiono e altri nascono.
¹⁹ Ogni opera corruttibile scompare,
e chi la compie sparisce con essa.
²⁰ Beato l'uomo che si dedica
alla sapienza,
che riflette con l'intelligenza,
²¹ che medita nel cuore le sue vie
e penetra nei suoi segreti.
²² Esci dietro ad essa come un cacciatore
e sta' in agguato là dove passa.
²³ Chi la spia attraverso le finestre,
l'ascolta attraverso le sue porte,
²⁴ s'accampa vicino alla sua casa,
pianta il picchetto tra le sue mura
²⁵ e pone la tenda al suo fianco,
abitando nella dimora d'ogni bene;
²⁶ costui ha posto i propri figli
sotto la sua protezione
e si ripara all'ombra dei suoi rami;
²⁷ essa lo proteggerà dal calore
ed egli abiterà nella sua gloria.

ELOGIO DELLA SAPIENZA
E DELLA LIBERTÀ

15 ¹Chi teme il Signore farà tutto questo,
e chi possiede la legge otterrà
la sapienza.
² Questa gli andrà incontro come madre,
l'attenderà come vergine sposa,
³ lo nutrirà con il pane della saggezza,
lo disseterà con l'acqua dell'intelligenza.
⁴ Ad essa s'appoggerà e non vacillerà,
in essa confiderà e non sarà deluso.
⁵ Essa l'esalterà tra i suoi vicini,
gli aprirà la bocca in mezzo
all'assemblea.
⁶ Egli troverà letizia e una corona di gioia
e avrà in eredità un nome duraturo.
⁷ Gli stolti non la raggiungeranno
e i peccatori non la vedranno.
⁸ Essa sta lontana dall'arroganza,
i bugiardi non la ricorderanno.
⁹ La sua lode non s'addice alla bocca
del peccatore,
perché non gli è stata concessa
dal Signore.

Sir

---

14. - 11-16. L'ignoranza di una retribuzione ultraterrena fa
considerare il tempo e i beni presenti come la sola felicità:
di qui l'invito a goderne prima di morire, non potendo sperare felicità dopo la morte.

¹⁰ La lode, infatti, suppone la sapienza
ed è il Signore che la concede.

¹¹ Non dire: «Ho peccato per colpa
del Signore»,
perché egli non fa quello che odia.

¹² Non dire: «Egli mi ha sedotto»,
perché non gli serve l'uomo peccatore.

¹³ Il Signore odia ogni abominio:
esso non è amato da quanti lo temono.

¹⁴ Egli fin dal principio ha creato l'uomo
e l'ha lasciato in balìa del suo consiglio.

¹⁵ Se vuoi, osserva i comandamenti,
e la fedeltà sarà opera del tuo
buon volere.

¹⁶ Egli ti ha messo davanti il fuoco e l'acqua:
dove tu vuoi, stenderai la mano.

¹⁷ Davanti all'uomo vi sono la vita
e la morte:
gli sarà dato ciò che sceglierà.

¹⁸ La sapienza del Signore è grande:
meravigliosa è la sua potenza
e tutto vede.

¹⁹ I suoi occhi sono su quelli che lo temono,
egli conosce tutte le azioni dell'uomo.

²⁰ A nessuno ha comandato di essere
empio,
a nessuno ha dato la facoltà di peccare.

I CASTIGHI DI DIO
E LA SUA PROVVIDENZA

16 ¹Non desiderare molti figli,
se inutili,
e non rallegrarti dei figli empi.

² Quando sono molti, non esserne
contento,
se non c'è con loro il timore del Signore.

³ Non contare sulla loro giovane età
e non confidare nel loro numero,
perché è preferibile un solo figlio a mille
e morire senza figli che averne
degli empi.

⁴ Uno solo, se è saggio, edifica la città,
ma un'intera tribù d'insensati
sarà distrutta.

⁵ Il mio occhio ha visto molte cose simili
e cose ancor più gravi ha udito
il mio orecchio.

⁶ Nelle adunanze dei peccatori
si accese il fuoco
e nel popolo ribelle divampò la collera.

⁷ Egli non perdonò gli antichi giganti,
che si erano ribellati con la loro forza.

⁸ Non risparmiò i concittadini di Lot,
li prese in abominio per la loro
arroganza.

⁹ Non ebbe pietà di un popolo perduto,
che fu scacciato per i suoi peccati,

¹⁰ né dei seicentomila uomini,
tutti in congiura perché duri di cuore.

¹¹ Se anche ci fosse un solo uomo
di dura cervice,
farebbe meraviglia se fosse perdonato;

¹² perché misericordia e ira sono in lui,
ed egli è potente quando perdona
e quando riversa l'ira.

¹³ È grande nella misericordia
e tremendo nel castigo;
egli giudica l'uomo secondo le sue opere.

¹⁴ Il peccatore non sfuggirà con il bottino,
né resterà delusa la pazienza del pio.

¹⁵ Egli farà posto ad ogni atto
di misericordia;
ciascuno sarà trattato secondo
le sue opere.

¹⁶ Non dire: «Mi nasconderò dal Signore;
lassù chi si ricorderà di me?

¹⁷ Fra tanta gente non sarò riconosciuto;
chi sono io nell'immensità
della creazione?».

¹⁸ Ecco, il cielo e il cielo del cielo,
l'abisso e la terra tremano
quando egli appare.

¹⁹ Anche i monti e le fondamenta
della terra
tremano di spavento quando
egli li guarda.

²⁰ Nessuno riflette nel suo cuore
su queste cose,
e chi mediterà sulle sue vie?

²¹ Come un uragano che l'uomo non vede,
così molte sue opere sono nascoste.

²² Chi narrerà le opere della sua
giustizia,
o chi le aspetterà, se l'alleanza ancora
non si compie?

²³ L'uomo dal cuore piccolo pensa così
e lo stolto vaneggia nelle pazzie
del suo cuore.

²⁴ Ascoltami, figlio, impara la scienza,
applica il tuo cuore alle mie parole.

²⁵ Rivelerò con precisione l'istruzione,
con esattezza annunzierò la scienza.

---

15. - 14-17. Dio ha fatto l'uomo libero; il peccato originale ha
indebolito la sua volontà (come la indebolisce ogni peccato),
l'ha inclinata al male, ma l'uomo resta libero e responsabile.

26 Quando il Signore creò le sue opere
     all'inizio,
   dopo averle fatte,
     ne distinse le singole parti.
27 Ordinò le sue opere per sempre,
   stabilì il loro dominio per le varie epoche;
   non hanno fame né si stancano,
   non cessano di compiere il loro lavoro.
28 Ciascuna non urta quella che è vicina,
   non si ribellano mai alla sua parola.
29 Il Signore inoltre ha guardato la terra
   e l'ha riempita dei suoi beni.
30 Ricoprì la sua superficie con ogni
     genere di viventi
   che ad essa faranno ritorno.

DONI DI DIO ALL'UOMO

17 1 Il Signore ha creato l'uomo
        dalla terra
   e ad essa lo fa di nuovo tornare.
2 Gli ha concesso giorni contati
   e un tempo fissato,
   dandogli potere su quanto è sulla terra.
3 Li ha rivestiti di forza come se stesso,
   li ha fatti secondo la sua immagine.
4 Ha posto il timore dell'uomo in ogni
     essere vivente,
   perché egli dominasse sulle bestie
     e sugli uccelli.
5 Il consiglio, la lingua, gli occhi,
   gli orecchi e il cuore
   diede loro per ragionare.
6 Li riempì di senno e di intelligenza
   e mostrò loro il bene e il male.
7 Pose nei loro cuori il suo timore
   per mostrare la grandezza
     delle sue opere.
8 Loderanno il suo santo nome,
   per narrare le meraviglie
     delle sue opere.
9 Ha dato loro l'intelligenza
   e li ha dotati con la legge della vita.
10 Stabilì con loro un'alleanza eterna
   e mostrò loro i suoi decreti.

11 I loro occhi videro lo splendore
     della sua gloria,
   e il loro orecchio udì la meraviglia
     della sua voce.
12 Disse loro: «Guardatevi da ogni
     ingiustizia»,
   e ordinò che ciascuno si prendesse
     cura del prossimo.
13 Le loro vie sono sempre davanti a lui,
   non sono nascoste ai suoi occhi.
14 Stabilì per ogni popolo una guida,
   ma Israele è la porzione del Signore.
15 Tutte le loro opere sono come il sole
     davanti a lui,
   i suoi occhi sono sempre sulle loro vie.
16 Le loro ingiustizie non gli sono nascoste
   e tutti i loro peccati sono davanti
     al Signore.
17 Per lui è come un sigillo l'elemosina
     dell'uomo,
   e custodisce come pupilla il bene fatto
     dall'uomo.
18 Alla fine sorgerà per ricompensarli
   e riverserà su di loro il contraccambio.
19 Nondimeno ai pentiti lascia aperta
     la via del ritorno,
   e agli esitanti dà la forza della costanza.
20 Ritorna al Signore, abbandona il peccato,
   prega in sua presenza, riduci
     gli ostacoli.
21 Volgiti all'Altissimo, desisti
     dall'ingiustizia:
   odia profondamente ciò che egli detesta.
22 Chi loderà l'Altissimo negli inferi
   al posto dei viventi e di quanti
     gli rendono grazie?
23 Per il morto, che non è più,
     cessa la lode;
   chi è vivo e sano loda il Signore.
24 Quanto è grande la misericordia
     del Signore
   e il suo perdono per quelli
     che si convertono a lui!
25 Non tutto può essere negli uomini,
   perché un figlio d'uomo non
     è immortale.
26 Che cosa c'è di più luminoso del sole?
   Eppure anch'esso si oscura!
   Così l'uomo di carne e sangue
     concepisce il male.
27 Dio passa in rassegna gli astri
     nel più alto dei cieli,
   mentre gli uomini tutti sono polvere
     e terra.

Sir

---

17. - 7. La luce di Dio ci dà occhi per contemplare il creato.
Il suo timore è la legge naturale: «L'uomo ha in realtà una
legge scritta da Dio dentro al suo cuore; obbedire è la dignità stessa dell'uomo, e secondo questa egli sarà giudicato» (GS 16).

23. L'uomo che è morto non può lodare Dio con merito, che
cessa appunto con la morte. Il v., però, risente della mentalità ebraica, ancora all'oscuro della retribuzione eterna.

IL CREATORE E L'UOMO

18 ¹Colui che vive in eterno
ha creato l'intero universo.

² Il Signore solo deve essere
proclamato giusto.

³ A nessuno ha concesso di annunziare
le sue opere;
chi potrà esplorare le sue meraviglie?

⁴ Chi misurerà la potenza della sua maestà
e chi oserà raccontare le sue
misericordie?

⁵ Non è possibile diminuire né accrescere,
né indagare le meraviglie del Signore.

⁶ Quando l'uomo pensa di aver finito,
allora incomincia,
ma quando si ferma, allora rimane
perplesso.

⁷ Che cosa è l'uomo e a che cosa
può servire?
Qual è il suo bene e qual è il suo male?

⁸ I giorni dell'uomo sono al massimo
cento anni.

⁹ Come goccia d'acqua di mare
e granello di sabbia
sono i suoi pochi anni di fronte all'eternità.

¹⁰ Perciò Dio è stato paziente con loro,
riversando su di essi la sua misericordia.

¹¹ Egli vede e conosce com'è penosa
la loro fine,
perciò abbonda nel suo perdono.

¹² La compassione dell'uomo
è per il suo vicino,
la compassione del Signore è per ogni
creatura.

¹³ Egli rimprovera, corregge, insegna
e guida come fa il pastore
con il suo gregge.

¹⁴ Ha pietà di quanti accettano la disciplina
e sono solleciti per i suoi giudizi.

¹⁵ Figlio, quando aiuti qualcuno
non rimproverarlo
e quando doni non avere parole amare.

¹⁶ La rugiada non calma la calura?
Così la buona parola vale più del dono
che si fa.

¹⁷ La parola non è accetta più del dono
stesso?
Nell'uomo generoso si trovano l'una
e l'altro.

¹⁸ Lo stolto rimprovera senza cortesia,
e il dono dell'avaro non rallegra gli occhi.

¹⁹ Prima di parlare istruisciti;
e cùrati prima di ammalarti.

²⁰ Prima del giudizio fatti l'esame,
così nell'ora della visita avrai il perdono.

²¹ Prima che tu cada ammalato, umiliati;
e quando hai peccato, mostra
il pentimento.

²² Non ritardare il voto quando sei in tempo,
e non aspettare la morte per assolverlo.

²³ Prima di fare un voto preparati
e non essere come chi tenta il Signore.

²⁴ Ricordati della collera
che vi sarà nel giorno della morte
e del giudizio, quando Dio muta aspetto.

²⁵ Ricorda la fame quando c'è l'abbondanza,
la povertà e il bisogno
quando sei nel tempo della ricchezza.

²⁶ Dall'alba al tramonto il tempo cambia:
davanti al Signore tutto passa
velocemente.

²⁷ L'uomo saggio è sempre previdente
e nei giorni del peccato si guarda bene
dal cadere.

²⁸ Chi ha senno conosce la sapienza,
egli loda chiunque altro la trova.

²⁹ Quanti capiscono i detti diventano
essi stessi sapienti
e spandono come pioggia sentenze
appropriate.

³⁰ Non seguire le tue passioni
e trattieniti di fronte ai desideri.

³¹ Quando ti concedi la soddisfazione
della passione,
essa ti renderà oggetto di scherno
ai tuoi nemici.

³² Non divertirti con troppi piaceri,
per non impoverirti con i loro costi.

³³ Non ridurti in miseria per i debiti
dei banchetti,
quando non hai denaro nella borsa.

VIVERE CON SAPIENZA

19 ¹Chi ha un lavoro ma s'ubriaca,
non arricchisce;
chi disprezza le piccole cose
presto va in rovina.

² Il vino e le donne fanno perdere il senno,
ma è più pericoloso frequentare
le prostitute.

³ Tarli e vermi saranno la sua sorte,
l'uomo senza scrupoli sarà spiantato.

⁴ Chi si fida con troppa facilità è leggero
di cuore,
e chi fa il peccato danneggia se stesso.

5 Chi si rallegra nel male sarà condannato,
6 e chi odia la loquacità evita tanti guai.
7 Non riportare mai la parola udita,
   così non avrai alcun danno.
8 Non propagare le cose dell'amico
      o del nemico,
   e se puoi farlo senza colpa,
      non svelare nulla.
9 Altrimenti chi ti ascolta diffiderà di te
   e, quando avrà l'occasione,
      te la farà pagare.
10 Se hai sentito una parola, essa muoia
      con te;
   sta' tranquillo che non ti scoppierà dentro.
11 Di fronte a un segreto lo stolto
      ha le doglie,
   come una donna al momento del parto.
12 Come freccia conficcata nella carne
   è il segreto nel petto dello stolto.
13 Riprendi l'amico, se mai ha commesso
      qualcosa,
   affinché, se ha sbagliato,
      non continui più.
14 Riprendi il prossimo, se mai ha detto
      qualcosa,
   perché, se l'ha detto, non lo ripeta.
15 Appura con l'amico
   quello che spesso è solo una calunnia,
   e non credere a tutto ciò che senti.
16 Si può scivolare, ma senza volerlo,
   e chi non ha sbagliato con la lingua?
17 Richiama il tuo prossimo,
      prima di minacciarlo,
   così osserverai la legge dell'Altissimo.
18 Tutta la sapienza è timore del Signore
   e in ogni sapienza c'è la pratica
      della legge.
19 La conoscenza del male non è sapienza,
   e non c'è senno nel consiglio
      dei peccatori.
20 C'è un'astuzia che è abominevole
   e colui che non ha la sapienza è stolto.
21 È meglio uno di scarsa intelligenza,
      ma timorato,
   che uno di grande ingegno,
   ma trasgressore della legge.
22 C'è un'abilità consumata, ma ingiusta;
   c'è chi manovra
      per far pronunciare una sentenza
      favorevole.

23 C'è il malvagio che si mostra piegato
      dall'afflizione,
   mentre nel suo intimo è pieno
      di menzogna;
24 si finge sordo e china la testa,
   ma, quando non è osservato,
      cerca di sorprenderti;
25 se non ti nuoce per mancanza di forza,
   alla prima occasione ti farà del male.
26 L'uomo viene riconosciuto a prima vista
   e chi è saggio viene riconosciuto
      da come si presenta.
27 L'abbigliamento di un uomo,
      il suo sorriso
   e la sua andatura rivelano quello
      che egli è.

L'UTILITÀ DEL SILENZIO
E IL DOMINIO DELLA LINGUA

20 1 C'è un rimprovero non fatto
      al tempo giusto,
   e c'è chi tace perché è sapiente.
2 È meglio rimproverare che covare
      la rabbia,
3 ma chi ammette la propria colpa evita
      il peggio.
4 Eunuco che brama deflorare una ragazza
   è chi vuole ottenere giustizia
      con la violenza.
5 Chi tace sarà riconosciuto saggio,
   ma è odiato chi parla troppo.
6 C'è chi tace perché non sa rispondere,
   e c'è chi tace in attesa del momento
      propizio.
7 L'uomo saggio tace fino al tempo giusto,
   il fanfarone e lo sciocco non sanno
      aspettare.
8 Chi abbonda nel parlare si renderà
      abominevole,
   e chi è presuntuoso sarà disprezzato.
9 Si può aver profitto dall'avversità
   e perdita da un colpo di fortuna.
10 C'è una generosità che non reca
      guadagno
   e c'è una generosità che è ricambiata
      due volte.
11 C'è chi cerca gloria e trova umiliazione,
   e c'è chi dall'umiliazione alza la testa.
12 C'è chi compra molte cose con poco
   e chi le paga sette volte il loro valore.
13 Il saggio si rende amabile
      con le sue parole,

Sir

---

19. - 11-12. Lo *stolto* non può conservare i segreti: soffre i
dolori del parto, gli strazi d'una freccia, finché non ha detto
tutto.

mentre le cortesie dello stolto
sono sprecate.

14 Il dono dello stolto non ti gioverà,
perché egli attende la ricompensa
con molti occhi;

15 dà poco e rinfaccia molto,
e apre la sua bocca come un banditore;
oggi fa un prestito e domani lo richiede:
quest'uomo è sempre malvisto.

16 Lo stolto dice: «Non ho amici,
non c'è gratitudine per la mia generosità;

17 anche quelli che mangiano il mio pane
sono lingue cattive».
Quanti e quante volte ridono di lui!

18 Meglio scivolare al suolo
che con la lingua,
perciò la caduta dei perversi
giunge rapida.

19 Dall'uomo grossolano escono parole
inopportune;
queste si moltiplicano in bocca agli stolti.

20 Lo stolto che pronuncia sentenze
sarà criticato,
perché egli non parla a tempo opportuno.

21 C'è chi non pecca per mancanza
di mezzi,
così nel riposo è senza rimorsi.

22 C'è chi si perde per rispetto umano
e chi si rovina per la faccia di uno stolto.

23 C'è chi promette all'amico
per vergogna,
così se lo fa nemico senza motivo.

24 La menzogna è nell'uomo macchia
infame,
ma abbonda sulla bocca degli stolti.

25 Un ladro vale più d'un bugiardo
incorreggibile,
ma la sorte di entrambi è la perdizione.

26 Il vizio del bugiardo è un disonore,
la vergogna lo accompagnerà sempre.

27 Il saggio si attira la stima con la parola
e l'uomo di senno piacerà ai potenti.

28 Chi lavora la terra fa crescere
il suo raccolto,
e chi piace ai potenti si fa perdonare
l'ingiustizia.

29 L'ospitalità e i doni accecano i saggi,
come museruola in bocca
fanno trattenere il rimprovero.

30 Sapienza nascosta e tesoro invisibile,
non sono entrambi inutili?

31 Vale più l'uomo che nasconde
la stoltezza
che l'uomo che nasconde la sapienza.

FUGGIRE IL PECCATO
E LA STOLTEZZA

21 ¹Figlio, se hai peccato,
non continuare,
ma chiedi perdono per le colpe passate.

2 Come davanti al serpente fuggi
il peccato:
se ti avvicini ti morderà.
I suoi denti sono denti di leone
che distruggono la vita degli uomini.

3 La disobbedienza è come spada
a doppio taglio:
non c'è guarigione per la sua ferita.

4 Orgoglio e violenza distruggono
la ricchezza,
perciò la casa del superbo sarà sradicata.

5 La preghiera del povero va dritta
alle orecchie di Dio,
così egli otterrà presto giustizia.

6 Chi disprezza la correzione è sulla via
dei peccatori,
ma chi teme il Signore si pente di cuore.

7 Da lontano si riconosce chi fa sfoggio
di parole,
ma chi riflette teme di sbagliare.

8 Chi costruisce la casa con ricchezze
altrui
raccoglie pietre per il suo sepolcro.

9 Matassa di stoppa sono gli iniqui
a raduno,
finiranno come vampata di fuoco.

10 La via dei peccatori è di pietre lisce,
ma finisce nella fossa degli inferi.

11 Chi osserva la legge controlla
i suoi pensieri,
il timore del Signore porta alla sapienza.

12 Chi non è perspicace non può essere
istruito,
ma c'è una perspicacia che aumenta
l'amarezza.

13 La conoscenza del saggio è vasta
come diluvio,
e il suo consiglio è come sorgente
di vita.

14 L'intimo dello stolto è come un vaso
frantumato,
non trattiene alcuna conoscenza.

15 Se un uomo saggio ascolta una parola
sensata,
la loda e vi aggiunge del suo;
se l'ascolta il dissoluto, se ne dispiace
e se la butta dietro le spalle.

16 Il parlare dello stolto è come un peso

portato lungo il cammino,
ma sulle labbra del saggio c'è la delizia.

¹⁷ La parola del saggio è richiesta
    nell'assemblea,
   i suoi discorsi sono seriamente
    ponderati.

¹⁸ Per lo stolto la sapienza è come casa
    distrutta,
   la sua conoscenza è una congerie
    di discorsi incomprensibili.

¹⁹ La disciplina è per lo stolto come ceppo
    ai piedi
   e come catena alla mano destra.

²⁰ Lo stolto, quando ride, è sguaiato;
   il saggio sorride con calma.

²¹ Gioiello d'oro è per il saggio la disciplina
   e un bracciale al polso destro.

²² Il piede dello stolto l'hai presto in casa,
   ma l'uomo che ha esperienza vi entra
    con cautela.

²³ Lo stolto spia dalla porta nella casa,
   la persona educata rimane fuori.

²⁴ Il maleducato ascolta attraverso la porta,
   chi ha senno vi trova grave disonore.

²⁵ Le labbra dei chiacchieroni ripetono
    le parole degli altri,
   ma le parole dei saggi sono pesate
    sulla bilancia.

²⁶ Il cuore degli stolti è nella loro bocca,
   ma la bocca dei saggi è nel loro cuore.

²⁷ Un empio che impreca
    contro l'avversario
   impreca contro se stesso.

²⁸ Chi mormora diffama se stesso
   e sarà odiato nel suo vicinato.

ATTEGGIAMENTO DI FRONTE
ALLO STOLTO E ALL'AMICO

22 ¹Il pigro somiglia
a pietra imbrattata,
chiunque fischietta sulla sua sporcizia.

² Il pigro somiglia a sterco in letamaio,
   chi lo tocca deve scuotere la mano.

³ È vergogna del padre il figlio viziato;
   se è una figlia, il danno è maggiore.

⁴ La figlia sensata trova marito,
   la svergognata rattrista suo padre.

⁵ La sfacciata disonora il padre
    e il marito,
   e da entrambi sarà disprezzata.

⁶ Il discorso a sproposito è come musica
    durante il lutto,

ma sferza e disciplina sono saggezza
   in ogni tempo.

⁷ Insegnare allo stolto è come incollare
    cocci
   o svegliare chi dorme un sonno profondo.

⁸ Parlare allo stolto è come parlare
    a chi dorme:
   alla fine dirà: «Di che si tratta?».

⁹ Piangi sul morto, perché ha perso
    la luce,
   ma compiangi lo stolto, perché ha perso
    il giudizio:

¹⁰ è meno triste piangere il morto
    che ora riposa,
   ma la vita dello stolto è peggio
    della morte.

¹¹ Per il morto il lutto dura sette giorni,
   per lo stolto e per l'empio dura tutta
    la vita.

¹² Con lo stolto non sprecare le parole,
   evita di frequentare l'insipiente.

¹³ Guardati da lui per non averne molestia,
   per non sporcarti quando si scuote.
   Allontanati da lui e troverai la pace,
   non sarai importunato
    dalla sua stupidità.

¹⁴ Che cosa c'è di più pesante del piombo?
   Eppure non deve considerarsi tale
    lo stolto?

¹⁵ Sabbia, sale e carico di ferro
   sono meno pesanti dell'insensato.

¹⁶ La travatura ben connessa che stringe
    le mura
   non si scompagina durante un terremoto,
   così un cuore saldo nella decisione
    ben maturata
   non si scoraggia nel momento
    del pericolo.

¹⁷ Un cuore sorretto da intelligenza
    e riflessione
   è un fregio intarsiato su muro intonacato.

¹⁸ I ciottoli posti in alto non resistono
    al vento,
   così il cuore dello stolto, basato
    sulle sue fantasie,
   non resiste di fronte a qualsiasi paura.

¹⁹ Chi colpisce l'occhio ne provoca
    le lacrime,
   chi colpisce il cuore ne scopre
    il sentimento.

²⁰ Chi getta la pietra contro gli uccelli
    li mette in fuga,
   chi offende l'amico perde l'amicizia.

²¹ Se hai sguainato la spada contro l'amico,

Sir

non disperare, c'è sempre una via
d'uscita.

²² Se hai aperto la bocca contro l'amico,
non temere, perché è possibile
la riconciliazione.
Ma oltraggio, superbia, segreto svelato
e tradimento mettono in fuga l'amico.

²³ Conquistati la fiducia del prossimo
quando ha bisogno,
per averne profitto quando sta bene.
Nella sua disgrazia restagli vicino,
·per aver parte alla sua eredità.

²⁴ Prima del fuoco vi sono vapore e fumo
nel camino,
così gli insulti precedono
lo spargimento di sangue.

²⁵ Non mi vergognerò a difendere l'amico,
né mi nasconderò dalla sua presenza;

²⁶ se poi mi capita un guaio a causa sua,
chiunque lo verrà a sapere si guarderà
da lui.

²⁷ Chi porrà una guardia alla mia bocca,
la discrezione a sigillo delle mie labbra,
perché non cada per colpa loro
e la mia lingua non mi mandi in rovina?

IL DOMINIO DELLE PASSIONI
E DELLA LINGUA

23 ¹Signore, padre e reggitore
della mia vita,
non abbandonarmi al loro capriccio
e non farmi cadere a causa loro.

² Chi porrà i flagelli alla mia mente
e insegnerà la sapienza al mio cuore,
perché siano severi con i miei errori
e io non tolleri i loro sbagli?

³ Così non si moltiplicheranno
i miei errori
e non aumenteranno i miei peccati;
non cadrò dinanzi ai miei oppositori
e non si rallegrerà il mio nemico.

⁴ Signore, padre e Dio della mia vita,
non darmi occhi alteri

⁵ e allontana da me i desideri sfrenati;

⁶ sensualità e lussuria non mi prendano,
non abbandonarmi a una passione
impudica.

⁷ Ascoltate, o figli, l'istruzione
della mia bocca:
chi vi presta attenzione non sarà confuso.

⁸ Il peccatore sarà rovinato
dalle sue stesse labbra,

con esse sbaglieranno l'invidioso
e il superbo.

⁹ Non abituare la bocca al giuramento
e non abituarti a nominare il Santo.

¹⁰ Come lo schiavo, che è sempre sotto
controllo,
non sarà senza lividure,
così chi giura e lo nomina
continuamente
non sarà immune dal peccato.

¹¹ Chi giura molto, molto peccherà;
il flagello non si allontanerà
dalla sua casa.
Se egli sbaglia, il peccato è sopra di lui,
se giura con leggerezza,
pecca due volte.
Se giura falsamente, non sarà
giustificato,
e la sua casa sarà piena di sventure.

¹² C'è un parlare che conduce alla morte:
non si trovi mai nella discendenza
di Giacobbe!
Tutto ciò sia respinto dagli uomini pii
perché non restino implicati nei peccati.

¹³ Non abituare la bocca alle oscene
volgarità,
perché c'è in esse motivo di peccato.

¹⁴ Ricordati di tuo padre e di tua madre
quando siedi a consiglio tra i grandi,
in presenza di costoro
non dimenticarli mai;
saresti tanto stolto nella tua condotta
da desiderare di non esser nato
e da maledire il giorno della tua nascita.

¹⁵ L'uomo abituato ai discorsi oltraggiosi
in tutta la sua vita non potrà correggersi.

¹⁶ Due specie di uomini moltiplicano
i peccati
e la terza provoca l'ira:

¹⁷ la passione ardente come fuoco
che brucia
e non si spegne finché non si consuma;
l'uomo sensuale nel suo corpo,
che non s'acquieta finché il fuoco
non lo divora.
Per l'uomo impudico ogni pane è soave;
egli non si stancherà finché non muoia.

¹⁸ L'uomo che tradisce il letto coniugale
dice tra sé: «Chi mi vede?
Attorno c'è il buio, le mura
mi nascondono;
nessuno mi vede, perché temere?
L'Altissimo non ricorderà i miei peccati».

¹⁹ Egli teme solo gli occhi degli uomini,

ignorando che gli occhi del Signore
sono mille volte più luminosi del sole;
vegliano tutte le vie degli uomini
e penetrano gli angoli più nascosti.

²⁰ A lui tutte le cose erano note
prima d'essere create
e, ugualmente, dopo che sono state
ultimate.

²¹ Quest'uomo sarà punito nelle strade
della città
e sarà afferrato dove meno se l'aspetta.

²² Così sarà della donna che tradisce
il marito
e gli porta un erede avuto da altri.

²³ Innanzitutto perché ha disobbedito
alla legge dell'Altissimo,
poi perché ha peccato contro
suo marito,
infine perché ha commesso adulterio
per sensualità
e ha introdotto in casa figli
d'un altro uomo.

²⁴ Costei verrà condotta nell'assemblea
perché si possa investigare sui suoi figli.

²⁵ I suoi figli non metteranno radici
e i suoi rami non porteranno frutto.

²⁶ Lascerà il suo ricordo in maledizione,
il suo oltraggio non si cancellerà.

²⁷ I posteri riconosceranno che nulla
è meglio
del timore del Signore,
e nulla è più dolce dell'osservare
i suoi comandamenti.

LA SAPIENZA PERSONIFICATA
SI PRESENTA

24 ¹La sapienza loda se stessa
e si vanta in mezzo al suo popolo.

---

24. - 1-2. La *sapienza* fa il suo elogio (come in Pro 8) davanti
al *popolo* eletto che ha qui molti nomi: *assemblea dell'Altissimo*, *eredità* e *porzione del Signore*. Il c. 24 è il più importante del libro, sublime per il contenuto sapienziale e per la
bellezza letteraria. Con Pro 8 e Sap 6,1 - 9,18 costituisce,
nell'AT, il culmine della prefigurazione del dogma trinitario
rivelato nel NT. Qui si tratta della sapienza attributo divino e
delle sue manifestazioni nella creazione e nella condotta
verso Israele. La personificazione è però così chiara, che il
passo alla considerazione di essa come Persona distinta e
sussistente sarà brevissimo.

10. La sapienza è qui considerata in stretta connessione con
la storia della salvezza: si presenta nell'esercizio del ministero sacerdotale nella tenda. In altre parole, la sapienza è
identificata con la *gloria di Dio*, quella forza che si manifesta
nella creazione e nell'opera salvifica.

² Apre la bocca nell'assemblea
dell'Altissimo
e si vanta dinanzi alla sua corte celeste:

³ «Io sono uscita dalla bocca dell'Altissimo,
e come vapore ho ricoperto la terra.

⁴ Ho posto la mia dimora nelle altezze
del cielo,
avevo il trono su una colonna di nubi.

⁵ Io sola ho fatto il giro del cielo
e ho percorso le profondità
degli abissi.

⁶ Sui flutti del mare e su tutta la terra,
su ogni popolo e nazione avevo dominio.

⁷ Fra tutti questi ho cercato un luogo
dove sostare
e nell'eredità di chi fissare la mia dimora.

⁸ Allora il Creatore di tutte le cose
mi diede un comando,
il mio Creatore mi ha dato una sede
per riposare
e mi ha detto: Fissa la tenda in Giacobbe,
sia in Israele la tua eredità.

⁹ Egli mi ha creato nell'inizio,
prima del tempo,
e per tutta l'eternità non verrò meno.

¹⁰ Ho officiato davanti a lui,
nella tenda sacra;
così mi sono fissata in Sion.

¹¹ Nella città che ama,
egli mi ha fatto posare,
il mio potere è ora in Gerusalemme.

¹² Ho messo radici in un popolo glorioso,
ho avuto l'eredità nella porzione
del Signore.

¹³ Sono cresciuta alta come un cedro
del Libano
e come un cipresso sui monti dell'Ermon.

¹⁴ Sono cresciuta come una palma
d'Engaddi,
come un roseto di Gerico,
come un ulivo che spicca nella pianura;
mi sono elevata come un platano
frondoso.

¹⁵ Ho diffuso profumo come cinnàmomo,
come balsamo aromatico e mirra,
come gàlbano, ònice e storàce,
come vapore d'incenso nel santuario.

¹⁶ Ho esteso i miei rami come il terebinto:
essi sono rami di gloria e di grazia.

¹⁷ Come la vite ho splendidi germogli:
i miei fiori portano frutti di gloria
e di ricchezza.

¹⁸ Venite a me, voi che mi desiderate,
e saziatevi dei miei frutti.

Sir

¹⁹ Il mio ricordo è più dolce del miele
   e il possedermi vale più che favo
      di miele.
²⁰ Quanti mangiano di me avranno
      ancora fame,
   quanti bevono di me avranno ancora sete.
²¹ Chi mi segue non sarà svergognato,
   quanti operano con me
      non peccheranno».
²² Tutto questo è il libro dell'alleanza
      del Dio altissimo,
   la legge che ci ha comandato Mosè
   e forma l'eredità delle assemblee
      di Giacobbe.
²³ Essa trabocca di sapienza come il Pison
   e come il Tigri nella stagione
      delle primizie;
²⁴ effonde intelligenza come l'Eufrate
   e come il Giordano nei giorni di raccolto.
²⁵ Come il Nilo irradia la dottrina,
   come il Ghicon nei giorni
      della vendemmia.
²⁶ Il primo uomo non ha finito
      di conoscerla,
   né l'ultimo la potrà pienamente
      investigare.
²⁷ I suoi pensieri, infatti, sono più vasti
      del mare
   e il suo consiglio più grande dell'abisso.
²⁸ E io, come un canale che parte dal fiume
   e come un corso d'acqua che giunge
      nel giardino,
²⁹ mi sono detto: «Irrigherò il mio orto,
   innaffierò la mia aiuola».
   Ed ecco che il canale è diventato
      un fiume
   e il fiume si è mutato in mare.
³⁰ Farò brillare la dottrina come l'aurora,
   la farò splendere molto lontano.
³¹ Effonderò l'insegnamento come profezia,
   lo trasmetterò alle generazioni future.
³² Vedete che non ho faticato solo per me,
   ma per tutti quelli che la cercano.

PROVERBI NUMERICI

25 ¹Di tre cose è innamorata
la mia anima,
   ed esse sono belle dinanzi al Signore
      e agli uomini:
   la concordia tra fratelli, l'amicizia
      tra vicini,
   l'uomo e la donna tra loro in armonia.

² Tre specie di gente l'anima mia detesta
   e la loro vita mi offende gravemente:
   il povero superbo, il ricco bugiardo,
   il vecchio adultero per mancanza
      di senno.
³ Se non hai raccolto nella giovinezza,
   che cosa pensi di trovare nella vecchiaia?
⁴ Ai bianchi capelli s'addice il giudizio
   e agli anziani dare giusti consigli.
⁵ Ai vecchi s'addice la sapienza,
   agli uomini eminenti la riflessione
      e il consiglio.
⁶ Corona dei vecchi è la molta esperienza,
   il timore del Signore è il loro vanto.
⁷ Nove cose in cuor mio ritengo felici
   e la decima la dirò ad alta voce:
   un uomo soddisfatto dei figli,
   chi vive fino a vedere il crollo
      dei nemici;
⁸ felice il marito della donna intelligente,
   chi non ara con il bue e l'asino insieme,
   chi non pecca con la lingua,
   chi non deve servire un padrone
      indegno di lui;
⁹ felice chi ha trovato la prudenza,
   chi parla ad orecchi che ascoltano;
¹⁰ quanto è grande chi trova la sapienza,
   ma nessuno è più grande di chi teme
      il Signore!
¹¹ Il timore del Signore eccelle su tutto:
   a chi paragonerò chi lo possiede?
¹² Qualsiasi ferita, ma non la ferita
      del cuore;
   qualsiasi cattiveria, ma non la cattiveria
      di una donna;
¹³ qualsiasi disgrazia, ma non quella
      dei rivali;
   qualsiasi vendetta, ma non quella
      dei nemici.
¹⁴ Non c'è veleno peggiore di quello
      del serpente
   e non c'è odio peggiore di quello
      d'una donna.
¹⁵ Preferisco abitare con un leone
      e con un drago
   piuttosto che abitare con una donna
      perfida.
¹⁶ La cattiveria deforma l'aspetto
      d'una donna
   e oscura il suo volto come quello
      di un'orsa.
¹⁷ Suo marito siede con i vicini
   e, senza volerlo, geme amaramente.
¹⁸ Ogni malizia è nulla

di fronte alla perfidia di una donna:
è sorte del peccatore imbattersi in essa.

¹⁹ Come una salita sabbiosa per i piedi
di un vecchio
così è la donna loquace per l'uomo quieto.

²⁰ Non t'affascini la bellezza d'una donna
né ti prenda passione per essa.

²¹ Sdegno, vituperio e grande vergogna
sono riservati al marito mantenuto
dalla moglie.

²² Cuore afflitto, volto malinconico
e ferita al cuore è la donna perfida.

²³ Mani paralizzate e ginocchia infiacchite
ha l'uomo, se la moglie non lo rallegra.

²⁴ Da una donna ha avuto origine il peccato
e per causa sua tutti moriamo.

²⁵ Non dare all'acqua una via d'uscita
né libertà di parlare a una donna perfida.

²⁶ Se non cammina al cenno della mano,
separala dalla tua carne.

LA DONNA VIRTUOSA
E LA DONNA MALVAGIA

26 ¹Beato il marito di una moglie
virtuosa:
sarà doppio il numero dei suoi giorni.

² Una donna forte è la gioia del marito,
riempie i suoi anni di pace.

³ Una buona moglie è una vera fortuna
che viene assegnata a chi teme
il Signore;

⁴ egli, ricco o povero che sia, sarà felice,
in ogni tempo il suo volto appare sereno.

⁵ Di tre cose ha paura il mio cuore
e nella quarta temo d'imbattermi:
una calunnia diffusa nella città,
un assembramento di popolo
e accusa falsa:
tutto questo è più doloroso della morte;

⁶ ma crepacuore e lutto è una donna
gelosa di un'altra,
la sferza della sua lingua colpisce tutti.

⁷ La moglie cattiva è un giogo
che sfrega il collo,

chi la possiede è come chi afferra
uno scorpione.

⁸ La donna ubriaca provoca sdegno,
non può nascondere la sua
degradazione.

⁹ La donna sensuale ha gli occhi sfacciati,
la si riconosce dalle palpebre.

¹⁰ Vigila con severità sulla figlia senza
pudore,
perché, se trova debolezza,
non ne approfitti.

¹¹ Guardati da una donna dall'occhio
impudente,
non meravigliarti se sbaglia a tue spese.

¹² Come viandante assetato essa apre
la bocca
per bere ad ogni fonte che si trova vicino,
si siede davanti ad ogni palo
e apre la faretra a qualsiasi freccia.

¹³ La grazia della donna rallegra il marito,
il suo senno gli rinvigorisce le ossa.

¹⁴ È dono del Signore la donna silenziosa,
non c'è prezzo per un carattere
ben educato.

¹⁵ La donna pudica ha bellezza su bellezza,
non si può valutare il pregio
di una donna riservata.

¹⁶ Come il sole che sorge nel cielo
del Signore,
così la bellezza di una buona moglie
adorna la casa.

¹⁷ Lampada che brilla sul sacro candelabro
è un bel volto su un nobile corpo.

¹⁸ Colonne d'oro su base d'argento
sono gambe graziose sui talloni
armoniosi.

¹⁹ Per due cose il mio cuore si rattrista
e per una terza divampa la mia ira:
un guerriero ridotto in miseria,
uomini saggi che sono disprezzati,
chi dalla giustizia ritorna al peccato:
il Signore lo prepara per la spada.

²⁰ È difficile che un mercante sia esente
da colpa,
un bottegaio non sarà immune
dal peccato.

Sir

---

26. - 5-12. Il dono di una moglie buona (cfr. vv. 13-18) risulta
ancor più dal contrasto contenuto in questi vv. con la donna
perfida, raffigurata in tre aspetti: donna gelosa, donna
ubriaca, donna sensuale.

27. - 1. Si sa quanto sia facile lasciarsi trasportare dall'amore del denaro; quando uno ne è preso, non vede più che se
stesso e i propri interessi, e arriva a calpestare anche i diritti
altrui, commettendo ingiustizie a danno del prossimo.

I PERICOLI NEL COMMERCIO
E GLI ERRORI NEL PARLARE

27 ¹Molti peccano a causa del denaro;
chi vuole arricchire
non guarda in faccia a nessuno.

² Tra le giunture delle pietre s'innesta
  il palo,
  così nella compravendita si insinua
  il peccato.
³ Se l'uomo non persevera nel timore
  del Signore,
  la sua casa andrà presto in rovina.
⁴ Quando si scuote il vaglio,
  rimangono i rifiuti,
  così discutendo con uno, ne emergono
  i difetti.
⁵ Il forno rifinisce i vasi del ceramista,
  così il ragionamento rivela il carattere
  d'un uomo.
⁶ Dal frutto si apprezza chi coltiva l'albero,
  così la parola rivela l'intimo dell'uomo.
⁷ Non lodare l'uomo prima di averlo
  sentito ragionare:
  solo così, infatti, si prova il suo valore.
⁸ Se persegui la giustizia la raggiungerai,
  te ne rivestirai come di splendida veste.
⁹ Gli uccelli si ritrovano insieme
  con i loro simili,
  la verità abiterà con quanti la praticano.
¹⁰ Il leone sta in agguato per la preda,
  così il peccato per quanti fanno
  cose ingiuste.
¹¹ Il pio parla sempre con sapienza,
  lo stolto è instabile come la luna.
¹² Non perdere tempo tra gli stolti,
  ma trattieniti in compagnia dei saggi.
¹³ La conversazione degli stolti
  è abominevole,
  essi ridono nei piaceri del peccato.
¹⁴ Chi giura molto fa rizzare i capelli,
  quando litiga ci si tura le orecchie.
¹⁵ La lite dei superbi finisce
  nello spargimento di sangue;
  sono penose a udirsi le ingiurie
  che si scambiano.
¹⁶ Chi svela i segreti perde la fiducia
  e più non trova per sé un amico.
¹⁷ Affezionati all'amico e restagli fedele,
  ma se hai svelato i suoi segreti
  non ricercarlo più:
¹⁸ infatti come si perde un morto
  così tu hai perduto la sua amicizia,
¹⁹ come ti sfugge un uccello di mano
  così tu hai perduto l'amico e non puoi
  riprenderlo più.
²⁰ Non andargli dietro, perché ormai
  è lontano,
  è fuggito come una gazzella
  dalla trappola.

²¹ Si può fasciare una ferita e perdonare
  un insulto,
  ma chi tradisce i segreti
  non ha più speranza.
²² Chi strizza gli occhi ordisce danni,
  perciò chi lo vede s'allontana da lui.
²³ Davanti agli occhi ti dice parole dolci
  e ammira i tuoi discorsi,
  ma poi cambierà il suo atteggiamento
  e t'insidierà con le tue stesse parole.
²⁴ Molte cose io detesto, ma nessuna
  quanto costui;
  anche il Signore lo detesta.
²⁵ Chi tira in alto la pietra, questa gli ricade
  in testa,
  così un colpo a tradimento ferisce
  chi lo vibra;
²⁶ chi scava una fossa vi cade dentro
  e chi tende una trappola v'incappa;
²⁷ chi fa il male, questo gli si riverserà
  addosso,
  senza che egli sappia da dove gli viene.
²⁸ Vergogna e derisione per il superbo;
  la vendetta lo attende al varco
  come leone.
²⁹ Chi gode per la caduta del pio sarà
  preso nel laccio,
  il dolore lo consumerà prima
  della sua morte.
³⁰ Sdegno e collera sono cose abominevoli,
  ma il peccatore se le porta dentro.

EVITARE LA VENDETTA
E LA CALUNNIA

28 ¹Chi si vendica,
  troverà la vendetta del Signore,
  che gli chiederà rigoroso conto
  dei peccati.
² Perdona al prossimo un atto
  d'ingiustizia,
  così quando preghi ti sono perdonati
  i peccati.
³ Chi conserva l'ira verso un altro uomo,
  come può chiedere al Signore
  la guarigione?
⁴ Se non ha pietà per il suo simile,
  come può intercedere per i propri
  peccati?

---

2. Il *palo* che si pianta tra le pietre del muro vi resta così
fermo che è difficile svellerlo: così, chi compra e vende difficilmente sfugge al pericolo di peccare.

⁵ Egli, che è carne, conserva lo sdegno:
   chi potrà perdonargli i peccati?
⁶ Ricorda le cose ultime
   e cessa di odiare;
   pensa alla morte e alla corruzione
   e sii fedele ai comandamenti.
⁷ Ricorda i comandamenti e non odiare
   il prossimo,
   ricorda l'alleanza dell'Altissimo
   e perdona le offese.
⁸ Evita la lite, così ridurrai i peccati;
   è il collerico, infatti, che fa scoppiare
   la lite.
⁹ Il peccatore mette scompiglio
   fra gli amici
   e suscita divisione fra gente
   che è in pace.
¹⁰ Il fuoco divampa in misura della legna,
   così la lite s'accresce con l'insistenza;
   il furore cresce nell'uomo secondo
   la sua forza
   e l'ira aumenta secondo la sua ricchezza.
¹¹ L'ira improvvisa attizza il fuoco
   e la rissa violenta fa scorrere il sangue.
¹² Se soffi sopra la scintilla,
   essa divampa;
   se vi sputi sopra, essa si spegne:
   eppure ambedue le cose escono
   dalla stessa bocca.
¹³ Maledite il chiacchierone
   e l'uomo doppio,
   perché hanno rovinato molti
   che stavano in pace.
¹⁴ La calunnia d'un estraneo
   ha mandato in rovina molti,
   facendoli emigrare da una nazione
   all'altra;
   ha distrutto città fortificate
   e demolito le case dei grandi.
¹⁵ La calunnia d'un estraneo
   ha fatto ripudiare mogli eccellenti,
   le ha private del frutto delle loro fatiche.
¹⁶ Chi vi presta attenzione non avrà pace
   e non vi sarà più tranquillità
   nella sua casa.
¹⁷ Il colpo di frusta produce le lividure,
   il colpo della lingua spezza le ossa.
¹⁸ Molti sono caduti colpiti dalla spada,
   ma non quanti sono caduti per colpa
   della lingua.
¹⁹ Beato chi è difeso dai suoi colpi
   e non è stato vittima del suo furore,
   non ha portato il suo giogo
   e non è stato legato alle sue catene!

²⁰ Il suo giogo, infatti, è giogo di ferro
   e le sue catene sono catene di bronzo.
²¹ Terribile è la morte che essa procura,
   le si possono preferire gli inferi.
²² Essa non ha potere sugli uomini pii,
   che non possono bruciare
   nella sua fiamma.
²³ Coloro che abbandonano il Signore
   cadranno in suo potere:
   in mezzo ad essi divamperà
   senza spegnersi.
   Si avventerà contro di loro come
   un leone
   e ne farà scempio come un leopardo.
²⁴ Recinta pure il tuo orto con le spine
   e metti sotto chiave l'argento e l'oro,
²⁵ ma pesa anche sulla bilancia
   le tue parole
   e metti sulla tua bocca una porta
   sprangata.
²⁶ Sta' attento a non incespicare
   a causa della lingua,
   per non cadere di fronte all'agguato.

IL PRESTITO E L'ELEMOSINA

29 ¹Chi è compassionevole
        presta al suo prossimo,
   e chi lo sostiene di propria mano
   osserva i comandamenti.
² Da' in prestito al prossimo quando
   ha bisogno
   e, a tua volta, sii puntuale
   nella restituzione.
³ Mantieni la parola per meritarti
   la fiducia,
   e sempre troverai quanto ti occorre.
⁴ Molti considerano la cosa prestata
   come fosse trovata,
   perciò causano delle noie a coloro
   che li hanno aiutati.
⁵ Prima di ricevere, ognuno bacia
   le mani del creditore
   e parla con tono sommesso
   per ottenere gli averi dell'amico;
   ma, al momento della restituzione,
   prende tempo, parla annoiato
   e porta la scusa che il tempo
   non è adatto.
⁶ Se riesce a pagare, a stento
   il creditore otterrà la metà
   e può considerarla come una cosa
   trovata;

ma se non può, froda il creditore
del suo denaro
e poi lo tratta da nemico;
gli restituirà maledizioni e ingiurie,
invece di onore riceverà disprezzo.
⁷ Molti, per questo danno, si rifiutano
di far prestiti,
perché temono di perdere i beni senza
loro colpa.
⁸ Tu, però, largheggia con il misero,
non temporeggiare per fargli l'elemosina.
⁹ Per amore del comandamento aiuta
il povero,
non mandarlo a mani vuote quando
ha bisogno.
¹⁰ Perdi pure denaro per il fratello e l'amico,
invece di lasciarlo consumare
dalla ruggine sotto la pietra.
¹¹ Usa la ricchezza come vuole l'Altissimo,
così ti gioverà più dell'oro.
¹² Nei tuoi scrigni riponi l'elemosina
ed essa ti libererà da ogni disgrazia;
¹³ combatterà per te contro il nemico
meglio di uno scudo robusto
e di una lancia pesante.
¹⁴ L'uomo buono garantisce per il prossimo,
ma chi è senza pudore l'abbandona.
¹⁵ Non dimenticare il favore che ti ha fatto
il garante,
perché egli si è impegnato per te.
¹⁶ Il peccatore rovina i beni del garante
e l'ingrato abbandona chi l'ha salvato.
¹⁷ La cauzione ha rovinato molti benestanti,
li ha sconvolti come onda del mare;
¹⁸ ha privato della casa uomini potenti,
facendoli emigrare in terre straniere.
¹⁹ Per il peccatore è un'insidia
il far garanzia:
egli vi cerca il profitto, ma finirà
nei tribunali.
²⁰ Aiuta il tuo prossimo secondo
le tue possibilità,
ma bada a non essere rovinato.
²¹ Questo basta per vivere: acqua, pane,
mantello
e una casa che copra la propria intimità.
²² È meglio vivere da povero al riparo
di pochi legni
che mangiare sontuosamente
in casa d'altri.
²³ Sii contento del poco o del molto
che hai,
e non ti sentirai il rimprovero mosso
allo straniero.

²⁴ Triste vita l'andare di casa in casa:
dove sei ospite, non puoi aprir bocca.
²⁵ Darai accoglienza agli ospiti,
offrirai da bere e non diranno
neppure grazie.
Oltre ciò, sentirai parole amare:
²⁶ «Avanti, forestiero, imbandisci la tavola;
se hai qualcosa sotto mano,
dammela da mangiare».
²⁷ «Vattene, forestiero,
c'è uno più importante;
ho ospite mio fratello, ho bisogno
della casa».
²⁸ Per l'uomo che riflette sono dure
queste cose:
essere disonorato da chi lo ospita
e insultato dal creditore.

L'EDUCAZIONE DEI FIGLI

30 ¹Chi ama il proprio figlio
usa spesso la sferza,
per gioire di lui quando è grande.
² Chi educa bene il proprio figlio
avrà poi gioia,
ne sarà fiero in mezzo ai conoscenti.
³ Chi istruisce il proprio figlio
fa ingelosire il nemico,
mentre di lui sarà lieto di fronte
agli amici.
⁴ Muore il padre, ma è come se
non morisse,
perché lascia dietro di sé uno
che gli somiglia.
⁵ Quando era in vita, vedendolo,
si rallegrava;
quando muore, non deve rammaricarsi.
⁶ Per i nemici ha lasciato chi lo vendica,
per gli amici chi ricambia i favori.
⁷ Chi vezzeggia il figlio ne fascerà
poi le ferite,
ad ogni grido le sue viscere saranno
sconvolte.
⁸ Un cavallo senza freno diventa ostinato,
un figlio troppo libero diventa testardo.
⁹ Coccola tuo figlio e ti darà
brutte sorprese,
gioca con lui e ti farà soffrire.
¹⁰ Con lui non ridere, per non dover
piangere
e battere i denti quando è grande.
¹¹ Non dargli libertà quando è giovane
e non sorvolare sui suoi errori.

¹² Fagli piegare il collo in gioventù,
   batti i suoi fianchi finché è fanciullo,
   perché non diventi caparbio
   e ti disobbedisca
   e non abbia da lui dispiaceri.
¹³ Educa bene tuo figlio e occupati di lui,
   perché tu non debba inciampare
   per la sua depravazione.
¹⁴ Meglio il povero sano e forte nel corpo
   che il ricco tribolato nella salute.
¹⁵ Salute e vigore sono meglio
      di tutto l'oro,
   la buona salute val più che un'immensa
      ricchezza.
¹⁶ Non c'è miglior ricchezza della salute
      del corpo,
   né migliore allegrezza della gioia
      del cuore.
¹⁷ È meglio la morte che una vita amara,
   il riposo eterno che una malattia cronica.
¹⁸ Vivande versate su una bocca chiusa
   sono come cibi posti sopra il sepolcro.
¹⁹ Che giova all'idolo un'offerta di frutta?
   Non può mangiarla né odorarla:
   così è chi è perseguitato dal Signore.
²⁰ Egli guarda con gli occhi e sospira,
   come sospira l'eunuco che abbraccia
      una vergine.
²¹ Non abbandonarti alla tristezza
   e non tormentarti nei tuoi pensieri.
²² La gioia del cuore è vita per l'uomo,
   la contentezza gli moltiplica i giorni.
²³ Distrai te stesso e consola il tuo cuore;
   tieni lontano da te la tristezza,
   perché la tristezza ha rovinato molti:
   non c'è in essa utilità alcuna.
²⁴ L'invidia e la rabbia abbreviano i giorni,
   la preoccupazione porta
      a precoce vecchiaia.
²⁵ Un cuore sereno ha buon appetito,
   gusta quanto mangia.

LE RICCHEZZE E I BANCHETTI

31 ¹L'insonnia per la ricchezza
      logora il corpo,
   l'ansia per essa allontana il sonno.
² La preoccupazione dell'insonnia
   impedisce il dormire,
   come una grave malattia allontana
      il sonno.
³ Il ricco si affatica per accumulare gli averi,
   se riposa vuol godersi i piaceri.

⁴ Il povero si affatica per una vita di stenti,
   ma se si riposa cade in miseria.
⁵ Chi ama l'oro non vivrà nella giustizia,
   chi insegue il denaro vi trova l'inganno.
⁶ Molti sono caduti a causa dell'oro,
   e la rovina è piombata su di essi.
⁷ È legno d'inciampo per quanti
      ne sono folli,
   chi è senza senno vi trova la perdizione.
⁸ Beato il ricco che è trovato senza colpa,
   che non è andato dietro all'oro.
⁹ Chi è costui, perché possiamo lodarlo?
   Egli ha operato prodigi nel suo popolo.
¹⁰ Chi è rimasto puro in questa prova?
   Egli merita di essere glorificato.
   Egli poteva trasgredire
      e non ha trasgredito,
   fare il male e non l'ha fatto.
¹¹ Perciò i suoi beni si accresceranno
   e l'assemblea proclamerà
      le sue beneficenze.
¹² Siedi ad una grande tavola?
   Non spalancare su di essa la tua gola
   e non dire: «Quante cose ci sono!».
¹³ Ricordati che è un male l'occhio avido:
   c'è cosa più cattiva nella creazione?
   Esso piange, perciò, davanti a tutto.
¹⁴ Dove adocchia un altro,
   tu non stendere la mano;
   non far ressa con lui attorno al piatto.
¹⁵ Impara da te stesso i desideri
      del prossimo,
   perciò rifletti su ogni tua azione.
¹⁶ Mangia da vero uomo quanto ti è posto
      innanzi;
   non masticare scrosciando,
      per non esser disprezzato.
¹⁷ Sii il primo a levarti, in segno
      di educazione;
   non essere ingordo, per non incorrere
      nel disprezzo.
¹⁸ Se siedi in mezzo a tanti invitati
   non stendere la mano prima di loro.
¹⁹ All'uomo ben educato basta il poco,
   così, una volta a letto, non sente
      l'affanno.
²⁰ Il sonno è sano se lo stomaco è misurato;
   ci si alza presto ben padroni di sé.
   Malessere, insonnia, nausea e colica
   accompagnano l'uomo ingordo.
²¹ Se sei costretto a mangiar troppo,
   alzati, vomita lontano e ti sentirai meglio.
²² Ascoltami, o figlio, non mi disprezzare,
   alla fine troverai vere le mie parole.

Sir

Sii diligente in tutte le tue opere
e nessuna malattia ti coglierà.

23 Le labbra lodano chi è splendido
nei banchetti,
e vera è la testimonianza
della sua munificenza.

24 La città mormora di chi è tirchio
con gli invitati,
ed esatta è la testimonianza di questo
suo difetto.

25 Non mostrarti forte con il vino,
perché il vino ha rovinato molti.

26 La fornace prova il metallo
nella tempera,
così il vino prova il cuore in una sfida
di arroganti.

27 Il vino, per gli uomini, equivale a vita,
ma solo se lo bevi in giusta misura.
Che vita è quella di chi è privato
del vino?
Esso fu creato sin dall'inizio
per rallegrare.

28 È allegria del cuore e gioia dell'animo
il vino bevuto a tempo giusto.

29 Amareggia l'animo il bere molto vino,
provoca irritazione e caduta.

30 L'ubriachezza accresce l'ira dello stolto
a suo danno,
diminuisce le sue forze
e gli procura ferite.

31 Durante un banchetto non rimproverare
il vicino,
non l'oltraggiare quando è allegro.
Non dirgli parole di biasimo
e non affliggerlo chiedendogli
quanto ti deve.

COME COMPORTARSI
NEI BANCHETTI

32 1 Non inorgolirti se ti hanno fatto
capotavola,
comportati con i convitati come uno
di loro;
provvedi prima a loro e poi mettiti
a tavola.

2 Siediti dopo aver espletato
il tuo compito,
per rallegrarti della loro gioia
e ricevere la corona per le tue buone
maniere.

3 Parla, o anziano, perché ciò
ti s'addice,

ma con saggezza e senza disturbare
la musica.

4 Se c'è uno spettacolo, non versare
parole,
non sfoggiare sapienza fuori tempo.

5 Rubino incastonato in un monile d'oro
è un concerto di musici mentre si beve
il vino.

6 Smeraldo incastonato in guarnizione
d'oro
è la melodia dei musici con il dolce vino.

7 Parla, o giovane, se c'è bisogno,
ma non più di due volte, se interrogato.

8 Sintetizza il discorso e di' molto con poco;
comportati come chi sa, eppure tace.

9 Tra i grandi non darti importanza
e tra gli anziani non parlare troppo.

10 Prima del tuono guizza il lampo,
così il favore precede l'uomo modesto.

11 All'ora stabilita alzati e non attardarti,
corri a casa senza perdere tempo.

12 Divertiti e appaga i tuoi desideri,
ma non peccare con parole superbe.

13 Per tutto questo benedici
chi ti ha creato
e ti inebria con i suoi beni.

14 Chi teme il Signore accoglie l'istruzione,
quelli che lo cercano dall'aurora
troveranno il suo favore.

15 Chi scruta la legge ne sarà ripieno,
ma l'ipocrita vi troverà motivo
di scandalo.

16 Quanti temono il Signore sanno
giudicare,
brillano come luce i loro giudizi.

17 Il peccatore rifiuta la correzione
e prenderà la decisione che più gli piace.

18 L'uomo saggio non trascura la riflessione,
ma l'empio superbo non prova
alcun timore.

19 Non far nulla senza consiglio
e non cambiare idea mentre
stai operando.

20 Non andare su strada scivolosa,
così non batterai sulle pietre.

21 Non avventurarti su strada inesplorata

22 e guardati dai tuoi stessi figli.

23 In tutto quello che fai, abbi fiducia
in te stesso,
poiché anche questo è secondo
i comandamenti.

24 Chi crede nella legge è attento
ai comandamenti,
chi confida nel Signore non sarà umiliato.

DIO DISPONE OGNI COSA

33 ¹Chi teme il Signore non incontrerà il male,
ma dopo la prova sarà liberato.

² L'uomo saggio non odia la legge,
ma chi finge con essa è come mare
in tempesta.

³ L'uomo saggio confida nella parola,
accoglie la legge come responso
degli urim.

⁴ Prepara la tua parola, se vuoi essere
ascoltato,
ripensa alla tua istruzione e poi rispondi.

⁵ Ruota di carro sono i sentimenti
dello stolto
e come asse che gira è il suo pensiero.

⁶ L'amico derisore è come uno stallone
che nitrisce sotto chiunque lo cavalca.

⁷ Perché un giorno è più importante
di un altro,
sebbene la loro luce venga
dal medesimo sole?

⁸ Sono stati distinti dalla mente del Signore,
che ha diversificato stagioni e feste.

⁹ Alcuni giorni ha scelto per santificarli,
gli altri li destina solo a far numero.

¹⁰ Anche gli uomini provengono tutti
dal fango,
e dalla terra fu creato Adamo;

¹¹ ma il Signore li ha distinti con grande
sapienza
e ha reso diverse le loro strade.

¹² Alcuni li ha benedetti ed elevati,
alcuni li ha santificati e avvicinati a sé;
altri li ha maledetti e umiliati,.
li ha rovesciati dalla loro posizione.

¹³ Com'è la creta nelle mani del vasaio,
che può plasmarla a suo piacimento,
così sono gli uomini in mano al loro
Creatore,
che dà a ciascuno secondo
la sua decisione.

¹⁴ Davanti al male c'è il bene e davanti
alla morte la vita,
così davanti all'uomo pio c'è il peccatore.

¹⁵ Guarda così a tutte le opere
dell'Altissimo:
due a due, l'una davanti all'altra.

¹⁶ Io sono venuto per ultimo,
come chi racimola dopo la vendemmia.

¹⁷ Ho fatto presto, con la benedizione
del Signore,
e ho riempito il tino come chi vendemmia.

¹⁸ Vedete che non ho faticato per me solo,
ma per tutti quelli che cercano
l'istruzione.

¹⁹ Ascoltatemi, o grandi del popolo,
e quanti dirigete l'assemblea,
fate attenzione.

²⁰ Al figlio e alla moglie, al fratello
e all'amico
non dare potere su di te, finché vivi.
Non dare ad altri i tuoi averi,
perché, se cambi idea, non debba
richiederli.

²¹ Finché vivi e c'è in te respiro,
non cedere i tuoi averi a nessuno.

²² È meglio infatti che i figli chiedano a te
che non essere tu ad attendere
dalle loro mani.

²³ In tutte le opere mantieni la superiorità,
non esporre al biasimo la tua dignità.

²⁴ Quando finiranno i giorni della tua vita,
solo al momento della morte fa'
il testamento.

²⁵ Fieno, bastone e carichi per l'asino,
pane, disciplina e lavoro per lo schiavo.

²⁶ Se lo fai lavorare con rigore,
starai in pace;
se risparmi le sue mani, cercherà
la libertà.

²⁷ Giogo e redini piegano il collo,
corde e torture piegano lo schiavo
svogliato.

²⁸ Mandalo a lavorare perché non resti
ozioso;
l'ozio infatti insegna molti disordini.

²⁹ Mettilo a lavorare perché questo
è il suo dovere,
se non obbedisce, opprimilo con i ceppi.

³⁰ Ma non esagerare con nessuno,
e non far nulla contro il diritto.

³¹ Se hai uno schiavo,
trattalo come te stesso,
perché l'hai comprato a prezzo
di sangue.

³² Se hai uno schiavo, trattalo da fratello,
perché ne avrai bisogno come fosse
la tua vita.

³³ Se lo maltratti ed egli fugge
e t'abbandona,
per quale via potrai rintracciarlo?

Sir

---

33. - 25-32. Presso gli Israeliti la schiavitù era ammessa. Le
parole un po' dure sono da considerarsi nell'ambiente di
allora. Ad ogni modo il maltrattamento era riservato al servo
cattivo. Con il buono le cose erano diverse (vv. 31-32).

I SOGNI, I VIAGGI
E LA VERA RELIGIONE

34 ¹Speranze vuote e ingannevoli
ha l'uomo insensato,
mentre i sogni mettono le ali agli stolti.

² Come afferrare l'ombra e inseguire
il vento
così è il confidare nei sogni.

³ Nei sogni si vede quello che c'è già,
è come l'immagine del volto
nello specchio.

⁴ Se il candore non può venire
dalla sporcizia,
come potrà venire la verità
dalla menzogna?

⁵ Divinazioni, presagi e sogni sono vani,
come le fantasie d'una donna in doglie.

⁶ Se non sono ammonizioni dell'Altissimo
non affidare il tuo cuore ai sogni.

⁷ Essi, infatti, hanno ingannato molti
che vi avevano posto speranza
e poi sono caduti.

⁸ La legge, infatti, è completa senza
tali menzogne
e la sapienza è perfetta sulla bocca
sincera.

⁹ Chi ha viaggiato conosce molte cose
e chi ha tanta esperienza parla
saggiamente.

¹⁰ Chi è senza esperienza conosce poco,
chi invece viaggia diventa molto abile.

¹¹ Ho visto molte cose nei miei viaggi,
ho imparato più di quanto posso
esprimere.

¹² Spesso ho corso pericoli mortali,
ma sono stato salvato grazie
all'esperienza fatta.

¹³ Lo spirito di quanti temono il Signore
vivrà,
perché essi sperano in chi li salva.

¹⁴ Chi teme il Signore non avrà timore
né paura, perché egli è la sua speranza.

¹⁵ Beato l'uomo che teme il Signore:
su chi s'appoggia? Chi sarà il suo
sostegno?

¹⁶ Gli occhi del Signore sono su coloro
che l'amano,
egli è difesa potente e sostegno
imbattibile,
riparo dal calore e ombra
nel mezzogiorno,
custodia contro gli ostacoli
e aiuto nella caduta.

¹⁷ Egli solleva l'animo e illumina gli occhi,
opera la guarigione per la vita
e la benedizione.

¹⁸ Il sacrificio preso da ingiusti guadagni
è offerta difettosa,
e i doni dei malvagi non sono accetti.

¹⁹ L'Altissimo non gradisce le offerte
degli empi,
né perdona i peccati per i molti sacrifici.

²⁰ Uccide il figlio davanti al proprio padre
chi offre un sacrificio con i beni
dei poveri.

²¹ Un pane da bisognosi è vita per i poveri,
è un sanguinario chi li deruba di esso.

²² Uccide il prossimo chi gli toglie
il sostentamento
e versa sangue chi ruba il salario
all'operaio.

²³ Se uno costruisce e l'altro distrugge,
che cosa guadagnano, se non la fatica?

²⁴ Se uno prega e l'altro maledice,
chi dei due è ascoltato dal Signore?

²⁵ Chi si purifica per un morto e lo tocca
di nuovo,
che cosa ha guadagnato
con la sua purificazione?

²⁶ Così è per l'uomo che digiuna
per i propri peccati
e poi va e li commette di nuovo:
chi ascolterà la sua preghiera?
Che cosa ha guadagnato ad umiliarsi?

I SACRIFICI GRADITI A DIO

35 ¹L'osservanza della legge vale più
dei sacrifici,
la pratica dei comandamenti è sacrificio
di comunione.

² Chi ricambia un favore
è come chi fa offerta di fior di farina,
e chi fa l'elemosina
è come chi offre un sacrificio
di ringraziamento.

---

34. - 3. I *sogni* non hanno altra consistenza che quella di
un'ombra, di una proiezione fantastica dello stato del so-
gnante.
6. Dio ha parlato nei sogni (Gn 37,5; Dn 2,1; 4,2; Mt 1,20),
ma fa sempre capire che il sogno è mandato dal cielo. In tal
caso, più rettamente, si potrebbe parlare di visioni notturne.
35. - 1-3. I sacrifici più graditi a Dio sono le opere buone. La
Bibbia è piena di questa affermazione: Sal 50; Pro 15,8; Qo
4,17; i profeti insistono su questo ad ogni pagina: Os 6,6;
14,3; Am 5,11-27; 8,4-10; ecc.

³ Cosa gradita al Signore è stare lontani
   dal male,
   sacrificio di espiazione è astenersi
   dall'ingiustizia.
⁴ Non comparire a mani vuote davanti
   al Signore:
   tutti questi sacrifici, infatti,
   sono comandati.
⁵ Il sacrificio del giusto è un'offerta grassa
   sull'altare
   e il suo odore giunge innanzi all'Altissimo.
⁶ Il sacrificio del giusto è gradito,
   il suo ricordo non sarà dimenticato.
⁷ Onora il Signore con occhio contento
   e non lesinargli le primizie
   delle tue mani.
⁸ In ogni offerta mostra lieto il tuo volto,
   consacra la decima con gioia.
⁹ Da' all'Altissimo come egli ha dato a te;
   offri con occhio contento
   quanto si trova nelle tue mani,
¹⁰ perché il Signore è uno che ricambia,
   ti ridarà sette volte tanto.
¹¹ Non cercare di corromperlo con doni:
   non accetterà;
   non confidare in un sacrificio ingiusto,
¹² perché il Signore è giudice
   e la gloria della persona è nulla
   davanti a lui.
¹³ Non fa favori a spese del povero,
   anzi esaudisce la preghiera di chi è
   maltrattato.
¹⁴ Non è insensibile alla supplica
   dell'orfano
   e della vedova che dà sfogo
   al suo lamento.
¹⁵ Se le lacrime della vedova scendono
   sulle sue guance,
   il suo grido non scenderà contro
   chi gliele fa versare?
¹⁶ Chi serve Dio come a lui piace,
   sarà accetto;
   la sua preghiera giungerà fino alle nubi.
¹⁷ La preghiera dell'umile attraversa
   le nubi:
   finché essa non sia arrivata,
   egli non si consola;

¹⁸ non desiste finché l'Altissimo
   non sia intervenuto
   per riconoscere ed eseguire il diritto
   dei giusti.
¹⁹ Il Signore non farà indugio,
   non avrà pazienza con loro,
²⁰ finché non abbia spezzato i fianchi
   dei violenti
   e fatto vendetta contro le nazioni;
²¹ finché non abbia sterminato
   la moltitudine degli insolenti
   e spezzato gli scettri degli ingiusti;
²² finché non abbia reso a ciascuno
   secondo le sue opere
   e a tutti secondo le loro intenzioni;
²³ finché non abbia fatto giustizia
   al suo popolo
   per consolarlo con la sua misericordia.
²⁴ La sua misericordia è propizia
   nella tribolazione
   come una nube apportatrice di pioggia
   nella siccità.

PREGHIERA PER LA SALVEZZA DI ISRAELE E ALCUNE MASSIME SUL CUORE E SULLA DONNA

36 ¹Abbi pietà di noi, o Signore,
   Dio di tutti,
   e guarda, infondi il tuo terrore su tutte
   le nazioni.
² Alza la tua mano contro le nazioni
   straniere,
   perché vedano la tua potenza.
³ Come davanti a loro hai mostrato
   la tua santità
   in mezzo a noi,
   così davanti a noi mostra la tua potenza
   in mezzo a loro.
⁴ Ti riconoscano come noi ti abbiamo
   riconosciuto,
   perché non c'è Dio al di fuori di te,
   o Signore.
⁵ Rinnova i segni e ripeti i miracoli,
   glorifica la tua mano e il tuo braccio
   destro.
⁶ Desta il tuo furore e riversa la tua ira,
   distruggi l'avversario e stermina il nemico.
⁷ Accelera i tempi e ricordati
   del giuramento,
   perché siano raccontate le grandi
   opere tue.
⁸ Nel fuoco dell'ira venga distrutto

Sir

---

36. - 1ss. Per comprendere questa bellissima preghiera bisogna considerare che un gran numero di Ebrei era disperso in quasi tutto il mondo, specialmente in Mesopotamia e in Egitto. Il pericolo che l'opera di Dio, cioè l'elezione del popolo d'Israele, venisse addirittura cancellata dal mondo era particolarmente grave. Ecco il perché di questa preghiera, che sollecita Dio a rinnovare gli antichi prodigi.

chi era stato risparmiato,
quanti maltrattano il tuo popolo trovino
la perdizione.

⁹ Stritola le teste dei prìncipi stranieri
che dicono: «Non c'è nessuno
fuori di noi».

¹⁰ Raduna tutte le tribù di Giacobbe
e prendine possesso come una volta.

¹¹ Abbi pietà, o Signore, del popolo
chiamato con il tuo nome,
di Israele, che hai adottato
come primogenito.

¹² Abbi compassione della città
del tuo santuario,
di Gerusalemme, luogo del tuo riposo.

¹³ Riempi Sion con la lode delle tue grandi
imprese
e il tuo tempio con la tua gloria.

¹⁴ Riconosci ora quelli che fin
dal principio hai creato
e suscita le profezie che furono fatte
nel tuo nome.

¹⁵ Da' la ricompensa a coloro
che ti attendono,
e i tuoi profeti risulteranno
degni di fede.

¹⁶ Esaudisci, o Signore, la preghiera
dei tuoi servi
per la benevolenza che hai
verso il tuo popolo.

¹⁷ Riconoscano, quanti abitano sulla terra,
che tu, o Signore, sei il Dio dei secoli.

¹⁸ Lo stomaco mangia ogni cibo,
ma qualche cibo piace più di un altro.

¹⁹ Come il palato sente il sapore
della selvaggina,
così il cuore che riflette distingue
le parole bugiarde.

²⁰ Il cuore perverso darà dolore,
ma l'uomo dalla molta esperienza
saprà ripagarlo.

²¹ Una donna può accettare qualsiasi
marito,
ma una giovane è migliore di un'altra.

²² La bellezza d'una donna rallegra
il volto,
supera ogni altro desiderio dell'uomo.

²³ Se poi ha sulla sua lingua bontà
e gentilezza,
suo marito non è come gli altri uomini.

²⁴ Chi si procura una sposa comincia
la sua fortuna,
ha un aiuto che gli è simile
e una colonna d'appoggio.

²⁵ Dove manca la siepe, la proprietà
è saccheggiata,
così dove non c'è moglie, l'uomo erra
e geme.

²⁶ Chi avrà fiducia in un soldato
girovago,
che passa da una città all'altra?

²⁷ Così è per l'uomo che non ha un nido
e che alloggia là dove lo coglie la notte.

LA SCELTA DEGLI AMICI
E DEI CONSIGLIERI

37 ¹Ogni amico dice: «Anch'io ti sono
amico!».
Ma c'è chi è amico solo di nome.

² Non è un dolore simile alla morte
un compagno e un amico che diventa
nemico?

³ O desiderio perverso, da dove sei uscito
per ricoprire la terra di malizia?

⁴ C'è l'amico che gode quando uno
è contento,
ma se ne sta lontano nel tempo
della tribolazione.

⁵ C'è il compagno che fatica con l'amico,
ma per l'interesse del suo stomaco,
e al momento dell'attacco leverà
lo scudo.

⁶ Non dimenticare l'amico nel tuo animo,
e non trascurarlo quando sei
nell'abbondanza.

⁷ Ogni consigliere ama dare consigli,
ma c'è chi consiglia a proprio vantaggio.

⁸ Sta' in guardia quando uno ti consiglia,
cerca di sapere prima qual è
il suo interesse.
Egli, infatti, può consigliare
nel proprio interesse
e non getterà la sorte in tuo favore.

⁹ Egli ti dirà: «La via che hai scelto
è buona»,
ma si terrà in disparte per vedere
quel che ti accadrà.

---

14. La prima delle opere di Dio era l'elezione d'Israele, con
tutto il contorno di promesse fatte fin dagli antichissimi
tempi.

25-26. In contrasto con la felicità di un uomo sposato con
una donna virtuosa, l'autore presenta quello rimasto solo,
senza una famiglia, senza chi si occupi di lui, nella necessità di affidarsi o raccomandarsi ad altri, senza sicurezza.
Velato invito al matrimonio, dopo essersi scelta una buona
sposa.

¹⁰ Non consigliarti con chi ti guarda
   con sospetto
   e nascondi la tua intenzione
   a chi ha invidia.
¹¹ Non consultare in nessun caso:
   una donna sulla sua rivale,
   un timido sulla guerra,
   un commerciante sugli affari,
   un compratore su una vendita,
   un invidioso sulla gratitudine,
   un egoista sulla benevolenza,
   un pigro su un lavoro qualsiasi,
   un salariato sulla fine del lavoro,
   un servo pigro su un grande lavoro;
   non rivolgerti a costoro per nessun
   consiglio.
¹² Frequenta invece l'uomo pio,
   che sai che osserva i comandamenti,
   il cui animo è come il tuo animo
   e, se cadi, egli sa soffrire con te.
¹³ Segui anche il consiglio del tuo cuore,
   perché nessun altro ti può essere
   più fedele.
¹⁴ Infatti il proprio animo talora sa avvisare
   meglio che sette sentinelle sopra
   una torre.
¹⁵ Ma soprattutto prega l'Altissimo,
   perché diriga nella verità la tua via.
¹⁶ Principio di ogni azione è la parola,
   ma prima di ogni opera c'è il pensiero.
¹⁷ Nel cuore è la traccia dei vari
   cambiamenti;
   in esso germogliano quattro rami:
¹⁸ il bene e il male, la vita e la morte;
   ma chi dispone totalmente di essi
   è sempre la lingua.
¹⁹ C'è chi è abile per insegnare a molti,
   ma è inutile a se stesso.
²⁰ C'è chi fa il bravo nel parlare,
   ma si rende inviso
   e finisce col mancare d'ogni cibo;
²¹ non gli è stata data la grazia che viene
   dal Signore
   ed è stato privato d'ogni sapienza.
²² C'è chi è sapiente a proprio vantaggio
   e il frutto della sua scienza è anche
   sul suo corpo.
²³ L'uomo saggio istruisce il suo popolo,
   quanto nasce dalla sua mente
   merita fiducia.
²⁴ L'uomo saggio avrà molte benedizioni,
   tutti quelli che lo vedono
   lo proclamano beato.
²⁵ La vita dell'uomo ha i giorni contati,

   ma i giorni d'Israele sono
   senza numero.
²⁶ Il saggio avrà onore nel suo popolo
   e il suo nome vivrà per sempre.
²⁷ Figlio, per tutta la vita esamina te stesso,
   non concederti quanto vedi che è male.
²⁸ Perché non tutto conviene a tutti
   e non a tutti piace tutto.
²⁹ Non essere insaziabile di godimento,
   non abbondare nelle delizie.
³⁰ Perché l'eccesso di cibi causa malattie
   e l'ingordigia provoca coliche.
³¹ L'ingordigia ha portato molti alla tomba,
   chi se ne guarda allunga la propria vita.

I MEDICI, LA MALATTIA, IL LUTTO E I MESTIERI MANUALI

38 ¹Onora il medico per le sue
   prestazioni,
   perché il Signore ha creato anche lui;
² l'arte di guarire viene dall'Altissimo,
   e chi guarisce riceve doni pure dal re.
³ La sua scienza fa camminare il medico
   a testa alta,
   egli riscuote ammirazione davanti
   ai grandi.
⁴ Il Signore ha creato le medicine
   dalla terra,
   l'uomo assennato non le detesta.
⁵ L'acqua non fu forse resa dolce
   per mezzo di un legno,
   che rivelava così la sua potenza?
⁶ Il Signore ha dato la scienza agli uomini,
   perché potessero glorificarlo
   per i suoi poteri meravigliosi.
⁷ Con essi il medico guarisce e vince
   la sofferenza
   e chi prepara gli unguenti può fare
   la sua mistura.
⁸ Ma non finiscono qui le opere
   del Signore,
   che dà la pace sulla faccia della terra.
⁹ Figlio, nella tua malattia
   non disprezzare ciò,
   ma prega il Signore ed egli ti guarirà.
¹⁰ Ripudia l'errore, correggi l'opera
   delle tue mani,
   purifica il cuore da ogni peccato.
¹¹ Offri incenso e un memoriale
   di fior di farina,
   offri pingui sacrifici secondo
   le tue possibilità.

Sir

¹² Poi ricorri pure al medico,
il Signore ha creato anche lui;
non ti abbandoni, perché la sua opera
è necessaria.

¹³ C'è il momento in cui la guarigione
è nelle loro mani.

¹⁴ Anch'essi pregano il Signore
perché conceda loro
di dare conforto e guarigione
ai loro pazienti.

¹⁵ Chi pecca contro il proprio Creatore
cada nelle mani del medico.

¹⁶ Figlio, versa lacrime sul morto
e con sincero dolore intona il lamento;
avvolgi il cadavere, come è stabilito,
e non trascurare la sua sepoltura.

¹⁷ Fa' un pianto amaro e alza un caldo
lamento,
celebra il lutto secondo la sua dignità,
un giorno o due, per evitare le maldicenze,
ma poi consolati del tuo dolore.

¹⁸ Dal dolore, infatti, esce la morte
e il dolore del cuore fiacca il vigore.

¹⁹ Il dolore resti a lungo solo nella disgrazia,
ma una vita afflitta procura dolore
al cuore.

²⁰ Non abbandonare il tuo cuore al dolore,
lìberatene, ricordando la tua fine.

²¹ Ben sapendo che non c'è ritorno,
il tuo dolore non gioverà al morto
e farai del male a te stesso.

²² Ricordati che la sua sorte sarà
anche la tua:
«Ieri a me e oggi a te».

²³ Nel riposo del morto
lascia riposare anche la sua memoria,
consolati di lui ora che il suo spirito
è partito.

²⁴ La sapienza dello scriba scaturisce
dalla quiete del riposo;
diventa sapiente chi è libero dal lavoro
manuale.

²⁵ Come può pensare alla sapienza
chi tiene l'aratro?
La sua preoccupazione è quella
di un buon pungolo;
conduce i buoi e pensa al loro lavoro,
i suoi discorsi riguardano i figli
delle vacche.

²⁶ Applica il suo cuore a far solchi,
non dorme per dare il fieno
alle giovenche.

²⁷ Così è per ogni artigiano e costruttore,
sempre occupato, di giorno e di notte:

chi esegue l'intaglio dei sigilli
mette tanta pazienza nel cambiare
le forme;
applica il suo cuore per ritrarre bene
le immagini,
e perde il sonno per finire la sua opera.

²⁸ Così il fabbro siede vicino all'incudine
ed è intento al lavoro del ferro.
Il vapore del fuoco fa sudare il suo corpo,
mentre egli si accanisce al calore
del camino.
Il colpo del martello ribatte nel suo
orecchio,
i suoi occhi sono fissi sul modello;
applicherà il suo cuore per finire
il suo lavoro,
sarà insonne per abbellirlo a perfezione.

²⁹ Così il ceramista, seduto al suo lavoro,
gira con i piedi la ruota,
è sempre preoccupato per la sua opera,
perché tutto il suo lavoro è soggetto
al calcolo.

³⁰ Con il braccio modella l'argilla
e con i piedi ne piega la resistenza;
applica il suo cuore per una lucidatura
perfetta
e perde il sonno per ripulire il forno.

³¹ Tutti costoro hanno fiducia
nelle proprie mani
e ciascuno è abile nel proprio mestiere.

³² Senza di loro la città non può essere
costruita,
nessuno potrebbe abitarvi o circolarvi.

³³ Ma essi non sono ricercati
per il consiglio del popolo,
e nell'assemblea non emergono;
non siedono sul seggio del giudice
e sono incapaci di comprendere
le disposizioni della legge.

³⁴ Non dimostrano né cultura
né conoscenza della legge,
e non sono perspicaci nei proverbi.
Ma essi assicurano il funzionamento
del mondo,
e nell'esercizio della loro arte
consiste la loro preghiera.

ELOGIO DELLO SCRIBA
E INNO AL CREATORE

39 ¹Differente è il caso di chi
consacra se stesso
a meditare la legge dell'Altissimo.

Egli ricerca la sapienza di tutti gli antichi
e attende allo studio delle profezie.

2 Conserva i detti degli uomini famosi
e penetra le sottigliezze delle parabole.

3 Cerca il senso nascosto dei proverbi
ed è perspicace negli enigmi
delle parabole.

4 In mezzo ai grandi offrirà i suoi servizi
e sarà visto dinanzi ai governanti;
visiterà le terre dei popoli stranieri
per provare il bene e il male
fra gli uomini.

5 Di buon mattino rivolgerà il cuore
al Signore che l'ha creato;
davanti all'Altissimo farà la sua supplica,
aprirà la sua bocca nella preghiera,
implorerà per i suoi peccati.

6 Se è volontà del Signore grande,
egli sarà ricolmato di spirito
d'intelligenza;
effonderà le parole della sua sapienza
e nella preghiera ringrazierà il Signore.

7 È disposto ad offrire consiglio
e conoscenza
e medita i suoi misteri nascosti.

8 Manifesta la dottrina imparata
con lo studio
e va fiero della legge dell'alleanza
del Signore.

9 Molti loderanno la sua intelligenza,
essa non sarà mai dimenticata;
la sua memoria non sarà perduta
e il suo nome vivrà per tutte
le generazioni.

10 I popoli parleranno della sua sapienza
e l'assemblea canterà la sua lode.

11 Se vive a lungo lascerà un nome
più glorioso di mille altri,
e se muore, quanto ha fatto
è già sufficiente.

12 Voglio esporre ancora le mie riflessioni,
poiché io ne sono colmo
come la luna piena.

13 Ascoltatemi, o figli devoti, e fiorite
come rosa che nasce lungo un corso
d'acqua.

14 Mandate odore, fragrante come
incenso,
e fate spuntare i petali come il giglio;
levate la voce e cantate insieme,
lodate il Signore per tutte le sue opere.

15 Riconoscete la grandezza del suo nome
e ringraziatelo con la lode che gli spetta,
con i canti delle labbra e con le arpe.

Così direte nel vostro inno
di ringraziamento:

16 Le opere del Signore sono tutte
molto belle,
ogni suo comando sarà eseguito
a tempo opportuno.
Non si deve dire: «Cos'è questo?
Perché quello?».
Ogni cosa, infatti, sarà utilizzata
a tempo opportuno.

17 Alla sua parola si arrestò l'acqua come
un cumulo,
al cenno della sua bocca si formarono
serbatoi d'acqua.

18 A un suo comando si compie
ogni suo volere,
nessuno sminuisce la sua opera
di salvezza.

19 Le opere di ogni uomo sono
davanti a lui,
è impossibile nascondersi ai suoi occhi.

20 Egli veglia dal principio alla fine
del tempo,
non c'è sorpresa alcuna al suo cospetto.

21 Non si deve dire: «Cos'è questo?
Perché quello?».
Tutto, infatti, è stato creato per un fine.

22 La sua benedizione ricopre come
un fiume
e inonda l'asciutto come un diluvio.

23 Così pure la sua ira s'abbatterà
sui popoli,
come quando trasformò le acque
in salsedine.

24 Le sue vie sono diritte per i devoti,
ma per gli empi sono un inciampo.

25 I beni furono creati all'inizio per i buoni,
ma anche i mali per i peccatori.

26 Le cose essenziali per la vita
dell'uomo sono:
acqua, fuoco, ferro, sale,
farina di frumento, latte, miele,
succo di uva, olio e mantello.

27 Tutte queste cose sono un bene
per i buoni,
ma si volgono in male per i peccatori.

28 Ci sono venti creati per la vendetta
e nella loro furia rafforzano i loro flagelli;
quando verrà la fine, si riverseranno
con violenza
e placheranno il furore di colui
che li ha fatti.

29 Fuoco e grandine, carestia e morte
sono tutte cose create per la vendetta.

Sir

30 I denti delle bestie, gli scorpioni,
le vipere e la spada vendicatrice
sono per la distruzione degli empi.

31 Si rallegrano quando lui li comanda,
stanno pronti sulla terra secondo
il bisogno
e al momento giusto eseguono
la sua parola.

32 Perciò dall'inizio ho avuto questa
convinzione,
vi ho riflettuto
e l'ho messa per iscritto:

33 le opere del Signore sono tutte buone,
egli provvede a suo tempo ad ogni
necessità.

34 Non si deve dire: «Questo è peggiore
di quello»,
perché tutto risulterà giusto
a suo tempo.

35 E ora inneggiate con tutto il cuore
e con la bocca
e benedite il nome del Signore.

LA MISERA CONDIZIONE DELL'UOMO, SPECIALMENTE DEL PECCATORE

40 ¹Un grande affanno è stato dato
ad ogni uomo,
un giogo pesante grava sui figli di Adamo,
da quando escono dal seno della madre
fino al giorno del loro ritorno alla madre
di tutti.

2 I loro pensieri e la trepidazione
del cuore
esprimono l'attesa del giorno
della morte.

3 Da chi siede sopra un trono di gloria
fino a chi sta nella terra e nella cenere,

4 da chi indossa porpora e corona
fino a chi veste di lino grezzo,
non c'è che rabbia, invidia, spavento
e agitazione,
paura della morte, collera e contese.

5 Anche quando riposa nel letto,
il sonno della notte turba i suoi pensieri.

6 Riposa poco ed è come niente;
anche nel sonno s'affatica come
di giorno,
perché è sconvolto dalla visione
del suo cuore,
come chi fugge davanti alla guerra.

7 Ma quando poi è in salvo, si sveglia
constatando che non c'era motivo
di temere.

8 Così è per ogni essere vivente,
dall'uomo alla bestia,
ma per i peccatori è sette volte di più:

9 morte, sangue, contesa e spada,
disastri, carestia, rovina e piaghe.

10 Tutte queste cose sono state create
per gli empi,
a causa loro è avvenuto il diluvio.

11 Tutto quello che è dalla terra torna
alla terra,
e quello che è dalle acque si getta
di nuovo nel mare.

12 Ogni regalo corruttore e l'ingiustizia
spariranno,
ma la lealtà rimarrà per sempre.

13 Le ricchezze degli ingiusti si
prosciugheranno come un torrente,
si disperderanno come tuono
che echeggia nella burrasca.

14 Se dovranno tendere le mani,
ci si rallegrerà,
ma i malvagi andranno in rovina.

15 I figli degli empi non avranno
molti rami,
sono radici impure su pietra levigata;

16 sono come giunco che cresce
nelle paludi
e lungo i fiumi
ed è divelto prima di ogni altra erba.

17 La bontà è come un paradiso
di benedizione,
l'elemosina rimane per sempre.

18 La vita di chi basta a sé e di chi lavora
è dolce,
ma vale di più chi trova un tesoro.

19 I figli e la fondazione di una città
perpetuano il proprio nome,
ma vale di più una donna
irreprensibile.

20 Il vino e la musica rallegrano il cuore,
ma vale di più l'amore della sapienza.

21 Il flauto e l'arpa rendono piacevole
il canto,
ma vale di più una lingua amabile.

22 L'occhio gode nel vedere grazia
e bellezza,
ma più ancora di esse il verde
del campo seminato.

23 È sempre piacevole l'incontro
di due amici,
ma più ancora l'incontro dell'uomo
con la moglie.

²⁴ Fratelli e soccorritori aiutano
    nella tribolazione,
  ma più ancora è l'elemosina che libera.
²⁵ L'oro e l'argento sostengono il piede,
  ma vale di più un buon consiglio.
²⁶ Ricchezza e forza sollevano il cuore,
  ma più d'entrambi il timore del Signore.
  Con il timore del Signore
    non manca nulla,
  con esso non c'è bisogno di cercare
    altro aiuto.
²⁷ Il timore del Signore
  è come un paradiso di benedizione,
  ricopre più di ogni altra gloria.
²⁸ Figlio, non vivere da mendicante,
  è meglio morire che mendicare.
²⁹ Per l'uomo che guarda alla tavola altrui
  l'esistenza non merita il nome di vita.
  Si contaminerà con cibi proibiti,
  ma l'uomo saggio e istruito
    se ne guarderà.
³⁰ Alla bocca dello spudorato piace
    mendicare,
  ma nel ventre ha un fuoco che gli brucia.

LA MORTE, IL BUON NOME,
LE VERE E FALSE VERGOGNE

41 ¹ O morte, quanto è amaro
    il tuo ricordo
  per colui che si gode in pace i suoi beni,
  tranquillo e fortunato in tutto,
  capace ancora di gustare un buon pranzo!
² O morte, quanto è gradito il tuo decreto
  per colui che è nel bisogno
    e privo di forze,
  avanzato negli anni e pieno di ansietà,
  sfiduciato e senza speranza!
³ Non temere la sentenza della morte,
  pensa a quanti sono stati prima di te
  e a quanti dopo di te verranno;
⁴ se è questa la sentenza del Signore
    per ogni vivente,
  perché rifiutare ciò che piace all'Altissimo?
  Siano dieci, o cento, o mille gli anni
    della vita:
  negli inferi più nessuno se ne lamenta.
⁵ Figli detestabili diventano i figli
    dei peccatori
  e frequentano le dimore degli empi.
⁶ L'eredità dei figli dei peccatori si perde,
  ma il biasimo continuerà con la loro
    discendenza.

⁷ I figli inveiscono contro il padre quando
    è empio,
  perché per sua colpa sono disprezzati.
⁸ Guai a voi, o uomini empi,
  che avete abbandonato la legge
    dell'Altissimo!
⁹ Se siete generati, siete generati
    per la maledizione;
  se morite, la maledizione sarà
    la vostra sorte.
¹⁰ Tutto quello che viene dalla terra,
    ritorna alla terra,
  così gli empi passano dalla maledizione
    alla perdizione.
¹¹ Il lutto degli uomini è rivolto ai loro corpi,
  ma il nome cattivo dei peccatori
    sarà cancellato.
¹² Abbi cura del tuo buon nome:
  esso ti rimarrà più di mille grandi
    tesori d'oro.
¹³ I giorni di una vita felice sono limitati,
  invece il buon nome resta per sempre.
¹⁴ Figli, conservate in pace questo
    insegnamento:
  se la sapienza è nascosta e il tesoro
    è invisibile,
  quale utilità si ha dall'una e dall'altro?
¹⁵ È meglio l'uomo che nasconde
    la sua stoltezza
  che l'uomo che nasconde la sua
    sapienza.
¹⁶ Perciò, provate vergogna
  solo nei casi che io vi indico,
  perché non è bene arrossire
    per qualsiasi vergogna,
  dal momento che non tutti giudicano
    secondo verità.
¹⁷ Provate vergogna davanti al padre
  e alla madre per la fornicazione,
  davanti al principe e al potente
    per la menzogna,
¹⁸ davanti al giudice e al magistrato
    per un errore,
  davanti all'assemblea e al popolo
    per un misfatto,
¹⁹ davanti al compagno e all'amico
    per l'ingiustizia,
  davanti al luogo dove abiti per il furto;
²⁰ di venir meno al giuramento
    e all'alleanza,
  di poggiare i gomiti sui pani a tavola,
²¹ d'essere sgarbato quando ricevi
    o devi dare,
  di non rispondere a quelli che salutano,

22 di fissare lo sguardo su una prostituta,
    di sfuggire l'incontro d'un parente,
23 di prenderti la parte data ad altri,
    di adocchiare la moglie di un altro,
24 di avere a che fare con la tua serva
    – sta' lontano dal suo letto! –,
25 di dire parole spregevoli con gli amici,
    di fare un rimprovero dopo il dono,
26 di ripetere quanto hai sentito,
    di rivelare quanto ti è stato detto
        in segreto.
27 Per queste cose è giusto provare
        vergogna;
    così sarai benvoluto da tutti.

ALTRI SUGGERIMENTI

42 ¹Ma di queste cose non devi
    provare vergogna
    né compiacere alcuno così da peccare:
2 della legge dell'Altissimo e della sua
        alleanza,
    della sentenza che assolve lo straniero,
3 di fare i conti con i colleghi
    e con i compagni di viaggio,
    di dare agli altri l'eredità che loro spetta,
4 di avere esatti i pesi e la bilancia,
    di fare acquisti, grandi o piccoli
        che siano,
5 di vendere con il profitto dei mercanti,
    di avere molto rigore con i figli,
    di far sanguinare il fianco
        del servo svogliato.
6 Se la moglie è infida è utile il sigillo,
    e dove vi sono molte mani, usa la chiave.
7 Quando consegni, conta e pesa
        ogni cosa;
    metti tutto per iscritto,
        l'uscita e l'entrata.
8 Non devi vergognarti
    di correggere l'insipiente e lo stolto,
    o il vecchio colpevole di fornicazione.
    Così ti dimostrerai veramente assennato
    e ogni vivente ti apprezzerà.
9 Una figlia è per il padre un'inquietudine
        segreta;
    il pensiero che ella gli dà porta via
        il sonno.
    Quando è nubile, perché non passi
        il fiore dell'età;
    da sposata, perché non venga ripudiata.
10 Quando è vergine, perché non sia
        violata

e resti incinta nella casa paterna;
    quando ha il marito, perché non sbagli,
    e dopo il matrimonio, per paura
        che sia sterile.
11 Sulla figlia indocile esercita una custodia
        irremovibile,
    perché non ti renda ridicolo ai nemici
    e non si mormori nella città
        e tra la gente sul tuo conto,
    così da farti vergognare dinanzi
        alla folla.
12 Non mostri la sua bellezza a qualsiasi
        uomo
    e non s'intrattenga troppo tra le donne:
13 perché come dalle vesti esce il tarlo,
    così dalla donna la corruzione
        della donna.
14 Meglio la cattiveria di un uomo
    che la bontà di una donna;
    una donna svergognata è un obbrobrio.

La sapienza di Dio nella natura
e nella storia d'Israele

15 Voglio ricordare le opere del Signore,
    voglio narrare le cose che ho visto.
    Per le parole del Signore esistono
        le sue opere.
16 Il sole che splende, dall'alto vede tutto;
    della gloria del Signore è piena
        la sua opera.
17 Neppure i santi del Signore
        sono in grado
    di narrare tutte le sue meraviglie,
    quelle che il Signore onnipotente
        ha stabilito
    perché l'universo fosse saldo
        davanti alla sua gloria.
18 Egli sonda l'abisso e il cuore dell'uomo,
    ne comprende i vari raggiri.
    L'Altissimo possiede tutta la scienza
    e fissa il suo occhio nei segni dei tempi,
19 svela le cose passate e le future
    e rivela le tracce di quelle nascoste.
20 Non gli sfugge nessun pensiero,
    nessuna parola gli è nascosta.
21 Ha ordinato le meraviglie
        della sua sapienza;
    egli solo esiste prima del tempo
        e per l'eternità,

----
42. - 15. Comincia qui il grande inno a Dio, lodato nelle
opere della natura e nella storia d'Israele. Tale inno occupa
tutti i restanti capitoli del libro, fino alla fine.

nulla lo fa crescere e nulla lo sminuisce,
non ha bisogno del consiglio di nessuno.

²² Sono tutte piacevoli le sue opere,
anche se ne vediamo una sola scintilla.

²³ Tutte queste cose vivono e durano
per sempre,
tutte sono necessarie e tutte
obbediscono.

²⁴ Tutte le cose sono in coppia:
l'una di fronte all'altra;
egli nulla ha fatto di incompleto.

²⁵ L'una completa la bontà dell'altra:
chi si sazierà a contemplare la sua gloria?

LE OPERE DI DIO NEL CREATO

43 ¹Il limpido firmamento è vanto
del cielo,
spettacolo celeste in una visione
di gloria.

² Il sole, mentre appare all'alba, proclama
di essere l'opera meravigliosa
dell'Altissimo;

³ a mezzogiorno dissecca la terra,
di fronte al suo calore chi può resistere?

⁴ Chi attizza la fornace lavora nel calore,
il sole arroventa i monti tre volte di più;
esala vapori di fuoco
e con i suoi raggi abbaglia gli occhi.

⁵ Grande è il Signore che l'ha creato,
e con le sue parole ne accelera il corso.

⁶ La luna ha pure il suo momento,
per indicare le date e segnare il tempo.

⁷ Dalla luna viene l'indicazione della festa,
è luce che svanisce dopo il suo giro.

⁸ Da essa prende nome il mese
e progredisce meravigliosamente
nelle sue fasi;
è fiaccola per gli eserciti dell'alto,
brilla nel firmamento del cielo.

⁹ Bellezza del cielo è la gloria degli astri,
ornamento che splende nelle altezze
del Signore;

¹⁰ si regolano secondo le parole
del Santo e il suo decreto,
non abbandonano le loro posizioni.

¹¹ Vedi l'arcobaleno e benedici colui
che l'ha fatto,
è molto bello nel suo splendore.

¹² Cinge il cielo con un cerchio di gloria,
l'hanno fatto le mani dell'Altissimo.

¹³ Con un suo comando fa cadere la neve,
nel suo giudizio invia le folgori veloci;

¹⁴ per questo si aprono i tesori celesti
e le nubi volano come uccelli.

¹⁵ Nella sua potenza addensa le nubi
e si spezzano i chicchi della grandine.

¹⁷ᵃIl fragore del suo tuono atterrisce
la terra;

¹⁶ quando appare, tremano i monti.
Al suo comando soffia il vento dal sud,

¹⁷ᵇdal nord vengono la bufera e il turbine.

¹⁸ Egli sparge la neve come uccelli
che scendono,
essa discende come locuste
che si posano.
La bellezza del suo candore incanta
gli occhi,
e quando essa fiocca, il cuore rimane
estasiato.

¹⁹ Egli versa la brina come sale sopra
la terra;
quando essa gela è come tante punte
di spine.

²⁰ Egli fa spirare il gelido vento del nord
e il ghiaccio s'indurisce sopra l'acqua,
ricoprendo ogni bacino;
l'acqua se ne riveste come di corazza.

²¹ Egli inaridisce le colline e brucia
il deserto;
distrugge l'erba come fosse fuoco.

²² Ma, ecco, una nube improvvisa
è il rimedio di tutto
e la rugiada, che succede al caldo,
riporta la gioia.

²³ Secondo il suo pensiero ha calmato
l'abisso
e vi ha disseminato le isole.

²⁴ I naviganti descrivono i pericoli
del mare,
e ci stupiamo per quanto i nostri
orecchi ascoltano:

²⁵ là vi sono strane e meravigliose
creature,
animali d'ogni specie e mostri marini.

²⁶ Per lui il messaggero raggiunge
facilmente la meta,
con la sua parola tutte le cose
sono tenute insieme.

²⁷ Potremmo dire ancora molte cose,
ma diremmo sempre poco;
la conclusione del discorso è che
egli è tutto.

²⁸ Dove troveremo la forza per glorificarlo?
Egli è più grande di tutte le sue opere.

²⁹ Il Signore è terribile e molto grande,
la sua potenza è straordinaria.

³⁰ Nel glorificare il Signore, esaltatelo
  quanto più potete: ne sopravanza
    sempre;
  per esaltarlo raccogliete le vostre forze,
  non stancatevi, perché non finirete mai.
³¹ Chi l'ha mai visto, per poterlo
    descrivere?
  Chi può lodarlo per quello che è?
³² Le cose nascoste sono molte
  e superano quelle descritte,
  perché noi vediamo poco dell'opera sua.
³³ Il Signore, infatti, ha creato tutte
    le cose
  e ha dato la sapienza a quanti sono pii.

ELOGIO DEI PADRI

44 ¹Facciamo ora l'elogio
degli uomini illustri,
che ci furono padri nella storia.
² Il Signore ha profuso in essi tanta gloria,
  la sua grandezza è apparsa dall'inizio
    dei secoli.
³ Alcuni hanno governato i loro regni
  e sono stati famosi per la loro potenza;
  altri sono stati capaci di consiglio
    per il loro ingegno
  e hanno parlato per virtù profetica.
⁴ Alcuni hanno guidato il popolo
    con i loro consigli:
  comprendevano la legge del popolo
  e avevano parole sagge per la sua
    istruzione;
⁵ altri hanno composto melodie musicali
  o hanno scritto racconti poetici;
⁶ altri sono stati dotati di ricchezza
    e di forza
  vivendo in pace nelle loro dimore;
⁷ tutti sono stati illustri nella loro epoca
  e la loro fama si impose nei loro giorni.
⁸ Alcuni di loro hanno lasciato un nome,
  perché se ne celebrassero le lodi.
⁹ Di altri, invece, non c'è memoria;
  essi sono scomparsi come se
    non fossero esistiti
  e sono diventati come quelli che mai
    videro la luce,
  e così i loro figli dopo di loro.
¹⁰ Ma non così per questi uomini fedeli,
  le cui gesta non sono state dimenticate.
¹¹ Dal loro ceppo si propaga
  una preziosa eredità, i loro posteri;
¹² la loro discendenza è fedele all'alleanza,

come pure i loro figli, sull'esempio
  dei padri.
¹³ La loro discendenza rimane per sempre,
  la loro gloria non sarà cancellata.
¹⁴ I loro corpi sono sepolti in pace
  e il loro nome vive per sempre.
¹⁵ Perfino i popoli narreranno
    la loro sapienza,
  mentre la nostra assemblea ne canterà
    la lode.

Enoch

¹⁶ Enoch piacque al Signore e fu portato
    in cielo,
  vero esempio di conversione
  per le generazioni seguenti.

Noè

¹⁷ Noè fu trovato perfetto e giusto,
  nel tempo dell'ira servì
    per la riconciliazione;
  grazie a lui si salvò un resto sulla terra,
  quando ci fu il diluvio.
¹⁸ Un'alleanza perpetua fu stabilita con lui,
  perché nessun essere vivente
  venisse più distrutto con il diluvio.

Abramo

¹⁹ Abramo fu padre illustre di molti popoli,
  la sua gloria fu senza alcuna macchia.
²⁰ Egli osservò la legge dell'Altissimo
  e si mantenne nell'alleanza fatta con lui,
  ponendone il segno nella propria carne;
  nella prova fu trovato fedele.
²¹ Perciò Dio gli assicurò con giuramento
  di benedire i popoli nella sua
    discendenza,
  di farlo moltiplicare come la polvere
    della terra
  e d'innalzare la sua progenie
    come gli astri,
  perché la loro eredità fosse da mare
    a mare
  e dal fiume sino ai confini della terra.

Isacco

²² Tutto ciò confermò anche per Isacco,
  in virtù di Abramo, suo padre.

Giacobbe

²³ La benedizione di tutti gli uomini
    e l'alleanza
  fece posare anche sul capo
    di Giacobbe;

lo confermò nelle sue benedizioni
e gli diede il paese in eredità,
dividendolo nelle varie porzioni
per distribuirlo alle dodici tribù.

MOSÈ

45 ¹Fece sorgere da lui un uomo fedele,
che riscosse l'ammirazione
di tutti i viventi,
amato da Dio e dagli uomini:
Mosè, la cui memoria è benedetta.
² Gli ha dato una gloria pari ai santi
e il potere di incutere terrore ai nemici.
³ Con la sua parola fece cessare i prodigi;
il Signore l'ha glorificato dinanzi ai re,
gli ha dato i comandamenti
    per il suo popolo,
gli ha fatto vedere la sua gloria.
⁴ Per la sua fede e umiltà l'ha consacrato,
scegliendolo tra tutta l'umanità.
⁵ Gli fece sentire la sua voce,
l'ha fatto entrare nella nube oscura,
gli ha dato a faccia a faccia
    i comandamenti,
una legge di vita e d'intelligenza,
perché insegnasse a Giacobbe l'alleanza
e i suoi giudizi ad Israele.

Aronne

⁶ Innalzò Aronne, uomo santo come lui,
    suo fratello, della tribù di Levi.
⁷ L'ha stabilito quale alleanza perpetua
e gli ha dato il sacerdozio per il popolo.
L'ha onorato con splendidi ornamenti
e l'ha ricoperto con veste di gloria.
⁸ L'ha fregiato con il massimo degli onori
e l'ha incoronato con le insegne
    del potere:
calzoni, tunica e manto.
⁹ Gli fece ornare l'orlo della veste
    con melograni
e porre intorno tanti campanelli d'oro
che risuonassero alla cadenza
    dei suoi passi,
perché il tintinnio sentito nel tempio
fosse un richiamo per i figli
    del suo popolo.
¹⁰ Gli fece indossare la veste santa,
    lavorata dal ricamatore
con oro, giacinto e porpora;
il pettorale del giudizio e gli urim
    della verità,

con tessuto di filo scarlatto,
    opera di artista,
¹¹ con pietre preziose, incise come sigilli,
incastonate sull'oro, opera di intagliatore,
perché ricordassero con le parole
    scolpite
il numero delle tribù d'Israele.
¹² Sopra il turbante gli pose una corona
    d'oro
con l'impronta del sigillo consacratorio,
insegna d'onore, opera magnifica,
resa stupenda per il godimento
    degli occhi.
¹³ Cose tanto belle non ci furono
    prima di lui,
né mai un estraneo potrà indossarle,
al di fuori dei soli suoi figli
e dei suoi discendenti, per sempre.
¹⁴ I suoi sacrifici sono offerti in olocausto,
due volte al giorno, senza interruzione.
¹⁵ Mosè riempì le sue mani
e lo unse con olio santo.
Ciò costituì per lui un'alleanza perpetua,
come pure per i suoi discendenti
    finché dura il cielo,
perché si consacrassero al culto
ed esercitassero il sacerdozio,
e nel nome del Signore benedicessero
    il popolo.
¹⁶ L'ha scelto fra tutti i viventi
per offrire primizie al Signore,
il memoriale fragrante dell'incenso,
e per compiere l'espiazione a favore
    del popolo.
¹⁷ Gli ha affidato i suoi comandamenti
con l'autorità di emettere sentenze,
per insegnare a Giacobbe le sue
    testimonianze
e illuminare Israele nella sua legge.
¹⁸ Contro di lui insorsero uomini estranei;
nel deserto ebbero invidia di lui
quelli che erano con Datan e Abiron
e il gruppo di Core, tutti presi dall'ira.
¹⁹ Il Signore vide e ne fu indignato;
essi furono distrutti nell'impeto
    della sua ira.
Fece pure portenti contro di loro
per consumarli nel fuoco della sua
    fiamma.
²⁰ Poi accrebbe la gloria di Aronne,
dandogli un'eredità:
gli assegnò le primizie dei frutti,
gli assicurò soprattutto pane
    in abbondanza.

²¹ Perciò si nutrono delle vittime offerte
   al Signore,
che egli ha assegnato a lui
   e alla sua discendenza.
²² Tuttavia non ha avuto un'eredità
   nella terra del popolo,
non gli è toccata una porzione
   tra di loro,
perché il Signore è la sua porzione
   e la sua eredità.

Finees

²³ Finees, figlio di Eleazaro,
   merita il terzo posto nella gloria,
perché fu zelante nel timore del Signore
   e ha dimostrato,
nella rivolta del popolo,
   la bontà e il coraggio del suo animo;
così poté espiare a favore d'Israele.
²⁴ Perciò fu stabilita con lui un'alleanza
   di pace,
perché fosse lui a guidare i santi
   e il suo popolo;
così fu riservato a lui e alla sua
   discendenza
il sommo sacerdozio nei secoli.
²⁵ Se, per l'alleanza fatta con Davide,
   figlio di Iesse, della tribù di Giuda,
il regno passava dal padre a uno solo
   dei figli,
l'eredità d'Aronne, invece,
   passa a tutta la sua discendenza.
²⁶ Il Signore vi conceda la sapienza
   del cuore
per giudicare il suo popolo con giustizia,
   perché non svanisca la prosperità
   dei padri
e la loro gloria duri nel susseguirsi
   delle generazioni.

GIOSUÈ E CALEB

46 ¹Giosuè, figlio di Nun, fu valoroso
   in guerra
e successe a Mosè nell'ufficio profetico.
È stato degno del nome che portava,
   come grande salvatore del popolo
   eletto;
egli puniva i nemici che si ribellavano,
   per far avere ad Israele la sua eredità.
² Come era splendido quando alzava
   le sue mani
per impugnare la spada contro le città!

³ Chi, prima di lui, gli è stato simile?
   Egli ha combattuto, infatti, le guerre
   del Signore.
⁴ Non è stato trattenuto forse per mano
   sua il sole,
così che un giorno diventasse lungo
   come due?
⁵ Egli invocò l'Altissimo onnipotente
   quando i nemici lo stringevano
   da ogni parte;
il Signore grande l'ha esaudito
   con una grandinata di pietre poderose.
⁶ Egli scatenò la guerra contro la nazione
   e nella discesa distrusse i ribelli,
perché le nazioni vedessero la forza
   delle sue armi
e comprendessero che combattevano
   contro il Signore.
⁷ Egli, infatti, rimase fedele
   all'Onnipotente
e al tempo di Mosè compì un atto
   di pietà
con Caleb, figlio di Iefunne,
   opponendosi all'assemblea
per trattenere il popolo dal peccato
   e per stroncare l'ingiusta mormorazione.
⁸ Questi due soli si salvarono
   tra i seicentomila uomini,
per far entrare il popolo nell'eredità,
   nella terra in cui scorre latte e miele.
⁹ Il Signore concesse a Caleb una forza
   che gli rimase sino alla vecchiaia,
per raggiungere le alture del paese
   che rimase in eredità alla sua
   discendenza.
¹⁰ Vedano così tutti i figli d'Israele
   che è bene seguire il Signore.

I giudici

¹¹ Ci sono poi i giudici, ciascuno
   con il proprio nome,
il cui cuore non ha fornicato
   nell'idolatria
e non si è allontanato dal Signore;
   sia il loro ricordo in benedizione!
¹² Che le loro ossa germoglino dalla tomba
   e i loro figli possano emulare
   le loro gesta
onorate dagli uomini!

Samuele

¹³ Amato dal Signore e suo profeta,
   Samuele istituì la monarchia
e unse prìncipi sul suo popolo.

¹⁴ Giudicò la comunità con la legge
   del Signore
   e così il Signore volse lo sguardo
      benevolo su Giacobbe.
¹⁵ Per la sua fedeltà fu riconosciuto profeta
   e per le sue parole si dimostrò
      veggente verace.
¹⁶ Invocò il Signore onnipotente,
   quando i nemici lo premevano all'intorno,
   con il sacrificio d'un agnello da latte.
¹⁷ Il Signore tuonò dal cielo,
   fece udire la sua voce con grande
      fragore,
¹⁸ sbaragliò i capi dei nemici
   e tutti i prìncipi dei Filistei.
¹⁹ Prima del riposo eterno poté attestare
   davanti al Signore e al suo consacrato:
   «Niente ho preso da nessuno,
   neppure un paio di sandali».
   E nessuno poté accusarlo.
²⁰ Dopo che s'era addormentato
   nella morte profetizzò ancora,
   e annunciò al re la sua fine;
   anche dal profondo della terra levò
      la sua voce,
   per cancellare con la profezia l'iniquità
      del popolo.

NATAN E DAVIDE

47 ¹ Dopo di lui sorse Natan,
   per profetizzare nei giorni di Davide.
² Come il grasso è separato dal sacrificio
   così fu scelto Davide tra i figli d'Israele.
³ Giocò con i leoni come fossero capretti,
   e con gli orsi quasi fossero agnelli.
⁴ Ancora giovane, non uccise forse
      un gigante
   e non tolse l'ignominia del popolo,
   quando alzò la mano con la pietra
      nella fionda
   per abbattere la tracotanza di Golia?
⁵ Infatti egli invocò il Signore altissimo,
   che gli diede tanta forza nella destra
   per sconfiggere chi era forte in guerra
   e dare la vittoria al suo popolo.
⁶ Perciò hanno celebrato la sua vittoria sui
      diecimila,
   a lui hanno inneggiato con
      la benedizione del Signore
   e gli hanno offerto un diadema di gloria.
⁷ Infatti egli sgominò i nemici
   da ogni parte,

annientò gli avversari Filistei,
   ne distrusse la potenza fino ad oggi.
⁸ Per ogni sua impresa glorificava
   il Santo altissimo con parole di lode.
   Con tutto il cuore cantava inni,
   tanto egli amava il suo Creatore.
⁹ Introdusse musici davanti all'altare
   per addolcire i canti con il loro suono.
¹⁰ Diede splendore alle feste
   e conferì somma bellezza ai tempi sacri,
   perché essi cantavano il suo
      santo nome
   e il suono allietava fin dal mattino
      il santuario.
¹¹ Il Signore perdonò i suoi peccati
   e innalzò per sempre la sua potenza;
   gli concesse un'alleanza regale
   e un trono di gloria in Israele.

Salomone

¹² Dopo di lui sorse un figlio saggio,
   che, grazie a lui, dimorò entro ampi
      confini:
¹³ Salomone, che regnò in tempi di pace.
   Il Signore dispose che tutto fosse
      tranquillo all'intorno,
   perché dedicasse una casa al suo nome
   e gli preparasse un santuario per sempre.
¹⁴ Come sei stato saggio nella tua
      giovinezza
   e pieno d'intelligenza come un fiume!
¹⁵ La tua fama ricoprì la terra,
   che riempisti con parabole ed enigmi.
¹⁶ La tua fama giunse fino alle isole lontane;
   sei stato amato per la pace del tuo regno.
¹⁷ I tuoi canti, proverbi e parabole,
   le tue risposte erano ammirate da tutto
      il mondo.
¹⁸ Nel nome del Signore Dio,
   che è chiamato il Dio d'Israele,
   hai accumulato l'oro come stagno
   e ammassato l'argento come piombo.
¹⁹ Ma hai fatto giacere al tuo fianco
      le donne,
   che hanno soggiogato il tuo corpo;
²⁰ hai macchiato così la tua gloria,
   hai profanato la tua discendenza,
   hai attirato l'ira sui tuoi figli,
   afflitti ormai dalla tua stoltezza.
²¹ Perciò fu diviso il tuo dominio
   e in Efraim cominciò un empio regno.
²² Ma il Signore non ha rinnegato
      la sua misericordia,
   non ha annullato la sua parola,

Sir

né ha cancellato la progenie
del suo eletto:
non distrusse la stirpe di chi l'aveva
amato,
diede a Giacobbe un resto
e, da esso, un germoglio a Davide.

23 Salomone riposò con i suoi padri
e lasciò dopo di sé un discendente,
che fu stolto con il popolo
e di poca intelligenza,
Roboamo, che scontentò il popolo
con la sua decisione.

24 Allora Geroboamo, figlio di Nebat,
fece peccare Israele
e condusse Efraim sulla via del peccato.
I loro peccati si moltiplicarono
al punto che furono cacciati
dalla loro terra.

25 Essi commisero ogni specie di malvagità
finché non giunse su di loro la vendetta.

ELIA ED ELISEO

48 ¹Allora sorse Elia, un profeta
simile al fuoco,
la cui parola ardeva come una fiamma.

2 Egli fece venire su di loro la carestia,
con il suo zelo li ridusse di numero.

3 Con la parola del Sígnore ha chiuso
il cielo
e così fece scendere per tre volte il fuoco.

4 Hai avuto tanta gloria, o Elia, per i tuoi
miracoli!
Chi può vantarsi al pari di te?

5 Hai fatto sorgere un cadavere dalla morte
e dagli inferi, con la parola
dell'Altissimo.

6 Hai fatto precipitare dei re nella rovina
e uomini gloriosi dal loro letto.

7 Hai sentito al Sinai il rimprovero
e all'Oreb il giudizio di condanna.

8 Hai unto dei re per la vendetta
e profeti perché fossero tuoi successori.

9 Sei stato preso in un turbine di fuoco,
su un carro di cavalli infuocati.

10 Di te è scritto che verrà il tuo tempo,
per placare l'ira prima che divampi,
per volgere il cuore del padre
verso il figlio
e ristabilire le tribù di Giacobbe.

11 Beati quelli che ti hanno visto
e sono morti nell'amore!
Perché è certo: anche noi vivremo.

12 Appena Elia fu avvolto dal turbine,
Eliseo fu ripieno del suo spirito.
Durante la sua vita non tremò
davanti a nessun potente
e nessuno l'ha potuto asservire.

13 Niente era per lui difficile;
anche nel sepolcro profetizzò
il suo cadavere.

14 Nella sua vita fece prodigi
e dopo la morte operò meraviglie.

15 Con tutto ciò il popolo non si è convertito;
non hanno rinunciato ai loro peccati,
fino a quando sono stati deportati
dalla loro terra
e dispersi in ogni nazione.

16 Non restò che un piccolo popolo
e un principe nella casa di Davide.
Alcuni di costoro fecero
ciò che è gradito a Dio,
altri invece moltiplicarono i loro peccati.

Ezechia e Isaia

17 Ezechia ha fortificato la sua città
e ha portato l'acqua nel suo interno;
ha scavato con il ferro la roccia,
ha costruito pozzi per l'acqua.

18 Nei suoi giorni salì Sennacherib,
che poi inviò Rapsache.
Egli sollevò la mano sopra Sion
e si vantò nella sua spavalderia.

19 Allora tremarono loro i cuori e le mani,
hanno avuto le doglie come partorienti,

20 hanno invocato il Signore misericordioso
stendendo verso di lui le loro mani;
il Santo dal cielo li ha subito esauditi
e li ha riscattati per mano d'Isaia.

21 Ha colpito l'accampamento degli Assiri
e il suo angelo li ha spazzati via,

22 perché Ezechia aveva fatto quanto
piace al Signore
e aveva perseverato nelle vie di Davide,
suo padre,
come gli aveva indicato il profeta Isaia,
grande e verace nella sua visione.

---

47. - 24. L'esilio assiro fu conseguenza dei peccati di Geroboamo (2Re 17,1-23), imitato da tutti i re d'Israele, che impedirono al popolo d'andare a Gerusalemme.
48. - 9. L'autore raccoglie la notizia di 2Re 2,11: fine misteriosa e straordinaria, degna della vita di un profeta che si
consumò nella fiamma dello zelo per la gloria di Dio.
10. Applica ad Elia la profezia di Malachia (3,23-24), che nel
NT è applicata a Giovanni Battista, presentato dall'angelo
come colui che avrebbe vissuto nello spirito e con la forza
di Elia (Lc 1,17). Gesù disse che Giovanni era l'Elia aspettato (Mt 11,10).

²³ Nei suoi giorni fu trattenuto il sole,
   egli prolungò la vita del re.
²⁴ Con la potenza dell'ispirazione
   ha visto le cose ultime
   e ha consolato coloro che piangevano
      in Sion.
²⁵ Ha mostrato il futuro sino alla fine
   e le cose nascoste prima
      che accadessero.

GIOSIA, GLI ULTIMI RE DI GIUDA E GEREMIA

49 ¹Il ricordo di Giosia
   è come una mistura d'incenso
   preparata con l'arte del profumiere;
   è dolce, in ogni bocca, come il miele,
   è come musica in un convito con vino.
² Egli è stato retto,
   impegnandosi nella riforma del popolo,
   e ha distrutto gli abomini contrari
      alla legge.
³ Ha ben indirizzato il suo cuore
      verso il Signore
   e, quando imperversava l'empietà,
   ha favorito la pietà.
⁴ Ad eccezione di Davide, di Ezechia
      e di Giosia,
   tutti sono stati perversi;
   poiché avevano abbandonato la legge
      dell'Altissimo,
   i re di Giuda hanno avuto la loro fine.
⁵ Infatti hanno consegnato il loro potere
      ad altri,
   la loro gloria ad una nazione straniera.
⁶ I nemici hanno incendiato la città eletta
      del tempio
   e hanno reso deserte le sue strade,
⁷ secondo la profezia fatta da Geremia,
   che essi avevano maltrattato,
   benché fosse stato consacrato profeta
      fin dal seno materno,
   per sradicare, distruggere e perdere,
   ma anche per costruire e piantare.

Ezechiele

⁸ Ezechiele ebbe la visione della gloria
   portata sul carro dai cherubini.
⁹ Dio si è ricordato dei nemici mandando
      la bufera,
   ma ha salvato quelli che vanno
      per vie diritte.

I dodici profeti minori

¹⁰ Possano le ossa dei dodici profeti
    germogliare dalla loro tomba,
    perché hanno consolato Giacobbe,
    l'hanno riscattato con la loro fiduciosa
       speranza.

Zorobabele e Giosuè

¹¹ Come possiamo onorare Zorobabele,
    che è come un sigillo sulla mano destra?
¹² Era con lui Giosuè, figlio di Iozadak;
    nei loro giorni hanno costruito la Casa,
    hanno elevato un tempio sacro
       al Signore,
    destinato ad una gloria senza fine.

Neemia

¹³ Anche il ricordo di Neemia durerà
       a lungo;
    egli ha ricostruito le nostre mura cadute,
    vi ha posto le porte e i catenacci,
    ha fatto risorgere le nostre case.

Enoch

¹⁴ Nessuno fu creato sulla terra uguale
       ad Enoch,
    perciò egli fu rapito dalla terra.

Giuseppe

¹⁵ Né è nato un altro uomo come
       Giuseppe,
    guida dei fratelli e sostegno del popolo,
    le cui ossa sono state onorate.

I primi antenati

¹⁶ Sem e Set hanno avuto molta gloria
       tra gli uomini,
    ma più di ogni vivente spicca nella
       creazione Adamo.

IL SOMMO SACERDOTE SIMONE

50 ¹Il sommo sacerdote Simone,
   figlio di Onia,

---

49. - 11-12. *Zorobabele* e *Giosuè*, figlio di *Iozedak*, furono i capi dei reduci dall'esilio. Sono paragonati a un anello col *sigillo*, che era allora tra le cose più care e preziose di una persona (Esd 3,2).

50. - 1. *Simone, figlio di Onia*: si tratta di Simone II, sommo sacerdote, famoso per la sua pietà e per avere impedito a Tolomeo IV Filopatore, re d'Egitto, di entrare nel santuario. Simone fu pontefice dal 219 al 199 a.C.

durante la sua vita ha riparato la Casa,
nei suoi giorni ha fortificato il tempio.

2 Egli pose le fondamenta
   per il cortile alto,
l'alto sostegno del recinto del tempio.

3 Nei suoi giorni fu scavato il serbatoio
   delle acque,
un bacino il cui perimetro è come
   il mare.

4 Egli si preoccupava per il suo popolo,
per impedirne la caduta,
e fortificò la città in vista dell'assedio.

5 Come era stupendo quando tornava
   dal santuario,
quando usciva dalla casa del velo!

6 Era come astro mattutino in mezzo
   alle nubi,
come luna piena nei giorni di festa,

7 come sole che brilla sul tempio
   dell'Altissimo,
come arcobaleno che splende tra nubi
   luminose,

8 come rosa fiorita nella stagione dei frutti,
come giglio cresciuto dove zampilla
   l'acqua,
come germoglio del Libano nei giorni
   dell'estate,

9 come fuoco e incenso nell'incensiere,
come vaso d'oro massiccio,
adornato con ogni specie di pietre
   preziose,

10 come fronde d'ulivo che portano frutti
e come cipresso che s'innalza
   tra le nubi.

11 Quando indossava i paramenti preziosi
egli era rivestito di perfetto splendore;
quando saliva presso il santo altare
irradiava la gloria in tutto il santuario.

12 Quando riceveva le parti delle vittime
   dalle mani dei sacerdoti,
mentre stava presso il braciere
   dell'altare,
intorno a lui si formava una corona
   di fratelli,
simile a germoglio di cedri del Libano,
e lo circondavano come fossero fusti
   di palme.

13 Allora tutti i figli di Aronne nella loro
   gloria,
tenendo l'offerta del Signore nelle mani,
stavano dinanzi a tutta l'assemblea
   d'Israele.

14 Per completare la celebrazione
   sopra l'altare

e per rendere più bella l'offerta
   dell'Altissimo onnipotente,

15 egli stendeva la mano sulla coppa,
vi faceva libagioni con il succo dell'uva,
versandolo ai piedi dell'altare
quale odore fragrante per l'Altissimo,
   re di tutte le cose.

16 Allora i figli di Aronne alzavano
   le loro voci,
suonavano con le loro trombe
   di metallo battuto,
facendo udire forti squilli
come ricordo dinanzi all'Altissimo.

17 Subito il popolo tutto insieme
si prostrava con la faccia a terra
per adorare il Signore,
   Dio altissimo e onnipotente.

18 Allora il coro intonava il suo canto,
una melodia dolce, mista al suono
   vigoroso,

19 mentre il popolo pregava il Signore
   altissimo,
implorando la sua misericordia,
fino a quando non finiva il culto reso
   al Signore
e non si completava tutto il rituale.

20 Allora egli, scendendo, levava
   le mani
su tutta l'assemblea dei figli d'Israele
per dare, con le sue labbra,
   la benedizione del Signore,
avendo il privilegio di poter pronunziare
   il suo nome.

21 Per la seconda volta il popolo
   si prostrava in adorazione
per ricevere la benedizione
   dell'Altissimo.

22 Benedite, ora, il Dio dell'universo
che compie in ogni luogo grandi cose,
che ha esaltato i nostri giorni
   fin dalle origini
e agisce con noi secondo
   la sua misericordia.

23 Ci conceda la gioia del cuore
e dia pace a Israele ora e per sempre.

24 Voglia confermare con noi
   la sua misericordia
e ci conceda la sua redenzione
   nei nostri giorni.

25 Due nazioni detesta la mia anima,
e la terza non è neppure una nazione:

26 gli abitanti della montagna di Seir
   e i Filistei,
e il popolo stolto che abita in Sichem.

Conclusione del libro

27 Un insegnamento di sapienza
    e di scienza
ha condensato in questo libro
Gesù, figlio di Sirach, figlio di Eleazaro,
di Gerusalemme,
che ha effuso la saggezza dal suo cuore.

28 Beato chi si occuperà di queste cose;
ponendole nel suo cuore, diventerà
    saggio.

29 Se le metterà in pratica, sarà forte
in tutto,
perché suo sentiero è il timore
del Signore.

PREGHIERA DI GESÙ,
FIGLIO DI SIRACH

51 ¹Ti loderò, o Signore e re,
a te canterò, o mio salvatore;
loderò il tuo nome,

2 perché sei stato mio riparo e aiuto;
hai liberato il mio corpo dalla perdizione,
dal laccio di una lingua che sparge
    calunnie
e dalle labbra di quanti agiscono
    con menzogna.
Dinanzi ai miei assalitori
sei stato il mio aiuto e mi hai liberato,

3 per la tua grande misericordia
    e per il tuo nome,
dai lacci tesi per ingoiarmi,
dalla mano di quanti insidiavano
    alla mia vita,
dalle molte tribolazioni che ho avuto,

4 dal rogo che doveva avvolgermi
    e soffocarmi,
dal fuoco che io non avevo acceso,

5 dal ventre profondo degli inferi,
dalla lingua impura e dalla parola
    bugiarda,

6 dalle frecce di una lingua ingiusta.
La mia anima si è avvicinata alla morte
e la mia vita si è abbassata alle porte
    degli inferi.

7 Ero circondato da tutti i lati e non c'era
    aiuto,
aspettavo un sostegno dagli uomini,
    ma invano.

8 Allora mi sono ricordato della tua pietà,
    o Signore,
dei benefici che ci hai da sempre elargito,

perché tu liberi quelli che confidano
    in te,
li salvi dalla mano dei nemici.

9 Ho innalzato dalla terra la mia supplica,
ho pregato per la liberazione dalla morte.

10 Allora ho gridato: «Signore,
    tu sei mio padre,
tu sei il campione della mia salvezza,
non abbandonarmi nella tribolazione,
quando sono senza aiuto di fronte
    all'arroganza.
Io canterò al tuo nome per sempre,
ti loderò e ti ringrazierò».

11 La mia preghiera è stata esaudita.
Mi hai salvato dalla perdizione,
mi hai liberato nel momento
    del pericolo;

12 perciò ti loderò e ti canterò,
benedirò il nome del Signore.

13 Quand'ero ancora giovane,
    prima che viaggiassi,
ho ricercato assiduamente la sapienza
    nella preghiera.

14 Davanti al tempio l'ho implorata
e sino alla fine la cercherò.

15 Sbocciata come uva che s'imbruna,
il mio cuore s'è rallegrato in essa.
Il mio piede ha camminato sulla retta via,
dalla giovinezza ha seguito le sue tracce.

16 Ho teso appena il mio orecchio
    e l'ho ricevuta,
ho trovato per me un grande sapere.

17 Con essa ho fatto progressi;
a chi mi ha dato la sapienza io renderò
    gloria.

18 Ho deciso di metterla in pratica;
ho desiderato il bene,
perciò non sarò confuso.

19 Ho impegnato tutte le mie forze
    per la sapienza
e sono stato esatto nel praticare la legge.
Tendevo in alto le mie mani
e deploravo la mia ignoranza.

20 Ho proteso la mia anima verso
    la sapienza
e l'ho trovata conservandomi puro.
Con essa ho acquistato intelligenza
    fin dall'inizio,
perciò non sarò abbandonato.

21 Il mio ventre si è sconvolto per cercarla,
ma dopo ho fatto un grande acquisto.

22 Il Signore mi ha dato in compenso
    una lingua:
con essa lo loderò.

Sir

²³ Avvicinatevi a me, voi che siete senza
   istruzione,
fermatevi nella mia casa per istruirvi.
²⁴ Perché volerne rimanere privi,
mentre ne siete tanto assetati?
²⁵ Ho aperto la mia bocca e ho detto:
«Potete acquistarla senza denaro;
²⁶ sottomettete il collo al suo giogo,
accogliete l'istruzione: è facile trovarla».
²⁷ Vedete con i vostri occhi che io
   ho faticato poco

e che ho trovato per me
   molto riposo.
²⁸ Se l'istruzione vi costa molto argento,
con essa acquisterete molto oro.
²⁹ Possiate rallegrarvi nella misericordia
   del Signore,
senza avere vergogna di lodarlo.
³⁰ Compite la vostra opera prima
   del tempo
ed egli a suo tempo vi darà
   la ricompensa.

LIBRI PROFETICI

Il termine *profeta* deriva dal greco *prophḗtēs* e significa «colui che annuncia, che proclama». L'accento, quindi, è posto più sull'attività dell'uomo che è chiamato a parlare che sulla capacità di predire il futuro, pur senza escluderla. Nella lingua ebraica il termine corrispondente è *nabî'*. Esso ha, però, un significato più vasto, in quanto racchiude anche quello di «essere chiamato». Questa precisazione è confermata anche dal fatto che presso i profeti biblici è quasi sempre presentata la chiamata al loro ministero profetico.

Con l'espressione «figli dei profeti» s'intende il gruppo dei discepoli che si forma attorno alla persona carismatica del profeta e che molto contribuirà alla conoscenza e alla trasmissione del messaggio che lo caratterizza.

Natura del profetismo

Il profetismo non è un fenomeno esclusivo d'Israele, anche se presso questo popolo ha raggiunto l'espressione più alta. Tutto il mondo antico, l'Egitto, la Mesopotamia, Canaan, ha conosciuto questo fenomeno che, nelle componenti fondamentali, si può ricondurre a una matrice d'ispirazione religiosa. La parola del profeta, infatti, suppone sempre un contatto con la divinità, la formulazione di un messaggio o oracolo, ricevuto attraverso l'ispirazione o la visione o la percezione del dio presso un luogo di culto o santuario.

Il ruolo del profetismo fuori d'Israele era quello di legittimare e difendere la corte e il culto. Appariva, così, l'intrinseca sua debolezza, dovuta all'instabilità politica e religiosa tanto frequente nella storia dei paesi del Medio Oriente e in genere di quelli antichi. La missione del profeta in Israele ha invece

caratteristiche inconfondibili che riflettono tutta la storia del popolo a cui viene indirizzata la parola profetica. Non esiste profeta in Israele che non si richiami agli elementi fondamentali della storia del popolo «che Dio pasce». La promessa, l'alleanza, l'elezione, la liberazione, il dono della terra, il dono della discendenza, la speranza nel Messia sono realtà che Israele ha sperimentato e vive, ma sono anche condizionate a un suo atteggiamento storico: la fedeltà. Nel profetismo biblico l'iniziativa e l'investitura profetica sono atti esclusivi di Dio; Israele riceve la rivelazione dal suo Dio attraverso la parola, la cui comunicazione è garantita dal profeta; la rivelazione e la sua comunicazione avvengono sempre *nella storia*. Nessun profeta si isola dal mondo dei contemporanei o si sradica dal legame generazionale del suo popolo, della sua città, dei suoi re; l'uomo non può sottrarsi alla chiamata profetica.

Parola, visione, gesto

I profeti non si esprimono solo attraverso la parola, ma anche attraverso la visione e il gesto simbolico. Queste diverse forme di comunicare il messaggio dipendono dal temperamento e dalla personalità del singolo profeta.

Oltre alla visione fa parte della proclamazione profetica anche il gesto simbolico. Questo gesto è in funzione dei recettori che in esso leggono il messaggio del profeta, non esplicitato subito dalla parola, ma racchiuso nella ricchezza espressiva del simbolo (per qualche esempio cfr. 1Re 11,29ss; Is 8,1-4; Ger 19,10-11; 27-28; Ez 12,1-16).

I libri profetici nella Bibbia

La Bibbia, oltre ai libri storici e ai libri sapienziali, comprende anche i libri profetici. La proclamazione profetica, perciò, è un elemento essenziale sia per la comprensione della storia della salvezza sia per la conoscenza di una terminologia che aiuti il credente nella formulazione della realtà di Dio e della fede biblica e dei grandi temi biblici dell'alleanza, della promessa, dell'appartenenza al popolo di Dio, del messianismo...

La Bibbia ebraica distingue due gruppi di libri profetici: quello dei *profeti anteriori*, comprendente i libri di Giosuè, Giudici, 1-2 Samuele, 1-2 Re, e quello dei *profeti posteriori*, che corrisponde ai veri e propri libri profetici a esclusione (e giustamente) di Daniele.

Tra i libri profetici, inoltre, si è soliti distinguere quelli dei *profeti maggiori* e quelli dei *profeti minori* o *dodici profeti*.

Profeti maggiori sono: *Isaia, Geremia, Ezechiele, Daniele*.

Profeti minori sono: *Osea, Gioele, Amos, Abdia, Giona, Michea, Naum, Abacuc, Sofonia, Aggeo, Zaccaria, Malachia*.

Oltre a questa distinzione, si può anche seguire la successione cronologica più verosimile dei fatti compresi nei libri profetici. Si abbraccia, così, un arco di tempo che dall'VIII secolo a.C. si estende fino al V-IV secolo a.C. Storicamente questo periodo è contrassegnato da avvenimenti che incideranno moltissimo sulla personalità e sulla predicazione dei singoli profeti. Un avvenimento, in particolare, evidenzierà più di ogni altro la caratteristica propria di ciascun profeta: l'*esilio*. Tra i profeti possiamo, così, attuare una distinzione storico-cronologica molto importante: da una parte i profeti precedenti l'esilio babilonese, dall'altra i profeti che hanno sperimentato l'esilio e il ritorno.

Profeti precedenti l'esilio, VIII secolo - 586 a.C.: Amos, Osea, Naum, Abacuc, Isaia, Michea, Sofonia, Geremia.

Profeti del periodo dell'esilio, 586-538 a.C.: Ezechiele, Secondo Isaia, Daniele.

Profeti postesilici, 538-450 a.C. circa: Aggeo, Zaccaria, Terzo Isaia, Abdia, Malachia, Gioele, Giona.

I profeti ordinariamente non scrissero i loro oracoli o scrissero assai poco: essi erano i portaparola di Dio che lo aveva scelti e inviati, e la loro preoccupazione si concentrava nel trasmettere fedelmente il messaggio ricevuto. La composizione scritta della loro predicazione è opera dei loro discepoli, a volte anche dilazionata nel tempo. Essa comprende la loro predicazione, che fu varia nelle diverse circostanze di tempo, di argomento e di uditori, e fu registrata a ricordo e testimonianza di chi la venerava e meditava. Ma fu registrata in modo, diciamo, estemporaneo, e cioè senza logica connessione tra un oracolo e l'altro, tra un episodio e l'altro, tra l'uno e l'altro intervento profetico; unica preoccupazione era conservare quanto l'uomo di Dio aveva comunicato. Ciò ha comportato una giustapposizione più che una successione di argomenti. È importante tener presente tutto ciò nella lettura dei profeti. Essa pertanto non può andare alla ricerca di una struttura unitaria e logica nell'intera opera di ciascun profeta, ma deve coglierne lo spirito, il linguaggio, l'orizzonte storico e inserirvi le singole unità letterarie come brani staccati con un valore proprio.

ISAIA

L' attività profetica di Isaia, nato verso il 765 a.C., si estende dal 739 al 701 a.C. Il suo tempo fu caratterizzato dall'affermarsi della potenza assira in Medio Oriente, con disastrose conseguenze per i regni di Giuda e d'Israele.

Crea serie difficoltà l'attribuzione a Isaia di tutti i 66 capitoli del libro tramandato sotto il suo nome. Questo libro, infatti, rivela periodi diversi della storia d'Israele: il tempo di Isaia, quello dell'esilio e il tempo postesilico. Si parla perciò di un Primo Isaia (cc. 1-39), di un Secondo Isaia (cc. 40-55) e di un Terzo Isaia (cc. 56-66).

La prima parte (1-39) è un richiamo alla fede e alla conversione come unico atteggiamento per evitare l'intervento punitivo di Dio che si concretizzerà nell'esilio. La sua parola esprime il giudizio di Dio sulla storia sia delle potenze mediorientali (cc. 13-23) sia del popolo ebraico stesso. Soltanto un piccolo resto che pratica il vero culto e che vive con fede non incorrerà nella distruzione e nel castigo.

La seconda parte (40-55) è un messaggio di consolazione e annuncia la liberazione a Israele dall'esilio babilonese che avverrà nel 538. In questi capitoli si delinea la figura misteriosa del Servo del Signore che attuerà la vera liberazione attraverso il dono della vita offerta in riscatto di tutti (42,1-4; 49,1-6; 50,4-9; 52,13 - 53,12).

La terza parte del libro (56-66) è un grande canto di gioia per il ritorno dall'esilio, visto come un secondo esodo accompagnato da gioia e prodigi come quelli del primo esodo, quello dall'Egitto. Gerusalemme e Sion sono il punto di arrivo, ma anche di partenza per proclamare la salvezza ricevuta.

PRIMA PARTE DI ISAIA

CONTRO L'INGRATITUDINE, LA CORRUZIONE E L'IDOLATRIA

1 ¹Visione che Isaia, figlio di Amoz, ebbe riguardo a Giuda e a Gerusalemme al tempo di Ozia, di Iotam, di Acaz e di Ezechia, re di Giuda.

² Udite, cieli; ascolta, terra,
   poiché parla il Signore:
«Ho cresciuto dei figli, li ho innalzati,
ma essi si sono ribellati contro di me.
³ Il bue riconosce il suo proprietario
   e l'asino la mangiatoia del suo padrone,

ma Israele non conosce,
il mio popolo non comprende».
⁴ Guai alla nazione peccatrice,
   al popolo carico di iniquità,
   alla razza di malfattori, ai figli corrotti!
Hanno abbandonato il Signore,
hanno disprezzato il Santo d'Israele,
si sono voltati indietro.
⁵ Dove potrete ancora essere colpiti,
   voi che accumulate ribellioni?
Tutta la testa è inferma,
tutto il cuore languisce.
⁶ Dalla pianta dei piedi fino alla testa
   nulla vi è d'intatto;
   ferite, lividure e piaghe aperte
   non sono state pulite, né fasciate,
      né lenite con olio.
⁷ Il vostro paese è desolato,
   le vostre città incendiate,
   i vostri campi li divorano gli stranieri
   in vostra presenza;

---

1. - 1. *Visione*: indica il messaggio ricevuto da Dio, in modi vari e diversi, da comunicare al popolo. Potrebbe anche avere il senso collettivo degli oracoli ricevuti dal profeta circa Giuda e Gerusalemme.

la desolazione è come una catastrofe
prodotta da stranieri.

⁸ La figlia di Sion è rimasta
   come una capanna in una vigna,
   come un rifugio in un campo di cocomeri,
   come una città assediata.

⁹ Se il Signore degli eserciti
   non ci avesse lasciato un resto,
   saremmo come Sodoma,
   somiglieremmo a Gomorra.

¹⁰ Udite la parola del Signore,
   voi prìncipi di Sodoma,
   prestate orecchio all'insegnamento
      del nostro Dio,
   popolo di Gomorra!

¹¹ «Che m'importa dell'abbondanza
      dei vostri sacrifici?», dice il Signore.
   «Sono sazio degli olocausti di montoni
      e del grasso di vitelli.
   Il sangue dei tori, degli agnelli e dei capri
      io non lo gradisco.

¹² Quando venite a presentarvi davanti
      a me,
   chi richiede da voi che calpestiate
      i miei atri?

¹³ Cessate di portare oblazioni inutili,
   l'incenso è per me un abominio;
   noviluni, sabati, pubbliche assemblee…
   io non sopporto più iniquità e feste
      solenni.

¹⁴ Detesto i vostri noviluni
      e le vostre solennità;
   essi sono per me un peso,
   sono stanco di sopportarli.

¹⁵ Quando tendete le vostre mani,
   io chiudo i miei occhi davanti a voi.
   Per quanto moltiplichiate le suppliche,
   io non vi ascolterò.
   Le vostre mani sono ripiene di sangue.

¹⁶ Lavatevi, purificatevi,
   rimuovete dal mio cospetto il male
      delle vostre azioni,
   cessate di operare il male.

¹⁷ Imparate a fare il bene,
   ricercate il diritto, soccorrete l'oppresso,
   rendete giustizia all'orfano,
      difendete la vedova».

¹⁸ «Orsù, venite e discutiamo»,
      dice il Signore:
   «anche se i vostri peccati
      fossero come scarlatto,
   diventeranno bianchi come neve;
   se fossero rossi come porpora,
   diventeranno come lana.

¹⁹ Se agirete bene e obbedirete,
   mangerete i frutti della terra.

²⁰ Ma se rifiutate e vi ribellate,
   sarete divorati dalla spada,
   perché la bocca del Signore ha parlato».

²¹ Come è potuta divenire una prostituta
      la città fedele?
   Era piena di rettitudine,
   la giustizia abitava in essa,
      ora invece gli assassini!

²² Il tuo argento è diventato scoria,
   il tuo vino è mescolato con acqua.

²³ I tuoi prìncipi sono ribelli
      e compagni di ladri,
   tutti bramosi di regali e in cerca
      di ricompense.
   Non fanno giustizia all'orfano
   e la causa della vedova non giunge
      fino ad essi.

²⁴ Perciò, oracolo del Signore,
      Dio degli eserciti,
   il Potente d'Israele:
   «Ah! Mi vendicherò dei miei avversari
   e farò vendetta dei miei nemici.

²⁵ Stenderò la mia mano sopra di te,
   purificherò nel crogiuolo le tue scorie,
   eliminerò da te tutto il piombo.

²⁶ Renderò i tuoi giudici di nuovo
      come all'inizio
   e i tuoi consiglieri come al principio:
   allora sarai chiamata città della giustizia,
      città fedele».

²⁷ Sion sarà redenta con il diritto
   e i suoi convertiti con la giustizia.

²⁸ Ma i ribelli e i peccatori saranno
      insieme annientati
   e quelli che abbandonano il Signore
      periranno.

²⁹ Ecco, vi vergognerete delle querce
      che amate
   e arrossirete dei giardini che
      prediligete.

³⁰ Ecco, sarete come quercia
      dalle foglie cadenti
   e come giardino cui manca l'acqua.

---

8. *Figlia di Sion*: nome poetico di Gerusalemme.

10. *Prìncipi di Sodoma... popolo di Gomorra*: amaro sarcasmo nel denotare i prìncipi e il popolo di Gerusalemme. Sodoma e Gomorra erano le città distrutte dal fuoco (Gn 19,23-29)

21. L'unione di Dio con il suo popolo è paragonata, come in altri luoghi della Scrittura, a uno sposalizio, e quindi l'idolatria è detta infedeltà, prostituzione, adulterio.

³¹ Il vigoroso diventerà stoppa
    e la sua opera una scintilla:
    ambedue bruceranno insieme
    e nessuno le spegnerà.

SION, CENTRO RELIGIOSO
DEL MONDO

2 ¹Visione che ebbe Isaia, figlio di Amoz,
    riguardo a Giuda e a Gerusalemme.

² Avverrà che, alla fine dei tempi,
    il monte della casa del Signore
    sarà stabilito in cima ai monti
    e si ergerà al di sopra dei colli.
    Tutte le genti affluiranno ad esso
³ e verranno molti popoli dicendo:
    «Venite, saliamo sul monte del Signore,
    al tempio del Dio di Giacobbe,
    perché ci istruisca nelle sue vie
    e possiamo camminare
      per i suoi sentieri».
    Poiché da Sion uscirà la legge
    e da Gerusalemme la parola
    del Signore.
⁴ Egli sarà giudice tra le genti
    e arbitro di popoli numerosi.
    Dalle loro spade forgeranno aratri
    e dalle loro lance falci;
    una nazione non alzerà più la spada
      contro un'altra
    e non praticheranno più la guerra.
⁵ Casa di Giacobbe, venite,
    camminiamo alla luce del Signore!
⁶ Ecco, tu hai rigettato il tuo popolo,
    la casa di Giacobbe,
    poiché sono pieni di indovini
    e di maghi come i Filistei
    e patteggiano con gli stranieri.
⁷ Il suo paese è pieno d'oro e d'argento
    e non vi è limite ai suoi tesori;
    il suo paese è pieno di cavalli
    e non vi è limite ai suoi carri.

⁸ Il suo paese è pieno di idoli:
    si prostrano davanti all'opera
      delle loro mani,
    davanti a ciò che hanno fatto
      le loro stesse dita.
⁹ Il mortale sarà abbassato,
    l'uomo sarà umiliato;
      non perdonare loro!
¹⁰ Entra fra le rocce, nasconditi
      nella polvere,
    davanti al terrore del Signore,
    davanti allo splendore della sua maestà.
¹¹ Gli occhi orgogliosi dell'uomo
      saranno umiliati,
    sarà piegata l'arroganza umana;
    solo il Signore sarà esaltato
      in quel giorno.
¹² Poiché il Signore degli eserciti
      ha un giorno
    contro tutto ciò che è altero e superbo,
    contro tutto ciò che è elevato
      per umiliarlo,
¹³ contro tutti i cedri del Libano
      alti ed elevati,
    contro tutte le querce di Basan,
¹⁴ contro tutti i monti superbi,
    contro tutte le colline elevate,
¹⁵ contro tutte le alte torri,
    contro tutti i muri fortificati,
¹⁶ contro tutte le navi di Tarsis,
    contro tutte le imbarcazioni di lusso.
¹⁷ Sarà abbassata l'alterigia dei mortali
    e umiliato l'orgoglio degli uomini;
    solo il Signore sarà esaltato
      in quel giorno.
¹⁸ Gli idoli saranno completamente distrutti.
¹⁹ Entrate nelle caverne delle rocce
    e negli antri della terra,
    davanti al terrore del Signore
    e davanti alla gloria della sua maestà,
    quando sorgerà a scuotere la terra.
²⁰ In quel giorno gli uomini getteranno
    ai topi e ai pipistrelli
    i loro idoli d'oro e i loro idoli d'argento,
    che si erano fabbricati per adorarli,
²¹ quando entreranno nei crepacci
      delle rocce
    e nelle spaccature delle rupi,
    davanti al terrore del Signore
    e davanti allo splendore della sua maestà,
    quando sorgerà a scuotere la terra.
²² Cessate di confidare nell'uomo,
    nelle cui narici vi è solo un soffio:
    perché lo si dovrebbe stimare?

Is

---

2. - 2. *Alla fine dei tempi:* l'espressione indica generalmente
i tempi messianici. *Il monte della casa del Signore* è il monte
Sion.
12. *Il Signore... ha un giorno:* è il giorno del giudizio.
13. *I cedri del Libano... le querce di Basan,* simboli di maestosa grandezza, stanno qui a indicare i superbi, contro i
quali si scaglia l'invettiva profetica.
22. *L'uomo... solo un soffio:* Isaia, il profeta della fede, vuole
l'assoluta confidenza e il totale abbandono in Dio, e perciò
mette in evidenza la fragilità dell'uomo, che può venire meno
da un momento all'altro, per indurre a non confidare in lui.

ANARCHIA IN GERUSALEMME

3 ¹Ecco, il Signore, Dio degli eserciti,
rimuove da Gerusalemme e da Giuda
sostegno e appoggio,
ogni sostegno di pane e ogni appoggio
d'acqua:
² l'eroe e il guerriero,
il giudice e il profeta,
l'indovino e l'anziano,
³ il comandante di cinquanta,
il notabile e il consigliere,
l'abile mago e l'incantatore.
⁴ Darò loro dei giovani come prìncipi
e dei capricciosi li domineranno.
⁵ In mezzo al popolo uno opprimerà l'altro,
ognuno il suo prossimo;
il giovane s'inorgoglirà contro l'anziano
e l'uomo da nulla contro l'uomo onorato.
⁶ Uno afferrerà il fratello nella casa
paterna:
«Tu hai un mantello, sii nostro capo
e assumi il comando di questa rovina!».
⁷ In quel giorno l'altro risponderà:
«Io non sono un medico:
in casa mia non c'è pane né mantello,
non fatemi capo del popolo».
⁸ Certo, Gerusalemme va in rovina
e Giuda crolla,
perché le loro parole e le loro azioni
sono contro il Signore,
irritando lo sguardo della sua maestà.
⁹ La loro impudenza testimonia
contro di essi;
si vantano dei loro peccati come Sodoma
e non li nascondono:
guai a loro, poiché si preparano
da se stessi la rovina.
¹⁰ Beato il giusto: gli andrà bene
e mangerà il frutto delle sue opere.
¹¹ Guai all'empio! Lo coglierà la sventura,
poiché gli sarà fatto secondo quanto
ha operato.
¹² O popolo mio! Un fanciullo l'opprime
e donne dominano sopra di lui!
Popolo mio, le tue guide ti traviano,
rovinano la strada che tu percorri.
¹³ Il Signore si erge ad accusare,
si presenta a giudicare il suo popolo.
¹⁴ Il Signore intenta un giudizio
contro gli anziani e contro i prìncipi:
«Siete voi che avete devastato la vigna,
le spoglie del povero si trovano
nelle vostre case.

¹⁵ Perché calpestate il mio popolo
e pestate la faccia dei poveri?».
Oracolo del Signore, Dio degli eserciti.
¹⁶ Il Signore dice:
«Poiché sono orgogliose le figlie di Sion,
camminano con il collo teso
e con occhi provocatori,
camminano a piccoli passi
e ai loro piedi fanno tintinnare
gli anelli,
¹⁷ il Signore farà crescere la tigna
sulla testa
delle figlie di Sion,
il Signore metterà a nudo
la loro fronte».
¹⁸ In quel giorno il Signore
toglierà l'ornamento
degli anelli alle caviglie,
fermagli e lunette,
¹⁹ orecchini, braccialetti e veli,
²⁰ turbanti, catenelle ai piedi, cinture,
vasetti di profumo e amuleti,
²¹ anelli e monili da naso,
²² stoffe preziose, mantellette, scialli
e borsette,
²³ specchi, tuniche, tiare e vestaglie.
²⁴ Invece di profumo vi sarà marciume,
invece della cintura una corda,
invece di riccioli la calvizie,
invece della tunica una cintura di sacco,
una bruciatura invece di bellezza.
²⁵ I tuoi uomini cadranno di spada
e i tuoi prodi in combattimento.
²⁶ Le tue porte gemeranno e faranno lutto
e tu, abbattuta, giacerai a terra.

IL GERMOGLIO DEL SIGNORE

4 ¹Sette donne afferreranno
in quel giorno un solo uomo,
dicendo: «Mangeremo il nostro pane
e ci vestiremo con il nostro mantello:
dacci solo il tuo nome, togli la nostra
vergogna».
² In quel giorno, il germoglio del Signore
diventerà onore e gloria

---

4. - 1. Questo primo v. è la conclusione della profezia precedente, e dipinge la miseria e la desolazione del paese col
dire che non soltanto gli uomini non troveranno un capo
(3,6-7), ma le donne non troveranno un marito alle più dure
condizioni, e in molte (sette sta per numero indeterminato)
si raccomanderanno a un uomo perché tolga loro il disonore
di essere senza figli.

e il frutto della terra
diventerà magnificenza e ornamento
per i superstiti d'Israele.

³ Chi sarà rimasto in Sion
e sopravvivrà a Gerusalemme
sarà chiamato santo,
cioè quanti sono iscritti a Gerusalemme
tra i vivi.

⁴ Quando il Signore avrà lavato
le brutture delle figlie di Sion,
e avrà purificato Gerusalemme
dal sangue
con lo spirito del giudizio
e con un soffio cocente,

⁵ allora il Signore creerà su tutto il recinto
del monte Sion e su tutte le assemblee
una nube di fumo durante il giorno
e uno splendore di fuoco
fiammeggiante durante la notte,
poiché sopra ogni cosa
la gloria del Signore sarà una protezione

⁶ e una tenda, un'ombra contro il calore
durante il giorno,
un rifugio e un riparo contro la bufera
e la pioggia.

IL CANTO DELLA VIGNA

5 ¹Voglio cantare per il mio diletto
un cantico d'amore alla sua vigna.
Il mio diletto possedeva una vigna
su una fertile altura.

² Egli la vangò, la liberò dai sassi
e la piantò di viti eccellenti;
in mezzo ad essa costruì una torre
e vi scavò anche un tino;
attese poi che facesse uva,
invece produsse uva selvatica.

³ Ebbene, abitanti di Gerusalemme
e uomini di Giuda,
giudicate tra me e la mia vigna!

⁴ Che cosa avrei dovuto fare ancora
alla mia vigna
che io non abbia fatto?
Perché, mentre attendevo
che facesse uva,
essa ha prodotto uva selvatica?

⁵ Ma ora voglio che sappiate
ciò che sto per fare alla mia vigna:
rimuoverò la sua siepe e sarà devastata,
distruggerò il muro di cinta
e sarà calpestata.

⁶ La ridurrò in rovina: non sarà potata né
vangata;
vi cresceranno rovi e pruni,
e comanderò alle nubi
di non mandare pioggia su di essa.

⁷ Ebbene, la vigna del Signore
degli eserciti
è la casa d'Israele;
gli abitanti di Giuda la sua piantagione
prediletta.
Da loro si attendeva rettitudine,
ed ecco invece spargimento di sangue;
giustizia, ed ecco invece grida
di angoscia.

⁸ Guai a coloro che aggiungono casa
a casa,
che uniscono campo a campo,
finché non vi sia spazio
e voi rimaniate soli ad abitare
in mezzo al paese.

⁹ Ai miei orecchi il Signore degli eserciti
ha giurato:
«Le molte case saranno rase al suolo,
le grandi e le belle resteranno
senza abitanti;

¹⁰ poiché dieci iugeri di vigna frutteranno
un solo bat,
e un comer di seme produrrà
una sola efa».

¹¹ Guai a quelli che si alzano
di buon mattino
e vanno in cerca di bevande inebrianti,
si attardano fino a sera, infiammati
dal vino.

¹² Vi sono cetre e arpe, tamburini e flauti
e vino nei loro conviti,
ma non considerano l'azione del Signore
e non vedono l'opera delle sue mani.

¹³ Perciò il mio popolo sarà deportato
a causa della sua mancanza
di discernimento;
i suoi nobili moriranno di fame
e la sua moltitudine sarà arsa dalla sete.

¹⁴ Perciò l'abisso allarga la sua gola,
spalanca la sua bocca a dismisura
e vi scendono la nobiltà e la folla,
il chiasso e il tripudio della città.

¹⁵ L'uomo sarà umiliato, il mortale
sarà piegato

---

5. - 1-2. Il *diletto* è Dio. Questo bellissimo paragone compendia la storia d'Israele, rappresentato nella vigna coltivata da Dio (Mt 21,33; Mc 21,1; Lc 20,9). Ognuno può vedere nella *vigna* la terra promessa, isolata dai deserti e dal mare, col suo tempio nel centro (*torre*), ove Dio voleva un culto sincero e non ebbe che peccati.

e saranno abbassati gli sguardi
dei superbi.

16 Il Signore degli eserciti sarà esaltato
nel giudizio
e il Dio santo manifesterà nella giustizia
la sua santità.

17 Gli agnelli pascoleranno come sui prati,
e nelle rovine, ove dimoravano
le bestie grasse,
si nutriranno i capretti.

18 Guai a quelli che si attirano la colpa
con le corde dell'impostura
e il peccato come con corde da carro!

19 A quelli che dicono: «Si affretti,
porti a compimento l'opera sua
e la vedremo;
si avvicini, si realizzi il progetto
del Santo d'Israele
e lo riconosceremo».

20 Guai a quelli che chiamano il male bene
e il bene male,
che cambiano le tenebre in luce
e la luce in tenebre,
che cambiano l'amaro in dolce
e il dolce in amaro.

21 Guai a quelli che si credono saggi
ai loro occhi
e intelligenti davanti a loro stessi!

22 Guai a quelli che sono bravi
nel bere vino
e valorosi nel mescere bevande
inebrianti!

23 Assolvono il colpevole per un regalo
e negano giustizia all'innocente.

24 Perciò, come la lingua di fuoco
divora la paglia
e come il fieno scompare nella fiamma,
così le loro radici marciranno
e il loro fiore volerà via come polvere,
perché hanno rigettato la legge
del Signore degli eserciti
e hanno disprezzato la parola
del Santo d'Israele.

25 Per questo la collera del Signore
divampa
contro il suo popolo,
su di esso stende la mano per colpirlo.
Tremano i monti, giacciono i cadaveri
come letame in mezzo alle strade.
Con tutto ciò l'ira del Signore
non si placa
e la sua mano è ancora tesa.

26 Egli drizzerà uno stendardo
a un popolo lontano,

gli farà un fischio ai confini della terra
ed eccolo giungere, veloce e leggero.

27 Nessuno tra essi è stanco,
nessuno vacilla,
nessuno sonnecchia e nessuno
s'addormenta;
non si scioglie la cintura dai suoi fianchi,
non si slaccia il legaccio
dai suoi sandali.

28 Le sue frecce sono aguzze
e tutti i suoi archi sono tesi;
gli zoccoli dei loro cavalli
sono come pietre
e le ruote dei suoi carri come un turbine.

29 Ha un ruggito come quello
di una leonessa
e ruggisce come i leoncelli,
freme e azzanna la preda,
se la porta via e nessuno gliela strappa.

30 Fremerà su di lui in quel giorno
come freme il mare;
si guarderà la terra ed ecco tenebre
e angoscia,
mentre la luce sarà oscurata
dalla caligine.

VOCAZIONE E MISSIONE DI ISAIA

6 1Nell'anno della morte del re Ozia, io
vidi il Signore seduto su un trono alto ed
elevato e i lembi del suo manto riempivano
il tempio.

2 Al di sopra di lui stavano dei serafini,
con sei ali ciascuno:
con due si coprivano la faccia,
con due si coprivano il corpo
e con due volavano.

3 Si alternavano nel proclamare:
«Santo, santo, santo è il Signore
degli eserciti;
tutta la terra è piena della sua gloria».

4 Gli stipiti delle soglie tremavano
al clamore della loro voce,
mentre il tempio si riempiva di fumo.

5 Io dissi: «Ohimè! Sono perduto,

---

19. Sfidano Dio a punire, interpretando il ritardo della punizione, voluto da Dio per dar tempo al pentimento, come un segno di debolezza.

6. - 2. Serafini: è l'unica volta che sono nominati nella Bibbia. La loro descrizione manifesta la maestà divina: essi si coprono la faccia, perché indegni di fissare gli occhi su Dio; si coprono i piedi affinché nulla di nudo appaia.

poiché io sono un uomo
  dalle labbra impure
e vivo in mezzo a un popolo
  dalle labbra impure;
eppure i miei occhi hanno visto il Re,
il Signore degli eserciti».

[6]Uno dei serafini volò verso di me tenendo nella mano un carbone acceso, che aveva preso con le molle dall'altare. [7]Egli mi toccò la bocca, dicendo:

«Ecco, questo ha toccato
  le tue labbra;
è sparita la tua colpa,
il tuo peccato è perdonato».

[8]Poi udii la voce del Signore che diceva: «Chi manderò? Chi andrà per noi?». Io risposi: «Eccomi, manda me!». [9]Allora disse:

«Va' e di' a questo popolo:
Ascoltate bene, ma senza
  comprendere,
osservate bene, ma senza conoscere.
[10] Rendi ottuso il cuore di questo popolo
e duri i suoi orecchi, vela i suoi occhi,
affinché non veda con i suoi occhi,
  né ascolti con i suoi orecchi,
  né intenda con il suo cuore,
  né si converta e guarisca».

[11]Io domandai: «Fino a quando, Signore?». Egli rispose: «Fino a che le città non saranno deserte, senza abitanti, le case senza uomini e il paese devastato e desolato».

[12] Il Signore allontanerà la popolazione
e vi sarà grande abbandono in mezzo
  al paese.

[13] Vi rimarrà una decima parte,
ma sarà di nuovo distrutta,
come la quercia e il terebinto,
di cui, abbattuti, resta solo il ceppo.
Una semente santa sarà questo
  ceppo.

LA FEDE CHE SALVA E IL SEGNO DELL'EMMANUELE

7 [1]Ai tempi di Acaz, figlio di Iotam, figlio di Ozia, re di Giuda, avvenne che Rezin, re di Aram, e Pekach, figlio di Romelia, re d'Israele, salirono a Gerusalemme per attaccarla, ma non la poterono espugnare. [2]Fu riferito alla casa di Davide: «Gli Aramei si sono accampati in Efraim». Allora il suo cuore e il cuore del suo popolo tremarono come tremano gli alberi della foresta davanti al vento. [3]Il Signore disse ad Isaia: «Esci incontro ad Acaz con tuo figlio Seariasub verso l'estremità del canale della piscina superiore, presso la strada del campo del lavandaio. [4]Gli dirai: Guarda di rimanere tranquillo, non temere e il tuo cuore non si abbatta a causa di quei due pezzi di tizzoni fumanti, per la collera di Rezin degli Aramei e del figlio di Romelia. [5]Infatti gli Aramei, Efraim e il figlio di Romelia hanno escogitato del male contro di te, dicendo: [6]Andiamo contro la Giudea, dividiamola in parti, occupiamola con forza e facciamo regnare in mezzo ad essa un re, il figlio di Tabeel».

[7] Così dice il Signore Dio:
    «Ciò non avverrà e non sarà.
[8] Poiché la capitale di Aram è Damasco
    e il capo di Damasco è Rezin;
[9] la capitale di Efraim è Samaria
    e il capo di Samaria è il figlio
      di Romelia:
    ancora sessantacinque anni
    ed Efraim cesserà di essere
      un popolo.
    Se non credete, non sussisterete».

[10]Il Signore disse di nuovo ad Acaz: [11]«Chiedi per te un segno dal Signore, tuo Dio, nel profondo degli inferi o nell'alto del cielo». [12]Ma Acaz rispose: «Non lo chiederò e non voglio tentare il Signore». [13]Allora Isaia disse: «Ascoltate, casa di Davide! Non vi basta stancare gli uomini, volete stancare

---

9. *Va' e di'...*: è la voce di Dio che manda Isaia a compiere una missione di salvezza, è la «vocazione» del profeta.
10. Viene profetizzato l'accecamento della nazione, molto colpevole dopo tanta luce di profezie. Di tale accecamento non è causa diretta Dio o il profeta, come a prima vista sembrerebbe dire l'alta poesia che passa dalla causa prima all'effetto, trascurando le cause intermedie o seconde. Certo, però, che la presenza dei profeti fa crescere la responsabilità di chi non dà loro ascolto (cfr. Mt 13,12-15).
11-13. La distruzione sarà completa con l'invasione, prima, degli Assiri e, poi, con la deportazione ad opera dei Babilonesi. Tuttavia Dio non viene meno alle sue promesse e lascia un *ceppo* da cui cresceranno virgulti di un popolo nuovo, santo e fedele a Dio. Il profeta comincia già ad accennare al fatto che pochi saranno fedeli, ma Dio si riserva un «resto».

perfino il mio Dio? [14]Perciò il Signore stesso vi darà un segno. Ecco: la giovane donna concepisce e partorirà un figlio, che chiamerà Emmanuele.

[15]Egli mangerà panna e miele, finché non abbia appreso a rigettare il male e a scegliere il bene. [16]Ma prima che il bambino impari a rigettare il male e a scegliere il bene, sarà abbandonato il paese per cui tu tremi a causa dei suoi due re. [17]Il Signore farà venire su di te, sul tuo popolo e sulla casa del padre tuo dei giorni quali non vennero dal tempo della separazione di Efraim da Giuda (il re di Assiria)».

[18]In quel giorno il Signore fischierà alle mosche che si trovano all'estremità dei canali d'Egitto e alle api che sono nel paese di Assiria. [19]Esse verranno e si poseranno tutte nelle valli ricche di burroni e nei crepacci delle rocce, su tutti i cespugli spinosi e su ogni pascolo. [20]In quel giorno il Signore con un rasoio preso in prestito al di là del fiume (il re di Assiria) raderà il capo e i peli del corpo; porterà via persino la barba. [21]In quel giorno ognuno manterrà una vitella e due pecore. [22]E accadrà che, per l'abbondanza del latte che si produrrà, si mangerà la panna; sì, mangeranno panna e miele tutti i superstiti in mezzo al paese. [23]In quel giorno, ogni luogo, dove erano mille viti del valore di mille sicli d'argento, diventerà spine e pruni. [24]Vi si entrerà con archi e frecce, perché tutto il paese sarà spine e pruni. [25]Sulle falde dei monti dissodate e vangate tu non passerai più per paura delle spine e dei pruni; saranno pascolo per i buoi, calpestato dalle pecore.

INTERVENTI DEL SIGNORE

8 [1]Il Signore mi disse: «Prenditi una grande tavola e scrivi sopra con caratteri ordinari: A Maher-salal-cash-baz». [2]Io presi come testimoni sicuri il sacerdote Uria e Zaccaria, figlio di Iebarachia. [3]Mi unii alla profetessa, che concepì e partorì un figlio. Il Signore mi disse: «Chiamalo Maher-salal-cash-baz, [4]poiché, prima che il bambino sappia dire "papà, mamma", le ricchezze di Damasco e il bottino di Samaria saranno portati davanti al re di Assiria».

[5]Il Signore mi rivolse di nuovo la parola, dicendo:

[6] «Poiché questo popolo ha disprezzato
le acque di Siloe che scorrono
   placidamente,
e trema davanti a Rezin e al figlio
   di Romelia,
[7] ecco che il Signore li farà sommergere
   dalle acque
impetuose e abbondanti del fiume,
cioè il re di Assiria con tutta la sua gloria.
Straiperà sopra tutti i suoi canali
e inonderà tutte le sue sponde.
[8] Inonderà la Giudea, la sommergerà
   e crescerà
fino a raggiungere il collo.
Le sue ali saranno spiegate
su tutta l'ampiezza del tuo paese,
   o Emmanuele».
[9] Sappiatelo, o popoli: sarete schiacciati;
ascoltate, voi tutte, regioni lontane
   della terra,
cingete le armi e sarete schiacciate.
[10] Fate un progetto: sarà sventato;
prendete una risoluzione:
   non avrà effetto,
perché Dio è con noi.
[11] Poiché così mi disse il Signore,
quando mi prese per mano e mi avvertì
di non seguire il cammino
   di questo popolo:
[12] «Non chiamate alleanza
tutto ciò che questo popolo
chiama alleanza;
non temete ciò che esso teme
e non vi spaventate.
[13] Il Signore degli eserciti,
   lui chiamerete santo;
egli sia l'oggetto del vostro timore,
egli l'oggetto del vostro spavento».

---

7. - 14. *La giovane donna* («la vergine», secondo le traduzioni greca e latina): oggetto immediato dell'oracolo è la nascita dell'erede al trono, come segno della fedeltà di Dio alla dinastia davidica (cfr. 2Sam 7); il vangelo (Mt 1,23; Lc 1,31) e tutta la tradizione cattolica hanno letto in questo oracolo l'annuncio della Vergine madre, Maria, e dell'*Emmanuele* («Dio-con-noi»), cioè di Gesù Cristo, il Verbo di Dio fatto uomo.

15. *Panna e miele*: erano l'ordinario nutrimento in tempo di devastazioni; ciò vuol dire che il fanciullo crescerà tra le invasioni.

8. - 1. Il nome che il profeta è invitato a dare al figlio significa: «Veloce-alla-preda-svelto-al-saccheggio». È nome profetico e indica la prossimità della rovina della Siria e della Samaria.

9-10. Questi vv. formano come una professione di fede del profeta: nonostante tutta la sua potenza, il nemico non potrà prevalere, perché Israele ha Dio dalla sua parte. Evidente allusione all'Emmanuele di 7,14.

¹⁴ Egli sarà un santuario,
  una pietra d'inciampo
e una rupe da cui si precipita
per le due case d'Israele,
un laccio e un trabocchetto
per gli abitanti di Gerusalemme.
¹⁵ Molti di essi vi inciamperanno,
cadranno e si sfracelleranno,
saranno presi e catturati.
¹⁶ «Rinchiudi la testimonianza,
sigilla questa rivelazione
  tra i miei discepoli».
¹⁷ Io pongo la mia fiducia nel Signore,
che nasconde il suo volto alla casa
  di Giacobbe,
e spero in lui.
¹⁸ Ecco, io e i figli che il Signore
  mi ha dato
siamo segni e presagi in Israele,
da parte del Signore degli eserciti,
che dimora sul monte Sion.
¹⁹ Se vi diranno: Consultate i negromanti
e gli indovini che bisbigliano
  e mormorano:
forse un popolo non deve consultare
  il suo Dio
e i morti per i vivi?
²⁰ «Alla rivelazione, alla testimonianza!»:
se non si esprimono secondo
  questa parola,
per loro non vi sarà aurora.
²¹ Egli si aggirerà oppresso e affamato
e, quando sarà affamato, si irriterà
e maledirà il suo re e il suo Dio.
Guarderà verso l'alto,
²² poi rivolgerà lo sguardo sulla terra
ed ecco angustia e tenebre
  e notte desolante!
Ma la caligine sarà dissipata.
²³ Poiché non vi sarà caligine
dove c'era angoscia.
Se in un primo tempo egli umiliò
la terra di Zabulon e la terra di Neftali,
in futuro renderà gloriosa la via del mare,
al di là del Giordano, il territorio
  dei pagani.

PROFEZIA MESSIANICA
E MINACCIA DI PUNIZIONE

9 ¹Il popolo che camminava nelle tenebre
  vide una grande luce;
su coloro che abitavano un paese
  tenebroso
risplendette una luce.
² Hai moltiplicato la gioia,
hai aumentato la letizia.
Gioiscono al tuo cospetto
come si gioisce alla mietitura,
come si esulta quando si divide la preda.
³ Poiché tu, come al tempo di Madian,
hai spezzato il suo giogo opprimente,
la sbarra sulle sue spalle
e il bastone del suo sorvegliante.
⁴ Poiché ogni calzatura che pesta
  con strepito
e ogni mantello rotolato nel sangue
sarà bruciato, sarà esca del fuoco.
⁵ Poiché un bambino è nato per noi,
un figlio ci è stato donato;
sulle sue spalle sarà il dominio
e il suo nome sarà:
«Meraviglioso consigliere, Dio potente,
Padre perpetuo, Principe della pace»,
⁶ per accrescere il dominio
e per una pace senza fine,
sul trono di Davide e sul suo regno,
per stabilirlo e rafforzarlo
con il diritto e la giustizia ora e sempre.
L'ardore del Signore degli eserciti
  farà questo.
⁷ Il Signore inviò una parola
  contro Giacobbe
ed essa cadde su Israele.
⁸ Lo seppe tutto il popolo,
Efraim e gli abitanti di Samaria,
che dicevano nel loro orgoglio
e nell'arroganza del loro cuore:
⁹ «I mattoni sono caduti,
ma noi ricostruiremo con pietre;
i sicomori sono stati tagliati,
ma noi li sostituiremo con cedri».
¹⁰ Contro di lui il Signore suscitò
  i suoi nemici
ed eccitò i suoi avversari:
¹¹ gli Aramei dall'oriente e i Filistei
  dall'occidente,
che divorarono Israele a piena bocca.
Con tutto ciò l'ira del Signore
  non si placa
e la sua mano è ancora tesa.

Is

---

16. *Testimonianza... rivelazione*: è la predizione del profeta,
detta testimonianza e legge come la parola di Dio. Le scritture da tenersi segrete erano allora avviluppate in involucri
e sigillate. Isaia, scoraggiato per il poco frutto del suo ministero, pare volersi ritirare dalla vita pubblica, trattenendo i
suoi consigli e avvertimenti nella cerchia dei suoi discepoli,
in attesa di tempi migliori.
9. - 1-2. Matteo (4,16) mostra l'adempimento di questa profezia in Gesù che annunzia la buona novella.

12 Ma il popolo non è tornato
   a chi lo percuoteva;
non ha ricercato il Signore
   degli eserciti.
13 Pertanto il Signore ha reciso da Israele
   capo e coda,
palma e giunco in un giorno.
14 L'anziano e il notabile sono il capo;
   il profeta, maestro di menzogna,
   è la coda.
15 Le guide di questo popolo
   lo hanno fuorviato,
e quelli che sono stati guidati
   si sono smarriti.
16 Perciò il Signore non sarà clemente
   verso i giovani
e non avrà pietà degli orfani
   e delle vedove;
poiché tutti sono increduli e perversi
e ogni bocca proferisce infamie.
Con tutto ciò l'ira del Signore
   non si placa
e la sua mano è ancora tesa.
17 Sì, la perversità sta ardendo
   come fuoco
che divora spine e pruni,
incendia il folto della selva
e sale in alto come colonna di fumo.
18 Per l'indignazione del Signore
   degli eserciti
il paese brucia e il popolo è come
   un'esca per il fuoco;
nessuno ha pietà del proprio fratello.
19 Si taglia a destra, ma si resta con la fame,
si divora a sinistra, ma non ci si sazia;
ognuno mangia la carne del suo
   prossimo.
20 Manasse divora Efraim
   ed Efraim Manasse;
insieme sono tutti e due contro Giuda.
Con tutto ciò l'ira del Signore
   non si placa
e la sua mano è ancora tesa.

L'ASSIRIA, STRUMENTO DI DIO

10 1Guai a quelli che promulgano
decreti iniqui
e che si affrettano a scrivere
sentenze oppressive,
2 per privare i miseri della giustizia
e derubare il diritto dei poveri
   del mio popolo,

così da rendere le vedove loro preda
e spogliare gli orfani.
3 Che farete nel giorno del castigo,
quando la rovina arriverà da lontano?
Presso chi fuggirete per avere aiuto
e dove lascerete la vostra ricchezza?
4 Non rimarrà che curvarsi fra i prigionieri
e cadere sotto gli uccisi.
Con tutto ciò l'ira del Signore non si placa
e la sua mano è ancora tesa.
5 Guai all'Assiria, bastone del mio furore
e verga del mio sdegno!
6 La inviavo contro una nazione empia,
le davo ordini contro il popolo
   del mio furore
per saccheggiarlo, depredarlo
e calpestarlo come fango di strada.
7 Ma essa non pensava così
e il suo cuore non giudicava così;
anzi in cuore suo si proponeva
   di distruggere
e di annientare nazioni numerose.
8 Infatti diceva: «I miei prìncipi
   non sono tutti re?
9 Non è stata forse Calno
   come Carchemis?
Camat non è forse stata come Arpad
e Samaria non è stata forse
   come Damasco?
10 Come la mia mano ha raggiunto
   i regni degli idoli,
le cui statue erano più numerose
di quelle di Gerusalemme
   e di Samaria,
11 come ho fatto a Samaria e ai suoi idoli
così farò anche a Gerusalemme
   e ai suoi idoli».

12Quando il Signore avrà terminato tutta la sua opera sul monte Sion e in Gerusalemme, punirà il frutto dell'orgoglioso cuore del re di Assiria e l'arroganza dei suoi occhi alteri. 13Poiché ha detto:

«Ho agito con la forza della mia mano
e con la mia sapienza,
   perché sono intelligente.
Ho rimosso i confini dei popoli,
ho depredato le loro riserve

10. - 6. La *nazione empia* è Giuda che adora Dio e insieme permette e compie ogni ingiustizia (10,1-5).
13. *Ho agito*: è l'orgoglioso re di Assur che parla, senza rendersi conto che è solo uno strumento di Dio, come la scure per chi l'adopera.

e come un eroe ho fatto
   discendere coloro
che sedevano sul trono.

¹⁴ La mia mano ha raggiunto come un nido
le ricchezze dei popoli;
   come si raccolgono le uova abbandonate,
io ho raccolto la terra intera,
   e non ci fu nessuno ad agitare ali,
ad aprire il becco o pigolare».

¹⁵ Si gloria forse la scure contro colui
   che taglia
per suo mezzo,
   o s'inorgoglisce la sega contro
chi la maneggia?
Come se il bastone volesse brandire
   quelli che lo alzano,
e la verga sollevare ciò che non
   è di legno!

¹⁶ Perciò il Signore, Dio degli eserciti,
manderà la consunzione
   nelle sue valide schiere,
e nella sua gloria egli produrrà
   un incendio,
un incendio di fuoco.

¹⁷ La luce d'Israele diventerà un fuoco
e il suo Santo una fiamma,
   che brucerà e divorerà le sue spine
e i suoi pruni in un solo giorno.

¹⁸ La gloria della sua foresta
   e della sua vigna
egli la consumerà dall'anima
   fino al corpo
e sarà come un ammalato
   che sta spegnendosi.

¹⁹ Rimarranno tanto pochi gli alberi
   della sua foresta
che un fanciullo li potrebbe contare.

²⁰ In quel giorno, il resto d'Israele
e i superstiti della casa di Giacobbe
non torneranno ad appoggiarsi sul loro
   aggressore,
ma si appoggeranno con lealtà
   sul Signore,
il Santo d'Israele.

²¹ Un resto ritornerà, il resto di Giacobbe,
al Dio potente.

²² Poiché, anche se il tuo popolo, o Israele,
è come la sabbia del mare,

solo un resto tra esso ritornerà;
è decretata la distruzione,
   che farà traboccare la giustizia.

²³ Infatti il Signore, Dio degli eserciti,
   compirà
la distruzione decretata in mezzo
   a tutto il paese.

²⁴ Perciò così dice il Signore,
   Dio degli eserciti:
«Popolo mio, che abiti in Sion,
non temere l'Assiria, che ti percuote
   con la verga
e solleva il suo bastone contro di te,
come ha fatto l'Egitto!

²⁵ Perché entro brevissimo tempo
l'ira cesserà e il mio furore li annienterà.

²⁶ Il Signore degli eserciti susciterà
contro di lui il flagello,
   come quando percosse Madian
presso la rupe dell'Oreb;
   stenderà la sua verga sul mare
e l'alzerà come fece in Egitto.

²⁷ In quel giorno il suo fardello
scomparirà dalla tua spalla,
   il suo giogo sarà rimosso dal tuo collo».

²⁸ Egli avanza dalle parti di Rimmon,
è arrivato ad Aiat, ha attraversato Migron,
a Micmas ha deposto il bagaglio.

²⁹ Hanno varcato il passo, in Gheba
   si accampano.
Rama è atterrita, Gabaa di Saul è in fuga.

³⁰ Chiama a gran voce, Bat-Gallim;
fa' attenzione, Laisa, povera Anatot!

³¹ Madmena si è messa in fuga,
gli abitanti di Ghebim cercano rifugio.

³² Oggi stesso farà sosta a Nob,
agiterà la sua mano contro il monte
   della figlia di Sion,
contro la collina di Gerusalemme.

³³ Ecco, il Signore, Dio degli eserciti,
abbatte i rami con veemenza;
   le cime più alte sono recise,
quelle elevate sono abbassate.

³⁴ Egli schianta il folto della foresta
   con l'ascia,
e il Libano cade per mano del Potente.

IL REGNO MESSIANICO DELLA PACE

11 ¹ Ma un germoglio uscirà dal tronco
   di Iesse
e un virgulto spunterà dalle sue radici.

² Riposerà su di lui lo spirito del Signore,

Is

---

17. *La luce d'Israele* è Dio, che interverrà a punire chi fu
strumento di castigo nelle sue mani.
11. - 1-2. Isaia, tratteggiando la figura del futuro Messia
salvatore, lo dice figlio di Davide, pieno di Spirito Santo, re di
pace e di giustizia. *Iesse* è il padre di Davide: cfr. Rm 15,12.

spirito di sapienza e di discernimento,
spirito di consiglio e di fortezza,
spirito di conoscenza e di timore
   del Signore.
3 Troverà compiacimento nel timore
   del Signore.
Non giudicherà secondo le apparenze,
né pronuncerà sentenze per sentito dire;
4 ma giudicherà con giustizia i miseri
e con equità pronuncerà sentenze
in favore dei poveri del paese;
percuoterà il violento con la verga
   della sua bocca
e farà morire l'empio con il soffio
   delle sue labbra.
5 La giustizia sarà la cintura dei suoi lombi
e la fedeltà la cintura dei suoi fianchi.
6 Il lupo abiterà insieme con l'agnello
e la pantera giacerà insieme
   con il capretto;
il vitello e il leone pascoleranno insieme
e un fanciullo li guiderà.
7 La mucca pascolerà con l'orso,
i loro cuccioli si sdraieranno insieme,
il leone mangerà paglia come il bue.
8 Il lattante si divertirà sulla buca
   dell'aspide
e il bambino porrà la mano nel covo
   della vipera.
9 Non si commetterà il male
   né vi sarà strage
su tutto il mio santo monte,
perché il paese è pieno
   della conoscenza del Signore
come le acque ricoprono il mare.
10 In quel giorno la radice di Iesse si ergerà
   come vessillo dei popoli;
le nazioni accorreranno ad essa,
e il luogo della sua dimora
   sarà glorioso.
11 In quel giorno il Signore
stenderà di nuovo la sua mano
per riscattare il resto del suo popolo
superstite dall'Assiria e dall'Egitto,
da Patros, dall'Etiopia, da Elam,
   da Sennaar,
da Camat e dalle isole del mare.
12 Egli alzerà un'insegna davanti alle genti
e riunirà gli Israeliti esiliati;
radunerà i dispersi di Giuda dai quattro
angoli della terra.
13 La gelosia di Efraim cesserà
e gli avversari di Giuda saranno
   annientati;

Efraim non invidierà più Giuda
e Giuda non sarà più ostile ad Efraim.
14 Ma piomberanno addosso ai Filistei
   ad occidente,
uniti saccheggeranno le tribù
   dell'oriente;
Edom e Moab saranno loro possesso
e i figli di Ammon saranno loro sudditi.
15 Il Signore seccherà la lingua
   del mare d'Egitto
e agiterà la sua mano sul fiume
con la potenza del suo spirito,
lo dividerà in sette bracci,
rendendone possibile la traversata
   con i sandali.
16 E vi sarà una strada per il resto
   del suo popolo
che rimarrà in Assiria,
come ce ne fu una per Israele
   quando uscì
dalla terra d'Egitto.

CANTICO DI SALVEZZA

12 1 Tu dirai in quel giorno:
«Ti lodo, o Signore: tu eri adirato
   con me,
ma la tua collera si è calmata
e mi hai consolato.
2 Ecco, Dio è la mia salvezza:
   ho fiducia e non temo,
perché la mia forza e il mio canto
   è il Signore;
egli è la mia salvezza.
3 Attingerete acqua con gioia
   alle fonti della salvezza».
4 Direte in quel giorno:
«Celebrate il Signore, acclamate
   al suo nome;
fate conoscere tra i popoli
   le sue meraviglie;
proclamate che eccelso è il suo nome.
5 Cantate al Signore,
perché ha compiuto cose grandiose:
le conosca la terra intera!».
6 Esulta e grida di gioia, abitatrice
   di Sion,
perché grande è in mezzo a te
   il Santo d'Israele!

6-9. Quadro idilliaco della felicità messianica.
11-16. Israele e Giuda, dispersi dal Nilo all'Eufrate, saranno
riuniti come popolo eletto.

IL GIUDIZIO SU BABILONIA

13 ¹Oracolo contro Babilonia, ricevuto in visione da Isaia, figlio di Amoz.

² «Su un monte brullo issate
   uno stendardo,
gridate con forza verso di loro,
agitate la mano, perché entrino
   per le porte dei nobili.
³ Io ho dato un ordine a quelli che sono
   a me consacrati,
ho chiamato come strumento
   del mio sdegno
i miei prodi, fieri della mia grandezza».
⁴ Grido di moltitudine sulle montagne,
simile a quello di un'immensa folla!
Grida tumultuose di regni e di nazioni
   radunate!
Il Signore degli eserciti passa
   in rassegna l'esercito di guerra.
⁵ Vengono da un paese lontano,
   dai confini dei cieli
il Signore e gli strumenti
   della sua collera,
per distruggere tutto il paese.
⁶ Urlate, perché è vicino il giorno
   del Signore:
esso viene come una devastazione
voluta dall'Onnipotente.
⁷ Per questo tutte le mani si infiacchiscono
e ogni cuore di uomo viene meno.
⁸ Sono conturbati, spasimi e dolori
   li colgono,
si contorcono come una partoriente,
si guardano l'un l'altro stupiti,
i loro volti sono volti di fiamma.
⁹ Ecco, giunge implacabile il giorno
   del Signore,
la sua collera e lo sdegno della sua ira,
per fare della terra un deserto
e sterminare da essa i peccatori.
¹⁰ Infatti le stelle del cielo e la costellazione
   di Orione
non faranno più brillare la loro luce,
il sole si oscurerà al suo sorgere
e la luna non diffonderà la sua luce.
¹¹ Punirò il male sulla terra
e i malvagi per la loro iniquità,

metterò fine all'orgoglio dei presuntuosi
e umilierò l'alterigia dei tiranni.
¹² Renderò l'uomo più raro dell'oro
e il mortale più raro dell'oro di Ofir.
¹³ Perché scuoterò i cieli
e la terra tremerà sulle sue basi
per la collera del Signore degli eserciti,
nel giorno in cui scoppierà la sua ira.
¹⁴ Allora, come una gazzella messa in fuga
e come pecore che nessuno raduna,
ognuno si dirigerà verso il suo popolo,
ognuno fuggirà verso il suo paese.
¹⁵ Chiunque sarà incontrato,
   morirà trafitto
e chiunque sarà sorpreso,
   cadrà di spada.
¹⁶ I loro bambini saranno schiacciati
   davanti ai loro occhi,
le loro case saranno saccheggiate
e le loro mogli violate.
¹⁷ Ecco, io suscito contro di essi i Medi,
che non pensano all'argento
   né si curano dell'oro.
¹⁸ Con gli archi crivelleranno i giovani,
non avranno pietà del frutto del ventre,
i loro occhi non si impietosiranno
   dei bambini.
¹⁹ Babilonia, lo splendore dei regni,
   l'onore orgoglioso dei Caldei,
sarà sconvolta da Dio, come Sodoma
   e Gomorra.
²⁰ Non sarà più abitata
né popolata di generazione
   in generazione;
l'Arabo non vi pianterà la tenda
né i pastori vi porranno gli stazzi.
²¹ Vi si stabiliranno le fiere del deserto,
i gufi riempiranno le loro case,
vi dimoreranno gli struzzi,
vi danzeranno i satiri.
²² Le iene urleranno nei suoi palazzi
e gli sciacalli nei lussuosi edifici.
La sua ora si avvicina,
i suoi giorni non saranno prolungati.

CONTRO IL RE DI BABILONIA, GLI ASSIRI E I FILISTEI

14 ¹Sì, il Signore avrà pietà di Giacobbe e sceglierà ancora Israele, li ristabilirà sulla loro terra; gli stranieri si uniranno ad essi e saranno incorporati alla casa di Giacobbe. ²I popoli li prende-

---

13. - 14. Parla di Babilonia, personificandola nel suo esercito che si disperderà davanti a Ciro, così che ogni soldato fuggirà al suo paese. Erano per lo più soldati mercenari venuti da ogni paese, come truppe ausiliarie.

Is

ranno e li condurranno nel loro paese; la casa d'Israele li possederà come servi e serve nella terra del Signore; faranno prigionieri quelli che li avevano fatti prigionieri e domineranno sui loro oppressori. ³Quando il Signore ti avrà liberato dalla tua pena, dalle tue angustie e dalla dura schiavitù con la quale sei stato asservito, ⁴tu proferirai questa satira contro il re di Babilonia e dirai:

«Com'è finito l'oppressore
    e cessata l'arroganza!
⁵ Il Signore ha spezzato la verga
    degli iniqui,
    lo scettro del dominatori,
⁶ colui che furioso colpiva i popoli
    con colpi senza fine,
    che opprimeva iracondo le nazioni,
    perseguitando senza respiro.
⁷ Tutta la terra riposa ora tranquilla
    ed erompe in grida di gioia.
⁸ Gioiscono per te persino i cipressi
    e i cedri del Libano:
    Da quando tu giaci prostrato,
    i tagliaboschi non salgono più contro
    di noi.
⁹ Nel profondo l'abisso si agita per te,
    per farsi incontro al tuo arrivo;
    per te esso risveglia le ombre,
    tutti i potenti della terra,
    e fa sorgere dai loro troni tutti i re
    delle nazioni.
¹⁰ Tutti prendono la parola per dirti:
    Anche tu sei stato abbattuto come noi,
    sei diventato simile a noi!
¹¹ Il tuo fasto è disceso nell'abisso,
    come la musica delle tue arpe.
    Sotto di te si stendono le larve,
    i vermi sono la tua coperta.
¹² Come sei caduto dal cielo,
    astro del mattino, figlio dell'aurora!
    Come sei stato precipitato a terra,
    tu che aggredivi tutte le nazioni!
¹³ Eppure tu pensavi in cuor tuo:
    Salirò in cielo,
    al di sopra delle stelle di Dio innalzerò
    il mio trono,
    mi siederò sul monte dell'assemblea,
    ai confini del settentrione,
¹⁴ salirò sulle nubi più alte, sarò simile
    all'Altissimo.
¹⁵ E invece sei stato precipitato nell'abisso,
    nel fondo del baratro!

¹⁶ Quanti ti vedono, ti guardano fisso,
    meditano la tua sorte.
    È questo l'uomo che faceva tremare
    la terra
    e faceva scuotere i regni,
¹⁷ che ridusse il mondo a un deserto,
    ne demolì le città
    e non aprì ai suoi prigionieri il carcere?
¹⁸ Tutti i re delle nazioni, tutti riposano
    gloriosi,
    ognuno nella propria tomba;
¹⁹ tu, invece, sei stato gettato fuori senza
    sepoltura
    come un abominevole rampollo,
    coperto di uomini uccisi, trafitti di spada,
    deposti sulle pietre della tomba,
    come una carogna calpestata!
²⁰ Tu non ti unirai con loro nel sepolcro,
    perché hai rovinato il tuo paese,
    hai massacrato il tuo popolo.
    Non sarà più nominata la discendenza
    degli iniqui.
²¹ Preparate il massacro dei suoi figli,
    a causa dell'iniquità dei loro padri,
    così che non sorgano più a conquistare
    la terra
    e a coprire il mondo di rovine.
²² Io insorgerò contro di loro,
    oracolo del Signore degli eserciti,
    e distruggerò il nome di Babilonia
    e quanto in essa rimarrà,
    stirpe e discendenza. Oracolo del Signore.
²³ La renderò possesso del riccio,
    una palude stagnante;
    la spazzerò con la scopa
    della distruzione.
    Oracolo del Signore degli eserciti».

²⁴ Il Signore degli eserciti ha giurato:
    «Certo, come ho pensato, così accadrà,
    quanto ho deciso si compirà!
²⁵ Spezzerò l'Assiro nella mia terra
    e sui miei monti lo calpesterò.
    Il suo giogo sarà rimosso da essi
    e il suo carico scivolerà dalle loro spalle».
²⁶ Questa è la decisione presa per tutta
    la terra
    e questa è la mano distesa su tutte
    le nazioni.
²⁷ Quando il Signore degli eserciti prende
    una decisione,
    chi la potrà annullare?

----

14. - 12. *Astro del mattino*: è Venere, stella del mattino; *figlio dell'aurora*: qui designa il re di Babilonia.

E quando la sua mano è distesa,
chi potrà fargliela ritirare?

[28]Nell'anno della morte del re Acaz fu pronunziato questo oracolo:

[29] «Non rallegrarti, Filistea tutta,
se si è spezzata la sferza che ti colpiva!
Poiché dalla radice del serpente
uscirà una vipera
e il suo frutto sarà un drago alato.
[30] I poveri pascoleranno sui miei prati
e i miseri riposeranno sicuri,
ma farò morire di fame
la tua posterità
e ucciderò ciò che resta di te.
[31] Gemi, porta! Urla, città! Trema,
Filistea tutta!
Poiché dal settentrione arriva un fumo
e nessuno si sbanda nelle sue schiere».
[32] Che risposta si darà ai messaggeri
di tale nazione?
«Il Signore ha fondato Sion,
in essa trovano rifugio i poveri
del suo popolo».

LA SORTE DI MOAB

15 [1]Oracolo su Moab.

Sì, Ar-Moab è stata devastata
di notte
ed è stata distrutta!
Sì, Kir-Moab è stata devastata di notte
ed è stata distrutta!
[2] È salita la gente di Dibon sulle alture
per piangere;
sul Nebo e su Madaba, Moab eleva
il suo gemito.
Tutte le teste sono rasate,
tutte le barbe tagliate.

---

15. - 3. La veste di sacco, il pianto pubblico, come le barbe
e le teste rasate, sono segni di pubblico lutto.
7-9. La devastazione, per opera degli Assiri, ha reso la regione di Moab un deserto.
16. - 1. Il passo allude al tributo in agnelli pagato da Moab
al re d'Israele (2Re 3,4-27). Sembra che il profeta esorti a
pagare il tributo in agnelli al re di Giuda per farselo amico e
averne così aiuto e protezione nella terribile prova che stava
per arrivare.
3-4. Parole rivolte al re di Giuda affinché prenda rapidamente una decisione a favore di Moab. *La tua ombra*:
rinfrescante come le tenebre della *notte*, a ristoro dei fuggiaschi.

[3] Nelle sue strade si indossa il sacco,
sulle sue terrazze si fa lutto,
nelle sue piazze tutti si lamentano,
si sciolgono in lacrime.
[4] Urlano Chesbon ed Eleale,
il loro grido è inteso fino a Iaaz.
Per questo i fianchi di Moab fremono;
la sua anima è in tumulto.
[5] Il mio cuore grida per Moab:
i suoi fuggiaschi si dirigono a Zoar.
Sì, per la salita di Luchit salgono
in lacrime.
Sì, sulla via di Coronaim emettono
grida strazianti.
[6] Sì, le acque di Nimrim sono diventate
un deserto,
l'erba si dissecca, la pastura è finita,
non c'è più nulla di verde.
[7] Per questo fanno provviste,
trasportano le loro riserve
al di là del torrente dei Salici.
[8] Sì, risuonano grida per tutto il territorio
di Moab;
fino a Eglaim giunge il suo urlo,
fino a Beer-Elim il suo urlo.
[9] Sì, le acque di Dimon sono piene
di sangue,
eppure io aumenterò i mali di Dimon:
il leone per gli scampati di Moab
e per quelli che rimangono nel paese.

MOAB SI RIVOLGE A GERUSALEMME

16 [1]Inviate gli agnelli al sovrano
del paese,
da Sela verso il deserto,
al monte della figlia di Sion.
[2] Come un uccello ramingo, come
una nidiata dispersa
le figlie di Moab andranno
per i guadi dell'Arnon.
[3] Dacci un consiglio, prendi una decisione!
Rendi la tua ombra come notte
in pieno mezzogiorno;
nascondi i dispersi, non svelare i fuggitivi!
[4] I dispersi di Moab siano tuoi ospiti,
sii loro rifugio di fronte al devastatore.
Perché non c'è più il tiranno,
la devastazione è finita,
è sparito dal paese il distruttore.
[5] Allora il trono sarà reso stabile sulla pietà:
vi si siederà nella fedeltà,
nella tenda di Davide,

Is

un giudice premuroso del diritto
e sollecito per la giustizia.

6 «Abbiamo udito l'orgoglio di Moab,
superbo all'eccesso,
la sua alterigia, il suo orgoglio,
la sua arroganza,
la futilità delle sue pretese».

7 Perciò i Moabiti gemeranno per Moab,
gemeranno tutti;
per le focacce di uva di Kir Careset
sospireranno tutti costernati.

8 I campi di Chesbon languiscono,
come anche le vigne di Sibma,
i cui tralci furono calpestati
dai dominatori dei popoli:
essi arrivavano fino a Iazer,
penetravano nel deserto,
le loro propaggini si estendevano
e oltrepassavano il mare.

9 Perciò con il pianto di Iazer
piangerò sulle vigne di Sibma.
Ti inonderò con le mie lacrime,
o Chesbon, o Eleale,
perché sui tuoi frutti e sul tuo raccolto
è piombato un urlo.

10 La gioia e l'allegria sono scomparse
dai frutteti
e non si canta più allegri nelle vigne;
nessuno pigia più il vino nei tini
e i canti sono cessati.

11 Perciò le mie viscere vibrano
per Moab come una cetra
e il mio intimo per Kir Careset.

12 Moab si mostrerà e si affaticherà
sulle alture,
entrerà nel suo santuario per pregare,
ma non gli gioverà a nulla.

13 Questa è la parola che il Signore indirizzò un tempo a Moab, 14 ma ora il Signore dichiara: «Entro tre anni, come gli anni di un salariato, verrà umiliata la nobiltà di Moab con tutta la sua numerosa popolazione. Ciò che rimarrà sarà un piccolo numero, insignificante».

ORACOLO CONTRO DAMASCO ED EFRAIM

17 1 Oracolo contro Damasco.

Ecco, Damasco cesserà di essere
una città
e diventerà un cumulo di rovine.

2 Le sue borgate saranno per sempre
abbandonate,
diventeranno pascoli per i greggi,
che vi si accovacceranno
senza che alcuno li spaventi.

3 A Efraim saranno tolte le fortificazioni
e a Damasco il regno;
al resto degli Aramei avverrà
come alla nobiltà dei figli d'Israele.
Oracolo del Signore degli eserciti.

4 In quel giorno la gloria di Giacobbe
sfumerà
e il grasso della sua carne sarà ridotto.

5 Avverrà come quando il mietitore
prende una bracciata di grano
e con il suo braccio taglia le spighe;
come quando si raccolgono le spighe
nella valle di Refaim.

6 Vi rimarranno solo racimoli,
come quando si bacchiano le olive:
due o tre bacche sulla cima dell'albero,
quattro o cinque sui rami da frutto.
Oracolo del Signore, Dio d'Israele.

7 In quel giorno l'uomo volgerà lo sguardo
al suo Creatore
e i suoi occhi guarderanno
al Santo d'Israele.

8 Egli non si volgerà più agli altari,
opera delle sue mani;
non vedrà più ciò che hanno fabbricato
le sue mani,
i pali sacri e gli altari.

9 In quel giorno le tue città saranno
abbandonate,
come quelle che l'Eveo e l'Amorreo
abbandonarono
di fronte ai figli d'Israele,
e sarà una desolazione.

10 Sì, tu hai dimenticato Dio, tuo salvatore,
e non ti sei ricordato della Roccia,
tuo rifugio:
perciò hai piantato delle piantagioni
amene
e innestato dei germogli esotici.

11 Di giorno fai crescere ciò che hai piantato
e al mattino fai germogliare i tuoi semi,
ma nel giorno della sventura
svanirà il raccolto e il dolore
sarà incurabile.

---

17. - 4-5. Indica là miseria a cui sarà ridotto Israele saccheggiato dagli Assiri, che lo ridurranno a spigolare nel fertile paese di cui è figura la *valle di Refaim*, a sud-ovest di Gerusalemme, fertilissima.

¹² Ah, un tumulto di popoli numerosi,
  tumultuanti come il fragore dei mari;
  un rumore di popoli come lo scroscio
  travolgente di acque potenti!
¹³ Un fragore di popoli
  come il fragore di grandi acque,
  ma egli le minaccia ed esse fuggono
    lontano,
  sospinte come la pula dei monti
    di fronte al vento
  e come il vortice davanti al turbine
¹⁴ Alla sera, ecco, appare il terrore,
  ma ancor prima del mattino
    non c'è già più nulla.
  Tale sarà il destino di chi ci devasta,
  e la sorte di chi ci saccheggia.

ORACOLO CONTRO L'ETIOPIA

18 ¹Guai al paese dagli insetti ronzanti,
    situato al di là dei fiumi d'Etiopia,
² che manda per mare gli ambasciatori
  in canoe di papiro sulle acque!
  «Correte, messaggeri veloci,
  verso un popolo slanciato e abbronzato
    di pelle,
  verso un popolo temibile ora e sempre,
  una nazione potente e vittoriosa,
  il cui paese è solcato da fiumi».
³ Voi tutti, abitanti del mondo
  e quanti dimorate nel paese,
  quando si leva il segnale sui monti,
    guardate,
  e quando suona il corno, ascoltate!
⁴ Perché così mi ha detto il Signore:
  «Resterò tranquillo e guarderò
    dalla mia dimora
  come l'ardore abbagliante del giorno,
  come una nube di rugiada al calore
    della mietitura».
⁵ Perché prima del raccolto,
  quando la fioritura è finita
  e il fiore è diventato un grappolo maturo,
  egli taglierà i pampini con le roncole,
  strapperà e getterà via i tralci.

---

18. - 1. *Al di là dei fiumi dell'Etiopia*: i termini e le figure usate
in questo vaticinio ci portano a pensare all'Egitto, allora sotto
la dinastia cuscita o etiopica, che sosteneva gli staterelli di
Siria e Palestina contro l'Assiria e aveva inviato messaggeri
per formare una coalizione contro l'Assiria. Il profeta invita
costoro a ritornare in patria dicendo che Dio s'incaricherà di
distruggere l'Assiria quando sarà giunto il tempo, senza bisogno di alleanze.

⁶ Saranno abbandonati tutti insieme
  agli avvoltoi delle montagne
    e alle bestie della terra.
  Gli avvoltoi passeranno l'estate
    su di essi,
  e le fiere selvatiche su di essi
    passeranno l'inverno.

⁷In quel tempo verranno portate al Signore
degli eserciti offerte da parte di un popolo
slanciato e abbronzato di pelle, da parte di
un popolo temuto ora e sempre, una nazione potente e vittoriosa, il cui paese è solcato
da fiumi, verso il luogo in cui si trova il nome
del Signore degli eserciti, il monte Sion.

ORACOLO CONTRO L'EGITTO

19 ¹Oracolo sull'Egitto.

  Ecco, il Signore cavalca su una nube
    leggera
  ed entra in Egitto.
  Vacillano gli idoli dell'Egitto davanti a lui
  e nel petto viene meno il cuore
    agli Egiziani.
² Aizzerò gli Egiziani contro gli Egiziani,
  combatteranno gli uni contro gli altri,
  ciascuno contro il suo prossimo,
  città contro città, regno contro regno.
³ La potenza dell'Egitto svanirà
    in mezzo ad esso
  e annullerò i loro piani;
  per questo ricorreranno agli idoli
    e agli incantatori,
  ai negromanti e agli indovini.
⁴ Consegnerò gli Egiziani
  in balìa di un duro padrone,
  un re crudele dominerà su di loro.
  Oracolo del Signore, Dio degli eserciti.
⁵ Le acque del mare si disseccheranno,
  il fiume diventerà arido e asciutto.
⁶ I canali diventeranno nauseabondi,
  si svuoteranno e seccheranno i torrenti,
  canne e giunchi sbiadiranno.
⁷ I papiri sulle rive del Nilo e alla foce
    del Nilo
  e tutte le piante del Nilo si seccheranno,
  spariranno completamente.
⁸ Gemeranno i pescatori, faranno lutto
  quanti nel Nilo gettano l'amo,
  e si lamenteranno quanti stendono
  le reti sulla superficie dell'acqua.

Is

⁹ Rimarranno delusi i lavoratori del lino,
le cardatrici e i tessitori impallidiranno.
¹⁰ I tessitori saranno costernati,
tutti gli operai salariati rattristati
nel loro animo.
¹¹ Sì, stolti sono i prìncipi di Tanis;
i più sapienti dei consiglieri del Faraone
formano un consiglio di sciocchi.
Come potete dire al Faraone:
«Io sono discepolo dei sapienti,
discepolo di antichi regnanti»?
¹² Dove sono, dunque, i tuoi sapienti?
Ti annunzino e ti facciano conoscere
ciò che ha progettato il Signore
degli eserciti
contro l'Egitto.
¹³ Sono divenuti stolti i prìncipi di Tanis,
si ingannano i prìncipi di Menfi.
Hanno fatto traviare l'Egitto i capi
delle sue tribù.
¹⁴ Il Signore ha effuso in mezzo a loro
uno spirito di smarrimento
ed essi fanno traviare l'Egitto in ogni
sua attività,
come barcolla un ubriaco nel suo vomito.
¹⁵ Non riuscirà agli Egiziani nessuna
delle opere
che intraprenderanno,
testa o coda che siano, palma o giunco.

¹⁶In quel giorno gli Egiziani diverranno come
donne, tremeranno spaventati di fronte alla
mano che il Signore degli eserciti agiterà
contro di loro. ¹⁷Il paese di Giuda diventerà
un terrore per gli Egiziani: solo a nominarlo
essi ne avranno timore a causa del piano
che il Signore degli eserciti ha progettato
contro di loro. ¹⁸In quel giorno vi saranno in
Egitto cinque città che parleranno la lingua
di Canaan e giureranno per il Signore degli
eserciti; una di queste si chiamerà Città del
sole. ¹⁹In quel giorno vi sarà nel mezzo del
paese d'Egitto un altare dedicato al Signore
e presso la sua frontiera una stele in onore
del Signore. ²⁰Saranno un segno e una testimonianza per il Signore degli eserciti nel
paese d'Egitto. Quando invocheranno il Signore di fronte agli oppressori, egli invierà
loro un salvatore e un difensore, che li libererà. ²¹Il Signore si farà conoscere all'Egitto
e gli Egiziani riconosceranno il Signore in
quel giorno; lo serviranno con sacrifici e
oblazioni, faranno voti al Signore e li manterranno. ²²Il Signore percuoterà ancora gli

Egiziani: li percuoterà e li guarirà. Essi si
convertiranno al Signore ed egli li ascolterà
e li guarirà. ²³In quel giorno ci sarà una strada dall'Egitto fino all'Assiria. L'Assiria verrà
in Egitto e l'Egitto andrà in Assiria e gli Egiziani serviranno il Signore insieme con gli
Assiri. ²⁴In quel giorno Israele, il terzo con
l'Egitto e con l'Assiria, sarà una benedizione in mezzo alla terra. ²⁵Il Signore degli
eserciti li benedirà dicendo: «Benedetto sia
l'Egitto, popolo mio, l'Assiria, opera delle
mie mani, e Israele, mia eredità».

AZIONE SIMBOLICA
CONTRO L'EGITTO E L'ETIOPIA

20 ¹L'anno in cui il generalissimo venne ad Asdod inviato da Sargon, re
di Assiria, egli attaccò Asdod e la prese.
²In quel tempo il Signore disse per mezzo di Isaia, figlio di Amoz: «Va' e sciogli il
sacco dai tuoi fianchi e lèvati i sandali dai
piedi». Egli fece così e andò in giro nudo
e scalzo. ³Il Signore poi disse: «Come il
mio servo Isaia se ne va nudo e scalzo
per tre anni quale segno e presagio per
l'Egitto e per l'Etiopia, ⁴così il re di Assiria
condurrà i prigionieri dell'Egitto e i deportati dell'Etiopia, giovani e vecchi, nudi e
scalzi, con le natiche scoperte, vergogna
dell'Egitto! ⁵Saranno spaventati e confusi a causa
dell'Etiopia, motivo della loro speranza, e a
causa dell'Egitto, motivo del loro orgoglio.
⁶In quel giorno gli abitanti di questa costa
diranno: "Ecco, così è successo a colui nel
quale abbiamo riposto la fiducia, presso il
quale ci siamo rifugiati per avere aiuto, per
essere liberati dal re di Assiria! E ora come
ci salveremo?"».

ORACOLO CONTRO BABILONIA

21 ¹Oracolo sul deserto del mare.

Come i turbini che si scatenano
nel Negheb,
così egli viene dal deserto, da un paese
terribile.
² Una penosa visione mi è stata mostrata:
il rapinatore rapisce e il distruttore
distrugge.

Sali, o Elam, poni l'assedio, o Media!
Ho fatto cessare tutti i tuoi gemiti.
[3] Per questo i miei reni sono in preda
    alle convulsioni;
mi prendono i dolori come quelli
    di una partoriente;
sono troppo sconvolto per udirlo,
troppo turbato per vederlo.
[4] Il mio cuore è smarrito, mi coglie
    il terrore;
il sospirato crepuscolo diventa
    il mio spavento.
[5] Si prepara la tavola, si stende il tappeto,
si mangia e si beve...
    «Alzatevi, o capi, ungete gli scudi!».
[6] Perché così mi ha detto il Signore:
    «Va', poni una sentinella che annunzi
    ciò che vede.
[7] Se vede una carovana, delle coppie
    di cavalieri,
uomini montati su asini,
uomini montati su cammelli,
osservi con attenzione, con grande
    attenzione».
[8] Allora il veggente gridò:
    «Signore, al posto di osservazione
    io sto tutto il giorno;
sul mio posto di guardia sto all'erta
    l'intera notte.
[9] Ecco, arriva una carovana umana,
    coppie di cavalieri».
Essi annunziano gridando:
    «È caduta, è caduta Babilonia!
Tutte le statue dei suoi dèi
    sono frantumate a terra!».
[10] O popolo mio, che ho trebbiato
e calpestato nella mia aia,
ciò che ho appreso dal Signore
    degli eserciti,
dal Dio d'Israele, io te lo annunzio!

[11] Oracolo su Edom.

Mi gridano da Seir:
    «Sentinella, quanto resta della notte?
Sentinella, quanto resta della notte?».
[12] Risponde la sentinella:
    «Viene il mattino e poi la notte;
se volete domandare, domandate,
convertitevi e venite».

[13] Oracolo sulla steppa.

Nel bosco della steppa pernottate,
    carovane dei Dedaniti.
[14] Incontrate gli assetati,
    portate loro acqua,
abitanti del paese di Tema.
Presentatevi con pane ai fuggiaschi.
[15] Poiché essi fuggono davanti alle spade,
davanti alla spada sguainata,
davanti all'arco teso,
davanti al furore
    del combattimento.

[16]Poiché così mi ha detto il Signore: «Entro un anno – un anno di salariato – tutta la gloria di Kedar sarà sparita. [17]Ciò che resterà del numero degli archi degli eroi di Kedar sarà poca cosa, perché il Signore, Dio d'Israele, ha parlato».

ORACOLO CONTRO GERUSALEMME

22 [1]Oracolo sulla valle della Visione.

Che hai tu, dunque, da salire
tutta quanta sulle terrazze?
[2] Tu, piena di strepito,
città tumultuante, città gaudente?
I tuoi caduti non sono caduti di spada
e i tuoi morti non sono stati uccisi
    in battaglia.
[3] Tutti i tuoi capi sono fuggiti insieme,
senza un tiro d'arco sono stati fatti
    prigionieri;
tutti i tuoi prodi sono stati catturati
    insieme,
o sono fuggiti lontano.
[4] Perciò dico: «Ritiratevi da me,
perché io possa piangere amaramente;
non vogliate consolarmi
per la rovina della figlia del mio popolo!».
[5] Perché è un giorno di terrore,
di distruzione e di confusione
voluto dal Signore, Dio degli eserciti,

Is

---

21. - 1. *Deserto del mare*: regione del mare è chiamata anche nelle iscrizioni assire la zona tra Babilonia e il Golfo Persico, forse per le inondazioni e per il mare vicino. La caduta di Babilonia, di cui parla questo vaticinio, dev'essere quella avvenuta con la conquista da parte di Ciro, nel 539 a.C., aiutato da Medi ed Elamiti.
11-12. La *sentinella* è il profeta, cui si domanda quando cesserà la *notte* di sventura (cfr. 8,22; 9,1). Egli risponde che dopo una sventura ne verrà un'altra, e invita a domandare nuovamente, per poter essere più preciso.
22. - 1. *Valle della Visione*: è Gerusalemme. Invece di preoccuparsi delle minacce divine, la città si dava alla vita gaudente, allontanando così da sé la possibilità del perdono (v. 2).

Nella valle della Visione il muro
è abbattuto
e si grida verso i monti.

6 Elam prende l'arco,
Aram monta sui cavalli,
Kir scopre il suo scudo.

7 Le tue valli migliori abbondano di carri
e i cavalieri sono disposti alle porte.

8 Così è stata rimossa la protezione
di Giuda.
Voi guardavate in quel giorno
verso l'arsenale del palazzo della Foresta.

9 Avete visto quanto sono numerose
le brecce della città di Davide.
Avete raccolto le acque della piscina
inferiore.

10 Avete contato le case di Gerusalemme
e demolito le case per fortificare le mura.

11 Avete costruito un serbatoio
fra i due muri
per le acque dell'antica piscina,
ma non avete guardato verso colui
che è l'autore,
né avete visto colui che da tempo
ha preparato ciò.

12 Il Signore, Dio degli eserciti,
vi chiamava in quel giorno a piangere
e a lamentarvi,
a radervi la testa e a cingere il sacco.

13 Invece, ecco, festa e allegria,
uccisione di bestiame e immolazione
di pecore;
si mangia carne e si beve vino:
«Mangiamo e beviamo perché domani
moriremo!».

14 Ma il Signore degli eserciti
si è fatto intendere ai miei orecchi:
«Questa vostra colpa non sarà espiata,
finché non sarete morti»,
dice il Signore, Dio degli eserciti.

15 Così dice il Signore, Dio degli eserciti:
«Su, recati da questo ministro,
da Sebna il maggiordomo,

16b che in alto si taglia un sepolcro
e si scava una tomba nella rupe:

16a Che possiedi tu qui e chi hai tu qui,
da tagliarti un sepolcro?

17 Ecco, il Signore ti scaglierà con violenza,
ti afferrerà con forza,

18 ti farà rotolare come un cerchio
sull'estesa pianura.
Là morirai e là spariranno i tuoi cocchi
gloriosi,
o ignominia del palazzo del tuo signore!

19 Ti caccerò dal tuo posto e ti destituirò
dalla carica.

20 In quel giorno chiamerò il mio servo,
Eliakim, figlio di Chelkia,

21 Lo rivestirò con la tua tunica,
lo cingerò con la tua cintura
e rimetterò nelle sue mani
la tua autorità.
Sarà un padre per gli abitanti
di Gerusalemme
e per la casa di Giuda.

22 Gli porrò sulle spalle la chiave
della casa di Davide:
ciò che egli apre, nessuno
potrà chiudere,
ciò che egli chiude, nessuno
potrà aprire.

23 Lo fisserò come un piuolo
in un luogo sicuro
e sarà un trono di gloria per la casa
del padre suo.

24 A lui sarà appesa tutta la gloria della casa del padre suo: rampolli e discendenti, tutto il piccolo vasellame, dalle coppe alle anfore».
25 In quel giorno, oracolo del Signore degli eserciti, il piuolo fissato in luogo sicuro cederà, si spezzerà, cadrà e si infrangerà il carico che vi era appeso, perché il Signore ha parlato.

ORACOLO CONTRO TIRO E SIDONE

23 ¹Oracolo su Tiro.

Gemete, navi di Tarsis:
il vostro porto è distrutto.
Al ritorno dal paese dei Kittim,
è stata data loro la notizia.

2 Ammutolite, abitanti della costa,
commercianti di Sidone.
I tuoi messaggeri solcavano il mare

3 dalle immense acque.
Il grano del Nilo, il raccolto del fiume
erano la sua ricchezza
ed era diventato il mercato
delle nazioni.

---

23. - 1. *Tiro* al tempo di Isaia era la città più importante della Fenicia per industrie, ricchezze, commerci e colonie, e i politicanti di Gerusalemme volevano appoggiarsi ad essa contro l'Assiria. Il profeta, per distoglierli, annunzia la distruzione della città.

⁴ Vergognati, Sidone, perché il mare dice:
«Non ho avuto le doglie,
non ho generato,
non ho allevato giovani
né cresciuto vergini».
⁵ Quando si saprà in Egitto,
fremeranno per le notizie su Tiro.
⁶ Traversate il mare fino a Tarsis,
gemete, abitanti della costa!
⁷ È questa la vostra città gaudente,
le cui origini risalgono a tempi antichi?
I suoi piedi la portavano lontano
perché vi fissasse dimore.
⁸ Chi ha deciso questo contro Tiro,
la coronata,
i cui commercianti erano prìncipi
e i cui negozianti erano i più grandi
della terra?
⁹ Il Signore degli eserciti lo ha deciso,
per umiliare l'orgoglio di tutto
il suo splendore,
per umiliare tutti i grandi della terra.
¹⁰ Coltiva la tua terra, figlia di Tarsis,
il porto non esiste più!
¹¹ Ha steso la sua mano sul mare,
ha fatto tremare i regni.
Il Signore ha ordinato a proposito
di Canaan
di distruggere le fortezze.
¹² Egli ha detto: «Non continuerai
più a trionfare,
vergine violentata, figlia di Sidone!
Alzati, passa dai Kittim!
Anche lì non troverai riposo».
¹³ Ecco il paese dei Caldei:
questo popolo non esisteva.
L'Assiro lo assegnò alle bestie selvatiche;
essi innalzarono le loro torri,
abbatterono i suoi bastioni,
lo ridussero in rovina.
¹⁴ Gemete, navi di Tarsis,
perché il vostro rifugio è distrutto!

¹⁵In quel giorno Tiro sarà dimenticata per settanta anni, quanti sono gli anni di un re. Trascorsi settant'anni, Tiro diventerà come la prostituta della canzone:

¹⁶ «Prendi la cetra, percorri la città,
prostituta dimenticata!

10-14. *Figlia di Tarsis* sarebbe Tiro, invitata a coltivare la terra invece di darsi al commercio, ora che gli invasori hanno distrutto completamente il porto.

Suona con abilità, moltiplica i tuoi canti:
chissà che si ricordino di te!».

¹⁷Al termine dei settant'anni il Signore visiterà Tiro, che ritornerà ai suoi guadagni. Si prostituirà con tutti i regni del mondo sulla faccia della terra. ¹⁸Il suo salario e la sua rimunerazione saranno consacrati al Signore. Non saranno ammassati, né conservati nel tesoro, ma il suo salario sarà destinato a coloro che abitano presso il Signore, perché mangino a sazietà e si vestano splendidamente.

IL GIUDIZIO DIVINO

24 ¹Ecco, il Signore spacca la terra,
la devasta, ne sconvolge
la superficie
e ne disperde gli abitanti.
² Avverrà così al popolo come
al sacerdote,
allo schiavo come al padrone,
alla schiava come alla padrona,
a chi compera come a chi vende,
a chi presta come a chi prende a prestito,
a chi dà in usura come a chi prende
in usura.
³ Sarà completamente spaccata la terra,
sarà completamente saccheggiata,
perché il Signore ha pronunciato
questa parola.
⁴ È in lutto, languisce la terra;
deperisce e intristisce l'universo,
deperiscono cielo e terra.
⁵ La terra è stata profanata sotto i piedi
dei suoi abitanti,
perché hanno trasgredito le leggi,
hanno violato il precetto,
hanno infranto il patto eterno.
⁶ Per questo la maledizione divora la terra
e i suoi abitanti ne scontano la pena;
per questo sono consumati gli abitanti
della terra,
rimarranno solo pochi uomini.
⁷ Illanguidisce il mosto, deperisce la vite,
gemono i cuori allegri.
⁸ È cessato il giubilo dei tamburelli,
lo strepito dei gaudenti è finito,
l'allegria della cetra è cessata.
⁹ Non si beve più il vino tra i canti,
la bevanda inebriante è amara
per chi la beve.

¹⁰ È distrutta la città del caos,
  l'ingresso di tutte le case è sbarrato.
¹¹ Si grida per le piazze,
    perché non c'è vino;
  ogni gioia è scomparsa,
  se ne è andata l'allegria dal paese.
¹² Nella città è rimasta la desolazione,
  la porta è stata abbattuta, fatta a pezzi.
¹³ Perché così avverrà nel centro
    della terra,
  in mezzo ai popoli,
  come quando si bacchiano le olive,
  come quando si racimola, terminata
    la vendemmia.
¹⁴ Quelli alzeranno la loro voce,
  acclamando alla maestà del Signore:
  «Esultate, voi che siete dalla parte
    del mare,
¹⁵ e voi che siete in oriente, glorificate
    il Signore,
  nelle isole del mare il nome del Signore,
    Dio d'Israele!
¹⁶ Dall'estremità della terra
    sentiamo cantare:
  Gloria al giusto!».
  Ma io dico: «Sono perduto,
    sono perduto, guai a me!
  I perfidi operano perfidamente,
  i perfidi agiscono con perfidia».
¹⁷ Terrore, fossa e tranello
  ti sovrastano, abitante della terra!
¹⁸ Chi sfugge al grido di terrore
    cadrà nella fossa,
  e chi uscirà dalla fossa cadrà nel tranello,
  perché si sono aperte in alto le cateratte
  e si sono scosse le fondamenta
    della terra.
¹⁹ La terra si schianta tutta,
  la terra si agita violentemente,
  la terra traballa senza sosta,
²⁰ Barcolla la terra come un ubriaco,
  vacilla come una tenda;
  tanto le pesa il suo peccato
  che crolla senza più rialzarsi.
²¹ In quel giorno il Signore punirà in alto
    l'esercito celeste
  e quaggiù i re della terra.
²² Saranno radunati e imprigionati
    in una fossa,
  saranno rinchiusi in una prigione
  e, dopo molti giorni, puniti.
²³ La luna sarà confusa e il sole si coprirà
    di vergogna,
  quando il Signore degli eserciti regnerà

sul monte Sion e su Gerusalemme
e sarà glorificato davanti ai suoi anziani.

INNO DI RINGRAZIAMENTO

25 ¹Signore, tu sei il mio Dio:
  ti esalto e lodo il tuo nome,
  perché hai eseguito progetti meravigliosi,
  concepiti da tempo, immutabili, veritieri!
² Poiché hai trasformato la città
    in un mucchio di sassi,
  la cittadella fortificata in rovina,
  la fortezza dei superbi non è più
    una città,
  non sarà più ricostruita.
³ Per questo un popolo potente riconosce
    la tua gloria,
  la città di nazioni forti ti venera.
⁴ Poiché tu sei stato un rifugio per il debole,
  un rifugio per il povero
    nella sua angustia,
  riparo dalla tempesta, ombra contro
    il calore;
  poiché il soffio dei potenti è come
    la pioggia invernale,
⁵ come il caldo sulla terra arida.
  Tu reprimi il tumulto dei superbi
  come il calore all'ombra di una nube,
  mentre il canto dei tiranni si affievolisce.
⁶ Il Signore degli eserciti preparerà
  per tutti i popoli su questo monte
  un banchetto di cibi succulenti,
  un banchetto di vini eccellenti,
  di carni prelibate, di vini raffinati.
⁷ Egli distruggerà su questo monte
  il velo posto sulla faccia di tutti i popoli
  e la coltre distesa su tutte le nazioni.
⁸ Distruggerà per sempre la morte;
  il Signore Dio asciugherà le lacrime
    su tutti i volti
  e toglierà l'ignominia del suo popolo
    su tutta la terra,
  perché il Signore ha parlato.
⁹ Si dirà in quel giorno: «Ecco
    il nostro Dio;
  in lui abbiamo sperato perché
    ci salvasse.

---

24. - 10. *La città del caos*: è la città dei nemici di Dio, dove non può regnare che il disordine.
12-13. È scomparsa ogni allegria perché non solo la città, ma anche la campagna è distrutta e non produce più. La desolazione è grande come quella di un olivo spogliato dei suoi frutti o di una vigna dopo la vendemmia.

Questi è il Signore in cui abbiamo
     sperato;
esultiamo e rallegriamoci
     per la sua salvezza.
¹⁰ Poiché la mano del Signore si poserà
     su questo monte».
Invece Moab sarà calpestato
     sul suo suolo,
come si calpesta la paglia
     nella concimaia.
¹¹ In mezzo ad essa egli stenderà le mani,
come il nuotatore le distende
     per nuotare,
ma il Signore abbasserà
     la sua superbia,
malgrado gli sforzi delle sue mani.
¹² La cittadella dalle alte mura
egli l'abbatterà, la distruggerà,
     la getterà a terra, fin nella polvere.

LODE A DIO E FIDUCIA IN LUI

26 ¹In quel giorno si canterà questo
canto nel paese di Giuda:

«Abbiamo una città potente:
egli ha eretto, per salvarla,
     mura e baluardo.
² Aprite le porte ed entri una nazione
     giusta,
che mantiene la fedeltà!
³ Il suo proposito è fermo,
tu le assicuri la pace, perché confida in te.
⁴ Confidate nel Signore sempre,
perché il Signore è una roccia eterna;
⁵ perché ha abbattuto quanti abitavano
     in alto;
la città elevata l'ha umiliata,
l'ha umiliata fino a terra, l'ha gettata
     nella polvere.
⁶ I piedi la calpestano,
i piedi del misero, i passi dei poveri».
⁷ Il cammino del giusto è retto,
tu appiani la via del giusto.
⁸ Sì, nella via dei tuoi giudizi, Signore,
noi speriamo in te.
Il tuo nome e la tua memoria
sono l'aspirazione dell'anima.

⁹ L'anima mia anela a te di notte,
anche il mio spirito nel mio intimo
     ti cerca.
Perché quando i tuoi giudizi giungono
     sulla terra,
gli abitanti del mondo apprendono
     la giustizia.
¹⁰ Se si fa grazia all'iniquo,
egli non apprende la giustizia;
sulla terra del bene egli opera il male
e non riconosce la maestà del Signore.
¹¹ Signore, eccelsa è la tua mano,
ma essi non vedono.
Vedano, arrossendo, la tua gelosia
     per il popolo,
anzi il fuoco dei tuoi nemici li divori.
¹² Signore, tu ci procurerai la pace,
perché ogni nostra azione la compi
     tu per noi.
¹³ Signore, nostro Dio, altri signori,
diversi da te, ci hanno dominato,
ma noi invochiamo soltanto te
e il tuo nome.
¹⁴ I morti non rivivranno,
le ombre non risorgeranno,
perché li hai puniti e distrutti,
hai fatto sparire ogni loro memoria.
¹⁵ Hai accresciuto la nazione, Signore,
hai accresciuto la nazione,
     manifestando la tua gloria,
hai esteso tutti i confini del paese.
¹⁶ Signore, ti abbiamo cercato
     nella tribolazione,
l'angoscia dell'oppressione è stata
     il tuo castigo per noi.
¹⁷ Come la donna quando giunge
     al parto
si contorce e grida per il dolore,
così siamo noi al tuo cospetto, Signore.
¹⁸ Abbiamo concepito, abbiamo sentito
     le doglie,
come se dovessimo partorire:
     era solo vento!
Non abbiamo portato salvezza alla terra
e al mondo non nacquero abitanti.
¹⁹ I tuoi morti rivivranno, risorgeranno
     i loro cadaveri.
Si risveglieranno ed esulteranno
quelli che giacciono nella polvere,
perché la tua rugiada è una rugiada
     luminosa
e la terra darà alla luce le ombre.
²⁰ Va', popolo mio, entra nelle tue stanze
e chiudi i battenti dietro di te!

Is

---

26. - 16-19. Riconoscimento che la rinascita della nazione è
solo opera di Dio. Gli uomini hanno sofferto molto, ma non
sono riusciti a ridare vita alla nazione desolata. Invece Dio
l'ha accresciuta e aumentata, e farà risuscitare i morti.

Nasconditi per un istante,
finché non sia passata la collera.

²¹ Perché, ecco, il Signore esce
dalla sua dimora
per punire l'iniquità degli abitanti
della terra;
la terra scoprirà il sangue versato
e non nasconderà più i suoi uccisi.

IL DESTINO DI ISRAELE

27 ¹In quel giorno il Signore punirà
con la sua spada robusta, grande
e potente
il Leviatan, serpente fuggente,
il Leviatan, serpente tortuoso,
e ucciderà il dragone del mare.

² In quel giorno si dirà:
«La vigna deliziosa! Cantate per essa!

³ Io, il Signore, la custodisco,
ad ogni momento la irrigo,
perché non le manchino le foglie,
notte e giorno io la custodisco.

⁴ Non sono più in collera.
Se ci fossero rovi e pruni,
io muoverei loro guerra, li brucerei
tutti insieme.

⁵ O, piuttosto, si cerchi rifugio in me,
si faccia pace con me, la pace sia fatta
con me».

⁶ Verranno giorni in cui Giacobbe
metterà radici,
Israele fiorirà e germoglierà
e l'universo si riempirà dei suoi frutti.

⁷ Lo ha forse percosso il Signore
come ha percosso i suoi percussori,
o lo ha ucciso come ha fatto
con i suoi uccisori?

⁸ Tu l'hai castigato cacciandolo via,
allontanandolo;
l'hai sospinto con un soffio violento
in un giorno in cui spira il vento orientale.

⁹ Perciò con questo sarà espiata l'iniquità
di Giacobbe
e questo rimuoverà tutti i frutti
del suo peccato:
quando avrà ridotto tutte le pietre
dell'altare
come pietre che si stritolano per la calce,
non erigeranno più stele sacre né cippi.

¹⁰ La città fortificata è diventata solitaria,
un luogo spopolato e abbandonato
come un deserto:

là viene a pascolare il vitello,
vi si sdraia e ne distrugge i rami.

¹¹ Quando i rami si seccano,
si spezzano;
le donne vengono e li fanno bruciare.
Sì, questo è un popolo
senza intelligenza,
perciò il suo Creatore non ne avrà
misericordia
e chi l'ha formato non gli farà grazia.

¹² In quel giorno il Signore batterà
le spighe
dal fiume fino al torrente d'Egitto,
e voi sarete raccolti uno per uno,
voi, figli d'Israele.

¹³ In quel giorno suonerà la grande tromba
e verranno gli sperduti nella terra
d'Assiria
e i dispersi nella terra d'Egitto:
essi adoreranno il Signore
sul monte santo,
in Gerusalemme.

CONTRO SAMARIA E I CAPI DI GIUDA

28 ¹Guai alla superba corona
degli ubriachi di Efraim,
al fiore caduco del suo splendido
ornamento,
che si trova al vertice della fertile valle
degli storditi dal vino.

² Ecco: uno forte e robusto inviato
dal Signore,
come una tempesta di grandine,
un turbine devastatore,
come una tempesta di acque impetuose
e scroscianti,
con la sua mano getta tutto a terra.

³ Sotto i piedi sarà calpestata
la superba corona degli ubriachi
di Efraim.

⁴ E il fiore caduco del suo splendido
ornamento,
che si trova al vertice della fertile valle,
sarà come un fico primaticcio
prima dell'estate:

---

27. - 2-5. *La vigna deliziosa* è Israele, di cui Dio stesso si
prende cura; *rovi e pruni* sono i suoi nemici, i quali saranno
distrutti, a meno che si convertano a Dio e facciano la pace
con lui.

12-13. Speranza per l'avvenire: Dio richiamerà il popolo suo
dalla terra d'esilio. Diventa sempre più esplicita la promessa
del ritorno in patria del popolo esiliato.

quando uno lo vede, appena l'ha preso
  lo ingoia.
5 In quel giorno il Signore degli eserciti
  sarà una splendida corona,
  un magnifico diadema
  per il resto del suo popolo,
6 uno spirito di giustizia per chi siede
    in tribunale,
  una forza per coloro che respingono
    l'assalto alla porta.
7 Anche costoro barcollano per il vino
  e per la bevanda inebriante vacillano.
  Sacerdoti e profeti barcollano
    per la bevanda inebriante,
  sono storditi dal vino, vacillano
    per la bevanda inebriante,
  barcollano come avessero visioni,
  tartagliano pronunciando il verdetto.
8 Sì, tutte le loro mense sono piene
  di vomito ripugnante,
  non c'è un posto pulito.
9 «A chi vuole insegnare la scienza?
  A chi vuole far comprendere
    il messaggio?
  A bimbi appena svezzati,
    staccati dal seno?
10 Sì: precetto su precetto, precetto
     su precetto,
   regola su regola, regola su regola,
   un po' qui, un po' là».
11 Sì, con labbra balbuzienti
     e con uno strano linguaggio
   parlerà a questo popolo,
12 lui, che aveva detto loro:
   «Ecco il riposo: fate riposare lo stanco!
   Ecco la quiete!».
   Ma essi non vollero ascoltare.
13 Allora il Signore parlerà loro così:
   «Precetto su precetto, precetto
     su precetto,
   regola su regola, regola su regola,
   un po' qui, un po' là»,
   perché camminando cadano all'indietro,
   si fratturino, siano presi al laccio
   e catturati.
14 Perciò udite la parola del Signore,
   voi arroganti,

che governate questo popolo
  e abitate in Gerusalemme!
15 Poiché dite: «Abbiamo concluso
     un patto con la morte
   e con gl'inferi abbiamo fatto un'alleanza.
   Il flagello travolgente, passando,
     non ci raggiungerà,
   perché abbiamo fatto della menzogna
     il nostro rifugio
   e ci siamo riparati nella falsità».
16 Perciò così parla il Signore Dio:
   «Ecco, io pongo in Sion una pietra,
     una piétra scelta,
   angolare, preziosa, ben fondata:
   chi crede, non si agiterà.
17 Userò come misura il giudizio
   e la giustizia come livella.
   La grandine spazzerà via il vostro
     falso rifugio
   e le acque travolgeranno il vostro
     nascondiglio.
18 Sarà annullato il vostro patto
     con la morte
   e la vostra alleanza con gl'inferi
     non reggerà.
   Il flagello travolgente, passando,
     vi calpesterà.
19 Ogniqualvolta passerà, vi prenderà,
   perché passerà ogni mattino, di giorno
     e di notte;
   non vi sarà che spavento
   nel comprendere ciò che è rivelato.
20 Il letto sarà troppo corto
     per distendervisi,
   troppo stretta la coperta
     per avvolgervisi».
21 Sì, il Signore si leverà come sul monte
     Perazim,
   fremerà come nella valle di Gabaon,
   per compiere la sua opera,
     un'opera straordinaria,
   per eseguire il suo progetto,
     un progetto singolare.
22 Ora smettete di essere arroganti,
   affinché non si stringano le vostre catene,
   perché ho udito un decreto di rovina
   da parte del Signore, Dio degli eserciti,
   contro tutto il paese.
23 Fate attenzione e udite la mia voce,
   siate attenti e udite la mia parola!
24 Ara forse l'aratore tutto il giorno
     per seminare?
   Non apre egli solchi e non dissoda
     il terreno?

Is

28. - 16. *Pietra*: è la divina protezione, promessa alla dinastia davidica (7,13-16; 9,1-6). In queste parole gli apostoli
(1Pt 2,6-8; Rm 9,33) hanno ravvisato il Messia, pietra angolare, fondamento della chiesa nuovo popolo di Dio.
20. Il proverbio popolare che indicava l'impotenza dei mezzi
a disposizione è usato per dimostrare l'impotenza dei mezzi
umani contro i castighi di Dio.

²⁵ Non appiana egli la superficie,
   non vi semina l'aneto, e non vi sparge
      il cumino?
   Non mette il grano e l'orzo e la spelta
      nel suo spazio?
²⁶ Il suo Dio gli ha inculcato questa regola,
   lo ha ammaestrato.
²⁷ Certo, l'aneto non si batte con il tribbio
   né si fa girare il rullo sul cumino,
   ma l'aneto si batte con il bastone
   e il cumino con la verga.
²⁸ Si schiaccia forse il frumento?
   Certo, non lo si pesta senza fine;
   vi si fanno passare sopra la ruota
      del carro
   e i suoi cavalli, ma non lo si schiaccia.
²⁹ Anche ciò proviene dal Signore
      degli eserciti,
   che è meraviglioso nel suo consiglio
   e grande in sapienza.

ASSEDIO E LIBERAZIONE

29 ¹Guai ad Ariel, ad Ariel,
   città in cui si accampò Davide!
   Aggiungete anno ad anno,
   le feste compiano il loro ciclo.
² Metterò Ariel alle strette,
   ci saranno lamento e gemito.
   Tu sarai per me come Ariel.
³ Mi accamperò contro di te come Davide,
   ti assedierò con trincee
   e innalzerò fortezze contro di te.
⁴ Abbattuta, parlerai dal suolo
   e dalla polvere verrà soffocata
      la tua parola;
   sembrerà come di un fantasma
      la tua voce dal suolo
   e dalla polvere bisbiglierai le tue parole.
⁵ La moltitudine degli stranieri
      sarà come polvere minuta
   e come pula dispersa la moltitudine
      dei tuoi oppressori.
   Ma all'improvviso, sull'istante
⁶ tu sarai visitata dal Signore degli eserciti
   con tuoni, terremoti e fragore
      assordante,
   con uragano, tempesta e fiamma
      di fuoco divorante.
⁷ Come un sogno, come una visione
      notturna
   sarà la moltitudine di tutte le nazioni
   che marceranno contro Ariel,

di tutti i suoi attaccanti
e delle torri di quelli che l'assediano.
⁸ Sarà come quando l'affamato sogna
      di mangiare,
   ma si sveglia e il suo stomaco è vuoto;
   come quando l'assetato sogna di bere,
   ma si sveglia stanco e con la gola riarsa:
   così avverrà alla moltitudine delle nazioni
   che combattono contro il monte Sion.
⁹ Fermatevi e stupite,
   chiudete gli occhi e rimanete ciechi;
   ubriacatevi, ma non di vino,
   barcollate, ma non a causa della bevanda
      inebriante!
¹⁰ Perché è il Signore che ha versato
      su di voi
   uno spirito di torpore,
   ha chiuso i vostri occhi e ha velato
      le vostre teste.

¹¹Ogni visione sarà per voi come le parole di
un libro sigillato, che si dà a uno che conosca la scrittura, dicendogli: «Leggilo», ma
egli risponde: «Non posso, perché è sigillato». ¹²Allora si dà il libro a chi non sa leggere, dicendogli: «Leggilo», ma egli risponde:
«Non so leggere».

¹³ Dice il Signore: «Poiché questo popolo
   si avvicina a me solo a parole
   e mi onora solo con le labbra,
   ma il suo cuore è lontano da me
   e il suo culto verso di me
   non è altro che un comandamento
      di uomini,
   che è stato loro insegnato,
¹⁴ perciò, ecco, continuerò a compiere
   meraviglie e prodigi per questo popolo;
   perirà la sapienza dei suoi sapienti
   e scomparirà l'intelligenza
      degli intelligenti».
¹⁵ Guai a quanti si nascondono dinanzi
      al Signore
   per dissimulare il loro progetto!
   Essi operano nelle tenebre
   e dicono: «Chi ci vede?
      Chi se ne accorge?».

---

29. - 1. *Ariel* è il nome simbolico di Gerusalemme: significa
«leone di Dio».
15-16. Il profeta sembra accennare ai piani di alleanza con
l'Egitto che i capi d'Israele vogliono tenere segreti, come
se Dio non fosse capace di salvare il suo popolo. Eppure
essi non sono che povera creta nelle mani dell'Onnipotente
(cfr. 30,2).

16 Quanto siete perversi! Forse che il vasaio
  è considerato pari all'argilla?
  Può forse un oggetto dire
    a chi l'ha fatto:
  «Non mi hai fatto»?
  E un vaso può dire del vasaio:
  «Non è intelligente»?
17 Ancora un poco e il Libano diventerà
    un giardino
  e il giardino sembrerà una foresta.
18 In quel giorno i sordi intenderanno
    le parole del libro;
  liberati dall'oscurità e dalle tenebre,
  gli occhi dei ciechi vedranno.
19 Gli umili torneranno a gioire nel Signore
  e i poveri esulteranno nel Santo
    d'Israele.
20 Perché il tiranno verrà meno
    e il derisore sparirà;
 • saranno sterminati quanti tramano
    l'iniquità,
21 quanti fanno peccare gli uomini
    in parole,
  quanti tendono un tranello al giudice
    alla porta
  e quelli che fan torto al giusto
    per un nulla.
22 Perciò così parla il Signore,
  il Dio della casa di Giacobbe,
  colui che ha riscattato Abramo:
  «D'ora in poi non sarà confuso
    Giacobbe,
  la sua faccia non impallidirà più;
23 perché vedendo i suoi figli,
  l'opera delle mie mani in mezzo a loro,
  santificheranno il mio nome.
  Santificheranno il Santo di Giacobbe
  e temeranno il Dio d'Israele.
24 Gli spiriti fuorviati apprenderanno
    la saggezza
  e quanti protestavano capiranno
    l'insegnamento».

LE COLPE DI ISRAELE
E IL RICHIAMO ALLA CONVERSIONE

30 ¹Guai ai figli ribelli, oracolo
  del Signore,
  che fanno progetti che non vengono
    da me
  e si legano con alleanze non ispirate
    da me,
  accumulando peccato su peccato.

2 Partono per discendere in Egitto
  senza consultare la mia bocca,
  per rifugiarsi sotto la protezione
    del Faraone
  e per ripararsi all'ombra dell'Egitto.
3 Ma la protezione del Faraone
  sarà la vostra vergogna,
  e il riparo all'ombra dell'Egitto
  sarà la vostra confusione.
4 Sì, i suoi inviati sono andati a Tanis
  e i suoi messaggeri hanno raggiunto
    Canes,
5 ma tutti saranno delusi da un popolo
    inutile,
  che non è per loro né di aiuto
    né di vantaggio,
  ma di vergogna e di ignominia.
6 Oracolo sugli animali del Negheb:
  nel paese della tribolazione
    e dell'angoscia,
  della leonessa e del leone ruggente,
  della vipera e del dragone alato,
  trasportano sul dorso degli asini
    le loro ricchezze
  e sulla gobba dei cammelli
    i loro tesori
  a un popolo inutile.
7 L'aiuto dell'Egitto è vano e inutile,
  perciò lo chiamo: Raab il fannullone.
8 Ora vieni, scrivi questo su una tavoletta
    davanti a loro,
  scrivilo in un libro,
  affinché rimanga per il futuro
  una perpetua testimonianza.
9 Perché questo è un popolo ribelle,
    sono figli bugiardi,
  figli che non vogliono ascoltare
    la legge del Signore.
10 Essi dicono ai veggenti:
    «Non abbiate visioni»,
  e ai profeti: «Non profetizzateci
    il vero;
  diteci cose piacevoli, profetizzateci
    illusioni;
11 ritraetevi dal sentiero, scostatevi
    dal cammino,
  fate sparire davanti a noi il Santo
    d'Israele».
12 Perciò così dice il Santo d'Israele:
  «Poiché voi ripudiate questo oracolo,
  confidate in ciò che è perverso
    e tortuoso
  e vi appoggiate su ciò,
13 ecco che questa colpa sarà per voi

Is

come una breccia cadente,
    che fa rigonfio un alto muro,
il cui crollo avviene subito, in un istante.
[14] La sua frattura sarà come quella
    di una brocca di vasaio,
fatta a pezzi senza pietà,
    così che non si possa trovare
    tra i suoi frammenti neppure un coccio,
    con cui prendere fuoco dal focolare,
    o attingere acqua dalla cisterna».
[15] Perché così dice il Signore Dio,
    il Santo d'Israele:
«Nella conversione e nella calma
    sarete salvi,
nella perfetta fiducia sarà la vostra forza».
Ma voi non avete voluto,
[16] anzi avete detto: «No! Noi fuggiremo
    su cavalli!».
Ebbene, fuggite!
«Cavalcheremo su veloci destrieri!».
Ebbene, più veloci saranno
    i vostri inseguitori!
[17] Mille si spaventeranno
    davanti alla minaccia di uno solo;
    davanti alla minaccia di cinque
    voi fuggirete,
finché rimarrete come un'asta sulla cima
    di un monte
e come uno stendardo sopra una collina.
[18] Eppure il Signore aspetta per farvi grazia:
    perciò egli si erge per avere pietà di voi,
    perché il Signore è un Dio giusto;
    beati tutti quelli che confidano in lui!

[19]Sì, popolo di Sion, che abiti in Gerusalemme, tu non verserai più lacrime. Ti farà
grazia al grido della tua supplica; appena ti
avrà udito, ti risponderà. [20]Il Signore vi darà
il pane della tribolazione e l'acqua dell'oppressione, ma il tuo maestro non rimarrà
più nascosto e i tuoi occhi vedranno il tuo
maestro. [21]I tuoi orecchi udranno questa parola dietro a te: «Questo è il cammino, seguitelo», qualora doveste andare a destra o
a sinistra. [22]Riterrai impuri i tuoi idoli rivestiti
d'argento e i tuoi simulacri ammantati d'oro.
Li rigetterai come un oggetto immondo, dicendo loro: «Fuori!». [23]Allora egli concederà
la pioggia per il tuo seme, che avrai seminato nel campo; il pane, frutto della terra, sarà
ricco e sostanzioso; il tuo bestiame pascolerà in quel giorno su una vasta prateria. [24]I
buoi e gli asini che lavorano la terra mangeranno una biada saporita, ventilata con la

pala e il ventilabro. [25]Su ogni alto monte e
su ogni collina elevata scorreranno ruscelli
e torrenti d'acqua, nel giorno della grande
carneficina, quando cadranno le torri. [26]Al-
lora la luce della luna sarà come quella del
sole e la luce del sole diventerà sette volte
più potente – come la luce di sette giorni –
nel giorno in cui il Signore fascerà la piaga
del suo popolo e guarirà la ferita prodotta
dai suoi colpi.

[27] Ecco, il Signore in persona viene
    da lontano;
ardente è la sua ira, pesante il suo carico;
    le sue labbra sono piene di furore,
    la sua lingua è come fuoco divorante;
[28] il suo soffio è come torrente
    straripante,
che giunge fino al collo:
    per vagliare le nazioni con il vaglio
    dello sterminio,
e per mettere un freno insidioso
    nelle mascelle dei popoli.
[29] Il vostro canto risuonerà
    come nella notte in cui si celebra
    la festa;
la gioia del cuore sarà
    come quando si parte al suono
    della musica
per recarsi al monte del Signore,
    alla Roccia d'Israele.
[30] Il Signore farà udire la sua voce
    maestosa
e mostrerà il suo braccio che colpisce
    nel furore della sua ira,
    nella fiamma del fuoco divorante,
    nell'uragano di pioggia e di grandine
    furiosa.
[31] Sì, l'Assiria tremerà alla voce
    del Signore,
che la percuoterà con la verga.
[32] Ogni passaggio della verga
    sarà una punizione
che il Signore le farà piombare
    addosso.
Fra tamburi e cetre, con combattimenti
    a mano alzata,
egli combatterà contro di lei.
[33] Poiché è pronto da tempo il Tofet,
    esso è pronto anche per il re;
    profondo e largo è il rogo,
    fuoco e legna abbondano
e il soffio del Signore, come torrente
    di zolfo, lo accenderà.

L'INUTILE PATTO CON L'EGITTO

31 ¹Guai a quelli che scendono
in Egitto
per cercare aiuto e confidano
nei cavalli,
hanno fiducia nei carri perché numerosi
e nei cavalieri perché molto potenti,
senza avere riguardo per il Santo
d'Israele
e senza consultare il Signore.
² Ma anch'egli è saggio e causerà
il disastro,
non ritira le sue parole;
si ergerà contro la casa dei malfattori
e contro l'aiuto di quelli che operano
l'iniquità.
³ L'Egiziano è un uomo, non un dio,
i suoi cavalli sono carne, non spirito.
Il Signore stenderà la mano:
il protettore inciamperà
e il protetto cadrà,
periranno tutti insieme.
⁴ Perché così mi ha detto il Signore:
Come freme un leone o un leoncello
per la preda,
contro la quale si raduna una frotta
di pastori,
e non teme le loro grida
né si intimorisce per il loro tumulto,
così il Signore degli eserciti discenderà
per combattere sul monte Sion
e sulla sua collina.
⁵ Volteggiando come gli uccelli,
il Signore degli eserciti proteggerà
Gerusalemme,
la proteggerà, la salverà, la risparmierà
e la libererà.
⁶ Ritornate, figli d'Israele,
a colui contro il quale vi siete tanto
ribellati!
⁷ Sì, in quel giorno ognuno ripudierà
gli idoli d'argento e gli idoli d'oro,
che le vostre mani peccatrici hanno
fabbricato.
⁸ L'Assiria cadrà di spada non umana,
una spada non umana la divorerà.
Fuggirà davanti alla spada

e i suoi guerrieri saranno resi schiavi.
⁹ Per lo spavento essa abbandonerà
la sua rocca,
i suoi capi tremeranno lontani
dall'insegna.
Oracolo del Signore che ha un fuoco
in Sion
e una fornace in Gerusalemme.

LA PROMESSA
DI UN REGNO DI GIUSTIZIA

32 ¹Ecco, un re regnerà secondo
giustizia
e i prìncipi governeranno secondo
il diritto.
² Ognuno sarà come un riparo
contro il vento
e un rifugio contro la tempesta,
come ruscelli d'acqua in una steppa,
come l'ombra di una grande roccia
in arida terra.
³ Non staranno più chiusi gli occhi
di quanti vedono,
e gli orecchi di quanti odono
staranno attenti.
⁴ Il cuore degli sconsiderati si applicherà
a comprendere
e la lingua dei balbuzienti parlerà
chiaramente.
⁵ L'insensato non sarà chiamato
più nobile
né il furbo sarà detto grande.
⁶ Perché l'insensato dice stoltezze
e il suo cuore medita iniquità,
così da commettere l'empietà
e proferire errori riguardo al Signore,
rimandare vuoto lo stomaco
dell'affamato
e privare di bevanda l'assetato.
⁷ Il furbo – inique sono le sue furbizie –
progetta scelleratezze,
per sopprimere i poveri con parole
menzognere,
anche quando il povero può provare
il suo diritto.
⁸ Il nobile, invece, progetta nobili disegni
e si leva per compiere cose nobili.
⁹ Donne orgogliose, levatevi,
udite la mia voce; figlie baldanzose,
prestate orecchio alla mia parola!
¹⁰ Tra un anno e alcuni giorni
voi tremerete, o baldanzose,

Is

---

31. - 1. La cavalleria egiziana era l'unica che potesse contrastare quella assira; per questo Giuda la cercava come aiuto. Ma il profeta dice che Gerusalemme potrà trovare protezione soltanto in Dio.
9. Dio ha sul Sion il *fuoco* e la *fornace*: l'altare degli olocausti e il tempio.

perché è venuta meno la vendemmia
e la raccolta non ci sarà più!

11 Fremete, orgogliose!
Tremate, baldanzose!
Togliete le vesti, denudatevi,
cingete i vostri lombi!

12 Battetevi il petto per le campagne fertili,
per le vigne feconde,

13 per la terra del mio popolo,
sulla quale cresceranno spine e pruni,
e anche per tutte le case gioiose
e la città in festa.

14 Poiché il palazzo sarà abbandonato
e la città tumultuosa sarà deserta,
l'Ofel e la torre saranno trasformati
per sempre in caverne,
delizia degli asini selvatici e pascolo
delle greggi.

15 Ma alla fine sarà effuso su di noi
lo spirito dall'alto;
il deserto diventerà un giardino
e il giardino si cambierà in foresta.

16 Nel deserto dimorerà il diritto
e la giustizia abiterà nel giardino.

17 Effetto della giustizia sarà la pace,
frutto del diritto saranno sicurezza
e tranquillità perpetue.

18 Il mio popolo abiterà in una dimora
di pace,
in dimore sicure e in luoghi tranquilli,

19 anche quando cadrà la foresta
e la città sarà sprofondata.

20 Beati voi che seminerete presso
tutte le acque
e lascerete in libertà buoi e asini!

SUPPLICA A DIO E RICHIESTA
DEL SUO INTERVENTO

33 1Guai a te, devastatore
mai devastato, rapinatore
mai rapinato!
Quando avrai finito di devastare,
sarai devastato;
quando avrai terminato di rapinare,
sarai rapinato.

2 Signore, pietà di noi che speriamo in te!
Sii il nostro braccio ogni mattino
e la nostra salvezza nel tempo
della tribolazione!

3 Al rumore della tua minaccia fuggono
i popoli,
quando ti levi, le nazioni si disperdono.

4 La preda si ammucchia
come si ammucchiano le cavallette;
vi si precipita sopra, come si precipitano
le locuste.

5 Eccelso è il Signore, perché abita in alto;
egli riempie Sion di diritto e di giustizia.

6 Vi sarà sicurezza nei tuoi giorni,
ricchezza salutare saranno sapienza
e scienza;
il timore del Signore sarà il suo tesoro.

7 Ecco, i loro araldi gridano di fuori,
i messaggeri di pace piangono
amaramente.

8 Le vie sono deserte,
non vi sono più passanti sulla strada,
si viola il patto, si respingono i testimoni,
non si ha riguardo per nessuno.

9 Il paese è in lutto e languisce,
il Libano si confonde e intristisce,
il Saron è simile a una steppa,
Basan e il Carmelo sono brulli.

10 «Ora mi alzerò – dice il Signore –,
ora mi innalzerò, ora mi glorificherò».

11 Voi avete concepito fieno,
partorirete paglia;
il mio soffio vi divorerà come fuoco.

12 I popoli saranno fornaci di calce,
spini tagliati da bruciare nel fuoco.

13 Udite, lontani, ciò che ho fatto
e voi, vicini, riconoscete la mia potenza!

14 In Sion i peccatori sono presi
da spavento,
un tremore si impossessa degli empi:
«Chi di noi resisterà al fuoco divorante,
chi di noi resisterà davanti a un calore
continuo?».

15 Colui che cammina nella giustizia
e parla con rettitudine,
ripudia il guadagno dell'estorsione,
scuote le sue mani per non accettare
regali,
si tura gli orecchi per non udire fatti
di sangue,
chiude gli occhi per non vedere il male.

16 Questi dimorerà in alto,
fortezze rocciose saranno il suo rifugio,
sarà fornito di pane e avrà
l'acqua assicurata.

17 I tuoi occhi contempleranno un re
nel suo splendore,
vedranno un paese immenso.

18 Il tuo cuore penserà con terrore:
«Dov'è lo scriba? Dov'è colui che pesa?
Dov'è colui che conta le torri?».

¹⁹ Non vedrai più un popolo violento,
    un popolo dal linguaggio oscuro
        e incomprensibile,
    dalla lingua barbara
        che non si comprende.
²⁰ Contempla Sion, la città nelle nostre
        solennità!
    I tuoi occhi vedranno Gerusalemme,
    abitazione pacifica, tenda inamovibile;
    i suoi piuoli non saranno più rimossi
    e le sue funi non saranno strappate.
²¹ Sì, veramente lì è per noi potente
        il Signore,
    al pari di fiumi e larghi canali,
    in cui non circola nave a remi
    e non passa un naviglio potente.
²² Poiché il Signore è il nostro giudice,
    il Signore è il nostro legislatore,
    il Signore è il nostro re: egli ci salverà.
²³ Le tue corde sono allentate,
    non tengono diritto l'albero della nave,
    non dispiegano più le vele.
    Allora si dividerà un enorme bottino,
    perfino gli zoppi si daranno
        al saccheggio.
²⁴ Nessun abitante della città dirà più:
        «Mi sento male»;
    al popolo che dimora in essa
        è stata perdonata la colpa.

I POPOLI A GIUDIZIO

34 ¹ Avvicinatevi, popoli, per udire;
        nazioni, fate attenzione!
    Ascolti la terra e tutto ciò che la riempie,
    il mondo e quanto esso produce!
² Perché il Signore si è adirato
        contro tutte le nazioni,
    si è sdegnato contro tutti i loro eserciti,
    li ha condannati allo sterminio,
    li ha destinati al massacro.
³ I loro uccisi sono stati gettati via
    e dai loro cadaveri sale il fetore,
    del loro sangue grondano i monti.
⁴ Si dissolve tutta l'armata del cielo,
    i cieli si arrotolano come un libro;

tutte le loro schiere cadranno,
    come cade il pampino della vite,
    come le foglie avvizzite del fico.
⁵ Sì, la mia spada si è inebriata nel cielo;
    ecco, essa si abbatte contro Edom
    e contro il popolo che ho votato
        alla condanna.
⁶ La spada del Signore è piena di sangue,
    è intrisa di grasso,
    del sangue di agnelli e di capri,
    del grasso delle viscere dei montoni,
    perché il Signore offre un sacrificio
        in Bozra,
    un grande massacro nella terra di Edom.
⁷ Con essi cadono bisonti,
    giovenche insieme con tori.
    La loro terra gronda sangue
    e la loro polvere s'impingua di grasso.
⁸ Perché è il giorno della vendetta
        del Signore,
    l'anno della rivincita per la causa di Sion.
⁹ I suoi torrenti si cambieranno in pece,
    la sua polvere in zolfo,
    il loro paese diventerà pece ardente.
¹⁰ Non si spegnerà né di giorno né di notte,
    il suo fumo salirà eternamente;
    rimarrà arido di generazione
        in generazione,
    nessuno più vi passerà.
¹¹ L'occuperanno il pellicano e il riccio,
    vi abiteranno il gufo e il corvo.
    Il Signore stenderà su di esso la corda
        della solitudine
    e la livella del vuoto.
¹² Non vi saranno più i suoi nobili,
    non vi si proclameranno più i re,
    e tutti i suoi prìncipi saranno annientati.
¹³ Nei suoi palazzi cresceranno le spine,
    nelle sue fortezze ortiche e cardi;
    diventerà dimora di sciacalli,
        riparo per gli struzzi.
¹⁴ Le fiere del deserto s'incontreranno
        con le iene
    e i satiri si chiameranno l'un l'altro;
    lì abiterà Lilit, trovando dove posarsi.
¹⁵ Quivi si anniderà la vipera,
        deporrà le uova,
    le coverà, le farà schiudere nell'ombra;
    lì si raduneranno pure gli avvoltoi,
    nessuno perderà il suo compagno.
¹⁶ Cercate nel libro del Signore e leggete:
    nessuno di essi mancherà,
    perché la sua bocca l'ha comandato
    ed è il suo spirito che li raduna.

Is

---

34. - 14. *Lilit*: genio demoniaco femminile assiro-babilonese,
che, secondo l'opinione popolare, di notte girovagava tra le
rovine.

16. *Libro del Signore*: è la profezia d'Isaia: il profeta scrive la
profezia e sfida i posteri a paragonare gli avvenimenti con le
sue parole, e assicura che avverranno con ordine tutte, perché la profezia è da Dio stesso, il quale non può ingannare.

¹⁷ Egli ha gettato per essi la sorte;
la sua mano ha ripartito loro il paese
con misura,
lo possederanno per sempre,
vi abiteranno di generazione
in generazione.

LA GLORIA DI GERUSALEMME

35 ¹Esultino il deserto e la steppa,
gioisca e fiorisca l'arida terra.

² Come il narciso fiorisca
abbondantemente,
trabocchi di letizia e di gioia.
Le è stata data la gloria del Libano,
lo splendore del Carmelo e del Saron.
Essi vedranno la gloria del Signore,
lo splendore del nostro Dio.

³ Irrobustite le mani fiacche,
rendete salde le ginocchia vacillanti.

⁴ Dite ai cuori sconvolti: «Coraggio!
Non temete!
Ecco il vostro Dio: egli viene
con la vendetta;
è la ricompensa divina: egli viene
e vi salverà».

⁵ Allora si schiuderanno gli occhi
dei ciechi
e gli orecchi dei sordi si apriranno.

⁶ Allora lo zoppo salterà come un cervo
e la lingua del muto griderà di gioia,
perché scaturiranno acque
nel deserto,
scorreranno torrenti nella steppa.

⁷ Il suolo bruciato si trasformerà
in una palude
e quello arido in sorgenti di acqua.
I luoghi in cui riposavano gli sciacalli
diventeranno canneti e giuncaie.

⁸ Vi sarà una strada pura,
che chiameranno Via sacra;
nessun impuro vi passerà
e gli insensati non vi si aggireranno.

⁹ Non vi sarà più il leone,
nessuna bestia feroce la percorrerà,
ma vi cammineranno i redenti.

¹⁰ Vi ritorneranno i riscattati
dal Signore
ed entreranno in Sion con grida
di gioia;
eterna allegrezza sarà sul loro capo,
letizia e allegrezza li raggiungeranno,
mentre fuggiranno tristezza e pianto.

INVASIONE DI SENNACHERIB

36 ¹Nell'anno decimoquarto del re Ezechia, Sennacherib, re d'Assiria, attaccò tutte le città fortificate di Giuda e se ne impossessò. ²Il re di Assiria inviò il gran coppiere da Lachis a Gerusalemme al re Ezechia con un forte distaccamento. Egli fece sosta presso il canale della piscina superiore, sulla strada del campo del lavandaio. ³Gli andarono incontro il maestro di palazzo, Eliakim, figlio di Chelkia, lo scriba Sebna e l'archivista Ioach, figlio di Asaf. ⁴Il gran coppiere disse loro: «Riferite ad Ezechia: Così dice il gran re, il re di Assiria: Che cosa significa questa sicurezza in cui confidi? ⁵Pensi forse che la parola delle labbra equivalga al consiglio e alla bravura nella guerra? In chi poni la tua fiducia, per esserti ribellato contro di me? ⁶Ecco, tu confidi nell'Egitto, questa canna rotta che penetra nella mano e la trafigge, se qualcuno si appoggia su di lui. Così è il Faraone, re d'Egitto, per tutti quelli che si fidano di lui. ⁷E se mi dite: Noi confidiamo nel Signore, nostro Dio, non è forse lo stesso a cui Ezechia rimosse le alture e gli altari e disse alla gente di Giuda e di Gerusalemme: Voi adorerete soltanto davanti a questo altare?

⁸Orbene, accetta questa scommessa con il mio signore, il re di Assiria: io ti darò duemila cavalli, se tu potrai fornirmi dei cavalieri per essi. ⁹Come potresti tu respingere uno solo dei più piccoli servi del mio signore? Eppure tu ti fidi dell'Egitto per avere carri e cavalieri. ¹⁰Sono forse salito contro questo paese per distruggerlo senza la volontà del Signore? Il Signore mi ha detto: Sali contro questo paese e distruggilo!».

¹¹Allora Eliakim, Sebna e Ioach risposero al gran coppiere: «Parla ai tuoi servi in aramaico, perché noi lo comprendiamo; non parlarci in ebraico agli orecchi del popolo, che sta sulle mura». ¹²Il gran coppiere rispose: «Forse che il mio signore mi ha inviato a dire queste cose al tuo signore e a te o non piuttosto agli uomini che stanno sulle mura, ridotti a mangiare i loro escrementi e a bere la loro urina insieme con voi?». ¹³Il gran coppiere allora si alzò e gridò a gran voce in ebraico: «Ascoltate le parole del gran re, del re di Assiria! ¹⁴Così parla il

re: Che Ezechia non v'inganni, perché egli non potrà salvarvi. [15]Ezechia non vi faccia riporre la fiducia nel Signore dicendo: Certamente il Signore ci salverà e questa città non sarà consegnata nelle mani del re di Assiria. [16]Non date ascolto ad Ezechia, perché così parla il re di Assiria: Fate la pace con noi e arrendetevi; allora ognuno potrà mangiare i frutti della sua vite e del suo fico e ognuno potrà bere l'acqua della sua cisterna, [17]finché io non venga e vi conduca in un paese simile al vostro, un paese di frumento e di mosto, un paese di pane e di vigne. [18]Ezechia non vi illuda dicendo: Il Signore ci libererà! Gli dèi delle nazioni hanno forse salvato ognuno il proprio paese dalle mani del re di Assiria? [19]Dove sono gli dèi di Camat e di Arpad? Dove sono gli dèi di Sefarvaim? Hanno forse essi salvato Samaria dalla mia mano?».

[20]Quelli tacquero e non risposero nemmeno una parola, perché l'ordine del re era: «Non rispondetegli». [21]Allora il maestro di palazzo, Eliakim, figlio di Chelkia, lo scriba Sebna e l'archivista Ioach, figlio di Asaf, ritornarono da Ezechia con le vesti stracciate e gli riferirono le parole del gran coppiere.

IL RICORSO AL PROFETA ISAIA

37 [1]All'udire queste cose, il re Ezechia si stracciò le vesti, si ricoprì di sacco e andò nel tempio del Signore. [2]Quindi mandò il maestro di palazzo, Eliakim, lo scriba Sebna e gli anziani dei sacerdoti, ricoperti di sacco, dal profeta Isaia, figlio di Amoz, [3]a dirgli: «Così parla Ezechia: Questo è un giorno di tribolazione, di castigo e di vergogna, perché i figli giungono fino al punto di nascere, ma manca la forza per partorirli. [4]Forse il Signore tuo Dio ascolterà le parole del gran coppiere, inviato dal suo signore, il re di Assiria, per insultare il Dio vivo, e lo castigherà per le parole che il Signore tuo Dio ha udito. Tu pertanto innalza una preghiera in favore del resto che ancora sussiste».

[5]I ministri del re Ezechia giunsero presso Isaia. [6]Disse loro Isaia: «Riferite al vostro signore: Così parla il Signore: Non temere per le parole che hai udito, con le quali i servi del re di Assiria hanno bestemmiato contro di me. [7]Ecco, io metterò in lui un tale spirito che, quando avrà inteso una certa notizia, ritornerà nel suo paese e là io lo farò cadere di spada».

[8]Il gran coppiere ritornò e trovò il re di Assiria che attaccava Libna. Difatti egli aveva udito che si era allontanato da Lachis. [9]Appena il re sentì dire riguardo a Tiraca, re di Etiopia: «È uscito per attaccarti», [10]egli inviò di nuovo dei messaggeri a Ezechia per dirgli: «Così direte a Ezechia, re di Giuda: Non t'inganni il tuo Dio, nel quale riponi la tua fiducia, dicendoti: Gerusalemme non sarà consegnata nelle mani del re di Assiria. [11]Ecco, tu stesso hai udito ciò che hanno fatto i re di Assiria in tutti i paesi, votandoli allo sterminio, e tu solo saresti preservato? [12]Gli dèi delle nazioni, che i miei padri distrussero, hanno forse salvato gli abitanti di Gozan, di Carran, di Rezef e i figli di Eden che abitavano a Telassar? [13]Dove sono il re di Camat, quello di Arpad e quello delle città di Sefarvaim, Ena e Ivva?».

[14]Ezechia prese la lettera dalla mano dei messaggeri e la lesse. Poi salì al tempio e, dispiegatala davanti al Signore, [15]pregò così il Signore: [16]«Signore degli eserciti, Dio d'Israele, che siedi sui cherubini, tu solo sei il Dio di tutti i regni della terra. Tu hai fatto i cieli e la terra. [17]Porgi, o Signore, il tuo orecchio e ascolta; apri, o Signore, i tuoi occhi e vedi; ascolta tutte le parole che Sennacherib ha mandato a dire per insultare il Dio vivente! [18]È vero, o Signore, i re di Assiria hanno sterminato tutte le nazioni e il loro territorio, [19]hanno dato alle fiamme i loro dèi, perché quelli non erano dèi, ma opera delle mani dell'uomo, legno e pietra; perciò li hanno annientati. [20]Ma ora, Signore, Dio nostro, salvaci dalla sua mano e sappiano tutti i regni della terra che tu solo sei il Signore!».

[21]Allora Isaia, figlio di Amoz, mandò a dire a Ezechia: «Così parla il Signore, il Dio d'Israele, al quale hai rivolto la preghiera riguardo a Sennacherib, re di Assiria: [22]Questa è la parola che il Signore ha pronunziato contro di lui:

La vergine figlia di Sion ti disprezza,
si beffa di te la figlia di Gerusalemme,
scuote il capo dietro a te.
[23] Chi hai ingiuriato e bestemmiato?
Contro chi hai alzato la voce
e hai elevato, superbo, i tuoi occhi?
Contro il Santo d'Israele!

²⁴ Per mezzo dei tuoi ministri
   hai insultato il Signore
   e hai detto: Con i miei carri numerosi
   ho scalato la cima dei monti,
   le estreme giogaie del Libano,
   ne ho reciso i cedri più elevati,
      i cipressi più belli;
   ho raggiunto le alture più remote
   e la sua lussureggiante foresta.
²⁵ Ho scavato e ho bevuto acque
      straniere,
   ho fatto seccare con la pianta
      dei miei piedi
   tutti i torrenti dell'Egitto.
²⁶ Non l'hai forse udito? Da tempo
      ho preparato questo;
   dai giorni antichi l'ho progettato
      e ora lo realizzo:
   il tuo destino fu quello di ridurre
      a un cumulo di rovine le città fortificate.
²⁷ I loro abitanti, privi di forza,
   furono presi da costernazione
      e confusione
   e divennero come l'erba del campo,
   come le foglioline dell'erbetta,
      tenera verzura,
   come l'erba dei tetti bruciata dal vento
      orientale.
²⁸ Quando ti alzi e quando ti siedi,
   quando esci e quando entri, io lo so.
²⁹ Poiché ti sei adirato contro di me
   e la tua arroganza è salita fino
      ai miei orecchi,
   io ti porrò il mio anello alle narici
   e il mio morso alle labbra;
   ti farò ritornare per la strada
      per la quale sei venuto.
³⁰ Questo ti servirà come segno:
   quest'anno si mangerà il raccolto
   cresciuto dal seme caduto,
   l'anno seguente quello che crescerà
      spontaneamente,
   ma il terzo anno seminerete
      e mieterete,
   pianterete vigne e ne mangerete
      il frutto.
³¹ Ciò che scamperà della casa di Giuda
   continuerà a mettere radici in basso
   e farà frutti in alto,
³² perché da Gerusalemme uscirà
      un resto
   e un residuo dal monte Sion;
   lo zelo del Signore degli eserciti
      farà questo!

³³ Perciò così dice il Signore riguardo
      al re di Assiria:
   Non entrerà in questa città
   e non vi lancerà alcuna freccia,
   non l'affronterà con gli scudi
   e non eleverà contro di essa
      un terrapieno.
³⁴ Tornerà indietro per la strada
      per cui è venuto
   e non entrerà in questa città.
   Oracolo del Signore!
³⁵ Io proteggerò questa città e la salverò,
   per amore del mio nome
   e per amore di Davide mio servo».

³⁶In quella stessa notte l'angelo del Signore scese e colpì nell'accampamento degli Assiri centottantacinquemila uomini. Quando gli altri si alzarono al mattino, ecco, quelli erano tutti morti. ³⁷Allora Sennacherib, re di Assiria, levò il campo e partì per far ritorno a Ninive, dove rimase. ³⁸Ora mentre egli era prostrato nel tempio del suo dio Nisroch, i suoi figli Adram-Melech e Sarezer lo uccisero di spada e si rifugiarono nel paese di Ararat. Suo figlio Assarhaddon divenne re al suo posto.

LA MALATTIA E LA GUARIGIONE DEL RE EZECHIA

38 ¹In quei giorni Ezechia si ammalò mortalmente. Il profeta Isaia, figlio di Amoz, andò da lui e gli disse: «Così parla il Signore: Metti ordine in casa tua, perché morirai e non rimarrai in vita». ²Allora Ezechia voltò la faccia verso il muro e si mise a pregare il Signore, ³dicendo: «Signore, ricorda che io ho camminato al tuo cospetto con fedeltà e con integrità di cuore e ho compiuto ciò che è bene al tuo cospetto». Poi Ezechia scoppiò in pianto dirotto. ⁴Allora la parola del Signore fu rivolta a Isaia: ⁵«Va'» e riferisci a Ezechia: Così parla il Signore, il Dio di Davide, tuo padre: Ho udito la tua preghiera, ho visto le tue lacrime ed ecco io aggiungo quindici anni alla tua vita. ⁶Libererò te e questa città dalla mano del re di Assiria e proteggerò questa città. ⁷Da parte del Signore questo sarà per te il segno che egli adempirà la promessa fatta: ⁸Io faccio tornare indietro di dieci gradi l'ombra,

che è già scesa con il sole sull'orologio di
Acaz». E il sole retrocesse sull'orologio
dei dieci gradi che aveva percorso.

La preghiera di Ezechia

⁹ Preghiera di Ezechia, re di Giuda,
   quando guarì dalla malattia:

¹⁰ «Io pensavo: A metà della mia vita
    devo andarmene,
   alle porte degli inferi sarò trattenuto
   per il resto dei miei anni.
¹¹ Pensavo: Non vedrò più il Signore
   nella terra dei viventi.
   Non contemplerò più alcun uomo
   fra gli abitanti del mondo.
¹² La mia dimora è stata rimossa
    e gettata lontano da me,
   come la tenda dei pastori;
   come un tessitore, hai arrotolato
    la mia vita
   per recidermi dalla trama;
   dal giorno alla notte mi hai finito.
¹³ Ho supplicato fino al mattino;
   come un leone, così egli spezza
    tutte le mie ossa;
   dal giorno alla notte mi hai finito.
¹⁴ Vado pigolando come una rondine,
   gemo come una colomba.
   I miei occhi rivolti verso l'alto
    sono stanchi;
   Signore, sono oppresso, intervieni
    in mio favore!
¹⁵ Che dirò, di che cosa gli parlerò,
   se è lui che agisce?
   Io vivo tutti i miei anni
   nell'amarezza dell'anima mia.
¹⁶ Signore, in te spera il mio cuore:
   da' conforto al mio spirito,
   guariscimi e fammi rivivere!
¹⁷ Ecco, la mia amarezza diventa pace;
   tu hai preservato la mia vita dalla fossa
    della distruzione,
   perché hai gettato dietro le tue spalle
   tutti i miei peccati.
¹⁸ Poiché gli inferi non ti lodano,
   né la morte ti celebra;
   non sperano nella tua fedeltà
   quelli che scendono nella fossa.
¹⁹ Il vivente, il vivente è colui che ti loda,
   come faccio io oggi.
   Il padre farà conoscere ai figli
    la tua fedeltà.

²⁰ Salvami, Signore, e noi canteremo
    sulle cetre
   tutti i giorni della nostra vita nel tempio del
    Signore».

²¹Isaia disse: «Si prenda una quantità di
fichi secchi, si applichi un impiastro sulla
ferita e guarirà». ²²Ezechia disse: «Qual è il
segno grazie al quale io entrerò nel tempio
del Signore?».

L'AMBASCIATA DEL RE DI BABILONIA

39 ¹In quel tempo Merodak-Baladan,
figlio di Baladan, re di Babilonia,
inviò lettere e doni a Ezechia, perché
aveva udito che era stato malato ed era
guarito. ²Ezechia se ne rallegrò e mostrò
agli inviati la stanza del tesoro, l'argento, l'oro, i profumi, l'olio pregiato, tutto il
suo arsenale e tutto ciò che si trovava nei
suoi magazzini. Non vi fu nulla che Ezechia non mostrasse loro nel suo palazzo
e in tutto il suo regno.
³Allora il profeta Isaia si recò dal re Ezechia
e gli domandò: «Che cosa hanno detto quegli uomini e da dove sono venuti a te?». Rispose Ezechia: «Sono venuti a me da una
regione lontana, da Babilonia». ⁴Quegli domandò ancora: «Che cosa hanno visto nel
tuo palazzo?». Soggiunse Ezechia: «Hanno visto tutto ciò che si trova nel mio palazzo. Non c'è nulla nei miei magazzini che io
non abbia mostrato loro». ⁵Allora Isaia disse a Ezechia: «Ascolta la parola del Signore degli eserciti: ⁶Ecco, verranno giorni in
cui verrà asportato a Babilonia tutto ciò che
si trova nel tuo palazzo e i tesori che i tuoi
antenati hanno accumulato fino ad oggi.
Nulla vi resterà, dice il Signore. ⁷E dei figli
che usciranno dalle tue viscere e che tu hai
generato, alcuni saranno presi per diventare eunuchi nel palazzo del re di Babilonia».
⁸Rispose Ezechia ad Isaia: «Buona è la parola del Signore, che hai pronunciato». Egli
infatti pensava: «Vi saranno pace e sicurezza almeno durante la mia vita».

Is

SECONDA PARTE DI ISAIA

DIO ASSICURA LA LIBERAZIONE DEL SUO POPOLO

40 [1]«Consolate, consolate il mio popolo, dice il vostro Dio.

[2] Parlate al cuore di Gerusalemme
e annunziatele che la sua schiavitù
è finita,
che la sua colpa è espiata,
perché essa ha ricevuto dalla mano
del Signore
doppio castigo per tutti i suoi peccati».

[3] Una voce grida:
«Nel deserto preparate la via del Signore.
Raddrizzate nella steppa la strada
per il nostro Dio.

[4] Ogni valle sia colmata
e ogni montagna e collina
siano abbassate;
il terreno accidentato si trasformi
in piano
e quello scosceso sia come una valle.

[5] Allora si rivelerà la gloria del Signore
e ogni uomo la vedrà,
perché la bocca del Signore ha parlato».

[6] Una voce dice: «Grida!».
Io rispondo: «Che cosa devo gridare?».
Ogni uomo è come erba
e ogni sua gloria è come fiore del campo.

[7] L'erba si secca, il fiore appassisce,
quando il vento del Signore soffia
su di essi.
Veramente il popolo è come l'erba.

[8] L'erba si secca, il fiore appassisce,
ma la parola del nostro Dio rimarrà
in eterno.

[9] Sali su un alto monte, messaggera
di Sion!
Alza forte la tua voce, messaggera
di Gerusalemme,
alzala, non temere!
Di' alle città di Giuda:
«Ecco il vostro Dio!».

[10] Ecco, il Signore Dio viene con potenza,
con il suo braccio egli domina.
Ecco, egli porta con sé il suo premio,
la sua ricompensa lo precede.

[11] Come un pastore egli pascola il gregge,
lo raduna con il braccio;
porta gli agnellini sul petto,
e guida dolcemente le madri allattanti.

[12] Chi ha misurato le acque del mare
con il cavo della mano,
o ha calcolato a palmi il cielo
e con il moggio la polvere della terra?
Chi ha pesato le montagne
con la stadera
e le colline con la bilancia?

[13] Chi ha diretto lo spirito del Signore,
o gli ha dato suggerimenti
come suo consigliere?

[14] Con chi si è consigliato per riceverne
sapienza
e per apprendere la via della giustizia,
per imparare la scienza
e perché gli fosse rivelata la via
dell'intelligenza?

[15] Ecco, le nazioni sono come una goccia
da un secchio,
sono considerate come la polvere
sulla bilancia.
Ecco, le isole pesano quanto un granello.

[16] Il Libano non basterebbe per accendere
il rogo
né le sue bestie per l'olocausto.

[17] Tutte le nazioni sono come un nulla
davanti a lui,
come niente e vuoto sono ritenute da lui.

[18] A chi paragonerete Dio?
Quale immagine gli potete trovare?

[19] Il fabbro fonde l'idolo,
l'orafo lo ricopre d'oro e fonde
le catenelle d'argento.

[20] Chi ha poco da offrire,
sceglie un legno che non marcisce,
cerca un abile artigiano,
per preparare una statua
che non si muova.

[21] Forse non lo sapete, non l'avete udito?
Non vi è stato forse annunziato
dall'inizio?
Non avete compreso le fondazioni
della terra?

[22] Egli siede sopra la volta del mondo,
i cui abitanti sono come cavallette.

---

40. - 1. Comincia la seconda parte d'Isaia: in essa (cc. 40-55) il profeta annunzia la liberazione d'Israele dall'esilio di Babilonia e il regno messianico. Questo capitolo è come un'introduzione a tutta la seconda parte del libro d'Isaia; incontriamo qui le idee principali sviluppate poi nei capitoli seguenti.

18-24. L'autore mette in stridente contrasto l'inutilità degl'idoli e l'onnipotenza di Dio: quelli sono opera dell'uomo, Dio invece è creatore e dominatore dell'universo. Rimprovera anche velatamente gli uomini che dalla creazione non hanno conosciuto il creatore.

Egli stende i cieli come un velo,
li dispiega come una tenda in cui si abita.
²³ Egli riduce i prìncipi a un nulla
e rende i dominatori della terra simili
al niente.
²⁴ Appena sono piantati, appena sono
seminati,
appena i germogli hanno messo radici
in terra,
egli soffia su di loro ed essi inaridiscono,
la tempesta li porta via come stoppia.
²⁵ «A chi mi paragonerete,
chi sarebbe il mio uguale?»,
dice il Santo.
²⁶ Levate in alto i vostri occhi
e guardate: chi ha creato questo?
Colui che fa uscire in ordine
il loro esercito
e chiama ciascuno per nome;
davanti al suo grande vigore
e alla sua ardente forza
nessuno manca.
²⁷ «Perché dici, Giacobbe,
e tu, Israele, affermi:
Il mio cammino è nascosto al Signore,
il mio Dio ignora la mia causa?».
²⁸ Non lo sai, forse? Non l'hai udito?
Il Signore è un Dio eterno;
egli ha creato i confini della terra,
non si affatica e non si stanca,
la sua intelligenza è insondabile.
²⁹ Egli dà forza allo stanco,
accresce il vigore allo spossato.
³⁰ I giovani si stancano e si affaticano,
gli adulti inciampano e cadono,
³¹ ma quelli che sperano nel Signore
rinnovano le loro forze,
mettono ali come aquile,
corrono senza affaticarsi,
camminano senza stancarsi.

DIO SUSCITA IL LIBERATORE
E PRESENTA IL SUO SERVO

41 ¹Isole, ascoltatemi in silenzio!
I popoli riacquistino forza,
si accostino per parlare;
presentiamoci insieme in giudizio!

² «Chi ha suscitato dall'oriente
colui che chiama la vittoria
ad ogni passo?
Chi pone davanti a lui le nazioni
e sottomette i re?
La sua spada li riduce in polvere
e il suo arco li disperde come stoppia.
³ Li insegue e avanza sicuro,
sfiorando appena la strada
con i suoi piedi.
⁴ Chi ha operato e compiuto ciò?
Colui che dall'inizio chiama
le generazioni.
Io, il Signore, sono il primo
e sarò ugualmente con gli ultimi!».
⁵ Le isole lo vedono e sono prese
da timore,
tremano le estremità della terra,
si avvicinano, arrivano.
⁶ Ognuno aiuta il suo compagno
e dice all'altro: «Coraggio!».
⁷ L'artigiano incoraggia l'orafo,
chi leviga con il martello incoraggia
chi batte l'incudine,
dicendo della saldatura: «Va bene!»,
e la rinforza con chiodi, perché
non si muova.
⁸ Ma tu, Israele, mio servo,
Giacobbe, che ho scelto,
discendenza di Abramo, mio amico,
⁹ sei tu che io ho preso dall'estremità
della terra,
ti ho chiamato dai suoi confini
e ti ho detto: «Tu sei il mio servo,
ti ho scelto, non ti ho rigettato».
¹⁰ Non temere, perché io sono con te;
non smarrirti, perché io sono il tuo Dio:
ti do vigore, ti aiuto,
ti sostengo con la mia destra vittoriosa.
¹¹ Ecco, saranno coperti di vergogna
e confusione
tutti quelli che infuriavano contro di te;
saranno ridotti a un nulla e periranno
gli uomini che a te si opponevano.
¹² Tu li ricercherai, ma non troverai
coloro che lottavano contro di te;
saranno ridotti a nulla, a zero
gli uomini che ti muovevano guerra.
¹³ Sì, io sono il Signore, tuo Dio,
che ti prende per la destra,
che ti dice: «Non temere, io ti vengo
in aiuto».
¹⁴ Non temere, verme di Giacobbe,
larva d'Israele!

Is

---

41. - 6. Spaventati dalla potenza di Ciro, i popoli s'incorag-
giano a vicenda. Probabilmente qui si accenna a patti di
mutua assistenza e aiuto firmati tra Babilonia, Egitto e Creso
di Lidia contro Ciro.

Io ti aiuto, oracolo del Signore:
il tuo redentore è il Santo d'Israele.
[15] Ecco, ho fatto di te una trebbia nuova,
munita di doppi denti;
tu trebbierai i monti, li stritolerai
e renderai le colline come la pula.
[16] Li vaglierai, il vento li porterà via
e l'uragano li disperderà;
tu, invece, ti rallegrerai nel Signore,
ti glorierai nel Santo d'Israele.
[17] I miseri e i poveri cercano acqua
e non c'è;
la loro lingua è inaridita per la sete.
Io, il Signore, li esaudirò,
io, Dio d'Israele, non li abbandonerò.
[18] Sui colli brulli farò scaturire torrenti
e sorgenti in mezzo alle valli.
Renderò il deserto un lago d'acqua
e la terra arida una fontana.
[19] Nel deserto pianterò il cedro, l'acacia,
il mirto e l'olivo;
nella steppa porrò il cipresso, l'olmo
e l'abete.
[20] Perché vedano e riconoscano,
facciano attenzione e comprendano tutti
che la mano del Signore
ha compiuto questo
e il Santo d'Israele l'ha creato.
[21] Presentate la vostra difesa,
dice il Signore,
portate le vostre prove, dice il re
di Giacobbe.
[22] S'avanzino e annunzino
quello che accadrà!
Le cose antiche, quali erano?
Annunziatele e noi presteremo
attenzione.
Oppure fateci udire le cose future,
perché ne possiamo conoscere
il compimento.
[23] Annunziate ciò che avverrà nel futuro
e noi riconosceremo che siete dèi.
Sì, fate del bene o del male
e noi lo esamineremo e stupiremo
insieme.
[24] Ecco, voi siete un nulla e la vostra
opera è niente;
è abominevole chi vi sceglie.
[25] Io l'ho suscitato dal settentrione
ed è venuto,
dal luogo dove sorge il sole
l'ho chiamato per nome.
Egli calpesterà i prìncipi come creta
e come il vasaio calca l'argilla.

[26] Chi l'ha annunziato dall'inizio
perché noi lo sapessimo,
da molto tempo, perché potessimo dire:
«Ha ragione»?
Ma non c'è nessuno che l'abbia
annunziato,
nessuno che l'abbia fatto intendere,
nessuno che abbia udito le vostre
parole!
[27] Io per primo l'ho annunziato a Sion
e a Gerusalemme ho dato
un messaggero.
[28] Guardai, ma di loro non c'era nessuno.
Tra costoro non c'era nessuno
che sapesse dare un consiglio,
nessuno che potessi interrogare
per avere una risposta.
[29] Ecco, tutti costoro sono un nulla,
un niente sono le loro opere,
vento e vuoto sono i loro idoli.

PRIMO CANTO DEL SERVO
DEL SIGNORE

42 [1] Ecco il mio servo, che io sostengo,
il mio eletto, nel quale
io mi compiaccio.
Ho posto il mio spirito su di lui;
egli proclamerà il diritto alle nazioni.
[2] Non griderà, non alzerà il tono,
non farà udire la sua voce in piazza.
[3] Non spezzerà la canna incrinata
e non spegnerà il lucignolo fumigante;
proclamerà fedelmente il diritto.
[4] Non verrà meno e non si accascerà,
finché non avrà stabilito sulla terra
il diritto,
poiché le isole anelano
al suo insegnamento.
[5] Così parla il Signore Dio,
che ha creato e disteso i cieli,
che ha fissato la terra e i suoi germogli,
che ha dato il respiro al popolo
che l'abita
e il soffio a quelli che in essa camminano.
[6] Io, il Signore, ti ho chiamato
nella giustizia
e ti ho afferrato per mano,

---

42. - 1-7. In questo *servo*, di difficile identificazione, la tradizione cristiana vedrà il Messia, Gesù di Nazaret (Mt 12,20). Il brano forma il primo dei cosiddetti carmi del Servo di Jhwh; gli altri si trovano in 49,1-6; 50,4-9; 52,13 - 53,12.

ti ho formato e ti ho stabilito
quale alleanza del popolo
    e luce delle nazioni,

7 per aprire gli occhi dei ciechi,
far uscire dal carcere i prigionieri
e dalla prigione coloro che abitano
    nelle tenebre.

8 Io sono il Signore, questo è il mio nome;
non cederò ad altri la mia gloria,
né il mio onore agli idoli.

9 I fatti antichi, ecco, si sono avverati
e i nuovi io li preannunzio;
prima che avvengano io li faccio
    conoscere.

10 Cantate al Signore un canto nuovo,
la sua lode dai confini della terra;
lo celebri il mare e ciò che lo riempie,
le isole e i loro abitanti.

11 Esultino il deserto con le sue città
e i villaggi in cui abitano quelli di Kedar.
Acclamino gli abitanti di Sela,
dalla cima dei monti inneggino.

12 Rendano gloria al Signore
e annunzino la sua lode nelle isole.

13 Il Signore avanza come un eroe,
eccita l'ardore come un guerriero,
grida, lancia urla di guerra,
riporta vittoria sui suoi nemici.

14 «Ho conservato il silenzio
    per lungo tempo,
ho taciuto, mi sono contenuto…;
ora grido come una partoriente,
sospiro e sbuffo insieme.

15 Devasterò i monti e le valli
e farò seccare tutta la loro erba.
Cambierò i fiumi in steppe
    e farò inaridire i laghi.

16 Farò camminare i ciechi per sentieri
    che non conoscono,
li condurrò per strade sconosciute.
Cambierò davanti a loro le tenebre
    in luce
e le vie tortuose in diritte.
Queste cose io compirò per loro
e non li abbandonerò».

17 Se ne andranno coperti di vergogna
quelli che pongono fiducia negli idoli,
che dicono alle statue: «Voi siete
    i nostri dèi».

18 Sordi, udite,
ciechi, guardate e vedete!

19 Chi è cieco, se non il mio servo,
e sordo come il messaggero
    che ho inviato?

Chi è cieco come colui che è perfetto,
e sordo come il servo del Signore?

20 Hai visto molte cose, ma senza
    prestarvi attenzione;
hai gli orecchi aperti, ma senza sentire.

21 Il Signore, per amore della sua giustizia,
voleva esaltare e glorificare la legge,

22 ma questo è un popolo spogliato
    e depredato!
Tutti sono trattenuti in caverne,
nascosti nelle prigioni.
Sono stati depredati e nessuno
    li ha liberati;
spogliati, e nessuno ha detto:
«Restituisci!».

23 Chi tra voi ha udito ciò,
vi presta attenzione e ascolta
    per l'avvenire?

24 Chi consegnò Giacobbe al saccheggio
e Israele ai predoni?
Non è forse il Signore, contro il quale
    abbiamo peccato,
non volendo seguire le sue vie,
né obbedire alla sua legge?

25 Allora egli riversò su di lui l'ardore
    della sua ira
e la violenza della guerra:
questa divampò intorno a lui
senza che egli se ne accorgesse,
lo consumò senza che vi facesse
    attenzione.

IL RITORNO DI ISRAELE

43 ¹Ora così dice il Signore
che ti ha creato, o Giacobbe,
che ti ha formato, o Israele:
«Non temere, perché io ti ho riscattato,
ti ho chiamato per nome, tu sei mio.

2 Quando attraverserai le acque,
    io sarò con te
e i fiumi non ti sommergeranno.
Quando camminerai in mezzo al fuoco,
    non brucerai,
la fiamma non ti consumerà.

3 Perché io sono il Signore, il tuo Dio,
il Santo d'Israele, il tuo salvatore.
Io ho dato l'Egitto per il tuo riscatto,
l'Etiopia e Seba in cambio di te.

4 Perché tu sei prezioso ai miei occhi,
hai valore e io ti amo.
Darò uomini in cambio di te
e popoli in cambio della tua vita.

⁵ Non temere, perché io sono con te.
  Farò venire dall'oriente la tua stirpe
  e ti radunerò dall'occidente.
⁶ Dirò al settentrione: Rendili,
  e al mezzogiorno: Non trattenerli.
  Fa' venire i miei figli da lontano
  e le mie figlie dall'estremità della terra,
⁷ quanti sono chiamati con il mio nome
  e che io ho creato per la mia gloria,
  ho formato e sono opera mia.
⁸ Fa' uscire il popolo cieco, che pure
    ha gli occhi,
  e i sordi, che pure hanno gli orecchi.
⁹ Tutte le nazioni si radunino insieme
  e si raccolgano i popoli.
  Chi tra loro ha potuto annunziare questo
  e farci udire le cose passate?
  Presentino i loro testimoni per essere
    giustificati,
  perché li ascoltiamo e possiamo dire:
  È vero.
¹⁰ Voi siete i miei testimoni, oracolo
    del Signore,
  voi siete i miei servi, che io ho scelto,
  perché sappiate e crediate in me
  e comprendiate che sono io.
  Prima di me non fu fatto alcun dio
  e dopo di me non ve ne sarà nessuno.
¹¹ Io, io sono il Signore
  e all'infuori di me non c'è alcun salvatore!
¹² Io ho predetto e ho salvato,
  io mi sono fatto sentire
  e non un dio straniero in mezzo a voi!
  Voi siete i miei testimoni, oracolo
    del Signore,
  e io sono Dio,
¹³ dall'eternità sempre lo stesso.
  Nessuno può sottrarre nulla al mio potere:
  chi può cambiare quanto io faccio?».
¹⁴ Così dice il Signore,
  il vostro redentore, il Santo d'Israele:
  «Per amore vostro ho inviato gente
    a Babilonia;
  farò cadere tutte le catene
  e i Caldei eleveranno grida di dolore.
¹⁵ Io, il Signore, sono il vostro Santo,
  il creatore d'Israele, il vostro re!».
¹⁶ Così dice il Signore, che aprì una strada
    nel mare
  e un cammino tra le acque impetuose,
¹⁷ che fece uscire carri e cavalli
  e un esercito potente;
  essi giacciono insieme a terra,
    non risorgeranno;

  si sono spenti come uno stoppino,
    si sono consumati.
¹⁸ Non ricordatevi delle cose passate,
  non pensate più alle cose antiche.
¹⁹ Ecco, io faccio una cosa nuova:
  essa già sta sorgendo, non la notate?
  Sì, aprirò nel deserto una strada,
  immetterò fiumi nella steppa.
²⁰ Mi glorificheranno le bestie selvatiche,
  gli sciacalli e gli struzzi,
  perché farò scorrere acqua nel deserto
  e fiumi nella steppa,
  per dissetare il mio popolo, il mio eletto.
²¹ Il popolo che mi sono formato
  proclamerà la mia lode.
²² Ma tu, Giacobbe, non mi hai invocato,
  anzi ti sei stancato di me, o Israele!
²³ Non mi hai portato i tuoi agnelli
    in olocausto
  e non mi hai onorato con i tuoi sacrifici.
  Io non ti ho molestato con richieste
    di offerte
  e non ti ho stancato esigendo incenso.
²⁴ Non mi hai comprato con denaro
    la cannella,
  né mi hai saziato con il grasso
    dei tuoi sacrifici.
  Mi hai invece molestato
    con i tuoi peccati
  e mi hai stancato con le tue iniquità.
²⁵ Sono io, sono io che cancello
    i tuoi misfatti,
  per il mio onore non ricordo più
    i tuoi peccati.
²⁶ Fammi ricordare, discutiamo insieme,
  racconta tu stesso, per giustificarti!
²⁷ Il tuo primo padre peccò,
  i tuoi interpreti si ribellarono contro di me.
²⁸ I tuoi capi hanno profanato
    il mio santuario,
  perciò votai Giacobbe allo sterminio
  e Israele agli oltraggi.

LA FEDELTÀ DEL SIGNORE
E L'INCONSISTENZA DEGLI IDOLI

44 ¹Ora ascolta, Giacobbe, servo mio,
  Israele, che io ho eletto!
² Così dice il Signore, che ti ha fatto,
  che ti ha formato nel seno materno
    e ti aiuta:
  «Non temere, servo mio Giacobbe,
  Iesurun, che io ho eletto!

³ Perché farò scorrere acqua nella steppa
   e fiumi nella terra arida.
   Effonderò il mio spirito sulla tua stirpe
   e la mia benedizione sulla tua posterità.
⁴ Cresceranno come erba
   in mezzo all'acqua,
   come salici lungo i corsi d'acqua.
⁵ Questi dirà: Io appartengo al Signore,
   quegli si chiamerà con il nome
   di Giacobbe;
   un altro scriverà sulla mano: Del Signore,
   e verrà indicato con il nome d'Israele».
⁶ Così dice il Signore, il re d'Israele,
   il suo redentore, il Signore degli eserciti:
   «Io sono il primo e io sono l'ultimo,
   all'infuori di me non vi è dio.
⁷ Chi è come me? Lo proclami!
   Lo spieghi e me lo esponga!
   Chi ha reso note le cose future
   dall'eternità?
   Ci faccia conoscere quanto succederà!
⁸ Non lasciatevi spaventare e non temete!
   Non l'ho forse reso noto
   e fatto conoscere io da molto tempo?
   Voi ne siete testimoni: vi è forse
   un dio all'infuori di me,
   o vi è forse una Roccia che io
   non conosca?».

⁹I fabbricatori di idoli son tutti un nulla e i
loro oggetti preziosi non valgono niente. I
loro devoti non vedono e non comprendono,
per cui saranno coperti di vergogna. ¹⁰Chi
fabbrica un idolo o fonde un'immagine, se
non per ricavarne un vantaggio? ¹¹Ecco,
tutti i suoi seguaci saranno coperti di confusione, perché gli stessi artefici non sono
che uomini. Si raccolgano tutti e si presentino! Saranno spaventati e confusi insieme.
¹²Il fabbro lavora il ferro sulle braci e con il
martello gli dà la forma, lo rifinisce con il
suo braccio vigoroso, soffre la fame ed è
estenuato, non beve acqua e si stanca. ¹³Il
falegname stende il regolo, disegna l'idolo
con lo stilo, lo lavora con scalpelli, lo misura
con il compasso facendolo a forma d'uomo,
come una splendida figura umana, perché
possa abitare in un tempio. ¹⁴Egli si taglia
i cedri, prende un cipresso o una quercia,
che fa crescere vigorosi tra gli alberi della
foresta; egli pianta un frassino e la pioggia farà crescere. ¹⁵Ciò serve all'uomo per
bruciare; ne prende una parte per scaldarsi
o anche per accendere il fuoco e cuocere il

pane; parimenti ne fabbrica un dio e l'adora,
ne forma una statua e la venera. ¹⁶Una metà
la brucia al fuoco e sulle sue braci cuoce la
carne, poi mangia l'arrosto e si sazia. Ugualmente si riscalda e dice: «Ah, mi sono riscaldato, mi godo la fiamma!». ¹⁷Con il resto egli
si fa l'immagine di un dio, lo venera, lo adora
e gli rivolge la preghiera dicendo: «Salvami,
perché tu sei il mio dio!». ¹⁸Non sanno e non
comprendono, perché i loro occhi sono coperti in modo da non vedere e i loro cuori
impediti in modo da non comprendere.

¹⁹Egli non riflette, non ha né intelligenza
né criterio per dire: «La metà l'ho bruciata
sul fuoco e sulle sue braci ho anche cotto il
pane; ho arrostito la carne e l'ho mangiata;
con il resto fabbricherò un idolo abominevole, venererò un pezzo di legno»? ²⁰Egli si
pasce di cenere, il suo cuore sedotto lo tra-
via, non sa liberarsene e dire: «Non stringo
forse un inganno nella mia destra?».

²¹ Ricorda queste cose, Giacobbe,
   e tu, Israele, poiché sei il mio servo.
   Io ti ho formato, tu sei il mio servo;
   o Israele, io non ti dimenticherò!
²² Ho disperso come nebbia le tue iniquità
   e i tuoi peccati come una nuvola.
   Ritorna a me, perché io ti ho redento.
²³ Acclamate, o cieli, perché il Signore
   ha agito!
   Esultate, profondità della terra!
   Gridate di gioia, o montagne,
   e tu, foresta, con tutti i tuoi alberi!
   Perché il Signore ha redento Giacobbe
   e ha manifestato la sua gloria in Israele.
²⁴ Così dice il Signore, il tuo redentore,
   colui che ti ha formato
   fin dal seno materno:
   «Sono io, il Signore, che ho creato tutto,
   che da solo ho disteso i cieli
   e ho fissato la terra: chi era con me?
²⁵ Io anniento i presagi degli indovini
   e mostro la stoltezza dei maghi;
   faccio indietreggiare i sapienti
   e trasformo in follia la loro scienza.
²⁶ Confermo la parola del mio servo
   e faccio riuscire i progetti dei miei inviati;
   io che dico a Gerusalemme:
   Sarai abitata,
   e alle città di Giuda: Sarete ricostruite,
   e ne restaurerò le rovine.
²⁷ Io che dico all'oceano: Prosciugati!
   Faccio inaridire i tuoi fiumi.

Is

²⁸ Io che dico a Ciro: Mio pastore,
ed egli compirà tutti i miei desideri;
io che dico a Gerusalemme:
   Sarai riedificata,
e al tempio: Sarai ricostruito
   dalle fondamenta».

CIRO, L'UNTO DEL SIGNORE

45 ¹Così dice il Signore al suo unto,
a Ciro, che ha preso per la destra,
per abbattere davanti a lui le nazioni
e per sciogliere le cinture ai fianchi
   dei re,
per aprire dinanzi a lui i battenti
e perché le porte non restino chiuse:
² «Io marcerò davanti a te,
appianerò i pendii,
distruggerò le porte di bronzo
e spezzerò le sbarre di ferro.
³ Ti consegnerò tesori segreti e ricchezze
   ben nascoste,
perché tu sappia che io sono il Signore,
il Dio d'Israele, che ti chiamo per nome.
⁴ Per amore del mio servo Giacobbe
e di Israele, mio eletto,
io ti ho chiamato per nome,
ti ho dato un titolo, anche se tu
   non mi conosci.
⁵ Io sono il Signore e non ve n'è un altro;
all'infuori di me non vi è dio!
Ti ho cinto, anche se tu non mi conosci,
⁶ perché sappiano dall'oriente
   e dall'occidente
che vi è il nulla all'infuori di me;
io sono il Signore e non ve n'è un altro.
⁷ Io formo la luce e creo le tenebre,
faccio il bene e creo il male;
io, il Signore, faccio tutto questo».
⁸ Stillate, o cieli, dall'alto
e le nubi facciano piovere la giustizia!
Si squarci la terra, fiorisca la salvezza
e insieme germogli la giustizia!
Io, il Signore, ho creato questo.
⁹ Guai a chi discute con chi lo ha plasmato,
al vaso che discute con chi lavora
   la ceramica!
Forse che l'argilla dice al vasaio:
   «Che fai?».
Oppure: «La tua opera
   non ha manichi»?
¹⁰ Guai a chi dice al padre: «Che cosa
hai generato?»

e alla madre: «Che cosa hai dato
alla luce?».
¹¹ Così dice il Signore, il Santo d'Israele
che lo ha formato:
«Sarete forse voi a interrogarmi
   sui miei figli
e a darmi ordini sull'opera
   delle mie mani?
¹² Io ho fatto la terra e ho creato l'uomo
   su di essa;
io con le mie stesse mani ho disteso
   i cieli
e comando a tutte le loro schiere.
¹³ Io l'ho suscitato per la giustizia
e ho appianato tutte le sue vie.
Egli ricostruirà la mia città e libererà
   i miei deportati,
senza avere in cambio denaro e regali»,
dice il Signore degli eserciti.
¹⁴ Così dice il Signore:
«I prodotti dell'Egitto, le merci
   dell'Etiopia
e i Sabei, uomini di alta statura,
passeranno a te e saranno tuoi;
marceranno dietro a te incatenati,
si prostreranno davanti a te
   e ti pregheranno:
Solo con te vi è Dio, non ve n'è un altro;
non vi sono altri dèi».
¹⁵ Veramente tu sei un Dio nascosto,
Dio d'Israele, salvatore!
¹⁶ Saranno svergognati e confusi
quelli che si ergono contro di te;
se ne andranno con ignominia
   i fabbricatori di idoli.
¹⁷ Israele sarà salvato dal Signore
   con salvezza eterna;
non sarete coperti di vergogna
né di ignominia per l'eternità.
¹⁸ Poiché così dice il Signore,
   che ha creato i cieli,
egli che è Dio, che ha formato
   e fatto la terra;
egli l'ha stabilita; non l'ha creata
   informe,
ma l'ha formata perché sia abitabile:
   «Io sono il Signore e non ve n'è un altro.
¹⁹ Non ho parlato in segreto,
in un angolo di terra tenebrosa.

---

45. - 14. Parole rivolte a Israele. Le opere di Dio a favore del
suo popolo lo faranno riconoscere come vero Dio anche da
popoli lontani, i quali abbandoneranno i loro dèi e andranno
ad adorare il vero Dio a Gerusalemme.

Non ho detto alla discendenza
  di Giacobbe:
Cercatemi nel vuoto.
Io sono il Signore, che dico ciò
  che è retto,
che annunzio cose vere.
20 Radunatevi e venite,
  avvicinatevi tutti insieme, scampati
    delle nazioni!
Sono senza intelligenza
quelli che trasportano il loro idolo
  di legno,
e pregano un dio che non può salvare.
21 Dichiarate, portate prove,
  consultatevi pure insieme!
Chi aveva fatto intendere ciò
  nel passato,
chi l'aveva predetto fin da allora?
Non sono forse io, il Signore?
Non c'è altro dio all'infuori di me;
un Dio giusto e salvatore non c'è
  all'infuori di me!
22 Volgetevi a me e sarete salvi,
  voi tutti paesi della terra!
Perché io sono Dio e non ve n'è un altro!
23 Ho giurato per me stesso,
  dalla mia bocca è uscita la giustizia,
  una parola che non sarà revocata:
Sì, davanti a me si piegherà
  ogni ginocchio,
per me giurerà ogni lingua,
24 dicendo: Solo nel Signore
  si trovano la giustizia e la potenza».
A lui verranno, coperti di vergogna,
tutti quelli che fremevano contro di lui.
25 Nel Signore troverà giustizia e lode
tutta la discendenza di Israele.

I FALSI DÈI CROLLANO

46 ¹Bel è prostrato, Nebo
  si è rovesciato;
i loro idoli sono dati agli animali
  e ai giumenti;
i loro carichi sono trasportati
come peso spossante.
² Sono rovesciati, sono prostrati insieme,
  non hanno potuto salvare
    quelli che li portavano
e se ne vanno essi stessi in schiavitù.
³ Ascoltatemi, casa di Giacobbe,
  e tutto il resto della casa d'Israele;
voi, portati da me fin dalla nascita,

di cui mi sono fatto carico
  fin dal seno materno:
⁴ «Fino alla vecchiaia io sarò lo stesso,
  fino alla canizie io vi sosterrò.
Io ho fatto questo, vi sosterrò ancora,
vi porterò e vi salverò.
⁵ A chi mi potete paragonare
  e assimilare,
con chi mi potete confrontare,
quasi fossimo simili?
⁶ Traggono l'oro dalla borsa
  e pesano l'argento sulla bilancia;
pagano l'orafo, perché fabbrichi un dio,
poi lo venerano e lo adorano.
⁷ Se lo caricano sulle spalle e lo portano,
  poi lo depongono sulla base
    e rimane diritto.
Dal posto suo non si muove;
lo si invoca, ma non risponde,
non libera nessuno dalla tribolazione.
⁸ Ricordatevi di questo e siate confusi,
  rifletteteci, o prevaricatori.
⁹ Ricordate le cose passate da lungo
    tempo,
poiché io sono Dio e non ve n'è un altro;
sono Dio e niente è come me!
¹⁰ In anticipo io annunzio il futuro
  e in precedenza ciò che non è ancora
    avvenuto.
Dico: Il mio progetto permane,
farò tutto ciò che mi piace.
¹¹ Chiamo dall'oriente l'uccello rapace,
  da una terra lontana l'uomo
    del mio disegno.
Così ho detto e così avverrà;
ho formulato un progetto e lo realizzerò.
¹² Ascoltatemi, ostinati di cuore,
  voi che siete lontani dalla giustizia!
¹³ Faccio avvicinare la mia giustizia:
  non è lontana;
la mia salvezza non tarderà.
Porrò in Sion la salvezza,
a Israele darò la mia gloria».

LA FINE DI BABILONIA

47 ¹Scendi, siediti nella polvere,
  vergine figlia di Babilonia!
Siediti sulla terra, senza trono,
figlia dei Caldei,
perché non sarai più chiamata tenera
  e delicata.
² Prendi la mola e macina la farina,

Is

togliti il velo, alza il lembo della veste,
scopriti le gambe, attraversa i fiumi.

3 La tua nudità sarà scoperta e apparirà
   la tua vergogna.
   Farò vendetta e nessuno intercederà.

4 Il nostro redentore, il cui nome
   è Signore degli eserciti,
   il Santo d'Israele, dice:

5 «Siedi silenziosa ed entra nelle tenebre,
   figlia dei Caldei,
   perché non sarai più chiamata
      signora dei regni».

6 Mi sono adirato contro il mio popolo,
   ho profanato la mia eredità;
   li ho consegnati in tuo potere,
   ma tu non hai dimostrato loro pietà.
   Sugli anziani facesti pesare il tuo giogo
      schiacciante.

7 Tu pensavi: «Durerò per sempre,
   sarò sovrana in perpetuo».
   Non hai considerato queste cose,
   non hai meditato sul loro seguito.

8 Ora ascolta questo, o voluttuosa,
   che riposi sicura, che pensi in cuor tuo:
   «Io e nessun'altro! Non rimarrò vedova,
   non conoscerò la mancanza di figli».

9 Queste due cose piomberanno su di te,
   istantaneamente, in un sol giorno:
   mancanza di figli e vedovanza
   verranno a te in piena misura,
   malgrado l'abbondanza dei tuoi sortilegi
   e il gran potere dei tuoi numerosi
      scongiuri.

10 Confidavi nella tua malizia e dicevi:
   «Nessuno mi vede».
   La tua sapienza e la tua scienza
      ti hanno fuorviato.
   Eppure tu pensavi nel tuo cuore:
   «Io e nessun altro!».

11 Ti sopraggiungerà una disgrazia
   che tu non potrai scongiurare;
   cadrà su di te una rovina
   che non potrai evitare;
   verrà su di te improvvisa
   una catastrofe che non hai previsto.

12 Persisti pure nei tuoi incantesimi
   e nella moltitudine dei tuoi sortilegi,
   per i quali ti sei affaticata
      sin dalla giovinezza:
   forse te ne potrai giovare,
   forse ti renderai terribile!

13 Ti sei stancata dei tuoi molti consiglieri:
   si presentino e ti salvino
      quelli che misurano il cielo,

che contemplano le stelle
e pronosticano ogni mese
   ciò che ti accadrà.

14 Ecco, sono diventati come paglia:
   il fuoco li ha bruciati.
   Non salveranno se stessi dal potere
      della fiamma.
   Ma non sono braci per cuocere il pane
   né focolare per sedervisi davanti.

15 Così sono stati per te i tuoi incantatori,
   con i quali ti sei affaticata
      sin dalla giovinezza.
   Ognuno se ne va per conto suo,
   non c'è nessuno che ti salvi.

DIO SOLO GUIDA LA STORIA

48 [1] Ascoltate ciò, casa di Giacobbe,
   voi che siete chiamati con il nome
      d'Israele,
   che siete usciti dalle fonti di Giuda,
   voi che giurate per il nome del Signore
   e invocate il Dio d'Israele,
   ma non secondo verità e giustizia,

2 anche se prendete nome
      dalla città santa
   e vi appoggiate sul Dio d'Israele,
   il cui nome è Signore degli eserciti.

3 Da tempo avevo annunziato
      gli eventi passati,
   erano usciti dalla mia bocca
   e li avevo proclamati;
   d'improvviso ho agito e si sono verificati.

4 Sapevo che tu sei ostinato,
   che il tuo dorso è una sbarra di ferro
   e la tua fronte è di bronzo,

5 per questo te li annunziai da tempo,
   prima che accadessero te li feci sapere,
   perché tu non dicessi: «Il mio idolo
      ha fatto ciò,
   la mia statua, il mio simulacro
      l'hanno voluto».

6 Tu hai udito e visto tutto ciò.
   Non lo vorresti forse ammettere?
   Da ora ti faccio intendere cose nuove
   e segrete che tu non conoscevi.

---

48. - 1-11. Commovente parola rivolta da Dio al suo popolo
per manifestargli i motivi della propria condotta. Quanto Dio
fece e predisse, fu per il bene del popolo, di cui conosceva
la dura cervice e la tendenza all'idolatria, e per l'onore del
proprio nome e della parola data che non annienta Israele,
pur colpevole di tante infedeltà.

⁷ Ora sono state create e non da tempo;
   prima di questo giorno tu
      non le avevi udite,
   così da non poter dire: «Ecco,
      io le conoscevo».
⁸ Non l'avevi udito né saputo,
   né il tuo orecchio si era aperto prima,
   perché sapevo che agivi perfidamente
   e sin dal seno materno eri chiamato
      infedele.
⁹ A causa del mio nome rallentai
      la mia collera,
   a causa del mio onore mi trattenni
      a tuo favore,
   per non distruggerti.
¹⁰ Ecco, ti ho affinato come l'argento
   e ti ho provato nel forno dell'afflizione.
¹¹ Per amore di me stesso,
   solo per amore di me stesso l'ho fatto!
   Perché lasciar profanare il mio nome?
   Non cederò ad altri la mia gloria.
¹² Ascoltami, Giacobbe,
   Israele, che io ho chiamato!
   Sono io, sono io il primo,
   e io ugualmente l'ultimo.
¹³ Sì, la mia mano fondò la terra
   e la mia destra distese i cieli.
   Io li chiamo e insieme essi si presentano.
¹⁴ Tutti voi radunatevi e ascoltate!
   Chi tra essi ha predetto tali cose?
   Il mio amato eseguirà il mio volere
   contro Babilonia e la stirpe dei Caldei.
¹⁵ Io, io ho parlato e l'ho chiamato,
   l'ho fatto venire e ho dato successo
      alla sua impresa.
¹⁶ Avvicinatevi a me e ascoltate:
   «Io non ho parlato al principio in segreto,
   dal tempo in cui ciò è avvenuto,
      io ero là».
   Ora il Signore Dio mi ha inviato
      con il suo spirito.
¹⁷ Così dice il Signore, il tuo redentore,
   il Santo d'Israele:
   «Io sono il Signore, il tuo Dio,
   che ti insegno per il tuo bene,
   che ti guido sulla strada che devi
      percorrere.
¹⁸ Ah, se tu ti fossi attenuto
      ai miei comandi,

la tua pace sarebbe come un fiume
   e la tua giustizia come le onde
      del mare!
¹⁹ La tua discendenza sarebbe
      come la sabbia
   e come i suoi granelli i nati
      dalle tue viscere;
   il tuo nome non sarebbe annientato
   né distrutto davanti a me!».
²⁰ Uscite da Babilonia, fuggite dai Caldei!
   Con voce di gioia annunziatelo,
   fatelo udire, divulgatelo fino
      all'estremità della terra.
   Dite: «Il Signore ha redento
      il suo servo Giacobbe».
²¹ Non soffrono la sete nell'arida regione
   in cui li condusse;
   fa scaturire per essi acqua dalla roccia;
   spacca la roccia e sgorgano le acque.
²² Non vi è pace per gli empi,
   dice il Signore.

SECONDO CANTO DEL SERVO
DEL SIGNORE

49 ¹ Isole, ascoltatemi,
   prestate attenzione, popoli lontani!
   Dal seno materno il Signore
      mi ha chiamato,
   fin dalle viscere di mia madre
   si è ricordato del mio nome.
² Ha reso la mia bocca come una spada
      affilata,
   mi ha nascosto all'ombra della sua mano,
   mi ha reso una freccia appuntita,
   mi ha riposto nella sua faretra.
³ Mi ha detto: «Tu sei il mio servo, Israele,
   per mezzo del quale mostrerò
      la mia gloria».
⁴ Io ho risposto: «Invano mi sono
      affaticato;
   per nulla e inutilmente ho esaurito
      la mia forza.
   Eppure il mio diritto è presso il Signore,
   la mia ricompensa è presso il mio Dio».
⁵ E ora, disse il Signore,
   che dal seno materno mi ha formato
   per essere suo servo,
   per ricondurre a lui Giacobbe
   e perché Israele gli fosse radunato
   — così fui onorato agli occhi del Signore
   e il mio Dio fu la mia forza —,
⁶ disse: «È poco che tu sia mio servo

Is

---

49. - 1. Secondo san Paolo (At 13,47; 2Cor 6,2), qui parla il
Messia.
3. *Israele*: è una precisazione probabilmente aggiunta dalla
tradizione ebraica, incompatibile con il contenuto dei vv. 5-6.

per ristabilire le tribù di Giacobbe
e ricondurre i superstiti d'Israele;
perciò io ti farò luce delle nazioni,
perché la mia salvezza
    raggiunga i confini della terra».

⁷ Così dice il Signore,
il redentore di Israele, il suo Santo,
a colui che è disprezzato
e aborrito dalle nazioni,
al servo dei potenti:
«I re vedranno e si alzeranno,
i prìncipi si prostreranno
a causa del Signore, che è fedele,
del Santo d'Israele, che ti ha scelto».

⁸ Così dice il Signore:
«Nel tempo della benevolenza
    ti ho esaudito
e nel giorno della salvezza ti ho aiutato.
Ti ho formato e ti ho fatto alleanza
    per il popolo,
per far risorgere il paese e ricuperare
    eredità devastate,
⁹ per dire ai carcerati: Uscite,
e a quanti sono nelle tenebre:
    Venite alla luce.
Pascoleranno su tutte le vie
e su tutti i colli brulli troveranno pascoli.
¹⁰ Non avranno né fame né sete,
non li colpiranno né l'arsura né il sole,
poiché colui che ha pietà di loro
    li guiderà
e li condurrà alle sorgenti di acque.
¹¹ Io trasformerò tutti i monti in strade
e i miei sentieri saranno elevati.
¹² Ecco, questi vengono da lontano,
ecco, quelli dal settentrione
    e dall'occidente
e costoro dalla terra di Sinim».
¹³ Esultate, o cieli; rallegrati, o terra,
tripudiate di gioia, o monti,
perché il Signore consola il suo popolo
e ha compassione dei suoi afflitti.

¹⁴ Sion diceva: «Il Signore
    mi ha abbandonato,
il Signore mi ha dimenticato».
¹⁵ Una madre può dimenticare
    la sua creatura,
cessare di amare il figlio
    delle sue viscere?
Anche se lei si dimenticasse,
io non ti dimenticherò.
¹⁶ Ecco, ti ho disegnata sulle mie palme,
le tue mura sono sempre davanti
    a me.

¹⁷ I tuoi ricostruttori si affrettano,
i tuoi demolitori e devastatori
    se ne vanno.
¹⁸ Volgi intorno i tuoi occhi e guarda:
tutti si radunano, vengono da te.
Come io vivo, oracolo del Signore,
essi sono tutti come un ornamento
    di cui tu ti rivesti,
essi ti orneranno come una sposa!
¹⁹ Poiché le tue rovine, le tue macerie
e il tuo paese distrutto
saranno ora troppo ristretti
    per gli abitanti,
mentre i tuoi divoratori si allontaneranno.
²⁰ Di nuovo ti diranno agli orecchi
i figli, di cui fosti privata:
«Lo spazio è troppo angusto per me,
fammi posto, perché possa abitare!».
²¹ Tu dirai allora nel tuo cuore:
«Questi, chi me li ha generati?
Io ero priva di figli e sterile:
questi, chi li ha allevati?
Ecco, io ero rimasta sola
e questi dov'erano?».
²² Così dice il Signore Dio:
«Ecco, io alzerò la mia mano
    verso le nazioni,
drizzerò il mio stendardo verso i popoli:
porteranno in grembo i tuoi figli
e le tue figlie saranno portate sulle spalle.
²³ I re saranno i tuoi padri
e le loro principesse tue nutrici.
Con la faccia a terra
    essi si prosterneranno davanti a te
e lambiranno la polvere dei tuoi piedi;
allora saprai che io sono il Signore
e che non saranno confusi
    quelli che sperano in me».

²⁴ Si strappa forse la preda all'eroe?
O viene forse liberato il prigioniero
    del tiranno?
²⁵ Sì, questo risponde il Signore:
«Anche il prigioniero verrà strappato
    all'eroe
e la preda del tiranno sarà liberata.
Io stesso farò querela ai tuoi accusatori,
io stesso salverò i tuoi figli.
²⁶ Ai tuoi oppressori farò divorare
    le loro carni,
si inebrieranno del proprio sangue come
    del mosto.

---

7. Il contrasto è stridente: il Servo sarà disprezzato e oltraggiato, ma alla fine glorificato.

Allora ogni uomo saprà
che io sono il Signore, tuo salvatore,
che tuo redentore è il Forte di Giacobbe».

GIUDIZIO E SALVEZZA

50 [1]Così dice il Signore:
«Dov'è l'atto di ripudio
di vostra madre,
con cui io l'ho cacciata di casa?
O a quale dei miei creditori
io vi ho venduti?
Ecco, è a causa delle vostre iniquità
che voi siete stati venduti,
è a causa delle vostre trasgressioni
che la madre vostra è stata scacciata.
[2] Perché, quando sono venuto,
non c'era nessuno?
Perché, quando ho chiamato, nessuno
ha risposto?
Forse che la mia mano è tanto corta
da non poter redimere,
oppure io non ho la forza per salvare?
Ecco, con la minaccia io prosciugo
il mare
e trasformo i fiumi in un deserto;
i loro pesci imputridiscono
per mancanza d'acqua
e muoiono di sete.
[3] Rivestirò i cieli a lutto
e metterò loro un sacco per mantello».

TERZO CANTO DEL SERVO DEL SIGNORE

[4] «Il Signore Dio mi ha dato una lingua
da discepolo,
perché io sappia sostenere lo stanco
con la parola.
Egli risveglia ogni mattina il mio orecchio,
perché io ascolti come fanno i discepoli.
[5] Il Signore Dio mi ha aperto l'orecchio
e io non sono stato ribelle,
non mi sono tirato indietro.

[6] Ho presentato il dorso a coloro
che mi percuotevano,
le guance a coloro che mi strappavano
la barba.
Non ho coperto il volto davanti
agli oltraggi e agli sputi.
[7] Il Signore Dio mi aiuta,
per questo non resto confuso;
per questo rendo la mia faccia dura
come una pietra,
sapendo di non restare deluso.
[8] Mi è vicino colui che mi rende giustizia:
chi contenderà con me?
Presentiamoci insieme!
Chi è il mio accusatore? Si avvicini a me!
[9] Ecco, il Signore Dio mi aiuta:
chi mi dichiarerà colpevole?
Ecco, tutti si logorano come una veste,
la tignola li divorerà».
[10] Chi tra voi teme il Signore
e ascolta la voce del suo servo,
chi cammina nelle tenebre
senza alcuna luce,
confidi nel nome del Signore
e si appoggi al suo Dio!
[11] Ecco, voi tutti che accendete un fuoco,
che attizzate braci ardenti,
andate nelle fiamme del vostro fuoco
e tra i tizzoni che avete fatto bruciare!
Dalla mia mano vi è giunto questo;
nel tormento giacerete.

IL TRIONFO DELLA SALVEZZA DEL SIGNORE

51 [1]Ascoltatemi, voi che volete
la giustizia
e cercate il Signore:
guardate alla roccia da cui
siete stati tagliati,
alla cava da cui siete stati estratti.
[2] Guardate ad Abramo, vostro padre,
a Sara, che vi ha generati,
perché io chiamai lui solo,
lo benedissi e lo moltiplicai.
[3] Sì, il Signore conforta Sion,
conforta tutte le sue rovine,
rende il suo deserto come l'Eden
e la sua steppa come il giardino
del Signore.
Allegria e gioia si troveranno in essa,
inni di ringraziamento al suono
di strumenti.

Is

---

50. - 1. Dio, avendo condannato Sion all'esilio, non le ha
dato il libello del ripudio, non ha venduto i suoi figli: se furono
puniti, fu per i loro peccati. Però, se Dio non diede il libello
di ripudio, significa che dopo il castigo è disposto a riaccettare il suo popolo pentito e prossimo al ritorno.
4ss. Il Servo parla di sé e della sua missione.
5. *Dio mi ha aperto l'orecchio*: per udire la parola divina e
accoglierla. Il Servo, infatti, per quanto la missione impostagli da Dio sia dura e difficile, non si rifiuta.

⁴ Prestatemi attenzione, o popoli;
nazioni, ascoltatemi,
poiché da me procederà la legge
e il mio diritto sarà luce dei popoli.
⁵ In un istante la mia giustizia sarà vicina,
si manifesterà la mia salvezza
e le mie braccia giudicheranno i popoli.
Le isole spereranno in me
e si affideranno al mio braccio.
⁶ Levate i vostri occhi al cielo
e guardate la terra di sotto,
poiché i cieli si dissolveranno
come una nube,
la terra si logorerà come un vestito
e i suoi abitanti periranno come mosche,
ma la mia salvezza rimarrà in eterno,
e la mia giustizia non tramonterà.
⁷ Ascoltatemi, o conoscitori della giustizia,
popolo, che hai nel cuore la mia legge:
Non temete l'affronto degli uomini,
non vi spaventate per i loro oltraggi!
⁸ Poiché la tignola li divorerà
come una veste
e le tarme li divoreranno come lana,
ma la mia giustizia rimarrà in eterno
e la mia salvezza di generazione
in generazione.
⁹ Risvegliati, risvegliati, rivestiti di forza,
o braccio del Signore!
Risvegliati come nei giorni antichi,
al tempo delle generazioni passate!
Non sei forse tu che hai spezzato Raab
e hai trafitto il drago?
¹⁰ Non sei forse tu che hai prosciugato
il mare,
le acque del grande abisso
e hai fatto delle profondità del mare
una strada,
per farvi passare i redenti?
¹¹ Quelli che il Signore ha liberato,
ritorneranno,
arriveranno a Sion acclamando;
li precederà una gioia eterna,
felicità e gioia li seguiranno,
afflizione e gemito scompariranno.
¹² Io, io sono il vostro consolatore.
Chi sei tu da temere un uomo
destinato alla morte
e un figlio d'uomo destinato ad essere
come l'erba?
¹³ Tu hai dimenticato il Signore
che ti ha creato,
che ha disteso i cieli e gettato
le fondamenta della terra.

Non cessavi di tremare tutto il giorno
davanti alla furia dell'oppressore,
quando tentava di distruggerti.
Ma dov'è ora la furia dell'oppressore?
¹⁴ L'oppresso sarà presto liberato,
non morirà nella fossa né gli mancherà
il pane.
¹⁵ Io sono il Signore, tuo Dio,
che sconvolge il mare e ne fa fremere
i flutti.
Signore degli eserciti è il mio nome.
¹⁶ Ho posto le mie parole sulla tua bocca,
ti ho nascosto all'ombra della mia mano,
quando ho disteso i cieli
e ho gettato le fondamenta della terra,
quando ho detto a Sion: «Tu sei
il mio popolo».
¹⁷ Ridestati, ridestati, sorgi, Gerusalemme!
Tu che hai bevuto dalla mano
del Signore
il calice della sua ira;
la coppa della vertigine hai bevuto,
l'hai vuotata.
¹⁸ Non c'è nessuno che la guidi
tra tutti i figli che essa ha generato,
non c'è nessuno che la prenda per mano
tra tutti i figli che essa ha allevato.
¹⁹ Queste due cose ti sono capitate
– chi ti compatirà? –:
desolazione e distruzione, fame e spada
– chi ti consolerà? –.
²⁰ I tuoi figli giacciono sfiniti
agli angoli di tutte le vie,
come antilope in una rete,
pieni dell'ira del Signore,
della minaccia del tuo Dio.
²¹ Perciò ascolta questo, o sventurata,
o ebbra, ma non di vino!
²² Così dice il tuo Signore, Dio,
il tuo Dio che difende il suo popolo:
«Ecco, io prendo dalla tua mano
il calice della vertigine,
la coppa della mia ira
tu non la berrai più.
²³ La porrò in mano ai tuoi torturatori,
che ti dicevano: Curvati,
che noi passiamo sopra.
Allora tu facevi del tuo dorso un suolo
e come una strada per i passanti».

LA LIBERAZIONE DI SION

52 [1]Destati, destati,
rivèstiti della tua forza, o Sion!
Indossa le vesti più splendide,
o Gerusalemme, città santa!
Perché non entreranno più in te
l'incirconciso e l'impuro.

[2] Scuotiti dalla polvere, alzati,
Gerusalemme schiava!
Sciogliti i legami dal collo,
figlia di Sion prigioniera!

[3]Perché così dice il Signore: «Voi siete stati venduti per nulla e sarete anche riscattati senza denaro».
[4]Infatti così dice il Signore Dio: «Il mio popolo anticamente discese in Egitto per abitarvi come straniero; poi l'Assiria l'ha oppresso senza ragione. [5]Ma, ora, che cosa faccio io qui? Oracolo del Signore. Sì, il mio popolo è stato deportato per nulla! I suoi dominatori erompono in grida di gioia, oracolo del Signore, e continuamente, ogni giorno il mio nome è disprezzato. [6]Perciò il mio popolo conoscerà in quel giorno il mio nome, poiché io sono colui che dice: Eccomi».

[7] Come sono belli sulle montagne
i piedi del messaggero che annunzia
la pace,
che reca una buona notizia,
che annunzia la salvezza,
che dice a Sion: «Il tuo Dio regna!».
[8] Una voce! Le tue sentinelle alzano
la voce,
insieme gridano di gioia,
perché vedono con i loro occhi
il Signore, che ritorna in Sion.
[9] Esultate, acclamate insieme,
rovine di Gerusalemme!
Perché il Signore consola
il suo popolo,
riscatta Gerusalemme.

[10] Il Signore snuda il suo santo braccio
davanti a tutti i popoli:
e tutti i confini della terra
vedranno la salvezza del nostro Dio.
[11] Fuori, fuori, uscite di là,
non toccate nulla d'impuro!
Uscite da essa, purificatevi,
voi che portate gli arredi del Signore!
[12] Poiché non dovrete uscire in fretta
né andarvene come fuggitivi:
infatti davanti a voi cammina
il Signore
e vostra retroguardia è il Dio d'Israele.

QUARTO CANTO DEL SERVO DEL SIGNORE

[13] Ecco, il mio servo avrà successo,
sarà innalzato, elevato
ed esaltato grandemente.
[14] Come molti si stupirono di lui
– talmente sfigurato era il suo aspetto
per essere quello di un uomo,
e diversa la sua forma
da quella dei figli dell'uomo –,
[15] così molte nazioni resteranno attonite,
i re chiuderanno la bocca a suo riguardo,
perché vedranno ciò che non era stato
loro narrato,
e comprenderanno ciò che
non avevano udito.

53 [1]Chi ha creduto al nostro
annunzio?
A chi si è rivelato il braccio del Signore?
[2] È cresciuto come un virgulto davanti
a lui
e come una radice che spunta
da arida terra.
Non aveva aspetto né bellezza
per attirare i nostri sguardi,
né un'apparenza tale da poterlo
apprezzare.
[3] Disprezzato ed evitato dalla gente,
uomo dei dolori e uso alla sofferenza,
simile a uno davanti al quale
ci si copre la faccia;
disprezzato, lo considerammo
un nulla.
[4] Eppure, egli si è fatto carico
delle nostre infermità
e si è addossato i nostri dolori.

Is

---

52. - 7. È il messaggero della liberazione dalla schiavitù di Babilonia. San Paolo applicò questo brano ai predicatori del vangelo (Rm 10,15). *Il tuo Dio regna*: acclamazione per l'intronizzazione del re (cfr. 2Sam 15,10; 2Re 9,13): vuol dire che Dio regnerà nuovamente sopra il suo popolo.
13-15. Si accenna subito al trionfo che il Servo raggiungerà passando attraverso l'umiliazione.
53. - 1. La figura che il profeta descrive era così diversa dalle aspettative messianiche del popolo d'Israele, che il profeta si domanda in antecedenza chi crederà alle sue parole.

Noi lo abbiamo ritenuto come
un castigato,
un percosso da Dio e umiliato.
5 Ma egli è stato trafitto a causa
dei nostri peccati,
schiacciato a causa delle nostre colpe.
Il castigo che ci rende la pace
si è abbattuto su di lui;
per le sue piaghe noi siamo stati
guariti.
6 Noi tutti andavamo errando
come pecore,
ognuno di noi seguiva il suo cammino
e il Signore fece ricadere su di lui
l'iniquità di tutti noi.
7 Maltrattato, egli si è umiliato
e non ha aperto bocca;
come un agnello condotto al macello,
come pecora muta davanti
ai suoi tosatori
non ha aperto bocca.
8 Senza arresto, senza processo
lo tolsero di mezzo;
chi riflette di fronte al suo destino?
Sì, è stato tolto dalla terra dei vivi,
per l'iniquità del mio popolo
fu percosso a morte.
9 Gli diedero sepoltura con gli empi
e il suo sepolcro è con i malfattori,
benché non abbia commesso violenza
e non vi fosse inganno
nella sua bocca.
10 Ma al Signore è piaciuto stritolarlo
con la sofferenza;
se offre la sua vita in sacrificio
di espiazione
vedrà una discendenza longeva,
e la volontà del Signore si compirà
grazie a lui.
11 Dopo il suo intimo tormento vedrà
la luce
e si sazierà della sua conoscenza.
Il giusto mio servo giustificherà molti,
perché egli si è addossato
le loro iniquità.
12 Perciò gli darò in possesso
le moltitudini
ed egli distribuirà il bottino
insieme ai potenti,
perché ha offerto se stesso alla morte
e fu annoverato fra i malfattori.
Egli invece si fece carico del peccato
di molti
e intercedette per i peccatori.

GERUSALEMME, SPOSA DEL SIGNORE

54 [1] Esulta, o sterile, che non hai
generato;
prorompi in giubilo ed esulta,
tu che non hai avuto le doglie!
Perché i figli dell'abbandonata sono
più numerosi
dei figli della maritata, dice il Signore.
2 Allarga lo spazio della tua tenda,
distendi i teli della tua dimora
senza risparmio.
Allunga le tue corde, fissa bene
i tuoi piuoli,
3 perché ti espanderai a destra e a sinistra;
la tua discendenza possederà le nazioni
e popolerà le città abbandonate.
4 Non temere, perché non sarai
confusa;
non aver vergogna, perché non dovrai
arrossire.
Anzi dimenticherai l'onta
della tua giovinezza
e non ricorderai più il disonore
della tua vedovanza.
5 Poiché tuo sposo è il tuo creatore,
il cui nome è Signore degli eserciti;
il tuo redentore è il Santo d'Israele,
chiamato Dio di tutta la terra.
6 Sì, come una donna abbandonata
e afflitta di spirito, il Signore torna
a chiamarti.
La donna sposata in gioventù
viene forse ripudiata? – dice il tuo Dio.
7 Ti ho abbandonata per un breve istante,
ma ti riprenderò con grande tenerezza.
8 In un impeto di collera ti ho nascosto
per un istante il mio volto,
ma con eterno amore ho avuto
pietà di te,
dice il tuo redentore, il Signore.
9 Faccio come ai tempi di Noè,
quando giurai che le acque di Noè
non avrebbero più inondato la terra;
così giuro di non adirarmi più con te
e di non farti più minacce.
10 Poiché i monti possono spostarsi
e i colli vacillare,

---

54. - 1. Il quadro tracciato qui dal profeta è pieno di esultanza: al lutto, alla tristezza, all'abbandono succede la letizia, il gaudio, la soddisfazione per i molti figli, frutto del rinnovato amore di Dio e specialmente della sua fedeltà alle promesse.

ma il mio affetto non si allontanerà da te
né vacillerà la mia alleanza di pace,
dice il Signore che ti ama.

[11] O afflitta, percossa dal turbine
e che nessuno consola!
Ecco, io stesso pongo le tue pietre
sulla malachite
e le tue fondamenta sugli zaffiri.

[12] Farò di rubini la tua merlatura,
le tue porte saranno di smeraldo
e le tue mura saranno di pietre preziose.

[13] Tutti i tuoi figli saranno istruiti
dal Signore,
grande sarà la pace dei tuoi figli.

[14] Tu sarai fondata sulla giustizia.
Tieni lontana dalla violenza,
perché non dovrai più temere,
e dal terrore, perché non si avvicinerà
più a te.

[15] Ecco, se qualcuno ti combatte,
non è da parte mia;
chi ti combatte, cadrà davanti a te.

[16] Ecco, io ho creato il fabbro
che soffia in un fuoco rovente,
che trae gli strumenti per il suo lavoro,
ma io ho creato anche il guastatore
per distruggere.

[17] Ogni arma forgiata contro di te fallirà,
e tu condannerai ogni lingua
che sorga contro di te in giudizio.
Questa è la sorte dei servi del Signore
e quanto spetta loro da parte mia.
Oracolo del Signore.

INVITO FINALE

55 [1] O voi tutti che avete sete,
venite alle acque;
anche chi non ha denaro, venga!
Comperate e mangiate, senza denaro
e senza spesa, vino e latte.

[2] Perché spendete denaro per ciò
che non è pane
e vi affaticate per ciò che non vi sazia?
Ascoltatemi e mangerete cose buone,
gusterete cibi succulenti.

[3] Tendete l'orecchio e venite a me,
ascoltate e vivrete.
Stringerò con voi un'alleanza eterna,
i benefici assicurati a Davide
e mantenuti.

[4] Io, infatti, l'ho costituito testimone
tra i popoli,
condottiero e capo di nazioni.

[5] Tu convocherai una nazione
che non conoscevi,
gente che non ti conosce accorrerà a te,
a causa del Signore, tuo Dio,
del Santo d'Israele, poiché egli
ti ha glorificato.

[6] Cercate il Signore, mentre si fa trovare,
invocatelo, mentre è vicino.

[7] Abbandoni l'empio la sua via
e l'iniquo i suoi pensieri;
ritorni al Signore, che avrà pietà di lui,
e al Dio nostro, che è largo
nel perdonare.

[8] Perché i miei pensieri non sono
i vostri pensieri
e le vostre vie non sono le mie vie.
Oracolo del Signore.

[9] Quanto il cielo si innalza sopra la terra,
così si innalzano le mie vie
sulle vostre vie
e i miei pensieri sui vostri pensieri.

[10] Infatti, come la pioggia e la neve
scendono dal cielo e non vi ritornano più
senza aver irrigato la terra,
senza averla fecondata
e fatta germogliare,
in modo da fornire il seme
al seminatore
e il pane a chi mangia,

[11] così sarà la parola che esce
dalla mia bocca:
non ritornerà a me senza effetto,
senza aver realizzato quanto volevo
e senza aver compiuto ciò per cui
l'ho inviata.

[12] Sì, voi uscirete con gioia
e sarete ricondotti in pace.
Le montagne e le colline eromperanno
in grida di gioia davanti a voi,
tutti gli alberi della foresta
batteranno le mani.

[13] Invece di spine cresceranno cipressi,
invece di ortiche cresceranno mirti.
Ciò sarà per il Signore una gloria,
un segno eterno, che non verrà
cancellato.

---

55. - 1-4. A quanti non credono al ritorno Dio stesso volge
questo caldo invito, assicurando che solo in patria potranno
godere della pienezza delle promesse fatte a *Davide*, figura
del Messia.
11. *La parola* di Dio qui significa il suo disegno di salvezza,
che egli compirà nonostante le infedeltà e le opposizioni del
popolo e dei suoi nemici.

TERZA PARTE DI ISAIA

UNIVERSALISMO DELLA SALVEZZA

56 ¹Così dice il Signore:
«Osservate il diritto
e praticate la giustizia,
perché la mia salvezza è prossima
a venire
e la mia giustizia è sul punto di rivelarsi».
² Beato l'uomo che agisce così,
il figlio d'uomo che vi aderisce
fermamente,
che osserva il sabato senza profanarlo
e che trattiene la sua mano
dal compiere ogni male.
³ Non dica lo straniero, che si è unito
al Signore:
«Il Signore mi escluderà certamente
dal suo popolo».
Non dica l'eunuco: «Ecco,
io sono un albero secco!».
⁴ Poiché così dice il Signore:
«Agli eunuchi che osservano
i miei sabati,
prediligono quello che è di mio gusto
e perseverano fermamente
nella mia alleanza,
⁵ darò nella mia casa un nome
e dentro le mie mura un monumento
migliore dei figli e delle figlie;
darò loro un nome eterno,
che non si estinguerà.
⁶ Gli stranieri che hanno aderito
al Signore per servirlo,
per amare il nome del Signore
e diventare suoi servi,
tutti quelli che osservano il sabato
evitandone la profanazione
e perseverano fermamente
nella mia alleanza,
⁷ io li condurrò sul mio santo monte
e li colmerò di gioia nella mia casa
di preghiera.
I loro olocausti e i loro sacrifici
saranno graditi sul mio altare,
perché la mia casa sarà chiamata
casa di preghiera per tutti i popoli».
⁸ Oracolo del Signore Dio, che raduna
i dispersi di Israele:
«Io ne raccoglierò altri ancora,
oltre a quelli già radunati».
⁹ Bestie tutte dei campi, venite per divorare;
bestie tutte della foresta, venite.

¹⁰ I suoi guardiani sono tutti ciechi,
non comprendono nulla.
Tutti sono cani muti, incapaci di latrare;
sognano accovacciati,
amano sonnecchiare.
¹¹ Sono cani avidi, non conoscono
la sazietà,
sono pastori incapaci di capire:
ognuno segue la sua via,
ognuno bada al proprio profitto,
senza eccezione.
¹² «Venite, prenderò del vino:
ubriachiamoci di bevande inebrianti!
Domani sarà come oggi,
ci sarà grande abbondanza,
e più ancora!».

CONTRO L'IDOLATRIA

57 ¹Il giusto perisce e nessuno
si preoccupa.
I pii sono tolti di mezzo e nessuno
se ne accorge.
Sì, il giusto è tolto di mezzo a causa
del male.
² Egli entra nella pace,
e riposano sui loro giacigli
quelli che camminano per la retta via.
³ Avvicinatevi voi, figli della maga,
stirpe dell'adultero e della prostituta!
⁴ Di chi vi burlate?
Contro chi allargate la bocca
e allungate la lingua?
Non siete voi forse figli illegittimi,
prole bastarda?
⁵ Voi, che vi eccitate fra i terebinti,
sotto ogni albero verdeggiante,
che immolate bambini nelle valli,
nelle fessure delle rocce!
⁶ Tra le pietre del torrente è la parte
che ti spetta:
esse sono la tua porzione.
In loro onore tu hai versato libagioni
e hai presentato offerte;
forse dovrei consolarmi di questo?

---

56. - 1. Comincia la terza parte del libro di Isaia, che è ambientata nel clima religioso, spirituale, culturale e politico del primo periodo dopo il ritorno dall'esilio. La comunità ebraica affronta i problemi della riorganizzazione della vita religiosa come impegno sia comunitario che personale. Risalta in primo piano la funzione di Gerusalemme come *città* del popolo di Dio e come *luogo* da cui parte l'annuncio della salvezza.

[7] Sopra un'alta ed elevata montagna
   hai collocato il tuo giaciglio;
   anche là sei salita per offrire sacrifici.
[8] Dietro la porta e gli stipiti hai posto
      il tuo memoriale.
   Sì, lontano da me hai scoperto
      il tuo giaciglio,
   vi sei salita, l'hai allargato;
   hai patteggiato con coloro con i quali
      amavi giacere,
   guardando la mano.
[9] Con olio sei corsa verso il re,
   hai moltiplicato i tuoi profumi,
   hai inviato lontano i tuoi messaggeri,
   li hai fatti discendere fino agli inferi.
[10] Ti sei affaticata per i molti viaggi,
   ma non hai detto: «È una disperazione».
   Hai ritrovato il vigore della tua mano,
   per cui non ti senti debole.
[11] Di chi avevi timore?
   Di chi avevi paura, per dire menzogne?
   Di me non ti sei ricordata,
      non ti sei presa cura?
   O forse perché io tacevo e chiudevo
      gli occhi,
   tu non hai avuto timore di me?
[12] Io proclamerò la tua giustizia
   e le tue opere,
   che non ti portano alcun giovamento.
[13] Alle tue grida ti salvino gli idoli
      che hai radunato!
   Il vento li porterà via tutti, il soffio
      se li prenderà.
   Ma chi si rifugia in me, possederà
      la terra
   e avrà in eredità il mio santo monte.
[14] E si dirà: «Selciate, selciate, appianate
      la via,
   levate ogni ostacolo dalla via
      del mio popolo!».
[15] Perché così dice l'Alto e l'Eccelso,
   la cui dimora è eterna, il cui nome
      è Santo:
   «Io dimoro in un luogo elevato e santo,
   ma sono anche con il contrito e l'umile,
   per rianimare lo spirito degli umili
   e risollevare i cuori contriti.
[16] Poiché io non faccio lite in eterno,

non mi irrito per sempre,
   altrimenti verrebbero meno
      al mio cospetto
   lo spirito e le anime che io ho creato.
[17] Per il suo iniquo guadagno
      mi sono irritato e l'ho colpito,
   ho nascosto il mio volto da lui
      e mi sono adirato,
   ma egli, ribelle, ha seguito le vie
      del suo cuore.
[18] Ho visto le sue vie, ma io lo guarirò,
   lo guiderò, gli darò consolazione.
   Ai suoi afflitti [19]io pongo sulle labbra
      la lode;
   pace, pace a chi è lontano
   e a chi è vicino,
   dice il Signore. Io lo guarirò».
[20] Ma gli empi sono come un mare agitato,
   che non può calmarsi,
   le cui acque rigettano melma e fango.
[21] Non vi è pace per gli empi,
   dice il mio Dio.

IL DIGIUNO
CHE IL SIGNORE GRADISCE

58 [1]Grida a squarciagola,
   non risparmiarti!
   Alza la tua voce come una tromba
   e proclama al mio popolo i suoi delitti,
   alla casa di Giacobbe i suoi peccati.
[2] Mi ricercano ogni giorno
   e desiderano conoscere le mie vie,
   come una nazione che pratichi
      la giustizia
   e non abbandoni il diritto del suo Dio;
   mi chiedono dei giudizi giusti,
   desiderano aver vicino Dio:
[3] «Perché digiunare, se tu non ci fai caso?
   Mortificarci, se tu non ci badi?».
   Ecco, nel giorno del vostro digiuno
   voi curate i vostri affari
   e opprimete tutti i vostri operai.
[4] Ecco, voi digiunate fra dispute e alterchi,
   menando pugni senza pietà.
   Non sono i digiuni come quelli
      che fate oggi
   a far sentire in alto la vostra voce.
[5] È forse questo il digiuno che desiderò,
   il giorno in cui l'uomo si mortifica?
   Piegare il capo come un giunco
   e distendersi su un letto di sacco
      e di cenere?

Is

---

58. - 1-7. Il popolo eletto era obbligato dalla legge a un solo
digiuno, nel Giorno dell'espiazione (Lv 23,27); ma, incline
all'esteriorità, aggiunse digiuni volontari, che si moltiplicarono durante l'esilio (Zc 7,5). Qui viene detto che digiunare
non ha alcun valore presso Dio se poi si opera iniquamente.

Forse questo tu chiami digiuno
e giorno gradito al Signore?

6 Non è piuttosto questo il digiuno
che desidero:
spezzare le catene inique,
sciogliere i legami del giogo,
rimandare liberi gli oppressi
e rompere ogni giogo?

7 Non consiste forse in questo:
spezzare il pane all'affamato,
introdurre in casa i poveri senza tetto,
vestire chi vedi nudo,
senza trascurare quelli della tua carne?

8 Allora la tua luce spunterà come l'aurora
e la tua ferita sarà presto cicatrizzata;
la tua giustizia camminerà dinanzi a te
e la gloria del Signore ti seguirà.

9 Allora, se chiami, il Signore ti risponderà;
se implori, egli ti dirà: «Eccomi!».
Se rimuoverai di mezzo a te il giogo,
il puntare il dito e il maledicenza,

10 se darai il tuo pane all'affamato,
se sazierai l'anima oppressa,
allora là tua luce sorgerà tra le tenebre,
la tua oscurità sarà come il meriggio.

11 Il Signore ti farà sempre da guida,
ti sazierà in terreni aridi,
renderà vigore alle tue ossa;
sarai come un giardino irrigato
e come una sorgente
le cui acque non vengono meno.

12 La tua gente riedificherà
le antiche rovine,
tu ricostruirai le fondamenta di epoche
lontane.
Ti chiameranno riparatore di brecce,
restauratore di case in rovina
per abitarvi.

13 Se tratterrai il tuo piede dal violare
il sabato,
dallo sbrigare i tuoi affari nel giorno
a me sacro,
se chiamerai il sabato: Delizia
e il giorno santo del Signore:
Venerabile,
se lo onorerai astenendoti dai viaggi,
dal trattare i tuoi affari e dal tenere
discorsi,

14 allora il Signore sarà la tua delizia.
Io ti farò passare per le alture del paese,
ti nutrirò con l'eredità di Giacobbe,
tuo padre,
poiché la bocca del Signore
ha parlato.

IL PECCATO, OSTACOLO ALLA SALVEZZA

59 1 Ecco, non è troppo corta la mano del Signore
da non poter salvare,
né il suo orecchio troppo duro
da non poter udire.

2 Piuttosto le vostre colpe sono divenute
un ostacolo
tra voi e il vostro Dio;
i vostri peccati gli hanno fatto nascondere
il suo volto a voi,
così che non vi ascolta.

3 Sì, le vostre palme si sono macchiate
di sangue
e le vostre dita di crimini;
le vostre labbra proferiscono
la menzogna
e le vostre lingue sussurrano iniquità.

4 Nessuno muove causa con giustizia
e nessuno giudica con verità;
si confida nel nulla e si dice il falso,
si concepisce il male e si genera
l'iniquità.

5 Dischiudono uova di vipere
e tessono tele di ragno;
chi mangia di quelle uova, muore;
se le schiacciano, escono vipere.

6 Le loro tele non diventeranno vestiti
e non si possono coprire con i loro
manufatti.
Le loro opere sono opere criminali
e nelle loro mani c'è il frutto
della violenza.

7 I loro piedi corrono verso il male
e si affrettano a versare il sangue
innocente;
i loro pensieri sono pensieri di iniquità,
sui loro sentieri sono rovina
e distruzione.

8 Non conoscono il cammino della pace
e non vi è rettitudine nelle loro vie;
i loro sentieri sono tortuosi
e chi si inoltra in essi non conosce
la pace.

9 Per questo il diritto è lontano da noi
e la giustizia non ci raggiunge.

---

59. - 1. Il motivo per cui la salvezza di Dio ritarda bisogna
cercarlo nel peccato d'Israele. Dio è onnipotente e può
salvare, ma ha condizionato la salvezza alla condotta del
popolo.
5-6. Le opere dei malvagi risultano a loro danno.

Speravamo nella luce, ecco invece
le tenebre;
nello splendore, invece camminiamo
nel buio.
[10] Come ciechi, tastiamo la parete;
come privi di vista, procediamo
a tentoni;
inciampiamo a mezzogiorno
come al crepuscolo;
nel pieno vigore siamo come i morti.
[11] Tutti noi urliamo come orsi
e come colombe non cessiamo
di gemere;
speravamo nel diritto, ma non c'è;
nella salvezza, ma essa è lontana
da noi.
[12] Poiché sono molti i nostri delitti
davanti a te
e i nostri peccati testimoniano contro
di noi;
poiché i nostri delitti ci sono presenti
e le nostre colpe noi le conosciamo:
[13] ribellarsi e rinnegare il Signore,
ritirarsi dalla sequela del nostro Dio,
tramare oppressione e rivolta,
concepire e mormorare nel cuore
parole menzognere.
[14] Così il diritto è messo in disparte
e la giustizia se ne sta lontana,
perché la verità incespica sulla piazza
e la rettitudine non riesce ad entrare.
[15] Così la lealtà è scomparsa
e chi evita il male viene depredato.
Il Signore ha visto ciò
ed è male ai suoi occhi che non ci sia
più giustizia.
[16] Egli ha visto che non c'era nessuno,
si è stupito che nessuno interveniva.
Allora il suo braccio portò aiuto
e la sua giustizia lo sostenne.
[17] Si rivestì della giustizia come
di una corazza
e sul capo pose l'elmo della salvezza;
indossò gli abiti della vendetta
e si cinse di gelosia come di un mantello.
[18] Egli retribuirà ciascuno secondo
l'operato:
sdegno ai suoi avversari,

castigo ai suoi nemici;
alle isole renderà il castigo.
[19] In occidente si venererà il nome
del Signore
e in oriente la sua gloria,
poiché egli verrà come un torrente
impetuoso,
sospinto dal vento del Signore.
[20] Ma verrà come redentore per Sion
e per i convertiti dal peccato
in Giacobbe.
Oracolo del Signore.

[21] «Da parte mia, ecco la mia alleanza con
loro, dice il Signore: Il mio spirito che è sopra di te e le mie parole che ho posto nella
tua bocca non si allontaneranno dalla tua
bocca né dalla bocca della tua discendenza
né dalla bocca dei figli dei tuoi figli, dice il
Signore, ora e sempre».

LO SPLENDORE DI GERUSALEMME

60 [1] Alzati, rivestiti di luce,
poiché viene la tua luce
e la gloria del Signore risplende su di te!
[2] Poiché, ecco, le tenebre ricoprono la terra
e l'oscurità avvolge i popoli,
ma su di te risplende il Signore,
la sua gloria appare su di te.
[3] Cammineranno le nazioni alla tua luce
e i re allo splendore della tua aurora.
[4] Volgi intorno i tuoi occhi e guarda:
tutti costoro si sono riuniti, vengono a te;
i tuoi figli vengono da lontano
e le tue figlie sono portate in braccio.
[5] Allora vedrai e sarai radiosa,
il tuo cuore fremerà e si dilaterà,
poiché le ricchezze del mare
confluiranno verso di te,
a te verranno le risorse delle nazioni.
[6] Una moltitudine di cammelli
ti sommergerà,
dromedari di Madian e di Efa;
tutti giungono da Saba,
portando oro e incenso
e proclamando le lodi del Signore.
[7] Tutti i greggi di Kedar
si raduneranno presso di te,
i montoni di Nebaiot serviranno
per i tuoi sacrifici,
saliranno come offerta gradita
sul mio altare,

Is

---

60. - 1-22. Descrizione della nuova Gerusalemme, che appare in tutto il suo splendore, come una luce che brilla anche
per le altre nazioni. Da tutte le parti del mondo si rivolgeranno ad essa: non solo ritorneranno gli Israeliti dispersi tra
i popoli, ma anche le nazioni andranno ad acclamarla, a
portare i loro doni, ad adorare il suo Dio.

per abbellire il mio tempio
di splendore.

8 Chi sono costoro che volano come nubi
e come colombe verso le loro
colombaie?

9 Sì, le isole mi attendono
e le navi di Tarsis in prima fila,
per portare i tuoi figli da lontano
con il loro argento e il loro oro,
per il nome del Signore, tuo Dio,
e per il Santo d'Israele che ti onora.

10 Gli stranieri ricostruiranno le tue mura
e i loro re saranno tuoi servitori,
perché se ti ho colpito nel mio sdegno,
nella mia benevolenza ho pietà di te.

11 Le tue porte saranno sempre aperte,
non si chiuderanno né di giorno
né di notte,
per portarti le ricchezze dei popoli
sotto la guida dei loro re.

12 Poiché il popolo e il regno
che non vorranno servirti, periranno,
e le nazioni saranno sterminate.

13 La gloria del Libano verrà a te,
con i cipressi, gli olmi e gli abeti,
per adornare il luogo del mio santuario
e rendere nobile il luogo su cui poggio
i miei piedi.

14 A te verranno, piegati, i figli
dei tuoi oppressori,
si prostreranno ai tuoi piedi
tutti quelli che ti disprezzavano.
Ti chiameranno Città del Signore,
Sion del Santo d'Israele.

15 Anziché rimanere abbandonata,
odiata e senza un passante,
io ti renderò oggetto di fierezza
in eterno
e di gioia per tutte le generazioni.

16 Succhierai il latte delle nazioni,
succhierai al petto dei re.
Saprai che io, il Signore,
sono il tuo Salvatore,
il tuo Redentore, io, il Forte di Giacobbe.

17 Anziché bronzo farò venire oro,
anziché ferro farò venire argento,
anziché legno, bronzo,
anziché pietre, ferro.
Istituirò la pace come tuo magistrato
e come tuo esattore la giustizia.

18 Non si udrà più parlare di violenza
nella tua terra,
né di devastazione e di rovina
entro i tuoi confini.

Chiamerai salvezza le tue mura
e lode le tue porte.

19 Non avrai più il sole come tua luce
di giorno
e il fulgore della luna non ti rischiarerà più;
ma il Signore sarà per te una luce eterna
e il tuo Dio sarà il tuo splendore.

20 Il tuo sole non tramonterà più
e la luna non si ritirerà più,
poiché il Signore sarà per te
una luce eterna
e i giorni del tuo lutto saranno finiti.

21 Nel tuo popolo tutti saranno giusti
e possederanno la terra per sempre:
è il germoglio che io ho piantato,
l'opera delle mie mani, per manifestare
la mia gloria.

22 Il più piccolo diventerà un migliaio
e il più modesto un immenso popolo.
Io sono il Signore:
al tempo fissato affretterò la mia opera.

LA MISSIONE DELL'INVIATO DEL SIGNORE

61 1 Lo spirito del Signore Dio è su di me,
perché il Signore mi ha consacrato
con l'unzione,
mi ha inviato ad evangelizzare gli umili,
a fasciare quelli che hanno
il cuore spezzato,
a proclamare la libertà ai deportati,
la liberazione ai prigionieri,

2 a proclamare l'anno di grazia da parte
del Signore,
un giorno di vendetta da parte
del nostro Dio;
per consolare tutti gli afflitti,
per allietare gli afflitti di Sion,

3 per dare loro una corona invece
della cenere,
olio di letizia invece di un abito di lutto,
lode invece di uno spirito abbattuto.
Essi si chiameranno querce
di giustizia,
piantagione del Signore per la sua
gloria.

---

61. - 1. Parla il profeta che presenta, a nome di Dio, la propria missione di misericordia e di bontà verso gli esiliati, di cui annunzia prossima la liberazione. Gesù lesse questo vaticinio nella sinagoga di Nazaret e lo applicò a sé e alla sua missione (Lc 4,16-22).

⁴ Ricostruiranno le rovine antiche,
   rialzeranno i luoghi desolati
      del passato,
   restaureranno le città in rovina,
      distrutte da generazioni.
⁵ Stranieri verranno a pascolare
      i vostri greggi;
   forestieri vi faranno da contadini
      e vignaioli.
⁶ Voi sarete chiamati sacerdoti
      del Signore,
   sarete detti ministri del nostro Dio.
   Vi nutrirete della ricchezza delle nazioni,
   vi glorierete del loro fasto.
⁷ Invece della vostra vergogna riceverete
      il doppio,
   invece della confusione esulterete
      di gioia;
   nel vostro paese erediterete il doppio,
   vi sarà per voi una letizia eterna.
⁸ Poiché io, il Signore, amo la giustizia,
   odio la rapina e il crimine;
   darò loro fedelmente la retribuzione
   e concluderò con loro un'alleanza
      perpetua.
⁹ La loro stirpe sarà celebre
      tra le nazioni
   e la loro discendenza tra i popoli.
   Tutti quelli che li vedranno
      ne avranno stima,
   perché essi sono la stirpe benedetta
      dal Signore.
¹⁰ Io esulto grandemente nel Signore
   e l'anima mia si rallegra nel mio Dio,
   perché mi ha rivestito con le vesti
      della salvezza
   e mi ha ricoperto con il manto
      della giustizia,
   come uno sposo che si cinge
      la corona
   e una sposa che si adorna
      dei suoi gioielli.
¹¹ Poiché come il terreno fa spuntare
      i germogli
   e il giardino fa germinare i semi,
   così il Signore Dio farà spuntare
      la giustizia
   e la lode davanti a tutti i popoli.

LA NUOVA GERUSALEMME

62 ¹Per amore di Sion non tacerò,
   per amore di Gerusalemme
   non starò tranquillo,
   finché la sua giustizia non sorga
      come l'aurora
   e la sua salvezza risplenda
      come fiaccola.
² Allora le nazioni vedranno
      la tua giustizia
   e tutti i re la tua gloria;
   ti si chiamerà con un nome nuovo,
   che la bocca del Signore pronuncerà.
³ Sarai una splendida corona
   nella mano del Signore,
   un diadema regale nella palma
      del tuo Dio.
⁴ Non ti si chiamerà più abbandonata,
   né la tua terra sarà più detta desolata,
   poiché sarai chiamata mia prediletta
   e la tua terra sposata;
   perché il Signore ti predilige
   e la tua terra avrà uno sposo.
⁵ Sì, come un giovane sposa
      una vergine,
   così sposerà te il tuo costruttore;
   come gioisce lo sposo per la sua sposa,
   così il tuo Dio gioirà per te.
⁶ Sulle tue mura, o Gerusalemme,
      ho posto sentinelle;
   per tutto il giorno e tutta la notte
      non taceranno mai.
   Voi che invocate il Signore,
   non concedetevi riposo!
⁷ Neppure a lui concedete riposo,
   finché non abbia ristabilito
   e non abbia reso Gerusalemme
      la meraviglia della terra.
⁸ Il Signore ha giurato per la sua destra
   e per il suo braccio potente:
   «Mai più darò il tuo grano in cibo
      ai tuoi nemici;
   gli stranieri non berranno più il tuo vino,
   per il quale tu hai faticato;
⁹ poiché quelli che avranno raccolto
      il grano
   lo mangeranno e loderanno il Signore,
   e quelli che avranno vendemmiato
   berranno il vino nei cortili
      del mio santuario».
¹⁰ Passate, passate per le porte!
   Appianate la via per il popolo!
   Selciate, selciate la strada,

---

62. - 5. Ritorna l'immagine tanto cara ai profeti per indicare
l'amore di Dio per il suo popolo. Egli sarà lo sposo, il popolo
sarà la sposa.

rimuovetene le pietre,
innalzate un vessillo per i popoli!

[11] Ecco, il Signore invia un proclama
fino ai confini della terra:
«Dite alla figlia di Sion:
ecco, viene il tuo Salvatore,
ecco, ha con sé la sua mercede
e la sua ricompensa è davanti a lui.

[12] Li chiameranno popolo santo,
redenti dal Signore,
e tu sarai chiamata ricercata,
città non abbandonata».

IL GIUDIZIO DEI POPOLI
E I BENEFICI CONCESSI A ISRAELE

63 [1] Chi è costui che arriva da Edom,
da Bozra, con le vesti macchiate
di rosso?
Chi è costui, splendidamente vestito,
che procede pieno di forza?
«Sono io, che parlo con giustizia
e sono grande nel salvare».

[2] Perché sono rosse le tue vesti
e i tuoi abiti come quelli di chi pigia
nel tino?

[3] «Nel tino ho pigiato da solo
e dei popoli nessuno era con me.
Li ho pigiati nella mia ira
e li ho calpestati nel mio sdegno.
Il loro sangue è sprizzato sulle mie vesti
e ho macchiato tutti i miei abiti.

[4] Poiché nel mio cuore vi è un giorno
di vendetta
ed è giunto l'anno della mia redenzione.

[5] Guardai e non v'era chi prestasse aiuto.
Osservai stupito e non v'era
chi mi sostenesse.
Allora il mio braccio mi salvò
e la mia ira mi sostenne.

[6] Con la mia collera calpestai i popoli,
li annientai con la mia ira
e feci scorrere per terra il loro sangue».

[7] Voglio ricordare i benefici del Signore,
le lodi del Signore,
tutto quanto egli ha fatto per noi.
Egli è grande in bontà verso la casa
d'Israele;
ci ha favorito secondo la sua
misericordia
e secondo la grandezza del suo amore.

[8] Disse: «Veramente essi sono
il mio popolo,

figli che non deludono»,
e fu per loro un salvatore.

[9] In tutte le loro tribolazioni
non fu né un inviato né un angelo,
ma lui in persona che li salvò.
Nel suo amore e nella sua clemenza
egli li riscattò;
li sollevò e li portò su di sé in tutti
i giorni del passato.

[10] Ma essi si ribellarono e irritarono
il suo santo spirito;
perciò si trasformò in nemico per essi
ed egli stesso li combatté.

[11] Allora si ricordarono dei giorni passati
e di Mosè suo servo.
Dov'è colui che trasse dal mare
il pastore del suo gregge?
Dov'è colui che gli infuse il suo
santo spirito?

[12] Colui che fece camminare alla destra
di Mosè
il suo braccio glorioso;
che divise le acque davanti a loro,
guadagnandosi una fama perpetua;

[13] che li condusse tra gli abissi
come un cavallo nel deserto,
senza che inciampassero?

[14] Come armento che scende nella valle,
lo spirito del Signore li guidava.
Così tu conducesti il tuo popolo,
guadagnandoti una fama gloriosa.

[15] Guarda dal cielo
e osserva dalla tua santa e splendida
dimora.
Dove sono il tuo zelo e la tua potenza?
Il fremito delle tue viscere
e della tua misericordia verso di me
è stato represso?

[16] Sei tu, infatti, il nostro padre:
Abramo non ci riconosce
e Israele non si ricorda di noi.
Tu, Signore, sei il nostro padre;
da sempre ti chiami nostro Redentore.

[17] Perché ci fai deviare, Signore,
dalle tue vie
e ci indurisci il cuore che così
non ti teme?
Ritorna, per amore dei tuoi servi,
per amore delle tribù, tua eredità.

---

63. - 1-6. Il profeta vede in spirito il Signore che torna dall'Idumea trionfante, con le vesti ancora intrise di sangue. L'animatissimo dialogo tra il profeta e il trionfatore fa sapere che Dio da solo ha vinto tutti i nemici del suo popolo.

[18] Perché gli empi hanno calpestato
  il tuo santuario
e i nostri avversari hanno profanato
  la tua santa dimora?
[19] Siamo diventati da lungo tempo
  come coloro sui quali tu non comandi,
  sui quali il tuo nome non è stato
  invocato.
Se tu squarciassi i cieli e scendessi!
I monti al tuo cospetto si scuoterebbero.

LAMENTAZIONE E SUPPLICA

64 [1] Come il fuoco incendia
  i rami secchi,
come il fuoco fa bollire l'acqua,
  così si manifesti il tuo nome
  ai tuoi nemici
e tremino al tuo cospetto le nazioni.
[2] Perché tu compi cose terribili
  che non attendevamo
[3] e di cui dall'antichità nessuno
  ha udito parlare.
Orecchio non ha udito né occhio
  ha visto
un Dio, all'infuori di te, che agisca così
in favore di chi spera in lui.
[4] Tu vai incontro a quanti praticano
  la giustizia
e si ricordano delle tue vie.
Ecco, tu ti sei adirato e noi abbiamo
  peccato,
da tempo ci siamo ribellati contro di te.
[5] Tutti noi eravamo come una cosa impura,
tutti i nostri atti di giustizia
  sono come un panno immondo.
Tutti noi siamo avvizziti come foglie
e le nostre iniquità ci portano via
  come vento.
[6] Non c'è nessuno che invochi
  il tuo nome,
che sorga per appoggiarsi su di te,
poiché tu ci hai nascosto il tuo volto,
ci hai consegnato in balìa
  delle nostre colpe.
[7] Eppure, Signore, tu sei il nostro padre;

noi siamo l'argilla e tu colui che ci ha
  plasmato;
noi tutti siamo opera delle tue mani.
[8] Signore, non restare a lungo adirato!
Non ricordarti per sempre dell'iniquità!
Ecco, guarda, tutti noi siamo il tuo popolo.
[9] Le tue sante città sono diventate
  un deserto,
Sion è diventata un deserto,
Gerusalemme una desolazione.
[10] Il nostro tempio santo e splendido,
  nel quale ti lodarono i nostri padri,
è diventato preda del fuoco
e tutte le nostre cose preziose
  sono state distrutte.
[11] Forse tu, Signore, rimarrai insensibile
  a tutto questo,
starai in silenzio e ci umilierai ancora
  per molto tempo?

IL GIUDIZIO FINALE
E LA NUOVA CREAZIONE

65 [1] Mi sono lasciato ricercare
  da chi non mi consultava,
mi sono lasciato trovare da chi
  non mi cercava.
Ho detto: «Eccomi, eccomi»,
a una nazione che non invocava
  il mio nome.
[2] Ho teso le mie mani tutto il giorno
  verso un popolo ribelle,
che procede su una via non buona,
  seguendo i suoi pensieri,
[3] un popolo che mi provoca
  continuamente,
  con sfacciataggine,
sacrificando nei giardini
e offrendo incenso sui mattoni;
[4] abitando nei sepolcri,
passando la notte nei luoghi nascosti,
mangiando carne suina
e cibi immondi nei loro piatti.
[5] Essi dicono: «Sta' lontano!
Non toccarmi, altrimenti ti renderei
  sacro».
Queste cose sono come fumo
  al mio naso,
come fuoco che arde tutto il giorno.
[6] Ecco, tutto questo sta scritto
  davanti a me;
io non mi riposerò finché
  non avrò ripagato

Is

---

65. - 1-4. Dio risponde alla domanda del profeta: non fu lui
a non preoccuparsi della nazione eletta e del proprio santuario, ma fu il popolo che non lo volle ascoltare.

5. *Altrimenti ti renderei sacro*: i partecipanti ai riti idolatrici si
ritenevano intoccabili perché posseduti da una speciale
energia sacra, che poteva essere pericolosa per chi, profano, ne fosse venuto in contatto.

⁷ le vostre colpe e le colpe dei vostri padri,
  tutte insieme, dice il Signore.
  Essi hanno bruciato incenso sui monti
  e mi hanno oltraggiato sulle colline:
  io ripagherò le loro azioni passate
    a piena misura.
⁸ Così dice il Signore:
  «Come quando si trova mosto
    nel grappolo,
  si dice: Non lo gettate, poiché
    è una benedizione,
  così io farò per amore dei miei servi,
  per non distruggere ogni cosa.
⁹ Farò uscire da Giacobbe
    una discendenza
  e da Giuda colui che possederà
    i miei monti;
  i miei eletti li erediteranno
  e i miei servi vi abiteranno.
¹⁰ Il Saron diventerà un pascolo di greggi
  e la valle di Acor pastura per armenti,
  per il mio popolo, che mi ricerca».
¹¹ E voi, che avete abbandonato il Signore,
  dimenticando il mio santo monte,
  che preparate una mensa per Gad
  e riempite la coppa di vino per Meni,
¹² io vi ho destinati alla spada,
  tutti vi piegherete per la strage,
  perché io ho chiamato e non avete
    risposto,
  ho parlato e non mi avete ascoltato;
  avete compiuto ciò che è male
    al mio cospetto
  e avete scelto ciò che mi dispiace.
¹³ Per questo, così dice il Signore Dio:
  «Ecco, i miei servi mangeranno
    e voi avrete fame;
  ecco, i miei servi berranno
    e voi avrete sete;
  ecco, i miei servi si rallegreranno
    e voi sarete confusi;
¹⁴ ecco, i miei servi canteranno
    per la gioia del loro cuore,
  voi invece griderete per il dolore del cuore
  e urlerete per la tortura dello spirito.
¹⁵ Voi lascerete il vostro nome
  come formula imprecatoria ai miei eletti:
  Che il Signore Dio ti faccia morire.
  I miei servi invece saranno chiamati
    con un altro nome.
¹⁶ Chi vorrà essere benedetto nel paese,
  vorrà esserlo per il Dio fedele;
  chi vorrà giurare nel paese,
  giurerà per il Dio fedele,

poiché saranno dimenticate
  le tribolazioni antiche,
spariranno anche dalla mia vista.
¹⁷ Ecco, infatti, che io creo cieli nuovi
  e nuova terra.
  Il passato non sarà più ricordato
  e non verrà più alla mente.
¹⁸ Gioite invece e rallegratevi sempre
  per quello che creo,
  poiché, ecco, io faccio di Gerusalemme
    una gioia
  e del suo popolo un'allegrezza.
¹⁹ Mi rallegrerò di Gerusalemme
  e godrò del mio popolo;
  non si udrà più in essa né la voce
    dei pianti
  né grida di angoscia.
²⁰ Non vi sarà più in essa un bimbo
    che viva pochi giorni
  né un vecchio che non giunga
    alla pienezza dei suoi anni;
  poiché il più giovane morirà
    a cento anni
  e chi non raggiungerà i cento anni
  sarà considerato maledetto.
²¹ Costruiranno case e vi abiteranno;
  pianteranno vigne e ne mangeranno
    il frutto.
²² Non costruiranno perché un altro vi abiti
  né pianteranno perché un altro mangi,
  poiché i giorni del mio popolo
  sono come i giorni dell'albero.
  I miei eletti potranno usare l'opera
    delle loro mani.
²³ Non faticheranno invano
  né genereranno figli per la perdizione,
  poiché essi saranno una prole
    di benedetti dal Signore
  e, con essi, anche la loro discendenza.
²⁴ Prima che mi invochino, io li esaudirò;
  staranno ancora parlando
  e io li avrò ascoltati.
²⁵ Il lupo e l'agnello pascoleranno insieme,
  il leone mangerà la paglia come un bue,
  e il serpente si nutrirà di terra.
  Non si faranno male,
    né si danneggeranno
  su tutto il mio santo monte»,
    dice il Signore.

---

22. *I giorni dell'albero*: cioè lunga vita.
25. Compendio della descrizione già fatta in 11,6-9: ritorno alla pace paradisiaca, quando non vi era inimicizia alcuna sulla terra.

IL VERO CULTO
E L'UNIVERSO RINNOVATO

66 ¹Così dice il Signore: «Il cielo
è il mio trono,
la terra è lo sgabello dei miei piedi.
Quale casa mi costruirete
e quale sarà il luogo del mio riposo?
² Tutte queste cose le ha fatte
la mia mano,
esse sono mie, oracolo del Signore.
Verso chi volgerò lo sguardo?
Verso il povero, che ha lo spirito
contrito
e che trema davanti alle mie parole.
³ C'è chi immola un bue, ma uccide
anche un uomo;
c'è chi sacrifica un agnello, ma strozza
anche un cane;
c'è chi reca un'offerta, ma offre
anche sangue di porco;
c'è chi brucia incenso, ma venera
anche l'idolo,
che è nulla.
Come essi hanno scelto le loro vie
e si sono compiaciuti delle loro
abominazioni,
⁴ così anch'io sceglierò le loro sventure
e farò piombare su di essi
ciò che temono,
poiché ho chiamato e nessuno
ha risposto,
ho parlato e nessuno ha ascoltato.
Hanno compiuto ciò che è male
ai miei occhi
e hanno scelto ciò di cui io
non mi compiaccio».
⁵ Ascoltate la parola del Signore,
voi che tremate davanti alle sue parole.
Hanno detto i vostri fratelli che vi odiano,
che vi respingono a causa
del mio nome:
«Si mostri il Signore nella sua gloria,
così che possiamo vedere
la vostra gioia!».
Ma essi saranno confusi.
⁶ Una voce, un frastuono viene dalla città,
una voce viene dal tempio:
è la voce del Signore,
che rende il contraccambio
ai suoi nemici.
⁷ Prima delle doglie essa ha partorito;
prima di essere sorpresa dai dolori,
ha dato vita a un maschio.

⁸ Chi ha mai udito una cosa simile?
Chi ha visto cose come queste?
Forse un paese viene messo al mondo
in un sol giorno?
Forse una nazione viene generata
in un istante?
Eppure Sion, appena entrata in doglie,
ha partorito i suoi figli.
⁹ Forse io, che apro il seno,
non farò partorire?, dice il Signore.
Forse io, che faccio generare,
chiuderò il seno?, dice il tuo Dio.
¹⁰ Rallegratevi con Gerusalemme,
esultate per essa, quanti la amate!
Gioite grandemente con essa,
voi tutti che eravate in lutto
per causa sua.
¹¹ Così succhierete al suo seno
e vi sazierete delle sue consolazioni,
succhierete con delizia
all'abbondanza del suo seno.
¹² Poiché così dice il Signore:
«Ecco, io farò scorrere su di essa,
come un fiume, la pace,
come un torrente straripante
le ricchezze delle nazioni.
Voi succhierete e sarete portati
in braccio,
sarete accarezzati sulle ginocchia.
¹³ Come un figlio che la madre consola,
così io vi consolerò;
in Gerusalemme sarete consolati.
¹⁴ Vedrete e il vostro cuore gioirà,
le vostre ossa saranno rigogliose
come erba.
La mano del Signore si manifesterà
ai suoi servi
e la sua ira ai suoi nemici».
¹⁵ Sì, ecco, il Signore viene con il fuoco,
i suoi carri sono come un turbine,
per riversare con sdegno la sua ira
e la sua minaccia con fiamme
di fuoco.
¹⁶ Sì, il Signore farà giustizia con il fuoco
e con la spada su ogni uomo;
numerose saranno le vittime
del Signore.
¹⁷ Quanti si santificano e si purificano,
seguendo nei giardini uno che sta
nel mezzo,
che mangiano carne suina,
cose abominevoli e topi,
insieme periranno, oracolo del Signore,
¹⁸ con le loro opere e i loro pensieri.

Is

«Io verrò a radunare tutte le nazioni e tutte le lingue; essi verranno e vedranno la mia gloria. ¹⁹Darò loro un segno e invierò alcuni dei loro superstiti verso le nazioni: Tarsis, Put, Lud, Mesech, Ros, Tubal, Grecia, verso le isole lontane, presso le quali non è giunta la mia fama e che non hanno visto la mia gloria; essi annunzieranno la mia gloria tra le nazioni. ²⁰Ricondurranno tutti i vostri fratelli da tutte le nazioni come offerta al Signore, su cavalli, su carri, su portantine, sui muli e sui dromedari, al mio santo monte di Gerusalemme, dice il Signore, come i figli d'Israele portano l'offerta su vasi puri al tempio del Signore. ²¹Anche da essi mi prenderò dei sacerdoti e dei leviti, dice il Signore.

²²Sì, come i nuovi cieli
  e la nuova terra che io farò
dureranno per sempre
  davanti a me,
oracolo del Signore,
così dureranno la vostra discendenza
  e il vostro nome.
²³Ogni novilunio e ogni sabato,
  tutti verranno a prostrarsi davanti a me,
  dice il Signore.
²⁴Uscendo vedranno i cadaveri
  degli uomini
che si sono ribellati contro di me;
poiché il loro verme non morirà,
  il loro fuoco non si estinguerà
  e saranno un abominio per tutti».

GEREMIA

Il profeta Geremia (650-586 a.C.) svolge il suo ministero tra il 627 e il 586, nel periodo caratterizzato dal predominio di Babilonia. Egli assisterà alla distruzione del regno di Giuda e di Gerusalemme (586) e alla deportazione dei superstiti.

Il libro di Geremia alterna oracoli con molte notizie storiche che confermano e spiegano il contenuto degli oracoli stessi. A grandi linee lo si può suddividere in tre parti. La prima parte (cc. 2-25) registra oracoli di condanna contro Giuda e Gerusalemme. La seconda parte (cc. 26-45) contiene brani riguardanti il profeta stesso (26-29.36-45: «passione» di Geremia) e oracoli di consolazione per Giuda e Israele (30-35). La terza parte (cc. 46-52) contiene oracoli contro i popoli pagani.

La sua predicazione controcorrente smontava false sicurezze: il tempio considerato un portafortuna (c. 7), e l'alleanza con l'Egitto contro Babilonia. Per questo subì carcere e insulti.

Il messaggio di Geremia è caratterizzato da una intensissima partecipazione personale (cfr. soprattutto i brani chiamati le «confessioni», cc. 11; 15; 17-18; 20). Sul piano stilistico Geremia fa largo uso di immagini e segni profetici. Sul piano storico-politico deve sfatare il mito delle alleanze come sistema di protezione e di difesa. Sul piano personale vive il dramma di una «parola» che deve annunciare e che non è ascoltata. Sul piano religioso insiste sulla fedeltà all'unica alleanza che salva: quella che Dio ha stretto con Israele, un Israele che dovrà essere rinnovato per sopravvivere. Per questo Geremia è il profeta che annuncia la nuova alleanza, il nuovo cuore, la nuova legge, la nuova circoncisione.

GEREMIA E LA SUA VOCAZIONE PROFETICA

1 ¹Atti di Geremia, figlio di Chelkia, uno dei sacerdoti che erano in Anatot, nel territorio di Beniamino. ²La parola del Signore gli fu rivolta al tempo di Giosia, figlio di Amon, re di Giuda, nel tredicesimo anno del suo regno, ³e al tempo di Ioiakim, figlio di Giosia, re di Giuda, fino al termine dell'undicesimo anno di Sedecia, figlio di Giosia, re di Giuda, cioè fino alla deportazione di Gerusalemme, che avvenne nel quinto mese. ⁴Mi fu rivolta questa parola del Signore:

⁵ «Prima di formarti nel grembo,
io ti ho conosciuto,
prima che tu uscissi dal seno,
io ti ho santificato
e ti ho costituito profeta per le genti».

⁶ Ma io dissi: «Ah, Signore Dio!
Ecco, io non so parlare, perché sono
un ragazzo».

⁷ Il Signore mi rispose:
«Non dire: Sono un ragazzo,
perché ovunque ti invierò, tu andrai
e tutto ciò che ti ordinerò,
tu lo riferirai.

⁸ Non temere di fronte a loro
perché io sono con te per salvarti».
Oracolo del Signore.

⁹ Poi il Signore stese la sua mano e toccò
la mia bocca; quindi il Signore mi disse:

«Ecco, io ho messo le mie parole
nella tua bocca.
¹⁰ Vedi, oggi stesso io ti stabilisco
sopra le nazioni e sopra i regni
per sradicare e per demolire,

per abbattere e per distruggere,
per edificare e per piantare».

[11]Mi fu poi rivolta questa parola del Signore: «Che cosa vedi, Geremia?». Risposi: «Vedo un ramo di mandorlo». [12]Il Signore mi rispose: «Hai visto bene: infatti io vigilo sulla mia parola per eseguirla».
[13]La parola del Signore mi fu rivolta per la seconda volta: «Che cosa vedi?». Risposi: «Vedo una pentola che bolle, rivolta verso settentrione». [14]Il Signore mi disse:

«Dal settentrione irromperà la sventura
contro tutti gli abitanti del paese.
[15] Infatti, ecco, io sto per chiamare
tutte le famiglie reali del settentrione.
Oracolo del Signore.
Esse verranno e stabiliranno ciascuna
il proprio trono
all'ingresso delle porte di Gerusalemme,
tutt'intorno alle sue mura
e contro tutte le città di Giuda.
[16] Pronunzierò, allora, i miei giudizi
contro di loro,
contro tutta la loro malvagità
per la quale mi hanno abbandonato,
offrendo incenso a divinità straniere
e prostrandosi all'opera
delle proprie mani.
[17] Quanto a te, cingi i tuoi fianchi:
alzati e riferisci loro tutto ciò
che ti ordinerò.
Non spaventarti dinanzi a loro,
altrimenti ti farò tremare io dinanzi a loro.
[18] Ecco, io ti rendo oggi come città fortificata,
come colonna di ferro
e come muro di bronzo
contro tutto il paese,
contro i re di Giuda e i suoi prìncipi,
contro i suoi sacerdoti
e contro il popolo del paese.
[19] Essi combatteranno contro di te
ma non ti potranno vincere
perché io sono con te, per salvarti».
Oracolo del Signore.

L'APOSTASIA
E L'INFEDELTÀ DI ISRAELE

2 [1]Mi fu rivolta questa parola del Signore: [2]«Va' e grida agli orecchi di Gerusalemme:

Così dice il Signore:
Mi ricordo di te, dell'affetto
della tua giovinezza,
del tuo amore di fidanzata,
quando mi seguivi nel deserto,
in una terra non seminata.
[3] Israele era sacro al Signore,
primizia del suo frutto;
chiunque lo divorava pagava la pena
e la sventura si abbatteva su di lui.
Oracolo del Signore.
[4] Ascoltate la parola del Signore,
casa di Giacobbe,
e voi tutte, famiglie della casa di Israele.
[5] Così dice il Signore:
Quale ingiustizia hanno trovato in me
i vostri padri,
per allontanarsi da me
e seguire ciò che è vacuo,
divenendo essi stessi vacuità?
[6] Neppure hanno detto: Dov'è il Signore
che ci ha fatto uscire dal paese d'Egitto,
che ci ha condotto attraverso il deserto
per una terra arida e franosa,
per una terra assetata e paurosa,
per una terra dove non passa alcuno
e dove non abita uomo?
[7] Eppure io vi ho condotto in una terra
da giardino,
perché ne mangiaste i frutti e i prodotti.
Ma quando vi siete entrati, voi avete
profanato la mia terra
e avete reso abominevole la mia eredità.
[8] I sacerdoti non hanno detto:
Dov'è il Signore?
I detentori della legge non mi hanno
conosciuto,
i pastori si sono ribellati contro di me,
i profeti hanno profetizzato nel nome
di Baal
e hanno seguito gli idoli.

---

1. - 11-12. Qui c'è in ebraico un gioco di parole che non si può rendere in italiano: *mandorlo* in ebraico è in assonanza verbale con *vigilando*. Dio gioca su questa parola, assicurando che egli stesso vigilerà affinché si compia quanto sta per dire mediante il profeta.
13. La seconda visione è praticamente spiegata da quanto segue. Questa pentola che bolle rappresenta i popoli in ebollizione al nord della Palestina, donde verrà l'invasione e la distruzione.
2. - 2. Il ricordo dei tempi dell'esodo, della permanenza nel deserto, è richiamato molte volte dai profeti come il tempo più felice per le relazioni con Dio.
3. *Chiunque lo divorava*: essendo il popolo ebreo sacro al Signore, chi lo tormentava era punito da Dio.

⁹ Per questo io continuerò a disputare
      con voi,
   oracolo del Signore,
   e con i figli dei vostri figli disputerò.
¹⁰ Sì, percorrete le isole dei Kittim
      e osservate,
   inviate anche a Kedar e comprenderete
      meglio;
   poi considerate se mai sia avvenuta
      una cosa simile.
¹¹ Ha mai una nazione cambiato dèi?
   Eppure quelli non sono dèi!
   Il mio popolo, invece, ha cambiato
      la sua Gloria
   con una cosa che a nulla giova.
¹² Stupitevi, o cieli, per questo,
   inorridite grandemente!
   Oracolo del Signore.
¹³ Sì, due malvagità ha commesso
      il mio popolo:
   ha abbandonato me, sorgente
      di acqua viva,
   per scavarsi cisterne, cisterne incrinate,
   che non contengono acqua.
¹⁴ È forse uno schiavo Israele,
   o uno nato in schiavitù, perché
      è divenuto una preda?
¹⁵ Contro di lui ruggiscono i leoni,
   lanciano il loro urlo
   e riducono il suo paese
      a una desolazione;
   le città sono bruciate, senza abitante.
¹⁶ Perfino i figli di Menfi e di Tafni
   ti raderanno la testa.
¹⁷ Non ti è forse accaduto tutto questo
   per aver abbandonato il Signore,
      Dio tuo,
   quando ti conduceva lungo la via?
¹⁸ Ora qual è il tuo interesse per inoltrarti
      sulla via
   che conduce all'Egitto,
   a bere le acque del Nilo?
   Qual è il tuo interesse per inoltrarti
      sulla via
   che conduce all'Assiria,
   a bere le acque dell'Eufrate?
¹⁹ Ti castiga la tua malvagità
   e le tue ribellioni ti puniscono.
   Comprendi e osserva come
      sia malvagio e amaro

l'aver abbandonato il Signore, Dio tuo,
   senza provarne timore.
   Oracolo del Signore, Dio degli eserciti.
²⁰ Poiché fin dall'antichità hai spezzato
      il tuo giogo,
   hai frantumato i tuoi legami
   e hai detto: Non voglio servire!
   Infatti su ogni colle elevato
   e sotto ogni albero verde
      ti sei prostituita.
²¹ Eppure ti avevo piantata come vigna
      pregiata,
   tutta di ceppo genuino!
   Come mai, ora, ti sei mutata
   in tralci degeneri, in vigna bastarda?
²² Anche se ti lavassi con la soda
   e abbondasse su di te il sapone,
   la macchia della tua iniquità resterebbe
      davanti a me.
   Oracolo del Signore.
²³ Come puoi dire: Non mi sono
      contaminata,
   dietro ai Baal non sono andata?
   Osserva la tua strada nella valle,
   riconosci ciò che hai fatto,
   giovane cammella leggera, vagante
      per le sue strade!
²⁴ Asina selvatica, addestrata al deserto!
   Nel calore dei suoi desideri aspira l'aria:
   chi ne domerà le brame?
   Chiunque la cerca non s'affatica,
   nel suo mese sempre la troverà.
²⁵ Evita che il tuo piede resti scalzo
   e che la tua gola si inaridisca!
   Ma tu dici: No. È impossibile.
   Io amo gli stranieri e voglio seguirli.
²⁶ Come si vergogna il ladro quando
      è sorpreso,
   così è svergognata la casa di Israele:
   essi, i loro re, i loro prìncipi,
   i loro sacerdoti e i loro profeti.
²⁷ Essi dicono a un legno: Tu sei mio padre,
   e alla pietra: Tu mi hai generato.
   Sì, hanno rivolto a me la schiena
      e non la faccia,
   ma quando sono nella sventura,
   essi dicono:
   Vieni a salvarci!
²⁸ Ma dove sono i tuoi dèi, quelli
      che ti sei costruito?
   Sorgano, se possono salvarti
      nel tempo della tua sventura!
   Infatti numerosi come le tue città sono
      i tuoi dèi, o Giuda!

Ger

24-25. Paragona Israele ad *asina selvatica* che non dà retta
a nessuno quando sente l'odore del maschio. Così Israele
corre dietro agli idoli e all'Egitto.

²⁹ Perché disputate con me?
   Tutti voi vi siete ribellati contro di me.
   Oracolo del Signore.
³⁰ Invano ho colpito i vostri figli:
   non hanno accettato la correzione.
   La vostra spada ha divorato i vostri profeti
   come un leone distruttore.
³¹ O generazione! Considerate la parola
      del Signore.
   Sono forse divenuto un deserto
      per Israele
   o una terra di tenebre?
   Perché il mio popolo dice: Andiamocene,
   noi non torneremo più da te?
³² Può forse dimenticare una vergine
      il suo ornamento
   o una sposa la sua cintura?
   Il mio popolo, invece, ha dimenticato me
   da giorni innumerevoli.
³³ Come aggiusti bene le tue vie
      per cercare amore!
   Perciò anche alle malvagie
   hai insegnato le tue vie.
³⁴ Perfino tra i tuoi lembi si trova sangue
   di persone povere, innocenti,
   che non furono sorprese a scassinare,
   ma presso ogni quercia.
³⁵ Eppure tu dici: Sono innocente!
   Perfino la sua ira si è già allontanata
      da me.
   Eccomi: entriamo in giudizio,
   dal momento che hai detto:
   Non ho peccato!
³⁶ Quanto ti sei avvilita cambiando
      le tue vie!
   Anche per l'Egitto ti vergognerai
   come ti sei vergognata per l'Assiria.
³⁷ Anche da lì tornerai con le mani
      sulla testa.
   Sì, il Signore ha rigettato le tue speranze
   e non avrai alcun successo con loro».

INVITO ALLA CONVERSIONE

3 ¹«Se un uomo rimanda la sua donna
   ed essa si allontana da lui e sposa
      un altro,
   tornerà il primo ancora da lei?
   Non sarà forse del tutto profanata
      quella terra?
   Ora tu hai fornicato con molti amanti
   e vuoi ritornare a me?
   Oracolo del Signore.

² Alza i tuoi occhi verso le alture
      e guarda:
   dove non ti sei prostituita?
   Presso le strade ti sei seduta
      a loro disposizione,
   come un nomade nel deserto.
   Così hai profanato anche il paese
   con le tue prostituzioni
      e le tue malvagità.
³ Per questo sono state impedite
      le piogge
   e l'acqua primaverile è mancata.
   Tu hai avuto una sfrontatezza
      da prostituta,
   hai rifiutato di arrossire.
⁴ Forse che, fin d'ora, non gridi
      verso di me:
   Padre mio, amico della mia giovinezza
      sei tu!
⁵ Conserverà forse in eterno la sua ira,
   la manterrà per sempre?
   Così tu parli, ma ti ostini a commettere
      il male».

⁶Al tempo del re Giosia, il Signore mi disse:
«Hai visto ciò che ha fatto la ribelle Israele?
Se ne è andata su ogni alto monte, sotto
ogni albero verdeggiante e vi si è prostituita. ⁷Io pensavo: Dopo che avrà compiuto
tutte queste cose ritornerà a me; ma essa
non è tornata! E la perfida sua sorella, Giuda, ha visto ciò. ⁸Ho pure osservato che,
sebbene io avessi scacciato la ribelle Israele a motivo di tutti i suoi adultèri e le avessi dato l'atto di divorzio, tuttavia la perfida
Giuda, sua sorella, non ha avuto timore ed
è andata a prostituirsi anche lei. ⁹Ed è avvenuto che, per la sua facile prostituzione,
ha profanato il paese, perché si è prostituita
con la pietra e con il legno. ¹⁰Nonostante
tutto ciò, la perfida sua sorella Giuda non è
ritornata a me con tutto il cuore, ma falsamente». Oracolo del Signore.
¹¹Poi il Signore mi disse: «La ribelle Israele
è più giusta della perfida Giuda. ¹²Va' e grida
queste cose verso settentrione». Io dissi:

   «Ritorna, ribelle Israele,
   oracolo del Signore.
   Non vi mostrerò la mia faccia
      sdegnata,
   perché io sono pietoso,
   oracolo del Signore.
   Non conservo lo sdegno in perpetuo.

[13] Riconosci però la tua colpa,
     perché contro il Signore, tuo Dio,
       ti sei ribellata;
     tu ti sei concessa agli stranieri
     sotto ogni albero verdeggiante
     e non hai ascoltato la mia voce.
     Oracolo del Signore.

[14]Ritornate, figli traviati, oracolo del Signore,
poiché io sono il vostro padrone e vi prenderò uno per città e due per famiglia e vi condurrò in Sion. [15]Io vi darò pastori secondo il
mio cuore e vi pascoleranno con saggezza
e intelligenza. [16]Quando poi vi sarete moltiplicati e sarete fecondi nel paese, oracolo
del Signore, in quei giorni non si parlerà più
dell'arca dell'alleanza del Signore, perché
non verrà più in mente, non se ne avrà ricordo, non si ricercherà e non si rifarà più.
[17]In quel tempo chiameranno Gerusalemme
trono del Signore. In essa si raduneranno
tutte le nazioni nel nome del Signore – in
Gerusalemme – e non seguiranno più la caparbietà del loro cuore malvagio.
[18]In quei giorni si unirà la casa di Giuda alla
casa d'Israele e insieme verranno dal paese del settentrione verso il paese che ho
dato in eredità ai vostri padri».

[19] Intanto io pensavo:
     «Come vorrei collocarti tra i figli
     e darti una terra deliziosa,
     un'eredità splendida tra gloriose
       nazioni!».
     Pensavo inoltre:
     «Tu mi chiameresti: Padre mio
     e non ti allontaneresti più da me.
[20] Invece, come una donna è infedele
       al suo amante,
     così voi siete stati infedeli a me,
       casa di Israele».
     Oracolo del Signore.
[21] Una voce si ode sui colli,
     pianto e gemiti dei figli di Israele,

perché hanno pervertito la loro via,
hanno dimenticato il Signore loro Dio.
[22] «Ritornate, figli traviati,
     io vi guarirò dalle vostre ribellioni».
     «Ecco, noi veniamo a te
     perché tu sei il Signore nostro Dio.
[23] Sì, illusione sono le colline
     e il tumulto dei monti!
     Sì, nel Signore nostro Dio è la salvezza
       d'Israele.
[24] La vergogna ha divorato i beni
       dei nostri padri
     fin dalla nostra giovinezza,
     i loro greggi e i loro armenti,
     i loro figli e le loro figlie.
[25] Corichiamoci sulla nostra vergogna,
     ci ricopra la nostra ignominia,
     perché contro il Signore nostro Dio
     abbiamo peccato noi e i nostri padri,
     dalla nostra giovinezza fino ad oggi;
     non abbiamo ascoltato la voce
     del Signore nostro Dio».

L'INVASIONE DAL SETTENTRIONE

4 [1]«Se vuoi ritornare, Israele,
   oracolo del Signore,
   a me devi ritornare.
   Se rimuovi le tue abominazioni
     dal mio cospetto,
   allora non dovrai più fuggire.
[2] Se giurerai: Per la vita del Signore,
   con verità, rettitudine e giustizia,
   allora saranno benedette per te le nazioni
   e per te gioiranno.
[3] Infatti così dice il Signore
   agli uomini di Giuda e di Gerusalemme:
   Aratevi un campo e non seminate
     tra le spine.
[4] Circoncidetevi per il Signore
   e togliete il prepuzio del vostro cuore,
   uomini di Giuda, abitanti
     di Gerusalemme,
   perché la mia ira non scoppi
   come fuoco:
   essa, allora, divamperà
   e non ci sarà chi la possa estinguere,
   a causa della malvagità delle vostre
     azioni.
[5] Proclamatelo in Giuda,
   fatelo udire in Gerusalemme.
   Dite: Suonate la tromba nel paese.
   Gridate a piena voce e dite:

Ger

3. - 14. *Uno... due*: numero assai ridotto, ma sufficiente nelle
mani di Dio per formare il popolo nuovo.
16. *In quei giorni*: indica i tempi messianici. Non si rimpiange-
rà l'arca dell'alleanza, segno della presenza di Dio, poiché
la sua protezione sarà diretta ed efficace.
4. - 3. Come per seminare e raccogliere è necessario
dissodare a fondo un terreno, così, se gl'Israeliti vogliono
tornare a Dio, è necessaria una sincera conversione. L'atto
esteriore e superficiale non basta, perché Dio legge nel
cuore.

Radunatevi! Entriamo nelle città
fortificate!

6 Issate il vessillo verso Sion;
mettetevi al riparo, non indugiate,
perché dal settentrione io farò venire
una sventura
e una grande rovina.

7 È uscito un leone dalla sua tana
e un distruttore di nazioni si è messo
in marcia;
è uscito dalla sua dimora
per mettere il tuo paese a soqquadro:
le tue città saranno distrutte,
senza più abitanti.

8 Per questo vestitevi di sacco,
fate lamento e gemete,
perché l'ira ardente del Signore
non si allontana da noi.

9 In quel giorno,
oracolo del Signore,
saranno presi dalla paura re e prìncipi,
si spaventeranno i sacerdoti e i profeti
saranno confusi».

10 Io pensavo: «Ah, Signore Dio!
Hai dunque veramente ingannato
questo popolo e Gerusalemme,
dicendo: Voi avrete pace,
mentre la spada ci è penetrata
fino all'anima».

11 In quel tempo si dirà a questo popolo
e a Gerusalemme:
«Un vento ardente dalle dune
del deserto
soffia contro la figlia del mio popolo,
non per ventilare, né per mondare
il grano.

12 Un vento più forte di quello verrà
suscitato al mio ordine.
Ora anch'io voglio pronunziare
la sentenza contro di loro.

13 Eccolo avanzare come nube;
i suoi carri sono come uragano,
i suoi cavalli sono più veloci delle aquile.
Guai a noi, siamo perduti!».

14 Lava, Gerusalemme, il tuo cuore
dalla malvagità,
perché tu possa essere salvata.
Fino a quando conserverai nel tuo intimo
i tuoi iniqui pensieri?

15 Già una voce reca la notizia da Dan
e fa udire la sventura dai monti
di Efraim.

16 Ricordatelo alle nazioni,
fatelo sentire a Gerusalemme:

gli assedianti giungono da un paese
lontano
e lanciano grida contro le città di Giuda.

17 Come custodi di un campo
la circondano tutt'intorno,
perché si è ribellata contro di me.
Oracolo del Signore.

18 La tua condotta e le tue azioni
hanno causato tutto ciò contro di te.
Questa tua malvagità quanto è amara!
Essa giunge ora fino al tuo cuore!

19 Le mie viscere, le mie viscere!
Oh, le pareti del mio cuore!
In me freme il mio cuore;
non posso tacere,
perché ho udito io stesso il suono
della tromba,
l'urlo di guerra.

20 Si annunzia rovina sopra rovina,
perché il paese è tutto devastato.
D'improvviso sono distrutte
le mie tende,
in un attimo i miei padiglioni.

21 Fino a quando vedrò il vessillo
e ascolterò il suono di tromba?

22 Sì, è stolto il mio popolo.
Non mi riconoscono!
Sono figli insensati e non comprendono.
Sono scaltri nel male, ma non sanno
compiere il bene.

23 Guardai il paese ed eccolo informe
e vuoto;
il cielo e non aveva la sua luce.

24 Guardai i monti ed eccoli tremanti
e tutti i colli sobbalzavano.

25 Guardai ed ecco non c'era uomo
e gli uccelli del cielo erano fuggiti.

26 Guardai ed ecco la terra fertile
era un deserto:
tutte le sue città erano state diroccate
dal Signore,
per l'incendio della sua ira.

27 Sì, così dice il Signore:
«Tutto il paese sarà devastato,
ma non lo distruggerò completamente.

28 Per questo il paese sarà in lutto
e si oscureranno i cieli dall'alto,
perché io ho parlato, l'ho pensato
e non mi pento né torno indietro».

29 Per lo strepito dei cavalieri e degli arcieri
ogni città è in fuga.

19-31. Il profeta parla ora in nome di Dio ora in nome della
nazione, senza distinguere i passaggi.

Entrano nella boscaglia,
   si arrampicano sulle rupi;
ogni città è abbandonata
né vi è rimasto più un abitante.
[30] E tu, o devastata, che farai?
Anche se ti vestissi di porpora,
ti adornassi di ornamenti d'oro
e dilatassi con lo stibio i tuoi occhi,
inutilmente ti faresti bella.
Ti disprezzano gli amanti;
la tua vita essi vogliono.
[31] Sì, io odo un grido come di partoriente,
un grido come di donna al primo parto:
il grido della figlia di Sion che spasima,
che stende le sue mani:
«Oh! Guai a me!
Vien meno la mia vita di fronte
   agli assassini».

LE RAGIONI DELL'INVASIONE
DI GERUSALEMME

5 [1]Percorrete le vie di Gerusalemme,
   osservate bene e informatevi,
cercate per le sue piazze
   se mai c'è qualcuno,
se c'è chi pratichi la giustizia,
chi cerchi la fedeltà e io le perdonerò.
[2] Anche se dicono: «Per la vita
   del Signore!»,
essi giurano certo per il falso.
[3] Signore, i tuoi occhi non si rivolgono
   forse alla fedeltà?
Tu li hai percossi, ma non si affliggono;
li hai distrutti, ma rifiutano
di accettare la correzione.
Hanno indurito la loro faccia
   più della pietra,
non vogliono convertirsi.
[4] Ma io pensavo: «Certo, essi sono poveri,
   sono stolti,
perché non conoscono la via del Signore,
il giudizio del loro Dio.
[5] Mi rivolgerò ai grandi e parlerò loro;
certo, essi conoscono la via del Signore,
il giudizio del loro Dio».

Ma anche questi hanno rotto il giogo,
hanno infranto i legami!
[6] Per questo li colpisce il leone
   della foresta,
il lupo della steppa li disperde,
la pantera sta in agguato presso
   le loro città:
chiunque ne esce verrà sbranato.
Le loro trasgressioni, infatti, sono molte
e sono aumentate le loro ribellioni.
[7] «Perché dovrei perdonarti?
I tuoi figli mi hanno abbandonato
e hanno giurato su chi non è Dio.
Io li ho saziati ed essi sono stati adùlteri
e si affollano nella casa della prostituta.
[8] Stalloni pasciuti e focosi essi sono,
ciascuno nitrisce dietro la donna
   del suo prossimo.
[9] Per queste cose non dovrei punirli?
Oracolo del Signore.
E di un popolo simile non dovrei io
   vendicarmi?
[10] Salite tra i suoi filari e distruggete,
ma non completamente, i suoi tralci,
perché non sono più del Signore!
[11] Sì, contro di me hanno agito perfidamente
la casa di Israele e la casa di Giuda.
Oracolo del Signore.
[12] Hanno rinnegato il Signore
   e hanno detto: Non esiste!
Non verrà contro di noi alcuna sventura,
non vedremo né spada né fame.
[13] Quanto ai profeti, essi appartengono
   al vento,
e Colui che parla non è in loro».
Così accade loro.
[14] Pertanto così dice il Signore,
   Dio degli eserciti:
«Poiché avete proferito tale discorso,
ecco, io renderò le mie parole un fuoco
   sulla tua bocca;
questo popolo sarà la legna che esso
   divorerà.
[15] Ecco, io condurrò contro di voi
   una nazione da lontano,
o casa di Israele,
oracolo del Signore,
una nazione poderosa,
una nazione antica,
una nazione di cui ignori la lingua
e non comprendi quel che dice.
[16] Il suo turcasso è come sepolcro
   spalancato;
essi sono tutti eroi.

Ger

---

5. - 10-18. Ritorna frequentemente questo pensiero: Dio
punirà, ma non distruggerà completamente. Ha promesso
ai patriarchi una discendenza imperitura e, nonostante i
peccati del popolo, non verrà meno alla sua promessa. Un
resto di quel popolo rimarrà sempre fedele e da esso sboccerà quel virgulto che porterà la salvezza definitiva e costituirà il nuovo popolo di Dio.

¹⁷ Divorerà le tue messi e il tuo pane,
   divorerà i tuoi figli e le tue figlie,
   divorerà il tuo gregge e i tuoi armenti,
   divorerà la tua vigna e i tuoi fichi,
   conquisterà con la spada le tue città
      fortificate,
   nelle quali riponi la tua fiducia.

¹⁸Tuttavia in quei giorni, oracolo del Signore,
io non vi sterminerò completamente. ¹⁹Ma
avverrà che se diranno: Per qual motivo il
Signore nostro Dio ci ha fatto queste cose?,
allora tu risponderai loro: Poiché mi avete
abbandonato e avete servito dèi stranieri
nel vostro paese, per questo anche voi servirete gli stranieri in un paese non vostro.

²⁰ Annunziatelo alla casa di Giacobbe,
   proclamatelo in Giuda e dite:
²¹ Ascoltate anche questo,
   o popolo stolto e senza cuore:
   avete occhi ma non vedete,
   avete orecchi ma non sentite.
²² Non mi temerete, dunque?
   Oracolo del Signore.
   O non tremerete dinanzi a me,
   che ho posto la sabbia come confine
      al mare,
   barriera eterna che esso
      non oltrepasserà mai?
   I mari si agitano, ma non prevalgono,
   spumeggiano le loro onde,
      ma non la sorpassano.
²³ Questo popolo, però, ha un cuore
      ribelle e sprezzante:
   voltano le spalle e se ne vanno lontano.
²⁴ Neppure pensano in cuor loro:
   Dobbiamo temere il Signore,
      nostro Dio,
   che invia la pioggia in autunno
      e a primavera,
   a suo tempo,
   che ci custodisce le settimane fisse
      per il raccolto.
²⁵ Le vostre iniquità hanno sconvolto
      queste cose
   e i vostri peccati hanno allontanato
      la felicità da voi.
²⁶ Sì, vi sono tra il mio popolo dei malvagi;
   essi spiano di nascosto, come
      cacciatori in agguato,
   pongono trappole, catturano uomini.
²⁷ Come una gabbia piena di uccelli,
   così sono le loro case, piene d'inganno:

   per questo si ingrandiscono
      e si arricchiscono.
²⁸ Ingrassano e prosperano;
   oltrepassano tutti i limiti del male,
   non difendono la causa,
   la causa dell'orfano, eppure
      hanno successo,
   non fanno giustizia ai poveri.
²⁹ Dovrei non punire tutto ciò?
   Oracolo del Signore.
   Contro una nazione come questa
   dovrei non vendicarmi?
³⁰ Una cosa esecrabile e abominevole
      accadrà nel paese.
³¹ I profeti profetizzano nella menzogna
   e i sacerdoti insegnano di proprio
      arbitrio.
   Eppure il mio popolo ama che ciò
      avvenga!
   Ma cosa farete quando verrà la sua fine?».

GERUSALEMME ASSEDIATA

6 ¹Cercate scampo, figli di Beniamino,
      fuori di Gerusalemme;
   in Tekoa suonate la tromba
   e su Bet-Kerem alzate il segnale,
   perché sono imminenti dal settentrione
   una sventura e una gigantesca rovina.
² Io voglio distruggere
   il paese e la delizia della figlia di Sion.
³ In essa entreranno pastori
      con i loro greggi
   e pianteranno le tende in cerchio;
   ognuno di loro pascola la sua parte.
⁴ Proclamate contro di essa
      la guerra santa.
   Su, assaliamola a mezzogiorno!
   Infelici noi! Ormai il giorno declina
   e già si allungano le ombre della sera.
⁵ Su, assaliamola allora di notte
   e distruggiamo i suoi palazzi!
⁶ Così, infatti, dice il Signore degli eserciti:
   «Tagliate i suoi alberi
   e stendete contro Gerusalemme
      un terrapieno.
   Essa è la città condannata,
   essa è tutta oppressione nel suo interno.
⁷ Come un pozzo fa scaturire le sue acque,
   così essa fa scaturire la sua malvagità:
   violenza e devastazione si odono in essa;
   davanti a me stanno continuamente
      dolore e percossa.

8 Làsciati correggere, Gerusalemme,
   altrimenti io mi allontanerò da te,
   ti trasformerò in desolazione,
   in terra disabitata».
9 Così dice il Signore degli eserciti:
   «Racimolate accuratamente,
      come si fa nella vigna,
   il resto di Israele;
   ripassa la tua mano
   come il vendemmiatore sopra i tralci».
10 A chi parlerò e chi scongiurerò perché
      ascolti?
   Ecco, il loro orecchio è incirconciso
   e non possono dare ascolto;
   ecco, la parola del Signore è divenuta
      per loro
   motivo di scherno
   e non si compiacciono in essa.
11 Perciò io sono pieno dello sdegno
      del Signore,
   mi sono stancato nel trattenerlo.
   «Riversalo sul lattante nella strada
   e sui giovani riuniti insieme,
   perché saranno catturati sia l'uomo
      che la donna,
   sia il vecchio che colui che è sazio
      di giorni.
12 Ad altri passeranno le loro case,
   i loro campi e le loro donne,
   poiché io stenderò la mia mano
   sugli abitanti del paese».
   Oracolo del Signore.
13 Sì, dal più piccolo al più grande,
   ognuno di essi si applica all'avarizia;
   dal profeta al sacerdote,
   ognuno di essi agisce falsamente.
14 Essi curano la ferita del mio popolo
      alla leggera.
   Dicono: «Salute! Salute!».
   Ma non c'è salute.
15 Dovrebbero vergognarsi,
   perché compiono cose abominevoli,
   ma non si vergognano affatto,
   non sanno neppure arrossire.
      «Per questo cadranno con gli altri caduti,

al tempo in cui saranno visitati
   verranno prostrati»,
dice il Signore.
16 Così dice il Signore:
   «Fermatevi sulle vie e osservate,
   informatevi circa i sentieri antichi;
   camminate per quella che è
      la via migliore
   e troverete riposo per voi stessi».
   Ma essi risposero: «Non vogliamo
      camminarvi!».
17 «Io ho posto su di voi delle sentinelle:
   fate attenzione allo squillo della tromba».
   Ma essi risposero: «Non vi badiamo!».
18 «Perciò ascoltate, nazioni,
   e sappi, assemblea, ciò che farò
   contro di loro.
19 Ascolta, paese!
   Ecco, io farò venire contro
      questo popolo la sventura
   quale frutto dei loro pensieri,
   perché non hanno prestato attenzione
      alle mie parole
   né alla mia legge e hanno prevaricato
   contro di essa.
20 A che mi serve l'incenso che viene
      da Saba
   o la preziosa cannella che giunge
      da un paese lontano?
   I vostri olocausti non sono
      di mio gradimento
   e i vostri sacrifici non mi piacciono».
21 Per questo così dice il Signore:
   «Ecco, io tenderò contro questo popolo
      degli inciampi
   e contro di essi inciamperanno insieme
   padri e figli,
   vicini e amici insieme periranno».
22 Così dice il Signore:
   «Ecco, un popolo viene dal paese
      del settentrione
   e una grande nazione si muove
   dall'estremità della terra.
23 Impugnano saldamente arco e lancia,
   sono crudeli e non hanno compassione.
   Il loro grido è come mare che si agita
   e avanzano a cavallo.
   Sono pronti come un solo guerriero
      contro di te,
   figlia di Sion».
24 «Ne abbiamo inteso la fama
   e si sono infiacchite le nostre mani;
   l'angustia ci ha afferrati
   come lo spasimo di una partoriente».

Ger

---

6. - 9. Il popolo eletto è paragonato a una *vigna*, i suoi nemici
ai vendemmiatori. Dio dice che tutti i grappoli saranno raccolti e, esortando il *vendemmiatore* a tornare nella vigna a
riempire il canestro, esorta in realtà i nemici a completare la
deportazione, la rovina.
11. Il profeta è angustiato profondamente, perché non vorrebbe annunziare le terribili minacce di Dio al suo popolo,
che egli ama teneramente; ma ormai non ne può più, perché
l'ira di Dio è troppo grande e il castigo ormai prossimo.

²⁵ Non uscire nei campi, non camminare
per via,
perché la spada del nemico è spavento
all'intorno.

²⁶ Figlia del mio popolo, cingiti di sacco,
avvolgiti nella polvere;
fa' lutto come per un figlio unico,
lutto amarissimo,
perché giungerà improvviso
il distruttore su di noi!

²⁷ Io ti ho posto quale esaminatore
del mio popolo,
quale fortezza,
perché tu conoscessi ed esaminassi
la loro condotta.

²⁸ Essi sono tutti ribelli, spargono calunnie;
tutti bronzo e ferro di cattiva qualità.

²⁹ Il mantice sbuffa perché sia liquefatto
il piombo;
invano fonde il fonditore,
le scorie non si staccano.

³⁰ Argento di scarto sono chiamati,
perché il Signore li ha rifiutati.

IL DISCORSO SUL TEMPIO

7 ¹Questa è la parola che fu rivolta a Geremia da parte del Signore: ²«Fermati presso la porta del tempio del Signore e pronunzia questo discorso. Dirai: Ascoltate la parola del Signore, voi tutti di Giuda che attraversate queste porte per adorare il Signore. ³Così dice il Signore degli eserciti, Dio di Israele: Migliorate la vostra condotta e le vostre azioni, perché io voglio farvi abitare in questo luogo. ⁴Non confidate nelle parole ingannatrici, dicendo: Tempio del Signore! Tempio del Signore! Tempio del Signore è questo! ⁵Sì, se veramente migliorerete la vostra condotta e le vostre azioni, se veramente farete giustizia l'uno verso l'altro, ⁶se non opprimerete il forestiero, l'orfano e la vedova e non verserete sangue innocente in questo luogo e se non andrete dietro a dèi stranieri per vostra sventura, ⁷allora io vi farò abitare in questo luogo, nel paese che io ho dato ai vostri padri da sempre e per sempre. ⁸Ecco, voi vi fidate di parole ingannatrici, che non hanno alcun valore. ⁹Come? Rubate, uccidete, commettete adulterio, giurate il falso, incensate Baal, andate dietro a dèi stranieri, che non avete conosciuto, ¹⁰e poi venite a presentarvi a me in questo tempio, dove si invoca il mio nome, e dite: Siamo salvi!, per poi compiere tutte queste cose abominevoli? ¹¹Forse che ai vostri occhi è divenuta una spelonca di ladri questo tempio, sul quale è stato invocato il mio nome? Ma anch'io osservo. Oracolo del Signore. ¹²Su, andate nella mia dimora che era in Silo, dove io feci abitare il mio nome all'inizio, e osservate cosa ne ho fatto a causa della malvagità del mio popolo Israele. ¹³Ora, poiché avete compiuto tutte queste azioni, oracolo del Signore, e anche quando io vi parlavo premurosamente e insistentemente, voi non avete ascoltato, e quando vi chiamavo, non avete risposto, ¹⁴ebbene io agirò verso questo tempio, sul quale è stato invocato il mio nome e nel quale voi confidate, e verso il luogo che io ho dato a voi e ai vostri padri, come ho agito verso Silo. ¹⁵vi respingerò dal mio cospetto come ho respinto tutti i vostri fratelli, tutta la discendenza di Efraim.

¹⁶Tu, poi, non pregare per questo popolo e non innalzare per esso preghiere e suppliche; non insistere presso di me, perché non ti darò ascolto. ¹⁷Non vedi ciò che essi fanno nelle città di Giuda e nelle strade di Gerusalemme? ¹⁸I figli raccolgono legna e i padri accendono il fuoco, le donne preparano la pasta per fare focacce alla regina del cielo, poi si compiono libazioni a dèi stranieri per irritarmi. ¹⁹Forse che essi offendono me, oracolo del Signore, o non piuttosto se stessi a loro vergogna? ²⁰Perciò, così dice il Signore Dio: ecco, la mia ira e il mio sdegno si riverseranno in questo luogo contro gli uomini e contro il bestiame, contro gli alberi del campo e contro i frutti della terra: tutto arderà senza estinguersi».

²¹Così dice il Signore degli eserciti, Dio di Israele: «Aggiungete pure i vostri olocausti ai vostri sacrifici e mangiatene la carne! ²²Eppure io non parlai ai vostri padri né diedi ordini a loro, quando li feci uscire dal paese d'Egitto, riguardo all'olocausto e al sacrificio. ²³Questo, invece, ordinai loro: Ascoltate la mia voce e io sarò il vostro Dio e voi sarete il mio popolo; camminerete per ogni strada che io vi avrò ordinato, affinché siate felici. ²⁴Ma essi non hanno ascoltato né hanno prestato attenzione, anzi hanno camminato, seguendo i loro piani, nella caparbietà del loro cuore malvagio e hanno indietreggiato invece di avanzare. ²⁵Da quando uscirono i vostri padri dal paese d'Egitto fino ad oggi,

inviai loro tutti i miei servi, i profeti, ogni giorno premurosamente e costantemente, [26]ma non mi hanno ascoltato e non hanno prestato il loro orecchio, anzi hanno indurito la loro cervice, sono divenuti peggiori dei loro padri. [27]Tu, dunque, riferirai loro tutte queste parole, ma non ti ascolteranno, li chiamerai, ma non ti risponderanno. [28]Dirai loro: Questa è la nazione che non ha ascoltato la voce del Signore suo Dio, e non ha accettato la correzione. È scomparsa la fedeltà, è sparita dalla loro bocca.

[29] Tàgliati la chioma, gettala via
e intona sulle alture un lamento,
perché il Signore ha rigettato
e abbandonato
la generazione degna del suo furore!

[30]Sì, i figli di Giuda hanno compiuto ciò che è male ai miei occhi, oracolo del Signore. Hanno collocato le loro abominazioni nel tempio, nel quale è stato invocato il mio nome, contaminandolo. [31]Hanno costruito le alture di Tofet nella valle di Ben-Innom, per bruciare nel fuoco i loro figli e le loro figlie, cosa che io non ho mai ordinato e non mi è venuta mai in mente. [32]Perciò, ecco, vengono giorni, oracolo del Signore, nei quali non si dirà più Tofet e valle di Ben-Innom, ma valle del Massacro e si seppellirà in Tofet, perché non vi sarà altro posto. [33]I cadaveri di questo popolo diverranno pascolo per gli uccelli del cielo e per le bestie della terra e nessuno li scaccerà. [34]Io farò sparire dalle città di Giuda e dalle strade di Gerusalemme la voce di gioia e la voce di letizia, la voce dello sposo e la voce della sposa, perché il paese diventerà un deserto».

MINACCE, ESORTAZIONI, LAMENTO

8 [1]«In quel tempo, oracolo del Signore, si estrarranno dai loro sepolcri le ossa di tutti i re di Giuda e dei suoi prìncipi, le ossa dei sacerdoti, dei profeti e degli abitanti di Gerusalemme. [2]Quindi verranno esposte al sole, alla luna e a tutto l'esercito celeste che essi avevano amato e servito, avevano seguito, consultato e adorato. Non saranno più raccolte né seppellite, ma saranno come letame sulla superficie della terra. [3]Allora sarà preferibile la morte alla vita per tutto il resto dei sopravvissuti di questa razza perversa, in ogni luogo in cui lo li avrò dispersi, oracolo del Signore degli eserciti».

[4] Dunque dirai loro: «Così dice il Signore:
Se uno cade, forse che non si rialza,
o se uno sbaglia strada, forse
che non torna indietro?
[5] Perché, allora, questo popolo,
Gerusalemme,
è ribelle in eterno?
Resistono nell'inganno, rifiutano
di tornare indietro.
[6] Ho prestato attenzione e ho ascoltato:
essi non parlano rettamente.
Nessuno si pente della propria
malvagità,
dicendo: Che cosa abbiamo fatto?
Ognuno torna alla propria corsa,
come il cavallo si lancia in battaglia.
[7] Perfino la cicogna nel cielo conosce
i suoi tempi,
e la colomba, la rondine e la gru
osservano il tempo del loro ritorno;
ma il mio popolo non conosce la legge
del Signore.
[8] Come potete dire: Noi siamo saggi
e la legge del Signore è con noi?
Certo! L'ha ridotta a menzogna
la penna menzognera degli scribi.
[9] Saranno svergognati i saggi,
sconcertati e presi come in un laccio.
Ecco, hanno rigettato la parola
del Signore:
che cosa è, dunque, la sapienza per loro?
[10] Per questo darò le loro donne a stranieri,
i loro campi ai conquistatori,
perché, dal piccolo al grande,
tutti commettono frode;
dal profeta al sacerdote, tutti praticano
la menzogna.
[11] Essi curano la ferita del mio popolo
alla leggera.
Dicono: Salute, salute! Ma non c'è
salute.
[12] Dovrebbero vergognarsi,
perché compiono cose abominevoli,
ma non si vergognano affatto,
non sanno neppure arrossire.

Ger

---

8. - 8. Gli scribi erano gl'interpreti ufficiali della legge di Dio. Basandosi sulle parole della promessa e non facendo caso alle condizioni su cui la promessa si fondava, essi ingannavano il popolo con la legge stessa.

Per questo cadranno con gli altri caduti,
al tempo in cui saranno visitati
   verranno prostrati.
Oracolo del Signore.

¹³ Vorrei raccogliere il loro raccolto,
   oracolo del Signore,
ma non c'è uva nella vigna né fichi
   sul fico;
anche le foglie sono avvizzite.
Ho procurato loro, quindi, chi li calpesti».

¹⁴ «Perché ce ne stiamo seduti?
Radunatevi ed entriamo nelle città
   fortificate
per venire distrutti in esse:
tanto il Signore, Dio nostro, ci vuole
   distruggere
e farci bere acque avvelenate,
perché abbiamo peccato contro il Signore.

¹⁵ Aspettavamo la salvezza,
   ma senza profitto;
il tempo della guarigione ed ecco
   il terrore».

¹⁶ Da Dan si ode lo sbuffare dei suoi cavalli;
per lo strepito dei nitriti dei suoi destrieri
   trema tutto il paese;
arrivano e divorano il paese
   e quanto contiene,
la città e i suoi abitanti.

¹⁷ «Sì, ecco, io mando in mezzo
   a voi serpenti velenosi
contro i quali non esiste incantesimo,
così che essi vi morderanno».
Oracolo del Signore.

¹⁸ Senza rimedio cresce il mio dolore,
dentro di me languisce il mio cuore.

¹⁹ Ecco un clamore,
   è il grido della figlia del mio popolo
da una terra ampia ed estesa:
«Forse il Signore non è più in Sion
o il suo re non vi abita più?».
Perché mi hanno irritato con i loro idoli
e con queste nullità straniere?

²⁰ È passata la mietitura, è terminata
   l'estate
e noi non siamo stati salvati.

²¹ Per la ferita della figlia del mio popolo
   sono affranto,
sono costernato, lo spavento mi afferra.

²² Non c'è più balsamo in Galaad?
Non c'è più alcun medico?
Perché, allora, non migliora
la ferita della figlia del mio popolo?

²³ Chi renderà la mia testa una fonte
   e i miei occhi una sorgente di lacrime,

così che io pianga giorno e notte
gli uccisi della figlia del mio popolo?

LA CORRUZIONE DI GIUDA

9 ¹Chi mi darà nel deserto un rifugio
   per viandanti,
per abbandonare il mio popolo
e allontanarmi da lui?
Sì, sono tutti adùlteri, un'assemblea
   di perfidi.

² Allungano la loro lingua come
   il loro arco;
dominano il paese con l'inganno
e non con la fedeltà.
Passano da una malvagità all'altra
e non conoscono me.
Oracolo del Signore.

³ Ognuno si guardi dal suo amico
e non fidatevi neppure del fratello,
perché ogni fratello tende a ingannare
e ogni amico sparge calunnia.

⁴ Ognuno inganna il proprio amico
e nessuno dice la verità.
Addestrano la lingua alla menzogna,
si affannano a pervertirsi.

⁵ La tua abitazione è in mezzo all'inganno.
Nell'inganno essi rifiutano di conoscermi.
Oracolo del Signore.

⁶ Per questo dice il Signore degli eserciti:
«Ecco, io li purificherò e li passerò
   al crogiuolo:
come potrei comportarmi diversamente
verso la figlia del mio popolo?

⁷ Freccia mortale è la loro lingua,
inganno sono le parole della loro bocca.
Ognuno augura la pace al suo prossimo,
mentre nel suo intimo gli prepara
   un agguato.

⁸ Per queste cose non dovrei forse punirli,
   oracolo del Signore,
o non dovrei vendicarmi di un popolo
   come questo?».

⁹ Sui monti io elevo pianti e lamenti,
un canto funebre nei pascoli del deserto,
perché sono incendiati, nessuno
   più vi passa,
né più si ode la voce del gregge.

---

20. È il popolo che parla, e forse qui si tratta di un proverbio. Quando la mietitura è stata scarsa il contadino spera nei frutti autunnali; ma se anche questi vanno male, allora tutto è perduto. Così dice Israele: sono passate le occasioni buone, e non è stato salvato!

Dagli uccelli del cielo al bestiame,
tutti sono fuggiti, scomparsi.
[10] «Io ridurrò Gerusalemme un cumulo
di rovine,
una tana di sciacalli;
ridurrò le città di Giuda
a una devastazione,
senza più abitanti».
[11] Qual è l'uomo così saggio
da comprendere questo
e al quale abbia parlato la bocca
del Signore?
Lo manifesti!
Perché perisce il paese e inaridisce
come un deserto dove non passa
nessuno?

[12]Risponde il Signore: «Poiché essi hanno abbandonato la mia legge che ho posto dinanzi a loro, non hanno ascoltato la mia voce e non hanno camminato conformemente ad essa, [13]ma hanno seguito la caparbietà del loro cuore e i Baal che avevano conosciuto dai loro padri, [14]per questo, così dice il Signore degli eserciti, Dio d'Israele: Ecco, io nutrirò questo popolo di assenzio e gli farò bere acque avvelenate. [15]Li disperderò tra nazioni che né loro né i loro padri hanno conosciuto e invierò dietro di loro la spada, finché io non li avrò annientati».

[16] Così dice il Signore degli eserciti:
«Fate attenzione!
Convocate le lamentatrici: che vengano!
Mandate a chiamare le più esperte:
che vengano!
[17] Siano sollecite ad elevare su di noi
un lamento
perché i nostri occhi versino lacrime
e le nostre palpebre stillino acqua».
[18] Sì, una voce di lamento si ode in Sion:
«Come siamo rovinati! Quale grande
vergogna,
perché dobbiamo lasciare il paese,
perché siamo scacciati dalle nostre
abitazioni!».
[19] Ascoltate, donne, la parola del Signore,

accolga il vostro orecchio la parola
della sua bocca.
Insegnate alle vostre figlie un lamento
e l'una all'altra insegni un canto funebre:
[20] «La morte è già salita alle nostre finestre,
è entrata nei nostri palazzi,
distruggendo i fanciulli sulla strada
e i giovani sulle piazze.
[21] Parla! Ecco l'oracolo del Signore:
Il cadavere dell'uomo giace
come letame
sulla superficie del campo,
come covoni dietro il mietitore
e nessuno li raccoglie».
[22] Così dice il Signore:
«Non si vanti il sapiente
per la sua sapienza,
non si vanti il forte per la sua forza
né si vanti il ricco per la sua ricchezza.
[23] Ma chi si vuol vantare, si vanti di questo:
aver senno e conoscere me,
perché io sono il Signore che stabilisce
la lealtà,
il diritto e la giustizia sulla terra.
Sì, di queste cose io mi compiaccio».
Oracolo del Signore.

[24]«Ecco, verranno giorni, oracolo del Signore, in cui io punirò tutti coloro che apparentemente sono circoncisi: [25]l'Egitto, Giuda, Edom, gli Ammoniti, i Moabiti e tutti quelli con il capo rasato che abitano nel deserto, perché tutte queste sono nazioni di incirconcisi e tutta la casa di Israele è incirconcisa nel cuore».

GLI IDOLI E IL VERO DIO

10 [1]Ascoltate la parola che il Signore ha pronunziato per voi, casa di Israele.

[2] Così dice il Signore:
«Non imitate la condotta delle nazioni
e non spaventatevi dei segni del cielo,
perché di essi hanno paura le nazioni.
[3] Infatti ciò che costituisce il terrore
dei popoli è un nulla,
non è che un legno tagliato nel bosco,
prodotto dalle mani di chi lavora
con l'ascia.
[4] Lo adornano d'argento e d'oro,
lo fissano con chiodi e martelli,
perché non si muova.

Ger

---

9. - 17. *Elevare... un lamento*: si usava allora (e anche oggi presso molti popoli orientali) pagare delle donne perché piangessero durante i funerali ed eccitassero al pianto con la loro voce e con i loro gesti. Dio dice di chiamare le piangenti per Gerusalemme, di chiamare le più abili nel comporre e cantare lamentazioni, perché il funerale è solenne.

⁵ Gli idoli sono come uno spauracchio
   in un campo di cocomeri,
   perché non sanno parlare.
   Bisogna trasportarli perché non sanno
      camminare.
   Non abbiate paura di loro, perché
      non possono nuocere,
   come non è loro potere compiere il bene».
⁶ Nessuno è simile a te, Signore!
   Tu sei grande e grande è il tuo nome,
      potente.
⁷ Chi non ti temerà, re delle nazioni?
   Sì, tu lo meriti.
   Infatti, tra tutti i sapienti delle nazioni
   e in tutti i loro regni nessuno è simile a te.
⁸ Con la stessa cosa essi fanno fuoco
      e perdono il senno,
   educati dal nulla di un legno.
⁹ Argento laminato portato da Tarsis
      e oro da Ofir,
   essi sono opera di artista e di mani
      d'orefice.
   Di porpora e di scarlatto è il loro vestito:
   sono tutti lavori di abili artisti.
¹⁰ Il Signore, invece, è Dio vero,
   egli è Dio vivente e re eterno.
   Davanti al suo sdegno trema la terra
   e le nazioni non resistono
      alla sua collera.
¹¹ Così direte loro:
   «Gli dèi che non hanno fatto i cieli
      e la terra
   spariranno tutti dalla terra
      e di sotto il cielo».
¹² Egli ha fatto la terra con la sua potenza,
   ha stabilito il mondo con la sua sapienza
   e con la sua intelligenza ha steso i cieli.
¹³ Quando egli emette la sua voce
   è un rumoreggiare di acque in cielo.
   Egli fa salire nubi dall'estremità
      della terra,
   produce lampi per la pioggia
   e fa uscire il vento dai suoi ripostigli.
¹⁴ Quando riflette, ogni uomo si stupisce;
   si vergogna ogni orefice per il suo idolo,
   perché è menzogna ciò che egli ha fuso
   e non ha soffio vitale.
¹⁵ Essi sono vanità, opera ridicola;
   al tempo del loro castigo periranno.
¹⁶ A loro non somiglia la porzione
      di Giacobbe,
   perché egli ha fatto ogni cosa
   e Israele è la tribù della sua eredità:
   Signore degli eserciti è il suo nome.

¹⁷ Raduna dal paese i tuoi averi,
   tu che sei cinta d'assedio.
¹⁸ Così, infatti, dice il Signore:
   «Ecco, questa volta caccerò lontano
      gli abitanti del paese;
   li affliggerò, affinché mi ritrovino».
¹⁹ Guai a me, a causa della mia ferita!
   La mia piaga è incurabile.
   Eppure io avevo pensato: «Questa
      è soltanto
   una malattia, che io posso sopportare».
²⁰ La mia tenda è distrutta
   e tutte le mie corde sono spezzate.
   I miei figli si sono allontanati da me
   e non ci sono più.
   Non c'è più chi raddrizzi la mia tenda
   e rialzi i miei teloni.
²¹ I pastori sono diventati insensati,
   perciò non ricercano il Signore.
   Per questo non hanno successo
   e tutto il loro gregge è stato disperso.
²² Una voce è stata udita:
   «Ecco, viene un frastuono grande
   dal paese del settentrione,
   per ridurre le città di Giuda
      una devastazione,
   una tana di sciacalli».
²³ So bene, Signore,
   che non è in potere dell'uomo la sua via,
   non è in potere dell'uomo che cammina
   il dirigere i propri passi.
²⁴ Correggimi, Signore, ma secondo
      giustizia,
   non secondo il tuo sdegno,
   per non ridurmi al nulla.
²⁵ Riversa il tuo furore sulle nazioni
      che non ti conoscono
   e sulle famiglie che non invocano
      il tuo nome,
   perché hanno divorato Giacobbe,
   l'hanno divorato e consumato
   e hanno devastato i suoi pascoli.

L'ALLEANZA VIOLATA
E LA CONGIURA CONTRO GEREMIA

11 ¹Questa è la parola che fu rivolta
a Geremia da parte del Signore:
²«Ascoltate la parola di questa alleanza
e tu riferiscila agli uomini di Giuda e agli
abitanti di Gerusalemme. ³Dirai loro: Così
dice il Signore, Dio d'Israele: Maledetto
colui che non ascolta le parole di questa

alleanza, [4]che io prescrissi ai vostri padri nel giorno in cui li feci uscire dal paese d'Egitto, dalla fornace di ferro, dicendo: Ascoltate la mia voce ed eseguite quanto vi ho ordinato. Allora voi sarete per me il mio popolo e io sarò per voi il vostro Dio, [5]così che io possa compiere la promessa fatta ai vostri padri, di dare loro un paese dove scorre latte e miele, come avviene oggi». Io risposi: «Così sia, Signore!».
[6]Poi il Signore mi disse: «Grida tutte queste parole nelle città di Giuda e nelle vie di Gerusalemme: Ascoltate le parole di questa alleanza e praticatele! [7]Poiché io ho raccomandato insistentemente ai vostri padri nel giorno in cui li feci uscire dal paese d'Egitto fino ad oggi, ammonendoli premurosamente: Ascoltate la mia voce! [8]Ma essi non l'hanno ascoltata né vi hanno prestato orecchio, anzi tutti hanno seguito la caparbietà del loro cuore malvagio. Perciò ho fatto ricadere su di loro tutte le parole di questa alleanza che io ordinai loro di osservare e non osservarono».
[9]Mi disse ancora il Signore: «Si sono trovati d'accordo gli uomini di Giuda e gli abitanti di Gerusalemme. [10]Sono ritornati alle iniquità dei loro padri antichi, i quali rifiutarono di ascoltare le mie parole, anzi essi seguono e servono dèi stranieri. La casa di Israele e la casa di Giuda hanno infranto l'alleanza che io avevo stretto con i loro padri. [11]Perciò, così dice il Signore: Ecco, io farò venire contro di loro una sventura alla quale non potranno sfuggire. Grideranno verso di me, ma non darò loro ascolto. [12]Allora le città di Giuda e gli abitanti di Gerusalemme leveranno grida verso gli dèi stranieri ai quali avevano offerto incenso, ma quelli non potranno salvarli nel tempo della loro sventura.

[13] Sì, quante sono le tue città
   tanti sono i tuoi dèi, o Giuda!
   Quante sono le strade di Gerusalemme
   tanti sono gli altari che avete eretto
     all'obbrobrio,
   altari per offrire sacrifici a Baal!

[14]Quanto a te, non intercedere per questo popolo e non innalzare per loro preghiere e suppliche, perché io non ascolterò quando essi grideranno verso di me, nel tempo della loro sventura».

[15] Che viene a fare il mio diletto
   nella mia casa?
   Il suo modo di agire è pieno di astuzia.
   Forse che i voti e le carne dei sacrifici
   possono allontanare da te la sventura?
   Potresti allora rallegrarti!
[16] Ulivo verdeggiante, dal frutto eccellente:
   con questo nome ti aveva chiamato
     il Signore.
   Al rumore di un grande frastuono
   egli ha incendiato con furore le sue foglie
   e sono rovinati i suoi rami.

[17]Ma ora il Signore degli eserciti, che ti aveva piantato, ha decretato contro di te la sventura, a causa della malvagità che hanno commesso la casa d'Israele e la casa di Giuda, irritandomi con l'offrire incenso a Baal.
[18]Il Signore volle informarmi e perciò ne venni a conoscenza quando mi mostrò le loro azioni. [19]Io ero come agnello mansueto condotto al macello e non sapevo che essi ordivano congiure contro di me, dicendo: «Distruggiamo l'albero nel suo vigore e sradichiamolo dalla terra dei viventi, perché il suo nome non venga più ricordato».

[20] Signore degli eserciti, giusto giudice,
   che scruti i reni e il cuore,
   possa io vedere la tua vendetta su di loro,
   poiché a te ho affidato la mia causa!

[21]Perciò, così dice il Signore agli uomini di Anatot che hanno attentato alla tua vita, dicendo: «Non profetizzare nel nome del Signore, così non morrai per mano nostra»; [22]così dunque dice il Signore degli eserciti: «Ecco, io li castigherò: i giovani moriranno di spada, i loro figli e le loro figlie moriranno di fame. [23]Tra loro non vi sarà superstite, quando io manderò la sventura contro gli uomini di Anatot, nell'anno del loro castigo».

11. - 19. *Come agnello mansueto*: si parla di Geremia, figura di Cristo. È la stessa frase applicata al Servo di Jhwh in Is 53,7.
20. Neppure il profeta, che in tante maniere è figura di Cristo, possiede la sua mansuetudine e amore per i peccatori. *Vendetta* ha qui un senso antropomorfico, poiché esprime in modo umano gli effetti della giustizia divina.

LA PROSPERITÀ DEGLI EMPI

12 [1]Giusto tu sei, Signore!
   Come potrei discutere con te?

Tuttavia voglio proporti un caso:
Perché la condotta degli empi prospera
e vive tranquillo chiunque agisce
perfidamente?

2 Li hai piantati e hanno messo radici;
crescono e producono frutto.
Tu sei vicino alla loro bocca, ma lontano
dai loro reni.

3 Tu, però, Signore, mi conosci, mi osservi
ed esamini il mio cuore nei tuoi riguardi.
Trascinali come pecore da macello
e riservali per il giorno del massacro.

4 Fino a quando farà lutto il paese
e l'erba del campo sarà secca?
Per la malvagità dei suoi abitanti
periscono il bestiame e gli uccelli.
Sì, essi dicono: «Dio non vede
la nostra fine».

5 Se tu corri con i pedoni e ti stanchi,
come potresti seguire i cavalli?
E se tu in un paese pacifico
non ti senti sicuro,
come ti comporterai nella boscaglia
del Giordano?

6 Infatti, perfino i tuoi fratelli e la casa
di tuo padre
agiscono perfidamente contro di te;
perfino loro gridano dietro di te
a piena voce.
Non fidarti di loro se ti parlano
gentilmente.

7 Ho abbandonato la mia casa,
ho ripudiato la mia eredità;
ho posto la delizia dell'anima mia
nelle mani dei suoi nemici.

8 La mia eredità è divenuta per me
come un leone nel bosco;
ha emesso contro di me il suo grido;
per questo io la odio.

9 Come un uccello screziato
è la mia eredità per me,
gli uccelli rapaci l'assalgono
da ogni parte.
Su, radunatevi tutti, animali selvatici:
venite a divorarla!

10 Molti pastori hanno distrutto
la mia vigna,
hanno calpestato la mia porzione,
hanno ridotto la mia porzione prediletta
come un orrido deserto.

11 È stata ridotta a una devastazione:
essa giace devastata dinanzi a me.
È devastato tutto il paese,
e nessuno se ne dà pensiero.

12 Su tutte le alture del deserto
sono giunti i devastatori.
Sì, la spada del Signore divora
da un estremo all'altro del paese:
nessun essere vivente è incolume.

13 Hanno seminato frumento, ma hanno
raccolto spine;
si sono affaticati, ma senza profitto;
si vergognano dei loro raccolti
a causa dell'ardente ira del Signore.

14 Così dice il Signore a tutti i vicini malvagi che toccano l'eredità che ho dato in possesso al mio popolo, Israele: «Ecco, io li sradicherò dalla loro terra, come pure strapperò la casa di Giuda di mezzo a loro. 15 E dopo che li avrò sradicati ritornerò ad aver compassione di loro e li farò ritornare ciascuno alla sua eredità e ciascuno alla sua terra. 16 Se veramente impareranno le vie del mio popolo così da giurare nel mio nome: Per la vita del Signore, come hanno insegnato al mio popolo a giurare per Baal, allora essi saranno stabiliti in mezzo al mio popolo. 17 Ma se non ascolteranno, io sradicherò quella nazione, la sradicherò e la sterminerò». Oracolo del Signore.

AZIONI SIMBOLICHE DEL PROFETA

13 1 Così mi disse il Signore: «Va', comprati una cintura di lino e mettila ai tuoi fianchi, ma non immergerla nell'acqua». 2 Allora io comprai la cintura, secondo l'ordine del Signore, e la misi ai miei fianchi. 3 Poi la parola del Signore mi fu rivolta nuovamente in questi termini: 4 «Prendi la cintura che hai comprato, quella che è ai tuoi fianchi, poi àlzati, va' verso l'Eufrate e nascondila là nelle fessure della roccia». 5 Io andai e la nascosi presso l'Eufrate, come aveva ordinato il Signore. 6 Ora, dopo molti giorni, il Signore mi disse: «Alzati, va' all'Eufrate e prendi di là la cintura che ti avevo ordinato di

---

12. - 5. Sembrano parole rivolte da Dio a Geremia che ha proposto il problema della prosperità dei malvagi. Lo vuole incoraggiare a non lasciarsi abbattere dalle prime difficoltà: finora ha corso con i *pedoni*, ma lo aspettano difficoltà assai più serie, paragonabili a uno che debba cimentarsi a piedi in una corsa con i *cavalli*.

13. 1-11. È la prima azione simbolica che incontriamo in Geremia. Il suo significato è chiarito da Dio stesso. Forse fu una visione.

nascondervi». ⁷Io andai e scavai e ripresi la cintura dal luogo dove l'avevo nascosta. Ma, ecco, la cintura si era consumata, non era più buona a nulla.

⁸Allora la parola del Signore mi fu rivolta in questi termini: ⁹Così dice il Signore: «Allo stesso modo io consumerò la grande superbia di Giuda e la grande superbia di Gerusalemme. ¹⁰Questo popolo malvagio, che rifiuta di ascoltare la mia parola, che cammina nella durezza del suo cuore e va dietro ad altri dèi per servirli e per adorarli, diverrà come questa cintura, che non è più buona a nulla. ¹¹Sì, come la cintura aderisce ai fianchi dell'uomo, così io avevo fatto aderire a me l'intera casa d'Israele e l'intera casa di Giuda, oracolo del Signore, perché fossero mio popolo, mio vanto, mia lode, mia gloria. Ma non mi hanno ascoltato!».

¹²Tu dirai loro questa parola: «Così dice il Signore, Dio di Israele: Ogni boccale si riempie di vino. Ma ti diranno: Forse che non sappiamo che ogni boccale si riempie di vino? ¹³Tu risponderai loro: Così dice il Signore: Ecco, io riempirò di ubriachezza tutti gli abitanti di questo paese: i re che siedono al posto di Davide, sul suo trono, i sacerdoti, i profeti e tutti gli abitanti di Gerusalemme. ¹⁴Io li frantumerò uno contro l'altro, cioè i padri e i figli insieme, oracolo del Signore. Non avrò pietà né compassione né misericordia per la loro distruzione».

¹⁵ Ascoltate e porgete l'orecchio,
     non siate superbi,
   perché il Signore ha parlato.
¹⁶ Date al Signore, Dio vostro, la gloria
   prima che si faccia buio,
   prima che inciampino i vostri piedi
   sui monti in penombra.
   Voi confidate nella luce,
   ma egli la convertirà in oscurità mortale,
   la trasformerà in tenebra.
¹⁷ Se, però, non ascolterete,
   io piangerò segretamente a causa
     del vostro orgoglio
   e lacrimerò disperatamente.
   Si consumerà il mio occhio
     per il lacrimare,

   perché verrà deportato il gregge
     del Signore.
¹⁸ Di' al re e alla regina madre:
   «Sedete più in basso
   perché è caduta dal vostro capo
   la corona della vostra gloria».
¹⁹ Le città del mezzogiorno sono bloccate,
     senza accesso:
   tutto Giuda è deportato,
   è deportato completamente.
²⁰ Solleva i tuoi occhi
   e osserva coloro che vengono
     dal settentrione.
   Dov'è il gregge che ti è stato affidato,
   e dove sono le tue magnifiche pecore?
²¹ Cosa dirai quando li stabilirà come tuoi
     dominatori,
   tu che li avevi abituati ad essere
     tuoi amici?
   Forse che non ti assaliranno i dolori
   come a una donna nel momento
     del parto?
²² E se dirai nel tuo cuore:
   «Perché mi accadono queste cose?»,
   è a causa della tua grande iniquità
   che sono stati scoperti i lembi
     della tua veste
   e violentati i tuoi calcagni.
²³ Può un Etìope mutare la sua pelle
   o una tigre le sue striature?
   Così neppure voi potreste agire bene,
   abituati come siete al male.
²⁴ Perciò ti disperderò
   come la stoppia al vento del deserto.
²⁵ Questa è la tua sorte,
   il salario della tua ribellione
     da parte mia,
   oracolo del Signore,
   perché mi hai dimenticato
   e hai confidato nella menzogna.
²⁶ Anch'io solleverò i lembi della tua veste
     fino al volto,
   perché tutti vedano la tua vergogna,
²⁷ i tuoi adultèri, i tuoi nitriti,
   l'ignominia della tua prostituzione!
   Sulle colline e nei campi
   ho visto le tue abominazioni.
   Guai a te, Gerusalemme,
     che non ti purifichi!
   Per quanto tempo ancora…?

Ger

---

13. Riempire un uomo fino all'*ubriachezza* vuol dire esporlo a tutte le collere divine. Il vino, infatti, simboleggia anche la collera divina, la quale si rovescerà su coloro che hanno abbandonato Dio.

LA SICCITÀ

14 ¹Parola del Signore rivolta a Geremia, in occasione della siccità:

² Giuda è in lutto e le sue porte
languiscono,
giacciono a terra e il grido
di Gerusalemme sale.

³ I loro nobili mandano i giovani
a cercare acqua:
essi vanno alle cisterne,
ma non trovano acqua
e ritornano con i loro recipienti vuoti.
Si vergognano e si coprono delusi il capo.

⁴ Il suolo ha cessato di produrre,
poiché non c'è più pioggia nel paese;
si vergognano gli agricoltori e si coprono
il capo.

⁵ Perfino la cerva partorisce nel campo
e abbandona il parto,
perché non c'è erba.

⁶ Gli onagri s'arrestano sulle alture
e aspirano aria come sciacalli;
s'illanguidiscono i loro occhi, perché
non c'è pascolo.

⁷ Se le nostre iniquità testimoniano
contro di noi,
Signore, agisci a causa del tuo nome,
perché si sono moltiplicate le nostre
ribellioni
e abbiamo peccato contro di te.

⁸ O speranza d'Israele,
suo salvatore nel tempo della sventura,
perché ti comporti come forestiero
nel paese
e come viandante che si ferma solo
a pernottare?

⁹ Perché ti comporti da uomo smarrito
e da eroe che non riesce a salvare?
Eppure tu sei in mezzo a noi, Signore,
e il tuo nome è invocato su di noi!
Non abbandonarci!

¹⁰ Così dice il Signore a questo popolo:
«Veramente amano girovagare,
non trattengono i loro piedi!
Perciò il Signore non li gradisce;
ora ricorda le loro iniquità e punisce
i loro peccati».

¹¹Il Signore mi disse: «Non intercedere per questo popolo, per la sua felicità. ¹²Anche se digiunassero, io non ascolterei la loro supplica, e se offrissero olocausti e sacrifici pacifici, io non li gradirei. Piuttosto li distruggerei

con la spada, la fame e la peste». ¹³Io risposi: «Ah, Signore Dio! Ecco, i profeti dicono loro: Non vedrete la spada e non patirete la fame, ma vi darò in questo luogo pace durevole». ¹⁴Il Signore mi disse: «Menzogne hanno profetizzato i profeti in mio nome! Io non li ho inviati, né ho dato loro ordine e non ho parlato loro. Visioni menzognere, oracoli falsi e suggestioni del loro cuore essi vi hanno profetizzato. ¹⁵Perciò, così dice il Signore contro i profeti che profetizzano in mio nome, mentre io non li ho inviati, e che tuttavia dicono: Spada e fame non ci saranno in questo paese; di spada e di fame periranno questi profeti. ¹⁶Quanto poi al popolo al quale essi hanno profetizzato, sarà gettato per le strade di Gerusalemme a causa della fame e della spada e non avranno chi li seppellisca, essi e le loro donne, i loro figli e le loro figlie. Io rovescerò su di essi la loro malvagità».

¹⁷ Di' loro questa parola:
«I miei occhi stillano lacrime
notte e giorno senza cessare,
perché la ferita è grande;
è stata colpita la vergine figlia
del mio popolo
da una ferita mortale.

¹⁸ Se esco in campagna, ecco i trafitti
di spada;
se entro in città, ecco gli orrori della fame.
Perfino il profeta e il sacerdote
si aggirano per il paese,
ma senza comprendere.

¹⁹ Hai rigettato completamente Giuda,
o ti sei nauseato di Sion?
Perché ci hai colpito e non c'è per noi
guarigione?
Si sperava la pace, ma non c'è
alcun bene;
il tempo della guarigione, invece
ecco lo spavento.

²⁰ Riconosciamo, Signore,
la nostra cattiveria,
l'iniquità dei nostri padri:
sì, abbiamo peccato contro di te.

²¹ Non rigettarci a causa del tuo nome,
non far disprezzare il trono
della tua gloria.
Ricordati: non infrangere la tua alleanza
con noi.

²² C'è, forse, tra i vani idoli delle nazioni
chi faccia piovere?

O il cielo potrà dare da solo
  gli acquazzoni?
Non sei forse tu, Signore, il nostro Dio?
Noi speriamo in te,
  poiché tu hai fatto tutte queste cose!».

IL CASTIGO DEL SIGNORE
E IL LAMENTO DI GEREMIA

15 ¹Il Signore mi disse: «Anche se si presentassero Mosè e Samuele al mio cospetto, non mi commuoverei per questo popolo. Caccialo dalla mia presenza; che se ne vada! ²Se poi ti domanderanno: Dove andremo?, risponderai loro: Così dice il Signore:

Chi è destinato alla morte, alla morte;
chi alla spada, alla spada;
chi alla fame, alla fame;
chi alla schiavitù, alla schiavitù.

³Io li punirò con quattro specie di mali, oracolo del Signore: con la spada per massacrare; con i cani per sbranare; con gli uccelli del cielo e con le bestie della terra per divorare e distruggere. ⁴Io li renderò oggetto di spavento per tutti i regni della terra, a causa di Manasse, figlio di Ezechia, re di Giuda, per quanto ha fatto in Gerusalemme.

⁵ Chi, dunque, avrà compassione di te,
    Gerusalemme,
  chi farà cordoglio per te?
  E chi si volterà per domandare
    della tua salute?
⁶ Tu mi hai respinto, oracolo
    del Signore,
  mi hai voltato le spalle.
  Così io ho steso la mia mano
    contro di te e ti ho distrutta.
  Sono stanco di aver compassione.
⁷ Perciò li ho dispersi al vento
    con il ventilabro
  alle porte del paese.
  Ho privato di figli e ho fatto perire
    il mio popolo,
  perché non si sono convertiti
    dalla loro condotta.

⁸ Le loro vedove sono diventate
    più numerose della sabbia del mare.
  Ho mandato su di loro, madri
    e giovani figli,
  un devastatore in pieno mezzogiorno;
  ho fatto piombare su di loro,
    all'improvviso,
  terrore e spavento.
⁹ Geme la madre di sette figli,
    esala il suo spirito;
  per lei il sole è tramontato
    quand'era ancora giorno,
  è coperta di vergogna e confusa.
  Io consegnerò alla spada i loro
    superstiti,
  in preda ai loro nemici». Oracolo
    del Signore.
¹⁰ Ahimè, madre mia, che mi hai generato
    uomo di litigio e di discordia per tutto
      il paese!
  Non sono creditore né debitore
    di nessuno,
  eppure tutti mi maledicono.
¹¹ Dice il Signore:
  «Non ti ho forse assistito per il meglio?
  Non ho forse imposto su di te,
    nel tempo della malvagità
    e dell'angustia, l'inimicizia?
¹² Potrà forse il ferro spezzare il ferro
    del settentrione e il rame?
¹³ La tua ricchezza e i tuoi tesori
  lascerò depredare senza compenso,
    per tutti i peccati che hai commesso
    in tutti i tuoi territori.
¹⁴ Io ti renderò schiavo dei tuoi nemici
    in un paese che non conosci,
  perché un fuoco si è acceso
    nella mia ira,
  che divamperà contro di voi».
¹⁵ Tu lo sai, Signore! Ricordati di me
    e aiutami,
  vendicami contro i miei persecutori.
  Tu che sei lento all'ira, non lasciarmi
    perire;
  sappi che io ho sopportato,
    per causa tua, l'obbrobrio.
¹⁶ Trovate le tue parole, io le divorai;
  una gioia fu per me la tua parola
  e una letizia per il mio cuore,
  perché il tuo nome veniva invocato
    su di me,
  Signore, Dio degli eserciti.
¹⁷ Non mi sono seduto
    per divertirmi nell'assemblea dei beffardi.

---

15. - 12-14. Dio si rivolge al popolo per dirgli che non potrà, lui, *ferro ordinario*, resistere al duro *ferro del settentrione*, ai Babilonesi.

Spinto dalla tua mano sedevo solitario,
poiché mi avevi riempito di sdegno.

¹⁸ Perché deve durare per sempre
il mio dolore
e la mia ferita è incurabile,
senza guarigione?
Vorrai essere per me come un torrente
ingannevole,
come acqua di cui non c'è da fidarsi?

¹⁹ Per questo dice il Signore:
«Se vuoi ritornare, io ti farò ritornare
e starai alla mia presenza;
se produrrai cose meritevoli,
prive di viltà,
tu sarai come la mia bocca.
Essi ritorneranno a te,
ma tu non tornerai a loro.

²⁰ Io ti renderò di fronte a questo popolo
come muro di bronzo fortificato;
combatteranno contro di te,
ma contro di te non prevarranno,
perché io sono con te, per salvarti
e liberarti.
Oracolo del Signore.

²¹ Io ti libererò dalle mani dei malvagi
e ti strapperò dal pugno dei violenti».

IL PROFETA COME SEGNO

16 ¹Mi fu rivolta questa parola del Signore: ²«Non prenderti una moglie, non aver figli né figlie in questo luogo. ³Così, infatti, dice il Signore contro i figli e contro le figlie generati in questo luogo e contro le loro madri che li hanno partoriti e contro i loro padri che li hanno generati in questo paese: ⁴Di morte orrenda moriranno; non verranno pianti né sepolti, saranno come letame sulla superficie del suolo, saranno sterminati con la spada e con la fame e i loro cadaveri saranno pasto per gli uccelli del cielo e per le bestie della terra. ⁵Sì, così dice il Signore: Non entrare nella casa in lutto e non partecipare al pianto né compiangerli, perché io ho ritirato la mia amicizia da questo popolo, oracolo del Signore, la mia pietà e la mia misericordia. ⁶Moriranno grandi e piccoli in questo paese; non saranno sepolti, né vi sarà pianto per essi e non si farà incisione né rasatura per essi. ⁷Non si spezzerà pane per chi è in lutto, per consolarlo della morte; neppure verseranno con loro

la coppa delle consolazioni per il proprio padre e per la propria madre.

⁸Non entrare a sederti con loro nella casa in cui si banchetta per mangiare e per bere. ⁹Così, infatti, dice il Signore degli eserciti, Dio d'Israele: Ecco, io farò cessare da questo luogo, sotto i vostri occhi e nei vostri giorni, la voce di gioia e la voce di allegria, la voce dello sposo e la voce della sposa.

¹⁰Quando tu avrai annunziato a questo popolo tutte queste cose, allora ti diranno: Perché il Signore ha pronunziato contro di noi tutte queste grandi sventure e qual è la nostra iniquità e quali sono i peccati che abbiamo commesso contro il Signore, nostro Dio? ¹¹Allora risponderai loro: Perché i vostri padri hanno abbandonato me, oracolo del Signore, e sono andati dietro ad altri dèi e li hanno serviti e adorati, mentre hanno abbandonato me e non hanno custodito la mia legge. ¹²Voi, però, avete agito peggio dei vostri padri ed ecco che seguite ciascuno la durezza del vostro cuore malvagio, senza ascoltarmi. ¹³Perciò vi farò scacciare da questo paese verso un paese che non conoscete, né voi né i vostri padri, e là servirete altri dèi giorno e notte, perché io non vi concederò più nessuna grazia.

¹⁴Pertanto, ecco, vengono giorni, oracolo del Signore, nei quali non si dirà più: Per la vita del Signore che ha fatto uscire i figli di Israele dal paese di Egitto, ¹⁵bensì: Per la vita del Signore che ha fatto uscire i figli di Israele dal paese del settentrione e da tutti i paesi dove li aveva dispersi, e li ha fatti ritornare sulla loro terra che aveva dato ai loro padri. ¹⁶Ecco, io invierò molti pescatori, oracolo del Signore, e li pescheranno; e dopo ciò invierò molti cacciatori e li cacceranno su ogni monte e su ogni colle e nelle fessure delle rocce. ¹⁷Sì, i miei occhi osservano tutte le loro vie, che non possono restare nascoste dinanzi a me, né può occultarsi la loro iniquità dinanzi ai miei occhi. ¹⁸Ma prima ripagherò due volte la loro iniquità e i loro peccati, perché hanno profanato il mio paese con i cadaveri dei loro idoli e con i loro abomini hanno riempito la mia eredità».

¹⁹ Signore, mia forza e mia fortezza,
mio rifugio nel giorno dell'angustia,
a te le nazioni verranno
dall'estremità della terra e diranno:

«Solo menzogna ereditarono
   i nostri padri,
nullità senza profitto».
²⁰ Può forse l'uomo fabbricarsi degli dèi?
   Ma questi non saranno dèi.
²¹ Perciò, ecco, io questa volta
   mostrerò loro la mia mano
     e la mia potenza,
   e conosceranno che il mio nome
     è il Signore!

I PECCATI CULTUALI DI GIUDA

17 ¹Il peccato di Giuda è scritto
   con penna di ferro,
con punta di diamante è inciso
sulla tavola del loro cuore
e sugli angoli dei loro altari,
² quale ricordo, per i loro figli,
   dei loro altari e dei loro pali sacri
   presso gli alberi verdeggianti,
     sulle alture elevate,
³ sulle montagne e nella pianura.
   La tua ricchezza e i tuoi tesori
   consegnerò al saccheggio,
   per i peccati che hai commesso
     sulle alture
   e in tutti i tuoi territori.
⁴ Dovrai perfino ritirare la mano
     dall'eredità
   che ti avevo dato,
   perché ti renderò schiavo
   in un paese che non conosci.
   Un fuoco, infatti, avete acceso
     nella mia ira,
   che rimarrà acceso in eterno.
⁵ Così dice il Signore:
   «Maledetto l'uomo che confida
     nell'uomo
   e che fa della carne il suo sostegno,
   mentre il suo cuore si allontana
     dal Signore.
⁶ Egli è come un tamarisco nella steppa,
   che non si accorge quando giunge
     la felicità,
   ma abita tra le arsure del deserto,
   in una terra salmastra e inospitale.
⁷ Benedetto l'uomo che confida
     nel Signore
   ed è il Signore la sua speranza.
⁸ Egli sarà come un albero piantato
     presso l'acqua,
   verso il ruscello spinge le sue radici;

non se ne accorge quando giunge
     il calore
   e le sue foglie rimangono verdi;
   perfino nell'anno di siccità
   non si preoccupa
   e non cessa di produrre il suo frutto.
⁹ Nulla è più ingannevole e incurabile
     del cuore:
   chi lo può conoscere?
¹⁰ Io, il Signore, penetro il cuore
     e scandaglio i reni,
   per rendere a ciascuno secondo
     la propria condotta,
   secondo il frutto delle proprie azioni.
¹¹ Come una pernice che cova uova
     che non ha deposto
   è chi accumula ricchezza ingiustamente.
   A metà dei suoi giorni deve lasciarla
   ed egli finirà come uno stolto».
¹² Trono di gloria, eccelso fin dall'inizio,
   è il luogo del nostro santuario.
¹³ Tu, Signore, sei la speranza di Israele,
   chiunque ti abbandona, resterà confuso.
   Chi si allontana da te sarà scritto
     sulla polvere,
   perché ha abbandonato il Signore,
   sorgente d'acqua viva.
¹⁴ Guariscimi, Signore, e sarò guarito,
   salvami e sarò salvato.
   Sì, il mio vanto sei tu.
¹⁵ Ecco, essi mi dicono:
   «Dov'è la parola del Signore?
   Si realizzi finalmente!».
¹⁶ Io, tuttavia, non ho insistito presso
     di te nella sventura
   né mi sono augurato un giorno nefasto.
   Tu lo sai: ciò che è uscito dal mio labbro
   è allo scoperto davanti a te.
¹⁷ Non diventare per me causa di spavento:
   mio rifugio sei tu nel giorno della sventura.
¹⁸ Arrossiscano i miei persecutori,
     ma non io;
   siano essi spaventati, ma non io;
   manda contro di loro il giorno nefasto,
   falli crollare con doppia distruzione!

¹⁹Così mi ha detto il Signore: «Va' a metterti alla porta dei Figli del popolo, per la quale entrano ed escono i re di Giuda, e presso tutte le porte di Gerusalemme. ²⁰Dirai loro: ascoltate la parola del Signore, o re di Giuda, voi tutti di Giuda e voi tutti abitanti di Gerusalemme, che entrate per queste porte. ²¹Così dice il Signore: Guardatevi bene,

Ger

per la vostra vita, dal trasportare carichi in giorno di sabato e dall'introdurli per le porte di Gerusalemme. [22]Non portate pesi fuori dalle vostre case in giorno di sabato e non fate alcuna opera servile, ma santificate il giorno di sabato come io ho ordinato ai vostri padri. [23]Ma essi non vollero ascoltare né prestare orecchio, anzi indurirono la loro cervice per non ascoltare e per non accettare l'ammaestramento. [24]Ma se veramente mi ascolterete, oracolo del Signore, senza introdurre carichi per le porte di questa città in giorno di sabato, e santificherete il giorno di sabato senza fare in esso alcuna opera servile, [25]allora entreranno per queste porte della città re e prìncipi, seduti sul trono di Davide, cavalcando carri e cavalli, essi e i loro prìncipi, gli uomini di Giuda e gli abitanti di Gerusalemme, e abiteranno questa città per sempre. [26]Verranno dalle città di Giuda e dai dintorni di Gerusalemme, dal territorio di Beniamino e dalla Sefela, dalla montagna e dal Negheb, presentando olocausti e sacrifici, offerte e incenso e renderanno lode nel tempio del Signore. [27]Ma se non mi ascolterete, santificando il giorno di sabato, astenendovi dal trasportare pesi in giorno di sabato e dall'introdurli per le porte di Gerusalemme, allora accenderò un fuoco contro le sue porte: esso divorerà i palazzi di Gerusalemme e mai si estinguerà».

IL SIMBOLO DEL VASO E DEL VASAIO

18 [1]Questo è l'ordine dato a Geremia da parte del Signore: [2]«Alzati e scendi nella bottega del vasaio e là ti farò udire le mie parole». [3]Allora io scesi nella bottega del vasaio ed, ecco, egli stava facendo un lavoro presso il tornio. [4]Ma il vaso che stava modellando con la creta si guastò tra le mani del vasaio; allora prese a fare un altro vaso, come pareva giusto ai suoi occhi.
[5]Mi fu rivolta allora questa parola del Signore: [6]«Forse non potrei agire con voi, casa di Israele, come questo vasaio? Oracolo del Signore. Ecco, come la creta nelle mani del vasaio, così siete voi nella mia mano, casa di Israele. [7]A volte contro una nazione o contro un regno io decreto di sradicare, di abbattere e di distruggere. [8]Ma se quella nazione alla quale io avevo parlato si ritrae

dalla sua malvagità, allora io mi pento per quella sventura che avevo progettato di infliggerle.
[9]Altre volte per una nazione o per un regno io decreto di edificare e di piantare. [10]Ma se essa compie ciò che è male ai miei occhi non ascoltando la mia voce, allora io mi pento del bene con il quale avevo pensato di beneficarla.
[11]Ora, dunque, annunzia agli uomini di Giuda e agli abitanti di Gerusalemme: Così dice il Signore: Ecco, io sto preparando contro di voi una sventura e sto meditando contro di voi un progetto. Ritorni ciascuno dalla sua strada malvagia, così che possiate migliorare la vostra condotta e le vostre azioni. [12]Ma essi ti diranno: Impossibile! Noi vogliamo camminare secondo i nostri progetti; ognuno di noi agirà secondo la durezza del proprio cuore malvagio!

[13] Perciò, così dice il Signore:
Informatevi tra le nazioni: chi mai
   ha udito cose simili?
Orribili cose ha commesso la vergine
   d'Israele!
[14] Scompare forse dalla rupe imponente
   la neve del Libano?
O forse si inaridiscono le acque
   dei monti
che scorrono fredde?
[15] Eppure il mio popolo mi ha dimenticato;
   al nulla essi offrono incenso.
Perciò hanno inciampato nelle loro vie,
   i sentieri di sempre,
camminando per viottoli,
   per una strada non appianata,
[16] riducendo il loro paese a desolazione,
   a oggetto di scherno in perpetuo.
Chiunque passerà per esso stupirà
   e scuoterà il capo.
[17] Come vento orientale,
   io li disperderò di fronte al nemico.
Mostrerò loro le spalle e non il volto
   nel giorno della loro rovina».

---

18. - 7-10. Si parla di Dio con linguaggio umano: Dio non può mutare, non può pentirsi, ma cambiano le creature dinanzi a lui, e per questo cambiano le sue azioni relative alle creature.
13. *La vergine d'Israele* è il popolo stesso, quello che il Signore aveva riservato per sé come sua sposa. La *cosa orrenda*, inaudita e incomprensibile è che Israele abbia abbandonato il vero Dio, onnipotente e misericordioso, per andare dietro a idoli che non sono nulla.

¹⁸Ora quelli dissero: «Su, tramiamo insidie contro Geremia, perché non verrà meno l'ammaestramento al sacerdote né il consiglio ai saggi né la parola al profeta. Su, andiamo e colpiamolo con la lingua e non badiamo a tutte le sue parole».

¹⁹ Prestami tu attenzione, Signore,
   e ascolta la voce dei miei avversari.
²⁰ Si potrà forse ripagare il bene
   con il male?
   Eppure essi stanno scavando
   una fossa alla mia vita.
   Ricordati che io sto davanti a te,
   per annunziare loro il bene,
   per far allontanare la tua ira da loro.
²¹ Perciò consegna i loro figli alla fame
   e abbattili a fil di spada;
   le loro donne siano sterili e vedove,
   i loro uomini siano feriti a morte,
   i loro giovani uccisi dalla spada
   in guerra.
²² Si oda gridare dalle loro case
   quando farai venire all'improvviso
   contro di loro i ladroni,
   poiché hanno scavato una fossa
   per catturarmi
   e hanno teso lacci ai miei piedi.
²³ Ma tu, Signore, conosci
   tutti i loro disegni di morte contro di me.
   Non perdonare la loro iniquità
   e non cancellare il loro peccato
   dalla tua presenza.
   Cadano disfatti davanti a te;
   al momento della tua ira agisci
   contro di loro.

IL SIMBOLO
DELLA BROCCA SPEZZATA

19 ¹Così disse il Signore: «Va' a comprarti una brocca di argilla; prendi con te alcuni anziani del popolo e alcuni anziani dei sacerdoti ²ed esci verso la valle di Ben-Innom, che è all'ingresso della Porta del vasellame e là grida le parole che io ti dirò. ³Dirai: Ascoltate la

parola del Signore, o re di Giuda e abitanti di Gerusalemme! Così dice il Signore degli eserciti, Dio di Israele: Ecco, io sto per mandare una sventura tale contro questo luogo che a chiunque l'ascolterà vibreranno gli orecchi. ⁴Infatti essi hanno abbandonato me e hanno rigettato questo luogo e vi hanno offerto incenso ad altri dèi, che non avevano conosciuto, né essi né i loro padri né i re di Giuda, e hanno riempito questo luogo di sangue innocente. ⁵Hanno costruito le alture di Baal per bruciare i loro figli con il fuoco, come olocausti a Baal, cosa che non avevo ordinato né mi era mai venuta in mente.

⁶Perciò, ecco, vengono giorni, oracolo del Signore, in cui non si chiamerà più questo luogo Tofet e valle di Ben-Innom, bensì valle del massacro. ⁷Io renderò vani i piani di Giuda e di Gerusalemme in questo luogo e li farò cadere di spada di fronte ai loro nemici e nelle mani di chi attenta alla loro vita, e darò i loro cadaveri in pasto agli uccelli del cielo e alle bestie selvatiche. ⁸Ridurrò, poi, questa città a una desolazione e a oggetto di scherno; chiunque passerà per essa si stupirà e fischierà per tutte le sue ferite. ⁹Li nutrirò con la carne dei loro figli e con la carne delle loro figlie e ognuno mangerà la carne del proprio amico durante l'assedio e le strettezze cui li ridurranno i loro nemici e quanti attentano alla loro vita. ¹⁰Tu spezzerai, dunque, la brocca dinanzi agli uomini che verranno con te, ¹¹poi dirai loro: Così dice il Signore degli eserciti: Frantumerò questo popolo e questa città come si frantuma il vaso del vasaio, così che non si possa più riparare. Allora si seppellirà perfino in Tofet, perché non ci sarà altro spazio per seppellire. ¹²Così io tratterò questo luogo, oracolo del Signore, e i suoi abitanti, quando ridurrò questa città come Tofet. ¹³Allora le case di Gerusalemme e le case dei re di Giuda saranno impure, come il luogo di Tofet; cioè tutte le case dove si offriva incenso sulle terrazze a tutto l'esercito del cielo e si versavano libagioni ad altri dèi».

¹⁴Geremia, poi, ritornò dalla porta dove l'aveva inviato il Signore a profetizzare e si fermò nell'atrio del tempio del Signore e disse a tutto il popolo: ¹⁵«Così dice il Signore degli eserciti, Dio di Israele: Ecco, io sto per mandare contro questa città e contro tutte le sue borgate ogni sventura che ho

Ger

21-23. Il perdono dei nemici è un frutto dell'esempio e della grazia di Gesù, troppo sublime per la levatura spirituale dell'AT. Tuttavia ricordiamo, per comprendere lo sfogo di Geremia, che egli si sentiva messaggero di Dio, e quindi chi macchinava contro la sua vita, in realtà si opponeva alla sua missione e alla volontà di Dio.

pronunziato contro di esse, poiché hanno indurito la loro cervice, non volendo ascoltare la mia parola».

GEREMIA SEDOTTO DAL SIGNORE

20 ¹Pascur, figlio di Immer, sacerdote e ispettore capo del tempio del Signore, sentì Geremia che profetizzava queste cose. ²Allora Pascur percosse il profeta Geremia e lo consegnò per farlo mettere ai ceppi presso la porta superiore di Beniamino, che è nel tempio del Signore. ³Quando l'indomani Pascur estrasse Geremia dai ceppi, Geremia gli disse: «Il Signore non ti chiama più Pascur, bensì Terrore all'intorno. ⁴Infatti, così dice il Signore: Ecco, io consegnerò al terrore te e tutti i tuoi amici; essi cadranno per la spada dei loro nemici e i tuoi occhi lo vedranno. Consegnerò anche tutto Giuda nella mano del re di Babilonia e li deporterà in Babilonia e li colpirà con la spada. ⁵Io consegnerò tutta la ricchezza di questa città e tutti i suoi prodotti, tutti i suoi oggetti preziosi e tutti i tesori dei re di Giuda nelle mani dei loro nemici, che li predederanno, li prenderanno e li trasporteranno a Babilonia. ⁶Quanto a te, Pascur, e a tutti gli abitanti della tua casa, andrete in prigionia; andrai a Babilonia, là morirai e là sarai sepolto tu e tutti i tuoi amici, ai quali hai profetizzato menzogne».

⁷ Mi hai sedotto, Signore, e ho ceduto
   alla seduzione;
   mi hai fatto forza e hai prevalso.
   Sono divenuto oggetto di derisione
   tutto il giorno,
   chiunque si fa beffe di me.
⁸ Perché ogni volta che io parlo,
   devo gridare,
   devo proclamare: Violenza! Oppressione!
   Sì, la parola del Signore è divenuta
   per me
   motivo di obbrobrio e di scherno
   tutto il giorno.
⁹ Perciò pensavo: «Non voglio ricordarmi
   di lui
   e non voglio più parlare in suo nome!».
   Ma nel mio cuore c'era come un fuoco
   divampante,
   compresso nelle mie ossa;
   cercavo di contenerlo, ma non potevo.

¹⁰ Sì, ho udito le calunnie di molti:
   «Terrore all'intorno! Denunciatelo
   e lo denunceremo!».
   Tutti i miei amici osservavano
   il mio inciampare:
   «Forse si lascia sedurre e noi prevarremo
   su di lui,
   ci prenderemo la nostra vendetta
   contro di lui».
¹¹ Ma il Signore è con me come un eroe
   potente,
   perciò i miei persecutori vacilleranno,
   non prevarranno;
   saranno molto confusi perché non
   avranno successo:
   la loro sarà una vergogna che mai
   si dimenticherà.
¹² Ma tu, Signore degli eserciti,
   provi il giusto
   e scruti i reni e il cuore:
   fammi vedere la tua vendetta
   contro di loro,
   perché a te ho affidato la mia causa.
¹³ Cantate al Signore, lodate il Signore,
   perché ha liberato la vita del povero
   dalla mano del malvagio!
¹⁴ Maledetto il giorno in cui sono nato;
   il giorno in cui mia madre mi partorì
   non sia mai benedetto!
¹⁵ Maledetto l'uomo
   che portò a mio padre la lieta notizia,
   dicendo:
   «Ti è nato un figlio maschio»,
   riempiendolo di gioia.
¹⁶ Quell'uomo sia come le città
   che il Signore ha distrutto
   senza compassione;
   possa egli sentire grida di lamento
   al mattino
   e clamori di guerra a mezzogiorno.
¹⁷ Perché non mi ha fatto morire nel seno?
   Mia madre sarebbe stata per me
   la mia tomba
   e il suo grembo gravido per sempre.
¹⁸ Perché sono uscito dal seno materno?
   Per vedere affanno e amarezza
   e terminare nella vergogna i miei giorni?

---

20. - 14-18. Parole forti e piuttosto dure che lasciano intravedere la profonda sofferenza del profeta, chiamato a compiere una missione non cercata, che gli causava solo abbandono, inimicizie da parte di tutti e sofferenze di ogni genere, sia morali che fisiche. Inoltre esse mettono a nudo tutta la debolezza umana, ancora ignara della retribuzione d'oltretomba e del valore immenso della sofferenza.

LA RISPOSTA
AGLI INVIATI DEL RE SEDECIA

21 ¹Questa è la parola che fu rivolta a Geremia da parte del Signore, quando il re Sedecia inviò a lui Pascur, figlio di Malchia, e il sacerdote Sofonia, figlio di Maasia, a dirgli: ²«Consulta per noi il Signore, poiché Nabucodonosor, re di Babilonia, combatte contro di noi. Forse il Signore compirà a nostro vantaggio qualcuno dei suoi prodigi ed egli si allontanerà da noi».

³Geremia rispose loro: «Riferite a Sedecia: ⁴Così dice il Signore, Dio d'Israele: Ecco, io farò indietreggiare gli strumenti di guerra che sono nelle vostre mani, con i quali combattete il re di Babilonia e i Caldei, che vi stanno assediando fuori delle mura, e li radunerò in mezzo a questa città. ⁵Io poi combatterò contro di voi con mano tesa e con braccio potente, con ira, furore e grande indignazione. ⁶Percuoterò gli abitanti di questa città, uomini e bestie, con una grave peste ed essi morranno. ⁷Dopo ciò, oracolo del Signore, consegnerò Sedecia, re di Giuda, i suoi ministri e tutto il popolo e quelli che in questa città scampano alla peste, alla spada e alla fame, in potere di Nabucodonosor, re di Babilonia, in potere dei loro nemici e in potere di quanti attentano alla loro vita. Egli li percuoterà a fil di spada: non li risparmierà, non perdonerà né avrà misericordia di loro. ⁸A questo popolo, poi, dirai: Così dice il Signore: Ecco, io pongo dinanzi a voi la via della vita e la via della morte. ⁹Chi resterà in questa città morirà di spada, di fame e di peste; ma chi esce e si consegnerà ai Caldei che vi stanno assediando, vivrà e avrà, come suo bottino, la propria vita. ¹⁰Sì, io ho rivolto il mio sguardo contro questa città per la sventura e non per la felicità, oracolo del Signore. Essa verrà consegnata in potere del re di Babilonia, che l'incendierà con il fuoco».

¹¹ Alla casa del re di Giuda dirai:
    «Ascoltate la parola del Signore,
¹² casa di Davide! Così dice il Signore:
    Giudicate rettamente ogni mattina
    e liberate l'oppresso dalla mano
        dell'oppressore,
    affinché non divampi, come fuoco,
        la mia ira

e arda, senza che alcuno la possa
        spegnere,
    a causa della malvagità delle vostre
        azioni.
¹³ Eccomi a te, o abitante della valle,
    o rupe nella pianura,
    oracolo del Signore.
    Voi dite: Chi scenderà contro di noi
    e chi entrerà nelle nostre dimore?
¹⁴ Io vi punirò secondo il frutto
        delle vostre azioni,
    oracolo del Signore,
    e accenderò un fuoco nella sua foresta,
    che divorerà tutti i suoi dintorni».

ORACOLI
CONTRO DIVERSI RE DI GIUDA

22 ¹Così dice il Signore: «Scendi nella casa del re di Giuda e là proclama questa parola. ²Dirai: Ascolta la parola del Signore, o re di Giuda che siedi sul trono di Davide, tu, i tuoi ministri e tutto il popolo che entrano da queste porte. ³Così dice il Signore: Agite con rettitudine e giustizia e liberate l'oppresso dalla mano dell'oppressore; non angariate e non opprimete il forestiero, l'orfano e la vedova; non spargete sangue innocente in questo luogo. ⁴Poiché se voi metterete in pratica questa parola, allora entreranno dalle porte di questa casa i re che siedono in luogo di Davide sul suo trono, che cavalcano carri e cavalli, essi, i loro ministri e il loro popolo. ⁵Ma se non ascolterete questa parola, io giuro per me stesso, oracolo del Signore, che questa casa sarà data alla distruzione. ⁶Così dice il Signore contro la casa del re di Giuda:

Come Galaad tu sei per me,
come una vetta del Libano:
eppure io ti ridurrò a un deserto,
    a una città disabitata.
⁷ Convocherò alla guerra santa
        contro di te i distruttori,
    ognuno con le sue armi.
    Essi distruggeranno i tuoi cedri migliori
    e li getteranno nel fuoco.

⁸Molte nazioni passeranno attraverso questa città e diranno l'una all'altra: Perché ha agito così il Signore contro questa grande città?

Ger

⁹E risponderanno: Perché hanno abbandonato l'alleanza del Signore, Dio loro, si sono prostrati davanti ad altri dèi e li hanno adorati.

¹⁰ Non piangete sul morto
  né fate lamento per lui;
  piangete, piangete per chi parte,
  perché più non tornerà
  né rivedrà la sua terra nativa».

¹¹Sì, così dice il Signore a Sallum, figlio di Giosia, re di Giuda, che regna al posto di Giosia, suo padre: «Chi esce da questo luogo non vi tornerà più; ¹²ma nel luogo dove lo deporteranno, là morirà e non rivedrà più questa terra».

¹³ Guai a chi edifica la sua casa
  senza giustizia
  e i piani superiori senza diritto,
  che fa lavorare il suo prossimo
  per niente,
  senza retribuirgli il lavoro,
¹⁴ che dice: «Mi costruirò una casa spaziosa
  e camere ventilate»
  e vi apre finestre, le riveste di cedro
  e le pittura di rosso.
¹⁵ Pensi forse di agire da re perché gareggi
  con il cedro?
  Tuo padre forse non mangiava
  e beveva?
  Ma egli praticava il diritto e la giustizia,
  perciò ebbe prosperità.
¹⁶ Difendeva la causa del povero
  e del misero
  e tutto andava bene.
  Ciò non significa forse conoscermi?
  Oracolo del Signore.
¹⁷ Tu, invece, hai occhi e cuore solo
  per il guadagno,
  per versare sangue innocente
  e per operare oppressione e violenza.

¹⁸Perciò, così dice il Signore a Ioiakim, figlio di Giosia, re di Giuda:

  «Non faranno lamento per lui, dicendo:
  Ahi, fratello mio! Ahi, sorella mia!
  Non faranno lamento per lui, dicendo:
  Ahi, signore! Ahi, maestà!

¹⁹Lo seppelliranno come un asino, trascinandolo e gettandolo fuori delle porte di Gerusalemme».

²⁰ Sali sul Libano e grida,
  sul Basan rimbombi la tua voce;
  grida pure dagli Abarim,
  poiché tutti i tuoi amanti sono stati
  sterminati.
²¹ Ti ho parlato quando eri tranquilla;
  ma tu dicesti: «Non voglio ascoltare!».
  Tale fu la tua condotta fin dalla giovinezza:
  non hai ascoltato la mia voce.
²² Tutti i tuoi pastori li pascolerà il vento
  e i tuoi amanti andranno in prigionia.
  Allora arrossirai e sarai confusa
  a causa di tutte le tue malvagità.
²³ Tu che abiti nel Libano,
  che nidifichi tra i cedri,
  come gemerai quando ti coglieranno
  le doglie,
  doglie di partoriente!

²⁴Per la mia vita, oracolo del Signore, anche se Conia, figlio di Ioiakim, re di Giuda, fosse un anello nella mia mano destra, io me lo strapperei! ²⁵Io ti consegnerò in potere di chi attenta alla tua vita e in potere di coloro dinanzi ai quali hai spavento, cioè di Nabucodonosor, re di Babilonia, e in potere dei Caldei. ²⁶Io scaglierò te e tua madre, che ti ha generato, in una terra straniera dove non sei nato e là morrai. ²⁷Quanto, poi, al paese dove essi desiderano ardentemente di ritornare, non vi torneranno. ²⁸È forse un vaso spregevole da essere spezzato questo Conia, o uno strumento senza alcun valore? Perché sono dunque scacciati, lui e la sua discendenza, e gettati in un paese che non conoscono?

²⁹ Terra, terra, terra:
  ascolta la parola del Signore!
³⁰ Così dice il Signore:
  «Scrivete che quest'uomo è senza figli,
  è un uomo che non ha avuto successo
  nella sua vita:
  nessuno della sua discendenza
  prospererà,
  nessuno siederà più sul trono di Davide
  né dominerà più in Giuda».

IL FUTURO RE-PASTORE E GLI ORACOLI CONTRO I PROFETI

23 ¹Guai ai pastori che fanno perire e disperdono il gregge del mio pascolo, oracolo del Signore. ²Perciò, così dice il

Signore, Dio di Israele, contro i pastori che pascolano il mio popolo: «Voi avete disperso il mio gregge, l'avete scacciato e non ve ne siete preoccupati. Ecco, io mi preoccuperò di voi e della malvagità delle vostre azioni, oracolo del Signore. ³Quanto a me, io radunerò il resto del mio gregge da tutti i paesi dove li ho dispersi e li ricondurrò al loro pascolo, perché crescano e si moltiplichino. ⁴Susciterò poi su di esso pastori che li pascoleranno, così che non avranno più da temere né spaventarsi, e nessuno verrà a mancare. Oracolo del Signore.

⁵ Ecco, verranno giorni, oracolo
    del Signore,
  in cui io susciterò a Davide
    un germoglio giusto
  e regnerà quale re; sarà saggio
  ed eserciterà diritto e giustizia
    nel paese.
⁶ Ai suoi giorni sarà salvato Giuda
  e Israele vivrà tranquillo.
  Questo poi è il nome con cui
    sarà chiamato:
  Signore-nostra-giustizia.

⁷Perciò, ecco, verranno giorni, oracolo del Signore, nei quali non diranno più: Per la vita del Signore, che ha ricondotto i figli d'Israele dal paese di Egitto; ⁸bensì: Per la vita del Signore, che ha fatto uscire e ricondotto la discendenza della casa di Israele dal paese del settentrione e da tutti i paesi dove li aveva dispersi: essi dimoreranno ora nella loro terra».

⁹ Contro i profeti:
  «Si spezza il mio cuore dentro di me,
  si slogano tutte le mie ossa;
  sono divenuto come un uomo ubriaco
  e come un uomo sopraffatto dal vino,
  a causa del Signore
  e delle sue sante parole.
¹⁰ Sì, il paese è pieno di adùlteri;
  a causa della maledizione il paese
    è in lutto,
  si seccano i prati del deserto.

La loro corsa è perversa
  e la loro forza non è retta.
¹¹ Anche il profeta e il sacerdote
    sono divenuti empi;
  perfino nella mia casa trovo
    la loro malvagità.
  Oracolo del Signore.
¹² Perciò la loro strada sarà per essi
    come luogo sdrucciolevole.
  Nelle tenebre saranno dispersi
  e cadranno in esse,
  poiché manderò contro di loro
    la sventura
  nell'anno del loro castigo.
  Oracolo del Signore.
¹³ Tra i profeti di Samaria ho visto
    cose stolte:
  hanno profetizzato in nome di Baal
  e hanno traviato il mio popolo, Israele.
¹⁴ Tra i profeti di Gerusalemme ho visto
    cose nefande:
  commettono adulterio e camminano
    nella menzogna;
  rafforzano le mani dei malfattori,
  perché nessuno si converta
    dalla malvagità.
  Per me sono tutti come Sodoma
  e i suoi abitanti come Gomorra.
¹⁵ Perciò, così dice il Signore degli eserciti
    contro i profeti:
  Ecco, io vi nutrirò di assenzio
  e vi darò da bere acqua avvelenata,
  perché per colpa dei profeti
    di Gerusalemme
  si è sparsa l'empietà su tutto il paese.
¹⁶ Così dice il Signore degli eserciti:
  Non date ascolto alle parole dei profeti
  che vi profetizzano;
  essi vi fanno credere cose vane;
  vi annunziano visioni del loro cuore
  e non quanto viene da parte
    del Signore.
¹⁷ Essi dicono a chi mi disprezza:
  Ha detto il Signore: Voi avrete la salvezza,
  e a chiunque cammina nella durezza
    del proprio cuore dicono:
  Non verrà contro di voi la sventura.
¹⁸ Infatti, chi ha assistito al consiglio
    del Signore,
  chi l'ha visto e ha udito la sua parola?
  Chi ha fatto attenzione alla sua parola
  e l'ha compresa?
¹⁹ Ecco, la tempesta del Signore
  scoppia furiosa,

Ger

---

23. - 5. Questo discendente (*germoglio*) di Davide, fondatore di un regno di giustizia, vero *re*, non può essere Zorobabele (cfr. Esd 2,2, ecc.), che non fu re, ma sarà il Messia, la cui figura si va sovrapponendo nella mente del profeta a coloro che inizieranno la restaurazione del popolo dopo il ritorno da Babilonia.

una tempesta impetuosa si aggira
    sulla testa degli empi.
²⁰ Non si ritirerà l'ira del Signore,
    finché non abbia compiuto e realizzato
    i disegni del suo cuore.
    Al termine dei giorni lo comprenderete.
²¹ Io non ho inviato questi profeti,
    ma essi corrono;
    non ho parlato a loro, ma essi
    profetizzano.
²² Se avessero assistito al mio consiglio
    avrebbero annunziato la mia parola
        al mio popolo,
    l'avrebbero fatto desistere
        dalla sua condotta malvagia
    e dalla malvagità delle sue azioni.
²³ Sono io forse Dio soltanto da vicino,
        oracolo del Signore,
    e non anche Dio da lontano?
²⁴ Può forse uno nascondersi
        nei nascondigli
    senza che io lo veda?
    Oracolo del Signore.
    Forse che i cieli e la terra
        non li riempio io?
    Oracolo del Signore.

²⁵Ho inteso ciò che hanno detto questi profeti che profetizzano in nome mio menzogne, dicendo: Ho avuto un sogno! Ho avuto un sogno! ²⁶Fino a quando ciò dovrà durare nel cuore di questi profeti che profetizzano la menzogna e profetizzano l'inganno del loro cuore? ²⁷Essi pensano di far dimenticare al mio popolo il mio nome con i loro sogni, che si raccontano l'un l'altro, come i loro padri hanno dimenticato il mio nome per Baal! ²⁸Il profeta che ha avuto un sogno, racconti un sogno, e chi ha avuto la mia parola annunzi la mia parola con verità.

Che cosa ha in comune la paglia
    con il frumento?
Oracolo del Signore.
²⁹Non è forse la mia parola come il fuoco,
        oracolo del Signore,
    e come un martello che spezza la roccia?

³⁰Perciò, eccomi contro questi profeti, oracolo del Signore, che rubano le mie parole l'uno all'altro. ³¹Eccomi contro questi profeti, oracolo del Signore, che muovono la loro lingua per proferire oracoli. ³²Eccomi contro i profeti di sogni menzogneri, oracolo del

Signore. Li raccontano e fanno deviare il mio popolo con le loro menzogne e le loro millanterie, mentre io non li ho inviati, né ho dato loro ordini, né sono di alcuna utilità per questo popolo. Oracolo del Signore.
³³Se, pertanto, questo popolo o un profeta o un sacerdote ti domanderà: Qual è l'incarico del Signore?, tu risponderai: Voi siete il carico e io vi rigetterò! Oracolo del Signore. ³⁴Se poi il profeta o il sacerdote o la gente dirà: Incarico del Signore!, io punirò quell'individuo e la sua casa. ³⁵Così direte l'uno all'altro e ognuno al proprio fratello: Che cosa ha risposto il Signore e che cosa ha detto il Signore? ³⁶Ma voi non farete più menzione del carico del Signore, altrimenti per ciascuno la sua stessa parola sarà un carico e pervertirete le parole del Dio vivente, Signore degli eserciti, Dio nostro. ³⁷Così si dirà al profeta: Che cosa ti ha risposto il Signore e qual è la sua parola? ³⁸Ma se direte: Incarico del Signore, allora così dice il Signore: Poiché ripetete questa parola: Incarico del Signore, mentre io vi avevo ordinato di non dire più: Incarico del Signore, ³⁹ecco, proprio per questo, io mi dimenticherò di voi e getterò lontano da me voi e la città che ho dato a voi e ai vostri padri, ⁴⁰e vi renderò una ignominia perpetua e una vergogna che non si dimentica».

I DUE CESTI DI FICHI: SIMBOLO E SPIEGAZIONE

24 ¹Il Signore mi fece vedere due cesti di fichi collocati dinanzi al tempio del Signore, dopo che Nabucodonosor, re di Babilonia, aveva deportato da Gerusalemme Ieconia, figlio di Ioiakim, re di Giuda, e i capi di Giuda, i fabbri e gli artigiani e li aveva condotti in Babilonia. ²Il primo cesto conteneva fichi molto buoni, come i fichi primaticci, mentre il secondo cesto conteneva fichi molto cattivi, immangiabili, da quanto erano cattivi.
³Allora il Signore mi disse: «Che cosa vedi, Geremia?». Io risposi: «Dei fichi. Fichi ottimi e fichi pessimi, immangiabili, da

---

33-40. Il brano gioca sul doppio senso della parola ebraica *massa'* che può significare *oracolo* e anche *carico* o incarico. Perciò a chi domanda ironicamente al profeta: «Qual è l'*oracolo* del Signore?», il profeta risponde: «Siete voi il *carico* del Signore», cioè il peso che egli si scrollerà di dosso e getterà lontano da sé.

quanto sono cattivi!». [4]Allora mi fu rivolta questa parola del Signore: [5]«Così dice il Signore, Dio d'Israele: Come si ha cura di questi fichi buoni, così io avrò cura dei deportati di Giuda che ho scacciato da questo luogo nel paese dei Caldei, per il loro bene. [6]Io poserò il mio occhio sopra di essi per il loro bene e li ricondurrò in questo paese; li stabilirò e non li demolirò, li pianterò e non li sradicherò più. [7]Darò loro un cuore per conoscermi, perché io sono il Signore; essi saranno per me il mio popolo e io sarò per essi il loro Dio, perché ritorneranno a me con tutto il cuore. [8]Ma come si trattano i fichi cattivi, immangiabili, da quanto sono cattivi – così dice il Signore –, allo stesso modo io tratterò Sedecia, re di Giuda, e i suoi prìncipi e il resto di Gerusalemme che rimarrà in questo paese e coloro che abitano nel paese di Egitto. [9]Li renderò oggetto di spavento per tutti i regni della terra, un obbrobrio e un proverbio, una beffa e una maledizione in tutti i luoghi dove li avrò dispersi. [10]Io invierò contro di loro la spada, la fame e la peste fino a sterminarli dalla terra che io ho dato loro e ai loro padri».

PROFEZIA DEI SETTANT'ANNI DI ESILIO

25 [1]Questa è la parola che fu indirizzata a Geremia riguardo a tutto il popolo di Giuda, nell'anno quarto di Ioiakìm, figlio di Giosia, re di Giuda – cioè l'anno primo di Nabucodònosor, re di Babilonia –, [2]quella che il profeta Geremia rivolse a tutto il popolo di Giuda e a tutti gli abitanti di Gerusalemme, dicendo: [3]«Dall'anno tredicesimo di Giosia, figlio di Amon, re di Giuda, fino a questo giorno, sono ventitré anni che mi è stata rivolta la parola del Signore e io ho parlato a voi sollecitamente e incessantemente, ma non avete ascoltato. [4]Il Signore ha inviato a voi tutti i suoi servi, i profeti, con premura, ma non avete ascoltato, né avete prestato orecchio per ascoltare. [5]Essi dicevano: Ritornate ciascuno dalla vostra via malvagia e dalla malvagità delle vostre azioni e abiterete nella terra che il Signore ha dato a voi e ai vostri padri da sempre e per sempre. [6]Non seguite altri dèi per servirli e adorarli e non mi irritate con l'opera delle vostre mani e io non vi danneggerò. [7]Ma non mi avete ascoltato, oracolo del Signore, facendomi indignare a causa dell'opera delle vostre mani, per vostra sventura. [8]Perciò, così dice il Signore degli eserciti: Siccome non avete ascoltato la mia parola, [9]ecco, io manderò a prendere tutte le genti del settentrione, oracolo del Signore, cioè Nabucodònosor, re di Babilonia, mio servo, e le porterò contro questo paese e contro i suoi abitanti e contro tutte queste nazioni all'intorno; li voterò allo sterminio e li renderò una desolazione, uno scherno e una rovina perpetua. [10]Io farò cessare da loro le voci di gioia e le voci di allegria, la voce dello sposo e la voce della sposa, il rumore della mola e la luce della lampada. [11]Tutto questo paese sarà una rovina e una desolazione e quelle nazioni serviranno il re di Babilonia per settant'anni. [12]Compiuti i settant'anni, io punirò il re di Babilonia e quella nazione, oracolo del Signore, per la loro iniquità; punirò il paese dei Caldei e lo ridurrò a devastazione perpetua. [13]Io, dunque, adempirò contro quel paese tutte le mie parole che ho pronunciato contro di esso, tutto ciò che è scritto in questo libro e che Geremia ha profetizzato contro tutte le nazioni. [14]Sì, potenti nazioni e re grandi sottometteranno anche queste, e così io le ripagherò secondo le loro azioni e secondo le opere delle loro mani».

[15]Così, infatti, mi disse il Signore, Dio d'Israele: «Prendi dalla mia mano questa coppa di vino della mia ira e falla bere a tutte le nazioni alle quali io ti invierò. [16]Esse berranno, vacilleranno e impazziranno di fronte alla spada che io sfodererò in mezzo a loro». [17]Allora presi la coppa dalla mano del Signore e la feci bere a tutte le nazioni alle quali il Signore mi aveva mandato: [18]a Gerusalemme e alle città di Giuda, ai suoi re e ai suoi prìncipi, per ridurli a una rovina, a una desolazione, a un obbrobrio e a una maledizione, come avviene ancora oggi; [19]al Faraone, re di Egitto, ai suoi ministri, ai suoi prìncipi e a tutto il suo popolo; [20]alla gente di ogni razza e a tutti i re del paese di Uz, a tutti i re del paese dei Filistei, cioè ad Ascalon, a Gaza, ad Accaron e al resto di Asdod; [21]a Edom, a

---

25. - 9. *Mio servo:* in quanto strumento di Dio. È la prima chiara profezia dell'invasione dei Babilonesi con i loro alleati.
11. *Settant'anni:* è il periodo, in cifra tonda, dell'egemonia babilonese sul Medio Oriente e su Giuda in particolare. Nel 539 a.C. Ciro occupa Babilonia.

Moab e ai figli di Ammon; ²²a tutti i re di Tiro, ai re di Sidone e ai re dell'isola che è al di là del mare; ²³a Dedan, a Tema, a Buz e a tutti quelli che hanno il capo rasato; ²⁴a tutti i re di Arabia e a tutti i re della popolazione che abita nel deserto; ²⁵a tutti i re di Zimri, a tutti i re di Elam e a tutti i re della Media; ²⁶a tutti i re del settentrione, vicini e lontani, agli uni e agli altri e a tutti i regni che sono sulla superficie della terra. Il re di Sesach berrà dopo di essi.

²⁷Tu, dunque, dirai loro: «Così dice il Signore degli eserciti, Dio di Israele: Bevete, ubriacatevi, vomitate e cadete senza più rialzarvi davanti alla spada che io sfodererò in mezzo a voi. ²⁸Se poi qualcuno rifiuta di prendere la coppa dalla tua mano per bere, tu dirai loro: Così dice il Signore degli eserciti: Dovete bere! ²⁹Se nella città sulla quale è stato invocato il mio nome io comincio a portare sventura, voi resterete impuniti? Non resterete impuniti, perché io chiamerò la spada contro tutti gli abitanti del paese. Oracolo del Signore degli eserciti.

³⁰Quanto a te, dovrai profetizzare loro tutte queste parole. Dirai loro:

Il Signore dall'alto ruggisce
e dalla sua santa dimora fa udire
   la sua voce.
Ruggisce minaccioso contro
   la sua prateria,
intona il canto gioioso dei pigiatori d'uva
contro tutti gli abitanti del paese.
³¹ L'eco risuona sino ai confini della terra,
poiché il Signore intenta causa
   contro le nazioni,
   entra in giudizio con ogni uomo
   e consegnerà gli empi alla spada,
   oracolo del Signore.
³² Così dice il Signore degli eserciti:
Ecco, la sventura si estende
   da nazione a nazione,
perché un grande turbine si leva
dalle estremità della terra».

³³In quel giorno i colpiti dal Signore saranno da una estremità all'altra della terra; non saranno compianti, né saranno raccolti, né saranno seppelliti; ma saranno come letame sulla superficie della terra.

³⁴ Urlate, pastori, gridate,
   rotolatevi nella polvere, capi del gregge,

perché è giunto per voi il giorno
   del macello;
per tutto ciò che avete disperso,
voi cadrete come vaso prescelto.
³⁵ È scomparso il rifugio dei pastori
e lo scampo per i capi del gregge.
³⁶ Si ode il grido dei pastori
e l'urlo dei capi del gregge,
poiché il Signore sta distruggendo
   il suo pascolo.
³⁷ Sono sconvolti i prati tranquilli
di fronte all'ardente ira del Signore.
³⁸ Ha lasciato come leone la sua tana,
perché la loro terra è divenuta
   una desolazione
per l'incendio devastatore,
per l'ardore della sua ira.

IL DISCORSO SUL TEMPIO E L'ARRESTO DI GEREMIA

26 ¹All'inizio del regno di Ioiakim, figlio di Giosia, re di Giuda, il Signore rivolse a Geremia questa parola: ²«Così dice il Signore: Mettiti nell'atrio del tempio del Signore e riferisci a tutte le città di Giuda, che vengono ad adorare nel tempio del Signore, tutte le parole che ti ho comandato di annunziare loro; non tralasciare nemmeno una parola. ³Forse ti ascolteranno e si convertiranno dalla loro condotta malvagia e io mi pentirò della sventura che sto meditando di recare loro a causa della malvagità delle loro azioni. ⁴Dirai loro: Così dice il Signore: Se non mi darete ascolto e non camminerete secondo la legge che ho posto dinanzi a voi, ⁵obbedendo alle parole dei miei servi, i profeti, che io vi ho inviato con premura e sollecitudine, se non li ascolterete, ⁶allora renderò questo tempio come Silo e renderò questa città una maledizione fra tutte le nazioni della terra».

⁷I sacerdoti, i profeti e tutto il popolo udirono Geremia che proferiva queste parole nel tempio del Signore. ⁸Quando Geremia ebbe terminato di dire quanto il Signore gli aveva ordinato di riferire a tutto il popolo, i sacerdoti, i profeti e tutto il popolo lo arrestarono dicendo: «Devi morire! ⁹Perché profetizzi nel nome del Signore: Questo

---

26. *Il re di Sesac* è il re di Babilonia, come in 51,41.

tempio sarà come Silo e questa città sarà distrutta e senza abitanti?». Tutto il popolo si radunò attorno a Geremia nel tempio del Signore. [10]Quando i capi di Giuda udirono queste parole, salirono dalla reggia al tempio del Signore e si sedettero all'ingresso della Porta Nuova del tempio del Signore.

[11]Allora i sacerdoti e i profeti dissero ai capi e a tutto il popolo: «Quest'uomo merita una sentenza di morte, perché ha profetizzato contro questa città, come voi avete sentito con i vostri orecchi».

[12]Geremia rispose a tutti i capi e a tutto il popolo: «Il Signore mi ha inviato a profetizzare contro questo tempio e contro questa città tutto ciò che avete ascoltato. [13]Ma ora migliorate la vostra condotta e le vostre azioni e ascoltate la voce del Signore Dio vostro, e il Signore si pentirà della sventura che ha pronunciato contro di voi.

[14]Quanto a me, eccomi nelle vostre mani; fate di me quello che è meglio e più giusto ai vostri occhi. [15]Soltanto sappiate bene che, se mi fate morire, voi spargerete sangue innocente su voi stessi, su questa città e sui suoi abitanti, poiché veramente il Signore mi ha inviato contro di voi a proferire ai vostri orecchi tutte queste parole».

[16]Allora i capi e tutto il popolo dissero ai sacerdoti e ai profeti: «Non ci dev'essere per quest'uomo sentenza di morte, perché egli ci ha parlato nel nome del Signore, Dio nostro». [17]Quindi si alzarono alcuni degli anziani del paese e dissero a tutta l'assemblea del popolo: [18]«Michea, il Morastita, stava profetizzando ai giorni di Ezechia, re di Giuda, e disse a tutto il popolo di Giuda:

Così dice il Signore degli eserciti:
Sion sarà arata come un campo,
Gerusalemme diverrà un cumulo
    di rovine
e il monte del tempio un'altura boscosa!

[19]Lo fece forse condannare a morte Ezechia, re di Giuda, insieme a tutto Giuda? Non temette piuttosto il Signore e non placò il volto del Signore, così che il Signore si pentì della sventura che aveva preannunziato contro di loro? Noi, invece, stiamo compiendo un crimine enorme a nostro danno».

[20]Ci fu anche un altro uomo che profetizzava nel nome del Signore, Uria, figlio di Semaia, da Kiriat-Iearim; egli profetizzò contro questa città e contro questo paese, perfettamente come Geremia. [21]Il re Ioiakim ascoltò, insieme a tutti i suoi ufficiali e a tutti i capi, le sue parole e cercò di metterlo a morte, ma Uria, venutolo a sapere, ebbe timore e fuggì andandosene in Egitto. [22]Allora il re Ioiakim inviò degli uomini in Egitto, Elnatan, figlio di Acbor, e altri con lui. [23]Costoro fecero uscire Uria dall'Egitto e lo ricondussero al re Ioiakim, che lo fece uccidere di spada e poi gettò il suo cadavere fra le tombe dei figli del popolo.

[24]Allora la mano di Achikam, figlio di Safan, fu a favore di Geremia, affinché non lo consegnassero in potere del popolo per farlo morire.

IL SIMBOLO DEL GIOGO

27 [1]All'inizio del regno di Sedecia, figlio di Giosia, re di Giuda, questa parola fu rivolta a Geremia da parte del Signore: [2]«Così mi ha detto il Signore: Procurati delle corde e un giogo che imporrai sul collo. [3]Poi invia un messaggio al re di Edom, al re di Moab, al re dei figli di Ammon, al re di Tiro e al re di Sidone, per mezzo degli ambasciatori venuti a Gerusalemme, presso Sedecia, re di Giuda. [4]Incaricali di dire ai loro signori: Così dice il Signore degli eserciti, Dio di Israele: Questo direte ai vostri signori: [5]Io ho fatto la terra, l'uomo e il bestiame che è sulla superficie della terra, con la mia grande potenza e con il mio braccio teso, e l'ho data a chi sembrò bene ai miei occhi. [6]E ora io ho consegnato tutti questi paesi in potere di Nabucodonosor, re di Babilonia, mio servo; a lui ho consegnato perfino le bestie selvatiche, perché lo servano. [7]Tutte le nazioni saranno soggette a lui, a suo figlio e al figlio di suo figlio, finché non verrà il tempo anche per il suo paese. Allora lo assoggetteranno potenti nazioni e grandi re. [8]La nazione o quel regno che non vorrà assoggettarsi a lui, cioè a Nabucodonosor, re di Babilonia, o non vorrà porre il suo collo sotto il giogo del re di Babilonia, io li punirò con la spada, con la fame e con la peste, oracolo del Signore, finché non li avrò distrutti per mezzo suo. [9]Voi, perciò, non date ascolto ai vostri profeti, ai vostri indovini, ai vostri sognatori, ai vostri maghi

Ger

e ai vostri stregoni, a coloro che vi dicono: Non assoggettatevi al re di Babilonia. ¹⁰Sì, essi vi profetizzano menzogne per farvi allontanare dalla vostra terra; così io vi disperderò e andrete in rovina. ¹¹Ma quella nazione che porrà il collo sotto il giogo del re di Babilonia e gli si assoggetterà, io la farò riposare nella sua terra, oracolo del Signore, la lavorerà e l'abiterà».

¹²A Sedecia, re di Giuda, io ho parlato nei medesimi termini, dicendogli: «Sottoponete il vostro collo al giogo del re di Babilonia e servite lui e il suo popolo: così vivrete. ¹³Perché vorreste morire di spada, di fame e di peste tu e il tuo popolo, come ha preannunziato il Signore contro quella nazione che non vuole assoggettarsi al re di Babilonia? ¹⁴Non ascoltate le parole dei profeti che vi dicono: Non servite il re di Babilonia, poiché essi vi profetizzano menzogne. ¹⁵Sì, io non li ho inviati, oracolo del Signore, ma essi profetizzano in mio nome per la menzogna; perciò io sarò costretto a disperdervi e perirete voi e quei profeti che vi fanno tali profezie».

¹⁶Ai sacerdoti e a tutto questo popolo ho detto: «Così dice il Signore: Non ascoltate le parole dei vostri profeti che vi fanno profezie dicendo: Ecco, gli arredi del tempio del Signore saranno subito riportati da Babilonia, poiché essi vi profetizzano menzogne. ¹⁷Non date loro ascolto! Assoggettatevi piuttosto al re di Babilonia e vivrete! Perché questa città dovrebbe divenire una rovina? ¹⁸Se essi fossero profeti e se la parola del Signore fosse con loro, intercederebbero presso il Signore degli eserciti, affinché gli arredi rimasti nel tempio del Signore e nella casa del re di Giuda e in Gerusalemme non vadano a Babilonia».

¹⁹Intanto così dice il Signore degli eserciti, riguardo alle colonne, al mare di bronzo, alle basi e al resto degli arredi lasciati in questa città, ²⁰che Nabucodonosor, re di Babilonia, non ha asportato quando deportò Ieconia, figlio di Ioiakim, re di Giuda, da Gerusalemme. ²¹Dice dunque il Signore degli eserciti, Dio di Israele, riguardo agli arredi lasciati nel tempio del Signore e nella casa del re di Giuda e in Gerusalemme: ²²«Saranno portati in Babilonia e là resteranno fino al giorno in cui me ne occuperò, oracolo del Signore, e li farò tornare indietro e li riporrò in questo luogo».

GEREMIA E IL FALSO PROFETA ANANIA

28 ¹In quello stesso anno, all'inizio del regno di Sedecia, re di Giuda, nell'anno quarto, nel mese quinto, Anania, figlio di Azzur, profeta di Gabaon, mi riferì nel tempio del Signore, sotto gli occhi dei sacerdoti e di tutto il popolo: ²«Così dice il Signore degli eserciti, Dio d'Israele: Io spezzerò il giogo del re di Babilonia. ³Ancora due anni di tempo e farò riporre in questo luogo tutti gli arredi del tempio del Signore, che Nabucodonosor, re di Babilonia, prese da questo luogo e portò a Babilonia. ⁴Farò ritornare in questo luogo, oracolo del Signore, anche Ieconia, figlio di Ioiakim, re di Giuda, e tutti i deportati di Giuda che sono andati a Babilonia, poiché io spezzerò il giogo del re di Babilonia». ⁵Allora il profeta Geremia rispose al profeta Anania, sotto gli occhi dei sacerdoti e sotto gli occhi di tutto il popolo che stavano presso il tempio del Signore. ⁶Il profeta Geremia disse: «Amen! Così faccia il Signore! Egli realizzi le parole che tu hai proferito, facendo ritornare gli arredi nel tempio del Signore e tutti i deportati da Babilonia in questo luogo. ⁷Soltanto ascolta questa parola che io sto per dire ai tuoi orecchi e agli orecchi di tutto il popolo. ⁸I profeti che furono prima di me e prima di te, fin dai tempi antichi, hanno profetizzato contro molti paesi e regni potenti, guerra, fame e peste. ⁹Il profeta che profetizza la pace, quando si avvera la sua parola, allora è riconosciuto come profeta che il Signore ha veramente inviato». ¹⁰Allora il profeta Anania, preso il giogo dal collo del profeta Geremia, lo spezzò. ¹¹Poi Anania, alla presenza di tutto il popolo, disse: «Così dice il Signore: Allo stesso modo io spezzerò il giogo di Nabucodonosor, re di Babilonia, entro due anni, sul collo di tutte le nazioni». Geremia se ne andò per la sua strada.

¹²Dopo che il profeta Anania ebbe spezzato il giogo dal collo del profeta Geremia, la parola del Signore fu rivolta a Geremia: ¹³«Va' e riferisci ad Anania: Così dice il Signore: Tu hai spezzato un giogo di legno, ma io farò al suo posto un giogo di ferro. ¹⁴Sì, così dice il Signore degli eserciti, Dio d'Israele: Un giogo di ferro io metterò sul collo di tutte

queste nazioni, perché siano soggette a Nabucodonosor, re di Babilonia; a lui ho consegnato perfino le bestie selvatiche». ¹⁵Quindi il profeta Geremia disse al profeta Anania: «Ascolta, Anania: Il Signore non ti ha inviato e tu hai fatto sperare questo popolo nella menzogna. ¹⁶Perciò, così dice il Signore: Ecco, io ti caccerò dalla faccia della terra. Questo stesso anno morrai, perché hai predicato la ribellione contro il Signore». ¹⁷Il profeta Anania morì in quello stesso anno, nel mese settimo.

GEREMIA SCRIVE AGLI ESULI

29 ¹Queste sono le parole della lettera che il profeta Geremia inviò da Gerusalemme al resto degli anziani deportati, ai sacerdoti, ai profeti e a tutto il popolo che Nabucodonosor aveva deportato da Gerusalemme a Babilonia, ²dopo la partenza da Gerusalemme del re Ieconia, della regina, degli eunuchi, dei capi di Giuda e di Gerusalemme, dei fabbri e degli artigiani. ³La mandò per mezzo di Elasa, figlio di Safan, e di Ghemaria, figlio di Chelkia, che Sedecia, re di Giuda, aveva inviato a Nabucodonosor, re di Babilonia, in Babilonia.

Essa diceva: ⁴«Così dice il Signore degli eserciti, Dio d'Israele, a tutti i deportati che ho fatto esiliare da Gerusalemme in Babilonia. ⁵Costruite case e abitatele; piantate orti e mangiate i loro frutti; ⁶prendete mogli e generate figli e figlie; prendete mogli per i vostri figli e maritate le vostre figlie, affinché generiate figli e figlie; là crescete e non diminuite! ⁷Cercate il benessere della città dove vi ho deportato e pregate per essa il Signore, poiché attraverso il suo benessere verrà anche a voi la prosperità.

⁸Così dice il Signore degli eserciti, Dio d'Israele: Non vi seducano i profeti che sono in mezzo a voi e i vostri indovini; non date retta ai loro sogni, ⁹poiché essi profetizzano menzogne nel mio nome: io non li ho inviati, oracolo del Signore.

¹⁰Così, infatti, dice il Signore: Soltanto quando saranno compiuti settant'anni per Babilonia io vi visiterò e realizzerò per voi le mie promesse, ricoducendovi in questo luogo. ¹¹Io, infatti, conosco i miei progetti su di voi, oracolo del Signore, progetti di pace e non di sventura, per concedervi un futuro pieno di speranza. ¹²Voi mi invocherete, camminerete dietro di me, mi pregherete e io vi ascolterò; ¹³mi cercherete e mi troverete, poiché mi consulterete con tutto il vostro cuore. ¹⁴Io mi farò trovare da voi, oracolo del Signore, ricondurrò i vostri deportati e vi radunerò da tutte le nazioni e da tutti i luoghi dove io vi ho disperso, oracolo del Signore, e vi farò ritornare al luogo dal quale vi ho fatto deportare. ¹⁵Voi dite: Il Signore ci ha suscitato dei profeti in Babilonia. ¹⁶Ma così dice il Signore al re che siede sul trono di Davide e a tutto il popolo che abita in questa città, ai vostri fratelli che non sono stati deportati insieme con voi: ¹⁷Così dice il Signore degli eserciti: Ecco, io invio contro di loro la spada, la fame e la peste e li renderò come fichi marci, immangiabili, da quanto sono cattivi. ¹⁸Io li inseguirò con la spada, con la fame e con la peste e li farò oggetto di orrore dinanzi a tutti i regni della terra, oggetto di esecrazione, di stupore, di scherno e di obbrobrio in mezzo a tutte le nazioni dove li disperderò, ¹⁹perché non hanno ascoltato le mie parole, oracolo del Signore, quando ho inviato loro i miei servi, i profeti, con premura e sollecitudine, ma essi non li hanno ascoltati, oracolo del Signore. ²⁰Voi, però, ascoltate la parola del Signore, o deportati tutti, che io ho mandato da Gerusalemme a Babilonia. ²¹Così dice il Signore degli eserciti, Dio d'Israele, ad Acab, figlio di Kolaia, e a Sedecia, figlio di Maasia, che vi profetizzano menzogne nel mio nome: Ecco, io li do in potere di Nabucodonosor, re di Babilonia, che li ucciderà sotto i vostri occhi. ²²Da essi si trarrà una formula di maledizione che useranno tutti i deportati di Giuda in Babilonia: Il Signore ti tratti come Sedecia e come Acab, che il re di Babilonia fece arrostire sul fuoco! ²³Ciò è avvenuto perché essi hanno compiuto cose nefande in Israele, hanno commesso adulterio con le mogli del loro prossimo e hanno proferito parole menzognere nel mio nome, senza che io li mandassi. Io lo so bene e ne sono testimone, oracolo del Signore».

²⁴A Semaia, il Nechelamita, dirai così: ²⁵«Così dice il Signore degli eserciti, Dio d'Israele: Tu hai mandato a tuo nome lettere a tutto il popolo che è in Gerusalemme, al sacerdote Sofonia, figlio di Maasia, e a tutti i sacerdoti dicendo: ²⁶Il Signore ti ha costituito

Ger

sacerdote al posto del sacerdote Ioiada, come responsabile del tempio del Signore, per mettere in ceppi e catene ogni esaltato che vuole fare il profeta. [27]Orbene, perché non sei intervenuto contro Geremia di Anatot, che profetizza tra di voi? [28]Infatti egli ci ha inviato una lettera in Babilonia in cui dice: Durerà ancora a lungo! Costruite case e abitatele, piantate giardini e mangiatene i frutti». [29]Il sacerdote Sofonia lesse questa lettera alla presenza del profeta Geremia. [30]Allora fu rivolta a Geremia questa parola del Signore: [31]«Manda a dire a tutti i deportati: Così dice il Signore a Semaia, il Nechelamita: Poiché Semaia ha profetizzato a voi, mentre io non l'ho inviato, e vi ha fatto confidare nella menzogna, [32]per questo dice il Signore: Ecco, io punirò Semaia, il Nechelamita, e la sua stirpe: non avrà un discendente che viva in mezzo a questo popolo e non godrà della prosperità che io accorderò al mio popolo, oracolo del Signore, perché ha predicato la ribellione contro il Signore».

RESTAURAZIONE D'ISRAELE

30 [1]Questa è la parola che il Signore rivolse a Geremia: [2]«Così dice il Signore, Dio d'Israele: Scrivi tutte queste cose che io ti ho detto in un libro, [3]perché, ecco, verranno giorni, oracolo del Signore, nei quali io cambierò la sorte del mio popolo, Israele e Giuda, dice il Signore, perché li ricondurrò nel paese che io diedi ai loro padri e ne prenderanno possesso». [4]Queste sono le parole che il Signore rivolse a Israele e a Giuda:

[5] «Così dice il Signore:
Grida di paura abbiamo udito,
di spavento e non di pace.
[6] Informatevi e considerate
se un maschio può partorire!
Perché mai vedo tutti gli uomini
con le mani sui fianchi come
una partoriente?
Perché ogni viso è stravolto, impallidito?
[7] Ohimè, quanto grande è quel giorno
e senza pari!
Esso sarà tempo di angustia
per Giacobbe,
tuttavia egli ne uscirà salvato!

[8]In quel giorno, oracolo del Signore degli eserciti, frantumerò il giogo dal suo collo e spezzerò le sue catene, così che gli stranieri non lo rendano più schiavo; [9]essi serviranno il Signore, loro Dio, e Davide, loro re, che io susciterò per loro.

[10] E tu non temere, Giacobbe, mio servo,
oracolo del Signore.
Tu non spaventarti, Israele,
perché, ecco, io ti libero
dal paese lontano
e la tua discendenza dal paese
del suo esilio.
Ritornerà Giacobbe, vivrà tranquillo
e sicuro,
senza che alcuno lo disturbi.
[11] Sì, io sarò con te per salvarti,
oracolo del Signore.
Sterminerò tutte le nazioni
in mezzo alle quali ti ho disperso,
ma non distruggerò te;
ti castigherò con misura
e non ti lascerò impunito del tutto.
[12] Così, infatti, dice il Signore:
La tua ferita è inguaribile
e incurabile è la tua piaga.
[13] Non c'è chi giudica la tua causa,
per la tua piaga non hai medicine
che guariscano!
[14] Tutti i tuoi amanti ti hanno dimenticato,
e più non ti cercano,
perché ti ho colpito come colpisce
un nemico,
con un castigo spietato;
per la tua grande iniquità
si erano moltiplicati i tuoi peccati.
[15] Perché gridi per la tua ferita?
Inguaribile è il tuo dolore;
per la tua grande iniquità
si erano moltiplicati i tuoi peccati,
perciò io ho fatto queste cose contro
di te.
[16] Ma quanti ti divorano saranno divorati,
tutti i tuoi oppressori andranno
in schiavitù;
i tuoi saccheggiatori saranno
saccheggiati

---

30. - 1-4. È l'introduzione alle profezie di grande valore messianico contenute nei cc. 30-33, che Dio vuole scritte *in un libro* poiché sono per le generazioni future.

10. *Mio servo*: quest'appellativo, che s'incontra una volta sola in Geremia, mentre invece è comune in Isaia (cfr. 41,8-13), denota affetto e fiducia da parte di Dio.

e tutti i tuoi depredatori diverranno
   una preda.
¹⁷ Sì, io curerò la tua ferita
   e dalle tue piaghe ti guarirò.
   Oracolo del Signore.
   Sebbene ti chiamino la ripudiata, o Sion,
   e colei di cui nessuno si prende cura,
¹⁸ così dice il Signore:
   Ecco, io farò cessare l'esilio
      delle tende di Giacobbe
   e avrò compassione delle sue dimore.
   La città sarà ricostruita sulle sue rovine
   e il palazzo sorgerà di nuovo
      al suo posto.
¹⁹ Usciranno da essi lodi e voci festanti.
   Li farò moltiplicare e non diminuire,
   li onorerò e non saranno disprezzati.
²⁰ I suoi figli saranno come un tempo
   e la loro assemblea sarà stabile
      dinanzi a me,
   mentre punirò tutti i loro oppressori.
²¹ Il loro capo sarà uno di essi
   e il loro dominatore uscirà di mezzo
      ad essi;
   io lo farò avvicinare ed egli si accosterà
      a me.
   Chi, infatti, potrebbe dare in pegno
      la propria vita
   per avvicinarsi a me?
   Oracolo del Signore.
²² Voi sarete il mio popolo e io sarò
      il vostro Dio.
²³ Ecco, la tempesta del Signore scoppia
      furiosa,
   una tempesta impetuosa si aggira
   sulla testa degli empi.
²⁴ Non si ritirerà l'ardore dell'ira
      del Signore
   finché non abbia compiuto e realizzato
   i disegni del suo cuore.
   Al termine dei giorni lo comprenderete».

IL RITORNO DALL'ESILIO
E LA NUOVA ALLEANZA

31 ¹«In quel tempo,
      oracolo del Signore,
   io sarò Dio per tutte le famiglie d'Israele
   ed esse saranno il mio popolo».
² Così dice il Signore:
   «Ha trovato grazia nel deserto
   il popolo sfuggito alla spada;
   Israele se ne va verso il suo riposo».

³ Da lontano gli è apparso il Signore:
   «Di amore eterno ti ho amato,
   perciò ti ho conservato il mio amore.
⁴ Di nuovo ti edificherò e sarai edificata,
   vergine d'Israele;
   di nuovo ti abbellirai dei tuoi tamburelli,
   e uscirai fra la danza dei festanti.
⁵ Di nuovo pianterai vigne sui monti
      di Samaria:
   i coltivatori, dopo averle piantate,
      raccoglieranno.
⁶ Sì, verrà un giorno in cui grideranno
      le sentinelle
   sul monte di Efraim:
   Su, saliamo verso Sion,
   andiamo dal Signore, nostro Dio.
⁷ Sì, così dice il Signore:
   Esultate per Giacobbe gioiosamente
   ed esultate per la prima delle nazioni.
   Fatelo udire, lodate e proclamate:
   Il Signore ha salvato il suo popolo,
   il resto d'Israele.
⁸ Ecco, li riconduco dal paese
      del settentrione,
   li raduno dall'estremità della terra.
   Tra loro ci sono il cieco e lo storpio,
   l'incinta e la partoriente:
   è una grande folla quella che qui ritorna.
⁹ Essi erano partiti piangendo,
   io li riconduco tra le consolazioni;
   li riporto presso torrenti d'acqua
   lungo un sentiero pianeggiante,
   dove non inciampano,
   perché io sono un padre per Israele
   ed Efraim è il mio primogenito.
¹⁰ Ascoltate la parola del Signore,
      nazioni,
   e annunziatela alle isole lontane.
   Dite: Chi ha disperso Israele, lo raduna
   e lo custodisce, come un pastore
      il suo gregge.
¹¹ Sì, il Signore ha riscattato Giacobbe
   e l'ha vendicato da mano più forte
      di lui.
¹² Verranno ed esulteranno sull'altura
      di Sion,
   affluiranno verso i beni del Signore:
   verso il frumento, il mosto e l'olio,
   verso il frutto del gregge
      e del bestiame.
   La loro vita sarà come giardino irrigato
   e non torneranno più a languire.
¹³ Allora si rallegrerà la vergine
      nella danza,

Ger

giovani e vecchi si allieteranno,
perché cambierò il loro lutto in gioia,
li consolerò e li renderò felici
   dopo i loro dolori.
14 Sazierò l'anima dei sacerdoti
   abbondantemente
e il mio popolo si sazierà
   della mia felicità».
Oracolo del Signore.
15 Così dice il Signore:
«Un grido si è udito in Rama,
lamento e pianto amaro:
Rachele piange per i suoi figli,
rifiuta di essere consolata
per i suoi figli che più non sono.
16 Così dice il Signore:
Trattieni la voce dal pianto
e i tuoi occhi dalle lacrime,
perché c'è una ricompensa
   per le tue pene,
oracolo del Signore.
Essi, infatti, torneranno dal paese
   nemico.
17 C'è anche speranza per la tua
   posterità,
oracolo del Signore,
perché i tuoi figli torneranno entro
   i loro confini.
18 Io odo Efraim che si lamenta:
Tu mi hai castigato
e io sono stato punito come un giovenco
   non domato.
Fammi ritornare e io ritornerò.
Sì, tu sei il Signore, il mio Dio!
19 Dopo il mio allontanamento mi sono
   pentito;
dopo essermi ravveduto mi sono
   battuto sull'anca.
Mi vergogno e sono confuso
perché sto scontando l'ignominia
   della mia gioventù.
20 È, dunque, Efraim un figlio così
   prezioso per me,
o il mio prediletto,
che ogni volta che parlo contro di lui
lo ricordo sempre teneramente?
Per questo le mie viscere
   si commuovono per lui,
ho per lui grande compassione!».
Oracolo del Signore.
21 Fa' erigere per te dei cippi,
colloca per te dei segnali,
fa' attenzione al sentiero, alla strada
che hai percorso.

Ritorna, vergine d'Israele, ritorna
   a queste tue città!
22 Fino a quando vagabonderai,
   figlia ribelle?
Sì, il Signore ha creato una cosa nuova
   nel paese:
la donna corteggerà l'uomo!

23 Così dice il Signore degli eserciti, Dio d'Israele: «Si dirà ancora questa cosa nel territorio di Giuda e nelle sue città, quando avrò cambiato la loro sorte:

Ti benedica il Signore,
o dimora di giustizia, monte santo!

24 Vi abiteranno insieme Giuda e tutte le sue città, gli agricoltori e coloro che conducono il gregge. 25 Infatti, io ristorerò l'anima stanca e sazierò ogni anima languente. 26 Per questo si dice:

Mi sono svegliato e ho osservato:
ecco, il mio sonno era dolce per me!

27 Ecco, verranno giorni, oracolo del Signore, in cui io seminerò in Israele e in Giuda seme di uomini e seme di animali. 28 E avverrà che, come ho vegliato su di loro per sradicare, per demolire e per abbattere, per distruggere e danneggiare, così veglierò su di loro per edificare e per piantare. Oracolo del Signore.
29 In quei giorni non si dirà più:

I padri hanno mangiato l'uva acerba
e i denti dei figli si sono allegati!

30 Ma ognuno morrà per la propria iniquità: a chi mangerà l'uva acerba si allegheranno i propri denti.

---

31. - 15. *Rama*: vuol dire «altezza» ed è in effetti una collina. Geremia ci rappresenta *Rachele*, nonna di Efraim e di Manasse e figura delle madri israelitiche, che piange sull'altura di Rama al vedere i suoi figli andare in esilio e venire uccisi. Mt 2,18 applica il passo del pianto delle madri dei bambini fatti trucidare da Erode.
22. I padri della chiesa hanno visto qui annunziata l'incarnazione del Figlio di Dio nel seno verginale di Maria. Infatti non è prodigio che una donna abbia in seno un bambino, ma è prodigio che Maria porti un uomo, anzi l'Uomo: Gesù Cristo. In senso letterale pare che voglia dire che ora *la donna*, cioè la nazione ebraica, circonderà con le cure più affettuose *l'uomo*, cioè Dio, al contrario di quanto era accaduto sin allora. Non più freddezza o infedeltà, ma amore sincero e premuroso.

[31]Ecco, verranno giorni, oracolo del Signore, in cui io farò con la casa d'Israele e con la casa di Giuda un'alleanza nuova. [32]Non come l'alleanza che ho fatto con i loro padri nel giorno in cui li presi per mano per farli uscire dal paese d'Egitto, alleanza che essi hanno violato, benché io fossi il loro Signore, oracolo del Signore. [33]Ma questa sarà l'alleanza che io farò con la casa d'Israele alla fine di quei giorni, oracolo del Signore: io porrò la mia legge in mezzo a loro e sul loro cuore la scriverò. Allora io sarò per essi il loro Dio ed essi saranno per me il mio popolo. [34]E non si ammaestreranno più l'un l'altro, dicendo: Riconoscete il Signore!, perché tutti mi riconosceranno, dal più piccolo fino al più grande, oracolo del Signore, perché io perdonerò la loro iniquità e i loro peccati non li ricorderò più».

[35] Così dice il Signore
che stabilisce il sole come luce
   del giorno,
che dà leggi alla luna e alle stelle
per illuminare la notte,
che solleva il mare e ne fa mugghiare
   le onde
– Signore degli eserciti è il suo nome –:
[36] «Se venissero meno davanti a me
   queste leggi,
oracolo del Signore,
anche il seme d'Israele cesserebbe
di essere un popolo davanti a me
   per sempre!».
[37] Così dice il Signore:
«Se si potesse misurare il cielo
   al di sopra
o scandagliare le fondamenta
   della terra in basso,
allora io rigetterei tutto il seme d'Israele
per tutto ciò che ha fatto,
oracolo del Signore!

[38]Ecco, verranno giorni, dice il Signore, in cui sarà ricostruita la città del Signore dalla torre di Cananeel fino alla porta dell'Angolo.

[39]La corda per misurare sarà ancora tesa in linea retta fino alla collina del Gareb e girerà verso Goa. [40]Allora tutta la valle, con i cadaveri e le ceneri e i campi fino al torrente Cedron, fino all'angolo della porta dei Cavalli, a oriente, tutto sarà consacrato al Signore. Non si distruggerà né si demolirà più per sempre!».

L'ACQUISTO DI UN CAMPO E IL SUO SIGNIFICATO SIMBOLICO

32 [1]Questa è la parola che fu rivolta a Geremia da parte del Signore nell'anno decimo di Sedecia, re di Giuda, cioè l'anno diciottesimo di Nabucodonosor. [2]In quel tempo l'esercito del re di Babilonia assediava Gerusalemme e il profeta Geremia era prigioniero nel cortile della guardia, che è nella casa del re di Giuda, [3]perché lo aveva imprigionato Sedecia, re di Giuda, con questa imputazione: «Perché tu profetizzi dicendo: Così dice il Signore: Ecco, io consegnerò questa città in potere del re di Babilonia e la prenderà. [4]Sedecia, re di Giuda, non scamperà dalla mano dei Caldei, ma sarà irrimediabilmente consegnato in potere del re di Babilonia e parlerà con lui faccia a faccia e i suoi occhi vedranno gli occhi di lui. [5]Egli condurrà Sedecia in Babilonia, ove resterà finché io non mi occupi di lui, oracolo del Signore. Sì, voi combattete contro i Caldei, ma senza successo!».

[6]Disse Geremia: «Questa è la parola del Signore che mi è stata rivolta: [7]Ecco Canamel, figlio di Sallum, tuo zio, sta venendo verso di te per dirti: Comprati il mio campo, che è in Anatot, poiché a te spetta il diritto di riscatto per acquistarlo». [8]Entrò dunque da me nel cortile della guardia Canamel, figlio di mio zio, secondo la parola del Signore, e mi disse: «Compra il mio campo, che è in Anatot, poiché a te spetta il diritto di eredità e il riscatto: compratelo!». Io compresi che questa era la parola del Signore. [9]Allora comprai da Canamel, figlio di mio zio, il campo in Anatot e gli pesai il denaro: diciassette sicli d'argento. [10]Stesi l'atto di compravendita e lo sigillai, radunai testimoni e pesai l'argento sulla bilancia. [11]Quindi, presi il contratto di compravendita, quello sigillato e quello aperto, secondo la prescrizione e gli statuti,

Ger

---

31. *Un'alleanza nuova*: è quella di Cristo. Di qui è venuto il nome di «nuova alleanza» o «Nuovo Testamento» dato alla fede cristiana (cfr. Eb 8,8-12), fondata sulla morte redentrice di Cristo. Gesù istituì questo nuovo patto, cioè la nuova alleanza nel suo sangue (cfr. 1Cor 11,25), chiamando gente dai Giudei e dalle nazioni, perché si fondesse in unità non secondo la carne, ma nello Spirito, e costituisse il nuovo popolo di Dio.

¹²e lo consegnai a Baruc, figlio di Neria, figlio di Macsia, sotto gli occhi di Canamel, figlio di mio zio, sotto gli occhi dei testimoni che avevano firmato il contratto di compravendita e sotto gli occhi di tutti i Giudei che stavano seduti nel cortile della guardia. ¹³Poi ordinai a Baruc, alla loro presenza: ¹⁴«Prendi questi scritti, questo contratto di compravendita, sia quello sigillato che quello aperto, e mettili in un vaso di argilla, affinché si conservino per molti giorni. ¹⁵Infatti, così dice il Signore degli eserciti: Ancora si compreranno case, campi e vigne in questo paese».

¹⁶Dopo che ebbi consegnato il contratto di compravendita a Baruc, figlio di Neria, pregai il Signore: ¹⁷«Ah, Signore Dio, tu hai fatto il cielo e la terra con la tua grande potenza e con il tuo braccio steso! Per te nessuna cosa è impossibile! ¹⁸Tu usi misericordia con mille generazioni, ma castighi il peccato dei padri nei figli dopo di loro, tu, Dio grande e forte, il cui nome è Signore degli eserciti! ¹⁹Tu sei grande per il consiglio e potente per le opere; tu tieni i tuoi occhi aperti su tutte le vie degli uomini per retribuire ciascuno secondo la propria condotta e secondo il frutto delle proprie azioni. ²⁰Tu hai operato segni e prodigi nel paese d'Egitto fino a questo giorno in Israele e tra gli uomini, e ti sei fatto un nome come appare oggi. ²¹Tu facesti uscire il tuo popolo Israele dal paese d'Egitto con segni e prodigi, con mano forte e braccio teso, con timore grande. ²²Desti loro questo paese che avevi giurato di dare ai loro padri, paese ove scorre latte e miele. ²³Essi vi giunsero e l'ereditarono, ma non hanno ascoltato la tua voce e non hanno camminato nella tua legge, non hanno eseguito tutto ciò che ordinasti loro di fare: perciò hai mandato su di loro tutti questi mali. ²⁴Ecco, i terrapieni raggiungono la città per occuparla e la città sarà consegnata in potere dei Caldei che combattono contro di essa con la spada, con la fame e con la peste. Ciò che hai detto avviene: ecco, tu lo vedi! ²⁵E tu mi dici, Signore Dio: Comprati il campo con denaro e chiama testimoni, mentre la città è consegnata in potere dei Caldei».

²⁶Allora la parola del Signore fu rivolta a Geremia in questi termini: ²⁷«Ecco, io sono il Signore, Dio di tutti gli uomini! Forse qualcosa è impossibile per me? ²⁸Perciò, così dice il Signore: Ecco, io sto per consegnare questa città in potere dei Caldei, in potere di Nabucodonosor, re di Babilonia, il quale la prenderà; ²⁹i Caldei che combattono contro questa città entreranno e la incendieranno con il fuoco e la bruceranno insieme alle case sulle cui terrazze offrirono incenso a Baal e fecero libagioni a dèi stranieri per farmi irritare. ³⁰Sì, i figli d'Israele e i figli di Giuda hanno continuato ad agire malvagiamente dinanzi a me fin dalla loro gioventù; anzi i figli d'Israele mi hanno provocato con le opere delle loro mani, oracolo del Signore. ³¹Sì, motivo della mia ira e del mio sdegno è stata per me questa città, dal giorno in cui la fondarono fino ad oggi. Perciò la farò sparire dal mio cospetto, ³²a causa delle malvagità che i figli d'Israele e i figli di Giuda hanno commesso facendomi irritare, loro, i loro re, i loro capi, i loro sacerdoti, i loro profeti, gli uomini di Giuda e gli abitanti di Gerusalemme. ³³Essi hanno perfino girato verso di me la schiena e non la faccia, mentre io li ammaestravo con sollecitudine e bene; essi non hanno dato ascolto e non hanno voluto accogliere la correzione. ³⁴Hanno collocato le loro abominazioni nel tempio dove s'invoca il mio nome, contaminandolo. ³⁵Hanno anche costruito le alture di Baal nella valle di Ben-Innom per far passare attraverso il fuoco i loro figli e le loro figlie in onore di Moloch – ciò che io non avevo ordinato, anzi mai avevo pensato che essi dovessero compiere una tale infamia –, per condurre Giuda a peccare.

³⁶Ora così dice il Signore, Dio d'Israele, riguardo a questa città, di cui voi dite: È stata consegnata in potere del re di Babilonia con la spada, con la fame e con la peste, ³⁷ecco, io li radunerò da tutti i paesi nei quali li ho dispersi nella mia ira, nel mio furore e nel mio grande sdegno; li ricondurrò in questo luogo e li farò abitare al sicuro. ³⁸Essi saranno il mio popolo e io sarò il loro Dio. ³⁹Allora darò loro un solo cuore e una sola condotta, perché mi temano ogni giorno per il bene loro e per quello dei loro figli dopo di loro. ⁴⁰Farò con loro un'alleanza eterna, quella di non abbandonarli più e di fare loro del bene; metterò anche il mio timore nel loro cuore, perché non si allontanino più da me. ⁴¹Io godrò nel fare loro del bene e li pianterò in questo paese stabilmente, con tutto il mio cuore e con tutta la mia anima. ⁴²Sì, così dice il Signore: Come ho mandato su questo popolo tutti questi mali, allo stes-

so modo manderò su di loro ogni bene che avevo promesso in loro favore. [43]Si compreranno ancora campi in questo paese, riguardo al quale voi andate dicendo: È una devastazione, senza uomini e senza bestiame, è stato dato in potere dei Caldei. [44]Si acquisteranno campi con denaro, si stenderanno contratti, si sigilleranno e si raduneranno testimoni nel territorio di Beniamino, nei dintorni di Gerusalemme e nelle città di Giuda, nelle città della montagna, nelle città della Sefela e nelle città del Negheb. Sì, io cambierò la loro sorte». Oracolo del Signore.

NUOVE PROMESSE DI RESTAURAZIONE

33 [1]La parola del Signore fu nuovamente rivolta a Geremia, mentre egli era ancora rinchiuso nel cortile della guardia, in questi termini: [2]«Così dice il Signore che ha fatto la terra e l'ha plasmata rendendola stabile e il cui nome è Signore: [3]Chiamami e io ti risponderò e ti annunzierò cose grandi e impenetrabili che tu non conosci.

[4]Sì, così dice il Signore, Dio d'Israele, riguardo alle case di questa città e riguardo alle case dei re di Giuda che saranno distrutte dai terrapieni e dalla spada [5]dei Caldei venuti a combattere, per riempirle con i cadaveri degli uomini che io avrò colpito nella mia ira e nel mio furore, poiché ho nascosto la mia faccia a questa città, a causa di tutta la loro malvagità. [6]Ecco, io farò rimarginare la loro ferita, li curerò e li guarirò, li inonderò con abbondanza di pace e di sicurezza. [7]Farò ritornare gli esiliati di Giuda e gli esiliati d'Israele e li riedificherò come al principio. [8]Li purificherò da ogni loro iniquità che hanno commesso contro di me e perdonerò tutte le loro iniquità con le quali si ribellarono contro di me. [9]Sarà per me motivo di gioia, di lode e di gloria davanti a tutti i popoli della terra, quando apprenderanno tutto il bene che io procurerò loro; allora temeranno e tremeranno per tutto il bene e per tutta la pace che io procurerò loro».

[10]Così dice il Signore: «In questo luogo, del quale voi dite: È una rovina, senza uomini e senza bestiame; nelle città di Giuda e nelle strade di Gerusalemme, devastate,

non ci sono uomini e non ci sono abitanti né bestiame, si sentiranno ancora [11]grida di gioia e grida di allegria, la voce dello sposo e quella della sposa e il canto di chi dice, portando sacrifici di lode nel tempio del Signore: "Lodate il Signore degli eserciti, perché buono è il Signore, perché il suo amore dura in eterno". Sì, io riporterò gli esiliati dal paese come in principio», dice il Signore. [12]Così dice il Signore degli eserciti: «In questo luogo distrutto, senza uomini e senza bestiame, e in tutte le sue città ci sarà ancora pascolo per i pastori che fanno riposare le pecore. [13]Per tutte le città della montagna, per le città della Sefela e per le città del Negheb, nel territorio di Beniamino, nei dintorni di Gerusalemme e nelle città di Giuda passeranno ancora le pecore sotto la mano di chi le conta», dice il Signore.

[14]«Ecco, verranno giorni, dice il Signore, nei quali io realizzerò questa parola di felicità che ho pronunziato in favore della casa d'Israele e in favore della casa di Giuda. [15]In quei giorni e in quel tempo farò germinare a Davide un germoglio di giustizia che opererà diritto e giustizia nel paese. [16]In quel giorno Giuda sarà salvato e Gerusalemme abiterà al sicuro. Essa sarà chiamata: Signore-nostra-giustizia».

[17]Infatti così dice il Signore: «Non mancherà a Davide chi sieda sul trono della casa d'Israele; [18]e ai sacerdoti leviti non mancherà mai chi stia dinanzi a me per offrire l'olocausto, per far profumare le offerte e compiere sacrifici tutti i giorni».

[19]Questa parola del Signore fu poi rivolta a Geremia: [20]«Così dice il Signore: Se si potesse violare la mia alleanza con il giorno e la mia alleanza con la notte, in modo che non vi siano più giorno e notte al loro tempo, [21]allora cesserebbe anche la mia alleanza con Davide, mio servo, in modo che non abbia un figlio che regni sul suo trono, e anche quella con i leviti sacerdoti miei ministri. [22]Come non si può contare l'esercito del cielo e non si può misurare la sabbia del mare, così moltiplicherò la discendenza di Davide, mio servo, e i leviti miei ministri».

[23]La parola del Signore fu ancora rivolta a Geremia: [24]«Non hai osservato ciò che questo popolo va dicendo: Le due famiglie che il Signore aveva eletto le ha annientate? Così disprezzano il mio popolo, quasi non fosse una nazione dinanzi a loro».

Ger

²⁵Così dice il Signore: «Se non esistesse la mia alleanza con il giorno e con la notte, se non avessi stabilito leggi con il cielo e con la terra, ²⁶anche la stirpe di Giacobbe e di Davide, mio servo, rigetterei, così che io non prenda più dalla sua discendenza dei dominatori sulla progenie di Abramo, di Isacco e di Giacobbe. Ma io farò ritornare i loro esiliati e ne avrò compassione».

LA SORTE DEL RE SEDECIA E L'EMANCIPAZIONE DEGLI SCHIAVI

34 ¹Questa è la parola che fu rivolta a Geremia da parte del Signore, mentre Nabucodonosor, re di Babilonia, con tutto il suo esercito e tutti i regni della terra su cui dominava e tutti i popoli stavano combattendo contro Gerusalemme e le sue città. ²Così dice il Signore, Dio d'Israele: «Va' e parla a Sedecia, re di Giuda. Gli dirai: Così dice il Signore: Ecco, io sto per dare questa città nella mano del re di Babilonia, che l'incendierà con il fuoco. ³Tu non ti salverai dalla sua mano; i tuoi occhi vedranno gli occhi del re di Babilonia, gli parlerai faccia a faccia e poi andrai in Babilonia. ⁴Tuttavia ascolta la parola del Signore, o Sedecia, re di Giuda! Così dice il Signore a tuo riguardo: Non morrai di spada! ⁵Morirai in pace e come furono bruciati profumi per i funerali dei tuoi padri, i re che ti hanno preceduto, così ti bruceranno anche per te e per te eleveranno un lamento: Ah, Signore! Sì, io ho pronunciato questa parola!». Oracolo del Signore. ⁶Il profeta Geremia riferì a Sedecia, re di Giuda, tutte queste parole in Gerusalemme, ⁷mentre l'esercito del re di Babilonia stava combattendo contro Gerusalemme e contro tutte le città di Giuda, non ancora espugnate, Lachis e Azeka. Esse, infatti, erano le sole città fortificate rimaste tra le città di Giuda. ⁸Questa è la parola che il Signore rivolse a Geremia, dopo che il re Sedecia ebbe concluso un patto con tutto il popolo che era in Gerusalemme, di proclamare loro un'emancipazione, ⁹cioè che ognuno rilasciasse libero il suo schiavo ebreo e la sua schiava ebrea, così che nessuno più riducesse in schiavitù un Giudeo suo fratello. ¹⁰Tutti i prìncipi e tutto il popolo, che avevano aderito al patto, acconsentirono di rilasciare liberi ciascuno il suo schiavo e ciascuno la sua schiava, così che nessuno restasse più in schiavitù. Acconsentirono, dunque, e li rilasciarono. ¹¹Poi, dopo questo accordo, si pentirono e ripresero gli schiavi e le schiave che avevano rilasciato liberi e li ridussero di nuovo schiavi e schiave.

¹²Allora questa parola del Signore fu rivolta a Geremia: ¹³«Così dice il Signore, Dio d'Israele: Io ho stretto un patto con i vostri padri quando li feci uscire dal paese d'Egitto, da una casa di schiavi, dicendo: ¹⁴Al termine di sette anni rimanderete ciascuno il proprio fratello ebreo che ti sia stato venduto e che ti abbia servito per sei anni; lo rilascerai libero da parte tua. Ma i vostri padri non mi hanno ascoltato e non hanno piegato i loro orecchi. ¹⁵Voi vi eravate oggi convertiti e avevate agito rettamente ai miei occhi, proclamando ciascuno la liberazione del suo prossimo e avevate concluso un patto dinanzi a me, nel tempio dove si invoca il mio nome. ¹⁶Poi avete mutato parere e, profanando il mio nome, avete ripreso ciascuno il suo schiavo e la sua schiava che avevate rilasciato liberi secondo il loro desiderio, e li avete obbligati ad essere nuovamente vostri schiavi e vostre schiave. ¹⁷Perciò, così dice il Signore: Voi non mi avete ascoltato proclamando ciascuno la liberazione del proprio fratello e del proprio prossimo; ebbene, io ordino che contro di voi, oracolo del Signore, sia concessa libertà alla spada, alla peste e alla fame e vi consegnerò alla derisione presso tutti i regni della terra. ¹⁸Ridurrò quegli uomini che hanno tradito il mio patto, perché non hanno osservato le parole del patto che avevano concluso dinanzi a me, come quel vitello che spaccarono in due, passando poi tra le sue parti. ¹⁹I prìncipi di Giuda e i prìncipi di Gerusalemme, gli eunuchi e i sacerdoti e tutto il popolo del paese, che passarono tra le parti del vitello, ²⁰li consegnerò in mano dei loro nemici e di quanti attentano alla loro vita; i

---

34. - **11.** *Si pentirono* allorché un'armata egiziana comparve in Palestina e i Caldei tolsero per un momento l'assedio per andare a combattere gli Egiziani (c. 37). Credevano che ogni pericolo fosse cessato e ripresero gli schiavi, contravvenendo così a una promessa fatta in un momento di pericolo. **18.** Quando veniva concluso un patto, era immolato e diviso in due parti un *vitello*, e i contraenti passavano in mezzo al vitello squartato, come per dire: Dio ci tratti così, se non stiamo ai patti (Gn 15,10).

loro cadaveri saranno pasto per gli uccelli del cielo e le bestie della terra. [21]Quanto, poi, a Sedecia, re di Giuda, e ai suoi prìncipi, io li consegnerò in mano dei loro nemici, in mano di quanti attentano alla loro vita e in mano dell'esercito del re di Babilonia che stanno per venire contro di loro. [22]Ecco, io darò un ordine, oracolo del Signore, e li ricondurrò contro questa città, combatteranno contro di essa, la prenderanno e la bruceranno con il fuoco, mentre renderò le città di Giuda una desolazione, senza più abitanti».

I RECABITI

35 [1]Questa è la parola che fu rivolta a Geremia da parte del Signore ai giorni di Ioiakim, figlio di Giosia, re di Giuda: [2]«Va' dalla famiglia dei Recabiti e parla loro, conducili in una delle stanze del tempio del Signore e offri loro da bere del vino». [3]Io allora presi Iazania, figlio di Geremia, figlio di Cabassinia, i suoi fratelli, tutti i suoi figli e tutta la famiglia dei Recabiti. [4]Li condussi nel tempio del Signore, nella stanza dei figli di Canan, figlio di Iegdalia, uomo di Dio, la quale è vicino alla stanza dei prìncipi, situata sopra l'abitazione di Maasia, figlio di Sallum, custode della soglia. [5]Posi dinanzi ai membri della famiglia dei Recabiti dei boccali pieni di vino e delle coppe; poi dissi loro: «Bevete vino!». [6]Ma essi risposero: «Non beviamo vino, perché Ionadab, figlio di Recab, nostro padre, ci ha dato quest'ordine: Non berrete mai vino, né voi né i vostri figli. [7]Non costruirete case, né seminerete sementi, non pianterete vigne e non ne possederete, ma abiterete nelle tende tutti i vostri giorni, affinché possiate vivere a lungo sulla terra, dove soggiornate come forestieri. [8]Noi abbiamo dato ascolto alla voce di Ionadab, figlio di Recab, nostro padre, in tutto ciò che egli ci ha ordinato, e così noi, le nostre mogli, i nostri figli e le nostre figlie non beviamo vino per tutta la nostra vita; [9]non costruiamo case per

abitarvi e non possediamo vigna, né campo, né sementi, [10]ma abitiamo nelle tende. Così obbediamo e compiamo esattamente quanto ci ha ordinato Ionadab, nostro padre. [11]Ma quando Nabucodonosor, re di Babilonia, ha invaso il paese, abbiamo detto: Venite, andiamo a Gerusalemme per sfuggire all'esercito dei Caldei e all'esercito degli Aramei. Per questo abitiamo ora a Gerusalemme».

[12]Allora questa parola del Signore fu rivolta a Geremia: [13]«Così dice il Signore degli eserciti, Dio d'Israele: Va' a dire agli uomini di Giuda e agli abitanti di Gerusalemme: Non volete forse accettare la lezione ascoltando le mie parole? Oracolo del Signore. [14]Sono state messe in pratica le parole di Ionadab, figlio di Recab, il quale aveva ordinato ai suoi figli di non bere vino – ed essi non l'hanno bevuto fino ad oggi perché hanno obbedito all'ordine del loro padre –, mentre io ho parlato a voi, premurosamente e insistentemente, e voi non avete ascoltato. [15]Vi ho anche inviato tutti i miei servi, i profeti, premurosamente e insistentemente, dicendo: Abbandonate ciascuno la vostra condotta malvagia, migliorate le vostre azioni e non seguite divinità straniere per servirle, allora potrete abitare nella terra che io ho dato a voi e ai vostri padri; ma non avete piegato il vostro orecchio e non mi avete ascoltato. [16]I figli di Ionadab, figlio di Recab, hanno osservato l'ordine che il loro padre aveva loro dato; questo popolo invece non mi ha ascoltato.

[17]Perciò, così dice il Signore, Dio degli eserciti, Dio d'Israele: Ecco, io sto per mandare contro Giuda e contro tutti gli abitanti di Gerusalemme tutto il male che ho pronunciato contro di loro, perché ho parlato loro, ma non hanno ascoltato; li ho chiamati, ma non hanno risposto». [18]Alla famiglia dei Recabiti, Geremia disse: «Così dice il Signore degli eserciti, Dio d'Israele: Poiché avete osservato l'ordine di Ionadab, vostro padre, e avete custodito ogni suo precetto e avete praticato secondo quanto egli vi aveva ordinato, [19]per questo, dice il Signore degli eserciti, Dio d'Israele: Non mancherà mai a Ionadab, figlio di Recab, chi stia dinanzi a me tutti i giorni».

---

35. - 2. I *Recabiti*, popolazione non israelitica che aveva abbracciato la fede nel Dio d'Israele, si mantenevano rigidamente attaccati ai precetti di un loro antenato per meritare di continuare a far parte del popolo di Dio. Il Signore propone al suo popolo l'esempio di tale attaccamento, poiché esso non si attiene neppure ai precetti di Dio.

IOIAKIM BRUCIA LE PROFEZIE
DI GEREMIA

36 ¹Nell'anno quarto di Ioiakim, figlio di Giosia, re di Giuda, fu rivolta a Geremia questa parola da parte del Signore: ²«Prendi un rotolo da scrivere e scrivi su di esso tutte le parole che io ti ho detto contro Israele, contro Giuda e contro tutte le nazioni, dal giorno in cui ti ho parlato, quando Giosia era re, fino ad oggi. ³Forse la casa di Giuda, sentendo tutto il male che sto pensando di procurare loro, si ritrarrà dalla propria condotta malvagia; così io potrò perdonare le loro iniquità e i loro peccati».

⁴Geremia chiamò Baruc, figlio di Neria, e Baruc scrisse sul rotolo, sotto dettatura di Geremia, tutte le parole che il Signore gli aveva detto. ⁵Poi Geremia ordinò a Baruc: «Io sono impedito, non posso andare al tempio del Signore. ⁶Va' tu, e leggi, nel volume che hai scritto sotto mia dettatura, le parole del Signore, agli orecchi del popolo nel tempio del Signore, nel giorno del digiuno; le leggerai anche agli orecchi di tutti i Giudei che vengono dalle loro città. ⁷Forse la loro supplica giungerà dinanzi al Signore e ognuno si convertirà dalla sua condotta malvagia. Sì, è grande l'ira e il furore che il Signore ha minacciato contro questo popolo».

⁸Baruc, figlio di Neria, fece esattamente tutto ciò che gli aveva ordinato il profeta Geremia, leggendo sul rotolo le parole del Signore nel tempio del Signore.

⁹Nell'anno quinto di Ioiakim, figlio di Giosia, re di Giuda, nel mese nono, convocarono un digiuno dinanzi al Signore per tutto il popolo di Gerusalemme e per tutto il popolo che poteva venire dalle città di Giuda in Gerusalemme. ¹⁰Baruc, quindi, lesse nel libro le parole di Geremia, nel tempio del Signore, nella stanza di Ghemaria, figlio di Safan lo scriba, nel cortile superiore, all'ingresso della Porta Nuova del tempio del Signore, alla presenza di tutto il popolo. ¹¹Anche Michea, figlio di Ghemaria, figlio di Safan, ascoltò tutte le parole del Signore che stavano nel libro; ¹²quindi discese alla casa del re, nella stanza dello scriba, ed ecco là tutti i prìncipi stavano seduti: Elisama lo scriba e Delaia, figlio di Semaia, Elnatan, figlio di Acbor, Ghemaria, figlio di Safan, e Sedecia, figlio di Anania, insieme con tutti i capi. ¹³Michea,

pertanto, riferì loro tutte le parole che aveva udito quando Baruc leggeva nel libro alla presenza del popolo.

¹⁴Allora tutti i prìncipi inviarono a Baruc Iudi, figlio di Natania, figlio di Selemia, figlio dell'Etiope, a dirgli: «Prendi nelle mani il volume che hai letto davanti al popolo e vieni». Baruc, figlio di Neria, prese in mano il volume e si recò da loro. ¹⁵Quindi gli dissero: «Sièditi e leggi davanti a noi». Baruc lesse davanti a loro. ¹⁶Udendo tutte quelle parole, essi si spaventarono e dissero l'un l'altro: «Dobbiamo assolutamente riferire al re tutte queste parole». ¹⁷Poi domandarono a Baruc: «Dicci come hai scritto tutte queste cose». ¹⁸Baruc rispose loro: «Di sua propria bocca Geremia mi diceva tutte queste parole e io le scrivevo sul libro con l'inchiostro».

¹⁹I prìncipi dissero a Baruc: «Va' e nasconditi insieme con Geremia e nessuno sappia dove siete!». ²⁰Essi poi, si recarono presso il re nell'atrio del palazzo, lasciando il volume nella stanza di Elisama lo scriba, e riferirono al re ogni parola.

²¹Allora il re inviò Iudi a prendere il volume. Iudi lo prese dalla stanza di Elisama lo scriba e lo lesse alla presenza del re e di tutti i prìncipi che stavano presso il re. ²²Il re abitava nella casa invernale – si era nel mese nono – e un braciere stava ardendo dinanzi a lui. ²³Appena Iudi aveva letto tre o quattro colonne, il re le stracciava con il temperino dello scriba e le gettava nel fuoco che era nel braciere, finché fu consumato l'intero volume sul fuoco che era nel braciere. ²⁴Ascoltando tutte queste parole, né il re né alcuno dei suoi ministri si spaventarono né si stracciarono le vesti. ²⁵E sebbene Elnatan, Delaia e Ghemaria insistessero presso il re che non bruciasse il volume, tuttavia egli non volle ascoltarli. ²⁶Anzi il re ordinò al principe Ieracmeel e a Seraia, figlio di Azriel, e a Selemia, figlio di Abdeel, di arrestare Baruc lo scriba e il profeta Geremia. Ma il Signore li aveva nascosti.

²⁷La parola del Signore fu rivolta a Geremia, dopo che il re ebbe bruciato il volume con le parole che aveva scritto Baruc sotto dettatura di Geremia, in questi termini: ²⁸«Prendi un altro volume e scrivici sopra tutte le parole di prima, contenute nel volume precedente, quello che ha bruciato Ioiakim, re di Giuda. ²⁹Al re Ioiakim, re di Giuda, dirai: Così dice il Signore: Tu hai bruciato questo

volume, dicendo: Perché vi hai scritto queste parole: Verrà, verrà il re di Babilonia e distruggerà questo paese e farà scomparire da esso uomini e bestie? [30]Perciò, così dice il Signore contro Ioiakim, re di Giuda: Egli non avrà un erede sul trono di Davide, e il suo cadavere sarà esposto al calore del giorno e al freddo della notte. [31]Io punirò i suoi crimini in lui, nella sua discendenza e nei suoi ministri e manderò contro di loro, contro gli abitanti di Gerusalemme e contro gli uomini di Giuda ogni sventura che ho loro minacciato, perché non mi hanno ascoltato».

[32]Geremia, intanto, prese un altro volume e lo consegnò a Baruc, figlio di Neria, lo scriba, il quale scrisse su di esso, sotto dettatura di Geremia, tutte le parole del libro che Ioiakim, re di Giuda, aveva bruciato nel fuoco. Furono, anzi, aggiunte ad esse molte altre parole simili a quelle.

GEREMIA È ACCUSATO DI TRADIMENTO E IMPRIGIONATO

37 [1]Sedecia, figlio di Giosia, divenne re al posto di Conia, figlio di Ioiakim. Nabucodonosor, re di Babilonia, lo costituì re nel paese di Giuda; [2]ma né lui né i suoi ministri né il popolo del paese vollero ascoltare le parole che il Signore aveva detto per mezzo del profeta Geremia. [3]Il re Sedecia inviò Iucal, figlio di Selemia, e il sacerdote Sofonia, figlio di Maasia, da Geremia per dirgli: «Intercedi per noi presso il Signore, Dio nostro». [4]Ora Geremia andava e veniva in mezzo al popolo perché non l'avevano ancora messo in prigione. [5]Intanto l'esercito del Faraone era uscito dall'Egitto; ne ebbero notizia i Caldei che stavano assediando Gerusalemme e si allontanarono da Gerusalemme.

[6]Allora la parola del Signore fu rivolta al profeta Geremia: [7]«Così dice il Signore, Dio d'Israele: Così direte al re di Giuda che vi ha mandato a me per consultarmi: Ecco, l'esercito del Faraone sta uscendo in vostro favore per aiutarvi, ma ritornerà al suo paese, l'Egitto. [8]I Caldei ritorneranno e combatteranno contro questa città, la prenderanno e la bruceranno con il fuoco». [9]Così dice il Signore: «Non ingannate voi stessi dicendo: I Caldei si sono allontanati definitivamente da noi! No, non si sono allontanati! [10]Anche se riusciste a sconfiggere tutto l'esercito dei Caldei che combattono contro di voi e rimanessero tra loro soltanto dei feriti, ognuno si alzerebbe dalla propria tenda e incendierebbe con il fuoco questa città».

[11]Mentre l'esercito dei Caldei si allontanava da Gerusalemme a causa dell'esercito del Faraone, [12]Geremia volle uscire da Gerusalemme per andare nel territorio di Beniamino a prendere la sua eredità. [13]Ma quando egli giunse presso la porta di Beniamino, dove stava a guardia un uomo di nome Ieria, figlio di Selemia, figlio di Anania, costui arrestò il profeta Geremia, dicendo: «Tu stai passando ai Caldei!». [14]Geremia rispose: «È falso! Io non sto passando ai Caldei!»; ma Ieria non volle ascoltarlo, arrestò Geremia e lo consegnò ai prìncipi. [15]I prìncipi s'indignarono contro Geremia, lo percossero e lo misero nella prigione, nella casa dello scriba Gionata, che avevano trasformata in prigione. [16]Geremia entrò nella prigione-cisterna in mezzo al fetore e vi rimase molti giorni.

[17]Il re Sedecia mandò a prenderlo e lo interrogò nella sua casa, in segreto. Disse: «Hai qualche oracolo da parte del Signore?». Geremia rispose: «Sì», e aggiunse: «In mano del re di Babilonia sarai consegnato!».

[18]Quindi Geremia disse al re Sedecia: «In che cosa ho peccato contro di te e contro i tuoi ministri e contro questo popolo perché mi avete messo in prigione? [19]Dove sono i vostri profeti che vi hanno profetizzato: Non arriverà il re di Babilonia contro di voi e contro questo paese? [20]Ma tu, o re mio signore, ascolta, ti prego! La mia supplica giunga dinanzi a te e non farmi ritornare nella casa dello scriba Gionata, affinché io non vi muoia». [21]Allora Sedecia ordinò di custodire Geremia nel cortile della guardia e di dargli una pagnotta di pane al giorno, portandola dalla via dei Fornai, finché non venne a mancare del tutto il pane nella città. Così Geremia rimase nel cortile della guardia.

GEREMIA NELLA CISTERNA

38 [1]Sefatia, figlio di Mattan, Godolia, figlio di Pascur, Iucal, figlio di Selemia, e Pascur, figlio di Malchia, udirono queste parole che Geremia stava dicendo al popolo: [2]«Così dice il Signore: Chi abita in questa città morrà di spada, di fame e di peste, ma chi uscirà verso i Caldei vivrà; la sua vita, cioè, sarà per lui come bottino e vivrà. ³Così dice il Signore: Senza dubbio sarà consegnata questa città in mano dell'esercito del re di Babilonia, che la conquisterà».

⁴Allora i prìncipi dissero al re: «Muoia quest'uomo perché con questo discorso egli scoraggia le mani degli uomini validi alla guerra, che sono rimasti in questa città, e le mani di tutto il popolo, proferendo loro tali parole. Quest'uomo, infatti, non cerca la pace per questo popolo ma la sventura». ⁵Disse allora il re Sedecia: «Eccolo nelle vostre mani, perché il re non può alcunché contro di voi». ⁶Presero allora Geremia e lo gettarono nella cisterna di Malchia, figlio del re, la quale era nel cortile della guardia; calarono Geremia con le corde. Nella cisterna non c'era acqua, ma fango. Così Geremia affondò nel fango.

⁷Ebed-Melech, l'Etiope, un eunuco che stava nella casa del re, ebbe notizia che avevano messo Geremia nella cisterna. Ora, mentre il re stava seduto presso la porta di Beniamino, ⁸Ebed-Melech uscì dalla casa del re e disse al re: ⁹«O re, mio signore, quegli uomini hanno agito male in tutto ciò che hanno fatto contro il profeta Geremia, gettandolo nella cisterna; egli morirà là dentro a causa della fame, poiché non c'è più pane nella città». ¹⁰Allora il re ordinò a Ebed-Melech, l'Etiope: «Prendi con te trenta uomini ed estrai il profeta Geremia dalla cisterna prima che muoia». ¹¹Ebed-Melech prese gli uomini con sé e andò nella casa del re al di sotto della tesoreria, prese di là vesti lacere e stracci e li gettò a Geremia nella cisterna con le corde. ¹²Poi Ebed-Melech, l'Etiope, disse a Geremia: «Mettiti alle ascelle sopra le corde queste vesti lacere e questi stracci». Geremia fece così. ¹³Allora tirarono su Geremia con le corde e lo fecero salire dalla cisterna. Così Geremia restò nel cortile della guardia.

¹⁴Quindi il re Sedecia mandò a prendere il profeta Geremia e lo fece venire presso di sé, al terzo ingresso del tempio del Signore, e gli disse: «Voglio domandarti una cosa: non nascondermi nulla!». ¹⁵Geremia rispose a Sedecia: «Se io te la dico non mi farai forse morire? E se ti consiglio non mi ascolterai!». ¹⁶Ma il re Sedecia giurò a Geremia in segreto: «Com'è vero che vive il Signore, che ci ha dato questa vita, non ti farò morire né ti consegnerò in mano di quegli uomini che attentano alla tua vita!».

¹⁷Allora Geremia disse a Sedecia: «Così dice il Signore, Dio degli eserciti, Dio d'Israele: Se tu uscirai verso i capi del re di Babilonia, avrai salva la vita, questa città non sarà arsa con il fuoco e vivrai tu e la tua casa; ¹⁸ma se non uscirai verso i capi del re di Babilonia, allora questa città sarà consegnata in mano dei Caldei, i quali la daranno alle fiamme e tu non scamperai dalle loro mani». ¹⁹Il re Sedecia disse a Geremia: «Io temo i Giudei che sono passati ai Caldei; temo che mi consegnino nelle loro mani e si sfoghino contro di me». ²⁰Geremia rispose: «Non ti consegneranno! Ma ascolta la voce del Signore in ciò che io ti sto per dire, affinché ti vada bene e abbia salva la vita; ²¹ma se tu rifiuti di uscire, questo è ciò che mi ha mostrato il Signore. ²²Ecco, tutte le donne che sono rimaste nella casa del re di Giuda saranno condotte ai capi del re di Babilonia ed esse canteranno:

Ti hanno sedotto e hanno prevalso
su di te
gli uomini di tua fiducia;
hanno affondato i tuoi i piedi
nella melma
e poi se ne sono andati.

²³Tutte le tue donne e i tuoi figli saranno condotti verso i Caldei, ma tu non scamperai dalle loro mani. Sì, in mano del re di Babilonia sarai consegnato e sarà bruciata con il fuoco questa città».

²⁴Allora Sedecia disse a Geremia: «Nessuno sappia queste parole, così tu non morrai. ²⁵E se i prìncipi avranno sentore che io ho parlato con te e verranno da te e ti domanderanno: Riferisci ciò che hai detto al re, senza nasconderci nulla, affinché non ti facciamo morire, e ciò che il re ha detto a te, ²⁶tu risponderai loro: Sono andato a deporre la mia supplica dinanzi al re perché non mi faccia ritornare nella casa di Gionata a morirvi».

²⁷Vennero, infatti, tutti i prìncipi da Geremia e l'interrogarono, ma egli rispose loro esattamente quelle parole che il re gli aveva ordinato; perciò lo lasciarono tranquillo, perché non si venne a sapere nulla del loro colloquio.

²⁸Così Geremia restò nel cortile della guardia fino al giorno in cui fu conquistata Gerusalemme.

NABUCODONOSOR OCCUPA GERUSALEMME E LIBERA GEREMIA

39 ¹Nell'anno nono di Sedecia, re di Giuda, nel decimo mese, Nabucodonosor, re di Babilonia, mosse con tutto il suo esercito contro Gerusalemme assediandola. ²Nell'anno undicesimo di Sedecia, nel quarto mese, il nove del mese, fu fatta una breccia nella città, ³entrarono tutti i prìncipi del re di Babilonia e si stabilirono presso la Porta di mezzo: Nergal-Sarezer di Sin-Maghir, Nebosar-Sechim, capo dei funzionari, Nergal-Sarezer, comandante delle truppe di frontiera, e tutto il resto dei prìncipi del re di Babilonia. ⁴Quando videro ciò, Sedecia, re di Giuda, e tutti i suoi soldati fuggirono e uscirono di notte dalla città per la via del giardino del re, attraverso la porta che sta tra i due muri, e si diressero verso l'Araba. ⁵Ma i soldati dei Caldei li inseguirono e raggiunsero Sedecia nelle steppe di Gerico, lo presero e lo condussero da Nabucodonosor, re di Babilonia, a Ribla, nel territorio di Camat, dove istituì contro di lui un giudizio. ⁶Poi il re di Babilonia fece giustiziare i figli di Sedecia in Ribla sotto i suoi occhi, quindi fece giustiziare tutti i nobili di Giuda. ⁷Poi cavò gli occhi a Sedecia e lo fece legare con catene per condurlo a Babilonia. ⁸I Caldei, quindi, diedero alle fiamme la casa del re e le case del popolo e abbatterono le mura di Gerusalemme. ⁹Nabuzaradan, capo delle guardie, portò in esilio il resto del popolo che era rimasto in città, i fuggitivi che erano passati a lui e il resto del popolo rimasto. ¹⁰Quanto ai poveri del popolo, che non possedevano nulla, Nabuzaradan, comandante delle guardie, li lasciò nel territorio di Giuda e in quel tempo assegnò loro vigne e campi. ¹¹Riguardo a Geremia, invece, Nabucodonosor, re di Babilonia, ordinò a Nabuzaradan, capo delle guardie: ¹²«Prendilo e veglia su di lui, ma non fargli alcun male, anzi trattalo come egli stesso ti dirà». ¹³Incaricò dun-

que Nabuzaradan, capo delle guardie, Nabusazban, capo dei funzionari, Nergal-Sarezer, comandante delle truppe di frontiera, e tutti gli ufficiali del re di Babilonia ¹⁴di mandare a prendere Geremia dal cortile della guardia e di consegnarlo a Godolia, figlio di Achikam, figlio di Safan, perché lo conducesse a casa. Così egli rimase in mezzo al popolo.

¹⁵Il Signore aveva rivolto questa parola a Geremia, mentre era prigioniero nel cortile della guardia: ¹⁶«Va' a dire a Ebed-Melech, l'Etiope: Così dice il Signore degli eserciti, Dio d'Israele: Ecco, io sto per compiere le mie parole contro questa città, parole di sventura e non di felicità; esse si realizzeranno sotto i tuoi occhi in quel giorno. ¹⁷Ma io ti salverò in quel giorno, oracolo del Signore, e non sarai consegnato in mano degli uomini di cui tu temi la presenza. ¹⁸Sì, certo, io ti libererò e non cadrai di spada: salverai la tua vita come bottino, perché hai posto in me la tua fiducia». Oracolo del Signore.

GEREMIA RESTA CON GODOLIA IN MIZPA

40 ¹Questa è la parola che fu rivolta a Geremia da parte del Signore, dopo che Nabuzaradan, capo delle guardie, lo aveva rimandato libero da Rama, avendolo preso mentre era legato con catene in mezzo a tutti i deportati di Gerusalemme e di Giuda, che venivano condotti a Babilonia. ²Il capo delle guardie prese Geremia e gli disse: «Il Signore, Dio tuo, ha predetto questa sventura contro questo luogo; ³il Signore ha compiuto ed eseguito quanto aveva predetto, perché avete peccato contro il Signore e non avete ascoltato la sua voce. Perciò è accaduta contro di voi una tale cosa. ⁴Ma ora, ecco, io ti sciolgo oggi dalle catene che sono sulle tue mani. Se vuoi venire con me a Babilonia, vieni e io veglierò su di te; se, invece, non piace ai tuoi occhi di venire con me a Babilonia, rimani. Guarda: tutto il paese è dinanzi a te; va' dove ritieni giusto e opportuno. ⁵Siccome Godolia ancora non ritorna, recati tu da Godolia, figlio di Achikam, figlio di Safan, che il re di Babilonia ha messo a capo delle città di Giuda. Rimani con lui in mezzo al popolo,

Ger

oppure va' dove ti sembra meglio». Poi il capo delle guardie gli diede provviste e un regalo; quindi lo lasciò libero. [6]Geremia andò da Godolia, figlio di Achikam, in Mizpa. Così si stabilì con lui in mezzo al popolo che era rimasto nel paese.

[7]Ora, tutti i capi dell'esercito che erano al campo con i loro uomini udirono che il re di Babilonia aveva messo a capo del paese Godolia, figlio di Achikam, e che aveva affidato a lui uomini, donne, fanciulli e la gente povera del paese, che non erano stati deportati in Babilonia. [8]Allora vennero presso Godolia in Mizpa Ismaele, figlio di Netania, Giovanni, figlio di Kareach, Seraia, figlio di Tancumet, i figli di Ofi da Netofa e Iezania, figlio del Maacatita, con i loro uomini. [9]Godolia, figlio di Achikam, figlio di Safan, giurò loro e ai loro uomini: «Non abbiate timore di servire i Caldei. Restate nel paese e servite il re di Babilonia e vi troverete bene. [10]Quanto a me, ecco, io mi stabilisco in Mizpa, come rappresentante dinanzi ai Caldei che verranno da noi. Voi, pertanto, raccogliete vino, frutta e olio, depositateli nei vostri recipienti e stabilitevi nelle città da voi occupate».

[11]Anche tutti i Giudei che erano in Moab, tra gli Ammoniti, in Edom e quelli che erano in tutti gli altri paesi udirono che il re di Babilonia aveva lasciato un resto in Giuda e aveva messo come capo su di loro Godolia, figlio di Achikam, figlio di Safan. [12]Tutti questi Giudei, dunque, ritornarono da ogni luogo dove si erano dispersi, vennero nel territorio di Giuda presso Godolia in Mizpa e raccolsero vino e frutta in abbondanza.

[13]Giovanni, figlio di Kareach, e tutti i capi dell'esercito che erano al campo vennero presso Godolia in Mizpa [14]e gli dissero: «Non sai che Baalis, re degli Ammoniti, ha inviato Ismaele, figlio di Netania, per ucciderti?». Ma Godolia, figlio di Achikam, non credette loro. [15]Allora Giovanni, figlio di Kareach, parlò segretamente a Godolia in Mizpa: «Voglio andare ad uccidere Ismaele, figlio di Netania, ma che nessuno lo sappia. Perché egli dovrebbe uccidere te, così che vengano dispersi tutti i Giudei che si sono raccolti attorno a te e perisca il resto di Giuda?». [16]Ma Godolia, figlio di Achikam, rispose a Giovanni, figlio di Kareach: «Non fare una cosa simile, poiché è una menzogna ciò che tu stai dicendo contro Ismaele».

L'UCCISIONE DI GODOLIA

41 [1]Nel settimo mese Ismaele, figlio di Netania, figlio di Elisama, di stirpe reale, si recò con dieci uomini presso Godolia, figlio di Achikam, in Mizpa, e là in Mizpa mangiarono insieme. [2]Allora si levò Ismaele, figlio di Netania, insieme ai dieci uomini che erano con lui e colpì con la spada Godolia, figlio di Achikam, figlio di Safan, e fece morire colui che il re di Babilonia aveva messo a capo del paese. [3]Ismaele uccise anche tutti i Giudei che erano con Godolia in Mizpa e i Caldei, uomini validi alla guerra, che si trovavano lì. [4]Il giorno dopo l'uccisione di Godolia, quando ancora nessuno lo sapeva, [5]arrivarono alcuni da Sichem, da Silo e da Samaria: ottanta uomini con la barba rasata e i vestiti stracciati e sfregiati, portando nelle loro mani offerte e incenso per offrirli nel tempio del Signore. [6]Uscì loro incontro da Mizpa Ismaele, figlio di Netania, mentre essi camminavano piangendo. Quando li ebbe raggiunti disse loro: «Venite da Godolia, figlio di Achikam». [7]Quando essi giunsero nel mezzo della città, Ismaele, figlio di Netania, con i suoi uomini li trucidò e li gettò in una cisterna. [8]Ma dieci uomini, che si trovavano tra quelli, dissero ad Ismaele: «Non ucciderci, perché noi abbiamo nascosto nel campo grano, orzo, olio e miele». Allora si trattenne e non li uccise come i loro fratelli. [9]La cisterna dove Ismaele fece gettare tutti i cadaveri degli uomini che aveva ucciso era la grande cisterna che il re Asa aveva costruito contro Baasa, re di Israele. Ismaele, figlio di Netania, la riempì di cadaveri. [10]Quindi Ismaele deportò tutto il resto del popolo che era in Mizpa, le figlie del re e tutto il popolo rimasto in Mizpa, al quale Nabuzaradan, capo delle guardie, aveva preposto Godolia, figlio di Achikam. Ismaele, figlio di Netania, li condusse via e si mise in marcia verso il territorio degli Ammoniti.

---

41. - 5. Sono pellegrini israeliti del regno del nord, che con tutti i segni del più grande dolore (barba rasa, vesti stracciate e segnati dal sangue dei molti tagli che si facevano), andavano a deporre le loro lacrime e le loro offerte tra le rovine del tempio, dove i Giudei avevano alzato un altare per offrirvi sacrifici.

7. L'episodio di crudeltà pare comandato solo dal desiderio del bottino: infatti, dieci di questi uomini, promettendo altro ancora, hanno salva la vita.

¹¹Quando Giovanni, figlio di Kareach, e tutti i prìncipi dell'esercito che erano con lui udirono tutto il male compiuto da Ismaele, figlio di Netania, ¹²radunarono tutti gli uomini e partirono per combattere contro Ismaele, figlio di Netania, e lo trovarono presso la grande piscina di Gabaon.

¹³Appena tutto il popolo che era con Ismaele vide Giovanni, figlio di Kareach, e tutti i prìncipi dell'esercito che erano con lui, se ne rallegrò, ¹⁴e tutto il popolo che Ismaele aveva condotto via da Mizpa si rivoltò e passò dalla parte di Giovanni, figlio di Kareach. ¹⁵Ma Ismaele, figlio di Netania, poté scampare con otto uomini di fronte a Giovanni e se ne andò presso gli Ammoniti. ¹⁶Allora Giovanni, figlio di Kareach, e tutti i prìncipi che erano con lui presero tutto il resto del popolo che Ismaele, figlio di Netania, aveva condotto via da Mizpa dopo aver ucciso Godolia, figlio di Achikam: erano valorosi uomini di guerra, donne, fanciulli ed eunuchi quelli che ricondusse da Gabaon. ¹⁷Ripartirono e sostarono in Gherut-Chimam, che è di fianco a Betlemme, per poi proseguire e andare in Egitto, ¹⁸lontano dai Caldei, perché avevano timore di loro, giacché Ismaele, figlio di Netania, aveva ucciso Godolia, figlio di Achikam, che il re di Babilonia aveva messo a capo del paese.

LE CONSEGUENZE NEGATIVE DELLA FUGA IN EGITTO

42 ¹Tutti i capi dell'esercito con Giovanni, figlio di Kareach, Azaria, figlio di Osea, e tutto il popolo, dal più piccolo al più grande, si presentarono ²al profeta Geremia e dissero: «Accogli la nostra supplica e intercedi per noi presso il Signore, Dio tuo, in favore di tutto questo resto, perché siamo rimasti pochi da tanti che eravamo, come puoi vedere con i tuoi occhi. ³Il Signore, tuo Dio, ci indichi la via per la quale dobbiamo camminare e ciò che dobbiamo fare». ⁴Il profeta Geremia disse loro: «D'accordo, io intercedo presso il Signore, vostro Dio, secondo la vostra richiesta, e qualsiasi cosa il Signore risponderà nei vostri riguardi, io ve la comunicherò; non vi nasconderò alcuna parola». ⁵Essi risposero a Geremia: «Il Signore sia tra noi come testimone veritiero e accreditato, se non faremo perfettamente secondo ogni parola che ti rivelerà il Signore, Dio tuo, a nostro riguardo. ⁶Sia in bene sia in male, noi ascolteremo la voce del Signore, Dio nostro, al quale ti inviamo affinché egli ci colmi dei suoi beni; infatti noi vogliamo ascoltare la voce del Signore, Dio nostro».

⁷Al termine di dieci giorni la parola del Signore fu rivolta a Geremia. ⁸Egli allora chiamò Giovanni, figlio di Kareach, tutti i prìncipi dell'esercito che erano con lui e tutto il popolo, dal più piccolo al più grande, ⁹e disse loro: «Così dice il Signore, Dio d'Israele, al quale mi avete inviato per presentare la vostra supplica. ¹⁰Se persistete a restare in questo paese, allora io vi renderò stabili e non vi distruggerò, vi pianterò e non vi strapperò, perché mi pento della sventura che vi ho arrecato. ¹¹Non abbiate timore del re di Babilonia, dinanzi al quale ora avete paura; non abbiate paura di lui, oracolo del Signore, perché io sarò con voi per salvarvi e per liberarvi dalle sue mani. ¹²Io lo muoverò a pietà nei vostri riguardi, perché abbia compassione di voi e vi faccia restare nella vostra terra. ¹³Ma se voi, non dando ascolto alla voce del Signore, Dio vostro, dite: Non vogliamo restare in questo paese, ¹⁴e direte: No, vogliamo andare nel paese d'Egitto, dove non vedremo più guerra e non udiremo squillo di tromba né patiremo più la fame: là vogliamo abitare; ¹⁵allora, o resto di Giuda, ascoltate la parola del Signore. Così dice il Signore degli eserciti, Dio d'Israele: Se voi veramente avete deciso di andare in Egitto e vi andate per dimorarvi, ¹⁶la spada che voi temete vi raggiungerà laggiù, nel paese d'Egitto, e la fame che vi spaventa vi sarà addosso laggiù, in Egitto, e là morrete. ¹⁷Avverrà, dunque, che tutti gli uomini che hanno deciso di andare in Egitto per dimorarvi morranno di spada, di fame e di peste e non avranno né superstite né scampato dalla sventura che io manderò su di loro. ¹⁸Sì, così dice il Signore degli eserciti, Dio d'Israele: Come si è rovesciata la mia ira e il mio sdegno contro gli abitanti di Gerusalemme, così si rovescerà il mio sdegno contro di voi se andrete in Egitto: sarete oggetto di esecrazione, orrore, maledizione e vergogna e non vedrete più questo luogo. ¹⁹Il Signore ha parlato contro di voi, o resto di Giuda: non andate in Egitto! Sappiate

bene, io oggi ho testimoniato contro di voi. [20]Sì, voi avete messo a rischio la vostra vita quando mi avete inviato presso il Signore, Dio vostro, dicendo: Intercedi per noi presso il Signore, Dio nostro, e tutto ciò che dirà il Signore, Dio nostro, riferiscilo a noi fedelmente e noi l'eseguiremo. [21]Io, dunque, oggi ve lo riferisco, ma voi non date ascolto alla voce del Signore, Dio vostro, e a tutto ciò per cui egli mi ha inviato a voi. [22]Ora, dunque, sappiatelo bene: morrete di spada, di fame e di peste nel luogo in cui voi desiderate andare a dimorare».

L'EGITTO SARÀ INVASO

43 [1]Quando Geremia ebbe terminato di riferire a tutto il popolo tutte le parole del Signore, Dio loro – tutte quelle parole per le quali il Signore lo aveva inviato a loro –, [2]Azaria, figlio di Osea, Giovanni, figlio di Kareach, e tutti quegli uomini insolenti andavano dicendo contro Geremia: «Tu stai dicendo una menzogna! Non ti ha inviato il Signore, Dio nostro a dire: Non andate in Egitto per dimorarvi, [3]ma è Baruc, figlio di Neria, che ti incita contro di noi per consegnarci nelle mani dei Caldei, per farci morire e farci deportare in Babilonia». [4]Pertanto, né Giovanni, figlio di Kareach, né i prìncipi dell'esercito né il popolo vollero ascoltare l'invito del Signore a restare nel territorio di Giuda. [5]Poi Giovanni, figlio di Kareach, con tutti i prìncipi dell'esercito, prese tutti i superstiti di Giuda, quelli che erano ritornati da tutte le nazioni dove erano stati dispersi, per dimorare nel territorio di Giuda: [6]gli uomini, le donne e i fanciulli, le figlie del re e tutte le persone che Nabuzaradan, capo delle guardie, aveva lasciato con Godolia, figlio di Achikam, figlio di Safan, con il profeta Geremia e con Baruc, figlio di Neria, [7]e andarono nel paese d'Egitto, poiché non vollero ascoltare la voce del Signore, e arrivarono a Tafni.

[8]In Tafni la parola del Signore fu rivolta a Geremia in questi termini: [9]«Prendi delle grandi pietre e nascondile nella malta del pavimento che è all'ingresso della porta della casa del Faraone in Tafni, alla presenza di alcuni Giudei. [10]Poi dirai loro: Così dice il Signore degli eserciti, Dio d'Israele:

Ecco, io mando a prendere Nabucodonosor, re di Babilonia, mio servo, e metterò il suo trono al di sopra di queste pietre che io ho nascosto e stenderò il suo baldacchino sopra di esse. [11]Verrà, infatti, e percuoterà il paese d'Egitto:

chi è destinato alla morte, alla morte,
chi è destinato all'esilio, all'esilio
e chi è destinato alla spada, alla spada!

[12]Darà alle fiamme i templi degli dèi d'Egitto, li brucerà, li deporterà e spulcerà il paese d'Egitto come il pastore spulcia il suo vestito; quindi uscirà di là tranquillamente. [13]Frantumerà anche le stele del tempio del Sole che è nel paese d'Egitto e brucerà con il fuoco i templi degli dèi d'Egitto».

GEREMIA AMMONISCE I GIUDEI CONTRO L'IDOLATRIA

44 [1]Questa è la parola che fu rivolta a Geremia riguardo a tutti i Giudei che abitavano nel paese d'Egitto, in Migdol, in Tafni, in Menfi e nel territorio di Patros: [2]«Così dice il Signore degli eserciti, Dio d'Israele: Voi avete visto tutte le sventure che ho inviato contro Gerusalemme e contro tutte le città di Giuda. Ecco, esse sono oggi una rovina, senza abitanti, [3]a causa della malvagità che hanno commesso facendomi irritare, andando ad offrire incenso, servendo altri dèi, che non avevano conosciuto né loro, né voi, né i vostri padri. [4]Eppure io vi avevo inviato tutti i miei servi, i profeti, con sollecitudine e costanza, dicendo: Non vogliate commettere questa cosa abominevole che io odio. [5]Ma essi non hanno dato ascolto né hanno prestato orecchio, così da emendarsi dalla loro malvagità, smettendo di offrire incenso ad altri dèi. [6]Allora sono traboccati il mio furore e la mia ira, e sono divampati contro le città di Giuda e per le strade di Gerusalemme, che si sono trasformate in rovina e desolazione, come sono ancor oggi. [7]Ma ora così dice il Signore, Dio degli eserciti, Dio d'Israele: Perché volete procurarvi un male così grave, tanto da farvi distruggere, uomini e donne, bambini e lattanti, di mezzo a Giuda, in modo che non rimanga di voi neppure un resto? [8]Perché mi irritate con le azioni delle vostre mani, offrendo incenso ad altri dèi nel paese d'Egitto, dove siete venuti a dimorare, in modo da farvi sterminare e divenire oggetto di maledizione e vergogna tra tutte le nazioni della terra? [9]Avete dimenticato le malvagità dei vostri padri, le malvagità dei re di Giuda e delle loro donne, le vostre malvagità e quelle delle vostre mogli, compiute nel paese di Giuda e per le strade di Gerusalemme? [10]Fino ad oggi essi non si sono pentiti, non hanno avuto timore, né hanno camminato secondo la legge e i precetti che io ho posto dinanzi a loro e dinanzi ai loro padri. [11]Perciò, così dice il Signore degli eserciti, Dio d'Israele: Ecco, io mi volgo contro di voi a vostra sventura e per distruggere tutto Giuda. [12]Io prenderò il resto di Giuda, quelli che hanno stabilito di entrare nel paese d'Egitto per dimorarvi, e periranno tutti nel paese d'Egitto: cadranno di spada e saranno consumati dalla fame, dal più piccolo al più grande; di spada e di fame morranno e diverranno oggetto di devastazione, di maledizione e di vergogna. [13]Io punirò tutti gli abitanti nel paese d'Egitto come ho punito Gerusalemme, con la spada, con la fame e con la peste. [14]Non rimarranno sopravvissuti del resto di Giuda, venuto a dimorare qui nel paese d'Egitto, che possano ritornare nel territorio di Giuda, dove essi desiderano ardentemente ritornare per abitarvi. Sì, non ritorneranno che alcuni fuggiaschi».

[15]Allora tutti gli uomini, i quali erano a conoscenza che le loro donne offrivano incenso ad altri dèi, e tutte le donne presenti alla grande assemblea e tutto il popolo che risiedeva nel paese d'Egitto, in Patros, risposero a Geremia: [16]«Quanto alla parola che ci hai detto nel nome del Signore, noi non ti vogliamo dare ascolto. [17]Sì, noi vogliamo fare tutto ciò che è uscito dalla nostra bocca, offrendo incenso alla Regina del cielo e versandole libazioni come abbiamo fatto noi e i nostri padri, i nostri re e i nostri prìncipi nelle città di Giuda e per le strade di Gerusalemme: così ci sazieremo di pane, saremo felici e non vedremo alcuna sventura. [18]Da quando, infatti, abbiamo cessato di offrire incenso alla Regina del cielo e di versarle libazioni, siamo rimasti privi di tutto e siamo stati sterminati con la spada e con

la fame». [19]Le donne dissero: «Quando noi offriamo incenso alla Regina del cielo, versandole libazioni, è forse senza il consenso dei nostri mariti che le facciamo focacce con la sua immagine e le offriamo libazioni?». [20]Allora Geremia ribatté a tutto il popolo, agli uomini, alle donne e a tutta la gente che gli avevano risposto in quel modo: [21]«Non è forse l'incenso che avete offerto nelle città di Giuda e per le vie di Gerusalemme, voi e i vostri padri, i vostri re e i vostri prìncipi e il popolo del paese, ciò che il Signore ricorda e tiene a mente? [22]Il Signore non ha più potuto sopportare la malvagità delle vostre azioni e le cose abominevoli che avete compiuto. Perciò il vostro paese è diventato una rovina, una devastazione, una esecrazione ed è disabitato, come si vede oggi. [23]Poiché voi avete offerto incenso e avete peccato contro il Signore, non avete ascoltato la voce del Signore e non avete camminato secondo la sua legge né secondo i suoi precetti e le sue testimonianze, per questo vi è capitata questa sventura, che dura fino ad oggi».

[24]Geremia disse ancora a tutto il popolo, particolarmente alle donne: «Ascolta la parola del Signore, o popolo tutto di Giuda che sei nel paese d'Egitto. [25]Così dice il Signore degli eserciti, Dio d'Israele: Voi e le vostre donne l'avete proferito con la vostra bocca e con le vostre mani l'avete compiuto, dicendo: Continuiamo a mantenere i voti che abbiamo promesso, offrendo incenso alla Regina del cielo e versandole libazioni. Se volete, mantenete pure i vostri voti e versate pure le vostre libazioni. [26]Tuttavia ascoltate la parola del Signore, o voi tutti di Giuda che risiedete nel paese d'Egitto. Ecco, io giuro per il mio grande nome – dice il Signore –: non sarà più invocato il mio nome per bocca di alcun uomo di Giuda, che dica: Per la vita del Signore Dio!, in tutto il paese d'Egitto. [27]Ecco, io veglierò su di loro per la sventura e non per la felicità: tutti gli uomini di Giuda che sono nel territorio d'Egitto saranno sterminati con la spada e la fame, fino alla loro distruzione. [28]Tuttavia alcuni scampati dalla spada torneranno dal paese d'Egitto nel paese di Giuda, ma saranno molto pochi. Allora tutto il resto di Giuda, venuto nel paese d'Egitto per dimorarvi, saprà qual è la parola che si realizzerà, se la mia o la loro. [29]Questo sarà per voi il

segno, oracolo del Signore, che io sto per punirvi in questo luogo, affinché sappiate che le mie parole si avverano infallibilmente contro di voi, per la vostra sventura».

30Così dice il Signore: «Ecco, io sto per consegnare il Faraone Cofra, re d'Egitto, in mano dei suoi nemici e in mano di chi attenta alla sua vita come consegnai Sedecia, re di Giuda, in mano di Nabucodonosor, re di Babilonia, suo nemico, che attentava alla sua vita».

A BARUC È PROMESSA LA SALVEZZA

45 1Questa è la parola che il profeta Geremia rivolse a Baruc, figlio di Neria, quando egli scriveva queste parole nel libro per ordine di Geremia, nell'anno quarto di Ioiakim, figlio di Giosia, re di Giuda: 2«Così dice il Signore, Dio d'Israele, a tuo riguardo, o Baruc: 3Tu dici: Ohimè, perché il Signore aggiunge affanno al mio dolore? Io sono stanco di gemere e non trovo riposo. 4Così gli riferirai: Dice il Signore: Ecco, io distruggo ciò che ho edificato e sradico ciò che ho piantato, fosse anche tutto il paese. 5Ma tu pretendi per te cose grandiose. Non pretenderle, perché, ecco, io sto per mandare sventure su ogni uomo, oracolo del Signore; ma ti salverai come bottino la vita, dovunque tu vada».

Oracoli contro le nazioni pagane:

CONTRO L'EGITTO

46 1Parola del Signore, indirizzata al profeta Geremia contro le nazioni. 2Contro l'esercito del Faraone Necao, re d'Egitto, che giunse fino a Carchemis, presso il fiume Eufrate, quando Nabucodonosor, re di Babilonia, lo sconfisse nell'anno quarto di Ioiakim, figlio di Giosia, re di Giuda:

3 «Preparate targa e scudo
  e lanciatevi all'attacco.
4 Attaccate i cavalli e montate, cavalieri;
  presentatevi con elmi,
  lustrate le lance, indossate le corazze.
5 Che cosa vedo io?
  Essi sono spaventati, si volgono indietro
  e i loro eroi sono sconfitti,

fuggono correndo senza voltarsi;
il terrore è tutt'intorno.
Oracolo del Signore.
6 Non sfugge il veloce e non si salva l'eroe;
  a settentrione, sulla sponda dell'Eufrate,
  inciampano e cadono.
7 Chi è costui che cresce come il Nilo,
  le cui acque si agitano come torrenti?
8 È l'Egitto che cresce come il Nilo
  e le sue acque si agitano come torrenti.
  Dice: Salirò, ricoprirò il paese,
  distruggerò la città e i suoi abitanti!
9 Salite a cavallo, lanciatevi, carri!
  Escano gli eroi:
  voi di Etiopia e di Put, impugnatori
    di scudo,
  e voi di Lud, tiratori d'arco.
10 Ma quel giorno per il Signore,
    Dio degli eserciti,
   è giorno di vendetta per vendicarsi
    dei suoi nemici.
   La sua spada divora e si sazia,
   ma si sazia del loro sangue.
   Sì, il Signore, Dio degli eserciti,
    celebra un banchetto
   nel paese del settentrione, sull'Eufrate.
11 Sali in Galaad e prendi il balsamo,
   vergine figlia d'Egitto:
   invano moltiplichi i rimedi,
   guarigione non c'è per te!
12 Le nazioni hanno saputo
    della tua vergogna
   e il tuo gridare ha riempito la terra,
   perché l'eroe ha inciampato nell'eroe
   e insieme caddero entrambi».

13Questa è la parola che il Signore comunicò al profeta Geremia circa l'arrivo di Nabucodonosor, re di Babilonia, per colpire il paese d'Egitto:

14 «Annunziatelo in Egitto
   e fatelo sentire in Migdol,
   fatelo sentire in Menfi e Tafni.
   Dite: Alzati e sta' all'erta,
   perché la spada divora i tuoi dintorni.
15 Perché è travolto il tuo potente?
   Perché non regge di fronte al Signore
    che l'insegue.

---

46. - 1. Questo è il titolo generale delle profezie contro le nazioni pagane, contenute nei cc. 46-51, che comprendono gli oracoli contro l'Egitto, i Filistei, Moab, Ammon, Idumea, Damasco, Arabia, Elam, Babilonia. Sono le nazioni che attorniavano la Palestina e che hanno combattuto contro Israele.

16 Molti ne ha resi vacillanti,
   cadono gli uni sugli altri e dicono:
   Alzati e ritorniamo al nostro popolo
   e al nostro paese natale,
   lontano dalla spada micidiale!
17 Qui hanno chiamato il Faraone,
   re d'Egitto:
   Fragore che ha perduto l'occasione
   propizia.
18 Per la mia vita, dice il re,
   il cui nome è Signore degli eserciti:
   Sì, uno verrà come il Tabor tra i monti
   e come il Carmelo presso il mare.
19 Preparati i bagagli per l'esilio,
   o abitante, figlia d'Egitto.
   Menfi sarà devastata e arsa,
   senza più abitanti.
20 Giovenca bellissima è l'Egitto,
   ma un tafano le viene addosso
   dal settentrione.
21 Anche i suoi mercenari in mezzo ad essa
   sono come vitelli da ingrasso.
   Anch'essi voltano le spalle,
   fuggono insieme, non resistono.
   Sì, il giorno della sventura è giunto
   su di loro,
   il tempo del loro castigo.
22 La loro voce è come di serpente
   che fugge:
   infatti, avanzano con violenza,
   con asce giungono contro di essa,
   come tagliatori di legna,
23 e abbattono la sua foresta,
   oracolo del Signore.
   Non si contano, perché si moltiplicano
   più che locuste
   e non hanno numero.
24 Prova vergogna la figlia d'Egitto,
   è consegnata in mano a un popolo
   del settentrione».

25 Dice il Signore degli eserciti, Dio d'Israele:
«Ecco, io sto per punire Amon di Tebe, l'Egitto, i suoi dèi e i suoi re, il Faraone e chi confida in lui. 26 Li consegnerò in mano di chi attenta alla loro vita, cioè in mano di Nabucodonosor, re di Babilonia, e in mano dei suoi ministri. Dopo questo, però, l'Egitto sarà abitato come nei giorni antichi. Oracolo del Signore.

27 Ma tu non temere, servo mio Giacobbe,
   e non spaventarti, Israele,
   perché, ecco, io ti libererò da un paese
   lontano

e la tua progenie dal paese del suo esilio.
   Giacobbe, infatti, ritornerà e avrà pace,
   sarà tranquillo e nessuno gli incuterà
   più paura.
28 Tu non temere, servo mio Giacobbe,
   oracolo del Signore,
   perché io sono con te!
   Sì, farò uno sterminio tra tutte
   le nazioni
   tra le quali ti ho disperso.
   Di te, però, non farò sterminio:
   ti castigherò com'è giusto,
   ma non ti lascerò del tutto impunito!».

CONTRO I FILISTEI

47 ¹Parola del Signore che fu rivolta al profeta Geremia contro i Filistei, prima che il Faraone conquistasse Gaza:

2 Così dice il Signore:
   «Ecco, le acque crescono
   dal settentrione,
   divengono come un fiume travolgente
   e travolgono il paese con quanto
   contiene,
   la città e chi abita in essa.
   Gridano gli uomini e gemono
   tutti gli abitanti del paese.
3 Per lo strepito scalpitante
   degli zoccoli dei suoi destrieri,
   per il fragore dei suoi carri
   e il fracasso delle sue ruote
   i padri non si volgono verso i figli,
   le loro mani sono senza forza,
4 perché è arrivato il giorno
   della distruzione di tutti i Filistei,
   abbattendo in Tiro e in Sidone
   anche l'ultimo difensore.
   Sì, il Signore distrugge i Filistei,
   il resto dell'isola di Caftor.
5 È giunta la calvizie su Gaza,
   è distrutta Ascalon.
   Asdod, resto degli Anakiti,
   fino a quando ti farai incisioni?
6 Ah, spada del Signore! Quando
   ti riposerai?
   Rientra nel tuo fodero, arrestati
   e taci!
7 Come potrà riposare, se il Signore
   le ha dato ordini?
   Contro Ascalon e la pianura del mare:
   là egli l'ha inviata!».

Ger

CONTRO MOAB

48 [1]Riguardo a Moab, così dice il Signore degli eserciti, Dio d'Israele:

«Guai a Nebo perché è saccheggiata,
vergognosamente è presa Kiriataim:
sente vergogna la roccaforte
ed è spaventata.
[2] Non c'è più la gloria di Moab;
in Chesbon hanno ordito trame
contro di essa:
Venite e distruggiamola,
e non sia più nazione.
Anche tu, Madmen, ammutolisci,
dietro te cammina la spada.
[3] Grida si innalzano da Coronaim,
devastazione e rovina grande!
[4] Abbattuto è Moab,
i suoi piccoli fanno sentire alte grida.
[5] Sì, sulla salita di Luchit vanno piangendo
e nella discesa di Coronaim
si odono grida di disfatta.
[6] Fuggite, salvate la vostra vita
e siate come asino selvatico nel deserto!
[7] Sì, poiché hai posto la fiducia
nelle tue opere e nei tuoi tesori,
anche tu sarai presa e Camos andrà
in esilio
insieme ai suoi sacerdoti
e ai suoi prìncipi.
[8] Verrà il devastatore contro ogni città,
nessuna città scamperà:
perirà la valle, sarà distrutto l'altipiano,
come ha detto il Signore.
[9] Erigete un cippo a Moab
perché è completamente devastato;
le sue città son divenute un deserto
e prive di abitanti.
[10] Maledetto chi esegue fiaccamente
l'opera del Signore
e maledetto chi trattiene la sua spada
dal sangue!
[11] Tranquillo era Moab fin dalla sua
giovinezza
e riposava sulla sua feccia,
perché non è stato travasato
da una botte all'altra
e non è mai andato in esilio:
per questo ha mantenuto il suo gusto
e il suo profumo non s'è alterato.

[12]Ma, ecco, verranno giorni, oracolo del Signore, nei quali manderò contro di esso dei travasatori che lo travaseranno, svuoteranno le sue botti e frantumeranno le sue anfore. [13]Allora Moab si vergognerà di Camos come la casa d'Israele si è vergognata di Betel, in cui confidava.

[14] Come potete dire: Noi siamo eroi
e valenti guerrieri in battaglia?
[15] Il devastatore di Moab
e delle sue città sale,
e i suoi giovani migliori scendono
al macello.
Oracolo del re degli eserciti,
il cui nome è Signore.
[16] Prossima a venire è la rovina di Moab
e la sua sventura è velocissima.
[17] Fate cordoglio per lui, voi tutti
suoi vicini
e chiunque conosce il suo nome.
Dite: Come si è spezzata la verga
robusta,
lo scettro splendente!
[18] Scendi dalla gloria, siedi sulla nuda terra,
o popolo che abiti a Dibon,
poiché chi devasta Moab sta salendo
contro di te,
abbatterà le tue fortezze.
[19] Lungo la strada fermati e osserva,
abitante di Aroer:
interroga il fuggiasco e lo scampato,
chiedi: Che cosa è successo?
[20] Si vergogna Moab perché è abbattuto;
gemete e gridate,
annunziate lungo l'Arnon che Moab
è devastato.

[21]Il giudizio è arrivato per il territorio dell'altipiano, contro Colon, Iaaz e Mefaat; [22]contro Dibon Nebo e Bet-Diblataim; [23]contro Kiriataim, Bet-Gamul e Bet-Meon; [24]contro Keriot, Bozra e tutte le città del territorio di Moab, lontane e vicine.

[25] È stato frantumato il vigore di Moab
e il suo braccio è stato spezzato,
oracolo del Signore.

[26]Ubriacatelo, perché si è fatto grande contro il Signore; si avvoltoli Moab nel suo vomito e divenga anch'esso motivo di derisione. [27]Forse che Israele non è stato per te oggetto di scherno? È stato trovato, forse, tra i ladri, dal momento che, quando parli di lui, scrolli la testa?

28 Abbandonate le città e dimorate
   tra le rocce,
  o abitanti di Moab,
  e siate come colomba che fa il nido
   tra le pareti del precipizio.
29 Abbiamo saputo della superbia di Moab,
   del suo smisurato orgoglio,
   della sua alterigia, della sua superbia,
    del suo orgoglio
   e dell'arroganza del suo cuore.
30 Io conosco la sua arroganza,
    oracolo del Signore,
   l'inconsistenza dei suoi discorsi,
   le sue vane imprese.
31 Per questo su Moab alzo il mio lamento
   e per tutto Moab io grido,
   mentre per gli uomini di Kir-Cheres
    si geme.
32 Più che piangere Iazer, per te piango,
   o vigna di Sibma!
   Le tue propaggini oltrepassavano
    il mare
   e giungevano a occidente di Iazer.
   Sulla tua vendemmia e sul tuo raccolto
   è piombato il devastatore,
33 e sono scomparse gioia e allegria
   dai frutteti e dal paese di Moab;
   ho fatto sparire il vino dai torchi,
   non pigia più il pigiatore
   e il canto non è più canto.

34Per il clamore di Chesbon si è udita la loro voce fino ad Eleale, fino a Iaaz; da Zoar fino a Coronaim a Eglat-Selisia. Sì, perfino le acque di Nimrim diventeranno un luogo desolato. 35Io farò sparire in Moab, oracolo del Signore, chi sale sulle alture e chi offre incenso ai suoi dèi. 36Per questo il mio cuore geme per Moab come i flauti, e il mio cuore geme per gli uomini di Kir-Cheres come i flauti, perché essi hanno perduto il guadagno che si erano procurato. 37Sì, ogni testa è calva e ogni barba viene rasata; su tutte le mani ci sono incisioni e sui fianchi il sacco. 38Su ogni tetto di Moab e nelle sue piazze è tutto un lamento, perché io ho spezzato Moab come un vaso che non piace più, oracolo del Signore. 39Quale costernazione! Gemete! Quale vergogna per Moab aver voltato le spalle! In tal modo Moab è divenuto motivo di derisione e uno spavento per tutti i suoi vicini.

40 Sì, così dice il Signore:
   Ecco, come aquila egli spicca il volo
   e apre le sue ali su Moab.
41 Le città sono prese, le fortezze
    conquistate;
   in quel giorno il cuore degli eroi di Moab
   sarà come il cuore di una donna in doglie.
42 Moab sarà sterminato, non sarà
    più popolo
   poiché ha sfidato il Signore.
43 Terrore, trabocchetto e tranello
   stanno sopra di te, abitante di Moab.
   Oracolo del Signore.
44 Chi fugge lontano dal terrore cadrà
    nel trabocchetto
   e chi esce dal trabocchetto sarà preso
    nel tranello.
   Sì, io farò venire contro Moab
    l'anno del loro castigo.
   Oracolo del Signore.
45 All'ombra di Chesbon s'arrestano
    senza forza i fuggitivi,
   ma un fuoco esce da Chesbon
   e una fiamma di mezzo a Sicon
   che divora le tempie di Moab
   e il cranio dei figli tumultuanti.
46 Guai a te, Moab! Sei perduto,
    popolo di Camos!
   I tuoi figli sono condotti in esilio
   e le tue figlie in prigionia.
47 Ma io cambierò la sorte di Moab
    alla fine dei giorni».
   Oracolo del Signore.
   Fine del giudizio su Moab.

CONTRO AMMON, EDOM E ALTRI POPOLI

49 1Ai figli di Ammon così dice il Signore:
   «Israele non ha forse figli,
   non ha erede?
   Perché Milcom ha ereditato Gad
   e il suo popolo si è stabilito
    tra le sue città?
2 Pertanto, ecco, verranno giorni,
    oracolo del Signore,
   nei quali farò udire contro Rabba
    degli Ammoniti

---

49. - 1-2. *Gli Ammoniti* nel corso della storia furono sempre uniti con i Moabiti contro Israele: dopo le deportazioni assire s'impadronirono del territorio di Gad e si unirono ai Babilonesi contro Giuda. *Milcom* è l'idolo nazionale di Ammon, a cui erano attribuite le conquiste. *Rabba* era la capitale.

l'urlo di guerra
ed essa diverrà un cumulo
 di desolazione,
mentre le sue borgate saranno arse
 dal fuoco.
Allora Israele riceverà la sua eredità,
 dice il Signore.

³ Gemi, Chesbon,
 perché è stata devastata Ai;
gridate, borgate di Rabba,
cingetevi di sacco, fate lamento
 e vagate tra le macerie,
poiché Milcom se ne va in esilio
insieme con i suoi sacerdoti
 e i suoi capi.
⁴ Perché ti vanti delle tue valli,
 valli che trasudano, o città ribelle?
Tu hai fiducia nei tuoi tesori
 ed esclami: Chi verrà contro di me?
⁵ Ecco, io farò venire contro di te
 il terrore,
oracolo del Signore degli eserciti,
 da tutte le parti.
Voi sarete scacciati, ognuno
 per la sua via,
e nessuno riunirà i dispersi.
⁶ Ma dopo ciò
io cambierò la sorte dei figli di Ammon».
Oracolo del Signore.
⁷ A Edom così dice il Signore
 degli eserciti:
«Non c'è più sapienza in Teman?
È scomparso il consiglio dai figli
 dei saggi?
È svanita la loro sapienza?
⁸ Fuggite, tornate indietro, rifugiatevi
 in luoghi nascosti,
 abitanti di Dedan,
perché io faccio venire la rovina
 su Esaù
quando lo punirò.
⁹ Se dei vendemmiatori venissero a te,
non lascerebbero nulla da racimolare;
se venissero dei ladri nella notte,
ti saccheggerebbero a loro piacimento.
¹⁰ Sì, io ho denudato Esaù,
 ho scoperto i suoi nascondigli
ed egli non potrà più nascondersi.
Sarà distrutta la sua discendenza,
saranno distrutti i suoi fratelli
 e i suoi vicini
ed egli non esisterà più.
¹¹ Abbandona i tuoi orfani e io li manterrò,
le tue vedove confidino in me».

¹²Sì, così dice il Signore: «Ecco, chi non aveva diritto a bere il calice l'ha dovuto bere del tutto, e tu vorresti dichiararti innocente? Non sarai innocente, ma lo berrai completamente. ¹³Infatti, ho giurato per me stesso, oracolo del Signore, che Bozra sarà una devastazione, una vergogna, una rovina, una maledizione e tutte le sue città saranno rovine perpetue».

¹⁴ Un messaggio ho udito da parte
 del Signore
e un messaggero è stato inviato
 tra le nazioni:
«Radunatevi e venite contro di essa,
 alzatevi per darle battaglia!
¹⁵ Sì, io ti trasformo nella più piccola
 delle nazioni,
disprezzata dagli uomini.
¹⁶ Ti ha sedotto la tua arroganza
 e la superbia del tuo cuore,
tu che dimori su rocce scoscese
 e sei aggrappata alle vette.
Quand'anche ponessi il tuo nido
 in alto come l'aquila,
di lassù ti farò precipitare.
Oracolo del Signore.

¹⁷Edom, dunque, sarà completamente devastato, chiunque l'attraversa si stupirà e fischierà per tutte le sue ferite. ¹⁸Sarà come nello sconvolgimento di Sodoma e Gomorra e delle città vicine, dice il Signore, dove non abita più nessuno, né figlio d'uomo più vi dimora. ¹⁹Ecco, come un leone che sale dalla boscaglia del Giordano verso un pascolo rigoglioso, così in un baleno io lo scaccerò di là e porrò su di esso il mio eletto. Chi, infatti, è come me? Chi può sfidarmi? Quale pastore può resistermi? ²⁰Perciò ascoltate il consiglio che il Signore ha deciso contro Edom, e i progetti che ha fatto contro gli abitanti di Teman:

Saranno trascinati anche i piccoli
 del gregge
e sarà devastato dietro di essi
 il loro pascolo.
²¹ Al fragore della loro caduta tremerà
 il paese,
l'eco delle loro grida giungerà
 fino al Mar Rosso.
²² Ecco, come aquila egli sale e si libra
 e spiega le sue ali su Bozra. ·

In quel giorno il cuore degli eroi di Esaù
sarà come il cuore di una donna
    in doglie».

²³ Contro Damasco:
«Sono confuse Camat e Arpad,
perché hanno udito una notizia cattiva:
si agitano come il mare
    per lo spavento,
non riescono a calmarsi.

²⁴ È fiaccata Damasco,
è stata travolta in fuga
e un tremito l'ha afferrata;
angustia e dolori l'hanno colta
    come una partoriente.

²⁵ Come? È stata abbandonata
la città della gloria, la città della gioia!

²⁶ Perciò cadono i suoi giovani
    nelle sue piazze,
e tutti i suoi guerrieri ammutoliscono
    in quel giorno.
Oracolo del Signore degli eserciti.

²⁷ Accenderò un fuoco contro le mura
    di Damasco
e divorerà i palazzi di Ben-Adad».

²⁸Contro Kedar e contro i regni di Cazor
che Nabucodonosor, re di Babilonia, aveva
sconfitto, così dice il Signore:

«Alzatevi, salite contro Kedar
e devastate i figli d'oriente.

²⁹ Prendete le loro tende e i loro greggi,
i loro teli e tutti i loro utensili;
portate via i loro cammelli;
si gridi contro di essi: Terrore all'intorno!

³⁰ Fuggite, scappate velocemente,
rifugiatevi in luoghi nascosti, abitanti
    di Cazor,
    oracolo del Signore,
poiché Nabucodonosor, re di Babilonia,
ha fatto contro di voi un piano,
ha delineato contro di voi dei progetti.

³¹ Alzatevi, muovetevi contro
    una nazione tranquilla
che vive nella sicurezza.
Oracolo del Signore.
Non ha porte, né sbarre e vive solitaria:

³² perciò i suoi cammelli diverranno preda
e la moltitudine delle sue mandrie
    bottino.
Io disperderò a tutti i venti
quelli che hanno il capo rasato,
e da ogni parte farò venire la loro rovina.
Oracolo del Signore.

³³ Allora Cazor diverrà un covo di sciacalli,
un luogo devastato in perpetuo;
non vi abiterà più nessuno
né vi dimorerà più figlio d'uomo».

³⁴Parola del Signore, rivolta al profeta Geremia, contro Elam, all'inizio del regno di
Sedecia, re di Giuda:

³⁵ «Così dice il Signore degli eserciti:
Ecco, sto per infrangere l'arco di Elam,
primizia della sua potenza!

³⁶ Farò venire contro Elam i quattro venti
dalle quattro estremità del cielo
e li disperderò davanti a quei venti;
non ci sarà nazione
dove non giungano i dispersi di Elam.

³⁷ Io farò spaventare Elam di fronte
    ai suoi nemici
e di fronte a chi attenta alla sua vita;
farò venire contro di loro una sventura,
l'ardore della mia ira.
Oracolo del Signore.
Invierò dietro di loro la spada
finché non li avrò distrutti.

³⁸ Porrò, allora, il mio trono in Elam
e farò perire, di là, re e prìncipi.
Oracolo del Signore.

³⁹ Ma alla fine dei giorni io cambierò
    la sorte di Elam».
Oracolo del Signore.

CONTRO BABILONIA

50 ¹Parola che il Signore pronunziò
contro Babilonia, contro il paese dei
Caldei, per mezzo del profeta Geremia:

² «Annunziatelo tra le nazioni,
    proclamatelo,
elevate un vessillo;
proclamatelo, non tacetelo. Dite:
È presa Babilonia!
Confuso è Bel, infranto è Marduk,
confuse sono le sue immagini,
infrante sono le sue abominazioni!

³Infatti, contro di essa sale una nazione dal
settentrione, che ridurrà il suo territorio a
luogo desolato, senza più abitanti: uomini e
animali, tutti fuggono e se ne vanno.
⁴In quei giorni e in quel tempo, oracolo del
Signore, verranno i figli d'Israele insieme ai

figli di Giuda: avanzeranno camminando e piangendo mentre cercheranno il Signore, Dio loro. ⁵Domanderanno di Sion verso la quale sono fissi i loro volti: Venite, aderiamo al Signore con un'alleanza eterna, che non sia mai più dimenticata. ⁶Il mio popolo è stato un gregge di dispersi: l'hanno fatto deviare i suoi pastori, l'avevano disperso sui monti, andavano di monte in colle dimentichi del loro ovile. ⁷Chiunque li incontrava li divorava mentre i loro nemici dicevano: Noi non commettiamo alcun delitto, perché essi hanno peccato contro il Signore: pascolo di giustizia e speranza dei loro padri è il Signore.

⁸ Fuggite da Babilonia,
   dal paese dei Caldei uscite
   e siate come capri dinanzi al gregge.

⁹ Sì, ecco, io sto per suscitare
   e per inviare contro Babilonia
   un'assemblea di grandi nazioni
   dal paese del settentrione;
   le si schiereranno contro
   e la conquisteranno.
   Le loro frecce sono come quelle
     di un esperto guerriero,
   nessuna cade a vuoto.

¹⁰ I Caldei saranno saccheggiati
   e tutti i loro saccheggiatori si sazieranno.

¹¹ Gioite e tripudiate, saccheggiatori
    della mia eredità!
   Sì, saltellate come giovenca che trebbia
   e nitrite come stalloni!

¹² La vostra madre sarà svergognata
   e arrossirà colei che vi partorì.
   Ecco, essa è l'ultima delle nazioni,
   un deserto, una steppa riarsa.

¹³ Per l'ira del Signore non sarà più abitata,
   sarà tutta una desolazione.
   Ogni passante per Babilonia
    rimarrà stupito
   e fischierà su tutte le sue ferite.

¹⁴ Schieratevi in cerchio contro Babilonia
   voi tutti, tiratori di arco;
   bersagliate, non risparmiate freccia,
   perché essa ha peccato contro il Signore.

¹⁵ Lanciate il grido di guerra contro di essa
   da ogni parte.
   Essa alza le mani, cadono
    i suoi bastioni,
   rovinano le sue mura.
   Sì, questa è la vendetta del Signore!
   Vendicatevi contro di essa:
   trattatela come ha trattato gli altri.

¹⁶ Sterminate da Babilonia colui
    che semina
   e colui che impugna la falce
    per la mietitura.
   Dinanzi alla spada affilata
   ciascuno torni al suo popolo
   e ciascuno fugga verso il suo paese.

¹⁷ Pecora errante era Israele, i leoni
    l'inseguirono.
   Per primo l'ha divorata il re di Assiria,
   poi Nabucodonosor, re di Babilonia,
   ne ha stritolato le ossa».

¹⁸Perciò, così dice il Signore degli eserciti, Dio d'Israele: «Ecco, sto per castigare il re di Babilonia e il suo paese, come ho castigato il re di Assiria. ¹⁹Io ricondurrò Israele al suo pascolo e pascolerà sul Carmelo e sul Basan; sui monti di Efraim e di Galaad sazierà il suo appetito. ²⁰In quei giorni e in quel tempo, oracolo del Signore, si cercherà l'iniquità d'Israele, ma non si troverà, si cercherà il peccato di Giuda, ma non si troverà, perché io perdonerò a quanti lascerò in vita.

²¹ Sali contro il paese di Merataim
   e contro gli abitanti di Pekod.
   Devasta e distruggili,
   oracolo del Signore,
   fa' tutto quello che io ti ho comandato.

²² Rumore di guerra c'è nel paese
   e grande disastro.

²³ Come è infranto e spezzato il martello
   di tutta la terra!
   Come è divenuta una desolazione
   Babilonia tra le nazioni!

²⁴ Ti ho teso un laccio e ti ho presa,
    Babilonia,
   e tu non lo sapevi!
   Sei stata sorpresa e afferrata,
   perché hai voluto sfidare il Signore.

²⁵ Il Signore ha aperto il suo arsenale
   e ha estratto gli strumenti del suo sdegno:
   perché il Signore, Dio degli eserciti,
   ha un dovere da compiere nel paese
    dei Caldei.

²⁶ Venite ad essa dalle estremità,
    aprite i suoi granai.
   Ammucchiatela come si fa con i covoni,
   fate uno sterminio,
   perché non vi sia, per essa, neppure
    un resto.

²⁷ Uccidete tutti i suoi tori, scendano
   al macello.

Guai a loro, perché è giunto
   il loro giorno,
il tempo del loro castigo.
[28] Voce di fuggitivi e di scampati
si ode dal paese di Babilonia,
per annunziare in Sion
la vendetta del Signore, Dio nostro,
la vendetta per il suo tempio.
[29] Convocate contro Babilonia
   gli arcieri,
tutti i tiratori d'arco;
accampatevi contro di essa all'intorno,
non ci sia in essa un fuggitivo;
ripagatela secondo le sue opere,
fate a lei quanto ha fatto agli altri,
poiché è stata insolente contro
   il Signore,
contro il Santo d'Israele.
[30] Perciò cadranno i suoi giovani
   nelle sue piazze
e tutti i suoi guerrieri periranno
   in quel giorno.
Oracolo del Signore.
[31] Eccomi a te, superba,
oracolo del Signore, Dio degli eserciti:
è giunto finalmente il tuo giorno,
il tempo del tuo castigo.
[32] Inciamperà la superba e cadrà,
nessuno la rialzerà.
Io accenderò un fuoco nelle sue città
che divorerà tutti i suoi dintorni».

[33] Così dice il Signore degli eserciti: «I figli
d'Israele e i figli di Giuda soffrono insieme
l'oppressione, perché tutti i loro deportatori
li vogliono trattenere e rifiutano di lasciarli
andare. [34] Ma il loro redentore è forte: Signore degli eserciti è il suo nome; certamente egli difenderà la loro causa, per tran-
quillizzare il paese e far tremare gli abitanti
di Babilonia.

[35] Spada! Contro i Caldei, oracolo
   del Signore,
e contro gli abitanti di Babilonia,
contro i suoi prìncipi e i suoi sapienti.
[36] Spada! Contro i suoi indovini:
   che impazziscano!
Spada! Contro i suoi eroi:
   che si spaventino!
[37] Spada! Contro i suoi cavalli e i suoi carri
e contro tutta la gentaglia
   che è in mezzo ad essa:
che diventino donne!

Spada! Contro i suoi tesori: che siano
   depredati!
[38] Spada! Contro le sue acque:
   che si prosciughino!
Sì, questo è un paese di idoli,
che perde il senno dietro ai suoi
   spauracchi.

[39] Perciò l'abiteranno gli animali del deserto
e gli sciacalli e vi dimoreranno gli struzzi;
così non sarà mai più abitato, né popola-
to di generazione in generazione. [40] Come
Dio sconvolse Sodoma e Gomorra e le città vicine, oracolo del Signore, così non vi
abiterà più nessuno, né vi dimorerà figlio
d'uomo. [41] Ecco, un popolo viene dal settentrione, una nazione grande e re potenti
si levano dalle estremità della terra. [42] Essi
impugnano arco e lancia, sono crudeli e
non hanno compassione; il loro grido è
come mare in tempesta; cavalcano sopra
cavalli e sono pronti come un solo uomo
alla battaglia contro di te, figlia di Babilonia.
[43] Di loro ha avuto notizia il re di Babilonia e
sono rimaste senza forza le sue mani; l'ha
invaso l'angoscia, dolore come di partoriente. [44] Ecco, sale come leone dalla boscaglia
del Giordano verso un pascolo rigoglioso.
Sì, improvvisamente io li farò fuggire di là e
porrò su di esso il mio eletto. Chi, infatti, è
come me? Chi può sfidarmi? Quale pastore
può resistermi? [45] Perciò udite il consiglio
del Signore, ciò che egli ha deciso contro
Babilonia e i progetti che ha fatto contro il
paese dei Caldei: Trascineranno via anche
i piccoli del gregge; sarà devastato dietro
di essi il pascolo. [46] Al fragore della presa di
Babilonia trema la terra e il loro grido si ode
tra le nazioni».

ASSEDIO E DISTRUZIONE
DI BABILONIA

51 [1] Così dice il Signore:
«Ecco, io susciterò contro Babilonia
e contro gli abitanti della Caldea
uno spirito di distruzione.
[2] Invierò contro Babilonia spulatori
   che la spuleranno
e svuoteranno il suo territorio.
Piomberanno su di essa
   da ogni parte
nel giorno della sventura.

³ L'arciere non tenda il suo arco
  e non si pavoneggi nella sua corazza.
  Non abbiate compassione
    per i suoi giovani,
  sterminate tutto il suo esercito.
⁴ Cadano feriti nel paese dei Caldei
  e trafitti nelle sue strade
⁵ – ma non siano resi vedovi Israele
    e Giuda
  del loro Dio, del Signore degli eserciti –,
  poiché il loro paese è pieno di delitti
  contro il Santo d'Israele.
⁶ Fuggite da Babilonia e ognuno salvi
    se stesso;
  non vogliate perire per le sue iniquità,
  poiché è tempo di vendetta per il Signore,
  egli la ripaga per quanto ha meritato.
⁷ Coppa d'oro era Babilonia in mano
    del Signore,
  con la quale egli inebriava tutta la terra;
  del suo vino hanno bevuto le nazioni,
  per questo esse hanno perso il senno.
⁸ Improvvisamente è caduta Babilonia
  ed è stata infranta:
  piangete su di essa.
  Prendete balsamo per le sue ferite,
  forse guarirà.
⁹ Abbiamo curato Babilonia,
    ma non è guarita.
  Lasciatela. Torniamo ciascuno
    alla nostra terra,
  perché la sua condanna arriva al cielo
  e si eleva fino alle nubi».

¹⁰Il Signore ci ha riabilitati, venite e raccontiamo in Sion l'opera del Signore, Dio nostro.

¹¹ Affilate le frecce, riempite le faretre.
  Il Signore ha risvegliato lo spirito
    del re dei Medi,
  perché il suo piano contro Babilonia
  è quello di distruggerla.
  Sì, questa è la vendetta del Signore,
  la vendetta del suo tempio.
¹² Contro le mura di Babilonia elevate
    un vessillo,
  rafforzate la custodia,
  stabilite le sentinelle, preparate agguati,
  poiché il Signore ha deciso,
    anzi ha già eseguito
  quanto aveva predetto contro
    gli abitanti di Babilonia.
¹³ Tu che abiti presso acque abbondanti,
    o ricca di tesori,

è arrivata la tua fine, il momento
  di essere recisa.
¹⁴ Ha giurato, il Signore degli eserciti,
    per se stesso:
  «Ti riempio di uomini come locuste,
  che canteranno su di te l'inno
    del trionfo».
¹⁵ Egli ha fatto la terra con la sua potenza,
  ha stabilito l'universo con la sua sapienza
  e con la sua intelligenza ha steso i cieli.
¹⁶ Quando emette la sua voce
  c'è tumulto di acque nel cielo.
  Egli fa salire le nubi dall'estremità
    della terra,
  produce lampi per la pioggia
  ed estrae il vento dai suoi ripostigli.
¹⁷ Si stupisce ogni uomo perché
    non comprende,
  arrossisce ogni orefice per i suoi idoli,
  perché menzogna sono gli oggetti
    da lui fusi
  e sono privi di soffio vitale.
¹⁸ Sono vanità, opere ridicole:
  periranno alla resa dei conti.
¹⁹ Non così la porzione di Giacobbe,
  perché egli è colui che ha fatto tutto
  e Israele è la tribù della sua eredità:
  Signore degli eserciti è il suo nome!
²⁰ «Un martello tu sei stata per me,
    strumento di guerra;
  io martellavo con te le nazioni
  e distruggevo con te i regni;
²¹ io martellavo con te cavallo e cavaliere,
  io martellavo con te carro e cocchiere,
²² io martellavo con te uomo e donna,
  io martellavo con te vecchio e giovane,
  io martellavo con te giovane e vergine,
²³ io martellavo con te il pastore
    e il suo gregge,
  io martellavo con te il contadino
    e i suoi buoi,
  io martellavo con te governatori
    e comandanti.

²⁴Ma io ripagherò Babilonia e tutti gli abitanti della Caldea per tutto il male che hanno fatto contro Sion sotto i vostri occhi. Oracolo del Signore.

---

51. - 3-5. Invito agli invasori a compiere il castigo, senza risparmiare nessuno. Motivo: Babilonia ha trattato troppo male Israele e Giuda, come se fossero *vedove* senza protezione. Invece hanno chi le protegge, il Dio degli eserciti che lo dimostra ora, colpendo e distruggendo i loro oppressori.

²⁵ Eccomi a te, montagna della distruzione,
    oracolo del Signore,
    tu che distruggi ogni paese:
    io ho posto le mani su di te,
    ti rotolerò dalle rocce e farò di te
        una montagna bruciata.
²⁶ Da te non si prenderanno più né pietre
        angolari
    né pietre da fondazione,
    perché tu diventerai una desolazione
        eterna.
    Oracolo del Signore.
²⁷ Elevate un vessillo nel paese,
    suonate la tromba tra le nazioni;
    convocate alla guerra santa contro
        di essa le nazioni,
    chiamate contro di essa i regni:
    Ararat, Minni e Aschenaz.
    Stabilite contro di essa un comandante,
    spronate i cavalli come locuste setolose.

²⁸Contro di essa convocate alla guerra santa le nazioni: il re di Media, i suoi governatori, i suoi comandanti e tutti i paesi in suo
dominio.

²⁹ Così tremerà il paese e si contorcerà,
    perché si sono realizzati
        contro Babilonia
    i progetti del Signore
    di rendere il paese di Babilonia
    una devastazione, senza abitanti.
³⁰ Rifiutano, gli eroi di Babilonia,
    di combattere,
    si ritirano nelle fortezze;
    è venuta meno la loro forza,
    sono divenuti come donne;
    hanno incendiato le sue abitazioni,
    sono state spezzate le sue sbarre.
³¹ Corriere corre incontro a corriere
    e messaggero incontro a messaggero
    per annunziare al re di Babilonia
    che è stata presa la sua città
        da ogni parte,
³² che i guadi sono occupati,
    le chiuse incendiate
    e i soldati in preda al panico.
³³ Sì, così dice il Signore degli eserciti,
        Dio d'Israele:

la figlia di Babilonia è come un'aia
    nel tempo della trebbiatura;
ancora un poco e arriverà per essa
    il tempo della mietitura».
³⁴ Mi ha divorato, mi ha distrutto,
    Nabucodonosor, re di Babilonia,
    mi ha ridotto come un vaso vuoto;
    mi ha inghiottito come fa il coccodrillo,
    si è riempito il ventre con i miei cibi
    e mi ha vomitato.
³⁵ «Il mio strazio e la mia disgrazia
    ricadano su Babilonia»,
    dice l'abitante di Sion.
    «Il mio sangue ricada sugli abitanti
        della Caldea»,
    dice Gerusalemme.
³⁶ Perciò, così dice il Signore:
    «Ecco, io difenderò la tua causa,
    io ti vendicherò;
    farò prosciugare il suo mare
    e farò inaridire la sua sorgente.
³⁷ Babilonia si trasformerà in macerie,
    in covo di sciacalli,
    in luogo di desolazione e in oggetto
        di scherno,
    senza più abitanti.
³⁸ Come leoncelli essi ruggiscono insieme,
    ringhiano come cuccioli di leoni.
³⁹ Nel loro calore io preparerò loro
        una bevanda,
    li ubriacherò perché facciano festa
    e poi dormano un sonno eterno,
    così che non si risveglino più.
    Oracolo del Signore.
⁴⁰ Li farò scendere come agnelli al macello,
    come montoni insieme con i capri.
⁴¹ Come è stata presa Sesach
    e conquistata la gloria di tutta la terra!
    Come è divenuta un luogo devastato
    Babilonia tra le nazioni!
⁴² È giunto fino a Babilonia il mare
    e con la massa delle sue onde
        l'ha ricoperta.
⁴³ Le sue città sono diventate
        una distruzione,
    terreno arido e steppa,
    dove non abita più nessuno né vi passa
    figlio d'uomo.
⁴⁴ Io punirò Bel in Babilonia
    ed estrarrò dalla sua bocca quanto
        ha ingoiato;
    non affluiranno più a lui le nazioni.
    Persino le mura di Babilonia
        sono cadute.

Ger

---

36. *Il suo mare*: l'Eufrate alimentava stagni e canali intorno
a Babilonia e formava vasti laghi d'acqua a difesa della città.
41. *Sesach*, nome cabalistico di Babilonia, già trovato in
25,26.

45 Esci da essa, popolo mio,
e ognuno salvi se stesso
dall'ardore dell'ira del Signore!

46Non si turbi il vostro cuore e non temete per la notizia che è stata udita nel paese; infatti un anno giunge una notizia e l'anno dopo un'altra. Ci sarà violenza nel paese e un dominatore contro un altro dominatore. 47Perciò, ecco, verranno giorni nei quali io punirò gli idoli di Babilonia e tutto il suo territorio proverà vergogna, mentre tutti i suoi feriti cadranno in mezzo ad essa. 48Gioiranno su Babilonia cieli e terra e quanto contengono, perché dal settentrione verranno contro di essa i devastatori, oracolo del Signore. 49Anche Babilonia è destinata a cadere a causa delle vittime d'Israele, come per Babilonia sono cadute vittime di tutta la terra. 50Voi, scampati dalla spada, andate, non fermatevi! Da lontano ricordatevi del Signore e Gerusalemme torni alla vostra mente. 51Proviamo grande vergogna perché abbiamo udito l'oltraggio; l'onta copre il nostro volto perché stranieri sono entrati nel santuario del tempio del Signore. 52Perciò, ecco, verranno giorni, oracolo del Signore, in cui io punirò i suoi idoli e per tutto il suo territorio gemeranno i feriti. 53Quand'anche Babilonia si innalzasse fino al cielo e rendesse inaccessibile l'altezza della sua roccaforte, io manderò dei devastatori contro di essa. 54Una voce straziante si ode da Babilonia e un grande scempio dal paese dei Caldei, 55perché il Signore sta devastando Babilonia e fa tacere il suo grande rumore. Tumultuano le loro onde come acque abbondanti, si trasforma in strepito la loro voce. 56Infatti è venuto contro di essa, contro Babilonia, un devastatore e sono stati catturati i suoi eroi, si sono spezzati i loro archi. Perché il Signore è un Dio che ripaga: la sua retribuzione è perfetta. 57Ubriacherò i suoi prìncipi e i suoi sapienti, i suoi governatori, i suoi comandanti e i suoi eroi; dormiranno un sonno eterno e non si desteranno più». Oracolo del re, il cui nome è Signore degli eserciti.

58 Così dice il Signore degli eserciti:
«Le larghe mura di Babilonia
saranno interamente smantellate
e le sue alte porte arderanno nel fuoco.
Invano si sono affaticati i popoli
e le nazioni hanno lavorato per il fuoco».

59Questo è l'ordine che diede il profeta Geremia a Seraia, figlio di Neria, figlio di Macsia, quando questi andò con Sedecia, re di Giuda, in Babilonia, nell'anno quarto del suo regno. Seraia era capo degli alloggiamenti. 60Geremia aveva scritto tutte le sventure che sarebbero arrivate contro Babilonia in un solo rotolo, cioè tutte queste cose scritte contro Babilonia. 61Quindi Geremia disse a Seraia: «Quando arriverai a Babilonia, abbi cura di leggere tutte queste parole. 62Dirai: Tu, Signore, hai parlato contro questo luogo per distruggerlo, così che non vi sia più in esso alcun abitante, né uomo né animale, ma sia piuttosto un luogo devastato in perpetuo. 63Quando avrai terminato di leggere questo libro, legherai su di esso una pietra e lo getterai in mezzo all'Eufrate, 64dicendo: Così affonderà Babilonia e non si rialzerà più, a causa della sventura che io sto per mandare contro di essa».

Fin qui le parole di Geremia.

LA CADUTA DI GERUSALEMME

52 1Sedecia aveva ventun anni quando cominciò a regnare e regnò undici anni in Gerusalemme. Il nome di sua madre era Camutal, figlia di Geremia, nativa di Libna. 2Egli agì male agli occhi del Signore, come aveva fatto Ioiakim. 3Ciò avvenne in Gerusalemme e Giuda a causa dell'ira del Signore, fino al punto che egli le rigettò dalla sua presenza. Sedecia si ribellò contro il re di Babilonia. 4Ora nell'anno nono del suo regno, nel decimo mese, il dieci del mese, Nabucodonosor, re di Babilonia, con tutto il suo esercito, venne a Gerusalemme, pose l'accampamento contro di essa e la circondò con opere d'assedio tutto all'intorno. 5Così la città rimase assediata fino all'undicesimo anno del regno di Sedecia. 6Nel quarto mese, il nove del mese, la fame si impadronì della città e non c'era più cibo per il popolo del paese. 7Allora fu aperta una breccia nella città e tutti i guerrieri fuggirono, uscendo dalla città di notte, attraverso la porta tra le due mura, che è presso il giardino del

---

52. - 1. Questo capitolo, che può chiamarsi la conclusione delle profezie di Geremia in quanto le mostra avverate, è un'aggiunta d'altra mano che ripete quasi alla lettera i cc. 24-25 di 2Re.

re e, mentre i Caldei circondavano la città all'intorno, se ne andarono verso l'Araba. [8]Ma le truppe dei Caldei inseguirono il re e raggiunsero Sedecia nelle steppe di Gerico, mentre tutto il suo esercito si disperse abbandonandolo.

[9]Catturarono il re e lo condussero a Ribla, nel territorio di Camat, presso il re di Babilonia, che istituì un processo contro di lui. [10]Il re di Babilonia fece sgozzare i figli di Sedecia sotto i suoi occhi, e in Ribla fece sgozzare anche tutti i capi di Giuda. [11]Poi il re di Babilonia cavò gli occhi a Sedecia, lo legò con catene, lo fece deportare in Babilonia e lo mise in prigione fino al giorno della sua morte.

[12]Nel quinto mese, il dieci del mese, cioè l'anno diciannovesimo del re Nabucodonosor, re di Babilonia, Nabuzaradan, capo delle guardie, che prestava servizio alla presenza del re di Babilonia, entrò in Gerusalemme. [13]Bruciò il tempio del Signore e la casa del re e tutte le case di Gerusalemme, diede alle fiamme tutte le case dei nobili. [14]Tutto l'esercito dei Caldei che era con il capo delle guardie demolì le mura attorno a Gerusalemme. [15]Nabuzaradan, capo delle guardie, deportò parte dei poveri del popolo e il resto del popolo che era rimasto nella città, i disertori che erano passati al re di Babilonia e il resto della folla. [16]Dei più poveri del paese, invece, Nabuzaradan, capo delle guardie, ne lasciò una parte come vignaioli e contadini. [17]I Caldei spezzarono le colonne di bronzo che erano nel tempio del Signore, le basi e il mare di bronzo che erano nel tempio del Signore e ne portarono tutto il bronzo in Babilonia. [18]Presero anche le caldaie, le palette, i coltelli, i bacini, le coppe e tutti gli utensili di bronzo che si adoperavano per il culto. [19]Il capo delle guardie prese pure i bicchieri, i bracieri, i bacini, le caldaie, i candelabri, le coppe e i calici, quelli in oro e quelli in argento. [20]Quanto alle due colonne, all'unico mare, ai dodici buoi di bronzo, che stavano sotto di esso, e alle basi – cose che fece il re Salomone per il tempio del Signore – non si poteva calcolare quanto pesasse il bronzo di tutti questi utensili. [21]L'altezza di ogni colonna era di diciotto cubiti e ci voleva un filo di dodici cubiti per poterla circondare; il suo spessore era di quattro dita; all'interno era vuota. [22]Il capitello che la sormontava era di bronzo e l'altezza di un capitello era di cinque cubiti; una rete e melagrane stavano attorno al capitello, il tutto di bronzo; così era anche la seconda colonna con melagrane. [23]Le melagrane in rilievo erano novantasei. Il totale delle melagrane intorno alla rete era di cento.

[24]Il capo delle guardie prese anche Seraia, sacerdote capo, e Sofonia, sacerdote in seconda, insieme con tre custodi della soglia. [25]Inoltre dalla città prese un eunuco, che era a capo dei guerrieri, e sette uomini tra i più familiari del re, che furono trovati in città, lo scriba capo dell'esercito che arruolava il popolo del paese e sessanta uomini della gente del paese, trovati in mezzo alla città. [26]Nabuzaradan, capo delle guardie, li prese e li condusse dal re di Babilonia, in Ribla. [27]Il re di Babilonia li fece percuotere e uccidere in Ribla, nel territorio di Camat.

Così Giuda fu deportato lontano dalla sua terra.

[28]Questa è la gente che Nabucodonosor deportò nell'anno settimo: tremilaventitré Giudei; [29]nell'anno diciottesimo di Nabucodonosor: da Gerusalemme furono deportate ottocentotrentadue persone; [30]nell'anno ventitreesimo di Nabucodonosor, Nabuzaradan, capo delle guardie, deportò settecentoquarantacinque Giudei: in tutto quattromilaseicento persone.

[31]Nell'anno trentasettesimo della deportazione di Ioiachin, re di Giuda, nel dodicesimo mese, il venticinque del mese, Evil-Merodach, re di Babilonia, nell'anno della sua intronizzazione, graziò Ioiachin, re di Giuda, e lo fece uscire dalla prigione. [32]Gli parlò con benevolenza e collocò il suo seggio al di sopra del seggio dei re che erano con lui in Babilonia. [33]Gli cambiò anche le vesti da prigioniero e Ioiachin mangiò il pane con lui per sempre, tutti i giorni della sua vita. [34]Come suo sostentamento gli fu dato un sostentamento continuo da parte del re di Babilonia con una razione giornaliera, fino al giorno della sua morte, per tutto il tempo della sua vita.

Ger

LAMENTAZIONI

*S*ono cinque poemetti appartenenti al genere letterario del lamento, sia individuale che collettivo.

La traduzione greca dei Settanta li inserì come aggiunta al libro di Geremia: di qui il titolo che ancora mantengono di Lamentazioni di Geremia. Non sono da attribuirsi a Geremia, quanto piuttosto alla minuscola comunità dei rimasti in Giuda, che li cantava nelle celebrazioni penitenziali.

I cinque poemetti delle Lamentazioni ebbero origine dopo la distruzione di Gerusalemme, 586 a.C. Essi descrivono la situazione disastrosa in cui si trova la città distrutta, ma al tempo stesso si aprono alla speranza in Dio «buono... per chi spera in lui» (3,25).

PRIMA LAMENTAZIONE

DESOLAZIONE DI GERUSALEMME

1 *Alef* – [1]Come mai siede solitaria
la città ricca di popolo?
È divenuta come vedova
la grande fra le nazioni!
La principessa fra le province
è sottoposta a tributo!
Bet – [2]Piange, piange nella notte
e le sue lacrime scendono sulle guance.
Non ha un consolatore
fra tutti i suoi amanti;
tutti i suoi amici l'hanno tradita,
le sono diventati nemici.
Ghimel – [3]Giuda se ne è andato
in esilio
a causa della miseria e della dura
schiavitù;
abita in mezzo alle nazioni
senza trovare riposo;
tutti i suoi persecutori l'hanno
raggiunto
fra le gole anguste.
Dalet – [4]Le strade di Sion sono in lutto
perché nessuno viene più alle feste.
Tutte le sue porte sono deserte,
i suoi sacerdoti gemono,
le sue vergini sono addolorate
ed essa è nell'amarezza.

He – [5]I suoi oppressori hanno il dominio,
i suoi nemici sono felici,
perché il Signore l'ha afflitta
a causa dei suoi molti peccati.
I suoi bambini sono andati in schiavitù,
sospinti dal nemico.
Vau – [6]È scomparso dalla figlia di Sion
tutto il suo splendore;
i suoi prìncipi sono divenuti come cervi
che non trovano pascolo;
marciano senza vigore
davanti a chi li insegue.
Zain – [7]Gerusalemme ricorda i giorni
della sua miseria e del suo vagare,
tutti i suoi beni preziosi
che possedeva dai tempi antichi;
ricorda quando cadeva il suo popolo
per mano del nemico
e non vi era chi le porgeva aiuto.
L'hanno vista gli avversari
e hanno riso della sua distruzione.
Het – [8]Ha peccato, ha peccato
Gerusalemme,
per questo è divenuta cosa immonda;
tutti quelli che l'onoravano
la disprezzano,

---

1. - 1. Ogni versetto comincia, nel testo originale, con una lettera dell'alfabeto ebraico. *Come mai siede solitaria*: queste parole danno il tono alla prima elegia, in cui Gerusalemme è rappresentata come una regina vedova e sola mentre piange le sue sventure.

perché hanno visto la sua nudità;
anch'essa sospira e si volge indietro.

Tet – ⁹La sua impurità è sulle sue frange,
non ha pensato alla sua fine;
è caduta in modo sorprendente,
senza che alcuno la consoli.
«Guarda, Signore, la mia miseria,
perché il nemico si insuperbisce».

Iod – ¹⁰L'avversario ha steso la mano
su tutti i suoi tesori;
essa ha visto i pagani
entrare nel suo santuario,
per i quali tu avevi ordinato:
«Non entreranno nella tua assemblea».

Kaf – ¹¹Tutto il suo popolo geme
in cerca di pane;
danno i loro gioielli in cambio di cibo,
per sostenersi in vita.
«Guarda, Signore, e osserva
come sono divenuta spregevole!».

Lamed – ¹²O voi tutti, che passate sulla via,
fissate lo sguardo e vedete
se c'è dolore simile al mio dolore,
quello che mi è stato inflitto,
quello con cui il Signore mi tormenta
nel giorno della sua ira ardente.

Mem – ¹³Dall'alto egli ha scagliato
un fuoco,
l'ha fatto scendere nelle mie ossa,
ha teso una rete ai miei piedi,
mi ha fatto cadere all'indietro,
mi ha reso desolata,
sofferente per tutto il giorno.

Nun – ¹⁴Ha vegliato sui miei peccati,
nella sua mano essi sono intrecciati
e gravano sul mio collo;
ha fatto vacillare la mia forza.
Il Signore mi ha consegnato
nelle loro mani,
non posso più rialzarmi.

Samech – ¹⁵Ha atterrato tutti i miei prodi
il Signore in mezzo a me;
ha convocato contro di me un'adunanza
per fiaccare i miei giovani;
come in un torchio il Signore ha pigiato
la vergine figlia di Giuda.

'Ain – ¹⁶Per queste cose io piango,
il mio occhio si scioglie in lacrime,

perché è lontano da me chi consola,
chi potrebbe ridarmi la vita;
i miei figli sono desolati,
perché il nemico è stato più forte.

Pe – ¹⁷Sion tende le mani,
ma nessuno la consola.
Il Signore ha disposto per Giacobbe
che i suoi vicini divenissero suoi nemici.
Gerusalemme è diventata in mezzo
a loro
come una cosa impura.

Sade – ¹⁸Il Signore è giusto,
perché sono stata ribelle alle sue parole.
Oh, ascoltate, popoli tutti,
osservate il mio dolore:
le mie vergini e i miei giovani
sono partiti per l'esilio!

Qof – ¹⁹Ho chiamato i miei amanti,
ma essi mi hanno ingannata.
I miei sacerdoti e i miei anziani
sono spirati nella città
mentre cercavano cibo
per mantenersi in vita.

Resh – ²⁰Vedi, Signore, quale angoscia
è la mia;
le mie viscere fremono,
il mio cuore è sconvolto dentro di me,
perché io sono stata ribelle.
Fuori mi priva di figli la spada,
dentro è la morte.

Shin – ²¹Senti come gemo;
non c'è chi mi consoli!
Tutti i miei nemici hanno udito
la mia sciagura,
hanno gioito, perché tu l'hai procurata.
Fa' venire il giorno che tu hai ordinato,
ed essi divengano simili a me!

Tau – ²²Giunga tutta la loro malizia
dinanzi a te
e agisci con loro come hai agito con me,
a causa di tutte le mie colpe.
Molti sono i miei lamenti,
e il mio cuore si consuma.

---

16. *Il consolatore* è Dio, l'unico che potesse dare conforto e
sollievo: ma proprio lui ha castigato il suo popolo.
19. *I miei amanti*: i popoli pagani nei quali aveva sperato.
21. *Il giorno... ordinato* è quello del castigo per le nazioni
pagane, predetto praticamente da tutti i profeti (cfr. Is 30,27-
33; 33,1-14; Ger 46-51).

SECONDA LAMENTAZIONE

IL SIGNORE HA PUNITO GERUSALEMME

2 *Alef* – ¹Come il Signore ha oscurato
nella sua ira
la figlia di Sion!
Ha gettato dal cielo in terra
la maestà d'Israele.

Non si è ricordato dello sgabello
dei suoi piedi
nel giorno del suo furore.

Bet – [2]Il Signore ha distrutto senza pietà
tutti i pascoli di Giacobbe;
ha demolito nel suo furore
le fortezze della figlia di Giuda;
ha gettato a terra, ha profanato
il regno e i suoi prìncipi.

Ghimel – [3]Ha infranto nell'ardore
dell'ira
tutta la potenza d'Israele;
ha ritirato la sua destra
davanti al nemico;
ha acceso contro Giacobbe
come un fuoco,
una fiamma che divora tutt'intorno.

Dalet – [4]Ha teso il suo arco
come un nemico,
ha irrobustito la sua destra
come un avversario.
Ha ucciso ogni cosa che affascina
gli occhi.
Nella tenda della figlia di Sion
ha divampato come fuoco il suo furore.

He – [5]Il Signore è diventato
come un nemico,
ha inghiottito Israele.
Ha inghiottito tutti i suoi palazzi,
ha distrutto le sue fortezze,
ha moltiplicato alla figlia di Giuda
la lamentazione e il gemito.

Vau – [6]Ha violato la sua dimora
simile a un giardino,
ha rovinato il luogo della sua adunanza;
il Signore ha fatto dimenticare in Sion
la festa e il sabato,
e ha rigettato nel furore della sua ira
il re e i sacerdoti.

Zain – [7]Il Signore ha avuto in disgusto
il suo altare
e ha aborrito il suo santuario;
ha consegnato in potere del nemico
le mura dei suoi palazzi.
Essi alzarono grida nel tempio
del Signore
come in giorno di festa.

Het – [8]Il Signore ha deciso
di distruggere
il muro della figlia di Sion;
ha teso la fune, non ha ritirato
la mano dal distruggere;
ha votato al lutto baluardo e muro:
si struggono insieme di pena!

Tet – [9]Le sue porte sono infossate
nella terra;
egli ha demolito e infranto le sue sbarre;
il suo re e i suoi prìncipi sono
fra i pagani;
non vi è più legge.
Neppure i suoi profeti ricevono
visioni dal Signore.

Iod – [10]Siedono per terra, muti,
gli anziani della figlia di Sion;
hanno cosparso di polvere il loro capo,
si sono cinti di sacchi;
piegano a terra il loro capo
le vergini di Gerusalemme.

Kaf – [11]Si consumano di lacrime
i miei occhi,
fremono le mie viscere;
si scioglie per terra il mio fegato
per la ferita della figlia del mio popolo,
allo svenire di bimbi e lattanti
nelle piazze della città.

Lamed – [12]Alle loro madri chiedevano:
«Dov'è il grano e il vino?»,
mentre svenivano come feriti
nelle piazze della città,
ed esalavano le loro anime
in grembo alle loro madri.

Mem – [13]A che cosa ti paragonerò?
Con che cosa ti metterò a confronto,
figlia di Gerusalemme?
A chi ti paragonerò, per consolarti,
vergine figlia di Sion?
Perché è vasta come il mare la tua ferita:
chi potrà guarirti?

Nun – [14]I tuoi profeti hanno avuto
per te visioni
di cose vane e insulse;
non hanno svelato il tuo peccato
per allontanare da te l'esilio,
ma hanno visto per te oracoli
d'illusione e di seduzione.

Samech – [15]Battono le mani contro di te
tutti quelli che passano per strada,
fischiano e scuotono la testa
contro la figlia di Gerusalemme:
«È questa la città chiamata la tutta bella,
la delizia di tutta la terra?».

Pe – [16]Spalancano contro di te
la loro bocca
tutti i tuoi nemici,
fischiano e digrignano i denti,
dicono: «L'abbiamo divorata!
È questo il giorno che attendevamo,
siamo arrivati a vederlo!».

'Ain – [17]Il Signore ha fatto quanto
   aveva deciso,
  ha adempiuto la parola
  che aveva decretato dai giorni antichi,
  ha demolito e non ha avuto pietà.
  Ha rallegrato contro di te il nemico
  e ha innalzato la potenza
   dei tuoi avversari.

Sade – [18]Grida con il tuo cuore al Signore,
  vergine figlia di Sion;
  fa' scorrere come torrente le tue lacrime,
  giorno e notte!
  Non darti riposo,
  non dare tregua alla pupilla
   del tuo occhio!

Qof – [19]Sorgi, grida nella notte,
  quando iniziano i turni di sentinella;
  effondi come acqua il tuo cuore
  davanti al volto del Signore;
  alza verso di lui le tue mani,
  per la vita dei tuoi bambini,
  che muoiono di fame
  all'imbocco di tutte le strade.

Resh – [20]Guarda, Signore, e considera:
  chi mai hai trattato in questo modo?
  Dovevano le donne mangiare
   i loro piccoli,
  i bimbi che si cullano sulle braccia?
  Dovevano essere uccisi nel santuario
   del Signore
  il sacerdote e il profeta?

Shin – [21]Giacciono a terra, nelle strade,
  fanciulli e anziani;
  le mie vergini e i miei giovani
  sono caduti di spada;
  hai ucciso nel giorno della tua collera,
  hai trucidato senza pietà!

Tau – [22]Hai convocato come in giorno
  di festa
  quelli che attorno mi fanno paura.
  Nel giorno dell'ira del Signore
  non vi fu né scampato né superstite;
  quelli che ho tenuto in braccio e allevati
  il mio nemico li ha sterminati.

TERZA LAMENTAZIONE

IL CASTIGO DEL SIGNORE
E LA SUA MISERICORDIA

3 *Alef* – [1]Io sono l'uomo che ha visto
  la miseria
  sotto la sferza del suo furore.

[2]Egli mi ha guidato, mi ha fatto
  camminare
  nelle tenebre e non nella luce.

[3]Sì, contro di me egli volge e rivolge
  la sua mano tutto il giorno.

Bet – [4]Ha disfatto la mia carne
  e la mia pelle,
  ha spezzato le mie ossa.

[5]Ha costruito sopra di me e mi ha avvolto
  di veleno e di amarezza.

[6]In luoghi tenebrosi mi ha fatto abitare
  come i morti da lungo tempo.

Ghimel – [7]Ha innalzato un muro
  attorno a me:
  non posso uscire,
  ha appesantito le mie catene.

[8]Anche se gridassi e implorassi,
  egli soffoca la mia preghiera.

[9]Ha murato le mie strade
  con massi tagliati,
  ha deviato i miei sentieri.

Dalet – [10]Come un orso in agguato
  egli è stato per me,
  come un leone nei nascondigli.

[11]Ha deviato le mie strade,
  mi ha dilaniato,
  mi ha reso oggetto di desolazione.

[12]Ha teso il suo arco e mi ha posto
  come bersaglio delle sue frecce.

He – [13]Ha conficcato nei miei reni
  le frecce della sua faretra.

[14]Sono diventato lo scherno di tutto
  il mio popolo,
  la sua canzone ogni giorno.

[15]Mi ha saziato con erbe amare
  e dissetato con assenzio.

Vau – [16]Mi ha spezzato i denti con la ghiaia,
  mi ha steso nella polvere.

[17]Si è allontanata dalla pace l'anima mia,
  ho dimenticato la felicità.

[18]Ho detto: «È svanito il mio vigore
  e la mia speranza nel Signore».

Zain – [19]Il ricordo della mia miseria
  e del mio vagare
  è come assenzio e veleno.

[20]Ricorda, ricorda e si piega
  su se stessa l'anima mia.

[21]Questo io richiamo in cuor mio,
  perché io possa ancora sperare.

Het – [22]Le grazie del Signore
  non sono finite,
  non è esaurita la sua compassione.

[23]Esse si rinnovano ogni mattino:
  grande è la sua fedeltà!

Lam

24 «Mia parte è il Signore – dice
  la mia anima –,
 per questo spero in lui».

Tet – 25Buono è il Signore per chi spera
   in lui,
 per l'anima che lo cerca.

26 Buona cosa è attendere, e in silenzio,
  la salvezza del Signore.

27 Buona cosa è per l'uomo
  portare un giogo nella sua giovinezza.

Iod – 28Sieda in disparte e taccia,
  quando egli l'avrà posto su di lui.

29 Metta nella polvere la sua bocca:
  forse vi è ancora speranza.

30 Offra, a chi lo percuote, la guancia,
  si sazi di umiliazioni.

Kaf – 31Perché il Signore non allontana
   per sempre
  (i figli dell'uomo).

32 Ma, se affligge, avrà anche pietà,
  secondo l'abbondanza delle sue grazie.

33 Poiché contro il suo cuore egli umilia
  e affligge i figli dell'uomo.

Lamed – 34Quando uno schiaccia
   sotto i suoi piedi
  tutti i prigionieri di un paese,

35 quando uno perverte il diritto
   d'un uomo
  dinanzi al volto dell'Altissimo,

36 quando uno fa torto ad un altro
   nel suo processo,
  il Signore forse non vede?

Mem – 37Chi disse una cosa e subito
   questa fu fatta?
  Non l'ha forse comandata il Signore?

38 Dalla bocca dell'Altissimo
  non procedono forse i mali e i beni?

39 Perché si lamenta l'uomo,
  lui che vive malgrado i suoi peccati?

Nun – 40Esaminiamo le nostre vie
   e scrutiamole,
  torniamo al Signore!

41 Eleviamo il nostro cuore
   sulle nostre mani
  fino a Dio nei cieli!

42 Noi abbiamo peccato, siamo stati ribelli
  e tu non ci hai perdonato.

Samech – 43Ti sei avvolto di furore
   e ci hai inseguito,
  hai ucciso, non hai avuto pietà.

44 Ti sei avvolto in una nube,
  perché non passasse la preghiera.

45 Spazzatura e rifiuto ci hai resi
  in mezzo ai popoli.

Pe – 46Hanno spalancato contro di noi
   la loro bocca
  tutti i nostri nemici.

47 Terrore e trabocchetto sono stati
   per noi,
  sterminio e rovina.

48 Il mio occhio gronda lacrime
   senza sosta
  per la rovina della figlia del mio popolo.

'Ain – 49Il mio occhio si discioglie
   e non ha sosta;
  non ha sollievo,

50 fino a quando il Signore
  guardi e veda dai cieli.

51 Il mio occhio mi tormenta
  alla vista delle figlie della mia città.

Sade – 52Mi hanno dato la caccia come
   a un uccello
  quelli che mi odiano senza motivo.

53 Hanno buttato nella fossa la mia vita
  e gettato pietre su di me.

54 Le acque hanno sommerso
   il mio capo
  e io ho detto: «Sono perduto!».

Qof – 55Ho invocato il tuo nome,
   Signore,
  dalla fossa più profonda.

56 Tu hai udito la mia voce:
  «Non chiudere il tuo orecchio
   al mio grido!».

57 Ti sei accostato, quando
   ti ho chiamato;
  mi hai detto: «Non temere!».

Resh – 58Hai difeso, Signore,
   la mia causa,
  hai riscattato la mia vita.

59 Hai visto, Signore, la mia umiliazione:
  difendi il mio diritto!

60 Hai visto tutte le loro vendette,
  tutti i loro complotti contro di me.

Shin – 61Hai udito, Signore, i loro insulti,
  tutti i loro complotti contro di me,

62 le parole dei miei aggressori
   e i loro disegni
  contro di me tutto il giorno.

63 Seggano o si alzino, tu osservali:
  io sono la loro canzone.

Tau – 64Rendi loro il contraccambio,
   Signore,
  secondo l'opera delle loro mani.

65 Da' loro la durezza di cuore,
  scenda la tua maledizione su di loro.

66 Perseguitali nell'ira e distruggili
  sotto i tuoi cieli, Signore!

FAME, MORTE E DISTRUZIONE
IN GERUSALEMME

Alef – ¹Come mai si è annerito l'oro,
4   si è offuscato l'oro più puro
e sono disperse le pietre sacre
all'imbocco di tutte le strade?

Bet – ²I figli di Sion, ritenuti preziosi
e valutati a prezzo d'oro fino,
come mai ora sono stimati vasi d'argilla,
lavoro di mani di vasaio?

Ghimel – ³Perfino gli sciacalli porgono
la mammella
e allattano i loro piccoli,
ma la figlia del mio popolo è divenuta
crudele
come gli struzzi nel deserto.

Dalet – ⁴La lingua del lattante
si è attaccata
al palato per la sete;
i bambini chiedevano pane
e non v'era chi lo spezzasse loro.

He – ⁵Quelli che mangiavano cibi deliziosi
languivano per le strade;
quelli che erano allevati sulla porpora
abbracciavano letame.

Vau – ⁶Oh, grande è stata la colpa
della figlia del mio popolo,
più del peccato di Sodoma,
che fu sconvolta in un momento
senza che mani le si avventassero
contro!

Zain – ⁷I suoi giovani erano più puri
della neve,
erano più candidi del latte;
la loro carne era più rossa dei coralli,
la loro figura era zaffiro.

Het – ⁸Ora il loro aspetto si è oscurato
più della notte,
non si riconoscono più nelle strade;

la loro pelle si è aggrinzita sulle ossa,
è diventata secca come legno.

Tet – ⁹Più fortunati sono gli uccisi
di spada
che i morti per la fame,
che cadevano, estenuati,
per mancanza di frutti del campo.

Iod – ¹⁰Mani di donne pur tenerissime
hanno cotto i loro nati,
divenuti cibo per loro
nella rovina della figlia del mio popolo.

Kaf – ¹¹Il Signore ha sfogato il suo furore,
ha versato l'ardore della sua ira;
ha acceso un fuoco contro Sion,
che ha divorato le sue fondamenta.

Lamed – ¹²Non credevano i re
della terra
e tutti gli abitanti del mondo
che l'avversario e il nemico sarebbero
entrati
per le porte di Gerusalemme.

Mem – ¹³Ciò è accaduto per i peccati
dei suoi profeti
e per le iniquità dei suoi sacerdoti,
che avevano versato in mezzo
ad essa
il sangue dei giusti.

Nun – ¹⁴Costoro barcollavano come ciechi
per le strade,
sporchi di sangue,
così che non si poteva neppure
toccare le loro vesti.

Samech – ¹⁵«Allontanatevi! Immondo!»,
si gridava loro.
«Allontanatevi, allontanatevi!
Non toccate!».
Fuggivano e andavano errando
fra le genti,
senza trovare fissa dimora.

Pe – ¹⁶Il volto del Signore li ha dispersi;
egli non volgerà più lo sguardo
verso loro.
Non si è avuto riguardo per i sacerdoti,
non si è avuta pietà degli anziani.

'Ain – ¹⁷Si consumavano i nostri occhi
nell'attesa di un vano soccorso.
Dalle nostre vedette scrutavamo
una nazione che non poteva salvarci.

Sade – ¹⁸Osservavano i nostri passi,
perché non ci recassimo sulle nostre
piazze.
Prossima è la nostra fine,
sono compiuti i nostri giorni!
Sì, è giunta la nostra fine.

Lam

---

4. - 3. Per l'angustia e il tormento della fame, non avendo
più latte, le mamme lasciavano languire i loro piccini. Lo
struzzo, che abbandona le uova al calore del sole, è preso
come simbolo delle madri snaturate.

5. Il contrasto è stridente: anche quelli abituati alla vita più
comoda e ricca devono ora avidamente cercare nei rifiuti
qualcosa per non morire di fame!

15. Quando s'incontrava per le vie della città un profeta o un
sacerdote, considerati responsabili di così grande calamità
per non aver guidato il popolo sulle vie di Dio, li si schivava
come persone immonde.

17. Gli Ebrei assediati avevano sempre la speranza
nell'aiuto dell'esercito egiziano, che tentò, infatti, di accorrere a prestare soccorso, ma fu sconfitto prima di arrivare.

Qof – [19]I nostri inseguitori sono stati
    più veloci
delle aquile del cielo;
ci hanno inseguito sui monti
e teso inganni nel deserto.

Resh – [20]Il soffio delle nostre narici,
    l'unto del Signore,
è stato catturato nei loro trabocchetti,
lui, del quale dicevamo: «Alla sua ombra
noi vivremo fra le nazioni».

Sin – [21]Rallegrati ed esulta, figlia
    di Edom,
tu che abiti nella terra di Uz!
Anche a te passerà il calice:
ti ubriacherai e ti denuderai!

Tau – [22]È stata espiata la tua colpa,
    figlia di Sion,
egli non ti manderà più in esilio,
ma punirà la tua iniquità, figlia di Edom,
svelerà i tuoi peccati.

QUINTA LAMENTAZIONE

IMPLORAZIONE A DIO

5 [1]Ricordati, Signore, di quanto
    ci è accaduto,
guarda e considera la nostra
    vergogna:
[2] la nostra eredità è passata
    a stranieri,
le nostre case a sconosciuti.
[3] Orfani siamo diventati, senza padre;
le nostre madri sono come vedove.
[4] Beviamo la nostra acqua a prezzo
    d'argento,
acquistiamo a pagamento la nostra
    legna.
[5] Con un giogo sul collo siamo inseguiti,
siamo esausti e non ci è concesso
    riposo.
[6] All'Egitto abbiamo teso la mano,
all'Assiria, per saziarci di pane.
[7] I nostri padri hanno peccato
    e non sono più,
a noi sono addossate le loro colpe.

[8] Schiavi signoreggiano su di noi,
nessuno può strapparci dalle
    loro mani.
[9] A rischio della nostra vita
ci procuriamo il pane
dinanzi alla spada del deserto.
[10] La nostra pelle si è screpolata
    come un forno
per l'ardore della fame.
[11] Alle donne hanno fatto oltraggio in Sion,
alle vergini nelle città di Giuda.
[12] Hanno impiccato i nobili con le loro mani,
non è stato rispettato il volto
    degli anziani.
[13] I giovani sono stati aggiogati
    alla macina di grano,
i ragazzi sono caduti sotto il peso
    della legna.
[14] Gli anziani hanno cessato di adunarsi
    alla porta,
i giovani hanno cessato le loro canzoni.
[15] È finita la gioia del nostro cuore,
si è mutata in lutto la nostra danza.
[16] È caduta la corona dal nostro capo,
guai a noi che abbiamo peccato!
[17] Per questo è nel dolore il nostro cuore,
per questo si sono annebbiati
    i nostri occhi,
[18] perché il monte Sion è desolato:
lo percorrono le volpi.
[19] Ma tu, Signore, rimani per sempre,
il tuo trono è di generazione
    in generazione.
[20] Perché ci vuoi dimenticare per sempre?
Ci vuoi abbandonare per tutta la vita?
[21] Facci ritornare a te, Signore,
    e noi ritorneremo;
rinnova i nostri giorni come in antico!
[22] Poiché tu non ci hai rigettati
    definitivamente
né sei sdegnato oltre misura contro
    di noi.

---

5. - 1-22. Commovente elegia in forma di preghiera, che
degnamente conclude le quattro precedenti. Si deplorano
ancora una volta i mali sofferti (vv. 1-8) invocando misericordia e pietà.

BARUC

I sei capitoli che costituiscono il libro di Baruc si possono così suddividere: 1,1-14 prologo storico; 1,15 - 3,8 liturgia penitenziale; 3,9 - 4,4 inno sapienziale; 4,5 - 5,9 omelia profetica.
Una tale diversità di materiale e di generi letterari fa pensare a una redazione tardiva di questa raccolta pervenutaci sotto il nome di Baruc, segretario e amico di Geremia. Infatti si pensa al II secolo a.C. Inoltre, pur originariamente scritta in ebraico, questa raccolta ci è pervenuta solo in versione greca, per cui il libro di Baruc è annoverato tra i libri deuterocanonici.
Il c. 6 di Baruc è costituito dalla Lettera di Geremia. *È così chiamata per l'affinità che ha con Ger 29, lettera agli esuli, ma la sua redazione è da fissare tra il 250 e il 120 a.C.*

INTRODUZIONE STORICA E PREGHIERA PENITENZIALE

1 ¹Queste sono le parole del libro che Baruc, figlio di Neria, figlio di Maasia, figlio di Sedecia, figlio di Asadia, figlio di Chelkia, scrisse in Babilonia, ²nel quinto anno, il sette del mese, al tempo in cui i Caldei conquistarono Gerusalemme e la incendiarono con il fuoco. ³Baruc lesse le parole di questo libro alla presenza di Ieconia, figlio di Ioiakim, re di Giuda, e alla presenza di tutto il popolo intervenuto per ascoltare la lettura del libro; ⁴alla presenza dei nobili, dei figli del re, degli anziani e di tutto il popolo, dal più piccolo al più grande, di tutti coloro cioè che dimoravano in Babilonia presso il fiume Sud. ⁵Essi piangevano, digiunavano e pregavano dinanzi al Signore. ⁶Raccolsero pure un po' di denaro, secondo quanto ciascuno poteva, ⁷e lo inviarono a Gerusalemme al sacerdote Ioakim, figlio di Chelkia, figlio di Salom, agli altri sacerdoti e a tutto il popolo che si trovava con loro in Gerusalemme. ⁸Era il dieci del mese di Sivan, quando lo stesso Baruc ricevette i vasi della casa del Signore, che erano stati asportati dal tempio, per riportarli nel paese di Giuda. Erano i vasi d'argento che aveva fatto rifare Sedecia, figlio di Giosia, re di Giuda, ⁹dopo che Nabucodonosor, re di Babilonia, aveva deportato da Gerusalemme e condotto in Babilonia Ieconia, i prìncipi, gli artigiani, i nobili e il popolo del paese.

¹⁰Mandarono pure a dire: «Ecco, noi vi rimettiamo un po' di denaro e con esso comprate olocausti, sacrifici per i peccati e incenso; preparate un'oblazione e offritela sull'altare del Signore, Dio nostro. ¹¹Pregate anche per la vita di Nabucodonosor, re di Babilonia, e per la vita di Baldassar, suo figlio, perché i loro giorni sulla terra siano come i giorni del cielo. ¹²Il Signore ci conceda forza e illumini i nostri occhi, perché possiamo vivere all'ombra di Nabucodonosor e all'ombra di Baldassar, suo figlio, così che possiamo servirli per molti anni e trovare grazia dinanzi a loro. ¹³Pregate pure per noi il Signore, nostro Dio, poiché abbiamo peccato contro il Signore, Dio nostro, e fino ad oggi il suo sdegno e la sua ira non si sono allontanati da noi.

¹⁴Leggete, pertanto, questo libro, che noi vi inviamo, facendolo proclamare nel tempio del Signore in giorno di festa e in altri giorni opportuni.

La confessione dei peccati

¹⁵Direte dunque:
Al Signore, nostro Dio, la giustizia; a noi, invece, la confusione del volto come oggi avviene per gli uomini di Giuda e per gli abitanti di Gerusalemme, ¹⁶per i nostri re,

per i nostri capi e per i nostri sacerdoti, per i nostri profeti e per i nostri padri, [17]poiché abbiamo peccato dinanzi al Signore, [18]avendo disobbedito a lui e non avendo ascoltato la voce del Signore, Dio nostro, camminando secondo i precetti che il Signore ci aveva messo davanti. [19]Dal giorno in cui il Signore fece uscire i nostri padri dall'Egitto fino ad oggi noi siamo stati ribelli contro il Signore, Dio nostro, e siamo stati negligenti nell'ascoltare la sua voce. [20]Perciò si sono abbattuti su di noi i mali e la maledizione che il Signore aveva minacciato a Mosè, suo servo, nel giorno in cui fece uscire i nostri padri dal paese d'Egitto per darci una terra dove scorre latte e miele, come oggi avviene. [21]Noi non abbiamo ascoltato la voce del Signore, Dio nostro, in tutte le parole dei profeti che egli ci ha inviato, [22]ma ciascuno di noi ha seguito i pensieri del proprio cuore malvagio, servendo divinità straniere e facendo il male agli occhi del Signore, Dio nostro.

Il castigo, conseguenza dei peccati

2 [1]Per questo il Signore ha adempiuto la parola che aveva pronunciato contro di noi e contro i nostri giudici, che hanno governato Israele, contro i nostri re e contro i nostri prìncipi, contro gli uomini di Giuda e d'Israele. [2]Non era mai avvenuto sotto il cielo quanto è stato fatto in Gerusalemme, secondo ciò che è scritto nella legge di Mosè, [3]che noi saremmo arrivati a mangiare l'uno la carne del proprio figlio e l'altro la carne della propria figlia. [4]Li ha dati, poi, in potere a tutti i regni vicini e li ha resi oggetto di scherno e di disprezzo per tutti i popoli fra i quali il Signore li aveva dispersi. [5]Così siamo diventati schiavi e non padroni, perché abbiamo peccato contro il Signore, Dio nostro, e non abbiamo ascoltato la sua voce. [6]Al Signore, Dio nostro, la giustizia; a noi, invece, e ai nostri padri, il disonore sul volto, come avviene oggi. [7]I mali che il Signore ci aveva minacciato, si sono abbattuti tutti su di noi. [8]Non abbiamo placato lo sdegno del Signore, convertendoci ciascuno dai pensieri del proprio cuore malvagio. [9]Il Signore ha vigilato sopra questi mali e li ha mandati contro di noi, perché il Signore è giusto in tutte le opere che ci ha comandato. [10]Noi, però, non abbiamo ascoltato la sua voce,

camminando nei precetti che il Signore ci aveva posto davanti.

L'implorazione del perdono

[11]Ora, Signore, Dio d'Israele, che hai fatto uscire il tuo popolo dal paese d'Egitto con mano forte, con segni e prodigi, con grande potenza e con braccio elevato, e ti sei fatto un nome glorioso, come è ancora oggi, [12]noi abbiamo peccato, siamo stati empi, siamo stati ingiusti, o Signore Dio nostro, riguardo a tutti i tuoi precetti. [13]Si allontani da noi il tuo sdegno, perché siamo rimasti pochi in mezzo alle nazioni fra le quali ci hai dispersi. [14]Ascolta, Signore, la nostra preghiera e la nostra supplica; liberaci a causa del tuo nome, facci trovare grazia dinanzi a coloro che ci hanno deportato, [15]affinché tutta la terra conosca che tu sei il Signore, Dio nostro, e che il tuo nome è stato invocato su Israele e sulla sua progenie. [16]Signore, guarda dalla tua santa dimora e pensa a noi; piega, Signore, i tuoi orecchi e ascolta. [17]Apri, Signore, i tuoi occhi e osserva: non saranno, infatti, i morti negli inferi, il cui spirito è stato tolto dalle loro viscere, che daranno gloria e giustizia al Signore, [18]ma piuttosto l'anima gravemente afflitta, chi cammina curvo e debole, gli occhi sfiniti e l'anima indigente daranno a te gloria e giustizia, o Signore. [19]Non per i meriti dei nostri padri e dei nostri re noi ti rivolgiamo la nostra invocazione, Signore, Dio nostro, [20]ma perché tu hai riversato il tuo sdegno e la tua ira contro di noi, come avevi annunziato per mezzo dei tuoi servi, i profeti: [21]Così dice il Signore: Piegate la vostra cervice e servite il re di Babilonia, così dimorerete nella terra che io ho dato ai vostri padri. [22]Ma se non volete ascoltare la voce del Signore, servendo il re di Babilonia, [23]farò cessare dalle città di Giuda e fuori di Gerusalemme la voce dell'allegria e la voce della gioia, la voce dello sposo e la voce della sposa e tutto il paese sarà desolato e senza abitanti. [24]Noi, però, non abbiamo ascoltato la tua voce servendo il re di Babilonia e così hai realizzato le parole che avevi pronunziato per mezzo dei tuoi servi, i profeti, cioè che le ossa dei nostri re e dei nostri padri sarebbero state rimosse dal loro sepolcro. [25]Ora eccole esposte al calore del giorno e al gelo della notte. Essi sono morti fra pene atroci, di fame, di spada e di peste; [26]inoltre tu hai

ridotto il tempio, sul quale è stato invocato il tuo nome, nello stato in cui si trova oggi, a causa della malvagità della casa d'Israele e della casa di Giuda.

²⁷Nonostante ciò, tu hai agito verso di noi secondo tutta la tua bontà e secondo tutta la tua grande misericordia, o Signore, Dio nostro, ²⁸come avevi detto per mezzo del tuo servo Mosè, nel giorno in cui gli ordinasti di scrivere la tua legge dinanzi ai figli d'Israele, dicendo: ²⁹Se non ascolterete la mia voce, questa grande moltitudine sarà certamente ridotta a un piccolo numero in mezzo alle nazioni tra le quali io li disperderò; ³⁰poiché io so che non mi daranno ascolto, essendo un popolo di dura cervice. Tuttavia nella terra del loro esilio rientreranno in se stessi ³¹e riconosceranno che io sono il Signore, Dio loro. Allora io darò loro un cuore e orecchi che ascoltano ³²ed essi mi daranno lode nella terra del loro esilio, si ricorderanno del mio nome ³³e si convertiranno dalla loro durezza e dalle loro azioni malvagie, poiché ricorderanno la condotta dei loro padri che peccarono contro il Signore. ³⁴Io, allora, li ricondurrò nella terra che giurai ai loro padri, ad Abramo, a Isacco e a Giacobbe e ne avranno il dominio. Io li moltiplicherò e non diminuiranno più. ³⁵Farò con loro un'alleanza perenne, per cui io sarò il loro Dio ed essi saranno il mio popolo, né scaccerò più il popolo mio Israele dalla terra che gli ho dato.

Preghiera per la libertà

3 ¹Signore onnipotente, Dio d'Israele, un'anima in angoscia e uno spirito angustiato grida verso di te. ²Ascolta, Signore, abbi pietà, poiché abbiamo peccato contro di te; ³perché tu rimani in eterno, mentre noi periamo per sempre. ⁴O Signore onnipotente, Dio d'Israele, ascolta la preghiera dei morti d'Israele e dei figli di coloro che hanno peccato contro di te, non avendo ascoltato la voce del Signore, loro Dio, per cui i mali si sono abbattuti su di noi. ⁵Non ricordare l'ingiustizia dei nostri padri: ricorda ora, invece, la tua mano e il tuo nome. ⁶Tu, infatti, sei il Signore, Dio nostro, e noi ti lodiamo,

Signore. ⁷Per questo tu hai riempito del tuo timore il nostro cuore, perché potessimo invocare il tuo nome. Ti lodiamo anche nella nostra prigionia, perché abbiamo eliminato dal nostro cuore tutte le iniquità dei nostri padri, i quali hanno peccato contro di te. ⁸Eccoci, oggi, nella nostra prigionia, dove, per vergogna, ci hai disperso a maledizione e a condanna per tutte le iniquità commesse dai nostri padri, i quali si ribellarono contro il Signore, Dio nostro».

Elogio e invito alla sapienza

⁹ «Ascolta, Israele, i precetti della vita,
   porgi l'orecchio per conoscere
      la prudenza.
¹⁰ Che cosa è accaduto, Israele,
   che cosa è accaduto
   per cui ti trovi in terra nemica
   e invecchi in terra straniera,
¹¹ contaminato con i morti
   e annoverato con coloro che sono
      negli inferi?
¹² Hai abbandonato la fonte della sapienza!
¹³ Se tu avessi camminato nella via di Dio,
   abiteresti in pace per sempre.
¹⁴ Impara dov'è la prudenza,
   dov'è la forza, dov'è l'intelligenza,
   per comprendere anche dove sono
      la longevità e la vita,
   dove sono la luce degli occhi e la pace.
¹⁵ Chi ha scoperto il suo luogo
   e chi è penetrato nei suoi tesori?
¹⁶ Dove sono i prìncipi delle genti
   e i domatori delle belve che sono
      sulla terra?
¹⁷ Quelli che giocano con gli uccelli
      del cielo,
   quelli che accumulano argento e oro,
   in cui gli uomini confidano,
   non ponendo un limite al loro possesso?
¹⁸ Quelli che con cura lavorano l'argento
   e non si scopre il segreto
      delle loro opere?
¹⁹ Sono scomparsi e discesi negli inferi,
   mentre altri hanno preso il loro posto.
²⁰ Nuovi giovani hanno visto la luce
   e hanno abitato la terra,
   ma non hanno conosciuto la via
      della sapienza.
²¹ Non hanno appreso i suoi sentieri
   né l'hanno raggiunta;
   i loro figli sono rimasti lontano
      dalla loro via.

3. - 4. *Morti d'Israele:* gli esiliati, considerati come morti (Ez 37,12), perché fuori della terra promessa e puniti da Dio.
9. Finita la confessione dei peccati, comincia l'elogio della sapienza sullo stile di quanto si legge nei libri sapienziali. Qui la sapienza, come in Sir 24, viene identificata con la legge di Mosè.

Bar

²² Non se n'è avuta notizia in Canaan,
  nulla si è visto in Teman.
²³ Neanche i figli di Agar,
  ricercatori di saggezza sulla terra,
  i mercanti di Merra e di Teman,
  i narratori di miti e i ricercatori
    di saggezza
  hanno conosciuto la via della sapienza,
  né si sono ricordati dei suoi sentieri.
²⁴ O Israele, quanto è grande la casa di Dio
  e quanto è ampio il luogo del suo dominio!
²⁵ È grande e senza fine,
  eccelso e senza misura.
²⁶ Là nacquero i giganti,
  uomini famosi fin dal principio,
  alti di statura e addestrati alla guerra.
²⁷ Ma Dio non li scelse
  né diede loro la via della conoscenza;
²⁸ perirono perché non ebbero la prudenza,
  perirono per la loro stoltezza.
²⁹ Chi è salito al cielo per prenderla
  e farla scendere dalle nubi?
³⁰ Chi ha attraversato il mare e l'ha trovata
  e l'ha conquistata con oro raffinato?
³¹ Non c'è chi conosca la sua via
  né chi comprenda il suo sentiero.
³² Ma colui che sa tutto, la conosce
  e l'ha trovata con la sua intelligenza.
  Egli che per sempre ha formato la terra
  e l'ha riempita di quadrupedi;
³³ che invia la luce ed essa va,
  che la chiama ed essa gli obbedisce
    con tremore.
³⁴ Gli astri brillano gioiosi nei loro posti.
³⁵ Egli li chiama ed essi rispondono:
    Eccoci!,
  e brillano con gioia per colui
    che li ha creati.
³⁶ Questi è il nostro Dio,
  nessun altro è a lui paragonabile.
³⁷ Egli ha scoperto ogni via
    di conoscenza
  e l'ha data a Giacobbe suo servo,
  a Israele suo prediletto.
³⁸ Per questo è apparsa sulla terra
  e con gli uomini ha conversato.

La sapienza è stata rivelata a Israele

4 ¹Essa è il libro dei comandamenti di Dio
  e la legge che rimane in eterno;
  chiunque la possiede vivrà,
  chiunque l'abbandona perirà.
² Ritorna, Giacobbe, e accoglila,
  cammina allo splendore della sua luce.

³ Non dare ad altri la tua gloria
  né a gente straniera i tuoi privilegi.
⁴ Noi beati, o Israele,
  perché ci è stato rivelato ciò che piace
    a Dio».

Lamento e speranza di Gerusalemme

⁵ «Coraggio, popolo mio,
  memoriale d'Israele!
⁶ Siete stati venduti alle nazioni
  non per essere distrutti,
  ma poiché avete provocato lo sdegno
    di Dio
  siete stati consegnati ai vostri nemici.
⁷ Infatti avete provocato lo sdegno
    del vostro Creatore
  sacrificando ai demoni e non a Dio.
⁸ Avete dimenticato chi vi ha nutrito,
  il Dio eterno,
  e contristato anche colei
    che vi ha allevati,
  Gerusalemme.
⁹ Essa ha visto giungere su di voi l'ira
    di Dio
  e ha detto: Ascoltate, città vicine di Sion,
  Dio mi ha inviato un grande lutto.
¹⁰ Ho visto, infatti, la schiavitù dei miei figli
  e delle mie figlie,
  procurata loro dall'Eterno.
¹¹ Li avevo nutriti con gioia,
  ma li ho dovuti allontanare con pianto
    e lutto.
¹² Nessuno si rallegri per me,
  vedova e abbandonata da molti;
  sono desolata per i peccati dei miei figli,
  perché hanno deviato dalla legge di Dio.
¹³ Non hanno riconosciuto i suoi precetti,
  non hanno seguito i comandamenti
    di Dio
  né hanno intrapreso i sentieri
    della disciplina,
  secondo la sua giustizia.
¹⁴ Venite, vicine di Sion, e considerate
    la schiavitù
  dei miei figli e delle mie figlie,
  procurata loro dall'Eterno.
¹⁵ Ha condotto contro di essi una nazione
    lontana,
  una nazione crudele e di lingua straniera,
  che non ha avuto rispetto dei vecchi
  né provato pietà dei fanciulli,
¹⁶ che ha strappato i figli prediletti
    alla vedova
  e l'ha lasciata sola, priva delle figlie.

¹⁷ Io, dunque, come potrei aiutarvi?
¹⁸ Colui, però, che vi ha afflitto
      con tanti mali
   vi libererà dalle mani dei vostri nemici.
¹⁹ Andatevene, figli miei, andatevene,
   perché io sono rimasta sola.
²⁰ Ho tolto la veste di pace
   e ho indossato il sacco della supplice;
   voglio gridare all'Eterno per tutti
      i miei giorni.
²¹ Coraggio, figli, invocate Dio
   ed egli vi libererà dall'oppressione,
   dalla mano dei nemici.
²² Io, infatti, spero dall'Eterno la vostra
      salvezza.
   Una gioia mi viene dal Santo,
   per la misericordia che presto
      vi giungerà
   dall'Eterno, vostro salvatore.
²³ Vi ho visti partire tra lutto e pianti,
   ma Dio vi restituirà a me
   con letizia e gioia, per sempre.
²⁴ Come ora le vicine di Sion
   hanno visto la vostra schiavitù,
   così presto vedranno
   la salvezza che Dio vi concederà,
   accompagnata da grande gioia,
   dallo splendore dell'Eterno.
²⁵ Figli, sopportate con fermezza il castigo
   che Dio vi ha mandato.
   Il tuo nemico ti ha perseguitato,
   ma presto vedrai la sua rovina
   e gli metterai i piedi sul collo.
²⁶ I miei figlioletti percorsero vie scabrose,
   incalzati come gregge rapito
      dai nemici.
²⁷ Coraggio, figli, invocate Dio,
   poiché colui che vi ha messi alla prova
   si ricorderà di voi.
²⁸ Come, infatti, fu vostro pensiero
      allontanarvi da Dio,
   così, ora, convertendovi,
   raddoppiate il vostro impegno
      nel cercarlo,
²⁹ poiché chi vi ha rattristati con tante
      sventure
   vi rallegrerà con la gioia eterna
      della salvezza.
³⁰ Coraggio, Gerusalemme!
   Chi ti ha dato un nome ti consolerà.

³¹ Guai a coloro che ti hanno oppresso
   e hanno goduto per la tua caduta!
³² Guai alle città dove i tuoi figli
   sono stati schiavi!
   Guai a colei che trattenne i tuoi figli!
³³ Come, infatti, godette per la tua caduta
   e si rallegrò per la tua rovina,
   così si rattristerà per la sua desolazione.
³⁴ Le toglierò la gioia della sua grande
      popolazione
   e trasformerò in lutto il suo tripudio.
³⁵ Fuoco, infatti, le invierà l'Eterno
   e l'avvolgerà per molti giorni;
   sarà abitata da demoni per lungo tempo.
³⁶ Guarda verso oriente, Gerusalemme,
   contempla la gioia che ti viene da Dio.
³⁷ Ecco, ritornano i figli che hai visto partire,
   ritornano riuniti da oriente a occidente
   dalla parola del Santo,
   esultanti nella gloria di Dio.

Invito alla gioia

5 ¹Deponi, Gerusalemme,
   la veste del lutto e dell'afflizione;
   rivestiti dello splendore della gloria
   che da Dio ti viene per sempre.
² Indossa il manto della giustizia di Dio,
   poni sulla testa il diadema della gloria
      dell'Eterno,
³ perché Dio mostrerà il tuo splendore
   a ogni creatura che è sotto il cielo.
⁴ Sarai chiamata con il nome che Dio
   ti ha dato per sempre:
   Pace di giustizia e Gloria di pietà.
⁵ Alzati, Gerusalemme,
   collocati in alto e osserva a oriente:
   ecco i tuoi figli, riuniti da occidente
      a oriente
   dalla parola del Santo,
   esultanti per il ricordo di Dio.
⁶ Partirono da te a piedi, spinti dai nemici,
   ma ora Dio te li riconduce nella gloria
   come portati su di un trono regale.
⁷ Dio, infatti, ha deciso di abbassare
   ogni monte elevato e ogni alta collina,
   di colmare le valli e spianare il terreno
   affinché Israele proceda sicuro sotto la
      gloria di Dio.
⁸ Fanno ombra a Israele anche le selve
   e ogni albero frondoso, al comando di Dio.
⁹ Infatti, Dio guiderà Israele con gioia
   alla luce della sua gloria,
   con la misericordia e la giustizia
      che vengono da lui».

---

4. - 28. L'esilio fu provvidenziale per sanare Israele dalla
piaga dell'idolatria: infatti dopo l'esilio Israele, come popolo,
non ricadde più nell'idolatria, ma rimase fedele a Dio.

LETTERA DI GEREMIA

Copia della lettera che Geremia inviò a quelli che stavano per essere condotti prigionieri in Babilonia dal re dei Babilonesi, per riferire loro ciò che gli era stato comandato da Dio.

6 ¹A motivo dei peccati che voi avete commesso contro Dio sarete condotti prigionieri in Babilonia da Nabucodonosor, re dei Babilonesi. ²Quando, dunque, sarete giunti in Babilonia, vi resterete molti anni e per un lungo tempo, fino a sette generazioni; dopo di che io vi ricondurrò di là in pace. ³In Babilonia voi vedrete idoli d'argento, d'oro e di legno, portati a spalla, i quali ispirano timore ai pagani. ⁴State attenti, perciò, a non divenire anche voi come gli stranieri, e il timore dei loro dèi non si impossessi di voi, ⁵quando vedrete la moltitudine prostrarsi davanti e dietro a loro per adorarli. Dite, invece, nella vostra mente: «Te bisogna adorare, Signore». ⁶Poiché il mio angelo è con voi, egli avrà cura di custodire la vostra vita. ⁷Difatti, la loro lingua è stata levigata da un artigiano, sono coperti d'oro e d'argento, ma sono falsi, non possono parlare. ⁸E, come si fa per una ragazza vanitosa, prendono oro e acconciano corone sulla testa dei loro dèi. ⁹A volte avviene anche che i sacerdoti sottraggono dai loro dèi oro e argento e lo spendono per se stessi, dandone anche alle prostitute nei postriboli. ¹⁰Adornano con vesti, come si fa con gli uomini, questi idoli d'argento, d'oro e di legno; ma essi non riescono a salvarsi dalla ruggine e dai tarli. ¹¹Pur avvolti in una veste purpurea, occorre pulire il loro volto a causa della polvere del tempio, che si posa su di essi. ¹²Come il governatore di una regione, il dio ha uno scettro, ma non può far morire chi pecca contro di lui. ¹³Tiene il pugnale e la scure nella destra, ma non si può liberare dalla guerra e dai ladri. ¹⁴Per questo è evidente che non sono dèi. Dunque, non abbiate timore di loro. ¹⁵Infatti, come un vaso rotto diviene inutile all'uomo, così sono i loro dèi collocati nei templi. ¹⁶I loro occhi sono pieni della polvere che sollevano i piedi di coloro che entrano. ¹⁷Come le porte vengono rafforzate da ogni parte su di uno che si è reso reo davanti a e che, quindi, deve essere condotto a morte, così i loro sacerdoti assicurano i loro templi con portoni, serrature e sbarre, perché non

vengano derubati dai ladri. ¹⁸Accendono lampade, persino più numerose che per se stessi, ma gli dèi non ne vedono alcuna. ¹⁹Sono come una trave del tempio: il loro interno, come si dice, viene divorato; essi non si avvedono neanche degli animali che strisciano dalla terra e che li divorano insieme con le loro vesti. ²⁰Il loro volto si annerisce per il fumo del tempio. ²¹Sul loro corpo e sulla loro testa svolazzano pipistrelli, rondini e altri uccelli; vi si posano anche i gatti. ²²Da ciò potete conoscere che non sono dèi. Dunque, non abbiate timore di loro.

²³L'oro che li adorna per bellezza non splende, se qualcuno non ne toglie la polvere; essi, infatti, neppure quando venivano fusi se ne rendevano conto. ²⁴A qualsiasi prezzo siano stati comprati, non c'è in essi la vita. ²⁵Non avendo piedi, quando sono portati sulle spalle dimostrano la loro impotenza agli uomini; perfino i loro servitori per questo arrossiscono, perché, se cadono per terra, non possono rialzarsi; ²⁶se li pongono diritti, non possono muoversi; se li inclinano, non possono raddrizzarsi; come a morti si pongono dinanzi a loro le offerte. ²⁷Vendendo le vittime ad essi sacrificate, i loro sacerdoti ne traggono profitto, e così le loro mogli ne pongono sotto sale per non distribuirle né ai poveri né ai bisognosi. Perfino la mestruata e la puerpera si impadroniscono di tali vittime. ²⁸Conoscendo dunque da ciò che non sono dèi, non abbiate timore di loro.

²⁹Perché, allora, vengono chiamati dèi? Perfino le donne imbandiscono la mensa a questi dèi d'argento, d'oro e di legno. ³⁰Nei loro templi i sacerdoti siedono con le vesti stracciate, la testa e le guance rasate, mentre le loro teste sono scoperte. ³¹Emettono grida e gemiti davanti ai loro dèi, come fanno alcuni durante un banchetto funebre. ³²I sacerdoti sottraggono le vesti dei loro dèi e

---

6. - *Copia della lettera*: può considerarsi come appendice al libro di Baruc. Questa lettera, che offre tante indicazioni sull'idolatria babilonese, dovette essere efficacissima per allontanare i Giudei dal praticarla (cfr. Ger 29).

2. *Sette generazioni*: corrispondono ai settant'anni d'esilio, diviso qui in sette periodi di anni, periodi indeterminati, detti generazioni. L'idea è di indicare che gli Ebrei staranno in esilio per molto tempo.

7-57. Per comprendere questa lunga diatriba contro le false divinità, dobbiamo ricordare che per gli antichi i simulacri non erano ritenuti semplicemente rappresentazioni della divinità, ma erano considerati essi stessi divinità, cui si rendeva culto.

ne rivestono le proprie mogli e i propri figli. [33]Gli idoli non possono retribuire né il bene né il male che ricevono da qualcuno; non possono né costituire né spodestare un re; [34]ugualmente non possono dare né ricchezza né denaro. Se qualcuno, fatto un voto, non lo mantiene, non se ne curano. [35]Non possono salvare un uomo dalla morte, né sottrarre il debole dal forte. [36]Non rendono la vista a un cieco, né possono salvare chi si trova nel pericolo. [37]Non possono impietosirsi della vedova, né soccorrere l'orfano. [38]Sono simili alle pietre delle montagne, pur essendo di legno, d'argento e d'oro. I loro fedeli saranno confusi. [39]Come, dunque, si può ammettere e dichiarare che sono dèi?

[40]Persino dagli stessi Caldei essi sono disonorati, poiché quando vedono un muto che non può parlare, lo presentano a Bel e pregano che lo faccia parlare, come se questi potesse sentire: [41]ma non possono concepire di abbandonare queste cose, perché non hanno senno. [42]Le donne, cinte di cordicelle, siedono nelle strade e bruciano crusca. [43]Quando qualcuna di esse, ingaggiata da qualcuno, ha dormito con un passante, disprezza la sua vicina perché non fu stimata come lei, né fu spezzata la sua cordicella. [44]Tutto ciò che avviene attorno ad essi è menzogna: dunque, come si può ammettere e dichiarare che sono dèi?

[45]Sono opera di artigiani e di orefici, null'altro essi diventano se non ciò che vogliono i loro artefici. [46]Coloro che li lavorano non diventano longevi: come potrebbero essere dèi le cose da essi lavorate? [47]Essi lasciano ai posteri menzogna e ignominia. [48]Quando, infatti, si avvicinano guerra e calamità, i sacerdoti si consultano a vicenda sul come nascondersi insieme con i loro dèi. [49]Com'è dunque possibile non comprendere che non sono dèi coloro che non salvano se stessi né dalla guerra né dalle calamità? [50]Dopo ciò si conoscerà che gli dèi di legno, d'oro e d'argento sono una menzogna; a tutte le genti e ai re sarà chiaro che non sono dèi, ma opera delle mani dell'uomo e che in essi non c'è opera divina. [51]A chi non sarà noto che essi non sono dèi?

[52]Infatti non possono costituire un re sulla regione, né dare pioggia agli uomini; [53]non possono giudicare la loro causa né liberare l'oppresso, essendo impotenti; sono come cornacchie tra il cielo e la terra. [54]Quando,

infatti, si produce un incendio nel tempio di questi dèi di legno, d'oro e d'argento, i loro sacerdoti fuggono e si mettono in salvo, mentre essi come travi bruciano là in mezzo. [55]Non possono resistere né a un re né ai nemici. [56]Come, dunque, si può ammettere e pensare che sono dèi? [57]Né dai ladri né dai briganti possono salvarsi questi dèi di legno, d'oro e d'argento, ai quali gli audaci portano via l'oro e l'argento e la veste che li ricopre e poi fuggono: essi non possono aiutare neppure se stessi. [58]Perciò è meglio un re che mostra la propria forza, ovvero un vaso utile in casa, di cui si serve chi l'ha fatto, anziché tali falsi dèi; oppure la porta di una casa che protegga quanto è in essa, anziché tali falsi dèi; oppure una colonna di legno nella reggia, anziché questi falsi dèi.

[59]Infatti il sole, la luna e gli astri, essendo lucenti e destinati a essere utili, obbediscono volentieri; [60]similmente il fulmine, quando appare, è ben visibile e anche il vento spira su tutta la regione. [61]Quando alle nubi Dio ordina di muoversi su tutta la terra, esse eseguono l'ordine; anche il fuoco, inviato dall'alto per distruggere monti e boschi, fa ciò che è comandato. [62]Questi dèi, invece, non assomigliano a tali cose né per l'aspetto né per la potenza. [63]Perciò non si può ammettere né dire che essi siano dèi, poiché non possono né rendere giustizia né beneficare gli uomini. [64]Conoscendo dunque che non sono dèi, non abbiate timore di loro.

[65]Non possono né maledire né benedire i re; [66]non mostrano segni in cielo tra le nazioni né brillano come il sole né illuminano come la luna. [67]Le bestie sono migliori di loro, perché possono rifugiarsi in un nascondiglio e procurarsi il necessario. [68]Dunque, in nessun modo appare che essi siano dèi: perciò non abbiate timore di loro.

[69]Come, infatti, uno spauracchio in un cocomeraio nulla protegge, così sono i loro dèi di legno, d'oro e d'argento. [70]Anzi, come un cespuglio nel giardino, sopra il quale si posa ogni sorta di uccelli, o come un cadavere gettato nelle tenebre, così sono i loro dèi di legno, d'oro e d'argento. [71]Anche dalla porpora e dal bisso che si consumano su di loro voi comprenderete che non sono dèi; alla fine saranno divorati e si diffonderà il disprezzo di loro nel paese.

[72]Migliore, dunque, è un uomo giusto che non ha idoli, perché egli sfuggirà all'ignominia.

EZECHIELE

*E*zechiele, di stirpe sacerdotale, fu condotto in esilio a Babilonia nella prima deportazione del 597 a.C., e là, dopo cinque anni, cominciò il ministero profetico, divenendo, al tempo stesso, la guida morale e spirituale dei deportati.

Il centro del libro di Ezechiele è la caduta di Gerusalemme (c. 34). Prima di questo avvenimento le sue profezie hanno il tono minaccioso allo scopo di portare i Giudei al pentimento. Dopo la caduta di Gerusalemme le sue profezie sono orientate a consolare gli esuli con la promessa della liberazione e del ritorno descritti con simboli meravigliosi.

Il libro si divide in tre sezioni. La prima (cc. 1-24) contiene l'annuncio dei tremendi castighi di Dio contro il popolo eletto e in particolare contro Gerusalemme, condannata irrimediabilmente alla distruzione. La seconda (cc. 25-32) annuncia la rovina dei popoli idolatri, soprattutto dell'Egitto. La terza (cc. 33-48) contiene l'annuncio della salvezza d'Israele con l'annuncio di un nuovo tempio, della fondazione di un nuovo culto, in una terra rinnovata, sotto la guida di un nuovo Pastore.

Il linguaggio di Ezechiele è carico di immagini complesse, spesso caratterizzato da azioni simboliche destinate a illustrare in modo efficace il messaggio che il profeta, in nome di Dio, vuole indirizzare a Israele in esilio. Data la sua origine sacerdotale, Ezechiele ha un senso molto vivo della sacralità di Dio, cioè della sua distanza e superiorità nei confronti di un popolo impuro e peccatore. L'orizzonte verso cui egli indirizza lo sguardo è quello di un nuovo Israele che può vivere accanto a Dio nella purezza e nella santità.

LA VISIONE DELLA GLORIA DEL SIGNORE

1 [1]Nel trentesimo anno, il cinque del quarto mese, mentre mi trovavo tra gli esuli presso il canale Chebar, si aprirono i cieli e contemplai una visione divina. [2]Il cinque del mese – era il quinto anno dell'esilio del re Ioiachin –, [3]la parola del Signore fu rivolta ad Ezechiele, figlio di Buzi, sacerdote, nella terra dei Caldei, presso il canale Chebar, e là si posò su di lui la mano del Signore.

[4]Io guardai ed ecco vidi giungere dal settentrione un vento impetuoso, una grande nube con lampi e splendore all'intorno e nel centro come il luccicare dell'elettro, in mezzo al fuoco. [5]Al centro apparve la figura di quattro esseri: ciascuno aveva aspetto d'uomo, [6]e aveva ciascuno quattro facce e quattro ali. [7]Le loro gambe erano diritte e i loro piedi erano come zoccoli di un torello, scintillanti come il luccicare di un bronzo levigato. [8]Sotto le ali avevano braccia umane ai quattro lati; avevano facce e ali tutti e quattro. [9]Le ali erano accoppiate a due a due. Essi avanzavano senza girarsi, ciascuno avanzava diritto davanti a sé. [10]Le forme delle facce erano di uomo; poi forme di leone sul lato destro, di bue sul lato sinistro e ciascuno di essi forme di aquila. [11]Le loro ali erano distese verso l'alto; ciascuno aveva due ali che si toccavano e due che velavano i loro corpi. [12]Cia-

---

1. - 1. *Trentesimo anno*: probabilmente da intendersi come età del profeta.

5. *Quattro esseri* (cherubini del trono di Dio), come gli animali simbolici degli Assiri e dei Babilonesi, detti *karibu*, avevano faccia d'uomo, corpo metà di leone e metà di bue, ali di aquila, sotto le quali apparivano braccia umane. La visione, prima indistinta, avvicinandosi al profeta si fa più chiara, come appare al v. 10.

scuno procedeva diritto davanti a sé. Procedevano dove li sospingeva il vento, senza girarsi. [13]Tra quegli esseri apparivano come dei carboni infuocati simili a lampade, che brillavano in mezzo a loro. Il fuoco splendeva e da esso sprizzavano fulmini. [14]Gli esseri andavano e venivano come la folgore. [15]E vidi al suolo una ruota accanto a ciascuno dei quattro esseri. [16]L'aspetto delle ruote e la loro struttura erano splendenti come il crisòlito; tutte e quattro avevano la stessa forma, e l'aspetto e la struttura erano tali che le ruote risultavano congegnate l'una nell'altra. [17]Quegli esseri procedevano ai quattro lati; procedevano senza girarsi. [18]I cerchioni di esse erano alti e tutti e quattro avevano occhi tutt'intorno. [19]Con gli esseri procedevano anche le ruote e quando essi s'innalzavano da terra anch'esse s'innalzavano. [20]Andavano dove li sospingeva il vento; le ruote s'innalzavano simultaneamente, perché lo stesso vento degli esseri agiva sulle ruote. [21]Se quelli avanzavano, esse avanzavano; se quelli si fermavano, esse si fermavano, e se quelli s'innalzavano da terra, le ruote s'innalzavano simultaneamente, perché il vento degli esseri agiva sulle ruote. [22]Vidi sulla testa degli esseri la forma di una volta stupenda, splendente come il cristallo, che si stendeva in alto sulle loro teste. [23]Al di sotto della volta c'erano le coppie delle loro ali affusolate; ciascuno ne aveva due che gli coprivano il corpo. [24]Udii il fragore delle loro ali come quello di molte acque, come quello dell'Onnipotente, mentre avanzavano; il fragore del loro strepito era come quello d'un campo militare. Quando poi si fermavano, lasciavano ripiegare le ali. [25]Ci fu gran rumore sopra la volta che si stendeva sulla loro testa. [26]Sulla parte superiore della volta, che si stendeva sulla loro testa, c'era come una specie di trono, che sembrava di zaffiro. Su questa specie di trono, in alto, si distingueva una figura che sembrava un uomo. [27]Vidi come un luccicare di elettro, come se vi fosse del fuoco tutt'intorno, da quelli che sembravano i fianchi in su; e da quelli che sembravano i fianchi in giù vidi come fuoco e splendore tutt'intorno. [28]Come l'arcobaleno tra le nubi quando c'è il temporale, così era l'aspetto di quello splendore all'intorno. Così appariva la forma della Gloria del Signore. Contemplandola, caddi con la faccia a terra e udii uno che parlava.

LA DIFFICILE MISSIONE DEL PROFETA

2 [1]Mi disse: «Figlio d'uomo, alzati, ti voglio parlare». [2]Mentr'egli parlava, venne in me uno spirito che mi fece alzare in piedi e io ascoltai colui che mi parlava. [3]Egli mi disse: «Figlio d'uomo, io ti mando alla casa d'Israele, a una gente ribelle che si è rivoltata contro di me; essi e i loro padri si sono rivoltati contro di me fino a questo momento. [4]Sono figli dalla faccia insolente e dal cuore duro quelli ai quali ti mando. Tu dirai loro: Così dice Dio, mio Signore. [5]Magari ascoltassero e la smettessero! Ma sono una casa ribelle. Però dovranno riconoscere che c'è un profeta in mezzo a loro. [6]E tu, figlio d'uomo, non aver paura di loro, non aver paura delle loro parole. Ti saranno ostili, saranno come spine, sederai come su scorpioni; ma non aver paura delle loro parole e non abbatterti di fronte a loro, perché sono una casa ribelle. [7]Riferirai loro le mie parole. Magari ascoltassero e la smettessero! Ma sono una casa ribelle. [8]Tu, figlio d'uomo, ascolta ciò che ti dirò e non essere ribelle come questa casa ribelle. Apri la bocca e mangia ciò che ti do».
[9]Ed ecco, vidi una mano tesa verso di me, che teneva un rotolo scritto. [10]Lo stese dinanzi a me; era scritto all'interno e all'esterno e vi erano scritti lamentazioni, gemiti e guai.

EZECHIELE, SENTINELLA D'ISRAELE

3 [1]Mi disse: «Figlio d'uomo, mangia ciò che stai vedendo, mangia questo rotolo, poi va' e parla alla casa d'Israele». [2]Io aprii la bocca e mangiai quel rotolo. [3]Poi egli mi

---

26. Sopra il cocchio animato è assiso Dio. La descrizione è grandiosa, ma anche molto oscura. Il significato della visione è che Dio non è legato a un luogo, per es. al tempio di Gerusalemme, ma può andare ovunque, anche a Babilonia, come di fatto andrà (Ez 11,22-25): e con Dio è la salvezza.
2. - 1. *Figlio d'uomo*: strana designazione che si ripeterà per una novantina di volte. Pare voglia rimarcare la piccolezza e meschinità dell'uomo in confronto con la grandezza e onnipotenza di Dio.
3. - 3. Isaia era stato purificato da un serafino che stava accanto all'altare di Dio (Is 6,7); Geremia fu purificato da Dio stesso prima ancora della sua nascita (Ger 1,5); Ezechiele narra la sua vocazione in modo ancor più drammatico, per indicare che quanto dirà sarà veramente parola di Dio.

disse: «Figlio d'uomo, nutri il tuo ventre e saziati le viscere con questo rotolo che ti do». Io lo mangiai e fu per la mia bocca dolce come il miele.

[4]Poi mi disse: «Figlio d'uomo, va' alla casa d'Israele e riferisci ad essi la mia parola. [5]Non sei inviato a un popolo dal linguaggio oscuro e dalla lingua ostica, ma alla casa d'Israele! [6]Neppure sei inviato a popoli numerosi dal linguaggio oscuro e dalla lingua ostica, di cui non capisci le parole. Eppure se ti inviassi a loro, ti ascolterebbero. [7]Ma la casa d'Israele non vorrà ascoltarti, perché non vogliono ascoltare me! Infatti tutti quelli della casa d'Israele sono di faccia dura e di cuore insolente.

[8]Ma, ecco, io rendo la tua faccia dura quanto la loro e la tua fronte dura quanto la loro fronte. [9]Come un diamante, più dura della roccia io ho reso la tua fronte; non temerli e non abbatterti di fronte a loro, perché sono una casa ribelle». [10]Poi mi disse: «Figlio d'uomo, ogni parola che ti dirò accoglila nel tuo cuore e ascoltala bene. [11]Orsù, va' dagli esuli, dai tuoi connazionali e parla loro. Dirai: Così dice Dio, mio Signore. Magari ascoltassero e la smettessero!».

[12]Poi uno spirito mi sollevò e udii dietro a me un fragore di gran terremoto, mentre la Gloria del Signore si alzava da quel posto. [13]Udii il fragore delle ali degli esseri viventi che le battevano l'una contro l'altra, e contemporaneamente il fragore delle ruote e il rumore di un grande frastuono. [14]Lo spirito mi sollevò e mi portò via. Me ne andavo triste, colpito nel mio spirito, e la mano del Signore pesava forte su di me. [15]Allora andai dagli esuli di Tel-Aviv, che stavano presso il canale Chebar, lungo il quale essi abitavano, e restai sette giorni in mezzo a loro, stordito.

[16]Trascorsi questi sette giorni mi fu rivolta questa parola del Signore: [17]«Figlio d'uomo, io ti ho costituito sentinella sulla casa d'Israele; quando udrai qualcosa dalla mia bocca, tu li metterai in guardia da parte mia. [18]Se dico all'empio: Devi morire!, e tu non l'hai messo in guardia, cioè non hai parlato per mettere in guardia l'empio dalla sua perversa condotta affinché viva, quell'empio morirà per la sua iniquità, ma del suo sangue chiederò conto a te. [19]Se però tu hai messo in guardia l'empio ed egli non s'è convertito dalla sua empietà e dalla sua perversa

condotta, egli morirà per la sua colpa, ma tu avrai salva la tua vita. [20]Se poi il giusto si perverte, non è più giusto e fa il male, io porrò un inciampo davanti a lui e morirà; se non l'hai messo in guardia, egli morirà per il suo peccato e non saranno ricordate le opere giuste da lui fatte. Ma del suo sangue io chiederò conto a te. [21]Se tu, al contrario, hai messo in guardia il giusto perché non pecchi ed egli di fatto non pecca, allora vivrà, appunto perché è stato messo in guardia e tu avrai salva la tua vita».

[22]Allora la mano del Signore fu su di me ed egli mi disse: «Alzati, esci nella pianura; là ti parlerò». [23]Mi alzai e uscii nella pianura, ed ecco, la Gloria del Signore era là, come la Gloria che avevo visto presso il canale Chebar. Io caddi con la faccia a terra, [24]ma uno spirito entrò in me e mi fece alzare in piedi; allora il Signore mi parlò e mi disse: «Va' a rinchiuderti in casa, [25]o figlio d'uomo: ecco, verrai legato, ti saranno messe addosso delle funi e non potrai più uscire in mezzo a loro. [26]Ti attaccherò la lingua al palato, resterai muto e non sarai più la loro guida; infatti essi sono una casa ribelle. [27]Ma quando io ti parlerò, allora ti aprirò la bocca e dirai ad essi: Così parla Dio, mio Signore; si ascolti finalmente e si smetta! Ma essi sono una casa ribelle!».

ORACOLO SULLA SORTE IMMINENTE DI GIUDA

4 [1]«Figlio d'uomo: prendi una tavoletta e mettitela davanti; incidi su di essa una città, Gerusalemme. [2]Cingila d'assedio, fa' una trincea, costruisci un vallo, metti gli accampamenti e colloca gli arieti tutt'intorno. [3]Prenditi una lastra di ferro e mettila come muro di ferro tra te e la città e fissa il tuo sguardo su di essa; rimarrà assediata e tu l'assedierai. Questo è un segno per la casa d'Israele. [4]Mettiti poi a giacere sul fianco sinistro, mettendo su di esso la colpa della casa d'Israele; espierai la loro colpa per il numero dei giorni in cui giacerai su di esso. [5]Io ti assegno un numero di giorni equivalente agli anni della loro colpa: centonovanta giorni, lungo i quali tu espierai la colpa della casa d'Israele. [6]Terminati questi, giacerai sul fianco destro ed espierai la colpa della casa di Giuda; ti assegno quaranta giorni,

un giorno per ogni anno. [7]Fisserai il tuo sguardo e stenderai il braccio verso l'assedio di Gerusalemme e profetizzerai contro di essa. [8]Sappi che io ti ho messo addosso delle funi e non potrai voltarti, da un fianco all'altro fino al compimento dei giorni della tua reclusione.

[9]Prendi pertanto grano, orzo, fave, lenticchie, miglio e spelta e mettili in un recipiente; ti farai con essi del pane; lo mangerai lungo i centonovanta giorni in cui dovrai giacere sul tuo fianco [10]e ne mangerai una razione di venti sicli; la mangerai ad ore stabilite. [11]Berrai l'acqua in dosi di un sesto di hin e ad ore stabilite. [12]Mangerai questo cibo in forma di una sfoglia d'orzo e la cuocerai su escrementi umani». [13]Poi il Signore disse: «Così mangeranno il loro pane impuro i figli d'Israele, in mezzo alle genti tra le quali li caccerò». [14]Ma io dissi: «Signore mio Dio, ecco, la mia gola non si è mai macchiata d'impurità; non ho mai mangiato carne infetta o dilaniata, dalla mia giovinezza fino ad oggi, e per la mia bocca non è mai passata carne guasta». [15]Allora mi disse: «Ebbene, ti concedo gli escrementi di animale al posto di quelli umani; ti cuocerai il pane su quelli». [16]Poi soggiunse: «Figlio d'uomo, ecco, io sto per spezzare in Gerusalemme il bastone del pane. Mangeranno il pane razionato e con ansietà e berranno l'acqua misurata e con sgomento, [17]al punto che, venendo meno il pane e l'acqua, rimarranno sgomenti l'uno di fronte all'altro e languiranno nella loro colpa».

IL TREMENDO DESTINO DI GERUSALEMME

5 [1]«Figlio d'uomo, prenditi una lama affilata che userai come rasoio da tosatori, facendola passare sulla tua testa e sul tuo mento. Poi ti prenderai una bilancia e divide-rai i peli. [2]Un terzo lo farai bruciare nel forno dentro la città, al termine dell'assedio. Poi ne prenderai un altro terzo, che getterai con la lama intorno alla città; l'altro terzo, infine, lo disperderai al vento, mentre io sfodererò dietro ad essi una spada. [3]Raccolti alcuni peli, li rinchiuderai nell'orlo del mantello; [4]di questi ne separerai alcuni, che butterai in mezzo al fuoco e lascerai che brucino.

Poi dirai alla casa d'Israele: [5]Così dice Dio, mio Signore: Questa è Gerusalemme. Io l'avevo posta in mezzo alle genti, circondata da tutti gli altri paesi. [6]Ma essa si è ribellata alle mie norme e ai miei decreti, peccando più delle altre genti, più dei paesi che ha attorno. Sì, hanno respinto le mie norme e non hanno seguito i miei decreti. [7]Perciò così dice il Signore: Poiché siete stati più ribelli delle genti che vi circondano, non avete seguito i miei decreti, non avete osservato le mie norme e non avete neanche agito secondo le norme delle genti che vi circondano, [8]ebbene, così dice il Signore Dio: Ecco, anch'io mi metto contro di te ed eseguirò in mezzo a te la mia condanna di fronte alle genti. [9]Farò a te quel che non ti ho mai fatto e che non ti farò mai più, a causa di tutte le tue abominazioni. [10]Così in mezzo a te i padri mangeranno i figli e i figli mangeranno i loro padri; eseguirò contro di te la mia condanna e disperderò ad ogni vento ciò che rimarrà di te.

[11]Com'è vero che io vivo, oracolo di Dio, mio Signore, siccome hai reso impuro il mio santuario con tutti i tuoi idoli e con tutte le tue abominazioni, giuro che anch'io mi metterò a radere e il mio occhio non avrà compassione, non avrò pietà. [12]Un terzo dei tuoi abitanti morirà di peste e sarà consumato dalla fame dentro di te; un altro terzo cadrà di spada intorno a te, mentre all'altro terzo, che avrò disperso ad ogni vento, sfodererò dietro una spada. [13]Allora la mia terribile gelosia sarà compiuta, il mio furore si acquieterà in essi e sarò soddisfatto. Riconosceranno che sono io che ho parlato nella mia gelosia, quando sfogherò il mio furore su di loro. [14]Ti farò diventare rovina e scherno delle genti che hai attorno, sotto lo sguardo di ogni passante. [15]Sarai oggetto di scherno e di oltraggio, di ammonimento e di stupore per i popoli che ti sono attorno, quando decreterò contro di te la mia condanna con ira e furore e con tremendi castighi: io, il Si-

---

4. - 8. Le *funi* paiono indicare la volontà di Dio per cui il profeta rimarrà immobile finché si compirà la sua decisione (cfr. 3,25).

5. - 1-4. Radersi capelli e barba era umiliante per gli orientali. I *peli* figurano i figli d'Israele: di essi un terzo perirà dentro Gerusalemme assediata, un terzo perirà intorno alla città dopo la sua caduta, un terzo sarà disperso tra le nazioni in mezzo a mille pericoli, raffigurati dalla spada sguainata. Di quest'ultimo terzo soltanto pochi torneranno in Palestina, ove dovranno subire altre prove (cfr. Is 1,9; 4,3; 6,13).

gnore, ho parlato; ¹⁶quando scaglierò contro di essi le funeste frecce della fame, quale sterminio che io manderò contro di essi per annientarli. Sì, aggiungerò la fame contro di essi! Spezzerò loro il bastone della pane. ¹⁷Manderò contro di essi la fame e le bestie feroci, che ti lasceranno senza figli; peste e strage verranno su di te e ti manderò contro la spada: io, il Signore, ho parlato».

IL CASTIGO DEGLI ADORATORI SULLE ALTURE

6 ¹Mi giunse questa parola del Signore: ²«Figlio d'uomo, volgi la faccia verso i monti d'Israele e profetizza contro di essi. ³Dirai: Monti d'Israele, ascoltate la parola di Dio, mio Signore. Così dice Dio, mio Signore, ai monti, ai colli, alle gole e alle valli. Ecco, io sto per mandare su di voi la spada: distruggerò i vostri elevati recinti. ⁴I vostri altari saranno devastati e i vostri incensieri frantumati. Farò cadere i vostri feriti davanti ai vostri idoli; ⁵i cadaveri dei figli d'Israele li butterò di fronte ai loro idoli e disperderò le vostre stesse ossa attorno ai vostri altari. ⁶In ogni vostra località le città saranno devastate e i recinti elevati saranno demoliti in modo che i vostri altari rimangano devastati e distrutti, i vostri idoli siano frantumati e fatti sparire, i vostri incensieri siano tolti di mezzo e le vostre opere siano cancellate. ⁷I feriti cadranno in mezzo a voi e riconoscerete che io sono il Signore.

⁸Ma in parte vi risparmierò, lasciando gli scampati alla spada in mezzo alle genti, disperdendovi per il mondo. ⁹I vostri superstiti si ricorderanno di me tra le genti presso cui saranno condotti prigionieri, di me che ho frantumato il loro cuore prostituito – che si è allontanato da me – e i loro occhi – che si sono prostituiti ai loro idoli –, e resteranno con il volto angosciato per i mali che hanno fatto con tutte le loro abominazioni. ¹⁰Riconosceranno che io, il Signore, non invano ho minacciato di infliggere loro questi mali».

¹¹Così dice il Signore: «Batti le mani, pesta i piedi e di': Ah, per tutte le sue pessime abominazioni la casa d'Israele cadrà di spada, di fame e di peste! ¹²I lontani moriranno di peste, i vicini cadranno di spada e quanti resteranno ancora in vita moriranno di fame. Così il mio furore si compirà su di loro. ¹³Ri-

conoscerete che io sono il Signore quando i loro idoli e i loro feriti giaceranno insieme attorno ai loro altari, su ogni colle elevato, su ogni cima, sotto ogni albero verde e sotto ogni quercia frondosa, là dove offrivano profumi soavi a tutti i loro idoli. ¹⁴Stenderò la mia mano contro di essi e renderò la terra una desolazione totale, dal deserto fino a Ribla, in ogni loro località. Allora riconosceranno che io sono il Signore».

IL TERRIBILE GIORNO DEL SIGNORE

7 ¹Mi fu rivolta questa parola del Signore: ²«Figlio d'uomo, riferisci: Così dice Dio, mio Signore, alla terra d'Israele: È la fine! È giunta la fine sui quattro angoli della terra. ³Adesso è la fine per te; io manderò la mia ira su di te, ti giudicherò secondo la tua condotta, ti rinfaccerò tutte le tue abominazioni. ⁴Il mio occhio non avrà compassione, io non avrò pietà. Sì, ti rinfaccerò la tua condotta e rimarranno in te solo le tue abominazioni e così riconoscerete che io sono il Signore».

⁵Così dice Dio, mio Signore: «Ecco, si avvicina disgrazia su disgrazia. ⁶La fine è giunta, è giunta la fine; incombe su di te: eccola giunta. ⁷È giunta la sventura su di te, abitante della terra; è giunto il momento, è ormai vicino il giorno della costernazione. ⁸Ora, tra poco, riverserò il mio furore su di te, compirò la mia ira contro di te e ti giudicherò secondo la tua condotta. Ti rinfaccerò tutte le tue abominazioni. ⁹Il mio occhio non avrà compassione, io non avrò pietà. Sì, ti rinfaccerò la tua condotta e rimarranno in te solo le tue abominazioni. Riconoscerete che sono io, il Signore, a colpire.

¹⁰Ecco il giorno, eccolo giunto. È spuntata la sventura, la verga è fiorita, la superbia è matura. ¹¹La violenza è cresciuta come verga dell'empio. ¹²È giunto il momento, è arrivato il giorno. Chi compra non si rallegri e chi vende non si rattristi, perché la furia incombe su tutta la sua tumultuosa potenza. ¹³Sì, chi vende non riotterrà la merce ven-

---

6. - 8-10. Ogni tanto una parola di speranza. Ma gli scampati saranno davvero pochi: su questo resto, ritornato a lui, Dio fonderà il suo nuovo regno (Is 10,20-22; 11,14-16; Ger 24,1-7).
7. - 13. Nell'anno del giubileo chi aveva venduto riaveva *la merce venduta* (Lv 25,13); ma Israele sarà cacciato in esilio, e tutta la terra apparterrà al nemico, e chi vende come chi compra sarà senza possessi.

duta, ma nei viventi resta la vita; perché la condanna contro la sua tumultuosa potenza non sarà revocata e la vita di chi è nella propria colpa non reggerà. ¹⁴Suonate la tromba. Ciascuno si metterà sull'attenti, ma non si andrà alla guerra; la mia furia incombe su tutta la sua tumultuosa potenza.

¹⁵La spada all'esterno, la peste e la fame in casa: chi è in campagna morirà di spada e chi è in città sarà divorato dalla fame e dalla peste. ¹⁶Quanti scamperanno fuggendo sui monti saranno come colombe tubanti, tutti tremanti, ciascuno per la sua colpa. ¹⁷Tutte le braccia vengono meno e le ginocchia si sciolgono.

¹⁸Si avvolgono nel sacco, li copre lo spavento; la vergogna è su ogni faccia e ogni testa è rasata. ¹⁹Gettano il loro argento e il loro oro nell'immondizia: né l'oro né l'argento li potranno salvare nel giorno dell'ira del Signore. Non sazieranno la loro gola né riempiranno il loro ventre, perché è stato per essi la causa delle loro colpe.

²⁰Del loro più splendido ornamento hanno fatto un oggetto di arroganza e con esso hanno foggiato immagini inique, i loro abominevoli idoli. Ma io glielo trasformerò in immondizia. ²¹Lo darò come preda agli stranieri, come bottino agli empi della terra, che lo profaneranno. ²²Distoglierò il mio volto da loro e quelli profaneranno il mio tesoro; vi entreranno i predoni e lo profaneranno. ²³Preparati una catena, perché la terra è piena di crimini e di sangue e la città è piena di violenza. ²⁴Io farò venire i popoli più feroci, che si impossesseranno delle loro case, farò cessare l'arroganza della loro forza e i loro santuari saranno profanati.

²⁵Verrà l'angoscia e cercheranno la pace, ma invano. ²⁶Verrà sventura su sventura, una cattiva notizia dietro l'altra. Allora chiederanno qualche visione al profeta, ma la legge verrà meno al sacerdote e il consiglio agli anziani. ²⁷Il re sarà in lutto, il principe

sarà coperto di desolazione e le braccia della popolazione tremeranno. Li tratterò secondo la loro condotta, li giudicherò secondo i loro meriti e riconosceranno che io sono il Signore».

IL TEMPIO PROFANATO DAGLI IDOLI

8 ¹Nel sesto anno, al sesto mese, il cinque del mese, mentre ero seduto in casa e di fronte a me stavano seduti gli anziani di Giuda, scese su di me la mano di Dio, mio Signore. ²Ecco, vidi una forma dall'aspetto umano: dai fianchi in giù l'aspetto era di fuoco e dai fianchi in su era luminoso come il luccicare dell'elettro. ³Mi sembrò che stendesse un braccio e mi prese per i capelli; uno spirito mi sorresse tra terra e cielo. Mi portò a Gerusalemme in visione divina, all'ingresso della porta interna che guarda a settentrione, dove era collocato l'idolo della gelosia.

⁴Ed ecco, là era la Gloria del Dio d'Israele, come l'avevo contemplata nella pianura. ⁵Mi disse: «Figlio d'uomo, volgi i tuoi occhi verso settentrione». Li rivolsi e nella parte settentrionale della porta dell'altare c'era proprio l'idolo della gelosia, lì all'ingresso. ⁶Mi disse: «Figlio d'uomo, vedi che cosa fanno? Vedi le grandi abominazioni che compie qui la casa d'Israele, allontanandosi dal mio santuario? Ma vieni qui e vedrai abominazioni ancora peggiori».

⁷Mi condusse allora all'ingresso del cortile ed ecco un foro nella parete. ⁸Mi disse: «Figlio d'uomo, sfonda la parete». La sfondai, ed ecco un'apertura. ⁹Aggiunse: «Vieni a vedere le pessime abominazioni che commettono qui». ¹⁰Andai a vedere: c'era ogni sorta di rettili e di bestie immonde e tutti gli idoli della casa d'Israele, raffigurati intorno alle pareti. ¹¹Settanta anziani d'Israele, con Iazania, figlio di Safan, ritto in mezzo a loro, stavano in piedi di fronte ad essi, ciascuno con un turibolo in mano, mentre si alzava la nuvola profumata dell'incenso. ¹²Mi disse: «Figlio d'uomo, hai visto che cosa fanno nelle tenebre gli anziani della casa d'Israele, nei loro sacrari dipinti? Dicono infatti: Il Signore non ci vede, il Signore ha abbandonato questo paese».

¹³Poi mi disse: «Vieni qui a vedere quali abominazioni ancora peggiori essi commetto-

---

8. - 3. *Uno spirito mi sorresse...*: è dunque una visione e non una realtà ciò che è descritto nei cc. 8-11. *Idolo della gelosia*: probabilmente una statua della dea Astarte, posta là da Manasse un secolo prima (2Re 21,7), tolta durante la riforma di Giosia (2Re 23,6), forse ricollocata sotto il re Sedecia (2Cr 33,7.15).

4. La visione cui accenna è quella che ebbe il profeta all'inizio della sua missione (3,22-23). La Gloria di Dio, con la sua presenza, era pegno di salvezza e di santità; ma ora Dio stesso si lamenta perché lo vogliono allontanare dal suo santuario (v. 6) per cui la rovina del popolo sarà inevitabile.

no». [14]M'introdusse nell'ingresso della porta del tempio del Signore, quello che guarda a settentrione: c'erano addirittura donne sedute che piangevano Tammuz! [15]Mi disse ancora: «Hai visto, figlio d'uomo? Vieni più in qua e vedrai abominazioni ancora maggiori». [16]Mi condusse nel cortile interno del tempio del Signore. Là, all'ingresso del tempio del Signore, tra l'atrio e l'altare c'erano circa venticinque uomini con le spalle voltate al tempio del Signore e la faccia rivolta a oriente; essi adoravano, verso oriente, il sole. [17]Mi disse allora: «Hai visto, figlio d'uomo? Ti par poco per la casa di Giuda commettere simili abominazioni in questo luogo? Oh, hanno riempito la terra di violenza, cominciano a nausearmi. Eccoli, si portano il ramoscello sacro alle narici. [18]Ebbene: anch'io agirò con furore; il mio occhio non avrà compassione, io non avrò pietà. Faranno giungere ai miei orecchi forti grida, ma io non li ascolterò».

IL CASTIGO DIVINO

9 [1]Allora una voce potente gridò al mio orecchio: «Avvicinatevi, voi che dovete punire la città; ciascuno abbia il suo strumento di sterminio in mano». [2]Ed ecco arrivare sei uomini dalla porta superiore che guarda a settentrione, ciascuno con lo strumento di sterminio in mano. In mezzo a loro c'era un uomo vestito di lino con un calamaio da scriba sul fianco; appena giunti, si fermarono a fianco dell'altare di bronzo. [3]Frattanto la Gloria del Dio d'Israele si era alzata dal cherubino su cui poggiava andando a mettersi sulla soglia del tempio. All'uomo vestito di lino, che aveva sul fianco il calamaio da scriba, [4]il Signore disse: «Passa per la città, attraverso Gerusalemme, e segna una *tau* sulla fronte degli uomini che sospirano e piangono per le abominazioni che vi si commettono». [5]Agli altri lo sentii dire: «Andate per la città dietro di lui e colpite, non abbia compassione il vostro occhio, non abbiate pietà. [6]Uccidete vecchi, giovani, fanciulle, bimbi, donne, fino allo sterminio, ma non avvicinatevi a nessuno di quelli segnati con la *tau*; cominciate dal mio santuario!». Essi cominciarono dagli anziani che erano davanti al tempio. [7]Disse ancora: «Rendete impuro il tempio e riempite di cadaveri i cortili, poi uscite e colpite la città». [8]Ora, mentre quelli colpivano e uccidevano, io rimasi solo, mi gettai con la faccia a terra e gridando dissi: «Ah, Dio, mio Signore! Vorrai tu forse sterminare tutto il resto d'Israele, riversando il tuo furore su Gerusalemme?». [9]Egli rispose: «La colpa della casa d'Israele e di Giuda è molto, molto grande; la terra si è riempita di sangue e la città è piena d'ingiustizie. Infatti essi dicono: Il Signore ha abbandonato il paese, il Signore non vede. [10]Ebbene, neppure il mio occhio avrà compassione e io non avrò pietà. Farò ricadere sul loro capo la loro condotta». [11]In quell'istante l'uomo vestito di lino con il calamaio sul fianco venne a darè questa risposta: «Ho fatto come tu mi hai ordinato».

NUOVA DESCRIZIONE
DELLA GLORIA DI DIO

10 [1]Allora vidi che sopra la volta che si stendeva sulla testa dei cherubini appariva come una pietra di zaffiro, il cui aspetto aveva come la forma di trono. [2]Egli disse all'uomo vestito di lino: «Va' fra le ruote che sono sotto il cherubino, riempiti le mani di carboni accesi in mezzo ai cherubini e spargili sulla città». Quello s'incamminò sotto i miei occhi. [3]Mentre l'uomo andava, i cherubini si erano messi alla destra del tempio. La nube riempiva il cortile interno. [4]Quando la Gloria del Signore si era alzata dal cherubino portandosi sopra la soglia del tempio, il tempio fu riempito della nube e il cortile fu pieno dello splendore della Gloria del Signore. [5]Il rumore delle ali dei cherubini si sentiva fin nel cortile esterno, come la voce dell'Onnipotente quando parla.

[6]Intanto, avendo egli ordinato all'uomo vestito di lino di prendere il fuoco fra le ruote in mezzo ai cherubini, questi andò e si pose vicino alla ruota. [7]Il cherubino stese la mano tra i cherubini verso il fuoco che era tra i cherubini; ne prese e lo mise nella mano dell'uomo vestito di lino, che lo prese e uscì. [8]Si intravedeva, sotto le ali dei cherubini, la sagoma di un braccio umano.

---

9. - 3. *La Gloria* del Signore, cioè la sua presenza protettrice, apparsa sul cocchio animato (c. 1) riposava sopra il *cherubino* dell'arca nel Santo dei Santi: ora viene sulla soglia del santuario preparandosi a lasciare il tempio.

⁹Vidi pure quattro ruote a fianco dei cherubini, una ruota a fianco di ciascun cherubino; le ruote avevano l'aspetto luccicante del crisòlito. ¹⁰Apparivano di forma identica tutte e quattro, come se una ruota fosse congegnata nell'altra. ¹¹Quando si muovevano procedevano sui quattro lati; nel procedere non si giravano, ma là dove si rivolgeva la testa andavano senza girarsi. ¹²Tutto il loro corpo, il dorso, le mani, le ali e le singole ruote erano piene di occhi tutt'intorno; ognuno dei quattro aveva la propria ruota. ¹³Alle loro ruote sentii dare il nome di «Turbine». ¹⁴Essi avevano quattro facce ciascuno: la prima era di cherubino, la seconda di uomo, la terza di leone e la quarta di aquila.

¹⁵I cherubini, cioè gli esseri che avevo visto sul canale Chebar, si alzarono. ¹⁶Con i cherubini procedevano anche le ruote e quando i cherubini allargavano le ali per alzarsi da terra, le ruote non si allontanavano dal loro fianco. ¹⁷Quando essi si fermavano, si fermavano anch'esse e quando essi si alzavano, si alzavano anch'esse con loro; c'era infatti in loro lo spirito di quegli esseri. ¹⁸La Gloria del Signore si staccò quindi dalla soglia del tempio e si pose sui cherubini. ¹⁹I cherubini allargarono le ali e si alzarono da terra sotto i miei occhi. Anche le ruote si alzarono con loro e si fermarono all'ingresso della porta orientale del tempio, con la Gloria del Dio d'Israele su di loro. ²⁰Essi erano i medesimi esseri che avevo visto sotto il Dio d'Israele presso il canale Chebar; capii che erano i cherubini. ²¹Avevano quattro facce ciascuno e quattro ali ciascuno e, sotto le ali, qualcosa simile a mani d'uomo. ²²Il loro aspetto era il medesimo che avevo visto presso il canale Chebar. Ciascuno andava diritto davanti a sé.

LE COLPE DEI CAPI

11 ¹Uno spirito mi prese e mi condusse alla porta orientale del tempio del Signore, quella che guarda a levante. Lì, presso la porta, c'erano venticinque uomini; tra essi vidi Iazania, figlio di Azzur, e Pelatia, figlio di Benaia, capi del popolo. ²Il Signore mi disse: «Figlio d'uomo, sono costoro che tramano perfidie ed escogitano pessimi consigli per questa città. ³E vanno dicendo: Non dobbiamo forse costruire presto delle case? La città è la pentola e noi siamo la carne. ⁴Perciò profetizza contro di loro, profetizza, figlio d'uomo». ⁵Scese su di me lo spirito del Signore che mi disse: «Riferisci loro: Così dice il Signore: Questo pensate voi, o casa d'Israele, e io conosco l'insolenza del vostro spirito. ⁶Avete reso numerosi i morti in questa città, ne avete riempito le strade. ⁷Perciò, così dice Dio, mio Signore: I cadaveri che avete ammucchiato in mezzo ad essa sono la carne, la città è la pentola. Quanto a voi, vi condurrò fuori di lì. ⁸La spada vi spaventa, ebbene io manderò contro di voi la spada, oracolo del Signore. ⁹Vi farò uscire di là e vi darò in balìa degli stranieri; per mezzo loro decreterò contro di voi la sentenza. ¹⁰Cadrete di spada; vi giudicherò sui confini d'Israele e riconoscerete che io sono il Signore. ¹¹Questa città non sarà per voi una pentola né voi la sua carne! Sui confini d'Israele vi giudicherò; ¹²allora riconoscerete che io sono il Signore e che non avete seguito i miei decreti né osservato le mie leggi, ma avete osservato le leggi dei popoli vicini». ¹³Mentre profetizzavo, cadde morto Pelatia, figlio di Benaia. Io allora mi gettai con la faccia a terra e gridai a gran voce: «Ah, Dio, mio Signore, stai compiendo lo sterminio del resto d'Israele!».

¹⁴Allora mi fu rivolta questa parola del Signore: ¹⁵«Figlio d'uomo, gli abitanti di Gerusalemme vanno dicendo a te e ai tuoi fratelli, ai tuoi parenti deportati con te e a tutta la casa d'Israele: Quelli si sono ormai allontanati dal Signore, spetta a noi possedere la terra. ¹⁶Appunto per questo riferisci loro: Così dice Dio, mio Signore: Sì, li ho allontanati in mezzo alle genti, li ho disseminati per il mondo, ma sono stato per essi per un po' di tempo un santuario nella città in cui sono finiti. ¹⁷Per questo di' loro: Così dice Dio, mio Signore: Vi raccoglierò in mezzo alle genti e vi radunerò da tutti i paesi in cui siete stati disseminati e a voi darò il paese

---

11. - 3. Gerusalemme è paragonata a una *pentola*, e come il rame della pentola difende *le carni* dal fuoco, così le robuste mura di Gerusalemme avrebbero difeso gli abitanti da ogni male (cfr. Ger 29,5).

15. *Gli abitanti di Gerusalemme* consideravano gli esuli come abbandonati da Dio, separati per sempre dal popolo eletto; invece il vero Israele, da cui doveva rinascere la nazione, era proprio quello in esilio (cfr. Ger 24).

d'Israele! ¹⁸Essi vi entreranno e ne rimuoveranno tutti gli idoli e tutte le abominazioni. ¹⁹Darò loro un altro cuore e infonderò in essi uno spirito nuovo, rimuoverò il cuore di pietra dal loro corpo e metterò in essi un cuore di carne, ²⁰così che seguano i miei decreti, rispettino i miei precetti, li osservino e siano il mio popolo e io il loro Dio. ²¹Quanto a quelli, invece, il cui cuore segue i loro idoli e le loro abominazioni, io farò ricadere sul loro capo la loro condotta. Oracolo di Dio, mio Signore».

²²Quindi i cherubini allargarono le ali e le ruote si mossero insieme con loro, mentre la Gloria del Dio d'Israele era al di sopra di essi. ²³La Gloria del Signore si sollevò di mezzo alla città e si fermò sul monte, ad oriente di essa. ²⁴Poi uno spirito mi alzò e mi trasportò in Caldea presso gli esuli, in visione, nello spirito di Dio, e la visione che avevo visto scomparve allontanandosi in alto. ²⁵Io riferii agli esuli tutte le cose cui il Signore mi aveva fatto assistere.

LA SORTE DEL RE E DEGLI ABITANTI DI GERUSALEMME

12 ¹Mi fu rivolta questa parola del Signore: ²«Figlio d'uomo, tu vivi in mezzo a una casa ribelle: hanno occhi per vedere e non vedono, hanno orecchi per sentire e non sentono; sono infatti una casa ribelle. ³Tu, figlio d'uomo, fatti un bagaglio da esule e fingi di andare in esilio, di giorno, sotto i loro occhi; emigrerai da casa tua verso un qualsiasi altro luogo sotto i loro occhi: vediamo se intendono; sono infatti una casa ribelle. ⁴Trasporterai fuori il bagaglio come quello degli esuli, di giorno, sotto i loro occhi; poi, di sera, uscirai sotto i loro occhi come escono gli esuli; ⁵sotto i loro occhi sfonda la parete ed esci di lì. ⁶Sotto i loro occhi ti metterai il bagaglio in spalla e uscirai nell'oscurità, velandoti la faccia, per non vedere il paese. Infatti ti ho stabilito come un segno per la casa d'Israele».

⁷Io feci come mi era stato ordinato: portai fuori il bagaglio da esule di giorno; alla sera sfondai con le mani la parete, uscii nell'oscurità e misi il bagaglio in spalla sotto i loro occhi. ⁸Al mattino mi fu rivolta questa parola del Signore: ⁹«Figlio d'uomo, la casa d'Israele, casa ribelle, ti domanda che cosa stai facendo? ¹⁰Rispondi loro: Così dice Dio, mio Signore: Questo oracolo è per il principe di Gerusalemme e per tutta la casa d'Israele che vi abita. ¹¹Tu dirai: Io sono un segno per voi; come ho fatto io, così si farà a loro; andranno prigionieri in esilio. ¹²Il principe che è in mezzo a voi si metterà il bagaglio in spalla e uscirà nell'oscurità; sfonderanno il muro perché possa scappare e si velerà la faccia per non vedere il suo paese. ¹³Ma io tenderò la mia rete contro di lui e sarà preso al laccio; quindi lo condurrò a Babilonia, nel paese dei Caldei; egli non lo vedrà, eppure vi morirà. ¹⁴Tutti quelli del suo seguito, i suoi sostenitori e il suo esercito io li disperderò ad ogni vento e snuderò la spada dietro a loro. ¹⁵Riconosceranno allora che io sono il Signore, quando li avrò disseminati tra le genti e li avrò dispersi per il mondo. ¹⁶Tuttavia ne risparmierò alcuni dalla spada, dalla fame e dalla peste, perché raccontino tutte le loro abominazioni tra le genti dove andranno e riconoscano che io sono il Signore».

¹⁷Mi fu rivolta poi questa parola del Signore: ¹⁸«Figlio d'uomo, mangerai il tuo pane con tremore e berrai la tua acqua con trepidazione e sgomento. ¹⁹Quindi dirai alla popolazione: Così dice Dio, mio Signore, a proposito degli abitanti di Gerusalemme, nel paese d'Israele: Mangeranno il loro pane con sgomento e berranno la loro acqua con terrore, al punto che il loro paese sarà devastato nei suoi beni, a causa della violenza di tutti i suoi abitanti. ²⁰Le città abitate saranno devastate e il paese rimarrà una desolazione: così riconoscerete che io sono il Signore».

²¹Il Signore mi rivolse ancora la sua parola dicendo: ²²«Figlio d'uomo, che cosa significa questo vostro proverbio sul paese d'Israele: Il numero dei giorni si allunga e le visioni falliscono? ²³Tu, perciò, riferisci loro: Così dice Dio, mio Signore: Farò cessare questo proverbio; non lo diranno più in Israele. Anzi di' loro: Sono vicini i giorni in cui si avvererà ogni visione. ²⁴Infatti non ci sarà più nessuna falsa visione o divinazione illusoria in mezzo alla casa d'Israele, ²⁵perché io, il Signore, parlerò; la parola che dirò si

---

23. *La Gloria del Signore* abbandona Gerusalemme, lasciandola indifesa. Ciò significa che ormai i suoi nemici potranno farne ciò che vorranno.

12. - 3-5. Vuol figurare la fuga del re Sedecia attraverso una breccia nelle mura (cfr. 2Re 25,4-7).

attuerà, non sarà più rinviata. Sì, nei vostri giorni, casa ribelle, pronunzierò una parola e l'attuerò. Oracolo di Dio, mio Signore». [26]Mi fu rivolta questa parola del Signore: [27]«Figlio d'uomo, ecco, quelli della casa d'Israele dicono: La visione che costui ha visto richiede molto tempo; egli profetizza per un futuro lontano. [28]Ebbene, tu riferisci loro: Così dice Dio, mio Signore: Non sarà più rinviata la mia parola: la parola che dirò si attuerà. Oracolo di Dio, mio Signore».

CONTRO FALSI PROFETI E PROFETESSE

13 [1]Mi fu rivolta questa parola del Signore: [2]«Figlio d'uomo, profetizza contro i profeti d'Israele che vanno facendo profezie. Dirai ai profeti che si fanno profezie secondo le proprie idee: Udite la parola del Signore: [3]Così dice Dio, mio Signore: Guai ai profeti stolti che seguono la loro ispirazione, senza vere visioni. [4]Sono stati come sciacalli tra le macerie i tuoi profeti, o Israele. [5]Non siete accorsi sulla breccia né avete eretto mura per la casa d'Israele, per resistere nella battaglia nel giorno del Signore. [6]Hanno avuto visioni vane e divinazioni false, dicendo: Oracolo del Signore, mentre il Signore non li aveva inviati, confidando invano che realizzasse la parola. [7]Non avete forse visto visioni vane e fatto divinazioni false, dicendo: Oracolo del Signore, mentre io non avevo parlato? [8]Perciò così dice Dio, mio Signore: Poiché avete riferito falsità e avete avuto visioni false, eccomi contro di voi, oracolo di Dio, mio Signore. [9]La mia mano si volgerà contro i profeti dalle visioni vane e dalle divinazioni false. Non avranno più parte nell'assemblea del mio popolo, non saranno scritti nel libro della casa d'Israele e non entreranno nel paese d'Israele. Riconoscerete che io sono il Signore. [10]Poiché hanno ingannato il mio popolo annunziando pace, quando pace non c'era, e appena esso costruiva un muro glielo

intonacavano, [11]tu dirai a coloro che l'hanno intonacato: Verrà una pioggia torrenziale e continua, cadrà la grandine e soffierà il vento impetuoso, [12]ed ecco, il muro cadrà. Allora vi domanderanno: Dov'è l'intonaco che avete spalmato? [13]Perché così dice Dio, mio Signore: Scatenerò un vento impetuoso nella mia collera, e sarà una pioggia torrenziale nella mia ira e grandine nel mio furore per lo sterminio. [14]Demolirò il muro che avete intonacato, lo abbatterò e ne resteranno scoperte le fondamenta. Esso crollerà e voi vi finirete sotto e così riconoscerete che io sono il Signore. [15]Sfogherò la mia ira sul muro e su chi l'ha intonacato, e si dirà di voi: Non c'è più né il muro né chi lo ha intonacato, [16]i profeti d'Israele, che profetizzavano su Gerusalemme e avevano visioni su di essa, visioni di pace, mentre pace non c'era. Oracolo di Dio, mio Signore.

[17]Tu, figlio d'uomo, rivolgiti ora contro le figlie del tuo popolo che si fanno profezie secondo le proprie idee e profetizza contro di loro, [18]dicendo: Così dice Dio, mio Signore: Guai a quelle che legano fasce su ogni giuntura e mettono veli in testa per qualsiasi statura, per dare la caccia alla gente! Credete forse di poter andare a caccia della gente del mio popolo, restando vive voi stesse? [19]Voi mi avete disonorato presso il mio popolo, per una manciata d'orzo e per un pezzo di pane, al punto da far morire gente che non doveva morire e far vivere gente che non doveva vivere, dicendo falsità al mio popolo che dà retta alle vostre bugie. [20]Perciò, così dice Dio, mio Signore: Eccomi contro le fasce con cui date la caccia alla gente: le strapperò dalle vostre braccia e lascerò in libertà la gente che avete catturato. [21]Strapperò i vostri veli e libererò il mio popolo dalle vostre mani; non saranno più tra le vostre mani come preda di caccia e riconoscerete che io sono il Signore. [22]Poiché avete rattristato il cuore del giusto con menzogne, mentre io non l'affliggevo, e al contrario avete incoraggiato l'empio così che non si converta dalla sua condotta cattiva e possa vivere, [23]perciò non avrete più visioni vane e non farete più divinazioni: libererò il mio popolo dalle vostre mani e riconoscerete che io sono il Signore».

13. - 10. Con le loro predizioni bugiarde, i falsi profeti illudono il popolo che, invece di riconoscere i propri peccati e convertirsi, pensa a stabilirsi meglio, forse confidando in aiuti stranieri.

CONTRO L'IDOLATRIA

14 [1]Vennero da me alcuni anziani d'Israele e, mentre stavano seduti davanti a me, [2]il Signore mi rivolse questa parola: [3]«Figlio d'uomo, costoro si sono innalzati nel cuore i loro idoli e si sono tesi da sé la trappola delle loro colpe. Mi lascerò dunque interpellare da loro? [4]Perciò parla e di' loro: Così dice Dio, mio Signore: Se uno della casa d'Israele, uno che si sia innalzato nel cuore i suoi idoli e si sia teso da sé la trappola delle sue colpe, va dal profeta, gliela darò io, il Signore, la risposta, con tutti quei suoi idoli! [5]Raggiungerò, così, quelli della casa d'Israele, che si sono allontanati da me a causa di tutti i loro idoli. [6]Perciò dirai alla casa d'Israele: Così dice Dio, mio Signore: Convertitevi dai vostri idoli e distogliete la faccia dalle vostre abominazioni. [7]Infatti se uno della casa d'Israele o dei forestieri residenti in Israele si allontana da me e s'innalza nel cuore gli idoli e si tende da sé la trappola delle sue colpe e poi viene dal profeta per consultarmi, gliela darò io, il Signore, la risposta! [8]Mi volgerò contro costui e lo renderò un segno e una lezione, lo reciderò dal mio popolo e riconoscerete che io sono il Signore. [9]Se un profeta, lasciandosi ingannare, pronunzia un oracolo, io, il Signore, lo ingannerò, stenderò il mio braccio contro di lui e lo cancellerò dal mio popolo Israele. [10]Saranno entrambi rei della stessa colpa; com'è la colpa di chi lo ha interpellato, così sarà la colpa del profeta. [11]Ciò perché non abbiate più a traviare lontano da me, o casa d'Israele, e non vi macchiate più d'impurità con tutti i vostri misfatti: così sarete il mio popolo e io il vostro Dio. Oracolo di Dio, mio Signore».

[12]Mi fu poi rivolta questa parola del Signore: [13]«Figlio d'uomo, se un paese pecca contro di me commettendo infedeltà, stenderò il mio braccio contro di esso e gli spezzerò il bastone del pane; gli manderò la fame e vi reciderò uomini e animali. [14]Se vi si trovassero i tre famosi personaggi: Noè, Daniele e Giobbe, essi salverebbero solo se stessi per la loro giustizia, oracolo di Dio, mio Signore. [15]Oppure, se facessi invadere quel paese dalle fiere selvagge e lo spopolassero e ne facessero un deserto, non passandoci più nessuno per paura di quelle fiere, [16]quei suoi tre personaggi, lo giuro per la mia vita, oracolo di Dio, mio Signore, non salverebbero né figli né figlie, ma salverebbero solo se stessi e il paese rimarrebbe un deserto. [17]Oppure, se facessi venire contro quel paese la spada e dicessi che la spada lo invada e vi recidessi uomini e animali, [18]quei suoi tre personaggi, lo giuro per la mia vita, oracolo di Dio, mio Signore, non salverebbero né figli né figlie, ma si salverebbero essi soli. [19]Oppure, se mandassi contro quel paese la peste e sfogassi il mio furore contro di esso così da sterminare uomini e animali, [20]se vi fossero nel paese Noè, Daniele e Giobbe, lo giuro per la mia vita, oracolo di Dio, mio Signore, non salverebbero neanche un figlio o una figlia, ma salverebbero solo se stessi per la loro giustizia.

[21]Ebbene, così dice Dio, mio Signore: La stessa cosa capita quando manderò contro Gerusalemme i miei quattro terribili castighi: spada, fame, fiere selvagge e peste, per sterminare in essa uomini e animali. [22]Ecco, vi rimarranno alcuni superstiti, che troveranno scampo con figli e figlie. Appena giungeranno a voi, osservandone la condotta e le azioni, vi consolerete del male che ho mandato su Gerusalemme, di tutto quello che ho mandato contro di essa. [23]Sì, essi vi consoleranno perché, osservandone la condotta e le azioni, riconoscerete che non senza ragione ho fatto quel che ho fatto in essa, oracolo di Dio, mio Signore».

LA PARABOLA DELLA VITE

15 [1]Il Signore mi rivolse questa parola:

[2] «Figlio d'uomo, forse il legno della vite
vale più di tutto l'altro legname
che c'è nella foresta?
[3] Se ne prende forse il legno per fare
qualche lavoro?
Se ne prende forse anche
un solo pezzo
per appendervi qualcosa?
[4] Vedi? Lo si getta nel fuoco a bruciare.

---

14. - 12-20. Contro le vane speranze degli esiliati, secondo cui Gerusalemme sarebbe stata salvata per la presenza dei giusti che si trovavano in essa, il Signore fa sapere che i giusti, che eventualmente vi fossero, otterrebbero la salvezza unicamente per sé, ma per nessun altro, neppure per le persone più care.

Quando il fuoco ne avesse bruciato
  i due estremi,
forse il centro è destinato
  alla lavorazione?
⁵ Se già quand'era sano non si usava
  per alcun lavoro,
adesso che il fuoco l'ha distrutto
  ed è bruciato
vuoi che sia usato per qualche lavoro?
⁶ Perciò, così dice Dio, mio Signore:
Come il legno di vite tra il legname
  della foresta
è destinato ad essere distrutto dal fuoco,
così io tratterò gli abitanti
  di Gerusalemme.
⁷ Mi volgerò contro di essi:
sono scampati da un fuoco? Un altro
  li distruggerà!
Riconoscerete che io sono il Signore
quando volgerò contro di loro
  il mio sguardo
⁸ e renderò il paese una desolazione,
perché hanno prevaricato,
oracolo di Dio, mio Signore».

LE INFEDELTÀ DI ISRAELE, SPOSA DEL SIGNORE

16 ¹Mi giunse questa parola del Signore: ²«Figlio d'uomo, fa' sapere a Gerusalemme le sue abominazioni. ³Dirai: Così dice Dio, mio Signore, a Gerusalemme: La tua stirpe e la tua origine sono nel paese dei Cananei. Tuo padre era un Amorreo e tua madre una Hittita. ⁴Alla tua nascita, il giorno in cui fosti partorita, non si tagliò il tuo ombelico né ti si fece il bagno, non ti cosparsero di sali né ti avvolsero in fasce. ⁵Nessun occhio ebbe compassione di te per prestarti queste cure, avendo pietà di te. Fosti gettata in aperta campagna come oggetto ripugnante nel giorno in cui nascesti. ⁶Io ti passai vicino, ti

vidi immersa nel tuo sangue e ti dissi: Vivi, nonostante il tuo sangue, ⁷e cresci come i virgulti della campagna. Crescesti, ti facesti grande, arrivasti alle mestruazioni. Le mammelle si rassodarono e tu giungesti alla pubertà, ma eri ancora nuda. ⁸Ti passai vicino e ti vidi; eri proprio nel tempo dell'amore. Allora stesi il mio manto su di te, coprii la tua nudità, ti impegnai con giuramento e feci alleanza con te, oracolo di Dio, mio Signore, e fosti mia. ⁹Ti feci il bagno, lavai il tuo sangue e ti spalmai di olio; ¹⁰ti misi una veste variopinta, ti infilai calzature preziose, ti cinsi con una fascia di bisso e ti avvolsi in veli. ¹¹Ti abbellii di ornamenti: ti misi braccialetti alle braccia e una collana al collo, ¹²ti misi un anello al naso, orecchini agli orecchi e una splendida corona sulla testa. ¹³Ti ornai d'oro e d'argento; bisso, veli preziosi e stoffe variopinte erano il tuo vestiario; mangiavi farina purissima, miele e olio. Diventasti molto, molto bella e riuscisti ad arrivare al regno. ¹⁴Si diffuse la tua fama tra le genti per la tua bellezza: eri perfetta negli ornamenti di cui ti avevo rivestito, oracolo di Dio, mio Signore. ¹⁵Ma tu, riponendo la fiducia nella tua bellezza, con la tua fama ti prostituisti e riversasti i tuoi adultèri su ogni passante. ¹⁶Con il tuo vestiario facesti recinti striati, dove ti sei prostituita. ¹⁷Con gli eleganti ornamenti d'oro e d'argento che t'avevo dato facesti statue di uomini, con cui fornicare; ¹⁸con le tue vesti variopinte li ricopristi, offrendo ad esse il mio olio e il mio profumo. ¹⁹E il cibo che ti avevo dato, la farina purissima, l'olio e il miele di cui ti nutrivo, li offristi ad esse in profumo soave, oracolo di Dio, mio Signore. ²⁰Poi addirittura hai preso i tuoi figli e le tue figlie che mi avevi generato e li hai sacrificati in pasto ad esse. Erano dunque poche le tue prostituzioni? ²¹Hai sgozzato i miei figli, hai deciso di consacrarli ad esse. ²²Con tutte le tue abominazioni e i tuoi adultèri non ti sei ricordata di quand'eri giovane, quando eri tutta nuda ed eri rimasta immersa nel tuo sangue. ²³Poi, dopo questi tuoi misfatti, o sventurata, oracolo di Dio, mio Signore, ²⁴ti sei fatta un'alcova, ti sei fatta un'altura ad ogni via. ²⁵Ad ogni incrocio ti sei fatta un'altura, rendendo abominevole la tua bellezza, hai allargato le tue gambe ad ogni passante,

Ez

---

16. - 3-14. Con questa bellissima descrizione Dio vuol far notare quanto grande fu il suo amore per la nazione, eletta senza propri meriti, ma solo per l'amore di predilezione che Dio ebbe per lei. Le origini possono essere dette *dal paese dei Cananei*, in quanto i patriarchi avevano vissuto in Canaan e lì avevano prosperato; *Abramo*, benché di Ur, era originario d'una delle tribù aramee installatesi sulle rive dell'Eufrate; Israele come nazione aveva iniziato a formarsi in Egitto, dove però nessuno se ne preoccupava. E Dio l'aveva salvata, fatta sua, arricchita e fatta regina...

moltiplicando le tue prostituzioni. 26Ti sei prostituita agli Egiziani, i tuoi vicini dalle grandi membra, moltiplicando le tue prostituzioni così da irritarmi. 27Allora stesi la mano contro di te, ridussi il tuo patrimonio e ti diedi in balìa delle tue nemiche, le Filistee, colpite dalla tua condotta ignominiosa. 28Non soddisfatta, ti sei prostituita con gli Assiri. Tornavi a fornicare con loro, ma senza rimanere soddisfatta. 29Quindi hai moltiplicato le tue prostituzioni con il paese dei commercianti, in Caldea, ma anche così non sei stata soddisfatta. 30Come è stato abbietto il tuo cuore, oracolo di Dio, mio Signore, nel fare tutte queste cose, opera di una prostituta licenziosa!

31Dopo aver fatto l'alcova ad ogni incrocio e l'altura ad ogni via, non fosti come la prostituta, ma disprezzasti la paga. 32La donna che è adultera nei confronti di suo marito, prende la paga. 33Alle adultere si sogliono fare doni, ma tu hai fatto doni a tutti i tuoi amanti; hai fatto loro regali perché accorressero da ogni parte a fornicare con te. 34Quando ti prostituivi, tu facevi addirittura il contrario di quanto fanno le altre donne; nessuna si prostituì mai come te, al punto di dare la paga anziché farsela dare! 35Perciò, o prostituta, ascolta la parola del Signore. 36Così dice Dio, mio Signore: Poiché hai riversato la tua libidine e hai scoperto la tua nudità nelle tue prostituzioni con tutti i tuoi amanti e tutti i tuoi idoli abominevoli e hai offerto loro il sangue dei tuoi figli, 37per questo, ecco, io riunirò tutti i tuoi amanti dei quali ti sei dilettata, tutti quelli che hai amato insieme con quelli che hai odiato, li riunirò da ogni parte contro di te, scoprirò di fronte a loro la tua nudità ed essi ti vedranno tutta nuda. 38Ti condannerò come si condannano le donne adultere e sanguinarie e ti riserverò sangue, furore e gelosia. 39Ti darò nelle loro mani ed essi distruggeranno le tue alcove, demoliranno le tue alture, ti toglieranno le vesti, ti prenderanno gli ornamenti eleganti e ti lasceranno completamente nuda. 40Convocheranno un'assemblea contro di te, ti lapideranno e ti trafiggeranno con le loro spade. 41Bruceranno le tue case e decreteranno la tua condanna al cospetto di numerose donne. Ti farò smettere di prostituirti e non tornerai più a dare la paga. 42Allora placherò il mio furore su di te e la mia gelosia contro di te cesserà; mi acquieterò, non sarò più irritato. 43Poiché non ti sei ricordata di quand'eri giovane e mi hai irritato con tutte queste cose, ecco, anch'io farò ricadere su di te la tua condanna, oracolo di Dio, mio Signore. Non hai fatto una cosa ignominiosa con tutte le tue abominazioni? 44Ognuno sentenzierà così su di te: la figlia è come la madre. 45Sei proprio figlia di tua madre, cui ripugnavano lo sposo e i figli. Sei sorella delle tue sorelle, cui ripugnavano i mariti e i figli: vostra madre è una Hittita e vostro padre un Amorreo.

46Tua sorella maggiore è Samaria. Essa e le sue figlie stanno alla tua sinistra. Tua sorella minore, che sta alla tua destra, è Sodoma con le sue figlie. 47Ma tu non soltanto hai seguito le loro orme e hai imitato le loro abominazioni ma, come se ciò fosse stato troppo poco, ti sei corrotta più di loro nella tua condotta.

48Per la mia vita, oracolo di Dio, mio Signore, Sodoma e le sue figlie non hanno fatto quanto hai fatto tu e le tue figlie! 49Ecco, questa fu l'iniquità di Sodoma tua sorella: arroganza, abbondanza di cibo e quieto benessere ebbero lei e le sue figlie, ma non stesero la mano al povero e al misero. 50Si insuperbirono, commisero abominazioni davanti a me e io le tolsi di mezzo, come hai visto. 51Samaria non ha commesso neppure la metà dei tuoi peccati. Tu hai commesso molte più abominazioni di loro, le tue sorelle, tanto da farle apparire giuste, con tutte le abominazioni che hai commesso. 52Porta anche tu, dunque, l'onta di aver scagionato le tue sorelle; rendendoti più abominevole di loro con i tuoi peccati, esse sono risultate più giuste di te. Almeno vergognati e porta l'onta di aver fatto apparire più giuste le tue sorelle. 53Ma io capovolgerò la loro sorte, la sorte di Sodoma e delle sue figlie, la sorte di Samaria e delle sue figlie, e capovolgerò la tua sorte insieme alla loro, 54in maniera che tu porti la tua onta e ti vergogni di tutto quello che hai fatto, per dare loro sollievo. 55Sì, tua sorella Sodoma e le sue figlie torneranno come prima; Samaria e le sue figlie torneranno come prima, tu e le tue figlie tornerete come prima. 56Sodoma tua sorella non veniva forse diffamata da te, al

---

53-55. Come sempre, anche qui il pensiero della punizione richiama quello della promessa di Dio e quindi prospetta la futura restaurazione d'Israele.

tempo della tua arroganza, [57]prima che fosse scoperta la tua malvagità? Proprio come ora sei tu lo scherno delle figlie di Aram, di tutti i loro dintorni e delle figlie dei Filistei, che ti disprezzano da ogni parte! [58]Ora stai scontando la tua ignominia e le tue abominazioni, oracolo del Signore.

[59]Poiché così dice Dio, mio Signore: Ti farò quello che ti meriti, perché hai disprezzato il giuramento e hai infranto l'alleanza. [60]Ma io mi ricorderò della mia alleanza con te, quella conclusa con te al tempo della tua giovinezza e stabilirò con te un'alleanza eterna. [61]Tu ti ricorderai della tua condotta e ne proverai vergogna, quando accoglierai le tue sorelle, quella maggiore e quella minore. Le renderò tue figlie, non certo in virtù della tua alleanza. [62]Io stesso farò alleanza con te e riconoscerai che io sono il Signore, [63]perché tu ricordi e arrossisca e non osi più aprir bocca di fronte alla tua onta, dopo che ti avrò purificata da tutto quello che hai fatto. Oracolo di Dio, mio Signore».

MINACCIOSO INDOVINELLO SUL RE

17 [1]Il Signore mi rivolse questa parola: [2]«Figlio d'uomo, proponi un indovinello e componi una parabola per la casa d'Israele. [3]Dirai: Così dice Dio, mio Signore:

La grande aquila dalle grandi ali,
   dalle lunghe penne,
dal folto piumaggio,
   dalla veste variopinta
volò sul Libano e prese un ramoscello
   di cedro;
[4] staccò la punta dei suoi rami,
   la portò in un paese di mercanti
   e la depose in una città di commercianti.
[5] Poi prese un virgulto dalla terra
   e lo gettò in un campo da semina.
   Lo pose presso acque abbondanti.
[6] Esso germogliò, divenne una vite estesa
   ma modesta,
   che rivolgeva verso l'aquila le sue foglie,
   mentre le sue radici crescevano
      sotto di essa.
   Divenne una vite, ramificò,
      emise fronde.
[7] Venne poi un'altra aquila grande,
   dalle grandi ali e dalle molte piume.

Ed ecco la vite girare le sue radici
   verso di essa
ed estendere verso di essa le sue foglie
   perché l'irrigasse,
dall'aiuola dov'era piantata.
[8] In un buon terreno, presso acque
      abbondanti,
   era stata piantata
   per poter ramificare e dare frutti,
   per diventare una splendida vite.
[9] Ma tu riferisci loro: Così dice Dio,
      mio Signore:
   Riuscirà forse a prosperare?
   L'aquila non la sradicherà,
      non le strapperà forse i frutti
   e non si seccherà tutto il fogliame
      che ha messo?
   Non ci vorrà tanta forza e tanta gente,
   per estrarla fin dalle sue radici!
[10] Eccola piantata, riuscirà forse
      a prosperare?
   Non si seccherà forse completamente,
   al contatto dell'infuocato vento
      orientale?
   Proprio nelle aiuole ove ha germogliato
      seccherà».

[11]Mi fu poi rivolta questa parola del Signore: [12]«Di' dunque alla casa ribelle: Non capite che cosa significa questo? Allora dirai: È venuto il re di Babilonia a Gerusalemme, ha preso il re e i capi, portandoseli a Babilonia. [13]Ha preso un virgulto della monarchia e ha stretto un patto con lui, lo ha obbligato con un giuramento e ha deportato i nobili del paese, [14]per poterne fare un regno modesto, perché non si insuperbisse e osservasse il suo patto nella stabilità. [15]Ma questi gli si è ribellato, mandando messaggeri in Egitto, a chiedere cavalli e truppe numerose. Avrà successo? Potrà salvarsi chi ha agito così? Ha infranto il patto e troverà scampo? [16]Per la mia vita, dice Dio, mio Signore, egli morirà proprio nel paese del re che l'aveva eletto e di cui ha disprezzato il giuramento e infranto il patto, in Babilonia. [17]Il Faraone, infatti, non l'aiuterà combattendo con un forte esercito e con truppe numerose, scavando trincee, costruendo baluardi, con il solo risultato di stroncare molte vite. [18]Ha disprezzato il giuramento, ha infranto il patto; pur avendo dato la sua mano, ha fatto tutto ciò. Non scamperà!

[19]Perciò, così dice Dio, mio Signore: Com'è

Ez

vero che io vivo, farò ricadere sul suo capo il mio giuramento che egli ha disprezzato e la mia alleanza che ha infranto. [20]Gli tenderò la mia rete e sarà preso al laccio. Lo condurrò a Babilonia e là giudicherò l'infedeltà che ha commesso contro di me. [21]Tutti i suoi compagni di fuga e le sue schiere cadranno di spada, e i rimanenti saranno dispersi a tutti i venti. Così saprete che io, il Signore, ho parlato.

[22] Così dice Dio, mio Signore:
   Anch'io prenderò dal ramoscello
      del cedro
   solamente la sua cima,
   soltanto una punta ne staccherò
   e la pianterò su un monte alto e boscoso.
[23] La voglio piantare sull'alto monte
      d'Israele
   e stenderà rami, darà frutti
   e diverrà un cedro magnifico.
   Sotto di lui abiteranno tutti gli uccelli
   e ogni volatile riposerà all'ombra
      delle sue foglie.
[24] Tutti gli alberi della campagna
   riconosceranno che io, il Signore,
   ho abbassato l'albero alto e innalzato
      quello basso,
   ho fatto seccare il legno verde
   e germogliare quello secco.
   Io, il Signore, ho parlato e così farò».

LA RESPONSABILITÀ PERSONALE

18 [1]Mi fu rivolta questa parola del Signore: [2]«Perché andate ripetendo questo detto sulla casa d'Israele:

I padri hanno mangiato l'uva acerba
e i denti dei figli si sono allegati?

[3]Com'è vero che io vivo, oracolo di Dio, mio Signore, nessuno dica più questo proverbio in Israele. [4]Ecco, a me appartiene la vita di tutti. Come la vita del padre, così è mia la vita del figlio: colui che pecca, egli solo deve morire.

[5]Se uno è giusto e osserva il diritto e la giustizia, [6]non fa pasti sacri sulle alture e non volge gli occhi verso gli idoli della casa d'Israele, non profana la moglie del prossimo e non s'avvicina alla donna durante il suo stato di impurità, [7]non opprime nessuno, restituisce il pegno, non commette rapina, dà il suo pane all'affamato e riveste chi è nudo, [8]non presta a interesse e non vuole percentuali, si astiene dal male, giudica secondo verità tra uomo e uomo, [9]segue i miei decreti e rispetta le mie leggi, così da comportarsi rettamente, questi è giusto e di certo vivrà, oracolo di Dio, mio Signore.

[10]Ma se uno genera un figlio violento e sanguinario che commette queste cose, [11]mentre egli non le commette, se cioè fa pasti sacri sulle alture, profana la moglie del prossimo, [12]opprime il povero e il misero, commette rapina, non restituisce il pegno, volge gli occhi agli idoli, commette abominazioni, [13]presta a interesse e vuole la percentuale, di certo non vivrà; ha commesso tutte queste abominazioni: deve morire; il suo sangue ricade su di lui.

[14]Ma se uno genera un figlio che, sebbene abbia visto tutti i peccati commessi dal padre, non li commette: [15]non fa pasti sacri sulle alture, non volge gli occhi verso gli idoli della casa d'Israele, non profana la moglie del prossimo, [16]non opprime nessuno, non trattiene il pegno, non commette rapine, dà il suo pane all'affamato e riveste chi è nudo, [17]trattiene la sua mano dal male, non vuole interessi e percentuali, osserva le mie leggi e segue i miei decreti, costui non morirà per la colpa di suo padre: di certo vivrà. [18]Suo padre, invece, che ha compiuto oppressioni e rapine e ha fatto ciò che non è bene in mezzo al mio popolo, egli sì che morirà nel suo peccato!

[19]Voi dite: Perché il figlio non sconta l'iniquità del padre? Perché il figlio ha osservato il diritto e la giustizia, ha rispettato tutti i miei decreti e li ha eseguiti: per questo vivrà. [20]La persona che pecca, quella deve morire; il figlio non sconterà l'iniquità del padre e il padre non sconterà l'iniquità del figlio! La

---

18. - 1-24. Nel Decalogo (Es 20,5) Dio parla della responsabilità collettiva di tutto il popolo: ciò perché Israele era considerato come un tutto, consacrato a Dio, e quindi i peccati contro la legge, che lo vincolava a Dio e costituiva l'espressione dell'alleanza, attiravano la punizione sopra la nazione intera. Ora la nazione come tale sta scomparendo e la responsabilità personale si fa più palese. Il principio qui ampiamente esposto era già stato espresso da Ez 14,12-20, ma prima ancora era apparso in Ger 31,29-30. Il *resto*, di cui già tante volte si è parlato e che sarà il nucleo costitutivo del nuovo popolo di Dio, sarà appunto formato da coloro che *personalmente* si sono mantenuti fedeli a Dio, al suo culto e alla sua legge.

giustizia del giusto rimane su di lui e l'empietà dell'empio rimane su di lui.

[21]Se un empio si converte da tutti i peccati che ha commesso e rispetta tutte le mie leggi e la giustizia, di certo vivrà; non morirà. [22]Nessuna delle colpe che ha commesso gli sarà ricordata; vivrà per la giustizia che compie. [23]Forse che io mi compiaccio della morte dell'empio? Oracolo di Dio, mio Signore. O non voglio forse che si converta dalla sua condotta e viva? [24]E se il giusto si perverte e non è più giusto e commette il male imitando tutte le abominazioni che ha compiuto l'empio, forse vivrà? Tutta la giustizia che ha compiuto non sarà ricordata; per l'infedeltà che ha commesso e per i peccati che ha fatto morirà.

[25]Voi dite: Non è retta la condotta del Signore. Uditemi bene, casa d'Israele: è la mia condotta che non è retta o non è forse la vostra che non è retta? [26]Se il giusto si perverte, non è più giusto, fa il male e per questo muore: egli muore appunto per il male che ha commesso! [27]Se invece l'empio si converte dall'empietà che ha commesso e pratica il diritto e la giustizia, egli salverà se stesso. [28]Ha deciso di convertirsi da tutte le colpe che ha commesso: egli certo vivrà, non morirà. [29]Tuttavia la casa d'Israele dice: Non è retta la condotta del Signore. È la mia condotta che non è retta, o casa d'Israele, o è la vostra che non è retta? [30]Perciò io giudicherò ciascuno di voi secondo la propria condotta, o casa d'Israele, oracolo del Signore Dio. Su, convertitevi da tutte le vostre colpe e non siano più per voi una trappola al male! [31]Liberatevi da tutte le colpe che avete commesso e formatevi un cuore nuovo e uno spirito nuovo. Perché mai vorreste morire, o casa d'Israele? [32]Io non mi compiaccio certo della morte di nessuno, oracolo del Signore Dio. Convertitevi e vivrete».

LAMENTAZIONE SULLA MONARCHIA

19 [1]Tu innalza una lamentazione sui prìncipi d'Israele. [2]Proclama:

«Che madre è la tua! Una leonessa
    tra i leoni,
accovacciata tra i leoncelli,
    che allevava i suoi piccoli.
[3] Ha sollevato uno dei suoi piccoli,
    che è diventato un leoncello.
    Imparò a cercare la preda,
        divorò uomini,
[4] ma le genti emisero un bando
        contro di lui,
    fu preso nel loro trabocchetto.
    Lo condussero in ceppi nella terra
        d'Egitto.
[5] Quand'essa vide che era lunga l'attesa
    e che la sua speranza era delusa,
    prese un altro piccolo e ne fece
        un leoncello.
[6] Esso prese a stare tra i leoni
    e divenne un leoncello.
    Imparò a ghermire la preda,
        divorò uomini,
[7] Penetrò nei loro palazzi, devastò
        le loro città.
    Il paese ammutolì con i suoi abitanti
        al rumore del suo ruggito.
[8] Ma gli si fecero addosso
        le genti delle province attorno,
    gli tesero contro la loro rete,
    fu preso nel loro trabocchetto.
[9] Lo rinchiusero in ceppi,
    lo condussero dal re di Babilonia,
    lo condussero in un luogo inaccessibile,
    perché non s'udisse più la sua voce
        sui monti d'Israele.
[10] Tua madre è simile a una vite piantata
        presso l'acqua:
    è stata fruttifera e frondosa per l'acqua
        abbondante.
[11] Mise germogli robusti per scettri regali;
    fece svettare la sua altezza fra le nubi
    e apparve con tutta la sua sublimità
        nell'abbondanza delle sue foglie.
[12] Ma fu distrutta con ira, fu gettata
        a terra;
    l'infuocato vento orientale
        la fece seccare
    e le caddero i frutti.
    Si seccò il suo robusto germoglio
    e il fuoco lo divorò.

Ez

---

19. - 2. *Tua madre*: è Gerusalemme, che personifica il regno di Giuda; *leoni*: sono i re delle nazioni; *leoncelli*: i figli di Giosia.

3-4. *Ha sollevato uno dei suoi piccoli*: è Ioacaz, che fu condotto prigioniero in Egitto (2Re 23,30).

5-9. *Un altro piccolo*: è Ioiachin, re per pochi mesi, che venne condotto prigioniero a Babilonia (2Re 24,8; 25,27).

¹³ Adesso è piantata nel deserto,
in terra arida e riarsa.
¹⁴ È uscito un fuoco da un altro
germoglio
e ha consumato i suoi rami
e i suoi frutti.
Non ha più un germoglio robusto,
uno scettro per governare».

Questa è una lamentazione e servirà come
canto funebre.

RIEVOCAZIONE DELLA STORIA PASSATA

20 ¹Nel settimo anno, il dieci del quinto mese, vennero alcuni anziani d'Israele per consultare il Signore e sedettero di fronte a me. ²Mi fu rivolta questa parola del Signore: ³«Figlio d'uomo, parla agli anziani d'Israele e di' loro: Così dice Dio, mio Signore: Siete venuti a consultarmi? Com'è vero che io vivo, non mi lascerò consultare da voi, oracolo di Dio, mio Signore. ⁴Li vuoi giudicare? Giudicali, figlio d'uomo. Fa' loro conoscere le abominazioni dei loro padri, ⁵dicendo loro: Così dice il Signore Dio: Quando io elessi Israele, alzai la mano in giuramento verso i discendenti della casa di Giacobbe e mi rivelai loro nel paese d'Egitto; alzai la mano giurando così: Io sono il Signore, il vostro Dio. ⁶In quel giorno alzai la mano giurando loro di farli uscire dal paese d'Egitto e di condurli in un paese che avevo esplorato per loro, fluente latte e miele, il più splendido tra tutti i paesi. ⁷Dissi loro: Ciascuno allontani gli idoli immondi dai suoi occhi e non si contamini con gli idoli d'Egitto: io sono il Signore, il vostro Dio. ⁸Invece essi si ribellarono e non vollero ascoltarmi, non allontanarono gli idoli immondi dai loro occhi, non abbandonarono gli idoli dell'Egitto e io decisi di riversare su di loro il mio furore, di sfogare contro di loro la mia ira, in mezzo al paese d'Egitto. ⁹Ma io agii per amore del mio nome, perché non venisse profanato al cospetto delle genti in mezzo a cui si trovavano, e alla cui presenza mi manifestai loro per farli uscire dal paese d'Egitto.

¹⁰Così li feci uscire dal paese d'Egitto e li condussi nel deserto. ¹¹A loro diedi i miei decreti e insegnai i miei comandamenti, che danno la vita a chi li osserva. ¹²Diedi loro anche i miei sabati, come un segno tra me e loro, perché riconoscano che io, il Signore, li santifico. ¹³Ma la casa d'Israele si ribellò contro di me nel deserto: non seguirono i miei decreti, respinsero i miei comandamenti, che danno la vita a chi li osserva, profanarono molto i miei sabati e io decisi di riversare il mio furore su di loro nel deserto, per distruggerli completamente. ¹⁴Ma agii per amore del mio nome, perché non venisse profanato davanti alle genti, al cui cospetto li avevo fatti uscire.

¹⁵Alzai ancora la mano giurando loro nel deserto di non condurli nel paese che avevo loro destinato, fluente latte e miele, il più splendido tra tutti i paesi, ¹⁶poiché avevano respinto i miei comandamenti e non avevano seguito i miei decreti, avevano profanato i miei sabati, insomma avevano seguito gli idoli del loro cuore. ¹⁷Ma il mio occhio ebbe compassione di loro e non li feci perire, non operai la loro estinzione totale nel deserto.

¹⁸Dissi poi ai loro figli nel deserto: Non seguite le regole dei vostri padri, non rispettate le loro leggi, non contaminatevi con i loro idoli. ¹⁹Io sono il Signore, il vostro Dio: seguite i miei decreti, rispettate i miei comandamenti ed eseguiteli. ²⁰Santificate i miei sabati e siano un segno tra me e voi, perché si conosca che io sono il Signore, vostro Dio. ²¹Ma anche i figli si ribellarono contro di me; non seguirono i miei decreti, non rispettarono né eseguirono i miei comandamenti, che danno la vita a chi li osserva; profanarono i miei sabati e io decisi di riversare su di loro il mio furore, di sfogare contro di loro la mia ira nel deserto.

²²Ma ritirai il mio braccio e agii per amore del mio nome, perché non venisse profanato davanti alle genti, al cui cospetto li avevo fatti uscire. ²³Alzai tuttavia la mia mano giurando loro nel deserto di disseminarli tra le genti e di disperderli nel mondo, ²⁴poiché non eseguirono i miei comandamenti, rifiutarono i miei decreti, profanarono i miei sabati e rivolsero gli occhi agli idoli dei loro padri. ²⁵Io stesso poi diedi loro decreti non buoni e leggi che non danno la vita. ²⁶Li contaminai con le loro offerte, facendo passare per il fuoco ogni loro primogenito, per gettarli nella costernazione, affinché riconoscessero che io sono il Signore.

²⁷Tu, dunque, figlio d'uomo, parla alla casa d'Israele e di' loro: Così dice il Signore Dio: Un'altra cosa ancora: i vostri padri mi hanno bestemmiato rivoltandosi contro di me. ²⁸E dire che io li avevo condotti nella terra che, alzando la mia mano, avevo giurato di dar loro! Ma essi videro tutti i colli elevati e gli alberi frondosi e là offrirono i loro sacrifici, portarono le loro nauseanti oblazioni, misero i loro profumi soavi e fecero le loro libazioni. ²⁹Io dissi loro: Che cos'è questa altura che voi frequentate? Il nome altura è rimasto ancora oggi.

³⁰Ebbene, di' alla casa d'Israele: Così dice Dio, mio Signore: Voi vi contaminaste come i vostri padri e vi prostituiste con i loro idoli, ³¹presentando le vostre offerte e facendo passare per il fuoco i vostri figli; vi contaminaste con tutti i vostri idoli fino ad oggi e io mi dovrei lasciare consultare da voi, casa d'Israele? Com'è vero che io vivo, oracolo di Dio, mio Signore, no, non mi lascerò consultare da voi. ³²Neppure si realizzeranno le cose che pensate, dicendo: Diverremo come le genti, come le altre tribù della terra, che venerano il legno e la pietra. ³³Com'è vero che io vivo, oracolo di Dio, mio Signore, io regnerò su di voi con mano ferma, con braccio teso e con furore incontenibile. ³⁴Vi farò uscire di mezzo ai popoli, vi radunerò da tutto il mondo dove vi disseminai, con mano ferma, con braccio teso e furore incontenibile. ³⁵Vi condurrò nel deserto dei popoli e lì, faccia a faccia, istituirò il giudizio con voi. ³⁶Come giudicai i vostri padri nel deserto del paese d'Egitto, così giudicherò voi, oracolo di Dio, mio Signore. ³⁷Vi farò passare sotto il mio bastone e vi condurrò sotto il giogo della mia alleanza. ³⁸Separerò i ribelli, che si sollevano contro di me; li farò uscire dal paese dove sono forestieri, ma non entreranno nel paese d'Israele: così riconoscerete che io sono il Signore. ³⁹A voi, casa d'Israele, così dice Dio, mio Signore: Rigettate ciascuno i vostri idoli e non profanate più il mio santo nome con le vostre offerte e i vostri idoli. ⁴⁰Sì, sul mio monte santo, sull'alto monte d'Israele, oracolo di Dio, mio Signore, là nel paese mi serviranno tutti quelli della casa d'Israele. Là mi compiacerò di essi. Là richiederò i vostri tributi, le vostre offerte e tutte le vostre cose sacre. ⁴¹Come di un profumo soave io mi compiacerò di voi, per avervi fatto uscire di mezzo ai popoli, per avervi raccolto da tutte le parti del mondo dove foste disseminati e in voi sarò riconosciuto santo al cospetto delle genti. ⁴²Riconoscerete che io sono il Signore, quando vi condurrò nel paese d'Israele, nel paese che giurai, alzando la mia mano, di dare ai vostri padri. ⁴³Là ricorderete la vostra condotta e tutte le azioni di cui vi siete macchiati e resterete con il volto angosciato per tutto il male che avete fatto. ⁴⁴Allora riconoscerete che io, il Signore, per amore del mio nome vi ho trattati così e non secondo la vostra pessima condotta e le vostre azioni perverse, o casa d'Israele. Oracolo di Dio, mio Signore».

LA SPADA DEL SIGNORE

21 ¹Il Signore mi rivolse questa parola: ²«Figlio d'uomo, voltati verso il meridione, pronunzia un vaticinio verso la regione australe, profetizza contro la foresta del mezzogiorno. ³Dirai alla foresta del mezzogiorno: Ascolta la parola del Signore: Così dice il Signore Dio: Ecco, io accendo in te un fuoco che consumerà ogni tuo legno verde e ogni tuo legno secco; la fiamma ardente non si spegnerà, ogni cosa vi sarà bruciata dal mezzogiorno al settentrione ⁴e ogni creatura vedrà che io, il Signore, l'ho incendiata e non si spegnerà». ⁵Allora io dissi: «Ah, Dio, mio Signore! Essi vanno dicendo di me: Non è forse uno che racconta favole costui?».

⁶Mi fu rivolta questa parola del Signore: ⁷«Figlio d'uomo, volgi la faccia verso Gerusalemme, pronunzia un vaticinio contro i suoi santuari, profetizza contro il paese d'Israele. ⁸Dirai al paese d'Israele: Così dice il Signore: Eccomi contro di te! Estrarrò la mia spada dal fodero e reciderò da te giusti ed empi. ⁹Dovrò recidere da te giusti ed empi: per questo la mia spada esce dal fodero contro ogni creatura, dal mezzogiorno al settentrione. ¹⁰Ogni creatura riconoscerà che io, il Signore, ho estratto la mia spada dal fodero e che non vi rientrerà più. ¹¹E tu, figlio d'uomo, gemi piegando i fianchi, gemi amaramente alla loro vista. ¹²Quando essi ti domanderanno: Perché gemi? Tu risponderai: Perché al giungere di una notizia ogni cuore è disfatto, le braccia si indeboliscono, gli spiriti

sono spaventati, le ginocchia si sciolgono. Ecco che è giunta e si avvera. Oracolo di Dio, mio Signore».

[13]Mi fu rivolta questa parola del Signore: [14]«Figlio d'uomo, profetizza e di' loro: Così dice il mio Signore:

Spada, spada affilata e levigata!
[15] Affilata per sgozzare,
levigata per folgorare!
[16] La si fece levigare
per prenderla bene in mano.
Sì, è affilata la spada;
sì, è levigata per darla in mano
a chi uccide.
[17] Grida, ulula, figlio d'uomo,
perché essa incombe ormai
sul mio popolo
e su tutti i prìncipi d'Israele:
essi sono in balìa della spada
insieme con il mio popolo!
Perciò battiti il fianco.
[18] È una prova. E che cosa accadrebbe
se non ci fosse uno scettro sprezzante?
Oracolo di Dio, mio Signore.
[19] Tu, figlio d'uomo,
profetizza e batti le mani:
si raddoppi, si triplichi la spada,
la spada dei massacri,
la grande spada che ferisce e li circonda.
[20] Perché tremino i cuori
e si moltiplichino i caduti,
a tutte le loro porte
ho collocato il massacro della spada.
Ahi, spada fatta per folgorare,
sfoderata per sgozzare!
[21] Colpisci a destra, penetra a sinistra,
là dov'è diretta la tua lama.
[22] Anch'io batterò le mani e sfogherò
il mio furore.

Io, il Signore, ho parlato».

[23]Mi giunse questa parola del Signore: [24]«Tu, figlio d'uomo, traccia due strade per il passaggio della spada del re di Babilonia; partiranno entrambe dal medesimo paese. Poni un'indicazione stradale, disegna un'indicazione al bivio della città. [25]La strada della spada sia diretta a Rabba degli Ammoniti e a Giuda, arroccato in Gerusalemme. [26]Infatti il re di Babilonia si è fermato sulla biforcazione, al bivio, per interrogare le sorti. Ha agitato le frecce, ha interrogato gli dèi domestici, ha esami-

nato il fegato. [27]Nella sua destra è uscito il responso: a Gerusalemme, e così egli piazza gli arieti, apre la bocca per dare ordini, fa echeggiare il grido di guerra, dispone gli arieti contro le porte, innalza il terrapieno e costruisce la trincea. [28]Ma ai loro occhi questo sarà ritenuto un falso presagio, perché dicono di avere in loro favore solenni giuramenti. Ma intanto egli è l'accusatore della loro colpa, perché siano presi al laccio!

[29]Perciò, così dice Dio, mio Signore: Poiché voi stessi accusate le vostre colpe, svelando le vostre ribellioni e mostrando i vostri peccati con tutte le vostre azioni, poiché le accusate voi stessi, sarete presi al laccio.

[30]A te, disonorato e perverso principe d'Israele, di cui è arrivato il giorno, ora che la tua colpa è arrivata alla fine, [31]così dice Dio, mio Signore: Deponi il turbante e togliti la corona! Tutto sarà trasformato: ciò che è basso sarà elevato e ciò che è alto sarà abbassato. [32]Rovina, rovina, rovina io provocherò! Ma questo non accadrà finché venga colui al quale appartiene il giudizio; è a lui che io lo riservo».

[33]Tu, figlio d'uomo, profetizza e di': «Così dice Dio, mio Signore, riguardo ai figli di Ammon e ai loro insulti: O spada sguainata per sgozzare, levigata per annientare e per folgorare, [34]mentre essi hanno false visioni e fanno falsi presagi su di te, io ti destino alle gole degli empi perversi, di cui è arrivato il giorno, ora che la colpa è arrivata alla fine. [35]Rientra nel fodero. Nel luogo stesso in cui fosti creato, nel paese dove sei nato, io ti giudicherò. [36]Riverserò su di te il mio sdegno, contro di te soffierò il fuoco della mia ira e ti darò in potere di uomini incendiari, artefici di sterminio. [37]Sarai preda del fuoco e il tuo sangue sarà sparso nel paese. Non sarai più ricordato. Io, il Signore, ho parlato».

DENUNCIA DEI PECCATI DI GERUSALEMME

22 [1]Mi fu rivolta questa parola del Signore: [2]«Tu, figlio d'uomo, vuoi giudicare, vuoi giudicare tu la città sanguinaria e farle conoscere tutte le sue abominazioni? [3]Allora dirai: Così dice Dio, mio Signore: Città che si versa addosso il sangue, così da incamminarsi verso la fine, che costruisce a suo danno gli idoli per contaminarsi! [4]Per il sangue che hai versato ti sei resa colpevole e con gli idoli che ti sei fabbricata ti sei contaminata: hai affrettato i tuoi giorni, sei giunta alla fine dei tuoi anni! Perciò ti rendo scherno delle genti e obbrobrio di tutta la terra. [5]Sia le città che ti sono vicine sia quelle lontane si beffano di te, città infamata e piena di disordini.

[6]Vedi? I prìncipi d'Israele fanno a gara per versare sangue in te. [7]In te si disprezza il padre e la madre; quanto al forestiero, lo si opprime in mezzo a te, in te si opprime l'orfano e la vedova. [8]Tu disprezzi il mio santuario e profani i miei sabati. [9]Ci sono in te calunniatori che versano sangue. In te si fanno pasti sacri sui monti, in mezzo a te si commettono ignominie. [10]In te si scopre la nudità del padre, in te si viola la donna in stato di mestruazione. [11]In te c'è chi commette abominazioni con la moglie del suo prossimo, chi macchia d'impurità ignominiosa la nuora, chi in te violenta la sorella, figlia dello stesso padre. [12]In te si ricevono regali per versare il sangue, tu esigi interessi e percentuali, spremi il tuo prossimo nell'oppressione e di me ti sei dimenticata. Oracolo di Dio, mio Signore.

[13]Ma attenzione! Io batto le mani per le ricchezze che hai accumulato e per il sangue che è in te. [14]Resisterà forse il tuo cuore, e le tue braccia si manterranno forti quando io agirò contro di te? Io, il Signore, ho parlato e così farò. [15]Ti disseminerò fra le genti e ti disperderò in paesi stranieri, eliminerò l'impurità che proviene da te, [16]ma tu resterai profanata in te stessa al cospetto delle genti e riconoscerai che io sono il Signore».

[17]Mi fu rivolta questa parola del Signore: [18]«Figlio d'uomo, la casa d'Israele è diventata tutta scorie: sono tutti bronzo e stagno, ferro e piombo dentro una fornace; sono diventati scorie d'argento. [19]Perciò, così dice Dio, mio Signore: Poiché siete diventati tutti scorie, ecco, io vi raccolgo dentro Gerusalemme. [20]Come si mettono insieme argento, bronzo, ferro, piombo e stagno dentro la fornace, in cui soffia un fuoco capace di fondere, così io vi metterò insieme nella mia ira e nel mio furore e mi acquieterò facendovi fondere. [21]Vi riunirò, soffierò su di

voi il fuoco della mia ira e fonderete dentro di essa. [22]Come si fonde l'argento dentro la fornace, così sarete fusi dentro di essa. Riconoscerete che io, il Signore, ho riversato il mio furore su di voi».

[23]Mi fu rivolta questa parola del Signore: [24]«Figlio d'uomo, di' a Gerusalemme: Tu sei un paese non purificato, non irrorato dalla pioggia, nel giorno del mio furore. [25]I suoi prìncipi, dentro di essa, come un leone ruggente che cerca di predare, hanno divorato la gente, hanno preso i tesori e le ricchezze, moltiplicandovi le vedove. [26]I suoi sacerdoti hanno soffocato la mia legge, hanno profanato le cose sante; non hanno distinto tra sacro e profano, non hanno indicato la differenza tra l'impuro e il puro, hanno distolto i loro occhi dall'osservare i miei sabati e in mezzo a loro sono stato profanato. [27]I suoi capi, come lupi che cercano di predare, dentro di essa hanno versato il sangue e hanno eliminato la gente, per accaparrarsi la ricchezza. [28]I suoi profeti, avendo visioni false e annunziando menzogne, hanno fatto loro l'intonaco con la calce, continuando a dire: Così dice il Signore Dio, mentre il Signore non ha parlato. [29]I possidenti esercitano l'oppressione, commettendo rapine, schiacciando il povero e il misero, opprimendo il forestiero, ignorando ogni giusto decreto. [30]Io cercai chi sapesse costruire mura di difesa e stare sulla breccia al mio cospetto in favore del paese, affinché non venisse distrutto, ma non lo trovai. [31]Quindi riversai su di esso il mio furore, nel fuoco della mia ira li annientai; feci ricadere sul loro capo la loro condotta. Oracolo di Dio, mio Signore».

IL RACCONTO SIMBOLICO DELLE DUE SORELLE

23 [1]Mi giunse questa parola del Signore: [2]«Figlio d'uomo, c'erano due donne, figlie della stessa madre, [3]che si prostituirono in Egitto, si prostituirono fin dalla loro giovinezza. Là furono compresse le loro mammelle, là si premettero i loro seni verginali. [4]Si chiamavano Oholà, la maggiore, e Oholibà, sua sorella. Divennero mie, mi generarono figli e figlie. Quanto ai loro nomi: Samaria è Oholà e Gerusalemme è Oholibà.

---

22. - 9. *Pasti sacri sui monti*: si tratta di banchetti in onore degli idoli.

⁵Ebbene, Oholà si prostituì alle mie spalle; spasimò per i suoi amanti, gli Assiri, che facevano approcci. ⁶Erano vestiti di porpora, prìncipi e capi, tutti giovani da far invaghire, cavalieri sui loro cavalli. ⁷Allora si prostituì con essi, il fiore degli Assiri, e con il suo continuo spasimare per tutti i loro idoli si macchiò d'impurità. ⁸Non abbandonò le prostituzioni degli Egiziani, i quali giacquero con lei nella sua giovinezza, premendo i suoi seni verginali e riversandole addosso la loro prostituzione. ⁹Perciò la diedi in balìa dei suoi amanti, in balìa degli Assiri, per i quali aveva spasimato. ¹⁰Essi scoprirono la sua nudità e, presi i figli e le figlie, la uccisero con la spada, sicché divenne una favola per le donne; così decretarono la sua condanna.

¹¹Sua sorella Oholibà vide e si corruppe più di lei, fino a superare, con le sue prostituzioni, la sorella. ¹²Spasimò per gli Assiri, prìncipi e capi che facevano spasimo vestiti di tutto punto, cavalieri sui loro cavalli, tutti giovani attraenti; ¹³vidi che si macchiò d'impurità: era proprio la stessa condotta per entrambe! ¹⁴Aumentò la sua prostituzione: vide uomini tracciati sulle pareti, figure di Caldei disegnate in rosso, ¹⁵che portano ampie cinture ai fianchi, si ricoprono la testa con turbanti e sembrano tutti ufficiali di cavalleria, raffiguranti i Babilonesi, la cui terra d'origine è la Caldea. ¹⁶Ella spasimò per loro a prima vista e inviò ad essi ambasciatori in Caldea. ¹⁷Allora arrivarono da lei i Babilonesi al letto dell'amore, a macchiarla d'impurità con la loro prostituzione. Ella si contaminò con loro, finché ne fu nauseata. ¹⁸Scoprì le sue prostituzioni, scoprì le sue nudità e quindi a mia volta mi allontanai da lei, come mi ero allontanato da sua sorella. ¹⁹Poi intensificò le sue prostituzioni per rivivere i giorni della giovinezza, quando si prostituì in Egitto. ²⁰Spasimò con i suoi concubini, la cui corporatura è come quella degli asini e il cui membro è come quello dei cavalli. ²¹Così sei ritornata all'ignominia della tua giovinezza, quando gli Egiziani ti premettero i seni comprimendo il tuo petto di ragazza.

²²Perciò, Oholibà, così dice Dio, mio Signore: Ecco, io suscito contro te gli amanti, di cui hai provato nausea, che da ogni parte te li condurrò contro: ²³i Babilonesi, tutti i Caldei, quelli di Pekod, di Soa e di Koa e con loro tutti gli Assiri, tutti giovani attraenti, prìncipi e capi, tutti ufficiali di cavalleria che fanno approcci, in sella ai loro cavalli. ²⁴Verranno contro di te con cavalleria e carri e con una schiera di popoli; indosseranno scudo, egida ed elmo, contro te da ogni parte. Affiderò loro la sentenza e ti giudicheranno secondo i loro decreti. ²⁵Scatenerò la mia gelosia su di te; essi ti tratteranno con furore, ti strapperanno il naso e gli orecchi e la tua discendenza cadrà di spada. Prenderanno i tuoi figli e le tue figlie e la tua discendenza sarà consumata dal fuoco. ²⁶Ti spoglieranno delle tue vesti e ti prenderanno gli oggetti della tua eleganza. ²⁷Così io farò cessare la tua ignominia e le tue prostituzioni commesse in Egitto: non alzerai più gli occhi verso di loro né ricorderai più gli Egiziani».

²⁸Così dice Dio, mio Signore: «Ecco, io ti consegno nelle mani di coloro che aborrisci, nelle mani di coloro di cui ti sei nauseata. ²⁹Ti tratteranno con odio, ti prenderanno tutti i tuoi beni, ti lasceranno completamente nuda e scoperta; sarà svelata la vergogna delle tue scelleratezze e l'ignominia delle tue prostituzioni. ³⁰Ti faranno ciò perché mi hai tradito con le genti, perché ti sei contaminata con i loro idoli. ³¹Hai imitato la condotta di tua sorella e io ti darò in mano il suo stesso calice».

³²Così dice Dio, mio Signore:

«Berrai il calice largo e profondo
  di tua sorella,
sarai oggetto di derisione e di scherno
  per l'abbondante misura.
³³ Di ubriachezza e nausea sarai riempita:
  è calice di raccapriccio e di desolazione,
  il calice di tua sorella Samaria!
³⁴ Tu lo berrai, lo scolerai,
  poi ne rosicchierai i cocci e ti lacererai
    il seno.
  Così ho parlato. Oracolo del Signore».

³⁵Perciò, così dice Dio, mio Signore: «Poiché tu mi hai dimenticato e mi hai voltato le spalle, sconterai dunque la tua ignominia e le tue prostituzioni».

³⁶Poi il Signore mi disse: «Figlio d'uomo, vuoi giudicare Oholà e Oholibà e denunciarne le abominazioni? ³⁷Sì, si sono macchiate di adulterio, hanno le mani insanguinate, si sono macchiate di adulterio con gli idoli e addirittura hanno consacrato ad essi i figli che mi avevano generato. ³⁸E ancora questo mi hanno fatto: hanno reso impuro

il mio santuario e hanno profanato i miei sabati. ³⁹Dopo aver sgozzato i loro figli in onore dei loro idoli, sono venute al mio santuario per profanarlo. Ecco quello che hanno fatto dentro la mia casa!

⁴⁰E mandano ancora a chiamare uomini di paesi lontani, ai quali hanno inviato ambasciatori. E quelli arrivano. Per loro ti sei lavata, ti sei tinta gli occhi, ti sei abbigliata! ⁴¹Ti sedesti così su un letto lussuoso, davanti a una tavola imbandita, su cui hai messo il mio profumo e il mio unguento. ⁴²Si udì l'eco di un tumulto, di una moltitudine di uomini fatti venire ubriachi dal deserto, con braccialetti ai polsi e una corona elegante in testa. ⁴³Io, allora, pensai di costei, abituata agli adultèri: Ora essi si faranno complici delle sue prostituzioni. ⁴⁴Infatti andarono da lei come si va da una prostituta; così andarono da Oholà e Oholibà, donne ignominiose. ⁴⁵Ma uomini giusti decreteranno contro di esse la sentenza delle adultere e delle donne sanguinarie: sono adultere e hanno le mani che grondano sangue».

⁴⁶Così dice Dio, mio Signore: «Si raduni contro di loro l'assemblea e si condannino al terrore e al saccheggio. ⁴⁷Siano lapidate con le pietre dell'assemblea e siano fatte a pezzi con le spade; ne uccidano i figli e le figlie .e diano alle fiamme le loro case. ⁴⁸Così farò cessare l'ignominia nel paese; ogni donna imparerà la lezione e non faranno più simili ignominie. ⁴⁹Ricadrà su di voi la vostra ignominia e sconterete i vostri peccati d'idolatria. Riconoscerete che io sono il Signore Dio».

LA PARABOLA DELLA PENTOLA E LE PROVE DEL PROFETA

24 ¹Mi fu rivolta questa parola del Signore nel nono anno, il decimo giorno del decimo mese: ²«Figlio d'uomo, scrivi la data di oggi, proprio di oggi. Il re di Babilonia, infatti, assale Gerusalemme proprio oggi. ³Poi proponi una parabola a questa casa ribelle, dicendole: Così parla il Signore Dio:

Metti su la pentola, mettila su e versaci dentro acqua;
⁴ mettici dentro pezzi di carne,
    tutti i pezzi buoni: coscia e spalla,
    poi riempila di ossi scelti.
⁵ Prendi il meglio del gregge,
    poi ammucchiaci sotto la legna.
    Cuoci quei pezzi, fa' bollire
        dentro anche gli ossi.
⁶ Poiché così dice il Signore Dio:
    O sventurata città sanguinaria,
    pentola arrugginita con una ruggine
    che non vuole andarsene!
    Vuotala pezzo dopo pezzo,
    senza tirare su di essa la sorte,
⁷ poiché ha sangue dentro di sé,
    l'ha versato su una pietra liscia,
    non l'ha versato per terra,
    perché la polvere potesse coprirlo.
⁸ Per provocare la mia collera
    e meritarsi la mia vendetta
    ha lasciato il suo sangue sulla pietra liscia,
    senza coprirlo.
⁹ Perciò, così dice il Signore Dio:
    O sventurata città sanguinaria!
    Io stesso farò una catasta,
¹⁰ aumenterò la legna, accenderò il fuoco,
    consumerò la carne, la ridurrò
        in poltiglia
    e le ossa saranno bruciate.
¹¹ La piazzerò vuota su carboni ardenti,
    perché si scaldi e il suo rame bruci,
    si fonda la sua impurità
    e sia distrutta la sua ruggine.
¹² Ma non si stacca tutta quella ruggine,
    che resiste persino al fuoco!

¹³Nella tua impurità ignominiosa io ho voluto purificarti, ma tu non ti sei lasciata purificare. Ora dalla tua impurità non ti purificherò più, finché non abbia sfogato il mio furore contro di te. ¹⁴Io, il Signore, ho parlato: ho pronunziato la mia parola e l'eseguirò; non desisterò, non avrò compassione, non avrò pietà; ti giudicherò secondo la tua condotta e le tue azioni. Oracolo del Signore Dio».

¹⁵Mi giunse poi questa parola del Signore: ¹⁶«Figlio d'uomo, ora ti porterò via all'improvviso la delizia dei tuoi occhi; ma non piangere, non singhiozzare, non versare lacrime. ¹⁷Gemi, sta' in silenzio, non fare il lutto dei morti. Legati pure il tuo turbante, mettiti i sandali ai piedi, non coprirti la barba e non mangiare il pane del lutto».

Ez

---

24. - 3. *Metti su la pentola*: è una parabola, non un fatto avvenuto. Dio cercò in un primo tempo di purificare Gerusalemme, ma senza esito; perciò ora la distruzione sarà completa.

[18]Al mattino avevo parlato al popolo e alla sera mia moglie morì. All'indomani feci come mi fu comandato. [19]Il popolo mi disse: «Vuoi spiegarci che cosa significa quello che fai?». [20]Io risposi: «Mi è stata rivolta questa parola del Signore: [21]Di' alla casa d'Israele: Così dice il Signore Dio: Ecco, io profanerò il mio santuario, orgoglio della vostra forza, delizia dei vostri occhi e tesoro delle vostre anime, e i figli e le figlie che lasciate là cadranno di spada. [22]Voi farete come ho fatto io: non vi coprirete la barba né mangerete il pane del lutto. [23]Terrete il vostro turbante in testa e i sandali ai piedi, non piangerete, non singhiozzerete, languirete nelle vostre colpe, vi lamenterete l'uno con l'altro. [24]Ezechiele sarà per voi un segno; farete tutto come ha fatto lui. Quando ciò vi accadrà, riconoscerete che io sono il Signore Dio.

[25]Tu, figlio d'uomo, il giorno in cui io avrò portato loro via la fortezza, il gaudio della loro gloria, la delizia dei loro occhi, la nostalgia delle loro anime, i loro figli e le loro figlie, [26]allora a te verrà un fuggiasco, per dartene notizia. [27]Allora si aprirà la tua bocca in presenza del fuggiasco e parlerai; non sarai più muto. Sarai per loro un segno. Riconoscerete che io sono il Signore».

Oracoli contro le nazioni pagane

CONTRO AMMON, MOAB, EDOM E I FILISTEI

25 [1]Mi fu rivolta questa parola del Signore: [2]«Figlio d'uomo, volgi la tua faccia verso gli Ammoniti e profetizza contro di loro. [3]Dirai agli Ammoniti: Udite la parola del Signore Dio! Poiché hai esclamato: Bene!, quando il mio santuario fu profanato, quando il paese d'Israele fu devastato e quando la casa di Giuda andò in esilio, [4]perciò, ecco, io ti consegno ai figli d'oriente. Essi piazzeranno i loro recinti in te, stabiliranno in te le loro abitazioni, mangeranno i tuoi frutti e berranno il tuo latte! [5]Renderò Rabba una stalla di cammelli e gli Ammoniti un recinto di pecore. Riconoscerete che io sono il Signore. [6]Sì, così dice il Signore Dio: Per avere tu battuto le mani e pestato i piedi e per aver gioito in cuor tuo con pieno disprezzo per il paese d'Israele, [7]per questo, ecco, io stendo il mio braccio contro di te e ti espongo al saccheggio delle genti: ti reciderò dai popoli, ti cancellerò dalla terra, ti annienterò. Riconoscerai che io sono il Signore».

[8]Così dice il Signore Dio: «Poiché Moab e Seir hanno detto: Ecco, Giuda è come le altre genti, [9]per questo io squarcio il dorso montagnoso di Moab, riducendolo senza città a partire dai suoi confini, lo splendido paese di Bet-Iesimot, Baal-Meon, Kiriataim. [10]Lo darò in possesso ai figli d'oriente, insieme agli Ammoniti, perché non sia più ricordato tra le genti. [11]Così farò giustizia contro Moab e riconosceranno che io sono il Signore».

[12]Così dice il Signore Dio: «Poiché Edom si è accanito sulla casa di Giuda e si è reso colpevole vendicandosi di essa, [13]per questo, così dice il Signore Dio: Io stenderò il mio braccio contro Edom, ne reciderò uomini e animali e farò una devastazione da Teman a Dedan; tutti cadranno di spada. [14]Farò la mia vendetta su Edom per mezzo del mio popolo Israele, che tratterà Edom secondo la mia ira e il mio furore. Riconosceranno così la mia vendetta. Oracolo del Signore Dio».

[15]Così dice il Signore Dio: «Poiché i Filistei si sono accaniti e si sono vendicati, smaniando per lo sterminio, mossi da eterna inimicizia, [16]per questo, così dice il Signore Dio: Ecco, io stendo il mio braccio contro i Filistei, sterminerò i Cretei e cancellerò il resto della spiaggia del mare. [17]Compirò contro di loro una grande vendetta con castighi furiosi. Riconosceranno che io sono il Signore, quando mi vendicherò su di loro».

CONTRO TIRO

26 [1]Nell'undicesimo anno, il primo giorno del mese, mi giunse questa parola del Signore: [2]«Figlio d'uomo, poiché Tiro ha detto contro Gerusalemme:

---

25. - 1. Gli oracoli contro i popoli pagani (cc. 25-32) risalgono a tempi diversi, ma essi seguono quelli contro Gerusalemme per far vedere l'azione della giustizia di Dio nel popolo eletto e nei pagani. Però mentre le profezie sul castigo di Israele terminano sempre con una speranza di riabilitazione, per le altre nazioni la rovina sarà completa.

Finalmente si è infranta la porta
   dei popoli,
è caduta in mio potere
e la sua ricchezza è devastata!,
³ perciò, così dice il Signore Dio:
Eccomi contro di te, Tiro;
ti farò assalire da molte genti,
come gli assalti delle onde del mare.
⁴ Abbatteranno le mura di Tiro,
demoliranno le sue torri,
toglierò via da essa anche la polvere
e la ridurrò a roccia nuda,
⁵ a luogo per distendere le reti
   in mezzo al mare.
Sì, io ho parlato, oracolo del Signore Dio:
essa diverrà bottino delle genti.
⁶ Le tue figlie in campagna
saranno uccise dalla spada
e riconosceranno che io sono
   il Signore.

⁷Sì, così dice il Signore Dio: Ecco, io mando dal settentrione contro Tiro Nabucodonosor, re di Babilonia, il re dei re, con cavalli, carri, cavalieri e un esercito di truppe numerose.

⁸ Le tue figlie sulla terraferma
passerà a fil di spada;
ti porrà l'assedio,
traccerà contro di te una trincea,
erigerà un terrapieno contro di te.
⁹ Colpi di arieti darà contro le tue mura
e le tue torri saranno distrutte a colpi
   di ascia.
¹⁰ Per l'abbondanza dei suoi cavalli
ti coprirà di polvere;
al rumore dei cavalieri, delle ruote
   e dei carri
si scuoteranno le tue mura,
quando entrerà per le tue porte
come si entra in una città espugnata.
¹¹ Con gli zoccoli dei suoi cavalli
calpesterà ogni tua strada,
ucciderà il tuo popolo con la spada
e saranno gettate per terra le tue
   grandiose colonne.
¹² Deprederanno le tue ricchezze,
faranno bottino della tua merce,
demoliranno le tue mura,
distruggeranno le tue case lussuose;

getteranno in mare le tue pietre,
il legname e la polvere.
¹³ Farò cessare lo strepito dei tuoi canti,
il suono delle tue cetre
non si sentirà più.
¹⁴ Ti ridurrò a roccia nuda,
sarai un luogo per stendere le reti;
non sarai più ricostruita.
Sì, io, il Signore, ho parlato.
Oracolo del Signore Dio».

¹⁵Così dice il Signore Dio a Tiro: «Per il rumore della tua caduta e il gemito dei feriti, per la strage delle tue vittime in mezzo a te, non si scuotono forse le isole? ¹⁶Scendono dai loro troni tutti i prìncipi del mare, si tolgono i loro indumenti, si spogliano delle loro vesti ricamate e si vestono di trepidazione, si siedono per terra, trepidano ad ogni istante e sono sgomenti per te. ¹⁷Elevano su di te una lamentazione e dicono:

Come sei caduta, distrutta dal mare,
   città esaltata!
Essa che era salda sul mare
   con i suoi abitanti,
che incutevano terrore su tutto
   il continente.
¹⁸ Ora trepidano le isole nel giorno
   della tua caduta;
sono costernate le coste marine
   per la tua fine.

¹⁹Sì, così dice il Signore Dio: Quando ti avrò resa una città deserta come le città disabitate, quando avrò fatto salire su di te l'abisso e ti avranno ricoperto le grandi acque, ²⁰allora ti farò precipitare con quelli che scendono nella fossa, i popoli del passato, e abiterai nel fondo della terra, nelle perpetue rovine, con quelli che scendono nella fossa, perché tu non sia più abitata, mentre darò splendore alla terra dei vivi. ²¹Ti renderò oggetto di terrore; non esisterai più: sarai cercata e non sarai trovata mai più, per sempre. Oracolo del Signore Dio».

LAMENTAZIONE
SULLA DISTRUZIONE DI TIRO

27 ¹Mi fu rivolta questa parola del Signore: ²«Tu, figlio d'uomo, eleva su Tiro una lamentazione. ³Di' a Tiro:

---

26. - 6. *Le tue figlie*, cioè le città dipendenti dalla capitale, che era costruita in parte sopra un'isola; esse perciò sono dette *in campagna*, cioè in terraferma.

Tiro, che regna all'ingresso del mare
e commercia con innumerevoli
   popoli costieri,
così dice il Signore Dio:
Tiro, tu eri detta nave di perfetta
   bellezza.

4 Nel cuore del mare sono i tuoi confini,
   i tuoi costruttori ti hanno reso bellissima.

5 Con cipresso di Senir
hanno costruito tutte le tue zattere;
cedro del Libano hanno preso
per farti l'albero maestro.

6 Con querce di Basan hanno costruito
   i tuoi remi,
il ponte te l'hanno fatto d'avorio,
la cabina di conifere delle isole dei Kittim.

7 Di bisso variopinto d'Egitto era la tua vela,
che era un vessillo di porpora viola
   e scarlatta,
delle isole di Elisa era la tua tenda.

8 I regnanti di Sidone e di Arvad erano
   i tuoi rematori,
i tuoi sapienti, o Tiro, a bordo, erano
   i tuoi piloti.

9 Gli anziani di Biblos e i suoi sapienti
erano in te a riparare le tue falle.
Tutte le navi del mare e i loro marinai
erano presso di te per scambiare
   le tue merci.

10 Guerrieri di Persia, di Lud e di Put
erano nel tuo esercito,
scudo ed elmo appendevano in te,
essi costituivano il tuo decoro.

11 I figli di Arvad e il loro esercito
erano sulle tue mura all'intorno
e vegliavano sulle tue torri.
Appendevano gli scudi intorno
   alle tue mura
e rendevano perfetta la tua bellezza.

12 Tarsis negoziava con te per l'abbondanza di ogni bene, e in cambio di argento, oro, stagno e piombo diffondeva i tuoi prodotti. 13 Grecia, Tubal e Mesech trafficavano con te, in cambio di schiavi e oggetti di bronzo diffondevano la tua merce. 14 Da Togarma in cambio di cavalli e cavalieri e muli, diffondevano i tuoi prodotti. 15 I figli di Dedan trafficavano con te; numerosi popoli costieri negoziavano con te e ti davano in pagamento zanne d'avorio ed ebano. 16 Aram negoziava con te per l'abbondanza dei tuoi prodotti; in cambio di pietre preziose, porpora scarlatta e variopinta, bisso, corallo rosso e rubini diffondevano i tuoi prodotti. 17 Giuda e il paese d'Israele trafficavano con te. In cambio di grano di Minnit ti portavano profumi, miele, olio e balsamo. 18 Damasco negoziava con te per l'abbondanza dei tuoi prodotti e la molteplicità di ogni bene; ti forniva vino di Chelbon e lana di Zacar. 19 Vedan e Iavan da Uzal ti rifornivano di ferro lavorato, cassia e canna aromatica in cambio della tua merce. 20 Dedan trattava con te finimenti per cavalcatura. 21 L'Arabia e tutti i principi di Kedar mercanteggiavano con te; in agnelli, montoni e capri negoziavano con te. 22 I mercanti di Saba e di Raema trafficavano con te; per le prime qualità di balsamo e ogni genere di pietre preziose e oro diffondevano i tuoi prodotti. 23 Carran, Cannè, Eden, i mercanti di Saba, Assur, Kilmad trafficavano con te. 24 Essi scambiavano con te indumenti di prima qualità, mantelli di porpora e stoffe variopinte, tappeti variegati, corde intrecciate e solide sui tuoi mercati.

25 Le navi di Tarsis erano
   alle tue dipendenze
per trasportare la tua merce.
Ti sei riempita e ingrandita molto
nel cuore del mare.

26 In alto mare ti hanno fatto navigare
   i tuoi rematori,
ma il vento orientale ti ha distrutta
nel cuore del mare.

27 Le tue ricchezze, i tuoi beni
e la tua merce, i tuoi marinai e piloti,
quelli che riparavano le tue falle
e quelli che commerciavano la tua merce,
tutti i tuoi soldati che sono in te
e tutta la moltitudine che è dentro di te
piomberanno nel cuore del mare
nel giorno della tua rovina.

28 All'udire il grido d'aiuto
   dei tuoi equipaggi
tremano le località vicine,

29 scendono dalle loro navi
tutti quelli che tengono il remo,
i marinai e tutti i piloti del mare
si fermano a terra.

30 Essi fanno sentire il loro lamento
   su di te;
gridano amareggiati,
si gettano polvere in testa,
si avvoltolano nella cenere.

31 Si radono i capelli per te,
si cingono di sacco,

piangono amaramente per te,
con doloroso lamento.
32 Nel loro gemito innalzano per te
  una lamentazione,
si lamentano su di te:
Chi era come Tiro, una fortezza
  in mezzo al mare?
33 Scaricando dal mare i tuoi prodotti,
  hai saziato molti popoli,
con la quantità dei tuoi beni
  e della tua merce
hai reso più felici i re della terra.
34 E ora sei distrutta dal mare,
  nel profondo degli abissi marini;
il tuo carico e tutto il tuo equipaggio
  sono affondati con te.
35 Tutti gli abitanti delle coste
  sono rimasti spaventati per te,
ai loro re si sono rizzati i capelli,
  il loro volto è triste.
36 I negozianti tra i popoli fischiano
  su di te:
sei diventata oggetto di spavento
e non esisterai mai più».

CONTRO IL RE DI TIRO

28 ¹Mi fu rivolta questa parola del Signore: ²«Figlio d'uomo, di' al sovrano di Tiro: Così dice il Signore Dio:

Poiché il tuo cuore si è insuperbito
e tu sei giunto a dire: Io sono un dio,
su un trono divino io regno nel cuore
  del mare;
e, mentre sei un uomo e non un dio,
hai fatto del tuo cuore un cuore divino;
3 ecco, sei più sapiente di Daniele,
  nessun mistero ti è nascosto.
4 Della tua sapienza e intelligenza
  ti sei fatto forte
e hai ammucchiato oro e argento
  nelle tue riserve.
5 Con tutta quella sapienza
e con il tuo commercio hai accresciuto
  la tua fortuna
e per le tue ricchezze
  si è insuperbito il tuo cuore.

6 Perciò, così dice il Signore Dio:
Poiché hai fatto del tuo cuore un cuore
  divino,
7 ecco, io mando contro di te i più feroci
  popoli stranieri;
snuderanno la loro spada contro
  la tua bella sapienza
e profaneranno il tuo splendore.
8 Ti faranno scendere negli inferi,
  e morirai di morte violenta, in fondo
  al mare.
9 Dirai ancora: Sono un dio,
  di fronte al tuo uccisore?
Tu che sei un uomo, non un dio,
  sei in mano ai tuoi carnefici.
10 Morirai come gli incirconcisi,
  per mano di stranieri. Io ho parlato».
Oracolo del Signore Dio.

¹¹Mi fu rivolta questa parola del Signore: ¹²«Figlio d'uomo, intona una lamentazione sul re di Tiro; digli:

Così dice il Signore Dio:
Tu eri sigillo e modello,
colmo di sapienza e di perfetta bellezza;
13 nell'Eden, il giardino di Dio,
  tu eri coperto d'ogni pietra preziosa
  – rubino, topazio e diamante,
crisòlito, onice e berillo,
zaffiro, carbonchio e smeraldo –
e d'oro era il lavoro
  delle tue incastonature
e delle tue legature,
preparato nel giorno in cui fosti creato.
14 Tu eri un cherubino dalle ali spiegate;
  ti feci guardiano, ti posi sul santo monte
  di Dio
e camminavi in mezzo a pietre di fuoco.
15 Tu eri perfetto nella tua condotta
  quando fosti creato,
finché non si trovò in te la malvagità.
16 Con l'abbondanza del tuo commercio
  ti riempisti di violenza e di peccati;
io ti disonorai cacciandoti dal monte
  di Dio.
Ti feci perire, cherubino guardiano,
cacciandoti via dalle pietre di fuoco.
17 Il tuo cuore s'inorgoglì per la tua
  bellezza;
perdesti la sapienza a causa
  del tuo splendore.
Ti gettai a terra
sotto lo sguardo dei re, perché ti vedano.

Ez

_____
28. - 3. *Daniele*: si tratta di un leggendario sapiente orientale, non del giovane sapiente ebreo deportato da Gerusalemme a Babilonia.
10. *Morirai come gli incirconcisi*: morte violenta e umiliante.

¹⁸ Con l'abbondanza delle tue colpe,
con la malvagità del tuo commercio
hai profanato i tuoi santuari.
Perciò io ho fatto uscire un fuoco
di mezzo a te,
che ti ha consumato;
ti ho reso cenere sulla terra
sotto gli occhi di quanti ti guardano.
¹⁹ Tra i popoli, tutti quelli che ti conoscono
sono rimasti spaventati per te.
Sei diventato oggetto di spavento
e non esisterai mai più».

²⁰Mi giunse questa parola del Signore: ²¹«Figlio d'uomo, volgi la faccia a Sidone e profetizza contro di essa.

²² Dille: Così dice il Signore Dio:
Eccomi contro di te, Sidone;
in mezzo a te manifesterò la mia gloria.
Riconosceranno che io sono il Signore,
quando farò giustizia contro di essa
e in essa splenderà la mia santità.
²³ Le invierò la peste
e il sangue scorrerà per le sue strade;
cadranno in essa i trafitti dalla spada,
che la circonda da ogni parte.
Riconosceranno che io sono il Signore.

²⁴Non ci sarà più per la casa d'Israele una spina fatale, un aculeo doloroso da parte di tutti i suoi vicini, che la molestano. Riconosceranno che io sono il Signore. ²⁵Così dice il Signore Dio: Quando radunerò la casa d'Israele tra i popoli dove la disseminai, in essa sarò riconosciuto santo al cospetto delle genti. Abiteranno nella terra che avevo destinato al mio servo Giacobbe; ²⁶vi abiteranno al sicuro, vi costruiranno case e pianteranno vigne; vi abiteranno sicuri quando avrò fatto giustizia dei vicini che li molestano. Allora riconosceranno che io sono il Signore, loro Dio».

CONTRO L'EGITTO

29 ¹Nel decimo anno, il dodicesimo giorno del decimo mese, mi fu rivolta questa parola del Signore: ²«Figlio d'uomo, rivolgi la faccia contro il Faraone, re d'Egitto, e profetizza contro di lui e contro tutto l'Egitto. ³Parla, dunque, dicendo: Così dice il Signore Dio:

Eccomi contro di te, o Faraone,
re d'Egitto:
grande coccodrillo che sta nel delta
del Nilo
e che dice: Mio è il delta, io l'ho fatto.
⁴ Ecco, metterò ganci alle tue mascelle
e farò sì che i pesci del tuo delta
si attacchino alle tue squame;
poi ti farò uscire dalle tue acque
con tutti i pesci del tuo delta attaccati
alle squame.
⁵ Ti getterò nel deserto con tutti i pesci
del tuo delta;
cadrai in aperta campagna,
non sarai raccolto né seppellito;
ti darò in pasto agli animali della terra
e agli uccelli del cielo.
⁶ Tutti i regnanti d'Egitto
riconosceranno che io sono il Signore,
essi che sono stati un sostegno
di canna per gli Israeliti.
⁷ Quando questi si impugnarono,
tu ti rompesti
ed essi si lacerarono le mani.
Quando si appoggiarono a te,
tu ti spezzasti
e facesti vacillare i loro fianchi.

⁸Perciò, così dice il Signore Dio: Ecco, faccio venire la spada su di te e sterminerò uomini e animali. ⁹Il paese d'Egitto diverrà una desolazione e una devastazione. Riconosceranno che io sono il Signore. Poiché egli ha detto: Il delta è mio, io l'ho fatto, ¹⁰eccomi contro di te e il tuo delta: renderò il paese d'Egitto una devastazione della spada, una desolazione da Migdol a Siene, fino ai confini con l'Etiopia. ¹¹Non vi passerà più piede d'uomo né piede d'animale e non sarà abitato per quarant'anni. ¹²Renderò il paese d'Egitto una desolazione tra i paesi più desolati e tra le città devastate; le sue città saranno una desolazione per quarant'anni. Disseminerò gli Egiziani tra le genti e li disperderò per il mondo. ¹³Sì, così dice il Signore Dio: Al termine dei quarant'anni radunerò gli Egiziani tra i popoli dove furono disseminati. ¹⁴Capovolgerò la prigionia degli Egiziani e li ricondurrò nel paese di Patros, al loro paese d'origine e là saranno un piccolo regno. ¹⁵Tra i regni sarà piccolo e non si innalzerà più sopra le genti; li renderò piccoli perché non opprimano le genti. ¹⁶Non sarà più il sostegno fidato della

casa d'Israele, ma le denunceranno la colpa di essersi rivolta a lui. Riconosceranno che io sono il Signore Dio».

[17]Nel ventisettesimo anno, il primo giorno del primo mese, mi giunse questa parola del Signore: [18]«Figlio d'uomo, Nabucodonosor, re di Babilonia, ha impegnato il suo esercito in una dura campagna contro Tiro. Ogni testa è diventata calva e ogni dorso è piegato; ma né lui né il suo esercito ricavarono nulla dalla campagna contro Tiro. [19]Perciò, così dice il Signore Dio: Ecco, io do a Nabucodonosor, re di Babilonia, il paese d'Egitto; gli toglierà la potenza, lo depredarà, ne farà bottino; così esso sarà il premio per il suo esercito! [20]Come guadagno per la campagna intrapresa contro Tiro gli do il paese d'Egitto, perché l'ha compiuta per me, oracolo del Signore Dio.

[21]In quel giorno farò sorgere il vigore della casa d'Israele e renderò autorevole la tua parola in mezzo a loro. Riconosceranno che io sono il Signore».

IL CROLLO DELL'EGITTO

30 [1]Mi fu rivolta questa parola del Signore: [2]«Figlio d'uomo, profetizza e di': Così dice il Signore Dio:

Gridate: Ah, quel giorno!
[3] Sì, il giorno è vicino!
È vicino il giorno del Signore,
giorno di nubi sarà l'ora delle genti.
[4] Verrà la spada sull'Egitto,
ci sarà agitazione in Etiopia
quando cadranno i cadaveri in Egitto,
gli toglieranno la sua ricchezza
e le sue fondamenta saranno divelte.
[5] Etiopia, Put, Lud, tutta l'Arabia,
Cub e quelli del paese del patto
cadranno con loro di spada.
[6] Così dice il Signore:
Cadranno i protettori dell'Egitto
e tramonterà l'arroganza della sua forza;
da Migdol fino a Siene cadranno
di spada.
Oracolo del Signore Dio.
[7] Essi saranno una desolazione
tra i paesi più desolati,
e le loro città saranno tra le città
più devastate.
[8] Riconosceranno che io sono il Signore,

quando darò fuoco all'Egitto
e saranno sbaragliati tutti i suoi alleati.

[9]In quel giorno partiranno da me ambasciatori frettolosi per spargeranno il terrore nell'Etiopia, che si crede sicura: in essa ci sarà agitazione nel giorno dell'Egitto. Sì, eccola che viene!».

[10]Così dice il Signore Dio: «Farò cessare la tumultuosa potenza d'Egitto per mano di Nabucodonosor, re di Babilonia. [11]Egli e il suo popolo, terrore delle genti, sono fatti venire per devastare il paese: snuderanno le loro spade contro l'Egitto, riempiranno la terra di cadaveri. [12]Renderò il tuo delta una devastazione, cederò il paese ai malvagi, renderò desolato il paese e chi vi abita, per mano di stranieri. Io, il Signore, ho parlato».

[13]Così dice il Signore Dio:

«Farò sparire gli idoli,
farò cessare i vani culti di Menfi,
non sorgerà mai più principe nel paese
d'Egitto.
Spargerò il terrore in Egitto.
[14] Renderò desolata Patros,
darò fuoco a Tanis,
eseguirò la condanna su Tebe.
[15] Riverserò il mio furore su Sin, fortezza
dell'Egitto
e sterminerò la moltitudine di Tebe.
[16] Darò fuoco all'Egitto, si contorcerà Sin,
Tebe finirà lacerata,
per Menfi saranno amari quei giorni.
[17] I giovani di Eliopoli e di Bubaste
cadranno di spada
e queste città andranno in schiavitù.
[18] In Tafni il giorno si oscurerà
quando vi spezzerò lo scettro dell'Egitto,
farò cessare l'arroganza della sua forza;
una nube la ricoprirà e le sue figlie
finiranno in schiavitù.
[19] Farò giustizia contro l'Egitto
e riconosceranno che io sono il Signore».

[20]Nell'undicesimo anno, il settimo giorno del primo mese, mi giunse questa parola del Signore: [21]«Figlio d'uomo, io ho spezzato il braccio del Faraone, re d'Egitto, ma nessuno l'ha curato con medicine né fasciato con bende, perché possa riprendere forza e afferrare nuovamente la spada. [22]Perciò così dice il Signore Dio: Questa volta al Faraone, re d'Egitto, spezzerò tutte e due le braccia,

Ez

il braccio sano e quello già spezzato, e gli farò cadere di mano la spada. [23]Disseminerò gli Egiziani tra le genti, li disperderò per il mondo. [24]Rinvigorirò, invece, le braccia del re di Babilonia e gli metterò in mano la mia spada. Spezzerò le braccia del Faraone, che gemerà ferito davanti a lui. [25]Mentre rinvigorirò le braccia del re di Babilonia, le braccia del Faraone verranno meno. Riconosceranno che io sono il Signore, quando darò la mia spada in mano al re di Babilonia ed egli la stenderà contro il paese d'Egitto. [26]Quando disseminerò gli Egiziani tra le genti e li disperderò per il mondo, riconosceranno che io sono il Signore».

LA PARABOLA DEL GRANDE CEDRO CONTRO IL FARAONE

31 [1]Nell'undicesimo anno, il primo giorno del terzo mese, mi fu rivolta questa parola del Signore: [2]«Figlio d'uomo, di' al Faraone, re d'Egitto, e alla moltitudine dei suoi sudditi:

A chi credi di somigliare
    nella tua grandezza?
[3] Ecco, l'Assiria era un cedro del Libano
    dalle fronde magnifiche, folto e ombroso,
    dalla gigantesca altezza,
    la cui cima svettava tra le nubi.
[4] Le piogge lo ingrandirono,
    le acque sotterranee lo fecero crescere,
    inviando i loro fiumi
    attorno al suolo dov'era piantato,
    mentre con i loro canali alimentavano
    tutti gli alberi della campagna.
[5] Così aveva superato in altezza
    tutti gli alberi della campagna;
    si moltiplicarono i suoi germogli
    e si allungarono i suoi rami
    per le grandi acque che lo alimentavano.
[6] Tra i suoi rami si posavano
    tutti gli uccelli del cielo,
    sotto la sua chioma
    partorivano tutte le bestie
        della campagna
    e alla sua ombra si riparavano
        tutte le genti.
[7] Era bello nella sua grandezza,
    nell'ampiezza del suo fogliame,
    poiché aveva le radici presso
        acque abbondanti.

[8] Neanche i cedri lo superavano
    nel giardino di Dio,
    i cipressi non somigliavano
        ai suoi virgulti
    e i platani non erano come i suoi rami;
    nessun albero nel giardino di Dio
    gli somigliava per la bellezza.
[9] Lo resi stupendo nell'abbondanza
        delle sue foglie;
    lo invidiavano tutti gli alberi dell'Eden,
    che erano nel giardino di Dio».

[10]Perciò, così dice il Signore Dio: «Poiché si è innalzato tanto, ha fatto svettare tra le nubi la sua cima e si è montato la testa per il suo splendore, [11]io do in balìa dell'ariete delle genti, che lo tratterà secondo la sua malvagità: io l'ho rigettato. [12]Popoli stranieri, tra i più feroci, l'hanno tagliato, l'hanno disteso sui monti e le sue foglie caddero in ogni valle; furono spezzati i suoi rami in ogni gola della terra; si allontanarono dalla sua ombra tutti i popoli della terra, lasciandolo abbattuto.

[13] Tra i suoi resti si posano tutti gli uccelli
        del cielo,
    presso i suoi rami sono tutte le bestie
        della campagna.

[14]Ciò perché non si esaltino più per la loro altezza gli alberi ben irrigati e, facendo svettare la loro cima tra le nubi, non si ergano orgogliosi del loro splendore, perché alimentati dalle acque.

Infatti tutti sono destinati alla morte,
    al trapasso nella regione sotterranea,
    in mezzo ai figli degli uomini,
    tra quelli che scendono nella fossa».

[15]Così dice il Signore Dio: «Nel giorno della sua discesa negli inferi, io ho fatto fare lutto e ho chiuso per lui l'abisso; ho frenato i suoi fiumi e le grandi acque si sono fermate; per lui il Libano e tutti gli alberi della campagna si sono seccati. [16]Al fragore della sua caduta ho fatto tremare le nazioni, quando lo precipitai negli inferi, con quelli che scendono nella fossa. Allora si consolarono nel profondo della terra tutti gli alberi dell'Eden, la parte migliore del Libano, tutti gli alberi presso le acque. [17]Infatti anch'essi con lui sono scesi negli inferi tra i feriti di spada, essi che pure di-

moravano alla sua ombra tra le genti. [18]E adesso a chi somigli per gloria e grandezza tra gli alberi dell'Eden? Ti hanno fatto scendere insieme con gli alberi dell'Eden nel profondo della terra! Dormirai tra gli incirconcisi, con i trafitti di spada. Questo è il Faraone e tutta la sua moltitudine». Oracolo del Signore Dio.

CONDANNA FINALE DEL FARAONE

32 [1]Nel dodicesimo anno, il primo giorno del dodicesimo mese, mi giunse questa parola del Signore: [2]«Figlio d'uomo, intona una lamentazione sul Faraone, re d'Egitto. Digli:

Leoncello delle genti, sei finito!
Somigliavi al coccodrillo nell'acqua,
irrompevi nei tuoi canali;
hai calpestato l'acqua con le zampe,
hai reso torbidi i canali.

[3] Così dice il Signore Dio:
Stenderò contro di te la mia rete
con una moltitudine di popoli,
che ti trarranno nelle mie maglie.

[4] Ti getterò per terra,
scagliandoti in aperta campagna;
farò posare su di te gli uccelli del cielo
e sazierò di te tutte le bestie della terra.

[5] Getterò la tua carogna sui monti,
della tua carcassa si riempiranno
le valli.

[6] Bagnerò con il tuo sangue la terra,
con il tuo efflusso i monti,
e le valli si riempiranno di te.

[7] Quando ti spegnerai coprirò i cieli,
farò intristire le stelle;
coprirò il sole con le nubi
e la luna non darà più la sua luce.

[8] Tutto ciò che fa luce nel cielo
lo farò oscurare su di te,
diffonderò le tenebre sulla terra.
Oracolo del Signore Dio.

[9]Causerò la nausea a molti popoli, quando farò arrivare i tuoi brandelli tra le genti, in paesi che non conoscevi. [10]Farò stupire su di te molti popoli e ai loro re si drizzeranno i capelli, quando sguainerò davanti a loro la mia spada; tremeranno ad ogni istante per la loro vita, nel giorno della tua caduta. [11]Poiché così dice il Signore:

La spada del re di Babilonia viene verso
di te.

[12] Con le spade degli eroi
farò cadere la tua moltitudine.
Essi sono i più feroci tra tutte le genti.
Abbatteranno l'arroganza dell'Egitto
e annienteranno tutta la sua grandezza.

[13] Farò perire tutto il suo bestiame
con le grandi acque;
non le calpesterà mai più piede d'uomo,
unghia d'animale non le calpesterà più.

[14] Allora placherò le tue acque
e i tuoi fiumi fluiranno come olio.
Oracolo del Signore Dio.

[15] Quando avrò trasformato l'Egitto
in una desolazione
e il paese, con tutto ciò che contiene,
rimarrà spopolato,
quando colpirò tutti i suoi abitanti,
allora riconosceranno che io sono
il Signore».

[16]Questa è una lamentazione: la canteranno le figlie delle genti; la reciteranno sull'Egitto e su tutta la sua moltitudine. Oracolo del Signore Dio.
[17]Nel dodicesimo anno, il quindici del primo mese, mi giunse questa parola del Signore: [18]«Figlio d'uomo, intona un canto funebre per la moltitudine degli abitanti d'Egitto: accompagnane la discesa, insieme alle capitali di nazioni illustri, nelle profondità della terra, con quanti scendono nella fossa!

[19] Sei forse più bello degli altri?
Discendi e giaci con gli incirconcisi!

[20]Cadranno in mezzo agli uccisi di spada e tutta la loro potenza si estinguerà. [21]Gli eroi più gagliardi si rivolgeranno a lui e ai suoi ausiliari e dagli inferi diranno: Vieni, scendi tra gli incirconcisi, con i trafitti dalla spada! [22]Là c'è Assur con tutta la sua schiera, attorno al suo sepolcro: sono tutti uccisi, trafitti dalla spada; [23]i loro sepolcri sono posti nel fondo della fossa e la sua schiera è attorno alla sua tomba. Sono tutti uccisi, trafitti dalla spada, essi che incussero spavento nella terra dei vivi!
[24]Là c'è Elam con tutte le sue truppe, attorno alla sua tomba: sono tutti uccisi, trafitti dalla spada. Sono scesi incirconcisi nel profondo della terra, essi che incussero spavento nella terra dei vivi! Ora portano la loro onta con

quanti scendono nella fossa. ²⁵In mezzo agli uccisi gli diedero un giaciglio, con tutta la sua gente attorno al suo sepolcro. Sono tutti incirconcisi, trafitti dalla spada, essi che avevano sparso lo spavento nella terra dei vivi! Ora portano la loro onta con i discesi nella fossa; in mezzo agli uccisi è il loro posto. ²⁶Là sono Mesech e Tubal con tutte le loro truppe attorno al loro sepolcro: sono tutti incirconcisi, trafitti dalla spada, essi che incussero spavento nella terra dei vivi! ²⁷Non giaceranno però con gli eroi caduti da tempo, che scesero negli inferi con le loro armi da guerra, ai quali posero le spade sotto la testa e lo scudo sopra le loro ossa, poiché lo spavento di tali eroi pesava ancora sulla terra dei vivi. ²⁸Tu, dunque, giacerai tra gli incirconcisi, assieme ai trafitti dalla spada. ²⁹Là c'è Edom, i suoi re e tutti i suoi prìncipi, che sono posti con i trafitti dalla spada, nonostante il loro valore. Essi pure giacciono con gli incirconcisi, con quelli che scendono nella fossa.

³⁰Là ci sono tutti i príncipi del settentrione e tutti i Sidonii, che scesero con i trafitti, nonostante il terrore sparso dalla loro potenza: giacciono incirconcisi insieme ai trafitti dalla spada e porteranno la loro onta con quelli che scendono nella fossa.

³¹Il Faraone li vedrà e si consolerà alla vista di quella moltitudine. Ma anche il Faraone e tutto il suo esercito saranno trafitti dalla spada, oracolo del Signore Dio. ³²Egli aveva sparso terrore sulla terra dei vivi: ecco, ora giace tra gli incirconcisi, con i trafitti dalla spada, egli, il Faraone, con tutta la sua moltitudine! Oracolo del Signore Dio».

IL PROFETA COME SENTINELLA

33 ¹Mi fu rivolta questa parola del Signore: ²«Figlio d'uomo, parla ai tuoi connazionali e di' loro: Se in un paese mando la spada e la popolazione sceglie uno del luogo e lo costituisce sentinella, ³e questa, vedendo sopraggiungere la spada contro il paese, suona la tromba e sveglia il popolo, ⁴chi sente bene il suono della tromba ma non vi presta attenzione e la spada giunge e lo sorprende, allora il suo sangue ricade su di lui; ⁵ha sentito il suono della tromba ma non vi ha prestato attenzione, il suo sangue ricade su di lui.

Se invece egli vi presta attenzione, ha salvato la sua vita. ⁶Ma se la sentinella vede la spada venire, e non suona la tromba e il popolo non si sveglia e arriva la spada e fa qualche vittima, questa muore per sua colpa, ma del suo sangue chiederò conto alla sentinella. ⁷Orbene, figlio d'uomo, io ho costituito te sentinella per la casa d'Israele, sentirai dalla mia bocca la parola e li sveglierai da parte mia. ⁸Quando dico all'empio: Empio, devi morire, se tu non parli per ridestare l'empio dalla sua condotta, egli, l'empio, morirà per la sua colpa, ma del suo sangue chiederò conto a te. ⁹Se tu invece hai ridestato l'empio dalla sua condotta perché si converta da essa, ma egli non si converte dalla sua colpa, allora l'empio morirà per la sua colpa e tu avrai salvato la tua vita.

¹⁰Ora tu, figlio d'uomo, di' alla casa d'Israele: Voi dite: Le nostre ribellioni e i nostri peccati sono sopra di noi e a causa di essi stiamo languendo, come potremo vivere? ¹¹Di' loro: Per la mia vita, oracolo del Signore Dio, io non godo certo della morte dell'empio, ma della conversione dell'empio dalla sua condotta, perché viva! Convertitevi, convertitevi dalla vostra condotta cattiva e allora perché mai dovreste morire, o casa d'Israele? ¹²Tu, figlio d'uomo, di' ai tuoi connazionali: La giustizia del giusto non lo salverà se pecca, e l'empietà dell'empio non gli sarà d'inciampo se egli si converte dal commettere empietà, come il giusto non può vivere per la sua giustizia se pecca! ¹³Quando dico al giusto che vivrà, se egli confida nella sua giustizia e fa il male, tutta la sua giustizia non sarà affatto ricordata ed egli morirà per il male che ha commesso. ¹⁴E quando dico all'empio che deve morire, se egli si converte dal suo peccato e pratica il diritto e la giustizia, ¹⁵rende il pegno, restituisce la refurtiva, segue i precetti che danno vita senza fare più il male, allora vivrà e

33. - 1. Dopo le profezie di rovina contro Gerusalemme e contro le nazioni pagane, comincia la seconda parte delle profezie d'Ezechiele. Caduta Gerusalemme, Ezechiele diventa il profeta della restaurazione d'Israele e del regno messianico; per questo riceve una nuova missione: sentinella d'Israele, consolatore dei fratelli. Inflitto il castigo, era necessario scoprire, dietro ad esso, l'orizzonte della salvezza. Se Dio aveva abbandonato il tempio e la città santa, egli stava con gli esiliati: il Dio-con-noi non li aveva abbandonati. Ed Ezechiele si appresta a dimostrare che Dio è il *buon pastore* e forma il suo gregge (c. 34).

non morirà. [16]Non si terrà conto di nessun peccato che ha commesso: ha attuato i decreti e quindi vivrà!

[17]Ma i tuoi connazionali dicono: Non è retta la condotta del Signore. Invece è la loro condotta che non è retta! [18]Se il giusto si perverte, non è più giusto, fa il male e a causa di ciò morirà; [19]e se l'empio si converte dalla sua empietà e pratica il diritto e la giustizia, a causa di ciò vivrà. [20]Voi insistete nel dire: Non è retta la condotta del Signore. Ebbene, io giudicherò ciascuno di voi secondo la sua condotta, o casa d'Israele!».

[21]Nel dodicesimo anno, il cinque del decimo mese del nostro esilio, arrivò da me un fuggiasco da Gerusalemme a dirmi: «La città è stata espugnata». [22]La mano del Signore si era posata su di me alla sera, prima dell'arrivo del fuggiasco. Egli aveva aperto la mia bocca al mattino, prima che il fuggiasco arrivasse da me; allora mi si aprì la bocca e non fui più muto.

[23]Mi giunse poi questa parola del Signore: [24]«Figlio d'uomo, gli abitanti di quelle rovine nel paese d'Israele vanno dicendo: Abramo era solo quando ereditò la terra, mentre a noi, che siamo molti, è stata data la terra in possesso ereditario. [25]Ebbene, di' loro: Così dice il Signore: Voi mangiate carne con il sangue, alzate gli occhi verso i vostri idoli, versate sangue, e vorreste ereditare il paese? [26]Vi siete poggiati sulla vostra spada, avete commesso abominazioni, profanate ciascuno la moglie del prossimo, e vorreste ereditare il paese? [27]Questo dirai loro: Così dice Dio, mio Signore: Per la mia vita, certamente quelli che sono tra le rovine cadranno di spada, quelli che sono in aperta campagna li ho destinati in pasto alle bestie, e quelli che si sono rifugiati nei fortini e nelle grotte moriranno di peste. [28]Renderò il paese una tale desolazione che vi lascerà storditi e cesserà così l'arroganza della

sua forza, mentre le montagne d'Israele saranno desolate, senza che vi passi più nessuno. [29]Riconosceranno che io sono il Signore, quando avrò reso il paese una tale desolazione che lascerà storditi, per tutte le abominazioni che hanno commesso.

[30]Quanto a te, figlio d'uomo, i tuoi connazionali vanno mormorando contro di te lungo i muri e all'ingresso delle case, dicendosi l'un l'altro: Andiamo a sentire qual è la parola che ci viene da parte del Signore. [31]Essi accorrono in folla da te, si siedono di fronte a te e staranno a sentire le tue parole, ma non le metteranno in pratica. Infatti hanno nella loro bocca la menzogna e il loro cuore va dietro alle ricchezze. [32]Ecco, tu sei per loro come una canzone d'amore, che ha una bella melodia e un dolce accompagnamento. Sentono le tue parole, ma non le mettono certo in pratica! [33]Ma quando ciò avverrà – e già sta avvenendo! –, riconosceranno che c'è stato un profeta in mezzo a loro».

IL BUON PASTORE

34 [1]Mi fu rivolta questa parola del Signore: [2]«Figlio d'uomo, profetizza contro i pastori d'Israele, profetizza e di' loro: O pastori, così dice Dio, mio Signore: Guai ai pastori d'Israele, che pascono se stessi! I pastori non dovrebbero forse pascere le pecore? [3]Voi invece con il latte vi cibate, con la lana vi vestite e ammazzate le pecore più grasse. Voi non pascolate le pecore! [4]Non avete ridato forza alle indebolite, non avete guarito le malate, non avete fasciato quelle che si sono fratturate e non avete richiamato quelle che si sono allontanate, non avete cercato quelle perdute; le avete oppresse con la forza e la brutalità. [5]Si sono disperse, quindi, per mancanza di pastore e sono diventate preda di tutti gli animali della campagna. Le mie pecore si sono disperse [6]e vanno errando per tutti i monti e i colli elevati. Le mie pecore si sono disperse su tutta la faccia della terra e non c'è chi se ne cura, chi va in cerca di esse. [7]Perciò, pastori, ascoltate la parola del Signore: [8]Per la mia vita, oracolo di Dio, mio Signore, le mie pecore sono divenute una preda e sono state date in pasto a tutti gli animali della campagna per man-

---

25. Dopo la distruzione di Gerusalemme ci fu la grande deportazione della nazione; rimasero in Palestina soltanto i contadini e la povera gente. Vi rimasero pure bande di nazionalisti, i quali si credevano gli eredi dei patriarchi: in essi, forse, riponevano le loro speranze gli esiliati. Ezechiele toglie ogni illusione; infatti vi fu una nuova deportazione nel 582 (Ger 52,24-30), e i rimanenti si rifugiarono in Egitto.

34. - 2. *Pastori d'Israele*: sono i depositari dell'autorità civile e religiosa: re, magistrati, sacerdoti, profeti, scribi, i quali usavano del loro potere non per il bene del popolo, ma per soddisfare la propria ambizione e i propri interessi.

23. Questo *pastore* è il Messia.

canza di pastore! I miei pastori non sono andati a cercare le mie pecore; i pastori hanno pasciuto se stessi, ma non hanno fatto pascolare le mie pecore.

⁹Perciò, pastori, ascoltate la parola del Signore: ¹⁰Così dice Dio, mio Signore: Eccomi contro i pastori! Chiederò loro conto delle mie pecore e li farò smettere di pascolare le pecore. Quei pastori non le pascoleranno più e farò scampare le mie pecore dalla loro bocca, perché non siano più loro cibo. ¹¹Sì, così dice Dio, mio Signore: Ecco, io stesso andrò in cerca delle mie pecore e ne avrò cura. ¹²Come un pastore passa in rassegna il suo gregge, quando si trova in mezzo alle sue pecore che si erano disperse, così io passerò in rassegna le mie pecore e le trarrò in salvo da ogni luogo dove furono disseminate in giorni nuvolosi e tenebrosi. ¹³Le trarrò fuori dai popoli, le radunerò dai vari paesi, le condurrò alla loro terra, le farò pascolare sui monti d'Israele, nelle valli e in tutti i luoghi abitati del paese. ¹⁴In ottimi pascoli le pascolerò, i loro ovili saranno sui monti alti d'Israele; là se ne staranno, in un buon ovile, e pascoleranno in pascoli rigogliosi sui monti d'Israele. ¹⁵Sarò io stesso a condurre al pascolo le mie pecore e a radunarle, oracolo di Dio, mio Signore. ¹⁶Quella che s'è perduta l'andrò a cercare, quella che s'è allontanata la farò tornare, quella che s'è fratturata la fascerò, quella ammalata la farò ristabilire; veglierò sulla grassa e sulla robusta. Le pascolerò come si deve.

¹⁷Quanto a voi, mie pecore, così dice Dio, mio Signore: Ecco, io giudicherò tra pecora e pecora, tra montoni e capri. ¹⁸Vi sembra poco pascolare nel buon pascolo e poi pestare con i piedi il rimanente del vostro pascolo, bere alle acque limpide e poi rendere torbido con le vostre zampe quello che resta? ¹⁹Le mie pecore, così, devono pascolare ciò che i vostri piedi hanno pestato e bere ciò che le vostre zampe hanno reso torbido. ²⁰Perciò, così dice Dio, mio Signore, a loro riguardo: Ecco, io giudicherò tra pecora grassa e pecora magra. ²¹Poiché date spintoni con il fianco e con il dorso e ferite con le corna tutte quelle deboli fino a disperderle per la strada, ²²io salverò le mie pecore; non saranno più una preda e giudicherò tra una pecora e l'altra.

²³Farò sorgere per loro finalmente un pastore che le pascolerà: il mio servo Davide. Egli sì che le pascolerà, egli sarà il loro pastore! ²⁴E io, il Signore, sarò il loro Dio e il mio servo Davide sarà principe in mezzo a loro; io, il Signore, ho parlato. ²⁵Stipulerò con esse un patto di pace e farò sparire le bestie feroci dalla terra. Abiteranno al sicuro persino nel deserto, potranno dormire anche nelle foreste. ²⁶Benedirò loro e le regioni attorno al mio colle, e farò scendere a suo tempo le piogge; saranno piogge benedette. ²⁷Gli alberi della campagna daranno il loro frutto, la terra produrrà i suoi prodotti; staranno al sicuro nella loro terra e riconosceranno che io sono il Signore, quando spezzerò i vincoli del loro giogo e le farò scampare dalle mani di quelli che le tiranneggiano. ²⁸Non saranno più preda delle genti, non le divoreranno più le bestie della terra. Abiteranno al sicuro nella terra, senza che nessuno le faccia più tremare. ²⁹Farò sorgere per loro una piantagione rinomata, non saranno più consumate dalla fame nel paese, non porteranno più l'onta delle genti. ³⁰Riconosceranno che io sono il Signore, loro Dio, vicino a loro, ed essi saranno il mio popolo, la casa d'Israele. Oracolo di Dio, mio Signore. ³¹Voi siete le mie pecore, le pecore del mio pascolo, e io, il Signore, sono il vostro Dio! Oracolo di Dio, mio Signore».

CONTRO IL MONTE DI SEIR

35 ¹Mi fu rivolta questa parola del Signore: ²«Figlio d'uomo, volgiti verso il monte di Seir e profetizza contro di esso. ³Digli: Così dice Dio, mio Signore:

Eccomi contro di te, monte di Seir;
stenderò contro di te il mio braccio
e ti renderò devastato e desolato.
⁴ Farò delle tue città una devastazione,
tu sarai una desolazione
e riconoscerai che io sono il Signore.

⁵Poiché c'è stato in te un odio eterno e hai gettato i figli d'Israele in preda alla spada nel giorno della catastrofe, quando il loro peccato è giunto al suo termine; ⁶per questo giuro sulla mia vita, oracolo di Dio, mio Signore, che ti abbandonerò al sangue e il sangue ti perseguiterà. Sì, ti sei reso reo di sangue e il sangue ti perseguiterà. ⁷Renderò il monte di Seir una desolazione e un

deserto e ne sterminerò chi va e chi viene. [8]Riempirò i tuoi monti di uccisi; sui tuoi colli, nelle tue gole e in tutte le valli cadranno i trafitti dalla spada.

[9] Ti ridurrò una desolazione eterna;
le tue città non saranno più abitate.
Così conoscerete che io sono il Signore.

[10]Poiché hai detto: Queste due nazioni e questi due paesi sono miei, noi li possederemo, nonostante che là ci fosse il Signore; [11]per questo giuro sulla mia vita, oracolo di Dio, mio Signore, che ti tratterò secondo l'ira e l'invidia che hai mostrato nel tuo odio contro di essi. Sarò riconosciuto da loro da come ti giudicherò: [12]allora tu riconoscerai che io, il Signore, ho udito tutte le tue ingiurie. Infatti tu hai detto contro i monti di Israele: Sono devastati, sono dati a noi perché li divoriamo.

[13]Vi siete gonfiati contro di me, con la vostra bocca mi avete subissato di parole. Ho sentito, sì! [14]Così dice Dio, mio Signore: Con gioia di tutta la terra farò di te una desolazione. [15]Siccome tu hai goduto per l'eredità della casa d'Israele, perché veniva devastata, così tratterò te: diverrai una desolazione tu, monte di Seir e tutto Edom; si saprà che io sono il Signore».

SALVEZZA AI MONTI D'ISRAELE

36 [1]«Ora, figlio d'uomo, profetizza ai monti d'Israele e di' loro: Monti d'Israele, ascoltate la parola del Signore: [2]Così dice Dio, mio Signore: Poiché il nemico ha detto contro di voi: Bene! I colli antichi sono diventati nostro possesso ereditario, [3]perciò profetizza e di': Così dice Dio, mio Signore: Poiché siete stati devastati e perseguitati dai vicini per rendervi possesso ereditario delle altre nazioni; poiché siete divenuti oggetto di maldicenza e di insulto della gente, [4]per questo, monti d'Israele, ascoltate la parola di Dio, mio Signore: Così dice Dio, mio Signore, ai monti e ai colli, alle gole e alle valli, alle zone devastate e desolate e alle città abbandonate, che furono preda e scherno dei popoli vicini: [5]ebbene, così dice Dio, mio Signore: Nel fuoco della mia ira così affermo contro gli altri popoli e

contro tutto Edom: poiché essi hanno fatto del mio paese il loro possesso ereditario per saccheggiarlo, con piena gioia del loro cuore e con animo cattivo, [6]per questo profetizza alla terra d'Israele e di' ai monti e ai colli, alle gole e alle valli: Così dice Dio, mio Signore: Ecco, io parlo nella mia gelosia e nel mio furore: Poiché avete sopportato l'onta delle genti, [7]per questo così dice Dio, mio Signore: Io alzo la mano e giuro: Saranno le genti che avete attorno a sopportare l'onta, [8]mentre voi, o monti d'Israele, metterete i vostri rami e produrrete i vostri frutti per il mio popolo Israele. Sì, ciò è ormai vicino. [9]Infatti eccomi a voi; mi volgerò verso di voi e sarete coltivati e seminati. [10]Farò abbondare su di voi la popolazione, tutta la casa d'Israele; le città saranno abitate, le zone devastate saranno ricostruite. [11]Farò abbondare su di voi uomini e animali; abbonderanno e saranno fecondi. Farò sì che siate abitati come in passato, elargendo i miei benefici come all'inizio e riconoscerete che io sono il Signore. [12]Farò venire gente su di voi, il mio popolo Israele: essi vi possederanno in eredità, sarete la loro eredità e non sarete più spopolati.

[13]Così dice Dio, mio Signore: Poiché dicono di te: Sei una terra che divora gli uomini, che hai eliminato i tuoi nati, [14]ebbene tu non divorerai più gli uomini e non eliminerai più i tuoi nati, oracolo di Dio, mio Signore. [15]Io non farò più echeggiare gli insulti delle genti su di te, non dovrai più sopportare l'obbrobrio dei popoli, non eliminerai più i tuoi nati. Oracolo di Dio, mio Signore».

[16]Mi giunse poi questa parola del Signore: [17]«Figlio d'uomo, quando quelli della casa d'Israele abitavano nel loro paese, l'hanno macchiato d'impurità con la loro condotta e le loro azioni; la loro condotta era al mio cospetto come l'impurità della donna in mestruazione. [18]Perciò ho riversato il mio furore contro di essi per il sangue che avevano sparso nel paese e per gli idoli con i quali si sono resi impuri. [19]Li ho dispersi tra le genti, furono dispersi per il mondo; li giudicai secondo la loro condotta e le loro azioni. [20]Essi, arrivati presso le genti dove andarono a finire, profanarono il mio santo nome, perché si diceva di loro: Costoro sono il popolo del Signore, eppure hanno dovuto uscire dal loro paese. [21]Ma io ho

Ez

avuto riguardo per il mio santo nome, che la casa d'Israele aveva profanato tra le genti presso le quali essi erano andati.

²²Perciò, di' alla casa d'Israele: Così dice Dio, mio Signore: Non è per voi che agisco, o casa d'Israele, ma per il mio santo nome, che avete profanato tra le genti presso le quali siete andati. ²³Mostrerò santo il mio grande nome profanato tra le genti, nome che avete profanato in mezzo a loro. Le genti riconosceranno che io sono il Signore, oracolo di Dio, mio Signore, quando mi si riconoscerà santo per mezzo vostro al loro cospetto ²⁴e vi raccoglierò dalle nazioni, vi radunerò da tutte le parti del mondo e vi condurrò al vostro paese. ²⁵Vi aspergerò di acque pure e sarete purificati da tutte le vostre impurità e da tutti gli idoli con cui vi siete macchiati. ²⁶Vi darò un cuore nuovo e metterò dentro di voi uno spirito nuovo. Toglierò il cuore di pietra dal vostro corpo e vi metterò un cuore di carne. ²⁷Metterò il mio spirito dentro di voi, farò sì che osserviate i miei decreti e seguiate le mie norme. ²⁸Abiterete nel paese che avevo destinato ai vostri padri; sarete il mio popolo e io sarò il vostro Dio. ²⁹Vi libererò da tutte le vostre impurità; chiamerò il grano e lo farò abbondare, non vi manderò più la fame. ³⁰Farò abbondare i frutti degli alberi e i prodotti della campagna, in modo che voi, tra le genti, non subiate più l'obbrobrio della fame. ³¹Voi vi ricorderete della vostra condotta perversa e delle vostre cattive azioni e proverete disgusto per le vostre colpe e le vostre abominazioni. ³²Non lo faccio per voi, oracolo di Dio, mio Signore, sappiatelo bene! Arrossite e vergognatevi della vostra condotta, o casa d'Israele.

³³Così dice Dio, mio Signore: Quando vi purificherò da tutte le vostre colpe, vi farò abitare di nuovo le città e ricostruire le terre devastate. ³⁴Il paese incolto tornerà ad essere coltivato, anziché restare desolato alla vista di ogni passante. ³⁵Diranno: Questo paese devastato è diventato come il giardino dell'Eden, e le città desolate, devastate e rase al suolo ora sono abitate e fortificate. ³⁶Le genti che rimarranno attorno a voi riconosceranno che io, il Signore, ho ricostruito ciò che era raso al suolo e piantato dove era desolazione. Io, il Signore, ho parlato e così farò.

³⁷Così dice Dio, mio Signore: Mi lascerò ancora supplicare dalla casa d'Israele e le concederò questo: moltiplicherò la sua popolazione come un gregge. ³⁸Come le pecore dei sacrifici, come le pecore di Gerusalemme nelle sue ricorrenze, così le città devastate saranno ripiene di greggi di uomini e riconosceranno che io sono il Signore».

LA VISIONE DELLE OSSA ARIDE

37 ¹La mano del Signore si posò su di me e il Signore mi condusse in spirito, lasciandomi in una valle: essa era piena di ossa! ²Mi fece girare da ogni parte intorno ad esse; erano proprio tante sulla distesa della valle, ed erano tutte inaridite. ³Mi disse: «Figlio d'uomo, potranno rivivere queste ossa?». Io dissi: «Dio, mio Signore, tu lo sai!». ⁴Mi disse: «Profetizza alle ossa e di' loro: Ossa aride, ascoltate la parola del Signore! ⁵Così dice Dio, mio Signore, a queste ossa: Ecco, io vi infonderò lo spirito e vivrete. ⁶Darò a voi i nervi, farò crescere su di voi la carne, su di voi stenderò la pelle, quindi vi darò lo spirito e vivrete. Riconoscerete che io sono il Signore».

⁷Profetizzai come mi fu comandato e ci fu un rumore, appena profetizzai, e poi un terremoto: le ossa si accostarono l'una all'altra. ⁸Poi guardai, ed ecco su di esse i nervi, sopra vi apparve la carne e sopra ancora si stese la pelle. Ma non vi era ancora lo spirito. ⁹Mi disse quindi: «Profetizza allo spirito, profetizza, figlio d'uomo, e di' allo spirito: Così dice Dio, mio Signore: Dai quattro venti vieni, o spirito, e soffia su questi morti, perché rivivano». ¹⁰Io profetizzai come mi fu comandato e lo spirito venne su di loro, sicché ripresero a vivere e si alzarono in piedi. Erano un esercito molto, molto grande. ¹¹Poi mi disse: «Figlio d'uomo, quelle ossa sono tutta la casa d'Israele. Ecco, essi dicono: Le nostre ossa sono inaridite, è svanita la nostra speranza, siamo finiti. ¹²Perciò profetizza e di' loro: Così

---

36. - 22. È importante l'affermazione fatta qui: la restaurazione del popolo eletto non sarà frutto di penitenze o opere buone fatte dagli Israeliti, ma solo della misericordia, grandezza e santità di Dio.

37. - 7-9. La risurrezione delle ossa aride è simbolo della risurrezione del popolo d'Israele come nazione e, in modo speciale, figura della generale risurrezione dei morti nell'ultimo giorno, prima del giudizio universale (cfr. 1Cor 15; Mt 25,31-46).

dice Dio, mio Signore: Aprirò i vostri sepolcri, vi farò venir fuori dai vostri sepolcri, popolo mio, e vi condurrò nel paese d'Israele. [13]Riconoscerete che io sono il Signore, quando aprirò le vostre tombe e vi farò uscire dai vostri sepolcri popolo mio. [14]Vi darò il mio spirito e vivrete, vi farò stare tranquilli nel vostro paese e riconoscerete che io, il Signore, ho parlato e così farò. Oracolo del Signore».

[15]Mi giunse questa parola del Signore: [16]«Tu, figlio d'uomo, prenditi un pezzo di legno e scrivici sopra: Giuda e i figli d'Israele uniti a lui; poi prendi un altro pezzo di legno e scrivici sopra: Giuseppe, legno di Efraim, e tutta la casa d'Israele unita a lui. [17]Li avvicinerai l'uno all'altro così da formare un legno solo e staranno uniti nella tua mano. [18]E quando i tuoi connazionali ti diranno: Non ci spieghi che cosa significa questo tuo gesto?, [19]tu risponderai loro: Così dice Dio, mio Signore: Ecco, io prendo il legno di Giuseppe, capeggiato da Efraim, e le tribù d'Israele unite a lui e gli attacco il legno di Giuda. Li renderò un legno unico, e staranno uniti nella mia mano. [20]E mentre i pezzi di legno su cui hai messo la scritta formeranno un legno unico nella tua mano sotto il loro sguardo, [21]tu dirai loro: Così dice Dio, mio Signore: Ecco, io prendo i figli d'Israele dalle genti fra le quali sono andati a finire, li radunerò da ogni parte e li condurrò nel loro paese. [22]Li renderò un unico popolo nel loro paese, sui monti d'Israele; un solo re regnerà su tutti loro e non saranno più due popoli, non si divideranno più in due regni. [23]Non si macchieranno più d'impurità con i loro idoli abominevoli e con tutte le loro iniquità. Io li salverò da tutte le infedeltà che hanno commesso e li purificherò: essi saranno il mio popolo e io sarò il loro Dio. [24]Il mio servo Davide sarà re su di essi; ci sarà un unico pastore per tutti. Rispetteranno le mie norme, osserveranno i miei decreti e li eseguiranno. [25]Abiteranno nella terra che ho destinato al mio servo Giacobbe, dove hanno abitato i loro padri. Vi abiteranno essi, i loro figli e i figli dei loro figli per sempre: anche Davide, mio servo, sarà il loro principe per sempre. [26]Stringerò con loro un'alleanza di pace, un'alleanza eterna pattuirò con loro. Li renderò numerosi e porrò il mio santuario in mezzo a loro per sempre. [27]La mia dimora sarà presso di loro: sarò il loro Dio ed essi saranno il mio popolo. [28]Le genti riconosceranno che sono io, il Signore, che santifico Israele, quando il mio santuario sarà in mezzo a loro per sempre».

PROFEZIA CONTRO GOG

38

[1]Mi fu rivolta questa parola del Signore: [2]«Figlio d'uomo, volgiti verso Gog, nel paese di Magog, principe capo di Mesech e Tubal, e profetizza contro di lui. [3]Gli dirai: Così dice Dio, mio Signore: Eccomi contro di te, Gog, principe capo di Mesech e Tubal. [4]Ti trascino via, metterò un morso alle tue mandibole; farò uscire a battaglia te, tutto il tuo esercito, cavalli e cavalieri vestiti di tutto punto, una truppa numerosa con scudo, egida e tutti muniti di spada. [5]La Persia, l'Etiopia e Put sono con loro, tutti con scudi ed elmi. [6]Gomer e tutte le sue schiere, la gente di Togarma, le estreme regioni del settentrione e tutte le loro schiere, popoli numerosi sono con te. [7]Forza, fatti forza, insieme a tutta la moltitudine che si è radunata attorno a te: sei tu la sua salvaguardia! [8]Tra molti giorni ci si occuperà di te, negli ultimi anni marcerai contro una nazione che è sfuggita alla spada, riunita da molti paesi sui monti d'Israele, rimasti per lungo tempo deserti. Essa è stata fatta uscire dai popoli e ora abitano tutti al sicuro. [9]Tu salirai, arriverai come una tempesta, sarai come una nube che ricopre la terra, tu con tutte le tue schiere e con i popoli numerosi che sono con te.

[10]Così dice il Signore Dio: Allora verranno fuori i tuoi progetti segreti ed escogiterai i tuoi piani perversi. [11]Dirai: Voglio salire contro un paese indifeso, voglio andare contro un popolo tranquillo che abita al sicuro – in città senza mura, senza sbarre e senza porte –, [12]per depredare, saccheggiare e mettere la mano su rovine ora ripopolate e sopra un popolo raccolto tra le nazioni, dedito al bestiame e ai propri affari, che abita al

---

24. *Davide* è chiamato qui e altrove il Messia, essendo egli discendente di Davide.

38. - 2. *Magog*, di cui *Gog* è re, era una regione settentrionale indeterminata, così chiamata dal nome di uno dei sette figli di Iafet (Gn 10,2). Ma questo, come i nomi che compaiono in tutto il capitolo, sembrano nomi simbolici. Bisogna probabilmente vedere nella descrizione dei cc. 38-39 avvenimenti escatologici, cioè la distruzione definitiva dei nemici del popolo di Dio.

centro della terra. ¹³Saba, Dedan, i commercianti di Tarsis e tutti i suoi villaggi ti diranno: Sei venuto per depredare? Hai radunato la tua gente per venire a depredare e portar via argento e oro, per prendere bestiame e beni e per fare un ricco bottino?

¹⁴Ebbene, figlio d'uomo, profetizza e di' a Gog: Così dice il Signore Dio: Quando il mio popolo Israele se ne starà al sicuro, tu ti metterai in viaggio, ¹⁵arriverai dal tuo paese, dalle estreme regioni del settentrione, tu e i popoli numerosi che sono con te, tutti su cavalli, una grande moltitudine, un esercito numeroso. ¹⁶Salirai contro il mio popolo Israele come nube che ricopre la terra; ciò avverrà negli ultimi giorni. Ti condurrò nella mia terra, perché le genti vedano quando per mezzo tuo, o Gog, manifesterò la mia santità al loro cospetto.

¹⁷Così dice il Signore Dio: Sei tu colui di cui parlai a suo tempo per mezzo dei miei servi, i profeti d'Israele, i quali hanno profetizzato in quei giorni che saresti andato contro di essi? ¹⁸Ebbene, quando Gog verrà contro il paese d'Israele, oracolo di Dio, mio Signore, il furore divamperà sul mio viso. ¹⁹Nella mia gelosia, nel mio furore ardente io giuro: In quel giorno vi sarà un grande terremoto nel paese d'Israele. ²⁰Di fronte a me tremeranno i pesci del mare, gli uccelli del cielo, le bestie della campagna, tutti gli animali che strisciano sul suolo e tutti gli uomini che sono sulla faccia della terra. I monti crolleranno, cadranno i contrafforti, tutte le mura finiranno per terra. ²¹Poi chiamerò contro di lui, su tutti i miei monti, la spada, oracolo di Dio, mio Signore, e vi sarà una spada contro l'altra. ²²Lo punirò con peste e sangue; farò cadere torrenti di piogge e grandine, fuoco e zolfo su di lui e le sue schiere e su tutti i popoli che sono con lui. ²³Così mostrerò la mia grandezza e la mia santità, mi farò riconoscere agli occhi di molte genti e riconosceranno che io sono il Signore».

DISFATTA DELL'ARMATA DI GOG

39 ¹«Ora tu, figlio d'uomo, profetizza così contro Gog: Così dice il Signore Dio: Eccomi contro di te, Gog, principe capo di Mesech e Tubal. ²Ti richiamerò, ti trascinerò, ti farò salire dalle estreme regioni del settentrione e ti condurrò sui monti d'Israele. ³Spezzerò l'arco nella tua sinistra e farò cadere le frecce dalla tua destra. ⁴Cadrai sui monti d'Israele con tutte le tue schiere e i popoli che sono con te. Ti darò in pasto agli uccelli rapaci, uccelli d'ogni specie, e alle bestie della campagna. ⁵Cadrai in aperta campagna. Sì, ho parlato, oracolo del Signore Dio. ⁶Manderò il fuoco su Magog e su quanti abitano tranquilli sulle isole e riconosceranno che io sono il Signore. ⁷Farò conoscere il mio santo nome in mezzo al mio popolo Israele; non lascerò più profanare il mio santo nome. Le genti riconosceranno che io sono il Signore, il Santo in Israele. ⁸Ecco che è giunto e si compie, oracolo di Dio, mio Signore, il giorno di cui ho parlato. ⁹Gli abitanti delle città d'Israele usciranno, bruceranno e incendieranno armi, scudi ed egide, arco e frecce, mazze e lance; avranno da bruciare per sette anni. ¹⁰Non dovranno prendere legna dalla campagna, non ne taglieranno dai boschi, perché faranno fuoco con le armi: saccheggeranno i loro saccheggiatori e deprederanno i loro depredatori, oracolo di Dio, mio Signore. ¹¹Allora darò a Gog come sepolcro in Israele un luogo rinomato, la valle di Abarìm, a oriente del mare; essa chiude il passaggio ai viandanti. Vi seppelliranno Gog e tutta la sua moltitudine e la chiameranno Valle dell'armata di Gog. ¹²La casa d'Israele, per purificare la terra, dovrà seppellirli e vi impiegherà sette mesi. ¹³Tutta la popolazione si darà a seppellire e il giorno in cui io mi coprirò di gloria diverrà per essi famoso, oracolo di Dio mio Signore. ¹⁴Gli uomini del *tamìd* sceglieranno quelli che devono percorrere il paese, seppellendo chi è rimasto sulla superficie della terra, per purificarla. Andranno in ricognizione per sette mesi. ¹⁵Gli incaricati percorreranno il paese e, vedendo ossa umane, ne faranno dei mucchi ai lati, finché i seppellitori le seppelliranno nella Valle dell'armata di Gog. ¹⁶Il nome della città sarà Amòna. Così purificheranno il paese.

¹⁷A te, figlio d'uomo, dice il Signore Dio: Di' agli uccelli d'ogni specie e a tutti gli animali della campagna: Radunatevi e venite, raccoglietevi da ogni parte sul sacrificio che immolo per voi, sacrificio grande sui monti d'Israele. Mangerete carne e berrete sangue; ¹⁸mangerete carne di eroi e berrete sangue

di principi della terra: sono tutti capri e agnelli, montoni, giovenchi e animali grassi di Basan. [19]Mangerete grasso a sazietà e berrete sangue fino all'ebbrezza del sacrificio che ho immolato per voi. [20]Alla mia tavola vi sazierete di cavalli e cavalieri, di eroi e di guerrieri di ogni razza. Oracolo del Signore Dio. [21]Manifesterò la mia gloria tra le genti: tutte le genti vedranno la condanna che ho eseguito e la mano che ho calcato su di essi. [22]Quelli della casa d'Israele riconosceranno che io sono il Signore, il loro Dio, da quel giorno in poi. [23]Le genti riconosceranno che fu per le loro colpe che quelli della casa d'Israele andarono in esilio; poiché avevano commesso infedeltà contro di me, io ho distolto la mia faccia da loro, li ho dati in balìa dei loro oppressori e sono caduti di spada. [24]Li ho trattati secondo le loro abominazioni e i loro delitti, distogliendo la mia faccia da loro.

[25]Perciò, così dice Dio, mio Signore: Ora muterò la sorte dei prigionieri di Giacobbe, avrò compassione per tutta la casa d'Israele e sarò geloso del mio santo nome. [26]Sì, essi si vergogneranno della loro ignominia e di tutte le loro infedeltà commesse contro di me, quando abiteranno al sicuro nel loro paese e nessuno li farà più tremare. [27]Li farò ritornare dalle nazioni, li raccoglierò dai paesi dei loro nemici e sarò riconosciuto santo per mezzo loro davanti a molti popoli. [28]Riconosceranno che io sono il Signore, il loro Dio, poiché, dopo averli condotti in esilio presso le genti, li ho riuniti nel loro paese senza lasciarne fuori neppure uno. [29]Non distoglierò più la mia faccia da loro, perché infonderò il mio spirito sulla casa d'Israele, oracolo di Dio, mio Signore».

LA VISIONE DEL NUOVO TEMPIO

40 [1]Nel venticinquesimo anno del nostro esilio, all'inizio dell'anno, il dieci del mese, nel quattordicesimo anno

dopo l'espugnazione della città, in quello stesso giorno si posò su di me la mano del Signore, ed egli mi condusse là. [2]In visioni divine mi condusse al paese d'Israele e mi posò su di un monte molto alto, sul quale c'era come una città costruita sul lato di mezzogiorno. [3]Egli mi condusse là. Ed ecco un uomo, il cui aspetto era come di bronzo, con in mano una cordicella di lino e una canna per misurare; costui stava in piedi sulla porta. [4]Egli mi disse: «Figlio d'uomo, osserva e ascolta bene e fa' attenzione a quanto sto per mostrarti. Infatti è per poterlo mostrare che tu sei stato condotto qui. Annunzia poi tutto ciò che vedi alla casa d'Israele». [5]Ecco, un muro cingeva tutto il perimetro del tempio. La canna in mano all'uomo era lunga sei cubiti, di un cubito e un palmo ciascuno. Egli misurò lo spessore dell'edificio: era una canna, e l'altezza una canna.

[6]Poi andò alla porta che è rivolta a oriente, salì i gradini e misurò la soglia della porta: era una canna di profondità. [7]Le celle erano una canna di lunghezza e una di larghezza, e tra le celle c'erano cinque cubiti; anche la soglia della porta dal lato dell'atrio verso il tempio era di una canna. [8]Misurò poi l'atrio della porta: era di otto cubiti; [9]i suoi pilastri erano di due cubiti; l'atrio della porta era dalla parte verso l'interno. [10]Le celle della porta verso oriente erano tre da una parte e tre dall'altra: ciascuna delle tre era della stessa misura; la stessa misura aveva anche ciascuno dei pilastri da una parte e dall'altra. [11]Quindi misurò la larghezza dell'apertura della porta: era di dieci cubiti; l'ampiezza della porta era di tredici cubiti. [12]Il parapetto davanti alle celle era di un cubito, da un lato e dall'altro; ogni cella misurava sei cubiti per lato. [13]Poi misurò il portico dal tetto di una cella al suo opposto: era di venticinque cubiti, da un'apertura all'altra. [14]Calcolò i pilastri: erano alti sessanta cubiti; dai pilastri iniziava il cortile che circondava la porta. [15]Dalla facciata della porta d'ingresso sino alla facciata della porta interna vi erano cinquanta cubiti. [16]Nelle celle e nei loro pilastri c'erano inferriate, dentro la porta, tutt'attorno, con finestre anche nell'atrio. Sui pilastri erano disegnate delle palme.

[17]Poi mi condusse nel cortile esterno. Vi erano delle stanze e un lastricato tutt'intorno al cortile; trenta erano le stanze lungo il lastri-

40. - 2. L'ultima parte del libro di Ezechiele traccia un quadro ideale del futuro regno messianico, rappresentato sotto i simboli di tempio, culto e terra idealizzati. La *città* sul monte è Gerusalemme. La descrizione è fatta con espressioni apocalittiche, però con reminiscenze del vecchio tempio e della vecchia città che il profeta aveva conosciuto.

3. *Un uomo*: è l'angelo di Dio sotto forma umana. Egli ha in mano gli strumenti per misurare: la *cordicella di lino* per le misure grandi e la *canna* per le piccole.

Ez

cato. [18]Il lastricato ai lati delle porte era largo quanto la profondità delle porte stesse: era il lastricato inferiore. [19]Misurò la lunghezza dalla porta inferiore fino al cortile interno, da fuori: era di cento cubiti, da oriente a settentrione.

[20]Della porta che è rivolta a settentrione sul cortile esterno, misurò profondità e larghezza; [21]le sue celle, tre da una parte e tre dall'altra, i suoi pilastri e il suo atrio avevano le stesse misure della porta precedente: cinquanta cubiti di lunghezza e venticinque di larghezza. [22]Le sue finestre, il suo atrio e le sue palme erano delle misure della porta che è a oriente. Vi si accedeva per mezzo di sette gradini: l'atrio era davanti. [23]Dalla porta del cortile interno, verso quella settentrionale, come per l'orientale, misurò da porta a porta: vi erano cento cubiti.

[24]Poi mi condusse verso mezzogiorno: lì c'era una porta rivolta a mezzogiorno. Ne misurò i pilastri e l'atrio: avevano le stesse dimensioni. [25]Le sue finestre e il suo atrio tutt'intorno erano come le altre finestre. La porta misurava cinquanta cubiti di lunghezza e venticinque di larghezza. [26]Vi erano sette gradini per salire verso l'interno. Sui suoi pilastri, da una parte e dall'altra, vi erano ornamenti di palme. [27]Il cortile interno aveva una porta rivolta a mezzogiorno; egli misurò la distanza da porta a porta in direzione del mezzogiorno: era di cento cubiti.

[28]Quindi mi condusse nel cortile interno per la porta meridionale e misurò questa porta: aveva le stesse dimensioni. [29]Le sue celle, i suoi pilastri, il suo atrio avevano le stesse misure; così pure le sue finestre e quelle che erano intorno all'atrio. Misurava cinquanta cubiti di lunghezza e venticinque di larghezza. [30]Intorno vi erano vestiboli di venticinque cubiti di lunghezza per cinque di larghezza. [31]Il suo atrio dava sul cortile esterno e sui suoi pilastri vi erano ornamenti di palme. Vi si accedeva da una scalinata di otto gradini.

[32]Poi mi condusse nel cortile interno verso oriente e ne misurò la porta: aveva le stesse dimensioni. [33]Anche le sue celle, i suoi pilastri e il suo atrio avevano le stesse misure; così pure le sue finestre e quelle che erano intorno all'atrio. Misurava cinquanta cubiti di lunghezza e venticinque di larghezza. [34]Il suo atrio dava sul cortile esterno: sui suoi pilastri, da una parte e dall'altra, vi erano ornamenti di palme. Vi si accedeva da una scalinata di otto gradini.

[35]Subito dopo mi condusse alla porta settentrionale e la misurò: aveva le stesse dimensioni, [36]come le sue celle, i suoi pilastri, il suo atrio e le finestre che aveva tutt'attorno: misurava cinquanta cubiti di lunghezza e venticinque di larghezza. [37]Il suo atrio dava sul cortile esterno: sui suoi pilastri, da una parte e dall'altra, vi erano ornamenti di palme. Vi si accedeva da una scala di otto gradini.

[38]C'era anche una stanza, con un passaggio nell'atrio della porta: là si lavavano gli olocausti. [39]Nell'atrio della porta c'erano due tavole da una parte e due dall'altra, per sgozzarvi sopra gli olocausti, i sacrifici espiatori e quelli di riparazione. [40]A ridosso dell'atrio, presso l'apertura della porta settentrionale, c'erano due tavole e altre due nell'altra parte, a ridosso dell'atrio della porta. [41]Così, a ridosso della porta, vi erano quattro tavole da una parte e quattro dall'altra: in tutto otto tavole, sulle quali si sgozzavano le vittime. [42]Inoltre vi erano quattro tavole per l'olocausto, di pietra squadrata, lunghe un cubito e mezzo, larghe un cubito e mezzo e alte un cubito. Su di esse venivano deposti gli strumenti con cui si sgozzavano gli olocausti e gli altri sacrifici. [43]C'erano infatti uncini di un palmo fissati nella costruzione tutt'attorno. Sulle tavole invece si metteva la carne da offrire. [44]Appena fuori della porta interna c'erano le stanze dei ministranti, nel cortile interno. Erano una a ridosso della porta settentrionale, con la facciata rivolta a mezzogiorno, l'altra a ridosso della porta meridionale, con la facciata rivolta a settentrione. [45]Egli mi disse: la stanza con la facciata rivolta a mezzogiorno è dei sacerdoti che attendono al servizio del tempio, [46]mentre la stanza con la facciata rivolta a settentrione è dei sacerdoti che attendono al servizio dell'altare: sono essi i figli di Zadok che, tra i figli di Levi, possono avvicinarsi al Signore per il suo servizio.

[47]Quindi misurò il cortile: era un quadrato di cento cubiti di lunghezza e cento di larghezza. L'altare era dirimpetto al tempio. [48]Mi condusse poi nell'atrio del tempio e misurò i pilastri: erano ognuno cinque cubiti di spessore da una parte e cinque cubiti dall'altra; la larghezza della porta era di quattordici cubiti, mentre i lati della porta erano di tre cubiti da una parte e tre cubiti dall'altra. [49]La

lunghezza dell'atrio era di venti cubiti e la larghezza di dodici cubiti. Vi si accedeva per mezzo di dieci gradini. Accanto ai pilastri vi erano due colonne, una da una parte e una dall'altra.

LA DESCRIZIONE DEL SANTUARIO: IL "SANTO" E IL "SANTO DEI SANTI"

41 [1]Mi condusse poi nel Santo e misurò i pilastri: il loro spessore era di sei cubiti di larghezza da una parte e sei dall'altra. [2]La porta d'ingresso era larga dieci cubiti e i lati di essa misuravano cinque cubiti da una parte e cinque cubiti dall'altra. Misurò quindi la lunghezza del Santo: era di quaranta cubiti, mentre la sua larghezza era di venti cubiti. [3]Entrato nella parte interna, misurò il pilastro della porta: era di due cubiti. La porta era di sei cubiti e i lati della porta di sette cubiti. [4]Dopo aver misurato venti cubiti di lunghezza e venti di larghezza in fondo al Santo, mi disse: «Questo è il Santo dei Santi».

[5]Misurò le pareti del santuario: il loro spessore era di sei cubiti, mentre le celle laterali che cingevano il santuario erano di quattro cubiti. [6]Le celle laterali erano una sull'altra a tre piani, con trenta celle per piano. Sul muro del santuario vi erano rientranze come loro appoggi, senza però che gli appoggi fossero nel muro stesso del santuario. [7]L'ampiezza delle celle aumentava salendo da un piano all'altro, perché la sporgenza sul muro del tempio andava restringendosi, lasciando alle celle un'ampiezza maggiore. Si saliva al piano superiore dal basso, passando attraverso quello medio. [8]Io vidi intorno al santuario un rialzo, come fondamento per le celle, alto una canna, cioè sei cubiti.

[9]Lo spessore della parete esterna delle celle laterali era di cinque cubiti. Lo spazio libero tra l'edificio laterale [10]e le stanze era di venti cubiti tutt'intorno al santuario. [11]L'edificio laterale aveva, sullo spazio libero, uno sbocco a settentrione e uno a mezzogiorno. L'ampiezza dello spazio libero era di cinque cubiti tutt'intorno. [12]L'edificio di fronte allo spazio libero, nel lato occidentale, era profondo settanta cubiti, mentre il muro dell'edificio era dello spessore di cinque cu-

biti su tutti i lati; la sua lunghezza era di novanta cubiti.

[13]Egli misurò il santuario: la sua lunghezza era di cento cubiti. Anche lo spazio libero, l'edificio e le sue mura erano lunghi cento cubiti. [14]La larghezza della facciata del santuario con lo spazio libero a oriente era di cento cubiti. [15]Misurò anche la larghezza dell'edificio di fronte allo spazio libero, nella parte posteriore, che aveva scarpate da una parte e dall'altra: era di cento cubiti. L'interno del Santo e l'atrio esterno, [16]gli stipiti, le finestre a grate e le gallerie sui tre lati, a cominciare dalla soglia, erano rivestiti di tavole di legno tutt'intorno, dal pavimento sino alle finestre; le finestre erano fornite d'inferriata. [17]A partire dall'ingresso, sia verso l'interno del santuario che verso l'esterno, su tutta la parete all'intorno, dentro e fuori, vi erano riquadri. [18]Vi erano raffigurati cherubini e palme: ogni palma si trovava tra un cherubino e l'altro. I cherubini avevano due facce: [19]la faccia d'uomo verso una palma e la faccia di leone verso l'altra palma. Erano raffigurati tutt'intorno al santuario. [20]Da terra fino all'altezza dell'ingresso erano raffigurati cherubini e palme. [21]La parete del Santo aveva lo stipite della porta a forma quadrata. Davanti al Santo dei Santi vi era qualcosa come [22]un altare di legno alto tre cubiti, lungo due e largo due, con gli angoli, la base e le pareti di legno. Egli mi disse: «Questa è la tavola che sta davanti al Signore».

[23]Vi erano poi due porte, una per il Santo e l'altra per il Santo dei Santi. [24]Le due porte avevano battenti completamente girevoli, due per l'una e due per l'altra. [25]Su di esse erano raffigurati cherubini e palme, come sulle pareti; mentre sulla facciata dell'atrio, all'esterno, c'era un portale di legno. [26]Ai due lati dell'atrio, da una parte e dall'altra, sulle celle annesse al santuario e sugli architravi c'erano inferriate e palme.

LA DESCRIZIONE DEI FABBRICATI ACCESSORI

42 [1]Allora mi condusse fuori, nel cortile esterno verso settentrione, e mi portò presso le stanze settentrionali, situate davanti allo spazio libero e all'edificio. [2]Sulla facciata aveva una lunghezza di cento cubiti, verso settentrione, e una

Ez

larghezza di cinquanta cubiti. ³Di fronte ai venti cubiti verso il cortile interno e di fronte al lastricato del cortile esterno c'era una scarpata a tre rampe. ⁴Davanti alle stanze c'era un corridoio largo dieci cubiti e lungo cento cubiti; aveva gli sbocchi a settentrione e ⁵le stanze superiori erano più basse; le rampe erano ridotte rispetto a quelle inferiori; ⁶erano a tre piani e non erano sostenute da colonne come quelle dei cortili, perciò erano state fatte più basse di quelle inferiori.

⁷C'era una muraglia fuori a lato delle stanze, verso il cortile esterno di fronte alle stanze; era lunga cinquanta cubiti. ⁸La lunghezza della serie di stanze del cortile esterno era appunto di cinquanta cubiti; mentre la muraglia di fronte alla sala del santuario era di cento cubiti. ⁹L'ingresso di quelle stanze dal basso era costituito da un corridoio, verso oriente, per entrarvi dal cortile esterno. ¹⁰Lungo la muraglia meridionale del cortile, di fronte allo spazio libero e all'edificio, c'erano stanze: ¹¹davanti ad esse si apriva un passaggio simile a quello delle stanze che erano situate a settentrione, con la stessa lunghezza e la stessa larghezza; ogni loro sbocco era secondo le regole. Gli ingressi di quelle erano ¹²come gli ingressi delle stanze rivolte a mezzogiorno; una porta era al principio dell'ambulacro, lungo il muro corrispondente, a oriente di chi entra. ¹³Egli mi disse: «Le stanze a settentrione e quelle a mezzogiorno, di fronte allo spazio libero, sono le stanze sacre, dove i sacerdoti che possono avvicinarsi al Signore mangeranno le porzioni santissime. Vi deporranno le porzioni santissime, l'oblazione, il sacrificio di espiazione e quello di riparazione, perché è un luogo santo. ¹⁴Quando i sacerdoti vi saranno entrati, non usciranno dal luogo santo nel cortile esterno, ma deporranno le vesti con le quali hanno officiato, perché sono sante, e metteranno altri vestiti per avvicinarsi al luogo assegnato al popolo».

¹⁵Terminate le misure del complesso del santuario all'interno, mi fece uscire per la porta rivolta a oriente e misurò tutt'intorno. ¹⁶Misurò dalla parte orientale, con la canna per misurare: erano cinquecento canne con la canna per misurare all'intorno. ¹⁷Misurò dalla parte settentrionale: erano cinquecento canne con la canna per misurare all'intorno. ¹⁸Misurò la parte meridionale: erano cinque-

cento canne con la canna per misurare all'intorno. ¹⁹Si volse dalla parte occidentale e misurò cinquecento canne con la canna per misurare. ²⁰Da quattro lati egli misurò il santuario; aveva tutt'intorno una muraglia, lunga cinquecento canne e larga cinquecento, per separare il luogo sacro da quello profano.

IL RITORNO DELLA GLORIA DEL SIGNORE

43 ¹Mi condusse poi verso la porta che è rivolta a oriente. ²Ed ecco la Gloria del Signore venire da oriente. La sua voce era come il rumore delle grandi acque e la terra risplendeva della sua gloria. ³La visione che io vidi era simile a quella che avevo visto quando venne per distruggere la città e simile a quella che avevo visto presso il canale Chebar. Io caddi con la faccia a terra. ⁴La Gloria del Signore entrò nel santuario per la porta rivolta a oriente. ⁵Lo spirito mi prese e mi condusse nel cortile interno: ecco, la Gloria del Signore riempiva il santuario! ⁶E udii uno che mi parlava dal santuario, mentre quell'uomo stava al mio fianco. ⁷Mi disse: «Figlio d'uomo, questo è il luogo del mio trono, il luogo dove posano i miei piedi e dove io abiterò in mezzo ai figli d'Israele per sempre. La casa d'Israele e i suoi re non profaneranno più il mio santo nome con le loro prostituzioni e con i cadaveri dei loro re e le loro stele, ⁸mettendo la loro soglia accanto alla mia e i loro stipiti accanto ai miei, con una semplice parete tra me e loro, e profanando il mio santo nome con le abominazioni che hanno commesso, così da distruggerli nella mia ira. ⁹Ma ora essi allontaneranno da me le loro prostituzioni e i cadaveri dei loro re e io abiterò in mezzo a loro per sempre.

¹⁰Tu, figlio d'uomo, descrivi questo tempio alla casa d'Israele, perché si vergognino delle loro colpe. Misurino il modello, ¹¹perché si vergognino di tutto quello che hanno fatto. Fa' loro conoscere il piano di questo tempio: il suo arredo, le sue uscite e le sue

---

43. - 2. *La Gloria del Signore:* cfr. Ez cc. 1; 8; 9; Es 40,34; 1Re 8,11. Dio, che aveva abbandonato il tempio (cc. 8-11), vi ritorna prendendone definitivo possesso.

entrate, tutti i suoi aspetti e tutte le norme relative. Scrivi sotto i loro occhi i suoi precetti e le sue leggi, perché osservino tutte queste norme e tutti questi regolamenti, mettendoli in pratica. [12]Queste sono le istruzioni sul tempio: sulla cima del monte, tutto il territorio che lo circonda è luogo santissimo. Ecco, queste sono le istruzioni sul tempio». [13]Queste poi sono le misure dell'altare, in cubiti di un cubito e un palmo ciascuno: l'incavo era alto un cubito e largo altrettanto; la sua scanalatura tutt'intorno al suo bordo era di una spanna. Questa era l'altezza dell'altare: [14]dall'incavo a terra fino al bordo inferiore vi erano due cubiti di altezza e un cubito di larghezza; dal bordo piccolo al bordo grande vi erano quattro cubiti di altezza e un cubito di larghezza; [15]il focolare era di quattro cubiti e sul focolare vi erano quattro corni. [16]Il focolare era quadrato e misurava dodici cubiti per lato. [17]Il bordo era quadrato e misurava quattordici cubiti per lato; l'orlo attorno ad esso era di mezzo cubito e l'incavo tutt'attorno era di un cubito. I suoi gradini erano dal lato orientale. [18]Egli mi disse: «Figlio d'uomo, così dice il Signore Dio: Queste sono le norme riguardanti l'altare, quando sarà costruito, per offrirvi sopra l'olocausto e aspergervi il sangue. [19]Destinerai per i sacerdoti leviti, della stirpe di Zadok, che si avvicineranno a me per servirmi, oracolo del Signore Dio, un giovenco per il sacrificio espiatorio. [20]Prenderai del sangue e lo verserai sui quattro corni dell'altare e sui quattro angoli del bordo e tutt'intorno all'orlo. Così toglierai le colpe e ne farai l'espiazione. [21]Poi prenderai il giovenco del sacrificio espiatorio e lo brucerai in un luogo appartato del tempio fuori del santuario. [22]Il secondo giorno mi presenterai un capro senza difetti come sacrificio espiatorio; con esso toglieranno le colpe dell'altare come le tolsero con il giovenco. [23]Quando avrai terminato di togliere le colpe dell'altare mi presenterai un giovenco senza difetti e un montone senza difetti. [24]Tu li presenterai al Signore e i sacerdoti spargeranno il sale su di loro, poi li offriranno in olocausto al Signore. [25]Per sette giorni offrirai per il peccato un capro al giorno e verrà offerto anche un giovenco e un montone del gregge senza difetti. [26]Per sette giorni si farà l'espiazione dell'altare, lo purificheranno e lo consacreranno.

[27]Terminati questi giorni, dall'ottavo in poi i sacerdoti immoleranno sull'altare i vostri olocausti, i vostri sacrifici di comunione e io li accetterò. Oracolo del Signore Dio».

DISPOSIZIONI PER IL CULTO

44 [1]Mi condusse poi alla porta esterna del santuario, rivolta a oriente; essa era chiusa. [2]Il Signore mi disse: «Questa porta resterà chiusa, non deve restare aperta; nessuno vi deve passare perché c'è passato il Signore, il Dio d'Israele; deve restare chiusa. [3]Ma il principe vi si potrà intrattenere a mangiare il cibo al cospetto del Signore: vi accederà dall'atrio e di lì uscirà».

[4]Mi condusse poi per la porta settentrionale davanti al tempio e vidi che la Gloria del Signore riempiva il santuario del Signore; io caddi con la faccia a terra. [5]Il Signore mi disse: «Figlio d'uomo, sta' attento, osserva bene e ascolta tutto ciò che io ti dirò sulle norme riguardanti il tempio del Signore e su tutte le sue leggi. Sta' attento a quanto concerne gli ingressi del tempio e tutte le uscite del santuario. [6]Di' ai ribelli, alla casa d'Israele: Così dice Dio, mio Signore: Basta con tutte le vostre abominazioni, o casa d'Israele! [7]Voi avete introdotto stranieri, incirconcisi di cuore e di carne, perché si installassero nel mio santuario e profanassero la mia casa, presentando il mio cibo, il grasso e il sangue! Avete infranto la mia alleanza con tutte le vostre abominazioni. [8]Infatti, invece di assumere voi la cura delle mie cose sante, avete affidato a loro, al vostro posto, la custodia del mio santuario. [9]Così dice il Signore Dio: Nessuno straniero, incirconciso di cuore e di carne, deve entrare nel mio santuario, nessuno di tutti gli stranieri che sono in mezzo agli Israeliti, [10]ma solo i leviti, i quali pure si sono allontanati da me quando Israele si sviò, commettendo aberrazioni dietro ai loro idoli lontano da me – però sconteranno la loro colpa! –, [11]essi solo staranno nel mio santuario, facendo sorveglianza alle porte del tempio e servendo nel tempio. Sgozzeranno gli olocausti e il sacrificio del popolo e staranno davanti ad esso per servirlo. [12]Poiché l'hanno servito davanti ai loro idoli e sono stati per la casa d'Israele una trappola che li ha

Ez

spinti al peccato, per questo io ho alzato la mano in giuramento contro di loro, oracolo del Signore Dio, ed essi sconteranno la loro colpa. [13]Non si accosteranno più a me fungendo da sacerdoti, a contatto con le mie cose sante, le porzioni santissime; sconteranno la loro ignominia e le abominazioni che hanno commesso. [14]Affido loro solo la custodia del tempio e tutte le prestazioni manuali da compiersi in esso.

[15]Invece i sacerdoti leviti, figli di Zadok, i quali si fecero carico del servizio del mio santuario quando gli Israeliti si sviarono lontano da me, essi si avvicineranno a me per servirmi e staranno al mio cospetto per presentarmi grasso e sangue. Oracolo del Signore Dio. [16]Essi possono entrare nel mio santuario; possono avvicinarsi alla mia tavola per servirmi e custodiranno le mie prescrizioni. [17]Nell'accedere alle porte del cortile interno indosseranno vesti di lino; non porteranno alcun indumento di lana quando andranno ad officiare alle porte del cortile interno e dentro il santuario. [18]Sul loro capo ci sarà un turbante di lino e calzoni di lino attorno ai fianchi; non si cingeranno di indumenti che provocano sudore. [19]Quando, però, usciranno nel cortile esterno, fra il popolo, si toglieranno le vesti con cui hanno officiato, le deporranno nelle stanze sante e si metteranno altri vestiti, per non rendere consacrato il popolo con le loro vesti. [20]Non si raderanno il capo né si lasceranno crescere la chioma, ma si acconceranno i capelli. [21]Nessun sacerdote beva vino quando deve entrare nel cortile interno. [22]Non prenderanno per moglie una vedova o una ripudiata; potranno sposarsi soltanto con una vergine della stirpe d'Israele, oppure con la vedova di un sacerdote. [23]Istruiranno il mio popolo su ciò che è sacro e su ciò che è profano e gli indicheranno la distinzione tra ciò che è puro e ciò che è impuro. [24]Nelle cause si ergeranno a giudici e le decideranno secondo le mie istruzioni. In tutte le mie feste osserveranno le mie leggi e le mie disposizioni e santificheranno i miei sabati. [25]Non si contamineranno con nessun cadavere, tranne per quello del padre, della madre, del figlio, della figlia, del fratello o della sorella che non sia stata sposata. [26]Dopo la loro purificazione si devono contare sette giorni, [27]e quando rientreranno nel luogo santo, nel cortile interno per servire nel Santo, mi offriranno un sacrificio espiatorio, oracolo del Signore Dio.

[28]Quanto alla loro eredità, sarò io la loro eredità! Non sarà dato loro alcun possesso terriero in Israele; io sono il loro possesso. [29]Essi possono cibarsi dell'oblazione, del sacrificio espiatorio e di quello di riparazione; tutto ciò che è votato a Dio in Israele tocca a loro. [30]La parte migliore di tutte le vostre primizie e dei tributi di ogni genere sarà dei sacerdoti. Darete al sacerdote le primizie della vostra farina, perché la benedizione discenda sulla vostra casa. [31]I sacerdoti non mangeranno la carne di alcun uccello o animale terrestre morto di morte naturale o dilaniato da una fiera».

LA DIVISIONE DEL TERRITORIO

45 [1]«Quando dividerete a sorte il paese, in eredità, voi riserverete al Signore, come tributo, una porzione sacra, lunga venticinquemila cubiti e larga ventimila: essa è la parte santa della terra, con tutti i suoi confini. [2]Di questa, una parte è per il santuario, cioè un quadrato di cinquecento cubiti per cinquecento, più cinquanta cubiti attorno come sue adiacenze. [3]In quella superficie misurerai venticinquemila cubiti di lunghezza e diecimila di larghezza, dove sarà il santuario, parte santissima. [4]Quella parte santa della terra sarà per i sacerdoti che prestano servizio nel santuario e che si possono avvicinare per servire il Signore. Esso servirà per le loro case e come luogo sacro del tempio. [5]Altri venticinquemila cubiti di lunghezza per diecimila di larghezza saranno per i leviti che prestano servizio al tempio, in proprietà, con città dove abitare. [6]Ne destinerete poi, come possesso delle città, un tratto di cinquemila cubiti di larghezza per venticinquemila di lunghezza, paralleli alla parte assegnata al santuario: apparterranno a tutta la casa d'Israele.

---

45. - La divisione qui descritta è solo ideale, e non corrisponse mai alla realtà.

2-4. Lo spazio riservato al santuario è nel centro della porzione riservata ai sacerdoti. Nello spazio riservato a Dio c'è il tempio e le case dei sacerdoti, che non saranno più dispersi nelle varie città, come prima era disposto dalla legge (Nm 35,1-8).

[7]Al principe sarà assegnato un possesso di qua e di là della parte santa e del territorio delle città, al fianco della parte santa e al fianco del territorio della città, a occidente sino all'estremità occidentale e a oriente sino al confine orientale, per una lunghezza uguale a ognuna delle sue parti, dal confine occidentale fino al confine orientale. [8]Questo appezzamento costituirà il suo possesso ereditario in Israele e così i miei prìncipi non opprimeranno più il mio popolo e lasceranno la terra alla casa d'Israele, alle sue tribù». [9]Così dice il Signore Dio: «Basta, o prìncipi d'Israele! Cessate la violenza e l'oppressione, osservate il diritto e la giustizia e mettete fine alle vostre estorsioni sul mio popolo, oracolo del Signore Dio! [10]Abbiate bilance giuste, efa e bat giusti! [11]L'efa e il bat siano dell'identica misura, così che il bat contenga un decimo di comer e l'efa pure un decimo di comer. La loro misura sarà in relazione al comer. [12]Il siclo sia di venti ghere; venti sicli, venticinque sicli e quindici sicli formeranno la mina.

[13]Questo è il tributo che offrirete: un sesto di efa per ogni comer di grano e un sesto di efa per ogni comer di orzo. [14]La tassa per l'olio, che si misura con il bat, è un decimo di bat per ogni kor: dieci bat formano un comer, come pure dieci bat corrispondono a un kor. [15]Dal gregge si prenda un capo ogni duecento dai fertili pascoli d'Israele, per l'oblazione e l'olocausto, per il sacrificio di comunione e per fare l'espiazione su di essi, oracolo del Signore Dio. [16]Tutta la popolazione è obbligata a questo tributo al principe d'Israele. [17]A carico del principe saranno gli olocausti, l'oblazione e la libazione nelle feste, all'inizio dei mesi e nei sabati, in tutte le ricorrenze della casa d'Israele. Egli provvederà al sacrificio espiatorio, all'oblazione, all'olocausto e al sacrificio di comunione, per fare l'espiazione sulla casa d'Israele». [18]Così dice Dio, mio Signore: «Il primo giorno del primo mese prenderai un giovenco senza difetti e purificherai il tempio. [19]Il sacerdote prenderà del sangue del sacrificio di espiazione e lo verserà sullo stipite del tempio e sui quattro angoli del bordo, sull'altare e sugli stipiti della porta del cortile interno. [20]Farai lo stesso anche il sette del mese per chi abbia peccato per errore o per ignoranza; così farete l'espiazione del tempio. [21]Il quattordicesimo giorno del primo mese sarà per voi la Pasqua. Durante sette giorni di festa mangerete azzimi. [22]Il principe allora offrirà per sé e per tutta la popolazione un giovenco per il peccato. [23]E nei sette giorni della festa procurerà l'olocausto per il Signore: offrirà sette giovenchi e sette montoni senza difetti ogni giorno per sette giorni, e un capro al giorno in sacrificio di espiazione. [24]Procurerà un'oblazione di un'efa per il giovenco e di un'efa per il montone, con un hin di olio per ogni efa. [25]Il quindicesimo giorno del settimo mese, alla festa, si farà altrettanto per sette giorni: sacrificio di espiazione, olocausto, oblazione, olio».

IL SABATO E I GIORNI DEL NOVILUNIO

46 [1]Così dice Dio, mio Signore: «La porta del cortile interno rivolta a oriente deve restare chiusa nei sei giorni lavorativi; sarà aperta nel giorno di sabato e sarà pure aperta nei giorni del novilunio. [2]Il principe entrerà dall'esterno, attraverso l'atrio della porta, e si fermerà agli stipiti della porta; i sacerdoti offriranno il suo olocausto e il suo sacrificio di comunione; egli farà adorazione sulla soglia della porta e poi uscirà. La porta non si chiuderà fino alla sera. [3]Anche la popolazione farà adorazione all'ingresso di quella porta, al sabato e nei giorni del novilunio, al cospetto del Signore. [4]L'olocausto che il principe presenterà al Signore al sabato sarà di sei agnelli senza difetti, di un montone senza difetti [5]e di un'oblazione di un'efa per il montone; per gli agnelli l'oblazione sarà a sua discrezione; l'olio sarà in misura di un hin per ogni efa. [6]Nei giorni del novilunio offrirà un giovenco senza difetti, sei agnelli e un montone senza difetti; [7]in oblazione offrirà un'efa per il giovenco e un'efa per il montone; per gli agnelli sarà a sua discrezione; l'olio sarà in misura di un hin per ogni efa. [8]Quando il principe entrerà, passerà attraverso l'atrio della porta e per quella stessa porta si ritirerà. [9]Quando la popolazione verrà processionalmente al cospetto del Signore nelle ricorrenze, se accederà per la porta settentrionale per fare adorazione, uscirà dalla porta meridionale, oppure se accederà

Ez

per la porta meridionale, uscirà dalla porta settentrionale; non tornerà indietro per la stessa porta per cui è entrata. Usciranno proseguendo sempre diritto. [10]Il principe entrerà e uscirà con essi.

[11]Nelle feste e nelle ricorrenze ci sarà l'oblazione di un'efa per il giovenco e di un'efa per il montone; per gli agnelli essa è a discrezione; l'olio sarà in misura di un hin per ogni efa. [12]Se il principe vorrà offrire volontariamente al Signore un olocausto o un sacrificio di comunione, allora gli si aprirà la porta rivolta a oriente e offrirà l'olocausto e il sacrificio di comunione, come li offre nei giorni di sabato; ma quando uscirà, la porta verrà chiusa appena egli sarà uscito.

[13]Offrirai inoltre ogni giorno un agnello di un anno senza difetti, come olocausto al Signore; l'offrirai ogni mattina. [14]Per esso si offrirà ogni mattina l'oblazione di un sesto di efa; di olio offrirai un terzo di hin, per bagnare la farina: è un'oblazione al Signore, è la legge dell'olocausto quotidiano. [15]Si offrirà dunque l'agnello, l'oblazione e l'olio ogni mattina: è l'olocausto quotidiano».

[16]Così dice Dio, mio Signore: «Se il principe farà un dono a uno dei suoi figli, esso rimarrà in eredità ai suoi figli: è possedimento terriero dato in eredità. [17]Ma se donerà parte della sua eredità a uno dei suoi servi, essa resterà a costui fino all'anno della remissione e poi tornerà al principe. Solo l'eredità dei figli resterà a loro. [18]Il principe non prenderà niente dall'eredità del popolo, espropriandolo dei suoi possedimenti terrieri. Darà in eredità ai figli solo ciò che è dei suoi propri possedimenti, perché il mio popolo non finisca disperso, lontano dal suo possedimento terriero».

[19]Mi condusse poi, dall'ingresso che è a ridosso della porta, alle camere sante dei sacerdoti, rivolte a settentrione: là c'era un locale all'estremità occidentale. [20]Egli mi disse: «Questo è il luogo dove i sacerdoti faranno cuocere il sacrificio di riparazione, il sacrificio di espiazione e dove cuoceranno l'oblazione; così non dovranno portarli nel cortile esterno e rendere consacrato il popolo». [21]Quindi mi fece uscire nel cortile esterno e mi fece passare per i quattro angoli del cortile: in ciascun angolo del cortile vi era un cortiletto. [22]Ai quattro angoli del cortile vi erano i cortiletti lunghi quaranta cubiti e larghi trenta, tutti della stessa misu-

ra. [23]Erano recintati tutti e quattro e ai piedi del recinto, tutt'intorno, erano costruiti dei fornelli. [24]Egli mi disse: «Queste sono le cucine dove i ministri del tempio cuoceranno i sacrifici del popolo».

LA SORGENTE CHE SGORGA DAL TEMPIO

47 [1]Mi fece poi ritornare all'ingresso del tempio, ed ecco che usciva acqua da sotto la soglia del tempio verso oriente, poiché la facciata del tempio era rivolta a oriente. L'acqua usciva sotto il lato destro del tempio, dalla parte meridionale dell'altare. [2]Mi fece uscire per la porta settentrionale e poi mi fece girare all'esterno fino alla porta esterna rivolta a oriente. Ecco, l'acqua scaturiva dal lato destro. [3]Quell'uomo si allontanò verso oriente con in mano una cordicella per misurare; misurò mille cubiti, poi mi fece attraversare l'acqua: mi giungeva alla caviglia. [4]Quindi ne misurò altri mille e mi fece attraversare l'acqua: mi arrivava ai ginocchi; poi ne misurò altri mille e mi fece attraversare l'acqua: mi lambiva i fianchi. [5]Ne misurò ancora mille: era un torrente che non potevo più attraversare. L'acqua era cresciuta, era acqua per nuotare, un torrente che non si poteva attraversare. [6]Allora mi disse: «Hai visto, figlio d'uomo?». Poi mi fece tornare indietro sulla sponda del torrente. [7]Mentre tornavo, ecco sulla sponda del torrente un gran numero di alberi da una parte e dall'altra. [8]Egli mi disse: «Queste acque sfociano nella regione orientale, scendono nell'Araba ed entrano nel mare: sboccate nel mare, ne risanano le acque. [9]E ogni animale che nuota, dovunque arriva quel torrente vivrà e ci sarà pesce molto abbondante, perché quelle acque, dove giungono, risanano e là dove giungerà il torrente, tutto avrà vita. [10]Sulle sue rive vi saranno pescatori; da Engaddi fino ad

---

47. - 1. Quest'acqua, simbolo di benedizione, scaturisce sotto la soglia del tempio, dal lato destro, e defluisce verso oriente, cioè verso la zona arida del deserto di Giuda e del Mar Morto, portandovi la vita. Significa la grazia e la vita che Dio dona al mondo (cfr. Gn 2,10; Ger 31,12; Gv 4,13ss; 7,38; Ap 22,1).

En-Eglaim ci sarà una distesa di reti; il pesce sarà di varia specie e in grande quantità, come il pesce del Mar Mediterraneo. [11]Le sue fosse e i suoi stagni però non saranno risanati: servono ad estrarre il sale. [12]Sul torrente, sulle sue sponde, cresce da una parte e dall'altra ogni albero da frutto, le cui foglie non avvizziscono mai né si esauriscono i suoi frutti; essi maturano ogni mese, perché le sue acque vengono dal tempio; i suoi frutti sono nutrimento e le sue foglie sono medicina». [13]Così dice Dio, mio Signore: «Questi sono i confini del paese che vi prenderete in eredità, tra le dodici tribù d'Israele, dando a Giuseppe due parti. [14]Lo erediterete in parti uguali. Io giurai, a mano alzata, di darlo ai vostri padri; perciò questo paese ora è toccato a voi in eredità.

[15]Questi saranno i confini del paese: a settentrione, dal Mar Mediterraneo in direzione di Chetlon fino all'imboccatura di Zedad, [16]Camat, Berota, Sibraim, tra i confini di Damasco e quelli di Camat, Cazer-Ticon, che è sul confine con Hauran. [17]Il confine si estenderà, dunque, dal mare fino a Cazer-Enon, ai confini con Damasco, molto a settentrione, e ai confini con Camat. Questo è il lato settentrionale. [18]A oriente, fra l'Hauran e Damasco, tra Galaad e il paese d'Israele, il Giordano fa da confine fino al mare orientale, fino verso Tamar. Questo è il lato orientale. [19]A mezzogiorno, da Tamar fino alle acque di Meriba-Kades, fino al torrente verso il Mar Mediterraneo. Questo è il lato meridionale verso il Negheb. [20]A occidente, il Mar Mediterraneo fa da confine fin verso l'imboccatura di Camat. Questo è il lato occidentale. [21]Vi spartirete il territorio di questo paese tra le dodici tribù d'Israele. [22]L'avrete in sorte, come eredità, voi e gli stranieri che risiedono in mezzo a voi e hanno generato figli e figlie, diventando per voi come indigeni tra gli Israeliti; con voi l'avranno in sorte come eredità in mezzo alle tribù d'Israele. [23]Nella tribù in cui lo straniero si è stabilito, là gli darete la sua eredità». Oracolo di Dio, mio Signore.

LA DIVISIONE DEL PAESE
E IL NUOVO NOME DI GERUSALEMME

48 [1]«Questi sono i nomi delle tribù: dal confine settentrionale, nei pressi di Chetlon, all'imboccatura di Camat, fino a Cazar-Enon, al confine di Damasco a settentrione, nei pressi di Camat, dal lato orientale al lato occidentale, sarà assegnata una parte a Dan. [2]Al confine di Dan, dal lato orientale al lato occidentale, sarà assegnata una parte ad Aser. [3]Al confine di Aser, dal lato orientale al lato occidentale, sarà assegnata una parte a Neftali. [4]Al confine di Neftali, dal lato orientale al lato occidentale, sarà assegnata una parte a Manasse. [5]Al confine di Manasse, dal lato orientale al lato occidentale, sarà assegnata una parte ad Efraim. [6]Al confine di Efraim, dal lato orientale al lato occidentale, sarà assegnata una parte a Ruben. [7]Al confine di Ruben, dal lato orientale al lato occidentale, sarà assegnata una parte a Giuda.

[8]Al confine di Giuda, dal lato orientale al lato occidentale, ci sarà la porzione sacra di territorio che offrirete, larga venticinquemila cubiti e lunga quanto ognuna delle parti che si estendono dal lato orientale al lato occidentale. In mezzo sorgerà il santuario. [9]La porzione sacra che offrirete al Signore sarà lunga venticinquemila cubiti e larga ventimila. [10]Ai sacerdoti apparterrà la porzione sacra del territorio, venticinquemila cubiti a settentrione e diecimila di larghezza a ponente, diecimila cubiti di larghezza a oriente e venticinquemila cubiti di lunghezza a mezzogiorno. Al centro si innalzerà il santuario del Signore. [11]Essa apparterrà ai sacerdoti consacrati, figli di Zadok, i quali mi hanno prestato servizio e non hanno seguito nel traviamento gli Israeliti, come fecero invece i leviti. [12]Ad essi sarà riservata una parte prelevata dalla porzione sacra del territorio, parte santissima, confinante con quella dei leviti. [13]I leviti, poi, lungo il territorio confinante con quello dei sacerdoti, avranno gli altri venticinquemila cubiti di lunghezza e diecimila di larghezza: tutta la lunghezza sarà di venticinquemila cubiti e tutta la larghezza sarà di diecimila. [14]Essi non potranno vendere né permutare nulla di tutto ciò. Non potranno alienare la parte migliore del territorio, perché questa è cosa santa per il Signore.

[15]I cinquemila cubiti di lunghezza, che restano sui venticinquemila, saranno terreno profano per la città, come abitazione e adiacenze. La città stessa, poi, sorgerà nel

mezzo. [16]Eccone le misure: il lato settentrionale avrà quattromilacinquecento cubiti; il lato meridionale, quattromilacinquecento cubiti; il lato orientale quattromilacinquecento cubiti e il lato occidentale quattromilacinquecento cubiti. [17]Le adiacenze della città saranno: a settentrione duecentocinquanta cubiti, duecentocinquanta a mezzogiorno, duecentocinquanta a oriente e duecentocinquanta a occidente. [18]Quel che rimane accanto alla porzione sacra, cioè diecimila cubiti a oriente e diecimila a occidente accanto alla porzione sacra, fornirà, con i suoi prodotti, il pane per quelli che fanno servizio in città. [19]Quelli che prestano servizio in città saranno presi da tutte le tribù d'Israele. [20]Tutta la porzione sacra sarà un quadrilatero di venticinquemila cubiti per venticinquemila. Preleverete un quarto della porzione sacra, come possesso della città. [21]Quel che rimane da una parte e dall'altra della porzione·sacra e del possesso della città sarà per il principe, in possesso ereditario. Partendo dai venticinquemila cubiti della porzione sacra fino al confine orientale e, verso occidente, partendo dai venticinquemila cubiti fino al mare, parallelamente ai territori delle tribù, questo sarà del principe. In mezzo rimarrà la porzione sacra con il santuario e il tempio. [22]Partendo dai possedimenti ereditari dei leviti e i possedimenti della città, che restano in mezzo, quelli del principe rimarranno tra il confine di Giuda e quello di Beniamino. [23]Per il resto delle tribù, dal lato orientale al lato occidentale, una parte sarà assegnata a Beniamino. [24]Al confine di Beniamino, dal lato orientale al lato occidentale, una parte sarà assegnata a Simeone. [25]Al confine di Simeone, dal lato orientale al lato occidentale, una parte sarà assegnata a Issacar. [26]Al confine di Issacar, dal lato orientale al lato occidentale, una parte sarà assegnata a Zabulon. [27]Al confine di Zabulon, dal lato orientale al lato occidentale, una parte sarà assegnata a Gad. [28]Al confine di Gad, dal lato meridionale verso mezzogiorno, il confine andrà da Tamar alle acque di Meriba-Kades e al torrente che va al Mar Mediterraneo. [29]Questo è il territorio che si darà in eredità alle tribù d'Israele e queste sono le loro parti. Oracolo di Dio, mio Signore.

[30]Queste saranno le uscite della città sul lato settentrionale, che misura quattromilacinquecento cubiti. [31]Le porte della città avranno i nomi delle tribù d'Israele. Tre porte sono sul lato settentrionale: la porta di Ruben, la porta di Giuda e la porta di Levi. [32]Sul lato orientale, che misura quattromilacinquecento cubiti, le porte sono tre: la porta di Giuseppe, la porta di Beniamino e la porta di Dan. [33]Sul lato meridionale, che misura quattromilacinquecento cubiti, le porte sono tre: la porta di Simeone, la porta di Issacar e la porta di Zabulon. [34]Sul lato occidentale, che misura quattromilacinquecento cubiti, le porte sono tre: la porta di Gad, la porta di Aser e la porta di Neftali. [35]Perimetro totale: diciottomila cubiti. Da allora la città avrà questo nome: Là è il Signore».

DANIELE

Più che tra i profeti, il libro di Daniele si inserisce meglio nella letteratura apocalittica, che si presenta come «rivelazione» o narrazione esposta attraverso la «visione» in cui dominano i simboli da interpretare. Oggi gli studiosi concordano nel collocare il libro di Daniele nel II secolo a.C. L'ambientazione in Babilonia e tutti i personaggi del libro vanno intesi come un artificio letterario, forse basato su antichi testi. L'autore, in realtà, con i suoi racconti e visioni intende sostenere la fede e la speranza dei suoi connazionali impegnati nelle dolorose e gloriose vicende dell'epoca maccabaica.

Il libro è giunto a noi scritto in tre lingue: ebraico, aramaico (2,4 - 7,27) e greco (3,24-90; cc. 13-14). La prima parte di esso (cc. 1-6) narra alcuni episodi del giudeo Daniele, deportato nel 597 a.C. a Babilonia: la sua fedeltà alla legge del Signore gli fa superare insidie e pericoli provenienti dall'ambiente di corte in cui viveva e in cui era apprezzato funzionario. La seconda parte (cc. 7-12) contiene quattro visioni raccontate da Daniele, nelle quali egli vede «la storia futura» d'Israele (cioè quella vissuta tra il VI e il II secolo a.C.) che, pure sotto il dominio di imperi che si succedono nella storia e che lo opprimeranno, sopravvive fino alla venuta del «Figlio d'uomo» (7,13; Gesù userà questa espressione per designare se stesso) il cui regno universale non avrà fine.

I cc. 13-14 sono un'appendice posteriore e contengono due narrazioni incentrate sulla vittoria dell'innocente ingiustamente condannato (storia di Susanna) e sulle ridicole pretese dell'idolatria.

DANIELE ALLA CORTE DI BABILONIA

1 ¹Nel terzo anno del regno di Ioiakim, re di Giuda, Nabucodonosor, re di Babilonia, marciò su Gerusalemme e la cinse d'assedio. ²Il Signore mise in suo potere Ioiakim, re di Giuda, e una parte dei vasi del tempio di Dio. Fattili trasportare nel paese di Sennaar, egli depose i vasi nella sala del tesoro dei suoi dei.

³Il re ordinò ad Asfenaz, capo dei suoi eunuchi, di far venire alcuni Israeliti, sia di sangue reale che di nobili famiglie, ⁴giovani, senza difetti, di bell'aspetto, esperti in tutta la sapienza, istruiti nella scienza, abili nell'agire e adatti a stare nel palazzo del re, e di insegnare loro la scrittura e la lingua dei Caldei. ⁵Il re assegnò loro una razione giornaliera delle vivande della mensa reale e del vino che beveva egli stesso. La loro educazione doveva durare tre anni; al termine sarebbero entrati al servizio del re.

⁶Tra costoro c'erano i giudei Daniele, Anania, Misaele e Azaria. ⁷Il capo degli eunuchi, però, cambiò i loro nomi: a Daniele mise nome Baltazzar, ad Anania Sadrach, a Misaele Mesach e ad Azaria Abdenego.

⁸Daniele si era proposto in cuor suo di non contaminarsi con il cibo del re e con il vino che beveva lui. Perciò chiese al capo degli eunuchi di concedergli di non contaminarsi. ⁹Dio concesse a Daniele benevolenza e simpatia presso il capo degli eunuchi. ¹⁰Il capo degli eunuchi disse a Daniele: «Io temo che il re mio signore, che ha fissato il vostro cibo e la vostra bevanda, scorga i vostri volti macilenti in confronto con quelli dei giovani vostri coetanei, e così mi rendereste responsabile davanti al re». ¹¹Ma Daniele disse al custode che il capo degli

eunuchi aveva preposto a Daniele, Anania, Misaele e Azaria: [12]«Ti prego, metti alla prova i tuoi servi per dieci giorni, dandoci da mangiare dei legumi e da bere dell'acqua. [13]Poi confronta, alla tua presenza, il nostro aspetto con l'aspetto dei giovani che mangiano le vivande reali, e allora ti comporterai con i tuoi servi come ti parrà».

[14]Egli accondiscese a questa loro proposta e li mise alla prova per dieci giorni. [15]Al termine di dieci giorni, il loro volto apparve più bello ed essi apparvero meglio nutriti di tutti gli altri giovani che mangiavano le vivande del re. [16]Da allora in poi il custode faceva portar via il cibo e il vino loro assegnati e dava loro soltanto legumi.

[17]A questi quattro giovani Dio concesse di conoscere e comprendere ogni scrittura e ogni sapienza. Daniele inoltre ebbe il dono d'interpretare ogni specie di visioni e di sogni. [18]Allo scadere del tempo che il re aveva fissato perché i giovani gli fossero presentati, il capo degli eunuchi li condusse alla presenza di Nabucodonosor. [19]Il re si intrattenne con loro, ma fra tutti non si trovò nessuno come Daniele, Anania, Misaele e Azaria. Essi rimasero alla presenza del re [20]e in qualunque argomento riguardante la sapienza e la dottrina su cui il re li interrogasse, li trovò dieci volte superiori a tutti gli indovini e ai maghi che erano in tutto il regno. [21]Daniele vi rimase così fino al primo anno del re Ciro.

IL SOGNO DI NABUCODONOSOR

2 [1]Nel secondo anno del suo regno, Nabucodonosor fece un sogno. Il suo animo rimase turbato e il sonno l'abbandonò. [2]Il re diede ordine di convocare i maghi, gli indovini, gli incantatori e i Caldei, perché gli spiegassero il sogno. Al loro arrivo, si presentarono alla presenza del re. [3]Il re disse loro: «Ho fatto un sogno e il mio spirito è ansioso di conoscere questo sogno». [4]I Caldei risposero al re: «O re, vivi in eterno! Narra il sogno ai tuoi servi e noi te ne daremo l'interpretazione». [5]Il re rispose ai Caldei: «La mia decisione è manifesta: se non mi farete conoscere il sogno e il suo significato, sarete fatti a pezzi e le vostre case saranno ridotte a un cumulo di rovine. [6]Se invece mi farete conoscere il sogno e il suo significato, riceverete da me doni, rega-

li e grandi onori. Perciò fatemi conoscere il sogno e il suo significato!».

[7]Essi insistettero di nuovo: «Il re dica il sogno ai suoi servi e noi daremo la sua interpretazione». [8]Ma il re rispose: «Vedo che voi cercate di guadagnar tempo, perché conoscete la decisione che ho preso. [9]Che se voi non mi fate conoscere il sogno, la vostra intenzione comune è di inventare discorsi astuti e falsi davanti a me, finché il tempo passi. Ditemi, dunque, il sogno e io saprò che voi mi potete dare anche la sua interpretazione!». [10]I Caldei risposero al re: «Non c'è uomo sulla terra che possa manifestare ciò che il re ordina; perciò nessun re, quantunque grande e potente, ha mai domandato una cosa simile a nessun mago o indovino o caldeo. [11]La cosa che il re domanda è difficile e non c'è nessuno che la possa manifestare al re, se non gli dèi, la cui dimora non è fra gli uomini». [12]Allora il re si irritò e si adirò violentemente e ordinò di sterminare tutti i sapienti di Babilonia.

[13]Quando fu emanato il decreto di uccidere i sapienti, si cercava di uccidere anche Daniele e i suoi compagni. [14]Allora Daniele si rivolse con parole sagge e prudenti ad Arioch, capo delle guardie del re, che era uscito per uccidere i sapienti di Babilonia. [15]Egli domandò ad Arioch, comandante del re: «Perché un decreto così severo da parte del re?». Allora Arioch spiegò la cosa a Daniele, [16]e Daniele entrò dal re per chiedere che gli concedesse uno spazio di tempo ed egli avrebbe dato al re l'interpretazione.

[17]Poi Daniele andò a casa sua e informò i suoi compagni Anania, Misaele e Azaria della cosa, [18]perché implorassero misericordia dal Dio del cielo intorno a questo mistero, così che non venissero messi a morte Daniele e i suoi compagni insieme agli altri sapienti di Babilonia.

[19]Allora, in una visione notturna, fu rivelato a Daniele il mistero. Perciò Daniele benedisse il Dio del cielo, dicendo:

[20] «Sia benedetto il nome di Dio
per i secoli dei secoli,
perché egli possiede la sapienza
e la forza.
[21] È lui che muta tempi e stagioni,
che atterra e innalza i re,
che dona la sapienza ai sapienti
e la scienza a coloro che sanno.

²² È lui che svela le cose
   nascoste e segrete,
   conosce ciò che è nelle tenebre
   e presso di lui è la luce.
²³ A te, Dio dei miei padri,
   rendo grazie e lode,
   perché mi hai concesso sapienza
     e forza
   e mi hai fatto conoscere
   ciò che ti abbiamo chiesto,
   facendoci conoscere la richiesta del re».

²⁴Quindi Daniele andò da Arioch, che il re aveva incaricato di uccidere i sapienti di Babilonia, e gli disse: «Non uccidere i sapienti di Babilonia! Conducimi dal re e gli darò io l'interpretazione del sogno». ²⁵Arioch introdusse in fretta Daniele dal re e gli disse: «Ho trovato un uomo tra i deportati di Giuda che farà conoscere al re l'interpretazione». ²⁶Il re domandò a Daniele, il cui nome era Baltazzar: «Sei tu capace di farmi conoscere il sogno che ho avuto e di darmene la spiegazione?». ²⁷Daniele rispose al re: «Il mistero di cui il re chiede la spiegazione non può essere svelato al re né da sapienti, né da indovini, né da maghi, né da astrologi. ²⁸Ma c'è un Dio nel cielo che rivela i misteri e fa conoscere al re Nabucodonosor che cosa avverrà alla fine dei giorni. Ecco il tuo sogno e la visione della tua mente mentre dormivi nel tuo letto. ²⁹O re, i pensieri che ti assillarono mentre dormivi nel tuo letto riguardano il futuro, e colui che rivela i misteri ti fa conoscere ciò che dovrà avvenire. ³⁰A me, poi, è stato rivelato questo mistero non perché ho più sapienza di tutti gli altri viventi, ma perché ne sia data al re l'interpretazione e perché tu comprenda i pensieri del tuo cuore. ³¹Tu, o re, hai avuto una visione ed ecco una statua, una statua grandiosa e di uno splendore straordinario; essa stava davanti a te e il suo aspetto era terribile. ³²La statua aveva la testa d'oro puro, il petto e le braccia d'argento, il ventre e le cosce di bronzo; ³³le sue gambe erano di ferro e i suoi piedi erano in parte di ferro

e in parte d'argilla. ³⁴Tu stavi guardando, quando si staccò dalla montagna una pietra, senza intervento umano, colpì la statua sui suoi piedi, ch'erano di ferro e di argilla, e li frantumò. ³⁵Allora s'infransero in un istante ferro, argilla, bronzo, argento e oro e diventarono come pula nelle aie durante l'estate; il vento li portò via e di loro non si trovò più alcuna traccia. Invece la pietra, che aveva infranto la statua, diventò una grande montagna, che riempì tutta la terra. ³⁶Questo è il sogno; ora ne spiegheremo il significato davanti al re. ³⁷Tu, o re, sei il re dei re, a cui il Re del cielo ha dato regno, potenza, forza e gloria. ³⁸A te ha dato potere sugli uomini, sugli animali dei campi e sugli uccelli del cielo – dovunque essi vivano – e ti ha concesso il dominio sopra tutti costoro. Tu sei la testa d'oro. ³⁹Dopo di te sorgerà un altro regno, inferiore al tuo, e in seguito un terzo regno di bronzo, che dominerà su tutta la terra. ⁴⁰Un quarto regno sarà solido come il ferro, perché il ferro infrange e distrugge tutto, e, come il ferro che distrugge, li infrangerà e distruggerà tutti. ⁴¹Come tu hai visto, i piedi e le dita erano in parte di argilla da vasaio e in parte di ferro: ciò significa che sarà un regno diviso, in cui ci sarà la solidità del ferro mescolato con l'argilla molle. ⁴²Se le dita dei suoi piedi erano in parte di ferro e in parte di argilla, ciò significa che una parte del regno sarà solida e l'altra fragile. ⁴³Il fatto che il ferro sia mescolato con l'argilla molle significa che le due parti si congiungeranno mediante seme umano, ma non legheranno tra di loro, come il ferro non lega con l'argilla. ⁴⁴Al tempo di questi re, il Dio del cielo farà sorgere un regno che non sarà distrutto in eterno e il cui potere non sarà dato a un altro popolo, ma infrangerà e distruggerà tutti quei regni, mentre esso rimarrà in eterno. ⁴⁵Ecco il significato della pietra che hai visto staccarsi dalla montagna, senza intervento umano, e infrangere il ferro, il bronzo, l'argilla, l'argento e l'oro. Il Dio grande fa conoscere al re quello che avverrà dopo di ciò. Il sogno è vero e la sua interpretazione è degna di fede». ⁴⁶Allora il re Nabucodonosor si prostrò con la faccia a terra e adorò Daniele. Quindi ordinò che gli si offrissero un'oblazione e sacrifici di soave odore. ⁴⁷Poi il re disse a Daniele: «Veramente il vostro Dio è il Dio degli dèi, il Signore dei re e il rivelatore dei misteri, perché tu hai potuto svelare questo

Dn

---

2. - 38-48. Sono adombrati i grandi regni che si succedettero sulla terra prima della venuta di Cristo: il primo è il babilonese (oro), il secondo è il medo-persiano (argento), il terzo è il greco (Alessandro e successori; bronzo), il quarto è il regno dei Diadochi. Nel suo significato sostanziale questa visione vuole dimostrare che i vari regni organizzati dagli uomini sono effimeri. Ad essi verrà contrapposto il regno di Dio.

mistero». ⁴⁸Allora il re elevò di rango Daniele e gli fece molti e grandi doni; quindi lo costituì governatore di tutta la provincia di Babilonia e capo supremo di tutti i sapienti di Babilonia. ⁴⁹Daniele chiese al re di preporre all'amministrazione della provincia di Babilonia Sadrach, Mesach e Abdenego. Daniele invece rimase alla reggia del re.

I TRE GIOVANI
NELLA FORNACE ARDENTE

3 ¹Il re Nabucodonosor fece una statua d'oro; la sua altezza era di sessanta cubiti e la sua larghezza di sei cubiti; poi la eresse nella pianura di Dura, nella provincia di Babilonia. ²Quindi il re Nabucodonosor ordinò di convocare satrapi, governatori e prefetti, consiglieri, tesorieri, magistrati, giudici e tutte le autorità delle province, perché venissero all'inaugurazione della statua che il re Nabucodonosor aveva eretto. ³Allora si radunarono satrapi, governatori e prefetti, consiglieri, tesorieri, magistrati, giudici e tutte le autorità delle province per l'inaugurazione della statua che il re Nabucodonosor aveva eretto. Essi si misero in piedi davanti alla statua che il re Nabucodonosor aveva eretto. ⁴L'araldo gridava ad alta voce: «A voi, popoli, nazioni e lingue diverse si comanda: ⁵quando udirete il suono del corno, del flauto, della cetra, della sambuca, del salterio, della zampogna e di ogni genere di strumenti musicali, vi prostrerete e adorerete la statua d'oro che il re Nabucodonosor ha eretto. ⁶Chi non si prostrerà e non adorerà, sarà subito gettato in una fornace di fuoco ardente». ⁷Perciò, appena tutti i popoli udirono il suono del corno, del flauto, della cetra, della sambuca, del salterio e di ogni genere di strumenti musicali, tutti i popoli, nazioni e lingue si prostrarono e adorarono la statua d'oro che il re Nabucodonosor aveva eretto. ⁸Tuttavia alcuni Caldei si presentarono immediatamente per accusare i Giudei. ⁹Prendendo la parola, dissero al re Nabucodonosor: «O re, vivi in eterno! ¹⁰Tu, o re, hai promulgato il decreto che chiunque udisse il suono del corno, del flauto, della cetra, della sambuca, del salterio e della zampogna e di ogni genere di strumenti musicali si prostrasse e adorasse la statua d'oro; ¹¹chiunque non si fosse prostrato e non avesse adorato, sa-

rebbe stato gettato dentro la fornace di fuoco ardente. ¹²Ora ci sono alcuni Giudei, che hai preposto all'amministrazione della provincia di Babilonia, cioè Sadrach, Mesach e Abdenego, che non hanno tenuto conto del tuo decreto, o re; non servono i tuoi dèi e non adorano la statua d'oro che hai eretto». ¹³Allora Nabucodonosor con ira e furore ordinò di far venire Sadrach, Mesach e Abdenego. Essi furono subito condotti davanti al re. ¹⁴Nabucodonosor domandò loro: «Sadrach, Mesach e Abdenego, davvero non servite i miei dèi e non adorate la statua d'oro che ho eretto? ¹⁵Ora, siete disposti, quando udirete il suono del corno, del flauto, della cetra, della sambuca, del salterio e della zampogna e di ogni genere di strumenti musicali, a prostrarvi e adorare la statua che ho fatto? Se voi non l'adorate, sarete subito gettati nella fornace ardente, e qual è il dio che vi potrà liberare dalla mia mano?». ¹⁶Sadrach, Mesach e Abdenego risposero al re Nabucodonosor: «Su ciò non abbiamo bisogno di risponderti! ¹⁷Sappi che il Dio che noi serviamo è capace di liberarci dalla fornace ardente e dalla tua mano, o re. ¹⁸Ma anche se non ci liberasse, sappi, o re, che non serviremo i tuoi dèi e non adoreremo la statua d'oro che hai eretto!». ¹⁹Allora Nabucodonosor si accese d'ira e l'espressione del suo volto cambiò nei riguardi di Sadrach, Mesach e Abdenego. Quindi ordinò di riscaldare la fornace sette volte di più di quanto si soleva riscaldarla, ²⁰e ordinò ad alcuni degli uomini più forti del suo esercito di legare Sadrach, Mesach e Abdenego e di gettarli nella fornace ardente. ²¹Allora furono legati, vestiti come erano, con i mantelli, i calzari, i turbanti e tutte le loro vesti e furono gettati dentro la fornace ardente. ²²Proprio perché l'ordine del re urgeva e la fornace era riscaldata più del solito, la fiamma del fuoco uccise coloro che vi avevano gettato Sadrach, Mesach e Abdenego. ²³Quanto ai tre giovani, Sadrach, Mesach e Abdenego, essi caddero legati dentro la fornace ardente. ^{*24}Essi passeggiavano in mezzo alle fiamme, lodando Dio e benedicendo il Signore.

Il cantico di Azaria tra le fiamme

^{*25}Azaria, stando in piedi e aprendo
    la bocca in mezzo al fuoco, disse:
^{*26}«Benedetto sei tu, Signore,
    Dio dei nostri padri;

degno di lode e di gloria
è il tuo nome nei secoli.
²⁷Perché tu sei giusto in tutto
quello che ci hai fatto;
tutte le tue azioni sono giuste,
rette le tue vie
e giuste tutte le tue sentenze.
²⁸Hai agito secondo verità
in tutto ciò che hai fatto ricadere su di noi
e sulla città santa dei nostri padri,
    Gerusalemme;
perché tu hai fatto tutto con giustizia
    e diritto,
a causa delle nostre colpe.
²⁹Sì, abbiamo peccato,
abbiamo commesso l'iniquità,
    allontanandoci da te,
abbiamo peccato gravemente in tutto;
non abbiamo obbedito ai tuoi precetti,
³⁰non li abbiamo osservati
    né abbiamo operato
come ci avevi comandato,
perché tutto ci andasse bene!
³¹E ora tutto ciò che hai fatto ricadere
    su di noi
e tutto quanto ci hai fatto,
lo hai fatto con retto giudizio.
³²Ci hai consegnati in potere
    dei nostri nemici,
senza legge e peggiori degli empi,
e di un re ingiusto,
il più scellerato su tutta la terra.
³³Ora noi non possiamo più aprir bocca:
disonore e vergogna sono toccati
    ai tuoi servi
e a quelli che ti adorano.
³⁴Non ci abbandonare per sempre,
per amore del tuo nome,
e non spezzare la tua alleanza!
³⁵Non ritirare da noi la tua misericordia,
per amore di Abramo tuo amico,
di Isacco tuo servo,
di Israele tuo santo,
³⁶ai quali hai parlato dicendo
di moltiplicare la loro discendenza,
come gli astri del cielo
e come la sabbia che è sulla spiaggia
    del mare.
³⁷Ora invece, Signore, noi siamo
    diventati i più piccoli
nei confronti di tutte le genti;
ora siamo umiliati su tutta la terra,
a causa dei nostri peccati.
³⁸Ora non abbiamo più

né principe, né profeta, né capo,
né olocausto, né sacrificio,
né oblazione, né incenso,
né un luogo dove offrirli
davanti a te, per trovare misericordia!
³⁹Ma abbiamo un cuore spezzato
e uno spirito umiliato:
ricevili come se fossero un olocausto
    di arieti e di tori,
di migliaia di pingui agnelli.
⁴⁰Sarà questa la nostra offerta
che oggi presentiamo davanti a te,
così che tu ci sia propizio,
perché non c'è delusione
per coloro che confidano in te.
⁴¹Ora noi ti seguiamo con tutto il cuore,
ti temiamo e cerchiamo il tuo volto:
non ci ricoprire di confusione.
⁴²Trattaci secondo la tua benignità
e secondo la ricchezza
    della tua misericordia.
⁴³Liberaci per la tua mirabile potenza
e da' gloria al tuo nome, Signore.
⁴⁴Retrocedano invece confusi
quanti fanno il male ai tuoi servi;
siano ricoperti di infamia
e si frantumi il loro potere;
la loro forza venga spezzata.
⁴⁵Riconoscano che tu, Signore,
    sei l'unico Dio,
    glorioso su tutta la terra».

⁴⁶I servi del re, che li avevano gettati dentro, non cessavano di riscaldare la fornace con bitume, pece, stoppa e legna minuta. ⁴⁷La fiamma si estendeva sopra la fornace fino a quarantanove cubiti ⁴⁸e propagandosi bruciò i Caldei che si trovavano intorno alla fornace. ⁴⁹Ma l'angelo del Signore scese nella fornace con Azaria e i suoi compagni e spinse fuori della fornace la fiamma di fuoco, ⁵⁰e rese l'interno della fornace come un luogo ventilato, dove spirasse la brezza. Il fuoco non li toccò per nulla, non fece loro alcun male né procurò alcun tormento.

Il cantico dei tre giovani

⁵¹Allora quei tre giovani, a una sola voce, vi misero a lodare, a glorificare e a benedire Dio nella fornace, dicendo:

⁵²«Benedetto sei tu, Signore,
    Dio dei nostri padri,
    a te la lode e la gloria nei secoli.

Dn

Benedetto il tuo santo nome glorioso,
degno di lode e di gloria nei secoli.
⁵³Benedetto sei tu
nel tuo tempio santo e glorioso,
a te la lode e la gloria nei secoli.
⁵⁴Benedetto sei tu sul trono del tuo regno,
a te la lode e la gloria nei secoli.
⁵⁵Benedetto sei tu, che scruti gli abissi
e siedi sui cherubini,
a te la lode e la gloria nei secoli.
⁵⁶Benedetto sei tu nel firmamento del cielo,
a te la lode e la gloria nei secoli.
⁵⁷Benedite il Signore, opere tutte
del Signore,
cantate ed esaltatelo con inni nei secoli.
⁵⁸Angeli del Signore, benedite
il Signore,
cantate ed esaltatelo con inni nei secoli.
⁵⁹Benedite, cieli, il Signore,
cantate ed esaltatelo con inni nei secoli.
⁶⁰Acque tutte del cielo, benedite il Signore,
cantate ed esaltatelo con inni nei secoli.
⁶¹Potenze tutte del Signore,
benedite il Signore,
cantate ed esaltatelo con inni nei secoli.
⁶²Sole e luna, benedite il Signore,
cantate ed esaltatelo con inni nei secoli.
⁶³Astri del cielo, benedite il Signore,
cantate ed esaltatelo con inni nei secoli.
⁶⁴Piogge tutte e rugiade, benedite
il Signore,
cantate ed esaltatelo con inni nei secoli.
⁶⁵Venti tutti, benedite il Signore,
cantate ed esaltatelo con inni nei secoli.
⁶⁶Fuoco e calore, benedite il Signore,
cantate ed esaltatelo con inni nei secoli.
⁶⁷Gelo e freddo, benedite il Signore,
cantate ed esaltatelo con inni nei secoli.
⁶⁸Rugiade e brine, benedite il Signore,
cantate ed esaltatelo con inni nei secoli.
⁶⁹Ghiaccio e freddo, benedite il Signore,
cantate ed esaltatelo con inni nei secoli.
⁷⁰Brine e nevi, benedite il Signore,
cantate ed esaltatelo con inni nei secoli.
⁷¹Notti e giorni, benedite il Signore,
cantate ed esaltatelo con inni nei secoli.
⁷²Luce e tenebre, benedite il Signore,
cantate ed esaltatelo con inni nei secoli.
⁷³Folgori e nuvole, benedite il Signore,
cantate ed esaltatelo con inni nei secoli.
⁷⁴La terra benedica il Signore,
lo canti e lo esalti con inni nei secoli.
⁷⁵Monti e colline, benedite il Signore,
cantate ed esaltatelo con inni nei secoli.

⁷⁶Germogli tutti della terra,
benedite il Signore,
cantate ed esaltatelo con inni nei secoli.
⁷⁷Voi, sorgenti, benedite il Signore,
cantate ed esaltatelo con inni nei secoli.
⁷⁸Mari e fiumi, benedite il Signore,
cantate ed esaltatelo con inni nei secoli.
⁷⁹Pesci del mare e tutto ciò che guizza
nelle acque,
benedite il Signore,
cantate ed esaltatelo con inni nei secoli.
⁸⁰Uccelli tutti del cielo, benedite il Signore,
cantate ed esaltatelo con inni nei secoli.
⁸¹Quadrupedi e rettili, benedite il Signore,
cantate ed esaltatelo con inni nei secoli.
⁸²Figli degli uomini, benedite il Signore,
cantate ed esaltatelo con inni nei secoli.
⁸³Voi Israeliti, benedite il Signore,
cantate ed esaltatelo con inni nei secoli.
⁸⁴Sacerdoti del Signore, benedite
il Signore,
cantate ed esaltatelo con inni nei secoli.
⁸⁵Servi del Signore, benedite il Signore,
cantate ed esaltatelo con inni nei secoli.
⁸⁶Spiriti e anime dei giusti,
benedite il Signore,
cantate ed esaltatelo con inni nei secoli.
⁸⁷Voi santi e umili di cuore,
benedite il Signore,
cantate ed esaltatelo con inni nei secoli.
⁸⁸Anania, Azaria e Misaele,
benedite il Signore,
cantate ed esaltatelo con inni nei secoli,
perché ci ha strappati dagli inferi,
ci ha salvati dal potere della morte,
ci ha liberati dall'ardore della fiamma,
di mezzo al fuoco ci ha liberati.
⁸⁹Ringraziate il Signore, perché è buono,
perché eterno è il suo amore.
⁹⁰Voi tutti che adorate il Signore,
benedite il Dio degli dèi,
cantate e rendete grazie,
perché eterno è il suo amore».

²⁴Allora il re Nabucodonosor, rimasto turbato, si alzò in fretta. Domandò ai suoi ministri:
«Non abbiamo gettato questi tre uomini nel
fuoco, legati?». Essi risposero al re: «Certamente, o re». ²⁵Egli soggiunse: «Ecco, io vedo quattro uomini slegati che passeggiano in
mezzo al fuoco e non ne ricevono alcun danno; l'aspetto poi del quarto è simile a quello
di un figlio degli dèi». ²⁶Quindi Nabucodonosor si avvicinò all'apertura della fornace con

il fuoco acceso e gridò: «Sadrach, Mesach e Abdenego, servitori del Dio altissimo, uscite e venite qua!». Allora vennero fuori di mezzo al fuoco Sadrach, Mesach e Abdenego. [27]Satrapi, prefetti, governatori e ministri del re si avvicinarono per vedere quegli uomini: il fuoco non aveva avuto potere sul loro corpo e i capelli del loro capo non erano stati bruciati; i loro vestiti non erano stati toccati e l'odore del fuoco non era penetrato in essi. [28]Nabucodonosor esclamò: «Sia benedetto il Dio di Sadrach, Mesach e Abdenego! È lui che ha mandato il suo angelo a liberare i suoi servi, i quali, avendo fiducia in lui, hanno trasgredito l'ordine del re e hanno esposto i loro corpi piuttosto che servire e adorare altri dèi all'infuori del loro Dio. [29]Perciò ordino che tutti i popoli, nazioni e lingue, che parleranno in modo blasfemo contro il Dio di Sadrach, Mesach e Abdenego, siano messi a morte e le loro case siano ridotte a un mucchio di rovine, perché non c'è altro Dio capace di liberare, come questo». [30]Allora il re diede nuovamente autorità a Sadrach, Mesach e Abdenego nella provincia di Babilonia.

[31]«Il re Nabucodonosor, a tutti i popoli, nazioni e lingue che abitano in tutta la terra: La vostra pace si moltiplichi! [32]Mi è sembrato bene far conoscere i prodigi e le cose meravigliose che il Dio altissimo ha fatto nei miei riguardi.

[33] I suoi prodigi, quanto sono grandi!
E i suoi miracoli, come sono meravigliosi!
Il suo regno è un regno eterno
e la sua potenza dura di generazione
in generazione!».

IL SOGNO DEL GRANDE ALBERO

4 [1]«Io Nabucodonosor ero tranquillo nella mia casa e prosperavo nel mio palazzo, [2]quando ebbi un sogno che mi spaventò; i terrori sul mio giaciglio e le visioni del mio capo mi sconvolsero. [3]Per mio ordine uscì un decreto che convocava alla mia presenza tutti i sapienti di Babilonia, perché mi

dessero la spiegazione del sogno. [4]Così si presentarono maghi, indovini, Caldei e astrologi. Io raccontai loro il mio sogno, ma non mi seppero spiegare il suo significato. [5]Alla fine venne alla mia presenza Daniele, chiamato Baltazzar dal nome del mio dio e nel quale è lo spirito degli dèi santi, e gli raccontai il mio sogno, dicendo: [6]Baltazzar, capo dei maghi, io so che lo spirito degli dèi santi è in te e nessun mistero ti è impossibile! Ecco il sogno che ho fatto: tu dammene la spiegazione. [7]Le visioni del mio capo, mentr'ero sul mio giaciglio, sono queste:

Ecco un albero al centro della terra;
la sua altezza era straordinaria.
[8] L'albero crebbe, diventò grande,
la sua cima toccava il cielo;
lo si vedeva dall'estremità della terra.
[9] Il suo fogliame erà bello
e i suoi frutti abbondanti;
in esso tutti trovavano cibo
e alla sua ombra trovavano riparo
gli animali della terra;
tra i suoi rami facevano il nido
gli uccelli del cielo
e di esso si nutriva ogni vivente.

[10]Mentre io contemplavo le visioni del mio capo sul mio giaciglio, ecco un vigilante, un santo, scendere dal cielo [11]e gridare a voce alta:

Tagliate l'albero e spezzate i suoi rami,
scuotete le sue foglie e spargete
i suoi frutti;
gli animali fuggano dalla sua ombra
e gli uccelli dai suoi rami.
[12] Tuttavia il ceppo delle sue radici
lasciatelo nel terreno,
legato con catene di ferro e di bronzo
nell'erba del campo;
sia bagnato dalla rugiada del cielo
e la sua sorte sia insieme con le bestie
sull'erba della terra.
[13] Si cambi il suo cuore di uomo
e gli sia dato un cuore di animale:
sette tempi passeranno per lui.
[14] Da un decreto dei vigilanti
viene la decisione
e dalla parola dei santi la sentenza,
perché i viventi sappiano
che l'Altissimo domina sui regni umani.
Egli dà il regno a chi vuole
e pone sul trono i più umili degli uomini.

---

4. - 3. Nabucodonosor manda una lettera-decreto in cui racconta la sua follia e il suo rinsavimento. La lettera comincia in 3,31, la forma epistolare è abbandonata in 4,25-30 e poi ripresa nei vv. 31-34.

¹⁵Questo è il sogno che io, re Nabucodonosor, ho fatto. Tu, Baltazzar, dammene l'interpretazione, poiché nessuno dei sapienti del mio regno è stato capace di spiegarmelo; tu invece sei in grado di farlo, perché lo spirito degli dèi santi è in te».
¹⁶Allora Daniele, chiamato Baltazzar, rimase come interdetto per un po' di tempo, giacché i suoi pensieri lo turbavano. Ma il re gli disse: «Baltazzar, non ti spaventi l'interpretazione del mio sogno». Baltazzar rispose: «Signore mio, il sogno sia per coloro che ti odiano e la sua interpretazione per i tuoi nemici! ¹⁷L'albero che tu hai visto, grande e robusto, la cui cima toccava il cielo, visibile per tutta la terra, ¹⁸il cui fogliame era bello e il frutto abbondante, così da nutrire tutti, sotto il quale cercavano ombra gli animali della terra e sui cui rami facevano il nido gli uccelli del cielo, ¹⁹sei tu, o re, che sei diventato grande e potente; la tua grandezza è cresciuta ed è arrivata fino al cielo e il tuo dominio fino ai confini della terra.
²⁰Quanto al vigilante, al santo che il re ha visto scendere dal cielo e dire: Abbattete l'albero, distruggetelo, ma lasciate nel terreno il ceppo delle sue radici, stretto in catene di ferro e di bronzo, sull'erba dei campi; sia bagnato dalla rugiada del cielo e la sua sorte sia con gli animali della terra, finché siano passati per lui sette tempi: ²¹questa è l'interpretazione, o re, e questo è il decreto dell'Altissimo riguardo al mio signore, il re:

²² Ti cacceranno di mezzo agli uomini
   e con le bestie della terra
      sarà la tua dimora;
   ti si darà in pasto l'erba, come ai buoi,
   e dalla rugiada del cielo ti lasceranno
      bagnare;
   sette tempi passeranno per te,
   finché tu riconosca
   che l'Altissimo domina sul regno
      degli uomini
   e a chi gli piace egli ne fa dono».

²³Quanto poi all'ordine di lasciare il tronco con le radici dell'albero, ciò significa che il tuo regno risorgerà, appena tu avrai riconosciuto che il Cielo ha ogni potere. ²⁴Perciò, o re, accetta il mio consiglio: riscatta i tuoi peccati con la giustizia e le tue colpe con la misericordia verso i poveri, affinché la tua prosperità si prolunghi».

²⁵Tutto questo si realizzò per il re Nabucodonosor. ²⁶Dodici mesi dopo, passeggiando sopra la terrazza del palazzo reale di Babilonia, ²⁷il re prese a dire: «Non è questa la grande Babilonia che io ho costruito come residenza reale, con la forza della mia potenza e per la gloria del mio splendore?». ²⁸La parola era ancora sulle labbra del re, quando una voce scese dal cielo: «A te io parlo, o re Nabucodonosor: il regno ti è tolto!

²⁹ Di mezzo agli uomini ti cacceranno
   e con gli animali del campo
      sarà la tua dimora;
   erba, come ai buoi, ti daranno in pasto
   e sette tempi passeranno per te,
   finché tu riconosca
   che l'Altissimo domina sul regno
      degli uomini
   e a chi gli piace egli ne fa dono».

³⁰Immediatamente si adempì questa parola su Nabucodonosor. Egli fu cacciato di mezzo agli uomini e mangiò l'erba come i buoi; il suo corpo fu bagnato dalla rugiada del cielo, finché i suoi capelli crebbero come alle aquile e le sue unghie come agli uccelli. ³¹«Ma alla fine dei giorni io, Nabucodonosor, alzai gli occhi al cielo e il senno ritornò in me; benedissi l'Altissimo, lodai e glorificai colui che vive in eterno:

   il suo potere è un potere eterno
   e il suo regno permane di generazione
      in generazione.
³² Tutti gli abitanti della terra
      sono reputati un nulla;
   egli tratta le schiere celesti
      secondo il suo volere,
   né c'è chi possa trattenere la sua mano
   e dirgli: Che cosa fai?

³³In quello stesso momento tornò in me la ragione e, per la gloria del mio regno, recuperai la mia maestà e il mio splendore; i miei consiglieri e i miei prìncipi mi reclamarono; fui ristabilito nel mio regno e la mia grandezza si accrebbe maggiormente. ³⁴Ora io, Nabucodonosor, lodo, esalto e glorifico il Re del cielo:

   tutte le sue opere sono verità,
   tutte le sue vie sono giustizia;
   egli umilia coloro che camminano
      nell'orgoglio».

IL BANCHETTO DI BALDASSAR

5 ¹Il re Baldassar servì un solenne banchetto ai suoi mille dignitari e alla presenza di costoro fece abbondanti libagioni di vino. ²Baldassar ordinò, tra i fumi del vino, di portare i vasi d'oro e d'argento che suo padre Nabucodonosor aveva asportato dal tempio di Gerusalemme, affinché vi bevessero il re, i suoi dignitari, le sue mogli e le sue concubine. ³Furono quindi portati i vasi d'oro e d'argento che erano stati asportati dal santuario del tempio di Dio a Gerusalemme e in essi bevvero il re, i suoi dignitari, le sue mogli e le sue concubine. ⁴Mentre bevevano vino e lodavano gli dèi d'oro, d'argento, di bronzo, di ferro, di legno e di pietra, ⁵improvvisamente apparvero delle dita di mano d'uomo e si misero a scrivere, dietro al candelabro, sull'intonaco della parete del palazzo reale e il re vedeva il palmo della mano che scriveva. ⁶Allora il re mutò il colore della faccia e i suoi pensieri lo turbarono; le giunture dei suoi fianchi si sciolsero e i ginocchi gli battevano l'uno contro l'altro. ⁷Il re ordinò con autorità di far venire i maghi, i Caldei e gli astrologi. Poi disse ai sapienti di Babilonia: «Chiunque leggerà questa scrittura e mi farà conoscere la sua interpretazione, indosserà la porpora, gli si metterà una collana d'oro al collo e occuperà il terzo posto nel governo del regno». ⁸Allora accorsero tutti i sapienti del re, ma non riuscirono a leggere la scrittura né a darne l'interpretazione al re. ⁹Così il re Baldassar rimase molto turbato, la sua faccia cambiò colore e i suoi dignitari furono atterriti.

¹⁰La regina, scossa dalle parole del re e dei suoi dignitari, entrò nella sala del convito. La regina prese a dire: «O re, vivi in eterno! Non ti turbino i tuoi pensieri e il colore della tua faccia non cambi. ¹¹C'è un uomo nel tuo regno che possiede lo spirito degli dèi santi. Fin dai tempi di tuo padre furono trovati in lui intelletto, intelligenza e sapienza simile alla sapienza degli dei. Il re Nabucodonosor, tuo padre, lo pose a capo dei maghi, degli indovini, dei caldei e degli astrologi, ¹²perché ha dimostrato uno spirito superiore, scienza e intelligenza per interpretare sogni, chiarire enigmi e risolvere cose difficili. Si tratta di Daniele, a cui il re pose nome Baltazzar. Si convochi dunque Daniele ed egli indicherà l'interpretazione».

¹³Così Daniele fu introdotto alla presenza del re. Allora il re prese a dire a Daniele: «Sei tu Daniele dei deportati di Giuda, che il re mio padre condusse dalla Giudea? ¹⁴Ho inteso di te che possiedi lo spirito degli dèi e che intelletto, intelligenza e sapienza superiore si trovano in te. ¹⁵Ora, sono stati fatti venire alla mia presenza i sapienti e gli indovini perché leggessero questa scritta e me ne indicassero l'interpretazione, ma non sono stati capaci di indicare il significato della cosa. ¹⁶Io ho inteso che tu puoi dare spiegazioni e risolvere cose difficili. Ora, se tu sei capace di leggere questa scritta e di farmene conoscere il senso, rivestirai la porpora, ti sarà posta una collana d'oro al collo e occuperai il terzo posto nel governo del regno».

¹⁷Allora Daniele rispose al re: «I tuoi doni tienili per te e i tuoi regali dalli ad un altro. Tuttavia io leggerò la scritta al re e gli indicherò il significato. ¹⁸Tu sei il re! Dio altissimo aveva concesso regno, grandezza, potenza e maestà a Nabucodonosor, tuo padre. ¹⁹Per questa grandezza che gli aveva concesso, tutti i popoli, le nazioni e le lingue lo temevano e tremavano davanti a lui: egli uccideva chi voleva e lasciava in vita chi voleva; innalzava chi gli pareva e abbassava chi voleva. ²⁰E siccome il suo cuore si era inorgoglito e il suo spirito si era indurito fino all'arroganza, fu deposto dal trono della sua regalità e gli tolsero la sua gloria.

²¹ Fu cacciato di mezzo ai figli dell'uomo,
il suo cuore divenne simile
a quello degli animali,
e la sua dimora fu con gli asini selvatici;
gli diedero in pasto erba come ai buoi
e dalla rugiada del cielo il suo corpo
fu bagnato,
finché non riconobbe
che Dio altissimo domina sui regni umani,
sui quali egli colloca chi vuole.

²²Ma tu, Baldassar, suo figlio, non tenesti umile il tuo cuore, benché tu sapessi ogni cosa; ²³ti sei innalzato contro il Signore del cielo; hai fatto portare davanti a te i vasi del suo tempio, per bervi il vino tu e i tuoi dignitari, le tue mogli e le tue concubine; hai reso lode agli dèi d'argento e d'oro, di bronzo, di rame, di legno e di pietra che non vedono e non sentono e non conoscono, invece di glorificare il Dio nelle cui mani è il tuo spiri-

to e al quale appartengono tutte le tue vie. [24]Allora egli ha inviato il palmo della mano che ha tracciato questa scritta. [25]Questa è la lettura della scritta che è stata tracciata: *Mene, Teqel, Peres*. [26]Questo è il significato delle parole: *Mene*: Dio ha misurato il tuo regno e gli ha fissato un termine; [27]*Teqel*: sei stato pesato sulla bilancia e sei stato trovato mancante; [28]*Peres*: è stato diviso il tuo regno ed è stato dato ai Medi e ai Persiani».

[29]Allora Baldassar ordinò che vestissero Daniele di porpora, gli ponessero al collo una collana d'oro e proclamassero che egli era terzo nel governo del regno. [30]In quella stessa notte, Baldassar, re dei Caldei, fu ucciso [31]e Dario il Medo ricevette il regno all'età di sessantadue anni.

DANIELE NELLA FOSSA DEI LEONI

6 [1]Dario decise di porre alla direzione del regno centoventi satrapi, perché sovrintendessero a tutto il regno. [2]Su di loro stabilì tre alti funzionari, di cui uno era Daniele, ai quali quei satrapi dovevano render conto, così che il re non fosse importunato. [3]Ora, poiché il nostro Daniele eccelleva sopra gli alti funzionari e i satrapi, essendo in lui uno spirito superiore, il re decise di affidargli il governo di tutto il regno.

[4]Allora gli alti funzionari e i satrapi cercarono un motivo per accusare Daniele riguardo all'amministrazione del regno, [5]ma non riuscirono a trovare nessun motivo di accusa o di corruzione, perché egli era fedele, e mai si poté trovare contro di lui accusa di colpa o di negligenza. [6]Allora quelli dissero: «Non troveremo mai nessuna colpa contro questo Daniele, se non nella legge del suo Dio». [7]Così quegli alti funzionari e i satrapi si precipitarono dal re e gli dissero: «O re Dario, vivi in eterno! [8]Tutti gli alti funzionari del regno, i governatori e i satrapi, i consiglieri e i prefetti hanno deliberato che il re ratifichi il decreto e confermi la proibizione che, chiunque rivolga preghiere a un dio o a un uomo, per la durata di trenta giorni, fuori che a te, o re, venga gettato nella fossa dei leoni. [9]Ora, o re, ratifica la proibizione e fanne redigere il documento, in modo che non possa essere cambiato, in conformità con la legge dei Medi e dei Persiani, che non può essere violata». [10]In seguito a ciò il re Dario fece redigere il documento con la proibizione.

[11]Daniele, appena ebbe conosciuto che era stato redatto il documento, andò a casa. Le finestre della sua camera alta erano poste in direzione di Gerusalemme e tre volte al giorno si inginocchiava, pregava e lodava il suo Dio, come era solito fare anche prima di allora.

[12]Allora quegli uomini spiarono Daniele e lo sorpresero mentre pregava e supplicava il suo Dio. [13]Così andarono a dire al re riguardo alla proibizione reale: «Non hai fatto promulgare la proibizione che chiunque pregasse un dio o un uomo per la durata di trenta giorni, all'infuori di te, o re, sarebbe gettato nella fossa dei leoni?». Il re rispose: «Così sta la cosa, secondo la legge dei Medi e dei Persiani, che è irrevocabile». [14]Allora replicarono al re: «Ebbene, Daniele, uno dei deportati di Giuda, non si è preoccupato di te, o re, né della proibizione che tu hai fatto mettere per iscritto e tre volte al giorno fa la sua preghiera». [15]Allora il re, quando ebbe udito ciò, si addolorò molto, si dette premura di salvare Daniele, e fino al tramonto del sole fece l'impossibile per liberarlo. [16]Ma quegli uomini si precipitarono dal re e gli dissero: «Sappi, o re, che è legge dei Medi e dei Persiani che nessuna proibizione o decreto che il re ha sanzionato può essere cambiato!». [17]Allora, dietro ordine del re, portarono via Daniele e lo gettarono nella fossa dei leoni. Ma il re si rivolse così a Daniele: «Il tuo Dio, che tu servi con tanta costanza, possa salvarti!». [18]Fu portata una pietra e fu messa sopra la bocca della fossa: il re la sigillò con il suo anello e con l'anello dei suoi dignitari, perché niente venisse mutato riguardo a Daniele.

[19]Allora il re se ne tornò nel suo palazzo, passò la notte in digiuno, non fece venire le concubine alla sua presenza e anche il sonno lo abbandonò. [20]Verso l'alba, sul far del giorno, il re, alzatosi, si recò in gran fretta alla fossa dei leoni, [21]e quando si fu avvicinato alla fossa chiamò Daniele con voce angosciata. Il re si rivolse a Daniele: «Da-

6. - 11. Sopra la terrazza delle case v'era una sala detta *camera alta*: gli ebrei in esilio vi aprivano le finestre dalla parte di Gerusalemme per volgersi in quella direzione durante la preghiera fatta al mattino, a mezzogiorno e alla sera (Sal 55,18).

niele, servo del Dio vivo, il tuo Dio, che tu servi con tanta costanza, è riuscito a salvarti dai leoni?». ²²Allora Daniele rispose al re: «O re, vivi in eterno! ²³Il mio Dio ha mandato il suo angelo che ha chiuso la bocca dei leoni, i quali non mi hanno sbranato, perché davanti a lui sono stato trovato innocente. Ma anche davanti a te, o re, non ho fatto nulla di male». ²⁴Allora il re si rallegrò molto e ordinò di tirar fuori Daniele dalla fossa. Daniele fu estratto dalla fossa e non si trovò nessuna lesione su di lui, perché aveva avuto fede nel suo Dio. ²⁵Il re, quindi, ordinò che fossero fatti venire quegli uomini che avevano calunniato Daniele e che fossero gettati nella fossa dei leoni con i loro figli e le loro mogli. Non erano ancora arrivati al fondo della fossa che i leoni furono loro addosso e stritolarono tutte le loro ossa.

²⁶Poi il re Dario scrisse a tutti i popoli, nazioni e lingue che dimorano sopra tutta la terra: «La vostra pace sia grande! ²⁷Da me viene decretato che in tutto il territorio del mio regno si onori e si tema il Dio di Daniele:

Egli è il Dio vivo che rimane in eterno!
Il suo regno non sarà mai distrutto
e il suo dominio non avrà mai fine.
²⁸ Egli salva e libera,
opera segni e prodigi nel cielo
e sulla terra.
È lui che ha salvato Daniele
dagli artigli dei leoni!».

²⁹Questo Daniele ebbe successo nel regno di Dario e nel regno di Ciro il Persiano.

LA VISIONE DELLE QUATTRO BESTIE E IL FIGLIO D'UOMO

7 ¹Nel primo anno di Baldassar, re di Babilonia, Daniele fece un sogno ed ebbe visioni nella sua mente sul suo giaciglio. Egli scrisse il sogno e ne fece il racconto. ²Daniele prese a dire: Io guardavo nella mia visione durante la notte. Ecco, i quattro venti del cielo sconvolgevano il grande mare, ³e quattro grandi bestie salivano dal mare, diverse l'una dall'altra. ⁴La prima era come un leone e aveva ali di aquila. Mentre io guardavo, le furono strappate le ali e fu sollevata da terra; fu poi fatta stare sui piedi come un uomo e le fu dato un cuore di uomo. ⁵Ed ecco un'altra bestia, la seconda, simile a un orso; stava alzata da un lato e aveva tre costole nella bocca, tra i denti. Le si diceva: «Su, mangia molta carne». ⁶Guardando ancora nelle visioni notturne, ecco un'altra bestia, simile a una pantera, la quale aveva quattro ali di uccello sul dorso. La bestia aveva quattro teste e le fu dato il potere. ⁷Stavo guardando ancora nelle visioni notturne ed ecco una quarta bestia, terribile, spaventosa e straordinariamente forte; essa aveva grandi denti di ferro; mangiava, stritolava e il rimanente lo calpestava con i piedi; essa era diversa da tutte le bestie precedenti e aveva dieci corna. ⁸Mentre io guardavo le corna, ecco spuntare un altro piccolo corno in mezzo ad esse e al suo posto furono divelte tre delle corna precedenti. Ecco, in quel corno c'erano degli occhi come occhi di uomo e una bocca che proferiva parole arroganti.

⁹ Io continuavo a guardare,
quand'ecco furono collocati dei troni
e un Anziano si sedette.
La sua veste era bianca come neve
e i capelli del suo capo
candidi come lana;
il suo trono era come vampe di fuoco
e le sue ruote
come fuoco fiammeggiante.
¹⁰ Un fiume di fuoco colava
scorrendo alla sua presenza.
Mille migliaia lo servivano
e miriadi di miriadi stavano davanti a lui.
La corte sedette e i libri furono aperti.

¹¹Io osservavo, attratto dallo strepito delle parole arroganti che il corno pronunziava, e vidi che la bestia fu uccisa, il suo corpo fu distrutto e fu gettato a bruciare nel fuoco. ¹²Anche alle altre bestie fu tolto il potere, ma fu loro accordato un prolungamento di vita per un tempo e uno spazio di tempo.

Dn

---

7. Comincia la seconda parte del libro di Daniele, completamente diversa dalla prima: mentre in quella sono contenuti racconti di alcuni episodi, qui si hanno quattro grandiose visioni che si proiettano verso il futuro. La visione principale è la prima, c. 7: in essa è la chiave della visione delle quattro bestie, e cioè degli imperi caldeo, persiano, greco e seleucida: dopo di essi sorgerà il regno dell'*Anziano*, v. 9, il quale darà il regno stesso al *Figlio d'uomo*, v. 13. Sarà il regno dei santi dell'Altissimo, v. 18.

¹³ Guardando ancora nelle visioni notturne,
ecco sulle nubi del cielo
venire uno simile a un Figlio d'uomo;
arrivò fino all'Anziano
e fu presentato al suo cospetto.
¹⁴ A lui fu concesso potere, forza e dominio
e tutti i popoli, nazioni e lingue
lo servirono.
Il suo potere è un potere eterno,
che non finirà,
e il suo dominio è un dominio eterno,
che non sarà distrutto.

¹⁵Io, Daniele, sentii il mio spirito turbato a causa di ciò e le visioni della mia mente mi turbavano. ¹⁶Mi avvicinai ad uno di coloro che erano lì presenti e gli domandai il vero senso di tutto ciò. Egli mi parlò e mi fece conoscere l'interpretazione delle cose: ¹⁷«Quelle bestie enormi, che sono in numero di quattro, rappresentano quattro re che sorgeranno dalla terra; ¹⁸ma i santi dell'Altissimo riceveranno il regno e lo possederanno per sempre, di eternità in eternità».
¹⁹Poi volli sapere la verità intorno alla quarta bestia, che era diversa da tutte le altre, cioè la fiera terribile che aveva i denti di ferro e le unghie di bronzo; che mangiava, stritolava e il rimanente lo calpestava con i piedi; ²⁰intorno alle dieci corna della sua testa e all'altro corno che spuntava, davanti al quale ne erano caduti tre; intorno a quel corno che aveva occhi e una bocca che proferiva parole insolenti, il cui aspetto era più maestoso di quello delle altre. ²¹Io guardavo e quel corno mosse guerra ai santi e li soggiogò, ²²finché venne l'Anziano e fu resa giustizia ai santi dell'Altissimo e giunse il tempo in cui i santi presero possesso del regno. ²³Egli poi mi disse:

«La quarta bestia è un quarto regno
che si stabilirà sulla terra,
diverso da tutti gli altri regni.
Divorerà tutta la terra,
la calpesterà e la stritolerà.
²⁴ Le sue dieci corna
sono dieci re che sorgeranno
da quel regno;
dopo il loro ne sorgerà un altro,
diverso dai precedenti,
che abbatterà tre re.
²⁵ Proferirà parole contro l'Altissimo,
perseguiterà i santi dell'Altissimo

e avrà in animo di mutare il calendario
e la legge.
Essi saranno dati in suo potere
per un tempo,
più tempi e mezzo tempo.
²⁶ Ma quando la corte sederà
per il giudizio,
gli sarà tolto il potere,
quindi sarà annientato
e distrutto completamente.
²⁷ Allora il regno, il potere e la grandezza
dei regni,
che sono sotto tutti i cieli,
saranno dati al popolo
dei santi dell'Altissimo.
Il suo regno è un regno eterno;
tutti gli imperi lo serviranno
e a lui obbediranno».

²⁸Qui la fine del racconto. Io, Daniele, fui molto turbato nei miei pensieri, il mio aspetto cambiò e custodii tutte queste cose nel mio cuore.

LA VISIONE DELL'ARIETE E DEL CAPRO

8 ¹Nel terzo anno del regno del re Baldassar, io, Daniele, ebbi un'altra visione, dopo quella avuta precedentemente. ²Io guardavo nella visione: ecco, mi trovavo a Susa, una fortezza situata nella provincia di Elam. Nella visione mi sembrava di essere lungo la riva del fiume Ulai. ³Alzai gli occhi per guardare. Ecco, un ariete stava al di là del fiume. Aveva due corna alte, ma un corno era più alto dell'altro, benché quello più alto fosse spuntato dopo. ⁴Poi vidi l'ariete assalire verso l'occidente, il settentrione e il mezzogiorno. Nessun animale poteva resistergli e nessuno scampava davanti alla sua forza; così fece quello che volle e divenne grande.
⁵Mentre stavo ancora guardando, ecco un capro venire da occidente, dopo aver percorso tutta la terra senza nemmeno toccarla. Il capro aveva uno splendido corno in mezzo agli occhi. ⁶Si avvicinò all'ariete dalle due corna, che io avevo visto in piedi al di là del fiume, e si avventò contro di lui con tutta la sua forza. ⁷Lo vidi accostarsi all'ariete e accanirsi contro di lui; lo colpì e gli strappò le due corna, senza che l'ariete

avesse la forza di resistergli; lo gettò a terra e lo calpestò, senza che nessuno liberasse l'ariete dalla sua violenza. [8]Il capro divenne molto potente, ma, nonostante la sua grandezza, il suo corno grande si spezzò e al suo posto ne crebbero quattro splendidi, in direzione dei quattro venti del cielo.

[9]Da uno di questi uscì un altro piccolo corno, che si ingrandì verso il mezzogiorno, verso l'oriente e verso il paese dello splendore. [10]S'innalzò fino a raggiungere la milizia del cielo, gettò a terra parte della milizia e delle stelle e le calpestò. [11]Salì fino all'altezza del principe della milizia, gli tolse il sacrificio quotidiano e sconvolse le fondamenta del suo santuario. [12]Una milizia fu incaricata di un sacrificio quotidiano sacrilego e la verità fu gettata a terra. Così fece ed ebbe successo.

[13]Allora intesi un santo che parlava e un altro santo disse a quello che parlava: «Fino a quando durerà questa visione, cioè il sacrificio quotidiano abolito, l'empietà devastatrice che vi è stata installata e il santuario e la milizia conculcati?». [14]Gli rispose: «Ancora duemilatrecento sere e mattine! Allora sarà fatta giustizia al santuario!».

[15]Ora, mentre io, Daniele, contemplavo la visione e ne cercavo il significato, ecco apparire davanti a me una figura umana. [16]Intesi la voce di un uomo presso il fiume Ulai, che gridava e diceva: «Gabriele, spiega a costui la visione!». [17]Egli si diresse verso il luogo dove io stavo e, quando giunse, io fui preso da spavento e mi prostrai fino a terra. Mi disse: «Sappi, figlio d'uomo, che la visione si riferisce al tempo della fine». [18]E mentre egli mi parlava, io restavo prostrato con la faccia sino a terra. Ma egli mi toccò e mi fece star ritto in piedi. [19]Disse: «Ecco, ti faccio conoscere quello che avverrà alla fine della collera, perché la visione si riferisce alla data della fine. [20]L'ariete dalle due corna, che tu hai visto, rappresenta i re della Media e della Persia. [21]Il capro invece è il re della Grecia. Il grande corno, che hai visto in mezzo ai suoi occhi, è il primo re. [22]Il corno spezzato e le quattro corna che

sono sorte al suo posto sono quattro regni che sorgeranno dalla sua nazione, ma non avranno la sua stessa potenza.

[23] Ma alla fine del loro regno,
    quando i peccati
    saranno giunti al colmo,
    sorgerà un re, dalla dura faccia
    e conoscitore di enigmi.
[24] La sua potenza crescerà,
    ma non per la sua propria forza;
    tramerà cose che avranno del prodigioso
    e avrà successo nelle sue imprese;
    distruggerà le potenze e il popolo
    dei santi.
[25] Contro i santi
    userà la sua intelligenza
    e l'inganno avrà successo nelle sue mani.
    Si insuperbirà il suo cuore
    e con la sorpresa distruggerà molti.
    Affronterà il principe dei prìncipi,
    ma verrà distrutto senza intervento
    umano.

[26]La visione delle sere e delle mattine che è stata mostrata è vera. Ma tu conserva la visione in silenzio, perché dovranno passare molti giorni!».

[27]Allora io, Daniele, rimasi come sfinito e malato per molti giorni. Poi mi riebbi e ripresi il mio servizio presso il re, mantenendo il silenzio sulla visione, che non riuscivo a capire.

IL SIGNIFICATO DELLA PROFEZIA DEI SETTANT'ANNI

9 [1]Nel primo anno di Dario, figlio di Serse, della stirpe dei Medi, che regnò sul regno dei Caldei, [2]nel primo anno del suo regno, io, Daniele, cercavo di capire nei libri il numero degli anni di cui il Signore aveva parlato al profeta Geremia, durante i quali Gerusalemme doveva restare in rovina, cioè settant'anni. [3]Mi rivolsi, poi, al Signore Dio per pregarlo e supplicarlo con il digiuno, il sacco e la cenere.

[4]Pregai il Signore, mio Dio, confessando i peccati così: «Signore, Dio grande e terribile, che sei fedele all'alleanza e benevolo verso quanti ti amano e custodiscono i tuoi comandamenti, [5]noi abbiamo peccato, abbiamo commesso le colpe, siamo stati empi; ci siamo ribellati e ci siamo allon-

Dn

---

9. - 2. *Nei libri*, tra cui quello di Geremia. *Settant'anni*: cfr. Ger 25,11-12; 29,10. È indicato, in cifra tonda, il periodo egemonico della potenza babilonese sul Medio Oriente, affermatasi decisamente con la vittoria di Nabucodònosor a Carchemis (605 a.C.) sul faraone Necao e crollata nel 539 con la conquista di Babilonia da parte di Ciro.

tanati dai tuoi comandamenti e dalle tue leggi. ⁶Non abbiamo ascoltato i tuoi servi, i profeti, che hanno parlato nel tuo nome ai nostri re, ai nostri capi, ai nostri padri e a tutto il popolo della terra. ⁷A te, Signore, la giustizia e a noi il disonore sul volto, come avviene oggi per gli uomini di Giuda, per gli abitanti di Gerusalemme e per tutto Israele, per quelli vicini e per quelli lontani, in tutti i paesi dove li hai scacciati per l'infedeltà che hanno commesso contro di te.

⁸Signore, a noi il disonore sul volto, come pure ai nostri re, ai nostri capi e ai nostri padri, che hanno peccato contro di te; ⁹al Signore nostro Dio la misericordia e il perdono, perché ci siamo ribellati a lui ¹⁰e non abbiamo ascoltato la voce del Signore nostro Dio, per camminare secondo gli insegnamenti che egli ci aveva dato per mezzo dei suoi servi, i profeti.

¹¹Tutto Israele ha trasgredito la tua legge e si è allontanato per non ascoltare la tua voce. Allora si è riversata su di noi la maledizione scritta con giuramento nella legge di Mosè, servo di Dio, perché abbiamo peccato contro di lui. ¹²Egli ha adempiuto la parola che aveva pronunziato contro di noi e contro i nostri governanti, cioè che avrebbe fatto venire su di noi una grave sciagura, quale mai si era vista sotto tutto il cielo, come quella accaduta a Gerusalemme. ¹³Tutto questo male è venuto su di noi, proprio come è scritto nella legge di Mosè. Noi, però, non abbiamo cercato di placare il Signore, nostro Dio, convertendoci dalle nostre colpe e istruendoci nella tua verità. ¹⁴Il Signore ha preparato la sciagura e l'ha fatta venire su di noi, perché il Signore, Dio nostro, è giusto in tutte le opere che ha fatto, mentre noi non abbiamo ascoltato la sua voce.

¹⁵E ora Signore, Dio nostro, che hai fatto uscire il tuo popolo dalla terra d'Egitto con mano forte e ti sei fatto un nome, qual è oggi, noi abbiamo peccato, abbiamo commesso l'iniquità. ¹⁶Signore, per tutte le tue opere di giustizia, allontana da noi la tua ira e il tuo furore dalla tua città, Gerusalemme, tuo monte santo, perché, a causa dei nostri peccati e delle colpe dei nostri padri, Gerusalemme e il tuo popolo sono diventati un obbrobrio per tutti i nostri vicini.

¹⁷Ora ascolta, Dio nostro, la preghiera del tuo servo e la sua supplica. Fa' splendere il tuo volto sul tuo santuario devastato, per amore di te stesso, Signore! ¹⁸Piega, mio Dio, il tuo orecchio e ascolta! Apri i tuoi occhi e guarda le nostre distruzioni e la città sulla quale è invocato il tuo nome! Perché, non per le nostre opere giuste noi presentiamo le nostre suppliche davanti al tuo volto, ma per le tue molte misericordie! ¹⁹Signore, ascolta! Signore, perdona! Signore, volgiti e intervieni! Non essere più adirato, per amore di te stesso, Signore mio, perché il tuo nome è invocato sulla tua città e sul tuo popolo».

²⁰Io stavo ancora parlando, pregando e confessando il mio peccato e il peccato del mio popolo Israele, e presentavo la mia supplica davanti al Signore, mio Dio, in favore del monte santo del mio Dio; ²¹ancora io stavo parlando e pregando, quando Gabriele, che avevo visto nella visione precedente, giunse volando fino a me, all'ora dell'offerta della sera. ²²Egli venne per parlarmi; mi disse: «Daniele, ora io sono venuto per farti conoscere tutto. ²³All'inizio della tua supplica è uscita una parola e io sono venuto per fartela conoscere, perché tu sei prediletto. Dunque poni mente alla parola e intendi la visione:

²⁴ Settanta settimane sono fissate
   per il tuo popolo e la tua città santa,
   per porre fine al delitto,
   per sigillare il peccato
   ed espiare la colpa,
   per far venire la giustizia eterna,
   per suggellare visione e profezia
   e per ungere il Santo dei Santi.
²⁵ Sappi dunque e comprendi:
   Da quando uscì la parola per far ritorno
   e per ricostruire Gerusalemme,
   fino a un consacrato, a un principe,
   passeranno sette settimane.
   Per sessantadue settimane
   saranno nuovamente riedificati piazza
      e fossato,
   ma in tempi difficili.
²⁶ Dopo sessantadue settimane
   sarà ucciso un consacrato,
   senza che in lui sia colpa.

24-27. Qui si parla evidentemente del tempo fino alla venuta del Messia, che toglierà il peccato e farà la giustizia. Prendendo occasione dalla profezia di Geremia, l'angelo ne fa un'altra: non più settant'anni, ma *settanta settimane* di anni. Dopo i settant'anni circa, verrà la liberazione dall'esilio, ma prima della completa restaurazione del popolo di Dio dovrà passare un tempo assai più lungo. Con le parole *fine al delitto* la profezia punta chiaramente all'epoca messianica.

La città e il santuario saranno distrutti
da un principe che verrà;
la sua fine sarà nell'inondazione,
ma, sino alla fine,
saranno decretate guerre e distruzioni.
²⁷ Egli stringerà un'alleanza con molti,
durante una settimana,
e durante mezza settimana,
farà cessare offerte e sacrifici;
sull'ala del tempio vi sarà
l'idolo abominevole della devastazione,
finché rovina e ineluttabile sorte
si abbattano sul devastatore!».

LE ULTIME VISIONI

10 ¹Nel terzo anno di Ciro, re di Persia, una parola fu rivelata a Daniele, chiamato Baltazzar. Questa parola era verità e grande lotta. Egli cercò di comprendere la parola e l'intelligenza gli fu concessa in una visione. ²In quei giorni, io, Daniele, feci lutto per tre settimane intere. ³Non mangiai alcun cibo delizioso, carne e vino non entrarono nella mia bocca né feci uso di unzioni, finché non furono passate tre settimane. ⁴Il ventiquattresimo giorno del primo mese io ero sulla riva del grande fiume, il Tigri. ⁵Alzai gli occhi e guardai:

Ecco un uomo
vestito con indumenti di lino;
i suoi fianchi erano cinti
di oro di Ufaz.
⁶ Il suo corpo era come topazio,
il suo volto splendente come la folgore,
i suoi occhi come lampade accese,
le sue braccia e le sue gambe
come uno scintillio di bronzo lucente
e la voce delle sue parole
come la voce di una moltitudine.

⁷Soltanto io, Daniele, vidi la visione; gli uomini che erano con me non videro la visione, ma un grande spavento si impossessò di loro e fuggirono a nascondersi. ⁸Io, Daniele, rimasi solo; davanti a quella grande visione non restò in me alcuna forza, il mio aspetto cambiò come fossi distrutto; non ebbi più forza. ⁹Udii il suono delle sue parole, ma, appena udito il suono delle sue parole, caddi come stordito con la faccia a terra. ¹⁰Ma, ecco,

una mano mi toccò e mi fece alzare tutto tremante sulle ginocchia, appoggiato sulle palme delle mani. ¹¹Poi mi disse: «Daniele, uomo prediletto, comprendi le parole che ti dico! Alzati in piedi, perché ora sono stato inviato a te!». E mentre parlava con me, io mi alzai in piedi tutto tremante. ¹²Egli soggiunse: «Non temere, Daniele, perché fin dal primo giorno in cui tu ti sei messo a comprendere e a umiliarti davanti al tuo Dio, le tue parole sono state ascoltate. Io sono venuto proprio per le tue parole, ¹³ma il principe del regno di Persia mi ha ostacolato per ventun giorni. Però, ecco che Michele, uno dei primi prìncipi, è venuto ad aiutarmi. Io l'ho lasciato là, presso il principe del regno di Persia, ¹⁴e sono venuto per farti capire ciò che accadrà al tuo popolo negli ultimi giorni, perché c'è ancora una visione per quei giorni». ¹⁵Mentre mi diceva queste cose, io caddi con la faccia a terra, incapace di parlare. ¹⁶Ed ecco qualcosa come una mano di figlio d'uomo toccò le mie labbra. Allora aprii la bocca, parlai e dissi a colui che mi stava davanti: «Mio signore, davanti alla visione le doglie mi hanno assalito, ogni forza mi ha lasciato. ¹⁷E come potrebbe un servo del mio signore come me parlare con il mio signore, dal momento che ogni forza mi ha abbandonato e sono rimasto anche senza respiro?». ¹⁸Allora l'essere misterioso, simile ad un uomo, mi toccò di nuovo ¹⁹e mi disse: «Non temere, uomo prediletto! Pace a te! Sii forte e coraggioso!». Mentre costui parlava, io mi sentii tornare le forze e dissi: «Parli pure il mio signore, perché mi hai dato coraggio!». ²⁰Mi domandò: «Sai perché sono venuto da te? Ora io riparto per combattere contro il principe di Persia. Io parto, ma ecco, viene il principe di Grecia. ²¹Tuttavia io ti indicherò ciò che è scritto nel libro della verità. Nessuno mi presta aiuto contro costoro, se non Michele, il vostro principe».

LA SUCCESSIONE DEI SOVRANI FINO ALLA MORTE DEL RE ANTIOCO

11 ¹«Io, nel primo anno di Dario, mi tenni presso di lui per dargli rinforzo e sostegno.
²Ora ti annunzio la verità: ancora tre re sorgeranno per la Persia, mentre il quarto ac-

Dn

cumulerà ricchezze superiori a tutti gli altri. Quando, grazie alle sue ricchezze, sarà diventato potente, insorgerà contro tutti i regni di Grecia. ³Sorgerà poi un re potente, che dominerà sopra un grande impero e farà quello che vorrà. ⁴Ma quando costui sarà diventato forte, il suo regno sarà frantumato e verrà diviso ai quattro venti del cielo, ma non tra i suoi discendenti né con la stessa potenza che egli ha avuto; il suo regno, infatti, sarà estirpato e dato ad altri, anziché alla sua discendenza.

⁵Il re del mezzogiorno diventerà forte; uno dei suoi prìncipi sarà più forte di lui e il suo impero sarà più esteso. ⁶Dopo qualche tempo essi si alleeranno e una figlia del re del mezzogiorno verrà dal re del settentrione per ratificare gli accordi. Ma ella non conserverà la forza del suo braccio e la sua discendenza non sopravvivrà; sarà tradita insieme con il suo seguito, il suo bambino e chi la sosteneva. ⁷In quel tempo, dalle sue radici uscirà un germoglio, che gli succederà. Costui marcerà contro l'esercito e penetrerà nelle fortezze del re del settentrione, le assalirà e le conquisterà. ⁸Porterà via come preda in Egitto anche i loro dèi con le loro immagini, i loro vasi preziosi d'oro e d'argento. Egli per molti anni starà lontano dal re del settentrione. ⁹Muoverà contro il re del mezzogiorno e tornerà nel suo territorio. ¹⁰Suo figlio si armerà e raccoglierà una moltitudine di forze valorose, verrà contro di lui, straripàrà, sommergerà; poi ritornerà e si spingerà fin dentro la sua fortezza. ¹¹Allora il re del mezzogiorno, infuriato, uscirà a combattere contro il re del settentrione, il quale si muoverà con un grande esercito, che cadrà nelle mani del re del mezzogiorno. ¹²Questi insuperbirà per la vittoria sul grande esercito, ne ucciderà migliaia, ma non per questo sarà più forte. ¹³Il re del settentrione ritornerà, metterà in piedi un'armata più grande della precedente e dopo qualche tempo avanzerà decisamente con un grande esercito, molto bene equipaggiato.

¹⁴In quei tempi molti insorgeranno contro il re del mezzogiorno, e alcuni violenti del tuo popolo insorgeranno perché si porti a compimento la visione, ma cadranno. ¹⁵Il re del settentrione verrà e costruirà un terrapieno per occupare la città fortificata. Le forze del mezzogiorno non resisteranno e nemmeno il manipolo dei suoi scelti avrà la forza di resistere. ¹⁶L'invasore farà quello che vorrà e nessuno gli potrà resistere; egli si stabilirà nel paese dello splendore e la distruzione sarà in suo potere. ¹⁷Poi deciderà di occupare tutto il regno del re del mezzogiorno e stringerà un'alleanza con lui, dandogli in moglie una delle sue figlie, con l'intenzione di distruggerlo; ma la cosa non riuscirà, non avrà successo. ¹⁸Allora si volgerà contro le isole e ne occuperà molte; ma un comandante porrà fine alla sua arroganza, senza che lui possa restituire l'offesa. ¹⁹Si volgerà poi contro le città fortificate del suo paese, ma sarà travolto, cadrà e scomparirà.

²⁰Un altro sorgerà al suo posto; costui manderà un esattore nella terra che è lo splendore del suo regno. Ma dopo breve tempo sarà stroncato, non pubblicamente né in guerra. ²¹Al suo posto sorgerà un miserabile, a cui non verrà concessa la dignità reale; ma si insinuerà pacificamente e si impadronirà del regno con intrighi. ²²Le grandi armate, simili a un'inondazione, saranno sommerse davanti a lui e saranno infrante, come pure il principe dell'alleanza. ²³Quando si sarà stipulata un'alleanza con lui, egli ordirà intrighi e diventerà forte, pur disponendo di poca gente. ²⁴Indisturbato, entrerà nelle regioni più fertili della provincia e farà quello che non avevano fatto i suoi padri né i padri dei suoi padri. Distribuirà alla sua gente preda, bottino e ricchezze, attaccherà con stratagemmi le fortezze, ma per breve tempo.

²⁵Egli rivolgerà la sua forza e il suo cuore contro il re del mezzogiorno con un grande esercito. Il re del mezzogiorno si preparerà alla guerra con un esercito grande e molto forte, ma non resisterà, perché si formeranno complotti contro di lui. ²⁶Proprio coloro che condividono la sua stessa mensa lo rovineranno; il suo esercito sarà sopraffatto e molti cadranno uccisi. ²⁷I due re, avendo il loro cuore rivolto al male, si sederanno alla stessa mensa, ingannandosi a vicenda. Ma a nulla gioverà, perché la fine non è ancora fissata. ²⁸Egli prenderà la via del ritorno verso il suo

11. - 5. Dei quattro regni emersi dalla spartizione dell'impero di Alessandro, si parla qui della Siria (regno del settentrione) e dell'Egitto (regno del mezzogiorno) che hanno relazione con la Giudea. *Il re del mezzogiorno*: Tolomeo Lago. *Uno dei suoi prìncipi*: uno dei generali, Seleuco Nicatore, si rese indipendente e fondò l'impero greco-siro sotto la dinastia dei Selucidi (312).

paese con grande ricchezza, ma il suo cuore sarà contro l'alleanza santa. Compiuto quello che vorrà, ritornerà al suo paese. [29]Al tempo fissato ritornerà nel paese del mezzogiorno, ma questa volta non sarà come la prima. [30]Le navi dei Kittim verranno contro di lui ed egli rimarrà senza coraggio. Al suo ritorno infierirà contro l'alleanza santa; egli agirà e nuovamente si intenderà con coloro che avranno abbandonato l'alleanza santa. [31]I suoi armati si leveranno a profanare il santuario e la fortezza; aboliranno il sacrificio quotidiano e innalzeranno l'idolo abominevole della devastazione. [32]Con lusinghe egli farà apostatare quanti avranno abbandonato l'alleanza; ma quanti riconoscono il loro Dio rimarranno saldi e agiranno. [33]I maestri del popolo cercheranno di illuminare le folle, ma cadranno per la spada, il fuoco, la prigionia e l'esilio per lunghi giorni. [34]Mentre essi cadranno, pochi verranno in loro aiuto, molti si assoceranno ad essi senza sincerità. [35]Tra i dotti ci sarà chi soccomberà, perché tra di loro alcuni siano provati, eletti, purificati sino al tempo della fine, perché ancora il tempo non è fissato. [36]Il re agirà secondo il suo arbitrio, si esalterà e si eleverà al di sopra di ogni dio, e contro il Dio degli dèi dirà cose inaudite. Egli avrà successo finché la collera sia al colmo, perché quanto è stato decretato si compirà. [37]Non avrà riguardo per gli dèi dei suoi padri né per il favorito delle donne; non avrà riguardo per nessuna divinità, perché si innalzerà al di sopra di tutti. [38]Al loro posto adorerà il dio delle fortezze; onorerà con oro, argento, pietre preziose e gioielli un dio che i suoi padri non hanno conosciuto. [39]Prenderà come difensori delle fortezze genti di un dio straniero. Ricolmerà di onore coloro che egli riconoscerà, darà loro il potere su molti e in ricompensa darà loro la terra in possesso. [40]Al tempo della fine il re del mezzogiorno si scontrerà con lui. Il re del settentrione precipiterà su di lui con carri, cavalieri, e con molte navi entrerà nei territori di costui, li inonderà e li sommergerà. [41]Verrà nel paese dello splendore e molti cadranno. Questi, però, scamperanno dalle sue mani: Edom, Moab e il resto dei figli di Ammon. [42]Metterà la sua mano su molti paesi; neppure il paese d'Egitto sfuggirà. [43]S'impadronirà dei tesori d'oro e d'argento e di tutte le cose preziose d'Egitto; i Libi e gli Etiopi saranno ai suoi piedi. [44]Ma rumori dall'oriente e dal settentrione lo turberanno e accorrerà con grande furore per distruggere e annientare molti. [45]Pianterà le tende del suo quartiere tra il mare e il monte santo dello splendore. Ma giungerà alla sua fine e nessuno lo aiuterà».

LA SALVEZZA ALLA FINE DEI TEMPI

12 [1]«In quel tempo si leverà Michele, il grande principe che sta a guardia dei figli del tuo popolo. Sarà un tempo di angoscia, come non c'era mai stato da quando ci fu un popolo fino a quel momento. In quel tempo il tuo popolo sarà salvato, chiunque si troverà scritto nel libro. [2]Molti di quelli che dormono nel paese della polvere si desteranno: gli uni alla vita eterna, gli altri alla vergogna e all'infamia eterna. [3]I saggi splenderanno come lo splendore del firmamento, e quelli che avranno condotto molti alla giustizia saranno come le stelle in eterno, per sempre. [4]E tu, Daniele, tieni segrete le parole e sigilla il libro sino al tempo della fine. Molti lo scruteranno, aumentando il loro sapere».

[5]Io, Daniele, guardavo. Ecco, altri due stavano in piedi, uno di qua sulla sponda del fiume, l'altro di là sull'altra sponda. [6]Uno domandò all'uomo vestito di lino, che stava sopra le acque del fiume: «Quando si compiranno queste cose straordinarie?». [7]Allora io udii l'uomo vestito di lino, che stava sopra le acque del fiume, giurare per il Vivente in eterno, alzando la destra e la sinistra al cielo: «Fra un tempo, fra tempi e fra mezzo tempo. Quando si sarà finito di distruggere la forza del popolo santo, tutte queste cose saranno compiute».

[8]Io intesi, ma non capii; perciò domandai: «Signore mio, quale sarà il compimento di queste cose?». [9]Egli mi rispose. «Va', Daniele, perché le parole sono scritte e sigillate sino al tempo della fine. [10]Molti saranno purificati, lavati, provati; ma gli empi rimarranno empi: nessuno degli empi comprenderà; solo i sapienti comprenderanno. [11]Dal

---

12. - 1. *In quel tempo*: formula generica che collega non storicamente ma profeticamente gli eventi descritti con la fine dei tempi, in quanto ogni superamento di situazioni dolorose per il popolo di Dio è segno della vittoria finale definitiva.
2. Si tratta della risurrezione e della retribuzione finale (cfr. v. 13).

momento in cui cesserà il sacrificio quotidiano e sarà innalzato l'idolo abominevole della devastazione ci saranno milleduecentonovanta giorni. [12]Beato colui che aspetterà e arriverà a milletrecentotrentacinque giorni! [13]Quanto a te, va' sino alla fine e riposa. Ti alzerai per ricevere la tua parte, alla fine dei giorni».

LA STORIA DI SUSANNA

13 [1]A Babilonia viveva un uomo che si chiamava Ioakim. [2]Egli sposò una donna di nome Susanna, figlia di Chelkia, molto bella e timorata di Dio. [3]I suoi genitori erano giusti e avevano educato la loro figlia secondo la legge di Mosè. [4]Ioakim era molto ricco e possedeva un giardino attiguo alla sua casa; presso di lui si riunivano i Giudei, poiché egli era il più ragguardevole di tutti.

[5]In quell'anno erano stati designati giudici due anziani del popolo: erano di quelli di cui il Signore ha detto: «È uscita l'empietà da Babilonia da parte dei giudici anziani, che solo all'apparenza governano il popolo». [6]Essi frequentavano la casa di Ioakim, e tutti quelli che avevano qualche causa venivano da loro. [7]Quando poi il popolo, sul mezzogiorno, si ritirava, Susanna usciva per passeggiare nel giardino del marito. [8]I due anziani la vedevano ogni giorno, quando usciva a passeggiare, e furono presi dalla passione per lei. [9]Essi persero la testa e abbassarono gli occhi in modo da non veder più il cielo e da non ricordarsi più dei suoi giusti giudizi.

[10]Ambedue erano dunque presi dalla passione per lei, ma non si comunicavano l'un l'altro il proprio affanno, [11]perché avevano vergogna a manifestare il loro desiderio di accoppiarsi con lei; [12]ma ogni giorno spiavano libidinosamente l'occasione di vederla. [13]Un giorno dissero l'un l'altro: «Andiamo a casa: è ora del pranzo». Quindi uscirono e si separarono. [14]Ma, tornati sui loro passi, si ritrovarono allo stesso posto e, cercando di spiegarsene il motivo, confessarono la propria passione. Allora di comune accordo fissarono il momento opportuno per poterla sorprendere da sola.

[15]Ora avvenne che, mentre attendevano il momento opportuno, Susanna entrò, come al solito, con due sole fanciulle, desiderando fare il bagno nel giardino poiché faceva caldo. [16]Non c'era nessun altro all'infuori dei due anziani, che erano nascosti e la guardavano. [17]Ella disse alle due fanciulle: «Portatemi l'olio e l'unguento e chiudete le porte del giardino, perché possa fare il bagno». [18]Esse fecero come aveva ordinato: chiusero per bene le porte del giardino e uscirono per una delle porte secondarie, per portare quanto era stato loro chiesto; non si accorsero degli anziani, perché erano nascosti.

[19]Appena le fanciulle furono partite, i due vecchi sbucarono fuori, corsero da lei e dissero: [20]«Ecco, le porte del giardino sono chiuse, nessuno ci vede e noi ti desideriamo. Acconsenti dunque e datti a noi. [21]Altrimenti noi testimonieremo contro di te, diremo che con te c'era un giovane e che per questo hai fatto uscire le fanciulle». [22]Susanna sospirò e disse: «Per me non c'è scampo da nessuna parte! Infatti, se acconsento, sarò rea di morte, e se non acconsento, non sfuggirò dalle vostre mani! [23]Ma per me è preferibile non acconsentire e cadere nelle vostre mani, piuttosto che peccare davanti al Signore!». [24]Susanna gridò a voce alta, ma gridarono anche i due vecchi contro di lei. [25]Poi uno di loro andò di corsa ad aprire le porte del giardino.

[26]Ora, quando i familiari udirono il grido nel giardino, si precipitarono per la porta laterale per vedere cosa le fosse successo. [27]Ma quando i vecchi ebbero raccontato la loro storia, i familiari rimasero molto addolorati, perché mai era stata raccontata una cosa del genere riguardo a Susanna.

[28]Il giorno seguente, quando il popolo si radunò in casa di Ioakim, suo marito, vennero anche i due vecchi, fermi nell'iniquo proposito contro Susanna, per mandarla a morte. [29]Essi dissero alla presenza del popolo: «Mandate a chiamare Susanna, figlia di Chelkia, moglie di Ioakim!». Andarono. [30]Ella venne accompagnata dai genitori, dai figli e da tutti i parenti. [31]Susanna era molto

13-14. - Questi due cc. sono contenuti solo nella versione greca di Teodozione e sono stati accettati nel canone come deuterocanonici. Appartengono al genere delle storie edificanti scritte per sostenere gli Ebrei nella fedeltà a Dio e alla sua legge.

graziosa e bella d'aspetto. ³²Ma quei malvagi ordinarono che si scoprisse, perché portava il velo, per potersi saziare della sua bellezza. ³³I suoi piangevano, come pure tutti coloro che la vedevano. ³⁴I due vecchi, alzatisi in mezzo al popolo, posero le mani sulla sua testa, ³⁵mentre ella, piangendo, volse lo sguardo verso il cielo, poiché il suo cuore aveva fiducia nel Signore. ³⁶I vecchi dissero: «Mentre passeggiavamo soli nel giardino, costei entrò con due ancelle, poi chiuse le porte, dopo aver fatto uscire le fanciulle. ³⁷Allora si avvicinò a lei un giovane, che era nascosto, e si adagiò accanto a lei. ³⁸Noi, che ci trovavamo in un angolo del giardino, vista l'empietà, corremmo verso di loro, ³⁹li vedemmo stare insieme, ma non potemmo prendere il giovane, perché era più forte di noi e, avendo aperto le porte, se la diede a gambe. ⁴⁰Abbiamo invece preso costei e le abbiamo chiesto chi fosse il giovane, ⁴¹ma non ce l'ha voluto dire. Di questo noi siamo testimoni!». L'assemblea credette loro, perché erano anziani del popolo e giudici, e la condannarono a morte. ⁴²Ma Susanna gridò a gran voce e disse: «Dio eterno, che conosci ciò che è nascosto e conosci tutte le cose prima che avvengano, ⁴³tu sai che costoro hanno testimoniato il falso contro di me ed, ecco, io muoio senza aver fatto niente di ciò che essi hanno detto di male contro di me!».

⁴⁴Il Signore ascoltò la sua voce. ⁴⁵E mentre costei veniva condotta via per essere uccisa, Dio suscitò il santo spirito di un giovanetto, di nome Daniele, ⁴⁶che a gran voce gridò: «Io sono innocente del sangue di costei!». ⁴⁷Allora tutti si voltarono verso di lui e domandarono: «Che cosa vuoi dire con queste tue parole?». ⁴⁸Egli, alzatosi in mezzo a loro, disse: «Siete così stolti, figli d'Israele? Senza aver istituito il processo e senza aver conosciuto la verità, avete condannato una figlia d'Israele! ⁴⁹Tornate al luogo del giudizio, perché costoro hanno testimoniato il falso contro di lei!».

⁵⁰Allora tutto il popolo tornò subito indietro e gli anziani dissero a Daniele: «Vieni, siediti in mezzo a noi e parlaci pure, dal momento che Dio ti ha concesso che è proprio di un anziano!». ⁵¹Daniele allora disse: «Separateli lontani l'uno dall'altro e io li interrogherò!». ⁵²Quando furono separati l'uno dall'altro, ne chiamò uno e gli disse: «O uomo invecchiato nel male, ora sono venuti alla luce i peccati che hai commesso prima, ⁵³eseguendo giudizi iniqui, condannando gli innocenti e lasciando andare i colpevoli, mentre Dio ha comandato: Non uccidere l'innocente e il giusto! ⁵⁴Ora, dunque, se hai visto costei, di': Sotto quale albero li hai visti stare insieme?». Quello rispose: «Sotto un lentisco». ⁵⁵Daniele soggiunse: «Hai proprio mentito contro la tua stessa testa. Infatti già l'angelo di Dio ha ricevuto l'ordine da Dio e ti dividerà nel mezzo». ⁵⁶Dopo averlo fatto allontanare, ordinò di far venire l'altro. Gli disse: «Stirpe di Canaan e non di Giuda, la bellezza ti ha traviato e la passione ha pervertito il tuo cuore! ⁵⁷Così facevate alle figlie d'Israele ed esse per paura avevano rapporti con voi. Ma una figlia di Giuda non ha subìto la vostra iniquità. ⁵⁸Ora, dunque, dimmi: Sotto quale albero li hai visti insieme?». Egli rispose: «Sotto un leccio». ⁵⁹Daniele soggiunse: «Anche tu hai mentito contro la tua stessa testa. L'angelo di Dio infatti sta aspettando, tenendo in mano la spada, per spaccarti nel mezzo, per sterminarti». ⁶⁰Allora tutta l'assemblea alzò un grido e benedisse Dio che salva coloro che confidano in lui. ⁶¹Poi si rivolsero contro i due vecchi, perché Daniele li aveva fatti confessare, con la loro stessa bocca, di aver testimoniato il falso e fecero loro quello che essi avevano ordinato contro il prossimo. ⁶²Per eseguire la legge di Mosè li uccisero, e così in quel giorno fu salvato sangue innocente. ⁶³Chelkia e sua moglie lodarono Dio per la loro figlia Susanna insieme a Ioakim, suo sposo, e a tutti i congiunti, perché non si era trovato in lei niente d'indegno.

⁶⁴Da quel giorno in poi Daniele divenne grande davanti al popolo.

Dn

DANIELE SMASCHERA I SACERDOTI DEL DIO BEL E UCCIDE IL DRAGO

14 ¹Dopo che il re Astiage si fu riunito ai suoi padri, Ciro il Persiano gli succedette nel regno. ²Daniele era un confidente del re, stimato al di sopra di tutti i suoi amici.

³Ora i Babilonesi avevano un idolo, di nome Bel, al quale offrivano ogni giorno dodici sacchi di fior di farina, quaranta pecore e sei anfore di vino. ⁴Il re lo venerava e an-

dava ogni giorno a prostrarsi davanti a lui; Daniele invece si prostrava davanti al suo Dio. [5]Il re gli domandò: «Perché non ti prostri davanti a Bel?». Gli rispose: «Perché non adoro gli idoli fatti da mano d'uomo, ma il Dio vivente, che ha creato il cielo e la terra e che ha potere sopra ogni essere vivente». [6]Il re gli domandò: «Tu pensi che Bel non sia un dio vivente? Non vedi quanto mangia e beve ogni giorno?». [7]Daniele, ridendo, rispose: «Non t'ingannare, o re! Costui, infatti, al di dentro è creta benché di fuori sia bronzo, e non ha mai mangiato né bevuto!».

[8]Allora il re, infuriato, chiamò i suoi sacerdoti e disse loro: «Se voi non mi dite chi è che mangia quanto viene fornito, sarete messi a morte; se invece dimostrerete che Bel mangia tutto, allora sarà messo a morte Daniele, perché ha bestemmiato contro Bel!». [9]Daniele disse al re: «Sia come tu hai detto!». I sacerdoti di Bel erano settanta, oltre alle donne e ai bambini.

[10]Il re andò dunque con Daniele al santuario di Bel. [11]I sacerdoti di Bel dissero: «Ecco, quando noi saremo usciti fuori, tu, o re, imbandisci le vivande e, attinto il vino, deponilo: poi chiudi la porta e sigillala con il tuo anello. Domattina presto tornerai e, se non troverai tutto consumato da Bel, saremo fatti morire; altrimenti lo sarà il nostro calunniatore Daniele». [12]Costoro ragionavano con astuzia, perché avevano praticato sotto la mensa un accesso segreto, attraverso il quale entravano ogni giorno e portavano via ogni cosa.

[13]Così, quando quelli furono usciti, il re mise le vivande davanti a Bel. [14]Daniele ordinò ai suoi servi di portare della cenere e di seminarla per l'intero santuario alla presenza soltanto del re. Poi, dopo essere usciti, chiusero la porta e la sigillarono con l'anello del re e se ne andarono. [15]I sacerdoti entrarono di notte, secondo il solito, con le loro mogli e i loro bambini, e mangiarono e bevvero ogni cosa.

[16]Al mattino il re di buon'ora si alzò insieme a Daniele. [17]Il re domandò: «Sono intatti i sigilli, Daniele?». Rispose: «Sono intatti, o re». [18]Allora appena il re ebbe aperti i battenti, guardò sulla mensa e gridò a gran voce: «Sei grande, o Bel, e non c'è nessun inganno in te!». [19]Ma Daniele, messosi a ridere, trattenne il re, perché non entrasse e disse: «Guarda il pavimento e osserva di chi sono queste orme». [20]Il re rispose: «Vedo impronte di uomini, di donne e di bambini!». [21]Pieno d'ira il re fece prendere i sacerdoti, le mogli e i loro figli; essi allora gli mostrarono le porte segrete attraverso le quali entravano per consumare tutto ciò che si trovava sopra la mensa. [22]Il re quindi li fece uccidere e consegnò Bel in potere di Daniele, che lo distrusse insieme al suo santuario.

[23]C'era un grosso drago e i Babilonesi lo veneravano. [24]Il re disse a Daniele: «Tu non puoi dire che questo non è un dio vivente. Adoralo, dunque!». [25]Ma Daniele rispose: «Io adoro il mio Signore Dio, perché egli è un Dio vivente! Tu dunque, o re, dammene il permesso e io ucciderò il drago senza spada e senza bastone». [26]Il re disse: «Te lo concedo».

[27]Allora Daniele prese pece, grasso e peli e li fece cuocere insieme, poi ne preparò focacce e le gettò in bocca al drago. Il drago, dopo averle mangiate, scoppiò. Allora disse: «Ecco ciò che voi adorate!».

[28]Quando i Babilonesi appresero la notizia, ne furono molto indignati e insorsero contro il re protestando: «Il re si è fatto Giudeo! Ha distrutto Bel, ha ucciso il drago e ha massacrato i sacerdoti!». [29]Venuti poi dal re, dissero: «Consegnaci questo Daniele, altrimenti uccideremo te e la tua famiglia!». [30]Il re, visto che lo assalivano con violenza, fu costretto a consegnare loro Daniele. [31]Essi lo gettarono nella fossa dei leoni, dove rimase per sei giorni. [32]Nella fossa c'erano sette leoni, ai quali ogni giorno si solevano dare due cadaveri e due pecore. Ma quella volta non fu dato loro niente, perché mangiassero Daniele.

[33]C'era in Giudea il profeta Abacuc. Costui aveva fatto cuocere una minestra e spezzettato il pane in un piatto e stava andando verso il podere, per portarlo ai mietitori. [34]L'angelo del Signore disse ad Abacuc: «Porta questo cibo in Babilonia a Daniele, nella fossa dei leoni!». [35]Abacuc osservò: «Signore, io non ho mai visto Babilonia e non conosco la fossa». [36]Allora l'angelo del Signore, afferratolo per la testa e sollevandolo per i capelli del capo, lo portò a Babilonia sopra la fossa, con il soffio del suo spirito. [37]Abacuc gridò forte: «Daniele, Daniele,

prendi il cibo che Dio ti ha inviato!». ³⁸Daniele esclamò: «Veramente ti sei ricordato di me, o Dio, e non hai abbandonato coloro che ti amano». ³⁹Alzatosi, Daniele si mise a mangiare, mentre l'angelo di Dio riconduceva Abacuc nel luogo di prima.

⁴⁰Il settimo giorno il re andò per piangere Daniele. Arrivato alla fossa guardò e vide Daniele seduto. ⁴¹Allora, gridando a gran voce, esclamò: «Sei grande, Signore, Dio di Daniele, e non c'è altro Dio fuori di te!». ⁴²Quindi lo fece tirar fuori, e fece gettare i colpevoli della sua rovina nella fossa, dove furono subito sbranati in sua presenza.

OSEA

Osea ha svolto il ministero profetico nel regno d'Israele (Efraim o Giacobbe, come è da lui chiamato) durante lo splendido periodo di Geroboamo II (787-747 a.C.). Il libro di Osea si può dividere in due parti: la prima (cc. 1-3) rievoca le drammatiche vicende familiari di Osea ed è la chiave di lettura di tutto il libro; la seconda parte comprende i cc. 4-14.

Osea è il profeta che ha saputo cogliere i rapporti tra Israele e Dio dall'esperienza personale dell'infedeltà della sua donna; tale esperienza ha assunto valore simbolico e i nomi dei tre figli avuti da lei specificano simbolicamente le conseguenze dell'infedeltà: Izreel: località nella quale si erano svolte alcune lotte sanguinose della storia del popolo ebraico; «Non-amata»: che indica la dolorosa sospensione di ogni sentimento "materno" e "paterno" di Dio per il suo popolo; «Non-popolo-mio»: che indica l'abbandono del popolo e la condanna alla distruzione (1,5-8).

Osea penetra nell'infinita fedeltà-tenerezza del Dio d'Israele. I rapporti tra Dio e il suo popolo sono descritti come rapporti d'amore tra madre e figlia, fidanzato e fidanzata, sposo e sposa che si appartengono totalmente, accentuando una dimensione materna del tutto nuova nella Bibbia (1,6; 11,3-8).

Ma con le sue infedeltà Israele diviene la figlia «non amata» (1,6), la sposa ripudiata. Dio pensa di ricondurlo a sé mediante il castigo. Sarà come tornare al deserto e là Israele, almeno la parte migliore, un resto, tornerà veramente a Dio (2,11-17). La sofferenza sarà punto di partenza per un nuovo avvenire (2,18-25; 11,7-11). Dio ha amato e ama troppo Israele per distruggerlo (11,8-9) e intende recuperarlo, come lo sposo vuole recuperare la sposa amata, nonostante le infedeltà, come è avvenuto per Osea (3,1-5).

SIMBOLISMO DEL MATRIMONIO DI OSEA

1 ¹Parola del Signore rivolta a Osea, figlio di Beeri, al tempo di Ozia, di Iotam, di Acaz, di Ezechia, re di Giuda, e al tempo di Geroboamo, figlio di Ioas, re d'Israele. ²Inizio del messaggio del Signore per mezzo di Osea. Il Signore disse a Osea:

«Sposa una prostituta
e genera figli di prostituzione,
perché il paese si è prostituito,
avendo abbandonato il Signore».

³Egli andò e sposò Gomer, figlia di Diblaim; costei rimase incinta e gli partorì un figlio. ⁴Il Signore gli ordinò:

«Chiamalo Izreel;
perché ancora un poco
e farò scontare i massacri di Izreel
alla casa di Ieu
e distruggerò il regno della casa
d'Israele.
⁵ In quel giorno
spezzerò l'arco d'Israele
nella pianura di Izreel».

---

1. - 2. *Prostituta*: gli interpreti si dividono nel commentare questo matrimonio di Osea con Gomer: per alcuni, Gomer, onesta quando fu sposata da Osea, poi fu infedele ed ebbe figli da prostituzione; per altri, Gomer fu una donna di malavita sin da quando fu sposata dal profeta. Tutti, però, concordano nel ritenere che questo matrimonio non sia una finzione, ma un simbolo: la donna infedele è figura d'Israele e i suoi figli annunziano i destini del popolo biblico.

⁶La donna rimase incinta di nuovo e partorì una figlia. Il Signore ordinò a Osea:

«Chiamala Non-amata,
perché non avrò più pietà
   della casa d'Israele,
così che io conceda loro il perdono.

⁷ Della casa di Giuda, invece, avrò pietà
e li salverò per mezzo del Signore
   loro Dio;
non li salverò con l'arco,
con la spada, con la guerra,
né con i cavalli e i cavalieri».

⁸Quando ebbe divezzato Non-amata, la donna concepì e partorì un figlio. ⁹Il Signore disse a Osea:

«Chiamalo Non-popolo-mio,
perché voi non siete il mio popolo
e io non sono il vostro Dio».

ISRAELE,
SPOSA INFEDELE DEL SIGNORE

2 ¹Il numero dei figli d'Israele
   sarà come la sabbia del mare,
che non si può contare né misurare.
Invece di dire loro: «Voi non siete
   il mio popolo»,
si dirà loro: «Figli del Dio vivente».

² Si riuniranno i figli di Giuda
e i figli d'Israele insieme;
si daranno un unico capo
e si espanderanno fuori del loro paese,
perché grande sarà il giorno di Izreel!

³ Dite ai vostri fratelli: «Mio popolo»
e alle vostre sorelle: «Amata».

⁴ Accusate vostra madre, accusatela!
Perché ella non è mia sposa
né io sono suo marito!
Si tolga le prostituzioni dalla sua faccia
e gli adultèri dal suo seno!

⁵ Altrimenti io la spoglierò
e la renderò come il giorno
   in cui nacque;
la ridurrò a un deserto,

la renderò una terra arida
e la farò morire di sete!

⁶ Io non amerò i suoi figli,
perché sono figli di una prostituta.

⁷ Sì, la loro madre si è prostituita,
chi li ha concepiti si è disonorata.
Ella ha detto:
«Voglio andare dietro ai miei amanti,
che mi danno il mio pane e la mia acqua,
la mia lana e il mio lino, il mio olio
   e il mio vino!».

⁸ Per questo io sbarrerò con le spine
   il suo cammino
e costruirò una barriera
perché non ritrovi i suoi sentieri.

⁹ Inseguirà i suoi amanti,
   ma non li raggiungerà;
li cercherà, ma non li troverà.
Allora dirà: «Ritornerò
   dal mio primo marito,
perché allora stavo meglio di adesso»:

¹⁰ Ma ella non sa che sono io a donarle
frumento, vino e olio nuovo,
a riempirla d'argento e d'oro
con cui si sono fabbricati i Baal.

¹¹ Per questo io le toglierò il mio grano
   a suo tempo
e il mio vino alla sua stagione;
ritirerò la mia lana e il mio lino
con cui coprivo la sua nudità.

¹² Poi farò palese la sua vergogna
davanti agli occhi dei suoi amanti
e nessuno la strapperà dalla mia mano.

¹³ Farò cessare tutta la sua allegria,
   le sue feste,
i suoi noviluni, i suoi sabati
   e le sue solennità.

¹⁴ Devasterò le sue viti e i suoi fichi,
   di cui ella diceva:
«Questo è il mio salario,
che mi hanno dato i miei amanti».
Io la ridurrò a boscaglia
che le bestie campestri divoreranno.

¹⁵ Le farò espiare i giorni dei Baal,
quando bruciava loro l'incenso,
andava dietro ai suoi amanti
adorna del suo anello e della sua collana
e si dimenticava di me!
   Oracolo del Signore.

¹⁶ Per questo io la sedurrò,
   la ricondurrò nel deserto
   e parlerò al suo cuore.

¹⁷ Allora le restituirò i suoi vigneti
e farò della valle di Acor la porta
   della speranza.

Os

---

2. - In questo capitolo, per una migliore comprensione, i vv. 1-3 sono stati portati dopo il c. 3 e i vv. 8-9 dopo il v. 15. 16. *Nel deserto*: privata di tutto come quando vagava nel deserto e dipendeva totalmente da Dio, la nazione d'Israele, condotta in esilio e priva di tutto, ascolterà di nuovo la parola del suo Dio, si convertirà e allora Dio ritornerà a benedirla.

Là ella canterà come nei giorni
   della sua giovinezza,
come al tempo in cui uscì
   dalla terra d'Egitto.
¹⁸ In quel giorno, oracolo del Signore,
   ella mi chiamerà: «Mio marito»,
   e non mi chiamerà più: «Mio Baal».
¹⁹ Toglierò i nomi dei Baal dalla sua bocca
   e non si ricorderanno più del loro nome.
²⁰ In quel giorno farò per loro un'alleanza
   con le bestie dei campi,
   con gli uccelli del cielo e i rettili
      del suolo;
   bandirò dalla terra l'arco, la spada
      e la guerra;
   li farò dormire tranquilli.
²¹ Io ti unirò a me per sempre;
   ti unirò a me nella giustizia e nel diritto,
   nella benevolenza e nell'amore;
²² ti unirò a me nella fedeltà
   e tu conoscerai il Signore.
²³ In quel giorno, oracolo del Signore,
   io risponderò al cielo ed esso
      risponderà alla terra,
²⁴ la terra risponderà con il frumento,
   il vino e l'olio fresco
   ed essi risponderanno a Izreel.
²⁵ Io li seminerò per me nel paese,
   amerò Non-amata e dirò
      a Non-popolo-mio:
   «Tu sei il mio popolo»
   ed egli mi risponderà: «Mio Dio».

OSEA RIPRENDE CON SÉ
LA MOGLIE INFEDELE

3 ¹Il Signore mi disse: «Va' di nuovo, ama la donna amata da suo marito, benché adultera, come il Signore ama i figli d'Israele, benché essi si volgano verso altri dèi e amino le schiacciate di uve passe!». ²Io dunque me la comprai per quindici pezzi d'argento e una misura e mezza di orzo. ³Poi le dissi: «Per un lungo periodo rimarrai al tuo posto con me, non ti prostituirai e non sarai di un altro e neppure io verrò da te». ⁴Perché per un lungo periodo i figli d'Israele saranno senza re e senza principe, senza sacrificio e senza stele, senza efod e senza terafim. ⁵Dopo ciò i figli d'Israele si convertiranno, cercheranno il Signore loro Dio e Davide loro re, trepidanti accorreranno al Signore e ai suoi beni, alla fine dei giorni.

CORRUZIONE GENERALE

4 ¹Ascoltate la parola del Signore,
   figli d'Israele:
   il Signore intenta una lite
   con gli abitanti del paese,
   perché non c'è lealtà, non c'è amore,
   non c'è conoscenza di Dio nel paese;
² ma giuramento e menzogna,
      assassinio e furto,
   adulterio e libertinaggio,
   omicidio su omicidio.
³ Per questo il paese è desolato
   e tutti gli abitanti languiscono,
   insieme con le bestie dei campi
   e con gli uccelli del cielo;
   anche i pesci del mare scompaiono.
⁴ Però nessuno accusi, nessuno giudichi.
   Con te è la mia lite, o sacerdote!
⁵ Tu vacilli di giorno
   e con te vacilla di notte anche il profeta;
   tu rovini tua madre.
⁶ Va in rovina il mio popolo
   per mancanza di conoscenza.
   Poiché tu hai rigettato la conoscenza,
   io ti rigetterò dal mio sacerdozio;
   poiché tu hai trascurato la legge
      del tuo Dio,
   anch'io trascurerò i tuoi figli.
⁷ Tutti hanno peccato contro di me;
   hanno cambiato la loro gloria
   con l'obbrobrio.
⁸ Essi si nutrono del peccato
      del mio popolo
   e sono avidi della sua colpa.
⁹ Come per il popolo così avverrà
      per il sacerdote:
   lo punirò per la sua condotta
   e farò ricadere su di lui le sue opere.
¹⁰ Mangeranno, ma non si sazieranno;
   si prostituiranno, ma non ne avranno
      il frutto,
   perché hanno abbandonato il Signore
   per darsi alla prostituzione,
¹¹ al vino e al mosto, che fanno perdere
      il senno.
¹² Il mio popolo consulta il suo legno
   e il suo bastone gli dà il responso;
   perché uno spirito di prostituzione lo svia

---

3. - 3. Il profeta, per raffigurare la condotta di Dio verso Israele, ha tolto una donna dalle fornicazioni comprandola e chiudendola in una casa. Così Dio ha tolto Israele dall'idolatria facendolo deportare in esilio.

e si prostituiscono abbandonando
il loro Dio.
¹³ Sulle cime dei monti offrono sacrifici
e sulle alture bruciano le offerte,
sotto la quercia, il pioppo
e il terebinto dall'ombra gradevole.
Così si prostituiscono le vostre figlie
e le vostre nuore commettono adulterio.
¹⁴ Non punirò le vostre figlie
perché si prostituiscono,
né le vostre nuore perché commettono
adulterio;
perché essi stessi si appartano
con le prostitute
e con le prostitute sacre offrono sacrifici.
Un popolo, per non aver senno,
va in rovina!
¹⁵ Se tu ti prostituisci, Israele,
non si renda colpevole Giuda.
Non andate a Galgala, non salite
a Bet-Aven
e non giurate per il Signore vivente.
¹⁶ Sì, come una giovenca ribelle si ribella
Israele.
Il Signore potrà forse farlo pascolare
come un agnello all'aperto?
¹⁷ Efraim è l'alleato degli idoli,
¹⁸ si adagia in compagnia dei beoni;
si prostituiscono vergognosamente,
preferiscono l'obbrobrio alla loro gloria.
¹⁹ Il vento li travolgerà con le sue ali
e dei loro altari avranno vergogna.

RESPONSABILITÀ
DELLE CLASSI DIRIGENTI

5 ¹Ascoltate questo, sacerdoti,
fate attenzione, casa d'Israele,
casa del re, date ascolto,
perché era vostro compito fare giustizia.
Voi siete stati un laccio a Mizpa,
una rete tesa sul Tabor,
² una fossa scavata in Sittim.
Io vi castigherò tutti quanti!
³ Io conosco Efraim,
Israele non mi è per nulla nascosto:
sì, ti sei prostituito, Efraim;
si è macchiato Israele.
⁴ Le loro azioni non permettono ad essi
di ritornare al loro Dio,
perché uno spirito di prostituzione
è in loro
e non conoscono il Signore.

⁵ L'orgoglio d'Israele testimonia contro
di lui,
Efraim vacilla per il suo peccato
e con lui vacilla anche Giuda.
⁶ Vengono con i loro greggi
e con i loro buoi
a cercare il Signore, ma non lo trovano:
egli si è ritirato da loro.
⁷ Hanno tradito il Signore,
hanno generato figli bastardi;
così il distruttore divora i loro averi
insieme con i loro campi.
⁸ Suonate il corno in Gabaa e la tromba
in Rama;
date l'allarme in Bet-Aven,
mettete in guardia Beniamino!
⁹ Efraim diventerà un deserto nel giorno
del castigo;
sulle tribù d'Israele io annunzio
la mia decisione.
¹⁰ Rassomigliano i capi di Giuda
a coloro che spostano i confini;
su di loro io riverserò, come una piena,
il mio furore.
¹¹ Efraim è oppresso, il diritto è violato,
perché si diletta a seguire l'idolatria.
¹² Ma io sarò come la tignola per Efraim,
come il tarlo per la casa di Giuda.
¹³ Efraim ha visto la sua infermità
e Giuda la sua piaga.
Efraim si è diretto all'Assiria,
Giuda si è rivolto al gran re;
ma egli non potrà guarirvi né togliervi
la vostra piaga.
¹⁴ Perché io sarò come un leone per Efraim
e come un leoncello per la casa di Giuda.
Io, io sbranerò e me ne andrò,
porterò via la preda e nessuno
me la strapperà.
¹⁵ Me ne ritornerò alla mia dimora
fino a quando non si riconosceranno
colpevoli
e cerchino il mio volto
e ricorrano a me nella loro angustia.

CONVERSIONE INCOSTANTE

6 ¹Venite, ritorniamo al Signore!
Egli ha straziato, egli ci guarirà;
egli ha colpito, egli ci fascerà.
² Dopo due giorni ci ridarà la vita,
e il terzo giorno ci farà risorgere
e noi vivremo alla sua presenza.

Os

³ Affrettiamoci a conoscere il Signore;
la sua venuta è sicura come l'aurora.
Egli verrà a noi come la pioggia d'autunno,
come la pioggia di primavera,
che irriga la terra.
⁴ Che posso fare per te, Efraim?
Che posso fare per te, Giuda?
Il vostro amore è come una nube
al mattino,
come la rugiada che si scioglie in fretta.
⁵ Per questo li ho colpiti per mezzo
dei profeti,
li ho uccisi con le parole della mia bocca
e il mio giudizio splende come la luce:
⁶ perché io voglio l'amore, non i sacrifici,
la conoscenza di Dio, non gli olocausti.
⁷ Ma essi, come Adamo, hanno violato
l'alleanza,
ecco dove mi hanno tradito.
⁸ Galaad è una città di malfattori,
macchiata di sangue.
⁹ Come banditi in agguato
una banda di sacerdoti
assale sulla strada di Sichem;
sì, hanno commesso un'infamia!
¹⁰ In Betel ho visto una cosa orrenda:
lì si prostituisce Efraim, si macchia Israele!
¹¹ Anche per te, Giuda, è pronta la mietitura,
quando io ristabilirò il mio popolo!

COSPIRAZIONI INTERNE
E ALLEANZE CON GLI STRANIERI

7 ¹Quando io voglio risanare Israele,
si scoprono la colpa di Efraim
e la malvagità di Samaria:
si pratica la menzogna, il ladro
penetra in casa,
i briganti assaltano i luoghi solitari.
² Essi non pensano che io ricordo
tutte le loro malvagità.
Infatti le loro azioni li circondano,
esse stanno davanti a me!
³ Con la loro malvagità rallegrano il re
e con la loro perfidia i capi.
⁴ Tutti ardono d'ira,
sono riscaldati come un forno
che il fornaio cessa di attizzare
da quando ammassa la pasta
fino a quando essa non lievita.
⁵ Snervano il loro re e i prìncipi
con i fumi del vino;
egli dà la sua mano agli scellerati.

⁶ Si appressano i congiurati,
il loro cuore è come un forno:
tutta la notte è quieto il loro furore,
ma al mattino divampa
come una fiamma ardente.
⁷ Tutti ardono come un forno,
divorano i loro giudici.
Tutti i loro re sono caduti,
nessuno di loro mi ha invocato.
⁸ Efraim si mescola con le genti,
Efraim è come una focaccia non girata.
⁹ Gli stranieri divorano le sue forze,
ma egli non se ne accorge;
già gli sono spuntati i capelli bianchi,
ma egli non se ne accorge.
¹⁰ L'orgoglio d'Israele testimonia
contro di lui,
ma essi non ritornano al Signore loro Dio
e non lo ricercano, nonostante tutto ciò.
¹¹ Efraim è come una colomba semplice,
senza intelligenza:
ora chiamano l'Egitto, ora vanno
in Assiria.
¹² Dovunque si rivolgeranno,
io stenderò su di loro la mia rete.
Li abbatterò come gli uccelli del cielo,
li prenderò appena udito il loro stormire.
¹³ Guai a loro, perché si sono allontanati
da me!
Rovina per loro, perché si sono ribellati
contro di me!
Io vorrei riscattarli,
ma essi dicono menzogne contro di me.
¹⁴ Non gridano a me dal loro cuore,
quando si lamentano sui loro giacigli;
si lacerano per il frumento e il vino nuovo,
ma poi si ribellano contro di me!
¹⁵ Io ho reso forti le loro braccia,
ma essi ordiscono trame contro di me.
¹⁶ Si voltano a Baal, sono come un arco
fallace.
I loro capi cadranno di spada
per l'insolenza della loro lingua,
e si riderà di loro nella terra d'Egitto.

I RE D'ISRAELE
FAVORISCONO L'IDOLATRIA

8 ¹Da' fiato alla tua tromba,
come una sentinella sulla casa
del Signore,
perché hanno trasgredito la mia alleanza
e si sono ribellati alla mia legge.

² Essi gridano rivolti a me:
  «Dio d'Israele, noi ti conosciamo!».
³ Ma Israele ha rigettato il bene:
  lo perseguiti il nemico.
⁴ Hanno creato dei re,
    ma senza il mio consenso,
  hanno creato dei capi, ma a mia insaputa;
  hanno fabbricato con l'argento e con l'oro
  i loro idoli, ma per la loro rovina.
⁵ Sì, è ributtante il tuo vitello, Samaria!
  La mia ira s'infiamma contro di lui;
  fino a quando rimarranno immondi
⁶ i figli d'Israele?
  Esso è opera di un artigiano, non è un dio:
  perciò sarà ridotto in frantumi il vitello
    di Samaria.
⁷ Seminano vento e raccolgono tempesta:
  il frumento è senza spiga, non darà farina;
  e, se la darà, la divoreranno gli stranieri.
⁸ Israele è divorato: ora è tra le nazioni
  come un oggetto che non piace più.
⁹ Sì, essi sono saliti verso Assur,
  asino solitario e ritirato,
  ed Efraim si è comprato degli amanti.
¹⁰ Anche se li comprano tra le nazioni,
  ecco, io li disperderò
  ed essi cesseranno ben presto
    di consacrare re e capi.
¹¹ Efraim ha moltiplicato gli altari,
  ma gli altari gli sono serviti per peccare.
¹² Sebbene io gli abbia dato una quantità
    di leggi,
  egli le considera come quelle
    d'uno straniero.
¹³ Offrano pure i loro sacrifici,
  mangino pure la carne delle vittime,
  ma il Signore non li gradisce.
  Egli si ricorda delle loro colpe e punirà
    i loro peccati:
  essi ritorneranno in Egitto.
¹⁴ Israele ha dimenticato il suo Creatore
  e ha costruito i suoi palazzi;
  Giuda ha moltiplicato le sue fortezze.
  Ma io manderò il fuoco sulle loro città,
  che ne distruggerà i palazzi.

TRISTEZZA DELL'ESILIO E CASTIGHI PER LE COLPE DEL POPOLO

9 ¹Non ti rallegrare, Israele!
  Non esultare come le nazioni!
  Perché ti sei dato alla prostituzione,
  abbandonando il tuo Dio,
  hai amato il salario impuro
    su tutte le aie di grano.
² Né l'aia né il tino li nutriranno
  e il vino nuovo li ingannerà.
³ Non abiteranno più la terra del Signore:
  Efraim ritornerà in Egitto
  e in Assiria mangeranno cibi impuri.
⁴ Non faranno più libazioni di vino
    al Signore
  e non gli offriranno più sacrifici.
  Come pane di lutto sarà il loro pane;
  quanti ne mangeranno diventeranno
    impuri,
  perché il loro pane sarà tutto per loro,
  ma non entrerà nella casa del Signore.
⁵ Che farete voi il giorno della solennità,
  il giorno della festa del Signore?
⁶ Ecco, se sfuggono alla catastrofe,
  l'Egitto li raccoglierà, Menfi li seppellirà,
  l'ortica erediterà i loro tesori preziosi,
  i cardi invaderanno le loro tende.
⁷ Sono venuti i giorni del castigo,
  sono venuti i giorni del rendiconto,
  per la moltitudine delle tue colpe,
  perché grande è l'ostilità.
  Israele grida: «Il profeta è stolto!
  L'uomo ispirato delira!».
⁸ Sentinella di Efraim è il profeta
    con il suo Dio,
  un laccio è steso su tutti i suoi passi,
  l'ostilità è nella casa del suo Dio.
⁹ Sono profondamente corrotti
  come ai giorni di Gabaa.
  Ma egli si ricorderà del loro peccato,
  punirà la loro colpa.
¹⁰ Come uva nel deserto ho trovato
    Israele;
  come fico primaticcio ho visto
    i vostri padri.
  Ma arrivarono a Baal-Peor e si votarono
    all'obbrobrio,
  diventarono spregevoli come l'oggetto
    del loro amore.
¹¹ Efraim è come un uccello, volerà via
    la loro gloria:
  niente più nascite né gravidanze
    né concepimenti.

Os

---

9. - 1. *Non ti rallegrare*: sotto Geroboamo II Israele toccò
l'apogeo della prosperità, ma poi in pochi anni cadde
nell'anarchia e nella rovina completa per opera degli Assiri
nel 721.
7. Il vero *profeta* è Osea, che è guardato come la rovina del
regno e dagli empi è considerato come la stoltezza personificata.
10. Dio aveva provato piacere nell'allacciare relazioni con
Israele, paragonabile a quello di un beduino quando trova
dell'*uva* per dissetarsi.

¹² Anche se alleveranno i loro figli,
   io glieli toglierò prima che siano
      grandi.
   Sì, guai a loro quando io
      li abbandonerò!
¹³ Efraim, io lo vedo, alleva i suoi figli
      per la caccia,
   per condurre al macello i suoi figli.
¹⁴ Da' loro, Signore... Che cosa darai
      loro?
   Da' loro un seno sterile e mammelle
      aride!
¹⁵ Tutta la loro malvagità risale
      a Galgala:
   là ho preso ad aborrirli.
   Per la malvagità delle loro opere
   io li scaccerò dalla mia casa;
   non li amerò più;
   tutti i loro capi sono ribelli.
¹⁶ Efraim è colpito,
   le sue radici sono inaridite,
   non faranno più frutto.
   Anche se avranno figli,
   ucciderò i cari frutti dei loro seni.
¹⁷ Il mio Dio li rigetterà,
   perché non l'hanno ascoltato;
   andranno errando in mezzo
      alle nazioni.

CONTRO L'IDOLATRIA DILAGANTE

10 ¹Israele era una vigna lussureggiante,
   che produceva molto frutto.
   Ma più crescevano i suoi frutti,
   più moltiplicava gli altari;
   più la sua terra era fertile,
   più preziose costruiva le sue stele.
² Il loro cuore è diviso:
   dovranno scontare la pena.
   Egli abbatterà i loro altari,
   distruggerà le loro stele.
³ Allora diranno: «Non abbiamo più re!
   Poiché non abbiamo temuto il Signore,
   il re che cosa può fare per noi?».
⁴ Dicono parole su parole,
   fanno giuramenti falsi e false alleanze;
   le contese fioriscono come erba
      velenosa
   nei solchi dei campi.
⁵ Per il vitello di Bet-Aven
   tremano gli abitanti di Samaria.
   Sì, per esso fa lamenti il suo popolo
   e i suoi sacerdoti con lui;

piangono per la sua gloria,
   perché ha emigrato lontano da loro.
⁶ Anch'egli sarà trasportato in Assiria
   come dono al gran re.
   La vergogna si impadronirà di Efraim
   e Israele arrossirà del suo idolo.
⁷ È finita Samaria!
   Il suo re è come un relitto
      sulla superficie dell'acqua.
⁸ Saranno distrutti gli alti luoghi
      idolatrici,
   il peccato d'Israele;
   spine e cardi cresceranno sopra
      i loro altari.
   Allora diranno alle montagne:
      «Ricopriteci!»,
   e alle colline: «Cadete su di noi!».
⁹ Dai giorni di Gabaa tu hai peccato,
      Israele!
   Là si sono arrestati.
   Ma non li raggiungerà in Gabaa
      una guerra?
¹⁰ Sono venuto contro i figli dell'errore
      per castigarli.
   I popoli si leveranno contro di loro
      per punirli del loro duplice delitto.
¹¹ Efraim è una giovenca ben domata,
   desiderosa di battere l'aia.
   Ma io farò passare il giogo
   sopra il suo collo robusto.
   Attaccherò Efraim all'aratro,
   Giacobbe tirerà l'erpice.
¹² Seminate il seme di giustizia,
   raccogliete il raccolto di bontà,
   coltivate un nuovo terreno.
   È tempo di cercare il Signore,
   finché egli venga a far piovere
      su di voi la giustizia.
¹³ Perché avete arato l'empietà,
      raccolto l'iniquità
   e mangiato il frutto della menzogna?
   Poiché tu hai confidato nei tuoi carri
   e nel numero dei tuoi cavalieri,
¹⁴ il tumulto si leverà nelle tue città
   e tutte le tue fortezze saranno
      devastate
   nel giorno della battaglia,
   come Salman devastò Bet-Arbel,
   schiacciando la madre sopra
      i suoi figli.
¹⁵ Così farò io a voi, casa d'Israele,
   per la vostra enorme malizia.
   All'alba scomparirà per sempre
      il re d'Israele.

L'INFANZIA D'ISRAELE
E L'AMORE PATERNO DI DIO

11 [1] Quando Israele era bambino, io lo
amai e dall'Egitto chiamai mio figlio.

[2] Io li ho chiamati,
ma essi si sono allontanati da me;
hanno sacrificato ai Baal
e agli idoli hanno bruciato l'incenso.

[3] Io ho insegnato i primi passi a Efraim,
me lo prendevo sulle braccia;
ma essi non si sono resi conto
che ero io ad aver cura di loro.

[4] Con legami pieni di umanità li attiravo,
con vincoli amorosi;
per loro ero come chi solleva un bimbo
alla sua guancia,
mi piegavo su di lui per dargli il cibo.

[5] Egli ritornerà in terra d'Egitto
e Assur sarà il suo re,
perché non hanno voluto convertirsi.

[6] La spada porterà il lutto nelle sue città,
sterminerà i suoi figli,
li divorerà per i loro perversi consigli.

[7] Il mio popolo è malato d'infedeltà!
Essi invocano Baal, ma costui
non li rialzerà!

[8] Come potrei abbandonarti, Efraim,
come lasciarti in balìa di altri, Israele?
Come potrei trattarti al pari di Adma,
o considerarti come Zeboim?
Si sconvolge dentro di me il mio cuore
e le mie viscere fremono tutte.

[9] Non darò sfogo alla mia ardente ira,
non distruggerò più Efraim,
perché io sono Dio e non un uomo,
sono il Santo in mezzo a te,
non un nemico devastatore!

[10] Essi seguiranno il Signore;
egli ruggirà come un leone,
sì, egli ruggirà e accorreranno
i suoi figli dall'occidente.

[11] Accorreranno come un uccello dall'Egitto
e come una colomba dal paese d'Assiria,
e io li farò abitare nelle loro case.
Oracolo del Signore.

LE COLPE DI EFRAIM

12 [1] Efraim mi circonda di menzogna
e la casa d'Israele d'inganno.
Giuda, invece, cammina con Dio
ed è chiamato il popolo del Santo.

[2] Efraim si pasce di vento,
segue sempre il vento d'oriente,
moltiplica menzogna e violenza;
fanno alleanza con l'Assiria
e portano olio all'Egitto.

[3] Il Signore intenta una lite con Israele,
per chiedere conto a Giacobbe
della sua condotta,
per ripagarlo secondo le sue azioni.

[4] Nel seno materno soppiantò il fratello
e da adulto lottò con Dio.

[5] Egli lottò con l'angelo e lo vinse,
ma pianse e ottenne pietà.
Lo incontrò a Betel e là gli parlò.

[6] Signore, Dio degli eserciti,
Signore è il suo nome.

[7] E tu torna al tuo Dio,
rispetta l'amore e la giustizia
e spera sempre nel tuo Dio.

[8] Canaan tiene in mano bilance false,
ama la frode.

[9] Efraim dice: «Come mi sono arricchito!
Mi sono fatto una fortuna!».
Ma di tutti i suoi vantaggi niente rimarrà
per il peccato che ha commesso.

[10] Io sono il Signore tuo Dio
fin dalla terra d'Egitto.
Io ti farò abitare ancora sotto le tende
come ai giorni della tenda del convegno.

[11] Io parlerò ai profeti, moltiplicherò
le visioni,
per mezzo dei profeti proporrò parabole.

[12] Galaad è iniquità; essi non sono
che menzogna;
a Galgala hanno sacrificato ai tori;
perciò i loro altari saranno come mucchi
di pietre
lungo i solchi dei campi.

[13] Giacobbe fuggì nella pianura dell'Aram,
Israele andò a servizio per una donna,
per una donna fu custode di greggi.

[14] Ma per mezzo di un profeta
il Signore trasse Israele dall'Egitto
e per mezzo di un profeta lo custodì.

[15] Efraim invece gli ha procurato amarezze;
il Signore farà ricadere il suo sangue
su di lui,
su di lui riverserà il suo oltraggio.

---

11. - 1. Il profeta si riferisce al tempo dei patriarchi, quando
ancora non era entrata l'idolatria nel popolo, allora in formazione, prima e durante la permanenza in Egitto. *Mio figlio*: è
Israele. Mt 2,15 applica queste parole a Gesù richiamato
dall'Egitto dopo la morte di Erode.

8ss. Come sempre nei profeti, dopo la minaccia del castigo
viene la promessa della misericordia, che qui prende tono
di tenerezza. *Adma* e *Zeboim* sono due città sommerse nel
Mar Morto (Gn 19,24s; Dt 29,22).

LA FINE DI EFRAIM

13 ¹Quando Efraim parlava, era il terrore,
era un principe in Israele;
ma si rese colpevole con Baal e perì.

² Ora essi peccano ancora:
si sono fatti statue,
idoli d'argento immaginati da loro,
tutti lavori di artigiani.
«A questi – dicono – offrite sacrifici!».
Ciascuno manda baci ai vitelli.

³ Perciò saranno come nube del mattino,
come rugiada che in fretta si scioglie,
come paglia portata lontano dal vento,
come il fumo del comignolo.

⁴ Ma io sono il Signore tuo Dio
fin dalla terra d'Egitto;
fuori di me tu non conosci altro Dio,
fuori di me non c'è salvatore.

⁵ Io ti ho fatto pascolare nel deserto,
in quell'arida terra.

⁶ Li ho fatti pascere, si sono saziati,
si sono saziati e il loro cuore
si è inorgoglito:
così mi hanno dimenticato.

⁷ Sarò per loro come un leone,
come una pantera starò in agguato
sulla strada.

⁸ Li aggredirò come un'orsa privata
dei cuccioli,
strapperò l'involucro dal loro cuore;
i cani divoreranno la loro carne,
gli animali del campo li sbraneranno.

⁹ Io ti distruggerò, Israele:
chi verrà in tuo aiuto?

¹⁰ Dov'è il tuo re? Ti salvi!
Tutti i tuoi capi? Ti proteggano!
Eppure sono coloro dei quali tu dicesti:
«Dammi un re e dei capi!».

¹¹ Irato, io ti diedi allora un re;
incollerito, ora te lo tolgo!

¹² La colpa di Efraim è chiusa
come in un sacco,
e ben custodito è il suo peccato.

¹³ Sopraggiungono per lui le doglie
del parto,
ma egli è un figlio insipiente,
poiché al tempo giusto non si presenta
per uscire dal seno materno.

¹⁴ Dal potere degli inferi io li libererò!
Dalla morte io li salverò!
Dov'è il tuo contagio, o morte?
Dov'è il vostro sterminio, o inferi?
La compassione si nasconde
ai miei occhi.

¹⁵ Efraim fiorisca pure tra i suoi fratelli:
il vento d'oriente verrà,
verrà il soffio del Signore,
si alzerà dal deserto
e inaridirà la sua sorgente,
seccherà la sua fontana,
devasterà la sua terra e tutti i suoi gioielli.

IL RITORNO A DIO
E LA PROMESSA DI SALVEZZA

14 ¹Samaria espierà la colpa,
perché si è ribellata al suo Dio;
cadranno di spada,
i loro bambini saranno sfracellati
e le loro donne incinte sventrate.

² Ritorna, Israele, al Signore, tuo Dio,
perché sei caduto a causa
dei tuoi peccati.

³ Preparate le parole da dire
e tornate al Signore.
Ditegli: «Perdona le nostre colpe,
fa' che ritroviamo la felicità,
così che possiamo offrirti il frutto
delle nostre labbra.

⁴ Assur non ci salverà,
non cavalcheremo più su cavalli
e non chiameremo più nostro dio
l'opera delle nostre mani,
poiché in te trova compassione l'orfano».

⁵ Io li guarirò dalla loro infedeltà,
li amerò di vero cuore,
perché la mia collera si è ritirata da loro.

⁶ Sarò come la rugiada per Israele;
egli germoglierà come un giglio,
stenderà le sue radici come un pioppo,

⁷ i suoi germogli si estenderanno lontano;
la sua magnificenza sarà
come quella dell'ulivo
e il suo profumo come quello del Libano.

⁸ Torneranno a sedersi alla mia ombra,
coltiveranno il frumento
e faranno fiorire la vigna,
famosa come il vino del Libano.

⁹ Efraim, che ha ancora in comune
con gli idoli?
Io lo esaudisco e a lui provvedo.
Io sono come un cipresso verdeggiante;
è grazie a me che tu porti frutto!

¹⁰ Chi è sapiente comprenda queste parole
e chi è intelligente le intenda.
Perché le vie del Signore sono diritte;
i giusti vi si incamminano,
ma i peccatori vi inciampano.

GIOELE

G li studiosi esitano nel fissare l'epoca storica di Gioele (letteralmente il nome significa «il Signore è Dio»): quelli antichi propendevano per l'VIII secolo a.C., quelli
moderni, basandosi sul fatto che l'esilio sembra descritto come un evento ormai passato, propendono per il periodo postesilico.
Il giorno del Signore è l'idea centrale del messaggio di Gioele. Esso è espresso attraverso un vocabolario desunto dagli avvenimenti naturali: siccità e invasioni d'insetti,
nella sua parte negativa; nella parte positiva è presentato, invece, come un'effusione
gratuita di una nuova vita e di un nuovo spirito da parte di Dio. Gli Atti degli Apostoli
(2,17-21) riprenderanno questa visione dell'effusione dello Spirito per descrivere l'inizio della chiesa, nuovo popolo messianico.
Il testo di Gioele è composto di quattro capitoli nell'ebraico e tre nella versione latina.
Si può dividere in due parti: cc. 1-2: giudizio e promesse per Giuda; cc. 3-4: l'era dello
Spirito e il giorno del Signore.

LITURGIA PENITENZIALE
PER L'IMMINENZA DI UN FLAGELLO

1 ¹Parola del Signore, rivolta a Gioele,
figlio di Petuel.

² Udite questo, anziani,
ascoltate tutti, abitanti del paese:
È mai capitato qualcosa di simile
ai vostri giorni
o ai giorni dei vostri padri?
³ Raccontatelo ai vostri figli,
e i figli vostri ai loro figli,
e i loro figli alla generazione seguente.
⁴ Il resto del verme l'ha divorato la locusta,
il resto della locusta l'ha divorato il bruco
e il resto del bruco l'ha divorato
la cavalletta.
⁵ Svegliatevi, ubriaconi, e piangete!
Lamentatevi voi tutti, bevitori di vino,
per il vino nuovo che vi è stato tolto
dalla bocca!
⁶ Un popolo assale il mio paese,
esso è forte e innumerevole.

I suoi denti sono denti di leone
e ha i molari di una leonessa.
⁷ Ha ridotto le mie viti a uno sterpo,
le mie piante di fico a tronchi
di legno secco;
le ha tutte scortecciate, abbattute,
i loro rami sono rimasti bianchi.
⁸ Piangi, come fanciulla vestita di sacco
per il suo giovane sposo.
⁹ Offerta e libazione sono sparite dal
tempio del Signore;
fanno lutto i sacerdoti, i ministri
del Signore.
¹⁰ La campagna è brulla, il suolo è in lutto,
perché il frumento è devastato,
il vino nuovo non c'è più, l'olio è finito.
¹¹ Impallidite, agricoltori, urlate, vignaiuoli,
per il frumento e per l'orzo:
la messe dei campi è perduta.
¹² La vite si è seccata, il fico è inaridito;
il melograno, la palma, il melo
e tutti gli alberi del campo
si sono seccati.
Sì, è scomparsa anche la gioia
di mezzo agli uomini.
¹³ Vestitevi a lutto, fate lamentazioni,
sacerdoti,
gemete, ministri dell'altare!

---

1. - 4. L'invasione delle cavallette ha tutti gli aspetti d'un fatto
storico, ma può essere che sia presa dal profeta come
simbolo delle invasioni nemiche.

Venite, vegliate vestiti di sacco,
  ministri del mio Dio,
poiché il tempio del vostro Dio
è privo di offerta e di libazione.
14 Proclamate un digiuno, convocate
  un'adunanza,
riunite gli anziani, tutti gli abitanti
  del paese
nel tempio del Signore vostro Dio
e gridate al Signore:
15 Ah, quel giorno!
Sì, il giorno del Signore è vicino,
viene come flagello dell'Onnipotente.
16 Non è forse scomparso il cibo davanti
  ai nostri occhi
e la letizia e la festa dal tempio
  del nostro Dio?
17 Sono marciti i semi sotto le zolle,
sono vuoti i magazzini, distrutti i granai,
perché il grano è finito.
18 Come si lamenta il bestiame!
Vanno errando gli armenti di buoi,
perché non c'è più pascolo per loro;
perfino le pecore ne fanno le spese!
19 A te, Signore, io grido!
Il fuoco ha divorato i pascoli del deserto;
la fiamma ha consumato
  tutte le piante della campagna.
20 Anche gli animali campestri
  si rivolgono a te,
perché si sono seccati i corsi d'acqua
e il fuoco ha divorato i pascoli
  del deserto.

L'ANNUNZIO
DEL GIORNO DEL SIGNORE
COME UN ESERCITO INVASORE

2 ¹Suonate il corno in Sion,
  date l'allarme sul mio santo monte!
Tremino tutti gli abitanti della terra,
perché è venuto il giorno del Signore.
Sì, è vicino!
2 Giorno di tenebre e di oscurità,
giorno di nube e di caligine.
Come l'aurora, si spande sui monti
un popolo numeroso e forte.
Simile ad esso non ve ne fu mai
  fin dai tempi remoti,
né dopo di esso ve ne sarà per molte
  generazioni!
3 Davanti a lui il fuoco divora
e dietro a lui la fiamma consuma.

Come il giardino dell'Eden è la terra
  davanti a lui
e dietro a lui un deserto desolato:
  da lui non c'è scampo.
4 Il loro aspetto è l'aspetto di cavalli,
come cavalieri essi corrono;
5 come un fragore di carri
che balzano sulle cime dei monti;
come il crepitio d'una fiamma di fuoco
che divora la stoppia;
come un popolo forte disposto
  per la battaglia!
6 Davanti a loro tremano i popoli,
tutti i volti restano allibiti.
7 Come prodi si slanciano,
come guerrieri assaltano il muro;
ognuno va per la sua strada
senza deviare dal proprio cammino.
8 Nessuno ostacola il suo vicino,
ciascuno avanza per la sua via.
Si gettano in mezzo alle armi,
non lasciano spazi.
9 Penetrano nella città, corrono sopra
  gli spalti;
entrano nelle case, penetrano
  dalle finestre come ladri.
10 Davanti a loro geme la terra
  e tremano i cieli;
il sole e la luna si oscurano,
le stelle ritirano il loro splendore.
11 Il Signore fa sentire la sua voce
alla testa del suo esercito.
Sì, sterminato è il suo accampamento,
sì, forte è l'esecutore della sua parola,
sì, grande è il giorno del Signore
e pieno di spavento: chi può sostenerlo?
12 Ebbene, ecco l'oracolo del Signore:
Tornate a me con tutto il cuore,
con digiuno, con pianto e lamento!
13 Lacerate il vostro cuore,
  non le vostre vesti,
e tornate al Signore, vostro Dio!
Egli è compassionevole e clemente,
lento alla collera e ricco di benevolenza
e si pente delle minacce.
14 Chi sa che non si penta e non torni,
lasciando sui suoi passi benedizione,
offerta e libazione per il Signore
  vostro Dio?
15 Suonate il corno in Sion.

---

2. - 4. Descrive poeticamente le cavallette come un esercito
distruttore. Nella forma della testa esse hanno una certa
analogia con i *cavalli.*

Proclamate un digiuno rituale,
convocate un'adunanza.
[16] Radunate il popolo.
Celebrate una riunione sacra.
Radunate gli anziani,
radunate i fanciulli e quelli
che succhiano il seno.
Esca lo sposo dalla sua camera
e la sposa dal suo talamo.
[17] Tra il vestibolo e l'altare piangano
i sacerdoti,
ministri del Signore.
Essi dicano: «Pietà, Signore,
del tuo popolo!
Non esporre la tua eredità al vituperio,
allo scherno delle nazioni.
Perché si dovrebbe dire tra le nazioni:
Dov'è il loro Dio?».
[18] Il Signore è geloso della sua terra
e perdona il suo popolo.
[19] Il Signore parla e dice al suo popolo:
Ecco, io vi mando frumento, vino nuovo
e olio fresco:
ne avrete a sazietà;
non vi renderò più oggetto di scherno
tra i popoli.
[20] Allontanerò da voi quello che viene
da settentrione
e lo disperderò su una terra arida
e desolata:
spingerò la sua avanguardia
verso oriente
e la sua retroguardia verso occidente.
Il suo fetore si alzerà, il suo lezzo
si leverà.
Egli fa cose grandi.
[21] Non temere più, terra, ma rallegrati
e gioisci.
Il Signore opera grandi cose.
[22] Non temete più, animali della campagna:
i pascoli del deserto sono rinverditi.
Le piante producono i loro frutti,
il fico e la vite danno il loro prodotto.
[23] Figli di Sion, rallegratevi,
gioite nel Signore, vostro Dio.
Egli vi dà la pioggia secondo il bisogno;
fa scendere su di voi la pioggia
in autunno e in primavera,
come un tempo.

[24] Le aie si riempiono di frumento,
i tini traboccano di vino nuovo e di olio.
[25] Io vi risarcirò delle annate
che vi hanno divorato la locusta
e il bruco,
la cavalletta e il verme, mio esercito
sterminato,
che ho inviato contro di voi.
[26] Voi mangerete fino a saziarvi
e loderete il nome del Signore,
vostro Dio,
che ha fatto per voi meraviglie:
il mio popolo non sarà più schernito.
[27] Voi riconoscerete che io sono in mezzo
a Israele,
che io, il Signore, sono il vostro Dio
e non ce ne sono altri:
il mio popolo non sarà più schernito.

L'EFFUSIONE DELLO SPIRITO DI DIO

3 [1]Dopo questo,
io effonderò il mio Spirito su ogni uomo.
I vostri figli e le vostre figlie
profeteranno,
i vostri vecchi avranno dei sogni,
i vostri giovani vedranno visioni.
[2] Anche sopra gli schiavi e le schiave
in quei giorni effonderò il mio Spirito.
[3] Farò prodigi nel cielo e sulla terra:
sangue, fuoco e colonne di fumo.
[4] Il sole si cambierà in tenebre, la luna
in sangue,
quando verrà il giorno del Signore,
grande e terribile.
[5] Allora chiunque invocherà il nome
del Signore
sarà salvo.
Perché sul monte Sion e in Gerusalemme
vi sarà la salvezza,
come ha detto il Signore;
tra i superstiti vi saranno coloro
che il Signore avrà chiamato.

GI

IL SIGNORE GIUDICA LE NAZIONI

4 [1]Perché, ecco, in quei giorni,
in quel tempo,
quando avrò ristabilito
Giuda e Gerusalemme,
[2] io radunerò tutte le nazioni,
le farò scendere nella Valle di Giosafat;

---

3. - 1. Alla restaurazione materiale succederà la restaurazione morale con i doni dello Spirito che avrà profeti in tutte le classi sociali. At 2,16-18 constata l'avveramento della profezia nei primi tempi della chiesa.

là istituirò un processo contro di loro
per Israele, mio popolo e mia proprietà,
che essi hanno disperso in mezzo
    alle nazioni,
dividendosi poi la mia terra.

3 Sul mio popolo hanno gettato la sorte,
hanno scambiato i fanciulli con prostitute,
hanno venduto le fanciulle in cambio
    di vino,
che poi hanno bevuto.

4 Ora, che c'è tra me e voi, Tiro, Sidone,
e voi tutti distretti dei Filistei?
Volete forse vendicarvi di me?
Se volete far vendetta su di me,
io la farò ricadere molto presto sopra
    le vostre teste.

5 Voi, infatti, avete rubato il mio argento
    e il mio oro,
e avete portato i miei tesori
    nei vostri templi;

6 avete venduto ai Greci
gli abitanti di Giuda e di Gerusalemme,
per allontanarli dal loro paese.

7 Ecco, io li trarrò fuori dal luogo
    dove li avete venduti
e farò ricadere le vostre azioni
    sopra le vostre teste!

8 Io venderò i vostri figli e le vostre figlie
agli abitanti di Giuda,
i quali li rivenderanno ai Sabei,
a un popolo lontano.
Sì, il Signore ha parlato.

9 Annunziate questo tra le genti:
Proclamate la guerra santa!
Convocate gli eroi!
Avanzino, salgano tutti i combattenti!

10 Trasformate le vostre scuri in spade
e le vostre falci in lance.
Il debole dica: «Sono un eroe!».

11 Su, venite, voi tutti popoli vicini,
    e riunitevi là.
Signore, fa' scendere i tuoi eroi!

12 Si destino, salgano le genti verso
    la Valle di Giosafat!
Là io mi siedo per giudicare tutte
    le nazioni vicine!

13 Impugnate la falce: la messe è matura!
Venite, pigiate: il tino è pieno!
Le botti traboccano:
grande è la loro malizia!

14 Folle e folle nella Valle della decisione!
È vicino il giorno del Signore
nella Valle della decisione!

15 Sole e luna si oscurano,
le stelle perdono il loro splendore.

16 Il Signore ruggisce da Sion,
da Gerusalemme fa sentire la sua voce.
Ma il Signore è rifugio per il suo popolo,
una fortezza per i figli d'Israele.

17 Così saprete che io sono il Signore,
    vostro Dio,
che abita in Sion, mia santa montagna.
Gerusalemme sarà un santuario,
gli stranieri non vi passeranno più.

18 In quel giorno le montagne
    goccioleranno di vino,
il latte scorrerà per le colline
e tutti i torrenti di Giuda
rigurgiteranno di acqua.
Una sorgente zampillerà dalla casa
    del Signore
e irrigherà la valle di Sittim.

19 L'Egitto diventerà una landa solitaria,
Edom un deserto desolato,
per le violenze contro gli abitanti
    di Giuda,
per il sangue innocente versato
    nel loro paese.

20 Ma Giuda sarà abitato per sempre
e Gerusalemme di generazione
    in generazione.

21 Io dichiaro innocente il loro sangue,
sì, lo dichiaro innocente:
il Signore abita in Sion!

AMOS

Nativo di Tekoa, un villaggio del regno di Giuda, Amos esercitò il ministero profeti-co nel regno d'Israele. Lui stesso fornisce qualche dato autobiografico: è pastore e raccoglitore di sicomori (1,1; 7,14). Svolge la sua attività durante lo splendido regno di Geroboamo II in Israele, 787-747 a.C.

L'epoca in cui opera Amos è un'epoca di benessere e di prosperità che vede nelle città la trasformazione dei piccoli borghesi in ricchi accumulatori di capitale e nelle campagne l'ascesa di piccoli possidenti a grandi latifondisti. Amos è chiamato ad an-nunciare il giudizio di Dio sulle inadempienze, sulle ingiustizie e sull'arroganza di una città e di un'amministrazione ormai rigettata da Dio. Ed è Dio stesso che lo strappa dalla mandria (7,15) e lo invia, lui senza preparazione e senza cultura, a condannare l'arroganza e il lusso della città (3,12; c. 6).

Il libro di Amos è strutturato in 9 capitoli così suddivisi. Prima parte: le «parole» di Amos: oracoli, esortazioni e minacce contro le nazioni e contro Giuda e Israele (1,3 - 6,14). Seconda parte: le «visioni» di Amos: visioni simboliche che preannunciano il giorno del Signore come castigo ma anche come salvezza (7,1 - 9,15).

Il messaggio di Amos è caratterizzato da un forte richiamo alle esigenze del Dio dell'alleanza e da una costante difesa dei poveri di Samaria contro gli abusi di vario nome nei loro confronti: abuso del potere, del denaro, della proprietà.

IL GIUDIZIO DI DIO CONTRO LE NAZIONI

1 ¹Parole di Amos, pecoraio di Tekoa, il quale ebbe visioni riguardo a Israele nei giorni di Ozia, re di Giuda, e nei giorni di Geroboamo, figlio di Ioas, re d'Israele, due anni prima del terremoto.
²Egli disse:

Il Signore da Sion ruggirà
e da Gerusalemme leverà la sua voce;
saranno desolate le praterie dei pastori
e sarà inaridita la vetta del Carmelo.

³ Così dice il Signore:
«Per tre prevaricazioni di Damasco
e per quattro non perdonerò,
perché essi hanno triturato con trebbie
di ferro Galaad.

⁴ Manderò il fuoco alla casa di Cazael
e divorerà i palazzi di Ben-Adad.

⁵ Spezzerò la sbarra di Damasco,
sterminerò gli abitanti di Bikeat-Aven

e chi detiene lo scettro a Bet-Eden
e il popolo di Aram sarà deportato a Kir».
L'ha detto il Signore.

⁶ Così dice il Signore:
«Per tre prevaricazioni di Gaza
e per quattro non perdonerò,
perché essi hanno deportato
populazioni intere
e le hanno consegnate a Edom.

⁷ Manderò il fuoco dentro le mura di Gaza
e divorerà i suoi palazzi.

⁸ Sterminerò gli abitanti di Asdod
e chi detiene lo scettro in Ascalon;
rivolterò la mia mano contro Accaron
e perirà il resto dei Filistei».
L'ha detto il Signore.

⁹ Così dice il Signore:
«Per tre prevaricazioni di Tiro
e per quattro non perdonerò,
perché essi hanno deportato
populazioni intere a Edom,
senza ricordarsi dell'alleanza
tra fratelli.

¹⁰ Manderò il fuoco dentro le mura di Tiro
   e divorerà i suoi palazzi».

¹¹ Così dice il Signore:
   «Per tre prevaricazioni di Edom
   e per quattro non perdonerò,
   perché ha inseguito con la spada
     il fratello
   e ha soffocato la compassione;
   la sua ira sbranerà in perpetuo
   e la sua rabbia durerà per sempre.

¹² Manderò il fuoco a Teman
   e divorerà i palazzi di Bozra».

¹³ Così dice il Signore:
   «Per tre prevaricazioni dei figli di Ammon
   e per quattro non perdonerò,
   perché essi hanno sventrato le donne
     incinte di Galaad,
   per ampliare il loro territorio.

¹⁴ Appiccherò il fuoco alle mura di Rabba
   e divorerà i suoi palazzi
   fra le grida di un giorno di battaglia,
   fra il vortice di un giorno di tempesta.

¹⁵ Il loro re andrà in esilio,
   egli e i suoi prìncipi insieme».
   L'ha detto il Signore.

CONTRO MOAB, GIUDA E ISRAELE

2 ¹Così dice il Signore:
   «Per tre prevaricazioni di Moab
   e per quattro non perdonerò,
   perché ha bruciato e ridotto in calce
   le ossa del re di Edom.

² Manderò il fuoco in Moab
   e divorerà i palazzi di Keriot.
   Moab morirà nel tumulto della guerra,
   tra grida e squilli di tromba.

³ Sterminerò in mezzo a lui il giudice
   e tutti i suoi prìncipi trucidèrò con lui».
   L'ha detto il Signore.

⁴ Così dice il Signore:
   «Per tre prevaricazioni di Giuda
   e per quattro non perdonerò,
   perché essi hanno respinto la legge
     del Signore
   e non hanno osservato i suoi decreti.
   Li hanno traviati le loro menzogne,
   venerate dai loro padri.

⁵ Manderò il fuoco in Giuda
   e divorerà i palazzi di Gerusalemme».

⁶ Così dice il Signore:
   «Per tre prevaricazioni d'Israele
   e per quattro non perdonerò,

perché essi hanno venduto il giusto
   per denaro
e il povero per un paio di sandali,

⁷ essi, che calpestano tra la polvere
     della terra
   la testa dei miseri
   e fanno deviare la via degli umili.
   Padre e figlio vanno dalla stessa fanciulla,
   allo scopo di profanare il mio santo nome.

⁸ Su vesti pignorate si stendono accanto
     ad ogni altare
   e bevono il vino del loro strozzinaggio
   nel tempio del loro Dio.

⁹ Eppure proprio io sterminai l'Amorreo
     davanti a loro,
   la cui altezza era come quella dei cedri
   ed era forte come le querce.
   Estirpai il suo frutto in alto
   e le sue radici in basso.

¹⁰ E proprio io vi feci uscire dalla terra
     d'Egitto
   e vi condussi nel deserto
     per quarant'anni,
   perché ereditaste la terra
     dell'Amorreo.

¹¹ Suscitai profeti tra i vostri figli
   e naziréi tra i vostri giovani.
   Non è forse così, figli d'Israele?».
   Oracolo del Signore.

¹² «Ma voi avete fatto ubriacare i naziréi
     con vino,
   e ai profeti avete ordinato: Non profetate!

¹³ Ecco, io sto per stridere sotto di voi
   come stride il carro quand'è stracarico
     di covoni.

¹⁴ Allora svanirà la fuga per chi è veloce
   e chi è forte non sarà sostenuto
     dal suo valore;
   l'eroe non salverà la propria vita

¹⁵ e l'arciere non resisterà,
   il più agile non si salverà
   e il cavaliere non salverà la propria vita.

¹⁶ Il più coraggioso tra gli eroi
   in quel giorno fuggirà nudo!».
   Oracolo del Signore.

AVVERTIMENTI E MINACCE

3 ¹Ascoltate questa parola
   che il Signore ha pronunziato
   contro di voi, figli d'Israele,
     contro tutta la stirpe
   che ho fatto uscire dalla terra d'Egitto:

2 «Soltanto voi ho conosciuto tra tutte
le stirpi del mondo.
Perciò vi farò scontare tutte le vostre
iniquità».

3 Faranno forse insieme un viaggio,
due che non si sono messi d'accordo?

4 Ruggirà forse il leone nella foresta,
senz'avere una preda?
Manderà grida il leoncello dalla sua tana,
se non ha preso qualcosa?

5 O cadrà l'uccello nella trappola a terra,
se non gli è stato teso un laccio?
O scatterà la trappola dal suolo,
se non ha preso qualcosa?

6 Se squillerà la tromba in città,
il popolo non sarà atterrito?
Se accadrà una sventura in città,
non sarà il Signore che l'ha causata?

7 In verità il Signore Dio non fa
cosa alcuna,
senza aver rivelato il suo disegno
ai suoi servi, i profeti.

8 Il leone ha ruggito, chi non tremerà?
Il Signore Dio ha parlato,
chi non profeterà?

9 Fatelo udire nei palazzi di Asdod
e nei palazzi della terra d'Egitto, e dite:
Raccoglietevi sui monti di Samaria
e osservate quanti disordini sono in essa
e quali oppressioni al suo interno.

10 Non sanno agire con rettitudine,
dice il Signore,
essi che accumulano violenza
e sopruso nei loro palazzi.

11 Perciò, così dice il Signore Dio:
Un oppressore accerchierà il paese.
Farà crollare giù da te la tua fortezza
e saranno saccheggiati i tuoi palazzi.

12 Così dice il Signore:
Come un pastore salva,
strappando dalle fauci del leone,
due zampe o l'estremità
di un orecchio,
così saranno strappati i figli d'Israele,
essi, che abitano in Samaria
sull'orlo di un lettino,
su un confortevole divano.

---

3. - 3. Le due persone sono Dio e Israele: non possono più
andare assieme poiché gl'Israeliti hanno abbandonato e
misconosciuto il loro Dio; ma ciò significa che non potranno
più godere della sua protezione.

12. I nobili, ricchi e voluttuosi, sdraiati sui letti e sui cuscini,
non scamperanno e di loro resterà ciò che resta al pastore
che strappa la preda dalla bocca del leone.

13 Ascoltate e attestate nella casa
di Giacobbe,
oracolo del Signore, Dio degli eserciti.

14 Davvero, nel giorno in cui punirò
le prevaricazioni d'Israele,
io infierirò contro gli altari di Betel;
saranno spezzati i corni dell'altare
e cadranno a terra.

15 Abbatterò la casa d'inverno
sulla casa d'estate,
periranno le case d'avorio
e andranno in rovina molte abitazioni.
Oracolo del Signore.

ORACOLI DI MINACCIA

4 1Ascoltate queste parole,
vacche di Basan,
che siete sulla montagna di Samaria,
che schiacciate i miseri,
che opprimete i poveri,
che dite ai vostri mariti:
Porta qua, e beviamo!

2 Ha giurato il Signore Dio
per la sua santità:
Ecco, verranno per voi giorni
in cui sarete prese con uncini,
e quante tra voi rimangono indietro
con arpioni da pesca.

3 Per brecce uscirete, una dopo l'altra,
e sarete spinte verso l'Ermon.
Oracolo del Signore.

4 Venite a Betel e prevaricate,
a Galgala e moltiplicate le prevaricazioni!
Offrite ogni mattina i vostri sacrifici
e ogni tre giorni le vostre decime.

5 Offrite anche sacrifici di ringraziamento
con lievito,
proclamate ad alta voce le offerte
volontarie,
perché così piace a voi, figli d'Israele.
Oracolo del Signore Dio.

6 Eppure io vi lasciai a denti asciutti
in tutte le vostre città,
con carestia di pane in tutte le vostre
borgate:
ma non siete ritornati a me.
Oracolo del Signore.

7 Io trattenni da voi la pioggia,
a tre mesi dalla mietitura.
Facevo piovere sopra una città
e sopra un'altra città non facevo
piovere.

Am

Un campo era fradicio di pioggia
e il campo su cui non pioveva inaridiva.
⁸ Da due o tre città andavano barcollando
    a un'altra
per bere acqua e non si saziavano:
ma non siete ritornati a me.
Oracolo del Signore.
⁹ Vi ho colpiti con l'arsura e con la ruggine;
ho disseccato i vostri frutteti
    e i vostri vigneti;
i vostri fichi e i vostri olivi li ha divorati
    la cavalletta:
ma non siete ritornati a me.
Oracolo del Signore.
¹⁰ Mandai contro di voi la peste,
come un tempo contro l'Egitto.
Ho ucciso con la spada i vostri giovani,
mentre erano catturati i vostri cavalli.
Feci salire il fetore dei vostri
    accampamenti
nelle vostre stesse narici:
ma non siete ritornati a me.
Oracolo del Signore.
¹¹ Vi ho travolti completamente,
come Dio aveva travolto Sodoma
    e Gomorra;
diventaste come un tizzone strappato
    a un incendio:
ma non siete ritornati a me.
Oracolo del Signore.
¹² Perciò, così farò a te, Israele,
proprio così ti tratterò:
Preparati a incontrare il tuo Dio, Israele.
¹³ Poiché ecco colui che plasma i monti
    e crea il vento,
che manifesta all'uomo qual è
    il suo pensiero,
che fa l'aurora e il crepuscolo
e cammina sulle sommità della terra:
Signore, Dio degli eserciti è il suo nome.

LAMENTAZIONE SU ISRAELE

5 ¹Ascoltate queste parole
che io sto per pronunziare su di voi,
questa lamentazione, o casa d'Israele.
² È caduta e non si alzerà più la vergine
    Israele.
Giace abbattuta al suolo e nessuno
    la rialza.
³ Poiché così dice il Signore Dio:
La città che usciva con mille rimarrà
    con cento,

e quella che usciva con cento rimarrà
    con dieci.
⁴ Poiché così dice il Signore
    alla casa d'Israele:
Cercate me, e vivrete!
⁵ Non cercate Betel
    e non andate a Galgala;
non passate a Bersabea,
poiché Galgala sarà deportata
e Betel sarà ridotta al nulla.
⁶ Cercate il Signore e vivrete,
perché egli non penetri come fuoco
nella casa di Giuseppe e la consumi
e nessuno spenga Betel!
⁷ Essi, che trasformano in assenzio
    il giudizio
e gettano a terra la giustizia.
⁸ Colui che ha creato le Pleiadi e Orione,
che trasforma le ombre in aurora
e rende il giorno oscuro come la notte,
è lui che chiama le acque del mare
e le riversa sulla faccia della terra:
Signore è il suo nome.
⁹ È lui che lancia la distruzione
    sulle fortezze
e la distruzione raggiunge la roccaforte.
¹⁰ Essi odiano colui che decide alla porta,
e detestano colui che parla
    con integrità.
¹¹ Ebbene, poiché avete conculcato
    il misero,
esigendo da lui un tributo in grano,
se costruite case di pietre squadrate,
non le abiterete;
se piantate vigne ubertosissime,
non berrete il loro vino.
¹² Davvero, so che le vostre prevaricazioni
sono senza numero
e gravissimi sono i vostri peccati.
Essi osteggiano chi è giusto,
esigono denaro per corruzione
e respingono i poveri in tribunale.
¹³ Perciò il prudente in questo tempo tace,
perché tempo cattivo è questo.
¹⁴ Cercate il bene e non il male e vivrete;
sarà realmente con voi, come dite,
il Signore, Dio degli eserciti.
¹⁵ Odiate il male e amate il bene
e ristabilite nei tribunali la giustizia;
chissà che non faccia grazia
il Signore Dio degli eserciti
al resto di Giuseppe.
¹⁶ Perciò, così dice il Signore,
Dio degli eserciti, il Signore:

In tutte le piazze vi sarà lamento,
e in tutte le strade si dirà: Guai, guai!
Chiameranno il contadino al lutto
e a fare il lamento quelli che conoscono
il canto funebre.

17 In tutte le vigne vi sarà lamento,
perché io passerò in mezzo a te,
dice il Signore.

18 Guai a chi brama il giorno del Signore!
A che cosa vi gioverà il giorno
del Signore?
Esso sarà tenebre e non luce.

19 Sarà come quando uno fugge alla vista
di un leone
e si imbatte in un orso;
entra in casa, appoggia la mano
alla parete
e lo morde un serpente.

20 Non sarà forse tenebre il giorno
del Signore e non luce?
Oscurità, senza splendore?

21 Odio, respingo le vostre festività,
non gradisco il profumo delle vostre
adunanze solenni.

22 Anche se mi offrirete olocausti e oblazioni
non le gradirò;
a sacrifici di grasse vittime non volgerò
il mio sguardo.

23 Via da me il chiasso dei tuoi canti:
non voglio udire il suono delle tue cetre.

24 Piuttosto zampilli come acqua il diritto
e la giustizia come fonte perenne.

25 Mi avete forse offerto vittime e oblazione
nel deserto per quarant'anni,
casa d'Israele?

26 Innalzate Siccut vostro re e Chiion
vostro idolo,
stella dei vostri dèi, che vi siete fatti.

27 Io vi farò deportare al di là di Damasco,
dice il Signore.
Dio degli eserciti è il suo nome.

CONTRO LA FALSA SICUREZZA

6 1Guai agli spensierati di Sion,
e a coloro che stanno sicuri
sul monte di Samaria,
ai notabili della prima tra le nazioni,
ai quali si recano quelli della casa
d'Israele!

2 Passate a Calne e vedete,
di là andate a Camat la grande
e scendete a Gat dei Filistei.
Siete voi forse migliori di quei regni?
O è il loro paese più vasto del vostro
paese?

3 Voi credete di allontanare il giorno
funesto,
mentre fate avvicinare il sopravvento
della violenza.

4 Essi giacciono su letti d'avorio
e poltriscono sui loro divani,
mangiano agnelli del gregge
e vitelli della stalla.

5 Canterellano al suono dell'arpa
e, come Davide, inventano per sé
strumenti di canto.

6 Bevono nelle anfore il vino
e con il più fino degli unguenti si ungono,
ma non si preoccupano per il crollo
di Giuseppe.

7 Perciò andranno in esilio in testa
ai deportati
e cesserà l'orgia dei dissoluti.

8 Ha giurato il Signore Dio
sulla sua stessa vita!
Oracolo del Signore, Dio degli eserciti:
Io detesto il fasto di Giacobbe
e odio i suoi palazzi,
consegnerò la città e quanto è in essa.

9 E avverrà che se saranno lasciati
in una sola casa
dieci uomini, essi moriranno.

10 Lo preleverà il suo congiunto
e colui che gli prepara il rogo,
per far uscire le ossa dalla casa.
Uno dirà a chi sta in un angolo della casa:
«C'è ancora qualcuno con te?».
L'altro risponderà: «No».
E quello dirà: «Zitto!».
Infatti si avrà timore di pronunciare
il nome del Signore.

11 Poiché, ecco, il Signore comanda
di ridurre
la casa grande in frantumi
e la casa piccola in schegge.

12 Corrono forse sulle rocce i cavalli,
o si ara con i buoi il mare?
Ebbene, voi avete cambiato in veleno
il diritto
e il frutto della giustizia in assenzio.

13 Voi, che vi rallegrate per Lodebar,
voi, che dite: «Non è forse
con il nostro vigore

Am

---

5. - 26. *Siccut* e *Chiion* erano due divinità del culto astrale
assiro-babilonese, penetrato in Palestina.

che ci siamo impossessati
di Karnaim?».

14 Ecco io susciterò contro di voi,
casa d'Israele,
oracolo del Signore, Dio degli eserciti,
un popolo che vi opprimerà
dall'ingresso di Camat fino al torrente
dell'Araba.

VISIONI DI AMOS
E CONTRASTO CON AMASIA

7 ¹Ecco ciò che mi fece vedere
il Signore Dio:
egli stava plasmando uno sciame
di cavallette,
mentre cominciava a crescere
il secondo taglio d'erba.
Il secondo taglio era quello che veniva
dopo la falciatura del re.
² E avvenne che, quando quelle ebbero
finito
di divorare l'erba della terra,
io dissi: «Ti prego, Signore, perdona!
Come potrà resistere Giacobbe?
È tanto piccolo!».
³ Si pentì il Signore di questo.
«Non avverrà», disse il Signore.
⁴ Ecco ciò che mi fece vedere
il Signore Dio:
il Signore Dio stava chiamando il fuoco
per castigare.
Aveva già divorato il grande abisso
e avrebbe divorato anche la campagna.
⁵ Io dissi: «Signore Dio, ti prego, smetti!
Come potrà resistere Giacobbe?
È tanto piccolo!».
⁶ Si pentì il Signore di questo.
«Neanche questo avverrà»,
disse il Signore Dio.
⁷ Ecco ciò che mi fece vedere:
il Signore stava ritto sopra un muro
a piombo,
e nella sua mano teneva un filo a piombo.
⁸ Il Signore mi disse:
«Che cosa vedi, Amos?».
Io risposi: «Un filo a piombo».
Il Signore mi disse:
«Ecco, io sto per porre un filo a piombo
all'interno del mio popolo, Israele:
non gli perdonerò più.
⁹ Saranno devastate le alture d'Isacco
e i santuari d'Israele saranno desolati;

io mi ergerò con la spada
contro la casa di Geroboamo».

¹⁰Amasia, sacerdote di Betel, mandò a dire a Geroboamo, re d'Israele: «Amos complotta contro di te, all'interno della casa d'Israele. Il paese non può sopportare tutte le sue parole, ¹¹poiché così ha detto Amos:

Di spada morirà Geroboamo
e Israele sarà deportato in esilio
lontano dal suo territorio».

¹²Amasia disse ad Amos: «Veggente, vattene, fuggi nel territorio di Giuda; là ti guadagnerai da vivere e potrai profetizzare. ¹³Ma a Betel non continuare a profetizzare, perché questo è santuario del re e tempio del regno».

¹⁴ Amos rispose ad Amasia:
«Non sono profeta io, né figlio di profeta;
io sono mandriano e incisore di sicomori.
¹⁵ Il Signore mi prese da dietro il gregge,
e il Signore mi disse:
Va', profetizza al mio popolo, Israele.
¹⁶ Ora ascolta la parola del Signore:
Tu dici: Non profetizzare contro Israele
e non predicare contro la casa d'Isacco.
¹⁷ Ebbene, così dice il Signore:
La tua donna si prostituirà nella città,
i tuoi figli e le tue figlie cadranno
di spada,
la tua terra sarà suddivisa con la corda
e tu morirai in terra immonda.
Israele sarà deportato in esilio,
lontano dal suo territorio».

LA DISONESTÀ NEL COMMERCIO
E LA FAME DELLA PAROLA
DEL SIGNORE

8 ¹Ecco ciò che mi fece vedere
il Signore Dio:
un cesto di frutti estivi.
² Egli disse: «Che cosa vedi, Amos?».
Io risposi: «Un cesto di frutti estivi».
Il Signore mi disse:

---

7. - 1ss. In una serie di visioni, Dio manifesta al profeta i castighi che incombono su Israele e, mentre le prime due fanno comprendere la misericordia e longanimità di Dio, che sospende il castigo per la preghiera del profeta, le altre lasciano capire che esso verrà e sarà gravissimo. *Falciatura del re*: era un tributo dovuto alle scuderie reali.

«È arrivata la fine per il mio popolo,
    Israele:
non gli perdonerò più.
3 In quel giorno urleranno le cantatrici
    del palazzo,
oracolo del Signore.
Numerosi i cadaveri:
in ogni luogo saranno gettati. Silenzio!».
4 Ascoltate, voi che calpestate il povero
fino a sterminare gli umili del paese,
5 voi che dite: «Quando passerà
    la luna nuova,
per vendere il grano,
e il sabato, per smerciare il frumento,
diminuendo l'efa e ingrandendo il siclo
e falsificando le bilance per frodare,
6 acquistando con denaro i miseri
e il povero per un paio di sandali?
Anche lo scarto del frumento
    venderemo».
7 Il Signore ha giurato sulla gloria
    di Giacobbe:
non dimenticherò mai nessuna
    delle loro opere.
8 Forse che per questo non tremerà
    la terra
e non farà lutto ogni suo abitante?
Si leverà tutta come il Nilo
    e s'ingrosserà,
poi si riabbasserà come il Nilo d'Egitto.
9 In quel giorno, oracolo del Signore Dio,
farò tramontare il sole a mezzogiorno
e oscurerò la terra in pieno giorno!
10 Cambierò le vostre feste in lutto
e tutti i vostri canti in lamentazione,
vestirò tutti i fianchi di sacco
e renderò calva ogni testa;
ne farò come un lutto per un figlio unico
e la sua fine sarà come un giorno amaro.
11 Ecco, verranno giorni,
    oracolo del Signore Dio,
in cui manderò la fame sulla terra:
non fame di pane né sete di acqua,
ma di ascoltare la parola del Signore.
12 Andranno barcollando da mare a mare
e vagheranno da settentrione ad oriente

per cercare la parola del Signore,
ma non la troveranno.
13 In quel giorno verranno meno
    le belle vergini
e i giovani per la sete.
14 Quelli che giurano per la colpa di Samaria
e dicono: «Per la vita del tuo dio, Dan!»,
oppure: «Per la vita del tuo diletto,
    Bersabea!»,
cadranno e non si rialzeranno più.

LA DISTRUZIONE D'ISRAELE
E LA SUA RICOSTRUZIONE

9 1Vidi il Signore ritto presso l'altare.
  Egli disse: «Colpisci il capitello
e crollino gli architravi,
spezzali sulla testa di tutti loro;
quanti tra loro rimangono, io li ucciderò
    con la spada.
Nessuno di loro potrà salvarsi con la fuga
e nessuno di loro scamperà.
2 Se si apriranno un varco negli inferi,
di laggiù la mia mano li afferrerà;
se saliranno al cielo, di lassù li farò
    scendere;
3 se si nasconderanno sulla vetta
    del Carmelo,
di là li scoprirò e li prenderò;
se si nasconderanno ai miei occhi
    nel fondo del mare,
fin là comanderò al serpente e li morderà;
4 se andranno prigionieri davanti
    ai loro nemici,
fin là comanderò alla spada e li ucciderà.
Io fisserò i miei occhi su di loro
    per il male
e non per il bene».
5 Il Signore, Dio degli eserciti,
è lui che tocca la terra ed essa si fonde
e tutti i suoi abitanti fanno lutto.
Essa si leverà tutta come il Nilo
e poi si riabbasserà come il Nilo d'Egitto.
6 È lui che costruisce nei cieli il suo soglio
e sulla terra fonda la sua volta;
è lui che chiama le acque del mare
e le riversa sulla faccia della terra:
Signore è il suo nome.
7 Non siete voi per me come gli Etiopi,
figli d'Israele? Oracolo del Signore.
Non ho forse fatto uscire Israele
    dalla terra d'Egitto,
i Filistei da Caftor e gli Aramei da Kir?

---

9. - 7. Israele si riteneva al sicuro dalla distruzione perché si credeva il popolo eletto da Dio. Il profeta fa presente che Dio lo aveva eletto per pura bontà, potendo eleggere qualunque altro popolo, perché è Signore di tutti. Perciò Israele non ha di per sé nessun diritto speciale. Poteva confidare nella protezione particolare di Dio se avesse assecondato i suoi disegni, ma poiché l'ha abbandonato, sarà punito come tutti gli altri.

8 Ecco, gli occhi del Signore Dio
      sono rivolti
   contro il regno peccatore:
   io lo estirperò dalla faccia della terra,
   ma non estirperò del tutto la casa
      di Giacobbe.
   Oracolo del Signore.
9 Poiché, ecco, io sto per dare un comando
   e scuoterò, fra tutti i popoli,
      la casa d'Israele,
   come si scuote il vaglio:
   non cadrà un ciottolino a terra.
10 Di spada moriranno tutti i peccatori
      del mio popolo,
   essi che dicono: «Non farai avvicinare
   né farai arrivare in mezzo a noi
      la sventura».
11 In quel giorno risolleverò la capanna
      cadente di Davide,
   ne chiuderò le brecce, ne rimetterò
      in piedi le rovine,
   fino a ricostruirla come nei giorni antichi,
12 affinché conquistino il resto di Edom
   e tutte le genti
   sulle quali è stato proclamato
      il mio nome.

Oracolo del Signore, che sta per fare
   questo.
13 Ecco, verranno giorni,
   oracolo del Signore,
   in cui chi ara raggiungerà
      il mietitore
   e il pigiatore di grappoli colui
      che sparge la semente:
   i monti stilleranno vino nuovo
   e tutti i colli si liquefaranno.
14 Farò tornare gli esuli del mio popolo,
      Israele;
   edificheranno le città devastate
      e vi abiteranno,
   pianteranno vigneti e ne berranno
      il vino,
   coltiveranno frutteti e ne mangeranno
      il prodotto.
15 Li pianterò nella loro terra
   e non saranno più sradicati
   dal suolo che io ho donato loro,
   dice il Signore, tuo Dio.

8-9. *Non estirperò del tutto...*: è il pensiero dei profeti che si ripete; Dio conserverà un «resto» del popolo che fu suo.

ABDIA

Con i suoi soli 21 versetti, il libro di Abdia (il nome significa «servo di Dio») è il più breve scritto dell'Antico Testamento. La sua collocazione storica è in pratica indefinibile (gli studiosi oscillano nella datazione dal IX al II secolo a.C.). Inoltre buona parte di esso (vv. 2-9) si ritrova in Ger 49,7-22.

Abdia presenta un grandioso «giudizio» su Edom, perché questa regione, confinante con la Giudea, aveva approfittato della caduta di Gerusalemme per annettere parte della Giudea meridionale. Con questo «giudizio» il profeta annuncia la presenza e l'intervento di Dio a favore non solo della giustizia individuale, ma anche comunitaria e collettiva.

VISIONE E ORACOLI DI ABDIA

1 ¹Visione di Abdia.

Così dice il Signore a Edom:
«Ho inteso un messaggio del Signore
e un messo è stato inviato tra le nazioni:
In piedi! Marciamo contro di lei!
Alla guerra!».
² Ecco, ti rendo piccola tra le nazioni,
sarai grandemente disprezzata.
³ L'orgoglio del tuo cuore
   ti ha ingannata.
Siccome abiti nei crepacci della roccia,
e hai posto in alto la tua dimora,
ripeti in cuor tuo: «Chi mi trarrà giù?».
⁴ Anche se t'innalzassi come l'aquila
e ponessi il tuo nido fra le stelle,
di lassù io ti farei scendere,
oracolo del Signore.
⁵ Se i ladri penetrassero dentro di te
o i predoni notturni
   – come saresti tranquilla! –,
non ruberebbero forse quanto
   loro basta?
Se i vendemmiatori venissero da te,
non ti lascerebbero almeno
   qualche grappolo?
⁶ Come è stato frugato Esaù,
come sono stati rovistati
   i suoi nascondigli!
⁷ Ti hanno ricacciato fino alla frontiera;
tutti i tuoi alleati ti hanno ingannato.

Ti hanno sopraffatto i tuoi amici,
i tuoi commensali ti tendono agguati.
   – In lui non c'è intelligenza –.
⁸ In quel giorno, dice il Signore,
non disperderò forse i saggi di Edom
e l'intelligenza dal monte di Esaù?
⁹ I tuoi eroi saranno presi da panico,
   Teman,
perché ogni uomo verrà sterminato
dal monte di Esaù.
¹⁰ Per la strage e per la violenza
contro tuo fratello Giacobbe
ti ricoprirà la vergogna e sarai
   estirpato per sempre!
¹¹ Quel giorno tu eri presente,
il giorno in cui gli stranieri depredavano
   ogni suo avere,
i forestieri penetravano dentro
   le sue porte
e gettavano la sorte su Gerusalemme:
tu eri uno di loro!
¹² Non rallegrarti del giorno di tuo fratello,
del giorno della sua sventura!
Non gioire dei figli di Giuda
nel giorno della loro rovina!
Non spalancare la tua bocca
nel giorno dell'angoscia!
¹³ Non oltrepassare la porta
   del mio popolo
nel giorno della sua sventura!
Non rallegrarti anche tu
   per la sua disgrazia,
nel giorno della sua sventura!

Non stendere la mano sopra i suoi beni
nel giorno della sua angoscia!

14 Non ti mettere sulla breccia
per massacrare chi cerca scampo;
non fermare chi cerca di evadere
nel giorno della calamità!

15 Perché è vicino il giorno del Signore
contro tutte le nazioni.
Come hai fatto tu, così a te sarà fatto,
le tue azioni ricadranno sulla tua testa!

16 Sì, come avete bevuto sul mio
santo monte,
così berranno tutte le nazioni
per sempre.
Berranno, si inebrieranno, diventeranno
come se non fossero mai state.

17 Ma sul monte Sion vi saranno superstiti
– e sarà un luogo santo –
e la casa di Giacobbe s'impadronirà
di quelli che l'hanno occupata.

18 La casa di Giacobbe sarà il fuoco,

la casa di Giuseppe la fiamma
e la casa di Esaù sarà stoppa:
la incendieranno e la divoreranno;
non rimarrà un superstite
alla casa di Esaù!
Il Signore ha parlato!

19 Quelli del Negheb occuperanno
il monte di Esaù
e quelli della Sefela il paese
dei Filistei;
occuperanno il territorio di Efraim
e la campagna di Samaria,
e Beniamino occuperà il Galaad.

20 Gli esuli di quell'esercito, i figli d'Israele,
occuperanno Canaan fino a Zarepta;
e gli esuli di Gerusalemme, che sono
in Sefarad,
occuperanno le città del Negheb.

21 Saliranno vittoriosi al monte Sion,
per giudicare il monte di Esaù
e al Signore apparterrà il regno!

GIONA

*Il libro di Giona (che significa «colomba») ha suscitato molte discussioni tra gli stu-
diosi. Infatti poco si sa di questo personaggio che sarebbe vissuto sotto Geroboamo
II (2Re 14,25).
Generalmente la composizione di questo libro è posta dopo l'esilio, V-IV secolo a.C.,
e ciò deve mettere in guardia dall'interpretare i fatti in esso narrati come storici nel
senso che noi moderni diamo a questo termine. È meglio parlare di storia profetica,
nel senso che viene narrata qui una vicenda (conversione di un re e di una città) che
certamente può essere accaduta e che il profeta adotta e amplifica per dimostrare e
visualizzare un atteggiamento benefico di Dio verso i non Ebrei e un atteggiamento
religioso dei non Ebrei verso il Dio biblico, che è Dio di tutti. Nessuno in Israele deve
considerarsi esclusivo detentore della salvezza: il «viaggio» di Giona a Ninive, la
capitale nemica, dimostra che per tutti c'è la possibilità di udire la «parola». Neppure la morte (espressa nel testo di Giona dal pesce che inghiotte il profeta) riesce a
trattenere una verità così degna di Dio e dell'uomo e così gratuita come la salvezza!
Questa dimostrazione esemplare è la caratteristica del libro di Giona ed è ciò che dà
a questo piccolo libro una dimensione universale.*

GIONA RIFIUTA LA MISSIONE

1 ¹La parola del Signore fu rivolta a Giona, figlio di Amittai. Gli disse: ²«Su, va' nella grande città di Ninive e proclama contro di essa che la loro malvagità è salita fino a me!». ³Giona partì, ma per fuggire a Tarsis, lontano dalla presenza del Signore. Scese a Giaffa e, trovata una nave che partiva per Tarsis, pagò la sua quota e salì con loro alla volta di Tarsis, lontano dalla presenza del Signore. ⁴Il Signore allora lanciò un forte vento sul mare e si levò una tempesta così grande che la nave minacciava di sfasciarsi. ⁵I marinai, spaventati, si misero a gridare ciascuno al suo dio e lanciarono in mare gli oggetti che erano sulla nave, per alleggerirla. Giona invece era sceso nelle parti più riposte della nave e, adagiatosi, dormiva profondamente. ⁶Il capitano dell'equipaggio, avvicinatosi a lui, gli disse: «Perché dormi? Alzati, invoca il tuo Dio! Forse Dio si impietosirà di noi e non moriremo». ⁷Intanto si dicevano l'un l'altro: «Venite, gettiamo le sorti per conoscere a causa di chi ci è venuta questa disgrazia».

Gettarono le sorti e la sorte cadde su Giona. ⁸Allora gli domandarono: «Dicci dunque a causa di chi ci è venuta questa disgrazia; qual è la tua destinazione e da dove vieni; qual è il tuo paese e qual è il tuo popolo». ⁹Rispose loro: «Io sono un ebreo e temo il Signore, Dio del cielo, che ha fatto il mare e la terra». ¹⁰Quegli uomini ebbero grande timore e gli domandarono: «Che cosa hai fatto?». Erano infatti venuti a sapere che egli fuggiva lontano dalla presenza del Signore, come aveva svelato loro. ¹¹Gli domandarono: «Che cosa dobbiamo fare di te affinché il mare si calmi sopra di noi?». Il mare infatti diventava sempre più furioso. ¹²Rispose loro: «Prendetemi e gettatemi in mare. Così il mare si calmerà sopra di voi. Riconosco infatti che per causa mia è venuta su di voi questa grande tempesta». ¹³Essi tentarono di ritornare a terra, ma invano, perché il mare diventava sempre più furioso sopra di loro. ¹⁴Allora invocarono il Signore e dissero: «Signore, fa' che noi non periamo a causa di quest'uomo e non far ricadere su di noi un sangue innocente! Tu infatti, Signore, hai agito secondo il tuo volere!». ¹⁵Presero quindi Giona e lo gettarono in mare; allora il mare placò la sua furia. ¹⁶Poi quegli uomini, presi da un grande timore del Signore, offrirono un sacrificio al Signore e fecero voti.

GIONA LODA DIO CHE LO HA SALVATO

2 ¹Il Signore dispose che un grosso pesce inghiottisse Giona. Così Giona rimase nel ventre del pesce tre giorni e tre notti. ²Allora Giona levò la preghiera al Signore suo Dio dal ventre del pesce ³e disse:

«Nella mia angoscia ho invocato
   il Signore
ed egli mi ha risposto;
dal profondo degli inferi ho gridato
ed egli ha ascoltato il mio grido.
⁴ Tu mi avevi gettato nel profondo,
   nel cuore del mare,
e un torrente mi aveva circondato,
tutti i tuoi flutti e le tue onde
si erano riversati su di me.
⁵ Io ho pensato: Mi hai scacciato
   dalla tua presenza;
eppure continuerò a guardare
verso il tuo santo tempio.
⁶ Le acque mi avevano circondato
   fino al collo,
l'abisso mi aveva avvolto,
le alghe si erano attorcigliate al mio capo.
⁷ Ero disceso fino alle radici
   delle montagne,
in un paese sotterraneo,
e le sue spranghe mi avrebbero
   rinchiuso per sempre.
Ma tu hai tratto dalla fossa la mia vita,
Signore, mio Dio!
⁸ Quando la vita si affievoliva in me,
mi sono ricordato del Signore:
è giunta fino a te la mia preghiera
nel tuo santo tempio.
⁹ Coloro che adorano gli idoli
abbandonano la loro grazia.
¹⁰ Ma io con voce di lode ti offrirò sacrifici
e adempirò ciò che ho promesso.
La salvezza è del Signore!».

¹¹Allora il Signore ordinò al pesce di restituire Giona sulla spiaggia.

CONVERSIONE E PERDONO DEI NINIVITI

3 ¹La parola del Signore fu rivolta a Giona per la seconda volta. Gli disse: ²«Su, va' nella grande città di Ninive e annunziale il messaggio che io ti rivolgo».

³Giona si mise in cammino per andare a Ninive, secondo la parola del Signore. Ninive era una città molto grande, lunga tre giorni di cammino. ⁴Giona, dopo essersi inoltrato in città per il cammino di un giorno, proclamò: «Ancora quaranta giorni e Ninive sarà distrutta!». ⁵I Niniviti credettero a Dio e proclamarono un digiuno, vestendosi di sacco, dai più grandi ai più piccoli.

⁶Quando la notizia arrivò al re di Ninive, egli si levò dal suo trono, si tolse di dosso il manto reale, si vestì di sacco e andò a sedersi sulla cenere. ⁷Per ordine del re e dei suoi grandi fu poi proclamato in Ninive questo decreto: «Uomini e animali, piccoli e grandi, non mangino nulla, non pascolino e non bevano acqua. ⁸Uomini e animali si coprano di sacco e si invochi Dio con forza. Ognuno si converta dalla sua condotta cattiva e dalla violenza di cui ha macchiato le mani. ⁹Chissà che Dio non si ravveda e cambi, così che receda dall'ardore della sua ira e noi non periamo!».

¹⁰Dio vide le loro azioni, che cioè si erano convertiti dalla loro cattiva condotta. Dio allora si pentì del male che aveva detto di far loro e non lo fece.

GRANDE È L'AMORE DI DIO PER L'UOMO

4 ¹Ma ciò dispiacque molto a Giona, che si irritò. ²Egli pregò il Signore e disse: «Ah, Signore, non era forse questo il mio pensiero, quando ero ancora nel mio paese? Per questo io la prima volta ero fuggito a Tarsis, perché sapevo che tu sei un Dio pietoso e misericordioso, paziente e di molta grazia e che ti penti del male che hai minacciato. ³Ora, dunque, Signore, prendi la mia vita,

---

3. - 10. Dio, mandando un suo profeta alla nazione nemica del popolo eletto per salvarla, mostra d'essere Dio di tutte le nazioni, non soltanto d'Israele, e di volere la salvezza di tutte le genti. La conversione dei pagani all'udire la parola di un profeta d'Israele doveva suonare come condanna per Israele che non dava ascolto ai profeti del Signore.

perché è meglio per me morire che vivere!».
⁴Il Signore rispose: «È giusta la tua collera?».
⁵Allora Giona uscì dalla città e si sedette di fronte ad essa. Si costruì una capanna e si sedette dentro all'ombra, per vedere cosa sarebbe capitato alla città. ⁶Ma il Signore Dio procurò un ricino che crebbe al di sopra di Giona, perché vi fosse ombra sopra la sua testa e fosse liberato dal suo male. Giona si rallegrò molto del ricino.
⁷Al sorgere dell'aurora del giorno dopo, Dio mandò un verme a rodere il ricino, che si seccò. ⁸Quando spuntò il sole, Dio fece soffiare un turbinoso vento orientale, così che il sole colpì la testa di Giona. Egli si sentì venir meno e chiese di morire, dicendo: «È meglio per me morire che vivere!». ⁹Dio disse a Giona: «È giusto che tu sia irritato per il ricino?». Rispose: «Sì, è giusto che io mi irriti fino a morirne!». ¹⁰Ma il Signore soggiunse: «Tu hai compassione del ricino, per il quale non hai faticato e che non hai fatto crescere, poiché in una notte è sorto e in una notte è finito. ¹¹E io non dovevo aver pietà della grande città di Ninive, nella quale ci sono più di centoventimila esseri umani, che non distinguono la destra dalla sinistra, e tanti animali?».

Gio

MICHEA

Michea è nativo di Moreset, piccolo centro agricolo del regno di Giuda. La sua origine contadina lo equipara negli atteggiamenti e nelle modalità del suo messaggio al profeta Amos, di cui è contemporaneo. Svolse il ministero profetico nella seconda metà del secolo VIII.

Il libro di Michea si può dividere in tre grandi discorsi introdotti dalla formula «Ascoltate»: il primo (cc. 1-2) è un discorso contro Israele e Giuda; il secondo (cc. 3-4) è un insieme di minacce, contenente anche un annuncio di salvezza; il terzo (cc. 6-7) sviluppa il genere letterario del «processo» in una disputa tra Dio e il popolo eletto.

Michea è un tenace assertore della giustizia sociale. Così egli trova, nel popolo biblico, una colpevolezza che investe tutte le classi e gli strati sociali: ricchi e commercianti, amministratori e giudici, sacerdoti e profeti. Ad essi il profeta rimprovera la ricerca disonesta del profitto, l'ingiustizia nell'esercizio della loro funzione e la corruzione. Per essi Michea annuncia il «giudizio» di Dio: Samaria sarà distrutta (1,6-7) e Gerusalemme diventerà un mucchio di rovine (3,12).

Ma, come ogni profeta, egli annuncia anche una futura ripresa del popolo di Dio guidato dal suo inviato che sorgerà da Betlemme (5,1-5).

IL GIUDIZIO DI DIO
CONTRO SAMARIA E GIUDA

1 ¹Parola del Signore, rivolta a Michea di Moreset, al tempo di Iotam, Acaz ed Ezechia, re di Giuda. Visione che egli ebbe riguardo a Samaria e a Gerusalemme.

² Ascoltate voi, popoli tutti!
Fa' attenzione, terra, con quanto contieni!
Il Signore è testimone contro di voi,
il Signore dal suo santo tempio.
³ Sì, ecco, il Signore esce
   dalla sua dimora,
discende e cammina sulle sommità
   della terra.
⁴ Le montagne si sgretolano sotto di lui,
le valli si incurvano come cera
   davanti al fuoco,
come acqua precipitata nell'alveo
   di un torrente.
⁵ Tutto ciò per colpa di Giacobbe,
per il peccato della casa d'Israele.
Qual è il peccato di Giacobbe?
Non è forse Samaria?

E qual è il peccato della casa di Giuda?
Non è forse Gerusalemme?
⁶ Io farò di Samaria una rovina
   in mezzo a un campo,
un luogo per piantarvi una vigna;
farò rotolare a valle le sue pietre
e scalzerò le sue fondamenta.
⁷ Tutte le sue statue saranno infrante,
tutti i suoi guadagni saranno distrutti
   dal fuoco,
tutti i suoi idoli io li ridurrò a nulla;
poiché sono stati ammassati
con il guadagno della prostituzione,
ritorneranno ad essere guadagno
   di prostituzione!
⁸ Per questo io mi lamento e gemo,
vado scalzo e svestito,
faccio lamento come gli sciacalli
e gemo come gli struzzi:
⁹ perché il castigo del Signore è ineluttabile,
arriva sino a Giuda,
batte fino alla porta del mio popolo,
fino a Gerusalemme.
¹⁰ A Gat, non lo proclamate, ma piangete,
soltanto piangete.

A Bet-le-Afra avvoltolatevi
nella polvere.
[11] Suona per te la tromba, tu che abiti
a Safir.
Dalla città non esce colei che abita
a Zaanan.
Bet-Ezel è sradicata dal suo
fondamento,
dal suo solido sostegno.
[12] Come può attendere il bene colei
che abita a Marot,
se è sceso il male da parte del Signore
alle porte di Gerusalemme?
[13] Aggioga il cavallo al carro, tu che abiti
in Lachis.
Essa è stata l'inizio del peccato
per la figlia di Sion,
perché in te sono state trovate le colpe
d'Israele.
[14] A te è stata versata una dote,
Moreset-Gat.
Bet-Aczib sarà una delusione
per i re d'Israele.
[15] Chi ti acquista tornerà di nuovo a te,
che abiti in Maresa.
Fino ad Adullam giungerà
chi farà scomparire la gloria d'Israele.
[16] Strappati i capelli, rasati
per i tuoi figli che erano la tua gioia;
dilata la tua calvizie come l'avvoltoio,
perché vanno in esilio, lontano da te.

CONTRO GLI SFRUTTATORI

2 [1] Guai a chi trama l'iniquità,
a chi progetta il male sul suo letto!
Dallo spuntare del mattino lo eseguono,
perché il potere è nelle loro mani!
[2] Essi bramano campi
e se ne impadroniscono,
case e se le prendono.
Si impossessano così di un uomo
e della sua casa,
di un individuo e della sua proprietà.
[3] Per questo, così dice il Signore:
Ecco, io tramo contro questa genìa
una sventura,

da cui non potrete sottrarre i vostri colli
né potrete più andare a testa alta,
perché sarà tempo di sventura.
[4] In quel giorno si comporrà su di voi
una satira,
si canterà un lamento e si dirà:
«Siamo spogliati di tutto.
La parte del mio popolo è misurata
con la fune,
né c'è chi possa restituirgliela.
A chi ci spoglia sono assegnati
i nostri campi!».
[5] Perciò non ci sarà per voi nessuno
che getti la fune,
dopo il sorteggio nell'assemblea
del Signore!
[6] «Non profetizzate!».
«Ma essi devono profetizzare».
«Non profetizzate così!».
«L'obbrobrio non ci raggiungerà».
[7] Sarà forse maledetta la casa
di Giacobbe?
È forse venuta meno la pazienza
del Signore?
È forse questo il suo modo di agire?
Non sono forse benevole le sue parole
per il suo popolo Israele?
[8] Voi contro il mio popolo
vi siete levati come un nemico.
Al giusto che cammina voi togliete
il mantello,
a chi cammina sicuro portate la guerra.
[9] Voi cacciate le donne del mio popolo
dalle case che esse amavano;
voi togliete ai loro bambini
l'onore che ho loro concesso
in perpetuo!
[10] Su, andatevene! Non è qui il riposo!
Per un'inezia voi esigete un pegno
insopportabile.
[11] Se ci fosse qualcuno ispirato
che proferisse la menzogna:
«Ti profetizzo vino e birra»,
egli sarebbe il profeta di questo popolo.
[12] Io riunirò tutto quanto Giacobbe,
raccoglierò il resto d'Israele.
Li porrò insieme come gregge nell'ovile,
come armento in mezzo al pascolo,
e non avranno paura di nessuno.
[13] Davanti a loro avanza il capofila;
forzeranno e apriranno la porta
e usciranno per essa;
davanti a loro avanza il loro re:
il Signore è alla loro testa.

---

2. - 6-7. Sono parole dei grandi: essi non credono alle minacce del profeta, persuasi che Dio non lascerà andare in
rovina la sua città.
8-10. Elenco delle angherie dei potenti ai danni dei deboli:
pretendono da chi non ha e tolgono tutto come se a loro
fosse dovuto.

CONTRO I CAPI, I MAGISTRATI E I FALSI PROFETI

3 ¹Poi io dissi: «Ascoltate,
   capi di Giacobbe,
   magistrati della casa d'Israele!
   Non spetta forse a voi conoscere
      il diritto?

² Nemici del bene e amici del male,
   voi strappate loro la pelle di dosso
   e la carne dalle loro ossa».

³ Essi divorano la carne del mio popolo
   e spezzano loro le ossa;
   li squartano come carne nella marmitta,
   come carne nella pentola.

⁴ Allora grideranno al Signore,
   ma egli non risponderà loro;
   volgerà altrove la faccia,
   a causa dei delitti che hanno commesso.

⁵ Così parla il Signore contro i profeti
   che fanno deviare il suo popolo:
   Se hanno qualcosa da mettere
      tra i loro denti
   essi proclamano la pace.
   Ma a chi non mette loro niente in bocca
   essi dichiarano la guerra.

⁶ Perciò per voi sarà notte,
      invece di visioni,
   tenebre, invece di oracoli.
   Il sole tramonta per i profeti
   e il giorno si oscura su di loro.

⁷ I veggenti saranno ricoperti di vergogna
   e chi spiega gli oracoli di confusione;
   si copriranno tutti la barba,
   perché non c'è risposta da parte
      del Signore.

⁸ Io invece sono pieno di forza,
   dello spirito del Signore, di giustizia
      e di coraggio,
   per annunziare a Giacobbe il suo delitto,
   a Israele il suo peccato!

⁹ Ascoltate, dunque, questo, capi della
      casa di Giacobbe,
   funzionari della casa d'Israele,
   voi che avete in abominio il diritto
   e pervertite quello che è retto,

¹⁰ che costruite Sion con il sangue
   e Gerusalemme con il delitto.

¹¹ I suoi capi fanno giustizia in vista
      dei regali
   e i suoi sacerdoti predicano
      a pagamento;
   i suoi profeti profetizzano per denaro
   e si appoggiano sul Signore, dicendo:

Il Signore non è forse in mezzo a noi?
La sventura non verrà su di noi!

¹² Perciò, per colpa vostra,
   Sion sarà arata come un campo,
   Gerusalemme sarà un mucchio di rovine
   e la montagna del tempio una collina
      di rovi.

IL REGNO UNIVERSALE DEL SIGNORE

4 ¹Alla fine dei giorni avverrà
   che il monte della casa del Signore
   resterà saldo sulla cima dei monti,
   alto più delle colline.
   Affluiranno ad esso i popoli,

² numerose nazioni verranno e diranno:
   «Venite, saliamo al monte del Signore,
   al tempio del Dio di Giacobbe;
   egli ci insegnerà le sue vie
   e noi cammineremo sui suoi sentieri».
   Infatti da Sion verrà la legge
   e la parola del Signore
      da Gerusalemme.

³ Egli governerà numerosi popoli
   e sarà arbitro di potenti nazioni.
   Essi trasformano le loro spade in aratri
   e le loro lance in falci;
   un popolo non alzerà più la spada
      contro un altro
   e non si praticherà più la guerra.

⁴ Ciascuno sederà sotto la sua vite
   e sotto il suo fico, senza essere
      molestato.
   Sì, la bocca del Signore ha parlato!

⁵ Sì, tutti i popoli camminano
   invocando ciascuno il nome del suo dio;
   noi camminiamo nel nome del Signore,
   nostro Dio in eterno e sempre.

⁶ In quel giorno, oracolo del Signore,
   raccoglierò gli zoppi, riunirò i dispersi
   e quelli che ho maltrattato.

⁷ Io farò degli zoppi un resto
   e degli sbandati un popolo potente.

---

3. - 12. Michea è il primo dei profeti che osa annunziare apertamente la completa rovina di Gerusalemme e del tempio. Geremia ripeterà queste minacce e lo vorranno condannare come bestemmiatore; ma i suoi amici, per difenderlo, ricorderanno appunto che già Michea aveva profetizzato le stesse cose (cfr. Ger 26,18s) e non gli avevano fatto nulla di male.
4. - 1-3. Questi versetti si trovano anche in Isaia (2,2-4). È una delle più belle e sublimi profezie messianiche.

Il Signore regnerà su di loro
   sul monte Sion,
da ora e per sempre.

8 E a te, Torre del gregge,
   colle della figlia di Sion,
   a te ritornerà la sovranità d'un tempo,
   il regno della figlia di Gerusalemme.

9 Ora perché gridi così forte?
   In te non c'è forse un re?
   Sono forse periti i tuoi consiglieri,
   perché ti prendono le doglie
      come una partoriente?

10 Contorciti e lamentati,
   figlia di Sion, come una partoriente,
   perché ora dovrai uscire dalla città
   e dimorare nella campagna.
   Tu andrai fino a Babilonia,
      là tu sarai liberata;
   là ti riscatterà il Signore dalla mano
      dei tuoi nemici.

11 Ora si sono riunite contro di te
   numerose nazioni.
   Esse dicono: «Sia profanata!
   Il nostro occhio si sazi della rovina
      di Sion!».

12 Ma esse non hanno capito i disegni
      del Signore;
   non hanno indovinato il suo piano,
   poiché egli le ha raccolte come
      i covoni sull'aia.

13 Alzati! Trebbia il frumento,
      figlia di Sion,
   perché renderò di ferro il tuo corno,
   renderò di bronzo le tue unghie
   e tu ridurrai in polvere molte nazioni.
   Voterai al Signore le loro rapine
   e le loro ricchezze al Signore
      di tutta la terra.

14 Ora fatti incisioni, figlia dell'incisione:
   essi hanno posto l'assedio
      contro di noi.
   Con la verga colpiscono sulla guancia
   il giudice d'Israele.

LA GLORIA
DELLA DINASTIA DAVIDICA

5 ¹Ma da te, Betlemme di Efrata,
   la più piccola tra le borgate di Giuda,
   da te uscirà per me
   colui che dovrà regnare su Israele!
   Le sue origini sono antiche,
   risalgono a tempi lontani.

2 Per questo li abbandonerà
   finché colei che deve partorire
      non avrà partorito.
   Allora il resto dei suoi fratelli ritornerà
   ai figli d'Israele.

3 Egli si leverà e li condurrà al pascolo,
   con la potenza del Signore,
   con la maestà del nome del suo Dio.
   Essi abiteranno sicuri,
   perché egli allora stenderà
      la sua potenza
   fino ai confini della terra.

4 Egli stesso sarà pace.
   Se Assur invaderà la nostra terra
   e se calpesterà il nostro suolo,
   noi schiereremo contro di lui
      sette pastori
   e otto capi di uomini.

5 Essi pascoleranno Assur con la spada
   e la terra di Nimrod con la lancia.
   Egli ci libererà da Assur,
   se invaderà la nostra terra
   e calpesterà il nostro suolo.

6 Il resto di Giacobbe,
   in mezzo a numerose nazioni,
   sarà come rugiada che viene dal Signore
   e come gocce d'acqua sull'erba,
   perché non spera nell'uomo
   né attende nulla dai figli dell'uomo.

7 Il resto di Giacobbe,
   in mezzo a numerose nazioni,
   sarà come il leone tra gli animali
      della foresta,
   come il leoncello tra i montoni
      del gregge.
   Quando esso passa, abbatte,
   sbrana e nessuno gli toglie la preda.

8 Si leverà la tua mano sui tuoi avversari
   e tutti i tuoi nemici saranno annientati.

9 In quel giorno, dice il Signore,
   farò scomparire in mezzo a te
      i tuoi cavalli
   e distruggerò i tuoi carri;

10 distruggerò le città della tua terra
   e abbatterò tutte le tue fortezze;

Mic

---

5. - 1-5. La profezia ha come sfondo l'oracolo di Natan
(2Sam 7) sul trono eterno di Davide, originario di Betlemme
(1Sam 17,12). Il *tempo remoto*, o i *tempi antichi*, possono
indicare l'antichità del clan familiare di Davide, ma meglio
ancora i segreti disegni di Dio sulla sua famiglia. Da un discendente di questa, infatti, si attendeva la piena realizzazione della salvezza per Israele. Nella nascita di Gesù a
Betlemme la prima comunità cristiana vide il compimento di
questo testo profetico che Mt 2,6 modifica leggermente: *tu,
Betlemme... non sei la più piccola...*

¹¹ strapperò dalla tua mano i tuoi sortilegi
e non avrai più indovini.
¹² Distruggerò le tue statue
e le tue stele in mezzo a te.
Tu non ti prostrerai più
davanti all'opera delle tue mani.
¹³ Estirperò i tuoi pali sacri in mezzo a te
e distruggerò i tuoi idoli.
¹⁴ Farò vendetta con ira e con furore
delle nazioni che non hanno obbedito.

INGRATITUDINE D'ISRAELE

6 ¹Ascoltate dunque la parola
che il Signore sta per pronunziare:
«Levati! Convoca a giudizio i monti,
e le colline odano la tua voce!».

² Udite, o monti, l'accusa del Signore!
Porgete orecchio, fondamenta
della terra!
Perché il Signore ha un processo
con il suo popolo
e una lite con Israele.

³ Popolo mio, che cosa ti ho fatto?
In che cosa ti ho contristato?
Rispondimi!

⁴ Io ti ho fatto uscire dalla terra d'Egitto
e ti ho riscattato dalla casa di schiavitù.
Ho inviato davanti a te Mosè,
Aronne e Maria con lui.

⁵ Popolo mio, ricorda le trame di Balak, re
di Moab,
e che cosa gli ha risposto Balaam,
figlio di Beor,
nella tua marcia da Sittim a Galgala,
per riconoscere le meraviglie del Signore!

⁶ Con che cosa mi presenterò al Signore,
mi inchinerò davanti al Dio altissimo?
Mi presenterò a lui con olocausti,
con vitelli di un anno?

⁷ Accetterà il Signore migliaia di montoni,
miriadi di rivoli d'olio?
Dovrò offrire il mio primogenito
per la mia colpa,
il frutto del mio seno per il mio peccato?

⁸ Ti è stato annunziato, o uomo,
ciò che è bene
e ciò che il Signore cerca da te:
nient'altro che compiere la giustizia,
amare con tenerezza,
camminare umilmente con il tuo Dio.

⁹ La voce del Signore! Egli grida alla città:
Ascoltate, tribù e assemblea della città,

¹⁰ i cui ricchi sono pieni di violenza
e i cui abitanti proferiscono menzogna!
¹¹ Potrò io sopportare un bat falso
e un'efa diminuita, abominevole?
¹² Potrò io giustificare le bilance false
e una borsa con pesi alterati?
¹³ Pertanto anch'io comincio a percuoterti,
a devastarti per i tuoi peccati.
¹⁴ Mangerai, ma non ti sazierai
e ci sarà la fame in mezzo a te;
se metterai da parte, non conserverai
niente
e se conserverai qualcosa, lo darò
alla spada.
¹⁵ Seminerai, ma non raccoglierai;
frantumerai le olive, ma senza ungerti
d'olio;
farai il mosto, ma non berrai il vino.
¹⁶ Tu pratichi le usanze di Omri
e tutte le opere della casa di Acab.
Tu cammini secondo i loro consigli,
perciò io farò di te un esempio
terrificante,
dei tuoi abitanti un oggetto di derisione
e così dovrete subire l'oltraggio
dei popoli!

CORRUZIONE GENERALE
E CERTEZZA DEL PERDONO DIVINO

7 ¹Ohimè! Sono come un raccoglitore
d'estate,
come un racimolatore alla vendemmia:
non c'è un grappolo da mangiare,
non un fico primaticcio per la mia voglia!
² L'uomo pio è scomparso dalla terra
e non c'è un giusto fra gli uomini.
Tutti tendono insidie mortali,
ognuno cerca d'ingannare il suo fratello.
³ Le loro mani sono pronte a fare il male:
per operare rettamente il funzionario
esige,
il giudice giudica in vista di regali
e il grande manifesta la sua ambizione,
benché cerchi di nasconderla.
⁴ Tra loro il migliore è come un rovo,
il più giusto come una spina.
Il giorno del loro castigo arriva,
presto ci sarà la loro rovina!
⁵ Non vi fidate del prossimo,
non abbiate fiducia nell'amico;
davanti a colei che dorme al tuo fianco
guardati di aprire la bocca!

⁶ Perché il figlio insulta il padre,
  la figlia insorge contro la madre,
  la nuora contro la suocera
  e i nemici di ognuno sono quelli
    di casa propria.
⁷ Ma io volgo lo sguardo verso il Signore,
  confido nel Signore, mio salvatore,
  il mio Dio mi ascolterà.
⁸ Non ti rallegrare, o mia nemica!
  Se sono caduta, mi rialzerò.
  Se siedo in mezzo alle tenebre,
  il Signore è la mia luce.
⁹ Io devo sopportare la collera
    del Signore,
  perché ho peccato contro di lui,
  finché non avrà discusso la mia lite
  e non mi avrà fatto giustizia.
  Egli mi farà uscire alla luce
  e io vedrò le sue meraviglie.
¹⁰ La mia nemica vedrà e sarà ricoperta
    di vergogna,
  essa che mi diceva: «Dov'è il Signore
    tuo Dio?».
  I miei occhi godranno nel vederla
  calpestata come il fango della strada.
¹¹ Quando si ricostruiranno le tue mura,
  in quel giorno si allargheranno
    i tuoi confini.
¹² In quel giorno verranno a te
  dall'Assiria fino all'Egitto,
  da Tiro fino all'Eufrate,
  da mare a mare e da monte a monte.
¹³ La terra diventerà un deserto

a causa dei suoi abitanti,
a causa delle loro azioni.
¹⁴ Pasci il tuo popolo con la tua verga,
  il gregge della tua eredità,
  che dimora isolato in una foresta,
  in mezzo a fertili campagne.
  Pascolino in Basan e in Galaad,
  come ai tempi antichi!
¹⁵ Come quando uscisti dall'Egitto
  facci vedere le tue meraviglie!
¹⁶ Le nazioni vedranno e arrossiranno,
  nonostante tutta la loro potenza.
  Porteranno la mano alla bocca,
  i loro orecchi resteranno sordi.
¹⁷ Lambiranno la polvere come il serpente,
  come i rettili della terra.
  Usciranno tremanti dai loro
    nascondigli
  spaventati e atterriti davanti a te.
¹⁸ Qual Dio è come te,
  che perdona la colpa e rimette
    il peccato,
  non conserva per sempre la sua ira
  e si compiace invece
    della benevolenza?
¹⁹ Egli avrà ancora pietà di noi,
  calpesterà le nostre colpe
  e getterà nei gorghi del mare
    tutti i nostri peccati.
²⁰ Sii fedele verso Giacobbe,
  conserva il tuo favore ad Abramo,
  come hai giurato ai nostri padri
  fin dai tempi antichi!

Mic

NAUM

Naum (abbreviazione di Nahumja, cioè «il Signore ha consolato») è nativo di Elcos, un villaggio localizzato da alcuni in Galilea, da altri in Giudea. Il suo breve libro canta la caduta di Tebe (capitale dell'Alto Egitto) per opera degli Assiri (663 a.C.) e la caduta di Ninive (612 a.C.): queste due date delimitano l'epoca del profeta e gli avvenimenti descritti.

Il libro si compone di un salmo alfabetico (1,2-14), seguito dalla descrizione della caduta di Ninive e di Tebe (2,1 - 3,19).

Naum non si rivolge direttamente al popolo eletto: la sua opera profetica è rivolta a Ninive, la capitale dell'impero assiro, con tutto ciò che essa rappresentava per Israele e per l'antichità: invasione, distruzione e deportazione.

Ninive sarà distrutta e non risorgerà mai più, ma il Signore restaurerà Giuda e Israele (2,1-3).

ORACOLI CONTRO GIUDA E NINIVE

1 ¹Oracolo riguardante Ninive. Libro della visione di Naum, da Elcos.

Alef – ²Un Dio geloso e vendicatore
è il Signore,
vendicatore è il Signore, la sua ira
è terribile.
Il Signore fa vendetta contro
gli avversari
e si infiamma contro i suoi nemici.
³ Il Signore è lento all'ira, ma grande
in potenza
e nulla lascia impunito.
Bet – Nel turbine e nella tempesta
è il suo cammino
e le nubi sono la polvere dei suoi passi.
Ghimel – ⁴Minaccia il mare
ed esso si asciuga,
fa seccare tutti i corsi d'acqua.
Basan e il Carmelo inaridiscono
e la vegetazione del Libano appassisce.
He – ⁵Davanti a lui tremano i monti
e le colline vacillano.
Vau – La terra si scioglie davanti a lui,
come pure il mondo e i suoi abitanti.
Zain – ⁶Davanti alla sua collera,
chi può resistere?

Chi può affrontare il furore
della sua ira?
Het – La sua collera divampa
come il fuoco
e le rocce si sgretolano davanti a lui.
Tet – ⁷Buono è il Signore,
per chi confida in lui,
una fortezza nel tempo dell'assedio.
Iod – Egli ha cura di chi confida in lui,
⁸ quando l'inondazione avanza.
Kaf – Stermina chi insorge contro di lui
e insegue i suoi nemici
fin nelle tenebre.
⁹ Che cosa tramate, voi, contro il Signore?
Egli farà andare a vuoto
le vostre trame.
Non sorgeranno due volte
i suoi avversari,
¹⁰ ma saranno distrutti
fin dalle fondamenta,
saranno annientati come spine,
saranno divorati come arida paglia.
¹¹ Da te è uscito colui che trama
malvagi disegni contro il Signore,
un consigliere malvagio.

---

1. - 9. *Non sorgeranno due volte...*: Dio non ha bisogno di ritornare per completare l'opera; al suo primo intervento il castigo sarà completo.

¹² Così dice il Signore:
   Anche se sono potenti e numerosi,
   saranno falciati e spariranno.
   Ma se ti ho umiliato, non ti umilierò più.
¹³ Ora io spezzo il suo giogo che ti opprime,
   infrango le tue catene.
¹⁴ Ma contro di te, ecco l'ordine del Signore:
   Non sarà più ricordato il tuo nome,
   dal tempio dei tuoi dèi farò sparire
   le statue scolpite e fuse,
   renderò il tuo sepolcro ignominioso,
   perché sei maledetto.

L'ATTACCO A NINIVE

2 ¹Ecco sui monti i passi di un messaggero,
   che proclama la pace!
   Celebra, Giuda, le tue feste,
   sciogli i tuoi voti!
   Non ritornerà mai più lo scellerato
   a passare attraverso te:
   egli è del tutto annientato.
³ Il Signore restaura la vigna
      di Giacobbe
   e la vigna d'Israele;
   i ladri li avevano depredati
   e ne avevano distrutto i sarmenti.
² Sale contro di te un devastatore:
   monta la guardia sullo spalto,
   sorveglia il cammino, stringiti i fianchi,
   raccogli tutte le forze!
⁴ Lo scudo dei suoi prodi è fiammeggiante,
   i suoi guerrieri sono vestiti di scarlatto;
   per la lucentezza dei ferri splendono
      i carri;
   nel giorno dell'attacco i cavalieri
      si agitano;
⁵ per le strade sfrecciano i carri,
   corrono alla rinfusa nelle piazze;
   il loro aspetto è come di fiamma,
   guizzano come lampi.
⁶ Egli richiama le sue truppe scelte
   fino a spossarle durante la marcia;
   si slanciano contro le mura,
   la copertura di scudi è già formata.
⁷ Le porte sul fiume si spalancano,
   crolla il palazzo.
⁸ La regina è condotta in esilio
      e le sue ancelle gemono;

gemono come colombe, percuotendosi
   il petto.
⁹ Ninive è come un serbatoio d'acqua,
   le cui acque scorrono via.
   «Fermatevi! Fermatevi!».
   Ma nessuno torna indietro.
¹⁰ Depredate l'argento! Depredate l'oro!
   I tesori sono infiniti!
   Impadronitevi delle ricchezze
   e di ogni oggetto prezioso!
¹¹ Distruzione! Saccheggio! Rapina!
   Il cuore viene meno, le ginocchia
      vacillano;
   lo spavento è in tutti i reni
   e tutti i volti impallidiscono.
¹² Dov'è il covo dei leoni e la tana
      dei leoncini?
   Il leone parte, resta la leonessa
   con i leoncini, senza essere molestati.
¹³ Il leone sbrana per i suoi cuccioli,
   squarta per le sue leonesse;
   riempie di preda le sue tane
   e le sue caverne di animali sbranati.
¹⁴ Eccomi a te, dice il Signore degli eserciti:
   Ridurrò in fumo i tuoi carri
   e i tuoi piccoli li divorerà la spada!
   Farò scomparire dalla terra le tue rapine
   né più si udrà la voce dei tuoi
      messaggeri!

I DELITTI DI NINIVE

3 ¹Guai alla città sanguinaria,
   tutta frode, piena di rapina,
   che non cessa mai di sbranare.
² Schioccar di frusta, strepito di ruote,
   cavalli furenti, carri traballanti,
³ cavalieri all'assalto, lampeggiare
      di spade,
   bagliori di lance; molti i feriti,
   una massa gli uccisi, innumerevoli
      i cadaveri,
   si barcolla sopra i morti!
⁴ Per le molte prostituzioni
      della cortigiana,
   della bella favorita, dell'abile incantatrice,
   che tiranneggiava i popoli
      con i suoi favori,
   le nazioni con i suoi incantesimi.
⁵ Eccomi a te, dice il Signore degli eserciti:
   Io scoprirò i tuoi panni fino al viso
   e mostrerò alle genti la tua nudità
   e ai regni il tuo disonore.

---

2. - 2-3. Necessaria inversione dei due vv., perché il v. 3
continua il pensiero del v. 1 e il v. 2 segna l'inizio della descrizione dell'assedio e distruzione di Ninive.

6 Getterò su di te le tue lordure,
  ti ricoprirò d'ignominia, ti esporrò
    al ludibrio.
7 Allora chiunque ti vedrà
  si allontanerà da te e dirà:
  «Ninive! Che desolazione!
    Chi ne avrà pietà?
  Dove trovarle un consolatore?».
8 Sei tu forse più forte di Tebe,
  che si adagiava sui canali del Nilo,
  che per avamposto aveva il mare
  e l'acqua le faceva da mura di cinta?
9 L'Etiopia e l'Egitto erano la sua potenza;
  non aveva confini;
  Put e i Libici erano suoi ausiliari.
10 Eppure anch'essa è dovuta partire
    in esilio,
  ridotta in schiavitù;
  i suoi bambini sono stati sfracellati
  in mezzo alle piazze;
  sopra i suoi nobili hanno gettato
    la sorte
  e tutti i suoi grandi sono stati messi
    in catene!
11 Anche tu sarai stordita,
    verrai tiranneggiata;
  anche tu dovrai trovare
  uno scampo davanti al nemico!
12 Tutte le tue fortificazioni sono
    come fichi,
  carichi di frutti primaticci;
  se si scrollano, cadono nella bocca
  di chi li vuol mangiare.
13 Ecco il tuo popolo:
  ci sono donne dentro le tue mura.

Davanti ai tuoi nemici
spalancano le porte della tua terra,
il fuoco ha divorato le tue serrature.
14 Fa' provvista di acqua per l'assedio,
  rinforza le tue fortificazioni;
  marcia nel fango, impasta l'argilla,
  mettila nella formella per i mattoni.
15 Eppure il fuoco ti divorerà,
  ti distruggerà la spada,
  anche se ti moltiplicassi
    come i bruchi,
  diventassi numerosa come
    le cavallette
16 e moltiplicassi i tuoi mercanti
  più delle stelle del cielo.
  La cavalletta mette le ali
    e fugge via.
17 I tuoi prìncipi sono come le cavallette,
  i tuoi scribi come gli insetti.
  Si posano sulle mura quando
    è freddo
  e, quando spunta il sole,
  se ne vanno senza lasciare traccia.
18 Si sono forse addormentati
  i tuoi pastori, o re di Assur?
  Sonnecchiano i tuoi prodi,
  il tuo popolo è disperso sui monti
  e non c'è chi lo raduni!
19 Non c'è rimedio alla tua ferita,
  la tua piaga è inguaribile;
  tutti quelli che ne sentono parlare
  sono contenti della tua sorte.
  Infatti su chi non è passato
  in ogni tempo quello che tu
    ora soffri?

ABACUC

Sappiamo poco di questo profeta. Probabilmente il suo scritto è da collocarsi tra il 605 e il 597 a.C.

Nel suo messaggio Abacuc introduce un elemento nuovo formulato da una domanda che percorre tutto il libro: possiamo conoscere come il nostro Dio guida la storia? La risposta dovrebbe risolvere il problema drammatico della presenza del giusto (l'oppresso nel testo di Abacuc) e dell'ingiusto (l'oppressore) nella storia umana. Di qui nasce un'affermazione che sarà tanto cara a san Paolo: «Il giusto sopravvive per la sua fedeltà» (2,4 e Rm 1,17).

Il testo del profeta Abacuc è strutturato in tre capitoli. Molto bella è la preghiera formulata in 3,1-19 che ricalca le linee fondamentali della fede biblica e riporta l'uomo biblico alle motivazioni essenziali del suo essere e del suo agire. Secondo alcuni studiosi si tratterebbe di un inno antico citato e adattato dal profeta.

IL LAMENTO DEL PROFETA

1 ¹Oracolo che ricevette in visione il profeta Abacuc.

² Fino a quando, Signore, chiederò aiuto
e tu non darai ascolto?
Griderò a te: «Violenza!» e tu
non mi salverai?

³ Perché costringermi a vedere l'iniquità
e a dover guardare l'oppressione?
Rapina e violenza stanno davanti a me;
c'è rissa e prevale la discordia.

⁴ La legge si affievolisce
e scompare per sempre la giustizia,
perché l'empio domina il giusto
e la giustizia si perverte.

⁵ Guardate tra le genti e osservate,
guardate stupefatti e allibite!
Perché io ai vostri giorni compirò
un'opera tale
che, se ve la narrassero,
non vi credereste.

⁶ Ecco, io susciterò i Caldei, razza feroce
e impetuosa,

che corre su vasti territori della terra
per impossessarsi delle case degli altri.

⁷ È feroce e terribile genìa,
che si fa da sé il diritto e la legge.

⁸ Corrono più delle pantere i suoi cavalli,
sono più scaltri dei lupi alla sera.
I suoi cavalieri scattano,
i suoi cavalieri arrivano da lontano
e volano come aquila che piomba
sulla preda.

⁹ Tutti vengono per predare.
La loro bocca soffia come il vento
d'oriente,
raccoglie come sabbia i prigionieri.

¹⁰ Egli si fa beffe dei re
e i prìncipi sono oggetto di scherno
per lui;
si ride di tutte le fortezze,
costruisce terrapieni e li conquista.

¹¹ Poi il vento passa e se ne va...
Empio chi fa della propria forza
il suo dio!

¹² Non sei tu il Signore dall'eternità?
Il mio Dio, il mio Santo, l'Immortale?
Signore, tu l'hai destinato
a fare il giudizio;
mia Roccia, tu l'hai voluto per punire.

¹³ Sono troppo puri i tuoi occhi,
non possono vedere il male.

---

1. - 12. L'innominato suscitato da Dio *per punire* è il popolo caldeo, il quale però doveva essere strumento nelle mani di Dio e non oltrepassare con la crudeltà i limiti assegnatigli. Dio non può compiacersi nel trionfo della cattiveria.

Tu non puoi stare a guardare
l'oppressione.
Perché dunque te ne stai a guardare
i perfidi,
fai silenzio mentre l'empio sopraffà
il giusto?
14 Tu tratti gli uomini come i pesci del mare,
come rettili che non hanno un padrone.
15 Chiunque li può prendere tutti con l'amo,
tirarli su con la lenza;
li raccoglie nella rete, poi gioisce
e si rallegra.
16 Per questo fa sacrifici alla sua lenza
e offre l'incenso alla sua rete:
perché con essi si arricchisce
e fa i pasti più abbondanti.
17 Vuoterà dunque la sua rete
senza sosta,
massacrando i popoli senza pietà?

LA SORTE DEL GIUSTO
E DELL'OPPRESSORE

2 ¹Io mi metto al mio posto di guardia,
sto in piedi sul mio bastione
e sto attento per sentire che cosa mi dirà,
che cosa risponderà al mio lamento.
2 Il Signore mi ha risposto e ha detto:
«Scrivi la visione, incidila su tavolette,
perché si corra a leggerla.
3 Perché la visione riguarda
una scadenza,
essa attende una fine, non inganna;
se tarda a venire, aspettala,
perché verrà certamente, non indugerà.
4 Ecco, soccombe chi non ha l'animo retto;
il giusto invece sopravvive
per la sua fedeltà!».
5 La ricchezza è veramente traditrice.
Il forte insuperbisce e non ha pace;
dilata le sue brame come gli inferi,
è insaziabile come la morte!
Ammassa intorno a sé tutte le nazioni
e raccoglie intorno a sé tutti i popoli.
6 Tutti costoro non lo canzoneranno forse
con satire e motti enigmatici?
Essi diranno:
Guai a chi ammassa i beni degli altri
e si carica di oggetti dati in pegno!
7 Non sorgeranno forse all'improvviso
i tuoi creditori,
non si sveglieranno forse i tuoi esattori?
Allora tu diverrai la loro preda!

8 Poiché tu hai depredato molti popoli,
tutti gli altri popoli ti deprederanno,
a causa del sangue umano versato,
della violenza fatta al paese,
alla città e a tutti i suoi abitanti.
9 Guai a chi rapina a vantaggio
della sua casa,
per mettere molto in alto il suo nido,
per difendersi dai colpi della sventura!
10 Tu hai disonorato la tua casa;
hai distrutto popoli numerosi,
hai rovinato te stesso.
11 Infatti le pietre dei muri si lamentano
e le travi degli assìti ti rimproverano.
12 Guai a chi costruisce una città
sul sangue,
una città sopra il delitto!
13 È forse volere del Signore degli eserciti
che le nazioni si affannino per il fuoco
e le genti si affatichino per un nulla?
14 Certo, la terra sarà ripiena
della conoscenza
della gloria del Signore,
come le acque riempiono il mare.
15 Guai a chi fa bere i suoi vicini,
versando il veleno fino a stordirli,
per scoprire la loro nudità!
16 Ti sei saziato d'ignominia e non di gloria!
Bevi a tua volta e fatti venir le vertigini!
Si riverserà su di te la coppa della destra
del Signore
e l'ignominia ricoprirà la tua gloria.
17 Sì, la violenza fatta al Libano ricadrà
su di te
e la strage degli animali ti colmerà
di spavento,
perché hai versato sangue umano,
hai fatto violenza al paese,
alla città e a tutti i suoi abitanti.
18 A che cosa serve che uno scultore
lisci la statua
– che è un idolo, un oracolo bugiardo –,
perché il suo artista confidi in essa,
scolpendo idoli muti?
19 Guai a chi dice al legno: «Svegliati!»,
e alla pietra inerte: «Sorgi
dal tuo silenzio!».
Questo è l'oracolo:
Ecco, all'esterno è tutto d'oro e d'argento,
ma dentro non vi è soffio di vita!

---

15. Il re caldeo è il pescatore di popoli e pesca con tutti i
mezzi, con l'amo, con la rete piccola e con quella grande, e
si rallegra con se stesso della pesca abbondante.

Ab

²⁰ Il Signore è nel suo santo tempio.
Taccia, davanti a lui, tutta la terra!

LA PREGHIERA DI ABACUC

3 ¹Preghiera del profeta Abacuc, sul tono
delle lamentazioni.

² Signore, ho udito parlare di te,
ti temo, Signore, per l'opera tua.
In questo tempo rinnovala,
in questo tempo falla conoscere.
Nell'ira, ricordati della compassione.
³ Dio viene da Teman, il Santo
dal monte Paran;
la sua maestà ricopre il cielo,
la sua gloria riempie la terra.
⁴ Il suo splendore è simile alla luce,
i raggi spuntano dalla sua mano,
dove è racchiusa la sua forza.
⁵ Davanti a lui avanza la peste, la febbre
segue i suoi passi.
⁶ Si alza e fa tremare la terra, guarda
e fa gemere le genti;
allora sobbalzano i monti eterni,
si fondono le colline antiche,
i loro sentieri eterni.
⁷ Ho visto le tende di Cusan mosse
per lo spavento;
tremano le tende del paese di Madian.
⁸ Forse divampa contro i fiumi, Signore,
la tua ira,
o contro il mare è il tuo furore,
tu che cavalchi sopra i tuoi destrieri,
sopra i tuoi carri vittoriosi?
⁹ Tu estrai il tuo arco e riempi di frecce
la tua faretra.

Tu scavi torrenti nel suolo.
¹⁰ Ti vedono e tremano le montagne;
passa l'uragano, l'abisso fa udire
la sua voce;
la luce splendente del sole si oscura,
¹¹ la luna rimane nella sua dimora;
scompaiono allo scintillare
delle tue frecce,
al bagliore della tua lancia.
¹² Cammini sdegnato sulla terra,
con ira tu spaventi le genti.
¹³ Tu esci a salvare il tuo popolo,
a salvare il tuo consacrato.
Hai diroccato la casa dell'empio,
ne hai scalzato le fondamenta
fino alla roccia.
¹⁴ Hai trafitto con i tuoi dardi il capo
dei suoi guerrieri,
che irrompevano per disperdermi
con la loro ferocia,
per divorare il povero di nascosto.
¹⁵ Tu hai lanciato nel mare i tuoi cavalli,
nel ribollimento delle acque profonde.
¹⁶ Ho udito e fremo nel mio intimo;
a questa notizia trepidano le mie labbra;
entra un tarlo nelle mie ossa
e sotto di me vacillano i miei passi.
Aspetto tranquillo il giorno
dell'angoscia
che si leva contro il popolo assalitore.
¹⁷ Sì, il fico non fiorisce più e non c'è più
frutto nelle viti;
è cessato il frutto dell'olivo
e la campagna non dà più da mangiare;
è scomparso il gregge dall'ovile
e non ci sono più buoi nelle stalle.
¹⁸ Io invece mi rallegrerò nel Signore,
esulterò in Dio mio Salvatore!
¹⁹ Dio, mio Signore, è la mia forza,
egli renderà i miei piedi più veloci
di quelli dei cervi
e mi condurrà sopra le alture.

---

3. - 3. Secondo l'antica tradizione (Es 14; 15; 19) si suppone
che Dio avanzi dal deserto del Sinai in aiuto del suo popolo,
come un giorno lo condusse di là alla conquista della terra
promessa (cfr. Dt 33,2; Gs 5,4). *Teman* è una città idumea,
e *Paràn* è nella penisola sinaitica: qui indicano semplicemente la regione sinaitica.

Per il Maestro del coro. Su strumento a corda.

Ab

SOFONIA

Sofonia (che in ebraico significa «colui che Dio protegge») esercitò la sua missione profetica al tempo del re di Giuda Giosia (640-609 a.C.). La sua predicazione risente della situazione di idolatria in cui si trova il popolo ebreo prima della riforma religiosa di Giosia.

Il libro si divide in tre parti: 1,2 - 2,3: il «giorno del Signore» su Giuda; 2,4-15: oracoli contro le nazioni; 3,1-20: oracoli contro Gerusalemme.

Sofonia insiste sul «giorno del Signore» che incombe sulla storia di Giuda, sulle nazioni che l'opprimono e su tutta l'umanità. Questo tema è proprio dei profeti che l'hanno preceduto, specialmente di Amos (5,18-20) e di Isaia (2,6-21). In tutti questi profeti il giorno del Signore indica un preciso momento nel quale Dio interviene a punire con particolare gravità il suo popolo o anche un popolo pagano. Sofonia presenta gli oracoli che gravitano intorno al giorno del Signore con una terminologia drammatica che coinvolge tutto il creato: umanità, cielo e terra. Le immagini di cui questi oracoli sono intessuti giungeranno fino ai tempi del Nuovo Testamento.

IL GIORNO DEL SIGNORE

1 ¹Parola del Signore rivolta a Sofonia, figlio dell'Etiope, figlio di Godolia, figlio di Amaria, figlio di Ezechia, al tempo di Giosia, figlio di Amon, re di Giuda.

² Sì, farò sparire tutto dalla faccia
      della terra!
   Oracolo del Signore.
³ Distruggerò uomini e animali,
   distruggerò gli uccelli del cielo
      e i pesci del mare,
   farò cadere gli empi
   e cancellerò l'uomo dalla faccia della terra.
   Oracolo del Signore.
⁴ Stenderò la mano contro Giuda
   e contro tutti gli abitanti di Gerusalemme;
   cancellerò da questo luogo
      perfino i resti di Baal,
   il nome degli inservienti e dei sacerdoti;
⁵ coloro che si prostrano sui tetti
      davanti all'esercito del cielo,
   coloro che si prostrano davanti al Signore
   e giurano per Milcom;
⁶ coloro che si allontanano dal Signore,
   non lo cercano né se ne interessano.

⁷ Silenzio davanti al Signore Dio,
   perché è vicino il giorno del Signore!
   Il Signore ha preparato un sacrificio,
   ha purificato i suoi invitati!
⁸ Nel giorno del sacrificio del Signore
   io punirò tutti i prìncipi, i figli del re
   e quanti vestono alla moda straniera;
⁹ punirò tutti coloro che salgono
      al soglio del re,
   che riempiono di violenza e di menzogna
   il palazzo del loro signore.
¹⁰ In quel giorno, oracolo del Signore,
   un clamore si eleverà dalla Porta
      dei pesci,
   urla dal Quartiere nuovo
      e grande frastuono dai colli,
¹¹ urla degli abitanti del Mortaio.
   È annientata tutta la gente di Canaan,
   sono sterminati tutti i pesatori d'argento.
¹² In quel tempo, perlustrerò Gerusalemme
   con le lampade,

---

1. - 12. Allora anche le opere buone saranno ben osservate nei loro difetti, e gl'indifferenti (*spensierati*), che s'immaginano un Dio anch'egli indifferente (*non può farci né bene né male*), saranno tremendamente castigati. Dio scoverà e punirà tutti quelli che non pensano al suo giudizio, solo preoccupati di soddisfare le proprie passioni.

punirò gli spensierati,
coloro che si abbandonano alle crapule,
coloro che pensano nel proprio cuore:
«Il Signore non può farci né bene
    né male».

¹³ I loro beni saranno saccheggiati
e le loro case distrutte;
costruiranno case, ma non le abiteranno,
pianteranno vigne, ma non ne berranno
    il vino.

¹⁴ È vicino il gran giorno del Signore,
è vicino e arriva in gran fretta!
Una voce: Amaro è il giorno del Signore!
È un prode che grida.

¹⁵ Giorno di collera, quel giorno,
giorno di angustia e di tribolazione,
giorno di turbine e tempesta,
giorno di tenebre e caligine,
giorno di nubi e di oscurità,

¹⁶ giorno di squilli e grida di battaglia,
sulle città fortificate e sulle torri d'angolo.

¹⁷ Io metterò in angustia gli uomini
ed essi barcolleranno come ciechi,
perché hanno peccato contro il Signore;
il loro sangue sarà sparso come
    la polvere
e la loro carne come gli escrementi!

¹⁸ Né il loro argento né il loro oro
li potrà salvare.
Nel giorno della collera del Signore,
dal fuoco della sua gelosia sarà
    divorata la terra!
Infatti egli distruggerà, anzi sterminerà
tutti gli abitanti della terra.

ORACOLI CONTRO LE NAZIONI

2 ¹Raccoglietevi, radunatevi,
    gente spudorata,
² prima che siate dispersi lontano
come pula che scompare in un giorno;
prima che venga su voi l'ardore dell'ira
    del Signore;
prima che venga su voi il giorno dell'ira
    del Signore.

³ Cercate il Signore tutti voi,
    umili del paese,
che eseguite i suoi ordini.
Cercate la giustizia, cercate l'umiltà,
per avere un rifugio nel giorno dell'ira
    del Signore.

⁴ Sì, Gaza sarà un luogo abbandonato
e Ascalon una landa deserta.

Asdod sarà deportata in pieno giorno
e Accaron sarà sradicata.

⁵ Guai a voi, abitanti della zona marittima,
nazione dei Cretei!
Ecco la parola del Signore contro di voi:
«Io ti umilierò, terra dei Filistei,
ti priverò di ogni abitante.

⁶ Sarai luogo di pascoli per i pastori,
un luogo di recinti per il gregge».

⁷ La zona marittima apparterrà
al resto della casa di Giuda;
lungo il mare essi pascoleranno
e, alla sera, riposeranno nelle case
    di Ascalon.
Perché il Signore, loro Dio, li visiterà
e li ricondurrà dall'esilio.

⁸ Ho udito l'oltraggio di Moab
e gli insulti dei figli di Ammon,
con i quali hanno oltraggiato
    il mio popolo
e si sono inorgogliti contro il loro
    territorio.

⁹ Perciò, com'è vero che io vivo,
oracolo del Signore degli eserciti,
    Dio d'Israele,
Moab sarà come Sodoma
e i figli di Ammon come Gomorra:
un campo di cardi, un mucchio di sale,
una desolazione perpetua.
Il resto del mio popolo li depredderà,
i superstiti della mia nazione
    se ne impadroniranno.

¹⁰ Questa è la loro sorte per il loro orgoglio,
per i loro insulti sprezzanti
contro il popolo del Signore
    degli eserciti.

¹¹ Il Signore si mostrerà terribile con loro,
poiché egli annienterà tutti gli dèi
    della terra.
Allora verranno ad adorarlo,
partendo ognuno dal proprio luogo,
le isole di tutte le nazioni.

¹² Anche voi, Etiopi,
sarete vittime della spada del Signore.

¹³ Egli stenderà la mano verso
    il settentrione
e abbatterà Assur;
farà di Ninive un luogo abbandonato,
una terra arida come il deserto.

¹⁴ Vi si accovacceranno le greggi,
tutti gli animali della valle.
Anche il pellicano, anche il riccio
fra le sue sculture passeranno la notte;
il gufo striderà sulla finestra

Sof

e il corvo sulla soglia,
perché il suo cedro è stato spogliato.
15 Questa è la città spensierata
che troneggiava sicura,
che pensava in cuor suo:
«Io e nessun altro!».
Quale deserto è diventata!
È divenuta un rifugio per gli animali!
Tutti quelli che le passano vicino
fischiettano e agitano la mano.

MINACCE E PROMESSE
PER GERUSALEMME

3 1Guai alla città ribelle e impura,
alla città prepotente!
2 Non ha mai dato ascolto all'invito,
non ha mai accettato il richiamo.
Nel Signore non ha posto fiducia,
al suo Dio non si è avvicinata.
3 I suoi prìncipi dentro di lei sono leoni
ruggenti;
i suoi giudici sono lupi della sera,
che non hanno sbranato nulla al mattino.
4 I suoi profeti sono millantatori,
uomini bugiardi;
i suoi sacerdoti profanano le cose sacre,
violano la legge.
5 Il Signore giusto è in mezzo ad essa,
egli non commette iniquità;
al mattino promulga il suo decreto,
come la luce che non viene mai meno.
Ma l'iniquo non conosce vergogna.
6 Ho sterminato i popoli,
sono stati distrutti i loro pinnacoli;
ho reso deserto le loro vie,
non c'è nemmeno un passante;
sono state saccheggiate le loro città,
non c'è chi vi abiti.
7 Io pensavo: «Almeno ora mi temerà!
Si lascerà correggere!
Non potranno cancellarsi
dai suoi occhi
tutte le punizioni che le ho inflitto».
E invece si sono affrettati
a pervertire tutte le loro azioni!
8 Perciò aspettatemi, oracolo
del Signore,
quando mi leverò come accusatore;
sì, è mia decisione radunare le genti,
convocare i regni,
per riversare su di voi il mio sdegno,
tutto l'ardore della mia ira.

Sì, con il fuoco della mia gelosia
consumerò tutta la terra!
9 Sì, allora io darò alle genti labbra pure,
perché tutti invochino il nome
del Signore,
perché lo servano spalla a spalla.
10 Dalla sponda dei fiumi di Etiopia
fino agli estremi recessi del settentrione
mi porteranno offerte.
11 In quel giorno, non avrai più vergogna
delle azioni commesse contro di me;
perché allora io toglierò dal tuo seno
tutti i superbi orgogliosi
e non continuerai più a inorgoglirti
sul mio monte santo.
12 Io lascerò in te un popolo umile
e misero;
cercherà rifugio nel nome del Signore
13 il resto d'Israele.
Non commetteranno più l'iniquità
e non diranno più menzogne,
non si troverà più nella loro bocca
una lingua bugiarda.
Pascoleranno e riposeranno
senza che alcuno li molesti.
14 Gioisci, figlia di Sion; rallegrati, Israele;
gioisci ed esulta di tutto cuore,
figlia di Gerusalemme!
15 Il Signore ha cancellato i decreti
della tua condanna,
ha disperso il tuo nemico.
Il Signore, re d'Israele, è in mezzo a te,
non avrai più da temere la sventura.
16 In quel giorno si dirà a Gerusalemme:
«Non temere, Sion, non ti lasciar
cadere le braccia!
17 Il Signore, tuo Dio, è in mezzo a te,
egli è un guerriero che salva!
Egli esulterà di gioia per te,
ti rinnoverà per il suo amore,
danzerà per te esultando,
18 come nei giorni di festa».
Ho allontanato da te la sventura,
ho tolto da te l'obbrobrio.

---

3. - 4. *I suoi profeti sono millantatori*: non si tratta certo dei
veri profeti. Il profetismo era un dono, e i profeti in Israele
erano direttamente chiamati e mandati da Dio a compiere il
loro ministero a nome suo. Costoro che si arrogavano il
nome di profeti e sovente pretendevano di parlare a nome
di Dio, lo facevano per secondi fini, preoccupati, più che
altro, di dire cose piacevoli.
9-11. Dopo il giudizio purificatore sorgerà la nuova teocrazia:
non solo Israele, ma tutti i popoli accetteranno il Signore
come loro Dio, abbandonando gli idoli.

¹⁹ Eccomi all'opera, sterminerò tutti
    i tuoi oppressori!
   In quel giorno salverò chi zoppica
   e radunerò i dispersi;
   li renderò oggetto di lode e di fama
   su tutta la terra in cui ora
       li disprezzano.

²⁰ In quel tempo io sarò alla vostra testa,
   in quel tempo io vi farò riposare.
   Vi procurerò lode e fama
   in mezzo a tutti i popoli della terra,
   quando cambierò la vostra sorte
   davanti ai vostri occhi,
       dice il Signore.

Sof

AGGEO

Il profeta Aggeo è il primo della serie dei profeti postesilici impegnati con il loro popolo alla ricostruzione. La missione profetica di Aggeo si svolge sotto il regno di Dario I, 520 a.C., quindi nell'epoca dell'egemonia persiana in Medio Oriente. Il suo messaggio è in un certo senso ben espresso dal suo stesso nome: Aggeo significa «festivo». E tutta la sua proclamazione è orientata all'ottimismo e all'incoraggiamento per la ricostruzione del tempio, il vero segno della «festa» del popolo biblico.

LA RICOSTRUZIONE DEL TEMPIO

1 ¹Nel secondo anno del re Dario, nel primo giorno del sesto mese, fu rivolta la parola del Signore, per mezzo del profeta Aggeo, a Zorobabele, figlio di Sealtiel, governatore della Giudea, e a Giosuè, figlio di Iozadak, sommo sacerdote: ²«Così dice il Signore degli eserciti: Questo popolo dice: Il momento di ricostruire il tempio del Signore non è ancora venuto!». ³Allora la parola del Signore fu rivolta per mezzo del profeta Aggeo:

⁴ «Vi sembra questo il momento
di starvene in case rivestite di legno,
mentre il tempio è devastato?
⁵ Ora, così dice il Signore degli eserciti:
Badate a quello che fate!
⁶ Voi seminate molto, ma raccogliete poco,
mangiate, ma senza saziarvi,
bevete, ma non fino all'ebbrezza,
vi vestite, ma senza riscaldarvi
e l'operaio riceve il salario
per gettarlo in una borsa sfondata».
⁷ Così dice il Signore degli eserciti:
⁸ «Salite alla montagna
per trasportare il legname
e ricostruire la mia casa!
Io porrò in essa le mie compiacenze
e mostrerò la mia gloria, dice il Signore.

⁹Voi vi aspettavate molto e invece avete ottenuto poco, e ciò che portavate in casa, io ve lo soffiavo via. Perché? Oracolo del Signore degli eserciti. Perché la mia casa è in rovina, mentre ciascuno di voi si dà tanta premura per sé. ¹⁰Per questo il cielo ha ricusato la sua rugiada e la terra i suoi frutti. ¹¹Io ho chiamato la siccità sui campi e sui monti, sul grano, sull'olio e su quanto il suolo produce; sugli uomini, sul bestiame e su tutto il lavoro delle mani».

¹²Zorobabele, figlio di Sealtiel, e Giosuè, figlio di Iozadak, sommo sacerdote, e tutto il resto del popolo dettero ascolto alla voce del Signore, loro Dio, e alle parole del profeta Aggeo, per le quali il Signore l'aveva ad essi inviato. Il popolo ebbe timore del Signore. ¹³E Aggeo, messaggero del Signore, disse al popolo nella sua qualità di messaggero del Signore: «Io sono con voi». Oracolo del Signore.

¹⁴Il Signore ridestò lo spirito di Zorobabele, figlio di Sealtiel, governatore della Giudea, e lo spirito di Giosuè, figlio di Iozadak, sommo sacerdote, e lo spirito di tutto il resto del popolo. Essi vennero e misero mano ai lavori per il tempio del Signore degli eserciti, loro Dio. ¹⁵Era il ventiquattro del sesto mese del secondo anno del re Dario.

---

1. - 2-6. Il Signore si lamenta perché il popolo pensa più alla propria abitazione che al tempio di Dio. Sembra che il popolo ritornato dall'esilio, dopo aver costruito qualcosa del tempio, forse il solo altare per i sacrifici, a motivo degli ostacoli opposti dai nemici, abbia desistito, rimandando tutto a tempi migliori (cfr. Esd 4-6). Il Signore allora fa proclamare che la loro vita era piena di stenti precisamente per la mancanza di generosità con lui. Si mostrino zelanti, ed egli li benedirà!

LA GLORIA DEL NUOVO TEMPIO

2 ¹Nel settimo mese, nel giorno ventunesimo del mese, fu rivolta questa parola del Signore al profeta Aggeo: ²«Parla a Zorobabele, figlio di Sealtiel, governatore della Giudea, e a Giosuè, figlio di Iozadak, sommo sacerdote, e a tutto il resto del popolo e di' loro:

³ C'è rimasto qualcuno tra voi
    che abbia visto il tempio nel suo primo
      splendore?
    E come lo vedete ora?
    Non sembra un niente ai vostri occhi?
⁴ Or dunque, coraggio, Zorobabele!
    Oracolo del Signore.
    Coraggio, Giosuè, figlio di Iozadak,
      sommo sacerdote!
    Coraggio, popolo tutto del paese!
    Oracolo del Signore.
    E al lavoro, perché io sono con voi!
    Oracolo del Signore.
⁵ Il mio spirito è in mezzo a voi, non temete!
⁶ Perché così dice il Signore degli eserciti:
    Ancora un poco
    e scuoterò il cielo e la terra, il mare
      e i continenti;
⁷ scuoterò tutti i popoli
    e le ricchezze di tutte le genti affluiranno
    e riempirò di gloria questo tempio,
    dice il Signore degli eserciti.
⁸ Mio è l'argento e mio è l'oro!
    Oracolo del Signore degli eserciti.
⁹ La gloria di questo secondo tempio
    sarà maggiore di quella del primo,
    dice il Signore degli eserciti,
    e a questo luogo io darò la pace.
    Oracolo del Signore degli eserciti».

¹⁰Il ventiquattro del nono mese, nel secondo anno di Dario, fu rivolta questa parola del Signore al profeta Aggeo: ¹¹«Così dice il Signore degli eserciti: Chiedi ai sacerdoti chiarimenti sulla legge, dicendo loro: ¹²Se uno porta della carne santificata in un lembo della sua veste e con il lembo tocca il pane, le vivande, il vino, l'olio o qualunque altro alimento, queste cose saranno santificate?». I sacerdoti risposero: «No!». ¹³Aggeo continuò: «Se uno, che si è contaminato per il contatto di un cadavere, tocca qualcuna di quelle cose, diventerà essa pure immonda?». I sacerdoti risposero: «Sì, diventerà immonda!».

¹⁴Allora Aggeo riprese a dire:

    «Così è questo popolo,
    così è questa nazione al mio cospetto!
    Oracolo del Signore degli eserciti.
    Così è ogni lavoro delle loro mani
    e quanto mi offrono: è immondo!
¹⁵ Ora, tenete bene a mente da oggi
      e per l'avvenire:
    prima che si ponesse pietra su pietra
    nel santuario del Signore, ¹⁶che cosa
      eravate?
    Si veniva a un mucchio
    che calcolavate di venti misure
      di grano
    e invece ve n'erano dieci;
    si veniva al tino per ricavare
      cinquanta barili
    e ve n'erano solo venti.
¹⁷ Io ho colpito con il carbonchio,
      con la ruggine
    e con la grandine ogni lavoro
      delle vostre mani;
    voi però non siete tornati a me.
    Oracolo del Signore.

¹⁸Ora dunque tenete bene a mente da oggi in poi [dal ventiquattro del nono mese, cioè dal giorno in cui si gettarono le fondamenta del tempio del Signore]:

¹⁹ il seme manca ancora nel granaio?
    La vite, il fico, il melograno e l'olivo
    non hanno dato ancora i loro frutti?
    Ebbene, da oggi io vi benedico!».

²⁰La parola del Signore fu rivolta ad Aggeo per la seconda volta il ventiquattresimo giorno del mese: ²¹«Parla a Zorobabele, governatore della Giudea, e digli:

    Io scuoterò il cielo e la terra,
²² rovescerò il trono dei regni,
    distruggerò la potenza delle nazioni.
    Rovescerò carri e cavalieri,
    uno con la spada dell'altro!
²³ In quel giorno,
    oracolo del Signore degli eserciti,
    ti prenderò, Zorobabele,
    figlio di Sealtiel, mio servo,
    oracolo del Signore,
    e ti terrò come il sigillo,
    perché ti ho scelto.
    Oracolo del Signore degli eserciti».

ZACCARIA

*Il profeta Zaccaria (il nome significa «Dio si è ricordato») è contemporaneo di Ag-
geo. Probabilmente fece parte del primo gruppo di rimpatriati dall'esilio e con la
sua parola e la sua opera favorì e incoraggiò la ricostruzione del tempio. Stando alle
indicazioni cronologiche del libro, Zaccaria esercitò l'attività profetica durante il regno
di Dario I, re di Persia, 522-486 a.C. (Zc 1,1; 7,1), e precisamente dal 520 al 518.
Il libro di Zaccaria è diviso in due parti: la prima (cc. 1-8) è la parte che gli studiosi
attribuiscono al profeta Zaccaria, detto Primo Zaccaria, e contiene otto visioni profetiche; la seconda (cc. 9-14) proviene da autori anonimi posteriori: uno, detto Secondo
Zaccaria, ha composto i cc. 9-11 e un Terzo Zaccaria i cc. 12-14.
Ciò dimostra la complessità di composizione e di contenuto di questo libro: vi si alternano parti poetiche (9-11) e parti in prosa (12-14), si parla della ricostruzione del tempio e della ricostruzione escatologico-messianica e affiorano temi apocalittici e messianici (9,9-10) che saranno elaborati con particolare attenzione nel Nuovo Testamento.*

PRIMA PARTE DI ZACCARIA

LE VISIONI PROFETICHE

1 ¹Nell'ottavo mese del secondo anno del
regno di Dario, la parola del Signore fu
rivolta al profeta Zaccaria, figlio di Iddo: ²«Il
Signore si è molto sdegnato con i vostri
padri. ³Tu, dunque, parla al resto di questo
popolo e di' loro: Così dice il Signore degli eserciti: Tornate a me e io mi rivolgerò
a voi, dice il Signore degli eserciti. ⁴Non
siate come i vostri padri, ai quali i profeti
del passato gridavano: Così dice il Signore
degli eserciti: Convertitevi dai vostri pessimi
costumi e dalle vostre azioni malvagie! Ma
essi non ascoltavano e non mi davano retta. Oracolo del Signore. ⁵I vostri padri dove
sono? E i profeti vivono ancora? ⁶Le parole
e i decreti che io avevo affidato ai miei servi, i profeti, non vi hanno forse raggiunto?
Allora essi tornarono in sé ed esclamarono: Come il Signore degli eserciti aveva
minacciato di trattarci, a causa della nostra
condotta e delle nostre azioni, così egli ci
ha trattato».

PRIMA VISIONE: I CAVALIERI

⁷Il giorno ventiquattro dell'undicesimo mese,
cioè del mese di Sebat, nel secondo anno
di Dario, la parola del Signore fu rivolta al
profeta Zaccaria, figlio di Iddo. ⁸Io ebbi una
visione notturna. Ecco: un uomo in groppa
a un cavallo rosso stava in mezzo ai mirti in
una valle profonda; dietro a lui c'erano cavalli rossi, sauri, neri e bianchi. ⁹Io domandai:
«Chi sono questi, signore?». ¹⁰L'uomo che
stava ritto in mezzo ai mirti mi rispose: «Questi sono coloro che il Signore ha mandato
a percorrere la terra!». ¹¹Infatti si rivolsero
all'angelo del Signore che stava ritto in mezzo ai mirti e gli dissero: «Abbiamo percorso
la terra; ecco, tutta la terra riposa ed è tranquilla». ¹²Allora l'angelo del Signore prese a
dire: «Signore degli eserciti, fino a quando
non ti muoverai a compassione di Gerusalemme e delle città di Giuda, contro le quali
fai sentire il tuo sdegno già da settant'anni?». ¹³Il Signore rivolse all'angelo che parlava con me parole buone, parole di conforto.
¹⁴L'angelo che parlava con me mi disse:

---

1. - 8. *L'uomo*: è un angelo seguito da altri angeli, mandati a
osservare lo stato delle nazioni che attorniano Israele.

«Annunzia: Così dice il Signore degli eserciti: Sono geloso di Gerusalemme e per Sion ho una grande gelosia. [15]Ma provo una grande collera contro le nazioni tracotanti, perché approfittano della mia breve collera per accanirsi nel male. [16]Perciò, così dice il Signore degli eserciti: Io mi volgo di nuovo a Gerusalemme con compassione: la mia casa vi sarà ricostruita, la corda sarà stesa su Gerusalemme. Oracolo del Signore degli eserciti.

[17]Annunzia ancora: Così dice il Signore degli eserciti: Le mie città godranno di nuovo l'abbondanza; il Signore consolerà di nuovo Sion, sceglierà di nuovo Gerusalemme».

SECONDA VISIONE: LE CORNA E GLI ARTIGIANI

2 [1]Alzai gli occhi e guardai. Ecco quattro corna. [2]Allora domandai all'angelo che parlava con me: «Queste, che cosa sono?». Mi rispose: «Queste sono le corna che hanno causato la dispersione di Giuda, d'Israele e di Gerusalemme!».

[3]Il Signore mi fece poi vedere quattro artigiani. [4]Io domandai: «Che cosa vengono a fare costoro?». Mi rispose: «Quelle sono le corna che hanno causato la dispersione di Giuda, così che nessuno può più alzare la testa. Ma questi sono venuti per atterrirle, per abbattere le corna delle nazioni che hanno alzato le loro corna contro il paese di Giuda, causandone la dispersione».

TERZA VISIONE: GERUSALEMME CITTÀ APERTA

[5]Alzai gli occhi e guardai. Ed ecco un uomo che teneva in mano una corda per misurare. [6]Gli domandai: «Dove vai?». Mi rispose: «A misurare Gerusalemme, per vedere quale deve essere la sua larghezza e quale la sua lunghezza». [7]Ed ecco, l'angelo che mi parlava stava fermo e un altro angelo gli veniva incontro. [8]Gli disse: «Corri, parla a quel giovane e digli: Città aperta resterà Gerusalemme, tanti saranno gli uomini e gli animali in essa. [9]Io stesso sarò per lei, oracolo del Signore, un muro di fuoco tutt'intorno e la mia gloria sarà in mezzo a lei!».

[10] Via, via! Fuggite dal paese
del settentrione!
Oracolo del Signore.
Io, infatti, vi ho dispersi ai quattro venti
del cielo.
Oracolo del Signore.
[11] A Sion mettiti in salvo, tu che abiti
in Babilonia!
[12] Perché così dice il Signore
degli eserciti,
la cui Gloria mi ha inviato,
alle nazioni che vi hanno spogliato:
Sì, chi tocca voi, tocca la pupilla
del mio occhio!
[13] Ecco, io stendo la mia mano
contro di loro
e diverranno preda dei loro schiavi.
Così saprete che il Signore
degli eserciti mi ha inviato.
[14] Gioisci, rallegrati, figlia di Sion,
perché, ecco, io vengo ad abitare
in mezzo a te.
Oracolo del Signore.
[15] Molte nazioni aderiranno al Signore
in quel giorno;
diverranno suo popolo e abiteranno
in mezzo a te.
Così saprai che il Signore degli eserciti
mi ha inviato a te.
[16] Il Signore farà di Giuda la sua
proprietà
nella terra santa,
sceglierà di nuovo Gerusalemme.
[17] Taccia ogni uomo davanti al Signore,
perché egli si ridesta nella sua
santa dimora.

QUARTA VISIONE: GIOSUÈ E IL «GERMOGLIO»

3 [1]Poi mi mostrò il sommo sacerdote Giosuè, che stava in piedi davanti all'angelo del Signore, e Satana stava alla sua destra per accusarlo. [2]L'angelo del Signore disse a Satana: «Che il Signore ti reprima, Satana! Sì, che il Signore ti reprima! Egli che ha eletto Gerusalemme! Non è forse costui un tizzone tratto dal fuoco?». [3]Infatti Giosuè era vestito di abiti immondi, mentre stava in piedi davanti all'angelo del Signore. [4]Egli riprese la parola e disse a coloro che stavano lì davanti: «Toglietegli di dosso quegli abiti immondi». Quindi disse a Giosuè:

«Vedi, ho tolto via da te il tuo peccato; fatti rivestire di abiti da festa». Poi soggiunse: [5]«Ponetegli sul capo una splendida tiara». Allora gli posero una splendida tiara sul capo e lo rivestirono di candide vesti alla presenza dell'angelo del Signore.

[6]L'angelo del Signore assicurò solennemente Giosuè: [7]«Così dice il Signore degli eserciti: Se tu camminerai nelle mie vie, se osserverai le mie leggi, tu avrai pure il governo della mia casa, custodirai i miei atri e ti darò libero accesso tra coloro che sono qui.

[8]Ascolta, Giosuè, sommo sacerdote, tu e i tuoi compagni che siedono davanti a te: voi siete infatti uomini di presagio. Sì, ecco, io faccio venire il mio servo Germoglio. [9]Sì, ecco la pietra che io pongo davanti a Giosuè: sopra un'unica pietra ci sono sette occhi. Sì, ecco, io stesso incido la sua decorazione, oracolo del Signore degli eserciti, e cancellerò il peccato di questa terra in un solo giorno. [10]Quel giorno, oracolo del Signore degli eserciti, vi inviterete l'un l'altro sotto la vite e sotto il fico».

QUINTA VISIONE: IL CANDELABRO E I DUE OLIVI

4 [1]L'angelo che mi parlava tornò di nuovo e mi svegliò, come uno che viene svegliato nel sonno. [2]Mi domandò: «Che cosa vedi?». Risposi: «Io vedo un candelabro tutto d'oro con un'ampolla sulla cima; esso ha sette lampade sulla cima e le lampade che sono sulla cima hanno sette beccucci. [3]Due olivi gli stanno accanto, uno alla sua destra e uno alla sua sinistra». [4]Allora domandai all'angelo che mi parlava: «Questi, che cosa sono, mio signore?». [5]L'angelo che mi parlava rispose: «Non comprendi dunque il loro significato?». E io: «No, mio signore!». [6a]Allora egli rispose: [10b]«Le sette lampade sono gli occhi del Signore, che scrutano tutta la terra». [11]Gli domandai di nuovo: «Che cosa significano quei due olivi, alla destra e alla sinistra del candelabro?». [12]E aggiunsi: «Che cosa significano i due rami di olivo che attraverso due cannelle d'oro versano olio limpido?». [13]Mi rispose: «Non comprendi, dunque, il significato di queste cose?». Risposi: «No, mio signore!». [14]Egli allora soggiunse: «Questi sono i due consacrati con l'olio, che stanno davanti al Signore di tutta la terra!».

[6b]Questa è la parola del Signore per Zorobabele: Non con la potenza né con la forza, ma con il mio spirito, dice il Signore degli eserciti! [7]Chi sei tu, grande montagna? Davanti a Zorobabele sarai una pianura! Egli estrarrà la pietra di fondazione, tra le acclamazioni: «Com'è bella, com'è bella!».

[8]Mi fu rivolta questa parola del Signore: [9]«Le mani di Zorobabele fondano questa casa e le sue mani la tirano su. Voi saprete che il Signore degli eserciti mi ha mandato a voi! [10a]Chi disprezza il giorno di sì umili inizi? Si rallegreranno vedendo la pietra scelta in mano a Zorobabele».

SESTA VISIONE: IL ROTOLO VOLANTE

5 [1]Alzai di nuovo gli occhi e vidi un rotolo che volava. [2]L'angelo mi domandò: «Che cosa vedi?». Io risposi: «Vedo un rotolo che vola; la sua lunghezza è di venti cubiti e la sua larghezza di dieci». [3]Egli mi spiegò: «Questa è la maledizione che si diffonde sopra tutto il paese: ogni ladro sarà scacciato via di qui come quel rotolo, e ogni spergiuro sarà scacciato via di qui come quel rotolo. [4]Io scatenerò la maledizione, oracolo del Signore degli eserciti, ed essa entrerà nella casa del ladro e nella casa di chi giura il falso nel mio nome; alloggerà in quella casa e la distruggerà con le travi e le pietre».

SETTIMA VISIONE: LA DONNA RINCHIUSA NELL'EFA

[5]L'angelo che mi parlava si avvicinò e mi disse: «Alza gli occhi e guarda! Che cos'è ciò che si avvicina?». [6]Io risposi: «Che cosa è quella?». Ed egli: «Questa è l'efa che si avvicina». Poi soggiunse: «Questo è il loro peccato in tutto il paese». [7]Allora fu alzato un coperchio di piombo ed ecco una donna sola seduta dentro l'efa. [8]Egli disse: «Que-

---

4. - 2-3. Il *candelabro* sembra rappresentare il tempio; i *due olivi* rappresentano Zorobabele e Giosuè (i *due consacrati*, v. 14). Subito dopo l'angelo parla di Zorobabele e dice che supererà tutti gli ostacoli, non con mezzi umani, ma con l'aiuto di Dio.

6a. I vv. 6b-10 sono spostati dopo il v. 14 per una migliore comprensione.

10b. *Le sette lampade* sono le lampade del candelabro.

sta è l'iniquità!». La ricacciò dentro l'efa e rimise il coperchio di piombo sopra l'apertura. [9]Alzai gli occhi e guardai. Ecco, due donne si avvicinavano; il vento agitava le loro ali e le loro ali erano come quelle della cicogna. Esse sollevarono l'efa tra il cielo e la terra. [10]Domandai all'angelo che mi parlava: «Dove portano l'efa, costoro?». [11]Mi rispose: «A costruirle una dimora nella terra di Sennaar. Appena sarà pronta, collocheranno l'efa sopra il suo piedistallo».

OTTAVA VISIONE: I QUATTRO CARRI

6 [1]Alzai gli occhi di nuovo e guardai. Ecco quattro carri apparire in mezzo alle due montagne: le montagne erano di rame. [2]Il primo carro aveva cavalli rossi; il secondo carro aveva cavalli neri; [3]il terzo carro cavalli bianchi e il quarto carro cavalli pezzati. [4]Domandai all'angelo che mi parlava: «Che cosa sono questi, mio signore?». [5]L'angelo mi rispose: «Questi sono i quattro venti del cielo che avanzano dopo essere stati alla presenza del Signore di tutta la terra. [6]I cavalli neri vanno verso il paese del settentrione; i bianchi vanno verso l'occidente e i pezzati verso la terra del meridione. [7]Avanzano gagliardi e chiedono di andare a percorrere la terra». Quand'egli ordinò: «Andate, percorrete la terra», quelli si misero a percorrere la terra. [8]Poi mi chiamò e mi disse: «Vedi, quelli che avanzano verso il paese del settentrione hanno fatto calmare il mio spirito nel paese del settentrione». [9]Poi mi fu rivolta questa parola del Signore: [10]«Raccogli le offerte degli esuli, cioè di Cheldai, di Tobia, di Iedaia, e va' alla casa di Giosia, figlio di Sofonia, che è ritornato da Babilonia. [11]Tu prenderai l'argento e l'oro e ne farai una corona, che porrai sulla testa di Giosuè, figlio di Iozadak, sommo sacerdote. [12]Quindi gli dirai: Così parla il Signore degli eserciti: Ecco l'uomo, il suo nome è Germo-

glio, sotto di lui qualcosa germoglierà. [13]Egli edificherà il santuario del Signore, si ammanterà della dignità regale sul suo trono. Alla sua destra ci sarà un sacerdote e tra i due regnerà un perfetto accordo. [14]La corona, poi, rimarrà nel santuario del Signore, come memoria di benemerenza per Cheldai, per Tobia, per Iedaia e per il figlio di Sofonia. [15]Anche da lontano verranno per aiutare a ricostruire il santuario del Signore. Così conoscerete che il Signore degli eserciti mi ha mandato a voi. Ciò avverrà se sarete docili alla parola del Signore Dio vostro».

LA VERA RELIGIONE

7 [1]Nel quarto anno del re Dario, il quattro del nono mese, cioè di Casleu, [2]Betel-Sarezer, grande ufficiale del re, e i suoi uomini inviarono a placare il volto del Signore, [3]e a domandare ai sacerdoti addetti al santuario del Signore degli eserciti e ai profeti: «Devo continuare a far lutto al quinto mese, osservando l'astinenza, come faccio da tanti anni?».

[4]Allora mi fu rivolta questa parola del Signore degli eserciti: [5]«Parla a tutto il popolo del paese e ai sacerdoti e di' loro: Il digiuno e il lutto da voi praticati nel quinto e nel settimo mese durante questi settant'anni li avete forse fatti per me? [6]Quando avete mangiato e bevuto, non lo facevate forse per voi? [7]Non sono forse queste le parole che il Signore ha proclamato per mezzo dei profeti del passato, quando Gerusalemme era ancora abitata in pace, ed erano pure abitate le sue città d'intorno, il Negheb e la Sefela?».

[8]Questa è la parola del Signore rivolta a Zaccaria: [9]Così dice il Signore degli eserciti: «Amministrate fedelmente la giustizia e siate benevoli e pietosi l'uno verso l'altro. [10]Non defraudate la vedova e l'orfano, lo straniero e il povero. Nessuno ordisca nel suo cuore trame contro il prossimo». [11]Ma essi non fecero attenzione, voltarono ostinatamente le spalle e si turarono gli orecchi per non sentire. [12]Indurirono il loro cuore come diamante, per non intendere l'istruzione e le parole che il Signore degli eserciti aveva indirizzato loro, mediante il suo spirito, per mezzo dei profeti del passato. Allora il Signore degli eserciti si sdegnò grandemente e disse: [13]Come essi non

---

6. - 1ss. L'ultima visione si riferisce agli Israeliti non ritornati subito dopo l'esilio: anch'essi, dovunque si trovino (i *quattro carri* indicano le quattro direzioni del mondo), ritorneranno in patria e si adempirà così la promessa della restaurazione annunciata dai profeti. Al v. 8 fa seguito il v. 15 che si riferisce ancora alla visione.

12. *Germoglio*: è Zorobabele, dalla cui stirpe sorgerà il Messia, che porterà a termine l'edificio della nuova casa di Dio e riunirà in se stesso i due poteri regale e sacerdotale, in perfetta armonia.

mi hanno ascoltato quando io li chiamavo, così, quando essi mi chiamano, io non rispondo, dice il Signore degli eserciti. ¹⁴Anzi li ho dispersi in mezzo a tutte le nazioni che essi nemmeno conoscevano. Così il paese restò deserto e dietro di loro non c'è più nessuno che vi passi o vi abiti. Hanno cambiato una terra di delizie in un deserto.

ORACOLI VARI

8 ¹La parola del Signore degli eserciti si fece udire in questi termini: ²«Così parla il Signore degli eserciti:

Brucio per Sion di ardente amore,
un grande ardore m'infiamma per essa!».

³Così dice il Signore degli eserciti: «Sono tornato di nuovo a Sion e dimoro in Gerusalemme. Gerusalemme sarà chiamata Città fedele e il monte del Signore degli eserciti Monte santo».
⁴Così dice il Signore degli eserciti: «Vecchi e vecchie siederanno ancora nelle piazze di Gerusalemme, ciascuno con il suo bastone in mano per i molti suoi giorni. ⁵Le piazze della città saranno affollate di fanciulli e fanciulle, che si divertiranno nelle sue piazze».
⁶Così dice il Signore degli eserciti: «Se ciò sembra un prodigio agli occhi del resto di questo popolo, lo sarà forse anche per me?». Parola del Signore degli eserciti.
⁷Questo dice il Signore degli eserciti:

«Ecco, io salvo il mio popolo
dalla terra d'oriente
e dalla terra d'occidente.
⁸ Io li farò ritornare
ed essi abiteranno in Gerusalemme;
essi saranno il mio popolo e io sarò
il loro Dio
nella fedeltà e nella giustizia».

⁹Così dice il Signore degli eserciti: «Le vostre mani s'irrobustiscano, voi che ascoltate in questi giorni queste parole dalla bocca dei profeti, dal giorno in cui fu fondata la casa del Signore degli eserciti, per ricostruire il santuario.

¹⁰ Perché prima di quei giorni
non c'è stato salario per l'uomo,

né c'è stato salario per gli animali;
per chi usciva e per chi entrava
non c'era alcuna sicurezza,
a causa del nemico:
io stesso avevo messo gli uomini
gli uni contro gli altri.
¹¹ Ma ora non sarò più come nei giorni
passati
verso il resto di questo popolo.
Oracolo del Signore degli eserciti.
¹² Perché io seminerò la pace
e la vigna darà il suo frutto;
la terra darà i suoi prodotti
e il cielo manderà la sua rugiada;
tutto questo lo darò in retaggio
al resto di questo popolo.
¹³ Come voi foste oggetto di maledizione
in mezzo alle genti,
o casa di Giuda e casa d'Israele,
così, quando vi avrò salvato,
diverrete una benedizione.
Non abbiate timore!
Le vostre mani siano vigorose!».

¹⁴Perché così dice il Signore degli eserciti: «Come io decisi di farvi del male, quando i vostri padri mi mossero a sdegno, dice il Signore degli eserciti, e non mi lasciai commuovere, ¹⁵così ora io cambierò i miei piani e decido di fare del bene a Gerusalemme e alla casa di Giuda. Non abbiate timore! ¹⁶Ecco ciò che dovete fare: siate leali l'uno con l'altro, pronunziate giudizi di pace alle porte; ¹⁷nessuno ordisca nel suo cuore trame contro il fratello; non vi compiacete di giuramenti falsi. Sì, tutte queste cose io le odio. Oracolo del Signore».

¹⁸Mi fu rivolta questa parola del Signore degli eserciti: ¹⁹«Così dice il Signore degli eserciti: Il digiuno del quarto, del quinto, del settimo e del decimo mese si cambieranno, per la casa di Giuda, in letizia e in gioia di festose adunanze, purché amiate la verità e la pace». ²⁰Così dice il Signore degli eserciti: «Verranno ancora popoli e abitanti di molte città. ²¹Gli abitanti dell'una andranno da quelli

---

8. - 2. Il tempo della punizione ormai è passato e Dio, per l'amore che porta al suo popolo, rappresentato dalla città, ritornerà ad abitare in mezzo ad esso e a benedirlo.
9ss. Il profeta proclama ai compatrioti che le promesse di salvezza hanno già cominciato a compiersi. Il fatto che si sia iniziato a ricostruire il tempio ne è una prova. Per questo li loda, invitandoli a continuare nel cammino intrapreso, sicuri della benedizione di Dio.

dell'altra e diranno: Su, andiamo a placare il Signore, a cercare il Signore degli eserciti! Per parte mia, io voglio andarci. ²²Così verranno grandi nazioni e popoli numerosi a cercare il Signore degli eserciti e a placare il Signore, in Gerusalemme».

²³Così dice il Signore degli eserciti: «In quei giorni dieci uomini di tutte le lingue delle nazioni afferreranno un Giudeo per un lembo del mantello e gli diranno: Vogliamo venire con voi, perché abbiamo conosciuto che Dio è con voi!».

SECONDA PARTE DI ZACCARIA

ORACOLI CONTRO LE NAZIONI E LA PROMESSA DEL RE MESSIA

9

¹Oracolo.

La parola del Signore è nel paese
   di Cadrach
e Damasco è la sua dimora.
Sì, del Signore è la pupilla d'Aram
e tutte le tribù d'Israele,
² come pure Camat sua confinante,
insieme a Sidone, così saggia.
³ Tiro si è costruita una fortezza,
ha ammassato l'argento
   come la polvere
e l'oro come il fango delle piazze.
⁴ Ecco, il Signore se ne impadronirà,
sprofonderà nel mare il suo bastione
ed essa sarà divorata dal fuoco.
⁵ Ascalon vedrà e ne avrà paura,
Gaza si contorcerà dal gran dolore,
come pure Accaron, perché la sua
   speranza svanisce.
Scomparirà il re da Gaza
e Ascalon non sarà più abitata.
⁶ Una razza bastarda abiterà in Asdod;
distruggerò l'orgoglio del Filisteo,
⁷ gli toglierò il sangue dalla bocca
e le sue abominazioni dai denti.
Sarà egli pure un resto per il nostro Dio
e come una famiglia in Giuda;
Accaron sarà simile al Gebuseo.
⁸ Mi accamperò come sentinella
   per la mia casa
contro chi va e chi viene:
non vi passerà più l'oppressore,
perché ora io stesso vigilo
   con i miei occhi.

⁹ Esulta grandemente, figlia di Sion,
rallegrati, figlia di Gerusalemme!
Ecco, giunge il tuo re.
Egli è giusto e vittorioso,
è mite e cavalca un asino,
un puledro, figlio di un'asina.
¹⁰ Spazzerà via i carri da Efraim
e i cavalli da Gerusalemme.
Verrà infranto l'arco di guerra
e annunzierà la pace alle genti.
Il suo dominio sarà da mare a mare
e dal fiume sino ai confini della terra.
¹¹ Quanto a te, per il sangue dell'alleanza
   con te,
io estrarrò i tuoi prigionieri dalla fossa.
¹² Ritorneranno al luogo fortificato
i prigionieri pieni di speranza.
Oggi stesso lo proclamo:
   ti ricompenserò il doppio!
¹³ Sì, impugno come mio arco Giuda
e come freccia mi servo di Efraim;
sollevo i tuoi figli, Sion,
contro i tuoi figli, Grecia!
Farò di te una spada da eroi!
¹⁴ Il Signore apparirà su di loro,
e la sua freccia giungerà come lampo.
Il Signore darà fiato alla tromba,
avanzerà fra i turbini del mezzogiorno.
¹⁵ Il Signore farà loro da scudo,
divoreranno e calpesteranno le pietre
   della fionda;
berranno il loro sangue come vino,
ne saranno ripieni come i corni
   dell'altare.
¹⁶ Il Signore, loro Dio, in quel giorno
salverà come un gregge il suo popolo;
come i brillanti di una corona
risplenderanno sulla sua terra.
¹⁷ Quale benessere è il suo e quale
   bellezza!
Il frumento darà vigore ai giovani
e il vino dolce alle ragazze.

DIO SOLO OFFRE SALVEZZA

10

¹Chiedete al Signore la pioggia,
al tempo delle acque tardive.
È il Signore che forma le folgori,
manda la pioggia abbondante,
dà il pane all'uomo, l'erba alle bestie.
² Gli idoli invece hanno detto menzogne
e gli indovini hanno visto il falso,
raccontano sogni bugiardi,

danno loro un vano conforto:
per questo vanno errando
   come un gregge,
sono infelici, perché senza pastore.

3 Contro i pastori divampa la mia ira,
   contro i montoni volgo lo sguardo.
   Sì, il Signore visiterà il suo gregge,
   ne farà il destriero del suo trionfo.

4 Da lui uscirà la pietra angolare,
   da lui il piuolo e l'arco di guerra,
   da lui ogni condottiero.

5 Uniti saranno come eroi che calpestano
   il fango delle strade in battaglia;
   combatteranno, perché il Signore
      è con loro,
   saranno confusi quelli che montano
      i cavalli.

6 Renderò salda la casa di Giuda
   e alla casa di Giuseppe darò salvezza;
   li farò risorgere perché li amo,
   saranno come non li avessi mai respinti.
   Sì, io sono il Signore loro Dio;
      io li esaudirò!

7 Efraim sarà come un eroe,
   il loro cuore si allieterà come inebriato
      dal vino;
   i loro figli vedranno e si rallegreranno
   e il loro cuore esulterà nel Signore.

8 Farò un fischio per riunirli
   e saranno numerosi come prima.

9 Li ho dispersi in mezzo alle nazioni,
   ma dalle regioni lontane si ricorderanno
      di me;
   cresceranno i loro figli e torneranno.

10 Li ricondurrò dalla terra d'Egitto
   e dall'Assiria li radunerò;
   li farò tornare nella terra di Galaad,
   ma lo spazio non basterà per loro.

11 Attraverseranno il mare d'Egitto,
   le profondità del fiume si asciugheranno.
   L'orgoglio di Assur sarà abbattuto
   e lo scettro d'Egitto sarà rimosso.

12 La loro forza sarà nel Signore
   e si glorieranno del suo nome.
   Oracolo del Signore.

IL BUON PASTORE E IL PASTORE MALVAGIO

11 1 Spalanca, Libano, le tue porte
   e il fuoco divori i tuoi cedri!

2 Gemi, cipresso, perché il cedro è caduto,
   perché i colossi sono distrutti!

Gemete, querce di Basan,
   perché l'impenetrabile foresta
      è abbattuta!

3 Si ode il lamento dei pastori,
   perché hanno devastato i loro pascoli;
   si ode il ruggito dei leoni,
   perché hanno devastato la boscaglia
      del Giordano.

4 Così mi disse il Signore: «Pasci le pecore destinate al macello: 5 i loro padroni le sgozzano impunemente, i loro venditori dicono: Sia benedetto il Signore, eccomi ricco, e i loro pastori non se ne curano affatto. 6 Io, infatti, non avrò più compassione alcuna per gli abitanti della terra. Oracolo del Signore. Ecco, io li abbandonerò l'uno in mano del suo pastore e l'altro in mano del suo re; essi distruggeranno la terra, ma io non mi curerò di liberarli dalle loro mani».

7 Allora mi misi a pascolare le pecore destinate al macello da parte dei mercanti di pecore. Presi due bastoni: uno lo chiamai Benevolenza e l'altro lo chiamai Unione e pascolai le pecore. 8 Rimossi in un mese tre pastori. Ma mi irritai contro le pecore, poiché anch'esse mi avevano respinto. 9 Allora dissi: «Non voglio più pascervi. Chi vuol morire, muoia, e chi si vuole perdere, si perda, mentre quelle che sopravvivono si sbranino a vicenda!». 10 Presi quindi il mio bastone Benevolenza e lo spezzai, per annullare così l'alleanza che il Signore aveva stretto con tutti i popoli. 11 Fu spezzato in quello stesso giorno. I mercanti di pecore che mi osservavano, compresero che quella era una parola del Signore. 12 Io dissi loro: «Se vi pare giusto, datemi il mio salario; se no lasciate stare!». Essi allora pesarono il mio salario: trenta sicli d'argento. 13 Il Signore mi disse: «Getta al fonditore la bella somma con cui sono stato stimato da loro». Allora presi i trenta pezzi d'argento e li gettai nella casa del Signore, al fonditore. 14 Quindi spezzai l'altro mio bastone, Unione, per spezzare così la fratellanza fra Giuda e Israele.

---

11. - 1-3. In questo breve oracolo è simboleggiata la rovina dei nemici d'Israele. Il *Libano* è simbolo delle grandi potenze (Is 10,33s; Ez 31) nemiche d'Israele.

4. *Le pecore destinate al macello*: è la nazione d'Israele condotta dai suoi capi alla rovina. Dio, vedendo il suo gregge rovinato dai cattivi pastori, lo affida al profeta, figura del Messia, il quale parla nei versetti seguenti.

8. *Tre pastori*: probabilmente indegni capi del popolo.

¹⁵Il Signore mi disse: «Prenditi gli attrezzi di un pastore malvagio. ¹⁶Perché, ecco, io susciterò un pastore nel paese, che non avrà cura di quelle che si perdono; non cercherà le disperse, non curerà le ferite, né nutrirà le affamate; anzi mangerà le carni delle più grasse e strapperà loro perfino le unghie».

¹⁷ Guai al pastore malvagio, che trascura
    il suo gregge!
    Una spada sia sopra il suo braccio
    e sopra il suo occhio destro!
    Il suo braccio si paralizzi interamente
    e il suo occhio destro si spenga del tutto!

TERZA PARTE DI ZACCARIA

LIBERAZIONE E RINNOVAMENTO DI GERUSALEMME E DI GIUDA

12 ¹Oracolo. Parola del Signore su Israele. Dice il Signore che ha steso i cieli e fondato la terra, che ha formato lo spirito nell'intimo dell'uomo: ²«Ecco, io farò di Gerusalemme come una coppa inebriante per tutti i popoli vicini e anche Giuda sarà in angoscia nell'assedio contro Gerusalemme. ³In quel giorno io farò di Gerusalemme come un grosso macigno per tutti i popoli: tutti coloro che tenteranno di sollevarlo, ne resteranno scarnificati. Tutte le nazioni della terra si raduneranno contro di essa.
⁴In quel giorno, oracolo del Signore, io colpirò di spavento tutti i cavalli e di stordimento i loro cavalieri, ma sulla casa di Giuda terrò aperti gli occhi. Colpirò di cecità tutti i cavalli delle nazioni. ⁵Allora le famiglie di Giuda ripeteranno in cuor loro: La forza degli abitanti di Gerusalemme è nel Signore degli eserciti, loro Dio!
⁶In quel giorno farò dei capi di Giuda come un braciere di fuoco sulla legna, come una fiaccola accesa fra i mannelli di paglia; essi divoreranno a destra e a sinistra tutti i popoli vicini. Solo Gerusalemme rimarrà sempre al suo posto. ⁷Prima il Signore salverà le tende di Giuda, perché la gloria della casa di Davide e la gloria degli abitanti di Gerusalemme non prevalgano su Giuda.
⁸In quel giorno il Signore proteggerà gli abitanti di Gerusalemme; il più debole tra di loro diverrà come Davide e la casa di Davide come Dio, come l'angelo del Signore davanti a loro.
⁹In quel giorno mi adopererò per distruggere tutti i popoli che verranno contro Gerusalemme. ¹⁰Effonderò sulla casa di Davide e sugli abitanti di Gerusalemme uno spirito di pietà e di conversione; essi si volgeranno a colui che hanno trafitto e piangeranno su di lui come si piange sopra un figlio unico; lo piangeranno nella tristezza, come si piange il primogenito.
¹¹In quel giorno si leverà un grande pianto in Gerusalemme, come quello di Adad-Rimmon nella pianura di Meghiddo. ¹²Il paese sarà in pianto, famiglia per famiglia: la famiglia della casa di Davide da sé e le loro mogli da sé; la famiglia della casa di Natan da sé e le loro mogli da sé; ¹³la famiglia della casa di Levi da sé e le loro mogli da sé; la famiglia della casa di Simei da sé e le loro mogli da sé. ¹⁴Così tutte le altre famiglie: ogni famiglia da sé e le loro mogli da sé».

PURIFICAZIONE E SALVEZZA DI GERUSALEMME

13 ¹In quel giorno vi sarà una fontana zampillante per la casa di Davide e per gli abitanti di Gerusalemme, per lavare il peccato e l'impurità.
²In quel giorno, oracolo del Signore degli eserciti, sterminerò dal paese i nomi degli idoli, né più saranno ricordati; farò scomparire dal paese anche i profeti, con lo spirito che li contamina. ³Se qualcuno vorrà ancora profetare, il padre e la madre che l'hanno generato diranno: «Non resterai vivo, perché tu dici il falso nel nome del Signore». E il padre e la madre che l'hanno generato lo trafiggeranno mentre egli profetizza.
⁴In quel giorno i profeti proveranno vergogna delle visioni che avevano annunziato, né indosseranno più il mantello di peli per ingannare. ⁵Ma ognuno dirà: «Non sono un profeta. Sono un agricoltore; la terra è la mia occupazione fin dalla mia giovinezza». ⁶E se qualcuno gli domanderà: «Che cosa sono quelle ferite sulle tue mani?», egli risponderà: «Sono quelle che ho ricevuto in casa dei miei amici».

---

12. - 10. *A colui che hanno trafitto*: Dio è stato trafitto dalle ripetute infedeltà del popolo. Gv 19,37 ha interpretato questa frase in riferimento a Gesù Cristo crocifisso.

11. *Adad-Rimmon* è una località della pianura di Meghiddo dove avvenne lo scontro tra l'esercito egiziano e quello di Giuda, con ferimento e morte del pio re Giosia (cfr. 2Cr 35,22-25).

7 Svegliati, spada, contro il mio pastore,
    contro colui che è mio congiunto.
    Oracolo del Signore degli eserciti.
    Io colpirò il pastore,
    perché siano disperse le pecore
    e io stenda la mano contro i piccoli!

8 In tutto il paese, oracolo del Signore,
    due terzi saranno sterminati
    e solo un terzo sarà conservato.

9 Introdurrò questo terzo nel fuoco,
    lo affinerò come si affina l'argento,
    lo proverò come si prova l'oro.
    Egli invocherà il mio nome
    e io gli risponderò.
    Io dirò: «Questo è il mio popolo!»,
    ed esso dirà: «Il Signore è il mio Dio!».

IL COMBATTIMENTO FINALE E LA NUOVA GERUSALEMME

14 ¹Ecco, viene un giorno per il Signore e le tue spoglie saranno divise in te. ²Radunerò tutte le genti a Gerusalemme per la battaglia. La città sarà presa, gli edifici saranno saccheggiati, le donne violentate. La metà dei cittadini andrà in esilio, ma il resto del mio popolo non sarà cacciato dalla città. ³Il Signore uscirà a combattere contro quelle genti, come quando combatté nel giorno dello scontro. ⁴I suoi piedi staranno in quel giorno sopra il monte degli Ulivi, che è di fronte a Gerusalemme, a oriente. Il monte degli Ulivi si spaccherà in mezzo da oriente a occidente, formando un'immensa voragine: una parte del monte si ritirerà verso settentrione e l'altra verso mezzogiorno. ⁵La valle fra i monti sarà ricolma – la valle si estende fino ad Asal –, sarà ricolma come fu ricolma in seguito al terremoto, avvenuto al tempo di Ozia, re di Giuda. Il Signore, mio Dio, verrà, e tutti i suoi santi con lui.

⁶In quel giorno si estinguerà la luce, non vi sarà più né freddo né gelo. ⁷Sarà un giorno straordinario, noto solo al Signore; non vi sarà né giorno né notte e anche alla sera vi sarà luce. ⁸In quel giorno sgorgheranno acque vive da Gerusalemme: metà verso il mare orientale e metà verso il mare occidentale; ci saranno d'estate e d'inverno. ⁹Il Signore sarà re su tutta la terra. In quel giorno il Signore sarà unico e unico sarà il suo nome.

¹⁰Tutto il paese sarà cambiato in pianura da Gabaa fino a Rimmon, nel Negheb. Gerusalemme sarà sopraelevata, pur rimanendo nello stesso posto, dalla porta di Beniamino fino al posto della prima porta, cioè fino alla porta dell'Angolo, e dalla torre di Cananeel fino ai torchi reali. ¹¹Sarà abitata e non vi sarà più sterminio: Gerusalemme sarà tranquilla e sicura.

¹²Questa sarà la piaga con cui il Signore colpirà i popoli che avranno mosso guerra contro Gerusalemme: farà marcire le loro carni, mentre saranno ancora in piedi; i loro occhi marciranno nelle orbite e la lingua marcirà loro in bocca. ¹³In quel giorno vi sarà per opera del Signore grande panico in mezzo a loro: uno afferrerà l'altro per la mano e la mano dell'uno si alzerà contro la mano dell'altro. ¹⁴Anche Giuda combatterà in Gerusalemme, e là sarà raccolta la ricchezza di tutti i popoli vicini: oro, argento e vesti in grande quantità. ¹⁵Ci sarà pure una piaga, simile alla prima, per i cavalli, i muli, i cammelli, gli asini e tutti gli animali che si troveranno in quegli accampamenti. ¹⁶Allora ogni sopravvissuto di tutte le genti venute contro Gerusalemme salirà di anno in anno per adorare il re, il Signore degli eserciti, e per celebrare la festa delle Capanne.

¹⁷Se una delle famiglie della terra non salirà a Gerusalemme per adorare il re, il Signore degli eserciti, su di essa non verrà la pioggia. ¹⁸Se la famiglia d'Egitto non salirà e non verrà, essa verrà colpita con la piaga con cui il Signore colpirà le genti che non salgono per celebrare la festa delle Capanne. ¹⁹Tale sarà il castigo per l'Egitto e per tutte le genti che non salgono per celebrare la festa delle Capanne.

²⁰In quel giorno, su tutte le sonagliere dei cavalli vi sarà scritto: «Sacro al Signore», e nella casa del Signore le caldaie saranno come i bacini davanti all'altare. ²¹Ogni caldaia in Gerusalemme e in Giuda sarà consacrata al Signore degli eserciti. Quanti vorranno fare sacrifici verranno a prenderle per cuocervi le carni. In quel giorno non vi sarà più alcun Cananeo nella casa del Signore degli eserciti.

---

13. - 7-9. Questo brano viene inserito qui perché continua il discorso allegorico sul pastore.

14. - 4-5. Descrizione apocalittica che presenta analogie con il racconto della battaglia contro Gog di Magog (cfr. Ez 38).

MALACHIA

D i questo profeta nulla sappiamo. Il nome Malachia (che significa «messaggero del Signore») sembra desunto da una profezia contenuta nel libro (3,1) di cui lo si ritiene autore.

L'autore scrisse nella seconda metà del V secolo a.C., quindi nel periodo della ricostruzione dopo l'esilio. Il profeta sembra interessato particolarmente alle colpe dei sacerdoti e alle colpe che compromettono la purità rituale. Infatti gran parte del suo messaggio è costituita dalla condanna dei sacerdoti allorché culto e vita diventano due sfere separate e indipendenti anziché compenetrarsi. Di questo profeta è l'annuncio di un «messaggero del Signore» che sarà identificato in Giovanni Battista (3,1) e l'annuncio di un'offerta pura che si eleverà a Dio da ogni parte della terra (1,11).

AMORE DI DIO PER ISRAELE E PECCATI DEI SACERDOTI

1 ¹Oracolo. Parola del Signore a Israele per mezzo di Malachia.

²«Io vi ho amati», dice il Signore. E voi dite: «Come ci hai amati?». «Esaù non era forse il fratello di Giacobbe? Oracolo del Signore. Io ho amato Giacobbe ³e odiato Esaù. Ho reso le sue montagne una desolazione; del suo territorio ho fatto un deserto. ⁴Se Edom dicesse: Siamo stati distrutti, ma noi ricostruiremo le rovine!, così dice il Signore degli eserciti: Essi ricostruiranno, ma io demolirò! Saranno chiamati Paese dell'empietà e Popolo contro cui il Signore è sdegnato per sempre. ⁵I vostri occhi lo vedranno e voi direte: Grande è il Signore, anche oltre i confini di Israele».

⁶Un figlio onora il padre e un servo il suo signore. Se io sono padre, il mio onore dov'è? Se io sono il Signore, dov'è il timore verso di me? Il Signore degli eserciti parla a voi, sacerdoti, che oltraggiate il mio nome. Voi domandate: «In che modo oltraggiamo il tuo nome?». ⁷Voi offrite sul mio altare cibo contaminato e dite: «Come lo contaminiamo?». Quando dite: «La tavola del Signore è spregevole», ⁸e offrite un animale cieco sull'altare, non è male? Se l'offrite zoppo o malandato, non è male? Prova ad offrirlo al tuo governatore! Pensi che lo gradisca e ti sia propizio? Oracolo del Signore degli eserciti.

⁹Ora placate, dunque, il volto del Signore, perché vi sia propizio! Ma se fate tali cose, vi sarà forse propizio? Dice il Signore degli eserciti. ¹⁰Oh, ci fosse fra di voi chi chiude le porte, perché non arda più invano il mio altare! Non mi compiaccio di voi, dice il Signore degli eserciti, né gradisco l'offerta dalle vostre mani.

¹¹Sì, dall'oriente all'occidente grande è il mio nome fra le genti. In ogni luogo viene offerto incenso al mio nome con una oblazione pura, perché grande è il mio nome fra le genti, dice il Signore degli eserciti. ¹²Voi invece lo profanate quando dite: «La tavola del Signore è impura, e l'alimento che v'è sopra è spregevole!». ¹³Voi dite: «Oh, che pena!», ma mi disprezzate, dice il Signore degli eserciti, e portate un animale rubato, zoppo e malandato per offrirlo in oblazione. Posso io gradirlo dalle vostre mani? Dice il Signore degli eserciti. ¹⁴Maledetto il fraudolento! Egli ha nel suo gregge un maschio e ne fa voto, ma al Signore lo offre difettoso! Sì, un re grande sono io, dice il Signore degli eserciti, e il mio nome è terribile tra le genti!

IL CASTIGO
PER I SACERDOTI INFEDELI

2 ¹Ora a voi, sacerdoti, questo avvertimento! ²Se non mi date ascolto e non vi proponete di dar gloria al mio nome, dice il Signore degli eserciti, scaglierò contro di voi la maledizione e cambierò in maledizione la vostra benedizione. Anzi l'ho già mutata in maledizione, perché nessuno di voi mi dà retta.

³ Ecco, io spezzo il vostro braccio
  e spargo il letame sulla vostra faccia
  – il letame delle vostre feste –,
  e vi spazzo via con quello!
⁴ Allora saprete che io vi ho inviato
  questo avvertimento,
  mentre permaneva la mia alleanza
    con Levi,
  dice il Signore degli eserciti.
⁵ La mia alleanza con lui era di vita
    e di prosperità,
  che io gli concessi;
  era alleanza di timore,
  ed egli ebbe timore verso di me,
  e davanti al mio nome ebbe rispetto.
⁶ Un insegnamento fedele
    era sulla sua bocca
  e non si trovò falsità sulle sue labbra.
  Nell'integrità e nella rettitudine
  ha camminato davanti a me
  e ha trattenuto molti dal male.
⁷ Sì, le labbra del sacerdote devono
    custodire il sapere
  e sulla sua bocca si cerca la dottrina,
  perché egli è il messaggero
    del Signore degli eserciti.
⁸ Voi invece deviate dal mio cammino
  e fate inciampare molti con il vostro
    insegnamento;
  avete infranto l'alleanza di Levi,
  dice il Signore degli eserciti.
⁹ Perciò anch'io vi rendo spregevoli
  e ignobili davanti a tutto il popolo,
  perché non custodite le mie vie
  e non vi interessate della legge.

¹⁰Non abbiamo forse tutti noi un solo padre? Non ci ha creati un unico Dio? Perché dunque ci tradiamo l'un l'altro, profanando l'alleanza dei nostri padri? ¹¹Giuda tradisce, mentre in Israele e in Gerusalemme si commettono abomini. Giuda ha profanato il santuario prediletto dal Signore, ha sposato la figlia di un dio straniero. ¹²Il Signore elimini l'uomo che fa questo, chiunque egli sia, dalle tende di Giacobbe e da coloro che presentano l'offerta al Signore degli eserciti. ¹³Un'altra cosa voi fate: ricoprite di lacrime, di pianti e di lamenti l'altare del Signore, perché non si volge più alla vostra offerta né più la gradisce dalle vostre mani. ¹⁴E vi domandate: «Perché?». Perché il Signore è testimone tra te e la donna della tua giovinezza, che tu perfidamente tradisci, benché ella sia tua consorte e la donna della tua alleanza. ¹⁵Non ha egli forse fatto un essere solo di carne, in cui è lo spirito? E che cosa cerca quest'essere unico, se non una posterità donata da Dio? Vegliate, dunque, sul vostro spirito e nessuno tradisca la donna della sua giovinezza. ¹⁶Io, infatti, odio il ripudio, dice il Signore Dio d'Israele, e chi copre di ingiustizia la propria veste, dice il Signore degli eserciti. Vegliate dunque sul vostro spirito e non tradite!

¹⁷Voi stancate il Signore con i vostri discorsi. Eppure chiedete: «Perché lo stanchiamo?». Perché dite: «Chiunque fa il male è buono agli occhi del Signore ed egli si compiace di uomini tali», oppure: «Dov'è il Dio giusto?».

IL GIORNO DEL SIGNORE
E I TEMPI NUOVI

3 ¹Ecco, io mando il mio messaggero; egli preparerà la via davanti a me. Subito entrerà nel suo tempio il Signore che voi cercate; l'angelo dell'alleanza che voi desiderate, eccolo venire, dice il Signore degli eserciti. ²Quando verrà, chi resisterà? Chi resisterà al suo apparire? Egli sarà come il fuoco del fonditore e come la soda dei lavandai. ³Sederà per fondere e purificare. Purificherà i figli di Levi; li affinerà come l'oro e l'argento ed essi potranno, così, presentare al Signore offerte legittime. ⁴Allora piacerà al Signore l'offerta di Giuda e di Gerusalemme, come nei tempi antichi, come negli anni lontani. ⁵Io vi verrò incontro per il giudizio e sarò un testimone pronto contro gli indovini, contro gli adùlteri, contro quelli che

---

3. - 1. *Il mio messaggero*: gli evangelisti e Gesù stesso applicano queste parole a Giovanni Battista, precursore del Messia (Mt 11,10 par.).

giurano il falso, contro chi trattiene la mercede all'operaio, contro chi opprime la vedova,
l'orfano e il forestiero, mostrando così di non
temermi, dice il Signore degli eserciti.

6 Sì, io sono il Signore e non muto
  e voi, figli di Giacobbe, non siete finiti.
7 Dai giorni dei vostri padri
  vi siete allontanati dai miei precetti
  e non li avete osservati.
  Ritornate a me e io ritornerò a voi,
  dice il Signore degli eserciti.
  Ma voi dite: «Come dobbiamo ritornare?».
8 Può l'uomo ingannare Dio?
  Eppure voi mi ingannate
  e mi domandate: «In che cosa
    ti inganniamo?».
  Nelle decime e nelle offerte!
9 Voi siete incorsi nella maledizione
  e ancora mi ingannate, popolo tutto!
10 Portate le decime intere nel tesoro
    del tempio
  perché vi sia cibo nella mia casa,
  e così mettetemi alla prova,
  dice il Signore degli eserciti,
  se io non vi aprirò le cateratte del cielo
  e non spanderò su di voi la benedizione
    in sovrabbondanza.
11 Ordinerò agli insetti divoratori
  di non distruggervi il frutto del suolo,
  e non sia sterile la vostra vigna nei campi,
  dice il Signore degli eserciti.
12 Vi proclameranno beati tutte le nazioni,
  perché sarete una terra di delizie,
  dice il Signore degli eserciti.

---

20. *Il sole di giustizia*: la salvezza, il Salvatore, Gesù Cristo.
23. *Elia*: Gesù riconobbe in Giovanni Battista l'Elia che
doveva venire (Mt 11,10.14; Mc 9,11ss). Nella promessa di
un figlio a Zaccaria, padre di Giovanni Battista, si hanno
precisamente, applicate a Giovanni, le parole del profeta
(cfr. Lc 1,17).

13 I vostri discorsi contro di me sono insolenti, dice il Signore degli eserciti. Eppure voi
domandate: «Che cosa abbiamo detto contro te?». 14 Voi dite: «È inutile servire Dio:
che profitto c'è nell'osservare i suoi precetti
o camminare in lutto davanti al Signore degli eserciti? 15 Dobbiamo piuttosto proclamare beati gli arroganti, i quali, pur facendo il
male, prosperano e, pur provocando Dio,
restano impuniti».

16 Così dicevano quelli che temono il Signore, ciascuno al suo vicino. Ma il Signore ha
inteso e ha ascoltato: un libro di memorie fu
scritto al suo cospetto per coloro che lo temono e che onorano il suo nome. 17 Essi saranno per me, dice il Signore degli eserciti,
speciale proprietà per il giorno che preparo.
Avrò compassione di loro, come il padre ha
compassione del figlio che lo serve. 18 Di-
stinguerete, allora, tra il giusto e l'empio, tra
chi serve Dio e chi non lo serve. 19 Sì, ecco,
il giorno arriva, ardente come una fornace.
Tutti gli arroganti e tutti i malvagi saranno
come stoppia. Li incendierà il giorno che
arriva, dice il Signore degli eserciti, in modo
da non lasciare loro né radice né germoglio.
20 Per voi, invece, che temete il mio nome,
spunterà il sole di giustizia, con raggi radio-
si. Allora voi uscirete saltellando, come vitelli dalla stalla. 21 Calpesterete gli empi, che
saranno come la cenere sotto la pianta dei
vostri piedi, nel giorno che io preparo, dice
il Signore degli eserciti.

22 Ricordatevi della legge di Mosè, mio servo, dei precetti e dei comandi per tutto Israele, che io gli consegnai sull'Oreb. 23 Ecco,
io vi mando il profeta Elia, prima che venga il giorno del Signore, grande e terribile.
24 Egli ricondurrà il cuore dei padri ai figli e il
cuore dei figli ai padri, così che io non venga a colpire il paese con lo sterminio.

MI

NUOVO TESTAMENTO

Il *Nuovo Testamento* è la raccolta ufficiale degli scritti che stanno alla base della fede cristiana. Sono ventisette libretti: i quattro vangeli (Matteo, Marco, Luca, Giovanni), Atti degli Apostoli, ventuno lettere (13 di Paolo, 1 agli Ebrei, 1 di Giacomo, 2 di Pietro, 1 di Giuda, 3 di Giovanni), di cui alcune molto brevi, e l'Apocalisse.

Questi scritti sono stati ritenuti «sacri e canonici» (cioè divinamente ispirati e normativi per la fede e l'agire dei cristiani) fin dal II secolo d.C., cioè a cominciare dalla morte dell'ultimo apostolo. I primi cristiani, fin dal giorno della risurrezione di Gesù e, con più lucida consapevolezza, dal giorno della Pentecoste, considerarono la sua vicenda terrena come l'intervento definitivo di Dio nella storia, come il compimento messianico delle promesse fatte da Dio ad Abramo (cfr. Gn 12,3; 22,16-18) e dell'alleanza sancita tramite Mosè con il popolo ebraico ai piedi del Sinai (cfr. Es 19,5-8; 24,1-8). Facendo appello a grandi testi profetici, in particolare di Ezechiele (36,25-28), di Geremia (31,31) e di Isaia (55,3; 59,21), i cristiani ritenevano che l'alleanza mosaica era adesso realizzata e superata da una *nuova alleanza* che veniva identificata e puntualizzata nei racconti dell'ultima cena di Gesù (cfr. 1Cor 11,25; Lc 22,20; Mc 14,24; Mt 26,28). Secondo le testimonianze letterarie a noi giunte, Paolo è stato il primo a denominare *alleanza antica* i libri della legge mosaica (2Cor 3,14), dando in tal modo il via all'applicazione di *alleanza nuova* agli scritti che riferivano l'opera di Gesù.

Contenuto e forme letterarie

Il contenuto e il messaggio centrale del Nuovo Testamento consistono in un avvenimento storico, e più precisamente in un personaggio, Gesù di Nazaret, che dopo la morte e la risurrezione ricevette dai suoi discepoli il titolo di *Mashiah*, cioè *unto*, consacrato, in greco *Christos*, un appellativo che era applicato nella tradizione ebraica anzitutto al re, poi ai sacerdoti consacrati con l'unzione, e infine, in maniera eminente, al liberatore promesso della discendenza di Davide. Di qui la denominazione di *Gesù Cristo*, che invalse presto come nome proprio, ma che originariamente era una vera professione di fede: «Gesù è il Cristo», cioè il Messia promesso nelle Scritture sacre.

Questa proclamazione fondamentale di fede viene detta in linguaggio tecnico *chèrigma*, cioè annuncio e proclamazione che Dio ha dato agli uomini la salvezza in Gesù Cristo. Il cherigma rappresenta perciò il nucleo osseo, la struttura portante di tutto il Nuovo Testamento. Nelle linee essenziali lo si può riassumere così: il tempo della promessa è arrivato; Dio ha inviato agli uomini il Messia e Salvatore, Gesù di Nazaret; le autorità degli Ebrei e dei Romani lo hanno crocifisso ed egli morì per i peccati degli uomini e fu sepolto, ma il terzo giorno si è manifestato risorto e vivente con Dio. Ora se ne attende la venuta e l'apparizione gloriosa (*parusìa*) alla fine della storia. Quelli che credono in lui ne ricevono lo Spirito e formano la chiesa, che lo attesta e ne dà l'annuncio a tutti i popoli, i quali sono invitati a convertirsi, credere nella buona novella e portare frutti di vita nuova nel segno della giustizia e dell'amore.

In tal modo il cherigma si prolunga spontaneamente nella *parènesi*, cioè in una serie di indicazioni morali per i discepoli di Gesù, affinché la loro condotta sia conforme alla nuova stagione della storia in cui sono entrati. In tutto il Nuovo Testamento il cherigma è il fondamento della parenesi e questa ne scruta i significati per trarne lezioni morali. Nelle lettere di san Paolo le pagine dedicate al richiamo degli elementi fondamentali della predicazione sono seguite da interi capitoli di direttive e di annotazioni sul comportamento nella vita.

Schematizzando un poco, si possono ridurre cherigma e parenesi al grande binomio fede e carità: la fede accoglie l'annuncio di ciò che Dio ha effettuato in Gesù Cristo, la carità lo traduce in pratica, facendo di lui il modello e il principio ispiratore dell'esistenza cristiana.

Ma fin dai primordi della vita cristiana al binomio fede-carità si trova associata la speranza, che è il terzo capitolo del vivere cristiano, cioè l'attesa dello svelamento di ciò che si possiede nel chiaroscuro della fede e si esprime nell'«impegno della carità» (1Ts 1,3). La speranza trova così il suo appoggio documentario in una terza componente del Nuovo Testamento, l'*escatologia*. Ordinariamente, quando si dice escatologico o profetico si è tentati subito di guardare al futuro o addirittura alla fine. Ciò è esatto soltanto in parte. La dimensione escatologica si rapporta alla totalità, allo svelamento di tutto il mistero cristiano, il che avverrà sì alla fine dei tempi, ma già possiede la sua attualità, perché in Gesù Cristo sono già presenti e offerti agli uomini i doni messianici; soltanto se ne attende il compimento e la manifestazione (cfr. 1Cor 13,12-13; 1Gv 3,2-3).

Al pari della parenesi morale, l'annuncio e l'attesa escatologica permeano tutti gli scritti del Nuovo Testamento. E il linguaggio escatologico possiede un suo repertorio linguistico convenzionale. Lo sguardo sull'aldilà,

oltre il velo sensibile degli avvenimenti, viene effettuato per mezzo di una simbologia maturata in esperienze e tradizioni diverse. Sono perciò quelle escatologiche le parti più oscure del Nuovo Testamento, dove il lettore non specializzato dovrà affidarsi alla guida degli esperti e dei commentatori.

Cherigma, parenesi ed escatologia sono le forme elementari in cui si presenta tutto il contenuto del Nuovo Testamento.

Perché accettiamo il Nuovo Testamento

Da una lettura onesta dei testi emerge la convinzione che essi intendono riferire parole e fatti realmente accaduti nella storia, sui quali un'intera comunità impegna la propria testimonianza. Questa certezza del valore storico del Nuovo Testamento ha resistito a tutte le verifiche che l'indagine scientifica, giustamente, ha voluto avanzare. Si può quindi ritenere con sicurezza che il Nuovo Testamento riferisce con fedeltà e sincerità di Gesù e del suo operato.

Tuttavia, accanto a questa ragione storica e deduttiva che fa accettare Gesù e il Nuovo Testamento come dall'esterno, per motivi che rimangono fondamentalmente razionali, è sempre esistita una ragione del cuore che fa guardare a Gesù come al compimento e alla soluzione delle istanze più segrete e profonde che palpitano nell'ambito dell'uomo. Lo si può esprimere con le parole di Pietro a Gesù: «Signore, da chi andremo? Tu hai parole di vita eterna» (Gv 6,68).

IL VANGELO DI GESÙ CRISTO

La parola *vangelo* significa «buona notizia», «lieto annunzio», e deriva dal greco *euangélion*. Il termine ebraico corrispondente è *besorah* e significa soprattutto annuncio di vittoria; i profeti l'adoperarono per indicare il compimento delle promesse messianiche (Is 40,9; 52,7).

Gesù si appropriò del termine per dichiarare l'avverarsi in lui delle profezie e del regno di Dio. Nota l'evangelista Marco: «Dopo che Giovanni fu arrestato, Gesù venne in Galilea, predicando il vangelo di Dio. Diceva: "Il tempo è compiuto e il regno di Dio è giunto. Convertitevi e credete al vangelo"» (1,14-15).

«Evangelizzare» significa quindi, già durante la vita di Gesù, dare la lieta notizia che la salvezza è giunta, che Dio ha realizzato le sue promesse. A Nazaret, all'inizio dell'attività pubblica, Gesù, riferendo a sé profezie di Isaia e Sofonia, proclamò nella sinagoga davanti ai suoi compaesani: «Lo Spirito del Signore è sopra di me, per questo mi ha consacrato e mi ha inviato a portare ai poveri il *lieto annunzio*» (Lc 4,18).

Il Vangelo e i vangeli

Secondo quanto si legge alla fine del vangelo di Marco, Gesù, prima di accomiatarsi dai suoi, ordinò loro: «Andate per tutto il mondo e predicate il vangelo [letteralmente: "portate la lieta notizia"] a ogni creatura» (16,15). Il vangelo deve dunque essere annunciato, per ordine di Gesù, su tutta la terra. A designare quelli che lo propagano venne subito coniato il termine «evangelisti», e la loro azione sarà detta «evangelizzazione». L'annuncio riguarda l'avvento del regno nella persona storica di Gesù di Nazaret e soprattutto la sua vittoria pasquale sopra il peccato e la morte.

Per questo, dall'età apostolica fino a oggi, i vocaboli «vangelo» ed «evangelizzare» hanno sempre conservato un'evocazione missionaria, significando a un tempo notizia di qualcosa di nuovo, di inaudito, di gratuito che viene offerto agli uomini, e insieme invito pressante a riceverlo, convertendosi, uscendo cioè fuori dall'ignavia e dal torpore dell'esistenza.

Dopo che si erano diffuse nella chiesa le «memorie degli apostoli» su Gesù, messe per iscritto da Matteo, Marco, Luca e Giovanni, la parola «vangelo» passò a significare anche i libretti stessi che questi autori avevano composto.

A partire da sant'Ireneo, cioè dalla seconda metà del secolo II, si parla correntemente nella chiesa di *vangelo* e di *vangeli* per indicare sia l'annuncio orale, sia il messaggio scritto, sia i quattro testi evangelici.

L'origine dei quattro vangeli

Secondo quanto ci dice la chiesa, nel Concilio Vaticano II e in altri documenti, l'insegnamento e la vita di Gesù giunsero a noi passando per tre stadi.

Il primo stadio è quello della vita stessa di Gesù, svoltasi sotto gli occhi dei discepoli, i quali furono ascoltatori attenti delle sue parole e testimoni diretti delle sue opere. Il Signore nell'esporre a voce il suo insegnamento seguiva le forme di pensiero e d'espressione allora in uso, adattandosi alla mentalità degli uditori e facendo sì che quanto insegnava s'imprimesse fermamente nella mente dei discepoli e venisse da loro ritenuto con facilità. In effetti, analisi linguistiche e letterarie, metodi di indagine molto perfezionati permettono ora di additare con sicurezza in molte espressioni e parabole dei vangeli il suono stesso della parola di Gesù. Ugualmente gli episodi della sua vita, i racconti e i miracoli risultano essere riferiti con tale semplicità, sobrietà e aderenza storico-geografica da non permettere dubbi sulla loro sostanziale veridicità. Il secondo stadio della genesi dei vangeli è dato dalla predicazione degli apostoli. Dopo la morte e la risurrezione del Signore essi cominciarono a rendere testimonianza a Gesù, annunciando e riferendo con fedeltà episodi biografici, insegnamenti e detti di lui, tenendo presenti, nella predicazione, le esigenze dei vari uditori.

Due brani di san Paolo, nella prima lettera ai Corinzi, ci permettono di cogliere al vivo la testimonianza orale che veniva trasmessa, basandosi sull'autorità dei Dodici e in comunione con loro: si tratta degli avvenimenti dell'ultima cena (1Cor 11,23-25) e delle apparizioni di Gesù risorto, sui quali Paolo conclude: «Sia io sia loro (gli apostoli) così predichiamo e così avete creduto» (15,1-11). Indubbiamente gli apostoli hanno presentato ai loro uditori quanto Gesù aveva realmente detto e operato con quella più piena intelligenza da essi goduta in seguito all'evento della risurrezione di Cristo e all'illuminazione dello Spirito nella Pentecoste.

Inoltre nella predicazione di Cristo essi usarono vari modi d'espressione: si tratta di catechesi, narrazioni, testimonianze, inni, dossologie, preghiere e altre simili forme letterarie in uso fra gli uomini di quel tempo. Esigenze catechetiche e opportunità di vario genere portarono ben presto alla concentrazione dei detti e dei fatti di Gesù in alcune raccolte, la cui identificazione è tuttora possibile nella trama generale dei vangeli, come, per esempio, il discorso della montagna, i racconti della passione e delle apparizioni, alcune serie di parabole.

Vi furono vari tentativi di raccogliere questa documentazione su Gesù, come riferisce Luca: «Molti hanno già cercato di mettere insieme un racconto degli avvenimenti verificatisi tra noi, così come ce li hanno trasmessi coloro che fin dall'inizio furono testimoni oculari e ministri della parola» (1,1-2). Nella seconda metà del I secolo, cioè tra gli anni 50 e 80 d.C., alcune grandi personalità, di cui la tradizione ha conservato il nome, compirono l'opera: si tratta di Matteo, Marco, Luca, ai quali si aggiunse, verso la fine del secolo, l'apostolo Giovanni.

È questa la terza e ultima fase della composizione dei vangeli, nella quale gli autori sacri consegnarono l'istruzione, fatta prima oralmente e poi messa per iscritto, nei quattro vangeli per il bene della chiesa, con un metodo corrispondente al fine che ognuno si proponeva. Fra le molte cose tramandate ne scelsero alcune, talvolta compirono una sintesi, talaltra, badando alla situazione delle singole chiese, svilupparono certi elementi, cercando con ogni mezzo che i lettori conoscessero la fondatezza di quanto veniva loro insegnato. E non va contro la verità della narrazione il fatto che gli evangelisti riferiscano i detti e i fatti del Signore in ordine diverso, e ne esprimano le parole non alla lettera ma con qualche diversità e conservando il loro senso.

Si devono dunque considerare tre stadi nella redazione letteraria delle parole e dei fatti di Gesù, ossia nella genesi dei vangeli, per rendersi conto delle loro somiglianze e diversità e anche degli aspetti particolari che ciascuno ha messo in rilievo della personalità di Gesù Cristo.

VANGELO SECONDO MATTEO

Matteo, o Levi (cfr. Mc 2,14; Lc 5,27), era esattore d'imposte a Cafarnao; fu chiamato da Gesù (9,9) ed egli, lasciato tutto, lo seguì. Diede poi un pranzo di addio ai suoi collaboratori, cui prese parte Gesù con i discepoli (9,10-13). Dopo ciò non conosciamo altro della vita di Matteo.

Un vangelo secondo Matteo, scritto in aramaico, andò presto perduto; il Mt greco giunto sino a noi, che non pare una traduzione, probabilmente non risale all'apostolo, pur utilizzando il materiale dell'opera originale. Dev'essere stato scritto negli anni 70-80 in Palestina o in Siria, soprattutto per gli Ebrei, come si deduce da frasi e termini ebraici non spiegati, perché supposti noti (4,5; 5,22; 16,17.19; 18,18; 23,33; 24,3; 27,4), e da altri indizi. A parte il racconto dell'infanzia (cc. 1-2), e quello della passione-morte-risurrezione di Gesù (cc. 26-28), che fanno parte a sé, il resto del materiale è distribuito in cinque blocchi ben visibili, formati ciascuno da una sezione narrativa e una didattica, concluse con la formula caratteristica: «Quando Gesù ebbe finito questi discorsi...» (7,28; 11,1; 13,53; 19,1; 26,1).

Tenendo conto dell'ambiente e dei lettori ebrei ai quali si rivolgeva, Matteo sottolinea: a) che in Gesù si sono compiuti i vaticini dell'Antico Testamento riguardanti il Messia, quindi egli è il Messia atteso (1,23; 2,5s; 2,13-15.23; 3,3; 4,14; 8,16s; 12,15-21; 27,7-10.34s); b) che Gesù annuncia e inaugura sulla terra il regno dei cieli la cui magna charta è delineata nel discorso sulla montagna (cc. 5-7).

Matteo presenta Gesù soprattutto come Maestro: perciò a tutti gli uomini di tutti i tempi il Padre celeste continua a rivolgere il comando: «Ascoltatelo!» (17,5).

VANGELO DELL'INFANZIA

1 Genealogia. - ¹Genealogia di Gesù Cristo, figlio di Davide, figlio di Abramo. ²Abramo generò Isacco; Isacco generò Giacobbe; Giacobbe generò Giuda e i suoi fratelli; ³Giuda generò Fares e Zara, da Tamar; Fares generò Esrom; Esrom generò Aram; ⁴Aram generò Aminadab; Aminadab generò Naasson; Naasson generò Salmon; ⁵Salmon generò Booz, da Racab; Booz generò Obed, da Rut; Obed generò Iesse; ⁶Iesse generò il re Davide.

Davide generò Salomone, da quella che era stata la moglie di Uria. ⁷Salomone generò Roboamo; Roboamo generò Abia; Abia generò Asaf; ⁸Asaf generò Giosafat; Giosafat generò Ioram; Ioram generò Ozia; ⁹Ozia generò Ioatam; Ioatam generò Acaz; Acaz generò Ezechia; ¹⁰Ezechia generò Manasse; Manasse generò Amos; Amos generò Giosia; ¹¹Giosia generò Ieconìa e i suoi fratelli al tempo della deportazione in Babilonia. ¹²Dopo la deportazione in Babilonia: Ieconia generò Salatiel; Salatiel generò Zorobabele; ¹³Zorobabele generò Abiud; Abiud generò Eliacim; Eliacim generò Azor; ¹⁴Azor generò Sadoc; Sadoc generò Achim; Achim generò Eliud; ¹⁵Eliud generò Eleazar; Eleazar generò Mattan; Mattan generò Giacobbe; ¹⁶Giacobbe generò Giuseppe, lo sposo di Maria, dalla quale nacque Gesù, che è chiamato Cristo.

1. - 1. *Gesù*: significa «Dio salva»; *Cristo* (greco) o *Messia* (ebraico) vuol dire «consacrato» ed era il titolo dato al futuro liberatore. È detto figlio di Davide e di Abramo nelle profezie e nelle promesse.

16. Matteo, facendo la genealogia di Giuseppe, dimostra che Gesù Cristo è figlio di Davide, cioè appartenente in modo legittimo alla sua discendenza.

[17]Il numero complessivo delle generazioni da Abramo a Davide è di quattordici generazioni; da Davide alla deportazione in Babilonia di quattordici generazioni; dalla deportazione in Babilonia fino al Cristo ancora di quattordici generazioni.

Nascita di Gesù. - [18]La nascita di Gesù avvenne in questo modo: sua madre Maria si era fidanzata con Giuseppe; ma prima che essi iniziassero a vivere insieme, si trovò che lei aveva concepito per opera dello Spirito Santo. [19]Il suo sposo Giuseppe, che era giusto e non voleva esporla al pubblico ludibrio, decise di rimandarla in segreto. [20]Ora, quando aveva già preso una tale risoluzione, ecco che un angelo del Signore gli apparve in sogno per dirgli: «Giuseppe, figlio di Davide, non temere di prendere con te Maria, tua sposa: ciò che in lei è stato concepito è opera dello Spirito Santo. [21]Darà alla luce un figlio, e tu lo chiamerai Gesù; egli infatti salverà il suo popolo dai suoi peccati». [22]Tutto ciò è accaduto affinché si adempisse quanto fu annunciato dal Signore per mezzo del profeta che dice:

[23] *Ecco: la vergine concepirà*
e darà alla luce un figlio
che sarà chiamato Emmanuele,

che significa: *con-noi-è-Dio.* [24]Destatosi dal sonno, Giuseppe fece come gli aveva ordinato l'angelo del Signore e prese con sé la sua sposa; [25]ma non si accostò a lei, fino alla nascita del figlio; e gli pose nome Gesù.

2 **Venuta dei Magi.** - [1]Dopo che Gesù nacque a Betlemme in Giudea, al tempo del re Erode, ecco giungere a Gerusalemme dall'oriente dei Magi, [2]i quali domandavano: «Dov'è il neonato re dei Giudei? Poiché abbiamo visto la sua stella in oriente e siamo venuti ad adorarlo». [3]All'udir ciò il re Erode fu preso da spavento e con lui tutta Gerusalemme. [4]Convocò allora tutti i capi dei sacerdoti e gli scribi del popolo e domandò loro: «Dove dovrà nascere il Messia?». [5]Essi gli dissero: «A Betlemme di Giudea. Infatti così è stato scritto per mezzo del profeta:

[6] *E tu, Betlemme, terra di Giuda,*
non sei la più piccola
fra i capoluoghi di Giuda.
Da te uscirà un capo
che pascerà il mio popolo, Israele».

[7]Allora Erode chiamò segretamente i Magi e chiese ad essi informazioni sul tempo esatto dell'apparizione della stella; [8]quindi li inviò a Betlemme, dicendo: «Andate e fate accurate ricerche del bambino; qualora lo troviate, fatemelo sapere, in modo che anch'io possa andare ad adorarlo». [9]Essi, udite le raccomandazioni del re, si misero in cammino. Ed ecco: la stella che avevano visto in oriente li precedeva, finché non andò a fermarsi sopra il luogo dove si trovava il bambino. [10]Al vedere la stella furono ripieni di straordinaria allegrezza; [11]ed entrati nella casa videro il bambino con Maria sua madre e si prostrarono davanti a lui in adorazione. Poi aprirono i loro scrigni e gli offrirono in dono oro, incenso e mirra. [12]Quindi, avvertiti in sogno di non passare da Erode, per un'altra via fecero ritorno al proprio paese.

Fuga in Egitto. - [13]Dopo la loro partenza, ecco che un angelo del Signore apparve in sogno a Giuseppe e gli disse: «Su, alzati, prendi con te il bambino e sua madre e fuggi in Egitto e rimani lì fino a mio nuovo avviso. Erode infatti è in cerca del bambino per ucciderlo». [14]Egli si alzò, prese con sé il bambino e sua madre, nella notte, e partì per l'Egitto. [15]Lì rimase fino alla morte di Erode. Questo affinché si adempisse quanto fu annunciato dal Signore per mezzo del profeta che dice: *Dall'Egitto ho richiamato mio figlio.*

Strage degli innocenti. - [16]Allora Erode, vistosi ingannato dai Magi, si adirò fortemente e mandò ad uccidere tutti i bambini di Betlemme e dei dintorni, dai due anni in giù, in considerazione del tempo preciso indicatogli dai Magi. [17]Allora si adempì quanto fu detto dal profeta Geremia:

---

2. - 4. *I capi dei sacerdoti* erano i capi delle 24 famiglie sacerdotali. Gli *scribi* godevano di molta riputazione come dottori della legge: ne curavano la trascrizione per le sinagoghe e la spiegavano al popolo.

[18] *Una voce s'è udita in Rama,*
pianto e lamento copioso;
Rachele piange i suoi figli
e non si vuole consolare,
perché non sono più.

Ritorno a Nazaret. - [19]Dopo la morte di Erode, ecco che un angelo del Signore apparve in sogno a Giuseppe in Egitto [20]e gli disse: «Alzati, prendi con te il bambino e sua madre e va' nella terra d'Israele; sono morti infatti quelli che insidiavano la vita del bambino». [21]Egli si alzò, prese con sé il bambino e sua madre e s'incamminò verso la terra d'Israele. [22]Ma quando seppe che in Giudea regnava Archelao, successo ad Erode suo padre, ebbe paura di recarsi là. Avvertito però in sogno, se ne andò nella regione della Galilea, [23]e giunto là, si stabilì nella città chiamata Nazaret. Ciò affinché si adempisse il detto dei profeti: *Sarà chiamato Nazoreo.*

LA LEGGE FONDAMENTALE DEL REGNO

3 Missione del Battista. - [1]In quei giorni compare Giovanni il Battista a predicare nel deserto della Giudea, [2]dicendo: «Convertitevi, poiché vicino è il regno dei cieli!». [3]Di lui parla il profeta Isaia che dice:

Voce di uno che grida nel deserto:
preparate la via del Signore,
raddrizzate i suoi sentieri.

[4]Giovanni indossava una veste di peli di cammello, stretta ai fianchi con una cintura di pelle; il suo cibo erano locuste e miele selvatico. [5]A lui accorrevano da Gerusalemme, da tutta la Giudea e da tutta la zona adiacente al Giordano, [6]e si facevano battezzare da lui nel fiume Giordano, confessando i loro peccati.

[7]Vedendo un giorno venire al battesimo molti tra farisei e sadducei, li apostrofò dicendo: «Razza di vipere! Chi vi ha insegnato a cercare scampo dall'ira ventura? [8]Fate dunque veri frutti di conversione [9]e non vi illudete dicendo: "Abbiamo Abramo per padre". Poiché vi dico che Dio è capace di suscitare figli ad Abramo da queste pietre. [10]La scure sta già sulla radice degli alberi; perciò ogni albero che non porta buon frutto viene tagliato e gettato nel fuoco. [11]Io, sì, vi battezzo in acqua perché vi convertiate; ma colui che viene dopo di me è più forte di me, ed io non sono degno di portarne i calzari; è lui che vi battezzerà in Spirito Santo e fuoco; [12]ha nella mano il ventilabro per mondare la sua aia; raccoglierà il suo frumento nel granaio e brucerà la pula con fuoco inestinguibile».

Battesimo di Gesù. - [13]Allora Gesù dalla Galilea si recò al Giordano per essere da lui battezzato. [14]Ma Giovanni voleva impedirglielo, dicendo: «Sono io che ho bisogno di essere battezzato da te; tu invece vieni a me?». [15]Ma Gesù gli disse: «Lascia, per ora; per noi infatti è doveroso adempiere ogni giustizia». Allora acconsentì.

[16]Non appena s'immerse, Gesù risalì subito dall'acqua. Ed ecco: si aprirono a lui i cieli e vide lo Spirito di Dio discendere in forma di colomba e venire su di lui. [17]Ed ecco: una voce venne dai cieli che diceva: «Questi è il mio Figlio diletto nel quale ho posto la mia compiacenza».

4 Le tentazioni. - [1]Allora Gesù fu condotto dallo Spirito nel deserto per essere tentato dal diavolo. [2]E dopo aver digiunato quaranta giorni e quaranta notti, ebbe fame. [3]Gli si avvicinò il tentatore e gli disse: «Se sei Figlio di Dio, di' che queste pietre diventino pane». [4]Ma egli rispose: «Sta scritto:

Non di solo pane vivrà l'uomo,
ma di ogni parola
che esce dalla bocca di Dio».

[5]Allora il diavolo lo condusse con sé nella città santa e, postolo sul pinnacolo del tempio, [6]gli disse: «Se sei Figlio di Dio, gettati giù. Infatti sta scritto:

---

3. - 2. *Convertitevi*: la parola indica prima di tutto una trasformazione interiore di mente e di volontà, che dovrà poi manifestarsi all'esterno col cambiamento di condotta. *Regno dei cieli*: espressione semitica propria di Matteo; equivale a regno di Dio.
7. *Farisei*: significa «separati». Essi formavano una setta spiritualista, nazionalista e rigorista, la cui peculiarità era lo zelo per l'osservanza della legge e l'attaccamento perfino esagerato alle loro tradizioni orali, considerate a volte superiori alla legge stessa. I *sadducei*, il cui nome deriva probabilmente da Zadok, sommo sacerdote sotto Davide, erano opportunisti e lassisti, negavano l'immortalità dell'anima e simpatizzavano per la cultura ellenistica.

Darà ordini per te ai suoi angeli
che ti sorreggano sulle braccia,
perché non urti in qualche sasso
   il tuo piede».

⁷Gli rispose Gesù: «Sta anche scritto:

Non tenterai il Signore Dio tuo».

⁸Di nuovo il diavolo lo condusse con sé sopra un monte altissimo e gli mostrò tutti i regni del mondo con la loro magnificenza. ⁹E gli disse: «Tutte queste cose io te le darò, se prostrato a terra mi adorerai». ¹⁰Allora gli disse Gesù: «Vattene, Satana! Sta scritto:

Adorerai il Signore Dio tuo
e a lui solo presterai culto».

¹¹Il diavolo allora lo lasciò. Ed ecco che gli angeli si avvicinarono a lui per servirlo.

Inizio della predicazione in Galilea. - ¹²Quando poi seppe che Giovanni era stato imprigionato, Gesù si ritirò in Galilea; ¹³e lasciata Nazaret, andò ad abitare a Cafarnao, che si trova in riva del mare, nel territorio di Zabulon e di Neftali; ¹⁴perché si adempisse quanto fu annunciato dal profeta Isaia:

¹⁵ *Terra di Zabulon e terra di Neftali,*
   sulla via del mare,
   al di là del Giordano,
   Galilea delle genti!
¹⁶ *Il popolo che giace nelle tenebre*
   ha visto una gran luce,
   per quanti dimorano
   nella tenebrosa regione della morte
   una luce s'è levata.

¹⁷Da allora Gesù cominciò a predicare e a dire: «Convertitevi, poiché è vicino il regno dei cieli».

I primi discepoli. - ¹⁸Camminando lungo il mare di Galilea, Gesù vide due fratelli, Simone detto Pietro e Andrea suo fratello: stavano gettando in mare le reti, poiché erano pescatori. ¹⁹Disse loro: «Seguitemi e vi farò pescatori di uomini». ²⁰Essi all'istante, abbandonate le reti, lo seguirono.
²¹Movendosi di là, vide altri due fratelli, Giacomo di Zebedeo e Giovanni suo fratel-

lo: stavano rassettando le reti sulla barca insieme al loro padre Zebedeo. Li chiamò ²²ed essi all'istante, abbandonata la barca con il padre, lo seguirono.

Le prime opere. - ²³Percorrendo tutta la Galilea, Gesù insegnava nelle loro sinagoghe, annunciando il vangelo del regno e guarendo fra il popolo ogni malattia e infermità. ²⁴Si sparse la sua fama per tutta la Siria, e così condussero a lui malati di ogni genere: sofferenti di infermità e dolori vari, indemoniati e paralitici, ed egli li guarì.
²⁵Lo seguirono perciò folle numerose provenienti dalla Galilea, dalla Decapoli, da Gerusalemme, dalla Giudea e dalla Transgiordania.

5 **Le beatitudini. -** ¹Alla vista delle folle Gesù salì sul monte e, come si fu seduto, si accostarono a lui i suoi discepoli. ²Allora aprì la sua bocca per ammaestrarli, dicendo:

³ «Beati i poveri in spirito,
   perché di essi è il regno dei cieli.
⁴ Beati quelli che piangono,
   perché saranno consolati.
⁵ Beati i miti,
   perché erediteranno la terra.
⁶ Beati quelli che hanno fame
      e sete della giustizia,
   perché saranno saziati.
⁷ Beati i misericordiosi,
   perché troveranno misericordia.
⁸ Beati i puri di cuore,
   perché vedranno Dio.
⁹ Beati gli operatori di pace,
   perché saranno chiamati figli di Dio.
¹⁰ Beati i perseguitati a causa della giustizia,
   poiché di essi è il regno dei cieli.

¹¹Beati voi quando vi insulteranno e vi perseguiteranno e, mentendo, diranno contro di voi ogni sorta di male a causa mia; ¹²rallegratevi ed esultate, poiché grande è la vostra ricompensa nei cieli. Così, del resto, perseguitarono i profeti che furono prima di voi».

---

5. - 1. Il discorso della montagna è il compendio dell'annuncio cristiano e le otto beatitudini indicano le condizioni indispensabili per entrare nel regno di Cristo.
3. *Poveri in spirito* sono i poveri volontari, quelli che sono interiormente distaccati dalle ricchezze e, secondo il senso dell'AT, gli umili, quelli che confidano soltanto in Dio.

La luce delle buone opere. - [13]«Voi siete il sale della terra; ma se il sale diventa insipido, con che cosa si dovrà dare sapore ai cibi? A null'altro sarà più buono, se non ad essere gettato via e calpestato dalla gente. [14]Voi siete la luce del mondo; una città posta su un monte non può restare nascosta. [15]Nemmeno si accende una lucerna per metterla sotto il moggio; la si pone invece sul candelabro affinché faccia luce a tutti quelli che sono nella casa. [16]Risplenda così la vostra luce davanti agli uomini, affinché, vedendo le vostre buone opere, glorifichino il Padre vostro che è nei cieli».

Il compimento della legge. - [17]«Non crediate che io sia venuto ad abrogare la legge o i profeti; non sono venuto ad abrogare, ma a compiere. [18]In verità vi dico: finché non passino il cielo e la terra, non uno jota, non un apice cadrà dalla legge, prima che tutto accada. [19]Chi dunque scioglierà uno di questi precetti, anche minimi, e insegnerà agli uomini a fare altrettanto, sarà considerato minimo nel regno dei cieli; chi invece li metterà in pratica e insegnerà a fare lo stesso, questi sarà considerato grande nel regno dei cieli. [20]Vi dico infatti che, se la vostra giustizia non sorpasserà quella degli scribi e farisei, non entrerete nel regno dei cieli».

L'ira. - [21]«Avete inteso che fu detto agli antichi: *Non ucciderai*; infatti chi uccide è sottoposto al giudizio. [22]Io, invece, vi dico: chiunque s'adira con il suo fratello sarà sottoposto al giudizio. Chi dice al suo fratello: *stupido*, sarà sottoposto al sinedrio. Chi dice: *pazzo*, sarà sottoposto al fuoco della Geenna. [23]Se dunque tu sei per deporre sull'altare la tua offerta e là ti ricordi che tuo fratello ha qualcosa a tuo carico, [24]lascia la tua offerta davanti all'altare e va' prima a riconciliarti con tuo fratello; dopo verrai ad offrire il tuo dono. [25]Mettiti d'accordo con il tuo avversario subito, mentre sei per via con lui, affinché l'avversario non ti consegni al giudice, il giudice al carceriere e tu sia gettato in prigione. [26]In verità ti dico: non ne uscirai, finché non avrai pagato fino all'ultimo quadrante».

---

22. Gesù parla qui come supremo legislatore. Egli non proibisce solamente l'atto estremo, *uccidere*, ma anche tutto quanto può portare ad esso: l'ira, l'insulto, la parola gravemente ingiuriosa.

Il desiderio malvagio. - [27]«Avete inteso che fu detto: *Non farai adulterio*. [28]Io invece vi dico che chiunque guarda una donna per desiderarla, già ha commesso adulterio con essa nel suo cuore.

[29]Se il tuo occhio destro ti è motivo di inciampo, cavalo e gettalo via da te; infatti è meglio per te che un tuo membro perisca, anziché tutto il tuo corpo venga gettato nella Geenna. [30]E se la tua mano destra ti è motivo d'inciampo, troncala e gettala via da te; infatti è meglio per te che un tuo membro perisca, anziché tutto il tuo corpo vada a finire nella Geenna».

Il divorzio. - [31]«Fu detto inoltre: *Chi lascia sua moglie, le dia il libello del ripudio.* [32]Io invece vi dico: chiunque ripudia sua moglie, all'infuori del caso di impudicizia, la espone all'adulterio; e se uno sposa una donna ripudiata, commette adulterio».

Il giuramento. - [33]«Avete ancora inteso che fu detto agli antichi: *Non spergiurerai, ma manterrai al Signore i tuoi giuramenti.* [34]Io invece vi dico di non giurare affatto: né per il cielo, che è il trono di Dio; [35]né per la terra, che è lo sgabello dei suoi piedi; né per Gerusalemme, che è la città del gran Re. [36]Neppure per la tua testa giurerai, poiché non hai il potere di far bianco o nero un solo capello. [37]Sia il vostro linguaggio: sì, sì; no, no; il superfluo procede dal maligno».

La vendetta. - [38]«Avete inteso che fu detto: *Occhio per occhio e dente per dente.* [39]Io invece vi dico di non resistere al malvagio; anzi, se uno ti colpisce alla guancia destra, volgigli anche la sinistra. [40]A uno che vuol trascinarti in giudizio per prendersi la tunica, dagli anche il mantello; [41]se uno ti vuol costringere per un miglio, va' con lui per due. [42]A chi ti chiede, da'; se uno ti chiede un prestito, non volgergli le spalle».

L'odio dei nemici. - [43]«Avete inteso che fu detto: *Amerai il prossimo tuo* e odierai il tuo nemico. [44]Io invece vi dico: amate i vostri nemici e pregate per quelli che vi perseguitano, [45]affinché siate figli del Padre vostro che è nei cieli, il quale fa sorgere il suo sole sui cattivi come sui buoni e fa piovere sui giusti come sugli empi. [46]Qualora infatti amaste solo quelli che vi amano, che ricompensa avreste? Non fanno lo stesso anche i pubblicani? ⁴⁷E se salutate soltanto i vostri fratelli, che cosa fate di speciale? Non fanno lo stesso anche i gentili? ⁴⁸Voi dunque sarete perfetti, come perfetto è il Padre vostro che è nei cieli».

L'elemosina. - ¹«Badate di non praticare la vostra giustizia davanti agli uomini per essere da loro ammirati; altrimenti non avrete ricompensa presso il Padre vostro che è nei cieli.

²Quando dunque tu fai l'elemosina, non metterti a suonare la tromba davanti a te, come fanno gl'ipocriti nelle sinagoghe e nelle strade, per averne gloria presso gli uomini. In verità vi dico: hanno già ricevuto la loro ricompensa. ³Ma mentre fai l'elemosina, non sappia la tua sinistra quello che fa la tua destra, ⁴in modo che la tua elemosina rimanga nel segreto; e il Padre tuo che vede nel segreto, te ne darà la ricompensa».

La preghiera. - ⁵«E quando pregate, non siate come gli ipocriti che amano pregare stando ritti nelle sinagoghe e negli angoli delle piazze, per farsi notare dagli uomini. In verità vi dico: hanno già ricevuto la loro ricompensa. ⁶Ma tu, quando vuoi pregare, entra nella tua camera e, serratone l'uscio, prega il Padre tuo che sta nel segreto, e il Padre tuo, che vede nel segreto, te ne darà la ricompensa.

⁷Pregando, poi, non sprecate parole come i gentili, i quali credono di essere esauditi per la loro verbosità. ⁸Non vi fate simili a loro, poiché il Padre vostro conosce le vostre necessità ancor prima che gliene facciate richiesta».

Il «Padre nostro». - ⁹«Voi dunque pregate così:

Padre nostro che sei nei cieli,
sia santificato il tuo nome,
¹⁰ venga il tuo regno,
sia fatta la tua volontà,
come in cielo così in terra.
¹¹ Dacci oggi il nostro pane quotidiano,
¹² rimetti a noi i nostri debiti,
come noi li rimettiamo ai nostri debitori;
¹³ e non c'indurre in tentazione,
ma liberaci dal male.

¹⁴Infatti, se avrete rimesso agli uomini le loro mancanze, rimetterà anche a voi il Padre vostro che è nei cieli. ¹⁵Qualora invece non rimetterete agli uomini, neppure il Padre vostro rimetterà le vostre mancanze».

Il digiuno. - ¹⁶«Quando digiunate, non prendete un aspetto triste, come gli ipocriti, i quali si sfigurano la faccia per farsi vedere dagli uomini che digiunano. In verità vi dico: hanno già ricevuto la loro ricompensa. ¹⁷Ma tu, quando digiuni, ùngiti la testa e làvati il viso, ¹⁸per non far vedere agli uomini che digiuni, ma solo al Padre tuo che è nel segreto; e il Padre tuo che vede nel segreto te ne darà la ricompensa».

I veri tesori. - ¹⁹«Non vi affannate ad accumulare tesori sulla terra, dove tignola e ruggine consumano, dove ladri scassinano e portano via. ²⁰Accumulatevi tesori in cielo, dove tignola e ruggine non consumano né ladri scassinano e portano via. ²¹Infatti, dov'è il tuo tesoro, lì sarà pure il tuo cuore».

L'occhio, lucerna del corpo. - ²²«La lucerna del corpo è l'occhio. Se dunque il tuo occhio è terso, tutto il tuo corpo sarà illuminato. ²³Ma se per caso il tuo occhio è malato, tutto il tuo corpo sarà nelle tenebre. Se dunque la luce che è in te è tenebra, quanta sarà l'oscurità?».

O Dio o mammona. - ²⁴«Nessuno può servire a due padroni; poiché o odierà l'uno e amerà l'altro, oppure si affezionerà all'uno e trascurerà l'altro. Non potete servire a Dio e a mammona».

Non preoccuparsi. - ²⁵«Per questo vi dico: per la vostra vita non affannatevi di quello che mangerete o berrete, né per il vostro corpo di come vestirvi. Non vale forse la vita più del cibo e il corpo più del vestito? ²⁶Guardate gli uccelli del cielo: non seminano, non mietono né raccolgono in granai; eppure il Padre vostro celeste li nutre; e voi non valete più di loro? ²⁷Chi di voi, per quanto si dia da fare, è capace di aggiungere un solo cubito alla propria statura? ²⁸E quanto al vestito, perché vi angustiate? Osservate i gigli del campo, come crescono: non lavorano, non tessono. ²⁹Eppure vi dico che neanche Salomone in tutta la sua magnificenza vestiva come uno di essi. ³⁰Se Dio veste così l'erba del campo che oggi è e domani viene gettata nel fuoco, quanto più vestirà voi, gente di poca fede?

³¹Non vi angustiate, dunque, dicendo: "Che mangeremo? Che berremo?", oppure: "Di che ci vestiremo?". ³²Tutte queste cose le ricercano i gentili. Ora sa il Padre vostro celeste che avete bisogno di tutte queste cose. ³³Cercate prima il regno di Dio e la sua giustizia, e tutte queste altre cose vi saranno date in sovrappiù.

³⁴Non vi angustiate dunque per il domani, poiché il domani avrà già le sue inquietudini. Basta a ciascun giorno la sua pena».

7

Non giudicare. - ¹«Non giudicate, così non sarete giudicati. ²Infatti con il giudizio con cui giudicate sarete giudicati; e con la misura con cui misurate vi sarà misurato. ³Perché osservi la pagliuzza che sta nell'occhio del tuo fratello e non ti accorgi della trave che sta nel tuo? ⁴Oppure: come puoi dire al tuo fratello: "Lascia che tolga dal tuo occhio la pagliuzza", mentre la trave è là nel tuo occhio? ⁵Ipocrita! Togli prima la trave dal tuo occhio e allora ci vedrai bene per togliere la pagliuzza dall'occhio del tuo fratello».

Non dare le perle ai porci. - ⁶«Non date ai cani le cose sacre, né gettate davanti ai porci le vostre perle, perché non le calpestino con le loro zampe e si rivoltino a sbranarvi».

Pregare con fede. - ⁷«Chiedete e vi sarà dato; cercate e troverete; bussate e vi sarà aperto. ⁸Infatti chi chiede riceve; chi cerca trova; a chi bussa sarà aperto. ⁹C'è forse un uomo fra voi che, se suo figlio gli chiede un pane, gli darà un sasso? ¹⁰Oppure: se gli chiede un pesce, gli darà un serpente? ¹¹Se dunque voi, anche se cattivi, sapete dare doni buoni ai vostri figli, quanto più il Padre vostro che è nei cieli darà cose buone a quanti gliene fanno richiesta!».

La regola d'oro. - ¹²«Quanto dunque desiderate che gli uomini vi facciano, fatelo anche voi ad essi. Questa è infatti la legge e i profeti».

La porta stretta. - ¹³«Entrate per la porta stretta; poiché spaziosa è la porta e larga la via che conduce alla perdizione; e molti sono quelli che vi si incamminano. ¹⁴Quanto stretta è la porta e angusta è la via che conduce alla vita! E pochi sono quelli che la trovano!».

Come l'albero, così i frutti. - ¹⁵«Guardatevi dai falsi profeti: essi vengono a voi in veste di pecore, dentro invece sono lupi rapaci. ¹⁶Dai loro frutti li riconoscerete. Si raccolgono forse uve dalle spine o fichi dai rovi? ¹⁷Così ogni albero buono dà frutti buoni; ogni albero cattivo dà frutti cattivi. ¹⁸Non può un albero buono dar frutti cattivi, né un albero cattivo dar frutti buoni. ¹⁹Ogni albero che non dà frutti buoni viene tagliato e gettato nel fuoco. ²⁰Perciò dai loro frutti li riconoscerete».

Non farsi illusioni. - ²¹«Non chiunque mi dice: "Signore, Signore", entrerà nel regno dei cieli, ma chi fa la volontà del Padre mio che è nei cieli. ²²Molti mi diranno in quel giorno: "Signore, Signore, non abbiamo forse profetato nel tuo nome? Nel tuo nome non abbiamo cacciato demòni e non abbiamo fatto nel tuo nome molti prodigi?". ²³Allora dichiarerò loro: "Non vi ho mai conosciuti! *Andate via da me, operatori d'iniquità*"».

Edificare sulla roccia. - ²⁴«Chi perciò ascolta queste mie parole e le mette in pratica, può essere paragonato a un uomo saggio che costruì la sua casa sulla roccia. ²⁵Cadde la pioggia, inondarono i fiumi e soffiarono i venti: si abbatterono su quella casa; ma non cadde. Era fondata infatti sulla roccia. ²⁶E chi ascolta queste mie parole, ma non le mette in pratica, può essere paragonato a un uomo stolto che costruì la sua casa sull'arena. ²⁷Cadde la pioggia, inondarono i fiumi e soffiarono i venti: si abbatterono su quella casa; e cadde, e la sua rovina fu grande!».

Ammirazione delle folle. - ²⁸Quando Gesù ebbe finito questi discorsi, le folle rimasero stupite della sua dottrina; ²⁹insegnava infatti come uno che ha autorità, non come i loro scribi.

MEMBRI E ARALDI DEL REGNO

8 Il lebbroso guarito. - [1]Quando egli discese dal monte, molta folla si mise a seguirlo. [2]Ed ecco che un lebbroso, avvicinatosi, si prostrò davanti a lui dicendo: «Signore, basta che tu lo voglia, puoi mondarmi». [3]Gesù stese la mano e lo toccò dicendo: «Lo voglio, sii mondato». All'istante la lebbra scomparve. [4]Gli disse allora Gesù: «Guàrdati dal dirlo a qualcuno. Ma va', mostrati al sacerdote e porta l'offerta prescritta da Mosè a loro testimonianza».

Fede del centurione. - [5]Entrato poi a Cafarnao, gli si avvicinò un centurione che lo supplicava [6]dicendo: «Signore, il mio servo giace in casa paralizzato e soffre terribilmente». [7]E Gesù a lui: «Io verrò e lo guarirò». [8]Il centurione replicò: «Signore, io non sono degno che tu venga sotto il mio tetto; ma soltanto di' una parola e il mio servo sarà guarito. [9]Infatti anch'io, benché subalterno, ho sotto di me dei soldati; se dico a uno: "Va'!", questo va; a un altro: "Vieni", egli viene; o al mio servo: "Fa' questo", egli lo fa». [10]All'udire ciò Gesù ne fu ammirato e disse a quelli che lo seguivano: «In verità vi dico: presso nessuno in Israele ho trovato tanta fede. [11]Vi dico inoltre che molti verranno dall'oriente e dall'occidente e sederanno a mensa con Abramo, Isacco e Giacobbe nel regno dei cieli, [12]mentre i figli del regno saranno cacciati fuori nelle tenebre esteriori; là sarà pianto e stridore di denti». [13]Gesù disse poi al centurione: «Va', sia fatto come tu hai creduto!». E in quell'istante il servo guarì.

In casa di Pietro. - [14]Una volta, entrato Gesù nella casa di Pietro, vide che la suocera di lui era a letto con la febbre. [15]Allora la prese per mano e la febbre la lasciò; ed essa, levatasi, si mise a servirlo. [16]Verso sera gli presentarono molti ossessi ed egli scacciò gli spiriti con la sola parola e guarì tutti gli infermi. [17]Così si adempì quanto fu annunziato dal profeta Isaia che dice:

Egli ha preso le nostre infermità
e si è caricato delle nostre malattie.

Esigenze della vocazione. - [18]Gesù, visto che la folla si accalcava intorno a lui, chiese di passare all'altra riva. [19]Allora uno scriba gli si accostò dicendo: «Maestro, vorrei seguirti dovunque tu vada». [20]Gli dice Gesù: «Le volpi hanno tane e gli uccelli del cielo nidi, ma il Figlio dell'uomo non ha dove reclinare il capo».

[21]Un altro dei discepoli gli disse: «Permettimi, Signore, di andare prima a seppellire mio padre». [22]Gesù gli dice: «Seguimi; e lascia che i morti seppelliscano i loro morti».

La tempesta sedata. - [23]Salito sulla barca, lo seguirono i suoi discepoli. [24]Ed ecco che si levò sul mare una gran tempesta, tanto che la barca stava per essere sommersa dalle onde; ed egli dormiva. [25]Si avvicinarono a lui e lo svegliarono dicendo: «Signore, salvaci: siamo in pericolo!». [26]Disse loro Gesù: «Perché temete, uomini di poca fede?». E, alzatosi, sgridò i venti e il mare e si fece una grande bonaccia. [27]Gli uomini rimasero stupiti e dicevano: «Chi è costui al quale i venti e il mare ubbidiscono?».

Gli indemoniati di Gadara. - [28]Giunto Gesù al di là della riva, nella regione dei Gadareni, due ossessi, uscendo dalle tombe, gli andarono incontro; erano uomini pericolosi, tanto che nessuno osava passare per quella strada. [29]Quelli si misero a gridare: «Che c'è fra noi e te, Figlio di Dio? Sei venuto qui per tormentarci prima del tempo?».

[30]Non lontano da loro c'era una numerosa mandria di porci che pascolava. [31]I demòni lo supplicavano dicendo: «Se ci scacci, mandaci nella mandria di porci». [32]Egli disse loro: «Andate». Essi, usciti, entrarono nei porci. Allora tutta la mandria dall'alto del dirupo precipitò nel mare e perì nei flutti. [33]I guardiani fuggirono e, giunti nella città, riferirono ogni cosa, cioè il fatto degli ossessi. [34]Tutta la città si mosse per andare incontro a Gesù. Vedutolo, lo supplicarono di allontanarsi dai loro territori.

9 Il paralitico guarito. - [1]Salito sulla barca, si avviò verso l'altra riva e, quando giunse nella sua città, [2]gli fu presentato un

---

8. - 20. *Il Figlio dell'uomo* è il Messia (Dn 7,13). Non volendo essere un Messia politico e dominatore con la forza, preferì essere chiamato Figlio dell'uomo che viene «per servire e per dare la propria vita in riscatto per molti» (Mc 10,45).

paralitico adagiato su un letto. Vedendo la loro fede, Gesù disse al paralitico: «Coraggio, figliolo, sono rimessi i tuoi peccati!».
³Ma alcuni scribi dissero fra sé: «Costui bestemmia!». ⁴Gesù, conosciuti i loro pensieri, disse: «Perché pensate cose malvagie nei vostri cuori? ⁵Che cosa infatti è più facile dire: "Sono rimessi i tuoi peccati", o dire: "Alzati e cammina"? ⁶Ebbene: affinché conosciate che il Figlio dell'uomo ha il potere sulla terra di rimettere i peccati: Alzati! – disse al paralitico – Prendi il tuo letto e va' a casa tua».
⁷Quello si levò e se ne andò a casa sua.
⁸A tal vista le folle furono prese dallo stupore e glorificarono Dio per aver dato un tale potere agli uomini.

Vocazione di Matteo. - ⁹Partito di là, Gesù vide seduto al banco delle imposte un uomo chiamato Matteo. Gli dice: «Seguimi!». E quello, alzatosi, si mise a seguirlo.
¹⁰Or mentre era a mensa nella casa, molti pubblicani e peccatori vennero a mangiare con Gesù e con i suoi discepoli. ¹¹Vedendo ciò, i farisei dissero ai discepoli: «Perché il vostro maestro mangia con i pubblicani e i peccatori?». ¹²Egli, saputolo, disse: «Non hanno bisogno del medico i sani, ma i malati. ¹³Andate e imparate che cosa vuol dire: *Misericordia cerco e non sacrificio*. Non sono venuto infatti a chiamare i giusti, ma i peccatori».

Il vecchio e il nuovo. - ¹⁴Allora gli si avvicinarono i discepoli di Giovanni e gli dissero: «Perché, mentre noi e i farisei facciamo molti digiuni, i tuoi discepoli invece non digiunano?».
¹⁵Rispose loro Gesù: «Gli invitati a nozze possono essere in lutto, mentre lo sposo è con loro? Verranno però giorni in cui sarà tolto loro lo sposo ed allora digiuneranno. ¹⁶Nessuno mette una pezza di panno nuovo su un vestito vecchio: ciò infatti porta via il rattoppo dal vestito e lo strappo diventa peggiore. ¹⁷Neppure si mette vino nuovo in otri vecchi; altrimenti gli otri scoppiano e così si versa il vino e si perdono gli otri. Ma il vino nuovo si mette in otri nuovi, così si conservano entrambi».

L'emorroissa guarita e la fanciulla risuscitata. - ¹⁸Mentre egli diceva loro queste cose, un notabile si avvicina e si prostra davanti a lui dicendo: «Mia figlia è morta or ora; vieni, poni la tua mano su di essa e vivrà». ¹⁹Gesù, alzatosi, si mise a seguirlo insieme con i suoi discepoli. ²⁰Ed ecco una donna, che da dodici anni soffriva perdite di sangue, si avvicinò e da dietro gli toccò il lembo del mantello. ²¹Si era detta fra sé: «Se riuscirò almeno a toccare il suo mantello, sarò guarita». ²²Gesù si voltò, la guardò e disse: «Coraggio, figliola: la tua fede ti ha salvata». Da quel momento la donna fu guarita.
²³Giunto poi nella casa del notabile e visti i sonatori di flauto e la folla strepitante, ²⁴disse: «Allontanatevi, poiché la fanciulla non è morta, ma dorme». ²⁵Ma quelli lo deridevano.
Quando la folla fu fuori, entrò, prese la fanciulla per mano ed essa si levò. ²⁶Tale notizia si divulgò per tutta quella regione.

Altre guarigioni. - ²⁷Mentre Gesù si allontanava di là, due ciechi si misero a seguirlo gridando: «Abbi pietà di noi, Figlio di Davide!».
²⁸Giunto a casa, i ciechi lo raggiunsero. Disse loro Gesù: «Credete che io possa fare ciò?». Gli risposero: «Sì, Signore». ²⁹Allora toccò loro gli occhi e disse: «Avvenga a voi secondo la vostra fede». ³⁰E si aprirono i loro occhi. Gesù poi li ammonì dicendo: «Badate: nessuno lo sappia». ³¹Ma essi, appena usciti, si misero a divulgare la fama di lui in tutta quella regione.
³²Mentre essi se ne andavano, gli fu presentato un muto posseduto dal demonio. ³³Scacciato il demonio, il muto riacquistò la favella. Le folle, stupite, dicevano: «Non s'è mai visto nulla di simile in Israele». ³⁴Ma i farisei dicevano: «Per mezzo del principe dei demòni egli scaccia i demòni!».

La messe è molta. - ³⁵Gesù, percorrendo tutte le città e i villaggi, insegnava nelle loro sinagoghe, annunciava il vangelo del regno e curava ogni malattia e infermità.
³⁶Al vedere le folle affrante e abbandonate a sé *come pecore senza pastore*, fu preso da pietà. ³⁷Allora disse ai suoi discepoli: «La messe è molta, ma gli operai sono pochi. ³⁸Pregate perciò il padrone della messe che mandi operai alla sua messe».

10 I dodici apostoli.

- [1]Chiamati a sé i dodici suoi discepoli, diede loro il potere di scacciare gli spiriti immondi e di guarire ogni sorta di malattia e di infermità. [2]I nomi dei dodici apostoli sono: primo Simone, detto Pietro; e Andrea suo fratello Giacomo, figlio di Zebedeo, e Giovanni suo fratello; [3]Filippo e Bartolomeo; Tommaso e Matteo il pubblicano; Giacomo di Alfeo e Taddeo; [4]Simone il Cananeo e Giuda Iscariota, quello che poi lo tradì.

Invio alla casa d'Israele.

- [5]Questi sono i Dodici che Gesù inviò, dopo aver dato loro i seguenti avvertimenti:
«Non andate dai pagani, né entrate in una città di Samaritani. [6]Rivolgetevi piuttosto alle pecore disperse della casa d'Israele. [7]Durante il cammino predicate dicendo: "È vicino il regno dei cieli". [8]Guarite gli infermi, risuscitate i morti, mondate i lebbrosi, scacciate i demòni. Gratuitamente avete ricevuto, gratuitamente date.
[9]Non vi procurate oro o argento o denaro per le vostre tasche, [10]non una borsa per il viaggio, né due tuniche, né calzature e neppure un bastone; poiché l'operaio ha diritto al suo sostentamento».

Annunziare la pace.

- [11]«Entrando in una città o in un villaggio, informatevi se c'è una persona proba e là restate fino alla vostra partenza.
[12]Entrando nella casa, datele il vostro saluto, [13]e se la casa ne è degna, scenda su di essa la vostra pace; se invece non ne è degna, la vostra pace ritorni a voi. [14]Se uno non vi riceve né vuol ascoltare le vostre parole, uscendo da quella casa o da quella città, scuotete la polvere dai vostri piedi. [15]In verità vi dico: nel giorno del giudizio alla terra di Sodoma e Gomorra sarà riservata una sorte più tollerabile che non a quella città».

La sorte dei messaggeri del vangelo.

- [16]«Ecco: io vi mando come pecore in mezzo ai lupi; siate dunque prudenti come i serpenti e semplici come le colombe.
[17]Guardatevi dagli uomini: vi consegneranno ai sinedri e vi flagelleranno nelle loro sinagoghe; [18]sarete trascinati davanti a governatori e re a causa mia, perché rendiate testimonianza ad essi e alle genti. [19]Qualora vi consegnino (nelle loro mani), non vi preoccupate di come o di che cosa dovrete dire. Vi sarà suggerito in quel momento che cosa dovrete dire; [20]poiché non siete voi a parlare, ma lo Spirito del vostro Padre parlerà in voi. [21]Il fratello consegnerà a morte il fratello, il padre il proprio figlio; i figli sorgeranno contro i genitori e li faranno morire. [22]Sarete odiati da tutti a causa del mio nome. Chi avrà perseverato sino alla fine, questi si salverà.
[23]Se vi perseguiteranno in questa città, fuggite nell'altra; poiché in verità vi dico: non terminerete le città d'Israele prima che venga il Figlio dell'uomo.
[24]Il discepolo non è da più del maestro, né il servo da più del suo padrone. [25]È sufficiente per il discepolo diventare come il suo maestro, e per il servo diventare come il suo padrone. Se il padrone di casa l'hanno chiamato Beelzebul, quanto più i suoi familiari!».

Via ogni timore!

- [26]«Perciò non abbiate paura di loro.
Nulla v'è di coperto che non debba essere svelato e di nascosto che non debba essere conosciuto. [27]Ciò che dico a voi nelle tenebre, proclamatelo nella luce; ciò che udite nell'orecchio, annunciatelo sui tetti.
[28]Non vi spaventate inoltre per quelli che possono uccidere il corpo, ma non possono uccidere l'anima. Temete piuttosto colui che ha il potere di far perire nella Geenna e l'anima e il corpo.
[29]Non si vendono forse due passeri per un asse? Ebbene, uno solo di essi non cadrà senza il volere del Padre vostro. [30]Perfino i capelli del vostro capo sono tutti numerati. [31]Non temete, dunque: voi valete ben più di molti passeri.
[32]Perciò, se uno mi riconoscerà davanti agli uomini, anch'io lo riconoscerò davanti al Padre mio che è nei cieli. [33]Se invece mi rinnegherà davanti agli uomini, anch'io lo rinnegherò davanti al Padre mio che è nei cieli».

Dedizione incondizionata al Cristo.

- [34]«Non crediate che io sia venuto a portare la pace sulla terra; non sono venuto a por-

---

10. - 1. *Pietro*, in tutti gli elenchi, è sempre nominato per primo. Perché Gesù ha scelto proprio *dodici* apostoli? Si può rispondere con Paolo che, essendo l'AT figura del NT, come il popolo eletto ebbe origine da dodici patriarchi, così il nuovo popolo di Dio da dodici apostoli.

tare la pace, ma la spada. ³⁵Sono venuto a separare l'uomo *da suo padre, la figlia da sua madre, la nuora da sua suocera;* ³⁶sì, *nemici dell'uomo saranno quelli di casa sua.* ³⁷Chi ama il padre o la madre più di me, non è degno di me; chi ama il figlio o la figlia più di me, non è degno di me. ³⁸Chi non prende la sua croce dietro a me, non è degno di me. ³⁹Chi avrà trovato la sua vita, la perderà; e chi avrà perduto la sua vita a causa mia, la ritroverà».

Ricompensa per chi accoglie il messo evangelico. - ⁴⁰«Chi accoglie voi accoglie me e chi accoglie me accoglie Colui che mi ha mandato.
⁴¹Chi accoglie un profeta in quanto profeta, riceverà la ricompensa di un profeta. Chi accoglie un giusto in quanto giusto, riceverà la ricompensa di un giusto.
⁴²Chi avrà dissetato anche con un solo bicchiere d'acqua fresca uno di questi piccoli, in quanto discepolo, in verità vi dico: non perderà la sua ricompensa».

11 **Conclusione.** - ¹Quando Gesù ebbe finito di dare i suoi avvertimenti ai suoi dodici discepoli, si mosse di là per insegnare e predicare nelle loro città.

I MISTERI DEL REGNO

Ambasciata di Giovanni. - ²Or Giovanni, quando venne a sapere, in prigione, le opere del Cristo, per mezzo dei suoi discepoli ³mandò a dirgli: «Sei tu colui che deve venire o dobbiamo aspettare un altro?».
⁴Gesù rispose loro: «Andate e annunziate a Giovanni ciò che udite e vedete: ⁵*i ciechi vedono,* gli zoppi camminano, i lebbrosi sono mondati, i sordi odono, i morti risorgono e *ai poveri viene annunziata la buona novella.* ⁶Beato è colui che non si scandalizza di me!».

Elogio di Giovanni Battista. - ⁷Mentre quelli se ne andavano, Gesù si mise a parlare di Giovanni alle folle: «Che cosa siete andati a vedere nel deserto? Una canna sbattuta dal vento? ⁸Ma che cosa siete andati a vedere? Un uomo avvolto in morbide vesti? Ecco: coloro che indossano morbide

vesti dimorano nei palazzi dei re. ⁹Ma perché siete andati? A vedere un profeta? Sì, vi dico, e più che un profeta. ¹⁰Di lui sta scritto:

Ecco, io mando avanti a te
    il mio messaggero,
egli preparerà dinanzi a te la tua via.

¹¹In verità vi dico: fra i nati di donna non è mai sorto uno più grande di Giovanni il Battista. Ma il più piccolo nel regno dei cieli è più grande di lui.
¹²Dal tempo di Giovanni il Battista fino ad ora il regno dei cieli è oggetto di violenza, e i violenti vogliono impadronirsene. ¹³Infatti tutti i profeti e la legge fino a Giovanni l'hanno annunziato. ¹⁴E se volete capirlo, egli è l'Elia che deve venire. ¹⁵Chi ha orecchi, intenda!».

La Sapienza si giustifica dalle opere. - ¹⁶«A chi paragonerò questa generazione? È simile a ragazzi che stanno nelle piazze e rivolti ai compagni ¹⁷dicono: "Abbiamo per voi suonato e non avete danzato; abbiamo intonato lamenti e non avete pianto".
¹⁸È venuto Giovanni che non mangiava né beveva, e si diceva: "È indemoniato". ¹⁹È venuto il Figlio dell'uomo che mangia e beve, e si dice: "È un mangione e un beone, amico di pubblicani e peccatori!".
Ma alla Sapienza è stata resa giustizia dalle sue opere».

Guai alle città incredule! - ²⁰Allora cominciò a inveire contro le città in cui aveva compiuto la maggior parte dei miracoli, perché non si erano convertite: ²¹«Guai a te, Corazin! Guai a te, Betsaida! Poiché, se i prodigi che sono stati compiuti in mezzo a voi fossero stati fatti a Tiro e Sidone, da tempo in cilicio e cenere avrebbero fatto penitenza. ²²Ebbene, vi dico che nel giorno del giudizio la sorte che toccherà a Tiro e Sidone sarà più mite della vostra.
²³E tu, Cafarnao,

sarai forse innalzata fino al cielo?
Sino agli inferi sarai precipitata.

Poiché, se a Sodoma fossero stati compiuti i prodigi che si sono compiuti in te, sarebbe rimasta fino ad oggi. ²⁴Ebbene, vi dico che nel giorno del giudizio la sorte che toccherà alla terra di Sodoma sarà più mite della tua».

Il vangelo riservato ai semplici. - [25]In quell'occasione Gesù prese a dire: «Mi compiaccio con te, o Padre, Signore del cielo e della terra, che hai tenuto nascoste queste cose ai sapienti e ai saggi e le hai rivelate ai semplici. [26]Sì, Padre, poiché tale è stato il tuo beneplacito.

[27]Tutto mi è stato dato dal Padre mio: nessuno conosce il Figlio se non il Padre e nessuno conosce il Padre se non il Figlio e colui al quale il Figlio voglia rivelarlo. [28]Venite a me, voi tutti che siete affaticati e stanchi, e io vi darò sollievo. [29]Portate su di voi il mio giogo e imparate da me che sono mite e umile di cuore; e *troverete ristoro per le vostre anime.* [30]Poiché il mio giogo è soave e leggero è il mio peso!».

12 **Le spighe e il riposo sabatico.** - [1]In quel tempo, passando Gesù tra le messi in giorno di sabato, i suoi discepoli, presi dalla fame, si misero a strappare delle spighe e a mangiarne. [2]I farisei, vedendo ciò, dissero: «Ecco, i tuoi discepoli fanno quello che non è lecito fare in giorno di sabato».

[3]Egli rispose loro: «Non avete mai letto ciò che fece Davide, quando ebbe fame lui e i suoi compagni? [4]Come entrò nella casa di Dio e mangiò i pani dell'offerta, che non era lecito mangiare né a lui né ai suoi compagni, ma solo ai sacerdoti? [5]O non avete letto nella legge che in giorno di sabato i sacerdoti nel tempio violano il riposo sabatico e tuttavia sono senza colpa? [6]Io vi dico che qui c'è qualcosa di più grande del tempio! [7]Se aveste capito che cosa significa: *Misericordia voglio e non sacrificio,* non avreste condannato degli innocenti. [8]Sì, il Figlio dell'uomo è padrone del sabato».

L'uomo dalla mano arida. - [9]Andato via di là, si recò nella loro sinagoga. [10]C'era là un uomo che aveva una mano rattrappita. Domandarono a Gesù: «È lecito guarire in giorno di sabato?». Dicevano ciò per accusarlo. [11]Egli disse loro: «Qual è fra voi quell'uomo che, avendo una sola pecora, se questa cade in un burrone di sabato, non l'afferra e la tira su? [12]Ora, quanto è più prezioso un uomo di una pecora! Perciò è lecito fare del bene in giorno di sabato». [13]Allora disse all'uomo: «Stendi la tua mano». Egli la

stese, e tornò sana come l'altra. [14]Usciti, i farisei tennero consiglio contro di lui per toglierlo di mezzo.

Il «Servo di Dio» mansueto. - [15]Gesù, quando venne a sapere la cosa, si allontanò di là. Molti gli andarono dietro ed egli lì guarì tutti; [16]ma comandò loro di non diffondere la sua fama. [17]Ciò affinché si adempisse quanto fu annunciato dal profeta Isaia che dice:

[18] *Ecco il mio servo che io ho scelto,*
     il mio diletto,
     nel quale si compiace l'anima mia.
     Porrò il mio spirito su di lui
     e il diritto annunzierà alle genti.
[19] *Non altercherà, né griderà;*
     né udrà alcuno la sua voce nelle piazze.
[20] *Una canna spezzata non la frantumerà;*
     e un lucignolo fumigante non lo spegnerà,
     finché non porti il diritto a vittoria; ·
[21] *e nel suo nome le genti spereranno.*

Regno di Dio e regno di Satana. - [22]Allora gli fu presentato un indemoniato che era cieco e muto ed egli lo guarì, sicché il muto parlava e vedeva. [23]Tutta la folla, presa d'ammirazione, diceva: «Che non sia questi il Figlio di Davide?». [24]Ma i farisei, saputolo, dissero: «Egli non scaccia i demòni se non in virtù di Beelzebul, capo dei demòni». [25]Conoscendo i loro pensieri, Gesù disse loro: «Ogni regno in sé diviso va in rovina. Ogni città o casa in sé divisa non potrà reggere. [26]E se Satana scaccia Satana, vuol dire che è diviso in se stesso; come dunque potrà stare in piedi il suo regno? [27]E se io scaccio i demòni in virtù di Beelzebul, in virtù di chi li scacciano i vostri figli? Per questo essi saranno vostri giudici. [28]Ma se io scaccio i demòni in virtù dello Spirito di Dio, vuol dire che realmente è giunto a voi il regno di Dio.

[29]E come può uno entrare nella casa di colui che è forte e portar via i suoi beni, se pri-

---

12. - 4. *I pani dell'offerta* erano i dodici pani che ogni sabato erano posti sulla tavola d'oro nella tenda; di questi pani potevano cibarsi soltanto i sacerdoti. Davide non fu esente dalla legge per la sua virtù o per l'ispirazione profetica, ma per la necessità, come gli apostoli nel caso delle spighe raccolte in giorno di sabato.

6. *Qui c'è qualcosa di più grande del tempio*: la persona di Gesù. L'affermazione di Gesù equivale a rivendicare per sé e per la propria missione autorità e dignità divine (cfr. vv. 41-42).

ma non l'avrà legato? Allora soltanto potrà saccheggiarne la casa. ³⁰Chi non è con me è contro di me, e chi non raccoglie con me disperde».

La bestemmia contro lo Spirito. - ³¹«Per questo vi dico: ogni peccato e bestemmia sarà rimessa agli uomini, ma la bestemmia contro lo Spirito non sarà rimessa. ³²Se uno dice una parola contro il Figlio dell'uomo, gli sarà perdonata. Ma se la dice contro lo Spirito Santo, non vi sarà perdono per lui né in questo secolo né in quello futuro».

Come l'albero, così i frutti. - ³³«O ammettete che l'albero sia buono e allora il frutto sarà buono, oppure ammettete che l'albero sia cattivo e allora il frutto sarà cattivo. Dal frutto infatti si conosce l'albero. ³⁴Razza di vipere! Come potete dire cose buone voi che siete cattivi? Dalla pienezza del cuore parla la bocca. ³⁵L'uomo buono da uno scrigno buono trae fuori cose buone, e così l'uomo cattivo da uno scrigno cattivo trae fuori cose cattive. ³⁶Io vi dico che di ogni parola detta fuori posto dovranno render conto gli uomini nel giorno del giudizio. ³⁷Poiché in base alle tue parole sarai giustificato e in base alle tue parole sarai condannato».

Il segno di Giona. - ³⁸Allora si rivolsero a lui alcuni scribi e farisei dicendo: «Maestro, vorremmo vedere da te un segno». ³⁹Egli rispose loro: «Generazione cattiva e spergiura! Va in cerca di un segno! Ma non le sarà dato altro segno che quello di Giona profeta. ⁴⁰Infatti, come *Giona rimase nel ventre del pesce per tre giorni e tre notti,* così il Figlio dell'uomo rimarrà nel cuore della terra per tre giorni e tre notti.

⁴¹Gli uomini di Ninive insorgeranno nel giudizio con questa generazione e la condanneranno, poiché si convertirono alla predicazione di Giona; eppure c'è qui qualcosa di più di Giona. ⁴²La regina del sud sorgerà nel giudizio con questa generazione e la condannerà, poiché venne dall'estremità della terra ad ascoltare la sapienza di Salomone; eppure c'è qui qualcosa di più di Salomone».

La ricaduta. - ⁴³«Quando uno spirito immondo esce dall'uomo, erra per luoghi deserti in cerca di riposo e non ne trova. ⁴⁴Allora dice: "Ritornerò nella mia dimora, da dove sono uscito". Va e la trova vuota, spazzata e ben pulita. ⁴⁵Allora corre a prendere sette spiriti peggiori di sé e vanno a stabilirsi lì. Così quest'ultima situazione di quell'uomo diventa peggiore della prima. Proprio così avverrà a questa generazione cattiva».

La famiglia di Gesù. - ⁴⁶Mentre ancora parlava alle folle, sua madre e i suoi fratelli stavano fuori e chiedevano di parlargli. ⁴⁷Qualcuno gli disse: «Tua madre e i tuoi fratelli stanno fuori e chiedono di parlarti». ⁴⁸Ma egli rispose: «Chi è mia madre e chi sono i miei fratelli?». ⁴⁹Quindi stese la mano verso i suoi discepoli e disse: «Ecco mia madre e i miei fratelli; ⁵⁰chiunque fa la volontà del Padre mio che è nei cieli, questi mi è fratello, sorella e madre».

13 **Le parabole del regno.** - ¹In quel giorno Gesù, uscito di casa, se ne stava seduto sulla riva del mare. ²Poiché era accorsa a lui una gran folla, salì sopra una barca e là rimase seduto, mentre tutta la folla stava sulla riva. ³Allora parlò loro a lungo in parabole.

Il seminatore. - Disse: «Uscì un seminatore per seminare; ⁴nel gettare il seme, parte di esso cadde lungo la via; vennero gli uccelli e se lo mangiarono. ⁵Parte cadde in un suolo roccioso, dove non c'era molta terra; e così per mancanza di terreno profondo nacque subito; ⁶ma al sorgere del sole rimase bruciato e, non avendo radici, seccò. ⁷Parte cadde fra le spine; ma queste, crescendo, lo soffocarono. ⁸Infine, una parte cadde su terreno buono, tanto da dar frutto

---

32. Il peccato contro lo Spirito Santo, che consiste nel negare la verità conosciuta, sarà difficilmente perdonato a causa dell'ostinata volontà e della mancanza di tutte le disposizioni necessarie al perdono.

46-49. *Fratelli*, secondo l'uso orientale, si chiamano anche i cugini e i parenti in genere. Veri fratelli di Gesù sono coloro che compiono la volontà di Dio e sono uniti a lui mediante i vincoli dell'amore e della grazia e perciò sono figli di Dio.

13. - 3. *Parabola* è un racconto fittizio, ma verosimile, che serve a illustrare insegnamenti di realtà superiori. La parabola del seminatore significa che il messaggio evangelico, nonostante insuccessi e ostacoli, porterà frutti abbondanti e che la sorte e i frutti del vangelo dipendono dalle disposizioni personali degli uditori.

dove il cento, dove il sessanta, dove il trenta. [9]Chi ha orecchi, intenda!».

Il perché delle parabole. - [10]Gli si accostarono i discepoli e gli dissero: «Perché parli ad essi in parabole?». [11]Egli rispose loro: «Perché, mentre a voi è dato di comprendere i misteri del regno dei cieli, a loro invece no. [12]Infatti a chi ha verrà dato e sarà nell'abbondanza; ma a chi non ha verrà tolto anche quello che ha.
[13]Per questo parlo loro in parabole, perché vedendo non vedono; udendo non odono né comprendono. [14]Così si avvera per loro la profezia di Isaia che dice:

Ascolterete, ma non comprenderete;
guarderete, ma non vedrete.
[15] *S'è indurito infatti il cuore*
   di questo popolo:
sono diventati duri di orecchi
e hanno serrato gli occhi
in modo da non vedere con gli occhi,
non sentire con le orecchie,
non comprendere con il cuore
   e convertirsi,
e allora li avrei guariti.

[16]Beati invece i vostri occhi che vedono, le vostre orecchie che odono. [17]Poiché in verità vi dico: molti profeti e giusti desiderarono vedere ciò che voi vedete e non videro, udire ciò che voi udite e non udirono!».

Il seme è la parola del regno. - [18]«Voi dunque intendete la parabola del seminatore. [19]Se uno ascolta la parola del regno e non la comprende, viene il maligno e porta via ciò che è stato seminato nel suo cuore: questo vuol dire il seme caduto lungo la via. [20]Quello caduto sul terreno roccioso è chi ascolta la parola e subito l'accoglie con gioia; [21]ma non ha in sé radici, è incostante; al sopraggiungere di una tribolazione o di una persecuzione a causa della parola, subito soccombe. [22]Quello caduto fra le spine è colui che ascolta la parola, ma, poiché le preoccupazioni di questo mondo e l'attaccamento alle ricchezze soffocano la parola, rimane senza frutto. [23]Quello invece che è caduto sul terreno buono è colui che ascolta la parola e la comprende; costui porta frutto e rende dove il cento, dove il sessanta, dove il trenta».

La zizzania. - [24]Un'altra parabola propose loro: «Il regno dei cieli è paragonato a un uomo che seminò buon seme nel suo campo. [25]Mentre gli uomini dormivano, venne il suo nemico, seminò fra il grano la zizzania e se ne andò. [26]Quando poi crebbe il frumento e portò frutto, allora apparve anche la zizzania.
[27]I servi andarono dal padrone e gli dissero: "Signore, non hai forse seminato buon seme nel tuo campo? Come mai c'è della zizzania?". [28]Egli rispose: "Il nemico ha fatto questo".
I servi gli dicono: "Vuoi che andiamo ad estirparla?". [29]Ed egli: "No, perché c'è pericolo che estirpando la zizzania sradichiate insieme ad essa anche il grano. [30]Lasciate che crescano entrambi fino al raccolto; al tempo del raccolto dirò ai mietitori: Radunate prima la zizzania e legatela in fasci perché sia bruciata; poi raccogliete il grano per il mio granaio"».

Il chicco di senapa. - [31]Un'altra parabola propose loro dicendo: «Il regno dei cieli è simile ad un chicco di senapa che un uomo prese e seminò nel suo campo. [32]Esso è il più piccolo di tutti i semi, ma una volta cresciuto è il più grande degli ortaggi; può diventare anche un albero e così gli uccelli dell'aria possono venire a nidificare fra i suoi rami».

Il lievito. - [33]Un'altra parabola disse loro: «È simile il regno dei cieli a un po' di lievito che una donna prende e mescola in tre misure di farina, finché tutta la massa sia fermentata».
[34]Tutte queste cose disse Gesù alle folle in parabole e parlava loro solo in parabole, [35]affinché si adempisse quanto fu annunciato dal profeta che dice:

Aprirò in parabole la mia bocca;
svelerò cose nascoste
fin dall'origine del mondo.

Il senso della parabola della zizzania. - [36]Allora, lasciata la folla, entrò in casa e i suoi discepoli gli si accostarono dicendo: «Spiegaci la parabola della zizzania nel campo». [37]Egli rispose: «Colui che semina il buon seme è il Figlio dell'uomo; [38]il campo è il mondo; il buon seme sono i figli del regno;

la zizzania invece i figli del male; [39]il nemico che la seminò è il diavolo; la mietitura è la fine del mondo; i mietitori infine sono gli angeli. [40]Come dunque si raccoglie la zizzania e la si brucia nel fuoco, così avverrà alla fine del mondo: [41]il Figlio dell'uomo manderà i suoi angeli a radunare dal suo regno tutti gli scandali e tutti gli operatori d'iniquità, [42]perché li gettino nella fornace ardente. Là sarà pianto e stridore di denti. [43]Allora i giusti risplenderanno come il sole nel regno del Padre loro. Chi ha orecchi, intenda!».

Il tesoro nascosto, la perla preziosa e la rete. - [44]«Il regno dei cieli è simile a un tesoro nascosto nel campo: un uomo lo trova e lo nasconde di nuovo; poi, pieno di gioia, va, vende tutto quello che ha e compra quel campo.

[45]Ancora: il regno dei cieli è simile a un mercante che va in cerca di belle perle. [46]Trovata una perla di gran valore, va, vende tutto quello che ha e la compra.

[47]Ancora: il regno dei cieli è simile a una rete gettata in mare, la quale ha raccolto ogni genere di pesci. [48]Una volta piena, i pescatori la traggono a riva e, sedutisi, raccolgono i pesci buoni nelle sporte e buttano via quelli cattivi. [49]Così avverrà alla fine del mondo: verranno gli angeli e separeranno i malvagi dai giusti [50]e li getteranno nella fornace ardente. Là sarà pianto e stridore di denti».

Cose nuove e antiche. - [51]«Avete capito tutto questo?». Rispondono: «Sì». [52]Egli disse loro: «Per questo ogni scriba istruito nel regno dei cieli è simile a un padre di famiglia che trae fuori dal suo scrigno cose nuove e antiche». [53]Quando Gesù ebbe terminato queste parabole, se ne andò di là.

ORGANIZZAZIONE DEL REGNO

Incredulità dei concittadini. - [54]Venuto nella sua patria, insegnava nella loro sinagoga, in maniera che essi rimanevano stupiti e dicevano: «Donde viene a costui questa sapienza e questi prodigi? [55]Non è forse il figlio del falegname? Sua madre non si chiama Maria e i suoi fratelli Giacomo, Giuseppe, Simone e Giuda? [56]E le sue sorelle non sono tutte fra noi? Da dove vengono dunque a costui tutte queste cose?». [57]E si

scandalizzavano di lui. Ma Gesù disse loro: «Nessun profeta è senza onore, se non nella sua patria e nella sua casa».
[58]Così non poté compiere là molti prodigi a causa della loro incredulità.

14 **Martirio di Giovanni Battista.** - [1]In quel tempo giunse la fama di Gesù alle orecchie del tetrarca Erode, [2]il quale disse ai suoi cortigiani: «Questi è Giovanni il Battista che è risorto da morte; infatti i suoi poteri taumaturgici operano in lui». [3]Ora Erode, dopo aver preso e messo in catene Giovanni, l'aveva gettato in carcere a causa di Erodiade, la moglie di suo fratello Filippo. [4]Diceva infatti Giovanni: «Non ti è lecito tenerla!». [5]Pur volendo metterlo a morte, era trattenuto dal timore del popolo che lo teneva per profeta.

[6]Una volta, in occasione del compleanno di Erode, la figlia di Erodiade danzò in pubblico e piacque tanto ad Erode, [7]che con giuramento promise di darle qualunque cosa gli avesse chiesto. [8]Ella perciò, istigata da sua madre, chiese: «Dammi qui, su un vassoio, la testa di Giovanni il Battista». [9]Il re ne fu contristato; ma a causa del giuramento e per riguardo ai commensali ordinò che fosse accolta la sua richiesta [10]e mandò ad uccidere Giovanni nel carcere. [11]La sua testa fu portata su un vassoio e consegnata alla fanciulla e questa la porse a sua madre.

[12]I discepoli di lui vennero a prendere il corpo e gli diedero sepoltura; poi andarono a riferire la cosa a Gesù.

Moltiplicazione dei pani. - [13]Quando Gesù venne a saperlo, partì di là in barca per appartarsi in un luogo deserto. Saputolo, le folle dalle città si misero a seguirlo a piedi, [14]sicché, quando egli giunse, trovò molta gente; allora fu preso da compassione verso di loro e guarì i loro infermi.

[15]Fattasi sera, i discepoli si fecero avanti a dirgli: «Il luogo è deserto e l'ora è già passata. Rimanda le folle affinché vadano nei villaggi a comprarsi da mangiare». [16]Ma Gesù rispose: «Non è necessario che se ne vadano; date voi a loro da mangiare». [17]Essi risposero: «Non abbiamo qui se non cinque pani e due pesci». [18]Ed egli disse: «Portateli qui a me». [19]Egli ordinò alla folla di adagiarsi sull'er-

ba. Poi prese i cinque pani e i due pesci e, levati gli occhi al cielo, recitò la preghiera di benedizione, spezzò i pani e li diede ai discepoli e questi alla folla. [20]Tutti mangiarono a sazietà; degli avanzi portarono via dodici sporte piene. [21]Or quelli che mangiarono erano circa cinquemila uomini, senza contare donne e bambini.

Gesù cammina sulle acque. - [22]Subito dopo ordinò ai discepoli di salire in fretta sulla barca e precederlo sull'altra riva, mentre egli avrebbe congedato le folle. [23]Quando ebbe congedato le folle, salì sul monte, in disparte, per pregare. Fattasi notte, era là solo, [24]mentre la barca si trovava lontano da terra molti stadi, sbattuta dai flutti; c'era infatti vento contrario.

[25]Alla quarta vigilia della notte venne Gesù verso di loro camminando sul mare. [26]I discepoli, vedendolo camminare sul mare, furono presi da spavento, pensando che si trattasse di un fantasma, e per paura si misero a gridare.

[27]Ma subito Gesù parlò loro dicendo: «Fatevi animo, sono io; non temete!». [28]Allora Pietro lo pregò dicendo: «Signore, se sei tu, comanda che anch'io venga da te sull'acqua». [29]Ed egli: «Vieni!».

Allora Pietro scese dalla barca e si mise a camminare sull'acqua andando verso Gesù. [30]Ma vedendo che il vento soffiava forte, fu preso dalla paura e, poiché cominciava ad andar giù, gridò dicendo: [31]«Signore, salvami!». Subito Gesù stese la mano, lo afferrò e gli disse: «Uomo di poca fede, perché hai dubitato?».

[32]Saliti in barca, il vento cessò. [33]Quelli che erano sulla barca gli si prostrarono davanti esclamando: «Veramente sei Figlio di Dio!».

Nella regione di Genesaret. - [34]Compiuta la traversata, approdarono a Genesaret. [35]Gli abitanti del luogo, riconosciutolo, diffusero la notizia per tutta quella regione; e così portarono ogni sorta di infermi [36]e lo pregavano di poter toccare almeno il lembo della sua veste; e quanti riuscirono a toccarlo, furono guariti.

15 **La tradizione degli anziani.** - [1]Allora si rivolsero a Gesù alcuni farisei e scribi venuti da Gerusalemme e gli do-

mandarono: [2]«Perché i tuoi discepoli trasgrediscono la tradizione degli anziani? Infatti non si lavano le mani quando prendono il cibo».

[3]Egli rispose loro: «E voi, perché trasgredite il precetto divino in nome della vostra tradizione? [4]Dio infatti ha detto: Onora il padre e la madre; e inoltre: *Chi disprezza il padre o la madre sia messo a morte.* [5]Voi invece dite: Se uno dice al padre o alla madre: "Ciò con cui ti avrei dovuto aiutare è offerto a Dio!", [6]non è tenuto ad onorare suo padre o sua madre. Così avete annullato la parola di Dio in nome della vostra tradizione. [7]Ipocriti, bene profetò di voi Isaia, quando dice:

[8] *Questo popolo mi onora con le labbra,*
    ma il suo cuore è lontano da me;
[9] *è vano il culto che essi mi rendono,*
    impartendo insegnamenti
    che sono precetti di uomini».

Purità legale e purità morale. - [10]Poi, chiamata a sé la folla, disse: «Ascoltate e intendete. [11]Non ciò che entra nella bocca contamina l'uomo, ma quello che ne esce, questo contamina l'uomo».

[12]Allora si avvicinano i discepoli e gli dicono: «Sai che i farisei, a sentire il tuo discorso, si sono scandalizzati?». [13]Ed egli: «Tutto ciò che non piantò il Padre mio celeste, sarà sradicato. [14]Lasciateli andare: sono ciechi, guide di ciechi. Se un cieco fa da guida a un cieco, tutti e due cadranno nella fossa». [15]Allora Pietro prese la parola e disse: «Spiegaci questa parabola». [16]Ed egli: «Allora anche voi siete senza intelligenza? [17]Non capite che tutto quello che entra nella bocca va nel ventre e poi viene espulso nella fogna? [18]Le cose invece che escono dalla bocca provengono dal cuore e sono esse che contaminano l'uomo. [19]Dal cuore infatti provengono pensieri malvagi, omicidi, adultèri, fornicazioni, furti, false testimonianze, bestemmie. [20]Queste sono le cose che contaminano l'uomo. Mangiare senza essersi lavate le mani non contamina l'uomo».

---

14. - 25. Giudei, Greci e Romani dividevano la notte in quattro parti: la prima cominciava al tramonto, la quarta finiva con il sorgere del sole. Erano chiamate: sera, mezzanotte, canto del gallo, mattino, e si dicevano *vigilie* (da «vigilare»), perché le sentinelle notturne si davano il cambio al loro termine. A sua volta anche il giorno era diviso in quattro parti, di tre ore ciascuna.

La Cananea. - ²¹Partito di là, Gesù si ritirò nelle regioni di Tiro e Sidone. ²²Ed ecco: una donna cananea, originaria di quei paesi, gridava: «Abbi pietà di me, Signore, Figlio di Davide; mia figlia è duramente vessata dal demonio!». ²³Ma egli non le rispose neppure una parola. Avvicinatisi i discepoli, lo pregavano: «Esaudiscila, perché sta gridando dietro a noi». ²⁴Egli rispose: «Non sono stato mandato se non alle pecore disperse della casa d'Israele». ²⁵Ma essa venne a prostrarsi davanti a lui e disse: «Signore, soccorrimi!». ²⁶Ed egli: «Non è bene prendere il pane dei figli e gettarlo ai cagnolini». ²⁷Ma ella disse: «Sì, Signore; ma anche i cagnolini si nutrono delle briciole che cadono dalla mensa dei padroni». ²⁸Allora Gesù rispose: «O donna, grande è la tua fede! Ti sia fatto come tu vuoi». Da quel momento sua figlia fu guarita.

Seconda moltiplicazione dei pani. - ²⁹Poi, partito di là, Gesù venne presso il mare di Galilea e, salito sul monte, si fermò lì. ³⁰Gli si avvicinarono molte folle che avevano con sé zoppi, storpi, ciechi, muti e molti altri infermi e li deposero ai suoi piedi. Egli li guarì, ³¹tanto che le folle, al vedere muti che parlavano, storpi guariti, zoppi che camminavano e ciechi che vedevano, rimasero stupite e glorificarono il Dio d'Israele. ³²Poi Gesù, chiamati a sé i suoi discepoli, disse loro: «Ho pietà della folla, perché sono tre giorni che stanno con me e non hanno di che rifocillarsi. Non voglio rimandarli digiuni, perché potrebbero venir meno per la via». ³³Gli dicono i discepoli: «Dove potremo procurarci in un deserto tanto pane da sfamare una folla così grande?». ³⁴Gesù a loro: «Quanti pani avete?». Risposero: «Sette, con pochi pesciolini». ³⁵Allora ordinò alla folla di adagiarsi per terra; ³⁶prese quindi i sette pani con i pesci e, dopo aver reso grazie, li spezzò e li diede ai discepoli e questi alla folla. ³⁷Mangiarono tutti a sazietà. Degli avanzi portarono via sette sporte piene. ³⁸Quelli che mangiarono erano quattromila uomini, senza contare donne e bambini. ³⁹Dopo, congedata la folla, salì in barca e si recò nella regione di Magadan.

16 **I segni dei tempi.** - ¹Gli si avvicinarono i farisei e i sadducei per metterlo alla prova, e chiesero che mostrasse loro un segno dal cielo. ²Egli rispose: «Quando viene la sera dite: "Sarà bel tempo, poiché il cielo rosseggia"; ³e la mattina: "Oggi ci sarà burrasca, poiché il cielo è rosso cupo". Sapete, sì, giudicare l'aspetto del cielo, ma non sapete discernere i segni dei tempi. ⁴Generazione malvagia e spergiura! Chiede un segno; ebbene, le sarà dato, ma solo quello di Giona». E, lasciatili, se ne andò.

Incomprensione dei discepoli. - ⁵I discepoli, giunti all'altra riva, si accorsero di non aver preso il pane. ⁶Gesù disse loro: «Badate di tenervi lontano dal lievito dei farisei e dei sadducei». ⁷Essi discutevano fra loro dicendo: «Già, non abbiamo preso il pane». ⁸Saputolo, Gesù disse: «Perché discutete fra voi, uomini di poca fede, per non aver preso il pane? ⁹Non capite ancora? Vi siete dimenticati dei cinque pani che bastarono per i cinquemila uomini e delle sporte che raccoglieste? ¹⁰E dei sette pani con cui si sfamarono i quattromila e degli avanzi che raccoglieste? ¹¹Come non capite che non per i pani vi ho detto: tenetevi lontano dal lievito dei farisei e dei sadducei?». ¹²Allora capirono che non intendeva parlare del lievito con cui si fa il pane, ma della dottrina dei farisei e dei sadducei.

La confessione di Pietro. - ¹³Giunto poi Gesù nella regione di Cesarea di Filippo, si mise ad interrogare i suoi discepoli: «Chi dice la gente che sia il Figlio dell'uomo?». ¹⁴Essi risposero: «Chi dice che sia Giovanni il Battista, chi Elia, chi Geremia o uno dei profeti». ¹⁵Dice loro: «Ma voi chi dite che io sia?». ¹⁶Prese la parola Simon Pietro e disse: «Tu sei il Cristo, il Figlio del Dio vivente».

Il primato. - ¹⁷Rispose Gesù: «Beato sei tu, Simone, figlio di Giona, poiché né la carne né il sangue te l'hanno rivelato, ma il Padre mio che è nei cieli. ¹⁸Io ti dico: tu sei Pietro e su questa pietra edificherò la mia chiesa e le porte degli inferi non prevarranno contro di essa. ¹⁹Ti darò le chiavi del regno dei cieli; tutto ciò che avrai legato sulla terra resterà legato nei cieli e tutto ciò che avrai sciolto sulla terra resterà sciolto nei cieli».

Scandalo di Pietro. - [20]Poi comandò ai discepoli di non dire a nessuno che egli era il Cristo.

[21]Da allora Gesù cominciò a dire chiaramente ai suoi discepoli che egli doveva andare a Gerusalemme e soffrire molto da parte degli anziani, sommi sacerdoti e scribi; inoltre che doveva essere messo a morte, ma che al terzo giorno sarebbe risorto. [22]Allora Pietro lo prese in disparte e cercava di dissuaderlo dicendo: «Dio te ne guardi, Signore! Questo non ti accadrà mai». [23]Ma egli, rivoltosi a Pietro, disse: «Va' via da me, satana! Tu mi sei di inciampo, poiché i tuoi sentimenti non sono quelli di Dio, ma quelli degli uomini».

Dalla croce alla gloria. - [24]Allora Gesù disse ai suoi discepoli: «Se uno vuol venire dietro a me, rinneghi se stesso, prenda la sua croce e mi segua. [25]Poiché chi vuol salvare la propria vita, la perderà; chi invece perderà la propria vita a causa mia, la troverà. [26]Infatti, che giovamento avrà l'uomo se, avendo conquistato tutto il mondo, è danneggiato poi nella sua vita? Oppure, che cosa potrà dare l'uomo quale prezzo della sua vita? [27]Infatti il Figlio dell'uomo verrà nella gloria del Padre suo insieme con i suoi angeli e allora darà a ciascuno secondo la sua condotta. [28]In verità vi dico: fra voi qui presenti ci sono alcuni che non gusteranno la morte finché non avranno visto il Figlio dell'uomo venire con il suo regno».

17 **La trasfigurazione.** - [1]Sei giorni dopo, Gesù prese con sé Pietro, Giacomo e Giovanni suo fratello, e li condusse in disparte, su un alto monte. [2]E apparve trasfigurato davanti a loro: la sua faccia diventò splendida come il sole e le vesti candide come la luce. [3]Ed ecco, apparvero loro Mosè ed Elia in atto di conversare con lui. [4]Allora Pietro prese la parola e disse: «Signore, è bello per noi stare qui; se vuoi, farò qui tre tende, una per te, una per Mosè e un'altra per Elia». [5]Mentre egli stava ancora parlando, una nube splendente li avvolse. E dalla nube si udì una voce che diceva: «Questi è il mio Figlio diletto nel quale ho posto la mia compiacenza: ascoltatelo».

[6]All'udir ciò, i discepoli caddero faccia a terra, presi da grande spavento. [7]Ma Gesù si avvicinò, li toccò e disse: «Alzatevi; non temete!». [8]Essi, alzati gli occhi, non videro nessun altro all'infuori di Gesù. [9]Ora, mentre discendevano dal monte, Gesù ordinò loro: «Non fate parola con nessuno della visione, finché il Figlio dell'uomo non sarà risorto da morte».

Il precursore. - [10]Allora i suoi discepoli lo interrogarono dicendo: «Perché dunque gli scribi dicono che prima deve venire Elia?». [11]Egli rispose: «Elia, sì, deve venire e restaurerà ogni cosa. [12]Ma io vi dico che Elia è già venuto e non l'hanno riconosciuto; anzi, l'hanno trattato come hanno voluto. Così anche il Figlio dell'uomo dovrà soffrire per opera loro». [13]Allora i discepoli capirono che egli intendeva parlare di Giovanni il Battista.

Il fanciullo ossesso. - [14]Quando furono tornati presso la folla, si avvicinò a lui un uomo che, gettatosi in ginocchio davanti a lui, [15]disse: «Signore, abbi pietà di mio figlio che è epilettico e soffre; molte volte infatti cade nel fuoco, altre volte anche nell'acqua. [16]L'ho portato ai tuoi discepoli, ma essi non sono stati capaci di guarirlo». [17]Rispose Gesù: «Generazione incredula e perversa, fino a quando dovrò restare con voi? Fino a quando dovrò sopportarvi? Portatemi qui il fanciullo». [18]Allora Gesù con parole minacciose comandò al demonio di uscire da lui; da quell'istante il fanciullo fu guarito. [19]Allora i discepoli si avvicinarono a Gesù in disparte e gli domandarono: «Perché noi non siamo stati capaci di scacciarlo?». [20]Egli rispose: «A causa della vostra poca fede, poiché in verità vi dico: se avrete fede anche quanto un chicco di senapa e direte a questo monte: "Spostati da qui a lì", esso si sposterà; nulla sarà a voi impossibile [21Ma questa genìa non si scaccia se non con la preghiera e il digiuno]».

Seconda predizione della passione. - [22]Mentre si aggiravano per la Galilea, Gesù disse loro: «Il Figlio dell'uomo sta per essere consegnato nelle mani degli uomini [23]che lo metteranno a morte; ma il terzo giorno risorgerà». Essi furono presi da grande afflizione.

Il didramma per il tempio. - ²⁴Venuti a Cafarnao, quelli che riscuotevano il didramma si rivolsero a Pietro e gli dissero: «Il vostro maestro non paga il didramma?». ²⁵Ed egli: «Sì».
Quando tornò, Gesù lo prevenne dicendo: «Che te ne pare, Simone? I re della terra da chi riscuotono tasse e tributi, dai loro figli oppure dagli estranei?». ²⁶Ed egli: «Dagli estranei». Allora Gesù disse: «Perciò i figli ne sono esenti. ²⁷Ma per non scandalizzarli, va' al mare, getta l'amo e prendi il pesce che per primo abboccherà; aprigli la bocca e vi troverai uno statere. Lo prenderai e lo darai loro per me e per te».

18 **Il più grande nel regno dei cieli.** - ¹In quel tempo si avvicinarono a Gesù i discepoli per dirgli: «Chi è dunque il più grande nel regno dei cieli?». ²Egli, chiamato a sé un fanciullo, lo pose in mezzo a loro ³e disse: «In verità vi dico: se non vi convertirete e non diventerete come i fanciulli, non entrerete nel regno dei cieli. ⁴Chi dunque si farà piccolo come questo fanciullo, questi sarà il più grande nel regno dei cieli. ⁵E se uno accoglie un solo fanciullo come questo nel mio nome, accoglie me».

Lo scandalo dei piccoli. - ⁶«Ma se uno sarà di scandalo a uno di questi piccoli che credono in me, è meglio per lui che gli sia legata al collo una mola asinaria e sia precipitato nel fondo del mare.
⁷Guai al mondo per gli scandali! Infatti, se è inevitabile che avvengano scandali, guai però a quell'uomo per mezzo del quale avviene lo scandalo.
⁸Se la tua mano o il tuo piede ti è di scandalo, taglialo e gettalo via da te. È meglio per te entrare nella vita monco o zoppo, che con due mani o due piedi essere gettato nel fuoco eterno. ⁹E se il tuo occhio ti è di scandalo, cavalo e gettalo via da te; è meglio per te entrare nella vita con un solo occhio, che

---

18. - 22. Il *sette* nella Bibbia indica un numero grande, e se moltiplicato indica numero indefinito: qui vuol dire *sempre*.
24. *Diecimila talenti*: cioè una somma favolosa. Ciò che Gesù vuole porre in risalto è l'enorme differenza tra questo debito verso il padrone, che rappresenta Dio, e l'esiguità del debito del compagno. Se Dio è così propenso a perdonare, allora anche noi dobbiamo fare altrettanto.

essere gettato con due occhi nella Geenna del fuoco.
¹⁰Guardatevi dal disprezzare uno di questi piccoli, poiché vi dico che i loro angeli nei cieli contemplano continuamente il volto del Padre mio che è nei cieli».

La pecorella smarrita. - [¹¹«Infatti, il Figlio dell'uomo è venuto a trarre in salvo ciò che era perito.]
¹²Che ve ne pare? Se un uomo ha cento pecore e una di esse si smarrisce, non lascia le novantanove sui monti e va in cerca di quella smarrita? ¹³E se gli capita di trovarla, in verità vi dico: si rallegrerà per essa più che delle altre novantanove che non si erano smarrite.
¹⁴Proprio questo è il volere del Padre vostro che è nei cieli: che neanche uno di questi piccoli si perda».

La correzione fraterna. - ¹⁵«Se il tuo fratello pecca, va', riprendilo fra te e lui solo; se ti ascolterà, avrai riacquistato il tuo fratello. ¹⁶Se invece non ti ascolterà, prendi con te una o due persone, affinché *sulla bocca di due o tre testimoni si stabilisca ogni cosa.* ¹⁷Se non ascolterà neppure loro, deferiscilo alla chiesa e se neppure alla chiesa darà ascolto, sia egli per te come il pagano e il pubblicano. ¹⁸In verità vi dico: tutto ciò che avrete legato sulla terra resterà legato nel cielo; e tutto ciò che avrete sciolto sulla terra resterà sciolto nel cielo».

La preghiera in comune. - ¹⁹«Ancora: in verità vi dico che, se due di voi sulla terra saranno d'accordo su qualche cosa da chiedere, qualunque essa sia, sarà loro concessa dal Padre mio che è nei cieli. ²⁰Infatti, dove sono riuniti due o tre nel mio nome, ivi sono io, in mezzo a loro».

Il perdono illimitato. - ²¹Allora Pietro si fece avanti e gli domandò: «Signore, quante volte, se il mio fratello peccherà contro di me, dovrò perdonargli? Fino a sette volte?». ²²Gesù gli rispose: «Non ti dico fino a sette volte, ma fino a settanta volte sette».

Il debitore disumano. - ²³«Per questo il regno dei cieli è paragonato a un re che volle fare i conti con i suoi servi. ²⁴Iniziando dunque a chiedere i conti, gli fu presentato uno che era debitore di diecimila talenti. ²⁵Poiché costui non poteva pagare, il padrone comandò che fossero venduti lui, la moglie, i figli e quanto possedeva e saldasse così il conto. ²⁶Allora quel servo, con la faccia per terra, lo supplicava dicendo: "Signore, sii benevolo con me e ti soddisferò in tutto". ²⁷Il padrone fu mosso a pietà di quel servo, lo lasciò libero e gli condonò il debito.

²⁸Ora, appena uscito, lo stesso servo s'imbatté in uno dei suoi compagni, il quale gli doveva cento denari. Lo afferrò e, quasi strozzandolo, diceva: "Rendimi quanto mi devi". ²⁹Bocconi a terra, questi lo implorava dicendo: "Sii benevolo con me e ti soddisferò". ³⁰Egli non acconsentì, ma andò a farlo gettare in prigione finché non gli avesse pagato il debito.

³¹Venuti a conoscenza dell'accaduto, gli altri servi se ne rattristarono grandemente e andarono a riferire ogni cosa al loro padrone. ³²Allora il padrone, chiamatolo a sé, gli dice: "Servo malvagio, ti ho condonato tutto quel debito perché mi avevi supplicato; ³³non dovevi anche tu aver pietà del tuo compagno, come io ho avuto pietà di te?". ³⁴Preso perciò dall'ira, il padrone lo consegnò agli sbirri, finché non gli avesse restituito tutto ciò che gli doveva.

³⁵Proprio così il Padre mio celeste tratterà voi, qualora non rimettiate di cuore ciascuno al proprio fratello».

CONSUMAZIONE DEL REGNO

19 **Verso Gerusalemme.** - ¹Quando Gesù terminò questi discorsi, partì dalla Galilea e si incamminò verso il territorio della Giudea al di là del Giordano; ²lo seguirono folle numerose e lì operò guarigioni.

Indissolubilità del matrimonio. - ³Si avvicinarono a lui alcuni farisei per metterlo alla prova e gli domandarono: «È lecito ripudiare la propria moglie per qualsiasi motivo?». ⁴Egli rispose: «Non avete letto che il Creatore fin da principio *maschio e femmina li fece,* ⁵e disse: *"Per questo l'uomo lascerà il padre e la madre e si unirà alla propria moglie e così i due diventeranno una sola carne"?* ⁶In modo che non sono più due, ma una sola carne. Perciò, quello che Dio ha congiunto l'uomo non separi».

⁷Gli dissero: «Perché dunque Mosè comandò *di dare il libello del ripudio e così rimandarla?».*

⁸Rispose loro: «Mosè per la vostra durezza di cuore concesse a voi di ripudiare le vostre mogli; ma all'inizio non è stato così. ⁹Ora io vi dico: chi ripudia la propria moglie, se non per impudicizia, e sposa un'altra, commette adulterio».

Celibato per il regno dei cieli. - ¹⁰Gli dicono i discepoli: «Se tale è la condizione dell'uomo rispetto alla moglie, non conviene sposarsi». ¹¹Egli disse loro: «Non tutti comprendono questo discorso, ma soltanto coloro ai quali è dato. ¹²Vi sono infatti eunuchi che nacquero così dal seno della madre, e vi sono eunuchi i quali furono resi tali dagli uomini, e vi sono eunuchi che si resero tali da sé per il regno dei cieli. Chi può comprendere, comprenda».

Gesù e i bambini. - ¹³Allora furono presentati a lui dei bambini affinché pregasse imponendo su di loro le mani; i discepoli però li sgridavano; ma Gesù disse: ¹⁴«Lasciate stare, non impedite che i bambini vengano a me; di tali, infatti, è il regno dei cieli». ¹⁵E, imposte le mani su di loro, partì di là.

Il giovane ricco. - ¹⁶Ed ecco, un tale gli si avvicinò e disse: «Maestro, che cosa debbo fare di bene per acquistare la vita eterna?». ¹⁷Egli a lui: «Perché mi interroghi sul buono? Uno solo è il buono. Se però vuoi entrare nella vita, osserva i comandamenti». ¹⁸Gli dice: «Quali?». Gesù rispose: «Sono: *Non ucciderai, non commetterai adulterio, non ruberai, non dirai falsa testimonianza;* ¹⁹*onora il padre e la madre e amerai il prossimo tuo come te stesso».* ²⁰Gli dice il giovane: «Tutte queste cose le ho osservate: che cosa ancora mi manca?». ²¹Gesù a lui: «Se vuoi essere perfetto, va',

19. - 6. *L'uomo non separi:* contro tutte le passioni umane e i tentativi di snaturare il matrimonio, sta, ferma e chiara, la legge divina: *quello che Dio ha congiunto l'uomo non separi!* L'indissolubilità del sacramento del matrimonio non potrà mai essere abrogata da nessuna autorità umana.

21. La povertà volontaria, con il celibato cui ha accennato Gesù poco prima, formano i cosiddetti «consigli evangelici», cui si unisce la donazione totale a Dio per mezzo dell'obbedienza a un superiore legittimamente stabilito. Ciò costituisce nella chiesa un particolare stato di vita, chiamato «stato religioso», che intende seguire più da vicino la vita di Gesù e continuare la sua missione.

vendi quello che hai e dallo ai poveri, e avrai un tesoro in cielo: poi vieni e seguimi». [22]All'udir ciò, il giovane se ne andò afflitto, poiché aveva molte ricchezze.

[23]Gesù disse ai suoi discepoli: «In verità vi dico: difficilmente un ricco entrerà nel regno dei cieli; [24]ancora vi dico: è più facile che un cammello entri per la cruna di un ago, che un ricco nel regno di Dio». [25]All'udir ciò, i discepoli rimasero sbigottiti e domandarono: «Chi dunque riuscirà a salvarsi?». [26]Fissando su di loro lo sguardo, Gesù rispose: «Presso gli uomini ciò non è possibile, ma tutto è possibile presso Dio».

Ricompensa dei discepoli. - [27]Allora Pietro prese la parola e gli disse: «Ecco, noi abbiamo lasciato ogni cosa e ti abbiamo seguito: che cosa dunque avremo?». [28]Gesù rispose loro: «In verità vi dico: voi che mi avete seguito, nella rigenerazione, quando il Figlio dell'uomo sederà sul suo trono di gloria, sederete anche voi su dodici troni a giudicare le dodici tribù d'Israele. [29]E chiunque ha lasciato case o fratelli o sorelle o padre o madre o moglie o figli o campi per il mio nome, riceverà il centuplo ed erediterà la vita eterna».

Gli operai della vigna. - [30]«Molti primi saranno ultimi e molti ultimi saranno primi.

20 [1]Infatti, il regno dei cieli è simile a un padrone di casa, il quale uscì di buon mattino ad ingaggiare operai per la sua vigna. [2]Essendosi accordato con gli operai per un denaro al giorno, li mandò nella sua vigna. [3]Uscito verso l'ora terza, trovò altri che stavano nella piazza inoperosi; [4]disse loro: "Andate anche voi nella mia vigna e vi darò la giusta ricompensa". Essi andarono. [5]Di nuovo uscì verso l'ora sesta e l'ora nona e fece altrettanto. [6]Uscì anche verso l'ora undecima e trovò altri che stavano là; dice loro: "Perché state qui tutto il giorno inoperosi?". [7]Gli rispondono: "Perché nessuno ci ha ingaggiati". Dice loro: "Andate anche voi nella vigna". [8]Venuta la sera, il padrone della vigna dice al suo fattore: "Chiama gli operai e da' loro la mercede cominciando dagli ultimi fino ai primi".

[9]Vennero quelli dell'undecima ora e ricevettero un denaro ciascuno. [10]Quando giunsero i primi, pensavano che avrebbero ricevuto di più, ma ricevettero anch'essi un denaro ciascuno. [11]Nel prenderlo mormoravano contro il padre di famiglia [12]dicendo: "Questi ultimi hanno lavorato per un'ora sola e tu li hai equiparati a noi che abbiamo sopportato il peso e il caldo della giornata". [13]Egli rispose ad uno di loro: "Amico, non sono ingiusto con te: non hai fatto il patto con me per un denaro? [14]Prendi ciò che è tuo e vattene. Voglio dare a quest'ultimo proprio quanto ho dato a te; [15]che forse non mi è lecito disporre dei miei beni come voglio? O non sarà il tuo occhio che si fa cattivo dal momento che io sono buono?". [16]In questa maniera gli ultimi saranno primi e i primi saranno ultimi».

Terza predizione della passione. - [17]Mentre saliva a Gerusalemme, Gesù prese i Dodici in disparte e, cammin facendo, disse loro: [18]«Ecco, saliamo a Gerusalemme e il Figlio dell'uomo sarà consegnato ai sommi sacerdoti e agli scribi, che lo condanneranno a morte [19]e lo consegneranno ai gentili, perché sia schernito, flagellato e crocifisso; ma il terzo giorno risorgerà».

I figli di Zebedeo. - [20]Si avvicinò a lui la madre dei figli di Zebedeo insieme con i suoi figli e si prostrò per chiedergli qualcosa; [21]egli le domandò: «Che cosa vuoi?». Ed ella a lui: «Ordina che questi due miei figli siedano uno alla tua destra e l'altro alla tua sinistra nel tuo regno». [22]Gesù rispose: «Non sapete quello che chiedete; potete bere il calice che io sto per bere?». Gli rispondono: «Lo possiamo». [23]Dice loro: «Il mio calice, sì, lo berrete; ma sedere alla mia destra o alla mia sinistra non sta a me concederlo, ma è riservato a coloro ai quali è stato assegnato dal Padre mio». [24]All'udir ciò gli altri dieci s'indignarono contro i due fratelli; [25]Gesù, chiamatili a sé, disse: «Voi sapete che i capi delle nazioni esercitano la loro signoria su di esse, e i grandi sono quelli che fanno sentire su di esse la loro potenza. [26]Non sarà così fra voi; ma chi fra voi vuol diventare grande sarà vostro servo, [27]e chi fra voi vorrà essere al primo posto si farà vostro schiavo, [28]come il Figlio dell'uomo, che non è venuto

20. - 3-16. La parabola mette in rilievo la libertà di Dio nel ricompensare e la gratuità dei suoi doni.

ad essere servito, ma a servire e dare la propria vita in riscatto di molti».

I ciechi di Gerico. - ²⁹Mentre essi uscivano da Gerico, gli andò dietro molta gente. ³⁰Ed ecco, due ciechi stavano seduti lungo la via; saputo che passava Gesù, si misero a gridare: «Signore, abbi pietà di noi, Figlio di Davide!». ³¹La folla cominciò a sgridarli perché tacessero; ma essi gridavano ancora più forte: «Signore, abbi pietà di noi, Figlio di Davide!». ³²Gesù, fermatosi, li chiamò e disse: «Cosa volete che io vi faccia?». ³³Gli risposero: «Signore, che si aprano i nostri occhi!». ³⁴Mosso a pietà, Gesù toccò i loro occhi e subito ricuperarono la vista e si misero a seguirlo.

21 **Ingresso trionfale a Gerusalemme.** - ¹Quando, arrivati nelle vicinanze di Gerusalemme, giunsero in vista di Betfage, alle falde del monte degli Ulivi, Gesù mandò due discepoli ²dicendo loro: «Andate nel villaggio che si trova davanti a voi, e subito troverete un'asina legata, con il suo puledro. Scioglietela e portatela a me. ³Se qualcuno vi dice qualcosa, rispondete: "Il Signore ne ha bisogno, ma subito li rimanderà"».

⁴Questo è accaduto affinché si adempisse quanto fu annunciato dal profeta che dice:

⁵ *Dite alla figlia di Sion:*
   Ecco, il tuo re viene a te
   mite, seduto su un'asina
   e su un puledro, figlio di bestia da soma.

⁶I discepoli andarono e fecero come aveva ordinato loro Gesù. ⁷Condussero quindi l'asina con il puledro, su cui posero le vesti ed egli vi si pose a sedere.

⁸Ora, la folla, numerosissima, stese le proprie vesti sulla strada; altri tagliavano rami dagli alberi e li spargevano lungo la via. ⁹La folla che andava innanzi e quella che veniva dietro gridavano:

«*Osanna al Figlio di Davide!*
Benedetto colui che viene
nel nome del Signore!
Osanna nel più alto dei cieli!».

¹⁰Quando egli entrò in Gerusalemme, si sconvolse tutta la città e ci si chiedeva: «Chi è costui?». ¹¹Le folle rispondevano: «È il profeta Gesù, da Nazaret di Galilea».

Purificazione del tempio. - ¹²Entrato nel tempio, egli si mise a scacciare quanti in esso vendevano e compravano, rovesciando i banchi dei cambiavalute e le sedie dei venditori di colombe, ¹³e disse loro: «Sta scritto:

La mia casa sarà chiamata
casa di preghiera;
voi, invece, ne fate
una spelonca di ladroni».

¹⁴Vennero a lui nel tempio ciechi e storpi, ed egli li guarì tutti.

¹⁵Quando i sommi sacerdoti e gli scribi videro i prodigi ch'egli aveva compiuto e i fanciulli che gridavano nel tempio: «Osanna al Figlio di Davide!», furono presi dall'ira ¹⁶e dissero a Gesù: «Senti quello che dicono costoro?». E Gesù a loro: «Sì; non avete mai letto:

Dalla bocca di bimbi e di lattanti
ti sei procurata una lode?».

¹⁷E lasciatili, se ne andò fuori della città, a Betania, e là trascorse la notte.

Il fico infruttuoso. - ¹⁸Recandosi la mattina in città, ebbe fame. ¹⁹Vista sulla via una pianta di fico, si avvicinò ad essa; ma non vi trovò che foglie; allora, rivolto ad essa, disse: «Non avvenga più che tu porti frutto, in eterno!». E all'istante il fico seccò. ²⁰A tal vista i discepoli furono presi da meraviglia ed esclamarono: «Come mai il fico si è seccato all'istante?».

²¹Gesù rispose: «In verità vi dico: se avrete fede senza esitare, non soltanto potrete fare quello che è accaduto al fico, ma se direte a questo monte: "Levati e gettati nel mare", questo accadrà; ²²e tutto quello che chiederete con fede nella preghiera l'otterrete».

Autorità di Gesù. - ²³Entrato nel tempio, mentre insegnava, gli si avvicinarono i sommi sacerdoti e gli anziani del popolo e gli domandarono: «In virtù di quale potestà fai queste cose? Chi ti ha dato questo potere?». ²⁴Gesù rispose loro: «Voglio farvi anch'io una domanda; se voi risponderete ad essa, anch'io vi dirò in virtù di quale potestà faccio queste cose. [25]Il battesimo di Giovanni da dove veniva? Dal cielo o dagli uomini?». Essi riflettevano dicendo fra sé: «Se diciamo: "Dal cielo", ci dirà: "Perché, dunque, non gli avete creduto?"; [26]se diciamo: "Dagli uomini", c'è d'aver paura della folla, perché tutti ritengono Giovanni un profeta». [27]Allora risposero a Gesù: «Non lo sappiamo». Anch'egli disse loro: «Neppure io vi dico in virtù di quale potestà faccio queste cose».

I due figli. - [28]«Che ve ne pare? Un uomo aveva due figli; rivoltosi al primo gli disse: "Figlio, va' oggi a lavorare nella vigna". [29]Questi rispose: "Vado, signore!". Ma non andò. [30]Si rivolse quindi al secondo e gli disse la stessa cosa. Questi rispose: "Non ci vado!". Ma poi, pentitosi, andò. [31]Chi dei due fece la volontà del padre?». Rispondono: «L'ultimo». E Gesù a loro: «In verità vi dico: i pubblicani e le meretrici vi passano avanti nel regno di Dio. [32]Infatti è venuto a voi Giovanni nella via della giustizia e non gli avete creduto; i pubblicani invece e le meretrici gli hanno creduto. Voi, pur vedendo, neppure dopo vi siete piegati a credere in lui».

I cattivi contadini. - [33]«Ascoltate un'altra parabola. C'era una volta un padrone di casa che piantò una vigna, la circondò d'una siepe, vi scavò un pressoio, vi costruì una torre e, affidatala ai coloni, partì. [34]Quando fu vicino il tempo dei frutti, inviò i suoi servi dai coloni per prendere la sua parte di proventi. [35]Ma i coloni presero i servi e alcuni ne percossero, altri ne uccisero, altri ne lapidarono. [36]Il padrone mandò ancora altri servi più numerosi dei primi; ma quelli li trattarono allo stesso modo. [37]Alla fine mandò il proprio figlio, pensando che avrebbero avuto riguardo di suo figlio. [38]Ma i coloni, vedendolo, dissero fra sé: "È l'erede. Orsù, uccidiamolo; così avremo la sua eredità". [39]Lo presero dunque e, portatolo fuori della vigna, lo uccisero. [40]Quando verrà il padrone della vigna, che cosa farà a quei coloni?». [41]Gli dicono:

«Farà morire senza pietà quei malvagi e darà la vigna ad altri coloni, i quali gli renderanno i frutti a suo tempo».

La pietra angolare. - [42]Dice loro Gesù: «Non avete mai letto nelle Scritture:

La pietra che rigettarono i costruttori
è diventata pietra d'angolo;
è una cosa fatta dal Signore
ed è mirabile ai nostri occhi?

[43]Perciò vi dico: sarà tolto a voi il regno di Dio e sarà dato a un popolo che lo farà fruttificare [[44]Se uno cadrà su questa pietra, perirà; se essa cadrà su qualcuno, lo stritolerà]».

[45]I sommi sacerdoti e i farisei, udendo le sue parabole, capirono che parlava di loro. [46]Cercavano perciò di impadronirsi di lui; ma avevano paura della folla, che lo riteneva un profeta.

22

Il convito nuziale. - [1]Gesù riprese a parlar loro in parabole e disse: [2]«È simile il regno dei cieli a un re il quale fece un banchetto di nozze per suo figlio. [3]Egli mandò i suoi servi a chiamare coloro che erano stati invitati alle nozze; ma questi non vollero venire. [4]Di nuovo mandò altri servi dicendo: "Dite agli invitati: ecco, ho preparato il mio pranzo: i miei buoi e gli animali ingrassati sono già stati macellati e tutto è pronto; venite alle nozze". [5]Ma essi, noncuranti, andarono chi ai propri campi, chi ai propri affari. [6]Altri poi, presi i servi, li maltrattarono e li uccisero. [7]Il re, adiratosi, inviò i suoi eserciti ad annientare quegli omicidi e a incendiarne la città.

[8]Dice quindi ai servi: "Il banchetto nuziale è pronto, ma gli invitati non ne erano degni. [9]Andate dunque ai crocicchi delle vie e chiamate alle nozze tutti quelli che troverete". [10]Andarono quei servi per le vie e radunarono tutti quelli che trovarono, buoni e cattivi; e così la sala si riempì di commensali. [11]Entrato il re a vedere i commensali, trovò là un uomo che non indossava la veste nuziale. [12]Gli dice: "Amico, come mai sei entrato qui senza la veste nuziale?". Egli ammutolì. [13]Allora il re disse ai suoi servitori: "Legatelo mani e piedi e gettatelo nelle

22. - 11-14. L'abito da nozze è un'evidente allegoria: solo il re si accorge di questa mancanza. Esso indica, infatti, la mancanza delle disposizioni interiori per partecipare al regno di Dio. Concretamente, si accenna alla mancanza dell'amore verso Dio e della grazia santificante.

tenebre esteriori: là sarà pianto e stridore di denti".

[14]Infatti molti sono chiamati, ma pochi eletti»".

Il tributo a Cesare. - [15]Allora i farisei, ritiratisi, tennero consiglio per vedere come coglierlo in fallo nei suoi discorsi. [16]Mandarono dunque a lui i propri discepoli, insieme agli erodiani, per dirgli: «Maestro, sappiamo che sei veritiero e che insegni la via di Dio con verità e che non hai soggezione di nessuno; infatti non guardi in faccia ad alcuno. [17]Dicci dunque il tuo parere: è lecito o no pagare il tributo a Cesare?».

[18]Gesù, conoscendo la loro malizia, disse: «Perché volete tentarmi, ipocriti? [19]Mostratemi la moneta del tributo». Essi gli presentarono un denaro. [20]Dice loro: «Di chi è l'effigie con l'iscrizione?». [21]Rispondono: «Di Cesare». Ed egli disse loro: «Date dunque a Cesare quello che è di Cesare e a Dio quello che è di Dio».

[22]All'udir ciò rimasero stupiti e, lasciatolo, se ne andarono.

La risurrezione. - [23]In quel giorno si avvicinarono a lui dei sadducei, quelli che affermano non esserci risurrezione, e lo interrogarono [24]dicendo: «Maestro, Mosè ha ordinato: *Se uno muore senza figli, suo fratello né sposerà la vedova e così darà a suo fratello una discendenza.* [25]Ora c'erano fra noi sette fratelli. Il primo, appena sposato, morì e, non avendo discendenza, lasciò la moglie a suo fratello. [26]La stessa cosa accadde al secondo e al terzo, fino al settimo. [27]Dopo di tutti, morì anche la donna. [28]Ora, nella risurrezione, di chi fra i sette sarà moglie? Infatti appartenne a tutti».

[29]Gesù rispose: «Siete in errore, poiché non conoscete le Scritture né la potenza di Dio. [30]Infatti nella risurrezione non si prende né moglie né marito, ma si è come angeli di Dio in cielo. [31]Quanto poi alla risurrezione dei morti, non avete letto ciò che a voi disse Dio: [32]*Io sono il Dio di Abramo, il Dio di Isacco, il Dio di Giacobbe?* Dio non è un Dio di morti, ma di viventi». [33]All'udir ciò, le folle rimanevano stupite per la sua dottrina.

Il precetto più grande. - [34]I farisei, saputo che Gesù aveva messo a tacere i sadducei, si radunarono insieme, [35]e uno di loro, dottore della legge, lo interrogò per metterlo alla prova: [36]«Maestro, qual è il precetto più grande della legge?».

[37]Egli rispose: «*Amerai il Signore Dio tuo con tutto il tuo cuore, con tutta la tua anima, con tutta la tua mente.* [38]Questo è il più grande e il primo dei precetti. [39]Ma il secondo è simile ad esso: *Amerai il prossimo tuo come te stesso.* [40]Da questi due precetti dipende tutta la legge e i profeti».

Il Cristo, Figlio e Signore di Davide. - [41]Radunatisi i farisei, Gesù li interrogò [42]dicendo: «Che cosa pensate del Cristo? Di chi è figlio?». Gli rispondono: «Di Davide». [43]Dice loro: «Come dunque Davide, sotto l'influsso dello Spirito, lo chiama Signore quando dice:

[44] *Ha detto il Signore al mio Signore:*
Siedi alla mia destra,
finché ponga i tuoi nemici
come sgabello dei tuoi piedi?

[45]Se, dunque, Davide lo chiama Signore, come può essere suo figlio?».

[46]Nessuno seppe rispondergli una parola; e da quel giorno nessuno osò più fargli delle domande.

23

Incongruenza e vanità. - [1]Allora Gesù si rivolse alle folle e ai suoi discepoli [2]dicendo: «Sulla cattedra di Mosè si sono assisi gli scribi e i farisei. [3]Fate e osservate ciò che vi dicono, ma non quello che fanno. Poiché dicono, ma non fanno. [4]Legano infatti pesi opprimenti, difficili a portarsi, e li impongono sulle spalle degli uomini; ma essi non li vogliono rimuovere neppure con un dito. [5]Fanno tutto per essere visti dagli uomini. Infatti fanno sempre più larghe le loro filatterie e più lunghe le frange; [6]amano i primi posti nei conviti e le prime file nelle sinagoghe; [7]amano essere salutati nelle piazze ed essere chiamati dalla gente rabbì».

Fraternità cristiana. - [8]«Ma voi non vi fate chiamare rabbì, poiché uno solo è fra voi il Maestro e tutti voi siete fratelli. [9]Nessuno chiamerete sulla terra vostro padre, poiché uno solo è il vostro Padre, quello celeste. [10]Non vi farete chiamare precettori, poiché uno solo è il vostro precettore, il Cristo.

[11]Chi è il maggiore fra voi sarà vostro servitore. [12]Chi si esalterà sarà umiliato, e chi si umilierà sarà esaltato».

Contro i farisei ipocriti. - [13]«Guai a voi, scribi e farisei ipocriti, che chiudete il regno dei cieli davanti agli uomini; infatti, voi non entrate e trattenete coloro che vorrebbero entrarci [14].

[15]Guai a voi, scribi e farisei ipocriti, poiché siete capaci di attraversare il mare e un intero continente per fare un solo proselito, e quando ci siete riusciti lo rendete figlio della Geenna il doppio di voi.

[16]Guai a voi, guide cieche, che dite: "Se uno giura per il tempio, è niente; se invece giura per l'oro del tempio, rimàne obbligato". [17]Stolti e ciechi! Che cosa vale di più: l'oro o il tempio che rende sacro l'oro?

[18]E dite ancora: "Se uno giura per l'altare, è niente; se invece giura per l'offerta che sta su di esso, rimane obbligato". [19]Ciechi, ma che cosa vale di più: l'offerta o l'altare che rende sacra l'offerta?

[20]Chi dunque ha giurato per l'altare, fa giuramento per esso e per tutto ciò che si trova su di esso. [21]E chi ha giurato per il tempio, emette giuramento per esso e per Chi vi abita. [22]E chi ha giurato per il cielo, fa giuramento per il trono di Dio e per Colui che vi è assiso.

[23]Guai a voi, scribi e farisei ipocriti, poiché pagate la decima sulla menta, sull'aneto e sul cumino e poi trascurate i precetti più gravi della legge, come la giustizia, la pietà, la fede. Queste cose bisognava osservare, pur senza trascurare quelle altre. [24]Guide cieche, che filtrate il moscerino, e ingoiate il cammello!

[25]Guai a voi, scribi e farisei ipocriti, che pulite l'esterno della coppa e del piatto, e dentro rimangono pieni di rapina e d'immondizia. [26]Cieco fariseo, pulisci prima l'interno della coppa e poi anche l'esterno di essa sarà pulito.

[27]Guai a voi, scribi e farisei ipocriti, poiché siete come sepolcri imbiancati che all'ester-

no appaiono belli a vedersi, dentro invece sono pieni di ossa di morti e di ogni putredine. [28]Così anche voi all'esterno apparite giusti davanti agli uomini, ma nell'interno siete pieni d'ipocrisia e d'iniquità.

[29]Guai a voi, scribi e farisei ipocriti, poiché innalzate i sepolcri dei profeti e ornate i monumenti dei giusti, [30]dicendo: "Se fossimo stati ai tempi dei nostri padri, non ci saremmo associati a loro nel versare il sangue dei profeti". [31]Così testimoniate, contro voi stessi, di essere figli di quelli che uccisero i profeti [32]e colmate la misura dei vostri padri!».

Il giudizio di Dio è prossimo. - [33]«Serpenti, razza di vipere, come sfuggirete al castigo della Geenna? [34]Per questo, ecco che io mando a voi profeti, sapienti e scribi. Ebbene, di essi, parte ne ucciderete mettendoli in croce, parte ne flagellerete nelle vostre sinagoghe e li perseguiterete di città in città. [35]Verrà così su di voi tutto il sangue innocente sparso sulla terra, dal sangue del giusto Abele fino a quello di Zaccaria figlio di Barachia, che uccideste fra il santuario e l'altare. [36]In verità vi dico: tutto ciò verrà su questa generazione.

[37]Gerusalemme, Gerusalemme, che uccidi i profeti e lapidi quelli che ti sono mandati, quante volte ho tentato di raccogliere i tuoi figli, come la gallina raduna i suoi pulcini sotto le ali e voi non avete voluto! [38]Ecco: la vostra casa vi sarà lasciata deserta. [39]Vi dico infatti: da ora in poi non mi vedrete, fino a quando non direte: *Benedetto colui che viene nel nome del Signore!*».

24 **La domanda dei discepoli.** - [1]Mentre Gesù, uscito dal tempio, se ne andava, gli si avvicinarono i suoi discepoli per mostrargli le costruzioni del tempio. [2]Ma egli disse loro: «Vedete tutte queste cose? In verità vi dico: non rimarrà qui pietra su pietra, che non sarà diroccata». [3]Quando giunse sul monte degli Ulivi, si sedette; allora gli si avvicinarono i suoi discepoli e in disparte gli dissero: «Dicci: quando avverranno queste cose e quale sarà il segno della tua venuta e della fine del mondo?».

Inizio delle sofferenze. - [4]Gesù rispose loro: «Badate che nessuno vi inganni! [5]Poiché molti verranno nel mio nome dicendo:

---

23. - 14. Omesso da molti mss. Proviene da Mc 12,40 e Lc 20,47.

24. - 3ss. Il discorso parla della distruzione di Gerusalemme e della fine del mondo, di cui la fine di Gerusalemme è figura. Ma è molto difficile determinare quali frasi devono intendersi riferite alla fine del mondo e quali alla distruzione di Gerusalemme. In ogni caso questa «fine» è in funzione di una nuova esistenza per tutti i figli di Dio.

"Io sono il Cristo", e molta gente sarà tratta in inganno. [6]Quando sentirete esservi guerre o voci di guerre, non vi turbate; è necessario che tutte queste cose avvengano; ma non è la fine.

[7]Insorgerà infatti pòpolo contro popolo e regno contro regno: e vi saranno carestie, pestilenze e terremoti in vari luoghi; [8]ma tutto ciò non è che l'inizio delle sofferenze. [9]Allora vi consegneranno ai supplizi e vi ucideranno; sarete odiati da tutte le genti a causa del mio nome. [10]Allora molti soccomberanno; si tradiranno l'un l'altro odiandosi a vicenda. [11]Sorgeranno molti falsi profeti, i quali trarranno molti in inganno. [12]Per il dilagare dell'iniquità, l'amore dei più si raffredderà. [13]Ma chi avrà perseverato sino alla fine, questi si salverà.

[14]Quando questo vangelo del regno sarà predicato in tutta la terra abitata, quale testimonianza a tutte le genti, allora verrà la fine».

Il segno decisivo. - [15]«Quando dunque vedrete stare *in luogo santo l'abominio della desolazione,* di cui parla il profeta Daniele – chi legge intenda! –, [16]allora quelli che stanno in Giudea fuggano sui monti, [17]chi è sulla terrazza non scenda a prendere la roba di casa, [18]chi si trova in campagna non torni indietro a prenderi il mantello. [19]Guai alle gestanti e a quelle che allattano in quei giorni. [20]Pregate che la vostra fuga non avvenga d'inverno né di sabato. [21]Infatti, vi sarà allora *una tribolazione grande, quale mai c'è stata dall'origine del mondo fino ad ora,* né mai vi sarà. [22]Se non fossero stati abbreviati quei giorni, nessun uomo si salverebbe. Tuttavia, a causa degli eletti, saranno abbreviati quei giorni».

I falsi messia. - [23]«Allora se uno vi dirà: "Ecco, il Cristo è qui!", oppure: "È là", non ci credete. [24]Sorgeranno infatti falsi messia e falsi profeti, che faranno grandi miracoli e prodigi, tanto da indurre in errore, se possibile, anche gli eletti. [25]Ecco, ve l'ho predetto. [26]Se vi diranno: "Ecco, è nel deserto!", non ci andate; oppure: "Ecco, è nell'interno della casa!", non ci credete; [27]poiché come la folgore esce dall'oriente e brilla in occidente, così sarà la venuta del Figlio dell'uomo. [28]Dove sta il cadavere, là si raccolgono gli avvoltoi».

La parusia. - [29]«Subito, dopo la tribolazione di quei giorni,

il sole si oscurerà,
la luna non darà più la sua luce,
le stelle cadranno dal cielo
e le potenze celesti saranno sconvolte.

[30]Allora apparirà nel cielo il segno del Figlio dell'uomo e allora *si batteranno il petto tutte le tribù della terra e vedranno il Figlio dell'uomo venire sulle nubi del cielo* con grande potenza e splendore. [31]Egli manderà i suoi angeli, i quali con lo squillo della grande tromba raduneranno i suoi eletti dai quattro venti, da un estremo all'altro dei cieli».

Imminenza del tempo e incertezza dell'ora. - [32]«Dal fico comprendete la parabola: quando il suo ramo diventa tenero e produce le foglie, sapete che l'estate è prossima. [33]Così anche voi, quando vedrete tutte queste cose, sappiate che egli è vicino, è alle porte. [34]In verità vi dico: non passerà questa generazione prima che tutte queste cose accadano. [35]Il cielo e la terra passeranno, ma le mie parole non passeranno.

[36]Quanto al giorno e all'ora, nessuno lo sa, neppure gli angeli del cielo, ma solo il Padre».

Come il diluvio. - [37]«Come fu ai giorni di Noè, così sarà la venuta del Figlio dell'uomo. [38]Infatti, come nei giorni che precedettero il diluvio la gente mangiava, beveva, si sposava e si maritava, fino al giorno in cui Noè entrò nell'arca, [39]e non vollero credere finché si abbatté il diluvio e spazzò via tutti, proprio così sarà alla venuta del Figlio dell'uomo. [40]Allora, se vi saranno due in campagna, uno sarà preso e l'altro lasciato; [41]se due donne staranno a macinare con la mola, una sarà presa e l'altra lasciata».

Come il ladro. - [42]«Vigilate, dunque, poiché non sapete in che giorno viene il vostro Signore. [43]Questo considerate: se il padrone di casa sapesse in quale vigilia della notte viene il ladro, veglierebbe e non si lascerebbe scassinare la casa. [44]Per questo anche voi tenetevi pronti, poiché, nell'ora che non credete, il Figlio dell'uomo viene».

Il servo fedele. - [45]«Qual è quel servo fedele e saggio che il padrone ha posto a capo della servitù, affinché dia loro il cibo nel tempo dovuto? ⁴⁶Beato quel servo, se il padrone al suo ritorno lo troverà ad agire così. ⁴⁷In verità vi dico: gli affiderà tutti i suoi beni. ⁴⁸Se, invece, il servo è cattivo e, dicendo: "Il mio padrone ritarda", ⁴⁹incomincia a picchiare i suoi compagni, a mangiare e bere con gli ubriaconi, ⁵⁰verrà il padrone nel giorno che egli non si aspetta, all'ora che non sa, ⁵¹e lo farà a pezzi, facendogli toccare la stessa sorte che meritano gli ipocriti: là sarà pianto e stridore di denti».

25 Le dieci vergini. - ¹«Allora il regno dei cieli sarà simile a dieci vergini che presero le loro lampade e uscirono incontro allo sposo. ²Ora, cinque di esse erano stolte e cinque prudenti. ³Infatti le stolte, quando presero le lampade, non pensarono di prendere con sé l'olio; ⁴mentre le prudenti, insieme alle lampade, presero anche dell'olio nei vasi. ⁵Poiché lo sposo tardava a venire, tutte, vinte dal sonno, si addormentarono. ⁶Ma a mezzanotte si levò un grido: "Ecco lo sposo, andategli incontro!". ⁷Allora tutte quelle vergini si destarono e misero in ordine le loro lampade. ⁸E le stolte dissero alle prudenti: "Dateci del vostro olio, poiché le nostre lampade si spengono". ⁹Le prudenti risposero: "No, che non abbia a mancare per noi e per voi; andate piuttosto a comprarvelo dai venditori". ¹⁰Ora, mentre quelle andavano a comprare l'olio, giunse lo sposo e le vergini che erano pronte entrarono con lui nella sala del banchetto, e la porta si chiuse. ¹¹Più tardi arrivarono anche le altre vergini, le quali dicevano: "Signore, Signore, aprici!". ¹²Ma egli rispose: "In verità vi dico: non vi conosco!". ¹³Vigilate, dunque, poiché non sapete né il giorno né l'ora».

I talenti. - ¹⁴«Allo stesso modo, infatti, un uomo in procinto di partire chiamò i propri servi e affidò loro i suoi beni: ¹⁵a uno diede cinque talenti, a un altro due e a un altro uno: a ciascuno secondo le proprie capacità; poi partì. Senza perdere tempo, ¹⁶quello che aveva ricevuto cinque talenti andò a trafficarli e ne guadagnò altri cinque. ¹⁷Allo stesso modo

quello che aveva ricevuto due talenti ne guadagnò anch'egli altri due. ¹⁸Ma quello che ne aveva ricevuto uno solo andò a scavare nella terra una fossa e vi nascose il denaro del suo padrone.

¹⁹Dopo molto tempo viene il padrone di quei servi e li chiama al rendiconto. ²⁰Si presentò quello che aveva ricevuto cinque talenti e ne portò altri cinque, dicendo: "Signore, mi desti cinque talenti. Ecco, ne ho guadagnati altri cinque". ²¹Gli disse il padrone: "Bene, servo buono e fedele; sei stato fedele nel poco, ti darò potere su molto: entra nel gaudio del tuo signore".

²²Si presentò poi quello dei due talenti e disse: "Signore, mi desti due talenti. Ecco, ne ho guadagnati altri due". ²³Gli disse il padrone: "Bene, servo buono e fedele; sei stato fedele nel poco, ti darò potere su molto: entra nel gaudio del tuo signore".

²⁴Infine si presentò anche quello che aveva ricevuto un solo talento e disse: "Signore, sapevo che tu sei un uomo severo, che mieti dove non hai seminato e raccogli dove non hai sparso; ²⁵per questo ho avuto paura e sono andato a nascondere il tuo talento sotto terra. Ecco, prendi ciò che è tuo". ²⁶Il padrone gli rispose: "Servo malvagio e infingardo, sapevi che io mieto dove non ho seminato e raccolgo dove non ho sparso; ²⁷per questo avresti dovuto affidare il mio denaro ai banchieri, in modo che, al mio ritorno, avrei potuto ritirare il mio con l'interesse. ²⁸Perciò toglietegli il talento e datelo a quello che ne ha dieci. ²⁹Infatti, a chi ha sarà dato e sarà nell'abbondanza. Ma a chi non ha, sarà tolto anche quello che ha. ³⁰E il servo infingardo, gettatelo nelle tenebre esteriori; là sarà pianto e stridore di denti"».

Il giudizio finale. - ³¹«Quando il Figlio dell'uomo verrà nella sua maestà, accompagnato da tutti i suoi angeli, allora si siederà sul suo trono di gloria ³²e davanti a lui saranno condotte tutte le genti; egli separerà gli uni dagli altri, come il pastore separa le pecore dai capri, ³³e metterà le pecore alla sua destra, i capri invece alla sua sinistra. ³⁴Allora il Re dirà a quelli che stanno alla sua destra: "Venite, benedetti dal Padre mio, prendete possesso del regno preparato per voi sin dall'origine del mondo. ³⁵Poiché: ebbi fame e mi deste da mangiare, ebbi sete e mi deste da bere, ero pellegrino e mi ospitaste, [36]nudo e mi copriste, infermo e mi visitaste, ero in carcere e veniste a trovarmi". [37]Allora i giusti diranno: "Signore, quando ti vedemmo affamato e ti demmo da mangiare, assetato e ti demmo da bere? [38]Quando ti vedemmo pellegrino e ti ospitammo, nudo e ti coprimmo? [39]Quando ti vedemmo infermo o in carcere e venimmo a trovarti?". [40]E il Re risponderà loro: "In verità vi dico: tutto quello che avete fatto a uno dei più piccoli di questi miei fratelli, l'avete fatto a me".

[41]Quindi dirà a quelli che stanno alla sinistra: "Andate via da me, o maledetti, nel fuoco eterno, preparato per il diavolo e i suoi seguaci. [42]Poiché: ebbi fame e non mi deste da mangiare, ebbi sete e non mi deste da bere, [43]ero pellegrino e non mi ospitaste, nudo e non mi copriste, infermo e in carcere e non veniste a trovarmi". [44]Allora risponderanno anche loro dicendo: "Signore, quando ti vedemmo aver fame o sete, essere pellegrino o nudo, infermo o in carcere, e non ti abbiamo servito?". [45]Allora risponderà loro dicendo: "In verità vi dico: ciò che non avete fatto a uno di questi più piccoli, non l'avete fatto a me".

[46]E questi se ne andranno al castigo eterno, i giusti invece alla vita eterna».

GLI EVENTI PASQUALI

26

Nell'imminenza della Pasqua. - [1]Quando Gesù ebbe terminato tutti questi discorsi, disse ai suoi discepoli: [2]«Voi sapete che fra due giorni si celebra la Pasqua e il Figlio dell'uomo sarà consegnato per essere crocifisso».

[3]Allora i sommi sacerdoti e gli anziani del popolo si riunirono nel palazzo del sommo sacerdote che si chiamava Caifa [4]e tennero consiglio per arrestare Gesù con inganno e farlo morire. [5]Dicevano però: «Non durante la festa, perché non nascano tumulti fra il popolo».

Un gesto significativo. - [6]Recatosi Gesù a Betania nella casa di Simone il lebbroso, [7]mentre egli era a mensa, si avvicinò a lui una donna con in mano un vaso d'alabastro contenente un unguento prezioso che versò sulla testa di lui. [8]A quella vista i discepoli si indignarono e dissero: «Perché questo

sciupio? [9]Lo si poteva vendere a caro prezzo e darne il ricavato ai poveri».

[10]Venuto a conoscenza della cosa, Gesù disse loro: «Perché infastidite questa donna? Ella ha compiuto una buona azione verso di me; [11]poiché, mentre i poveri li avete sempre con voi, me invece non mi avrete sempre. [12]Se costei ha versato sul mio corpo questo unguento, l'ha fatto in vista della mia sepoltura. [13]In verità vi dico: dove sarà predicato questo vangelo, in tutto il mondo, si parlerà anche di ciò che essa ha fatto, a sua lode».

L'offerta di Giuda. - [14]Allora uno dei Dodici, quello chiamato Giuda Iscariota, andò dai sommi sacerdoti [15]e disse: «Quanto volete darmi perché io ve lo consegni?». Essi gli *stabilirono trenta monete d'argento.* [16]Da quel momento cercava l'occasione propizia per consegnarlo.

I preparativi per la cena pasquale. - [17]Nel primo giorno degli Azzimi i discepoli si avvicinarono a Gesù per dirgli: «Dove vuoi che prepariamo per mangiare la Pasqua?». [18]Ed egli: «Andate nella città da un tale e ditegli: "Il Maestro dice: Il mio tempo è vicino: vorrei celebrare la Pasqua insieme ai miei discepoli presso di te"». [19]I discepoli fecero come aveva ordinato loro Gesù e prepararono la Pasqua.

Annuncio del tradimento. - [20]Venuta la sera, era a mensa con i Dodici. [21]E mentre mangiavano disse: «In verità vi dico: uno di voi mi tradirà». [22]Ed essi, profondamente addolorati, cominciarono a dirgli l'uno dopo l'altro: «Sono forse io, Signore?». [23]Ed egli: «Colui che ha messo la mano con me nel piatto, questi mi tradirà. [24]Sì, il Figlio dell'uomo se ne va, come sta scritto di lui; ma guai a quell'uomo dal quale il Figlio dell'uomo è tradito! Sarebbe stato meglio per quell'uomo se non fosse mai nato».

[25]Giuda, il traditore, domandò: «Sono forse io, Rabbì?». Gli dice: «Tu l'hai detto!».

Istituzione dell'eucaristia. - [26]Mentre mangiavano, Gesù prese il pane, pronunziò la preghiera di benedizione, lo spezzò, lo diede ai suoi discepoli e disse: «Prendete e mangiate: questo è il mio corpo». [27]Quindi prese il calice, rese grazie e lo passò a loro dicendo: «Bevetene tutti: [28]questo infatti è il mio sangue dell'alleanza, che sarà versato per molti in remissione dei peccati. [29]Io vi dico: non berrò d'ora innanzi di questo frutto della vite, fino a quel giorno quando lo berrò con voi nuovo nel regno del Padre mio».

Annuncio del rinnegamento di Pietro. - [30]Poi, recitato l'inno, uscirono verso il monte degli Ulivi. [31]Quindi dice loro Gesù: «Tutti voi patirete scandalo a causa mia in questa notte; sta scritto, infatti:

> *Percuoterò il pastore*
> *e si disperderanno le pecore del gregge.*

[32]Ma dopo che sarò risorto, vi precederò in Galilea».
[33]Pietro prende la parola e gli dice: «Anche se tutti patiranno scandalo a causa tua, io no, giammai!». [34]E Gesù a lui: «In verità ti dico: in questa notte, prima che il gallo canti, mi rinnegherai tre volte». [35]E Pietro replicò: «Anche se dovessi morire con te, non ti rinnegherò». La stessa cosa dissero tutti gli altri discepoli.

La passione interiore. - [36]Giunto Gesù con loro nel campo chiamato Getsemani, dice ai discepoli: «Fermatevi qui, mentre io vado là a pregare».
[37]Preso con sé Pietro con i due figli di Zebedeo, cominciò a provare tristezza e angoscia. [38]Quindi dice loro: «Triste è l'anima mia fino alla morte: rimanete qui e vegliate con me». [39]E, scostatosi un poco, cadde con la faccia a terra e pregava dicendo: «Padre mio, se è possibile, passi da me questo calice. Però non come voglio io, ma come vuoi tu». [40]Quindi ritorna dai discepoli e, trovatili addormentati, dice a Pietro: «Così non siete stati capaci di vegliare per una sola ora con me? [41]Vegliate e pregate affinché non entriate in tentazione. Sì, lo spirito è pronto, ma la carne è debole». [42]Ancora per una seconda volta, allontanatosi, pregò dicendo: «Padre mio, se esso non può passare senza che lo beva, si compia la tua volontà!». [43]Ritornato di nuovo, li trovò addormentati: i loro occhi, infatti, erano affaticati. [44]Lasciatili, se ne andò di nuovo e per la terza volta pregò ripetendo le stesse parole.

Il tradimento. - [45]Quindi viene dai discepoli e dice loro: «Dormite ormai e riposate. Ecco, è vicina l'ora in cui il Figlio dell'uomo sarà consegnato nelle mani degli empi. [46]Alzatevi, andiamo! Ecco, colui che mi tradisce è vicino».
[47]Stava ancora parlando, quando Giuda, uno dei Dodici, sopraggiunse; insieme a lui v'era molta folla che, munita di spade e di bastoni, era stata inviata dai sommi sacerdoti e dagli anziani del popolo. [48]Il traditore aveva dato loro questo segno dicendo: «Quello che io bacerò è lui: prendetelo». [49]Subito si diresse verso Gesù e gli disse: «Salve, Rabbì!». E lo baciò. [50]E Gesù a lui: «Amico, perché sei qui?». Allora gli altri, avvicinatisi a Gesù, gli misero le mani addosso e si impadronirono di lui.

Compimento delle Scritture. - [51]Ed ecco, uno di quelli che erano con Gesù, messa mano alla spada, la sfoderò e colpì un servo del sommo sacerdote, amputandogli l'orecchio. [52]Allora dice a lui Gesù: «Rimetti la tua spada al suo posto, poiché tutti quelli che mettono mano alla spada, di spada periranno. [53]O credi che io non possa pregare il Padre mio che mandi subito in mia difesa più di dodici legioni di angeli? [54]Come dunque si adempirebbero le Scritture, le quali dicono che così deve accadere?».
[55]Poi, rivolto alla folla, disse: «Siete venuti a prendermi con spade e bastoni come si fa per un brigante. Ogni giorno ero nel tempio a insegnare e non mi avete preso. [56]Tutto ciò è accaduto affinché si adempissero le Scritture dei profeti».
Allora tutti i discepoli, abbandonatolo, si diedero alla fuga.

Processo religioso. - [57]Quelli che avevano catturato Gesù lo condussero dal sommo sacerdote Caifa, presso il quale erano convenuti gli scribi e gli anziani.
[58]Pietro lo aveva seguito da lontano fino al palazzo del sommo sacerdote e, entrato dentro, se ne stava seduto tra i servi, desideroso di vedere come andasse a finire. [59]I sommi sacerdoti e tutto il sinedrio cercavano qualche falsa testimonianza contro Gesù per condannarlo a morte; [60]ma non la trovarono, sebbene si fossero presentati molti falsi testimoni. Finalmente si fecero avanti due [61]che affermarono: «Costui ha detto: "Posso

distruggere il tempio di Dio e riedificarlo in tre giorni"». ⁶²E il sommo sacerdote, alzatosi, gli domandò: «Nulla rispondi a quanto costoro attestano contro di te?». ⁶³Ma Gesù taceva. Allora il sommo sacerdote replicò: «Ti scongiuro per il Dio vivente: dicci se tu sei il Cristo, il Figlio di Dio». ⁶⁴Gesù rispose: «Tu l'hai detto. Anzi, io dico a voi: fin da ora vedrete *il Figlio dell'uomo sedere alla destra della Potenza e venire sulle nubi del cielo*». ⁶⁵Allora il sommo sacerdote si stracciò le vesti ed esclamò: «Ha bestemmiato! Che bisogno abbiamo ancora di testimoni? Ecco: proprio ora avete udito la sua bestemmia. ⁶⁶Che ve ne pare?». Essi risposero: «È reo di morte!».

⁶⁷Poi gli sputarono in faccia e lo schiaffeggiarono; altri poi lo percossero con pugni, ⁶⁸dicendo: «Profetizzaci, o Cristo: chi ti ha percosso?».

Rinnegamento di Pietro. - ⁶⁹Pietro se ne stava seduto fuori, nel cortile, quando gli si avvicinò una serva che gli disse: «Anche tu eri con Gesù il Galileo». ⁷⁰Ma egli negò davanti a tutti dicendo: «Non so che cosa tu voglia dire». ⁷¹Andato verso l'atrio, lo vide un'altra serva, la quale disse a quelli che si trovavano lì: «Costui era con Gesù il Nazareno!». ⁷²E di nuovo negò sotto giuramento: «Non conosco quell'uomo». ⁷³Dopo un poco si avvicinarono i presenti e dissero a Pietro: «È vero, anche tu sei dei loro; infatti il tuo dialetto ti tradisce». ⁷⁴Allora cominciò a imprecare giurando: «Non conosco quell'uomo».

In quell'istante il gallo cantò. ⁷⁵Allora Pietro si ricordò delle parole che gli aveva detto Gesù: «Prima che il gallo canti, mi rinnegherai tre volte». Uscì fuori e pianse amaramente.

27

Consegna all'autorità civile. - ¹Quando si fece giorno, tutti i sommi sacerdoti e anziani del popolo tennero consiglio contro Gesù per farlo morire. ²Quindi lo legarono e, condottolo dal governatore Pilato, glielo consegnarono.

La fine del traditore. - ³Quando Giuda, il traditore, seppe che egli era stato condannato, preso da rimorso, riportò ai sommi sacerdoti e agli anziani le trenta monete

d'argento ⁴e disse: «Ho peccato tradendo il sangue innocente!». Essi risposero: «Che c'importa? Te la vedrai tu!». ⁵Egli, gettate le monete d'argento nel tempio, si allontanò e andò a impiccarsi.

⁶I capi dei sacerdoti, prese le monete d'argento, dissero: «Non si possono mettere nella cassa delle offerte, poiché è prezzo di sangue». ⁷Quindi decisero in consiglio di comprare, con quel denaro, il campo del vasaio, destinandolo alla sepoltura degli stranieri. ⁸Per questo quel campo si chiama fino ad oggi Campo del sangue. ⁹Allora si adempì quanto fu annunciato dal profeta Geremia che dice: *Presero i trenta pezzi d'argento, il prezzo di colui che è stato venduto secondo il valore stabilito dai figli d'Israele,* ¹⁰*e li versarono per il campo del vasaio, come mi ordinò il Signore.*

Processo civile. - ¹¹Gesù fu condotto alla presenza del governatore, il quale lo interrogò: «Sei tu il re dei Giudei?». E Gesù: «Tu lo dici!». ¹²E mentre i sommi sacerdoti e gli anziani lo accusavano, egli non rispondeva nulla. ¹³Allora dice a lui Pilato: «Non senti quante cose attestano contro di te?». ¹⁴Ma non gli rispose neppure una parola, con grande meraviglia del governatore.

Gesù o Barabba. - ¹⁵In occasione della festa, il governatore era solito rilasciare al popolo un detenuto a loro scelta. ¹⁶In quel tempo c'era un prigioniero distinto, di nome Barabba. ¹⁷Mentre essi erano radunati, Pilato domandò: «Chi volete che vi rilasci, Barabba o Gesù, quello che è chiamato Cristo?». ¹⁸Sapeva, infatti, che per odio l'avevano consegnato.

¹⁹Mentre egli sedeva in tribunale, sua moglie mandò a dirgli: «Nulla vi sia fra te e questo giusto, poiché oggi ho molto sofferto in sogno a causa sua».

²⁰Ma i sommi sacerdoti e gli anziani convinsero la folla a chiedere la liberazione di Barabba e la morte di Gesù. ²¹Il governatore prese dunque la parola e domandò: «Chi dei due volete che vi rilasci?». Essi risposero: «Barabba!». ²²E Pilato a loro: «Che farò, dunque, di Gesù che è chiamato Cristo?». Tutti rispondono: «Sia crocifisso!». ²³Ed egli: «Ma che male ha fatto?». Ed essi gridavano più forte: «Sia crocifisso!».

²⁴Pilato, visto che non otteneva nulla e che, anzi, stava sorgendo un tumulto, prese dell'acqua e si lavò le mani davanti alla folla, dicendo: «Sono innocente del sangue di questo giusto: voi ne risponderete». ²⁵E tutto il popolo rispose: «Il suo sangue è su noi e sui nostri figli!».

²⁶Così rilasciò loro Barabba, mentre Gesù, dopo averlo flagellato, lo consegnò perché fosse crocifisso.

Dileggio dei soldati. - ²⁷Quindi i soldati del governatore condussero Gesù nel pretorio e convocarono intorno a lui tutta la coorte. ²⁸Toltegli le vesti, gli gettarono addosso un manto scarlatto ²⁹e, intrecciata una corona di spine, la posero sulla sua testa con una canna nella destra. Inginocchiandosi davanti a lui, lo schernivano dicendo: «Salve, re dei Giudei!». ³⁰E sputando su di lui, prendevano la canna e lo colpivano sulla testa.

La "via crucis". - ³¹Quando ebbero finito di beffeggiarlo, gli tolsero il manto e lo rivestirono delle sue vesti; quindi lo portarono via per crocifiggerlo.

³²Mentre uscivano, s'imbatterono in un uomo di Cirene, di nome Simone, e lo costrinsero a portare la croce di lui.

Sul Golgota. - ³³Giunti al luogo chiamato Golgota, che vuol dire luogo del Cranio, ³⁴*gli diedero da bere vino misto a fiele.* Gustatolo, non volle bere.

³⁵Quando l'ebbero crocifisso, *si spartirono le sue vesti tirandole a sorte* ³⁶e, seduti là, gli facevano la guardia.

³⁷Al di sopra della sua testa avevano apposto la scritta della sua condanna: «*Costui è Gesù, il re dei Giudei*». ³⁸Poi crocifissero insieme a lui due ladroni, uno a destra, l'altro a sinistra.

Scherno dei Giudei. - ³⁹I passanti inveivano contro di lui scuotendo il capo ⁴⁰e dicendo: «O tu che puoi distruggere il tempio e riedificarlo in tre giorni, salva te stesso. Se sei Figlio di Dio, scendi giù dalla croce!». ⁴¹Nello stesso modo i sommi sacerdoti, insieme agli scribi e agli anziani, beffeggiandolo, ⁴²dicevano: «Ha salvato gli altri, non può salvare se stesso. Se è il re d'Israele, discenda ora dalla croce e crederemo in lui. ⁴³*Ha confidato in Dio, lo liberi ora, se lo ama. Ha detto infatti: "Sono Figlio di Dio"*». ⁴⁴Nello stesso modo lo beffeggiavano i ladroni che erano stati crocifissi con lui.

Morte. - ⁴⁵Dall'ora sesta fino all'ora nona si fece buio su tutta la terra.

⁴⁶Verso l'ora nona Gesù a gran voce gridò: «*Elì, Elì, lemà sabachthanì?*». Cioè: «*Dio mio, Dio mio, perché mi hai abbandonato?*». ⁴⁷Alcuni dei presenti, uditolo, dicevano: «Egli chiama Elia». ⁴⁸E subito uno di loro corse a prendere una spugna, la imbevve di aceto e l'avvolse intorno a una canna per dargli da bere. ⁴⁹Ma gli altri dicevano: «Aspetta. Vediamo se viene Elia a salvarlo».

⁵⁰Ma Gesù emise di nuovo un forte grido ed esalò lo spirito.

«Davvero costui era Figlio di Dio!». - ⁵¹Ed ecco, il velo del tempio si squarciò in due da cima a fondo, la terra tremò e le rocce si spaccarono; ⁵²le tombe si aprirono e molti corpi dei santi che vi giacevano risuscitarono. ⁵³Infatti dopo la risurrezione di lui uscirono dalle tombe, entrarono nella città santa e apparvero a molti.

⁵⁴Il centurione e quelli che con lui facevano la guardia a Gesù, alla vista del terremoto e di quanto accadeva, furono presi da grande spavento e dicevano: «Davvero costui era Figlio di Dio!».

⁵⁵C'erano là molte donne che stavano a guardare da lontano; avevano accompagnato Gesù dalla Galilea per servirlo; ⁵⁶fra esse c'era Maria Maddalena, Maria madre di Giacomo e di Giuseppe e la madre dei figli di Zebedeo.

Sepoltura. - ⁵⁷Quando fu sera, venne un uomo ricco di Arimatea, di nome Giuseppe, il quale era anch'egli discepolo di Gesù; ⁵⁸egli andò da Pilato e gli chiese il corpo di Gesù. Pilato ordinò che gli fosse consegnato. ⁵⁹Giuseppe quindi, preso il corpo, l'avvolse in una sindone pulita ⁶⁰e lo depose

---

27. - 45. *Ora sesta:* le 12; *ora nona:* le 15; *su tutta la terra,* cioè su Gerusalemme e dintorni, dove avvenivano le cose narrate.

46. L'esclamazione di Gesù ci lascia capire quanto profonda fosse l'amarezza della sua agonia. Tuttavia essa va intesa nel senso del Sal 22 da cui è presa, salmo di preghiera e di fiducia. L'abbandono da parte del Padre consiste nel lasciare il Figlio in balìa assoluta dei suoi mortali nemici, senza un intervento apparente in suo favore, e soprattutto, forse, in uno stato di «derelizione» interiore. La risposta vera del Padre sarà la risurrezione di Gesù.

nel proprio sepolcro, che da poco aveva scavato nella roccia. Rotolò una grossa pietra all'entrata del sepolcro e se ne andò. [61]C'erano là Maria Maddalena e l'altra Maria, sedute di fronte al sepolcro.

Il sepolcro vigilato. - [62]Il giorno seguente, cioè dopo la Parasceve, i sommi sacerdoti e i farisei si recarono insieme da Pilato [63]per dirgli: «Signore, ci siamo ricordati che quel seduttore, quando ancora era in vita, affermò: "Dopo tre giorni risorgerò". [64]Ordina perciò che la tomba sia custodita fino al terzo giorno, poiché c'è pericolo che vengano i suoi discepoli, lo portino via e poi dicano al popolo: "È risorto dai morti". Allora quest'ultima impostura sarà peggiore della prima». [65]Rispose Pilato: «Voi avete un corpo di guardia: andate e prendete le precauzioni che credete». [66]Essi andarono e assicurarono il sepolcro sigillando la pietra e mettendovi un corpo di guardia.

28

Il sepolcro vuoto. - [1]Passato il sabato, al sorgere del primo giorno della settimana, venne Maria Maddalena con l'altra Maria a far visita al sepolcro. [2]Ed ecco, vi fu un gran terremoto: un angelo del Signore, infatti, sceso dal cielo, si avvicinò, rotolò la pietra e si mise a sedere su di essa. [3]Il suo aspetto era come la folgore e le sue vesti bianche come la neve. [4]Alla sua vista le guardie rimasero sconvolte e diventarono come morte.

[5]L'angelo disse alle donne: «Non temete, voi! So che cercate Gesù crocifisso; [6]non è qui: è risorto, come aveva detto. Orsù, osservate il luogo dove giaceva. [7]E ora andate e dite ai suoi discepoli che egli è risorto dai morti e vi precede in Galilea; là lo vedrete. Ecco, ve l'ho detto».

Apparizione alle donne. - [8]Esse subito lasciarono il sepolcro e, piene di gran timore e di grande gioia insieme, corsero a portare l'annuncio ai suoi discepoli.

[9]Ed ecco: Gesù andò loro incontro dicendo: «Rallegratevi!». Esse, avvicinatesi, abbracciarono i suoi piedi e lo adorarono. [10]Allora disse loro Gesù: «Non temete; andate e annunziate ai miei fratelli che vadano in Galilea; là mi vedranno».

La corruzione dei soldati. - [11]Mentre esse erano per via, alcune delle guardie, recatesi in città, riferirono ai capi dei sacerdoti tutto l'accaduto. [12]Essi, radunatisi insieme agli anziani, dopo essersi consultati, diedero ai soldati una cospicua somma di denaro, [13]dicendo: «Dite che di notte sono venuti i discepoli di lui e l'hanno portato via, mentre noi dormivamo. [14]Se la cosa dovesse giungere per caso alle orecchie del governatore, lo convinceremo noi a non darvi noia alcuna». [15]Essi, preso il denaro, fecero secondo le istruzioni che avevano ricevuto. Così questa diceria si è diffusa presso i Giudei fino ad oggi.

Apparizione in Galilea. - [16]Gli undici discepoli se ne andarono in Galilea, sul monte, nel luogo indicato loro da Gesù. [17]Al vederlo lo adorarono; alcuni invece dubitarono. [18]Allora Gesù, avvicinatosi, disse loro: «Ogni potere mi è stato dato in cielo e in terra. [19]Andate dunque, ammaestrate tutte le genti, battezzandole nel nome del Padre e del Figlio e dello Spirito Santo, [20]insegnando loro ad osservare tutto ciò che vi ho ordinato. Ed ecco: io sono con voi tutti i giorni, sino alla fine del mondo».

---

28. - 17. Dopo la risurrezione, secondo i racconti evangelici, Gesù apparve dieci volte: alle donne al sepolcro e mentre tornavano; a Pietro; ai due di Emmaus; a parecchi in Gerusalemme, assente Tommaso, poi lui presente; presso il lago di Tiberiade; sul monte di Galilea; a mensa per l'ultima volta; all'ascensione. Ma non tutto, come dice Giovanni, è stato scritto. E Paolo nota altre apparizioni taciute dai vangeli (1Cor 15,5-8).

19. La missione qui affidata agli apostoli passò ai loro successori, i vescovi: ad essi è trasmessa ogni potestà in cielo e in terra, la missione d'insegnare a tutte le genti e di predicare il vangelo a ogni creatura, affinché tutti gli uomini, per mezzo della fede, del battesimo e dell'osservanza dei comandamenti, ottengano la salvezza.

VANGELO SECONDO MARCO

*Il secondo vangelo è attribuito a Marco, detto anche Giovanni Marco, figlio di una
Maria che aveva una casa a Gerusalemme in cui si radunavano i primi cristiani (At
12,12-17). Egli non fu discepolo di Gesù; lo fu di Barnaba, di Paolo e poi di Pietro.
La tradizione lo dice infatti «interprete di Pietro», di cui avrebbe messo in scritto la
predicazione verosimilmente a Roma verso il 65-70 d.C. Una tradizione lo dice martire
in Egitto sotto Traiano (98-117).*

*Il vangelo di Marco presenta due parti. Nella prima (1,14 - 8,26) Gesù, che pure inse-
gna e compie miracoli, ha cura di mantenere e richiedere il segreto sull'essere suo: è
il cosiddetto «segreto messianico». Si direbbe che Gesù vuole che siano i fatti stessi a
parlare. Nella seconda parte, invece (8,27 - 16,20), dopo il riconoscimento della mes-
sianicità di Gesù da parte di Pietro, Gesù stesso manifesta gradatamente l'essere suo
con il richiamo alla figura del Servo di Jhwh (8,31.38; 9,31; 10,45), venuto per portare
la salvezza al mondo con il sacrificio della propria vita. Ora Gesù si dedica più assiduamente alla formazione dei discepoli: sacrificio di sé, distacco dai legami familiari,
dalle ricchezze, dalla vita stessa caratterizzano il vero discepolo imitatore di Gesù.*

*A Gerusalemme si scontra sempre più apertamente con i nemici finché è condannato
e muore. Ma proprio con la morte compie la redenzione, è riconosciuto Figlio di Dio e
glorificato dal Padre mediante la risurrezione.*

*Scarsamente usato nella catechesi, perché quasi tutto ripreso da Matteo e Luca, sol-
tanto in quest'ultimo secolo fu posta in luce l'originalità e arcaicità di Marco, assieme
alla sua importanza come fonte degli altri due sinottici.*

INIZI DEL VANGELO

1 ¹Inizio del vangelo di Gesù Cristo, Figlio
di Dio.

Giovanni il precursore. - ²Conforme a
quanto sta scritto in Isaia profeta:

*Ecco, io mando il mio messaggero
    davanti a te,
il quale preparerà la tua via.*
³ *Voce di uno che grida nel deserto:
    Appianate la via del Signore,
    rendete dritti i suoi sentieri,*

⁴apparve Giovanni il battezzatore nel deserto, predicando un battesimo di penitenza per la remissione dei peccati. ⁵Andava-
no da lui tutti gli abitanti della regione della
Giudea e di Gerusalemme e si facevano

battezzare da lui nel fiume Giordano, mentre confessavano i loro peccati.
⁶Giovanni aveva un vestito di peli di cammello, una cintura di cuoio intorno ai fianchi e si nutriva di locuste e miele selvatico. ⁷Predicava dicendo: «Dopo di me viene uno che è più forte di me, a cui io non
sono degno di piegarmi a sciogliere i legacci dei suoi calzari. ⁸Io vi ho battezzato con
acqua; ma egli vi battezzerà con Spirito
Santo».

Battesimo di Gesù. - ⁹Ora, in quei giorni,
Gesù giunse da Nazaret di Galilea e fu battezzato da Giovanni nel Giordano. ¹⁰Quindi,
mentre risaliva dall'acqua, vide i cieli che si
squarciavano e lo Spirito che discendeva
su di lui come colomba. ¹¹E una voce venne
dai cieli: «Tu sei il Figlio mio diletto; in te mi
sono compiaciuto».

La tentazione. - [12]Successivamente lo Spirito lo spinse nel deserto. [13]Egli rimase nel deserto quaranta giorni, tentato da Satana. Era con le fiere e gli angeli lo servivano.

MINISTERO IN GALILEA

[14]Dopo che Giovanni fu arrestato, Gesù venne in Galilea, predicando il vangelo di Dio. [15]Diceva: «Il tempo è compiuto e il regno di Dio è giunto: convertitevi e credete al vangelo».

I primi discepoli. - [16]Passando lungo il mare di Galilea, vide Simone e Andrea, fratello di Simone, che gettavano le reti in mare. Infatti erano pescatori. [17]Disse loro Gesù: «Seguitemi e vi farò diventare pescatori di uomini». [18]Prontamente, essi, lasciate le reti, lo seguirono.
[19]Procedendo poco più oltre, vide Giacomo di Zebedeo e Giovanni suo fratello, che stavano anch'essi sulla barca, rassettando le reti, [20]e subito li chiamò. Essi, lasciato il loro padre Zebedeo con gli operai sulla barca, gli andarono appresso.

Nella sinagoga di Cafarnao. - [21]Vanno a Cafarnao. Quindi egli, entrato di sabato nella sinagoga, si mise a insegnare. [22]E si stupivano del suo insegnamento, giacché li ammaestrava come uno che ha autorità e non come gli scribi.

Guarigione di un indemoniato. - [23]Vi era nella loro sinagoga un uomo posseduto da uno spirito immondo, il quale si mise a gridare: [24]«Che c'è fra noi e te, Gesù Nazareno? Sei venuto a rovinarci? lo so chi tu sei: il Santo di Dio!». [25]Ma Gesù lo sgridò dicendogli: «Taci ed esci da lui!». [26]Allora lo spirito impuro lo scosse violentemente, poi mandò un grande grido e uscì da lui. [27]Tutti furono presi da spavento, tanto che si chiedevano tra loro: «Che è mai questo? Una dottrina nuova, data con autorità. Comanda perfino agli spiriti impuri e questi gli ubbidiscono». [28]Quindi la sua fama si sparse ovunque, per tutta la regione della Galilea.

Nella casa di Pietro. - [29]Usciti dalla sinagoga, vennero nella casa di Simone e Andrea, insieme con Giacomo e Giovanni. [30]Or la suocera di Simone giaceva a letto con la febbre e subito gli parlarono di lei. [31]Avvicinatosi, le prese la mano e la fece alzare. La febbre la lasciò ed ella si mise a servirli. [32]Venuta la sera, quando il sole fu tramontato, gli conducevano ogni sorta di malati e di indemoniati. [33]Tutta la città si era raccolta davanti alla porta! [34]Egli guarì molti malati di varie malattie e scacciò molti demòni, ma non permetteva che i demòni parlassero, perché lo conoscevano bene.

Peregrinazioni apostoliche. - [35]La mattina dopo, molto presto, alzatosi uscì e si ritirò in un luogo solitario, ove rimase a pregare. [36]Allora Simone con i suoi compagni si mise a cercarlo; [37]e, avendolo trovato, gli dicono: «Tutti ti cercano!». [38]Dice loro: «Andiamo altrove, nei villaggi vicini, per predicare anche là. Per questo, infatti, sono uscito». [39]E se ne andò predicando nelle loro sinagoghe per tutta la Galilea e scacciando i demòni.

Guarigione di un lebbroso. - [40]Gli si avvicina un lebbroso e lo supplica in ginocchio dicendogli: «Se vuoi, puoi mondarmi». [41]Mossosi a compassione, Gesù stese la mano, lo toccò e gli disse: «Sì, lo voglio; sii mondato!». [42]Subito la lebbra si allontanò da lui e fu mondato. [43]Quindi, con tono severo, lo mandò via [44]dicendogli: «Bada di non dir niente a nessuno; piuttosto va' a mostrarti al sacerdote e offri, in testimonianza per essi, quanto prescritto da Mosè per la tua purificazione». [45]Quegli, però, allontanatosi di lì, incominciò a proclamare insistentemente e a divulgare il fatto, sicché Gesù non poteva più entrare apertamente in una città, ma se ne restava fuori, in luoghi solitari. Tuttavia la gente accorreva a lui da ogni parte.

2 **Guarigione di un paralitico.** - [1]Rientrato dopo alcuni giorni a Cafarnao, si venne a sapere che era in casa [2]e vi accorsero in così grande numero che non vi era più spazio, nemmeno davanti alla porta, mentre egli annunciava la parola. [3]Giunsero pure alcuni che accompagnavano un paralitico,

---

1. - 21. L'evangelista inizia qui la narrazione di una serie di miracoli, poiché essi sono la dimostrazione più facile e chiara del potere divino di chi li compie in proprio nome.
35. Gesù non operava e non predicava soltanto: la sua vita era intessuta di preghiera con cui s'intratteneva con il Padre.

sostenuto da quattro uomini. [4]Ma non potendo avvicinarsi a lui a causa della folla, scoperchiarono il tetto sul punto ove egli si trovava e, praticato un foro, calarono giù il lettuccio su cui giaceva il paralitico. [5]Gesù, allora, vedendo la loro fede, disse al paralitico: «Figliolo, ti sono rimessi i tuoi peccati!». [6]Or vi erano là alcuni scribi che, stando seduti, pensavano nei loro cuori: [7]«Perché costui parla in tal modo? Egli bestemmia! Chi può rimettere i peccati, se non Dio solo?». [8]Ma Gesù, avendo conosciuto subito nel suo spirito che così pensavano, dice loro: «Perché pensate tali cose nei vostri cuori? [9]Che è più facile: dire al paralitico: "Ti sono rimessi i tuoi peccati", oppure dire: "Sorgi, prendi il tuo lettuccio e cammina"? [10]Ora, affinché sappiate che il Figlio dell'uomo ha potestà di rimettere i peccati sulla terra – dice al paralitico –: [11]Dico a te: sorgi, prendi il tuo lettuccio e vattene a casa». [12]Allora quello si alzò, prese subito il lettuccio e se ne uscì alla presenza di tutti; sicché tutti ne restarono stupefatti e lodavano Dio dicendo: «Non abbiamo mai visto nulla di simile!».

Vocazione di Levi. - [13]Uscito di nuovo lungo la riva del mare, tutta la gente andava da lui ed egli la istruiva. [14]Andando più avanti, vide Levi, figlio di Alfeo, che stava seduto al banco dei gabellieri e gli disse: «Seguimi!». E quello, alzatosi, lo seguì. [15]Or avvenne che mentre egli stava a tavola in casa di lui, molti pubblicani e peccatori si erano seduti insieme a Gesù e ai suoi discepoli, giacché erano molti quelli che lo seguivano. [16]Gli scribi dei farisei, vedendo che egli mangiava assieme ai peccatori e ai pubblicani, dicevano ai suoi discepoli: «Perché mangia assieme ai pubblicani e ai peccatori?». [17]Ma egli, udito ciò, rispose loro: «Non sono i sani che hanno bisogno del medico, ma gli ammalati. Non sono venuto a chiamare i giusti, ma i peccatori».

Questione sul digiuno. - [18]In quel tempo i discepoli di Giovanni e i farisei stavano facendo un digiuno. Allora vengono alcuni e gli dicono: «Perché i discepoli di Giovanni e i discepoli dei farisei digiunano, mentre i tuoi discepoli non digiunano?». [19]Rispose loro Gesù: «Possono forse gli invitati a nozze digiunare mentre lo sposo è ancora con loro? Per tutto il tempo che hanno lo sposo con loro, non possono digiunare. [20]Verrà il tempo, tuttavia, in cui lo sposo sarà loro tolto via, e allora, in quel giorno, digiuneranno. [21]Nessuno cuce una toppa di panno grezzo su un vestito vecchio; altrimenti il panno nuovo, che è stato aggiunto, rompe quello vecchio e lo strappo diventa peggiore. [22]Similmente nessuno mette vino nuovo in otri vecchi, ma vino nuovo in otri nuovi; altrimenti il vino fa scoppiare gli otri e così si perdono e vino e otri».

Le spighe raccolte di sabato. - [23]Or mentre egli, di sabato, passava attraverso i campi seminati, i suoi discepoli durante il cammino si misero a raccogliere le spighe. [24]I farisei, perciò, gli dissero: «Guarda! Perché fanno ciò che di sabato non è lecito?». [25]Rispose loro: «Non avete mai letto ciò che fece Davide, quando si trovò nel bisogno e tanto lui quanto i suoi compagni avevano fame? [26]Come, cioè, al tempo del sommo sacerdote Abiatar entrò nella casa di Dio e mangiò i pani sacri, che non possono mangiare se non i sacerdoti, e ne diede pure ai suoi compagni?». [27]E diceva loro: «Il sabato è fatto per l'uomo e non l'uomo per il sabato. [28]Pertanto il Figlio dell'uomo è padrone anche del sabato».

3 **L'uomo dalla mano paralizzata.** - [1]Entrò di nuovo nella sinagoga, nella quale vi era un uomo che aveva una mano paralizzata, [2]ed essi stavano ad osservarlo per vedere se lo avrebbe guarito di sabato, per poterlo accusare. [3]Dice all'uomo che aveva la mano paralizzata: «Lèvati su, in mezzo!». [4]Quindi domanda loro: «È lecito di sabato far del bene o far del male? Salvare una vita o sopprimerla?». Ma essi tacevano. [5]Allora, volgendo su di loro lo sguardo con sdegno e rattristato per la durezza del loro cuore, disse all'uomo: «Stendi la mano!». Quello la stese e la sua mano fu risanata. [6]Ma i farisei, usciti di lì, tennero subito consiglio con gli erodiani contro di lui, per vedere come farlo perire.

Mc

---

2. - 4. *Scoperchiarono il tetto*: le case palestinesi erano per lo più coperte da una leggera terrazza fatta di canne e terriccio; era perciò facile praticarvi un'apertura. Alla terrazza si accedeva per una scala esterna.

In riva al lago. - [7]Allora Gesù si ritirò con i suoi discepoli presso il lago e dalla Galilea una grande moltitudine lo seguì. Anche dalla Giudea, [8]da Gerusalemme, dall'Idumea, dalla regione oltre il Giordano e da quella intorno a Tiro e Sidone, una grande moltitudine, avendo saputo quanto egli faceva, venne a lui. [9]Perciò disse ai suoi discepoli di tenergli pronta una barca, a motivo della folla, per non restarne schiacciato. [10]Difatti ne guariva molti, per cui tutti quelli che erano afflitti da malanni si pigiavano intorno a lui per toccarlo. [11]Gli spiriti immondi, poi, quando lo vedevano, gli cadevano ai piedi e gridavano dicendo: «Tu sei il Figlio di Dio». [12]Ma egli insistentemente li rimproverava, affinché non lo facessero conoscere.

Scelta dei Dodici. - [13]Poi salì sulla montagna e chiamò a sé quelli che volle; ed essi gli andarono vicino. [14]Quindi ne stabilì dodici, che chiamò apostoli, perché stessero con lui e potesse inviarli a predicare [15]col potere di scacciare i demòni.
[16]Così, dunque, egli costituì i Dodici: Simone, a cui pose il nome di Pietro, [17]Giacomo di Zebedeo e Giovanni, fratello di Giacomo, ai quali impose il nome di Boanerghes, cioè «Figli del tuono»; [18]Andrea, Filippo, Bartolomeo, Matteo, Tommaso, Giacomo di Alfeo, Taddeo, Simone il Cananeo [19]e Giuda Iscariota, che poi lo tradì.

Gesù e Beelzebul. - [20]Viene a casa e si raduna di nuovo tanta folla che non potevano neppure prendere cibo. [21]Udito ciò, i suoi vennero per impadronirsi di lui, poiché dicevano: «È fuori di sé!».
[22]Gli scribi scesi da Gerusalemme a loro volta dicevano: «È posseduto da Beelzebul»; e ancora: «Scaccia i demòni nel nome del principe dei demòni». [23]Allora egli, chiamatili presso di sé, disse loro in parabole: «Come può Satana scacciare Satana? [24]Se un regno è diviso in se stesso, quel regno non può sussistere. [25]Come pure se una casa è divisa in se stessa, quella casa non potrà sussistere. [26]Ora se Satana è insorto contro se stesso e si è diviso, non può resistere, anzi è giunto alla fine. [27]Piuttosto, nessuno che sia penetrato nella casa di un uomo forte può depredare i suoi beni, se prima non abbia legato quel forte. Soltanto allora potrà saccheggiare la sua casa. [28]In verità vi dico che ai figli degli uomini saranno rimessi tutti i peccati, anche le bestemmie, per quanto abbiano potuto bestemmiare. [29]Ma colui che avrà bestemmiato contro lo Spirito Santo non avrà remissione in eterno, ma sarà reo di peccato in eterno». [30]Quelli, infatti, dicevano: «È posseduto da uno spirito immondo».

I veri parenti di Gesù. - [31]Giungono poi sua madre e i suoi fratelli, che, fermatisi di fuori, lo mandano a chiamare. [32]La folla intanto gli stava seduta intorno. Gli dicono: «Ecco, tua madre e i tuoi fratelli, fuori, ti cercano». [33]Risponde loro: «Chi è mia madre e chi sono i miei fratelli?». [34]Poi, guardando in giro quelli che gli sedevano intorno, dice: «Ecco mia madre e i miei fratelli! [35]Chi fa la volontà di Dio, questi è mio fratello, mia sorella e mia madre».

4 Parabola del seminatore. - [1]Poi di nuovo incominciò a insegnare in riva al mare, e fu tanta la folla che si radunò intorno a lui, che dovette salire e sedersi su una barca, stando in mare, mentre tutta la folla rimase sulla terra, lungo la riva. [2]Insegnava loro molte cose per mezzo di parabole e durante il suo insegnamento diceva loro: [3]«Ascoltate! Ecco, il seminatore uscì a seminare. [4]Or avvenne che, mentre egli seminava, parte del seme cadde lungo il sentiero, vennero gli uccelli e lo beccarono. [5]Altra parte cadde su suolo roccioso, in cui non v'era molta terra, e subito germogliò, poiché il terreno non era profondo; [6]ma quando si levò il sole, fu arso dal calore e si seccò, poiché non aveva radici. [7]Altra parte cadde fra le spine e quando le spine lo soffocarono e non portò frutto. [8]Altre parti, però, caddero in terra buona e diedero frutto, che crebbe e si sviluppò, rendendo quale il trenta, quale il sessanta e quale il cento». [9]Poi aggiunse: «Chi ha orecchi da intendere, intenda!».

Il perché delle parabole. - [10]Quando fu solo, i discepoli con i Dodici lo interrogarono sulle parabole [11]ed egli rispose loro: «A voi è stato dato il mistero del regno di Dio, ma per quelli che sono fuori tutto avviene in parabole, [12]affinché

vedendo vedano, ma non intendano,
e ascoltando ascoltino,
ma non comprendano,

perché non avvenga che si convertano e sia loro perdonato».

Spiegazione della parabola del seminatore.

- [13]Dice loro: «Non capite questa parabola? E come comprenderete tutte le parabole? [14]Il seminatore semina la parola. [15]Quelli lungo il sentiero sono coloro nei quali la parola è seminata; quando la odono, subito viene Satana e porta via la parola in essi seminata. [16]Parimenti ci sono di quelli che ricevono il seme come su un suolo roccioso; questi, quando odono la parola, subito l'accolgono con gioia; [17]ma siccome non hanno radici in se stessi perché sono instabili, quando sorge una tribolazione o una persecuzione a causa della parola, subito si scandalizzano. [18]Ce ne sono altri che ricevono il seme come fra le spine: sono coloro che hanno ascoltato la parola, [19]ma sopraggiungono le cure del mondo, la seduzione delle ricchezze, le cupidigie di ogni altro genere e soffocano la parola, che diventa infruttuosa. [20]Finalmente ci sono quelli che ricevono il seme come su terra buona: sono coloro che ascoltano la parola, l'accolgono e portano frutto, chi il trenta, chi il sessanta e chi il cento».

Raccolta di parabole e sentenze.

- [21]Diceva loro: «Si porta forse la lampada per metterla sotto il moggio o sotto il letto? O non piuttosto per metterla sopra il candeliere? [22]Infatti, non c'è cosa nascosta se non perché sia manifestata, né cosa segreta che non venga alla luce. [23]Chi ha orecchi da intendere, intenda!».
[24]Diceva loro: «Fate attenzione a ciò che ascoltate! Con la misura con cui misurate, sarà misurato anche a voi e vi sarà aggiunto ancora di più. [25]Poiché a chi ha, sarà dato; ma a chi non ha sarà tolto anche ciò che ha».

Parabola del seme.

- [26]Diceva: «Così è il regno di Dio: come un uomo che abbia gettato il seme in terra, [27]e poi dorme e veglia, di notte e di giorno, mentre il seme germina e si sviluppa, senza che egli sappia come. [28]La terra da sé produce prima l'erba, poi la spiga e poi nella spiga il grano pieno. [29]Quando, infine, il frutto lo permette, subito si mette mano alla falce, poiché è giunta la mietitura».

Il granello di senapa.

- [30]Diceva ancora: «A che cosa possiamo paragonare il regno di Dio? Ovvero: con quale parabola lo rappresenteremo? [31]È come un granello di senapa che, quando viene seminato sulla terra, è il più piccolo dei semi che sono sulla terra; [32]ma una volta che è stato seminato, cresce e diventa più grande di tutti gli erbaggi e produce rami tanto grandi che gli uccelli del cielo possono rifugiarsi sotto la sua ombra».

Conclusione del discorso delle parabole.

- [33]Con molte parabole di questo genere annunciava loro la parola, secondo che erano capaci di intenderla, [34]e senza parabole non parlava loro; ma ai suoi discepoli in privato spiegava poi ogni cosa.

La tempesta sedata.

- [35]In quello stesso giorno, fattasi sera, dice loro: «Passiamo all'altra riva». [36]E quelli, licenziata la folla, lo prendono nella barca così come si trovava, mentre altre barche lo seguivano.
[37]Si scatena una grande bufera di vento e le onde si abbattevano sulla barca, al punto che la barca già si riempiva. [38]Egli intanto stava a poppa e dormiva su un cuscino. Perciò lo svegliano e gli dicono: «Maestro, non t'importa nulla che periamo?». [39]Egli allora, svegliatosi, sgridò il vento e disse al mare: «Taci! Calmati!». Il vento cessò e si fece gran bonaccia. [40]Quindi disse loro: «Perché siete paurosi? Non avete ancora fede?». [41]Essi allora furono presi da gran timore e si dicevano l'un l'altro: «Chi è dunque costui, che anche il vento e il mare gli ubbidiscono?».

5 L'indemoniato di Gerasa.

- [1]Giunsero all'altra parte del mare, nella regione dei Geraseni; [2]appena Gesù fu smontato dalla barca, subito gli si fece incontro, di tra le tombe, un uomo posseduto da uno spirito immondo, [3]che aveva la sua dimora nelle tombe e nessuno riusciva più a legarlo nemmeno con catene, [4]poiché più volte, legato con ceppi e catene, aveva spezzato le catene e rotto i ceppi e nessuno era riuscito a domarlo. [5]Se ne stava sempre tra i sepolcri e sui monti, notte e giorno, urlando e percuotendosi con pietre.
[6]Or avendo visto Gesù da lontano, di corsa andò a prostrarglisi davanti. [7]Quindi, gri-

dando a gran voce, gli dice: «Che c'è fra me e te, Gesù, Figlio del Dio Altissimo? Ti scongiuro, per Iddio: non mi tormentare!». [8]Gesù, infatti, gli diceva: «Esci da quest'uomo, spirito immondo!». [9]Gli domandò: «Qual è il tuo nome?». Gli rispose: «Legione è il mio nome, poiché siamo molti». [10]E lo supplicava vivamente di non scacciarli fuori dalla regione.

[11]Ora v'era lì, sulla montagna, una grossa mandria di porci che pascolava. [12]Allora lo supplicarono dicendogli: «Mandaci in quei porci, perché possiamo entrare in essi»; [13]egli lo permise loro. Allora gli spiriti immondi, usciti dall'uomo, entrarono nei porci; la mandria si precipitò giù per un dirupo nel mare e in circa duemila affogarono nel mare. [14]I loro guardiani fuggirono per recare la notizia in città e nelle campagne e la gente venne a vedere ciò che era accaduto. [15]Giunti presso Gesù, videro l'indemoniato, seduto, vestito e sano di mente, lui che prima aveva avuto la Legione, ed ebbero paura. [16]Poi, avendo i presenti raccontato loro ciò che era accaduto all'indemoniato e ai porci, [17]incominciarono a supplicarlo di allontanarsi dal loro territorio.

[18]Mentre Gesù saliva sulla barca, l'uomo che era stato posseduto dal demonio lo supplicava di poter stare con lui; [19]ma egli non glielo permise. Gli disse invece: «Va' a casa tua dai tuoi e annuncia loro quanto il Signore ti ha fatto e come ha avuto pietà di te». [20]Quello se ne andò e incominciò a proclamare nella Decapoli quanto Gesù gli aveva fatto, e tutti ne restavano meravigliati.

La figlia di Giairo e l'emorroissa. - [21]Passato Gesù di nuovo all'altra riva, una grande folla si radunò intorno a lui, che se ne stava sulla spiaggia del mare. [22]Ora giunse uno dei capi della sinagoga, di nome Giairo, che, appena lo ebbe visto, gli si gettò ai piedi [23]e lo pregava con insistenza: «La mia figlioletta è agli estremi. Vieni e imponile le mani, affinché sia salva e viva». [24]Gesù andò con lui e una grande folla lo seguiva e gli si stringeva attorno.

[25]Ora una donna, che da dodici anni era affetta da un flusso di sangue [26]e aveva sofferto molto sotto molti medici, spendendo tutto il suo patrimonio senza averne alcun giovamento, anzi piuttosto peggiorando, [27]avendo inteso parlare di Gesù, si ficcò in mezzo alla folla e da dietro gli toccò la veste. [28]Infatti si era detta: «Se riuscirò a toccargli anche solo le vesti, sarò salva». [29]Immediatamente la sorgente del suo sangue si seccò ed ella sentì nel suo corpo che era stata guarita dal male. [30]Anche Gesù, avendo avvertito subito in se medesimo che una forza era uscita da lui, rivoltosi verso la folla domandò: «Chi mi ha toccato le vesti?». [31]Gli risposero i suoi discepoli: «Vedi bene la folla che ti stringe attorno e domandi: "Chi mi ha toccato?"». [32]Ma egli si guardava attorno per vedere la donna che aveva fatto ciò. [33]Allora la donna, timorosa e tremante, ben sapendo ciò che le era accaduto, si avvicinò, gli si gettò ai piedi e gli disse tutta la verità. [34]Quindi egli le disse: «Figlia, la tua fede ti ha salvata. Va' in pace e sii sanata dal tuo male».

[35]Gesù stava ancora parlando, quando dalla casa del capo della sinagoga giunsero alcuni che dissero a quest'ultimo: «Tua figlia è morta! Perché importuni ancora il Maestro?». [36]Ma Gesù, avendo inteso per caso il discorso che facevano, disse al capo della sinagoga: «Non temere, ma solamente abbi fede!». [37]E non permise che alcuno lo seguisse, all'infuori di Pietro, Giacomo e Giovanni, fratello di Giacomo.

[38]Giunti alla casa del capo della sinagoga, egli avvertì il fracasso di quelli che piangevano e si lamentavano fortemente. [39]Perciò, entrato, disse loro: «Perché fate chiasso e piangete? La fanciulla non è morta, ma dorme». [40]Quelli incominciarono a deriderlo. Ma egli, messili fuori tutti, prese con sé il padre della fanciulla con la madre e i discepoli ed entrò dove si trovava la fanciulla. [41]Quindi, presa la mano della fanciulla, le disse: «*Talithà kum!*», che tradotto significa: «Fanciulla, ti dico, sorgi!». [42]Subito la fanciulla si alzò e si mise a camminare. Aveva, infatti, dodici anni. Essi furono presi da grande stupore. [43]Ma Gesù comandò loro insistentemente che nessuno lo venisse a sapere e ordinò che le si desse da mangiare.

6 *Gesù a Nazaret.* - [1]Uscito di lì, Gesù venne nella sua patria, accompagnato dai suoi discepoli. [2]Venuto il sabato, si mise a insegnare nella sinagoga e i molti ascoltatori, stupiti, dicevano: «Donde ha costui tali cose? Che sapienza è quella che gli è stata data? E che miracoli avvengono per le sue mani? ³Non è egli il falegname, il figlio di Maria e fratello di Giacomo, di Giuseppe, di Giuda e di Simone? E le sue sorelle non sono qui tra noi?». E si scandalizzavano di lui. ⁴Gesù, però, diceva loro: «Non c'è profeta che sia disprezzato se non nella sua patria, tra i suoi parenti e nella sua casa». ⁵Non poté farvi alcun miracolo, ma soltanto guarire pochi infermi, imponendo loro le mani, ⁶ed era meravigliato della loro incredulità.

Missione dei Dodici. - Egli percorreva i villaggi all'intorno e insegnava. ⁷Chiamati a sé i Dodici, incominciò a inviarli a due a due, dando loro il potere sopra gli spiriti immondi. ⁸Comandò loro che, ad eccezione di un bastone, non prendessero nulla per il viaggio: né pane, né bisaccia, né denaro nella cintura; ⁹che calzassero i sandali, ma non indossassero due tuniche. ¹⁰Diceva loro: «Dovunque entriate in una casa, rimanetevi finché non partiate di là. ¹¹Ma se in un luogo non vi si ricevesse né vi si desse ascolto, andate via di là e scuotete la polvere da sotto i vostri piedi in testimonianza contro di essi». ¹²Essi partirono, predicando che si convertissero; ¹³scacciavano molti demòni, ungevano con olio molti malati e li guarivano.

Il giudizio di Erode. - ¹⁴Il re Erode udì parlare di Gesù, giacché il suo nome era diventato famoso e alcuni dicevano: «Giovanni il Battista è risorto dai morti e perciò il potere dei miracoli opera in lui». ¹⁵Altri invece dicevano: «È Elia»; altri ancora: «È un profeta: uno come gli altri». ¹⁶Erode invece, udendo queste cose, diceva: «Quel Giovanni che io feci decapitare è risorto».

Morte di Giovanni Battista. - ¹⁷Erode, infatti, aveva mandato ad arrestare Giovanni e lo aveva fatto incatenare in una prigione a motivo di Erodiade, moglie di suo fratello Filippo, che egli aveva sposata. ¹⁸Giovanni, infatti, diceva ad Erode: «Non ti è lecito avere la moglie di tuo fratello». ¹⁹Per questo Erodiade lo odiava e voleva farlo uccidere; ma non poteva, ²⁰perché Erode temeva Giovanni e, sapendolo uomo giusto e santo, lo difendeva, faceva molte cose dopo averlo udito e lo ascoltava volentieri. ²¹Giunse però il giorno propizio, allorché

Erode per il suo genetliaco offrì un banchetto ai prìncipi, agli ufficiali e ai notabili della Galilea. ²²Presentatasi la figlia della medesima Erodiade, ballò e piacque ad Erode e ai commensali. Erode disse perciò alla fanciulla: «Chiedimi ciò che vuoi ed io te lo darò». ²³Quindi le giurò: «Qualunque cosa mi chiederai, te la darò, fosse pure la metà del mio regno». ²⁴Allora ella, uscita, disse a sua madre: «Cosa devo chiedere?». Quella rispose: «La testa di Giovanni il Battista». ²⁵Rientrata subito in fretta dal re, gli disse: «Voglio che tu mi dia subito su un bacile la testa di Giovanni il Battista». ²⁶Allora il re, pur essendosi fatto molto triste, a causa del giuramento e dei commensali non volle farle un rifiuto. ²⁷Pertanto mandò subito un carnefice e gli ordinò di portare la testa di Giovanni. Questi andò, lo decapitò dentro la stessa prigione ²⁸e portò la testa di lui su un bacile, la diede alla fanciulla e la fanciulla la diede a sua madre. ²⁹I discepoli di lui, saputa la cosa, vennero, presero il suo cadavere e lo deposero in un sepolcro.

Ritorno degli apostoli. - ³⁰Gli apostoli si radunarono presso Gesù e gli riferirono tutto ciò che avevano fatto e ciò che avevano insegnato. ³¹Egli disse loro: «Venite in disparte, in un luogo solitario, e riposatevi un poco». Infatti quelli che venivano e andavano erano così numerosi che non avevano neppure il tempo di mangiare. ³²Perciò in barca si diressero verso un luogo solitario e appartato; ³³ma molti, avendoli visti partire, compresero e a piedi, da tutte le città, accorsero in quel luogo e giunsero prima di essi.

Prima moltiplicazione dei pani. - ³⁴Sbarcando, egli vide una grande folla e ne ebbe pietà, poiché erano come pecore che non hanno pastore. Allora incominciò ad insegnare loro molte cose; ³⁵ma, essendosi fatto molto tardi, i suoi discepoli gli si avvicinarono e gli dissero: «Il luogo è solitario ed è già molto tardi. ³⁶Congedali, affinché vadano nelle campagne e nei villaggi all'intorno e si comprino qualcosa da mangiare». ³⁷Rispose loro: «Date voi a loro da mangiare!». Gli dicono: «Dobbiamo noi andare a comprare duecento denari di pane per dar loro da mangiare?». ³⁸Dice loro: «Quanti pani avete? Andate a vedere!». Quelli, informatisi, gli dicono: «Cinque, e due pesci».

[39]Allora ordinò loro di farli accomodare tutti, a gruppi, sull'erba verde. [40]Si adagiarono a gruppi regolari di cento e di cinquanta [41]ed egli, presi i cinque pani e i due pesci, alzando gli occhi al cielo, li benedì, spezzò i pani e li diede ai discepoli, perché li distribuissero; quindi fece dividere anche i due pesci fra tutti. [42]Mangiarono tutti a sazietà [43]e si raccolsero dodici ceste piene di frammenti, e anche dei pesci. [44]Quelli che avevano mangiato i pani erano cinquemila uomini.

Gesù cammina sulle acque. - [45]Subito dopo egli costrinse i suoi discepoli a montare in barca e a precederlo sull'altra riva, verso Betsaida, mentre egli avrebbe congedato la folla. [46]Quindi, accomiatatosi da loro, se ne andò sul monte a pregare. [47]Giunta la notte, mentre la barca era in mezzo al mare, egli era solo a terra. [48]Ma poi, avendo visto che essi erano stanchi di remare poiché il vento era loro contrario, verso la quarta vigilia venne verso di loro camminando sul mare. Avrebbe voluto sorpassarli; [49]ma quelli, avendolo scorto camminare sul mare, credettero che fosse un fantasma e si misero a gridare. [50]Lo avevano visto tutti, infatti, e si erano spaventati. Ma egli rivolse ad essi subito la parola e disse loro: «Coraggio! Sono io; non abbiate paura!». [51]Quindi salì con essi nella barca e il vento cessò, mentre essi internamente erano pieni di stupore. [52]Infatti non avevano capito il fatto dei pani, essendo il loro cuore insensibile.

Guarigioni a Genesaret. - [53]Compiuta la traversata, giunsero a Genesaret e vi approdarono. [54]Appena furono scesi dalla barca, però, subito alcuni lo riconobbero [55]e, percorrendo tutta quella regione, si misero a portargli su barelle i malati, ovunque sentivano che egli si trovava. [56]Dovunque entrava, nei villaggi o nelle città o nelle campagne, collocavano gli infermi sulle piazze e lo pregavano di poter toccare anche solo il lembo del suo mantello; e quanti lo toccavano erano risanati.

7 **La tradizione degli antichi.** - [1]Si radunarono intorno a Gesù i farisei e alcuni scribi, venuti da Gerusalemme, [2]i quali notarono che alcuni dei suoi discepoli prendevano i pasti con mani impure, ossia non lavate. [3]I farisei, infatti, come tutti i Giudei, non mangiano se prima non si sono lavati accuratamente le mani, secondo la tradizione ricevuta dagli antichi; [4]e anche tornando dal mercato, non mangiano senza prima essersi purificati. Vi sono, inoltre, molte altre cose che essi hanno ricevuto e che devono rispettare, come lavature di coppe, di orciuoli e di vasi di rame.

[5]I farisei e gli scribi, dunque, gli domandarono: «Perché i tuoi discepoli non si comportano secondo la tradizione degli antichi, ma mangiano il pane con mani impure?». [6]Rispose loro: «Bene di voi, ipocriti, ha profetato Isaia, secondo quanto sta scritto:

Questo popolo mi onora con le labbra,
ma il loro cuore è lontano da me.
[7] *Invano, però, mi prestano culto,*
mentre insegnano dottrine
che sono precetti di uomini.

[8]Infatti, lasciando da parte i comandamenti di Dio, voi vi attaccate alla tradizione degli antichi».
[9]Diceva ancora loro: «Con disinvoltura voi abrogate il comandamento di Dio per stabilire la vostra tradizione. [10]Mosè, infatti, ha detto: *Onora tuo padre e tua madre*; e: *Chi oltraggia il padre e la madre sia punito con la morte*. [11]Voi, invece, dite che se uno dice al padre o alla madre: *Corbàn*, cioè: sia offerta sacra ciò che da parte mia dovresti ricevere, [12]non gli lasciate fare più nulla per il padre o per la madre. [13]Così annullate la parola di Dio per la tradizione che voi stessi vi siete tramandata. E di cose simili a questa ne fate ancora molte».

[14]Quindi, chiamata a sé di nuovo la folla, diceva loro: «Ascoltatemi tutti e intendete! [15]Non c'è nulla di esterno all'uomo che, entrando in lui, possa contaminarlo. Piuttosto sono le cose che escono dall'uomo quelle che contaminano l'uomo. [16]Chi ha orecchi da intendere, intenda!».

[17]Quando poi fu entrato in casa, lontano dalla folla, i suoi discepoli lo interrogarono

7. - 3-4. L'evangelista accenna, per i lettori provenienti dal paganesimo, ad alcune prescrizioni ebraiche, affinché possano meglio comprendere i rimproveri che Gesù rivolge agli scribi e ai farisei.

11. *Corbàn* significa «dono» o «offerta sacra». Secondo i farisei, qualunque cosa fosse stata dichiarata offerta sacra diveniva proprietà del tempio, consacrata a Dio.

intorno a tale parabola. [18]Egli disse loro: «Anche voi siete ancora privi di intelligenza? Non capite che tutto ciò che di esterno entra nell'uomo non può contaminarlo, [19]giacché non entra nel suo cuore, bensì nel ventre per finire poi nella fogna?». Così dichiarava puri tutti gli alimenti. [20]E diceva: «Ciò che esce dall'uomo, questo, sì, contamina l'uomo. [21]Dall'interno, cioè dal cuore degli uomini, procedono i cattivi pensieri, le fornicazioni, i furti, le uccisioni, [22]gli adulteri, le cupidigie, le malvagità, l'inganno, la lascivia, l'invidia, la bestemmia, la superbia e la stoltezza. [23]Tutte queste cose malvagie procedono dall'interno e contaminano l'uomo».

La donna sirofenicia. - [24]Partito di là, andò nel territorio di Tiro e di Sidone, ed essendo entrato in una casa voleva che nessuno lo sapesse, ma non poté restare nascosto. [25]Anzi, ben presto una donna, la cui figliola era posseduta da uno spirito immondo, avendo sentito parlare di lui, venne e gli si gettò ai piedi. [26]La donna era pagana e sirofenicia di origine. Lo pregò di scacciare il demonio da sua figlia, [27]ma egli le disse: «Lascia che prima siano saziati i figli, perché non sta bene prendere il pane dei figli e gettarlo ai cagnolini». [28]Quella, allora, replicò: «Sì, Signore, ma anche i cagnolini sotto la tavola mangiano le briciole dei figli!». [29]Egli, perciò, le disse: «A motivo di questa tua parola, va' pure! Il demonio è già uscito da tua figlia». [30]Quella, tornata a casa, trovò la figlioletta stesa sul letto, mentre il demonio ne era già uscito.

Guarigione di un sordomuto. - [31]Di nuovo, partito dal territorio di Tiro e passando per Sidone, venne al mare di Galilea, in mezzo al territorio della Decapoli. [32]Gli portarono un uomo sordo e muto e lo pregarono di imporgli le mani. [33]Allora egli, presolo in disparte, lontano dalla folla, gli mise le dita nelle orecchie e con la saliva gli toccò la lingua; [34]quindi, alzati gli occhi al cielo, sospirò e disse: «*Effathà!*», che significa: «Apriti!». [35]E subito le sue orecchie si aprirono e il nodo della sua lingua si sciolse, sicché parlava correttamente.

[36]Egli comandò loro di non dirlo a nessuno; ma quanto più lo comandava, tanto più quelli lo divulgavano; [37]e al colmo dello stupore dicevano: «Ha fatto bene ogni cosa! Fa udire i sordi e parlare i muti!».

8 **Seconda moltiplicazione dei pani.** - [1]In quei giorni, essendosi di nuovo radunata una grande folla e non avendo di che mangiare, Gesù chiamò a sé i discepoli e disse loro: [2]«Ho pietà di questa folla, perché sono già tre giorni che stanno con me e non hanno di che mangiare. [3]Se li rimando digiuni a casa loro, verranno meno per strada. Alcuni di loro, infatti, sono venuti da lontano». [4]Gli risposero i discepoli: «Come si potrebbe saziare di pane costoro, qui nel deserto?». [5]Domandò loro: «Quanti pani avete?». Risposero: «Sette».

[6]Allora egli comandò alla folla di sedersi per terra. Quindi, presi i sette pani, rese grazie, li spezzò e li diede ai suoi discepoli, affinché li distribuissero; ed essi li distribuirono alla folla. [7]Avevano anche alcuni pesciolini; ed egli, avendoli benedetti, comandò che pure questi fossero distribuiti. [8]Mangiarono a sazietà e si raccolsero sette sporte di frammenti avanzati. [9]Erano circa quattromila. Egli li congedò [10]e subito, montato in barca con i suoi discepoli, se ne andò nelle parti di Dalmanuta.

Richiesta di un segno dal cielo. - [11]Allora si fecero avanti i farisei e incominciarono a discutere con lui, chiedendogli un segno dal cielo per metterlo alla prova. [12]Egli, però, emettendo un profondo sospiro, disse: «Perché questa generazione chiede un segno? In verità vi dico che mai sarà concesso un segno a questa generazione». [13]Quindi, lasciatili, montò di nuovo in barca e se ne andò verso l'altra riva.

Il lievito dei farisei. - [14]Dimenticatisi di prendere dei pani, i discepoli non avevano con sé nella barca che un solo pane. [15]Ora egli stava dando loro questo precetto: «Fate attenzione! Guardatevi dal lievito dei farisei e dal lievito di Erode!». [16]Ma essi dicevano tra loro: «Non abbiamo pani». [17]Ma Gesù, accortosene, dice loro: «Perché discutete per il fatto che non avete pani? Ancora non capite e non comprendete? Avete il cuore indurito? [18]Avete occhi e non vedete, avete orecchi e non udite? Non ricordate? [19]Quando spezzai cinque pani per i cinquemila, quante ceste piene di frammenti portaste via?». Gli dicono: «Dodici». [20]«E quando ne spezzai sette per i quattromila, quante sporte piene di frammenti portaste via?». Gli dicono: «Sette». [21]Diceva loro: «Ancora non comprendete?».

Il cieco di Betsaida. - [22]Giungono a Betsaida e gli portano un cieco, supplicandolo di toccarlo. [23]Egli, allora, preso il cieco per la mano, lo condusse fuori del villaggio, gli mise della saliva sugli occhi e, impostegli le mani, gli domandò: «Vedi qualcosa?». [24]E quello, alzati gli occhi, rispose: «Vedo degli uomini e li scorgo camminare come alberi». [25]Allora gli pose nuovamente le mani sugli occhi e quello ci vide perfettamente e fu risanato, sicché vedeva ogni cosa nettamente anche da lontano. [26]Quindi lo rimandò a casa sua dicendogli: «Non entrare nel villaggio».

GESÙ FIGLIO DELL'UOMO

Confessione di Pietro. - [27]Con i suoi discepoli Gesù se ne andò verso i villaggi di Cesarea di Filippo e durante il viaggio incominciò a interrogare i discepoli dicendo: «Chi dice la gente che io sia?». [28]Gli risposero: «Alcuni dicono Giovanni il Battista, altri Elia e altri ancora uno dei profeti». [29]Allora domandò loro: «Voi, invece, chi dite che io sia?». Rispose Pietro: «Tu sei il Cristo!». [30]Ma egli intimò loro di non parlare di lui a nessuno.

Prima predizione della passione. - [31]Quindi egli incominciò ad ammaestrarli: «È necessario che il Figlio dell'uomo soffra molto, che sia riprovato dagli anziani, dai capi dei sacerdoti e dagli scribi, sia ucciso e dopo tre giorni risorga». [32]Faceva questo discorso apertamente e perciò Pietro, presolo in disparte, si mise a rimproverarlo. [33]Egli, però, voltatosi e guardando i suoi discepoli, rimproverò Pietro dicendogli: «Vattene lontano da me, satana, poiché tu non hai sentimenti secondo Dio, ma secondo gli uomini».

Per seguire Gesù. - [34]Poi, chiamata a sé la folla insieme ai suoi discepoli, disse loro: «Se qualcuno vuol venire dietro di me, rinneghi se stesso, prenda la sua croce e mi segua. [35]Chi, infatti, vorrà salvare la sua vita, la perderà; chi, invece, perderà la sua vita per causa mia e del vangelo, la salverà. [36]Infatti, che cosa giova all'uomo guadagnare il mondo intero, se perde la propria

vita? [37]Poiché, cosa potrebbe dare l'uomo in cambio della propria vita? [38]Chi si sarà vergognato di me e delle mie parole in mezzo a questa generazione adultera e peccatrice, anche il Figlio dell'uomo si vergognerà di lui, quando verrà nella gloria del Padre suo insieme agli angeli santi».

9 [1]Diceva ancora loro: «In verità vi dico che vi sono qui alcuni dei presenti, i quali non subiranno la morte finché non avranno veduto il regno di Dio venuto con potenza».

La trasfigurazione. - [2]Sei giorni dopo, Gesù prese con sé Pietro, Giacomo e Giovanni e li condusse in disparte, essi soli, su un alto monte, dove si trasfigurò davanti a loro. [3]Le sue vesti divennero splendenti e talmente candide, che nessun lavandaio sulla terra potrebbe renderle così candide. [4]Ed apparve loro Elia con Mosè, i quali conversavano con Gesù. [5]Allora Pietro, prendendo la parola, disse a Gesù: «Maestro, è bello per noi stare qui! Facciamo tre tende: una per te, una per Mosè e una per Elia». [6]In realtà egli non sapeva quel che diceva, poiché erano stati presi dal timore. [7]Allora comparve una nuvola che li avvolse nella sua ombra e dalla nuvola si sentì una voce: «Questi è il mio Figlio diletto: ascoltatelo!». [8]Ed essi, tutto a un tratto, guardandosi attorno, non videro più alcuno, se non il solo Gesù, che era con loro. [9]Quando poi discesero dal monte, Gesù comandò loro di non raccontare a nessuno ciò che avevano visto, fino a quando il Figlio dell'uomo non fosse risuscitato dai morti. [10]Essi osservarono l'ordine, ma intanto si chiedevano tra loro che cosa significasse quel risorgere dai morti. [11]Quindi lo interrogarono: «Perché gli scribi dicono che prima deve venire Elia?». [12]Rispose loro: «Certo, verrà prima Elia e rimetterà a posto ogni cosa. Ma come sta scritto del Figlio dell'uomo, egli dovrà soffrire molto ed essere disprezzato. [13]Io, però, vi dico che Elia è già venuto e gli hanno fatto tutto ciò che hanno voluto, secondo quanto di lui sta scritto».

Guarigione di un ragazzo indemoniato. - [14]Raggiunti gli altri discepoli, videro intorno ad essi una grande folla e gli scribi che discutevano con loro. [15]Non appena lo scorsero, quelli della folla restarono tutti meravigliati e corsero a salutarlo. [16]Allora egli domandò loro: «Di che state discutendo con loro?». [17]Gli rispose uno della folla: «Maestro, ti ho portato mio figlio, che è posseduto da uno spirito muto, [18]il quale, quando lo afferra, lo sbatte di là e di qua ed egli emette schiuma, digrigna i denti e poi diventa rigido. Ho chiesto ai tuoi discepoli di scacciarlo, ma non ci sono riusciti». [19]Allora egli disse loro: «Generazione incredula! Fino a quando dovrò restare tra voi? Fino a quando dovrò sopportarvi? Portatelo qui da me!». [20]Glielo portarono; ma lo spirito, non appena lo vide, subito agitò il ragazzo, il quale cadde a terra e vi si rotolava con la bava alla bocca. [21]Allora egli domandò al padre di lui: «Da quanto tempo gli succede questo?». Rispose: «Fin dall'infanzia. [22]Molte volte lo ha gettato anche sul fuoco e nell'acqua per farlo morire. Ma ora, se tu puoi fare qualche cosa, abbi pietà di noi e aiutaci!». [23]Gli disse Gesù: «Se puoi...? Tutto è possibile a chi crede!». [24]Subito il padre del ragazzo ad alta voce disse: «Io credo, ma tu aiuta la mia incredulità!».

[25]Gesù, allora, vedendo che la folla accorreva, con tono minaccioso disse allo spirito immondo: «Spirito muto e sordo, io te lo ordino: esci da costui e non rientrarci più!». [26]Quello, urlando e scuotendolo con violenza, ne uscì, lasciandolo come morto, sicché molti dicevano: «È morto!». [27]Gesù, però, prendendolo per mano, lo sollevò ed egli stette in piedi.

[28]Quando in seguito fu rientrato in casa, i suoi discepoli gli domandarono in disparte: «Perché noi non siamo riusciti a scacciarlo?». [29]Rispose loro: «Questo genere di demòni non può essere scacciato con nessun altro mezzo, se non con la preghiera».

Secondo annuncio della passione. - [30]Partiti di là, andavano attraverso la Galilea, ma egli non voleva che alcuno lo sapesse. [31]Infatti, stava ammaestrando i suoi discepoli e diceva loro: «Il Figlio dell'uomo sarà consegnato nelle mani degli uomini, che lo uccideranno; ma, ucciso, dopo tre giorni risorgerà». [32]Essi, però, non compresero tali parole e avevano paura di interrogarlo.

Il più grande. - [33]Giunsero a Cafarnao e quando fu in casa domandò loro: «Di che cosa discutevate per via?». [34]Essi, però, tacquero, perché per via avevano discusso tra loro su chi fosse il più grande. [35]Allora, postosi a sedere, chiamò i Dodici e disse loro: «Se uno vuole essere primo, sia ultimo di tutti e servo di tutti». [36]Quindi, preso un bambino, lo pose in mezzo a loro e, stringendolo fra le braccia, disse loro: [37]«Chi accoglie uno di questi bambini in nome mio, accoglie me, e chi accoglie me non accoglie me, ma colui che mi ha mandato».

L'esorcista straniero. - [38]Gli disse Giovanni: «Maestro, abbiamo visto un tale scacciare i demòni nel tuo nome e glielo abbiamo proibito, perché egli non viene insieme a noi». [39]Gli rispose Gesù: «Non glielo proibite, poiché non c'è nessuno che operi un miracolo in mio nome, il quale possa subito dopo parlare male di me. [40]Infatti chi non è contro di noi, è per noi. [41]Poiché chi vi darà da bere un bicchiere d'acqua nel mio nome perché siete di Cristo, in verità vi dico che non perderà la sua ricompensa».

Lo scandalo. - [42]«Chi poi avrà scandalizzato uno di questi piccoli che credono, sarebbe meglio per lui che gli si appendesse al collo una pietra da mulino e fosse gettato in mare. [43]Ché, se la tua mano ti è di scandalo, tagliala! È meglio per te entrare monco nella vita, che andare con tutte e due le mani nella Geenna, nel fuoco inestinguibile. [[44]] [45]Parimenti, se il tuo piede ti è di scandalo, taglialo! È meglio per te entrare zoppo nella vita, che essere gettato con tutti e due i piedi nella Geenna. [[46]] [47]Ancora: se il tuo occhio ti è di scandalo, cavalo! È meglio per te entrare con un occhio solo nel regno di Dio, che essere gettato con tutti e due gli occhi nella Geenna, [48]*dove il loro verme non muore e il fuoco non si estingue*. [49]Poiché si dovrà essere tutti salati con il fuoco. [50]Il sale è cosa buona, ma se il sale diventa

Mc

---

9. - 32. Gli apostoli non riuscivano a capire come potessero stare assieme le sofferenze del Messia con la magnificenza del regno messianico. I concetti limitati e unilaterali che essi avevano circa un Messia glorioso furono dissipati solo dallo Spirito Santo, il quale fece pure loro comprendere il valore redentivo della sofferenza. Il Messia sarà glorioso quando tornerà alla fine dei tempi.

45-48. I vv. 44 e 46 mancano nel testo greco, e non sono che ripetizione del v. 48, perciò sono stati omessi.

insipido, con che cosa gli ridarete sapore? Abbiate sale in voi stessi e state in pace gli uni con gli altri».

10 Il divorzio. - ¹Partito di lì, si avviò verso le zone della Giudea e oltre il Giordano, mentre di nuovo le folle accorrevano a lui ed egli di nuovo, secondo il suo solito, le istruiva. ²E avvicinatisi alcuni farisei, per metterlo alla prova gli domandarono se fosse lecito a un uomo ripudiare la propria moglie. ³Egli domandò loro: «Che cosa vi ha comandato Mosè?». ⁴Risposero: «Mosè permise di *scrivere il libello di ripudio e di mandarla via*». ⁵Ma Gesù disse loro: «A causa della vostra durezza di cuore egli scrisse questo precetto; ⁶ma al principio della creazione Dio *li fece maschio e femmina.* ⁷*Per questo l'uomo lascerà suo padre e sua madre e si unirà a sua moglie,* ⁸*e i due saranno una carne sola.* Sicché non sono più due, ma una sola carne. ⁹Dunque: ciò che Dio ha unito, l'uomo non separi».

¹⁰Quando fu di nuovo in casa, i discepoli lo interrogarono intorno a ciò ¹¹ed egli disse loro: «Chi ripudia la propria moglie e ne sposa un'altra, commette adulterio verso di lei. ¹²Così pure la donna che ripudia suo marito e ne sposa un altro commette adulterio».

Gesù e i bambini. - ¹³Or alcuni gli conducevano dei bambini affinché li toccasse; ma i discepoli li sgridavano. ¹⁴Visto ciò, Gesù si sdegnò e disse loro: «Lasciate che i bambini vengano a me e non li ostacolate, perché di quelli come loro è il regno di Dio. ¹⁵In verità vi dico che chi non accoglierà il regno di Dio come un fanciullo, certamente non vi entrerà». ¹⁶Quindi, prendendoli tra le braccia, li benediceva e imponeva loro le mani.

Il giovane ricco. - ¹⁷Uscito sulla strada, un tale gli corse incontro e gettatosi ai suoi piedi gli domandò: «Maestro buono, che cosa devo fare per avere la vita eterna?». ¹⁸Gli disse Gesù: «Perché mi chiami buono? Nessuno è buono, all'infuori di uno solo: Dio. ¹⁹Conosci i comandamenti: *Non uccidere. Non commettere adulterio. Non rubare. Non testimoniare il falso.* Non frodare. *Onora tuo padre e tua madre*». ²⁰Quello gli rispose: «Maestro, tutte queste cose le ho osservate

sin dalla mia fanciullezza». ²¹Allora Gesù, guardandolo, lo amò e gli disse: «Ti manca ancora una cosa. Va', vendi tutto ciò che hai, dallo ai poveri e avrai un tesoro nel cielo; poi, vieni e seguimi!». ²²A queste parole, però, quello corrugò la fronte e se ne andò rattristato, perché aveva molte ricchezze. ²³Allora Gesù, volgendo lo sguardo attorno, disse ai suoi discepoli: «Quanto difficilmente coloro che hanno ricchezze entreranno nel regno di Dio!». ²⁴I discepoli si stupirono per queste sue parole; ma Gesù, prendendo di nuovo la parola, disse loro: «Figlioli, quanto è difficile entrare nel regno di Dio! ²⁵È più facile che un cammello passi per la cruna di un ago, piuttosto che un ricco entri nel regno di Dio». ²⁶Quelli, stupiti ancora di più, si dicevano tra loro: «E chi potrà salvarsi?». ²⁷Ma Gesù, guardandoli, disse loro: «È impossibile agli uomini, ma non a Dio. A Dio, infatti, tutto è possibile».

²⁸Allora Pietro prese a dirgli: «Ecco: noi abbiamo lasciato ogni cosa e ti abbiamo seguito!». ²⁹Rispose Gesù: «In verità vi dico: non c'è nessuno che abbia lasciato casa o fratelli o sorelle o madre o padre o figli o campi a causa mia e del vangelo, ³⁰il quale non riceva ora, nel tempo presente, il centuplo in case, fratelli, sorelle, madri, figli e campi insieme alle persecuzioni, e la vita eterna nel secolo futuro. ³¹Intanto molti dei primi saranno ultimi e gli ultimi saranno primi».

Terza predizione della passione. - ³²Mentr'erano in cammino per salire a Gerusalemme, Gesù li precedeva ed essi erano stupiti, mentre quelli che venivano dietro avevano paura. Presi di nuovo in disparte i Dodici, incominciò a dir loro ciò che stava per accadergli: ³³«Ecco: noi saliamo a Gerusalemme e il Figlio dell'uomo sarà dato in mano ai prìncipi dei sacerdoti e agli scribi; lo condanneranno a morte e lo consegneranno in mano ai gentili; ³⁴lo scherniranno, gli sputeranno addosso, lo flagelleranno e lo uccideranno; ma egli dopo tre giorni risorgerà».

---

10. - 24-26. *I discepoli si stupirono* perché, secondo la mentalità corrente, ritenevano le ricchezze segno della particolare benedizione di Dio.

30. Assieme al *centuplo, nel tempo presente,* Gesù nomina anche le *persecuzioni,* le quali accompagneranno sempre gli eletti, sino alla soglia dell'eternità. Ma la persecuzione assimila al Maestro.

La richiesta di Giacomo e Giovanni. - [35]Avvicinatisi Giacomo e Giovanni, figli di Zebedeo, gli dicono: «Maestro, vogliamo che tu ci faccia quello che ti chiederemo». [36]Domandò loro: «Cosa volete che vi faccia?». [37]Gli risposero: «Concedici di sedere uno alla tua destra e uno alla tua sinistra nella tua gloria». [38]Gesù disse loro: «Non sapete ciò che chiedete! Potete voi bere il calice che io bevo o essere battezzati con il battesimo con il quale io sono battezzato?». [39]Gli risposero: «Lo possiamo». Gesù disse loro: «Il calice che io bevo lo berrete, e anche con il battesimo con cui io sono battezzato sarete battezzati, [40]ma sedere alla mia destra o alla mia sinistra non sta a me concederlo, ma è per quelli per i quali è stato preparato».

[41]Udito ciò, gli altri dieci cominciarono a indignarsi contro Giacomo e Giovanni. [42]Ma Gesù, chiamatili a sé, disse loro: «Voi sapete come coloro i quali sono ritenuti capi delle nazioni le tiranneggiano, e come i loro prìncipi le opprimono. [43]Non così dev'essere tra voi; ma piuttosto, se uno tra voi vuole essere grande, sia vostro servo, [44]e chi tra voi vuole essere primo, sia schiavo di tutti. [45]Infatti il Figlio dell'uomo non è venuto per essere servito, ma per servire e per dare la propria vita in riscatto per molti».

Bartimeo risanato. - [46]Giungono così a Gerico. Mentre egli con i discepoli e una grande folla stava uscendo da Gerico, il figlio di Timeo, Bartimeo, che era cieco, se ne stava seduto lungo la strada a mendicare. [47]Avendo inteso che c'era Gesù Nazareno, incominciò a gridare dicendo: «Gesù, Figlio di Davide, abbi pietà di me!». [48]Molti presero a sgridarlo affinché tacesse; ma egli gridava ancora più forte: «Figlio di Davide, abbi pietà di me!». [49]Allora Gesù, fermatosi, disse: «Chiamatelo!». Chiamano il cieco e gli dicono: «Coraggio, alzati! Ti chiama». [50]Egli, gettato via il mantello, balzò in piedi e raggiunse Gesù. [51]Rivolgendogli la parola, Gesù gli domandò: «Che cosa vuoi che ti faccia?». Gli rispose il cieco: «Signore, che io veda!». [52]Allora Gesù gli disse: «Va'! La tua fede ti ha salvato». E subito egli ci vide e si mise a seguirlo per la via.

11 **Ingresso in Gerusalemme. -** [1]Quando furono nelle vicinanze di Gerusalemme, verso Betfage e Betania, nei pressi del monte degli Ulivi, egli inviò due dei suoi discepoli [2]dicendo loro: «Andate nella borgata che vi sta di fronte e appena entrati in essa troverete un puledro legato, sul quale nessuno si è mai seduto; scioglietelo e menatelo qui. [3]Se qualcuno vi dirà: "Perché fate questo?", rispondete: "Il Signore ne ha bisogno; ma lo rimanderà subito qui"».

[4]Quelli andarono, trovarono il puledro, legato presso una porta, fuori sulla strada. Lo sciolsero; [5]ma alcuni che stavano lì dissero loro: «Che fate voi che sciogliete il puledro?». [6]Essi risposero come Gesù aveva detto e quelli li lasciarono fare. [7]Quindi portarono il puledro a Gesù, vi misero sopra i loro mantelli e Gesù vi si sedette sopra.

[8]Allora molti stesero i loro mantelli sulla strada e altri fronde verdi, tagliate nei campi. [9]Tanto quelli che andavano avanti quanto quelli che seguivano, gridavano: «*Osanna! Benedetto colui che viene nel nome del Signore!* [10]Benedetto il regno del padre nostro Davide, che viene! Osanna nel più alto dei cieli!».

[11]Così entrò a Gerusalemme, nel tempio, e quando ebbe osservato ogni cosa, poiché l'ora era già tarda, uscì verso Betania insieme ai Dodici.

Maledizione del fico. - [12]Il giorno dopo, uscendo da Betania, ebbe fame; [13]e avendo visto da lontano un albero di fico in foglie, andò a osservare se per caso vi trovasse qualche cosa; ma, appressatovisi, non vi trovò che foglie, poiché non era stagione di fichi. [14]Allora, rivolto al fico, disse: «Mai più in eterno qualcuno mangi frutti da te». E i suoi discepoli sentirono.

Purificazione del tempio. - [15]Giunsero a Gerusalemme. Entrato nel tempio, incominciò a scacciare coloro che vendevano e compravano nel tempio; rovesciò i tavoli dei cambiavalute e le sedie dei venditori di colombi, [16]e non permetteva che alcuno trasportasse oggetti attraverso il tempio. [17]Poi incominciò ad istruirli dicendo loro: «Non sta scritto: *La mia casa sarà chiamata casa di preghiera per tutte le nazioni*? Voi, invece, ne avete fatto una *spelonca di briganti*». [18]Udito ciò, i capi dei sacerdoti e gli scribi cercavano come farlo perire. Infatti ne

Mc

avevano paura, perché tutto il popolo era stupito per il suo insegnamento. [19]Quando si fece sera, essi uscirono fuori della città.

Il fico disseccato. - [20]Ripassando, al mattino presto, videro il fico che si era seccato fin dalle radici. [21]Allora Pietro, ricordandosene, gli disse: «Maestro, guarda! Il fico che tu hai maledetto si è seccato». [22]Gesù, rispondendo, disse loro: «Abbiate fede in Dio! [23]In verità vi dico che se uno dicesse a questo monte: "Lèvati e gettati nel mare!", e non esitasse nel suo cuore, ma credesse che avverrebbe ciò che dice, gli sarà concesso. [24]Perciò vi dico: tutto quello che chiedete nella preghiera, credete di averlo già ottenuto e vi sarà concesso. [25]Quando poi state pregando, se avete qualcosa contro qualcuno, perdonate, affinché anche il Padre vostro che è nei cieli perdoni a voi i vostri peccati». [26]]

Autorità di Gesù. - [27]Giunti di nuovo a Gerusalemme, mentre egli passeggiava nel tempio, gli si avvicinarono i capi dei sacerdoti, gli scribi e gli anziani [28]e gli domandarono: «Con quale autorità fai queste cose? O chi ti ha dato tale autorità per farle?». [29]Rispose loro Gesù: «Vi voglio domandare una cosa sola. Rispondetemi e poi anch'io vi dirò con quale autorità faccio queste cose. [30]Il battesimo di Giovanni era dal cielo o dagli uomini? Rispondetemi!». [31]Quelli, allora, ragionavano tra loro dicendo: «Se diciamo "dal cielo" dirà: "Perché, dunque, non gli avete creduto?". [32]E se dicessimo "dagli uomini"?». Ma temevano la folla, perché tutti ritenevano che Giovanni fosse stato davvero un profeta. [33]Perciò risposero a Gesù: «Non lo sappiamo!». E Gesù disse loro: «Neppure io vi dico con quale autorità faccio queste cose».

12 **Parabola dei cattivi contadini.** - [1]Poi incominciò a dir loro in parabola: «Un uomo piantò una vigna, la cinse con una siepe, vi scavò un frantoio, vi costruì una torre, l'affittò a coloni e partì per un viaggio. [2]A suo tempo mandò dai coloni un suo servo per avere da essi la sua parte di frutti della vigna. [3]Ma quelli, presolo, lo percossero e lo rimandarono a mani vuote. [4]Allora egli mandò di nuovo un altro servo; ma gli ruppero la testa e insultarono anche lui. [5]Ne mandò un altro e l'uccisero. Così fu pure per molti altri, che percossero o uccisero. [6]Gli restava ancora uno: il suo figlio diletto. Inviò anche lui per ultimo, dicendosi: Rispetteranno mio figlio! [7]Quei coloni, invece, si dissero l'un l'altro: "Costui è l'erede! Venite, uccidiamolo e l'eredità sarà nostra!". [8]E presolo, lo uccisero e lo gettarono fuori della vigna. [9]Che cosa farà il padrone della vigna? Verrà, sterminerà i coloni e affiderà la vigna ad altri. [10]Non avete letto questo passo della Scrittura:

La pietra che i costruttori hanno scartata
    è diventata pietra angolare:
[11] dal Signore è stato fatto ciò
    ed è cosa meravigliosa ai nostri occhi»?

[12]Allora essi cercavano di impadronirsi di lui; ma ebbero paura della folla. Avevano compreso, infatti, che egli aveva detto questa parabola per loro. Perciò, lasciatolo, se ne andarono via.

Il tributo a Cesare. - [13]Gli mandarono alcuni farisei ed erodiani per coglierlo in fallo in qualche parola. [14]Raggiuntolo, costoro gli dicono: «Maestro, sappiamo che sei sincero e non ti preoccupi di nessuno, poiché non guardi in faccia alle persone, ma insegni la via di Dio secondo verità. È lecito o no pagare il tributo a Cesare? Dobbiamo pagarlo o no?». [15]Ma egli, avendo conosciuta la loro falsità, disse loro: «Perché mi tentate? Portatemi un denaro, perché lo veda». [16]Glielo portarono ed egli domandò loro: «Di chi è questa immagine e l'iscrizione?». Risposero: «Di Cesare». [17]Allora Gesù disse loro: «Rendete a Cesare quel che è di Cesare e a Dio quel che è di Dio». Ed essi ne rimasero stupiti.

La risurrezione dei morti. - [18]Vennero pure dei sadducei, i quali dicono che non c'è risurrezione. Gli domandarono: [19]«Maestro, Mosè ha scritto per noi: Se il fratello di uno muore e lascia la moglie e non lascia un figlio, il di lui fratello prenda la donna e susciti prole al proprio fratello. [20]Or c'erano

---

11. - 26. Omesso dai migliori codici greci, riportato invece dalla Volgata che lo prende da Mt 6,15.

sette fratelli. Il primo prese moglie, ma morì e non lasciò prole. ²¹La prese il secondo, ma anch'egli morì senza lasciar prole. Allo stesso modo fece il terzo… ²²Tutti e sette non lasciarono prole e alla fine morì anche la donna. ²³Alla risurrezione, quando essi risorgeranno, di chi ella sarà moglie, giacché tutti e sette l'ebbero per moglie?».

²⁴Rispose loro Gesù: «Non è proprio per questo che voi siete in errore: perché, cioè, non conoscete né le Scritture né la potenza di Dio? ²⁵Infatti, quando risorgeranno dai morti, non si ammoglieranno né si mariteranno, ma saranno come angeli in cielo. ²⁶Riguardo, poi, ai morti che vengono risuscitati, non avete letto nel libro di Mosè, nel passo del roveto, come Dio gli disse: *Io sono il Dio di Abramo, il Dio di Isacco e il Dio di Giacobbe*? ²⁷Egli, dunque, non è Dio dei morti, ma dei vivi. Per questo voi siete gravemente in errore».

Il grande comandamento. - ²⁸Allora gli si avvicinò uno scriba che li aveva sentiti discutere e, avendo visto che Gesù aveva risposto bene, gli domandò: «Qual è il primo di tutti i comandamenti?». ²⁹Gli rispose Gesù: «Il primo è: *Ascolta, Israele. Il Signore nostro Dio è l'unico Signore* ³⁰*e tu amerai il Signore tuo Dio con tutto il tuo cuore, con tutta la tua anima, con tutta la tua mente e con tutta la tua forza*. ³¹Il secondo è questo: *Amerai il prossimo tuo come te stesso*. Non c'è altro comandamento maggiore di questi».

³²Gli disse lo scriba: «Bene, Maestro. Hai detto giustamente che egli è unico e che non c'è altri all'infuori di lui; ³³che amare lui con tutto il cuore, con tutta l'intelligenza, con tutta la forza e amare il prossimo come se stessi vale più di tutti gli olocausti e i sacrifici». ³⁴Vedendo che aveva risposto saggiamente, allora Gesù gli disse: «Non sei lontano dal regno di Dio». E nessuno osava fargli più domande.

Il Messia figlio di Davide. - ³⁵Prendendo la parola, mentre stava insegnando nel tempio, Gesù domandò: «Come mai gli scribi dicono che il Messia è figlio di Davide? ³⁶Davide stesso, infatti, mosso dallo Spirito Santo, ha detto:

Il Signore ha detto al mio Signore:
Siedi alla mia destra,

finché io ponga i tuoi nemici
come sgabello ai tuoi piedi.

³⁷Se, dunque, Davide stesso lo chiama "Signore", come può essere suo figlio?». E la folla, numerosa, lo ascoltava con piacere.

Contro gli scribi. - ³⁸Diceva ancora, durante il suo insegnamento: «Guardatevi dagli scribi, i quali amano passeggiare in lunghe vesti ed essere salutati nelle piazze, occupare i primi seggi nelle sinagoghe ³⁹e sedere ai primi posti nei banchetti; ⁴⁰divorano le case delle vedove e fanno finta di pregare a lungo. Riceveranno una più dura condanna».

L'obolo della vedova. - ⁴¹Seduto davanti al tesoro, Gesù stava osservando come la gente gettava il denaro nel tesoro. C'erano molte persone ricche, che gettavano molto. ⁴²Giunta, però, una povera vedova, vi gettò due spiccioli, che sono l'equivalente di un quadrante. ⁴³Allora egli, chiamati a sé i suoi discepoli, disse loro: «In verità vi dico: questa povera vedova ha gettato più di tutti quelli che hanno gettato denaro nel tesoro. ⁴⁴Tutti, infatti, hanno dato del loro superfluo; ma essa, nella sua indigenza, ha gettato tutto ciò che aveva, tutto il suo sostentamento».

13 **Distruzione del tempio.** - ¹Mentre egli lasciava il tempio, uno dei suoi discepoli gli disse: «Maestro, guarda che pietre e che costruzioni!». ²Gesù gli rispose: «Vedi queste grosse costruzioni? Non resterà qui pietra su pietra, che non sia diroccata».

Inizio dei dolori. - ³E mentre egli era seduto sul monte degli Ulivi, di fronte al tempio, privatamente Pietro e Giacomo, Giovanni e Andrea gli domandarono: ⁴«Dicci: quando avverrà ciò e quale sarà il segno di quando tutto questo starà per compiersi?».

⁵Allora Gesù incominciò a dir loro: «Badate che nessuno v'inganni. ⁶Molti verranno in mio nome, dicendo: "Sono io", e inganneranno molti. ⁷Quando, poi, sentirete parlare di guerre e di rumori di guerra, non spaventatevi! È necessario che ciò avvenga, ma non sarà ancora la fine. ⁸Infatti, insorgerà

nazione contro nazione e regno contro regno; ci saranno terremoti in diversi luoghi e carestie. Ciò sarà il principio dei dolori. [9]Quanto a voi, badate a voi stessi! Vi consegneranno ai sinedri, vi percuoteranno nelle sinagoghe e a causa mia dovrete stare davanti a governatori e re per rendere testimonianza davanti ad essi. [10]Prima, però, bisogna che il vangelo sia predicato tra tutte le genti. [11]Quando, dunque, vi trascineranno per consegnarvi ad essi, non preoccupatevi in anticipo di che cosa dovrete dire; ma ciò che in quel momento vi sarà ispirato, questo soltanto dite. Poiché non sarete voi a parlare, ma lo Spirito Santo.

[12]Un fratello consegnerà a morte un altro fratello, e il padre il figlio. I figli, poi, insorgeranno contro i genitori e li faranno morire. [13]Anche voi sarete odiati da tutti a causa del mio nome. Ma chi starà saldo fino alla fine, costui sarà salvato.

La grande tribolazione. - [14]Quando vedrete *l'abominazione della desolazione* posta là dove non dovrebbe, il lettore faccia bene attenzione, allora quelli che sono in Giudea fuggano sui monti; [15]chi è sulla terrazza non scenda per entrare a prendere qualcosa nella sua casa; [16]e chi è andato in campagna non torni indietro a prendersi il mantello. [17]Guai a quelle che in quei giorni saranno incinte o allatteranno! [18]Pregate affinché ciò non avvenga d'inverno, [19]poiché quei giorni saranno *una tale tribolazione, quale non vi fu mai dal principio della creazione*, fatta da Dio, *sino ad ora*, né vi sarà giammai. [20]E se il Signore non avesse accorciato tali giorni, nessuna persona potrebbe salvarsi. A causa degli eletti che si è scelto, egli però ha accorciato tali giorni.

[21]Allora se qualcuno vi dirà: "Ecco qui il Cristo! Eccolo là!", non credetegli. [22]Infatti, sorgeranno falsi cristi e falsi profeti, i quali vi daranno a vedere segni e prodigi per sedurre, se possibile, gli stessi eletti. [23]Voi, perciò, state in guardia! Vi ho detto tutto in anticipo.

Venuta del Figlio dell'uomo. - [24]Ma in quei giorni, dopo quella tribolazione,

*il sole si oscurerà
e la luna non darà più la sua luce;*
[25] *gli astri cadranno dal cielo
e le potenze dei cieli saranno sconvolte.*

[26]Allora si vedrà *il Figlio dell'uomo giungere tra le nuvole* con grande potenza e gloria. [27]Manderà gli angeli e *radunerà* i suoi eletti *dai quattro venti, dall'estremità della terra all'estremità del cielo.*

Parabola del fico. - [28]Imparate dal fico questa parabola. Quando i suoi rami divengono teneri e spuntano le foglie, voi conoscete che l'estate è vicina. [29]Così anche voi, quando vedrete accadere queste cose, sappiate che è vicino, alle porte. [30]In verità vi dico: non passerà questa generazione prima che tutto ciò sia accaduto. [31]Il cielo e la terra passeranno, ma le mie parole non passeranno.

Vigilanza. - [32]Quanto a quel giorno o all'ora, però, nessuno ne sa niente, neppure gli angeli del cielo e neppure il Figlio, se non il Padre. [33]State attenti, vegliate! Poiché non sapete quando sarà il tempo. [34]Sarà come di un uomo che, partendo per un viaggio, ha lasciato la sua casa dando ogni potere ai suoi servi, a ciascuno il suo compito, e al portinaio ha comandato di vigilare. [35]Vegliate, dunque, giacché non sapete quando il padrone della casa giungerà, se la sera o a mezzanotte, al canto del gallo o al mattino. [36]Che egli, giungendo all'improvviso, non vi trovi addormentati. [37]Ciò che dico a voi, lo dico a tutti: vegliate!».

PASSIONE, MORTE E RISURREZIONE

14 **Complotto del sinedrio.** - [1]Due giorni dopo doveva celebrarsi la festa di Pasqua e degli Azzimi, e i capi dei sacerdoti e gli scribi cercavano come impadronirsi di lui con inganno e farlo morire. [2]Dicevano infatti: «Non durante la festività, affinché non si verifichi una sommossa del popolo».

Unzione a Betania. - [3]Intanto, trovandosi egli a Betania in casa di Simone il lebbroso, mentre sedeva a mensa, giunse una donna recando un vaso di alabastro pieno di unguento di nardo genuino, molto costoso.

---

13. - 32. Cristo *non sa* quel giorno in modo da poterlo comunicare: la sua rivelazione è riservata al Padre. L'importante non è sapere, ma essere pronti.

Ora ella, infranto il vaso, lo versò sul capo di lui. [4]C'erano alcuni che, indignati, si dicevano tra loro: «A che scopo è stato fatto questo spreco di unguento? [5]Infatti si poteva vendere questo unguento a oltre trecento denari e darli ai poveri». E si misero a rimproverarla.

[6]Gesù, allora, disse: «Lasciatela stare! Perché le date fastidio? Ha compiuto un'opera buona verso di me. [7]Difatti, i poveri li avete sempre con voi e potete far loro del bene quando volete; ma non sempre avrete me. [8]Ciò che poteva fare, ella l'ha fatto ungendo il mio corpo in anticipo per la sepoltura. [9]In verità vi dico: dovunque sarà predicato il vangelo per tutto il mondo, si narrerà, a sua memoria, anche ciò che ella ha fatto».

Il patto di Giuda. - [10]Ora Giuda Iscariota, che era uno dei Dodici, si recò dai capi dei sacerdoti per consegnarlo nelle loro mani. [11]Essi, all'udir ciò, si rallegrarono e promisero di dargli del denaro. Perciò egli cercava il modo di consegnarglielo al momento più opportuno.

La Pasqua con i discepoli. - [12]Nel primo giorno degli Azzimi, all'ora in cui s'immolava l'agnello pasquale, i suoi discepoli gli dicono: «Dove vuoi che andiamo a preparare perché tu possa mangiare la Pasqua?». [13]Egli manda due dei suoi discepoli dicendo loro: «Andate in città. Vi si farà avanti un uomo che trasporta un'anfora d'acqua. Seguitelo [14]e, dovunque entri, dite al padrone di casa: "Il Maestro manda a dire: Dov'è la mia sala, in cui possa mangiare la Pasqua insieme ai miei discepoli?". [15]Egli vi mostrerà una grande stanza al piano superiore, già arredata e pronta. Là preparate per noi». [16]I discepoli andarono e, giunti in città, trovarono com'egli aveva loro detto e prepararono la Pasqua.

[17]Fattasi sera, venne anch'egli con i Dodici. [18]Mentre erano a tavola e mangiavano, Gesù disse: «In verità vi dico che uno di voi, *che mangia con me*, mi tradirà». [19]Allora quelli incominciarono a rattristarsi e a domandargli, uno per uno: «Sono forse io?». [20]Ma egli rispose loro: «È uno dei Dodici, che intinge con me nel piatto. [21]Sì, il Figlio dell'uomo se ne va, in conformità a quanto sta scritto di lui. Guai, però, a quell'uomo dal quale il Figlio dell'uomo è tradito! Sareb-

be meglio per lui che quell'uomo non fosse mai nato!».

Il convito del Signore. - [22]Mentre ancora mangiavano, egli prese il pane, lo benedì, lo spezzò e lo diede loro dicendo: «Prendete! Questo è il mio corpo». [23]Poi prese un calice, lo benedì, lo diede loro e ne bevvero tutti. [24]Egli disse loro: «Questo è il mio sangue dell'alleanza, versato per molti. [25]In verità vi dico che non berrò più del succo della vite fino al giorno in cui lo berrò nuovo nel regno di Dio». [26]Quindi, detto l'inno di lode, uscirono verso il monte degli Ulivi.

Predizione del rinnegamento di Pietro. - [27]Allora Gesù disse loro: «Voi tutti vi scandalizzerete, poiché sta scritto: *Percuoterò il pastore e le pecore si disperderanno.* [28]Ma, dopo che sarò risorto, vi precederò in Galilea». [29]Pietro, però, gli disse: «Anche se tutti si scandalizzeranno, io no!». [30]Gli dice Gesù: «In verità ti dico che oggi, questa notte stessa, prima che il gallo canti due volte, mi rinnegherai tre volte». [31]Ma egli continuava a dire con maggior forza: «Anche se dovessi morire con te, non ti rinnegherò». Lo stesso dicevano anche tutti gli altri.

Al Getsemani. - [32]Frattanto giungono in un podere chiamato Getsemani. Dice ai suoi discepoli: «Sedetevi qui, intanto che io prego». [33]Quindi, presi con sé Pietro, Giacomo e Giovanni, incominciò ad essere preso da terrore e da spavento. [34]Perciò disse loro: «*L'anima mia è triste fino alla morte.* Rimanete qui e vegliate!».

[35]Quindi, portatosi un po' più avanti, si gettò a terra e pregava che, se fosse possibile, passasse da lui quell'ora. [36]Diceva: «Abbà, Padre! Tutto è possibile a te. Allontana da me questo calice! Tuttavia, non ciò che io voglio, ma quello che tu vuoi».

[37]Tornato indietro, li trova addormentati. Perciò dice a Pietro: «Simone, dormi? Non hai avuto la forza di vegliare una sola ora? [38]Vegliate e pregate, affinché non entriate in tentazione. Certo, lo spirito è pronto; la carne, però, è debole».

[39]Allontanatosi di nuovo, pregò ripetendo le stesse parole. [40]Poi di nuovo tornò e li trovò addormentati. I loro occhi, infatti, erano appesantiti e non sapevano che cosa rispondergli.

⁴¹Torna ancora una terza volta e dice loro: «Continuate a dormire e vi riposate? Basta! È giunta l'ora: ecco che il Figlio dell'uomo è consegnato nelle mani dei peccatori. ⁴²Alzatevi, andiamo! Ecco: chi mi tradisce è vicino».

Tradimento e arresto. - ⁴³Nello stesso momento, mentre ancora parlava, giunge Giuda, uno dei Dodici, e con lui una grande turba con spade e bastoni, mandata dai capi dei sacerdoti, dagli scribi e dagli anziani. ⁴⁴Il traditore aveva loro dato un segno: «Colui che bacerò, è lui. Afferratelo e portatelo via con attenzione». ⁴⁵Appena giunto, subito gli si avvicinò dicendogli: «Maestro!», e lo baciava ripetutamente. ⁴⁶Quelli, allora, gli misero le mani addosso e lo arrestarono. ⁴⁷Uno dei presenti, sguainata la spada, colpì il servo del sommo sacerdote e gli staccò l'orecchio. ⁴⁸Allora Gesù, prendendo la parola, disse loro: «Come contro un brigante siete venuti ad arrestarmi, con spade e bastoni! ⁴⁹Ogni giorno ero tra voi, mentre insegnavo nel tempio, e non mi avete preso. Ma si adempiano le Scritture!». ⁵⁰Allora i discepoli, abbandonatolo, fuggirono tutti.

⁵¹Un ragazzo, però, lo seguiva, avvolto solo di un panno di lino sul corpo nudo. Tentarono di afferrarlo; ⁵²ma egli, lasciato cadere il panno di lino, se ne fuggì via nudo.

Davanti al sinedrio. - ⁵³Condotto Gesù dal sommo sacerdote, si radunarono tutti i capi dei sacerdoti, gli anziani e gli scribi. ⁵⁴Pietro, intanto, avendolo seguito da lontano fin dentro al cortile del sommo sacerdote, se ne stava seduto con i servi di lui e si scaldava vicino al fuoco.

⁵⁵Or i capi dei sacerdoti e tutto il sinedrio cercavano qualche testimonianza contro Gesù per farlo morire, ma non ne trovavano. ⁵⁶Infatti, molti attestavano il falso contro di lui, ma le loro testimonianze non erano concordi. ⁵⁷Allora si alzarono alcuni che, attestando il falso contro di lui, dicevano: ⁵⁸«L'abbiamo sentito noi mentre diceva: Io distruggerò questo tempio, fatto da mani d'uomo, e in tre giorni ne ricostruirò un altro, non fatto da mani d'uomo». ⁵⁹Ma anche su questo non si ebbe una testimonianza concorde. ⁶⁰Allora il sommo sacerdote, alzatosi in piedi in mezzo al sinedrio, interrogò Gesù dicendogli: «Non rispondi nulla? Che cosa testificano costoro contro di te?». ⁶¹Egli,

però, taceva e non rispondeva nulla. Perciò il sommo sacerdote lo interrogò di nuovo dicendogli: «Sei tu il Cristo, il Figlio del Benedetto?». ⁶²Rispose Gesù: «Sì, sono io! E

vedrete il Figlio dell'uomo,
seduto alla destra della Potenza,
venire con le nubi del cielo».

⁶³Allora il sommo sacerdote, stracciandosi le vesti, disse: «Di quale testimonianza abbiamo ancora bisogno? ⁶⁴Avete sentito la bestemmia. Che ve ne pare?». Tutti lo giudicarono reo di morte. ⁶⁵Alcuni, poi, si misero a sputargli addosso, a coprirgli il volto e a percuoterlo dicendogli: «Indovina!». E i servi lo presero a schiaffi.

Rinnegamento di Pietro. - ⁶⁶Or mentre Pietro se ne stava giù nel cortile, giunse una delle serve del sommo sacerdote ⁶⁷e, avendo visto Pietro che si scaldava, fissandolo gli disse: «Anche tu eri col Nazareno, Gesù». ⁶⁸Ma egli negò: «Non so e non capisco cosa tu dici». Quindi uscì fuori nel vestibolo e un gallo cantò. ⁶⁹Vedutolo ancora, la serva incominciò a dire di nuovo ai presenti: «Costui è uno di loro». ⁷⁰Ma egli negò nuovamente. Poco dopo i presenti dissero di nuovo a Pietro: «Sei davvero uno di loro. Infatti sei galileo». ⁷¹Ma egli incominciò a imprecare e a giurare: «Non conosco quest'uomo di cui parlate». ⁷²E subito, per la seconda volta, un gallo cantò. Allora Pietro si ricordò delle parole che Gesù gli aveva detto: «Prima che il gallo canti due volte, mi rinnegherai tre volte»; e proruppe in pianto.

15 **Gesù davanti a Pilato.** - ¹Al mattino i capi dei sacerdoti con gli anziani, gli scribi e tutto il sinedrio tennero consiglio e, fatto legare Gesù, lo condussero e lo consegnarono a Pilato. ²Pilato lo interrogò: «Sei tu il re dei Giudei?». Gli rispose: «Tu lo dici». ³I capi dei sacerdoti lo accusavano di molte cose. ⁴Perciò Pilato lo interrogò di nuovo: «Non rispondi nulla? Vedi di quante cose ti accusano!». ⁵Ma Gesù non rispose più nulla, sicché Pilato ne restò meravigliato.

Condanna a morte. - ⁶Questi soleva, in ogni festività, rilasciare un prigioniero: quello che gli avessero chiesto. [7]Intanto ve n'era uno chiamato Barabba, il quale era stato imprigionato insieme ai sediziosi che, durante una sommossa, avevano commesso un omicidio. [8]Salì, perciò, la folla e incominciò a reclamare ciò che le si soleva concedere. [9]Pilato, allora, rispose loro: «Volete che vi liberi il re dei Giudei?». [10]Egli, infatti, sapeva che per invidia i capi dei sacerdoti glielo avevano consegnato. [11]Ma i capi dei sacerdoti aizzarono la folla, affinché rilasciasse loro piuttosto Barabba.

[12]Pilato, allora, prendendo di nuovo la parola, domandò loro: «Che cosa, dunque, volete che faccia di colui che voi chiamate il re dei Giudei?». [13]Quelli gridarono di nuovo: «Crocifiggilo!». [14]Ma Pilato disse loro: «Che male ha fatto?». Quelli, allora, gridarono più forte: «Crocifiggilo!». [15]Pilato, perciò, volendo dare soddisfazione alla folla, rilasciò loro Barabba e consegnò Gesù perché, dopo averlo flagellato, fosse crocifisso.

Gli scherni dei soldati. - [16]Allora i soldati lo condussero dentro il cortile, cioè nel pretorio e, convocata l'intera coorte, [17]lo rivestirono di porpora e gli cinsero il capo intrecciandogli una corona di spine. [18]Quindi incominciarono a salutarlo: «Salve, re dei Giudei!», [19]mentre con una canna gli battevano il capo, gli sputavano addosso e, piegando le ginocchia, gli facevano riverenza. [20]Dopo averlo schernito, lo spogliarono della porpora e lo rivestirono delle sue vesti.

Crocifissione. - Mentre lo conducevano fuori per crocifiggerlo, [21]costrinsero un passante che tornava dai campi, Simone di Cirene, padre di Alessandro e Rufo, a portare la croce di lui. [22]Lo condussero, così, al luogo detto Golgota, che significa luogo del Cranio. [23]Volevano anche dargli del vino aromatizzato con mirra, ma egli non lo prese. [24]Perciò lo crocifissero e si divisero le sue vesti, gettando sopra di esse la sorte per quel che ciascuno dovesse prendersi. [25]Era l'ora terza quando lo crocifissero, [26]e l'iscrizione con la causa della condanna recava scritto: «Il re dei Giudei».

[27]Insieme a lui crocifissero pure due ladroni, uno alla sua destra e l'altro alla sua sinistra [[28]e si adempì la Scrittura che dice: *Fu computato con gli iniqui*]. [29]Quelli che passavano lo insultavano, scuotendo il capo e dicendo: «Ehi! Tu che distruggi il tempio e in tre giorni lo riedifichi, [30]salva te stesso, scendendo dalla croce». [31]Similmente, anche i capi dei sacerdoti con gli scribi si facevano beffe di lui dicendo tra loro: «Ha salvato gli altri, non può salvare se stesso. [32]Il Cristo, il re d'Israele, scenda ora dalla croce, affinché vediamo e crediamo». Perfino quelli che erano stati crocifissi con lui lo insultavano.

Morte sulla croce. - [33]Giunta l'ora sesta, si fece buio su tutta la terra fino all'ora nona. [34]All'ora nona, Gesù esclamò a gran voce: *«Eloì, Eloì, lamà sabachthanì»*, che si traduce: *«Dio mio, Dio mio, perché mi hai abbandonato?»*. [35]Allora alcuni dei presenti, uditolo, dicevano: «Ecco, invoca Elia». [36]Un tale corse ad inzuppare una spugna di aceto, la pose su una canna e gli dava da bere, dicendo: «Lasciate, vediamo se viene Elia a tirarlo giù». [37]Ma Gesù, emesso un grande grido, spirò.

[38]Allora il velo del tempio si squarciò in due, dall'alto fino al basso. [39]E il centurione che gli stava di fronte, vistolo spirare gridando a quel modo, esclamò: «Davvero quest'uomo era Figlio di Dio!».

[40]Vi erano pure alcune donne che stavano osservando da lontano. Tra esse: Maria Maddalena, Maria madre di Giacomo il Minore e di Giuseppe, e Salome, [41]le quali lo avevano seguito e servito quando era in Galilea, e molte altre che erano salite con lui a Gerusalemme.

Sepoltura. - [42]Fattasi ormai sera, poiché era la Parasceve, vale a dire il giorno prima del sabato, [43]Giuseppe d'Arimatea, distinto membro del consiglio, il quale aspettava anch'egli il regno di Dio, venne, si fece coraggio, entrò da Pilato e gli chiese il corpo di Gesù. [44]Pilato si meravigliò che fosse già morto. Perciò, chiamato il centurione, gli domandò se fosse morto da tempo. [45]Informato dal centurione, concesse il cadavere a Giuseppe, [46]il quale, comprato un panno di lino, fece deporre Gesù, lo avvolse col panno di lino e lo pose in un sepolcro che era stato tagliato nella roccia. Quindi sulla porta del sepolcro fece rotolare una pietra, [47]mentre Maria Maddalena e Maria di Giuseppe stavano ad osservare dove veniva deposto.

16 Risurrezione.

Risurrezione. - [1]Trascorso il sabato, Maria Maddalena, Maria madre di Giacomo e Salome comprarono gli aromi per andare ad imbalsamare Gesù. [2]Assai presto, nel primo giorno della settimana vennero al sepolcro, appena spuntò il sole. [3]Intanto si andavano dicendo tra loro: «Chi ci farà rotolare la pietra dall'ingresso del sepolcro?». [4]Alzato lo sguardo, però, osservarono che la pietra era stata rotolata, benché fosse molto grande! [5]Entrate allora nel sepolcro, videro un giovane che se ne stava seduto a destra, rivestito di una veste bianca, e si spaventarono. [6]Ma egli disse loro: «Non vi spaventate! Voi cercate Gesù, il Nazareno, che è stato crocifisso. È risorto. Non è più qui. Ecco il luogo ove lo avevano posto. [7]Ma andate, dite ai suoi discepoli, specialmente a Pietro: Vi precede in Galilea. Là lo vedrete, come vi ha detto». [8]Quelle, però, uscite dal sepolcro fuggirono, prese da tremore e da stupore, e non dissero nulla a nessuno, perché avevano paura.

EPILOGO

Apparizione a Maria Maddalena. - [9]Risorto al mattino del primo giorno della settimana, apparve dapprima a Maria Maddalena, dalla quale aveva scacciato sette demòni. [10]Ella, a sua volta, andò ad annunciarlo a coloro che erano stati con lui, ed erano afflitti e piangevano. [11]Ma essi, udito che era vivo ed era stato visto da lei, non le credettero.

Apparizione a due discepoli. - [12]Dopo ciò, apparve sotto altra forma a due di loro, mentre erano in cammino per andare in campagna. [13]Anche questi tornarono indietro per annunciarlo agli altri; ma non credettero neppure ad essi.

Apparizione agli Undici. - [14]Finalmente apparve agli Undici stessi mentre erano a tavola e li rimproverò della loro incredulità e durezza di cuore, poiché non avevano creduto a coloro che lo avevano visto risuscitato. [15]Poi disse loro: «Andate per tutto il mondo e predicate il vangelo a ogni creatura. [16]Chi crederà e si farà battezzare sarà salvato, ma chi non crederà sarà condannato. [17]Questi poi sono i segni che accompagneranno i credenti: nel mio nome scacceranno i demòni, parleranno lingue nuove, [18]prenderanno in mano serpenti e, se avranno bevuto qualcosa di mortifero, non nuocerà loro, imporranno le mani agli infermi e questi saranno risanati».

Ascensione. - [19]Il Signore Gesù, dopo aver loro parlato, fu assunto in cielo e si assise alla destra di Dio. [20]Essi, poi, se ne andarono a predicare dappertutto, mentre il Signore operava con loro e confermava la parola con i segni che la accompagnavano.

VANGELO SECONDO LUCA

Il terzo vangelo è attribuito dalla tradizione a Luca, abbreviazione di Lucano, «medico» (Col 4,14), probabilmente originario di Antiochia di Siria. Fu discepolo e compagno affezionato di Paolo, cui fu vicino nella prigionia (Col 4,14; Fm 24; 2Tm 4,11) e anche nei viaggi apostolici, se si attribuiscono a lui le cosiddette «sezioni noi» del libro degli Atti, in cui l'autore narra in prima persona.

Il vangelo di Luca si apre con una preziosa narrazione dell'infanzia del Salvatore (cc. 1-2) proposta in coppia con quella del Battista, precursore di Gesù anche nella concezione e nella nascita.

Il racconto prosegue con l'inizio della vita pubblica, preparata dall'opera del Battista, e col ministero di Gesù in Galilea (3,1 - 9,50). Una seconda parte della vita di Gesù racconta il suo lungo viaggio verso Gerusalemme (9,51 - 19,28), in cui Luca riporta gran parte del materiale che ha raccolto in proprio sulla vita e attività di Gesù, e che non si trova quindi negli altri vangeli. Segue il racconto degli ultimi giorni in Gerusalemme (19,29 - 21,38), dove si compie la missione di Gesù con la passione, morte, risurrezione e apparizioni (cc. 22-24). Da Gerusalemme partirà la diffusione del vangelo (24,48; At 1,4), per estendersi in Giudea, Samaria e fino agli estremi confini della terra (At 1,8). Buon conoscitore della lingua greca e delle usanze letterarie ellenistiche, Luca ha premesso alla sua opera un elegante prologo nel quale indica le sue fonti, il metodo di lavoro e lo scopo per cui ha scritto: documentare la solidità e la sicurezza delle cose apprese nella catechesi cristiana.

VANGELO DELL'INFANZIA

1 Proemio. - [1]Molti hanno già cercato di mettere insieme un racconto degli avvenimenti verificatisi tra noi, [2]così come ce li hanno trasmessi coloro che fin dall'inizio furono testimoni oculari e ministri della parola. [3]Tuttavia, anch'io, dopo aver indagato accuratamente ogni cosa fin dall'origine, mi sono deciso a scrivertene con ordine, egregio Teofilo, [4]affinché tu abbia esatta conoscenza di quelle cose intorno alle quali sei stato catechizzato.

Annunzio della nascita di Giovanni Battista. - [5]Al tempo di Erode, re della Giudea, c'era un sacerdote di nome Zaccaria, della classe di Abia, che aveva per moglie una donna discendente da Aronne, chiamata Elisabetta. [6]Ambedue erano giusti agli occhi di Dio, osservando in modo irreprensibile tutti i comandamenti e i precetti del Signore, [7]ma non avevano figli: Elisabetta infatti era sterile e tutti e due erano di età avanzata. [8]Avvenne però che, mentre egli esercitava le sue funzioni sacerdotali davanti a Dio nel turno della sua classe, [9]gli toccò in sorte, secondo l'usanza del servizio sacerdotale, di entrare nel santuario per offrire l'incenso. [10]Intanto tutto il popolo stava fuori in pre-

---

1. - 1-4. Seguendo il metodo dei buoni storici greci, Luca premette un prologo al suo vangelo, in cui accenna, tra il resto, alle ricerche fatte per stabilire la verità di quanto intendeva scrivere. *Teofilo* è persona a noi sconosciuta, ma il nome, nel suo significato etimologico di «amico di Dio», può riferirsi a tutti i cristiani.

8-10. I diversi atti di culto da compiersi nel tempio di Gerusalemme venivano quotidianamente assegnati tirando a sorte tra i sacerdoti di turno. A Zaccaria, quel giorno, toccò l'ufficio di offrire l'incenso sull'altare dei profumi. La folla assisteva dall'esterno, aspettando la benedizione che il sacerdote impartiva, con la formula prescritta (Nm 6,24-26), alla fine della cerimonia.

ghiera, nell'ora dell'offerta dell'incenso. [11]Gli apparve allora un angelo del Signore, stando alla destra dell'altare dell'incenso. [12]Al vederlo Zaccaria fu sconvolto e preso da timore. [13]Ma l'angelo gli disse: «Non temere, Zaccaria, la tua preghiera è stata accolta: infatti tua moglie Elisabetta darà alla luce un figlio e tu lo chiamerai Giovanni. [14]Sarà per te motivo di gioia e di esultanza, anzi saranno in molti a rallegrarsi per la sua nascita. [15]Egli infatti sarà grande agli occhi del Signore; *non berrà né vino né bevande inebrianti*, ma fin dal seno di sua madre sarà riempito di Spirito Santo. [16]Ricondurrà molti figli di Israele al Signore, loro Dio. [17]Egli stesso andrà innanzi a Lui con lo spirito e la forza di Elia, per riportare i cuori dei padri verso i figli e i ribelli alla sapienza dei giusti, per preparare al Signore un popolo ben disposto». [18]Ma Zaccaria disse all'angelo: «In che modo potrò conoscere questo? Io infatti sono vecchio e mia moglie è avanti negli anni». [19]Gli rispose l'angelo: «Io sono Gabriele e sto davanti a Dio. Sono stato mandato a parlarti e portarti questa gioiosa notizia. [20]Ecco, tu diventerai muto e non potrai più parlare fino al giorno in cui avverranno queste cose, perché non hai creduto a ciò che ti ho detto; ma a suo tempo tutto si realizzerà».

[21]Intanto il popolo attendeva Zaccaria e si meravigliava per il fatto che egli indugiava troppo nel santuario. [22]Quando uscì non poteva parlare con loro; compresero allora che nel santuario egli aveva avuto una visione. Faceva loro dei cenni, ma non poteva parlare. [23]Trascorso il periodo del suo servizio, se ne tornò a casa sua.

[24]Dopo quei giorni sua moglie Elisabetta concepì, ma si tenne nascosta per cinque mesi, dicendo: [25]«Ecco ciò che ha fatto per me il Signore in questi giorni nei quali ha volto su di me lo sguardo, *per togliere la mia vergogna* tra gli uomini».

Annuncio della nascita di Gesù. - [26]Al sesto mese Dio mandò l'angelo Gabriele in una città della Galilea chiamata Nazaret, [27]a una vergine sposa di un uomo di nome Giuseppe della casa di Davide: il nome della vergine era Maria. [28]Entrò da lei e le disse: «Salve, piena di grazia, il Signore è con te». [29]Per tali parole ella rimase turbata e si domandava che cosa significasse un tale saluto. [30]Ma l'angelo le disse: «Non temere,

Maria, perché hai trovato grazia presso Dio. [31]Ecco, tu concepirai nel grembo e darai alla luce un figlio. Lo chiamerai Gesù. [32]Egli sarà grande e sarà chiamato Figlio dell'Altissimo; il Signore Dio gli darà *il trono di Davide*, suo padre, [33]*e regnerà* sulla casa di Giacobbe *in eterno* e il suo regno non avrà mai fine». [34]Allora Maria disse all'angelo: «Come avverrà questo, poiché io non conosco uomo?». [35]L'angelo le rispose: «Lo Spirito Santo scenderà sopra di te e la potenza dell'Altissimo ti coprirà con la sua ombra; perciò quello che nascerà sarà chiamato santo, Figlio di Dio. [36]Ed ecco, Elisabetta, tua parente, ha concepito anche lei un figlio nella sua vecchiaia, e lei che era ritenuta sterile è già al sesto mese; [37]*nessuna cosa infatti è impossibile a Dio*». [38]Disse allora Maria: «Ecco la serva del Signore; si faccia di me come hai detto tu». E l'angelo si allontanò da lei.

Visita di Maria ad Elisabetta. - [39]In quei giorni Maria, messasi in viaggio, si recò in fretta verso la regione montagnosa, in una città di Giuda. [40]Entrò nella casa di Zaccaria e salutò Elisabetta. [41]Ed ecco che, appena Elisabetta ebbe udito il saluto di Maria, le balzò in seno il bambino. Elisabetta fu ricolma di Spirito Santo [42]ed esclamò a gran voce: «Benedetta tu fra le donne e benedetto il frutto del tuo seno. [43]Ma perché mi accade questo, che venga da me la madre del mio Signore? [44]Ecco, infatti, che appena il suono del tuo saluto è giunto alle mie orecchie, il bambino m'è balzato in seno per la gioia. [45]E benedetta colei che ha creduto al compimento di ciò che le è stato detto dal Signore». [46]E Maria disse:

«L'anima mia magnifica il Signore
[47] e il mio spirito esulta in Dio,
     mio Salvatore,
[48] perché ha considerato l'umiltà
     della sua serva.
     D'ora in poi tutte le generazioni
     mi chiameranno beata.
[49] Perché grandi cose m'ha fatto il Potente,
     Santo è il suo nome,

---

27. Non solo Giuseppe era *della casa di Davide*, ma probabilmente anche Maria: cfr. 1,32.

28-29. Il saluto dell'angelo, pieno di rispetto e di ammirazione, contiene quanto di più bello, nobile e alto si possa dire di una creatura umana. Tale saluto fu completato da Elisabetta (v. 42).

⁵⁰ e la sua misericordia di generazione
   in generazione
   va a quelli che lo temono.
⁵¹ Ha messo in opera la potenza
   del suo braccio,
   ha disperso i superbi con i disegni
   da loro concepiti.
⁵² Ha rovesciato i potenti dai troni
   e innalzato gli umili.
⁵³ Ha ricolmato di beni gli affamati
   e rimandato i ricchi a mani vuote.
⁵⁴ Ha soccorso Israele, suo servo,
   ricordandosi della sua misericordia,
⁵⁵ come aveva promesso ai nostri padri,
   a favore di Abramo e della sua
   discendenza, per sempre».

⁵⁶Maria rimase con lei circa tre mesi, poi ritornò a casa sua.

Nascita di Giovanni Battista. - ⁵⁷Giunse intanto per Elisabetta il tempo di partorire e diede alla luce un figlio. ⁵⁸I vicini e i parenti udirono che il Signore era stato grande nella sua misericordia con lei, e si congratulavano con lei.

⁵⁹All'ottavo giorno vennero a circoncidere il bambino. Lo volevano chiamare Zaccaria, il nome di suo padre. ⁶⁰Ma sua madre intervenne dicendo: «No, ma si chiamerà Giovanni». ⁶¹Le risposero: «Non c'è nessuno della tua parentela che si chiami con questo nome». ⁶²Allora domandavano con cenni a suo padre come voleva che si chiamasse.

⁶³Egli chiese una tavoletta e vi scrisse: «Il suo nome è Giovanni», e tutti ne furono meravigliati. ⁶⁴In quel medesimo istante gli si aprì la bocca e gli si sciolse la lingua: parlava benedicendo Dio. ⁶⁵Tutti i loro vicini furono presi da timore e in tutta la regione montagnosa della Giudea si discorreva di tutte queste cose. ⁶⁶Coloro che le sentivano le tenevano in cuor loro e si domandavano: «Che sarà mai di questo bambino?». La mano del Signore infatti era con lui.

⁶⁷Zaccaria, suo padre, fu ricolmo di Spirito Santo e si mise a profetare:

⁶⁸ «Benedetto il Signore, Dio di Israele,
   perché ha visitato e redento
   il suo popolo,
⁶⁹ per noi ha suscitato una potente salvezza
   nella casa di Davide, suo servo,
⁷⁰ come aveva promesso

per bocca dei suoi santi profeti
   d'un tempo:
⁷¹ salvezza dai nostri nemici
   e dalle mani di tutti quelli che ci odiano.
⁷² Così egli ha concesso misericordia
   ai nostri padri
   e s'è ricordato della sua santa alleanza,
⁷³ del giuramento fatto ad Abramo,
   nostro padre,
   di concedere a noi, ⁷⁴liberati dalle mani
   dei nemici,
   di servirlo senza timore, ⁷⁵in santità
   e giustizia
   dinanzi a lui per tutti i nostri giorni.
⁷⁶ E tu, bambino, sarai chiamato profeta
   dell'Altissimo
   perché andrai innanzi al Signore
   a preparargli la via,
⁷⁷ per dare al suo popolo la conoscenza
   della salvezza
   per la remissione dei loro peccati,
⁷⁸ grazie alla bontà misericordiosa
   del nostro Dio,
   per cui verrà a visitarci un sole dall'alto,
⁷⁹ per illuminare quelli che stanno nelle
   tenebre e nell'ombra di morte,
   per guidare i nostri passi sulla via
   della pace».

⁸⁰Il fanciullo intanto cresceva e si fortificava nello spirito. Visse in regioni deserte, fino al giorno in cui doveva manifestarsi ad Israele.

2 **Nascita di Gesù.** - ¹In quei giorni uscì un editto di Cesare Augusto che ordinava il censimento di tutta la terra. ²Questo primo censimento fu fatto quando Quirinio era governatore della Siria. ³Tutti andavano a dare il loro nome, ciascuno nella propria città. ⁴Anche Giuseppe dalla Galilea, dalla città di Nazaret, salì nella Giudea, alla città di Davide, che si chiamava Betlemme, perché egli era della casa e della famiglia di Davide, ⁵per dare il suo nome con Maria, sua sposa, che era incinta. ⁶Mentre si trovavano là, giunse per lei il tempo di partorire e ⁷diede alla luce il suo figlio primogenito. Lo avvolse in fasce e lo depose in una mangiatoia, perché per loro non c'era posto all'albergo.

Visita dei pastori. - ⁸In quella stessa regione si trovavano dei pastori: vegliavano all'aperto e di notte facevano la guardia al loro gregge. [9]L'angelo del Signore si presentò a loro e la gloria del Signore li avvolse di luce: essi furono presi da grande spavento. [10]Ma l'angelo disse loro: «Non temete, perché, ecco, io vi annunzio una grande gioia per tutto il popolo: [11]oggi, nella città di Davide, è nato per voi un salvatore, che è il Messia Signore. [12]E questo vi servirà da segno: troverete un bambino avvolto in fasce che giace in una mangiatoia». [13]Subito si unì all'angelo una moltitudine dell'esercito celeste che lodava Dio così:

[14] «Gloria a Dio nel più alto dei cieli
e pace in terra agli uomini che egli ama».

[15]Appena gli angeli si furono allontanati da loro per andare verso il cielo, i pastori dicevano fra loro: «Andiamo fino a Betlemme a vedere quello che è accaduto e che il Signore ci ha fatto sapere». [16]Andarono dunque in fretta e trovarono Maria, Giuseppe e il bambino che giaceva nella mangiatoia. [17]Dopo aver veduto, riferirono quello che del bambino era stato detto loro. [18]Tutti quelli che udivano si meravigliavano delle cose che i pastori dicevano loro. [19]Maria, da parte sua, conservava tutte queste cose meditandole in cuor suo.

[20]I pastori poi se ne tornarono glorificando e lodando Dio per tutto quello che avevano udito e visto, come era stato detto loro.

Osservanza delle prescrizioni legali. - [21]Quando furono passati gli otto giorni per circonciderlo, gli fu dato il nome Gesù, come era stato chiamato dall'angelo prima di essere concepito in grembo. [22]Venuto poi il tempo della loro purificazione, secondo la legge di Mosè, lo portarono a Gerusalemme per offrirlo al Signore, [23]come sta scritto nella legge di Mosè: *Ogni maschio primogenito sarà considerato sacro al Signore*; [24]e per offrire in sacrificio, come dice la legge del Signore, un paio di tortore o due giovani colombi.

Simeone e Anna. - [25]Ora, c'era in Gerusalemme un uomo chiamato Simeone: era un uomo giusto e pio e aspettava la consolazione di Israele e lo Spirito Santo era su di lui. [26]Anzi, dallo Spirito Santo gli era stato rivelato che non sarebbe morto prima di aver visto il Cristo del Signore. [27]Andò dunque al tempio, mosso dallo Spirito; e mentre i genitori portavano il bambino Gesù per fare a suo riguardo quanto ordinava la legge, [28]egli lo prese tra le braccia e benedì Dio, dicendo:

[29] «Ora, o Signore, lascia che il tuo servo
se ne vada in pace secondo
la tua parola,
[30] perché i miei occhi hanno visto
la tua salvezza
[31] che tu hai preparato davanti
a tutti i popoli;
[32] luce che illumina le genti
e gloria del tuo popolo, Israele».

[33]Ora, suo padre e sua madre rimasero meravigliati di quanto era stato loro detto di lui. [34]Simeone li benedì e a Maria, sua madre, disse: «Ecco, egli è posto per la caduta e per la risurrezione di molti in Israele e come segno di contraddizione, [35]sicché una spada trapasserà la tua anima, affinché vengano svelati i pensieri di molti cuori».

[36]Vi era anche una profetessa, Anna, figlia di Fanuele, della tribù di Aser, molto avanzata in età, che era vissuta con suo marito sette anni dopo la sua verginità. [37]Rimasta vedova e giunta all'età di ottantaquattro anni, non lasciava mai il tempio e serviva Dio giorno e notte, con digiuni e preghiere. [38]Arrivò essa pure in quella stessa ora e rendeva grazie a Dio e parlava del bambino a tutti quelli che aspettavano la liberazione di Gerusalemme.

Vita nascosta a Nazaret. - [39]Quando ebbero compiuto tutto quello che riguardava la legge del Signore, ritornarono in Galilea, nella loro città di Nazaret. [40]Intanto il bambino cresceva e si fortificava, pieno di sapienza, e la grazia di Dio era su di lui.

Ritrovamento di Gesù tra i dottori. - [41]I suoi genitori erano soliti andare a Gerusalemme ogni anno, per la festa di Pasqua. [42]Ora, quando egli ebbe dodici anni, i suoi salirono a Gerusalemme, secondo il rito della festa. [43]Trascorsi quei giorni, mentre essi se ne tornavano, il fanciullo rimase in Gerusalemme, senza che i suoi genitori se

---

2. - 27. *I genitori*: Giuseppe, padre putativo e legale, e Maria, madre vera e naturale. L'evangelista si serve dei termini usuali presso gli ebrei per designare Maria e Giuseppe, e ciò fa con naturalezza, avendo già fatto risaltare molto chiaramente la concezione verginale di Gesù (1,34-35).

ne accorgessero. ⁴⁴Credendo che egli si trovasse nella comitiva, fecero una giornata di cammino, poi lo cercarono fra i parenti e conoscenti. ⁴⁵Ma, non avendolo trovato, tornarono a Gerusalemme per farne ricerca. ⁴⁶Lo trovarono tre giorni dopo, nel tempio, seduto in mezzo ai dottori, intento ad ascoltarli e a interrogarli. ⁴⁷Tutti quelli che lo udivano restavano meravigliati della sua intelligenza e delle sue risposte. ⁴⁸Nel vederlo, essi furono stupiti e sua madre gli disse: «Figlio, perché hai fatto questo? Ecco, tuo padre e io, addolorati, ti cercavamo!». ⁴⁹Ma egli rispose loro: «Perché mi cercavate? Non sapevate che io mi devo occupare di quanto riguarda il Padre mio?». ⁵⁰Essi però non compresero ciò che aveva detto loro. ⁵¹Egli scese con loro e tornò a Nazaret, ed era loro sottomesso. Sua madre conservava tutte queste cose in cuor suo. ⁵²E Gesù cresceva in sapienza, in età e in grazia, davanti a Dio e davanti agli uomini.

MINISTERO PUBBLICO IN GALILEA

3 **Predicazione di Giovanni Battista.** - ¹Era l'anno quindicesimo del regno di Tiberio Cesare: Ponzio Pilato governava la Giudea, Erode era tetrarca della Galilea e suo fratello Filippo dell'Iturea e della Traconitide; Lisania governava la provincia dell'Abilene, ²mentre Anna e Caifa erano i sommi sacerdoti. In quel tempo la parola di Dio fu rivolta a Giovanni, figlio di Zaccaria, nel deserto. ³Egli allora percorse tutta la regione del Giordano, predicando un battesimo di penitenza per il perdono dei peccati. ⁴Si realizzava così ciò che è scritto nel libro degli oracoli del profeta Isaia:

Ecco, una voce risuona nel deserto:
Preparate la strada per il Signore,
spianate i suoi sentieri!
⁵ *Le valli siano riempite,*
le montagne e le colline siano abbassate;
le vie tortuose siano raddrizzate,
i luoghi impervi appianati.
⁶ *Ogni uomo vedrà la salvezza di Dio.*

⁷Alle folle che accorrevano da lui per farsi battezzare, egli diceva: «Razza di vipere, chi vi ha insegnato a sfuggire all'ira ormai vicina? ⁸Dimostrate piuttosto con i fatti che vi siete veramente convertiti e non cominciate a dire tra di voi: "Noi come padre abbiamo Abramo". Io vi dico che Dio è capace di suscitare veri figli ad Abramo anche da queste pietre. ⁹La scure è già posta alla radice degli alberi: ogni albero che non fa frutti buoni, sarà tagliato e gettato nel fuoco». ¹⁰La folla così lo interrogava: «Che cosa dobbiamo fare?». ¹¹Egli rispondeva: «Chi ha due tuniche ne dia una a chi non ne ha; e chi ha del cibo faccia lo stesso». ¹²Vennero anche alcuni pubblicani per farsi battezzare. Gli domandarono: «Maestro, che cosa dobbiamo fare?». ¹³Giovanni rispose: «Non esigete niente di più di quanto vi è stato fissato». ¹⁴Anche alcuni soldati lo interrogavano: «E noi, che cosa dobbiamo fare?». Rispose: «Non fate violenza a nessuno, non denunciate il falso, accontentatevi della vostra paga». ¹⁵L'attesa del popolo intanto cresceva e tutti si domandavano in cuor loro se Giovanni fosse il Messia. ¹⁶Giovanni rispose: «Io vi battezzo con acqua, ma viene uno che è più forte di me, al quale non sono degno neppure di sciogliere i lacci dei sandali. Egli vi battezzerà in Spirito Santo e fuoco. ¹⁷Egli tiene in mano il ventilabro per separare il frumento dalla pula; raccoglierà il grano nel granaio, ma la paglia la brucerà con un fuoco inestinguibile».

¹⁸Con queste e altre esortazioni annunziava al popolo la salvezza.

¹⁹Ma il tetrarca Erode, che Giovanni aveva biasimato perché aveva preso Erodiade, moglie di suo fratello, e per altre scelleratezze, ²⁰aggiunse un altro crimine a quelli già commessi: fece imprigionare Giovanni.

Battesimo di Gesù. - ²¹Tutto il popolo si faceva battezzare, e fu battezzato anche Gesù. E mentre stava in preghiera, il cielo si aprì ²²e lo Spirito Santo discese su di lui, in forma corporea, come colomba. E vi fu una voce che venne dal cielo: «Tu sei il Figlio mio amatissimo, in te io mi compiaccio».

Genealogia di Gesù. - ²³Gesù aveva circa trent'anni, quando incominciò il suo ministero e da tutti si pensava che fosse figlio di Giuseppe, il quale era figlio di Eli, ²⁴figlio di Mattat, figlio di Levi, figlio di Melchi, figlio di Iannai, figlio di Giuseppe, ²⁵figlio di Mattatia, figlio di Amos, figlio di Naum, figlio di Esli, figlio di Naggai, ²⁶figlio di Maat, figlio di Mattatia, figlio di Semein, figlio di Iosek, figlio di Ioda, 27figlio di Ioanan, figlio di Resa, figlio di Zorobabele, figlio di Salatiel, figlio di Neri, 28figlio di Melchi, figlio di Addi, figlio di Cosam, figlio di Elmadam, figlio di Er, 29figlio di Gesù, figlio di Eliezer, figlio di Iorim, figlio di Mattat, figlio di Levi, 30figlio di Simeone, figlio di Giuda, figlio di Giuseppe, figlio di Ionam, figlio di Eliacim, 31figlio di Melea, figlio di Menna, figlio di Mattata, figlio di Natam, figlio di Davide, 32figlio di Iesse, figlio di Obed, figlio di Booz, figlio di Sala, figlio di Naasson, 33figlio di Aminadab, figlio di Admin, figlio di Arni, figlio di Esrom, figlio di Fares, figlio di Giuda, 34figlio di Giacobbe, figlio di Isacco, figlio di Abramo, figlio di Tare, figlio di Nacor, 35figlio di Seruk, figlio di Ragau, figlio di Falek, figlio di Eber, figlio di Sala, 36figlio di Cainam, figlio di Arpacsad, figlio di Sem, figlio di Noè, figlio di Lamech, 37figlio di Matusalemme, figlio di Enoch, figlio di Iaret, figlio di Maleleel, figlio di Cainam, 38figlio di Enos, figlio di Set, figlio di Adamo, figlio di Dio.

4 Le tentazioni di Gesù. - 1Gesù, pieno di Spirito Santo, ritornò dal Giordano e, sotto l'azione dello Spirito Santo, andò nel deserto, 2dove rimase per quaranta giorni tentato dal diavolo. Per tutti quei giorni non mangiò nulla: alla fine ebbe fame. 3Allora il diavolo gli disse: «Se tu sei Figlio di Dio, comanda a questa pietra di diventare pane». 4Gesù gli rispose: «È scritto: *Non di solo pane vive l'uomo*». 5Il diavolo allora condusse Gesù più in alto, gli fece vedere in un solo istante tutti i regni della terra, 6e gli disse: «Ti darò tutta questa potenza e le ricchezze di questi regni, perché a me sono stati dati e io li do a chi voglio. 7Se tu ti inginocchierai davanti a me, tutto sarà tuo». 8Gesù gli rispose: «È scritto: *Adorerai il Signore, Dio tuo, a lui solo rivolgerai la tua preghiera*». 9Lo condusse allora a Gerusalemme, lo pose sulla parte più alta del tempio. E gli disse: «Se tu sei Figlio di Dio, gettati giù di qui, 10poiché sta scritto:

Dio comanderà ai suoi angeli per te,
perché ti proteggano.

11E ancora:

Ti sosterranno con le mani
perché il tuo piede non abbia
ad inciampare in una pietra».

12Gesù gli rispose: «È stato anche detto: *Non metterai alla prova il Signore, tuo Dio*». 13Alla fine, avendo esaurito ogni genere di tentazione, il diavolo si allontanò da lui per un certo tempo.

Gesù a Nazaret. - 14Gesù ritornò nella Galilea con la potenza dello Spirito. La sua fama si diffuse in tutta la regione. 15Insegnava nelle loro sinagoghe e tutti lo lodavano. 16Si recò a Nazaret, dove era stato allevato. Era sabato e, come al solito, entrò nella sinagoga e si alzò a leggere. 17Gli fu presentato il libro del profeta Isaia ed egli, apertolo, s'imbatté nel passo in cui c'era scritto:

18 *Lo Spirito del Signore è sopra di me,*
    per questo mi ha consacrato
    e mi ha inviato a portare ai poveri
        il lieto annunzio,
    ad annunziare ai prigionieri la liberazione
    e il dono della vista ai ciechi;
        per liberare coloro che sono oppressi,
19 *e inaugurare l'anno di grazia del Signore.*

20Poi, arrotolato il volume, lo restituì al servitore e si sedette. Tutti coloro che erano presenti nella sinagoga tenevano gli occhi fissi su di lui. 21Allora cominciò a dire: «Oggi si è adempiuta questa scrittura per voi che mi ascoltate». 22Tutti gli rendevano testimonianza ed erano stupiti per le parole piene di grazia che pronunciava. E si chiedevano: «Ma costui non è il figlio di Giuseppe?». 23Ed egli rispose: «Sono sicuro che mi citerete il proverbio: "Medico, cura te stesso". Tutto ciò che abbiamo udito che è avvenuto a Cafarnao, fallo anche qui, nella tua patria». Ed aggiunse: 24«In verità vi dico: nessun profeta è bene accetto nella sua patria. 25Vi dico inoltre: c'erano molte vedove in Israele al tempo del profeta Elia, quando per tre anni e sei mesi non cadde alcuna goccia di pioggia ed una grande carestia dilagò per tutto il paese; 26a nessuna di loro però fu mandato il profeta Elia, ma solo ad una vedova di Zarepta, nella regione di Sidone. 27E c'erano molti lebbrosi in Israele ai tempi del profeta Eliseo; eppure a nessuno di loro fu dato il dono della guarigione, ma solo a Naaman il Siro». 28Sentendo queste cose, coloro che erano presenti nella sinagoga furono presi dall'ira 29e, alzatisi, lo cacciarono fuori della città e lo condussero fino in cima al monte sul quale era situata la loro città per farlo precipitare giù. [30]Egli però, passando in mezzo a loro, se ne andò.

Un sabato a Cafarnao. - [31]Allora discese a Cafarnao, una città della Galilea, e insegnava alla gente nei giorni di sabato. [32]Coloro che l'ascoltavano si meravigliavano del suo insegnamento, perché parlava con autorità. [33]In quella sinagoga c'era un uomo posseduto da uno spirito cattivo e si mise a gridare: [34]«Perché ti interessi di me, Gesù di Nazaret? Sei venuto a mandarci in rovina? Io so chi tu sei: il Santo di Dio!». [35]Ma Gesù lo sgridò severamente e gli ordinò: «Sta' zitto ed esci subito da quest'uomo!». Allora il demonio, gettato a terra quell'uomo davanti a tutti, uscì da lui senza fargli alcun male. [36]Tutti i presenti furono presi da paura e si scambiavano le loro impressioni dicendo: «Che parola è mai questa? Con autorità e con potenza egli comanda agli spiriti cattivi, ed essi si vedono costretti ad andarsene». [37]E di lui si parlava ormai in tutta quella regione.

Guarigioni di altri ammalati. - [38]Uscito dalla sinagoga andò nella casa di Simone. La suocera di Simone era afflitta da una grande febbre e lo pregarono perché la guarisse. [39]Allora, chinatosi su di lei, minacciò la febbre, e la febbre la lasciò. Alzatasi all'istante, la donna prese a servirli. [40]Dopo il tramonto del sole, tutti quelli che avevano malati li portarono da lui. Egli li guariva imponendo le mani sopra ciascuno di loro. [41]Da molti uscivano in quel momento dei demòni che gridavano: «Tu sei il Figlio di Dio». Ma Gesù li sgridava severamente e impediva loro di parlare, perché sapevano che era il Messia.

Gesù lascia Cafarnao. - [42]Fattosi giorno, uscì e si ritirò in un luogo solitario, ma una gran folla lo cercava. Lo trovarono e volevano tenerlo sempre con loro, senza mai lasciarlo partire. [43]Ma egli disse loro: «Bisogna che io annunzi la bella notizia del regno di Dio anche alle altre città: per questo sono stato mandato». [44]E andava predicando da una sinagoga all'altra della Giudea.

5 Chiamata dei primi discepoli. - [1]Un giorno, mentre si trovava sulla riva del lago di Genesaret e la folla gli faceva ressa intorno e ascoltava la parola di Dio, [2]egli vide due barche vuote sulla riva. I pescatori erano scesi e stavano lavando le loro reti. [3]Salì su una di quelle barche, quella che apparteneva a Simone, e pregò questi di allontanarsi un po' dalla riva. Sedutosi, si mise a insegnare alla folla dalla barca. [4]Quando ebbe finito di parlare, disse a Simone: «Prendi il largo e insieme ai tuoi compagni getta le reti per la pesca». [5]Simone gli rispose: «Maestro, abbiamo faticato tutta la notte senza prendere neppure un pesce; però, sulla tua parola, getterò le reti». [6]Gettatele, presero subito una tale quantità di pesci che le loro reti si rompevano. [7]Allora chiamarono i compagni dell'altra barca perché venissero ad aiutarli. Essi vennero e riempirono le due barche a tal punto che quasi affondavano.

[8]Vedendo questo, Pietro si gettò ai piedi di Gesù dicendo: «Allontanati da me, Signore, perché io sono un peccatore». [9]Infatti Pietro e tutti quelli che erano con lui furono presi da grande stupore per la gran quantità di pesci che avevano pescato. [10]Lo stesso capitò a Giacomo e Giovanni, figli di Zebedeo, che erano compagni di Simone. E Gesù disse a Simone: «Non temere: da questo momento sarai pescatore di uomini». [11]Allora essi, riportate le barche a terra, abbandonando tutto lo seguirono.

Gesù guarisce un lebbroso. - [12]Un giorno, mentre si trovava in una città, un lebbroso gli si fece incontro e, appena lo vide, gli si gettò ai piedi e lo supplicò dicendo: «Signore, se vuoi, puoi guarirmi». [13]Gesù lo toccò con la mano e gli disse: «Lo voglio, sii guarito». Subito la lebbra sparì. [14]Gli ordinò di non dirlo a nessuno: «Recati, invece, dal sacerdote e mostrati a lui. Poi fa' l'offerta del sacrificio, come Mosè ha stabilito, perché diventi per loro un segno». [15]La sua fama si diffondeva sempre di più; molta gente si radunava per ascoltarlo e farsi guarire dalle malattie. [16]Ma Gesù si ritirava in luoghi deserti e pregava.

Gesù guarisce un uomo paralitico. - [17]Un giorno sedeva insegnando. Stavano seduti anche farisei e dottori della legge, che erano venuti da molti villaggi della Galilea, della Giudea e da Gerusalemme. E la potenza del Signore gli faceva operare guarigioni.

[18]Alcune persone intanto, portando su di un letto un uomo che era paralitico, cercavano di farlo passare e di metterlo davanti a lui. [19]Ma non riuscendo a introdurlo a causa della folla, salirono sul tetto e attraverso le tegole lo calarono giù con il lettuccio, proprio in mezzo dove si trovava Gesù. [20]Vedendo la loro fede, Gesù disse: «Uomo, ti sono rimessi i tuoi peccati». [21]I dottori della legge e i farisei cominciarono a discutere dicendo: «Chí è costui che osa parlare così contro Dio? Chi può rimettere i peccati se non Dio soltanto?». [22]Gesù, conosciuti i loro ragionamenti, rispose: «Perché ragionate così dentro di voi? [23]È più facile dire: "Ti sono rimessi i tuoi peccati", oppure: "Alzati e cammina"? [24]Ebbene, perché sappiate che il Figlio dell'uomo ha il potere sulla terra di rimettere i peccati», si rivolse al paralitico, dicendo: «Ti dico: alzati, prendi il tuo lettuccio e va' a casa tua». [25]All'istante quell'uomo si alzò davanti a loro, prese il lettuccio su cui giaceva e andò a casa sua, rendendo grazie a Dio. [26]Tutti furono pieni di stupore e innalzavano lode a Dio. Presi da timore, dicevano: «Oggi abbiamo visto cose meravigliose».

Vocazione di Levi e cena con i peccatori. - [27]Dopo questo Gesù uscì e vide un pubblicano di nome Levi seduto al banco delle imposte, e gli disse: «Seguimi». [28]Allora, lasciando ogni cosa, si alzò e lo seguì. [29]Poi Levi gli preparò un grande banchetto in casa sua. C'era un gran numero di pubblicani e di altra gente seduta a tavola con loro. [30]I farisei e i dottori della legge mormoravano e dicevano ai discepoli di Gesù: «Perché mangiate e bevete con i pubblicani e i peccatori?». [31]Rispose Gesù: «Le persone sane non hanno bisogno del medico; sono i malati invece ad averne bisogno. [32]Io non sono venuto a chiamare i giusti, ma i peccatori affinché si convertano».

La questione del digiuno. - [33]Gli dissero allora alcuni: «I discepoli di Giovanni digiunano spesso e vi aggiungono orazioni; così pure fanno i discepoli dei farisei. Invece i tuoi mangiano e bevono». [34]Rispose Gesù: «Vi pare possibile far digiunare gl'invitati a nozze, mentre lo sposo è con loro? [35]Più tardi verrà il tempo in cui lo sposo sarà portato via da loro; allora faranno digiuno». [36]Diceva loro anche una parabola: «Nessu-

no strappa un pezzo di un vestito nuovo per attaccarlo ad un vestito vecchio; altrimenti si trova con il vestito nuovo strappato e al vestito vecchio non si adatta il pezzo preso da quello nuovo. [37]E nessuno mette del vino nuovo in otri vecchi; altrimenti il vino nuovo fa scoppiare gli otri, si versa fuori e vanno perduti gli otri. [38]Invece il vino nuovo si mette in otri nuovi. [39]E nessuno chiede vino nuovo dopo aver bevuto quello vecchio, perché dice: "Il vecchio è migliore"».

6 **Le spighe raccolte in giorno di sabato.** - [1]Un giorno di sabato passava attraverso campi di grano e i suoi discepoli coglievano delle spighe e, dopo averle stritolate con le mani, le mangiavano. [2]Alcuni farisei dissero: «Perché fate ciò che non è lecito di sabato?». [3]Gesù rispose: «Non avete mai letto quel che fece Davide, quando egli e i suoi compagni ebbero fame? [4]Come entrò nella casa di Dio e prese i pani dell'offerta per il Signore e ne mangiò e ne diede a quelli che erano con lui, anche se era lecito ai soli sacerdoti di mangiarne?». [5]E disse loro ancora: «Il Figlio dell'uomo è padrone del sabato».

Gesù guarisce un malato di sabato. - [6]Un altro sabato Gesù entrò nella sinagoga e si mise a insegnare. E c'era là un uomo che aveva la mano destra paralizzata. [7]I dottori della legge e i farisei stavano ad osservarlo per vedere se lo guariva in giorno di sabato, allo scopo di trovare un capo d'accusa contro di lui. [8]Ma Gesù conosceva i loro pensieri e disse all'uomo che aveva la mano paralizzata: «Alzati e mettiti qui in mezzo». L'uomo, alzatosi, si mise là. [9]Poi Gesù disse loro: «Vi domando: è permesso in giorno di sabato fare del bene o fare del male, salvare una vita o perderla?». [10]E volgendo lo sguardo tutt'intorno, disse al paralitico: «Stendi la mano!». Egli lo fece e la mano guarì. [11]Ma essi furono pieni di rabbia e discutevano fra loro su ciò che avrebbero potuto fare a Gesù.

Scelta degli apostoli. - [12]In quei giorni Gesù se ne andò sul monte a pregare e tra-

---

5. - 21. Gesù mostra di essere Dio, esercitando un potere che, anche secondo i suoi avversari, aveva Dio soltanto: quello di perdonare i peccati.

31-32. C'è dell'ironia nelle parole di Gesù, specie nella seconda frase rivolta ai farisei che si credevano giusti.

scorse la notte intera pregando Dio. ¹³Fattosi giorno, chiamò a sé i suoi discepoli, ne scelse dodici e diede loro il nome di apostoli: ¹⁴Simone, che chiamò anche Pietro, e Andrea suo fratello, Giacomo e Giovanni, Filippo e Bartolomeo, ¹⁵Matteo e Tommaso, Giacomo figlio di Alfeo e Simone soprannominato Zelota, ¹⁶Giuda figlio di Giacomo e Giuda Iscariota, che fu poi il traditore.

¹⁷E disceso con loro si fermò su un ripiano. C'era una grande schiera di discepoli e grande folla di gente venuta da tutta la Giudea, da Gerusalemme e dal litorale di Tiro e di Sidone; ¹⁸erano venuti per ascoltarlo e per essere guariti dalle loro malattie. Anche quelli che erano tormentati da spiriti cattivi venivano guariti. ¹⁹Tutti cercavano di toccarlo, perché da lui usciva una potenza che guariva tutti.

Il discorso della montagna. - ²⁰Gesù, alzati gli occhi verso i suoi discepoli, diceva:

«Beati voi poveri,
    perché vostro è il regno di Dio.
²¹ Beati voi che adesso avete fame,
    perché sarete saziati.
  Beati voi che ora piangete,
    perché riderete.

²²Beati voi quando gli altri vi odieranno e vi rifiuteranno, quando vi insulteranno e disprezzeranno il vostro nome come scellerato, a causa del Figlio dell'uomo. ²³Rallegratevi in quel giorno ed esultate, perché la vostra ricompensa è di certo grande nei cieli. Allo stesso modo, infatti, si comportavano i loro padri con i profeti.

²⁴Ma guai a voi che siete ricchi,
    perché avete già la vostra consolazione.
²⁵Guai a voi che adesso siete sazi,
    perché avrete fame.
  Guai a voi che ora ridete,
    perché sarete tristi e piangerete.

²⁶Guai a voi, quando tutti gli uomini diranno bene di voi; allo stesso modo, infatti, facevano i loro padri con i falsi profeti.

²⁷Ma a voi che mi ascoltate io dico: amate i vostri nemici, fate del bene a quelli che vi odiano. ²⁸Benedite coloro che vi maledicono, pregate per coloro che vi fanno del male. ²⁹Se qualcuno ti percuote su una guancia,

porgigli anche l'altra; se qualcuno ti leva il mantello, lasciagli prendere anche la tunica. ³⁰Da' a chiunque ti chiede; e se qualcuno ti ruba ciò che ti appartiene, tu non richiederlo. ³¹Come volete che gli altri facciano a voi, così fate loro. ³²Se amate quelli che vi amano, che merito ne avrete? Anche i peccatori fanno lo stesso.

³³Se fate del bene a coloro che vi fanno del bene, che merito ne avrete? Anche i peccatori fanno lo stesso. ³⁴Se fate dei prestiti a coloro da cui sperate di ricevere, che merito ne avrete? Anche i peccatori concedono prestiti ai peccatori per riceverne altrettanto. ³⁵Amate invece i vostri nemici, fate del bene e prestate senza sperare alcunché e la vostra ricompensa sarà grande e sarete figli dell'Altissimo. Egli infatti è buono anche verso gl'ingrati e i cattivi.

³⁶Siate misericordiosi come Dio, vostro Padre, è misericordioso.

³⁷Non giudicate e non sarete giudicati. Non condannate e non sarete condannati. Perdonate e vi sarà perdonato. ³⁸Date e vi sarà dato: ne riceverete in misura buona, pigiata, scossa e traboccante, perché con la stessa misura con cui misurate, sarà misurato anche a voi».

³⁹Disse loro anche questa parabola: «Può forse un cieco fare da guida a un altro cieco? Non cadrebbero tutti e due in una buca? ⁴⁰Il discepolo non è più grande del suo maestro; tutt'al più, se si lascerà ben formare, sarà come il maestro. ⁴¹Perché guardi la pagliuzza che è nell'occhio di tuo fratello e non ti accorgi della trave che è nel tuo? ⁴²Come puoi dire al tuo fratello: "Lascia che tolga la pagliuzza che è nel tuo occhio", mentre non vedi la trave che è nel tuo? Ipocrita, togli prima la trave che è nel tuo occhio e allora ci vedrai bene per togliere la pagliuzza dall'occhio del tuo fratello.

⁴³L'albero buono non produce frutti cattivi, né l'albero cattivo produce frutti buoni. ⁴⁴Il pregio di un albero si riconosce dai suoi frutti: non si raccolgono infatti fichi dalle spine e non si vendemmia uva da un rovo. ⁴⁵L'uomo buono trae fuori il bene dal prezioso tesoro del suo cuore; l'uomo cattivo, invece, dal suo cattivo tesoro trae fuori il male. Con la bocca infatti si esprime tutto ciò che si ha nel cuore.

⁴⁶Perché mi chiamate: "Signore, Signore", e non fate poi quello che vi dico? ⁴⁷Chiunque

viene a me, ascolta le mie parole e le mette in pratica, vi mostrerò a chi assomiglia. [48]È simile ad un uomo che si è messo a costruire una casa: ha scavato molto a fondo e ha posto le fondamenta sopra la roccia. Venuta la piena, il fiume irruppe con violenza contro quella casa, ma non riuscì a scuoterla perché era ben costruita. [49]Chi invece ascolta le mie parole e non le mette in pratica assomiglia ad un uomo che ha costruito una casa direttamente sulla terra, senza fondamenta. Quando il fiume la investì, essa crollò subito, e il disastro di quella casa fu grande».

7 Il servo del centurione. - [1]Quando ebbe terminato di parlare al popolo che stava in ascolto, entrò in Cafarnao. [2]Un servo di un centurione era ammalato e si trovava in pericolo di morte. Il centurione gli voleva molto bene. Perciò, [3]quando sentì parlare di Gesù, gli mandò degli anziani dei giudei a pregarlo di venire e di salvare il suo servo. [4]Costoro, giunti da Gesù, lo pregavano con insistenza: «Colui che ci manda, merita il tuo aiuto. [5]Egli ama la nostra nazione ed è stato lui a costruirci la sinagoga». [6]Allora Gesù s'incamminò con loro. Non era molto distante dalla casa quando il centurione gli mandò incontro alcuni amici a dirgli: «Signore, non ti disturbare. Io non sono degno che tu entri nella mia casa; [7]per questo neppure mi sono ritenuto degno di venire da te; ma di' una parola e il mio servo sarà guarito. [8]Anch'io sono un subalterno e, a mia volta, ho sotto di me alcuni soldati. E dico a uno: "Va'", ed egli va; e a un altro: "Vieni", ed egli viene; e dico al mio servo: "Fa' tal tal cosa", ed egli la fa». [9]Quando Gesù udì queste parole, rimase meravigliato. Si rivolse allora alla folla che lo seguiva e disse: «Vi assicuro che neppure in Israele ho trovato una fede così grande». [10]E gli inviati, tornati a casa, trovarono il servo guarito.

Il figlio della vedova di Naim. - [11]In seguito andò in una città chiamata Naim. Lo accompagnavano i suoi discepoli insieme ad una grande folla. [12]Quando fu vicino alla porta della città, s'imbatté in un morto che veniva portato al sepolcro: era l'unico figlio di una madre vedova. Molti abitanti della città erano con lei. [13]Il Signore, appena la vide, ne ebbe compassione e le disse: «Non piangere». [14]Poi, accostatosi alla bara, la toccò, mentre i portatori si fermarono. Allora disse: «Giovinetto, te lo dico io, alzati!». [15]Il morto si levò a sedere e si mise a parlare. Ed egli lo restituì alla madre. [16]Tutti furono presi da timore e glorificavano Dio dicendo: «Un grande profeta è apparso tra noi: Dio ha visitato il suo popolo». [17]La fama di questi fatti si diffuse in tutta la Giudea e per tutta la regione.

Gesù e Giovanni Battista. - [18]A Giovanni i suoi discepoli riferirono tutte queste cose. Giovanni chiamò due di loro [19]e li mandò a dire al Signore: «Sei tu colui che deve venire o dobbiamo aspettare un altro?». [20]Quando arrivarono da Gesù, quegli uomini dissero: «Giovanni il Battista ci ha mandati da te per domandarti: "Sei tu colui che deve venire o dobbiamo aspettare un altro?"». [21]In quello stesso momento Gesù guarì molta gente da malattie, da infermità, da spiriti cattivi; e a molti ciechi ridonò la vista. [22]Poi diede loro questa risposta: «Andate e riferite a Giovanni quello che avete visto e ascoltato: *i ciechi vedono*, gli zoppi camminano, i lebbrosi vengono mondati, i sordi odono, *i morti risorgono, ai poveri viene annunziata la buona novella*. [23]E beato colui che non si scandalizza di me».

[24]Quando gl'inviati di Giovanni furono partiti, Gesù cominciò a dire alla folla riguardo a Giovanni: «Che cosa siete andati a vedere nel deserto? Una canna agitata dal vento? [25]E allora, che cosa siete andati a vedere? Un uomo vestito con morbide vesti? Ma quelli che portano ricchi abiti e vivono nel lusso stanno nei palazzi dei re. [26]Allora, che cosa siete andati a vedere? Un profeta? Sì, vi dico, e anzi uno che è più grande di un profeta. [27]È lui quello del quale è scritto:

Ecco il mio messàggero;
io lo mando davanti a te,
egli preparerà la strada davanti a te.

[28]Io vi dico: Giovanni è il più grande tra i nati di donna; però il più piccolo nel regno di Dio

---

7. 18-23. Giovanni in carcere venne a conoscere le opere di Gesù da quegli stessi discepoli che gli si conservavano tenacemente fedeli. Egli, perciò perplesso per il modo con cui Gesù conduceva la sua missione, prese occasione da quanto riferito per inviare alcuni di essi a compiere l'ambasciata di cui si parla qui, dando loro l'opportunità di ricevere una risposta direttamente da lui.

è più grande di lui. [29]Tutto il popolo lo ha ascoltato, anche i pubblicani, e hanno reso giustizia a Dio ricevendo il battesimo di Giovanni. [30]Ma i farisei e i dottori della legge, rifiutandosi di farsi battezzare da lui, hanno reso vano il disegno di Dio verso di loro.

[31]A che cosa paragonerò dunque gli uomini di questa generazione? A chi sono simili? [32]Somigliano a quei fanciulli che, giocando sulla piazza, gridano gli uni agli altri: "Vi abbiamo suonato il flauto e non avete ballato; vi abbiamo cantato un canto di dolore e non avete pianto!".

[33]È venuto Giovanni il Battista, che non mangia pane e non beve vino, e voi dite: "Ha un demonio". [34]È venuto il Figlio dell'uomo, che mangia e beve, e voi dite: "Ecco un mangione e un beone, amico dei pubblicani e dei peccatori". [35]Ma la Sapienza è stata giustificata da tutti i suoi figli».

Gesù incontra la peccatrice. - [36]Un fariseo lo invitò a mangiare con lui. Egli entrò in casa sua e si mise a tavola. [37]Ed ecco una donna, una peccatrice di quella città, saputo che si trovava nella casa del fariseo, venne con un vasetto di olio profumato; [38]fermatasi dietro a lui, si rannicchiò ai suoi piedi e cominciò a bagnarli di lacrime; poi li asciugava con i suoi capelli, li baciava e li cospargeva di olio profumato. [39]Vedendo questo, il fariseo che lo aveva invitato disse tra sé: «Se costui fosse un profeta, saprebbe chi è questa donna che lo tocca: è una peccatrice». [40]Gesù allora gli disse: «Simone, ho una cosa da dirti». Egli rispose: «Maestro, di' pure». [41]«Un creditore aveva due debitori: uno gli doveva cinquecento denari, l'altro cinquanta. [42]Non avendo essi la possibilità di restituire, condonò il debito a tutti e due. Chi di loro gli sarà più riconoscente?». [43]Simone rispose: «Suppongo quello a cui ha condonato di più». E Gesù gli disse: «Hai giudicato bene». [44]Poi, volgendosi verso la donna, disse a Simone: «Vedi questa donna? Sono venuto in casa tua e tu non mi hai dato l'acqua per lavare i piedi; lei invece mi ha bagnato i piedi con le lacrime e con i capelli li ha asciugati. [45]Tu non mi hai dato il bacio; lei invece da quando sono qui non ha ancora smesso di baciarmi i piedi. [46]Tu non mi hai cosparso il capo di olio profumato, lei invece mi ha cosparso di profumo i piedi. [47]Perciò ti dico: i suoi molti peccati le sono perdonati, perché ha molto amato. Colui invece al quale si perdona poco, ama poco». [48]Poi disse a lei: «Ti sono perdonati i tuoi peccati». [49]Allora quelli che stavano a tavola con lui cominciarono a bisbigliare: «Chi è quest'uomo che osa anche rimettere i peccati?». [50]E Gesù disse alla donna: «La tua fede ti ha salvata; va' in pace!».

8 **Le donne che seguivano Gesù.** - [1]Un po' di tempo dopo egli se ne andava per le città e i villaggi predicando e annunziando la buona novella del regno di Dio. Vi erano con lui i Dodici [2]e anche alcune donne che erano state guarite da spiriti cattivi e da infermità: Maria di Magdala, dalla quale erano usciti sette dèmoni, [3]Giovanna moglie di Cusa, amministratore di Erode, Susanna e molte altre. Esse li servivano con i loro beni.

Parabola del seminatore. - [4]Un giorno si radunò una gran folla intorno a lui e a quelli che accorrevano a lui da ogni città; egli disse questa parabola: [5]«Il seminatore uscì a seminare la sua semente. Mentre seminava, una parte cadde sulla strada, fu calpestata e gli uccelli del cielo la mangiarono. [6]Un'altra parte andò a finire sulla pietra e, appena germogliata, inaridì per mancanza di umidità. [7]Un'altra parte cadde in mezzo alle spine e le spine, cresciute insieme con essa, la soffocarono. [8]Una parte invece cadde sulla terra buona; i semi germogliarono e produssero cento volte tanto». Detto questo, esclamò: «Chi ha orecchi per intendere, intenda!». [9]I suoi discepoli gli domandarono che parabola fosse questa. [10]Egli rispose: «A voi è dato conoscere i misteri del regno di Dio, agli altri invece solo in parabole, perché

guardando non vedano
e ascoltando non intendano.

[11]Il significato della parabola è questo: il seme è la parola di Dio. [12]I semi caduti sulla strada indicano coloro che l'hanno ascoltata, ma poi viene il diavolo e porta via la parola dai loro cuori, perché non credano e si salvino. [13]Quelli caduti sulla pietra indicano coloro che, quando ascoltano la parola, l'accolgono con gioia, ma non hanno radici; credono per un certo tempo, ma nel tempo

della prova defezionano. [14]I semi caduti fra le spine indicano coloro che, dopo aver ascoltato, cammin facendo si lasciano prendere dalle preoccupazioni, dalla ricchezza e dai piaceri della vita e rimangono senza frutto. [15]I semi caduti sulla terra buona indicano coloro che, dopo aver ascoltato la parola con cuore nobile e buono, la trattengono e producono frutto con la loro perseveranza».

Due contrappunti alla parabola del seminatore. - [16]«Nessuno accende una lucerna e la copre con un vaso o la pone sotto il letto, ma la mette su un lampadario, perché chi entra veda la luce. [17]Non c'è niente di occulto che non sarà manifestato, nulla di segreto che non sarà portato alla luce. [18]Fate attenzione, dunque, a come ascoltate: perché a chi ha sarà dato, a chi invece non ha sarà tolto anche quello che crede di avere».

La madre e i fratelli di Gesù. - [19]La madre e i fratelli andarono un giorno a trovarlo, ma non potevano avvicinarlo per causa della folla. [20]Gli fecero sapere: «Tua madre e i tuoi fratelli sono qui fuori e desiderano vederti». [21]Ma egli disse loro: «Mia madre e miei fratelli sono coloro che ascoltano la parola di Dio e la mettono in pratica».

La tempesta sedata. - [22]Un giorno salì su una barca con i suoi discepoli e disse loro: «Andiamo all'altra riva del lago». Presero il largo. [23]Mentre navigavano, egli si addormentò. Sul lago il vento si mise a soffiare molto forte, la barca si riempiva d'acqua ed erano in pericolo. [24]Accostatisi a lui, lo svegliarono dicendo: «Maestro, Maestro, siamo in pericolo di vita!». Egli, destatosi, sgridò il vento e i flutti minacciosi; essi cessarono e ci fu una gran calma. [25]Allora disse loro: «Dov'è la vostra fede?». Ed essi, presi da timore e da meraviglia, si dicevano l'un l'altro: «Chi è dunque costui che comanda ai venti e all'acqua e gli obbediscono?».

L'indemoniato di Gerasa. - [26]Poi approdarono nella regione dei Geraseni che sta di fronte alla Galilea. [27]Era appena sceso a terra, quando dalla città gli venne incontro un uomo posseduto dai demòni. Da molto tempo non portava vestiti e non abitava in una casa, ma tra i sepolcri. [28]Quando vide Gesù, gli si gettò ai piedi urlando; poi disse a gran voce: «Che vi è tra me e te, Gesù, Figlio del Dio Altissimo? Ti prego, non tormentarmi!».

[29]Gesù stava appunto ordinando allo spirito cattivo di uscire da quell'uomo. Molte volte infatti quello spirito si era impossessato di lui; allora lo legavano con catene e lo custodivano in ceppi, ma egli riusciva a spezzare i legami e dal demonio veniva spinto in luoghi deserti. [30]Gesù gli domandò: «Che nome hai?». Gli rispose: «Legione è il mio nome». Infatti molti demòni erano entrati in lui [31]e lo supplicavano che non comandasse loro di andare nell'abisso. [32]In quel luogo c'era una grande mandria di porci che pascolava sul monte. Gli chiesero che permettesse loro di entrare nei porci, ed egli lo permise loro. [33]I demòni allora uscirono da quell'uomo ed entrarono nei porci e tutti quegli animali presero a correre a precipizio dalla rupe, andarono a finire nel lago e annegarono. [34]I mandriani, quando videro quel che era accaduto, fuggirono e andarono a portare la notizia nella città e nei villaggi.

[35]La gente uscì per vedere ciò che era accaduto e, quando arrivarono da Gesù, trovarono l'uomo dal quale erano usciti i demòni che stava ai piedi di Gesù, vestito e sano di mente. Allora furono presi da spavento. [36]Quelli che avevano visto tutto, riferirono come l'indemoniato era stato guarito. [37]Allora tutta la popolazione del territorio dei Geraseni pregò Gesù di andarsene da loro, perché avevano molta paura. Gesù, salito su una barca, tornò indietro. [38]Intanto l'uomo dal quale erano usciti i demòni gli chiese di restare con lui, ma egli lo congedò dicendogli: [39]«Torna a casa tua e racconta quello che Dio ti ha fatto». L'uomo se ne andò e proclamò per tutta la città quello che Gesù aveva fatto per lui.

Le guarigioni della figlia di Giairo e dell'emorroissa. - [40]Quando fece ritorno, Gesù fu accolto dalla folla: infatti erano tutti in attesa di lui. [41]Venne allora un uomo, di nome Giairo, che era capo della sinagoga. Gettatosi ai piedi di Gesù, lo supplicava di andare a casa sua, [42]perché aveva un'unica figlia di circa dodici anni che stava per morire. Mentre vi si dirigeva, la folla lo premeva da ogni parte. [43]E una donna, che da dodici anni soffriva di continue perdite di sangue e che nessuno era riuscito a guarire, [44]gli si avvicinò e toccò la frangia del suo mantello, e subito il flusso di sangue si arrestò. [45]Gesù disse: «Chi mi ha toccato?». Tutti lo negavano. Perciò Pietro disse: «Maestro, la folla ti stringe da ogni parte e ti schiaccia». [46]Ma Gesù disse: «Qualcuno mi ha toccato. Ho sentito che una potenza è uscita da me». [47]La donna, allora, rendendosi conto che non poteva rimanere nascosta, si fece avanti tremante, si gettò ai suoi piedi e dichiarò davanti a tutto il popolo per qual motivo l'aveva toccato e come era stata guarita. [48]Egli le disse: «Figlia, la tua fede ti ha salvata. Va' in pace!». [49]Mentre parlava, arrivò uno dalla casa del capo della sinagoga e gli disse: «Tua figlia è morta, non importunare il maestro». [50]Ma Gesù, che aveva udito, disse: «Non temere; soltanto abbi fede ed ella sarà salvata». [51]Quando giunse alla casa, non permise a nessuno di entrare con sé, eccetto Pietro, Giovanni e Giacomo, e il padre e la madre della fanciulla. [52]Tutti piangevano e facevano lamenti per la fanciulla. Gesù disse: «Non piangete: ella non è morta, ma dorme». [53]Quelli lo deridevano, sapendo bene che era morta; [54]ma egli, prendendole la mano, disse ad alta voce: «Fanciulla, alzati!». [55]La fanciulla ritornò in vita e all'istante si alzò. Egli ordinò di darle da mangiare. [56]I genitori rimasero sbalorditi, ma egli raccomandò loro di non far sapere a nessuno quello che era accaduto.

9 **Prima missione dei Dodici.** - [1]Gesù chiamò a sé i Dodici e diede loro potere e autorità di scacciare tutti i demòni e di guarire le malattie; [2]poi li mandò a predicare il regno di Dio e a guarire i malati. [3]Disse loro: «Non prendete nulla per il viaggio, né bastone, né borsa, né pane, né soldi, né due tuniche per ciascuno. [4]Quando entrate in una casa, restate là fino a che riprenderete il cammino. [5]Se gli abitanti di una città non vi accolgono, nell'andarvene scuotete la polvere dai vostri piedi, in testimonianza contro di loro». [6]Allora essi partirono e passavano di villaggio in villaggio, annunziando ovunque la buona novella e guarendo i malati.

Erode e Gesù. - [7]Intanto il tetrarca Erode venne a sapere di tutti questi fatti e non sapeva che cosa pensare, perché alcuni di-

cevano: «Giovanni è risuscitato dai morti». [8]Altri invece: «È riapparso Elia». Altri ancora: «È risorto uno degli antichi profeti». [9]Ma Erode disse: «Giovanni l'ho fatto decapitare io. Chi è dunque costui, del quale vengo a sapere tali cose?». E cercava di vederlo.

Ritorno degli apostoli e moltiplicazione dei pani. - [10]Al loro ritorno gli apostoli raccontarono a Gesù tutto quello che avevano fatto. Allora egli li prese con sé e si ritirò in una città chiamata Betsaida. [11]Ma le folle lo seppero e lo seguirono. Egli le accolse e si mise a parlare loro del regno di Dio e a guarire quelli che avevano bisogno di cure. [12]Ora, il giorno cominciava a declinare e i Dodici gli si avvicinarono dicendo: «Lascia andare la folla, così che possa procurarsi cibo e alloggio nei villaggi e nelle campagne qui attorno, poiché qui siamo in un luogo deserto». [13]Gesù disse loro: «Date loro voi stessi da mangiare». Ma essi risposero: «Noi non abbiamo che cinque pani e due pesci. Vuoi che andiamo a far provviste per tutta questa gente?». [14]Erano infatti circa cinquemila gli uomini presenti. Egli disse ai discepoli: «Fateli sdraiare a gruppi di cinquanta». [15]Così fecero e invitarono tutti a sdraiarsi. [16]Allora Gesù prese i cinque pani e i due pesci e, levati gli occhi al cielo, li benedisse, li spezzò e li diede ai discepoli perché li distribuissero alla folla. [17]Tutti mangiarono a sazietà, e dei pezzi avanzati ne portarono via dodici ceste.

Confessione di Pietro e primo annunzio della passione di Gesù. - [18]Un giorno Gesù si trovava in un luogo isolato a pregare. I discepoli erano con lui ed egli fece loro questa domanda: «Chi sono io secondo la gente?». [19]Essi risposero: «Per alcuni Giovanni il Battista, per altri Elia, per altri uno degli antichi profeti che è risorto». [20]Allora domandò: «Ma voi chi dite che io sia?». Pietro, prendendo la parola, rispose: «Il Cristo di Dio». [21]Allora ordinò loro di non dire niente a nessuno, [22]e aggiunse: «È necessario che il Figlio dell'uomo soffra molto, sia condannato dagli anziani, dai sommi sacerdoti e dagli scribi, sia messo a morte e risorga il terzo giorno».

Le condizioni per seguire Gesù. - [23]Poi disse a tutti: «Se qualcuno vuol venire dietro a me, rinneghi se stesso, prenda la propria croce ogni giorno e mi segua. [24]Poiché chi vorrà salvare la propria vita la perderà, ma chi perderà la propria vita per causa mia la salverà. [25]Che vantaggio può avere un uomo a guadagnare il mondo intero, se poi si perde o rovina se stesso? [26]Se qualcuno si vergognerà di me e delle mie parole, il Figlio dell'uomo si vergognerà di lui quando ritornerà nella gloria sua e del Padre e degli angeli santi. [27]In verità vi dico: vi sono alcuni qui presenti che non moriranno prima di aver visto il regno di Dio».

Trasfigurazione di Gesù. - [28]Circa otto giorni dopo questi discorsi, prese con sé Pietro, Giovanni e Giacomo e salì sul monte per pregare. [29]Mentre pregava, il suo volto cambiò di aspetto e la sua veste divenne candida e sfolgorante. [30]Ed ecco due uomini venire a parlare con lui: erano Mosè ed Elia, [31]apparsi nella loro gloria, e parlavano del suo esodo che stava per compiersi a Gerusalemme. [32]Pietro e i suoi compagni erano oppressi dal sonno, ma restarono svegli e videro la sua gloria e i due uomini che stavano con lui. [33]Mentre questi si separavano da lui, Pietro disse a Gesù: «Maestro, è bello per noi stare qui. Faremo tre tende, una per te, una per Mosè e una per Elia». Ma non sapeva quello che diceva. [34]E mentre diceva queste cose, venne una nube e li coprì. Ebbero paura, quando entrarono nella nube. [35]Allora dalla nube uscì una voce che diceva: «Questi è il mio Figlio, l'eletto, ascoltatelo!». [36]Appena la voce cessò, Gesù restò solo. Essi tacquero e in quei giorni non raccontarono niente a nessuno di quello che avevano visto.

Guarigione del ragazzo epilettico. - [37]Il giorno seguente, quando furono discesi dal monte, una gran folla si fece incontro a Gesù. [38]All'improvviso in mezzo alla folla un uomo si mise a gridare: «Maestro, ti prego di volgere lo sguardo all'unico figlio che ho. [39]Ecco, uno spirito lo prende e subito egli si mette a gridare; lo scuote ed egli emette schiuma; solo a stento lo lascia, dopo averlo straziato. [40]Ho pregato i tuoi discepoli di scacciarlo, ma non ci sono riusciti». [41]Gesù rispose: «O generazione incredula e perversa, fino a quando dovrò stare con voi e vi sopporterò? Portami qui tuo figlio!». [42]Mentre questi si avvicinava, lo spirito cattivo lo sbat-

té per terra, contorcendolo con convulsioni. Gesù minacciò lo spirito immondo, guarì il ragazzo e lo consegnò a suo padre. [43]Tutti furono stupiti nel vedere la grandezza di Dio.

Secondo annunzio della passione. - Mentre tutti erano sbalorditi per tutte le cose che aveva fatto, egli disse ai suoi discepoli: [44]«Fate molta attenzione a queste parole: il Figlio dell'uomo sta per essere consegnato in mano degli uomini». [45]Ma essi non compresero il senso di queste parole; erano per loro così misteriose che non le comprendevano affatto e avevano paura di interrogarlo su questo argomento.
[46]Intanto sorse tra loro una disputa: chi di loro fosse il più importante. [47]Allora Gesù, conoscendo il pensiero del loro cuore, prese un fanciullo, se lo pose accanto e disse: [48]«Chi accoglie questo fanciullo nel mio nome, accoglie me; e chi accoglie me, accoglie colui che mi ha mandato. Poiché colui che è il più piccolo tra voi, questi è il più grande». [49]Giovanni allora disse: «Maestro, abbiamo visto uno che scacciava i demòni in nome tuo e noi glielo abbiamo impedito, perché non è con noi che ti abbiamo seguito». [50]Ma Gesù gli disse: «Non glielo proibite, perché chi non è contro di voi, è per voi».

VIAGGIO VERSO GERUSALEMME

Rifiuto dei Samaritani. - [51]Mentre stava per compiersi il tempo della sua assunzione dal mondo, Gesù decise fermamente di andare verso Gerusalemme [52]e mandò messaggeri innanzi a sé. Questi partirono ed entrarono in un villaggio di Samaritani per preparare quello che era necessario per lui. [53]Ma essi non lo ricevettero perché stava andando verso Gerusalemme. [54]Accortisi di ciò, i discepoli Giacomo e Giovanni dissero a Gesù: «Signore, vuoi che diciamo che scenda il fuoco dal cielo e li distrugga?». [55]Ma Gesù si voltò verso di loro e li rimproverò. [56]Poi si avviarono verso un altro villaggio.

9. - 25. Certo, niente giova all'uomo se guadagna il mondo intero ma perde se stesso. Tuttavia l'attesa di una terra nuova non deve indebolire, bensì piuttosto stimolare la sollecitudine nel lavoro relativo alla terra presente. Pertanto, benché si debba accuratamente distinguere il progresso terreno dallo sviluppo del regno di Dio, tuttavia, nella misura in cui può contribuire a meglio ordinare l'umana società, tale progresso è di grande importanza per il regno di Dio.

Tre uomini s'incontrano con Gesù. - ⁵⁷Mentre camminavano, un tale disse a Gesù: «Ti seguirò dovunque tu andrai». ⁵⁸Ma Gesù gli rispose: «Le volpi hanno una tana e gli uccelli hanno un nido, ma il Figlio dell'uomo non ha dove posare il capo». ⁵⁹Poi disse ad un altro: «Seguimi!». Ma costui rispose: «Signore, prima permettimi di andare a seppellire mio padre». ⁶⁰Gesù rispose: «Lascia che i morti seppelliscano i loro morti; tu va' a predicare il regno di Dio». ⁶¹Un altro disse: «Signore, io ti seguirò; prima però lasciami andare a salutare i miei parenti». ⁶²Gli rispose Gesù: «Chiunque mette mano all'aratro e poi si volta indietro, non è adatto per il regno di Dio».

10 **Missione dei discepoli. -** ¹Dopo questi fatti il Signore designò ancora altri settantadue discepoli e li inviò a due a due innanzi a sé, in ogni città e luogo che egli stava per visitare. ²Diceva loro: «La messe è molta, ma gli operai sono pochi. Pregate perciò il padrone del campo perché mandi operai nella sua messe. ³Andate! Ecco, io vi mando come agnelli in mezzo ai lupi. ⁴Non portate né borsa, né sacco, né sandali. Lungo il cammino non salutate nessuno. ⁵Quando entrerete in una casa, dite per prima cosa: "Pace a questa casa". ⁶Se vi è qualcuno che ama la pace, riceverà la pace che gli avete augurato, altrimenti il vostro augurio resterà inefficace. ⁷Restate in quella casa, mangiate e bevete quello che vi daranno, perché l'operaio ha diritto alla sua ricompensa. Non passate di casa in casa. ⁸Quando andrete in una città, se qualcuno vi accoglierà, mangiate quello che vi offre. ⁹Guarite i malati che trovate e dite loro: "Il regno di Dio è vicino". ¹⁰Se invece entrerete in una città e nessuno vi accoglierà, uscite sulle piazze e dite: ¹¹"Noi scuotiamo contro di voi anche la polvere della vostra città che si è attaccata ai nostri piedi. Sappiate però che il regno di Dio è vicino". ¹²Io vi assicuro che nel giorno del giudizio gli abitanti di Sodoma saranno trattati meno duramente degli abitanti di quella città. ¹³Guai a te, Corazin! Guai a te, Betsaida! Perché se i miracoli compiuti tra voi fossero stati fatti a Tiro e a Sidone, già da tempo i loro abitanti si sarebbero convertiti vesten-

do il sacco e coprendosi di cenere. ¹⁴Perciò nel giorno del giudizio gli abitanti di Tiro e di Sidone saranno trattati meno duramente di voi. ¹⁵E tu, Cafarnao,

sarai forse innalzata fino al cielo?
No, tu precipiterai nell'abisso!

¹⁶Chi ascolta voi ascolta me. Chi disprezza voi disprezza me. E chi disprezza me disprezza colui che mi ha mandato».

Ritorno dei settantadue discepoli. - ¹⁷I settantadue discepoli tornarono pieni di gioia, dicendo: «Signore, anche i demòni ci obbediscono, quando invochiamo il tuo nome». ¹⁸Egli disse loro: «Io vedevo Satana precipitare dal cielo come un fulmine. ¹⁹Io vi ho dato il potere di calpestare serpenti e scorpioni e di annientare ogni potenza del nemico. Nulla vi potrà fare del male. ²⁰Non rallegratevi però perché i demòni si sottomettono a voi, ma piuttosto perché i vostri nomi sono scritti nei cieli».

Inno di lode al Padre. - ²¹In quella stessa ora Gesù trasalì di gioia nello Spirito Santo e disse: «Ti ringrazio, o Padre, Signore del cielo e della terra, perché hai nascosto queste cose ai sapienti e agl'intelligenti e le hai rivelate ai piccoli. Sì, Padre, perché così è piaciuto a te. ²²Tutto mi è stato donato dal Padre mio e nessuno conosce chi è il Figlio se non il Padre, né chi è il Padre se non il Figlio e colui al quale il Figlio lo voglia rivelare». ²³Poi si voltò verso i discepoli, li prese a parte e disse: «Beati gli occhi che vedono tutte queste cose. ²⁴Vi dico infatti che molti profeti e re hanno desiderato vedere quello che voi vedete, ma non l'hanno visto, udire quello che voi udite, ma non l'hanno udito».

Parabola del buon samaritano. - ²⁵Un dottore della legge, volendo metterlo alla prova, si alzò e disse: «Maestro, che cosa devo fare per avere la vita eterna?». ²⁶Gesù rispose: «Che cosa sta soritto nella legge? Che cosa vi leggi?». ²⁷Quell'uomo disse: *«Ama il Signore, Dio tuo, con tutto il tuo cuore, con tutta la tua anima, con tutte le tue forze* e con tutta la tua mente, e *ama il prossimo come te stesso».* ²⁸Gesù gli disse: «Hai risposto bene; fa' questo e vivrai». ²⁹Ma il dottore della legge, volendo giustificarsi, disse ancora a Gesù: «Ma chi è il mio prossimo?».

[30]Gesù rispose: «Un uomo scendeva da Gerusalemme verso Gerico, quando incappò nei briganti. Questi gli portarono via tutto, lo percossero e poi se ne andarono lasciandolo mezzo morto. [31]Per caso passò di là un sacerdote, vide l'uomo ferito e passò oltre, dall'altra parte della strada. [32]Anche un levita passò per quel luogo; anch'egli lo vide e, scansandolo, proseguì. [33]Invece un samaritano che era in viaggio gli passò accanto, lo vide e ne ebbe compassione. [34]Gli si accostò, versò olio e vino sulle sue ferite e gliele fasciò. Poi lo caricò sul suo asino, lo portò a una locanda e fece tutto il possibile per aiutarlo. [35]Il giorno seguente, tirò fuori due monete, le diede all'albergatore e gli disse: "Abbi cura di lui e ciò che spenderai in più lo pagherò al mio ritorno". [36]Quale di questi tre ti sembra sia stato il prossimo di colui che aveva incontrato i briganti?». [37]Il dottore della legge rispose: «Quello che ebbe compassione di lui». Gesù allora gli disse: «Va' e anche tu fa' lo stesso».

Marta e Maria. - [38]Mentr'essi erano in cammino, Gesù entrò in un villaggio, e una donna, che si chiamava Marta, lo accolse in casa sua. [39]Sua sorella, di nome Maria, si sedette ai piedi del Signore e stava ad ascoltare la sua parola. [40]Marta invece era assorbita per il grande servizio. Perciò si fece avanti e disse: «Signore, non vedi che mia sorella mi ha lasciata sola a servire? Dille dunque di aiutarmi». [41]Ma Gesù le rispose: «Marta, Marta, tu ti affanni e ti preoccupi di troppe cose. [42]Invece una sola è la cosa necessaria. Maria ha scelto la parte migliore, che nessuno le toglierà».

11 **Insegnamenti sulla preghiera.** - [1]Un giorno Gesù andò in un luogo a pregare. Quando ebbe finito, uno dei discepoli gli disse: «Signore, insegnaci a pregare, come anche Giovanni ha insegnato ai suoi discepoli». [2]Allora Gesù disse: «Quando pregate, dite così:

Padre, sia santificato il tuo nome,
    venga il tuo regno.
[3] Dacci ogni giorno il nostro
    pane quotidiano;

[4] perdona a noi i nostri peccati,
    perché anche noi perdoniamo
        ad ogni nostro debitore,
    e non farci entrare nella tentazione».

Parabola dell'amico importuno. - [5]Poi disse loro: «Chi di voi, se ha un amico e va da lui a mezzanotte a dirgli: "Amico, prestami tre pani, [6]perché è arrivato da me un amico di passaggio e non ho nulla in casa da dargli", [7]se quello dall'interno gli risponde: "Non mi dare noia, la porta è già chiusa e i miei bambini sono già a letto con me, non posso alzarmi per darti ciò che chiedi"; [8]vi dico che se non si alzerà a darglieli perché gli è amico, si alzerà e gli darà quanto ha bisogno perché l'altro insiste.

[9]Perciò vi dico: chiedete e vi sarà dato; cercate e troverete; bussate e vi sarà aperto. [10]Perché chiunque chiede ottiene, chi cerca trova, a chi bussa viene aperto. [11]Tra di voi, quale padre darà, a suo figlio che lo richiede, un serpente invece che un pesce? [12]Oppure, se gli chiede un uovo, gli darà uno scorpione? [13]Dunque, se voi, cattivi come siete, sapete dare cose buone ai vostri figli, quanto più il Padre vostro celeste darà lo Spirito Santo a quelli che glielo chiedono».

Gesù e Beelzebul. - [14]Gesù stava scacciando un demonio che aveva reso muto un uomo. Questi, appena fu guarito, si mise a parlare e la folla rimase meravigliata. [15]Ma alcuni dissero: «È per mezzo di Beelzebul, il capo dei demòni, che egli scaccia gli spiriti maligni». [16]Altri invece, per tendergli un tranello, gli domandavano un miracolo dal cielo. [17]Ma Gesù, conoscendo le loro intenzioni, disse loro: «Ogni regno diviso contro se stesso va in rovina e una casa crolla sull'altra. [18]Se dunque Satana è in lotta contro se stesso, come potrà durare il suo regno? Voi dite che io scaccio i demòni con l'aiuto di Beelzebul. [19]Ma se io scaccio gli spiriti maligni per mezzo di Beelzebul, i vostri figli per mezzo di chi li scacciano? Perciò saranno proprio essi a giudicarvi. [20]Se, al contrario, io scaccio i demòni con il dito di Dio, è dunque arrivato per voi il regno di Dio. [21]Quando un uomo forte e ben armato fa la

---

11. - 12. Spesso Gesù si serve di frasi proverbiali o di paradossi per colpire di più gli uditori e facilitare il ricordo del suo insegnamento.

guardia alla sua casa, tutti i suoi beni stanno al sicuro. ²²Ma se arriva uno più forte di lui e lo vince, gli strappa via le armi nelle quali confidava e ne distribuisce il bottino. ²³Chi non è con me è contro di me, e chi non raccoglie con me disperde».

Condizione del recidivo. - ²⁴«Quando uno spirito maligno è uscito da un uomo, si aggira per luoghi deserti in cerca di riposo. Se però non ne trova, allora dice: "Ritornerò nella mia casa, donde sono uscito". ²⁵Arrivato, la trova pulita e ordinata. ²⁶Allora va, chiama con sé altri sette spiriti più maligni di lui e tutti insieme entrano e vi prendono dimora. Così alla fine quell'uomo si trova peggio di prima».

La vera beatitudine. - ²⁷Mentre parlava così, una donna, dalla folla, alzò la voce e disse: «Beato il ventre che ti ha portato e il seno che ti ha allattato!». ²⁸Ma Gesù disse: «Beati piuttosto quelli che ascoltano la parola di Dio e la mettono in pratica».

Il segno di Giona. - ²⁹Mentre la gente si affollava intorno a Gesù, egli cominciò a dire: «Questa generazione è davvero una generazione malvagia: pretende un segno miracoloso, ma l'unico segno che le verrà dato sarà come quello di Giona. ³⁰Infatti, come Giona fu un segno per gli abitanti di Ninive, così anche il Figlio dell'uomo sarà un segno per gli uomini di oggi. ³¹La regina del Mezzogiorno si alzerà, nel giorno del giudizio, a condannare questa gente: essa infatti venne dalle più lontane regioni della terra per ascoltare la sapienza di Salomone. Eppure, di fronte a voi sta uno che è più grande di Salomone. ³²Gli uomini di Ninive si alzeranno nel giorno del giudizio a condannare questa gente: essi infatti si convertirono alla predicazione di Giona. Eppure, di fronte a voi sta uno che è più grande di Giona».

Parabola della lampada. - ³³«Non si accende una lampada per poi metterla sotto un secchio o nasconderla, ma per deporla sopra il lucerniere, perché faccia luce a quelli che entrano nella casa. ³⁴La lucerna del cor-

po è il tuo occhio. Se il tuo occhio è buono, anche il tuo corpo è nella luce; se invece è malato, anche il tuo corpo è nelle tenebre. ³⁵Perciò, bada che la luce che è in te non sia tenebra. ³⁶Se dunque il tuo corpo è tutto nella luce, senza alcuna parte nelle tenebre, sarà tutto splendente, come quando una lampada ti illumina con il suo splendore».

Discorso di Gesù contro i farisei e gli scribi. - ³⁷Quando ebbe finito di parlare, un fariseo lo invitò a pranzo. Egli andò e si mise a tavola. ³⁸Quel fariseo si meravigliò che non avesse fatto le abluzioni prima del pranzo. ³⁹Ma il Signore gli disse: «Voi farisei vi preoccupate di pulire l'esterno della coppa e del piatto, ma all'interno siete pieni di furti e di cattiverie. ⁴⁰Stolti! Dio non ha forse creato l'esterno e l'interno dell'uomo? ⁴¹Date piuttosto in elemosina quello che c'è dentro, e allora tutto sarà puro per voi.

⁴²Guai a voi, farisei, perché pagate la decima della menta, della ruta e di tutte le erbe, ma poi trascurate la giustizia e l'amore di Dio. Queste cose sono da fare, senza trascurare le altre.

⁴³Guai a voi, farisei, perché amate il primo posto nelle sinagoghe e i saluti sulle piazze. ⁴⁴Guai a voi, perché siete come i sepolcri che non si vedono e la gente vi passa sopra senza accorgersene».

⁴⁵Allora un dottore della legge disse a Gesù: «Maestro, parlando così tu offendi anche noi». ⁴⁶Gesù rispose: «Guai anche a voi, dottori della legge, perché caricate gli uomini di pesi difficili a portare, ma voi non li toccate neppure con un dito.

⁴⁷Guai a voi, perché edificate i sepolcri dei profeti che i vostri padri hanno ucciso. ⁴⁸Così facendo, voi dimostrate di approvare ciò che i vostri padri hanno fatto: essi li uccisero e voi costruite loro le tombe. ⁴⁹Per questo la Sapienza di Dio ha detto: "Manderò loro profeti e apostoli, ma essi li uccideranno e perseguiteranno". ⁵⁰Perciò a questa gente sarà chiesto conto del sangue di tutti i profeti, dalle origini del mondo in poi: ⁵¹dall'uccisione di Abele fino a quella di Zaccaria, che fu assassinato tra l'altare e il santuario. Sì, ve lo ripeto: di tutti questi misfatti verrà chiesto conto a questa gente. ⁵²Guai a voi, dottori della legge, perché avete tolto la chiave della scienza; voi non ci siete entrati e ne avete impedito l'accesso a quelli che volevano entrare».

---

28. Maria va glorificata per l'altissima dignità, ma ancor più per la sua virtù inarrivabile e per i suoi splendidi esempi di generosa accoglienza del progetto di Dio su di lei.

⁵³Quando fu uscito da quella casa, i dottori della legge e i farisei cominciarono a trattarlo con ostilità e a farlo parlare su argomenti di ogni genere; ⁵⁴così gli tendevano tranelli per coglierlo in fallo in qualche suo discorso.

12 Il vero discepolo di Gesù. - ¹Nel frattempo, radunatesi alcune migliaia di persone che si accalcavano l'una contro l'altra, Gesù cominciò a dire ai suoi discepoli: «Per prima cosa, guardatevi dal lievito dei farisei, che è l'ipocrisia. ²Non vi è nulla di coperto che non sarà svelato, nulla di nascosto che non sarà conosciuto. ³Perciò, quello che avete detto in segreto sarà udito alla luce del giorno, e ciò che avete sussurrato all'orecchio nell'interno della casa, sarà proclamato sulle terrazze».

Invito al coraggio. - ⁴«A voi, amici miei, dico: non temete coloro che possono togliervi la vita, ma non possono fare niente di più. ⁵Vi dirò invece chi dovete temere: temete colui che, dopo la morte, vi può gettare nella Geenna. Sì, ve lo ripeto, è costui che dovete temere.

⁶Cinque passeri non si vendono forse per due soldi? Eppure, neanche uno di essi è dimenticato da Dio. ⁷Anche i capelli del vostro capo sono tutti contati. Dunque, non abbiate paura, voi valete più di molti passeri. ⁸Inoltre vi dico: chiunque mi riconoscerà davanti agli uomini, anche il Figlio dell'uomo lo riconoscerà davanti agli angeli di Dio. ⁹Ma chi mi rinnegherà davanti agli uomini, anch'io lo rinnegherò davanti agli angeli di Dio.

¹⁰Chiunque parlerà contro il Figlio dell'uomo potrà essere perdonato; ma chi avrà bestemmiato contro lo Spirito Santo non otterrà il perdono. ¹¹Quando vi porteranno nelle sinagoghe, davanti ai magistrati e alle autorità, non preoccupatevi di quello che dovrete dire per difendervi. ¹²Lo Spirito Santo vi insegnerà quello che dovrete dire in quel momento».

Contro il pericolo della cupidigia. - ¹³Un tale, tra la folla, gli disse: «Maestro, di' a mio fratello di spartire con me l'eredità». ¹⁴Ma egli rispose: «Amico, chi mi ha costituito come giudice o come mediatore sui vostri beni?». ¹⁵E disse loro: «Badate di tenervi lontano da ogni cupidigia, perché

anche se uno è molto ricco, la sua vita non dipende dai suoi beni».

¹⁶Poi raccontò loro una parabola: «Le terre di un uomo ricco avevano dato un buon raccolto. ¹⁷Egli ragionava tra sé così: "Ora non ho più dove mettere i miei raccolti: che cosa farò?". ¹⁸E disse: "Farò così: demolirò i miei magazzini e ne costruirò altri più grandi, così che vi raccoglierò tutto il grano e i miei beni. ¹⁹Poi dirò a me stesso: Bene! Ora hai fatto molte provviste per molti anni. Riposati, mangia, bevi e divertiti". ²⁰Ma Dio gli disse: "Stolto, questa stessa notte dovrai morire, e a chi andranno le ricchezze che hai accumulato?". ²¹Così accade a chi accumula ricchezze solo per sé e non si arricchisce davanti a Dio».

Applicazione ai discepoli. - ²²Poi disse ai discepoli: «Per questo vi dico: Non preoccupatevi troppo del cibo di cui avete bisogno per vivere, né del vestito di cui avete bisogno per coprirvi. ²³La vita vale più del cibo e il corpo più del vestito. ²⁴Guardate i corvi: non seminano e non mietono, non hanno ripostiglio né granaio; eppure Dio li nutre. Ebbene, voi valete più degli uccelli! ²⁵Chi di voi, per quanto si dia da fare, può aggiungere un'ora in più alla sua vita? ²⁶Se dunque non potete fare neppure così poco, perché vi preoccupate per il resto? ²⁷Guardate i gigli del campo: non lavorano e non si fanno vestiti. Eppure io vi dico che neanche Salomone, con tutta la sua ricchezza, ha mai avuto un vestito così bello. ²⁸Se dunque Dio veste così bene i fiori del campo, che oggi ci sono e il giorno dopo vengono bruciati, a maggior ragione darà un vestito a voi, gente di poca fede! ²⁹Perciò non state sempre in ansia nel cercare che cosa mangerete o che cosa berrete: ³⁰di tutte queste cose si preoccupano gli altri, quelli che non conoscono Dio. Ma voi avete un Padre che sa ciò di cui avete bisogno. ³¹Cercate piuttosto il regno di Dio, e tutto il resto vi sarà dato in aggiunta.

³²Non temere, piccolo gregge, perché al Padre vostro è piaciuto di darvi il suo regno. ³³Vendete quello che possedete e datelo in elemosina. Fatevi borse che non si consumano, procuratevi un tesoro sicuro in cielo, dove i ladri non possono arrivare e le tarme distruggere. ³⁴Perché dove è il vostro tesoro, là sarà anche il vostro cuore».

Vigilanza nell'attesa. - [35]«Siate sempre pronti, con i fianchi cinti e le lucerne accese. [36]Siate anche voi come quei servi che aspettano il padrone quando torna dalle nozze, per essere pronti ad aprirgli appena arriva e bussa. [37]Beati quei servi che il padrone al suo ritorno troverà ancora svegli. Vi assicuro che egli prenderà un grembiule, li farà sedere a tavola e si metterà a servirli. [38]E se, arrivando nel mezzo della notte o prima dell'alba, troverà i suoi servi ancora svegli, beati loro. [39]Cercate di capire: se il padrone di casa conoscesse a che ora viene il ladro, non si lascerebbe scassinare la casa. [40]Anche voi tenetevi pronti, perché il Figlio dell'uomo verrà quando voi non ve l'aspettate».

Fedeltà nell'attesa. - [41]Allora Pietro disse: «Signore, questa parabola la dici solo per noi o per tutti?». [42]Il Signore rispose: «Chi è dunque l'amministratore fedele e saggio? Il padrone lo porrà a capo dei suoi servi perché, a tempo debito, dia a ciascuno la sua razione di cibo. [43]Beato quel servo se il padrone, arrivando, lo troverà al suo lavoro. [44]Vi assicuro che gli affiderà l'amministrazione di tutti i suoi averi. [45]Ma se quel servo pensasse tra sé: "Il padrone tarda a venire", e cominciasse a maltrattare i servi e le serve, a mangiare e bere e a ubriacarsi, [46]il suo padrone arriverà nel giorno in cui meno se l'aspetta e in un'ora che non sa, lo punirà severamente e lo porrà nel numero dei servi infedeli.

[47]Il servo che conosce la volontà del padrone, ma non la esegue con prontezza, sarà severamente punito. [48]Quel servo invece che, non conoscendo quel che vuole il padrone, si comporterà in modo da meritare una punizione, sarà punito meno severamente. Infatti, chi ha ricevuto molto dovrà render conto di molto, perché quanto più uno ha ricevuto, tanto più gli sarà chiesto».

Tragicità dell'attesa. - [49]«Sono venuto a gettare fuoco sulla terra, e vorrei davvero che fosse già acceso! [50]Ho un battesimo da ricevere e grande è la mia angoscia finché non l'avrò ricevuto. [51]Pensate che io sia venuto per portare la pace tra gli uomini? No, ve lo assicuro, ma la divisione.

[52]D'ora in poi, se in una famiglia vi sono cinque persone, si divideranno tre contro due e due contro tre. [53]Si divideranno

il padre contro il figlio
e *il figlio contro il padre*,
la madre contro la figlia
e *la figlia contro la madre*,
la suocera contro la nuora
e *la nuora contro la suocera*».

Lettura dei segni dei tempi. - [54]Diceva anche alle folle: «Quando vedete una nube che sale da ponente, voi dite subito: "Presto pioverà", e così accade. [55]Quando invece soffia lo scirocco, dite: "Farà caldo", e così accade. [56]Ipocriti! Siete capaci di prevedere il tempo che farà, e come mai non sapete capire questo tempo? [57]Perché non giudicate da voi stessi ciò che è giusto? [58]Quando vai con il tuo avversario dal giudice, lungo la strada cerca di trovare un accordo con lui, perché non ti trascini davanti al giudice e il giudice ti consegni alla guardia e la guardia ti getti in prigione! [59]Ti assicuro che non ne uscirai finché non avrai pagato fino all'ultimo spicciolo».

13 **Urge convertirsi.** - [1]In quel momento arrivarono alcuni a riferirgli il fatto di quei galilei che Pilato aveva fatto uccidere mentre stavano offrendo i loro sacrifici. [2]Gesù disse: «Credete che quei galilei abbiano subìto tale sorte perché erano più peccatori di tutti gli altri galilei? [3]Vi dico che non è così; anzi, se non vi convertirete, perirete tutti allo stesso modo. [4]E quei diciotto che morirono schiacciati sotto la torre di Siloe, credete voi che fossero più debitori di tutti gli altri abitanti di Gerusalemme? [5]Io vi dico che non è vero; anzi, se non vi convertirete, perirete tutti allo stesso modo».

Parabola del fico sterile. - [6]Disse poi questa parabola: «Un uomo aveva un fico piantato nella sua vigna e venne a coglievi i frutti, ma non ne trovò. [7]Allora disse al contadino: "Ecco, sono tre anni che vengo a cercare frutti su questo fico, ma non ne trovo. Taglialo. Perché deve occupare inutilmente il terreno?". [8]Il contadino rispose: "Signore, lascialo ancora per quest'anno. Voglio zappare bene attorno a questa pianta e metterci del concime. [9]Può darsi che il prossimo anno produca dei frutti; se no, lo farai tagliare"».

Gesù guarisce una donna di sabato. - [10]Una volta stava insegnando in una sinagoga, ed era di sabato. ¹¹Vi era una donna che da diciotto anni uno spirito maligno teneva inferma. Era curva e non poteva in nessun modo stare diritta. ¹²Quando Gesù la vide, la chiamò e le disse: «Donna, sei guarita dalla tua malattia». ¹³Impose le sue mani su di lei e subito ella si raddrizzò e si mise a glorificare Dio. ¹⁴Ma il capo della sinagoga, indignato perché Gesù aveva fatto quella guarigione di sabato, si rivolse alla folla e disse: «Sono sei i giorni in cui si deve lavorare: venite dunque a farvi guarire in quelli e non di sabato». ¹⁵Ma il Signore rispose: «Ipocriti! Ognuno di voi non slega forse di sabato il bue o l'asino dalla mangiatoia per portarli ad abbeverarsi? ¹⁶E costei, discendente di Abramo, che Satana teneva legata da diciotto anni, non doveva essere sciolta da questo legame, anche se era di sabato?». ¹⁷Mentre egli diceva queste cose, tutti i suoi avversari erano pieni di vergogna. Tutta la folla invece si rallegrava per tutte le azioni meravigliose da lui compiute.

Parabola del grano di senapa e del lievito. - ¹⁸Diceva dunque: «A che cosa è simile il regno di Dio? A che cosa lo paragonerò? ¹⁹È simile ad un granello di senapa, che un uomo ha preso e seminato nel suo orto. Quel granello è cresciuto ed è poi diventato un albero, e gli uccelli del cielo son venuti a posarsi tra i suoi rami». ²⁰Disse ancora: «A che cosa paragonerò il regno di Dio? ²¹È simile al lievito che una donna ha preso e impastato con tre grosse misure di farina. Allora il lievito fa fermentare tutta la pasta».

Chi entrerà nel regno? - ²²Insegnando, Gesù attraversava città e villaggi e intanto andava verso Gerusalemme. ²³Un tale gli domandò: «Signore, sono pochi quelli che si salvano?». Rispose: ²⁴«Sforzatevi di entrare per la porta stretta, perché vi assicuro che molti cercheranno di entrare, ma non vi riusciranno. ²⁵Dopo che il padrone di casa si sarà alzato e avrà chiuso la porta, voi comincerete a star fuori e a bussare alla porta, dicendo: "Signore, aprici". Ma egli vi risponderà: "Non vi conosco, non so da dove venite". ²⁶Allora comincerete a dire: "Noi abbiamo mangiato e bevuto dinanzi a te, e tu sei passato, insegnando, nei nostri villaggi". ²⁷Alla fine egli vi dirà: "Io non so donde siete. Allontanatevi da me, voi tutti

operatori di ingiustizia!". ²⁸Là voi piangerete e soffrirete molto, quando vedrete Abramo, Isacco e Giacobbe e tutti i profeti nel regno di Dio, e voi fuori. ²⁹Verranno da oriente e da occidente, da settentrione e da mezzogiorno e parteciperanno tutti al banchetto nel regno di Dio. ³⁰Ed ecco: alcuni di quelli che ora sono tra gli ultimi saranno i primi, mentre altri che ora sono i primi saranno gli ultimi».

Lamento su Gerusalemme. - ³¹In quel momento si avvicinarono alcuni farisei e gli dissero: «Esci e parti da qui, perché Erode vuol farti uccidere». ³²Egli rispose: «Andate a dire a quella volpe: Ecco, io scaccio gli spiriti maligni e compio guarigioni oggi e domani, e il terzo giorno raggiungerò la mia mèta. ³³Però oggi, domani e il giorno seguente è necessario che io continui per la mia strada, perché nessun profeta può morire fuori di Gerusalemme.

³⁴Gerusalemme, Gerusalemme, che uccidi i profeti e lapidi i messaggeri che ti sono inviati! Quante volte ho voluto raccogliere i tuoi figli, come la chioccia raccoglie i suoi pulcini sotto le ali. Ma voi non avete voluto! ³⁵Ebbene, *la vostra casa sarà abbandonata!* Vi dico che non mi vedrete più fino a quando esclamerete: *Benedetto colui che viene nel nome del Signore*».

14 **Gesù invitato a pranzo.** - ¹Un sabato era entrato in casa di uno dei capi dei farisei per mangiare pane e lo stavano ad osservare. ²Di fronte a lui c'era un idropico. ³Rivolgendosi ai dottori della legge e ai farisei, Gesù disse: «È lecito di sabato guarire o no?». ⁴Ma essi restarono in silenzio. Allora egli prese per mano il malato, lo guarì e lo congedò. ⁵Poi domandò agli altri: «Chi di voi, se gli cade nel pozzo un figlio o un bue, non lo tirerà subito fuori, anche se è di sabato?». ⁶Ma essi non sapevano rispondere.

Parabola dei primi posti. - ⁷Osservando poi come alcuni invitati sceglievano i primi posti, disse loro una parabola: ⁸«Quando sei

---

14. - 8. Il posto d'onore era quello di mezzo ed era riservato al padrone di casa; i posti erano più onorifici quanto più vicini al padrone. La parabola inculca l'umiltà: non dice di mettersi all'ultimo posto per essere poi onorati, ma di non cercare l'onore umano.

invitato a nozze da qualcuno, non adagiarti al primo posto, perché potrebbe esserci un invitato più importante di te; [9]in tal caso colui che ti ha invitato sarà costretto a venirti a dire: "Cedigli il posto!". Allora tu, pieno di vergogna, dovrai prendere l'ultimo posto. [10]Invece, quando sei invitato a nozze, va' a metterti all'ultimo posto. Quando arriverà colui che ti ha invitato, ti dirà: "Amico, vieni, prendi un posto migliore". Allora ciò sarà per te motivo di onore davanti a tutti gli invitati. [11]Infatti, chiunque si innalza sarà abbassato, chi invece si abbassa sarà innalzato».

Parabola della scelta degli invitati. - [12]Disse poi a colui che lo aveva invitato: «Quando offri un pranzo o una cena, non invitare i tuoi amici o fratelli, né i tuoi parenti, né i ricchi che abitano vicino a te: costoro infatti possono a loro volta invitarti e così tu puoi avere il contraccambio. [13]Invece, quando offri un banchetto, invita poveri, storpi, zoppi, ciechi: [14]e sarai beato, perché essi non hanno la possibilità di ricambiarti. Infatti sarai contraccambiato nella risurrezione dei giusti».

Parabola del grande banchetto. - [15]Uno degli invitati, udite queste parole, esclamò: «Beato chi mangia il pane nel regno di Dio!». [16]Gesù rispose: «Un uomo fece un grande banchetto e invitò molta gente. [17]All'ora del pranzo, mandò un suo servo a dire agl'invitati: "Venite, tutto è pronto". [18]Ma tutti, uno dopo l'altro, cominciarono a scusarsi. Uno disse: "Ho comprato un campo e devo andare a vederlo. Ti prego di scusarmi". [19]Un altro disse: "Ho comprato cinque paia di buoi e sto andando a provarli. Ti prego di scusarmi". [20]Un altro ancora disse: "Ho preso moglie e perciò non posso venire". [21]Ritornato dal suo padrone, il servo gli riferì tutto questo. Allora il padrone di casa, pieno di sdegno, disse al servo: "Esci presto per le piazze e per le vie della città e conduci qui poveri, storpi, ciechi e zoppi". [22]Il servo poi disse al padrone: "Signore, il tuo ordine è stato eseguito, ma c'è ancora posto". [23]Allora il padrone disse al servo: "Esci per le strade e lungo le siepi e forzali a venire, per-

ché la mia casa sia piena di gente". [24]Vi dico infatti: nessuno di quegli uomini che erano stati invitati gusterà la mia cena».

L'immagine del vero discepolo. - [25]Grandi folle andavano con lui. Egli si rivolse a loro e disse: [26]«Se uno viene a me e non odia suo padre, sua madre, la moglie, i figli, i fratelli, le sorelle ed anche la propria vita, non può essere mio discepolo. [27]Chi non porta la propria croce e non viene dietro di me, non può essere mio discepolo.

[28]Chi di voi, volendo costruire una torre, non siede prima a calcolare la spesa, per vedere se possiede abbastanza denaro per portarla a termine? [29]Perché non succeda che, se getta le fondamenta e non è in grado di finire i lavori, la gente che vede cominci a schernirlo e a dire: [30]"Costui ha cominciato a costruire e non è stato capace di portare a termine i lavori".

[31]Oppure, quale re, andando in guerra contro un altro re, non siede prima a calcolare se con diecimila soldati può affrontare il nemico che avanza con ventimila? [32]Se vede che non è possibile, mentre il nemico è ancora lontano, gli manda messaggeri a chiedere quali sono le condizioni per la pace. [33]Così, dunque, chiunque di voi non rinuncia a tutti i propri beni, non può essere mio discepolo».

Parabola del sale. - [34]«Il sale è buono, ma se perde il suo sapore, con che cosa gli si renderà il sapore? [35]Non serve né per la terra né per il concime; perciò lo si butta via. Chi ha orecchi, cerchi di capire!».

15 **Parabola della pecorella smarrita.** - [1]Gli esattori delle tasse e i peccatori si avvicinavano a lui per ascoltarlo. [2]I farisei e i dottori della legge mormoravano dicendo: «Costui accoglie i peccatori e mangia con essi». [3]Allora Gesù disse loro questa parabola: [4]«Chi di voi, se possiede cento pecore e ne perde una, non lascia le novantanove nel deserto per andare a cercare quella che si è smarrita, finché non la ritrova? [5]Quando la trova, se la mette sulle spalle contento, [6]ritorna a casa, convoca gli amici e i vicini e dice loro: "Fate festa con me, perché ho trovato la mia pecora che era perduta". [7]Così, vi dico, ci sarà gioia nel cielo più per un peccatore che si converte, che

---

28-32. Con le due parabole.tte della torre e del re, Gesù vuole insegnare che quanti desiderano mettersi alla sua sequela devono assicurarsi d'essere disposti ad abbandonare realmente tutto il resto: con Gesù non sono possibili mezze misure.

non per novantanove giusti che non hanno bisogno di conversione».

Parabola della dracma perduta. - [8]«O quale donna, se possiede dieci dracme e ne perde una, non accende la lucerna e spazza bene la casa e si mette a cercare attentamente, finché non la trova? [9]Quando l'ha trovata, chiama le amiche e le vicine di casa e dice loro: "Fate festa con me, perché ho ritrovato la dracma che avevo perduta". [10]Così, vi dico, gli angeli di Dio fanno grande festa per un solo peccatore che si converte».

Parabola del padre misericordioso. - [11]E diceva: «Un uomo aveva due figli. [12]Il più giovane disse al padre: "Padre, dammi subito la parte di eredità che mi spetta". Allora il padre divise le sostanze tra i due figli. [13]Pochi giorni dopo, il figlio più giovane, raccolti tutti i suoi beni, emigrò in una regione lontana e là spese tutti i suoi averi, vivendo in modo dissoluto. [14]Quando ebbe dato fondo a tutte le sue sostanze, in quel paese si diffuse una grande carestia ed egli cominciò a trovarsi nel bisogno. [15]Andò allora da uno degli abitanti di quel paese e si mise alle sue dipendenze. Quello lo mandò nei campi a pascolare i porci. [16]Per la fame avrebbe voluto saziarsi con le carrube che mangiavano i porci; ma nessuno gliene dava. [17]Allora, rientrando in se stesso, disse: "Tutti i dipendenti in casa di mio padre hanno cibo in abbondanza, io invece qui muoio di fame! [18]Ritornerò da mio padre e gli dirò: Padre, ho peccato contro il cielo e dinanzi a te; [19]non sono più degno di essere chiamato tuo figlio. Trattami come uno dei tuoi mercenari". [20]Si mise in cammino e ritornò da suo padre. Mentre era ancora lontano, suo padre lo vide e ne ebbe compassione. Gli corse incontro, gli si gettò al collo e lo baciò. [21]Il figlio gli disse: "Padre, ho peccato contro il cielo e dinanzi a te. Non sono più degno di essere considerato tuo figlio". [22]Ma il padre ordinò ai servi: "Presto, portate qui la veste migliore e fategliela indossare; mettetegli l'anello al dito e i sandali ai piedi. [23]Prendete il vitello grasso e ammazzatelo. Facciamo festa con un banchetto, [24]perché mio figlio era morto ed è ritornato in vita, era perduto ed è stato ritrovato". E cominciarono a far festa. [25]Ora, il figlio maggiore si trovava nei campi. Al suo ritorno, quando fu vicino a casa, udì musica e danze. [26]Chiamò uno dei servi e gli domandò che cosa fosse successo. [27]Il servo gli rispose: "È ritornato tuo fratello e tuo padre ha fatto ammazzare il vitello grasso, perché ha riavuto suo figlio sano e salvo". [28]Egli si adirò e non voleva entrare in casa. Allora suo padre uscì per cercare di convincerlo. [29]Ma egli rispose a suo padre: "Da tanti anni io ti servo e non ho mai disubbidito a un tuo comando. Eppure tu non mi hai mai dato un capretto per far festa con i miei amici. [30]Ora invece che torna a casa questo tuo figlio che ha dilapidato i tuoi beni con le meretrici, per lui tu hai fatto ammazzare il vitello grasso". [31]Gli rispose il padre: "Figlio mio, tu sei sempre con me e tutto ciò che è mio è anche tuo; [32]ma si doveva far festa e rallegrarsi, perché questo tuo fratello era morto ed è tornato in vita, era perduto ed è stato ritrovato"».

16 **Parabola del fattore infedele.** - [1]Diceva anche ai discepoli: «Un uomo ricco aveva un amministratore, e questi fu accusato dinanzi a lui di aver dissipato i suoi beni. [2]Il padrone lo chiamò e gli disse: "È vero quello che sento dire di te? Rendi conto della tua amministrazione, perché da questo momento non potrai più amministrare". [3]L'amministratore disse fra sé: "Che cosa farò ora che il mio padrone mi ha tolto l'amministrazione? Non ho forza per zappare e a chiedere l'elemosina mi vergogno. [4]So io che farò, perché quando mi sarà tolta l'amministrazione mi accolgano nelle loro case". [5]Chiamò ad uno ad uno quelli che avevano debiti con il suo padrone e disse al primo: [6]"Tu quanto devi al mio padrone?". Quello rispose: "Cento barili di olio". Gli disse: "Prendi il tuo foglio, siediti e scrivi cinquanta". [7]Poi disse ad un altro: "E tu quanto devi?". Quello rispose: "Cento misure di grano". Gli disse: "Prendi il tuo foglio e scrivi ottanta". [8]Il padrone lodò quell'amministratore disonesto, perché aveva agito con scaltrezza. Infatti i figli di questo mondo, nei loro rapporti con gli altri, sono più astuti dei figli della luce».

16. - 8. Il padrone loda l'astuzia, non l'inganno fraudolento.

Sulla ricchezza e sulla fedeltà. - [9]«E io vi dico: fatevi degli amici con la ricchezza ingiusta, perché quando essa verrà a mancare vi accolgano nelle tende eterne. [10]Chi è fedele in cosa di poco conto, è fedele anche in cosa importante; e chi è disonesto nelle piccole cose, è disonesto anche in quelle importanti. [11]Perciò, se non siete stati fedeli nella ricchezza ingiusta, chi vi affiderà quella vera? [12]E se non siete stati fedeli nella ricchezza altrui, chi vi darà la vostra? [13]Nessun servo può servire a due padroni: o odierà l'uno e amerà l'altro, oppure preferirà l'uno e disprezzerà l'altro. Non potete servire Dio e mammona».

[14]Ora i farisei, che erano amanti del denaro, stavano ad ascoltare tutte queste cose e lo deridevano. [15]Ed egli disse loro: «Voi siete coloro che si mostrano giusti davanti agli uomini, ma Dio conosce i vostri cuori. Infatti ciò che gli uomini apprezzano molto, Dio lo considera senza valore».

La legge e i profeti. - [16]«La legge e i profeti arrivano fino a Giovanni; da allora in poi il regno di Dio viene annunziato ed ognuno fa di tutto per entrarci. [17]È più facile che finiscano il cielo e la terra piuttosto che cada una sola parola della legge, anche la più piccola. [18]Chiunque ripudia la propria moglie e ne sposa un'altra, commette adulterio; e chi sposa una donna ripudiata dal marito, commette adulterio».

Parabola del ricco epulone. - [19]«C'era un uomo ricco, che portava vesti di porpora e di bisso e faceva festa ogni giorno con grandi banchetti. [20]Un povero, di nome Lazzaro, sedeva alla sua porta a mendicare, tutto coperto di piaghe, [21]bramoso di sfamarsi con gli avanzi che cadevano dalla mensa del ricco. Perfino i cani venivano a leccare le sue piaghe. [22]Un giorno il povero morì e fu portato dagli angeli nel seno di Abramo. Poi morì anche il ricco e fu sepolto. [23]Finito negli inferi tra i tormenti, alzando lo sguardo verso l'alto, vide da lontano Abramo e Lazzaro che era con lui. [24]Allora gridò: "Padre Abramo, abbi pietà di me e manda Lazzaro a intingere nell'acqua la punta del dito e a bagnarmi la lingua, perché soffro terribilmente in questa fiamma". [25]Ma Abramo rispose: "Figlio, ricordati che hai ricevuto la tua parte di beni durante la tua vita, e Lazzaro parimenti le sofferenze. Ma adesso lui è consolato, tu invece sei tormentato. [26]Per di più, tra noi e voi c'è un grande abisso; se qualcuno di noi vuol passare da voi, non lo può fare; così pure nessuno di voi può venire da noi". [27]E quello disse: "Allora, padre, ti supplico di mandarlo a casa di mio padre. [28]Ho cinque fratelli e vorrei che li ammonisca a non venire anch'essi in questo luogo di tormento". [29]Abramo rispose: "Hanno Mosè e i profeti: li ascoltino!". [30]Quello replicò: "No, padre Abramo; ma se qualcuno dai morti andrà da loro, cambieranno modo di vivere". [31]Abramo disse: "Se non ascoltano Mosè e i profeti, non si lasceranno convincere neppure se qualcuno risorge dai morti"».

17 **Alcuni insegnamenti di Gesù.** - [1]Un giorno disse ai suoi discepoli: «È inevitabile che succedano scandali; però guai a colui che li provoca. [2]È meglio per lui che gli sia appesa al collo una grossa pietra e sia gettato in mare, piuttosto che scandalizzare uno di questi piccoli. [3]Guardatevene bene! Se un tuo fratello ti offende, tu rimproveralo; ma se poi si pente, perdonagli. [4]E se anche ti offende sette volte al giorno e sette volte al giorno torna da te a chiederti perdono, tu perdonalo».

[5]Gli apostoli dissero al Signore: «Aumenta la nostra fede!». [6]Il Signore rispose: «Se aveste fede come un granello di senapa, potreste dire a questo gelso: "Togli le radici da questo terreno e vai a piantarti nel mare", ed esso vi ascolterebbe.

[7]Chi di voi, se ha un servo che si trova ad arare o a pascolare il gregge, gli dirà, quando sarà ritornato dal campo: "Vieni subito e mettiti a tavola"? [8]Non gli dirà piuttosto: "Preparami la cena: rimboccati la veste e servi in tavola, finché io mangi e beva, e dopo mangerai e berrai anche tu"? [9]Avrà forse degli obblighi verso il suo servo, perché questi ha compiuto ciò che gli è stato comandato? [10]Così fate anche voi. Quando avrete fatto tutto quello che vi è stato or-

---

9. Le ricchezze sono chiamate *ingiuste* perché spesso rendono l'anima schiava dell'avarizia e della cupidigia e possono essere causa d'ingiustizie. La conclusione della parabola è indicata qui: servirsi delle ricchezze per procurarsi beni utili per l'eternità, perché solo allora sono veramente utili.

dinato, dite: "Siamo servi inutili. Abbiamo fatto quello che dovevamo fare!"».

Gesù guarisce i dieci lebbrosi. - [11]Mentre andava verso Gerusalemme, Gesù attraversò la Samaria e la Galilea. [12]Entrando in un villaggio, gli vennero incontro dieci lebbrosi. Questi si fermarono ad una certa distanza [13]e ad alta voce dissero a Gesù: «Gesù, maestro, abbi pietà di noi!». [14]Appena li vide, Gesù disse: «Andate dai sacerdoti e presentatevi loro». E mentre quelli andavano, furono guariti. [15]Uno di loro, appena vide di essere guarito, tornò indietro glorificando Dio a gran voce [16]e si gettò bocconi per terra ai piedi di Gesù per ringraziarlo. Era un samaritano. [17]Gesù allora disse: «Non sono stati guariti tutti e dieci? Dove sono gli altri nove? [18]Non è ritornato nessun altro a ringraziare Dio all'infuori di questo straniero?». [19]E gli disse: «Alzati e va': la tua fede ti ha salvato».

Gesù ritornerà glorioso nel suo regno. - [20]I farisei gli domandarono: «Quando viene il regno di Dio?». Egli rispose: «Il regno di Dio non viene in modo che si possa osservare. [21]Nessuno potrà dire: "Eccolo qui", o: "Eccolo là", perché il regno di Dio è già in mezzo a voi».

[22]Poi disse ai discepoli: «Verranno tempi nei quali desidererete vedere uno solo dei giorni del Figlio dell'uomo, ma non lo vedrete. [23]Vi diranno: "Eccolo qui", oppure: "Eccolo là"; ma voi non vi muovete, non seguiteli. [24]Come infatti il lampo guizza da un estremo all'altro del cielo e illumina ogni cosa, così sarà il Figlio dell'uomo nel suo giorno. [25]Ma prima egli deve patire molto ed essere rifiutato dagli uomini di questo tempo. [26]E come avvenne ai tempi di Noè, così sarà nei giorni del Figlio dell'uomo. [27]si mangiava, si beveva, si prendeva moglie e si prendeva marito, fino al giorno in cui Noè entrò nell'arca. Poi venne il diluvio e li spazzò via tutti. [28]Lo stesso avvenne ai tempi di Lot: la gente mangiava e beveva, comprava e vendeva, piantava e costruiva. [29]Ma nel giorno in cui Lot uscì da Sodoma, venne dal cielo fuoco e zolfo e li distrusse tutti. [30]Così succederà nel giorno in cui il Figlio dell'uomo si manifesterà. [31]In quel giorno, se qualcuno si troverà sulla terrazza, non scenda in casa a prendere le sue cose. Se uno si troverà nei campi, non torni indietro. [32]Ricordatevi della moglie di Lot. [33]Chi cercherà di preservare la sua vita la perderà, chi invece darà la propria vita la conserverà. [34]Vi dico: in quella notte due saranno in un letto: uno verrà preso e l'altro lasciato. [35]Due donne si troveranno a macinare insieme il grano: una sarà presa e l'altra lasciata. [36]Due uomini si troveranno nei campi: uno sarà preso e l'altro lasciato». [37]I discepoli allora gli dicono: «Dove, Signore?». Egli disse loro: «Dove sarà il cadavere, là si raduneranno anche gli avvoltoi».

18 **Parabola del giudice e della vedova.** - [1]Raccontò loro una parabola per mostrare che dovevano pregare sempre, senza stancarsi mai. [2]«In una città viveva un giudice che non temeva Dio e non si curava di nessuno. [3]Nella stessa città viveva una vedova, che andava da lui e gli chiedeva: "Fammi giustizia contro il mio avversario". [4]Per un po' di tempo il giudice non volle, ma alla fine disse tra sé: "Anche se non temo Dio e non mi prendo cura degli uomini, [5]tuttavia le farò giustizia e così non verrà continuamente a seccarmi"». [6]E il Signore soggiunse: «Avete udito ciò che dice il giudice ingiusto? [7]E Dio non farà giustizia ai suoi eletti che lo invocano giorno e notte? Tarderà ad aiutarli? [8]Vi dico che farà loro giustizia prontamente. Ma il Figlio dell'uomo, quando verrà, troverà la fede sulla terra?».

Parabola del fariseo e del pubblicano. - [9]Disse poi un'altra parabola per alcuni che erano persuasi di essere giusti e disprezzavano gli altri: [10]«Due uomini salirono al tempio per pregare: uno era fariseo e l'altro pubblicano. [11]Il fariseo se ne stava in piedi e pregava così tra sé: "O Dio, ti ringrazio perché non sono come gli altri uomini, rapaci, ingiusti, adùlteri, e neppure come questo pubblicano. [12]Io digiuno due volte alla settimana e offro la decima parte di quello che possiedo". [13]Il pubblicano invece si fermò a distanza e non osava neppure alzare lo

17. - 21. I Giudei credevano che *il regno di Dio* dovesse essere preceduto e accompagnato da segni spettacolari e prodigiosi. Gesù combatte tale opinione e dice che il regno di Dio è già in terra, già in atto, poiché già allora la predicazione evangelica stava trasformando le anime.

sguardo al cielo, ma si batteva il petto dicendo: "O Dio, sii benigno con me, peccatore". [14]Vi dico che questi tornò a casa giustificato, l'altro invece no, perché chi si esalta sarà umiliato e chi si umilia sarà esaltato».

Gesù e i fanciulli. - [15]Gli presentavano anche dei bimbi perché li toccasse, ma i discepoli, vedendo questo, li sgridavano. [16]Allora Gesù li chiamò vicino a sé e disse: «Lasciate che i fanciulli vengano a me e non glielo impedite, perché il regno di Dio è di quelli che sono simili a loro. [17]In verità vi dico: chi non accoglie il regno di Dio come un fanciullo, non vi entrerà».

Il giovane ricco. - [18]E un capo lo interrogò: «Maestro buono, che cosa devo fare per ottenere la vita eterna?». [19]Gesù gli rispose: «Perché mi dici buono? Nessuno è buono, tranne Dio. [20]Conosci i comandamenti: *Non commettere adulterio, non uccidere, non rubare, non dire il falso, ama tuo padre e tua madre*». [21]Quell'uomo disse: «Tutto questo l'ho osservato fin dalla mia giovinezza». [22]Udito ciò, Gesù gli disse: «Ti manca ancora una cosa: vendi tutto quello che hai e dallo ai poveri, così avrai un tesoro nei cieli; poi vieni e seguimi». [23]Ma quello, udite queste parole, diventò molto triste. Era infatti molto ricco. [24]Gesù, notando la sua tristezza, disse: «Come è difficile per coloro che sono ricchi entrare nel regno di Dio. [25]È più facile che un cammello passi attraverso la cruna di un ago, piuttosto che un ricco entri nel regno di Dio».

[26]Quelli che ascoltavano domandarono: «Ma allora chi può salvarsi?». [27]Egli rispose: «Ciò che è impossibile agli uomini, è possibile a Dio». [28]Pietro allora disse: «Vedi, noi abbiamo lasciato le nostre cose e ti abbiamo seguito». [29]Gesù rispose loro: «In verità vi dico: non c'è nessuno che abbia lasciato casa, moglie, fratelli, genitori e figli per il regno di Dio, [30]che non riceva molto di più in questo tempo e nel secolo avvenire la vita eterna».

Terza profezia della passione. - [31]Poi prese con sé i Dodici e disse loro: «Ecco che saliamo a Gerusalemme e si compirà tutto quello che è stato scritto dai profeti circa il Figlio dell'uomo. [32]Sarà consegnato ai pagani, sarà insultato, coperto di offese e di sputi; [33]e, dopo averlo flagellato, lo uccideranno. Ma il terzo giorno risusciterà». [34]Ma essi non capirono nulla di tutto questo: il significato di quel discorso rimase per loro oscuro e non riuscivano affatto a capire.

Guarigione del cieco di Gerico. - [35]Mentre si stava avvicinando a Gerico, un cieco era seduto sul bordo della strada e chiedeva l'elemosina. [36]Sentendo passare la folla, domandò che cosa accadesse. [37]Gli risposero: «È Gesù di Nazaret che passa!». [38]Allora si mise a gridare: «Gesù, figlio di Davide, abbi pietà di me!». [39]Quelli che camminavano davanti lo sgridavano per farlo tacere. Ma il cieco gridava ancor più forte: «Figlio di Davide, abbi pietà di me!». [40]Gesù allora si fermò e ordinò che gli portassero il cieco. Quando fu vicino, gli domandò: [41]«Che cosa vuoi che faccia per te?». Egli rispose: «Signore, che io ci veda». [42]E Gesù gli disse: «Vedi! La tua fede ti ha salvato». [43]Subito ci vide di nuovo e si mise a seguirlo, ringraziando Dio. Anche la gente che era presente, alla vista del fatto, si mise a lodare Dio.

19 **Incontro di Gesù con Zaccheo.** - [1]Entrato nella città di Gerico, la stava attraversando. [2]Or un uomo di nome Zaccheo, che era capo dei pubblicani e ricco, [3]cercava di vedere chi fosse Gesù, ma non ci riusciva; c'era infatti molta gente ed egli era troppo piccolo di statura. [4]Allora corse avanti e, per poterlo vedere, si arrampicò sopra un sicomoro, perché Gesù doveva passare di là. [5]Gesù, quando arrivò in quel punto, alzò gli occhi e gli disse: «Zaccheo, scendi in fretta, perché oggi devo fermarmi a casa tua». [6]Scese subito e lo accolse con gioia. [7]Vedendo ciò, tutti mormoravano: «È andato ad alloggiare in casa di un peccatore!». [8]Ma Zaccheo, alzatosi, disse al Signore: «Signore, io do ai poveri la metà dei miei beni e, se ho rubato a qualcuno, gli restituisco il quadruplo». [9]Gesù gli rispose: «Oggi la salvezza è entrata in questa casa, perché anch'egli è figlio di Abramo. [10]Infatti il Figlio dell'uomo è venuto a cercare e a salvare ciò che era perduto».

Parabola delle mine. - [11]Mentre essi stavano ad ascoltare queste cose, Gesù raccontò quest'altra parabola, perché era vicino a Gerusalemme ed essi credevano che la manifestazione del regno di Dio fosse imminente. ¹²Disse dunque: «Un uomo di nobile famiglia se ne andò in un paese lontano per ricevere il titolo di re, e poi ritornare. ¹³Chiamati dieci dei suoi servi, diede loro dieci mine, dicendo: "Fatele fruttificare fino a quando tornerò". ¹⁴Ma i suoi concittadini lo odiavano e gli mandarono dietro alcuni rappresentanti a dire: "Non vogliamo che costui regni su di noi". ¹⁵Ma quell'uomo divenne re e ritornò al suo paese e fece chiamare i servi ai quali aveva consegnato il denaro, per vedere quanto ciascuno ne avesse ricavato. ¹⁶Si fece avanti il primo e disse: "Signore, la tua mina ne ha fruttate dieci". ¹⁷Gli rispose: "Bene, servo buono; poiché sei stato fedele nel poco, ricevi il governo sopra dieci città". ¹⁸Poi venne il secondo e disse: "Signore, la tua mina ne ha fruttate cinque". ¹⁹Anche a questo disse: "Anche tu avrai l'amministrazione di cinque città". ²⁰Infine si fece avanti l'altro servo e disse: "Signore, ecco la tua mina che ho nascosto in un fazzoletto. ²¹Ho avuto paura di te, perché sei un uomo severo: pretendi quello che non hai depositato e raccogli quello che non hai seminato". ²²Gli rispose: "Dalle tue parole ti giudico, servo malvagio! Sapevi che sono un uomo severo, che pretendo quello che non ho depositato e raccolgo quello che non ho seminato? ²³Perché allora non hai depositato il mio denaro alla banca? Al mio ritorno l'avrei ritirato con l'interesse". ²⁴Disse poi ai presenti: "Toglietegli la mina e datela a colui che ne ha dieci". ²⁵Gli risposero: "Signore, ne ha già dieci!". ²⁶"Vi dico: chi ha riceverà ancora di più; invece a chi ha poco sarà tolto anche quello che ha. ²⁷Intanto, conducete qui i miei nemici, quelli che non mi volevano come loro re. Conduceteli qui e uccideteli alla mia presenza"». ²⁸Dopo questi discorsi, Gesù camminava in testa agli altri, salendo a Gerusalemme.

MINISTERO
IN GERUSALEMME

Ingresso trionfale di Gesù in Gerusalemme. - ²⁹Quando fu vicino a Betfage e a Betania, presso il monte detto degli Ulivi, mandò avanti due discepoli dicendo: ³⁰«Andate nel villaggio che sta qui di fronte; entrando, troverete un asinello legato sul quale non è mai salito nessuno; slegatelo e portatelo qui. ³¹Se qualcuno vi chiederà: "Perché lo slegate?", voi risponderete così: "Il Signore ne ha bisogno"». ³²I due discepoli andarono e trovarono le cose come egli aveva detto. ³³Mentre slegavano il puledro, i proprietari domandarono loro: «Perché slegate il puledro?». ³⁴Essi risposero: «Il Signore ne ha bisogno». ³⁵Allora lo condussero a Gesù e, dopo aver coperto il puledro con i loro mantelli, vi fecero montare Gesù. ³⁶Via via che Gesù avanzava, la gente stendeva i mantelli sulla strada. ³⁷Quando fu vicino alla discesa del monte degli Ulivi, tutta la folla dei discepoli, esultando, cominciò a lodare a gran voce Dio per tutti i miracoli che aveva visto. ³⁸Gridavano:

«*Benedetto colui che viene
nel nome del Signore: egli è il re!
In cielo pace
e gloria nel più alto dei cieli*».

³⁹Allora alcuni farisei che si trovavano tra la folla gli dissero: «Maestro, fa' tacere i tuoi discepoli!». ⁴⁰Ma egli rispose: «Vi dico che se taceranno costoro, si metteranno a gridare le pietre».

Lamento di Gesù sopra Gerusalemme. - ⁴¹Quando fu vicino, alla vista della città, pianse su di essa, ⁴²dicendo: «Oh, se tu pure conoscessi, in questo giorno, quello che occorre alla tua pace! Ma ora ciò è stato nascosto ai tuoi occhi. ⁴³Verranno sopra di te giorni nei quali i tuoi nemici ti circonderanno di trincee. Ti assedieranno e ti stringeranno da ogni parte. ⁴⁴Distruggeranno te e i tuoi abitanti, e non lasceranno in te pietra su pietra, perché tu non hai conosciuto il tempo nel quale sei stata visitata».

Gesù caccia dal tempio i profanatori. - ⁴⁵Entrato poi nel tempio, si mise a cacciare quelli che facevano commercio, ⁴⁶dicendo loro: «Sta scritto:

---

19. - 12-13. La parabola esorta i discepoli di Cristo, durante la sua assenza, cioè nel corso della vita presente, a far fruttificare i doni ricevuti da Dio. A seconda dei frutti essi saranno premiati.

La mia casa sarà casa di preghiera.
Voi, invece, ne avete fatto
una *caverna di ladri!*».

⁴⁷E insegnava ogni giorno nel tempio. I capi dei sacerdoti e i dottori della legge cercavano di farlo perire, e così anche i capi del popolo. ⁴⁸Ma non sapevano come fare, perché tutto il popolo pendeva dalle sue labbra nell'ascoltarlo.

20 **Una questione di fondo.** - ¹Un giorno, mentre istruiva il popolo nel tempio e annunziava il suo messaggio, andarono da lui i capi dei sacerdoti, i dottori della legge, con i capi del popolo, e gli dissero: ²«Dicci con quale autorità tu fai queste cose. Chi ti ha dato questo potere?». ³Gesù rispose loro: «Io pure vi farò una domanda. Ditemi: ⁴il battesimo di Giovanni era dal cielo o dagli uomini?». ⁵Essi allora fecero tra loro questo ragionamento: «Se diciamo: "dal cielo", risponderà: "Perché non gli avete creduto?". ⁶Se invece diciamo: "dagli uomini", allora il popolo ci lapiderà, perché tutti sono convinti che Giovanni era un profeta». ⁷Perciò risposero di non saperlo. ⁸E Gesù disse loro: «Neppure io vi dirò con quale autorità faccio queste cose».

Parabola dei contadini omicidi. - ⁹Poi cominciò a raccontare al popolo questa parabola: «Un uomo *piantò una vigna*, l'affidò a dei contadini e se ne andò lontano per molto tempo. ¹⁰Al momento opportuno, mandò un servo da quei contadini per ritirare la sua parte del raccolto della vigna. Ma i contadini lo bastonarono e lo mandarono via a mani vuote. ¹¹Il padrone mandò un altro servo, ma essi percossero anche questo, lo insultarono e lo rimandarono a mani vuote. ¹²Ne mandò ancora un terzo, ma quei contadini percossero gravemente anche lui e lo cacciarono. ¹³Allora il padrone della vigna disse: "Che cosa posso fare? Manderò il mio

figlio, l'amato. Forse di lui avranno rispetto". ¹⁴Ma i contadini, appena lo videro, dissero tra loro: "Costui è l'erede! Ammazziamolo, perché l'eredità sia nostra!". ¹⁵E, gettatolo fuori dalla vigna, lo uccisero. Che cosa farà dunque il padrone della vigna a costoro? ¹⁶Verrà, disperderà quei contadini e darà la vigna ad altri».
Ma essi, udite queste parole, dissero: «Non sia mai!». ¹⁷Allora Gesù fissò lo sguardo su di loro e disse: «Che cos'è dunque ciò che sta scritto:

*La pietra che i costruttori hanno scartata
è diventata pietra di base?*

¹⁸Chiunque cadrà su quella pietra si sfracellerà; e colui sul quale essa cadrà, lo stritolerà». ¹⁹I dottori della legge e i capi dei sacerdoti cercarono di impadronirsi di lui in quello stesso momento, ma ebbero paura del popolo. Avevano ben capito che egli aveva detto per loro quella parabola.

Il tributo a Cesare. - ²⁰Si misero a osservarlo e mandarono delle spie, che dovevano fingersi persone oneste, per coglierlo in fallo in un suo discorso e poterlo consegnare al potere e all'autorità del governatore. ²¹Essi lo interrogarono: «Maestro, sappiamo che parli ed insegni con rettitudine. Tu non guardi in faccia a nessuno, ma insegni veramente la via di Dio. ²²Ci è lecito o no pagare il tributo a Cesare?». ²³Rendendosi conto della loro malizia, disse: ²⁴«Mostratemi un denaro: di chi è l'immagine e l'iscrizione?». ²⁵Risposero: «Di Cesare». Ed egli disse: «Date a Cesare quel che è di Cesare e a Dio quel che è di Dio». ²⁶Così non poterono coglierlo in fallo per quello che diceva al popolo e, meravigliatisi della sua risposta, non seppero più che cosa dire.

I sadducei e la risurrezione. - ²⁷Si avvicinarono alcuni sadducei, i quali dicono che non vi è risurrezione, e gli domandarono: ²⁸«Maestro, Mosè ci ha prescritto: se uno muore e lascia la moglie senza figli, suo fratello deve sposare la vedova e dare una discendenza al proprio fratello. ²⁹C'erano dunque sette fratelli: il primo, dopo aver preso moglie, morì senza lasciare figli. ³⁰Allora la prese il secondo ³¹e poi il terzo e così tutti e sette, e morirono senza lasciare figli.

20. - 9-18. In questa parabola Gesù manifesta la riprovazione d'Israele: i Giudei non hanno soltanto respinto, perseguitato e ucciso gl'inviati di Dio, ma si sono persino opposti a suo Figlio e lo hanno crocifisso. Per questo sono esclusi dal regno di Dio. Tuttavia, secondo quanto ci dice san Paolo, la loro riprovazione non durerà per sempre e il giorno della salvezza arriverà anche per loro (cfr. Rm 11,25-32).

³²Poi morì anche la donna. ³³Questa donna, quando i morti risorgeranno, di chi sarà moglie? Poiché tutti e sette i fratelli l'hanno avuta come moglie».

³⁴Gesù rispose loro: «I figli di questo mondo prendono moglie e prendono marito; ³⁵ma quelli che sono giudicati degni del mondo futuro e della risurrezione dai morti, non prendono né moglie né marito. ³⁶Essi non possono più morire, perché sono uguali agli angeli, e sono figli di Dio fatti degni della risurrezione. ³⁷E che i morti risorgono, lo ha affermato anche Mosè a proposito del roveto, quando dice che il *Signore è Dio di Abramo, Dio di Isacco e Dio di Giacobbe.* ³⁸Quindi Dio non è il Dio dei morti, ma dei viventi, perché tutti vivono per lui».

³⁹Intervennero allora alcuni dottori della legge e dissero: «Maestro, hai parlato bene». ⁴⁰Da quel momento non avevano più il coraggio di fargli domande.

Il Messia come figlio di Davide. - ⁴¹Un giorno egli disse loro: «Come mai si dice che il Messia è figlio di Davide? ⁴²Nel libro dei Salmi lo stesso Davide dice:

Il Signore ha detto al mio Signore:
Siedi alla mia destra,
⁴³ *finché io ponga i tuoi nemici*
come sgabello sotto i tuoi piedi.

⁴⁴Davide dunque lo chiama Signore. Perciò, come può essere suo figlio?».

Ipocrisia dei farisei. - ⁴⁵Mentre tutto il popolo stava ad ascoltare, disse ai suoi discepoli: ⁴⁶«Guardatevi dai dottori della legge. Essi amano passeggiare in lunghe vesti, desiderano essere salutati nelle piazze e occupare i posti d'onore nelle sinagoghe e i primi posti nei banchetti. ⁴⁷Fanno lunghe preghiere per farsi vedere, ma nello stesso tempo strappano alle vedove quello che ancora possiedono. Costoro saranno giudicati ben più severamente».

21 **L'offerta della vedova.** - ¹Guardandosi attorno, vide alcuni ricchi che gettavano le loro offerte nelle cassette del tempio. ²Vide anche una vedova povera che vi gettava due monetine. ³Allora disse: «In verità vi dico: questa vedova, povera com'è, ha offerto più di tutti gli altri. ⁴Tutti costoro infatti hanno dato come offerta parte del loro superfluo, questa donna invece ha dato, nella sua miseria, tutto il necessario per vivere».

Discorso escatologico. - ⁵Siccome alcuni parlavano del tempio e dicevano che era molto bello per le pietre e per i doni votivi che lo adornavano, egli disse: ⁶«Verranno giorni in cui tutto quello che ammirate sarà distrutto e non rimarrà pietra su pietra». ⁷Ora, lo interrogavano: «Maestro, quando accadrà questo e quale sarà il segno che ciò sta per compiersi?».

⁸Gesù rispose: «Fate attenzione a non essere ingannati. Perché molti verranno e si presenteranno con il mio nome dicendo: "Sono io", e: "Il tempo è vicino". Voi però non seguiteli. ⁹Quando sentirete parlare di guerre e di rivoluzioni, non abbiate paura. Devono infatti succedere prima queste cose, ma non significa che subito dopo ci sarà la fine». ¹⁰Allora diceva loro: «Un popolo si solleverà contro un altro popolo e un regno contro un altro regno. ¹¹Ci saranno dappertutto terremoti, carestie e pestilenze: vi saranno anche fenomeni spaventosi e segni grandiosi dal cielo. ¹²Ma prima di tutto ciò vi prenderanno con violenza e vi perseguiteranno, consegnandovi alle sinagoghe e alle prigioni, trascinandovi davanti ai loro re e ai loro governatori, a causa del mio nome. ¹³Allora avrete occasione di dare testimonianza. ¹⁴Ritenete per sicuro che non vi dovete preoccupare di quello che direte per difendervi; ¹⁵io stesso vi darò linguaggio e sapienza, così che i vostri avversari non potranno resistere né controbattere. ¹⁶Sarete consegnati persino dai genitori e dai fratelli, dai parenti e dagli amici, e molti di voi saranno uccisi; ¹⁷sarete odiati da tutti per causa del mio nome. ¹⁸Eppure, nemmeno un capello del vostro capo andrà perduto. ¹⁹Con la vostra perseveranza salverete le vostre anime.

²⁰Ora, quando vedrete Gerusalemme circondata da eserciti, ricordate allora che la sua desolazione è vicina. ²¹Allora quelli che sono nella Giudea fuggano sui monti, quelli che si trovano in città se ne allontanino e quelli che sono in campagna non tornino in città; ²²poiché questi sono giorni di vendetta, affinché si compia tutto ciò che è stato scrit-

to. [23]Guai alle donne incinte e a quelle che allattano in quei giorni; vi sarà infatti grande tribolazione nel paese e ira contro questo popolo. [24]E cadranno a fil di spada e saranno portati via come schiavi tra tutti i popoli; Gerusalemme sarà calpestata dai pagani, finché saranno compiuti i tempi dei pagani. [25]Ci saranno segni nel sole, nella luna e nelle stelle; e sulla terra angoscia di popoli in preda allo smarrimento per il fragore del mare e dei flutti. [26]Gli uomini verranno meno per il timore e per l'attesa di ciò che dovrà accadere sulla terra. Infatti le *forze dei cieli* saranno sconvolte. [27]Allora vedranno il *Figlio dell'uomo venire sopra una nube* con grande potenza e splendore. [28]Quando queste cose cominceranno ad accadere, drizzatevi e alzate la testa, perché la vostra liberazione è vicina».

[29]Poi disse loro una parabola: «Guardate l'albero del fico e tutti gli altri alberi. [30]Quando vedete che cominciano a germogliare, voi capite che l'estate è ormai vicina. [31]Così pure, quando vedrete compiersi queste cose, sappiate che il regno di Dio è vicino. [32]In verità vi dico: non passerà questa generazione prima che tutto questo avvenga. [33]Il cielo e la terra passeranno, ma le mie parole non passeranno.

[34]State bene attenti che i vostri cuori non si intontiscano in dissipazioni, ubriachezze e preoccupazioni materiali, e che quel giorno non vi piombi addosso all'improvviso; [35]come un laccio esso si abbatterà sopra tutti coloro che popolano la faccia della terra. [36]Vegliate e pregate in ogni momento, per avere la forza di sfuggire a tutti questi mali che stanno per accadere e per comparire davanti al Figlio dell'uomo».

[37]Durante il giorno insegnava nel tempio, di notte usciva e se ne stava all'aperto sul monte degli Ulivi. [38]Ma già di buon mattino tutto il popolo andava nel tempio per ascoltarlo.

PASSIONE, MORTE E RISURREZIONE

22 **La decisione del sinedrio e il tradimento di Giuda.** - [1]Si avvicinava la festa degli Azzimi, detta anche

Pasqua, [2]e i capi dei sacerdoti e i dottori della legge cercavano come sopprimerlo. Però temevano il popolo. [3]Satana allora entrò in Giuda, chiamato Iscariota, che era nel numero dei Dodici. [4]Ed egli andò a mettersi d'accordo con i capi dei sacerdoti e i capi della guardia sul modo di consegnare Gesù nelle loro mani. [5]Essi ne furono contenti e convennero di dargli del denaro. [6]Egli fu d'accordo e da quel momento cercava l'occasione propizia per consegnarlo loro senza che il popolo se ne accorgesse.

Ultima cena e discorso di addio. - [7]Venne poi il giorno degli Azzimi, nel quale si doveva immolare la Pasqua. [8]Gesù mandò Pietro e Giovanni, dicendo: «Andate a preparare per noi la Pasqua, perché possiamo mangiare». [9]Gli domandarono: «Dove vuoi che prepariamo?». [10]Egli rispose: «Quando entrerete in città, vi verrà incontro un uomo che porta una brocca d'acqua. Seguitelo nella casa dove entrerà. [11]Poi direte al padrone di casa: "Il Maestro ti dice: Dov'è la sala in cui posso mangiare la Pasqua con i miei discepoli?". [12]Egli vi mostrerà una grande sala, al piano superiore, arredata con divani: là preparate». [13]Essi andarono e trovarono tutto come aveva detto loro e prepararono la Pasqua. [14]E quando venne l'ora, prese posto a tavola e con lui anche gli apostoli.

[15]E disse: «Ho desiderato grandemente mangiare questa Pasqua con voi, prima di patire, [16]perché vi dico che non la mangerò più finché non sia compiuta nel regno di Dio». [17]E preso un calice, rese grazie e disse: «Prendetelo e fatelo passare tra voi, [18]poiché vi dico che da questo momento non berrò più del frutto della vite finché non sia venuto il regno di Dio».

Racconto dell'istituzione dell'eucaristia. - [19]Poi, preso un pane, rese grazie, lo spezzò e lo diede loro dicendo: «Questo è il mio corpo che è dato per voi. Fate questo in memoria di me».

[20]Allo stesso modo, alla fine della cena, prese il calice dicendo: «Questo calice è la nuova alleanza nel mio sangue che è sparso per voi.

[21]Ma, ecco, la mano di colui che mi tradisce è con me, sulla mensa. [22]Poiché il Figlio

---

22. - 19-20. Con l'istituzione dell'eucaristia Gesù ha lasciato alla chiesa il sacramento della sua presenza perenne e del suo sacrificio nei segni del pane e del vino da condividere.

dell'uomo parte, come è stato decretato; ma guai a quell'uomo per mezzo del quale egli è tradito». ²³Allora essi cominciarono a chiedersi chi di essi avrebbe fatto una cosa simile.

Rimprovero e promessa della ricompensa. - ²⁴E tra loro sorse anche una discussione: chi di essi doveva essere considerato il più grande. ²⁵Egli disse loro: «I re governano sui loro popoli e quelli che hanno il potere su di essi si fanno chiamare benefattori. ²⁶Voi però non agite così; ma chi tra voi è il più grande diventi come il più piccolo, e chi governa diventi come quello che serve. ²⁷Chi è infatti più grande: chi siede a tavola o chi sta a servire? Non è forse chi siede a tavola? Eppure io sono in mezzo a voi come uno che serve.

²⁸Voi siete quelli che sono rimasti con me nelle mie prove. ²⁹Ora, io preparo per voi un regno come il Padre l'ha preparato per me, ³⁰affinché mangiate e beviate alla mia tavola nel mio regno. E sederete sui troni per giudicare le dodici tribù d'Israele».

Predizione del rinnegamento di Pietro. - ³¹«Simone, Simone, ascolta! Satana ha ottenuto il permesso di passarvi al vaglio come il grano. ³²Ma io ho pregato per te, perché non venga meno la tua fede. E tu, quando sarai tornato, conferma i tuoi fratelli». ³³Pietro allora gli disse: «Signore, con te sono pronto ad andare in prigione ed anche alla morte». ³⁴Gesù gli rispose: «Pietro, io ti dico: oggi non canterà il gallo prima che tu per tre volte abbia dichiarato di non conoscermi». ³⁵Poi disse loro: «Quando vi mandai senza borsa, senza bisaccia e senza sandali, vi è mancato qualcosa?». Essi risposero: «Nulla». ³⁶Allora egli disse: «Ora, però, chi ha una borsa la prenda, e così anche la bisaccia; e chi non ha una spada, venda il mantello e se ne compri una. ³⁷Vi dico infatti che deve compiersi in me ciò che è scritto: *È stato messo nel numero dei malfattori*. Infatti ciò che mi riguarda volge al suo compimento». ³⁸Allora essi dissero: «Signore, ecco qui due spade». Ma egli rispose: «Basta!».

Gesù nel Getsemani. - ³⁹Uscito se ne andò, secondo il suo solito, al monte degli Ulivi; lo seguirono anche i discepoli. ⁴⁰Quando giunse sul luogo, disse loro: «Pregate per non cadere in tentazione». ⁴¹Poi si allontanò da loro alcuni passi e, inginocchiatosi, pregava: ⁴²«Padre, se vuoi, allontana da me questo calice. Però non sia fatta la mia, ma la tua volontà».

⁴³Gli apparve allora un angelo dal cielo per confortarlo. ⁴⁴E, entrato in agonia, pregava più intensamente. E il suo sudore divenne come gocce di sangue che cadevano a terra. ⁴⁵Poi, alzatosi dalla preghiera, andò dai discepoli e li trovò addormentati, a motivo della tristezza. ⁴⁶Disse loro: «Perché dormite? Alzatevi e pregate per non cadere in tentazione».

Arresto di Gesù. - ⁴⁷Mentre egli ancora parlava, ecco giunse una folla di gente; li precedeva colui che si chiamava Giuda, uno dei Dodici. Si avvicinò a Gesù per baciarlo. ⁴⁸Gesù gli disse: «Giuda, con un bacio tradisci il Figlio dell'uomo?». ⁴⁹Quelli che erano con lui, appena si accorsero di quello che stava per accadere, dissero: «Signore, dobbiamo usare la spada?». ⁵⁰E uno di loro colpì il servo del sommo sacerdote e gli staccò l'orecchio destro. ⁵¹Ma Gesù intervenne e disse: «Smettete, basta così!». E toccandogli l'orecchio, lo guarì. ⁵²Disse poi Gesù ai gran sacerdoti, agli ufficiali del tempio ed agli anziani che erano venuti contro di lui: «Siete usciti con spade e bastoni come contro un delinquente. ⁵³Eppure ogni giorno io stavo con voi nel tempio e non mi avete mai arrestato. Ma questa è l'ora vostra e la potenza delle tenebre».

Rinnegamento di Pietro e suo pentimento. - ⁵⁴Dopo averlo catturato, lo condussero via e lo introdussero nella casa del sommo sacerdote. Pietro intanto lo seguiva da lontano. ⁵⁵In mezzo al cortile era acceso un fuoco, molti vi stavano seduti attorno e Pietro si sedette in mezzo a loro. ⁵⁶Una serva lo vide seduto vicino al fuoco e fissandolo disse: «Anche quest'uomo stava con lui». ⁵⁷Ma egli negò dicendo: «Donna, non lo conosco!». ⁵⁸Poco dopo un altro, vedendolo, disse: «Anche tu sei uno di loro». Ma Pietro rispose: «No, non lo sono». ⁵⁹Dopo circa

---

32. La fede di Pietro non verrà meno; anzi, la sua fede sarà regola per tutta la chiesa; ed egli, pentito delle sue negazioni, ha il dovere di confermare gli altri nella fede.

44. *Il sudore... di sangue*, detto dai medici diapedèsi, è causato da violenta angoscia; certamente interessava Luca che era medico.

un'ora, un altro insisté dicendo: «È vero, anche questi era con lui; infatti è un galileo». ⁶⁰Ma Pietro disse: «O uomo, non so quello che dici». In quell'istante, mentre Pietro parlava ancora, un gallo cantò. ⁶¹Allora il Signore, voltatosi, guardò Pietro, e Pietro si ricordò della parola del Signore, il quale gli aveva detto: «Oggi, prima che il gallo canti, mi rinnegherai tre volte». ⁶²E uscito fuori, pianse amaramente.

Gli oltraggi a Gesù e l'interrogatorio del mattino. - ⁶³Intanto gli uomini che avevano in custodia Gesù lo deridevano e lo percuotevano. ⁶⁴Gli bendavano gli occhi e gli domandavano: «Indovina: chi ti ha colpito?». ⁶⁵E dicevano contro di lui molte altre cose, bestemmiando.

⁶⁶Appena fu giorno, si riunirono i capi del popolo insieme ai sommi sacerdoti e ai dottori della legge. Lo condussero davanti al sinedrio ⁶⁷e gli dissero: «Se tu sei il Cristo, dillo a noi!». Gesù rispose: «Anche se ve lo dico, voi non mi crederete. ⁶⁸Se invece vi interrogo, voi non mi risponderete. ⁶⁹Ma d'ora in poi il *Figlio dell'uomo sederà alla destra della potenza di Dio*». ⁷⁰Allora tutti domandarono: «Tu dunque sei il Figlio di Dio?». Egli rispose loro: «Voi dite che io lo sono». ⁷¹Essi conclusero: «Che bisogno abbiamo ancora di testimonianza? Noi stessi l'abbiamo udito dalla sua bocca».

23 **Gesù da Pilato.** - ¹Tutta quell'assemblea si alzò e lo condussero davanti a Pilato. ²Là cominciarono ad accusarlo: «Quest'uomo l'abbiamo trovato mentre sobillava la nostra gente, proibiva di pagare i tributi a Cesare e affermava di essere il Cristo re». ³Allora Pilato lo interrogò: «Sei tu il re dei Giudei?». Egli rispose: «Tu lo dici».

⁴Pilato si rivolse ai sommi sacerdoti e alla folla e disse: «Non trovo nessun motivo di condanna in quest'uomo». ⁵Ma quelli insistevano: «Costui solleva il popolo, insegnando per tutta la Giudea, dopo aver cominciato dalla Galilea fino a qui». ⁶Quando Pilato udì ciò, domandò se quell'uomo fosse galileo, ⁷e venuto a sapere che apparteneva alla giurisdizione di Erode, lo fece condurre da Erode, che proprio in quei giorni si trovava a Gerusalemme.

Gesù davanti a Erode. - ⁸Quando vide Gesù, Erode se ne rallegrò molto. Da molto tempo infatti desiderava vederlo per averne sentito parlare e sperava di vederlo compiere qualche miracolo. ⁹Lo interrogò con insistenza, ma Gesù non rispose nulla. ¹⁰Intanto i sommi sacerdoti e i dottori della legge, che erano presenti, insistevano nell'accusarlo. ¹¹Erode, insieme ai suoi soldati, lo schernì; gli mise addosso una veste bianca e lo rimandò a Pilato. ¹²Erode e Pilato, che prima erano nemici, da quel giorno diventarono amici.

Pilato cede di fronte ai Giudei. - ¹³Pilato, riuniti i sommi sacerdoti, le autorità e il popolo, disse loro: ¹⁴«Mi avete presentato quest'uomo come sobillatore del popolo. Ebbene, l'ho esaminato alla vostra presenza, ma non ho trovato in lui nessuna delle colpe di cui l'accusate; ¹⁵e neppure Erode, perché ce l'ha rimandato. Dunque egli non ha fatto nulla che meriti la morte. ¹⁶Perciò, dopo averlo fatto frustare, lo lascerò libero». ¹⁷Per la festa di Pasqua era necessario che egli mettesse loro in libertà qualcuno. ¹⁸Tutti insieme si misero a gridare: «A morte costui! Vogliamo libero Barabba!». ¹⁹Questi era stato messo in prigione per una sommossa scoppiata in città e per omicidio. ²⁰Pilato si rivolse di nuovo a loro, con il proposito di liberare Gesù. ²¹Ma essi gridavano: «Crocifiggilo, crocifiggilo!». ²²Egli, per la terza volta, disse loro: «Ma che male ha fatto costui? Non ho trovato in lui nessuna colpa che meriti la morte. Perciò lo farò frustare e poi lo lascerò libero». ²³Ma essi insistevano a gran voce, chiedendo che fosse crocifisso. E le loro grida si facevano sempre più forti. ²⁴Pilato allora decretò che fosse eseguita la loro richiesta. ²⁵Rilasciò quello che era stato messo in prigione per sommossa e omicidio, e che quelli richiedevano, ma consegnò Gesù alla loro volontà.

La via dolorosa. - ²⁶Mentre lo conducevano via, fermarono un certo Simone di Cirene, che tornava dai campi, e gli misero addosso la croce da portare dietro a Gesù. ²⁷Lo seguiva una gran moltitudine di popolo e di donne che si battevano il petto e piangevano per lui. ²⁸Gesù allora si voltò verso di loro e disse: «Figlie di Gerusalemme, non piangete per me; piangete piuttosto per voi stesse e per i vostri figli. ²⁹Ecco, verranno giorni nei quali si dirà: Beate le sterili e quelle che non hanno mai generato e le mammelle che non hanno allattato. ³⁰Allora la gente comincerà a *dire ai monti: "Cadete su di noi!" e alle colline: "Ricopriteci!".* ³¹Perché, se si tratta così il legno verde, che ne sarà del legno secco?». ³²Insieme a lui venivano condotti a morte anche due delinquenti.

Crocifissione. - ³³Quando giunsero sul posto, detto luogo del Cranio, là crocifissero lui e i due malfattori, uno a destra e l'altro a sinistra. ³⁴Gesù diceva: «Padre, perdona loro, perché non sanno quello che fanno». Intanto, *spartendo le sue vesti, le tirarono a sorte.*

³⁵Il popolo stava a guardare. I capi del popolo invece lo *schernivano* dicendo: «Ha salvato gli altri, salvi se stesso, se è il Cristo di Dio, l'Eletto». ³⁶Anche i soldati lo schernivano; si accostavano a lui per dargli dell'*aceto* ³⁷e gli dicevano: «Se tu sei il re dei Giudei, salva te stesso». ³⁸Sopra il suo capo c'era anche una scritta: «Questi è il re dei Giudei».

Il buon ladrone. - ³⁹Uno dei malfattori che erano stati crocifissi, lo insultava: «Non sei tu il Cristo? Salva te stesso e noi!». ⁴⁰Ma l'altro lo rimproverava: «Non hai proprio nessun timore di Dio, tu che stai subendo la stessa condanna? ⁴¹Noi giustamente, perché riceviamo la giusta pena per le nostre azioni, lui invece non ha fatto nulla di male». ⁴²Poi aggiunse: «Gesù, ricordati di me, quando andrai nel tuo regno». ⁴³Gesù gli rispose: «In verità ti dico: oggi, sarai con me in paradiso».

Morte di Gesù. - ⁴⁴Era quasi l'ora sesta, quando si fece buio su tutta la terra fino all'ora nona, ⁴⁵essendosi eclissato il sole. Il velo del tempio si squarciò a metà. ⁴⁶E Gesù, gridando a gran voce, disse: «Padre, *nelle tue mani raccomando il mio spirito*». Detto questo, spirò.

⁴⁷Il centurione, vedendo l'accaduto, glorificava Dio: «Certamente quest'uomo era giusto». ⁴⁸Anche tutti quelli che erano convenuti per questo spettacolo, davanti a questi fatti se ne tornarono a casa battendosi il petto. ⁴⁹Tutti i suoi amici e le donne che lo avevano seguito fin dalla Galilea se ne stavano lontano, osservando tutto ciò che accadeva.

Sepoltura. - ⁵⁰C'era un uomo di nome Giuseppe, membro del sinedrio, uomo giusto e buono, ⁵¹che non si era associato alla loro deliberazione e alla loro azione. Era nativo di Arimatea, una città dei Giudei, e aspettava il regno di Dio. ⁵²Egli si presentò a Pilato e chiese il corpo di Gesù. ⁵³Lo depose dalla croce, lo avvolse in un lenzuolo e lo mise in un sepolcro, scavato nella roccia, dove non era stato posto ancora nessuno. ⁵⁴Era la vigilia di Pasqua, e già cominciava a sorgere il sabato. ⁵⁵Le donne che erano venute con Gesù dalla Galilea seguirono Giuseppe e videro il sepolcro e come vi era stato deposto il corpo di Gesù.

⁵⁶Poi se ne tornarono a casa per preparare aromi e unguenti. Il giorno di sabato osservarono il riposo, come prescrive la legge.

24 **Esperienze al sepolcro. -** ¹Il primo giorno della settimana, di buon mattino, si recarono al sepolcro, portando gli aromi che avevano preparato. ²Trovarono che la pietra che chiudeva il sepolcro era stata rimossa, ³ma, entrate, non trovarono il corpo del Signore Gesù. ⁴Se ne stavano lì senza sapere che cosa fare, quando apparvero loro due uomini, con vesti splendenti. ⁵Le donne, impaurite, tenevano il volto chinato a terra. Ma i due uomini dissero loro: «Perché cercate tra i morti il vivente? ⁶Non è qui, ma è risuscitato. Ricordatevi come vi ha parlato quando era ancora in Galilea, ⁷quando diceva che era necessario che il Figlio dell'uomo fosse consegnato in mano ai peccatori, che fosse crocifisso e il terzo giorno risuscitasse». ⁸E si ricordarono delle sue parole. ⁹Tornate dal sepolcro, raccontarono tutto questo agli Undici e a tutti gli altri. ¹⁰Erano Maria di Magdala, Giovanna e Maria di Giacomo. Anche le altre donne che erano insieme lo raccontarono agli apostoli. ¹¹Ma queste parole parvero ad essi come un'allucinazione e non credettero alle donne. ¹²Pietro, però, alzatosi, corse al sepolcro. Guardò dentro e vide solo le bende. E se ne tornò indietro meravigliato di quanto era avvenuto.

Apparizione ai discepoli di Emmaus. - ¹³In quel medesimo giorno, due dei discepoli si trovavano in cammino verso un villaggio, detto Emmaus, distante circa sette miglia da Gerusalemme, [14]e discorrevano fra loro di tutto quello che era accaduto. [15]Mentre discorrevano e discutevano, Gesù si avvicinò e si mise a camminare con loro. [16]Ma i loro occhi erano impediti dal riconoscerlo. [17]Ed egli disse loro: «Che discorsi sono questi che vi scambiate l'un l'altro, cammin facendo?». Si fermarono, tristi. [18]Uno di loro, di nome Cleopa, gli disse: «Tu solo sei così straniero in Gerusalemme da non sapere ciò che vi è accaduto in questi giorni?». [19]Domandò: «Che cosa?». Gli risposero: «Il caso di Gesù, il Nazareno, che era un profeta potente in opere e in parole, davanti a Dio e a tutto il popolo; [20]come i gran sacerdoti e i nostri capi lo hanno consegnato perché fosse condannato a morte, e lo hanno crocifisso. [21]Noi speravamo che fosse lui quello che avrebbe liberato Israele. Ma siamo già al terzo giorno da quando sono accaduti questi fatti. [22]Tuttavia alcune donne tra noi ci hanno sconvolti. Esse si sono recate di buon mattino al sepolcro, [23]ma non hanno trovato il suo corpo. Sono tornate a dirci di aver avuto una visione di angeli, i quali affermano che egli è vivo. [24]Alcuni dei nostri sono andati al sepolcro e hanno trovato tutto come avevano detto le donne, ma lui non l'hanno visto».

[25]Allora egli disse loro: «O stolti e tardi di cuore a credere a quello che hanno detto i profeti! [26]Non doveva forse il Cristo patire tutto questo ed entrare nella sua gloria?». [27]E cominciando da Mosè e da tutti i profeti, spiegò loro quanto lo riguardava in tutte le Scritture. [28]Quando furono vicini al villaggio dove erano diretti, egli fece finta di proseguire. [29]Ma essi lo costrinsero a fermarsi, dicendo: «Resta con noi, perché si fa sera ed il sole ormai tramonta». Egli entrò per rimanere con loro. [30]Or avvenne che mentre si trovava a tavola con loro prese il pane, pronunciò la benedizione, lo spezzò e lo distribuì loro. [31]Allora si aprirono i loro occhi e lo riconobbero. Ma egli disparve ai loro sguar-

di. [32]Si dissero allora l'un l'altro: «Non ardeva forse il nostro cuore quando egli, lungo la via, ci parlava e ci spiegava le Scritture?». [33]Quindi si alzarono e ritornarono subito a Gerusalemme, dove trovarono gli Undici riuniti e quelli che erano con loro. [34]Costoro dicevano: «Il Signore è veramente risorto ed è apparso a Simone». [35]Ed essi raccontarono ciò che era accaduto lungo il cammino e come l'avevano riconosciuto allo spezzare del pane.

Apparizione agli apostoli. - [36]Mentre parlavano di queste cose, Gesù stette in mezzo a loro e disse: «Pace a voi!». [37]Sconvolti e pieni di paura, credevano di vedere un fantasma. [38]Ma egli disse loro: «Perché siete turbati? E perché sorgono dubbi nei vostri cuori? [39]Guardate le mie mani e i miei piedi: sono proprio io! Toccatemi ed osservate: un fantasma non ha carne ed ossa come vedete che io ho». [40]E mentre diceva queste cose, mostrava loro le mani e i piedi. [41]Ma poiché per la gioia non riuscivano a crederci ed erano pieni di stupore, egli disse loro: «Avete qualcosa da mangiare?». [42]Gli diedero un po' di pesce arrostito. [43]Egli lo prese e lo mangiò davanti a loro.

[44]Poi disse: «Era proprio questo che vi dicevo quando ero ancora con voi: bisogna che si adempia tutto ciò che di me sta scritto nella legge di Mosè, nei Profeti e nei Salmi». [45]Allora aprì loro la mente all'intelligenza delle Scritture. [46]Ed aggiunse: «Così sta scritto: il Cristo doveva patire e il terzo giorno risuscitare dai morti; [47]nel suo nome saranno predicati a tutte le genti la conversione e il perdono dei peccati. [48]Voi sarete testimoni di tutto questo, cominciando da Gerusalemme. [49]Ed ecco che io manderò su di voi quello che il Padre mio ha promesso. Voi però restate in città, fino a quando non sarete rivestiti di potenza dall'alto».

Ascensione di Gesù. - [50]Poi li condusse fuori, verso Betania e, alzate le mani, li benedì. [51]Mentre li benediceva, si separò da loro e veniva portato nel cielo. [52]Essi, dopo averlo adorato, se ne tornarono a Gerusalemme con grande gioia. [53]E stavano sempre nel tempio lodando e ringraziando Dio.

---

24. - 49. *Quello che il Padre mio ha promesso*: è lo Spirito Santo (cfr. Gv 15,26), della cui discesa sugli apostoli Luca parlerà negli Atti degli Apostoli (c. 2).

VANGELO SECONDO GIOVANNI

L'ultimo vangelo in ordine di tempo è quello che la tradizione attribuisce a Giovanni apostolo, il «discepolo che Gesù amava». Era pescatore, forse uno dei primi due discepoli di Gesù (1,35-40), amico di Pietro e uno dei tre discepoli prediletti, testimoni della trasfigurazione, della risurrezione della figlia di Giairo e dell'agonia nel Getsemani. Ebbe pure il privilegio di ricevere da Gesù la sua stessa madre ai piedi della croce (19,26s). Dopo la Pentecoste troviamo Giovanni con Pietro (At 3,1; 4,3; 8,14), presente nel concilio di Gerusalemme (15,1-29), in cui era una delle «colonne» (Gal 2,9). Forse si fermò a lungo in Palestina, poi passò ad Efeso, dove morì in età avanzata.

Scritto con un fine specifico – «Affinché crediate che Gesù è il Cristo, il Figlio di Dio, e, credendo, abbiate la vita nel suo nome» (20,31) –, il quarto vangelo si presenta molto diverso dagli altri tre, sia per il contenuto che per il modo di esposizione: narra pochi miracoli, che chiama segni, accompagnati da discorsi in cui Gesù rivela se stesso e il senso dei segni, compiuti spesso in connessione con le feste giudaiche che ne sottolineano il significato.

Dopo un prologo-inno (1,1-18), in cui Gesù è presentato uguale a Dio, mediatore della creazione e della rivelazione salvifica, il vangelo si articola in due parti: il libro dei «segni» con i discorsi che li accompagnano (1,19 - 12,50), e il libro della «gloria» con l'arrivo dell'ora di Gesù (13,1 - 20,31), ora di dolore e di glorificazione, in cui il Maestro, dopo i densi discorsi di addio ai suoi, va incontro alla passione-glorificazione. Il vangelo termina con un epilogo, aggiunto in seguito (c. 21).

PROLOGO

1 Inno al Verbo

¹ In principio era il Verbo
e il Verbo era presso Dio
e Dio era il Verbo.
² Questi era in principio presso Dio.
³ Tutto per mezzo di lui fu fatto
e senza di lui non fu fatto
nulla di ciò che è stato fatto.
⁴ In lui era la vita
e la vita era la luce degli uomini;
⁵ e la luce nelle tenebre brilla
e le tenebre non la compresero.

⁶Ci fu un uomo mandato da Dio; il suo nome era Giovanni. ⁷Questi venne come testimone per rendere testimonianza alla luce, affinché tutti credessero per mezzo di lui.

⁸Non era lui la luce, ma per rendere testimonianza alla luce.

⁹ Era la luce vera,
che illumina ogni uomo,
quella che veniva nel mondo.
¹⁰ Era nel mondo
e il mondo fu fatto
per mezzo di lui
e il mondo non lo riconobbe.
¹¹ Venne nella sua proprietà
e i suoi non lo accolsero.
¹² A quanti però lo accolsero
diede il potere di divenire figli di Dio,
a coloro che credono nel suo nome,

---

1. 1-14. *In principio*, cioè prima di tutte le cose; *Verbo*, in greco *Logos*, significa «parola». Il Verbo è detto eterno, Persona distinta da Dio Padre, fonte di vita. La divinità e l'umanità di Gesù Cristo sono proclamate chiaramente nelle parole: *Il Verbo si fece carne* (v. 14), in cui si afferma l'unione della natura divina con l'umana nell'unica Persona divina del Verbo.

¹³ i quali non da sangue
   né da volontà di carne
   né da volontà di uomo
   ma da Dio furono generati.
¹⁴ E il Verbo si fece carne
   e dimorò fra noi
   e abbiamo visto la sua gloria,
   gloria come di Unigenito dal Padre,
   pieno di grazia e di verità.

¹⁵Giovanni rende testimonianza a lui e proclama: «Questi era colui di cui dissi: "Colui che viene dopo di me ebbe la precedenza davanti a me, perché era prima di me"».

¹⁶ Della sua pienezza infatti
   noi tutti ricevemmo
   e grazia su grazia;
¹⁷ poiché la legge fu data
   per mezzo di Mosè,
   la grazia e la verità divennero realtà
   per mezzo di Gesù Cristo.
¹⁸ Dio nessuno l'ha visto mai.
   L'Unigenito Dio,
   che è nel seno del Padre,
   egli lo ha rivelato.

LA RIVELAZIONE DI GESÙ

La rivelazione. - ¹⁹Ora, questa è la testimonianza di Giovanni, quando i Giudei gli mandarono da Gerusalemme sacerdoti e leviti per domandargli: «Tu, chi sei?». ²⁰E professò, e non negò, e professò: «Io non sono il Cristo». ²¹Gli domandarono: «Chi sei tu allora? Sei Elia?». Egli dice: «Non lo sono». «Sei il profeta?». Rispose: «No!». ²²Gli dissero allora: «Chi sei? Ché possiamo dare una risposta a chi ci ha inviati! Cosa dici di te stesso?». ²³Affermò:

   «Io sono *voce di uno che grida nel deserto:
   raddrizzate la via del Signore,*

come disse il profeta Isaia». ²⁴Essi erano stati mandati dai farisei. ²⁵Costoro gli domandarono ancora: «Perché dunque battezzi se non sei il Cristo, né Elia, né il profeta?». ²⁶Rispose loro Giovanni: «Io battezzo con acqua; in mezzo a voi sta colui che voi non conoscete, ²⁷colui che viene dopo di me, di cui non sono degno di sciogliere il legaccio del sandalo». ²⁸Questi fatti avvennero a Betania, al di là del Giordano, dove c'era Giovanni che battezzava.
²⁹L'indomani vede Gesù venirgli incontro e dice: «Ecco l'agnello di Dio che toglie il peccato del mondo. ³⁰Questi è colui di cui ho detto: "Colui che viene dopo di me ebbe la precedenza davanti a me, perché era prima di me". ³¹Io non lo conoscevo, ma proprio perché fosse rivelato a Israele sono venuto a battezzare con acqua». ³²Poi Giovanni testimoniò: «Ho visto lo Spirito scendere dal cielo come una colomba, e si fermò sopra di lui. ³³Io non lo conoscevo, ma colui che mi mandò a battezzare con acqua mi disse: "Colui sul quale vedrai scendere lo Spirito e fermarsi su di lui, è lui che battezza con lo Spirito Santo". ³⁴E io l'ho visto e ho testimoniato che lui è il Figlio di Dio».

I primi discepoli vanno a Gesù. - ³⁵L'indomani, Giovanni si trovava ancora là con due dei suoi discepoli. ³⁶Fissando lo sguardo su Gesù che passava, egli dice: «Ecco l'agnello di Dio». ³⁷I due discepoli lo sentirono parlare così e seguirono Gesù. ³⁸Gesù, voltosi e visti i due discepoli che lo stavano seguendo, dice loro: «Che cercate?». Gli dissero: «Rabbì (che, tradotto, significa "maestro"), dove stai?». ³⁹«Venite e vedrete», dice loro. Andarono e videro dove stava e quel giorno stettero presso di lui. Era circa l'ora decima.
⁴⁰Andrea, fratello di Simone Pietro, era uno di quei due che avevano ascoltato Giovanni e avevano seguito Gesù. ⁴¹Egli trova anzitutto suo fratello Simone e gli dice: «Abbiamo trovato il Messia» (che, tradotto, significa "Cristo"). ⁴²Lo condusse a Gesù. Fissando lo sguardo su di lui, Gesù disse: «Tu sei Simone, figlio di Giovanni. Ti chiamerai Cefa» (che si traduce "Pietro").
⁴³L'indomani decise di partire per la Galilea e trova Filippo. Gesù gli dice: «Seguimi!». ⁴⁴Filippo era di Betsaida, la città di Andrea e di Pietro. ⁴⁵Filippo trova Natanaele e gli

Gv

---

14. *Carne*: il Verbo non si è mutato in carne, ma, rimanendo quello che era, assunse la natura umana. Come l'umana parola, manifestandosi, non perde la sua natura spirituale, così il Verbo, incarnandosi, non perde la sua natura divina.
19. *I Giudei*: Giovanni indica ordinariamente con questa parola i capi del popolo ebraico che diventano il «tipo» degli avversari di Gesù di ogni popolo e cultura.
20-23. Giovanni Battista dichiara con molta umiltà la sua missione: egli non è il Messia, non è Elia né il *profeta* per eccellenza preannunziato da Mosè (Dt 18,15): è semplicemente la *voce* del precursore, inviato a preparare la via all'Atteso.

dice: «Quello di cui hanno scritto Mosè nella legge ed i profeti, noi l'abbiamo trovato: Gesù, figlio di Giuseppe, da Nazaret». [46]«Da Nazaret – gli disse Natanaele – può venire qualcosa di buono?». Gli dice Filippo: «Vieni e vedi!». [47]Gesù vide Natanaele venirgli incontro e dice di lui: «Ecco un autentico israelita, in cui non c'è falsità». [48]Gli dice Natanaele: «Donde mi conosci?». Gli rispose Gesù: «Prima che Filippo ti chiamasse, ti ho visto sotto il fico». [49]Gli rispose Natanaele: «Rabbì, tu sei il Figlio di Dio, tu sei il re d'Israele». [50]Gli rispose Gesù: «Perché ti ho detto che ti ho visto sotto il fico credi? Vedrai cose ben più grandi!». [51]Poi soggiunse: «In verità, in verità vi dico: vedrete il cielo aperto e gli angeli di Dio salire e discendere sul Figlio dell'uomo».

2 Inizio dei segni a Cana. - [1]Tre giorni dopo ci fu una festa di nozze in Cana di Galilea e c'era là la madre di Gesù. [2]Fu invitato alle nozze anche Gesù con i suoi discepoli. [3]Ed essendo venuto a mancare il vino, la madre di Gesù gli dice: «Non hanno più vino». [4]Le dice Gesù: «Che vuoi da me, o donna? Non è ancora venuta la mia ora». [5]Sua madre dice ai servi: «Fate quello che vi dirà». [6]C'erano là sei giare di pietra per le abluzioni dei Giudei, capaci da due a tre metrète ciascuna. [7]Dice loro Gesù: «Riempite le giare di acqua». Le riempirono fino all'orlo. [8]Dice loro: «Ora attingete e portatene al direttore di mensa». Essi ne portarono. [9]Come il direttore di mensa ebbe gustata l'acqua divenuta vino (egli non sapeva donde veniva, mentre lo sapevano i servi che avevano attinto l'acqua), chiama lo sposo [10]e gli dice: «Tutti presentano dapprima il vino buono e poi, quando si è brilli, quello scadente. Tu hai conservato il vino buono fino ad ora». [11]Questo inizio dei segni fece Gesù in Cana di Galilea e rivelò la sua gloria e i suoi discepoli credettero in lui.

[12]Dopo questo fatto, discese a Cafarnao: lui, sua madre, i fratelli e i suoi discepoli, e rimasero là non molti giorni.

Il tempio e il corpo di Gesù. - [13]Era prossima la Pasqua dei Giudei e Gesù salì a Gerusalemme. [14]Trovò nel tempio i venditori di buoi, di pecore e di colombe e i cambiavalute seduti, [15]e fattasi una frusta di funicelle scacciò tutti dal tempio, anche le pecore e i buoi, disseminò il denaro dei cambiavalute, rovesciò i banchi [16]e disse ai venditori di colombe: «Portate via questa roba di qui e non fate della casa del Padre mio una casa di mercato». [17]Si ricordarono i suoi discepoli che sta scritto: *Lo zelo della tua casa mi divorerà.* [18]Gli risposero allora i Giudei e gli domandarono: «Quale segno ci mostri per agire così?». [19]Gesù replicò loro: «Distruggete questo santuario e in tre giorni lo farò risorgere». [20]Dissero allora i Giudei: «In quarantasei anni fu costruito questo santuario, e tu in tre giorni lo farai risorgere?». [21]Egli però parlava del santuario del suo corpo. [22]Perciò, quando risuscitò dai morti, i suoi discepoli si ricordarono che egli aveva detto questo e credettero alla Scrittura e alle parole che aveva pronunciato Gesù.

Sommario storico. - [23]Mentre egli si trovava a Gerusalemme durante la festività della Pasqua, molti credettero nel suo nome, vedendo i segni che egli faceva. [24]Gesù però diffidava di loro perché conosceva tutti [25]e non aveva bisogno che altri testimoniasse sull'uomo; egli infatti sapeva ciò che vi era nell'uomo.

3 Dialogo con Nicodemo. - [1]C'era tra i farisei un uomo di nome Nicodemo, un capo dei Giudei. [2]Questi venne da lui di notte e gli disse: «Rabbì, noi sappiamo che sei venuto da Dio come maestro. Nessuno infatti può fare questi segni che tu fai se Dio non è con lui».

[3]Rispose Gesù: «In verità, in verità ti dico: se uno non è nato dall'alto, non può vedere il regno di Dio».

[4]Gli dice Nicodemo: «Come può un uomo nascere se è vecchio? Può forse entrare una seconda volta nel grembo di sua madre e nascere?».

[5]Gesù rispose: «In verità, in verità ti dico: se uno non è nato dall'acqua e dallo Spirito, non può entrare nel regno di Dio. [6]Il nato

---

2. - 18-19. I Giudei vogliono sapere da chi Gesù ha ricevuto l'autorità d'imporsi nella «casa» di Dio; egli risponde che darà loro un segno nella propria risurrezione, dopo che essi avranno disfatto il tempio del suo corpo con la condanna alla morte di croce.

3. - 1. *Nicodemo* era uno dei membri del sinedrio, assemblea dei capi dei Giudei.

dalla carne è carne e il nato dallo Spirito è spirito. [7]Non meravigliarti che ti abbia detto: voi dovete nascere dall'alto. [8]Il vento soffia dove vuole, senti il suo sibilo, ma non sai donde viene né dove va. Così è chiunque è nato dallo Spirito».

[9]«Come possono avvenire questi fatti?», riprese Nicodemo.

[10]Rispose Gesù: «Tu sei maestro in Israele e non conosci queste cose? [11]In verità, in verità ti dico: noi parliamo di ciò che sappiamo e testimoniamo ciò che abbiamo visto, ma voi non accogliete la nostra testimonianza. [12]Se non credete quando vi ho detto cose terrene, come crederete qualora vi dica cose celesti? [13]Nessuno è salito al cielo se non colui che è disceso dal cielo, il Figlio dell'uomo, che è in cielo. [14]E come Mosè innalzò il serpente nel deserto, così deve essere innalzato il Figlio dell'uomo, [15]affinché chiunque crede in lui abbia la vita eterna. [16]Dio infatti ha tanto amato il mondo, che ha dato il Figlio suo Unigenito affinché chiunque crede in lui non perisca, ma abbia la vita eterna. [17]Dio infatti non mandò il Figlio nel mondo per condannare il mondo, ma perché il mondo sia salvato per mezzo di lui. [18]Chi crede in lui non viene condannato; chi non crede in lui è già condannato, perché non ha creduto nel nome del Figlio Unigenito di Dio. [19]Ora il giudizio è questo: la luce venne nel mondo, ma gli uomini hanno amato più le tenebre che la luce, perché le loro opere erano malvagie. [20]Poiché: chiunque fa il male odia la luce e non viene alla luce, perché le sue opere non siano smascherate. [21]Colui invece che fa la verità viene alla luce, perché si riveli che le sue opere sono operate in Dio».

Ultima testimonianza del Battista. - [22]In seguito Gesù e i suoi discepoli vennero nel territorio della Giudea e lì si trattenne con loro e battezzava. [23]Anche Giovanni stava battezzando a Ennon vicino a Salim, perché là le acque erano abbondanti, e la gente accorreva e si faceva battezzare. [24]Giovanni infatti non era ancora stato messo in prigione. [25]Sorse allora una disputa fra i discepoli di Giovanni e un giudeo a proposito della purificazione. [26]Andarono da Giovanni e gli

dissero: «Rabbì, colui che era con te al di là del Giordano, cui tu hai reso testimonianza, ecco che battezza e tutti vanno da lui».

[27]Rispose Giovanni: «Non può un uomo prendere nulla se non gli è dato dal cielo. [28]Voi stessi mi siete testimoni che ho detto: "Non sono io il Cristo, ma sono colui che è stato mandato davanti a lui". [29]Colui che ha la sposa è lo sposo; ma l'amico dello sposo, che gli sta vicino e l'ascolta, è ripieno di gioia per la voce dello sposo. Questa gioia, che è la mia, ora è perfetta. [30]Egli deve crescere, io invece diminuire».

Testimonianza di colui che viene dal cielo. - [31]«Colui che viene dall'alto è sopra di tutti. Colui che è dalla terra appartiene alla terra e parla da uomo della terra. Colui che viene dal cielo è sopra di tutti. [32]Egli testimonia ciò che ha visto e udito, ma nessuno accoglie la sua testimonianza. [33]Colui che accoglie la sua testimonianza, ratifica che Dio è verace. [34]Infatti colui che Dio ha mandato dice le parole di Dio, poiché dà lo Spirito senza misura. [35]Il Padre ama il Figlio e ha rimesso tutto nella sua mano. [36]Chi crede nel Figlio ha la vita eterna; chi invece disobbedisce al Figlio non vedrà la vita, ma l'ira di Dio è sopra di lui».

4 Sommario storico. - [1]Quando Gesù seppe che i farisei avevano sentito che egli faceva più discepoli e battezzava più di Giovanni, [2]per quanto non fosse Gesù stesso che battezzava, ma i suoi discepoli, [3]lasciò la Giudea e ritornò verso la Galilea.

Colloquio con la Samaritana. - [4]Egli doveva passare per la Samaria. [5]Ora, arriva ad una città della Samaria chiamata Sichar, vicino al podere che Giacobbe aveva dato al figlio suo Giuseppe. [6]C'era là il pozzo di Giacobbe. Gesù, affaticato com'era dal viaggio, si era seduto sul pozzo; era circa l'ora sesta. [7]Viene una donna della Samaria ad attingere acqua. Le dice Gesù: «Dammi da bere». [8]I discepoli infatti se n'erano andati in città a comperare da mangiare. [9]Gli dice la donna samaritana: «Come mai tu che sei giudeo chiedi da bere a me che sono una donna samaritana?». I Giudei infatti non hanno rapporti con i Samaritani.

[10]Le rispose Gesù: «Se tu conoscessi il do-

---

4. - 10. L'*acqua viva* di cui parla il Salvatore non è l'acqua naturale, ma la verità e la grazia: acqua che disseta per l'eternità (v. 14).

no di Dio e chi è colui che ti dice: "Dammi da bere", tu gli avresti chiesto ed egli ti avrebbe dato acqua viva».

[11]Gli dice la donna: «Signore, non hai neppure un secchio e il pozzo è profondo. Da dove prendi dunque l'acqua viva? [12]Forse tu sei più grande del nostro padre Giacobbe, che ci diede il pozzo e ne bevve lui e i suoi figli e il suo bestiame?».

[13]Le rispose Gesù: «Colui che beve di quest'acqua, avrà ancora sete. [14]Colui invece che beve dell'acqua che gli darò io, non avrà mai più sete; ma l'acqua che gli darò diverrà in lui una sorgente di acqua che zampilla verso la vita eterna».

[15]«Signore, – gli dice la donna – dammi quest'acqua, affinché io non abbia più sete e non debba più venire qui ad attingere».

[16]Le dice: «Va', chiama tuo marito e ritorna qui».

[17]«Non ho marito», gli rispose la donna.

Le dice Gesù: «Hai detto bene: "Non ho marito", [18]perché hai avuto cinque mariti e ora quello che hai non è tuo marito. Quanto a questo hai detto il vero».

[19]«Signore, – dice la donna – vedo che tu sei un profeta. [20]I nostri padri adorarono su questo monte e voi dite che è a Gerusalemme il luogo dove si deve adorare».

[21]Le dice Gesù: «Credimi, donna, che viene un'ora in cui né su questo monte né a Gerusalemme adorerete il Padre. [22]Voi adorate ciò che non conoscete; noi adoriamo ciò che conosciamo, perché la salvezza viene dai Giudei. [23]Ma viene un'ora, ed è adesso, in cui i veri adoratori adoreranno il Padre in Spirito e verità; infatti il Padre cerca tali persone che l'adorino. [24]Dio è Spirito, e coloro che lo adorano, in Spirito e verità devono adorarlo».

[25]Gli dice la donna: «So che deve venire un Messia (che significa "Cristo"). Quando quegli verrà, ci annuncerà ogni cosa».

[26]Le dice Gesù: «Lo sono io, che ti parlo».

[27]A questo punto arrivarono i suoi discepoli e rimasero meravigliati che parlasse con una donna. Nessuno però disse: «Che vuoi tu da lei?», oppure: «Perché parli con lei?». [28]La donna intanto abbandonò la sua giara, andò in città e disse alla gente: [29]«Venite a vedere un uomo che mi ha detto tutto ciò che ho fatto. Non sarà forse lui il Cristo?». [30]Uscirono dalla città e andavano verso di lui.

[31]Nel frattempo i discepoli lo pregavano dicendo: «Rabbì, mangia!». [32]Ma egli disse loro: «Io ho un cibo da mangiare che voi non conoscete». [33]I discepoli dicevano fra loro: «Che qualcuno gli abbia portato da mangiare?». [34]Dice loro Gesù: «Mio cibo è fare la volontà di Colui che mi ha mandato e portare a compimento la sua opera. [35]Non dite voi: "Ancora quattro mesi e viene la mietitura"? Ecco, vi dico, alzate i vostri occhi e osservate i campi: sono bianchi per la mietitura. Già [36]il mietitore riceve il salario e raccoglie frutto per la vita eterna, affinché il seminatore goda insieme al mietitore. [37]In questo caso infatti è vero il proverbio: "Diverso è chi semina da chi miete". [38]Io vi ho mandati a mietere ciò per cui voi non avete faticato; altri hanno faticato e voi siete subentrati nella loro fatica».

[39]Molti Samaritani di quella città credettero in lui per la parola della donna che aveva attestato: «Mi ha detto tutto ciò che ho fatto». [40]Quando i Samaritani arrivarono da lui, lo pregavano di rimanere presso di loro; e vi rimase due giorni. [41]Furono ancora più numerosi coloro che credettero per la sua parola. [42]Alla donna dicevano: «Non crediamo più per il tuo discorso. Noi stessi infatti abbiamo udito e sappiamo che è veramente lui il salvatore del mondo».

Sommario storico. - [43]Dopo questi due giorni ripartì di là per la Galilea. [44]Gesù stesso infatti aveva testimoniato: «Un profeta non gode alcun credito nella propria patria». [45]Ora, quando Gesù arrivò in Galilea, i Galilei lo accolsero bene, avendo visto tutte le cose che aveva fatto a Gerusalemme durante la festa, poiché anch'essi erano andati alla festa.

Il funzionario regio e il figlio guarito. - [46]Gesù tornò dunque a Cana di Galilea, dove aveva cambiato l'acqua in vino. C'era un funzionario regio, il cui figlio era ammalato, a Cafarnao. [47]Avendo egli saputo che Gesù era venuto dalla Giudea alla Galilea, si recò da lui e lo pregava di scendere e guarire il figlio suo, perché stava per morire. [48]Gesù gli disse: «Se non vedete segni e prodigi, voi non credete». [49]Gli dice

---

19. Toccata nel vivo della sua vita, la Samaritana cerca di deviare il discorso proponendo una questione religiosa.

il funzionario regio: «Scendi prima che il mio ragazzo muoia». [50]Gli dice Gesù: «Va'! Tuo figlio vive». Quell'uomo credette alla parola che Gesù gli aveva detto e partì. [51]Mentre egli già scendeva, i suoi servi gli andarono incontro dicendogli che suo figlio viveva. [52]Allora chiese informazioni sull'ora in cui aveva cominciato a stare meglio. Gli risposero: «La febbre lo lasciò ieri all'ora settima». [53]Il padre riconobbe che quella era l'ora in cui Gesù gli aveva detto: «Tuo figlio vive», e credette lui e la sua famiglia al completo. [54]Gesù compì questo secondo segno ritornando dalla Giudea alla Galilea.

5 **Guarigione alla piscina di Betesda.** - [1]Dopo questi avvenimenti, c'era una festa dei Giudei e Gesù salì a Gerusalemme. [2]A Gerusalemme, presso la porta delle pecore, c'è una piscina, chiamata in ebraico Betesda, con cinque portici. [3]Sotto questi portici giaceva una moltitudine di infermi, ciechi, zoppi, invalidi [che aspettavano il movimento dell'acqua. [4]Un angelo infatti ad intervalli scendeva nella piscina e agitava l'acqua: il primo ad entrarvi dopo l'agitazione dell'acqua guariva da qualsiasi malattia]. [5]C'era là un uomo infermo da trentotto anni. [6]Gesù, vistolo disteso e saputo che si trovava già da molto tempo in quello stato, gli dice: «Vuoi guarire?». [7]Gli rispose l'infermo: «Signore, non ho un uomo che mi getti nella piscina quando l'acqua viene agitata; e, mentre io mi avvio per andare, un altro vi scende prima di me». [8]Gli dice Gesù: «Alzati, prendi il tuo giaciglio e cammina». [9]L'uomo fu guarito all'istante, prese il suo giaciglio e camminava.

La disputa. - Ma quel giorno era sabato. [10]Dicevano dunque i Giudei al guarito: «È sabato e non ti è lecito portare il tuo giaciglio». [11]Egli rispose loro: «Colui che mi ha guarito, mi ha detto: "Prendi il tuo giaciglio e cammina"». [12]Gli domandarono: «Chi è l'uomo che ti ha detto: "Prendi e cammina"?». [13]Ma colui che era stato guarito non

sapeva chi era, perché Gesù si era eclissato grazie alla folla che c'era in quel luogo. [14]Più tardi Gesù lo trovò nel tempio e gli disse: «Ecco che sei guarito. Non peccare più, perché non ti avvenga di peggio». [15]L'uomo se ne andò e riferì ai Giudei che era Gesù colui che l'aveva guarito. [16]Per questo i Giudei perseguitavano Gesù, perché faceva queste cose di sabato. [17]Ma Gesù rispose loro: «Mio Padre è all'opera fino ad ora ed anch'io sono all'opera».

[18]Per questo i Giudei cercavano ancor più di ucciderlo, perché non solo violava il sabato, ma diceva che Dio era suo Padre, facendo se stesso uguale a Dio.

Le opere e il potere del Figlio. - [19]Gesù rispose e diceva loro: «In verità, in verità vi dico: il Figlio non può fare nulla da se stesso se non ciò che vede il Padre fare. Ciò infatti che fa lui, lo fa ugualmente il Figlio. [20]Il Padre infatti ama il Figlio e gli mostra tutto ciò che egli fa, ed opere più grandi di queste gli mostrerà, in modo che voi ne rimaniate stupiti. [21]Come infatti il Padre risuscita i morti e dà la vita, così anche il Figlio dà la vita a coloro che vuole. [22]Il Padre infatti non giudica nessuno, ma ha dato tutto il giudizio al Figlio, [23]affinché tutti onorino il Figlio come onorano il Padre. Colui che non onora il Figlio, non onora il Padre che l'ha mandato. [24]In verità, in verità vi dico: chi ascolta la mia parola e crede a Colui che mi ha mandato, ha la vita eterna e non incorre nel giudizio, ma è passato dalla morte alla vita.

[25]In verità, in verità vi dico: viene un'ora, ed è adesso, in cui i morti udranno la voce del Figlio di Dio e coloro che l'avranno ascoltata vivranno. [26]Come infatti il Padre ha la vita in se stesso, così ha dato anche al Figlio di avere la vita in se stesso; [27]e gli ha dato il potere di fare il giudizio, perché è Figlio dell'uomo. [28]Non stupitevi di ciò: viene un'ora in cui tutti coloro che sono nei sepolcri ascolteranno la sua voce [29]e coloro che hanno fatto il bene ne usciranno per la risurrezione della vita, coloro che hanno praticato il male per la risurrezione del giudizio. [30]Io non posso fare nulla da me stesso. Come ascolto giudico e il mio giudizio è giusto, perché non cerco la mia volontà, ma la volontà di Colui che mi ha mandato».

---

5. - 17. Gesù, chiamando Dio *mio Padre* e dichiarando di operare con lui e come lui, confessa pubblicamente la propria divinità e uguaglianza con lui nella natura: cosa che capiscono molto bene i Giudei, i quali, appunto per questo, lo vogliono lapidare come bestemmiatore.

Testimonianza a favore del Figlio. - [31]«Se io rendo testimonianza a me stesso, la mia testimonianza non è valida. [32]C'è un altro che mi rende testimonianza e so che è vera la testimonianza che mi rende. [33]Voi avete inviato una delegazione a Giovanni ed egli ha reso testimonianza alla verità. [34]Io però non accetto la testimonianza di un uomo, ma dico questo perché voi siate salvati. [35]Egli era la lampada ardente e splendente e vi siete voluti rallegrare per poco alla sua luce. [36]Ma io ho l'altra testimonianza, più grande di quella di Giovanni, cioè le opere che il Padre mi ha dato da portare a compimento, queste stesse opere, che io faccio, mi rendono testimonianza che il Padre mi ha mandato. [37]E anche il Padre che mi ha mandato mi ha reso testimonianza.

Voi non avete mai ascoltato la sua voce né avete mai visto la sua figura [38]e non avete la sua parola che rimane in voi, perché voi non credete a colui che egli ha mandato. [39]Voi scrutate le Scritture, perché per mezzo di esse pensate di avere la vita eterna: sono proprio esse che mi rendono testimonianza. [40]Ma voi non volete venire a me per avere la vita. [41]Io non accetto la gloria dagli uomini, [42]ma io vi ho conosciuto: non avete in voi l'amore di Dio.

[43]Io sono venuto nel nome del Padre mio e voi non mi accogliete. Se venisse un altro nel suo proprio nome, lo accogliereste. [44]Come potete credere voi, che vi glorificate gli uni gli altri e non cercate la gloria che viene dal solo Dio? [45]Non pensate che io vi accuserò davanti al Padre: il vostro accusatore è Mosè, nel quale voi avete riposto la vostra speranza. [46]Se infatti credeste a Mosè, anche a me credereste, perché di me egli ha scritto. [47]Se non credete alle Scritture di lui, come crederete alle mie parole?».

6 **Moltiplicazione dei pani. Gesù cammina sulle acque. -** [1]Poi Gesù se ne andò dall'altra parte del mare di Galilea, cioè di Tiberiade. [2]Lo seguiva molta gente, perché vedevano i segni che faceva sui malati. [3]Allora Gesù salì sul monte e lì si sedette con i suoi discepoli. [4]Era prossima la Pasqua, la festa dei Giudei. [5]Gesù, alzati gli occhi e vista molta gente venire a sé, dice a Filippo: «Da dove potremo comperare pane per sfamare costoro?». [6]Questo lo diceva per metterlo alla prova; egli infatti ben sapeva quello che stava per fare. [7]Gli rispose Filippo: «Duecento denari di pane non bastano per darne un pezzetto a ciascuno». [8]Gli dice uno dei suoi discepoli, Andrea, fratello di Simone Pietro: [9]«C'è qui un ragazzetto che ha cinque pani d'orzo e due pesci. Ma che cos'è questo per così tanta gente?». [10]Disse Gesù: «Fateli sedere!». L'erba in quel luogo era abbondante. Si sedettero dunque gli uomini, all'incirca cinquemila. [11]Gesù prese allora i pani e, rese grazie, li distribuì a coloro che erano seduti; ugualmente fece dei pesci, quanti ne vollero. [12]Quando furono sazi, dice ai suoi discepoli: «Raccogliete i pezzi avanzati perché niente vada perduto». [13]Fecero dunque la raccolta e riempirono dodici ceste di pezzi dei cinque pani d'orzo che erano rimasti a coloro che avevano mangiato. [14]Visto il segno che aveva fatto, quegli uomini dicevano: «Questi è veramente il profeta che deve venire nel mondo». [15]Ma Gesù, saputo che stavano per venire a rapirlo per farlo re, si ritirò nuovamente sul monte, egli solo.

[16]Quando fu sera, i suoi discepoli discesero al mare [17]e, saliti su una barca, salparono verso Cafarnao, dall'altra parte del mare. Erano già calate le tenebre e Gesù non li aveva ancora raggiunti. [18]Spirando un gran vento, il mare era agitato. [19]Dopo aver remato per circa venticinque-trenta stadi, videro Gesù camminare sul mare e avvicinarsi alla barca ed ebbero paura. [20]Ma egli dice loro: «Sono io, non temete!». [21]Vollero allora prenderlo nella barca, e la barca subito giunse al luogo cui erano diretti.

[22]Il giorno dopo la gente che stava al di là del mare vide che là non c'era che una sola barca e che Gesù non era salito con i suoi discepoli sulla barca, ma che i suoi discepoli erano partiti da soli… [23]Altre barche vennero da Tiberiade vicino al luogo dove avevano mangiato dopo che il Signore aveva reso grazie. [24]Quando dunque la

31-39. Gesù risponde alla tacita obiezione dei Giudei, i quali applicavano a lui la regola che nessuno può essere, nello stesso tempo, testimone, giudice e parte in causa; poi prova che la sua testimonianza è validissima, perché confermata da altre quattro: Giovanni Battista, le opere che egli compie, il Padre, le Scritture. Nonostante ciò, i Giudei non volevano credere in lui, perché troppo irretiti nei loro preconcetti e nelle loro sicurezze religiose (vv. 40-47).

gente vide che là non c'era né Gesù né i suoi discepoli, salì sulle barche e andarono a Cafarnao in cerca di Gesù. [25]Trovatolo dall'altra parte del mare, gli dissero: «Rabbì, quando sei arrivato qui?».

Gesù, pane di vita. - [26]Rispose loro Gesù: «In verità, in verità vi dico: mi cercate non perché avete visto dei segni, ma perché avete mangiato pani a sazietà. [27]Operate non per il cibo che perisce, ma per il cibo che rimane per la vita eterna, che il Figlio dell'uomo vi darà, perché su di lui Dio Padre pose il suo sigillo».

[28]Allora gli dissero: «Che cosa dobbiamo fare per operare le opere di Dio?».

[29]Rispose loro Gesù: «Questa è l'opera di Dio: che crediate in colui che egli ha mandato».

[30]Gli dissero: «Quale segno fai tu perché vediamo e crediamo in te? Che cosa operi? [31]I nostri padri hanno mangiato la manna nel deserto come sta scritto: *Ha dato loro da mangiare un pane dal cielo*».

[32]Disse loro Gesù: «In verità, in verità vi dico: non Mosè vi ha dato il pane dal cielo, ma il Padre mio vi dà il pane dal cielo, quello vero. [33]Il pane dal cielo infatti è colui che dal cielo discende e dà la vita al mondo».

[34]Gli dissero allora: «Signore, dacci sempre questo pane».

Gesù disse loro: [35]«Io sono il pane di vita. Chi viene a me non avrà più fame e chi crede in me non avrà più sete. [36]Ma io ve l'ho già detto: mi avete visto e ancora non credete. [37]Tutto ciò che mi dà il Padre verrà a me e chi viene a me non lo caccerò fuori, [38]perché sono disceso dal cielo non per fare la mia volontà, ma la volontà di Colui che mi ha mandato. [39]Ora, questa è la volontà di Colui che mi ha mandato: che nulla vada perduto di ciò che mi ha dato, ma io lo risusciti nell'ultimo giorno. [40]Questa è infatti la volontà del Padre mio: che chiunque vede il

Figlio e crede in lui abbia la vita eterna e io lo risusciti nell'ultimo giorno».

[41]Ma i Giudei mormoravano di lui perché aveva detto: «Io sono il pane disceso dal cielo»; [42]e dicevano: «Non è costui Gesù, il figlio di Giuseppe, di cui conosciamo il padre e la madre? Come può ora dire: "Sono disceso dal cielo"?».

[43]Gesù rispose loro: «Non mormorate fra di voi. [44]Nessuno può venire a me se il Padre che mi ha mandato non lo attira, e io lo risusciterò nell'ultimo giorno. [45]È scritto nei profeti: *Saranno tutti istruiti da Dio*. Chiunque ha ascoltato il Padre ed ha accolto il suo insegnamento viene a me. [46]Non che alcuno abbia visto il Padre se non colui che è da Dio, lui ha visto il Padre. [47]In verità, in verità vi dico: chi crede ha la vita eterna. [48]Io sono il pane della vita. [49]I vostri padri hanno mangiato nel deserto la manna e sono morti. [50]Questo è il pane che discende dal cielo, perché lo si mangi e non si muoia. [51]Io sono il pane vivente, disceso dal cielo. Se qualcuno mangia di questo pane, vivrà in eterno. E il pane che io darò è la mia carne per la vita del mondo».

[52]I Giudei allora discutevano fra di loro dicendo: «Come può costui darci da mangiare la sua carne?».

[53]Disse loro Gesù: «In verità, in verità vi dico: se non mangiate la carne del Figlio dell'uomo e non bevete il suo sangue, non avete la vita in voi. [54]Chi si ciba della mia carne e beve il mio sangue, ha la vita eterna, e io lo risusciterò nell'ultimo giorno. [55]La mia carne infatti è vero cibo e il mio sangue è vera bevanda. [56]Chi si ciba della mia carne e beve il mio sangue rimane in me ed io in lui. [57]Come mi ha mandato il Padre, che è il vivente e io vivo grazie al Padre, così colui che si ciba di me, anch'egli vivrà grazie a me. [58]Questo è il pane disceso dal cielo; non come quello che mangiarono i padri e sono morti. Chi si ciba di questo pane, vivrà per sempre».

[59]Questi insegnamenti impartì nella sinagoga a Cafarnao.

Reazione al discorso. - [60]Dopo aver udito, molti dei suoi discepoli dissero: «Questo discorso è duro. Chi lo può ascoltare?».

[61]Gesù, sapendo in se stesso che i suoi discepoli mormoravano a proposito di questo, disse loro: «Questo vi scandalizza? [62]E quando vedrete il Figlio dell'uomo ascende-

---

6. - 26-37. Promessa dell'eucaristia. Gesù si richiama appositamente al miracolo del giorno precedente per invitare gli uditori a ricercare un altro pane: dal pane materiale passa al pane spirituale, che identifica con se stesso: nel suo corpo e nel suo sangue (vv. 51-58). *La manna* che Dio aveva provveduto al popolo nel deserto non era il vero *pane dal cielo*, perché questo egli lo riservava al nuovo popolo eletto.
32. *Il pane* dato dal Padre agli uomini è Gesù stesso. Però Gesù lo dice a poco a poco. Prima si identifica con il pane (v. 35), poi identifica il pane con la sua carne (v. 51); infine con carne e sangue (v. 53).

re là dove era prima?... [63]Lo Spirito è quello che vivifica, la carne non giova a nulla. Le parole che vi ho detto sono spirito e sono vita. [64]Ma ci sono alcuni di voi che non credono». Gesù infatti sapeva fin dall'inizio chi erano coloro che non credevano e chi era colui che l'avrebbe tradito. [65]E diceva: «Per questo vi ho detto: "Nessuno può venire a me se non gli è dato dal Padre"».

[66]Da quel momento molti dei suoi discepoli si tirarono indietro e non andavano più con lui. [67]Gesù allora disse ai Dodici: «Volete forse andarvene anche voi?». [68]Gli rispose Simon Pietro: «Signore, da chi andremo? Tu hai parole di vita eterna, [69]e noi abbiamo creduto e abbiamo riconosciuto che tu sei il santo di Dio». [70]Rispose loro Gesù: «Non vi ho scelto io, voi Dodici? Eppure uno di voi è un diavolo». [71]Parlava di Giuda, figlio di Simone Iscariota. Infatti stava per tradirlo proprio lui, uno dei Dodici.

7 Gesù e i parenti.

[1]In seguito Gesù girava per la Galilea. Non voleva infatti girare per la Giudea, perché i Giudei cercavano di ucciderlo. [2]Era prossima la festa dei Giudei, quella delle Capanne. [3]Gli dissero i suoi fratelli: «Parti di qui e va' nella Giudea, affinché anche i tuoi discepoli vedano le opere che tu fai. [4]Nessuno infatti agisce in segreto, quando cerca di mettersi in mostra. Se tu fai queste cose, manifestati al mondo». [5]Infatti nemmeno i suoi fratelli credevano in lui. [6]Gesù disse loro: «Non è ancora il mio tempo, il vostro tempo è sempre disponibile. [7]Non può il mondo odiare voi, invece odia me, perché io attesto contro di lui che le sue opere sono malvagie. [8]Salite voi alla festa. Io non salgo a questa festa, perché il mio tempo non è ancora compiuto». [9]Detto ciò, rimase in Galilea. [10]Quando i suoi fratelli furono saliti alla festa, allora anche egli vi salì, non pubblicamente, ma quasi in segreto. [11]I Giudei lo cercavano durante la festa e dicevano: «Lui, dov'è?». [12]E circolavano molte voci a suo riguardo in mezzo alle folle. Alcuni dicevano: «È buono». Altri dicevano: «No, anzi inganna la gente». [13]Nessuno però parlava pubblicamente di lui per paura dei Giudei.

Il discorso nel mezzo della festa.

[14]Quando la festa fu a metà, Gesù salì al tempio e insegnava. [15]I Giudei erano stupiti e dicevano: «Come mai costui sa di lettere senza essere stato a scuola?».

[16]Gesù rispose loro: «La mia dottrina non è mia, ma di Colui che mi ha mandato. [17]Se uno vuol fare la sua volontà, conoscerà riguardo alla dottrina se è da Dio o se parlo da me stesso. [18]Colui che parla da se stesso cerca la propria gloria, chi invece cerca la gloria di Colui che l'ha mandato, questi è veritiero e in lui non c'è impostura. [19]Mosè non vi ha dato la legge? Ma nessuno di voi mette in pratica la legge. Perché cercate di uccidermi?».

[20]Rispose la folla: «Tu hai un demonio; chi cerca di ucciderti?».

[21]Rispose loro Gesù: «Ho fatto una sola opera e tutti rimanete stupiti per questo. [22]Poiché Mosè ha dato la circoncisione – non che sia da Mosè, ma dai patriarchi –, circoncidete una persona anche di sabato. [23]Se una persona riceve la circoncisione di sabato perché non sia violata la legge di Mosè, vi sdegnate contro di me perché ho risanato di sabato una persona intera? [24]Non giudicate secondo l'apparenza, ma giudicate secondo giustizia».

[25]Dicevano allora alcuni gerosolimitani: «Non è questi colui che cercano di uccidere? [26]Ecco che parla pubblicamente e non gli dicono nulla. Non avranno forse riconosciuto veramente i capi che questi è il Cristo? [27]Ma costui sappiamo donde è, mentre il Cristo, quando viene, nessuno sa di dove è». [28]Gesù, che insegnava nel tempio, proclamò: «Voi mi conoscete e sapete donde sono. Eppure non sono venuto da me stesso, ma è veritiero Colui che mi ha mandato, che voi non conoscete. [29]Io lo conosco perché sono da lui ed è lui che mi ha mandato». [30]Cercavano allora di prenderlo, ma nessuno gli mise le mani addosso, perché non era ancora giunta la sua ora. [31]Molti della folla però credettero in lui e dicevano: «Il Cristo, quando verrà, farà più segni di quelli che ha fatto costui?».

[32]I farisei sentirono che circolavano fra il popolo queste voci su di lui, e i sacerdoti-capi e i farisei mandarono delle guardie per arrestarlo.

[33]Disse allora Gesù: «Ancora un po' di tempo sono con voi; poi me ne vado a Colui che mi ha mandato. [34]Mi cercherete e non mi troverete e dove sono io voi non potete venire».

³⁵Dissero dunque i Giudei fra loro: «Dove sta per andarsene costui, che noi non potremo trovarlo? Sta forse per andarsene nella diaspora dei Greci ed istruire i Greci? ³⁶Cos'ha voluto dire con questo discorso: "Mi cercherete e non mi troverete e dove sono io voi non potete venire"?».

Il discorso, l'ultimo giorno della festa. - ³⁷L'ultimo giorno, quello solenne della festa, Gesù stava in piedi e proclamò a gran voce: «Se qualcuno ha sete, venga a me e beva. ³⁸Colui che crede in me, come disse la Scrittura: *Dal suo ventre sgorgheranno fiumi di acqua viva*».

³⁹Questo lo disse riferendosi allo Spirito che stavano per ricevere coloro che credevano in lui. Infatti non c'era ancora lo Spirito, perché Gesù non era stato ancora glorificato. ⁴⁰Tra la folla, coloro che avevano udito queste parole dicevano: «Questi è veramente il profeta». ⁴¹Altri dicevano: «Questi è il Cristo». Ma altri osservavano: «Forse che il Cristo viene dalla Galilea? ⁴²Non dice la Scrittura che *il Cristo viene dalla stirpe di Davide e dal villaggio di Betlemme dove viveva Davide*?». ⁴³Si creò allora una divisione fra la gente a causa di lui. ⁴⁴Alcuni avrebbero voluto arrestarlo, ma nessuno gli mise le mani addosso. ⁴⁵Le guardie ritornarono dai sacerdoti-capi e dai farisei e quelli dissero loro: «Perché non l'avete condotto?». ⁴⁶Risposero le guardie: «Nessun uomo ha mai parlato così». ⁴⁷Allora ribatterono loro i farisei: «Anche voi vi siete lasciati ingannare? ⁴⁸C'è uno solo dei capi o dei farisei che abbia creduto a lui? ⁴⁹Ma questa gentaglia che non conosce la legge è maledetta». ⁵⁰Uno di loro, Nicodemo, quello che era andato precedentemente da lui, dice loro: ⁵¹«Giudica forse la nostra legge qualcuno senza che prima lo si ascolti, in modo che si sappia che cosa fa?». ⁵²Gli risposero: «Sei forse anche tu della Galilea? Studia a fondo e vedrai che non sorge profeta dalla Galilea». ⁵³E se ne andarono ciascuno a casa sua.

8 **La donna adultera.** - ¹Gesù invece andò sul monte degli Ulivi. ²Di buon mattino si presentò di nuovo al tempio e tutto il popolo accorreva a lui e, sedutosi, li istruiva. ³Ora gli scribi e i farisei conducono una donna sorpresa in adulterio e, postala in mezzo, ⁴gli dicono: «Maestro, questa donna è stata sorpresa in flagrante adulterio. ⁵Ora, nella legge Mosè ci ha comandato di lapidare tali donne. Tu, che ne dici?». ⁶Questo lo dicevano per tendergli un tranello, per avere di che accusarlo. Gesù, però, chinatosi, tracciava dei segni per terra con il dito. ⁷Siccome insistevano nell'interrogarlo, si drizzò e disse loro: «Quello di voi che è senza peccato scagli per primo una pietra contro di lei». ⁸E chinatosi di nuovo scriveva per terra. ⁹Quelli, udito ciò, presero a ritirarsi uno dopo l'altro, a cominciare dai più anziani, e fu lasciato solo con la donna che stava nel mezzo. ¹⁰Rizzatosi allora, Gesù le disse: «Donna, dove sono? Nessuno ti ha condannata?». ¹¹Rispose: «Nessuno, Signore». «Neppure io ti condanno – disse Gesù. – Va', e d'ora in poi non peccare più».

Gesù, luce del mondo. - ¹²Gesù parlò di nuovo, dicendo: «Io sono la luce del mondo. Chi mi segue non cammina nelle tenebre, ma avrà la luce della vita».

¹³Gli dissero allora i farisei: «Tu rendi testimonianza a te stesso; la tua testimonianza non è valida».

¹⁴Rispose loro Gesù: «Anche se io rendo testimonianza a me stesso, la mia testimonianza è valida, perché so donde sono venuto e dove vado; voi invece non sapete donde vengo o dove vado. ¹⁵Voi giudicate secondo la carne, io non giudico nessuno. ¹⁶Ma anche se io giudico, il mio giudizio è valido, perché non sono solo, ma io e il Padre che mi ha mandato. ¹⁷E nella vostra legge è scritto che la testimonianza di due persone è valida. ¹⁸Sono io che rendo testimonianza a me stesso e mi rende testimonianza anche il Padre che mi ha mandato». ¹⁹Gli dissero allora: «Dov'è il Padre tuo?». Rispose Gesù: «Non conoscete né me né il Padre mio; se mi conosceste, conoscereste anche il Padre mio». ²⁰Pronunciò queste parole nel luogo del tesoro, insegnando nel tempio. E nessuno lo arrestò, perché non era ancora giunta la sua ora.

La morte di Gesù e la morte dei Giudei nei loro peccati. - ²¹Disse loro di nuovo: «Io vado e voi mi cercherete, ma morirete

8. - 7. La risposta è propria di Gesù: lasciato da parte il lato giuridico, va alla realtà.

Gv

nel vostro peccato. Dove io vado, voi non potete venire».

²²Dissero allora i Giudei: «Vuol forse suicidarsi, che dice: "Dove io vado voi non potete venire"?».

²³Diceva loro: «Voi siete dal basso, io sono dall'alto. Voi siete di questo mondo, io non sono di questo mondo. ²⁴Per questo vi ho detto: "Morirete nei vostri peccati". Se infatti non crederete che io sono, morirete nei vostri peccati».

²⁵Gli dicevano allora: «Chi sei tu?».

Gesù rispose loro: «Anzitutto, ciò che vi continuo a dire. ²⁶Molte cose ho da dire di voi e da giudicare. Ma Colui che mi ha mandato è verace e io dico al mondo quelle cose che ho udito da lui».

²⁷Non compresero che parlava loro del Padre.

²⁸Disse dunque Gesù: «Quando innalzerete il Figlio dell'uomo, allora conoscerete che io sono e che non faccio nulla da me stesso, ma come mi ha insegnato il Padre, queste cose dico. ²⁹Colui che mi ha mandato è con me; non mi ha lasciato solo, perché faccio sempre ciò che gli piace».

³⁰A queste sue parole, molti credettero in lui.

Gesù e Abramo. - ³¹Diceva dunque Gesù ai Giudei che avevano creduto a lui: «Se rimanete nella mia parola, siete veramente miei discepoli ³²e conoscerete la verità e la verità vi farà liberi».

³³Gli risposero: «Noi siamo stirpe di Abramo e non siamo mai stati schiavi di nessuno. Come mai tu dici: "Diventerete liberi"?».

³⁴Rispose loro Gesù: «In verità, in verità vi dico: chi fa il peccato è schiavo del peccato. ³⁵Lo schiavo non rimane in casa per sempre; il figlio rimane per sempre. ³⁶Se il Figlio vi libererà, sarete veramente liberi. ³⁷So che siete stirpe di Abramo, ma cercate di uccidermi perché la mia parola non trova posto in voi. ³⁸Io vi dico quello che ho visto presso il Padre: fate dunque anche voi quello che avete udito dal padre».

³⁹Gli risposero: «Il nostro padre è Abramo». Dice loro Gesù: «Se foste figli di Abramo, fareste le opere di Abramo. ⁴⁰Ora invece cercate di uccidere me, uno che vi ha detto la verità che ha udito da Dio. Questo, Abramo non lo fece. ⁴¹Voi fate le opere del padre vostro». Gli dissero: «Noi non siamo nati da prostituzione. Non abbiamo che un padre: Dio».

⁴²Disse loro Gesù: «Se il vostro padre fosse Dio, mi amereste, perché io sono uscito e vengo da Dio. Non sono venuto infatti da me stesso, ma lui mi ha mandato. ⁴³Perché non comprendete il mio linguaggio? Perché non siete capaci di ascoltare la mia parola. ⁴⁴Il diavolo è il padre da cui voi siete e volete compiere i desideri del vostro padre. Quello è stato omicida fin dal principio, e non si mantenne nella verità, perché la verità non è in lui. Quando dice la menzogna, dice proprio ciò che è suo, perché è menzognero e padre della menzogna. ⁴⁵A me, invece, perché dico la verità, non credete. ⁴⁶Chi di voi può dimostrare che io abbia peccato? Se dico la verità, perché non mi credete? ⁴⁷Chi è da Dio ascolta le parole di Dio. Per questo voi non ascoltate, perché non siete da Dio».

⁴⁸Gli risposero i Giudei: «Non diciamo noi giustamente che sei un samaritano e che hai un demonio?».

⁴⁹Rispose Gesù: «Io non ho un demonio, ma onoro il Padre mio e voi mi disonorate. ⁵⁰Io non cerco la mia gloria. C'è chi la cerca e giudica. ⁵¹In verità, in verità vi dico: se uno osserva la mia parola, non vedrà la morte in eterno».

⁵²Gli dissero i Giudei: «Adesso siamo sicuri che tu hai un demonio. Abramo è morto, anche i profeti sono morti e tu dici: "Se uno osserva la mia parola, non gusterà la morte in eterno". ⁵³Sei tu forse più grande del nostro padre Abramo, che è morto? Anche i profeti sono morti. Chi pretendi di essere?».

⁵⁴Rispose Gesù: «Se io glorificassi me stesso, la mia gloria sarebbe nulla. È il Padre mio che mi glorifica, quello di cui voi dite: "È il nostro Dio". ⁵⁵Eppure non l'avete conosciuto, mentre io lo conosco. Se io dicessi: "Non lo conosco", sarei un bugiardo come voi. Ma io lo conosco e osservo la sua parola. ⁵⁶Abramo vostro padre esultò al vedere il mio giorno, e lo vide e si rallegrò».

⁵⁷Gli dissero allora i Giudei: «Non hai ancora cinquant'anni e hai visto Abramo?».

⁵⁸Disse loro Gesù: «In verità, in verità vi dico: prima che Abramo fosse, io sono».

24. *Io sono*: è un'espressione che Gesù ripete più volte (8,28.58; 13,19), ed è un'affermazione della sua divinità. È infatti questa l'espressione con cui Dio ha rivelato se stesso, la sua vera natura e la sua onnipotenza (Es 3,14; Dt 32,39).
56. *Il mio giorno*: una tradizione giudaica affermava che Dio aveva rivelato ad Abramo la storia futura dei suoi discendenti (cfr. Gn 15,18; 17,17).

[59]Presero allora delle pietre per scagliargliele addosso. Gesù però si nascose ed uscì dal tempio.

9 Il cieco nato e Gesù luce. - [1]Ora, mentre passava, vide un uomo cieco dalla nascita. [2]I suoi discepoli gli domandarono: «Rabbì, chi ha peccato, lui o i suoi genitori, perché egli nascesse cieco?». [3]Rispose Gesù: «Né lui ha peccato né i suoi genitori, ma (è nato cieco) perché si manifestassero in lui le opere di Dio. [4]Dobbiamo operare le opere di Colui che mi ha mandato finché è giorno. Viene la notte, quando nessuno può più operare. [5]Finché sono nel mondo, sono luce del mondo».

[6]Detto questo, sputò per terra, fece del fango con la saliva e spalmò il fango sugli occhi di lui. [7]Poi gli disse: «Va' e lavati alla piscina di Siloe» (che significa "Inviato"). Egli andò, si lavò e ritornò che vedeva. [8]Ora, i vicini e quelli che l'avevano visto prima da mendicante dicevano: «Non è lui quello che stava seduto a mendicare?». [9]Altri dicevano: «Ma no. È un altro che gli somiglia». Egli però diceva: «Sono proprio io». [10]Gli dicevano dunque: «Come mai ti sono stati aperti gli occhi?». [11]Egli rispose: «Un uomo che si chiama Gesù ha fatto del fango, mi ha spalmato gli occhi e mi ha detto: "Va' a Siloe e lavati". Andato e lavatomi, ho cominciato a vedere». [12]Gli dissero: «Dov'è lui?». Dice: «Non lo so». [13]Conducono dai farisei quello che prima era cieco. [14]Era sabato il giorno in cui Gesù fece il fango e gli aprì gli occhi. [15]A loro volta anche i farisei lo interrogavano come aveva riacquistato la vista. Disse loro: «Mi ha messo del fango sugli occhi, mi sono lavato, e vedo». [16]Dicevano allora alcuni dei farisei: «Quest'uomo non è da Dio, perché non osserva il sabato». Altri però dicevano: «Come può uno, che è peccatore, compiere tali segni?». E c'era divisione fra di loro. [17]Dicono perciò di nuovo al cieco: «Tu che dici di lui per il fatto che ti ha aperto gli occhi?». «È un profeta», rispose.

[18]Non credettero però i Giudei che egli fosse stato cieco e che avesse riacquistato la vista, finché non chiamarono i genitori di colui che aveva riacquistato la vista [19]e li interrogarono: «Costui è proprio vostro figlio, quello che voi dite essere nato cieco? Come mai ora vede?». [20]Risposero i suoi genitori: «Noi sappiamo che questo è nostro figlio e che è nato cieco. [21]Come poi ora veda non lo sappiamo né sappiamo chi gli ha aperto gli occhi. Interrogate lui! Ha la sua età; egli stesso parlerà di sé». [22]I suoi genitori parlarono così perché temevano i Giudei. I Giudei infatti si erano già accordati che se qualcuno lo avesse riconosciuto come Cristo, sarebbe stato escluso dalla sinagoga. [23]Per questo i suoi genitori dissero: «Ha la sua età. Chiedetelo a lui».

[24]Chiamarono dunque, di nuovo, l'uomo che era stato cieco e gli dissero: «Da' gloria a Dio. Noi sappiamo che quest'uomo è un peccatore». [25]Egli rispose: «Se sia un peccatore non lo so. Io so soltanto una cosa: ero cieco e ora vedo». [26]Gli dissero: «Che cosa ti ha fatto? Come ti ha aperto gli occhi?». [27]Rispose loro: «Ve l'ho già detto e non mi avete dato ascolto. Perché volete sentirlo ancora? Volete forse anche voi diventare suoi discepoli?». [28]Lo coprirono allora di ingiurie e gli dissero: «Tu sei discepolo di quello là, ma noi siamo discepoli di Mosè. [29]Noi sappiamo che a Mosè Dio ha parlato. Ma costui… non sappiamo donde sia». [30]L'uomo obiettò loro: «Lo strano è proprio questo: che voi non sappiate donde sia; eppure mi ha aperto gli occhi. [31]Noi sappiamo che Dio non ascolta i peccatori, ma se uno è pio e fa la sua volontà, questo lo ascolta. [32]Da che mondo è mondo non si è mai sentito dire che uno abbia aperto gli occhi di un cieco nato. [33]Se quell'uomo non fosse da Dio, non avrebbe potuto fare nulla». [34]Gli risposero: «Sei nato immerso nei peccati e pretendi di insegnarci?». E lo cacciarono fuori.

[35]Gesù sentì che l'avevano cacciato fuori e, trovatolo, gli disse: «Credi tu nel Figlio dell'uomo?». [36]Rispose: «Ma chi è, Signore, perché io creda in lui?». [37]Gli disse Gesù: «Lo hai già visto: è colui che parla con te». [38]«Credo, Signore», disse; e si prosternò davanti a lui.

[39]Disse allora Gesù: «Per una discriminazione sono venuto in questo mondo: perché coloro che non vedono vedano e coloro che vedono diventino ciechi».

[40]Alcuni farisei che erano con lui udirono queste parole e gli dissero: «Siamo forse ciechi anche noi?». [41]Gesù disse loro: «Se foste ciechi non avreste peccato. Ora invece dite: "Noi vediamo". Il vostro peccato rimane».

Gv

10 Gesù pastore e porta del gregge. - ¹«In verità, in verità vi dico: chi non entra per la porta nell'ovile delle pecore, ma s'arrampica da un'altra parte, è un ladro e un bandito. ²Chi invece entra per la porta è pastore delle pecore. ³Il guardiano gli apre, le pecore ascoltano la sua voce e chiama le proprie pecore per nome e le fa uscire. ⁴Quando ha spinto fuori tutte le proprie, cammina davanti a loro e le pecore lo seguono, perché conoscono la sua voce. ⁵Non seguiranno affatto un estraneo, ma fuggiranno lontano da lui, perché non conoscono la voce degli estranei». ⁶Gesù disse loro questa parabola. Ma quelli non compresero di che cosa volesse parlare loro. ⁷Gesù allora continuò: «In verità, in verità vi dico: io sono la porta delle pecore. ⁸Tutti coloro che vennero prima di me sono ladri e briganti. Ma le pecore non li ascoltarono. ⁹Io sono la porta. Chi entrerà attraverso di me sarà salvo; entrerà e uscirà e troverà pascolo. ¹⁰Il ladro non entra che per rubare, sgozzare e distruggere. Io sono venuto perché abbiano la vita e l'abbiano in sovrabbondanza.

¹¹Io sono il buon pastore. Il buon pastore dà la sua vita per le pecore. ¹²Il mercenario invece, che non è pastore, cui non appartengono le pecore, vede venire il lupo, abbandona le pecore e fugge, e il lupo le rapisce e le disperde, ¹³perché è mercenario e non gli importa delle pecore.

¹⁴Io sono il buon pastore e conosco le mie e le mie conoscono me, ¹⁵come il Padre conosce me e io conosco il Padre. Io do la mia vita per le pecore. ¹⁶Ed ho altre pecore che non sono di questo ovile. Anch'esse io devo guidare, ascolteranno la mia voce e saranno un solo gregge, un solo pastore. ¹⁷Per questo il Padre mi ama, perché io do la mia vita per riprenderla di nuovo. ¹⁸Nessuno me la toglie, ma io la do da me stesso. Ho il potere di darla e ho il potere di riprenderla. Questo è il comando che ho ricevuto dal Padre mio».

¹⁹Ci fu nuova divisione fra i Giudei a causa di queste parole. ²⁰Molti di essi dicevano: «Ha un demonio e delira. Perché lo ascoltate?». ²¹Altri dicevano: «Queste parole non sono di un indemoniato. Un demonio può forse aprire gli occhi ai ciechi?».

Gesù Messia-pastore e le sue pecore. - ²²A Gerusalemme ricorreva allora la festa della Dedicazione. Era inverno ²³e Gesù passeggiava nel tempio, sotto il portico di Salomone. ²⁴Lo circondarono i Giudei e gli dicevano: «Fino a quando ci tieni con l'animo sospeso? Se sei il Cristo, diccelo apertamente». ²⁵Rispose loro Gesù: «Ve l'ho detto e non credete. Le opere che faccio in nome del Padre mio, esse mi rendono testimonianza. ²⁶Ma voi non credete, perché non siete delle mie pecore. ²⁷Le mie pecore ascoltano la mia voce e io le conosco e mi seguono. ²⁸Io do loro la vita eterna e non periranno mai; e nessuno le strapperà dalla mia mano. ²⁹Il Padre mio che me le ha date è più grande di tutti e nessuno le può strappare dalla mano del Padre. ³⁰Io e il Padre siamo uno». ³¹I Giudei raccolsero di nuovo delle pietre per lapidarlo.

Controversia su Gesù, Figlio di Dio. - ³²Gesù rispose loro: «Vi ho mostrato molte opere buone da parte del Padre. Per quale di queste opere mi lapidate?».

³³Gli risposero i Giudei: «Non ti lapidiamo per un'opera buona, ma per una bestemmia: perché tu, che sei uomo, ti fai Dio». ³⁴Rispose loro Gesù: «Non è scritto nella vostra legge: *Io ho detto: siete dèi*? ³⁵Se ha detto dèi coloro cui fu rivolta la parola di Dio, e la Scrittura non si può abolire, ³⁶a colui che il Padre ha santificato e ha mandato nel mondo voi dite: "Tu bestemmi", perché ho detto: "Io sono Figlio di Dio"? ³⁷Se non faccio le opere del Padre mio, non credetemi. ³⁸Ma se le faccio, anche se non credete a me, credete alle opere, così che conosciate e cominciate a comprendere che il Padre è in me ed io nel Padre». ³⁹Tentarono nuovamente di arrestarlo, ma egli sfuggì dalle loro mani.

Sommario storico. - ⁴⁰Poi andò di nuovo di là del Giordano, nel luogo in cui dapprima Giovanni aveva battezzato, e vi rimase. ⁴¹Molti vennero a lui e dicevano: «Giovanni non ha fatto nessun segno; ma tutto ciò che egli disse di costui era vero». ⁴²E là molti credettero in lui.

11 Risurrezione di Lazzaro. - ¹C'era un malato, Lazzaro da Betania, il paese di Maria e di sua sorella Marta. ²Maria era quella che aveva unto il Signore con profumo e gli aveva asciugato i piedi con i capelli; Lazzaro, che era ammalato, era suo fratello. [3]Le due sorelle mandarono a dirgli: «Vedi, Signore, colui che tu ami è ammalato». [4]Sentito che l'ebbe, Gesù disse: «Questa malattia non è per la morte, ma per la gloria di Dio, affinché per mezzo di essa sia glorificato il Figlio di Dio». [5]Gesù amava Marta e sua sorella e Lazzaro. [6]Quando sentì che era ammalato, rimase ancora due giorni nel luogo in cui si trovava.

[7]Solo dopo dice ai discepoli: «Andiamo di nuovo in Giudea». [8]Gli dicono i discepoli: «Rabbì, poco fa i Giudei cercavano di lapidarti e tu ritorni là?». [9]Rispose Gesù: «Non sono dodici le ore del giorno? Se uno cammina di giorno, non inciampa, perché vede la luce di questo mondo. [10]Ma se cammina di notte, inciampa, perché la luce non è in lui».

[11]Detto questo, soggiunse: «Il nostro amico Lazzaro si è addormentato, ma vado a risvegliarlo». [12]Gli dissero allora i discepoli: «Signore, se è addormentato, si salverà». [13]Gesù però parlava della morte di lui. Essi invece avevano supposto che parlasse del riposo del sonno. [14]Allora Gesù disse loro apertamente: «Lazzaro è morto [15]e godo per voi di non essere stato là, affinché crediate. Ma andiamo da lui!». [16]Disse allora Tommaso, chiamato Didimo, ai condiscepoli: «Andiamo anche noi a morire con lui».

[17]Quando Gesù arrivò, trovò che Lazzaro stava nella tomba già da quattro giorni. [18]Betania non è lontana da Gerusalemme se non circa quindici stadi. [19]Ora, molti Giudei si erano recati da Marta e Maria per consolarle del fratello. [20]Marta, quando sentì che Gesù veniva, gli andò incontro. Maria invece stava seduta in casa. [21]Marta disse allora a Gesù: «Signore, se tu fossi stato qui, mio fratello non sarebbe morto. [22]Ma anche ora so che qualsiasi cosa tu chieda a Dio, egli te la darà». [23]Le dice Gesù: «Tuo fratello risorgerà». [24]Gli risponde Marta: «So che risorgerà nella risurrezione all'ul-

timo giorno». [25]Le disse Gesù: «Io sono la risurrezione e la vita. Chi crede in me, anche se morisse, vivrà; [26]e chiunque vive e crede in me, non morirà mai. Credi tu a ciò?». [27]Gli dice: «Sì, Signore. Io ho creduto che tu sei il Cristo, il Figlio di Dio, quello che deve venire nel mondo».

[28]Detto questo, andò e chiamò sua sorella Maria, dicendole sottovoce: «Il Maestro è qui e ti chiama». [29]Quella, appena udito ciò, si alzò in fretta e andò da lui. [30]Gesù non era arrivato al paese, ma si trovava ancora nel luogo in cui gli era andata incontro Marta. [31]Quando i Giudei, che erano con lei nella casa e la consolavano, videro Maria alzarsi in fretta ed uscire, la seguirono, supponendo che andasse alla tomba per piangervi. [32]Maria, giunta al luogo in cui si trovava Gesù, lo vide e si gettò ai suoi piedi dicendogli: «Signore, se tu fossi stato qui, mio fratello non sarebbe morto». [33]Gesù allora, come la vide piangere e piangere anche i Giudei venuti con lei, fremette interiormente e si turbò; [34]poi disse: «Dove l'avete posto?». Gli dicono: «Signore, vieni e vedi». [35]Gesù pianse. [36]Dicevano allora i Giudei: «Vedi come l'amava!». [37]Ma alcuni di essi dissero: «Non poteva costui, che ha aperto gli occhi del cieco, fare che questi non morisse?». [38]Scosso nuovamente da un fremito in se stesso, Gesù viene al sepolcro. Era una grotta e vi era stata posta una pietra. [39]Dice Gesù: «Levate la pietra». Gli dice Marta, la sorella del morto: «Signore, già puzza... è di quattro giorni...». [40]Le dice Gesù: «Non ti ho detto che, se credi, vedrai la gloria di Dio?». [41]Levarono dunque la pietra.

Gesù alzò gli occhi e disse: «Padre, ti ringrazio di avermi ascoltato. [42]Sapevo bene che tu sempre mi ascolti. Ma l'ho detto per la gente che sta attorno, affinché credano che tu mi hai mandato». [43]Detto questo, gridò a gran voce: «Lazzaro, vieni fuori!». [44]Uscì fuori il morto, legato piedi e mani con bende e la sua faccia era avvolta con un sudario. Gesù dice loro: «Scioglietelo e lasciatelo andare».

Condanna a morte di Gesù e ritiro a Efraim. - [45]Molti dei Giudei, che erano andati da Maria e avevano visto ciò che aveva fatto, credettero in lui. [46]Alcuni di essi, invece, andarono dai farisei e raccontarono loro ciò che aveva fatto Gesù. [47]Allora i sacer-

Gv

---

11. - 9-10. Gesù vuol dire che, finché per lui è giorno, cioè tempo di vita stabilito dal Padre, nessuno può fargli del male. Solo quando sarà arrivato il tempo della sua passione, ed egli ne darà il permesso, i suoi nemici potranno agire contro di lui. Egli sapeva che, per allora, non aveva nulla da temere.

doti-capi e i farisei convocarono il sinedrio e dicevano: «Che cosa facciamo? Quest'uomo compie molti segni! [48]Se lo lasciamo continuare così, tutti crederanno in lui, verranno i Romani e distruggeranno il luogo e la nazione». [49]Ma uno di loro, Caifa, che era sommo sacerdote in quell'anno, disse loro: «Voi non capite niente, [50]né vi rendete conto che è più vantaggioso per voi che muoia un solo uomo per il popolo e non perisca tutta intera la nazione». [51]Questo però non lo disse da se stesso, ma, essendo sommo sacerdote in quell'anno, profetizzò che Gesù stava per morire per la nazione, [52]e non per la nazione soltanto, ma anche per radunare insieme nell'unità i figli dispersi di Dio. [53]Da quel giorno dunque decisero di farlo morire. [54]Per questo Gesù non si mostrava più in pubblico fra i Giudei, ma se ne andò da lì, in una regione vicina al deserto, in una città chiamata Efraim, e lì rimase con i suoi discepoli.

Prossimità della Pasqua. - [55]Era prossima la Pasqua dei Giudei e salirono molti a Gerusalemme dal paese prima della Pasqua per purificarsi. [56]Cercavano Gesù e dicevano fra loro, stando nel tempio: «Che ne dite? Non verrà alla festa?». [57]Ma i sacerdoti-capi e i farisei avevano impartito l'ordine che se qualcuno sapeva dove si trovava, lo denunciasse, così che lo potessero arrestare.

12 **Unzione di Betania.** - [1]Gesù, sei giorni prima della Pasqua, andò a Betania, dov'era Lazzaro, che egli aveva risuscitato dai morti. [2]Ora là gli prepararono un pranzo e Marta serviva, mentre Lazzaro era uno di quelli che sedevano a mensa con lui. [3]Maria, presa una libbra di profumo di nardo autentico, molto prezioso, unse i piedi di Gesù e glieli asciugò con i suoi capelli. La casa fu ripiena della fragranza di quel profumo. [4]Dice Giuda Iscariota, uno dei suoi discepoli, che stava per tradirlo: [5]«Perché non si è venduto il profumo per trecento denari e non si è dato il ricavato ai poveri?». [6]Lo disse, però, non perché gli stavano a cuore i poveri, ma perché era ladro e, avendo la borsa, sottraeva ciò che vi veniva messo dentro. [7]Disse allora Gesù: «Lasciala, ché lo

doveva conservare per il giorno della mia sepoltura. [8]I poveri infatti li avete sempre con voi, me invece non avete sempre». [9]Una folla numerosa di Giudei venne a sapere che si trovava lì e vennero non solo per Gesù, ma anche per vedere Lazzaro che aveva risuscitato dai morti. [10]I sacerdoti-capi decisero allora di uccidere anche Lazzaro, [11]perché a causa sua molti Giudei andavano e credevano in Gesù.

Entrata trionfale in Gerusalemme. - [12]Il giorno dopo la grande folla giunta per la festa, sentito che Gesù veniva a Gerusalemme, [13]prese rami di palma e gli andò incontro gridando:

> Osanna!
> Benedetto colui che viene
> nel nome del Signore,
> il re d'Israele!

[14]Gesù, trovato un asinello, gli sedette in groppa, come sta scritto:

> [15] Non temere, figlia di Sion!
> Ecco, il tuo re viene,
> seduto sopra un puledro d'asina.

[16]In un primo tempo i suoi discepoli non compresero questo fatto, ma quando Gesù fu glorificato, allora si ricordarono che questo era stato scritto di lui e che era proprio quello che gli avevano fatto. [17]La gente, che era stata con lui quando aveva chiamato Lazzaro dal sepolcro e lo aveva risuscitato dai morti, gli rendeva testimonianza. [18]Per questo gli andò incontro la folla, perché avevano sentito che aveva fatto questo segno. [19]I farisei allora si dissero fra loro: «Vedete che non combinate nulla: ecco che il mondo gli è andato dietro!».

Discorso di Gesù alla venuta dei Greci. - [20]Tra quelli che erano saliti per adorare durante la festa c'erano alcuni Greci. [21]Essi abbordarono Filippo, quello di Betsaida di Galilea, e gli chiesero: «Signore, vorremmo vedere Gesù». [22]Filippo va a dirlo ad Andrea. Andrea e Filippo vanno a dirlo a Gesù.

49-51. Le parole di *Caifa* si adempiranno, ma in un senso ben più profondo rispetto a quello da lui inteso.

²³Gesù risponde loro: «È venuta l'ora che il Figlio dell'uomo sia glorificato. ²⁴In verità, in verità vi dico: se il grano di frumento, caduto per terra, non muore, resta esso solo. Ma se muore, porta molto frutto. ²⁵Chi ama la propria vita, la perde, e chi odia la propria vita in questo mondo, la conserverà per la vita eterna. ²⁶Se qualcuno mi serve, mi segua e là dove sono io sarà anche il mio servo. Se uno mi serve, il Padre lo onorerà. ²⁷Ora la mia anima è turbata, e che devo dire?... Padre, salvami da quest'ora? Ma proprio per questo sono venuto a quest'ora. ²⁸Padre, glorifica il tuo nome!».

Venne allora una voce dal cielo: «L'ho glorificato e lo glorificherò ancora». ²⁹La gente che stava lì e aveva sentito, diceva che era stato un tuono. Altri dicevano: «Un angelo gli ha parlato».

³⁰Rispose Gesù: «Non è per me che s'è fatta sentire questa voce, ma per voi. ³¹Ora c'è il giudizio di questo mondo, ora il principe di questo mondo sarà cacciato fuori. ³²E quando io sarò innalzato da terra, attrarrò tutti a me». ³³Questo lo diceva per indicare di quale morte stava per morire.

³⁴Gli rispose la gente: «Noi abbiamo sentito dalla legge che il Cristo rimane per sempre: e come dici tu che il Figlio dell'uomo deve essere innalzato? Chi è questo Figlio dell'uomo?».

³⁵Disse loro Gesù: «Solo ancora un po' di tempo la luce è in mezzo a voi. Camminate finché avete la luce, affinché non vi sorprendano le tenebre. Chi cammina nelle tenebre non sa dove va. ³⁶Finché avete la luce, credete alla luce, affinché diventiate figli della luce».

Questo disse Gesù e, andatosene, si nascose da loro.

Incredulità dei Giudei. - ³⁷Per quanto Gesù avesse compiuto così grandi segni davanti a loro, non credevano in lui, ³⁸per-

ché si adempisse la parola che aveva detto il profeta Isaia:

> *Signore, chi credette alla nostra parola?*
> *Il braccio del Signore a chi fu rivelato?*

³⁹Per questo non potevano credere, perché Isaia disse anche:

⁴⁰ *Ha accecato i loro occhi*
   e incallito il loro cuore,
   affinché con gli occhi non vedano
   e col cuore non comprendano
   e così non si convertano
   e io non li guarisca.

⁴¹Questo Isaia lo disse, perché vide la sua gloria e parlò di lui. ⁴²Pur tuttavia anche fra i capi molti credettero in lui, ma non lo professavano pubblicamente a causa dei farisei, per non venire espulsi dalla sinagoga. ⁴³Preferirono infatti la gloria degli uomini alla gloria di Dio.

⁴⁴Gesù proclamò ad alta voce: «Chi crede in me, non crede in me, ma in Colui che mi ha mandato, ⁴⁵e colui che vede me, vede Colui che mi ha mandato. ⁴⁶Io, luce, sono venuto nel mondo affinché chi crede in me non rimanga nelle tenebre. ⁴⁷Se uno ascolta le mie parole e non le osserva, io non lo condanno. Non sono venuto infatti per condannare il mondo, ma per salvare il mondo. ⁴⁸Colui che mi rifiuta e non accoglie le mie parole, ha chi lo giudica. La parola che ho pronunciato, quella lo giudicherà nell'ultimo giorno; ⁴⁹perché io non ho parlato da me stesso, ma il Padre stesso che mi ha mandato mi ha comandato ciò che dovevo dire e pronunciare. ⁵⁰E so che il suo comandamento è vita eterna. Ciò che dico, lo dico come il Padre me l'ha detto».

L'ORA DI GESÙ

13 **Lavanda dei piedi.** - ¹Prima della festa di Pasqua, sapendo Gesù che era venuta la sua ora per passare da questo mondo al Padre, avendo amato i suoi che erano nel mondo, li amò fino alla fine. ²Durante la cena, quando il diavolo aveva già posto in animo a Giuda di Simone Iscariota di tradirlo, ³sapendo che il Padre aveva messo tutto nelle sue mani e che

---

12. - 24. *Il grano di frumento* è Gesù, il quale dovrà morire ed essere innalzato da terra mediante la crocifissione (v. 32), prima di poter attirare a sé anche i pagani, bisognosi di redenzione. Era, infatti, volontà del Padre che Gesù ottenesse la salvezza all'umanità mediante la morte in croce.

39-40. Cfr. Is 6,9-10 e relativa nota. I Giudei *non potevano credere* per l'accecamento della loro intelligenza, essendosi ripetutamente opposti alla grazia di Dio e avendo stravolto le prove che Gesù adduceva a conferma del suo insegnamento. La loro incredulità, perciò, era colpevole.

da Dio era uscito e a Dio ritornava, [4]si alzò da tavola, depose il mantello e, preso un panno, se ne cinse. [5]Versò quindi dell'acqua nel catino e incominciò a lavare i piedi dei discepoli e ad asciugarli con il panno del quale si era cinto. [6]Arriva dunque a Simone Pietro. Gli disse: «Signore, tu mi lavi i piedi?». [7]Gli rispose Gesù: «Ciò che io ti faccio, tu ora non lo sai; lo comprenderai in seguito». [8]Gli disse Pietro: «Non mi laverai i piedi. No, mai!». Gli rispose Gesù: «Se io non ti lavo, non avrai parte con me». [9]Gli disse Simone Pietro: «Signore, non solo i miei piedi, ma anche le mani ed il capo». [10]Gesù soggiunse: «Chi ha fatto il bagno, non ha bisogno di lavarsi se non i piedi, ed è integralmente puro; e voi siete puri, ma non tutti». [11]Sapeva infatti chi stava per tradirlo; per questo disse: «Non tutti siete puri».

[12]Or quando ebbe lavato loro i piedi, riprese il suo mantello, si rimise a sedere e disse loro: «Capite che cosa vi ho fatto? [13]Voi mi chiamate Maestro e Signore e dite bene, perché lo sono. [14]Se dunque io, il Signore e il Maestro, vi ho lavato i piedi, anche voi dovete lavarvi i piedi gli uni gli altri. [15]Infatti vi ho dato un esempio, affinché anche voi facciate come io ho fatto a voi. [16]In verità, in verità vi dico: il servo non è più grande del suo padrone né l'apostolo è più grande di colui che l'ha mandato. [17]Se capite queste cose, siete beati se le mettete in pratica. [18]Non parlo per tutti voi: io conosco chi ho scelto; ma deve compiersi la Scrittura:

Colui che mangia il mio pane,
ha levato contro di me il suo calcagno.

[19]Fin d'ora ve lo dico prima che accada, affinché, quando accadrà, crediate che io sono. [20]In verità, in verità vi dico: chi accoglie colui che avrò mandato, accoglie me, e chi accoglie me, accoglie Colui che mi ha mandato».

Predizione del tradimento. - [21]Detto questo, Gesù fu turbato interiormente e attestò: «In verità, in verità vi dico: uno di voi mi tradirà». [22]I discepoli si guardavano gli uni gli altri, non riuscendo a capire di chi egli parlava. [23]Uno dei suoi discepoli, quello che Gesù amava, stava adagiato proprio accanto a Gesù. [24]Allora Simon Pietro gli fa cenno di chiedergli chi fosse quello di cui

parlava. [25]Egli, chinatosi sul petto di Gesù, gli dice: «Signore, chi è?». [26]Gesù risponde: «È quello a cui porgerò il boccone che sto per intingere». Intinto dunque il boccone, lo prese e lo porse a Giuda, figlio di Simone Iscariota. [27]Allora, dopo il boccone, entrò in lui Satana. Gli dice Gesù: «Quello che devi fare, fallo subito». [28]Ma nessuno dei commensali comprese perché gli avesse detto questo. [29]Siccome Giuda teneva la borsa, alcuni supponevano che Gesù gli avesse detto: «Compera quanto ci occorre per la festa», oppure che gli avesse ordinato di dare qualcosa ai poveri. [30]Così, preso il boccone, quello uscì subito. Era notte.

[31]Quando fu uscito, Gesù dice: «Ora il Figlio dell'uomo è stato glorificato e Dio è stato glorificato in lui. [32]Se Dio è stato glorificato in lui, anche Dio per parte sua lo glorificherà e subito lo glorificherà. [33]Figlioletti, ancora un poco sarò con voi. Mi cercherete, e come ho detto ai Giudei: "Dove io vado voi non potete venire", così lo dico ora anche a voi. [34]Un comandamento nuovo vi do: che vi amiate gli uni gli altri; come io ho amato voi, anche voi amatevi gli uni gli altri. [35]Da questo riconosceranno tutti che siete miei discepoli, se avete amore gli uni per gli altri».

Predizione delle negazioni. - [36]Gli disse Simon Pietro: «Signore, dove vai?». Gli rispose Gesù: «Dove io vado, tu non mi puoi seguire ora; mi seguirai più tardi». [37]Gli disse Pietro: «Signore, perché non posso seguirti fin d'ora? Darei la mia vita per te». [38]Rispose Gesù: «Darai la tua vita per me? In verità, in verità ti dico: il gallo non canterà prima che tu mi abbia rinnegato tre volte».

14 **La fede in Gesù e i suoi effetti.** - [1]«Non si turbi il vostro cuore. Credete in Dio, e credete anche in me. [2]Nella

---

13. - 14-15. L'esempio a cui vuole richiamare Gesù non è tanto quello di aver *lavato* i piedi agli apostoli, quanto piuttosto quello dell'umiltà e della carità con cui, senza curarsi affatto della sua dignità, si pose a servire chi era da meno di lui. Si noti l'importanza che dà all'offerta del suo esempio, richiamandosi ripetutamente alla propria dignità e autorità di *Maestro e Signore*. È l'unica volta che egli ha parlato così. 31-32. Gesù vede ormai vicina la croce con la quale glorificherà il Padre, riconducendo a lui l'umanità mediante la redenzione; il Padre, a sua volta, glorificherà il Figlio anche come uomo, risuscitandolo dai morti e facendolo salire alla sua destra.

casa del Padre mio ci sono molte dimore; se no, vi avrei forse detto che vado a prepararvi un posto? [3]E quando sarò andato e vi avrò preparato un posto, ritornerò e vi prenderò presso di me, affinché dove sono io siate anche voi. [4]E dove io vado voi conoscete la via».

[5]Gli dice Tommaso: «Signore, non sappiamo dove vai, come possiamo conoscerne la via?».

[6]Gli dice Gesù: «Io sono la via e la verità e la vita. Nessuno va al Padre se non attraverso di me. [7]Se voi mi aveste conosciuto, anche il mio Padre conoscereste, e fin d'ora voi lo conoscete e l'avete visto».

[8]Gli dice Filippo: «Mostraci il Padre e ci basta».

[9]Gli dice Gesù: «Da tanto tempo sono con voi, e non mi hai conosciuto, Filippo? Chi ha visto me, ha visto il Padre. Come puoi tu dire: "Mostraci il Padre"? [10]Non credi che io sono nel Padre e il Padre è in me? Le parole che io vi dico, non le dico da me stesso; il Padre che dimora in me fa le sue opere. [11]Credetemi: io sono nel Padre e il Padre è in me. Almeno credete a causa delle opere stesse. [12]In verità, in verità vi dico: chi crede in me, anch'egli farà le opere che io faccio e ne farà anche di più grandi, perché io vado al Padre. [13]E quanto chiederete nel mio nome lo farò, affinché il Padre sia glorificato nel Figlio. [14]Se mi chiederete qualcosa nel mio nome, io lo farò».

L'amore a Gesù e i suoi effetti. - [15]«Se mi amate, osservate i miei comandamenti. [16]Io pregherò il Padre ed egli vi darà un altro Paraclito, affinché sia per sempre con voi, [17]lo Spirito di verità, che il mondo non può accogliere, perché non lo vede né lo conosce. Voi lo conoscete, perché dimora presso di voi e sarà in voi. [18]Non vi lascerò orfani, ritornerò da voi. [19]Ancora un po' e il mondo non mi vedrà più, ma voi mi vedrete, perché io vivo e voi vivrete. [20]In quel giorno voi riconoscerete che io sono nel Padre, voi in me ed io in voi. [21]Chi ha i miei comandamenti e li osserva, è lui che mi ama. Colui che mi ama sarà amato dal Padre mio ed io lo amerò e manifesterò a lui me stesso». [22]Gli dice Giuda, non l'Iscariota: «Signore, che è mai successo che tu stai per manifestare te stesso a noi e non al mondo?». [23]Gli rispose Gesù: «Se qualcuno mi ama,

osserverà la mia parola e il Padre mio lo amerà e verremo a lui e faremo dimora presso di lui. [24]Colui che non mi ama, non osserva le mie parole. E la parola che voi ascoltate non è mia, ma del Padre che mi ha mandato».

Ultimi pensieri prima della dipartita. - [25]«Vi ho detto queste cose mentre rimango presso di voi. [26]Ma il Paraclito, lo Spirito Santo che il Padre manderà nel mio nome, egli vi insegnerà tutto e vi farà ricordare tutto ciò che vi ho detto. [27]La pace vi lascio, la mia pace vi do. Non come la dà il mondo io ve la do. Non si turbi il vostro cuore e non si abbatta. [28]Avete udito che vi ho detto: "Me ne vado e ritornerò da voi". Se mi amaste, godreste che io vado al Padre, perché il Padre è più grande di me. [29]Ve l'ho detto ora, prima che accada, affinché, quando accadrà, crediate. [30]Io non m'intratterrò più a lungo con voi, perché viene il principe del mondo; egli però non ha alcuna presa su di me. [31]Ma perché il mondo sappia che io amo il Padre e agisco come il Padre mi ha comandato, levatevi, partiamo di qui!».

15 La vite e i tralci. -
[1]«Io sono la vera vite e il Padre mio è l'agricoltore. [2]Ogni tralcio che in me non porta frutto, lo recide, e ogni tralcio che porta frutto lo monda, perché porti maggior frutto. [3]Voi siete già mondi per la parola che vi ho annunciata. [4]Rimanete in me come io in voi. Come il tralcio non può portare frutto da se stesso, se non rimane nella vite, così nemmeno voi, se non rimanete in me. [5]Io sono la vite, voi i tralci. Chi rimane in me e io in lui, questi porta molto frutto, perché senza di me non potete far nulla. [6]Se qualcuno non rimane in me, è gettato fuori come il tralcio e si dissecca; poi li si raccoglie e li si getta nel fuoco e bruciano. [7]Se rimanete in me e le mie parole rimangono in voi, chiedete pure quello che volete e vi sarà fatto. [8]In questo è stato glorificato il Padre mio, che voi portiate molto frutto e diventiate miei discepoli».

Rimanere nell'amore di Gesù. - [9]«Come il Padre ha amato me, così io ho amato voi. Rimanete nel mio amore! [10]Se osserverete i miei comandamenti, rimarrete nel mio amore, come io ho osservato i comandamenti del Padre mio e rimango nel suo amore. [11]Questo vi ho detto affinché la mia gioia sia in voi e la vostra gioia giunga alla pienezza. [12]Questo è il mio comandamento: che vi amiate gli uni gli altri come io ho amato voi. [13]Nessuno ha un amore più grande di questo: dare la vita per i propri amici. [14]Voi siete miei amici se fate ciò che io vi comando. [15]Non vi chiamo più servi, perché il servo non sa ciò che fa il padrone. Vi ho chiamati amici, perché tutto quello che ho udito dal Padre mio ve l'ho fatto conoscere. [16]Non voi avete eletto me, ma io ho eletto voi e vi ho costituiti perché andiate e portiate frutto e il vostro frutto rimanga, affinché qualsiasi cosa chiediate al Padre nel mio nome ve la dia. [17]Questo vi comando: che vi amiate gli uni gli altri».

L'odio del mondo. - [18]«Se il mondo vi odia, sappiate che ha odiato me prima di voi. [19]Se foste del mondo, il mondo amerebbe ciò che gli appartiene. Poiché invece non siete del mondo, ma io vi ho eletti dal mondo, per questo il mondo vi odia. [20]Ricordate la parola che io vi dissi: "Non c'è servo più grande del suo padrone". Se hanno perseguitato me, perseguiteranno anche voi. Se hanno osservato la mia parola, anche la vostra osserveranno. [21]Ma tutte queste cose faranno a voi a causa del mio nome, perché non conoscono Colui che mi ha mandato. [22]Se non fossi venuto e non avessi parlato loro, non avrebbero peccato. Ora invece non hanno scusa per il loro peccato. [23]Chi mi odia, odia anche il Padre mio. [24]Se in mezzo a loro non avessi fatto le opere, che nessun altro ha fatto, non avrebbero peccato. Ora invece hanno visto e hanno odiato me e il Padre mio. [25]Ma è perché si compisse la parola scritta nella loro legge: *Mi hanno odiato senza ragione*».

La testimonianza. - [26]«Quando verrà il Paraclito che vi manderò dal Padre, lo Spirito di verità che procede dal Padre, egli mi darà testimonianza; [27]e anche voi mi renderete testimonianza, perché siete con me fin dall'inizio.

16 [1]Questo vi ho detto, perché non rimaniate scandalizzati. [2]Vi cacceranno fuori dalle sinagoghe; viene anzi l'ora in cui chi vi ucciderà penserà di rendere un culto a Dio. [3]Questo faranno perché non hanno conosciuto né il Padre né me. [4]Ma questo vi ho detto affinché, quando verrà la loro ora, ricordiate che io ve l'avevo detto».

Venuta e missione del Paraclito. - «Non vi ho detto questo fin dall'inizio, perché ero con voi. [5]Ora invece vado a Colui che mi ha mandato e nessuno di voi mi domanda: "Dove vai?". [6]Anzi, poiché vi ho detto questo, la tristezza ha riempito il vostro cuore. [7]Ma io vi dico la verità: è meglio per voi che io parta; perché, se non parto, il Paraclito non verrà a voi. Se invece me ne vado, lo manderò a voi. [8]E quando egli verrà, confuterà il mondo in fatto di peccato, di giustizia e di giudizio. [9]In fatto di peccato: perché non credono in me; [10]in fatto di giustizia: perché me ne vado al Padre e voi non mi vedrete più; [11]in fatto di giudizio: perché il principe di questo mondo è già giudicato. [12]Ancora molte cose ho da dirvi, ma non le potete portare per ora. [13]Quando verrà lo Spirito di verità, egli vi guiderà in tutta la verità. Non parlerà infatti da se stesso, ma quanto sentirà dirà e vi annuncerà le cose venture. [14]Egli mi glorificherà, perché prenderà da me e ve lo annuncerà. [15]Tutto quanto ha il Padre è mio. Per questo vi ho detto che prenderà da me e lo annuncerà a voi».

Ritorno di Gesù. - [16]«Un poco e non mi vedrete più; e poi un poco ancora e mi vedrete». [17]Allora alcuni dei suoi discepoli dissero fra loro: «Che è mai questo che ci dice: "Un poco e non mi vedrete e poi un poco ancora e mi vedrete"?, e: "Io me ne vado al Padre"?». [18]Dicevano dunque: «Che è mai questo "un poco" di cui parla? Non comprendiamo che cosa voglia dire». [19]Gesù conobbe che volevano interrogarlo e disse loro: «V'interrogate fra di voi riguardo a ciò che vi ho detto: "Un poco e non mi vedrete e poi ancora un poco e mi vedrete"? [20]In

16. - 8-11. Lo Spirito Santo, con la predicazione degli apostoli, convincerà il mondo in fatto di *peccato*, mostrandogli il delitto che ha commesso rigettando il Messia; in fatto di *giustizia*, mostrando, con la risurrezione, l'ascensione, la gloria e le opere di Gesù, la santità di lui; in fatto *di giudizio*, mostrando come il principe del mondo, il demonio, è stato sconfitto e cacciato con la morte di Cristo; così mostrerà che il mondo è senza scusa.

verità, in verità vi dico: voi piangerete e gemerete, mentre il mondo si rallegrerà. Voi vi rattristerete, ma la vostra tristezza si cambierà in gioia. [21]La donna, quando partorisce, ha tristezza, perché è venuta la sua ora. Ma quando ha partorito il bambino non si ricorda più della sofferenza per la gioia che è nato un uomo al mondo. [22]Anche voi ora avete tristezza, ma vi vedrò di nuovo, il vostro cuore si rallegrerà e la vostra gioia nessuno ve la potrà rapire. [23]In quel giorno non mi farete più alcuna domanda. In verità, in verità vi dico: qualsiasi cosa chiediate al Padre nel nome mio, nel mio nome ve la darà. [24]Finora non avete chiesto nulla nel mio nome. Chiedete e riceverete, in modo che la vostra gioia sia completa».

Ultimi ammonimenti. - [25]«Questo vi ho detto in similitudini. Viene l'ora in cui non vi parlerò più in similitudini, ma vi annuncerò apertamente quanto riguarda il Padre mio. [26]In quel giorno chiederete nel mio nome e non vi dico che io pregherò il Padre per voi: [27]il Padre stesso infatti vi ama, poiché voi mi avete amato e avete creduto che sono uscito da Dio. [28]Sono uscito dal Padre e sono venuto nel mondo. Ora lascio il mondo e vado al Padre».

[29]Dicono i suoi discepoli: «Ecco che ora parli apertamente e non usi nessuna figura. [30]Ora sappiamo che conosci tutto e non hai bisogno che ti si interroghi. Per questo crediamo che sei uscito da Dio». [31]Rispose loro Gesù: «Voi adesso credete? [32]Ecco che viene l'ora, ed è venuta, che sarete dispersi ciascuno per conto suo e mi lascerete solo. Ma io non sono solo, perché il Padre è con me. [33]Questo vi ho detto perché abbiate pace in me. In questo mondo avete da soffrire; ma abbiate coraggio: io ho vinto il mondo».

17 **Preghiera per la sua glorificazione.** - [1]Così parlò Gesù e, levati gli occhi al cielo, disse: «Padre, l'ora è venuta. Glorifica il Figlio tuo affinché il Figlio

glorifichi te. [2]Come gli hai dato potere su ogni carne, dia egli la vita eterna a tutti coloro che tu gli hai dato. [3]Questa è la vita eterna: che conoscano te, il solo vero Dio, e colui che tu hai mandato, Gesù Cristo. [4]Io ti ho glorificato sulla terra, avendo compiuta l'opera che tu mi hai dato da fare. [5]Ora glorificami tu, Padre, davanti a te, con la gloria che io avevo presso di te prima che il mondo fosse. [6]Ho manifestato il tuo nome agli uomini che mi hai dato dal mondo. Erano tuoi e li hai dati a me, e hanno osservato la tua parola. [7]Ora essi sanno che tutto quanto mi hai dato viene da te, [8]perché le parole che tu mi hai date io le ho date a loro ed essi le hanno accolte e sanno veramente che sono uscito da te e hanno creduto che tu mi hai mandato».

Preghiera per i discepoli. - [9]«Io prego per loro; non prego per il mondo, ma per coloro che tu mi hai dato, perché sono tuoi. [10]Tutto ciò che è mio è tuo e quello che è tuo è mio, e io sono stato glorificato in loro. [11]Io non sono più nel mondo, ma essi sono nel mondo, mentre io vengo a te. Padre santo, conservali nel tuo nome che mi hai dato, affinché siano uno come noi. [12]Quando ero con loro, io li ho conservati nel tuo nome che mi hai dato e li ho custoditi e nessuno di loro si è perduto, eccetto il figlio della perdizione, affinché si adempisse la Scrittura. [13]Ora vengo a te e queste cose dico mentre sono nel mondo, affinché abbiano in loro la mia gioia in pienezza. [14]Io ho dato loro la tua parola e il mondo li ha odiati, perché non sono del mondo come io non sono del mondo. [15]Non ti chiedo che li tolga dal mondo, ma che li preservi dal maligno. [16]Essi non sono del mondo, come io non sono del mondo. [17]Consacrali nella verità. La tua parola è verità. [18]Come tu mi hai mandato nel mondo, così anch'io li ho mandati nel mondo. [19]E per loro consacro me stesso, affinché siano anch'essi consacrati nella verità».

Preghiera per la chiesa. - [20]«Non prego solo per costoro, ma anche per coloro che crederanno in me mediante la loro parola: [21]che tutti siano uno come tu, Padre, in me ed io in te, affinché siano anch'essi in noi, così che il mondo creda che tu mi hai mandato. [22]Io ho dato loro la gloria che tu mi

Gv

---

17. - 1. La preghiera che qui comincia è chiamata «preghiera sacerdotale» poiché con essa il Salvatore dà inizio al sacrificio che poche ore dopo avrebbe compiuto sulla croce. 9. *Mondo*: qui si deve intendere coloro che vivono scientemente e volutamente in opposizione a Gesù (cfr. Mt 12,32 e nota).

hai data, perché siano uno come noi siamo uno: ²³io in loro e tu in me, perché siano perfetti nell'unità, e il mondo riconosca che tu mi hai mandato e li hai amati come hai amato me. ²⁴Padre, voglio che anche quelli che tu mi hai dato siano con me, dove sono io, affinché contemplino la mia gloria, quella che tu mi hai dato, poiché mi hai amato prima della creazione del mondo. ²⁵Padre giusto, il mondo non ti ha conosciuto, io invece ti ho conosciuto e costoro hanno riconosciuto che tu mi hai mandato. ²⁶Io ho fatto loro conoscere il tuo nome e continuerò a farlo conoscere, affinché l'amore con cui tu mi hai amato sia in essi, ed io in loro».

18 **Arresto di Gesù.** - ¹Detto questo, Gesù uscì con i suoi discepoli al di là del torrente Cedron dove c'era un orto, in cui entrò con i suoi discepoli. ²Anche Giuda, che lo stava tradendo, conosceva bene il posto, perché Gesù molte volte si era riunito là con i suoi discepoli. ³Giuda dunque, presa la coorte e le guardie dei sacerdoti-capi e dei farisei, vi si recò con lanterne, fiaccole ed armi. ⁴Gesù, sapendo tutto ciò che stava per accadergli, si fece avanti e disse loro: «Chi cercate?». ⁵Gli risposero: «Gesù il Nazareno». Dice loro: «Io sono». Stava con loro anche Giuda che lo tradiva. ⁶Quando ebbe detto loro: «Io sono», indietreggiarono e caddero a terra. ⁷Domandò allora di nuovo: «Chi cercate?». Ed essi dissero: «Gesù il Nazareno». ⁸Gesù rispose: «Ve l'ho detto che sono io. Se dunque cercate me, lasciate andare via costoro». ⁹Così si adempì la parola che aveva detto: «Di quelli che mi hai dato non ne ho perduto nessuno». ¹⁰Allora Simon Pietro, che aveva una spada, la sfoderò e colpì il servo del sommo sacerdote e gli mozzò l'orecchio destro; quel servo si chiamava Malco. ¹¹Ma Gesù disse a Pietro: «Metti la spada nel fodero. Non dovrò forse bere il calice che il Padre mi ha dato?».

Gesù da Anna e rinnegamento di Pietro. - ¹²Allora la coorte, il comandante e le guardie dei Giudei presero Gesù, lo legarono ¹³e lo portarono dapprima da Anna. Egli era infatti suocero di Caifa, sommo sacerdote in quell'anno. ¹⁴Caifa era quello che aveva

consigliato ai Giudei: «Conviene che muoia un solo uomo per il popolo». ¹⁵Or seguivano Gesù Simon Pietro e un altro discepolo. Quel discepolo era noto al sommo sacerdote ed entrò con Gesù nel cortile del sommo sacerdote. ¹⁶Pietro invece stava fuori, davanti alla porta. Uscì dunque l'altro discepolo noto al sommo sacerdote, parlò alla portinaia e fece entrare Pietro. ¹⁷Questa ragazza addetta alla porta disse a Pietro: «Non sei forse anche tu dei discepoli di quest'uomo?». Egli rispose: «Non lo sono». ¹⁸Poiché faceva freddo, i servi e le guardie avevano acceso un braciere e stavano là a scaldarsi. Pure Pietro stava con loro e si riscaldava.

¹⁹Il sommo sacerdote interrogò Gesù riguardo ai suoi discepoli e alla sua dottrina. ²⁰Gli rispose Gesù: «Io ho parlato apertamente al mondo. Io ho sempre insegnato nella sinagoga e nel tempio, dove si radunano tutti i Giudei, e di nascosto non ho mai detto nulla. ²¹Perché mi interroghi? Interroga coloro che mi hanno ascoltato, che cosa ho detto loro. Ecco, essi sanno ciò che io ho detto». ²²Non appena Gesù ebbe detto ciò, una delle guardie, che stava là, diede uno schiaffo a Gesù, dicendogli: «Così rispondi al sommo sacerdote?». ²³Gli rispose Gesù: «Se ho parlato male, dimostra dov'è il male. Ma se ho parlato bene, perché mi percuoti?». ²⁴Anna allora lo mandò, legato, dal sommo sacerdote Caifa.

²⁵Simon Pietro, nel frattempo, stava là a scaldarsi. Gli dissero: «Non sei forse anche tu dei suoi discepoli?». Egli negò e disse: «Non lo sono». ²⁶Dice uno dei servi del sommo sacerdote, parente di quello a cui Pietro aveva mozzato l'orecchio: «Non ti ho visto io nell'orto con lui?». ²⁷Pietro allora negò di nuovo e subito un gallo cantò.

Processo davanti a Pilato. - ²⁸Allora condussero Gesù da Caifa al pretorio. Era di buon mattino. Essi non entrarono nel pretorio per non contaminarsi e poter così mangiare la Pasqua. ²⁹Uscì dunque Pilato

---

18. - 29. Pilato voleva giudicare Gesù con un vero processo, ma non riuscì: il tumulto e le grida, orchestrate dai capi dei Giudei sparsi tra il popolo, lo impedirono. E Pilato, infine, impaurito dalle parole: *Se tu liberi costui, non sei amico di Cesare* (19,12), cedette all'ingiustizia e condannò l'innocente, che per lui non era che un innocuo sognatore.

fuori, da loro, e disse: «Quale accusa portate contro quest'uomo?». [30]Gli risposero: «Se costui non fosse un malfattore, non te l'avremmo consegnato». [31]Disse loro Pilato: «Prendetelo voi e giudicatelo secondo la vostra legge». Gli dissero i Giudei: «A noi non è permesso di mettere a morte nessuno». [32]Doveva così adempiersi la parola che Gesù aveva pronunciato, indicando di quale morte doveva morire.

[33]Allora Pilato entrò di nuovo nel pretorio, chiamò Gesù e gli disse: «Tu sei il re dei Giudei?». [34]Gesù rispose: «Dici questo da te stesso o altri te l'hanno detto di me?». [35]Rispose Pilato: «Sono io forse un giudeo? La tua nazione e i sacerdoti-capi ti hanno consegnato a me. Che cosa hai fatto?». [36]Rispose Gesù: «Il mio regno non è di questo mondo. Se di questo mondo fosse il mio regno, le mie guardie avrebbero combattuto perché non fossi consegnato ai Giudei. Ora, il mio regno non è di qui». [37]Gli disse allora Pilato: «Dunque sei tu re?». Rispose Gesù: «Tu dici che io sono re. Io sono nato per questo e per questo sono venuto al mondo: per rendere testimonianza alla verità. Chiunque è dalla verità, ascolta la mia voce». [38]Gli dice Pilato: «Che cos'è la verità?».

Detto questo, uscì di nuovo dai Giudei e disse loro: «Io non trovo in lui alcun capo di accusa. [39]Ma voi avete l'usanza che io vi liberi qualcuno a Pasqua. Volete dunque che vi liberi il re dei Giudei?». [40]Si misero allora a gridare: «Non lui, ma Barabba!». Barabba era un bandito.

19 Flagellazione e condanna. - [1]Allora Pilato prese Gesù e lo fece flagellare. [2]Poi i soldati intrecciarono una corona di spine, gliela posero sul capo e lo rivestirono di un manto di porpora; [3]e si avvicinavano a lui e dicevano: «Salve, o re dei Giudei!». E lo prendevano a schiaffi. [4]Intanto Pilato uscì di nuovo fuori e disse loro: «Ecco che ve lo conduco fuori, affinché sappiate che non trovo in lui nessun capo di accusa». [5]Uscì dunque Gesù fuori, portando la corona di spine e il manto di porpora. E disse loro: «Ecco l'uomo!».

[6]Quando però lo videro, i sacerdoti-capi e le guardie si misero a gridare: «Crocifiggi! Crocifiggi!». Dice loro Pilato: «Prendetelo voi e crocifiggetelo, poiché io non trovo in lui alcun capo di accusa». [7]Gli risposero i Giudei: «Noi abbiamo una legge e secondo la legge deve morire, perché si è fatto Figlio di Dio». [8]Quando sentì questo discorso, Pilato fu preso ancor più dalla paura. [9]Rientrò nel pretorio e dice a Gesù: «Di dove sei tu?». Gesù non gli diede risposta. [10]Gli dice allora Pilato: «Non vuoi parlarmi? Non sai che ho il potere di liberarti e ho il potere di crocifiggerti?». [11]Gli rispose Gesù: «Tu non avresti alcun potere su di me se non ti fosse dato dall'alto. Perciò colui che mi ha consegnato a te ha un peccato più grande». [12]Da quel momento Pilato cercava di liberarlo. Ma i Giudei continuavano a gridare: «Se tu liberi costui, non sei amico di Cesare. Chiunque si fa re, si oppone a Cesare». [13]Sentite queste parole, Pilato condusse fuori Gesù e sedette su una tribuna nel luogo chiamato Pavimento di pietra, in ebraico Gabbatà. [14]Era la preparazione della Pasqua, intorno all'ora sesta. Pilato disse ai Giudei: «Ecco il vostro re!». [15]Ma quelli gridarono: «Via, via! Crocifiggilo!». Disse loro Pilato: «Crocifiggerò il vostro re?». Risposero i sacerdoti-capi: «Non abbiamo altro re che Cesare». [16]Allora lo consegnò loro perché fosse crocifisso.

Crocifissione. - Presero dunque in consegna Gesù. [17]Egli, portando la croce da sé, uscì verso il luogo detto del Cranio, in ebraico Golgota, [18]dove lo crocifissero e con lui altri due: uno da una parte e uno dall'altra, e nel mezzo Gesù. [19]Pilato aveva scritto anche un cartello e l'aveva posto sopra la croce. Vi era scritto: «Gesù il Nazareno, il re dei Giudei». [20]Molti Giudei lessero questo cartello, perché il luogo dove fu crocifisso Gesù era vicino alla città, ed era scritto in ebraico, in latino, in greco. [21]I sacerdoti-capi dei Giudei dissero allora a Pilato: «Non lasciare scritto: "Il re dei Giudei", ma scrivi: "Costui disse: sono il re dei Giudei"». [22]Rispose Pilato: «Ciò che ho scritto, ho scritto».

[23]I soldati, quand'ebbero crocifisso Gesù, presero le sue vesti e ne fecero quattro parti, una per ciascun soldato, e anche la tunica. Ma la tunica era senza cucitura, tes-

Gv

---

36. *Non è di questo mondo*: non è un regno temporale e materiale come quello dei prìncipi della terra.

suta dalla parte superiore tutta di un pezzo. [24]Dissero dunque fra di loro: «Non dividiamola, ma tiriamo a sorte di chi sarà». È così che si compì la Scrittura che aveva detto:

*Si sono spartite fra loro le mie vesti
e per il mio vestito hanno tirato la sorte.*

Queste cose fecero i soldati. [25]Vicino alla croce di Gesù stavano sua madre e la sorella di sua madre, Maria di Cleofa e Maria Maddalena. [26]Gesù, dunque, vista la madre e presso di lei il discepolo che amava, disse alla madre: «Donna, ecco tuo figlio!». [27]Quindi disse al discepolo: «Ecco tua madre!». E da quell'ora il discepolo la prese in casa sua.

[28]Dopo ciò, sapendo Gesù che già tutto era compiuto, affinché si adempisse la Scrittura, disse: «*Ho sete*». [29]C'era là un vaso pieno di aceto. Fissata dunque una spugna imbevuta di aceto a un ramo di issopo, glielo accostarono alla bocca. [30]Quando ebbe preso l'aceto, Gesù disse: «Tutto è compiuto»; e, chinato il capo, rese lo spirito.

Il colpo di lancia e la sepoltura. - [31]I Giudei, siccome era giorno di Preparazione, perché i corpi non rimanessero sulla croce di sabato – quel giorno di sabato era infatti solenne – chiesero a Pilato che spezzassero loro le gambe e venissero rimossi. [32]Vennero dunque i soldati e spezzarono le gambe del primo e dell'altro che erano stati crocifissi con lui. [33]Venuti da Gesù, siccome lo videro già morto, non gli spezzarono le gambe, [34]ma uno dei soldati con un colpo di lancia gli trafisse il fianco e ne uscì subito sangue ed acqua. [35]Colui che ha visto lo ha testimoniato e la sua testimonianza è verace ed egli sa che dice il vero, affinché anche voi crediate. [36]Questo avvenne infatti affinché si adempisse la Scrittura: *Non gli sarà spezzato alcun osso*; [37]e ancora un'altra Scrittura dice: *Guarderanno a colui che hanno trafitto.* [38]Dopo questo, Giuseppe di Arimatea, che era discepolo di Gesù, ma segreto per paura dei Giudei, chiese a Pilato di togliere il corpo di Gesù. Pilato lo concesse. Venne dunque e tolse il suo corpo. [39]Venne anche Nicodemo, il quale già prima era andato da lui di notte, portando una mistura di mirra e di aloe di circa cento libbre. [40]Presero dunque il corpo di Gesù e lo avvolsero con bende assieme agli aromi, secondo l'usanza di seppellire dei Giudei. [41]Nel luogo in cui fu crocifisso c'era un orto e nell'orto un sepolcro nuovo, in cui non era ancora stato posto nessuno. [42]Là, a causa della Preparazione dei Giudei, dato che il sepolcro era vicino, deposero Gesù.

20 **I fatti avvenuti al sepolcro.** - [1]Il primo giorno della settimana, Maria Maddalena si recò di buon mattino al sepolcro, mentre era ancora buio, e vide la pietra rimossa dal sepolcro. [2]Corse allora e andò da Simon Pietro e dall'altro discepolo che Gesù amava e disse loro: «Hanno portato via il Signore e non sappiamo dove l'abbiano posto». [3]Partì dunque Pietro e anche l'altro discepolo e si avviarono verso il sepolcro. [4]Correvano ambedue insieme, ma l'altro discepolo precedette Pietro nella corsa e arrivò primo al sepolcro. [5]Chinatosi, vide le bende che giacevano distese; tuttavia non entrò. [6]Arrivò poi anche Simon Pietro che lo seguiva ed entrò nel sepolcro; vide le bende che giacevano distese [7]e il sudario che era sopra il capo; esso non stava assieme alle bende, ma a parte, ripiegato in un angolo. [8]Allora entrò anche l'altro discepolo ch'era arrivato per primo al sepolcro, e vide e credette. [9]Non avevano infatti ancora capito la Scrittura: che egli doveva risuscitare dai morti. [10]I discepoli poi ritornarono a casa.

[11]Maria invece era rimasta presso il sepolcro, fuori, in pianto. Mentre piangeva, si chinò verso il sepolcro [12]e vide due angeli biancovestiti, seduti: uno in corrispondenza del capo e l'altro dei piedi, dove era stato posto il corpo di Gesù. [13]Essi le dissero: «Donna, perché piangi?». Rispose loro: «Hanno portato via il mio Signore e non so dove l'abbiano posto». [14]Detto ciò, si voltò indietro, e vide Gesù che stava lì, ma non sapeva che era Gesù. [15]Egli le disse: «Don-

---

19. - 25-27. Anche Maria progredì nella fede e serbò fedelmente la sua unione con il Figlio sino alla croce dove, non senza un disegno divino, se ne stette soffrendo profondamente con il suo Unigenito e associandosi con animo materno al suo sacrificio, amorosamente consenziente all'immolazione della vittima da lei generata. Dallo stesso Gesù morente in croce fu data quale madre al discepolo, cioè a tutti i discepoli di Gesù, con quelle parole: *Donna, ecco tuo figlio.*
20. - 9. La Scrittura e Gesù avevano predetto la risurrezione, ma gli apostoli non erano ancora stati illuminati sull'intelligenza delle Scritture e dei misteri.

na, perché piangi? Chi cerchi?». Quella, pensando che fosse l'ortolano, rispose: «Signore, se lo hai portato via tu, dimmi dove lo hai posto e io andrò a prenderlo». [16]Le disse Gesù: «Maria!». Quella, voltatasi, gli disse in ebraico: «Rabbunì!» (che significa "maestro"). [17]Gesù le disse: «Non mi trattenere, perché non sono ancora salito al Padre. Va' piuttosto dai miei fratelli e di' loro: "Salgo al Padre mio e Padre vostro, al Dio mio e Dio vostro"». [18]Maria Maddalena andò ad annunciare ai discepoli: «Ho visto il Signore», e quanto le aveva detto.

Apparizioni ai discepoli. - [19]La sera di quello stesso giorno, il primo della settimana, mentre le porte del luogo dove si trovavano i discepoli per paura dei Giudei erano chiuse, venne Gesù, stette in mezzo a loro e disse: «Pace a voi!». [20]E, detto questo, mostrò loro le mani e il fianco. Si rallegrarono i discepoli, vedendo il Signore. [21]Poi disse di nuovo: «Pace a voi! Come il Padre ha mandato me, così io mando voi». [22]Detto ciò, soffiò su di loro e disse: «Ricevete lo Spirito Santo: [23]a chi rimettete i peccati, sono loro rimessi; a chi li ritenete, sono ritenuti».

[24]Tommaso, uno dei Dodici, chiamato Didimo, non era con loro quando venne Gesù. [25]Gli dissero gli altri discepoli: «Abbiamo visto il Signore!». Ma egli rispose loro: «Se non vedo nelle sue mani il segno dei chiodi e non metto il mio dito nel segno dei chiodi, e non metto la mia mano nel suo fianco, non crederò». [26]Otto giorni dopo i suoi discepoli erano di nuovo in casa e Tommaso stava con loro. Viene Gesù a porte chiuse, stette in mezzo a loro e disse: «Pace a voi!». [27]Poi disse a Tommaso: «Metti il tuo dito qui e guarda le mie mani; porgi la tua mano e mettila nel mio fianco, e non essere più incredulo, ma credente». [28]Rispose Tommaso e gli disse: «Signore mio e Dio mio!». [29]Gli disse Gesù: «Perché mi hai visto hai creduto? Beati coloro che hanno creduto senza vedere!».

22-23. Gesù dà ai discepoli la potestà di conferire il dono della redenzione, cioè lo Spirito Santo e la remissione dei peccati.

21. - 15-17. Con le parole: *Pasci i miei agnelli... le mie pecore*, Gesù conferisce a Pietro il «primato», cioè un incarico speciale in rapporto non soltanto ai fedeli, ma anche ai pastori: lo fa pastore dei pastori. Dopo che Pietro ha affermato il suo affetto, Gesù gli affida il ministero di pastore, che è ministero di amore.

Conclusione generale. - [30]Gesù in presenza dei discepoli fece ancora molti altri segni, che non sono scritti in questo libro. [31]Questi sono stati scritti affinché crediate che Gesù è il Cristo, il Figlio di Dio, e, credendo, abbiate la vita nel suo nome.

EPILOGO

21 **Terza apparizione di Gesù ai discepoli.** - [1]In seguito Gesù si manifestò di nuovo ai discepoli sul mare di Tiberiade. Si manifestò nel modo seguente. [2]Si trovavano insieme Simon Pietro, Tommaso detto Didimo, Natanaele da Cana di Galilea, i figli di Zebedeo e due altri discepoli. [3]Simon Pietro disse loro: «Vado a pescare». Gli dissero: «Veniamo anche noi con te». Uscirono, salirono sulla barca e in quella notte non presero nulla. [4]Sul far del giorno Gesù stette sulla riva, ma i discepoli non sapevano che era Gesù. [5]Disse loro Gesù: «Ragazzi, non avete qualcosa da mangiare?». Gli risposero: «No». [6]Egli disse loro: «Gettate la rete dalla parte destra della barca e ne troverete». La gettarono e non erano più capaci di tirarla su, tanti erano i pesci. [7]Allora quel discepolo che Gesù amava disse a Pietro: «È il Signore». Simon Pietro, udito che era il Signore, indossò la veste, poiché era nudo, e si gettò nel mare. [8]Gli altri discepoli andarono con la barca, poiché non erano lontani da terra se non circa duecento cubiti, trascinando la rete dei pesci. [9]Appena scesi a terra, videro della brace con sopra pesce e pane. [10]Disse loro Gesù: «Portate dei pesci che avete preso ora». [11]Salì Simon Pietro e trasse la rete a riva, piena di centocinquantatré grossi pesci. E sebbene fossero tanti, la rete non si ruppe. [12]Disse loro Gesù: «Venite a fare colazione!». Nessuno però dei discepoli osava domandargli: «Tu, chi sei?», sapendo che era il Signore. [13]Gesù si avvicinò, prese il pane, lo diede a loro e ugualmente il pesce. [14]Questa fu la terza volta che Gesù si manifestò ai discepoli, risuscitato dai morti.

Due dialoghi con Pietro. - [15]Quando ebbero finito la colazione, Gesù disse a Simon Pietro: «Simone di Giovanni, mi ami tu più di costoro?». Gli risponde: «Sì, Signore, tu sai che ti amo». Gli disse: «Pasci i miei agnelli». [16]Gli ripeté una seconda volta: «Simone di Giovanni, mi ami tu?». Gli rispose: «Sì, Signore, tu sai che ti amo». Gli disse: «Pasci le mie pecore». [17]Gli domandò una terza volta: «Simone di Giovanni, mi ami?». Si rattristò Pietro perché gli aveva detto per la terza volta: «Mi ami tu?», e gli rispose: «Signore, tu sai tutto, tu conosci che ti amo». Gli disse: «Pasci le mie pecore. [18]In verità, in verità ti dico: quand'eri giovane, ti annodavi da te la cintura e andavi dove volevi. Ma quando sarai vecchio, stenderai le tue mani e un altro ti annoderà la cintura e ti condurrà dove tu non vuoi».

[19]Questo disse per indicare con quale morte avrebbe glorificato Dio. Dopo queste parole, gli disse: «Seguimi!». [20]Pietro, voltatosi, vide che li seguiva il discepolo che Gesù amava, quello che era adagiato durante la cena vicino a lui e aveva detto: «Signore, chi è colui che ti tradisce?». [21]Vistolo, dunque, Pietro disse a Gesù: «Signore, e lui?». [22]Gesù gli rispose: «Se voglio che lui rimanga finché io venga, che te ne importa? Tu seguimi!». [23]Si sparse perciò tra i fratelli la voce che quel discepolo non sarebbe morto. Gesù però non gli aveva detto che non sarebbe morto, ma: «Se voglio che lui rimanga finché io venga, che te ne importa?».

Conclusione finale del redattore. - [24]Questo è il discepolo che rende testimonianza di queste cose e che le ha scritte, e sappiamo che la sua testimonianza è veridica. [25]Ci sono anche molte altre cose che Gesù fece: se si scrivessero a una a una, penso che non basterebbe il mondo intero a contenere i libri che si dovrebbero scrivere.

ATTI DEGLI APOSTOLI

Il libro degli Atti degli Apostoli è dello stesso autore che ha scritto il vangelo di Luca. Si presenta infatti come la seconda parte di un'unica opera dedicata alla stessa persona, «l'egregio Teofilo», la cui identità rimane per noi sconosciuta. La prima parte, il vangelo, narra la storia di Gesù e la sua attività fino all'ascesa al cielo in Gerusalemme; la seconda, gli Atti degli Apostoli, presenta l'origine e la traiettoria della chiesa da Gerusalemme fino all'arrivo dell'apostolo Paolo a Roma, svelando così un disegno non soltanto geografico, ma storico e teologico, che presenta il cammino della fede dal popolo d'Israele a tutte le genti. Il compito di estendere così la fede è affidato nei primi 12 capitoli del libro principalmente a Pietro, che appare come il capo e il portavoce degli altri apostoli; dal c. 13 fino alla fine domina invece la figura di Paolo, il quale continua l'opera avviata da Pietro e dai Dodici, in comunione con loro e per loro mandato. Il racconto si estende dal 30 d.C., anno in cui si colloca verosimilmente l'ascensione, fin verso il 60 d.C., probabile data dell'arrivo di Paolo a Roma. L'opinione più seguita colloca la composizione degli Atti intorno all'anno 80.

Narrando le origini della chiesa Luca mette in rilievo anche le strutture portanti che reggono la comunità cristiana (2,42-47): la celebrazione dell'eucaristia e la preghiera comunitaria, l'insegnamento degli apostoli e la comunione e carità fraterna. Quale fu la chiesa delle origini tale ha da essere la chiesa per sempre, se vuole essere fedele alla «testimonianza» affidatale dal Signore (At 1,8).

LA CHIESA DI GERUSALEMME

1 Da Gesù agli apostoli. - [1]Il libro precedente l'ho dedicato, o Teofilo, ad esporre tutto ciò che Gesù ha operato e insegnato dall'inizio [2]fino al giorno in cui, dopo aver dato disposizioni agli apostoli che si era scelti nello Spirito Santo, fu assunto in cielo. [3]È a questi stessi apostoli che si era mostrato vivo dopo la sua passione, con molte prove convincenti: durante quaranta giorni era apparso loro e aveva parlato delle cose del regno di Dio.

[4]Stando con essi a tavola, diede loro ordine di non allontanarsi da Gerusalemme, ma di aspettare la promessa del Padre, «che – disse – avete udito da me: [5]Giovanni battezzò con acqua, ma voi sarete battezzati in Spirito Santo di qui a non molti giorni».

[6]I convenuti lo interrogavano dicendo: «Signore, è questo il tempo in cui tu intendi restituire la potenza regale ad Israele?». [7]Egli rispose loro: «Non sta a voi il conoscere i tempi e le circostanze che il Padre ha determinato di propria autorità. [8]Ma lo Spirito Santo verrà su di voi e riceverete da lui la forza per essermi testimoni in Gerusalemme e in tutta la Giudea e la Samaria e fino all'estremità della terra».

[9]Dette queste cose, mentre essi lo stavano guardando, fu levato in alto e una nube lo sottrasse ai loro occhi. [10]Stavano con lo sguardo fisso verso il cielo, mentre egli se ne andava: ed ecco che due uomini in vesti bianche si presentarono loro [11]dicendo: «Uomini di Galilea, perché ve ne state guardando verso il cielo? Questo Gesù che è stato assunto di mezzo a voi verso il cielo, verrà così, in quel modo come lo avete visto andarsene in cielo».

[12]Allora ritornarono a Gerusalemme dal monte chiamato degli Ulivi, che si trova vicino a Gerusalemme quanto il cammino di un sabato.

[13]Entrati in città, salirono nel locale del piano superiore dove abitavano. Vi erano: Pietro, Giovanni, Giacomo e Andrea, Filippo e Tommaso, Bartolomeo e Matteo, Giacomo figlio di Alfeo e Simone lo Zelota e Giuda, figlio di Giacomo. [14]Tutti costoro attendevano costantemente con un cuor solo alla preghiera con le donne e Maria, la madre di Gesù, e con i fratelli di lui.

Sostituzione di Giuda. - [15]In quei giorni Pietro, levatosi in mezzo ai fratelli, riunite insieme circa centoventi persone, disse: [16]«Fratelli, era necessario che si adempisse la parola della Scrittura, predetta dallo Spirito Santo per bocca di Davide, riguardo a Giuda, il quale si fece guida di coloro che catturarono Gesù, [17]dal momento che egli era stato annoverato tra noi e ricevette la sorte di questo ministero. [18]Costui dunque si comprò un campo con il prezzo dell'ingiustizia, e precipitando si spaccò in mezzo e si sparsero tutte le sue viscere. [19]Ciò fu noto a tutti gli abitanti di Gerusalemme, cosicché quel campo fu chiamato nel dialetto loro Akeldamà, ossia Campo del sangue. [20]È infatti scritto nel libro dei Salmi:

*Divenga la dimora di lui deserta,
e non vi sia chi abiti in essa*;

e:

L'ufficio di lui lo prenda un altro.

[21]Occorre dunque che uno tra coloro che sono stati con noi per tutto il tempo in cui dimorò tra noi il Signore Gesù, [22]cominciando dal battesimo di Giovanni fino al giorno in cui fu di tra noi assunto al cielo, divenga testimonio con noi della sua risurrezione». [23]Ne furono proposti due, Giuseppe chiamato Barsabba, che era soprannominato Giusto, e Mattia. [24]E pregarono dicendo: «Tu, Signore, che conosci i cuori di tutti, mostra quello che hai scelto tra questi due [25]per prendere il posto di questo ministero e apostolato, da cui prevaricò Giuda per andare nel luogo suo». [26]E gettarono le sorti per essi, e la sorte cadde su Mattia, che fu aggregato agli undici apostoli.

2 **I segni della pienezza dello Spirito.** - [1]Il giorno della Pentecoste volgeva al suo termine, ed essi stavano riuniti nello stesso luogo. [2]D'improvviso vi fu dal cielo un rumore, come all'irrompere di un vento impetuoso, che riempì tutta la casa in cui si trovavano. [3]Apparvero ad essi delle lingue come di fuoco che si dividevano e che andarono a posarsi su ciascuno di essi. [4]Tutti furono riempiti di Spirito Santo e cominciarono a parlare in altre lingue, secondo che lo Spirito dava ad essi il potere di esprimersi.

[5]Si trovavano allora in Gerusalemme Giudei devoti, provenienti da tutte le nazioni del mondo. [6]Al prodursi di questo rumore incominciò a radunarsi una gran folla, eccitata e confusa, perché ciascuno li udiva parlare nella propria lingua. [7]Fuori di sé per la meraviglia dicevano: «Tutti costoro che parlano non sono forse Galilei? [8]Come mai ciascuno di noi li ode parlare nella propria lingua nativa? [9]Parti, Medi, Elamiti, abitanti della Mesopotamia, della Giudea e della Cappadocia, del Ponto e dell'Asia, [10]della Frigia e della Panfilia, dell'Egitto e delle regioni della Libia presso Cirene, Romani qui residenti, [11]sia Giudei che proseliti, Cretesi e Arabi, tutti quanti li sentiamo esprimere nelle nostre lingue le grandi opere di Dio!». [12]Tutti erano sbalorditi e non sapevano che pensare e andavano domandandosi gli uni agli altri: «Che cosa vuol dire tutto ciò?». [13]Altri poi beffandoli dicevano: «Sono ubriachi di mosto dolce!».

Discorso di Pietro. - [14]Allora Pietro, in piedi con gli Undici, levò alta la voce e parlò loro così: «Voi, Giudei, e abitanti tutti di Gerusalemme, fate attenzione a ciò che sto

---

1. - 13. Le case ebraiche terminavano a terrazza con parapetto; spesso la terrazza era ridotta a grande sala coperta, detta sala superiore, camera alta, cenacolo, che non era altro che il piano superiore della casa. Ivi gli Ebrei si radunavano per la preghiera e per i conviti. Data la presenza dell'articolo nel testo greco, si tratta certamente di un luogo ben conosciuto, e potrebbe addirittura essere il luogo dell'ultima cena.

15. *Pietro* comincia a esercitare il primato (cfr. Gv 21,15-17 e nota), prendendo la parola per una deliberazione comune.
2. - 1. La *Pentecoste* era la seconda solennità ebraica; la parola significa *cinquantesimo* giorno, perché si celebrava cinquanta giorni dopo la Pasqua, per ringraziare Dio del raccolto del grano. In esso si celebrava il dono della legge sul Sinai (cfr. Es 19).

per dire e porgete l'orecchio alle mie parole. ¹⁵Costoro non sono ubriachi, come voi pensate, poiché sono soltanto le nove del mattino; ¹⁶si sta invece verificando ciò che fu detto per mezzo del profeta Gioele:

¹⁷ Negli ultimi giorni, dice il Signore,
  effonderò il mio spirito su ogni essere
    umano
  e profeteranno i vostri figli e le vostre figlie,
  i vostri giovani vedranno visioni
  e i vostri anziani sogneranno sogni;
¹⁸ *certo, sui servi miei e sulle mie ancelle*
  effonderò in quei giorni il mio spirito
  e profeteranno.
¹⁹ *Farò prodigi in alto nel cielo*
  e segni prodigiosi giù sulla terra,
  sangue e fuoco e vapori di fumo.
²⁰ *Il sole si trasformerà in tenebre*
  e la luna in sangue,
  prima che venga il giorno del Signore,
  il gran giorno sfolgorante.
²¹ *Allora chiunque invocherà*
  il nome del Signore sarà salvo.

²²Uomini d'Israele, udite queste parole: Gesù il Nazareno fu un uomo accreditato da Dio presso di voi con prodigi, portenti e miracoli, che per mezzo di lui il Signore operò in mezzo a voi, come voi ben sapete; ²³Dio, nel suo volere e nella sua provvidenza, ha permesso che egli vi fosse consegnato: e voi, per mano di empi senza legge, lo avete ucciso inchiodandolo al patibolo. ²⁴Ma Dio lo ha risuscitato, liberandolo dalle doglie della morte; poiché non era possibile che la morte lo possedesse. ²⁵Dice infatti Davide a suo riguardo:

  Vedevo il Signore davanti a me
    continuamente,
  perché egli è alla mia destra,
  affinché non vacilli.
²⁶ *Perciò si rallegra il mio cuore*
  e le mie parole sono piene di letizia:
  io, benché essere mortale,
  riposerò nella speranza,
²⁷ *perché non abbandonerai*
  l'anima mia negl'inferi,
  né permetterai che il tuo fedele
  veda la corruzione.
²⁸ *Mi hai fatto conoscere i sentieri*
    della vita,
  mi colmerai di gioia con la tua presenza.

²⁹Fratelli, parliamoci francamente. Il nostro patriarca Davide morì e fu sepolto e il suo sepolcro si trova in mezzo a voi fino a questo giorno. ³⁰Ma egli era profeta e sapeva che Dio *gli aveva giurato solennemente di far sedere sul suo trono uno della sua discendenza*. ³¹Perciò, prevedendo il futuro, parlò della risurrezione del Cristo, quando disse che *non sarebbe stato abbandonato allo* sheòl, né la sua carne *avrebbe visto la corruzione*. ³²Questo è quel Gesù che Dio ha risuscitato, e noi tutti ne siamo i testimoni. ³³Egli è stato dunque esaltato dalla destra di Dio, ha ricevuto dal Padre il dono dello Spirito Santo secondo la promessa e ha effuso questo stesso Spirito, come voi ora vedete e ascoltate. ³⁴Infatti Davide non ascese al cielo; tuttavia egli dice:

  Disse il Signore al mio Signore:
  Siedi alla mia destra,
³⁵ *finché ponga i tuoi nemici*
  come sgabello dei tuoi piedi.

³⁶Sappia dunque con certezza tutta la casa d'Israele che Dio ha costituito Signore e Cristo questo Gesù che voi avete crocifisso». ³⁷A queste parole furono profondamente turbati e dissero a Pietro e agli altri apostoli: «Che cosa dobbiamo fare, fratelli?». ³⁸Pietro rispose loro: «Pentitevi e ciascuno di voi si faccia battezzare nel nome di Gesù Cristo per ottenere il perdono dei vostri peccati: e riceverete il dono del Santo Spirito. ³⁹Per voi infatti è la promessa e per i figli vostri e per tutti *coloro che sono lontani, che il Signore Dio nostro chiamerà*». ⁴⁰E con molte altre parole li scongiurava e li esortava: «Salvatevi da questa generazione perversa». ⁴¹Essi allora accolsero la sua parola e furono battezzati, e in quel giorno si aggiunsero a loro quasi tremila persone.

Vita della prima comunità. - ⁴²Essi partecipavano assiduamente alle istruzioni degli apostoli, alla vita comune, allo spezzare del pane e alle preghiere. ⁴³In tutti si diffondeva un senso di religioso timore: infatti per mano degli apostoli si verificavano molti fatti prodigiosi e miracoli. ⁴⁴Tutti i credenti, poi, stavano riuniti insieme e avevano tutto in comune; ⁴⁵le loro proprietà e i loro beni li vendevano e ne facevano parte a tutti, secondo il bisogno di ciascuno. ⁴⁶Ogni gior-

At

no erano assidui nel frequentare insieme il tempio, e nelle case spezzavano il pane, prendevano il cibo con gioia e semplicità di cuore, [47]lodando Dio e godendo il favore di tutto il popolo. Il Signore aggiungeva ogni giorno al gruppo coloro che accettavano la salvezza.

Pietro guarisce uno storpio nel nome di Gesù.

3 - [1]Pietro e Giovanni solevano salire al tempio per la preghiera dell'ora nona. [2]Ora, c'era un uomo zoppo fin dalla nascita che solevano portare e deporre ogni giorno presso la porta del tempio detta Bella, per chiedere l'elemosina a quelli che entravano nel tempio. [3]Vedendo Pietro e Giovanni che stavano per entrare nel tempio, incominciò a chiedere loro l'elemosina. [4]Allora Pietro, fissando negli occhi lui con Giovanni, disse: «Guarda verso di noi». [5]Quello li guardò attentamente, attendendosi di ricevere da loro qualcosa. [6]Ma Pietro gli disse: «Argento e oro io non ho, ma quel che possiedo te lo do: nel nome di Gesù Cristo, il Nazareno, cammina!». [7]E presolo per la mano destra lo sollevò: all'istante gli si rinvigorirono i piedi e le caviglie, [8]con un balzo saltò in piedi e si mise a camminare ed entrò con essi nel tempio camminando, saltando e lodando Dio. [9]E tutto il popolo lo vide che camminava e lodava Dio: [10]e conoscevano che era proprio quello che stava seduto abitualmente presso la porta Bella del tempio a chiedere l'elemosina. Erano pieni di stupore e di meraviglia per ciò che gli era accaduto.

La potenza del nome di Gesù.

- [11]Poiché quegli si teneva stretto a Pietro e a Giovanni, tutto il popolo corse verso di loro sotto il portico detto di Salomone, con grande stupore. [12]Pietro, vedendo ciò, prese a parlare al popolo: «Uomini d'Israele, perché vi meravigliate di questo fatto? Perché guardate verso di noi, come se per nostra forza o per nostra bontà avessimo fatto camminare quest'uomo? [13]*Il Dio di Abramo, d'Isacco e di Giacobbe, il Dio dei nostri padri* ha glorificato il suo servo Gesù, che voi avete consegnato e rinnegato davanti a Pilato, mentre egli aveva deciso di liberarlo. [14]Voi avete rinnegato il santo e il giusto, avete chiesto che vi fosse fatta grazia di un assassino [15]e

avete ucciso l'autore della vita. Ma Dio lo ha risuscitato dai morti e noi ne siamo testimoni. [16]È per aver avuto fede in lui che quest'uomo, che voi vedete e conoscete, è stato risanato in virtù del suo nome. Sì, la fede, che è già suo dono, ha dato a costui la piena guarigione di fronte a tutti voi.

[17]Pertanto, fratelli, io so che lo avete fatto per ignoranza, come anche i vostri capi. [18]Ma Dio ha così adempiuto ciò che egli aveva preannunciato per bocca di tutti i profeti, ossia che il suo Cristo avrebbe sofferto. [19]Pentitevi dunque e convertitevi, perché siano cancellati i vostri peccati, [20]cosicché venga il tempo del refrigerio da parte del Signore ed egli mandi quel Gesù che è stato costituito vostro Messia. [21]È necessario che egli stia in cielo fino al momento della restaurazione di tutte le cose, di cui Dio ha parlato fin dai tempi antichi per bocca dei suoi santi profeti. [22]Mosè disse: *Il Signore Dio vostro vi susciterà di tra i vostri fratelli un profeta come me: lo ascolterete in tutto ciò che vi dirà. [23]E chiunque non avrà ascoltato quel profeta, sarà sterminato di mezzo al popolo.* [24]E tutti i profeti, da Samuele in poi, tutti quanti hanno parlato, hanno anche preannunciato questi giorni. [25]Voi siete i figli dei profeti e del patto che Dio ha concluso con i vostri padri, quando disse ad Abramo: *Nella tua discendenza saranno benedette tutte le nazioni della terra.* [26]A voi per primi Dio, risuscitando il suo servo, lo ha inviato a benedirvi, per distogliere ciascuno dalle vostre malvagità».

L'arresto. Frutti del discorso di Pietro.

4 - [1]Mentre essi parlavano al popolo, sopravvennero i sacerdoti, il comandante del tempio e i sadducei, [2]non potendo tollerare che essi insegnassero al popolo e annunciassero in Gesù la risurrezione dai morti. [3]Misero loro le mani addosso e li posero in prigione fino al giorno seguente, perché era già sera. [4]Ma molti di coloro che avevano ascoltato la parola credettero e il numero dei fedeli, contando solo gli uomini, divenne di circa cinquemila.

Pietro e Giovanni di fronte al sinedrio.

- [5]Il giorno seguente i capi dei Giudei, gli anziani e gli scribi si riunirono in Gerusalemme, [6]con il sommo sacerdote Anna, con

Caifa, Giovanni, Alessandro e quanti appartenevano alle famiglie dei sommi sacerdoti. [7]Fecero comparire gli apostoli e si misero a interrogarli: «In virtù di quale forza e in nome di chi voi avete fatto ciò?».

[8]Allora Pietro, pieno di Spirito Santo, disse loro: «Capi del popolo e anziani, [9]noi oggi siamo interrogati in giudizio per aver fatto del bene a un povero malato! Ci si chiede in virtù di chi costui è stato risanato. [10]Sappiatelo tutti voi e tutto il popolo d'Israele: è nel nome di Gesù Cristo, il Nazareno, che voi avete crocifisso, ma che Dio ha risuscitato dai morti! È in virtù di questo nome che costui se ne sta davanti a voi, perfettamente sano: [11]egli è *la pietra respinta da voi costruttori, che è divenuta la testata d'angolo.* [12]E non c'è in alcun altro la salvezza. Nessun altro nome infatti sotto il cielo è stato concesso agli uomini, per il quale siamo destinati a salvarci».

[13]Vedendo il coraggio di Pietro e di Giovanni e comprendendo d'altra parte che si trattava di uomini illetterati e semplici, erano sbalorditi e si rendevano conto che essi erano coloro che erano stati con Gesù. [14]Vedendo poi accanto a loro l'uomo che era stato guarito, non avevano nulla da replicare. [15]Ordinarono dunque che li conducessero fuori del sinedrio e si misero a consultarsi tra loro [16]dicendo: «Che cosa dobbiamo fare a questi uomini? Infatti è chiaro a tutti gli abitanti di Gerusalemme che per mezzo loro è avvenuto un evidente miracolo e non possiamo negarlo. [17]Ma perché non si divulghi ancora più tra il popolo, li minacceremo perché non parlino più a nessuno in quel nome». [18]E richiamatili, intimarono loro di non pronunciare più alcuna parola, né di insegnare nel nome di Gesù. [19]Ma Pietro e Giovanni replicarono loro: «Vi pare giusto davanti a Dio ascoltare voi piuttosto che Dio? Giudicatene voi! [20]Noi infatti non possiamo non parlare di ciò che abbiamo visto e sentito».

[21]Ma essi, replicate le minacce, li lasciarono andare, non trovando modo di punirli, per paura del popolo, poiché tutti glorificavano Dio per quanto era avvenuto. [22]Infatti l'uomo in cui si era verificato questo miracolo di guarigione aveva più di quarant'anni.

Preghiera per il coraggio nell'annunciare la parola. - [23]Quando furono rilasciati si

recarono dai loro fratelli e riferirono quanto avevano loro detto i sommi sacerdoti e gli anziani. [24]Essi, udito ciò, unanimemente alzarono la voce a Dio e dissero: «Signore, tu che *hai fatto il cielo, la terra, il mare e tutto ciò che è in essi,* [25]tu che per mezzo dello Spirito Santo, per bocca del nostro padre Davide tuo servo, hai detto:

> *Perché tumultuano le genti*
> *e i popoli tramano vani progetti?*
> [26] *Sono insorti i re della terra*
> *e i capi hanno fatto congiura*
> *contro il Signore e contro il suo Cristo!*

[27]Davvero in questa città *hanno fatto congiura* contro il tuo santo servo Gesù, *da te consacrato,* Erode e Ponzio Pilato con i *pagani e i popoli* d'Israele, [28]per compiere quanto la tua mano e la tua volontà avevano stabilito che avvenisse. [29]Ed ora, Signore, guarda dall'alto le loro minacce e da' ai tuoi servi di proclamare con pieno coraggio la tua parola, [30]stendendo la tua mano perché si compiano guarigioni, miracoli e prodigi nel nome del tuo santo servo Gesù». [31]Mentre pregavano, il luogo in cui erano radunati si scosse, furono riempiti tutti di Spirito Santo e proclamavano la parola di Dio con pieno coraggio.

Comunione di cuori e di beni. - [32]La moltitudine di coloro che avevano abbracciato la fede aveva un cuore e un'anima sola. Non v'era nessuno che ritenesse cosa propria alcunché di ciò che possedeva, ma tutto era fra loro comune. [33]Con grandi segni di potenza gli apostoli rendevano testimonianza alla risurrezione del Signore Gesù. Erano tutti circondati da grande benevolenza. [34]Non c'era infatti tra loro alcun bisognoso: poiché quanti possedevano campi o case, li vendevano e portavano il ricavato delle vendite [35]mettendolo ai piedi degli apostoli. Veniva poi distribuito a ciascuno secondo che ne aveva bisogno.

Generosità di Barnaba. - [36]Anche Giuseppe, chiamato dagli apostoli Barnaba, che vuol dire "figlio di consolazione", levita, nativo di Cipro, [37]essendo in possesso di un campo, lo vendette, e andò a deporre il prezzo ai piedi degli apostoli.

5 **Avarizia di Anania e Saffira.** - [1]Invece un uomo di nome Anania, con sua moglie Saffira, vendette un suo podere [2]e, d'accordo con la moglie, trattenne per sé una parte del prezzo e andò a deporre l'altra parte ai piedi degli apostoli. [3]Pietro disse: «Anania, come mai Satana ti ha riempito il cuore fino a cercare d'ingannare lo Spirito Santo e trattenerti parte del prezzo del campo? [4]Non era forse tuo prima di venderlo e il ricavato della vendita non era forse a tua disposizione? Come mai hai potuto pensare in cuor tuo a un'azione simile? Non hai mentito a uomini, ma a Dio!». [5]All'udire queste parole Anania cadde a terra morto. E un grande spavento s'impadronì di tutti quelli che stavano ascoltando. [6]Subito alcuni giovani si mossero per avvolgerlo e portarlo a seppellire. [7]Or circa tre ore dopo si presentò anche sua moglie, senza sapere ciò che era avvenuto. [8]Pietro le domandò: «Dimmi, è per tanto che avete venduto il campo?». Ella rispose: «Sì, per questo prezzo». [9]Pietro le disse: «Perché vi siete accordati per tentare lo Spirito del Signore? Ecco alla porta i passi di coloro che hanno sepolto tuo marito: porteranno via anche te». [10]Ella gli cadde improvvisamente ai piedi, morta. Quei giovani, entrati, la trovarono morta e la portarono a seppellire vicino a suo marito. [11]Un grande spavento si diffuse per tutta la chiesa e in tutti coloro che ascoltavano queste cose.

Miracoli degli apostoli. - [12]Per mano degli apostoli avvenivano molti miracoli e prodigi in mezzo al popolo. Tutti stavano insieme uniti e concordi nel portico di Salomone. [13]Nessuno degli altri osava unirsi ad essi, ma il popolo ne faceva grandi lodi. [14]Sempre più andava aumentando il numero dei credenti nel Signore, una moltitudine di uomini e di donne, [15]tanto che i malati venivano portati nelle piazze e posti su lettini e barelle perché, quando Pietro passava, almeno la sua ombra ricoprisse qualcuno di loro. [16]La folla confluiva anche dalle città attorno a Gerusalemme, portando malati e persone tormentate da spiriti immondi, i quali tutti venivano guariti.

Gli apostoli di fronte al sinedrio. - [17]Allora si mossero il sommo sacerdote e tutti i suoi aderenti, cioè la setta dei sadducei. Pieni di gelosia [18]misero le mani sugli apostoli e li chiusero nel carcere pubblico. [19]Ma un angelo del Signore di notte aprì le porte della prigione, li condusse fuori e disse: [20]«Andate e mettetevi nel tempio a predicare al popolo tutta questa dottrina di vita». [21]Udito ciò, entrarono di buon mattino nel tempio e insegnavano.

Intanto sopraggiunsero il sommo sacerdote e i suoi aderenti e convocarono il sinedrio e tutto il senato dei figli d'Israele. Quindi mandarono (dei messi) alla prigione a prelevarli. [22]Ma questi, giunti colà, non li trovarono nella prigione. Tornati indietro, riferirono ciò dicendo: [23]«Abbiamo trovato la prigione chiusa con ogni cautela e le guardie in piedi davanti alle porte. Ma quando le abbiamo aperte, non abbiamo trovato dentro nessuno». [24]Udite queste parole, il comandante del tempio e i sommi sacerdoti si domandavano turbati come ciò sarebbe andato a finire. [25]Ma qualcuno, sopraggiunto in quel momento, annunciò loro: «Ecco, gli uomini che avete messo in prigione stanno nel tempio e istruiscono il popolo». [26]Allora il comandante del tempio uscì con le guardie e li ricondusse, non però con la forza, poiché avevano paura di essere lapidati dal popolo. [27]Condottili nel sinedrio, li posero in mezzo e il sommo sacerdote li interrogò: [28]«Non vi abbiamo forse formalmente ordinato di non insegnare più in questo nome? Ed ecco, avete riempito Gerusalemme del vostro insegnamento e volete far ricadere su di noi il sangue di quest'uomo».

[29]Ma Pietro e gli apostoli risposero: «Bisogna ubbidire a Dio piuttosto che agli uomini. [30]Il Dio dei nostri padri ha risuscitato Gesù che voi avete ucciso sospendendolo a un legno. [31]Dio lo ha innalzato con la sua destra come capo supremo e salvatore, per concedere a Israele la conversione e la remissione dei peccati. [32]Di queste cose siamo testimoni noi e lo Spirito Santo che Dio ha dato a coloro che gli obbediscono». [33]Ma quelli, udendo queste cose, si esasperarono e volevano ucciderli. [34]Allora si alzò nel sinedrio un fariseo di nome Gamaliele, dottore della legge, onorato da tutto il popolo, e richiese che quegli uomini fossero

---

5. - 3-4. Mentire agli apostoli era mentire allo Spirito Santo che per essi parlava e operava; Anania mentiva fingendo di dare tutto, riservandosi invece, ipocritamente, parte della vendita. Il rimprovero mostra che la rinunzia ai beni non era obbligatoria, ma spontaneo atto di carità.

condotti fuori un momento. [35]Poi disse loro: «Israeliti, riflettete bene su ciò che state per fare di questi uomini. [36]Infatti tempo fa venne fuori Teuda, che si spacciava per un personaggio straordinario, e gli andò dietro un gran numero di uomini, quasi quattrocento. Ma quando fu ucciso, tutti i suoi aderenti furono dispersi e si ridussero a nulla. [37]Dopo di lui saltò fuori Giuda il Galileo, nei giorni del censimento, e trascinò il popolo dietro di sé. Ma anch'egli finì male e tutti i suoi aderenti furono dispersi. [38]Or dunque io vi dico: non impicciatevi di questi uomini e lasciateli fare. Perché se questo è un progetto o un'impresa messa su dagli uomini, sarà distrutta; [39]ma se viene da Dio, non potrete annientarli: guardatevi dal farvi trovare in lotta con Dio!». Si attennero al consiglio [40]e, fatti chiamare gli apostoli, li fecero percuotere e comandarono loro di non parlare più nel nome di Gesù. Quindi li rilasciarono. [41]Essi se ne andavano via dal sinedrio lieti perché erano stati fatti degni di subire oltraggi per il Nome. [42]E ogni giorno, nel tempio e per le case, non cessavano di insegnare e di annunciare la buona novella del Cristo Gesù.

6 **I Dodici e i Sette.** - [1]In quei giorni, moltiplicandosi il numero dei discepoli, gli ellenisti incominciarono a mormorare contro gli Ebrei perché nella distribuzione quotidiana le loro vedove venivano trascurate. [2]Allora i Dodici, radunata l'assemblea dei discepoli, dissero: «Non sta bene che noi trascuriamo la parola di Dio per servire alle mense. [3]Cercate piuttosto in mezzo a voi, o fratelli, sette uomini di buona fama, pieni di spirito e di sapienza, che noi preporremo a questo servizio. [4]Così noi ci dedicheremo pienamente alla preghiera e al ministero della parola». [5]Questa proposta piacque a tutta l'assemblea, e scelsero Stefano, uomo pieno di fede e di Spirito Santo, Filippo, Procoro, Nicanore, Timone, Parmenas e Nicola, proselito di Antiochia. [6]Li presentarono agli apostoli e, dopo aver pregato, imposero loro le mani.

---

6. - 3. *Cercate:* gli apostoli vogliono anzitutto che i fedeli stessi facciano la scelta, e ne indicano le condizioni; essi, poi, comunicheranno incarico e autorità (v. 6).
6. È la prima volta che viene notata *l'imposizione delle mani* come rito d'ordinazione. Con l'imposizione delle mani e con la preghiera, gli apostoli conferiscono l'autorità e la grazia del ministero agli eletti della comunità.

[7]Intanto la parola di Dio si diffondeva e si moltiplicava grandemente il numero dei discepoli in Gerusalemme; anche gran folla di sacerdoti aderiva alla fede.

Accuse contro Stefano. - [8]Stefano, pieno di grazia e di potenza, faceva grandi prodigi e miracoli in mezzo al popolo. [9]Si levarono alcuni della sinagoga detta dei liberti, dei Cirenei, degli Alessandrini, di quelli di Cilicia e d'Asia e si misero a disputare con Stefano. [10]Ma non potevano tener testa alla sapienza e allo spirito con cui egli parlava. [11]Allora misero su degli individui che dissero: «Abbiamo udito costui mentre pronunciava parole blasfeme contro Mosè e contro Dio», [12]ed eccitarono il popolo, gli anziani e gli scribi. Gli si fecero addosso, lo presero con violenza e lo condussero al sinedrio. [13]Poi produssero falsi testimoni che dicevano: «Quest'uomo non la smette di dire parole offensive contro questo luogo santo e contro la legge. [14]Lo abbiamo infatti udito dire che quel Gesù Nazareno distruggerà questo luogo e cambierà le leggi che ci ha tramandato Mosè». [15]E guardando fisso verso lui, tutti quelli che erano seduti nel sinedrio videro il suo viso come il viso d'un angelo.

7 **Discorso di Stefano.** - [1]Allora il sommo sacerdote domandò: «Le cose stanno davvero così?». [2]Ma egli rispose: «Fratelli e padri, ascoltate. Il *Dio della gloria* apparve al nostro padre Abramo, mentre era in Mesopotamia, prima che abitasse in Carran, [3]*e gli disse: "Esci dalla tua terra, lascia la tua parentela e va' nella regione che io ti mostrerò".* [4]Allora uscì dalla terra dei Caldei e pose dimora in Carran. Di là, dopo la morte di suo padre, Dio lo trasferì in questa regione nella quale ora voi abitate. [5]E qui non gli diede in eredità *neppure lo spazio da posarvi un piede,* ma promise *di darla in possesso a lui, alla sua discendenza dopo di lui,* benché non avesse figli. [6]Parlò dunque Dio così: *"La sua discendenza dovrà soggiornare in terra straniera e la ridurranno in servitù e la maltratteranno per quattrocento anni. [7]Ma il popolo di cui essi saranno schiavi io lo giudicherò,* disse il Signore, *e dopo queste vicende usciranno e mi daranno culto in questo luogo".* [8]Poi gli diede il *patto della* circoncisione, e così egli generò Isacco e *lo circoncise l'ottavo giorno*, e Isacco generò Giacobbe, e Giacobbe e i dodici patriarchi.

⁹I patriarchi *per invidia vendettero Giuseppe*, che fu condotto *in Egitto. Ma Dio era con lui* ¹⁰e lo trasse fuori da tutte le sue tribolazioni *e gli diede grazia* e sapienza *di fronte al faraone, re di Egitto, che lo costituì governatore dell'Egitto e di tutta la sua casa.* ¹¹*Sopraggiunse poi una carestia su tutto l'Egitto e su Canaan.* La penuria era grande e i nostri padri non trovavano nutrimento. ¹²*Allora Giacobbe, avendo saputo che in Egitto c'era del grano*, vi mandò una prima volta i nostri padri. ¹³E la seconda volta *Giuseppe si fece riconoscere dai suoi fratelli* e il faraone conobbe di che stirpe era Giuseppe. ¹⁴Allora Giuseppe mandò a chiamare suo padre Giacobbe e tutta la famiglia, *in tutto settantacinque persone.* ¹⁵*E Giacobbe discese in Egitto, dove morì lui e* i nostri padri. ¹⁶*Essi furono trasferiti a Sichem* e deposti *nel sepolcro che Abramo aveva comprato* a prezzo d'argento *dai figli di Emor, in Sichem.* ¹⁷Avvicinandosi il tempo della promessa che Dio aveva fatto solennemente ad Abramo, il popolo *si accrebbe e si moltiplicò* in Egitto, ¹⁸finché *sorse in Egitto un altro re che non conosceva Giuseppe.* ¹⁹Costui, *usando astuzia e malizia verso la nostra stirpe*, oppresse i padri e li costrinse a esporre i loro bambini, perché non *sopravvivessero.* ²⁰In quel tempo nacque Mosè, e fu gradito a Dio. *Egli fu nutrito per tre mesi* nella casa di suo padre ²¹e, quando fu esposto, *la figlia del faraone lo raccolse* e lo nutrì *come suo figlio.* ²²Mosè fu educato secondo la sapienza degli Egiziani ed era potente in parole e in opere. ²³Quando giunse all'età di quarant'anni, sentì il desiderio di visitare *i suoi fratelli, i figli di Israele.* ²⁴E vedendo un tale che veniva maltrattato, lo difese e fece vendetta dell'oppresso *uccidendo* l'egiziano. ²⁵Egli pensava che i suoi fratelli avrebbero capito che Dio per suo mezzo intendeva dare ad essi salvezza. Ma essi non compresero. ²⁶Il giorno seguente comparve in mezzo a loro mentre litigavano e cercava di riconciliarli e di rappacificarli dicendo: "Uomini, siete fratelli: perché vi fate torto l'un l'altro?". ²⁷*Ma colui che stava facendo torto al suo prossimo lo respinse dicendo: "Chi ti ha posto capo e giudice su di noi?* ²⁸Vuoi forse uccidermi, come hai ucciso ieri l'egizia-*

no?". ²⁹*A queste parole Mosè fuggì e andò ad abitare in Madian*, dove ebbe due figli. ³⁰Quarant'anni dopo *gli apparve nel deserto del monte Sinai un angelo tra le fiamme d'un roveto ardente.* ³¹A quella visione Mosè rimase stupito, e mentre si avvicinava per vedere meglio, si udì una voce del Signore: ³²"*Io sono il Dio dei tuoi padri, il Dio di Abramo, di Isacco e di Giacobbe*". Tutto tremante Mosè non osava alzare lo sguardo. ³³*Ma il Signore gli disse: "Levati i calzari dai piedi, perché il luogo in cui stai è terra santa.* ³⁴*Ho visto i maltrattamenti subìti dal mio popolo in Egitto, ho udito i loro gemiti e sono disceso per liberarli; e ora vieni, ché io voglio mandarti in Egitto*".

³⁵Proprio quel Mosè, che essi avevano rinnegato dicendo: "*Chi ti ha costituito capo e giudice?*", proprio lui Dio lo mandò come capo e salvatore, per mezzo dell'angelo che gli era apparso nel roveto. ³⁶Egli li fece uscire, operando *prodigi e miracoli nella terra d'Egitto*, nel Mar Rosso e *nel deserto, per quarant'anni.* ³⁷Egli è quel Mosè che disse ai figli d'Israele: "*Un profeta vi susciterà il Signore di tra i vostri figli, come me*". ³⁸Egli è colui che nell'assemblea del deserto fu intermediario fra l'angelo che gli parlava sul monte Sinai e i nostri padri. Egli ricevette le parole di vita per darle a noi. ³⁹Ma a lui non vollero ubbidire i nostri padri, anzi lo respinsero e rivolsero i loro cuori *verso l'Egitto*, ⁴⁰dicendo ad Aronne: "*Facci degli dèi che camminino davanti a noi: infatti a quel Mosè che ci ha condotto fuori della terra di Egitto non sappiamo che cosa sia accaduto*". ⁴¹E si fecero un vitello in quei giorni, e *offrirono un sacrificio* a quest'idolo e si rallegravano per l'opera delle loro mani. ⁴²Allora Dio li abbandonò e lasciò che si dedicassero ai *culti astrali*, come è scritto nel libro dei profeti:

Mi avete forse offerto vittime e sacrifici per quarant'anni nel deserto, casa d'Israele?
⁴³ *Avete piuttosto portato a spalle la tenda di Moloch e la stella del dio Refan, simulacri che vi siete fatti per adorarli. Perciò io vi deporterò al di là di Babilonia.*

⁴⁴I nostri padri nel deserto avevano *la tenda della testimonianza*, come aveva disposto

colui che *aveva detto a Mosè di farla secondo il modello che aveva visto.* ⁴⁵Questa
tenda così ricevuta i nostri padri la introdussero con Giosuè *nel territorio occupato*
dai pagani che Dio cacciò davanti ai nostri
padri: così rimase fino ai giorni di Davide.
⁴⁶Egli trovò grazia presso Dio e chiese di
*poter trovare un'abitazione per il Dio di Gia-
cobbe.* ⁴⁷Ma fu Salomone che *gli costruì una
casa.* ⁴⁸Ma l'Altissimo non abita in edifici
eretti da mano d'uomo, come dice il profeta:

⁴⁹ *Il cielo è il mio trono
    e la terra sgabello dei miei piedi.
    Quale casa potrete mai edificarmi,
    dice il Signore,
    o quale sarà il luogo del mio riposo?*
⁵⁰ *Non fu forse la mia mano
    che ha fatto tutte queste cose?*

⁵¹*Testardi e incirconcisi di cuore* e *d'orecchi,* voi sempre *resistete allo Spirito Santo*:
come i vostri padri così anche voi. ⁵²Qual
è quel profeta che i vostri padri non hanno perseguitato? Hanno ucciso quelli che
annunciavano la venuta del Giusto, di cui
ora voi siete stati traditori e assassini, ⁵³voi
che avete ricevuto la legge per ministero di
angeli e non l'avete osservata!».
⁵⁴Ascoltando queste cose si rodevano il
fegato dalla rabbia e digrignavano i denti
contro di lui.

Visione di Stefano e sua lapidazione. -
⁵⁵Ma egli, pieno di Spirito Santo, guardando fisso verso il cielo vide la gloria di Dio e
Gesù che stava in piedi alla destra di Dio,
⁵⁶e disse: «Ecco, vedo i cieli aperti e il Figlio dell'uomo che sta in piedi alla destra
di Dio».
⁵⁷Allora gridando a gran voce si turarono
le orecchie e si scagliarono tutti insieme
contro di lui, ⁵⁸e trattolo fuori della città lo
lapidavano. I testimoni deposero le loro vesti ai piedi di un giovane chiamato Saulo.
⁵⁹E lapidavano Stefano che pregava e diceva: «Signore Gesù, accogli il mio spirito».
⁶⁰Messosi in ginocchio, gridò a gran voce:
«Signore, non imputare loro questo peccato». E detto questo si addormentò.

8 ¹E Saulo approvava l'uccisione di Stefano.

Persecuzione della chiesa. - In quel giorno si scatenò una grande persecuzione
contro la chiesa che era in Gerusalemme.
Tutti si dispersero nelle campagne della
Giudea e della Samaria, ad eccezione degli
apostoli. ²Alcune pie persone seppellirono
Stefano e fecero per lui un grande lutto.
³Saulo intanto devastava la chiesa: entrava
nelle case, trascinava fuori uomini e donne
e li faceva mettere in prigione.

LA CHIESA FUORI DI GERUSALEMME

Il vangelo in Samaria. - ⁴Ma quelli che si
erano dispersi se ne andarono in giro predicando la parola del vangelo. ⁵Così Filippo,
giunto in una città della Samaria, annunciò
ad essi il Cristo. ⁶Le folle seguivano attentamente ciò che diceva Filippo ed erano unanimi nell'ascoltarlo, vedendo i miracoli che
faceva. ⁷Infatti molti di quelli che avevano
spiriti immondi gridavano a gran voce e gli
spiriti se ne uscivano; molti paralitici e zoppi
furono curati. ⁸Grande fu quindi la gioia in
quella città.

⁹Or già da tempo c'era nella città un uomo
di nome Simone, che praticava l'arte magica e faceva strabiliare il popolo di Samaria
spacciandosi per un personaggio straordinario. ¹⁰Tutti, dai più piccoli ai più grandi,
gli davano retta, dicendo: «Questa è la potenza di Dio che è chiamata grande». ¹¹Gli
davano ascolto perché già da molto tempo
li aveva fatti strabiliare con le sue arti magiche. ¹²Quando però credettero a Filippo che
annunciava loro la buona novella del regno
di Dio e del nome di Gesù Cristo, uomini e
donne si facevano battezzare. ¹³Anche Simone credette e fu battezzato e si teneva
sempre vicino a Filippo: vedendo i grandi
miracoli e i prodigi che avvenivano, ne rimaneva incantato.

Gli apostoli e Simone mago. - ¹⁴Gli apostoli che erano rimasti in Gerusalemme, quando seppero che la Samaria aveva accolto la
parola di Dio, mandarono ad essi Pietro e
Giovanni. ¹⁵Giunti colà, essi pregarono per
loro, affinché ricevessero lo Spirito Santo.
¹⁶Infatti non era ancora disceso su alcuno

At

---

8. - 3. *Saulo,* il futuro san Paolo, zelante fariseo, s'era messo
a disposizione del sinedrio, da cui ebbe l'autorizzazione
d'incarcerare i cristiani.

di essi, ma soltanto avevano ricevuto il battesimo nel nome del Signore Gesù. [17]Allora imposero loro le mani e ricevevano lo Spirito Santo. [18]Simone, vedendo che per l'imposizione delle mani degli apostoli veniva dato lo Spirito, offrì loro del denaro [19]dicendo: «Date anche a me questo potere, cosicché colui a cui io imporrò le mani possa ricevere lo Spirito Santo». [20]Ma Pietro gli rispose: «Alla malora tu e il tuo denaro, poiché hai creduto che si potesse comperare col denaro il dono di Dio. [21]Non vi è parte alcuna per te in tutto ciò, perché *il tuo cuore non è retto davanti a Dio*. [22]Pentiti dunque di questa tua malvagità e prega il Signore che ti voglia perdonare questa intenzione del tuo cuore. [23]Infatti vedo che tu ti trovi immerso in *fiele amaro* e avvolto *in legami di iniquità*».

[24]Allora Simone rispose: «Pregate voi per me il Signore, perché non mi capiti nulla di ciò che avete detto». [25]Essi poi, dopo aver reso testimonianza e aver predicato la parola del Signore, ritornarono a Gerusalemme, evangelizzando molti villaggi dei Samaritani.

Filippo e l'etiope. - [26]Un angelo del Signore così parlò a Filippo: «Alzati e cammina verso mezzogiorno, lungo la strada che scende da Gerusalemme a Gaza; essa è deserta». [27]E alzatosi si pose in cammino. Ed ecco che un etiope, eunuco e alto ufficiale di corte della regina degli Etiopi Candace, sovrintendente di tutti i suoi tesori, che era venuto a Gerusalemme per fare adorazione, [28]se ne stava ritornando e, seduto sul suo carro, leggeva il profeta Isaia. [29]Lo Spirito disse a Filippo: «Avvicinati e accompagnati a quel carro». [30]Filippo si mise a correre e, sentendo che quello leggeva il profeta Isaia, disse: «Capisci quello che leggi?». [31]E quegli rispose: «Come potrei, se nessuno mi fa da guida?». E pregò Filippo di salire e di sedersi accanto a lui. [32]Il passo della Scrittura che stava leggendo era il seguente:

Come una pecora fu condotto al macello
e come un agnello,
muto, di fronte a chi lo tosa,
così non apre la sua bocca.
[33] *Nella sua umiliazione*
il giudizio gli è stato negato.

Chi narrerà la sua generazione?
Perché la sua vita
è eliminata dalla terra.

[34]Rivoltosi a Filippo l'eunuco disse: «Ti prego, di chi dice il profeta queste cose? Di se stesso oppure di un altro?». [35]Allora Filippo, prendendo la parola e cominciando da questo passo della Scrittura, gli annunciò la buona novella di Gesù. [36]Strada facendo vennero dove c'era dell'acqua, e l'eunuco disse: «Ecco dell'acqua, che cosa impedisce che io sia battezzato?». [37] [38]E comandò al carro di fermarsi. Entrambi scesero nell'acqua, Filippo e l'eunuco, e lo battezzò. [39]Quando risalirono dall'acqua, lo Spirito del Signore rapì Filippo e l'eunuco non lo vide più. E proseguiva per la sua strada, pieno di gioia. [40]Quanto a Filippo, si trovò che era in Azoto e percorreva evangelizzando tutte le città, finché giunse in Cesarea.

9 **Conversione e battesimo di Saulo.** - [1]Saulo intanto, che ancora spirava minacce e strage contro i discepoli del Signore, si presentò al sommo sacerdote [2]e gli chiese lettere per le sinagoghe di Damasco, per essere autorizzato, se avesse trovato dei seguaci della Via, uomini e donne, a condurli legati a Gerusalemme. [3]Strada facendo, mentre stava avvicinandosi a Damasco, d'improvviso una luce dal cielo gli sfolgorò d'intorno: [4]caduto a terra, udì una voce che gli diceva: «Saulo, Saulo, perché mi perseguiti?». [5]Egli rispose: «Chi sei, o Signore?». E quegli: «Io sono Gesù che tu

---

32. Is 53,7-8 paragona il Servo di Jhwh a un agnello condotto al macello, muto davanti a chi lo priva della vita. Questo atteggiamento tenne anche Gesù nel momento della sua condanna a morte per la redenzione dell'umanità.

37. Il v. manca nel testo greco: probabilmente è un'aggiunta contenente un'antica formula di fede battesimale. Si trova, invece, nel testo latino che dice così: «Filippo rispose: "Se credi di tutto cuore, si può". L'eunuco disse: "Io credo che Gesù Cristo è Figlio di Dio"».

9. - 2. *Damasco*: antichissima città, già famosa ai tempi di Abramo (Gn 14,15), a circa 200 km da Gerusalemme, aveva una numerosa colonia ebraica con quartiere a parte, leggi e magistrati propri. Quindi il sommo sacerdote di Gerusalemme esercitava a Damasco la sua autorità sia in materia civile che religiosa. Ecco perché Saulo va a Damasco con autorità contro i Giudei convertiti. Le altre narrazioni della conversione di Paolo sono nei cc. 22 e 26.

5. Gesù prende come fatto a sé ciò che è fatto ai suoi fedeli. È il primo barlume di rivelazione ricevuto da Paolo sul corpo mistico di Cristo.

perseguiti; [6]ma alzati in piedi, entra nella città e ti sarà detto ciò che devi fare». [7]Gli uomini che viaggiavano con lui stavano senza parola, poiché udivano il suono della voce ma non vedevano nessuno. [8]Saulo si alzò da terra e, aperti gli occhi, non poteva vedere nulla. Allora, prendendolo per mano, lo condussero a Damasco. [9]Stette ivi tre giorni senza vedere: non mangiò né bevve.

[10]Ora c'era a Damasco un discepolo di nome Anania e il Signore gli disse in visione: «Anania!». Egli rispose: «Eccomi, Signore!». [11]E il Signore a lui: «Alzati e va' nel vicolo chiamato Diritto e cerca, nella casa di Giuda, un uomo di Tarso di nome Saulo: eccolo infatti che sta pregando [12]e ha visto in visione un uomo di nome Anania entrare e imporgli le mani perché riacquisti la vista». [13]Anania rispose: «Signore, ho udito molti parlare di quest'uomo e di quanto male ha fatto ai tuoi santi in Gerusalemme. [14]E qui ha l'autorizzazione dai sommi sacerdoti di mettere in catene quelli che invocano il tuo nome». [15]Il Signore gli disse: «Va', poiché egli è uno strumento che io mi sono scelto per portare il mio nome davanti ai pagani, ai re e ai figli d'Israele. [16]Io poi gli mostrerò quanto dovrà patire a causa del mio nome». [17]Anania partì, entrò nella casa e imponendogli le mani disse: «Saulo, fratello! È il Signore che mi ha mandato: quel Gesù che ti è apparso sulla strada per cui tu venivi. Mi ha mandato perché tu ricuperi la vista e sia riempito di Spirito Santo». [18]E subito gli caddero dagli occhi come delle scaglie e riprese a vedere. Allora si alzò, fu battezzato, [19]prese cibo e ricuperò le forze.

Predicazione di Saulo a Damasco. - Si trattenne con i discepoli che erano a Damasco per alcuni giorni [20]e subito si mise a predicare Gesù nelle sinagoghe proclamando: «Questi è il Figlio di Dio!». [21]E tutti coloro che lo udivano restavano sbalorditi e dicevano: «Non è forse lui quello che si è accanito in Gerusalemme contro coloro che invocano questo nome, ed è venuto qui proprio per condurli incatenati ai sommi sacerdoti?». [22]Ma Saulo si animava sempre più e confondeva i Giudei che abitavano in Damasco, sostenendo che costui è il Cristo. [23]Passati parecchi giorni, i Giudei si accordarono per ucciderlo. [24]Ma la loro trama fu resa nota a Saulo. Essi sorvegliavano anche le porte della città giorno e notte per ucciderlo. [25]Allora i suoi discepoli lo presero di notte e lo calarono lungo il muro in una sporta.

Saulo a Gerusalemme. - [26]Giunto a Gerusalemme, cercava di associarsi ai discepoli; ma tutti lo temevano, non credendo che fosse un discepolo. [27]Allora Barnaba lo prese con sé, lo condusse dagli apostoli e raccontò loro come per strada aveva visto il Signore, il quale gli aveva parlato, e come a Damasco aveva predicato apertamente nel nome di Gesù. [28]Da allora restò con loro in Gerusalemme in piena familiarità e prese coraggio per parlare apertamente nel nome del Signore. [29]Parlava e disputava con gli ellenisti; ma quelli tramavano per ucciderlo. [30]I fratelli, venuti a conoscenza della cosa, lo condussero a Cesarea e lo fecero partire per Tarso. [31]La chiesa, intanto, in tutta la Giudea, la Galilea e la Samaria era in pace e si edificava e progrediva nel timore del Signore, piena della consolazione dello Spirito Santo.

Pietro guarisce un paralitico. - [32]Or avvenne che Pietro, percorrendo tutte queste regioni, discese anche presso i santi che abitavano in Lidda. [33]Trovò qui un uomo di nome Enea, che da otto anni giaceva su un letto, perché era paralitico. [34]E Pietro gli disse: «Enea, Gesù Cristo ti guarisce: sorgi e rifatti da solo il tuo letto». E subito si alzò. [35]Lo videro tutti quelli che abitavano Lidda e la pianura di Saron, e si convertirono al Signore.

Pietro risuscita una vedova. - [36]A Giaffa c'era una discepola di nome Tabità, che significa Gazzella. Essa faceva molte opere buone e molte elemosine. [37]Proprio in quei giorni si ammalò e morì. Lavarono il cadavere e lo esposero al piano superiore. [38]Essendo Lidda vicino a Giaffa, i discepoli, saputo che Pietro si trovava colà, mandarono da lui due uomini pregandolo: «Non tardare a venire fino a noi!».

[39]Pietro si alzò e partì con loro. Quando giunse, lo condussero al piano superiore e si presentarono a lui tutte le vedove che piangevano e gli mostravano le tuniche e le vesti che Gazzella faceva quando era ancora con loro. [40]Pietro allora fece uscire

At

tutti e postosi in ginocchio pregò. Rivolto al cadavere disse: «Tabità, alzati!». Ella aprì gli occhi e, veduto Pietro, si pose a sedere. ⁴¹Egli, dandole la mano, la fece alzare. Poi chiamò i santi e le vedove e la presentò loro viva. ⁴²Questo fatto fu risaputo in tutta Giaffa e molti credettero nel Signore. ⁴³Egli rimase in Giaffa parecchi giorni, in casa di un certo Simone conciatore di pelli.

10 **Visione di Cornelio.** - ¹A Cesarea c'era un uomo chiamato Cornelio, centurione della coorte detta Italica, ²pio e timorato di Dio, come tutti quelli della sua casa; faceva molte elemosine al popolo e pregava Dio continuamente. ³Egli vide chiaramente in visione, verso l'ora nona del giorno, un angelo del Signore entrare nella sua stanza e dirgli: «Cornelio!». ⁴Egli lo guardò e, preso da timore, disse: «Che c'è, Signore?». Quello gli rispose: «Le tue preghiere e le tue elemosine sono salite al cospetto di Dio e sono ricordate. ⁵Ora manda alcuni uomini a Giaffa e fa' venire un certo Simone, soprannominato Pietro. ⁶Costui è ospite presso un certo Simone conciatore, che ha una casa presso il mare». ⁷Quando l'angelo che gli aveva parlato se ne fu andato, chiamati due dei suoi servi di casa e un soldato pio, tra i più fedeli, ⁸raccontò loro ogni cosa e li mandò a Giaffa.

Visione di Pietro. - ⁹Il giorno dopo, mentre essi erano in cammino e si avvicinavano alla città, Pietro si recò sul terrazzo verso l'ora sesta per pregare. ¹⁰A un certo momento sentì fame e desiderava prendere cibo. Mentre gliene preparavano, andò in estasi. ¹¹Vide il cielo aperto e un oggetto strano che ne discendeva, come una grande tovaglia che per i quattro capi veniva calata verso terra. ¹²In essa si trovavano ogni sorta di quadrupedi, di rettili della terra e di volatili del cielo. ¹³E risuonò una voce che gli diceva: «Orsù, Pietro, uccidi e mangia!». ¹⁴Ma Pietro disse: «Giammai, o Signore, poiché non ho mai mangiato nulla di profano e di immondo». ¹⁵La voce si fece sentire una seconda volta per dirgli: «Ciò che Dio ha purificato, tu non chiamarlo immondo». ¹⁶Questo avvenne per tre volte, poi d'un tratto l'oggetto fu portato su verso il cielo.

Pietro si reca da Cornelio. - ¹⁷Mentre Pietro se ne stava perplesso sul significato della visione avuta, ecco che gli uomini mandati da Cornelio, informatisi sulla casa di Simone, si presentarono al portone. ¹⁸Chiamarono e domandarono se fosse alloggiato là Simone soprannominato Pietro. ¹⁹Mentre Pietro rifletteva sulla visione, lo Spirito gli disse: «Ecco, tre uomini ti cercano: ²⁰Alzati, discendi e va' con loro senza esitare, poiché sono io che li ho mandati». ²¹Pietro discese incontro a quegli uomini e disse: «Ecco, sono io colui che cercate. Qual è il motivo per cui siete qui?». ²²Quelli risposero: «Il centurione Cornelio, uomo retto e timorato di Dio, che gode di ottima fama presso tutto il popolo dei Giudei, ha ricevuto per mezzo di un angelo santo l'ordine di farti venire nella sua casa e di ascoltare ciò che tu gli dirai». ²³Allora Pietro li fece entrare e diede loro ospitalità.

Il giorno seguente si levò e partì con essi, e alcuni dei fratelli di Giaffa lo accompagnarono. ²⁴Il giorno dopo entrò in Cesarea. Cornelio li stava aspettando e aveva convocato i suoi parenti e gli amici intimi. ²⁵Quando Pietro stava per entrare, Cornelio gli andò incontro, cadde ai suoi piedi e si prostrò davanti a lui. ²⁶Ma Pietro lo rialzò dicendo: «Alzati! Anch'io sono un uomo come te». ²⁷E parlando familiarmente entrò in casa con lui e trovò molta gente radunata. ²⁸Egli disse loro: «Voi sapete che non è lecito per un giudeo legarsi a uno straniero o aver contatto con lui. Ma a me Dio ha insegnato a non chiamare nessun uomo profano o immondo. ²⁹Perciò, quando sono stato chiamato, sono venuto senza replicare. Ora io vi domando: per quale ragione mi avete fatto chiamare?». ³⁰Cornelio rispose: «Tre giorni fa, verso quest'ora, me ne stavo facendo la preghiera dell'ora nona nella mia casa, quand'ecco comparirmi davanti un uomo in fulgida veste ³¹che mi dice: "Cornelio, la tua preghiera è stata esaudita e Dio si è ricordato delle tue elemosine. ³²Manda dunque dei messi a Giaffa e fa' chiamare Simone, soprannominato Pietro, che è ospite in casa di Simone il conciatore, presso il mare". ³³Subito, dunque, ho mandato a chiamarti e tu hai fatto bene a venire. Ora noi siamo tutti qui di fronte a Dio, per ascoltare tutte le cose che il Signore ti ha ordinato di dirci».

Discorso di Pietro. - [34]Allora Pietro prese la parola e disse: «In verità mi rendo conto che *Dio non fa differenza di persone*, [35]ma in ogni nazione colui che lo teme e pratica la giustizia è accetto a lui, [36]che *ha mandato la parola* ai figli d'Israele, *evangelizzando la pace* per mezzo di Gesù Cristo: poiché egli è il Signore di tutti. [37]Voi sapete quanto è avvenuto in tutta la Giudea, incominciando dalla Galilea, dopo il battesimo predicato da Giovanni. [38]*Dio ha consacrato in Spirito Santo* e potenza Gesù di Nazaret, che passò facendo del bene e sanando tutti quelli che erano sotto il potere del diavolo, perché Dio era con lui. [39]Noi siamo testimoni di tutto ciò che egli ha fatto nel paese dei Giudei e in Gerusalemme. Questi è colui che hanno ucciso appendendolo a un legno. [40]Ma Dio lo ha risuscitato il terzo giorno, ha voluto che si manifestasse, [41]non a tutto il popolo, ma a testimoni di Dio prescelti, a noi, che abbiamo mangiato e bevuto con lui dopo la sua risurrezione dai morti. [42]Egli ci ha ordinato di predicare al popolo e di testimoniare che egli è stato costituito da Dio giudice dei vivi e dei morti. [43]A lui tutti i profeti rendono questa testimonianza, che tutti coloro che credono in lui ricevano nel suo nome la remissione dei peccati».

Lo Spirito Santo sui pagani. - [44]Pietro non aveva ancora finito di dire queste parole che lo Spirito Santo discese su tutti quelli che ascoltavano la parola. [45]I fedeli circoncisi che erano venuti con Pietro si meravigliavano che anche sui pagani si fosse avuta l'effusione del dono dello Spirito Santo. [46]Infatti li udivano parlare in lingue e magnificare Dio. Allora Pietro disse: [47]«Chi può impedire di battezzare con l'acqua costoro che hanno ricevuto lo Spirito Santo al pari di noi?». [48]E ordinò che fossero battezzati nel nome di Gesù Cristo. Allora lo pregarono di fermarsi ancora alcuni giorni.

----

10. - 34-36. *Dio non fa differenza di persone*: Pietro comprende e fa notare che Dio chiama nella chiesa Ebrei e pagani, senza fare distinzioni.

45. I Giudei pensavano che i pagani potessero entrare nella chiesa solo attraverso la legge mosaica, cioè facendosi prima «ebrei»; restarono perciò meravigliati nel vedere che i doni dello Spirito Santo erano dati anche a loro.

11. - 2. Non gli apostoli rimproverano Pietro, ma i *fedeli circoncisi* (cfr. nota a 10,45).

11 **Pietro giustifica la sua condotta.** - [1]Gli apostoli e i fratelli che abitavano in Giudea udirono che anche i pagani avevano accolto la parola di Dio. [2]Perciò, quando Pietro salì a Gerusalemme, i fedeli circoncisi gli fecero dei rimproveri. [3]Gli dicevano: «Sei entrato in casa di uomini incirconcisi e hai mangiato con loro!». [4]Pietro allora cominciò a raccontare le cose ad essi, punto per punto, dicendo: [5]«Io me ne stavo pregando nella città di Giaffa quando, rapito in estasi, vidi una visione: qualcosa che scendeva dal cielo come una grande tovaglia calata per i quattro capi, che giunse fino a me. [6]La guardai, la esaminai e dentro vidi quadrupedi della terra, fiere, rettili e volatili del cielo. [7]Udii anche una voce che mi diceva: "Orsù, Pietro, uccidi e mangia". [8]Ma io dissi: "Giammai, o Signore, poiché mai nulla di profano o di immondo è entrato nella mia bocca". [9]Ma la voce mi disse una seconda volta dal cielo: "Ciò che Dio ha purificato tu non chiamarlo impuro!". [10]Ciò si ripeté per tre volte, poi tutto fu ritirato di nuovo in cielo. [11]Ed ecco che subito tre uomini si presentarono alla casa in cui ci trovavamo, venuti con un messaggio per me da Cesarea. [12]Lo Spirito mi disse di andare con loro senza esitazione. Vennero con me anche questi sei fratelli ed entrammo nella casa di quell'uomo. [13]Egli ci narrò come aveva visto un angelo comparire nella sua casa e dirgli: "Manda dei messi a Giaffa e fa' chiamare Simone, soprannominato Pietro. [14]Egli ti dirà delle parole in cui troverai salvezza tu e tutta la tua casa". [15]Mentre io cominciavo a parlare, lo Spirito Santo scese su di loro, come era sceso su di noi all'inizio. [16]Mi ricordai allora della parola del Signore quando disse: "Giovanni ha battezzato con acqua, ma voi sarete battezzati in Spirito Santo". [17]Se dunque Dio ha dato ad essi lo stesso dono che ha dato anche a noi, che abbiamo creduto nel Signore Gesù Cristo, chi ero io da potermi opporre a Dio?». [18]Udito questo racconto, si acquietarono e glorificarono Dio dicendo: «Dunque, anche ai pagani Dio ha concesso che si convertano per avere la vita!».

Antiochia. - [19]Frattanto quelli che erano stati dispersi per la persecuzione sopraggiunta al tempo di Stefano arrivarono sino in Fenicia, a Cipro e ad Antiochia, ma non predicando la parola se non a Giudei. [20]V'erano alcuni di loro, originari di Cipro e di Cirene, i quali, giunti ad Antiochia, predicarono anche ai Greci, annunziando loro la buona novella del Signore Gesù. [21]La mano del Signore era con essi e un gran numero credette e si convertì al Signore. [22]La notizia riguardante costoro arrivò agli orecchi dei membri della chiesa di Gerusalemme e mandarono Barnaba ad Antiochia. [23]Quando giunse e vide l'effetto della grazia di Dio, si rallegrò, ed esortava tutti a rimanere con animo fermo fedeli al Signore. [24]Egli era infatti un uomo buono, pieno di Spirito Santo e di fede. Così una folla numerosa aderì al Signore. [25]Egli poi partì per Tarso a cercare Saulo [26]e, trovatolo, lo condusse ad Antiochia. Per un anno intero essi lavorarono insieme in quella chiesa, istruendo una gran folla. Ad Antiochia per la prima volta i discepoli furono nominati «cristiani».

Soccorsi per la fame a Gerusalemme. - [27]In quei giorni alcuni profeti discesero da Gerusalemme ad Antiochia. [28]Uno di essi, di nome Agabo, si alzò per annunciare, per impulso dello Spirito, che vi sarebbe stata una grande carestia su tutta la terra, quella che poi avvenne sotto Claudio. [29]Allora i discepoli, ciascuno secondo le sue possibilità, decisero di inviare aiuti per i fratelli che abitavano in Giudea. [30]Così fecero, mandando i soccorsi agli anziani per mezzo di Barnaba e di Saulo.

12 **Persecuzione di Erode.** - [1]Verso quel tempo il re Erode prese a maltrattare alcuni membri della chiesa. [2]Fece morire di spada Giacomo, fratello di Giovanni. [3]Vedendo che ciò era gradito ai Giudei, mandò ad arrestare anche Pietro. Si era nei giorni degli Azzimi. [4]Catturato, lo pose in carcere, dandolo a sorvegliare a quattro picchetti di quattro soldati ciascuno, con l'intenzione di farlo comparire davanti al popolo dopo la Pasqua. [5]Mentre Pietro era tenuto in prigione, la chiesa rivolgeva senza sosta preghiere a Dio per lui. [6]La notte precedente il giorno fissato da Erode per farlo comparire davanti al popolo, Pietro dormiva in mezzo a due soldati, legato con due catene, mentre le sentinelle davanti alla porta facevano la guardia alla prigione. [7]Ed ecco un angelo del Signore gli si avvicinò e una luce risplendette nella cella. L'angelo scosse Pietro ad un fianco e lo svegliò dicendogli: «Alzati, presto!». Le catene gli caddero dalle mani. [8]L'angelo gli disse: «Mettiti la cintura e legati i sandali». Così fece. Poi gli dice: «Avvolgiti nel mantello e seguimi». [9]E uscito lo seguiva, ma non si rendeva conto che era vero ciò che gli stava accadendo per mezzo dell'angelo: gli sembrava piuttosto di vedere una visione. [10]Oltrepassato il primo posto di guardia e il secondo, vennero alla porta di ferro che metteva in città. Essa si aprì da sola davanti a loro. Uscirono e si avviarono per una strada e improvvisamente l'angelo si dileguò da lui.

[11]Allora Pietro, rientrato in sé, disse: «Ora capisco davvero che il Signore ha mandato il suo angelo e mi ha liberato dalla mano di Erode e ha reso vana l'attesa del popolo dei Giudei». [12]Dopo aver riflettuto, si diresse verso la casa di Maria, madre di Giovanni soprannominato Marco, dove vi erano molti radunati e in preghiera. [13]Picchiò ai battenti del portone e una serva di nome Rode s'accostò per sentire. [14]Riconobbe la voce di Pietro, ma per la gioia non aprì il portone e corse dentro per annunciare che Pietro stava davanti al portone. [15]Quelli le dissero: «Sei impazzita». Ma lei continuava a sostenere che era così. E quelli dicevano: «È il suo angelo». [16]Intanto Pietro continuava a bussare. Aperto, videro che era lui e rimasero sbalorditi. [17]Fatto loro segno con la mano di tacere, raccontò loro come il Signore lo aveva fatto uscire dalla prigione. Poi disse: «Comunicate questa notizia a Giacomo e ai fratelli». Poi uscì e andò in un altro luogo. [18]Fattosi giorno, vi fu un gran subbuglio tra i soldati: che ne era di Pietro? [19]Erode lo fece cercare, e non avendolo trovato, interrogò le guardie e ordinò che fossero portate al supplizio. Poi dalla Giudea discese a Cesarea, dove si trattenne.

Morte di Erode. - [20]Erode aveva un grave dissidio con quelli di Tiro e di Sidone. Ma essi d'accordo si presentarono a lui e, avendo guadagnato alla loro causa Blasto, ciambellano del re, sollecitavano la pace, poiché il loro paese era rifornito di viveri dal paese del re. [21]Nel giorno stabilito Erode, rivestito degli abiti regali e seduto in trono, tenne loro un'allocuzione. ²²Il popolo gridava: «Voce di Dio e non di un uomo!». ²³Ma all'istante un angelo del Signore lo percosse, perché non aveva dato gloria a Dio, e, divorato dai vermi, spirò. ²⁴Intanto la parola di Dio cresceva e si moltiplicava. ²⁵Barnaba e Saulo ritornarono da Gerusalemme, avendo compiuto la loro missione, e portarono con sé Giovanni, soprannominato Marco.

LA CHIESA TRA I PAGANI

13 **Missione di Barnaba e Saulo.** - ¹C'erano nella chiesa stabilita ad Antiochia profeti e dottori: Barnaba, Simeone detto il Nero, Lucio di Cirene, Manaen, educato insieme ad Erode il tetrarca, e Saulo. ²Mentre essi prestavano servizio cultuale al Signore e facevano digiuni, lo Spirito Santo disse: «Mettetemi da parte Barnaba e Saulo per l'opera a cui li ho destinati». ³Allora, dopo aver digiunato e pregato, imposero loro le mani e li lasciarono partire.

Primo viaggio missionario. Evangelizzazione di Cipro. - ⁴Essi, mandati in missione dallo Spirito Santo, scesero a Seleucia e di là si imbarcarono per Cipro. ⁵Giunti a Salamina, vi annunciavano la parola di Dio nelle sinagoghe dei Giudei. Avevano anche Giovanni come aiutante. ⁶Attraversata tutta l'isola fino a Pafo, trovarono un mago, uno pseudoprofeta giudeo, di nome Bar-Iesus, ⁷che stava col proconsole Sergio Paolo, uomo intelligente. Costui fece chiamare Barnaba e Saulo, perché desiderava ascoltare la parola di Dio. ⁸Ma Elimas, il mago (questo infatti è il significato del suo nome), si opponeva loro cercando di distogliere il proconsole dalla fede. ⁹Allora Saulo, detto anche Paolo, pieno di Spirito Santo, fissandolo in volto disse: ¹⁰«Uomo ricolmo di ogni inganno e di ogni malizia, figlio del diavolo, nemico di ogni giustizia, non la finirai di distorcere *le vie rette del Signore*? ¹¹Ed ora, ecco, la mano del Signore è su di te: resterai cieco e per un certo tempo non potrai vedere la luce del sole». In quell'istante buio e oscurità lo avvolsero ed egli andava intorno cercando chi lo conducesse per mano. ¹²Allora il proconsole, vedendo ciò

che era accaduto, abbracciò la fede, colpito dalla dottrina del Signore.

Discorso ad Antiochia di Pisidia. - ¹³Paolo e i suoi compagni s'imbarcarono da Pafo e giunsero a Perge di Panfilia. Giovanni si separò da loro e ritornò a Gerusalemme. ¹⁴Essi, partendo da Perge, con una traversata giunsero ad Antiochia di Pisidia. Il giorno di sabato entrarono nella sinagoga e si posero a sedere. ¹⁵Dopo la lettura della legge e dei profeti, i capi della sinagoga mandarono a dir loro: «Fratelli, se avete qualche parola d'esortazione per il popolo, ditela». ¹⁶Allora Paolo, alzatosi e fatto segno con la mano, disse: «Uomini d'Israele e voi che temete Dio, ascoltate. ¹⁷Il Dio di questo popolo d'Israele scelse i padri nostri ed esaltò il popolo durante la sua dimora in Egitto, *e con opere prodigiose li condusse fuori da quella terra.* ¹⁸Per circa quarant'anni *li assistè nel deserto.* ¹⁹Poi distrusse sette popoli nella terra di Canaan e diede ad essi in eredità la loro terra;* ²⁰tutto ciò nello spazio di circa quattrocentocinquant'anni. Dopo diede loro dei giudici fino al profeta Samuele. ²¹Poi chiesero un re e Dio diede loro Saul figlio di Cis, della tribù di Beniamino, per quarant'anni. ²²Dopo averlo deposto, suscitò loro un altro re, Davide, e gli rese questa testimonianza: *Ho trovato Davide, figlio di Iesse, secondo il mio cuore,* che eseguirà tutti i miei voleri.

²³Dalla sua discendenza Dio, secondo la promessa, trasse un salvatore per Israele, Gesù. ²⁴Giovanni preparò la sua venuta predicando un battesimo di penitenza a tutto il popolo d'Israele. ²⁵E quando Giovanni stava per compiere la sua missione, diceva: "Io non sono ciò che voi pensate che io sia; ma ecco, viene dopo di me uno a cui io non sono degno di slegare i sandali".

²⁶Fratelli, figli della stirpe di Abramo, e voi che temete Dio, è a noi che è stato mandato questo messaggio di salvezza. ²⁷Infatti gli abitanti di Gerusalemme e i loro capi, rifiutando di riconoscere lui e non comprendendo gli oracoli dei profeti che si leggono ogni sabato, li hanno adempiuti, pronunciando la sua condanna. ²⁸E pur non avendo trovato nessun motivo di condanna a morte, chiesero a Pilato che fosse ucciso. ²⁹Quando ebbero compiuto tutto ciò che era stato scritto intorno a lui, lo deposero dal patibolo

e lo misero in un sepolcro. ³⁰Ma Dio l'ha risuscitato dai morti ³¹ed è apparso durante molti giorni a quelli che erano saliti con lui dalla Galilea a Gerusalemme, i quali ora sono suoi testimoni davanti al popolo.

³²E noi vi proclamiamo la buona novella: la promessa fatta ai padri ³³Dio l'ha adempiuta per noi, loro figli, facendo risorgere Gesù, come è scritto nel salmo secondo: *Tu sei mio figlio, io oggi ti ho generato.* ³⁴Che poi lo abbia fatto risuscitare dai morti così che non ritorni alla corruzione, lo ha detto affermando: *Darò a voi le cose sante di Davide, quelle permanenti.* ³⁵Perciò dice ancora in un altro luogo: *Non permetterai che il tuo santo veda la corruzione.* ³⁶Davide infatti, dopo aver adempiuto nella sua generazione la volontà di Dio, si addormentò, fu sepolto con i suoi padri e vide la corruzione. ³⁷Ma colui che Dio ha risuscitato non ha visto la corruzione.

³⁸Vi sia dunque noto, o fratelli, che per mezzo suo a voi è annunciato il perdono dei peccati. E l'intera giustificazione, che non avete potuto ottenere mediante la legge di Mosè, ³⁹per mezzo suo la ottiene chiunque crede. ⁴⁰Guardate perciò che non si avveri per voi la parola dei profeti:

⁴¹ *Guardate, o spergiuri, stupitevi e allibite,*
   perché io farò un'opera nei vostri giorni,
   un'opera che non la credereste
   se ve la raccontassero».

⁴²All'uscita li pregavano di parlare loro di queste cose anche nel sabato seguente. ⁴³Scioltasi l'adunanza, molti Giudei e proseliti adoratori di Dio accompagnarono Paolo e Barnaba, i quali, continuando a parlare loro, li persuasero a perseverare nella grazia di Dio.

⁴⁴Il sabato seguente quasi tutta la città si radunò per ascoltare la parola di Dio. ⁴⁵I Giudei, vedendo quella folla, furono presi da gelosia e contraddicevano alle cose dette da Paolo, bestemmiando. ⁴⁶Allora Paolo e Barnaba, pieni di ardire, dissero: «Era necessario annunciare a voi prima di tutti la parola di Dio. Ma poiché la respingete e non vi ritenete degni della vita eterna, ecco, ci rivolgiamo ai pagani! ⁴⁷Così infatti ci ha ordinato il Signore: *Ti ho posto a luce delle genti perché tu porti la salvezza fino all'estremità della terra».*

⁴⁸I pagani che ascoltavano ciò si rallegravano e glorificavano la parola di Dio, e quanti erano preordinati alla vita eterna abbracciarono la fede. ⁴⁹La parola del Signore si diffondeva per tutta la regione. ⁵⁰Ma i Giudei istigarono le donne devote della nobiltà e gli uomini di primo piano della città, suscitarono una persecuzione contro Paolo e Barnaba e li cacciarono dai loro confini. ⁵¹Essi allora, scuotendo la polvere dai loro piedi contro di essi, se ne vennero a Iconio, ⁵²mentre i discepoli erano pieni di letizia e di Spirito Santo.

14 Predicazione a Iconio e fuga. - ¹Anche a Iconio entrarono nella sinagoga dei Giudei e parlarono con tanta efficacia che un gran numero di Giudei e di Greci abbracciarono la fede. ²Ma i Giudei increduli eccitarono i pagani ed esasperarono i loro animi contro i fratelli. ³Ciò nonostante si trattennero colà per molto tempo, parlando con coraggio nel Signore, che dava testimonianza alla predicazione della sua grazia e concedeva che si compissero segni e prodigi per mano loro. ⁴La popolazione della città si divise: alcuni stavano con i Giudei, altri con gli apostoli. ⁵Ma quando pagani e Giudei si mossero con i loro capi per maltrattarli e lapidarli, ⁶saputolo, si rifugiarono nelle città della Licaonia, a Listra, a Derbe e nei dintorni. ⁷E colà predicavano il vangelo.

Il paralitico di Listra. - ⁸Vi era un uomo in Listra incapace di reggersi in piedi, essendo zoppo fin dalla nascita. Stava sempre seduto e non aveva mai fatto un passo. ⁹Costui sentì Paolo mentre parlava. Paolo, guardandolo fisso e vedendo che aveva fede per essere guarito, ¹⁰disse a gran voce: «Alzati diritto *sui tuoi piedi».* Egli balzò su e cominciò a camminare. ¹¹Le turbe, vedendo ciò che Paolo aveva fatto, si misero a gridare in licaonico: «Gli dèi in forma umana sono discesi tra noi». ¹²E chiamavano Barnaba Zeus e Paolo Ermes, poiché era il più eloquente.

¹³Intanto il sacerdote di Zeus, il cui tempio si trovava alle porte della città, condusse dei tori inghirlandati presso le porte e voleva offrire un sacrificio insieme con la folla. ¹⁴Quando gli apostoli Barnaba e Paolo

vennero a sapere di ciò, stracciando le loro vesti si precipitarono in mezzo alla folla gridando: [15]«Uomini, perché fate queste cose? Anche noi siamo esseri umani come voi, con le vostre debolezze, e vi predichiamo di convertirvi da queste cose vane al Dio vivente, che ha fatto il cielo e la terra, il mare e tutto ciò che in essi si trova. [16]Egli nelle generazioni passate ha tollerato che tutte le genti andassero per le loro strade. [17]Ma non ha lasciato se stesso privo di testimonianza, operando benefici, dandovi dal cielo le piogge e le stagioni fruttifere, saziandovi di cibo e riempiendo di letizia i vostri cuori». [18]Dicendo ciò, a malapena riuscirono a trattenere le folle dall'offrir loro un sacrificio. [19]Ma giunsero dei Giudei da Antiochia e da Iconio, i quali si guadagnarono le folle e lapidarono Paolo e lo trascinarono fuori della città, pensandolo morto. [20]Ma quando i discepoli gli fecero cerchio intorno, egli si alzò ed entrò in città. Il giorno dopo partì con Barnaba per Derbe.

Conclusione del primo viaggio. - [21]Dopo aver evangelizzato quella città e fatto molti discepoli, tornarono a Listra, a Iconio e ad Antiochia, [22]fortificando gli animi dei discepoli ed esortandoli a perseverare nella fede, dicendo che è attraverso molte tribolazioni che dobbiamo entrare nel regno di Dio. [23]Per loro costituirono nelle singole chiese degli anziani e, dopo aver pregato e digiunato, li raccomandarono al Signore nel quale avevano creduto. [24]Attraversata la Pisidia, giunsero nella Panfilia [25]e, dopo aver predicato la parola a Perge, discesero ad Attalia [26]e di lì fecero vela per Antiochia, da dove erano stati raccomandati alla grazia di Dio per l'opera che avevano compiuto. [27]Giunti colà e radunata la chiesa, annunciarono tutto ciò che Dio aveva compiuto

---

15. - 1. Alcuni Giudei divenuti cristiani andarono ad Antiochia a rivendicare i pretesi diritti del giudaismo sul paganesimo. Questi «giudaizzanti», affermando necessaria per la salvezza l'osservanza della legge mosaica, annullavano praticamente la redenzione operata da Cristo e riducevano la chiesa a una setta giudaica, minacciandone la stessa esistenza. Queste dottrine erronee furono occasione del concilio di Gerusalemme (circa l'anno 49-50), in cui la chiesa si staccò decisamente dalla sinagoga, dichiarando che per la salvezza eterna è necessaria e sufficiente la redenzione operata da Cristo. L'errore, però, non finì lì, e Paolo ebbe a soffrire durante tutto il suo apostolato a causa dei giudaizzanti.

---

per mezzo loro e come aveva aperto ai pagani la porta della fede. [28]Ivi rimasero non poco tempo con i discepoli.

15 Il problema della circoncisione. -
[1]Or alcuni, discesi dalla Giudea, insegnavano ai fratelli: «Se non vi fate circoncidere secondo la legge di Mosè, non potete essere salvi». [2]Paolo e Barnaba insorsero contro e ne nacque una controversia assai animata con costoro. Perciò stabilirono che Paolo e Barnaba con alcuni altri di loro salissero a Gerusalemme dagli apostoli e dagli anziani per dirimere questa controversia. [3]Essi dunque, mandati dalla chiesa, attraversarono la Fenicia e la Samaria, raccontando la conversione dei pagani e suscitando grande gioia in tutti i fratelli. [4]Giunti a Gerusalemme furono accolti dalla chiesa, dagli apostoli e dagli anziani e narrarono quanto Dio aveva fatto per mezzo loro. [5]Allora si alzarono alcuni della setta dei farisei che avevano aderito alla fede dicendo: «Bisogna circonciderli e imporre loro di osservare la legge di Mosè».

Discorso di Pietro. - [6]Si radunarono allora gli apostoli e gli anziani per esaminare la questione. [7]Dopo una vivace discussione, Pietro si alzò e disse loro: «Fratelli, voi sapete che già da molto tempo Dio mi ha scelto tra voi perché per bocca mia i pagani ascoltassero la parola del vangelo e venissero alla fede. [8]Dio che scruta i cuori ha reso loro testimonianza, dando loro lo Spirito Santo proprio come a noi: [9]non ha fatto alcuna distinzione tra noi e loro, purificando con la fede i loro cuori. [10]Or dunque, perché tentate Dio imponendo sul collo dei discepoli un giogo che né i padri nostri né noi abbiamo potuto portare? [11]È per la grazia del Signore Gesù che noi crediamo di avere la salvezza, allo stesso modo di loro». [12]Tacque tutta la moltitudine e ascoltavano Bàrnaba e Paolo che raccontavano quali miracoli e prodigi aveva fatto il Signore tra i pagani per mezzo loro.

Discorso di Giacomo. - [13]Quando essi tacquero, Giacomo prese la parola e disse: «Fratelli, ascoltatemi. [14]Simone ha narrato come dall'inizio Dio ha avuto cura di scegliersi di tra le genti un popolo consacrato al suo nome. [15]Con ciò concordano le parole dei profeti, come sta scritto:

[16] *Dopo di ciò ritornerò*
    e ricostruirò la tenda di Davide
    che era caduta,
    ricostruirò i suoi sfasciumi
    e la rimetterò in piedi,
[17] *affinché gli altri uomini cerchino il Signore*
    e tutte le genti sulle quali
    è stato invocato il nome mio.
    Così dice il Signore che fa queste cose,
[18] *note fin dall'antichità.*

[19]Perciò io ritengo che non bisogna inquietare coloro che dal paganesimo si sono convertiti a Dio. [20]Si prescriva loro di astenersi dalle contaminazioni degli idoli e dalla fornicazione, dalla carne di ànimali soffocati e dal sangue. [21]Perché Mosè fin dalle antiche generazioni ha in ogni città coloro che lo predicano nelle sinagoghe, dove viene letto ogni sabato».

La lettera apostolica. - [22]Allora parve bene agli apostoli e agli anziani, con tutta la chiesa, di scegliere alcuni di loro e di mandarli ad Antiochia con Paolo e Barnaba, cioè: Giuda, chiamato Barsabba, e Sila, uomini di primo piano tra i fratelli. [23]Inviarono per mezzo loro questa lettera: «Gli apostoli e gli anziani ai fratelli di Antiochia, di Siria e di Cilicia che provengono dal paganesimo, salute. [24]Poiché abbiamo sentito che alcuni di noi sono venuti a turbarvi con discorsi che hanno sconvolto i vostri animi, senza che noi avessimo dato loro alcun incarico, [25]abbiamo ritenuto concordemente di scegliere alcuni uomini e di mandarli a voi con i nostri carissimi Barnaba e Paolo, [26]che hanno esposto la loro vita per il nome del Signore nostro Gesù Cristo. [27]Abbiamo mandato pertanto Giuda e Sila, ed essi a voce vi riferiranno le stesse cose. [28]Infatti lo Spirito Santo e noi abbiamo deciso di non imporvi altro peso eccetto queste cose necessarie, [29]cioè di astenervi dalle vivande sacrificate agli idoli, dal sangue, dalla carne di animali soffocati e dalla fornicazione. Farete bene a guardarvi da queste cose. State bene».
[30]Questi, preso congedo, scesero ad Antiochia e, radunata la comunità, trasmisero la lettera. [31]Dopo averla letta, si rallegrarono

del contenuto confortante. [32]Giuda e Sila, essendo anch'essi profeti, con parecchi discorsi incoraggiarono i fratelli e li confermarono. [33]Dopo essersi trattenuti un certo tempo con i fratelli, furono lasciati ritornare col saluto di pace da coloro che li avevano inviati. [34] [35]Paolo e Barnaba si trattennero ad Antiochia insegnando e annunziando con molti altri la parola del Signore.

Secondo viaggio missionario. - [36]Dopo alcuni giorni Paolo disse a Barnaba: «Torniamo a visitare i fratelli in ogni città in cui abbiamo annunziato la parola del Signore, per vedere come stanno». [37]Barnaba voleva prendere con sé anche Giovanni, chiamato Marco. [38]Ma Paolo giudicava che non fosse opportuno portarselo dietro, perché li aveva abbandonati in Panfilia e non aveva partecipato all'opera di evangelizzazione. [39]Vi fu un grosso litigio, così che si separarono. Barnaba prese con sé Marco e salpò alla volta di Cipro; [40]Paolo invece scelse per compagno Sila e partì, raccomandato alla grazia del Signore dai fratelli. [41]E attraversava la Siria e la Cilicia confermando le chiese.

16 **Timoteo nuovo compagno di Paolo.** - [1]Arrivò anche a Derbe e a Listra. C'era là un discepolo di nome Timoteo, figlio di una donna giudea, credente, ma di padre greco, [2]che era assai stimato dai fratelli in Listra e Iconio. [3]Paolo voleva condurlo con sé nei suoi viaggi e, presolo con sé, lo circoncise, a causa dei Giudei che si trovavano in quelle regioni. Tutti infatti sapevano che suo padre era greco. [4]Mentre viaggiavano di città in città, trasmettevano loro i decreti sanciti dagli apostoli e dagli anziani in Gerusalemme, perché li osservassero. [5]Le chiese si fortificavano nella fede e crescevano di numero ogni giorno.

Chiamata dalla Macedonia. - [6]Passarono poi per la Frigia e la regione della Galazia, impediti dallo Spirito Santo ad annunciare la parola nell'Asia. [7]Giunti ai confini della Misia tentavano di recarsi in Bitinia, ma lo Spirito di Gesù non lo permise loro. [8]Allora, oltrepassata la Misia, discesero a Troade. [9]Durante la notte Paolo ebbe una visione: un macedone in piedi lo supplicava dicendo: «Passa in Macedonia e aiutaci». [10]Subito dopo la visione, cercammo di partire per la Macedonia, certi che Dio ci aveva chiamati per annunciare loro il vangelo.

I primi convertiti a Filippi. - [11]Salpati da Troade ci dirigemmo verso Samotracia e il giorno seguente a Neapoli. [12]Di là ci recammo a Filippi, che è la prima città del distretto di Macedonia, ed è colonia. In questa città facemmo una sosta di parecchi giorni. [13]Il sabato uscimmo fuori della porta, presso un fiume dove pensavamo che si facesse la preghiera. Ci mettemmo a sedere e parlammo alle donne che vi erano radunate. [14]Una donna, di nome Lidia, venditrice di porpora, della città di Tiatira, che onorava Dio, stava in ascolto: il Signore le aprì il cuore perché potesse comprendere le cose dette da Paolo. [15]Dopo essere stata battezzata con tutta la famiglia, ci invitò con queste parole: «Se mi giudicate fedele al Signore, venite a stare nella mia casa». E ci costrinse ad accettare.

La schiava indovina. - [16]Or mentre ci recavamo alla preghiera, ci venne incontro una schiava che aveva uno spirito divinatorio, la quale procurava un forte guadagno ai suoi padroni pronunciando oracoli. [17]Costei si mise a seguire Paolo e noi e ci gridava dietro: «Questi uomini sono i servi del Dio Altissimo, che vi annunciano la via della salvezza». [18]La cosa si ripeté per molti giorni. Paolo infine, seccato, rivoltosi allo spirito disse: «Ti comando, in nome di Gesù Cristo, di uscire da lei». In quello stesso momento lo spirito se ne uscì.

Imprigionamento e liberazione di Paolo e Sila. - [19]I padroni, vedendo che la speranza del loro guadagno era svanita, presero Paolo e Sila e li trascinarono nella piazza del mercato, davanti alle autorità. [20]Li presentarono ai magistrati e dissero: «Questi uomini mettono a soqquadro la nostra città: sono Giudei [21]e predicano usanze che non possiamo accogliere né praticare, poiché siamo Romani». [22]Allora la folla insorse

contro di loro e i magistrati, fatti strappare loro di dosso i vestiti, comandarono che fossero bastonati. [23]Dopo averli caricati di percosse li gettarono nella prigione, ordinando al custode di custodirli con grande cautela. [24]Egli, a seguito di tale ordine, li gettò nella parte più interna della prigione e assicurò i loro piedi ai ceppi.

[25]Verso la mezzanotte Paolo e Sila stavano pregando e cantando inni a Dio, e gli altri prigionieri li ascoltavano. [26]Ed ecco che improvvisamente vi fu un terremoto così violento da scuotere le fondamenta del carcere. Si apersero di colpo tutte le porte e si sciolsero le catene di tutti i carcerati. [27]Il custode della prigione, svegliatosi e viste aperte le porte della prigione, tratta fuori la spada stava per uccidersi, pensando che i prigionieri fossero fuggiti. [28]Ma Paolo gridò a gran voce: «Non farti del male, poiché siamo tutti qui». [29]Allora chiese un lume, balzò dentro e tutto tremante cadde ai piedi di Paolo e di Sila. [30]Poi li condusse fuori e disse: «Signore, che cosa debbo fare per salvarmi?». [31]Essi risposero: «Credi nel Signore Gesù e sarai salvo tu e la tua famiglia». [32]E annunciarono la parola del Signore a lui e a tutti quelli della sua casa. [33]Egli, a quell'ora della notte, li prese con sé, lavò loro le piaghe e subito fu battezzato, lui e tutti i suoi. [34]Poi li condusse a casa sua, apparecchiò loro la tavola e si rallegrò con tutta la sua famiglia perché aveva creduto in Dio.

[35]Fattosi giorno, i magistrati mandarono i littori a dire: «Lascia andare liberi quegli uomini». [36]Il custode della prigione riferì queste parole a Paolo: «I magistrati hanno mandato a dire di rilasciarvi. Ora dunque uscite e andate in pace». [37]Ma Paolo disse alle guardie: «Ci hanno bastonati pubblicamente e senza processo, noi che siamo cittadini romani, e ci hanno gettato in prigione; e ora di nascosto ci cacciano via? Così no! Vengano essi stessi a metterci in libertà!». [38]I littori riferirono queste parole ai magistrati ed essi si spaventarono, udendo che si trattava di cittadini romani, [39]e vennero a fare le loro scuse. Poi li accompagnarono fuori e li pregarono di allontanarsi dalla città. [40]Usciti dalla prigione entrarono in casa di Lidia e, veduti i discepoli, li consolarono. Poi partirono.

At

---

16 - 10. Questo brusco passaggio dalla terza alla prima persona indica che da questo momento Luca, autore degli Atti, diventa compagno di Paolo. Luca forse si è fermato a Filippi, dato che in 16,18 ritorna il racconto in terza persona e riprende alla prima in 20,5 quando Paolo ripassa a Filippi.

17 Paolo a Tessalonica: contrasti con i Giudei.

- [1]Percorrendo la strada che passa per Anfipoli e Apollonia, giunsero a Tessalonica, dove i Giudei avevano una sinagoga. [2]Secondo il suo solito, Paolo si recò presso di loro e per tre sabati discusse con loro a partire dalle Scritture, [3]mostrando e sostenendo che il Cristo doveva patire e risorgere da morte e che «quel Gesù che io vi annuncio, questo è il Cristo». [4]Alcuni di loro si lasciarono convincere e aderirono a Paolo e a Sila, come pure un buon numero di Greci timorati di Dio e non poche donne tra le più in vista. [5]Ma i Giudei, mossi da invidia, fecero leva su alcuni facinorosi di piazza e provocarono un tumulto nella città. Si presentarono alla casa di Giasone e li cercavano per tradurli davanti all'assemblea popolare. [6]Non trovandoli, trascinarono Giasone e alcuni fratelli davanti ai politarchi gridando: «Quelli che hanno messo a soqquadro tutta la terra, eccoli ora anche qua, [7]e Giasone li accoglie a casa sua! Tutti costoro agiscono contro le leggi di Cesare, dicendo che c'è un altro re, Gesù!». [8]Con tali clamori eccitarono la folla e i politarchi. [9]Essi si fecero dare la cauzione da Giasone e dagli altri e li rilasciarono.

Predicazione a Berea e nuove difficoltà.

- [10]In gran fretta la notte stessa i fratelli fecero partire Paolo e Sila per Berea. Costoro, appena vi giunsero, si recarono nella sinagoga dei Giudei. [11]Questi erano più aperti di quelli di Tessalonica e accolsero la parola con ottime disposizioni. Ogni giorno interrogavano le Scritture, per vedere se le cose stessero veramente così. [12]Molti di loro credettero e non pochi anche tra i Greci, donne di elevata condizione e un certo numero di uomini. [13]Ma quando i Giudei di Tessalonica vennero a sapere che anche in Berea era stata annunciata da Paolo la parola di Dio, vennero anche là per eccitare e sommuovere le folle. [14]Subito allora i fratelli fecero partire Paolo in direzione del mare. Sila e Timoteo invece rimasero. [15]Quelli che conducevano Paolo lo portarono fino ad Atene. Poi se ne ritornarono con l'ordine per Sila e Timoteo di raggiungerlo al più presto.

Paolo ad Atene.

- [16]Mentre Paolo li aspettava in Atene, il suo animo si infiammava di sdegno vedendo come la città era piena di idoli. [17]Intanto discuteva nella sinagoga con i Giudei e con i timorati di Dio e anche nel mercato a ogni ora del giorno con quelli che vi capitavano. [18]Anche alcuni dei filosofi epicurei e stoici si misero a parlare con lui e alcuni dicevano: «Che cosa intende dire questo seminatore di chiacchiere?». Altri poi, sentendo che predicava Gesù e la risurrezione, dicevano: «Sembra essere un predicatore di divinità straniere». [19]Così lo presero e lo portarono all'Areopago dicendo: «Possiamo sapere qual è questa nuova dottrina che tu insegni? [20]Infatti le cose che tu dici ci suonano strane. Vogliamo dunque sapere di che si tratta». [21]Tutti gli Ateniesi, infatti, e gli stranieri residenti ad Atene non trovavano miglior passatempo che quello di riferire o di ascoltare le ultime novità.

Discorso di Paolo nell'Areopago.

- [22]Allora Paolo, ritto in mezzo all'Areopago, disse: «Ateniesi, sotto ogni punto di vista io vi trovo sommamente religiosi. [23]Infatti, passando e osservando i vostri monumenti sacri, ho trovato anche un altare su cui stava scritto: "Al Dio ignoto!". Orbene, quello che voi venerate senza conoscerlo, io vengo ad annunciarlo a voi: [24]*il Dio che ha fatto il mondo* e tutto *ciò che in esso* si trova. Egli è Signore del cielo e della terra e non abita in templi fabbricati dagli uomini, [25]né riceve servizi dalle mani di un uomo, come se avesse bisogno di qualcuno, essendo lui che dà a tutti vita, respiro e ogni cosa. [26]Egli da un solo ceppo ha fatto discendere tutte le stirpi degli uomini e le ha fatte abitare su tutta la faccia della terra, fissando a ciascuno i tempi stabiliti e i confini della loro dimora, [27]perché cercassero Dio e come a tastoni si sforzassero di trovarlo, benché non sia lontano da ciascuno di noi. [28]In lui infatti viviamo, ci muoviamo e siamo, come hanno detto anche alcuni dei vostri poeti: "Di lui, infatti, noi siamo anche stirpe". [29]Essendo dunque noi della stirpe di Dio, non dobbiamo pensare che la divinità sia simile a oro o ad argento o a pietra, che porti l'impronta dell'arte e dell'immaginazione dell'uomo. [30]Ma ora, passando sopra ai tempi dell'ignoranza, Dio fa sapere agli uomini che tutti, e dappertutto, si convertano, [31]poiché egli ha stabilito un giorno nel quale sta per giudicare il mondo con giustizia, per mezzo di un uomo che egli ha designato, accreditandolo di fronte a tutti, col risuscitarlo da morte». [32]Quando sentirono parlare di risurrezione dei morti, alcuni lo canzonarono, altri dicevano: «Su questo argomento ti sentiremo ancora un'altra volta». [33]Così Paolo se ne uscì di mezzo a loro. [34]Ma alcuni uomini aderirono a lui e abbracciarono la fede. Tra essi c'era anche Dionigi l'areopagita, una donna di nome Damaris e altri con loro.

18 A Corinto: fondazione della chiesa. -

[1]Dopo di ciò Paolo partì da Atene e venne a Corinto, [2]dove trovò un giudeo di nome Aquila, nativo del Ponto, appena giunto dall'Italia con sua moglie Priscilla, perché Claudio aveva ordinato che tutti i Giudei se ne andassero da Roma. Paolo si recò da essi [3]e, poiché era dello stesso mestiere, rimase ad alloggiare presso di loro e lavorava: infatti erano fabbricanti di tende. [4]Ogni sabato poi parlava nella sinagoga e cercava di persuadere i Giudei e i Greci. [5]Quando poi Sila e Timoteo giunsero dalla Macedonia, Paolo si diede tutto alla predicazione, attestando ai Giudei che Gesù era il Cristo. [6]Ma resistendo essi e lanciando bestemmie, egli scosse la polvere dalle vesti dicendo loro: «Il vostro sangue cadrà sul vostro capo: io non ne ho colpa. Da questo momento andrò dai pagani». [7]E di là si trasferì presso un certo Tizio Giusto, che onorava Dio, la cui casa era contigua alla sinagoga. [8]Crispo, capo della sinagoga, credette al Signore con tutta la sua casa, e molti dei Corinzi che avevano ascoltato Paolo credevano e si facevano battezzare. [9]Il Signore una not-

te disse in visione a Paolo: «Non temere, ma continua a parlare e non tacere, [10]perché io sono con te e nessuno metterà le mani su di te per farti del male; poiché c'è per me un popolo numeroso in questa città». [11]Così Paolo rimase per un anno e sei mesi insegnando in mezzo ad essi la parola di Dio.

Paolo di fronte al proconsole Gallione. - [12]Mentre Gallione era proconsole dell'Acaia, i Giudei si mossero unanimi contro Paolo e lo condussero davanti al tribunale [13]dicendo: «Costui induce la gente a onorare Dio in modo contrario alla legge». [14]Paolo stava per aprire la bocca, ma Gallione disse ai Giudei: «Se si trattasse di un delitto o di un'azione malvagia, o Giudei, vi ascolterei pazientemente, come è giusto. [15]Ma se si tratta di questioni di dottrina e di nomi e della vostra legge, vedetevela voi: io non voglio essere giudice di queste cose». [16]E li mandò via dal tribunale. [17]Allora tutti afferrarono Sostene, capo della sinagoga, e lo percossero davanti al tribunale: ma Gallione non se ne preoccupava affatto.

Paolo ad Antiochia. Terzo viaggio missionario. - [18]Paolo, dopo essersi fermato ancora molti giorni, prese congedo dai fratelli e salpò per la Siria, avendo con sé Priscilla e Aquila. A Cencre si era fatto tagliare i capelli, poiché aveva fatto un voto. [19]Giunsero ad Efeso e quivi li lasciò. Paolo, entrato nella sinagoga, incominciò a discutere con i Giudei. [20]Essi gli chiesero di prolungare il suo soggiorno, ma egli non acconsentì. [21]Tuttavia, prendendo congedo, disse: «Ritornerò di nuovo tra voi, se Dio lo vorrà». E partì da Efeso. [22]Sbarcato a Cesarea, salì a salutare la chiesa, quindi discese ad Antiochia. [23]Vi rimase un certo tempo, poi partì, percorrendo successivamente le regioni della Galazia e della Frigia e confermando nella fede tutti i discepoli.

Il predicatore Apollo. - [24]Frattanto capitò a Efeso un giudeo di nome Apollo, nativo di Alessandria, che era un uomo eloquente e ben ferrato nelle Scritture. [25]Egli era stato istruito nella via del Signore e, pieno di fervore, predicava e insegnava con esattezza le cose riguardanti Gesù, ma conosceva soltanto il battesimo di Giovanni. [26]Egli co-

---

18. - 3. Le *tende* erano fatte di peli di capra o di cammello da cui risultava un tessuto ruvido detto *cilicio*, perché veniva dalla Cilicia. Paolo conosceva bene il mestiere, perché era comune a Tarso di Cilicia, dov'egli era nato e dove certamente l'imparò fin da piccolo, secondo l'uso farisaico d'insegnare sempre ai figli un mestiere manuale per potersi comunque guadagnare da vivere.

18. Paolo, forse per mostrare ai Giudei che rispettava le usanze ebraiche, aveva fatto il voto temporaneo di nazireato, per cui doveva astenersi dal vino, non tagliarsi i capelli finché non avesse offerto il sacrificio a Gerusalemme. *Cencre*: porto di Corinto sul Mare Egeo.

22. Da Cesarea fece una visita sino a Gerusalemme, poi tornò ad Antiochia, da dove era partito.

At

minciò a predicare con franchezza nella sinagoga. Priscilla e Aquila, dopo averlo ascoltato, lo presero con loro e gli esposero con maggior esattezza la via di Dio.

27E poiché egli desiderava passare in Acaia, i fratelli lo incoraggiarono e scrissero ai discepoli di fargli buona accoglienza. Il suo arrivo e la sua presenza furono di grande giovamento a coloro che avevano creduto per opera della grazia. 28Infatti egli confutava vigorosamente i Giudei in pubblico, dimostrando attraverso le Scritture che Gesù era il Cristo.

19 **Paolo ad Efeso.** - 1Mentre Apollo si trovava a Corinto, Paolo, dopo aver attraversato le regioni dell'altopiano, arrivò ad Efeso, dove trovò alcuni discepoli 2ai quali domandò: «Avete ricevuto lo Spirito Santo, quando avete abbracciato la fede?». Essi gli risposero: «Non abbiamo neppure sentito dire che vi sia uno Spirito Santo». 3Egli allora chiese: «Con che battesimo, dunque, siete stati battezzati?». Quelli risposero: «Col battesimo di Giovanni». 4Paolo disse allora: «Giovanni battezzò con un battesimo di penitenza, dicendo al popolo che occorreva credere a colui che sarebbe venuto dopo di lui, cioè in Gesù». 5Udite queste parole, furono battezzati nel nome del Signore Gesù. 6Poi Paolo impose loro le mani, lo Spirito Santo venne su di essi e cominciarono a parlare le lingue e a profetare. 7Erano in tutto circa dodici persone. 8Paolo entrò nella sinagoga e vi parlava con franchezza per tre mesi, tenendo discussioni e cercando di persuadere su quello che riguarda il regno di Dio. 9Ma, poiché alcuni si indurivano nell'incredulità e sparlavano contro la Via di fronte all'assemblea, si staccò da loro, separò i discepoli e continuò a tenere le sue discussioni ogni giorno nella scuola di Tiranno. 10Così durarono le cose per due anni, di modo che tutti gli abitanti dell'Asia, sia Giudei che Greci, ascoltarono la parola del Signore.

Miracoli di Paolo. Esorcisti giudei. - 11E Dio operava prodigi davvero straordinari per le mani di Paolo, 12fino al punto che si applicavano su malati fazzoletti o grembiuli che erano stati a contatto con lui, e le ma-

lattie si allontanavano da loro e gli spiriti maligni fuggivano.

13Anche alcuni esorcisti ambulanti giudei si provarono a invocare su coloro che avevano spiriti maligni il nome del Signore Gesù, dicendo: «Vi scongiuro per quel Gesù che Paolo va predicando!». 14Tra quelli che facevano così vi erano i sette figli di un certo Sceva, sommo sacerdote giudeo. 15Ma in risposta lo spirito malvagio disse loro: «Gesù lo conosco e Paolo so bene chi è: ma voi chi siete?». 16E scagliatosi contro di essi, quell'uomo in cui vi era lo spirito malvagio li sopraffece e li malmenò talmente che, nudi e feriti, se ne dovettero fuggire da quella casa. 17Ciò fu risaputo da tutti i Giudei e i Greci che abitavano a Efeso: essi furono presi da timore e il nome del Signore Gesù veniva magnificato. 18Molti di quelli che avevano abbracciato la fede venivano riconoscendo e manifestando pubblicamente le loro pratiche malvage. 19Non pochi di coloro che avevano esercitato le arti magiche ammucchiavano i loro libri e li bruciavano in presenza di tutti: l'ammontare del loro prezzo fu calcolato cinquantamila pezzi d'argento. 20Così la parola del Signore cresceva e si affermava potentemente.

Progetti di Paolo. - 21Dopo questi fatti, Paolo si pose in animo di andare a Gerusalemme, passando per la Macedonia e per l'Acaia, e diceva: «Dopo essere stato là, devo vedere anche Roma». 22Così inviò in Macedonia due dei suoi collaboratori, Timoteo ed Erasto. Egli rimase ancora un po' di tempo in Asia.

Tumulto di Efeso. - 23Fu verso quel tempo che successe un tumulto assai grave a proposito della Via. 24C'era infatti un argentiere di nome Demetrio, che faceva dei tempietti di Diana in argento e procurava agli artigiani non piccoli guadagni. 25Egli radunò costoro insieme con quanti lavoravano intorno a oggetti del genere e disse: «Amici, voi sapete che il nostro benessere dipende da questa industria. 26Ora voi vedete e sentite che non soltanto in Efeso, ma in quasi tutta l'Asia questo Paolo con i suoi ragionamenti ha traviato moltissima gente, dicendo che non sono dèi quelli che escono dalla mano dell'uomo. 27E non soltanto la nostra attività minaccia di cadere in discredito, ma anche il tempio della grande dea Artemide rischia di perdere ogni prestigio, e colei che è onorata da tutta l'Asia e il mondo intero finirà per essere spogliata di tutta la sua grandezza». ²⁸Udite queste parole, si riempirono di sdegno e gridavano: «Grande è l'Artemide degli Efesini». ²⁹La città fu tutta in subbuglio. Si precipitarono in massa verso il teatro trascinando con sé Gaio e Aristarco, macedoni, compagni di viaggio di Paolo. ³⁰Paolo voleva introdursi anch'egli in mezzo all'assemblea popolare, ma i discepoli non glielo permisero; ³¹anche alcuni degli "asiarchi", che erano suoi amici, mandarono a pregarlo di non esporsi nel teatro. ³²Intanto chi gridava una cosa, chi un'altra, e l'assemblea era tanto confusa che i più non sapevano per che cosa si erano radunati. ³³Alcuni della folla indussero a intervenire Alessandro, che i Giudei avevano spinto avanti: egli, fatto cenno con la mano, voleva pronunciare una difesa davanti al popolo. ³⁴Ma avendo riconosciuto che era un giudeo, tutti si misero a gridare a una sola voce per quasi due ore: «Grande è l'Artemide degli Efesini».

³⁵Riuscito a calmare la folla, il cancelliere disse: «Cittadini di Efeso, chi è mai quell'uomo che non sappia che la città degli Efesini è la custode della grande Artemide e del suo simulacro caduto dal cielo? ³⁶Poiché dunque queste cose sono inconfutabili, bisogna che voi stiate calmi e non facciate nulla di sconsiderato. ³⁷Ora, voi avete condotto qui questi uomini che non sono né sacrileghi né bestemmiatori della nostra dea. ³⁸Se dunque Demetrio e gli artigiani che sono con lui hanno accuse a carico di qualcuno, per questo si fanno le udienze nel foro e ci stanno i proconsoli: presenti dunque ciascuno le sue accuse. ³⁹Se poi avete qualche altra richiesta, vi si darà soddisfazione in un'assemblea regolare. ⁴⁰Infatti noi corriamo il rischio di essere accusati di sedizione per ciò che oggi è avvenuto, non essendovi alcun motivo con cui possiamo dar ragione di questo comizio». E con queste parole sciolse l'assemblea.

20 **Paolo in Macedonia, in Grecia e infine a Troade.** - ¹Dopo che fu cessato il tumulto, Paolo fece chiamare i discepoli, rivolse loro una esortazione, poi li salutò e partì per andare in Macedonia. ²Percorse quella regione, facendo

molti discorsi di esortazione, e giunse in Grecia. ³Passati tre mesi, ci fu un complotto da parte dei Giudei, mentre stava per imbarcarsi per la Siria, che lo decise a ritornare passando per la Macedonia. ⁴Lo accompagnarono fino in Asia Sopatro, figlio di Pirro, di Berea, Aristarco e Secondo di Tessalonica, Gaio di Derbe e Timoteo, Tichico e Trofimo, oriundi dell'Asia. ⁵Costoro ci precedettero e ci aspettarono a Troade. ⁶Noi invece facemmo vela da Filippi dopo i giorni degli Azzimi e arrivammo presso di loro a Troade in cinque giorni, e là rimanemmo sette giorni.

A Troade: risurrezione di Eutico. - ⁷Il primo giorno della settimana eravamo radunati per spezzare il pane. Paolo, che doveva partire il giorno dopo, discorreva con essi e prolungò il discorso fino a mezzanotte. ⁸Vi erano molte lampade al piano superiore, dove eravamo radunati. ⁹Ora, un ragazzo di nome Eutico, che se ne stava seduto sulla finestra, mentre Paolo continuava a parlare senza sosta, venne preso da una profonda sonnolenza e alla fine, vinto dal sonno, cadde dal terzo piano in terra e fu raccolto morto. ¹⁰Allora Paolo scese, si buttò su di lui e abbracciandolo disse: «Non turbatevi, perché la sua anima è in lui». ¹¹Poi risalì, spezzò il pane e ne mangiò e, dopo aver parlato ancora a lungo fino all'alba, partì. ¹²Intanto ricondussero il ragazzo vivo e ne provarono una indicibile consolazione.

Da Troade a Mileto. - ¹³Noi intanto, che già ci eravamo imbarcati, facemmo vela alla volta di Asso, dove avremmo dovuto riprendere Paolo: così infatti ci aveva ordinato, volendo egli fare il viaggio a piedi. ¹⁴Quando ci raggiunse ad Asso, lo prendemmo a bordo con noi e arrivammo a Mitilene. ¹⁵Di là salpammo e l'indomani giungemmo di fronte a Chio; il giorno dopo costeggiammo Samo e il seguente fummo a Mileto. ¹⁶Paolo infatti aveva ritenuto opportuno navigare al largo di Efeso, perché non gli capitasse di doversi attardare in Asia. Voleva affrettarsi per trovarsi, se possibile, nel giorno di Pentecoste a Gerusalemme.

A Mileto: discorso di addio. - ¹⁷Da Mileto mandò dei messi a Efeso a chiamare gli anziani della chiesa. ¹⁸Quando giunsero presso di lui, disse loro: «Voi sapete come fin dal primo giorno in cui io arrivai nella provincia di Asia mi sono sempre comportato con voi, [19]servendo il Signore in ogni genere di umiliazione, nelle lacrime e tra le prove che le insidie dei Giudei mi hanno procurato. [20]Non v'è nulla che vi potesse giovare che io abbia trascurato di predicare e insegnarvi in pubblico e nelle case. [21]Ho scongiurato Giudei e Greci di convertirsi a Dio e di credere nel Signore nostro Gesù. [22]Ora ecco che, avvinto dallo Spirito, sto andando a Gerusalemme, non sapendo ciò che colà mi potrà succedere. [23]Soltanto so che lo Spirito Santo di città in città mi avverte che mi attendono catene e tribolazioni. [24]Ma non do alcun valore alla mia vita, purché io termini la mia corsa e il ministero che ho ricevuto dal Signore Gesù, di rendere testimonianza al vangelo della grazia di Dio. [25]Ora ecco, io so che voi non vedrete più il mio volto, voi tutti tra i quali io sono passato annunciando il regno. [26]Perciò io vi attesto oggi che, se qualcuno si perdesse, la responsabilità non cadrà su di me. [27]Mai infatti io mi sono sottratto dall'annunciarvi tutta intera la volontà di Dio. [28]Vegliate quindi su voi stessi e su tutto il gregge in mezzo al quale lo Spirito Santo vi ha stabiliti come sorveglianti, per pascere la chiesa di Dio, che si è acquistata con il sangue del suo proprio Figlio. [29]Io so che dopo la mia partenza si introdurranno in mezzo a voi lupi rapaci, che non risparmieranno il gregge. [30]Tra voi stessi sorgeranno individui che terranno discorsi perversi, per trascinare i discepoli dietro a loro. [31]Perciò vegliate, ricordandovi che per tre anni, notte e giorno, non ho cessato di ammonire, piangendo, ciascuno di voi.

[32]Ora io vi affido a Dio e alla parola della sua grazia, che può edificare e dare l'eredità con tutti i santificati. [33]Io non ho mai desiderato argento, oro o vesti di nessuno. [34]Voi sapete che alle mie necessità e a quelle di coloro che erano con me hanno provveduto queste mie mani. [35]In ogni occasione io vi ho dimostrato che è così, lavorando, che occorre prendersi cura dei deboli, ricordandosi della parola del Signore Gesù che disse: "C'è più felicità a dare che a ricevere"». [36]Dette queste cose, inginocchiatosi con tutti loro, pregò. [37]Tutti allora scoppiarono in pianto, e gettandosi al collo di Paolo lo coprivano di baci, [38]afflitti soprattutto per la

parola che aveva detto, che non avrebbero più riveduto il suo volto. Poi lo accompagnarono fino alla nave.

21 Da Mileto a Cesarea. - [1]Quando ci fummo separati da essi, prendemmo il largo e per la via più diretta giungemmo a Cos, il giorno dopo a Rodi e di là a Patara. [2]Avendo trovato una nave che stava per passare in Fenicia, vi salimmo sopra e salpammo. [3]Avvistammo Cipro e la lasciammo alla sinistra, navigando verso la Siria. Così giungemmo a Tiro, dove la nave doveva deporre il suo carico. [4]Avendo trovato i discepoli, ci trattenemmo colà sette giorni. Essi nello Spirito dicevano a Paolo di non salire a Gerusalemme. [5]Ma quando fu spirato il tempo del nostro soggiorno, ci mettemmo in cammino per partire, mentre essi ci accompagnavano tutti, con le mogli e i figli, sin fuori della città. Inginocchiatici sulla spiaggia, pregammo [6]e ci salutammo a vicenda. Quindi salimmo sulla nave, mentre quelli se ne ritornarono alle proprie case.

[7]Compimmo la nostra navigazione giungendo da Tiro a Tolemaide. Qui, salutati i fratelli, rimanemmo un giorno presso di loro. [8]Il giorno dopo partimmo e giungemmo a Cesarea. Entrati nella casa di Filippo, l'evangelista, uno dei sette, ci fermammo presso di lui. [9]Egli aveva quattro figlie vergini, che avevano il dono di profezia. [10]Eravamo là da più giorni, quando discese dalla Giudea un profeta di nome Agabo, [11]che, entrato presso di noi, prese la cintura di Paolo, si legò i piedi e le mani e disse: «Questo dice lo Spirito Santo: l'uomo a cui appartiene questa cintura, a questo modo sarà legato dai Giudei in Gerusalemme e consegnato nelle mani dei pagani». [12]All'udire queste cose, noi e la gente del luogo lo scongiuravamo di non salire a Gerusalemme. [13]Allora Paolo rispose: «Perché piangete così e mi spezzate il cuore? Io sono pronto non solo a essere legato, ma anche a morire in Gerusalemme per il nome del Signore Gesù». [14]E poiché non c'era verso di persuaderlo, ci acquietammo dicendo: «Sia fatta la volontà del Signore».

Paolo a Gerusalemme. Il nazireato. - [15]Alcuni giorni dopo, fatti i preparativi, salimmo a Gerusalemme. [16]Vennero con noi anche alcuni dei discepoli da Cesarea e ci condussero ad alloggiare presso un certo Mnasone di Cipro, un antico discepolo.

[17]Al nostro arrivo a Gerusalemme, i fratelli ci accolsero con gioia. [18]Il giorno dopo Paolo venne con noi da Giacomo, e vi convennero pure tutti gli anziani. [19]Dopo averli salutati, incominciava a raccontare per filo e per segno ciò che Dio aveva operato tra i pagani per mezzo del suo ministero. [20]Essi, sentendolo, glorificavano Dio. Poi gli dissero: «Vedi, o fratello, quante migliaia di Giudei hanno abbracciato la fede, e tutti sono zelanti osservatori della legge. [21]Ora ripetutamente sentito dire a tuo riguardo che tu insegni a tutti i Giudei che sono tra i pagani a distaccarsi da Mosè, dicendo loro di non circoncidere più i loro figli e di non comportarsi secondo gli usi tradizionali. [22]Che fare, dunque? Senza dubbio verranno a sapere che tu sei arrivato. [23]Fa' dunque ciò che noi ti diciamo: abbiamo qui quattro uomini che hanno un voto da sciogliere. [24]Tu prendili con te, fa' le purificazioni insieme ad essi e paga le spese per loro, affinché possano radersi il capo. Tutti sapranno così che le voci che hanno udito a tuo riguardo non sono vere, ma che anche tu cammini nell'osservanza della legge. [25]Quanto poi ai pagani che hanno abbracciato la fede, noi abbiamo inviato lettere con la decisione che si dovessero astenere dalle carni immolate agli idoli, dal sangue, dalla carne di animali soffocati e dalla fornicazione». [26]Allora Paolo prese con sé quegli uomini, il giorno seguente si purificò insieme con essi ed entrò nel tempio per notificare il termine dei giorni della purificazione, quando sarebbe stato offerto il sacrificio per ciascuno di essi.

Sommossa nel tempio. Arresto di Paolo. - [27]I sette giorni stavano per compiersi,

quando i Giudei dell'Asia, avendolo visto nel tempio, misero in subbuglio tutta la folla e posero le mani su di lui, [28]gridando: «Israeliti, aiuto! Questo è l'uomo che predica a tutti e dappertutto contro il popolo, contro la legge e contro questo santo luogo; ora ha introdotto persino dei Greci nel tempio e ha profanato questo luogo santo!». [29]Infatti avevano visto in precedenza nella città Trofimo di Efeso insieme con lui e pensavano che Paolo l'avesse introdotto nel tempio. [30]Tutta la città ne fu scossa e vi fu un accorrere di popolo. Impadronitisi di Paolo, lo trascinavano fuori del recinto del tempio e subito furono chiuse le porte. [31]Mentre essi cercavano di ucciderlo, giunse la notizia al tribuno della coorte che tutta Gerusalemme era in subbuglio. [32]Egli immediatamente prese dei soldati e dei centurioni e scese di corsa verso di loro: questi, visto il tribuno e i soldati, cessarono di percuotere Paolo. [33]Allora il tribuno, avvicinatosi, lo arrestò e comandò che fosse legato con due catene, poi domandò chi fosse e che cosa aveva fatto. [34]Ma tra la folla chi gridava una cosa, chi un'altra; e non riuscendo egli per il tumulto a capire con certezza di che si trattava, comandò che fosse condotto nella caserma. [35]Quando fu sui gradini, dovette essere portato di peso dai soldati per la violenza della folla. [36]Infatti la moltitudine del popolo gli andava dietro gridando: «Ammazzalo!».

[37]Mentre stava per essere condotto dentro alla caserma, Paolo disse al tribuno: «Mi è lecito dirti una cosa?». Quegli rispose: «Sai il greco? [38]Non sei dunque tu l'egiziano che giorni fa ha provocato una sommossa e ha condotto nel deserto quattromila sicari?». [39]Paolo disse: «Io sono un giudeo, cittadino di Tarso in Cilicia, città non senza importanza. Ora ti prego, permettimi di parlare al popolo». [40]Ottenuto il permesso, Paolo, stando sui gradini, fece cenno con la mano al popolo e, fattosi un gran silenzio, parlò in lingua ebraica dicendo:

22 **Discorso di Paolo in sua difesa.** - [1]«Fratelli e padri, ascoltate quanto ora io vi espongo in mia difesa». [2]Udendo che parlava loro in ebraico, il silenzio si fece ancora più grande. Ed egli continuò: [3]«Io sono un giudeo, nato a Tarso, in Cili-

---

21. - 21. Questa era una calunnia, perché Paolo, sebbene sapesse che la salvezza non si ottiene per la legge mosaica, ma per la grazia di Cristo, pure non aveva mai obbligato i Giudei ad abbandonare la loro legge. Pare che neppure Giacomo credesse alle calunnie che circolavano contro la predicazione di Paolo, e la sua proposta mirava solamente a facilitare un'intesa e forse una riconciliazione.

23. Si tratta del *voto* di nazireato (Nm 6,1-21). Il nazireo, dopo essersi astenuto dal vino e dalle contaminazioni, con i capelli lunghi andava al tempio ad offrire sacrifici. Se era povero cercava dei ricchi che gli facessero da padrini, pagando le spese. Paolo, esortato a far da padrino a tali nazirei, per mostrare il suo rispetto alla legge mosaica accetta il consiglio.

cia, ma educato in questa città, istruito ai piedi di Gamaliele, nella rigorosa osservanza della legge dei padri, pieno di zelo per Dio, come lo siete voi tutti oggi. [4]Io ho perseguitato a morte questa Via, mettendo in catene e gettando in prigione uomini e donne, [5]come me ne fa testimonianza anche il sommo sacerdote e tutto il consiglio degli anziani. Da essi avevo anzi ricevuto lettere per i fratelli di Damasco e stavo andandovi per condurre incatenati a Gerusalemme anche quelli che si trovavano là, perché vi fossero puniti.

[6]Or mentre io ero in viaggio e mi stavo avvicinando a Damasco, verso mezzogiorno, all'improvviso una gran luce venuta dal cielo mi sfolgorò tutt'intorno. [7]Io caddi a terra e udii una voce che mi diceva: "Saulo, Saulo, perché mi perseguiti?". [8]Io risposi: "Chi sei, o Signore?". E mi disse: "Io sono Gesù il Nazareno, che tu perseguiti". [9]Quelli che mi accompagnavano videro la luce, ma non udirono la voce di colui che mi parlava. [10]Io ripresi: "Che debbo fare, Signore?". E il Signore mi disse: "Alzati, va' a Damasco e là ti sarà detto tutto ciò che è stabilito che tu faccia". [11]Ma poiché non potevo più vedere per lo splendore di quella luce, fui condotto per mano dai miei compagni di viaggio e giunsi a Damasco.

[12]Un certo Anania, uomo devoto e osservante della legge, stimato da tutti i Giudei che abitavano colà, [13]venne a trovarmi e, standomi accanto, mi disse: "Saulo, fratello, torna a vedere!". E io nella stessa ora riuscii a vederlo. [14]Egli disse: "Il Dio dei nostri padri ti ha predestinato a conoscere la sua volontà, a vedere il Giusto e a udire una parola dalla sua bocca, [15]poiché tu renderai testimonianza a suo favore presso tutti gli uomini di ciò che hai visto e udito. [16]E ora che cosa aspetti? Alzati, ricevi il battesimo e purificati dai tuoi peccati, invocando il suo nome".

[17]Tornato a Gerusalemme, mentre stavo pregando nel tempio, fui rapito in estasi [18]e vidi lui che mi diceva: "Presto, affrettati ad uscire da Gerusalemme, perché non accetteranno la tua testimonianza riguardo a me". [19]Io replicai: "Signore, costoro sanno che io mettevo in prigione e percuotevo, di sinagoga in sinagoga, quelli che credevano in te; [20]e quando si versava il sangue di Stefano, il tuo testimone, anch'io ero là presente ed ero d'accordo con coloro che lo uccidevano e ne

custodivo le vesti". [21]Ma egli mi disse: "Va', perché io ti manderò lontano, tra i pagani!"».

Paolo si dichiara cittadino romano. - [22]Fino a queste parole lo avevano ascoltato, ma qui cominciarono a gridare: «Via dal mondo costui: non ha il diritto di vivere!». [23]E gridavano, si strappavano le vesti e gettavano polvere in aria. [24]Allora il tribuno fece condurre Paolo nella caserma, ordinando di interrogarlo ricorrendo alla flagellazione, per sapere per quale motivo gli gridassero contro a quel modo. [25]Ma quando l'ebbero legato con le cinghie, Paolo disse al centurione presente: «Vi è lecito flagellare un cittadino romano, e per di più non ancora giudicato?». [26]Udito ciò, il centurione si avvicinò al tribuno per avvertirlo dicendo: «Che cosa stai per fare? Quest'uomo è romano!». [27]Allora, avvicinatosi, il tribuno gli disse: «Dimmi, tu sei romano?». Ed egli rispose: «Sì!». [28]«Io – riprese il tribuno – ho acquistato questa cittadinanza a caro prezzo». E Paolo: «Io invece vi sono nato». [29]E subito si allontanarono da lui quelli che stavano per interrogarlo. Anche il tribuno si intimorì, avendo saputo che era romano, poiché lo aveva fatto legare.

Paolo di fronte al sinedrio. - [30]Il giorno dopo, volendo sapere con certezza di che cosa i Giudei lo accusavano, gli tolse le catene e ordinò che si radunassero i sommi sacerdoti e tutto il sinedrio. Poi fece condurre Paolo e lo presentò a loro.

23 [1]Con lo sguardo fisso al sinedrio, Paolo disse: «Fratelli, io mi sono comportato davanti a Dio in perfetta buona coscienza fino a questo giorno». [2]Ma il sommo sacerdote Anania diede ordine agli assistenti di percuoterlo sulla bocca. [3]Allora Paolo gli disse: «Dio sta per percuotere te, muro imbiancato! Tu sei assiso per giudicarmi secondo la legge e violi la legge ordinando di percuotermi?». [4]Ma gli assistenti dissero: «Tu insulti il sommo

---

22. - 6. La narrazione fatta al c. 9 è in generale più completa, ma qui Paolo fa notare alcuni particolari là non accennati e che servono a convincere gli uditori. Dice che il fatto avvenne verso mezzogiorno; riporta più parole d'Anania (vv. 14-16) e aggiunge l'apparizione di Cristo (v. 18). Le piccole differenze dei due racconti servono a chiarire il fatto.

sacerdote di Dio?». [5]Paolo rispose: «Non sapevo, fratelli, che è sommo sacerdote. È scritto infatti: *Non parlerai male di un capo del tuo popolo*».

[6]Paolo sapeva che una parte dell'assemblea era composta di sadducei e un'altra di farisei, e gridò nel sinedrio: «Fratelli, io sono fariseo, figlio di farisei: io sono sotto giudizio a motivo della speranza nella risurrezione dei morti». [7]Appena dette queste parole scoppiò un tafferuglio tra farisei e sadducei, e l'assemblea si divise. [8]I sadducei infatti dicono che non c'è risurrezione né angelo né spirito, mentre i farisei ammettono tutte queste cose. [9]Vi fu un gran gridare. Alcuni scribi del partito dei farisei si alzarono a battagliare dicendo: «Non troviamo alcun male in quest'uomo: e se uno spirito gli avesse parlato, oppure un angelo?». [10]Aggravandosi il tumulto, il tribuno, temendo che Paolo fosse da quelli fatto a pezzi, comandò alla truppa di scendere e portarlo via di mezzo a loro e ricondurlo in caserma.

[11]La notte seguente il Signore gli si avvicinò e gli disse: «Coraggio! Come hai reso testimonianza alla mia causa in Gerusalemme, così devi testimoniare anche a Roma».

Congiura contro Paolo. - [12]Fattosi giorno, i Giudei fecero una congiura e si obbligarono con giuramento a non mangiare né bere fino a che non avessero ucciso Paolo. [13]Erano più di quaranta quelli che avevano fatto questa congiura. [14]Essi si presentarono ai sommi sacerdoti e agli anziani e dissero: «Con giuramento ci siamo obbligati a non prendere più alcun cibo, finché non abbiamo ucciso Paolo. [15]Or dunque, voi comparite di fronte al tribuno col sinedrio, affinché lo conduca da voi, come per voler esaminare più accuratamente il suo caso. E noi, prima che si avvicini, ci teniamo pronti a ucciderlo».

[16]Ma il figlio della sorella di Paolo venne a sapere dell'insidia e, andato alla caserma, vi entrò e ne diede notizia a Paolo. [17]Paolo, fatto chiamare uno dei centurioni, disse: «Conduci questo giovane dal tribuno, perché ha qualcosa da comunicargli». [18]Quegli lo prese e lo condusse dal tribuno e disse:

«Il prigioniero Paolo mi ha fatto chiamare e ha pregato che questo giovane ti fosse condotto, perché ha qualcosa da dirti». [19]Presolo per la mano, il tribuno lo condusse in disparte e lo interrogò: «Che cos'hai da comunicarmi?». [20]Egli disse che i Giudei si erano accordati per domandargli che il giorno appresso conducesse Paolo nel sinedrio, col pretesto di una interrogazione più accurata sul suo caso. [21]«Tu dunque non fidarti di essi: infatti più di quaranta uomini dei loro gli tendono insidie e si sono obbligati con giuramento a non mangiare né bere, finché non l'abbiano ucciso. Ora si tengono pronti, in attesa che tu dica di sì». [22]Il tribuno congedò il giovane ordinandogli: «Non dire a nessuno che mi hai rivelato queste cose».

Trasferimento a Cesarea. - [23]Chiamati poi due dei centurioni, disse: «Preparatemi duecento soldati perché vadano fino a Cesarea, e settanta cavalieri e duecento lancieri pronti a partire tre ore dopo il tramonto. [24]Preparate anche delle cavalcature per farvi salire Paolo e condurlo in salvo presso il governatore Felice». [25]Scrisse anche una lettera di questo tenore: [26]«Claudio Lisia a sua eccellenza il governatore Felice, salute. [27]Quest'uomo era stato preso dai Giudei. Stavano per ucciderlo quando sopraggiunsi con la truppa e lo liberai, avendo saputo che era cittadino romano. [28]Volendo poi sapere la ragione per cui lo accusavano, lo condussi nel loro sinedrio, [29]e vidi che lo accusavano per questioni controverse della loro legge, ma che non c'era alcuna imputazione a suo carico che comportasse la morte o le catene. [30]Essendo poi stato avvertito che si stava tramando una congiura contro quest'uomo, subito te l'ho mandato, facendo insieme sapere agli accusatori di deporre contro di lui davanti a te. Sta' bene!».

[31]I soldati, secondo l'ordine ricevuto, presero in consegna Paolo e lo condussero di notte ad Antipatride. [32]Il giorno dopo se ne ritornarono alla caserma, lasciando che i cavalieri proseguissero con lui. [33]Entrati a Cesarea consegnarono la lettera al governatore e gli presentarono Paolo. [34]Avendola letta, lo interrogò di quale provincia fosse. Saputo che era della Cilicia, [35]gli disse: «Ti ascolterò quando saranno giunti anche i tuoi accusatori». E ordinò che fosse custodito nel pretorio di Erode.

---

23. - 6. Paolo, non potendo difendersi per gli animi eccitati, con abile mossa porta la discordia tra gli avversari, dichiarando d'essere accusato per ciò che credono i farisei: la *risurrezione*.

24 Processo di fronte a Felice: le accuse contro Paolo.

- ¹Cinque giorni dopo arrivò il sommo sacerdote Anania con alcuni anziani e un avvocato, un certo Tertullo, i quali si costituirono davanti al governatore come accusatori di Paolo. ²Paolo fu chiamato e Tertullo cominciò la sua accusa dicendo: «Avendo la fortuna, per merito tuo, di godere di grande pace e fruendo questo popolo di vantaggiose riforme grazie alla tua preveggenza, ³in tutto e per tutto, noi te ne rendiamo lode, o eccellentissimo Felice, con ogni gratitudine. ⁴Ma per non importunarti più a lungo, ti prego di volerci ascoltare brevemente con quella benevolenza che ti distingue. ⁵Abbiamo trovato questa peste d'uomo, che provoca sedizioni fra tutti i Giudei del mondo intero ed è un capo della setta dei Nazorei, ⁶il quale ha perfino tentato di profanare il tempio, e l'abbiamo arrestato. [7] ⁸Tu stesso, interrogandolo su tutte queste cose, potrai venire a sapere da lui la verità su ciò di cui lo accusiamo». ⁹Anche i Giudei si univano a lui nell'accusa sostenendo che le cose stavano proprio così.

Difesa di Paolo.

- ¹⁰Paolo, dopo che il governatore gli fece cenno di parlare, rispose: «Sapendo che da molti anni tu sei giudice di questo popolo, di buon animo io mi accingo a difendere la mia causa. ¹¹Tu ti puoi assicurare che non sono più di dodici giorni che io sono salito a Gerusalemme per fare adorazione. ¹²Non mi hanno trovato né nel tempio in disputa con alcuno o a provocare subbuglio tra la folla, né dentro le sinagoghe, né per la città. ¹³Non ti possono portare le prove di ciò di cui ora mi accusano. ¹⁴Anzi ti confesso che io servo al Dio dei miei padri, secondo la Via che essi chiamano setta, credendo a tutto ciò che è conforme alla legge e che è scritto nei profeti. ¹⁵Ho in Dio speranza, che anch'essi condividono, che vi sarà una risurrezione dei giusti e degli iniqui. ¹⁶Perciò anch'io procuro di mantenere una coscienza irreprensibile davanti a Dio e davanti agli uomini, in ogni occasione. ¹⁷Dopo molti anni, io ora me ne sono venuto allo scopo di portare delle elemosine al mio popolo e di offrire dei sacrifici. ¹⁸Così mi hanno trovato nel tempio, purificato, al di fuori di ogni assembramento o tumulto.

¹⁹Furono alcuni Giudei dell'Asia a trovarmi, quelli che avrebbero dovuto ora presentarsi qui ad accusare, se avessero qualcosa contro di me. ²⁰O questi stessi dicano se hanno trovato qualche cosa di riprovevole quando stavo davanti al sinedrio, ²¹se non questa sola parola che io ho gridato stando in mezzo a loro: "È a motivo della risurrezione dei morti che io sono oggi in giudizio di fronte a voi"».

Prigionia di Paolo a Cesarea.

- ²²Allora Felice, che era perfettamente informato sulle cose riguardanti la Via, li rinviò dicendo: «Quando verrà giù il tribuno Lisia esaminerò il vostro caso». ²³E comandò al centurione di tenere Paolo prigioniero, ma di lasciargli una certa libertà e di non impedire ad alcuno dei suoi di rendergli servizio. ²⁴Alcuni giorni dopo Felice venne con Drusilla sua moglie, che era giudea, fece chiamare Paolo e lo ascoltò parlare della fede nel Cristo Gesù. ²⁵Ma quando si mise a parlare di giustizia, di continenza e del giudizio futuro, Felice, spaventato, disse: «Per ora puoi andare, quando avrò un'occasione ti richiamerò». ²⁶Sperava perciò che avrebbe potuto avere del denaro da Paolo. Perciò spesso lo faceva chiamare per intrattenersi con lui. ²⁷Ma, trascorsi due anni, Felice ebbe come successore Porcio Festo; e volendo far cosa gradita ai Giudei, Felice lasciò Paolo in prigione.

25 Paolo si appella a Cesare.

- ¹Festo dunque, giunto nella provincia, tre giorni dopo salì da Cesarea a Gerusalemme, ²e comparvero davanti a lui i sommi sacerdoti e i principali dei Giudei, portando accuse contro Paolo. Lo pregavano ³chiedendogli il favore, in odio a Paolo, che lo facesse trasportare a Gerusalemme, per tendergli un agguato e ucciderlo durante il percorso. ⁴Festo rispose che Paolo era in prigione a Cesarea e

---

24. 6-7. Parte del v. 6, tutto il v. 7 e la prima parte del v. 8 della Volgata sono omessi, perché la ritengono un'aggiunta. Eccoli dal latino: «Volevamo giudicarlo secondo la nostra legge, ma sopraggiunse il tribuno Lisia e ce lo strappò di mano con la violenza, ordinando ai suoi accusatori di presentarsi a te».

10. Avutone l'ordine, Paolo si giustifica dalle accuse di essere turbolento (vv. 11-15), fondatore di una nuova setta (vv. 14-16), profanatore del tempio (vv. 17-19).

che egli stesso sarebbe partito tra poco: [5]«Quelli dunque tra voi – disse – che hanno autorità, scendano con me, e se c'è in quell'uomo qualche colpa depongano contro di lui».

[6]Dopo essersi fermato tra loro non più di otto o dieci giorni, scese a Cesarea e il giorno dopo sedette in tribunale e comandò che gli fosse portato Paolo. [7]Quando arrivò, i Giudei che erano discesi da Gerusalemme gli si fecero intorno, producendo molte e gravi accuse, che non potevano dimostrare. [8]Paolo si difendeva affermando: «Non ho peccato né contro la legge dei Giudei né contro il tempio né contro Cesare». [9]Allora Festo, volendo far cosa gradita ai Giudei, rivoltosi a Paolo gli domandò: «Vuoi salire in Gerusalemme e là essere giudicato di fronte a me riguardo a queste cose?». [10]Ma Paolo replicò: «Sto dinanzi al tribunale di Cesare e qui mi si deve giudicare. Non ho fatto alcun torto ai Giudei, come anche tu sai molto bene. [11]Se dunque ho commesso qualche ingiustizia o qualche delitto che merita la morte, non ricuso di morire; ma se non vi è nulla di ciò di cui essi mi accusano, nessuno può consegnarmi ad essi. Mi appello a Cesare». [12]Allora Festo, dopo aver conferito con il suo consiglio, disse: «Ti sei appellato a Cesare, a Cesare andrai».

Festo e Agrippa. - [13]Passati alcuni giorni, il re Agrippa e Berenice discesero a Cesarea e vennero a salutare Festo. [14]E poiché vi si trattenevano alcuni giorni, Festo espose al re il caso di Paolo, dicendo: «C'è un uomo che è stato lasciato in prigione da Felice. [15]Quando sono stato a Gerusalemme, sono comparsi i sommi sacerdoti e gli anziani dei Giudei portando accuse contro di lui e chiedendo la sua condanna. [16]Io risposi loro che non è costume dei Romani consegnare un uomo prima che l'accusato sia stato messo a confronto con gli accusatori e abbia avuto la possibilità di difendersi dalle accuse. [17]Allora essi si radunarono qui e, senza por tempo in mezzo, l'indomani mi sedetti in tribunale e feci condurre quest'uomo. [18]Messi

alla sua presenza, gli accusatori non portarono nessuna accusa di alcuno di quei delitti che io potessi sospettare. [19]Avevano con lui soltanto delle contestazioni su punti della loro religione, e riguardo a un certo Gesù, morto, che Paolo asseriva essere vivo. [20]Trovandomi imbarazzato davanti a una controversia come questa, gli chiesi se voleva andare a Gerusalemme e là essere giudicato riguardo a queste cose. [21]Ma avendo Paolo interposto appello per essere riservato al giudizio di Augusto, comandai che fosse custodito in prigione, finché non possa inviarlo a Cesare». [22]Agrippa disse a Festo: «Vorrei anch'io ascoltare quest'uomo». «Domani – disse – lo ascolterai».

Paolo di fronte ad Agrippa. - [23]Il giorno dopo Agrippa e Berenice vennero con grande pompa e, quando furono entrati nella sala delle udienze con i tribuni e i personaggi eminenti della città, Festo comandò di condurre Paolo. [24]Allora Festo disse: «Re Agrippa e voi tutti che siete qui presenti, voi vedete colui per il quale tutta la moltitudine dei Giudei si è rivolta a me, tanto a Gerusalemme come qui, gridando che costui non deve più vivere. [25]Ma io ho accertato che egli non ha fatto nulla che meriti la morte. Ma poiché egli stesso si è appellato ad Augusto, ho deciso di inviarglielo. [26]Sul suo conto non ho nulla di preciso da scrivere all'imperatore. Perciò l'ho condotto di fronte a voi, e soprattutto di fronte a te, o re Agrippa, perché dopo questa interrogazione io abbia qualcosa da scrivere. [27]Mi sembra infatti assurdo mandare un prigioniero senza indicare anche le accuse fatte a suo carico».

26 **Discorso di Paolo.** - [1]Agrippa disse a Paolo: «Ti è accordata la parola per difenderti!». Allora Paolo, stesa la mano, incominciò a parlare in sua difesa: [2]«Da tutte le accuse che mi sono rivolte dai Giudei, io mi stimo fortunato, o re Agrippa, di potermi oggi difendere davanti a te; [3]tanto più che tu conosci assai bene i costumi e le controversie proprie dei Giudei. Perciò ti prego di ascoltarmi con longanimità. [4]Quale sia stato il mio tenore di vita fin dalla mia giovinezza, trascorsa tutt'intera in mezzo al mio popolo e nella stessa Gerusalemme, lo sanno

At

---

25. - 10. Paolo, come cittadino romano, aveva diritto d'appellarsi a Cesare, che allora (anno 60) era Nerone. Per non essere ucciso a tradimento fa uso del suo diritto, sottraendosi ai tribunali locali, e va a Roma per esservi giudicato dal tribunale dell'imperatore.

bene tutti i Giudei. ⁵Essi mi conoscono da lunga data e, se vogliono, possono testimoniare che sono vissuto come fariseo, secondo la setta più osservante della nostra religione. ⁶Ora mi trovo sotto processo per la mia speranza nella promessa fatta da Dio ai nostri padri, ⁷quella promessa di cui le nostre dodici tribù, servendo incessantemente Dio notte e giorno, attendono il compimento. È per questa speranza che io sono accusato dai Giudei, o re. ⁸Come mai vi può sembrare incredibile che Dio risusciti i morti? ⁹Quanto a me, io ritenni di dover fare molte cose contro il nome di Gesù di Nazaret. ¹⁰Ed è ciò che ho fatto in Gerusalemme: molti dei santi li ho chiusi in carcere con l'autorizzazione avuta dai sommi sacerdoti, e quando si trattava di ucciderli io votavo contro di loro. ¹¹E in tutte le sinagoghe molto sovente li sforzavo con supplizi a bestemmiare e nell'eccesso del mio furore li perseguitavo anche nelle città straniere. ¹²Con questo scopo me ne stavo andando a Damasco, munito dell'autorizzazione e del permesso dei sommi sacerdoti, ¹³quando, verso mezzogiorno, ho visto, o re, sul mio cammino, una luce dal cielo più risplendente del sole sfolgorare intorno a me e ai miei compagni di viaggio. ¹⁴Tutti cademmo per terra e io udii una voce che mi diceva in lingua ebraica: "Saulo, Saulo, perché mi perseguiti? Ti è duro recalcitrare contro i pungoli". ¹⁵Io dissi: "Chi sei, o Signore?". Il Signore rispose: "Io sono Gesù che tu perseguiti. ¹⁶Ma ora alzati e sta' *dritto in piedi*, poiché ecco il motivo per cui ti sono apparso: per costituirti ministro e testimone delle cose che tu hai veduto di me e di quelle che io ancora ti mostrerò. ¹⁷Per questo ti *libererò dal popolo e dai pagani, ai quali io ti mando*, ¹⁸*per aprire loro gli occhi* perché si convertano *dalle tenebre alla luce* e dal potere di Satana a Dio, perché ottengano per la fede in me la remissione dei peccati e partecipino all'*eredità dei santi*".

¹⁹Pertanto, o re Agrippa, io non volli resistere alla visione celeste; ²⁰anzi, prima a quelli di Damasco, poi a quelli di Gerusalemme e per tutto il paese della Giudea, infine ai pagani ho predicato che dovevano pentirsi e convertirsi a Dio, facendo opere di vera penitenza. ²¹Per questi motivi i Giudei si impadronirono di me nel tempio e hanno cercato

di uccidermi. ²²Ma con l'aiuto di Dio fino a questo giorno io ho continuato a rendere testimonianza agli umili e ai potenti, non dicendo nient'altro se non ciò che i profeti e Mosè dissero che doveva avvenire, ²³che il Cristo doveva soffrire e che, risuscitato per primo da morte, avrebbe annunciato la luce al popolo e ai pagani».

Reazioni di Festo e Agrippa. - ²⁴Mentre egli diceva queste cose in sua difesa, Festo alza la voce e gli grida: «Tu stai delirando, Paolo: il tuo gran sapere ti ha dato alla testa». ²⁵E Paolo: «Non sto sragionando, eccellentissimo Festo, ma dico parole veritiere e sensate. ²⁶Infatti il re è bene informato di queste cose, e così parlo davanti a lui con piena fiducia, perché non penso che alcuna di queste cose possa essergli ignota. In realtà non si tratta di fatti avvenuti in qualche angolo remoto. ²⁷Credi tu, o re Agrippa, ai profeti? Lo so che ci credi». ²⁸E Agrippa a Paolo: «Ancora un poco e mi persuadi a farmi cristiano». ²⁹E Paolo: «O poco o molto, Dio volesse che non solo tu, ma anche tutti quelli che oggi mi ascoltano diveniste come io sono, all'infuori di queste catene». ³⁰Allora il re, il governatore, Berenice e quanti erano seduti con loro si alzarono. ³¹Allontanandosi parlavano tra loro e dicevano: «Un uomo come questo non può far nulla che meriti la morte o le catene». ³²Anzi Agrippa soggiunse a Festo: «Quest'uomo avrebbe potuto essere rilasciato, se non avesse fatto appello a Cesare».

27 **Viaggio verso Roma.** - ¹Quando fu deciso di iniziare la nostra navigazione verso l'Italia, diedero in consegna Paolo e alcuni altri prigionieri a un centurione di nome Giulio, della coorte Augusta. ²Saliti su una nave di Adramitto, che stava per far vela verso i porti dell'Asia, prendemmo il mare avendo con noi Aristarco, un macèdone di Tessaloni-

---

26. - 11. Con questi particolari Paolo dimostra ad Agrippa d'essersi arreso ai miracoli e all'evidenza della verità, nel diventare, da persecutore, apostolo.

12. Per il racconto della conversione vedi Atti 9,3-19; 22,5-16. Delle tre narrazioni la prima è la più completa, ma le altre due allegano dei particolari che servono allo scopo che Paolo voleva raggiungere nel raccontarli. Egli adatta la narrazione all'uditorio del momento.

ca. [3]Il giorno seguente approdammo a Sidone e Giulio, che trattava Paolo con benevolenza, permise che si recasse dagli amici per riceverne i buoni uffici. [4]Salpati di là facemmo vela sotto Cipro, poiché i venti erano contrari, [5]e attraversato il mare di Cilicia e di Panfilia giungemmo a Mira della Licia. [6]Quivi il centurione trovò una nave alessandrina in rotta verso l'Italia e ci fece salire su di essa. [7]Per lunghi giorni navigammo lentamente e a stento giungemmo di fronte a Cnido. Poi il vento non ci permise di approdare, navigammo sotto Creta di fronte a Salmone [8]e, costeggiandola a stento, arrivammo a una località chiamata Buoni Porti, presso la quale c'era la città di Lasea.

Tempesta e naufragio. - [9]Essendo passato molto tempo ed essendo ormai malsicura la navigazione, poiché era già trascorso anche il giorno del digiuno, Paolo li ammoniva dicendo: [10]«Amici, vedo che il continuare la navigazione sarebbe temerario e potrebbe portare molto danno non solo per il carico e per la nave, ma anche per le nostre vite». [11]Ma il centurione si fidava di più del capitano e dell'armatore che delle parole di Paolo. [12]E poiché il porto non era adatto per svernare, i più presero la decisione di salpare di là, nella speranza di poter giungere a svernare a Fenice, un porto di Creta che guarda a libeccio e a maestrale. [13]Levatosi un vento leggero dal sud, ritennero di poter attuare il loro progetto e, levata l'àncora, si misero a costeggiare Creta.

[14]Ma dopo non molto si scatenò sull'isola un vento d'uragano, chiamato euroaquilone. [15]La nave fu trascinata via, non potendo resistere al vento, e ci lasciavamo portare alla deriva. [16]Filando sotto un'isoletta chiamata Caudas, a stento riuscimmo a restare padroni della scialuppa. [17]L'alzarono su e usarono i mezzi di soccorso per cingere di gomene la nave. Temendo poi di incorrere nella Sirte, calarono l'attrezzo, lasciandolo così portare alla deriva. [18]Poiché erano violentemente battuti dalla tempesta, il giorno seguente fecero gettito del carico, [19]e nel terzo giorno con le loro mani buttarono via l'attrezzatura della nave. [20]Per più giorni non si videro né sole né stelle: la tempesta si manteneva violenta e si andava ormai perdendo ogni speranza di salvarci.

[21]Da molto tempo non si mangiava più. Allora Paolo, ritto in piedi in mezzo a loro, disse: «Amici, si sarebbe dovuto ascoltarmi e non far vela da Creta. Ci saremmo risparmiati questo rischio mortale e questa iattura. [22]Ma ora vi esorto a stare di buon animo: infatti non vi sarà alcuna perdita di vite umane, ma solo della nave. [23]Infatti in questa notte mi si è presentato un angelo di Dio, di quel Dio a cui appartengo e a cui io servo, [24]dicendomi: "Non temere, Paolo; tu devi comparire di fronte a Cesare, ed ecco, Dio ti ha fatto grazia di tutti coloro che navigano con te". [25]Perciò state di buon animo, amici: perché ho fede in Dio che le cose andranno così come mi è stato detto. [26]Ci dovremo imbattere in un'isola».

[27]Essendo ormai la quattordicesima notte che eravamo sbattuti nell'Adriatico, verso la metà della notte i marinai ebbero l'impressione che si stesse avvicinando terra. [28]Calato lo scandaglio, trovarono venti braccia di profondità; poco dopo, gettando di nuovo lo scandaglio, trovarono quindici braccia. [29]Temendo che andassimo a cadere contro delle scogliere, dalla prua calarono le quattro ancore e aspettavano ansiosi che si facesse presto giorno. [30]Ma poiché i marinai cercavano di fuggire dalla nave, e avevano calato la scialuppa in mare col pretesto di volere tendere delle ancore da prua, [31]Paolo disse al centurione e ai soldati: «Se costoro non rimangono sulla nave, voi non potete essere salvi». [32]Allora i soldati tagliarono le funi della scialuppa e la lasciarono cadere.

[33]Mentre si aspettava che cominciasse a farsi giorno, Paolo esortava tutti a prender cibo dicendo: «Oggi sono quattordici giorni che state in attesa digiuni, senza aver preso nulla. [34]Perciò io vi esorto a prendere cibo: ciò infatti è necessario per la vostra salute. Infatti non si perderà alcun capello del vostro capo». [35]Dette queste cose, prese del pane, rese grazie a Dio in presenza di tutti e, spezzatolo, cominciò a mangiare. [36]Allora tutti, fattisi coraggio, presero anch'essi del cibo. [37]Eravamo in tutto nella nave duecentosettantasei persone. [38]Dopo aver mangiato a sazietà, alleggerirono la nave gettando il frumento nel mare.

[39]Quando si fece giorno, non riuscivano a riconoscere la terra, ma scorgevano un'insenatura con una spiaggia e là volevano,

At

se fosse stato possibile, spingere la nave. [40]Staccarono le ancore tutt'intorno e le lasciarono andare a mare, allentando nello stesso tempo gli ormeggi dei timoni, e alzato l'artimone al vento tentavano d'approdare alla spiaggia. [41]Ma si imbatterono in una sacca tra due correnti e fecero incagliare la nave: la prua, piantata nel fondo, rimaneva immobile, e la poppa veniva sfasciata dalla violenza delle onde. [42]I soldati presero la decisione di uccidere i prigionieri, perché qualcuno non sfuggisse a nuoto. [43]Ma il centurione, volendo salvare Paolo, li impedì dall'attuare il loro proposito e comandò a quelli che erano in grado di nuotare di gettarsi per primi in mare e di raggiungere terra; [44]poi gli altri, chi su tavole, chi su qualche relitto della nave. E così tutti giunsero a terra incolumi.

28

Paolo a Malta. - [1]Scampati finalmente dal pericolo, venimmo a sapere che l'isola si chiamava Malta. [2]Gli indigeni ci mostrarono una benevolenza non comune. Accesero un falò e ci raccolsero tutti intorno, poiché era sopraggiunta la pioggia e faceva freddo. [3]Paolo aveva raccolto una bracciata di legna e la stava buttando nel fuoco, quando una vipera, uscita fuori per il calore, gli si attaccò alla mano. [4]Gli indigeni, come videro l'animale pendere dalla sua mano, si misero a dirsi l'un l'altro: «Certamente è un assassino quest'uomo, poiché, essendosi salvato dal mare, la vendetta divina non gli ha permesso di sopravvivere». [5]Ma egli scosse la bestia sul fuoco e non ne risentì alcun male. [6]Quelli si aspettavano di vederlo gonfiare o cadere morto all'improvviso. Ma dopo aver atteso a lungo e aver visto che non gli accadeva niente di straordinario, cambiato parere, cominciavano a dire che egli era un dio. [7]In quei dintorni aveva i suoi poderi il "primo" dell'isola, di nome Publio. Egli ci accolse e ci ospitò cordialmente per tre giorni. [8]Ora il padre di Publio giaceva a letto con accessi di febbre e dissenteria. Paolo andò a visitarlo e, dopo aver pregato, gli impose le mani e lo guarì. [9]In seguito a questo fatto anche gli altri dell'isola che avevano delle malattie incominciarono a venire da lui

e venivano guariti. [10]Essi ci colmarono di onori e quando salpammo ci provvidero del necessario.

Da Malta a Roma. - [11]Dopo tre mesi salpammo con una nave di Alessandria, che aveva svernato nell'isola, e portava per insegna i Dioscuri. [12]Approdati a Siracusa, vi rimanemmo tre giorni. [13]Di là, costeggiando, giungemmo a Reggio. Dopo un giorno si levò il vento del sud e così in due giorni giungemmo a Pozzuoli. [14]Ivi trovammo dei fratelli e avemmo la consolazione di rimanere con loro sette giorni. E così arrivammo a Roma. [15]Di là i fratelli, che avevano sentito delle nostre peripezie, ci vennero incontro fino al Foro Appio e alle Tre Taverne. Quando li vide, Paolo ringraziò Dio e prese coraggio. [16]Entrati poi in Roma fu permesso a Paolo di dimorare per conto suo, con un soldato a guardia.

Paolo e i Giudei di Roma. - [17]Tre giorni dopo egli convocò i principali fra i Giudei. Quando si furono radunati disse loro: «Io, o fratelli, pur non avendo fatto nulla contro il mio popolo o contro gli usi dei nostri padri, sono stato messo in catene a Gerusalemme e consegnato nelle mani dei Romani. [18]Essi, dopo aver fatto un'inchiesta, volevano rilasciarmi, perché non c'era in me nulla che meritasse la morte. [19]Ma poiché i Giudei si opponevano, fui costretto ad appellarmi a Cesare, non però come se avessi qualcosa da rimproverare al mio popolo. [20]Per questo motivo io vi ho fatti chiamare per vedervi e parlarvi: poiché è a motivo della speranza d'Israele che io porto questa catena». [21]Ma essi gli dissero: «Noi non abbiamo ricevuto alcuna lettera dalla Giudea riguardo a te, né alcuno dei fratelli è venuto a raccontarci o a dirci qualcosa di male sul tuo conto. [22]Ma riteniamo opportuno sentire da te ciò che pensi: infatti riguardo a questa setta ci è noto che in ogni luogo trova opposizione».

Dai Giudei ai pagani. - [23]In un giorno prefissato molti si recarono presso di lui nel

---

suo alloggio. Nella sua esposizione egli rendeva testimonianza del regno di Dio e cercava di convincerli riguardo a Gesù, partendo dalla legge di Mosè e dai profeti, dal mattino fino alla sera. [24]Alcuni si lasciarono convincere dalle cose dette, altri restavano increduli. [25]Non riuscendo a mettersi d'accordo tra loro, si separarono, mentre Paolo diceva una sola parola: «Bene a ragione lo Spirito Santo ha parlato ai vostri padri per mezzo del profeta Isaia, dicendo:

At

[26] *Va' da questo popolo e di':*
   Udrete con gli orecchi e non capirete,
   guarderete con gli occhi e non vedrete:
[27] *si è indurito infatti il cuore di questo*
      popolo,
   e con gli orecchi hanno udito male,
   e hanno chiuso i loro occhi;
   per non vedere con gli occhi
   né udire con gli orecchi
   e non comprendere con il cuore
      e convertirsi,
   ed io non li guarisca!

[28]Sia noto dunque a voi che *ai pagani* è stata inviata questa *salvezza di Dio*: ed essi ascolteranno!». [[29]]
[30]Rimase due anni interi in un ambiente preso a pigione e riceveva tutti quelli che andavano a visitarlo, [31]annunciando il vangelo del regno e insegnando le cose riguardanti il Signore Gesù Cristo con piena libertà e senza ostacoli.

---

27. Il passo qui citato è di Is 6,9s: esso viene più volte richiamato nel NT, a prova della durezza degli Ebrei ad ammettere la verità rivelata da Gesù (cfr. Mt 13,14 par.; Rm 11,8).

28. La conclusione dell'esortazione, desunta dalla citazione isaiana, chiude bene i discorsi di Paolo riportati dagli Atti, miranti a dimostrare la sua missione di annunziatore della buona novella ai pagani. Con queste parole conclusive Paolo scopre anche il piano di salvezza di Dio, quello che altrove chiama il «mistero di Dio», cioè la sua volontà salvifica universale, non ristretta al popolo giudaico.

29. Il v. 29 della Volgata manca nel greco. Dice: «Detto questo, i Giudei si allontanarono da lui, discutendo animatamente tra loro».

31. Paolo approfitta sino all'ultimo della possibilità di predicare *il regno* di Dio, assicurando che esso si è realizzato con la venuta, la predicazione e la passione, morte e risurrezione di Gesù. Non occorre più aspettare altra manifestazione salvifica sopra la terra, ma soltanto accettare la salvezza portata da Gesù Cristo. Durante questa prima prigionia san Paolo scrisse probabilmente le lettere agli Efesini, ai Filippesi, ai Colossesi, a Filemone. Passati due anni, fu liberato e intraprese altri viaggi apostolici, forse nella Spagna, certo a Creta, in Oriente, nella Macedonia e nell'Epiro. Incarcerato di nuovo (seconda prigionia romana), morì martire, secondo la tradizione, il 29 giugno del 67.

LETTERE DI SAN PAOLO

Profilo biografico di Paolo

Paolo nacque a Tarso nella Cilicia (Turchia meridionale) tra il 5 e il 10 d.C. All'atto della circoncisione i genitori gli posero il nome ebraico di Sha'ùl, Saulo, e probabilmente anche il nome latino Paulus, poiché la famiglia godeva del diritto di cittadinanza romana (At 22,28). Come apostolo egli userà esclusivamente il nome Paolo.

A Tarso il giovane Saulo ricevette la prima educazione religiosa ebraica e vi respirò il clima cosmopolita della città. Dopo la fanciullezza fu inviato a Gerusalemme a completare la sua formazione biblico-giudaica alla scuola di Gamaliele, maestro di grande prestigio. Nulla si sa della formazione greca di Saulo; ma se ne troveranno tracce evidenti nelle sue lettere. Segno indubbio della duplice cultura acquisita è la perfetta padronanza della lingua greca e di quella ebraico-aramaica (At 21,37.40).

Non si ha nessuna sicurezza che Saulo-Paolo abbia avuto rapporti diretti con Gesù. Certo è che compare subito come un temibile avversario della chiesa nascente (cfr. At 7,58; 9,1s; ecc.). Dopo l'uccisione di Stefano, a cui prese parte (At 8,1), Saulo si recò a Damasco per dare la caccia ai cristiani; ma mentre stava raggiungendo la città, fu atterrato da un'apparizione folgorante di Cristo, che gli si rivelò pienamente. Il fatto, avvenuto verso l'anno 35, mutò radicalmente il corso della sua vita (cfr. Gal 1,11-16; Fil 3,7ss). Dopo il battesimo (At 9,19) Paolo si ritirò per qualche tempo nella solitudine dell'Arabia (Gal 1,17), e quindi ritornò a Damasco. Si recò poi a Gerusalemme (At 9,23ss) a «prendere contatti con Cefa» (Gal 1,18). Ma per sottrarsi all'ostilità giudaica contro di lui, accettò il consiglio di tornare a Tarso (At 9,29-30). Dopo qualche anno Barnaba, un cristiano grandemente stimato dagli apostoli, venne a cercarlo per condurlo con sé ad Antiochia di Siria. Per un anno intero essi lavorarono insieme in quella chiesa fiorente, istruendo una grande folla. Da Antiochia partiranno le grandi spedizioni missionarie di Paolo.

Un *primo* viaggio missionario in compagnia di Barnaba lo condusse da Antiochia a Cipro e di lì nelle regioni meridionali dell'attuale Turchia (At 13,4 - 14,26), dove si formarono delle comunità locali cui furono preposti dei capi chiamati «anziani» o «presbiteri» (At 14,23).

In una *seconda* spedizione missionaria, in compagnia di Sila e Timoteo, Paolo attraversò l'attuale Turchia da Tarso a Troade, donde si spinse verso l'Europa. Annunciò il vangelo a Filippi, Tessalonica, Atene, Corinto, dove sostò per quasi un biennio. Siamo negli anni 51-52. Da Corinto Paolo inviò le lettere ai Tessalonicesi, che sono probabilmente il più antico scritto del Nuovo Testamento. Da Corinto fece ritorno ad Antiochia.

Dopo non molto tempo una *terza* spedizione missionaria ebbe il suo centro nella grande città di Efeso, dove Paolo dimorò oltre due anni (At 19,10). Intanto si teneva in contatto con le comunità fondate in precedenza: da Efeso scrisse la prima lettera ai Corinzi e la lettera ai Galati. Costretto a fuggire da Efeso, si recò in Macedonia, dove scrisse la seconda lettera ai Corinzi, e poi a Corinto, dove trascorse l'inverno del 57-58 scrivendo la grande lettera ai Romani. Da Corinto Paolo si recò a Gerusalemme per consegnare le offerte raccolte a favore dei cristiani di quella comunità.

A Gerusalemme viene notato da giudei ostili che sollevano la folla contro di lui. Dopo un arresto drammatico da parte del tribuno romano, Paolo sperimenta le lungaggini di un processo a Gerusalemme, a Cesarea e poi a Roma, essendosi appellato al tribunale imperiale.

A Roma Paolo arrivò nella primavera dell'anno 60-61 e vi rimase, in domicilio coatto, fino all'anno 63, in attesa di un processo che, a quanto pare, non ebbe luogo. Secondo l'opinione più tradizionale, scrisse da Roma le lettere ai Filippesi, agli Efesini, ai Colossesi e il biglietto a Filemone, dette appunto «della prigionia».

Dopo il 63 non abbiamo più notizie sicure. Alcuni ipotizzano già verso il 64 l'anno del martirio. Altri collocano qui il viaggio in Spagna (Rm 15,24.28). Si hanno anche notizie di un ulteriore viaggio nell'Asia Minore, dove lasciò Timoteo a capo della chiesa di Efeso e affidò a Tito la comunità di Creta (cfr. 1Tm 1,3; Tt 1,5). Troviamo poi nuovamente Paolo a Roma, in una prigionia severa (2Tm 4,6s), durante la quale avrebbe scritto le lettere a Timoteo e a Tito. Il processo questa volta si concluse con la condanna alla decapitazione che avvenne, secondo la tradizione, alle Acque Salvie, lungo la via Ostiense, a cinque chilometri dalle mura di Roma. Poteva essere l'anno 67 d.C.

Le lettere

Le lettere giunte a noi con il nome di Paolo basterebbero da sole a collocarlo tra i grandi scrittori dell'antichità. Più che la quantità colpisce l'acutezza del pensiero e l'immediatezza esistenziale. Esse sono nate a servizio della missione e come sua integrazione. Tredici lettere hanno come mittente il nome di Paolo. Esse sono indirizzate ai Romani, ai Corinzi (2), ai Galati, agli Efesini, ai Filippesi, ai Colossesi, ai Tessalonicesi (2), a Timoteo (2), a Tito, a Filemone. Una quattordicesima, la lettera agli Ebrei, gli è stata attribuita fin dal II secolo, ma non è scritta da lui (cfr. Eb 13,23-25). Sette sono ritenute da tutti autentiche: 1 Tessalonicesi, 1-2 Corinzi, Galati, Romani, Filippesi, Filemone. Apparse tra gli anni 50 e 60, esse sono gli scritti più antichi del cristianesimo. Nelle altre lettere la maggioranza dei critici è incline a ravvisare la mano di qualche discepolo, e per qualcuna anche la pseudoepigrafia, secondo un'usanza in voga in quei secoli. Sono lettere vere e proprie; ma anche quando tratta problemi immediati per i suoi destinatari, Paolo li accosta con argomentazioni teologiche. Vi sono perciò sezioni dottrinali che vanno al di là delle questioni contingenti: così in 1Ts 4,13ss dal caso concreto dei Tessalonicesi passa a trattare l'escatologia cristiana; in 1Cor 10.13–15 la situazione della comunità dà spunto a considerazioni teologico-pastorali sulla situazione «esodica» della vita cristiana, sul primato della carità (*agápē*) e sulla speranza della risurrezione. Le lettere ai Galati e ai Romani sono trattazioni teologiche, ma conservano il carattere di vere lettere alle rispettive comunità.

Lettere occasionali, dunque, nate dalle esigenze della missione, ma nel contempo lettere pastorali e apostoliche destinate a costruire le comunità cristiane di ogni tempo.

LETTERA AI ROMANI

La lettera ai Romani tiene il primo posto nell'epistolario di san Paolo per l'ampiezza, l'importanza e le implicazioni del tema che tratta. Fu scritta nell'inverno tra il 57 e il 58 d.C. da Corinto, dove Paolo si trovava in attesa di portare ai cristiani di Gerusalemme gli aiuti delle chiese della Macedonia e dell'Acaia (Rm 15,25-26).

Nella lettera si distinguono chiaramente un preambolo (1,1-15), una parte dottrinale (1,16 - 11,36), una parte morale (12,1 - 15,13) e un epilogo con saluti e dossologia (15,14 - 16,27).

Nella parte dottrinale (1,16 - 11,36) viene illustrata la verità che solo la fede rende giusti dinanzi a Dio. La salvezza è grazia e non vi sono opere che la possano meritare, tanto più che la vita dell'uomo, sia ebreo che pagano, è sempre macchiata da colpe e peccati, da riconoscere dinanzi a Dio affidandosi con fede alla salvezza che lui offre in Cristo (3,21 - 4,25). Questa grazia dona pace con Dio e speranza certa di redenzione (5,1-11), perché libera da tutto ciò che separa l'uomo da Dio (5,12 - 7,25) e realizza la filiazione divina grazie al dono dello Spirito (c. 8). Segue la riflessione sul mistero dell'elezione e dell'incredulità d'Israele, la cui salvezza rimane comunque negli imperscrutabili disegni di Dio (cc. 9-11).

La parte morale (12,1 - 15,13) contiene norme per la vita cristiana: unità e comunione, ossequio alle autorità civili, carità nel dirimere contrasti fra cristiani sull'esempio di Cristo, che non cercò di piacere a se stesso, ma si sacrificò per amore degli uomini.

Nessuno scritto, al di fuori dei vangeli, ebbe tanta influenza nella storia della chiesa, dal Concilio di Nicea al Vaticano II, quanto questo grandioso scritto di Paolo.

PROLOGO

1 **Saluto e presentazione del vangelo.** - [1]Paolo, servo di Gesù Cristo, chiamato apostolo, consacrato al vangelo di Dio – [2]vangelo che egli aveva preannunciato per mezzo dei suoi profeti negli scritti sacri [3]riguardo al Figlio suo, nato dalla stirpe di Davide secondo la natura umana, [4]costituito Figlio di Dio con potenza secondo lo Spirito di santificazione mediante la risurrezione dai morti: Gesù Cristo Signore nostro; [5]per mezzo di lui abbiamo ricevuto la grazia e la missione apostolica per portare all'obbedienza della fede tutti i gentili a gloria del suo nome, [6]tra i quali siete anche voi, chiamati da Gesù Cristo –, [7]a tutti coloro che si trovano in Roma, amati da Dio, chiamati santi: grazia a voi e pace da parte di Dio, Padre nostro, e da parte del Signore Gesù Cristo.

Ringraziamento a Dio. - [8]Prima di tutto ringrazio il mio Dio per mezzo di Gesù Cristo riguardo a tutti voi, perché la vostra fede è magnificata in tutto il mondo. [9]Mi è infatti testimone Dio, al quale presto culto nel mio spirito mediante l'annuncio del vangelo del Figlio suo, con quale costanza ininterrotta io vi ricordo [10]ovunque nelle mie preghiere, chiedendo che finalmente mi si offra secondo il volere di Dio una bella occasione di venire da voi. [11]Desidero infatti ardentemente vedervi, allo scopo di comunicarvi qualche dono spirituale per il vostro consolamento [12]o, me-

---

1. - 1. *Servo di Gesù Cristo*, cioè schiavo suo e interamente dedito al suo servizio. *Chiamato*: qui si riferisce specificamente alla chiamata all'apostolato; nei vv. 6.7 e altrove (8,28; 1Cor 1,24), indica la vocazione alla fede.
4. *Costituito Figlio di Dio... mediante la risurrezione*: ha ricevuto, anche come uomo, il potere di santificare, proprio del Figlio di Dio.

glio, per provare in mezzo a voi la gioia e l'impulso derivanti dalla fede comune, vostra e mia. [13]Non voglio nascondervi, fratelli, che spesso mi proposi di venire da voi – e fino ad ora ne sono stato impedito – per raccogliere anche tra voi qualche frutto, come tra gli altri gentili. [14]Sono in debito verso Greci e barbari, sapienti e ignoranti: [15]cosicché, per parte mia, sono desideroso di annunciare il vangelo anche a voi che vi trovate in Roma.

PARTE DOTTRINALE

Giustificazione per mezzo della fede in Gesù Cristo. - [16]Infatti non mi vergogno del vangelo, poiché esso è un'energia operante di Dio per apportare la salvezza a chiunque crede, giudeo anzitutto e greco. [17]Infatti la giustizia di Dio si rivela in esso da fede a fede, secondo quanto è stato scritto: *Il giusto vivrà in forza della fede.*

Tutti gli uomini hanno peccato. - [18]Difatti l'ira di Dio si manifesta dal cielo sopra ogni empietà e malvagità di quegli uomini che soffocano la verità nell'ingiustizia. [19]Poiché ciò che è noto di Dio è manifesto in loro; [20]infatti, dopo la creazione del mondo, Dio manifestò ad essi le sue proprietà invisibili, come la sua eterna potenza e la sua divinità, che si rendono visibili all'intelligenza mediante le opere da lui fatte. E così essi sono inescusabili, [21]poiché, avendo conosciuto Dio, non lo glorificarono come Dio né gli resero grazie, ma i loro ragionamenti divennero vuoti e la loro coscienza stolta si ottenebrò. [22]Ritenendosi sapienti, divennero sciocchi, [23]e scambiarono la gloria di Dio incorruttibile *con le sembianze* di uomo corruttibile, di volatili, di quadrupedi, di serpenti.

Dio li ha abbandonati. - [24]Perciò Dio li ha lasciati in balìa dei desideri sfrenati dei loro cuori, fino all'immondezza che è consistita nel disonorare il loro corpo tra di loro; [25]essi che scambiarono la verità di Dio con la menzogna e adorarono e prestarono un culto alle creature invece che al Creatore, che è benedetto nei secoli: amen!

I peccati dei pagani. - [26]Per questo Dio li ha dati in balìa di passioni ignominiose: le loro donne scambiarono il rapporto sessuale naturale con quello contro natura; [27]ugualmente gli uomini, lasciato il rapporto naturale con la donna, bruciarono di desiderio gli uni verso gli altri, compiendo turpitudini uomini con uomini, ricevendo in se stessi la ricompensa debita della loro aberrazione. [28]E siccome non stimarono saggio possedere la vera conoscenza di Dio, Dio li abbandonò in balìa di una mente insipiente, in modo da compiere ciò che non conviene, [29]ripieni di ogni genere di malvagità, cattiveria, cupidigia, malizia, invidia, omicidio, lite, frode, malignità, maldicenti in segreto, [30]calunniatori, odiatori di Dio, insolenti, superbi, orgogliosi, ideatori di male, ribelli ai genitori, [31]senza intelligenza, senza lealtà, senza amore, senza misericordia; [32]essi, conoscendo bene il decreto di Dio, per cui coloro che compiono tali azioni sono degni di morte, non solo lo fanno, ma danno il loro consenso, approvando chi le compie.

2 I peccati dei Giudei. - [1]Perciò sei inescusabile, proprio tu che giudichi, chiunque tu sia: con lo stesso atto con cui giudichi gli altri, condanni te stesso: infatti tu che giudichi compi le stesse cose che condanni. [2]Ma sappiamo che il giudizio di Dio si applica secondo verità a coloro che compiono tali cose. [3]O pensi questo, o uomo che giudichi coloro che compiono tali azioni e intanto le compi tu stesso, che sfuggirai al giudizio di Dio? [4]Oppure disprezzi il tesoro della sua bontà, della sua pazienza, della sua longanimità, senza riconoscere che la benignità di Dio ti spinge alla conversione? [5]Ma per mezzo della tua durezza e della tua coscienza inaccessibile al pentimento, tu ammassi per te un tesoro di collera per il giorno dell'ira e della rivelazione della giustizia giudicatrice di Dio, [6]che compenserà ciascuno secondo le sue opere: [7]la vita eterna a quelli che nella perse-

---

14. *Barbari*, secondo il linguaggio comune nel mondo greco-romano, erano tutti quelli che non appartenevano alla cultura greca, e quindi anche gli Ebrei.

17. *Da fede a fede*: l'interpretazione di questa frase pregnante pare la seguente: «Tutta l'azione della giustificazione è come immersa nella fede, avviene nell'ambito della fede in senso esclusivo» (U. Vanni).

2. - 1. *Tu che giudichi*: indica il giudeo. Paolo sottolinea la maggiore colpevolezza dei Giudei, avendo essi la legge naturale e quella mosaica, data da Dio.

veranza di un agire onesto cercano gloria, onore, immortalità; [8]ira e sdegno per coloro che appartengono alla categoria dei ribelli, disobbediscono alla verità, ma obbediscono alla malvagità. [9]Tribolazioni e angustie cadranno su ciascun essere umano che attua il male, giudeo in primo luogo e greco; [10]gloria, onore e pace a chiunque opera il bene, giudeo in primo luogo e greco, [11]poiché Dio non fa distinzioni di persona.

Il giudizio secondo la legge positiva o naturale. - [12]Quanti infatti peccarono senza la legge, periranno senza la legge; parimenti quanti peccarono con la legge, saranno giudicati secondo la legge. [13]Infatti non coloro che ascoltano la legge sono giusti davanti a Dio, ma coloro che la mettono in pratica saranno dichiarati giusti. [14]Infatti tutte le volte che i pagani, che non hanno la legge, praticano le azioni prescritte dalla legge, seguendo il dettame della natura, essi, pur non avendo la legge, sono legge per se stessi. [15]Essi mostrano che l'opera voluta dalla legge è scritta nei loro cuori, dato che la loro coscienza rende loro testimonianza e i loro ragionamenti si accusano o difendono tra di loro, [16]nel giorno in cui Dio giudicherà i segreti degli uomini secondo il mio vangelo, per mezzo di Gesù Cristo.

[17]Se poi tu ti vanti di essere giudeo, ti appoggi alla legge e ti glori in Dio; [18]conosci ciò che Dio vuole e, istruito dalla legge, distingui le cose migliori, [19]e hai la persuasione di essere guidatore di ciechi, luce di quelli che sono nelle tenebre, [20]dottore di ignoranti, maestro di fanciulli, possedendo nella legge il paradigma della scienza e della verità… [21]Tu che istruisci gli altri, non istruisci te stesso? Tu che proclami che non si deve rubare, rubi? [22]Tu che dici che non si deve compiere adulterio, lo compi? Tu che hai in orrore gli idoli, spogli i templi? [23]Tu, vantandoti della legge, mediante la trasgressione della legge disonori Dio. [24]*Il nome di Dio per causa vostra* infatti *viene bestemmiato in mezzo ai pagani*, come è stato scritto.

[25]La circoncisione infatti ha un'utilità se tu metti in pratica la legge; ma se tu sei prevaricatore della legge, la tua circoncisione diventa incirconcisione. [26]E allora se un incirconciso mette in pratica le opere della legge, la sua incirconcisione non gli varrà forse come circoncisione? [27]E il fisicamente incirconciso, che osserva la legge, condannerà te che con i precetti e la circoncisione trasgredisci la legge. [28]Infatti il vero giudeo non sta nell'apparenza esterna, né la vera circoncisione è quella che appare nella carne; [29]ma il vero giudeo lo è al di dentro, e la vera circoncisione è quella del cuore, secondo lo Spirito, non secondo la lettera: questi ha la lode non dagli uomini, ma da Dio.

3 **Prerogative dei Giudei.** - [1]Qual è dunque la superiorità del giudeo e quale l'utilità della circoncisione? [2]Grande sotto ogni riguardo. Anzitutto perché ad essi furono affidate le promesse divine. [3]Che dunque? Se alcuni furono infedeli, la loro infedeltà annullerà forse la fedeltà di Dio? [4]Non sia mai detto. Ma è necessario che Dio si manifesti verace, *ogni uomo*, invece, *menzognero*, secondo che sta scritto:

affinché tu sia dichiarato giusto
nella tua parola
e vinca quando vieni chiamato in giudizio.

[5]Se poi la nostra malvagità mette in risalto la giustizia di Dio, che diremo? Dio sarebbe ingiusto, quando scatena su di noi la sua collera? Uso un linguaggio antropomorfico. [6]Non sia mai detto. Se così fosse, come potrebbe Dio giudicare l'umanità? [7]Se infatti la veracità di Dio sovrabbonda a sua gloria in contrasto con la mia infedeltà, perché anch'io sono giudicato come peccatore? [8]Forse, come siamo calunniati e come alcuni affermano che diciamo, dovremmo fare il male perché ne derivi il bene? Su costoro cade una giusta condanna.

Tutti gli uomini sono peccatori. - [9]E allora? Abbiamo dei vantaggi? Niente affatto!

---

12. *Senza la legge* mosaica: sono i pagani; *con la legge*: sono gli Ebrei. Il giudizio di Dio non si farà sulla conoscenza, ma sulle opere, fatte secondo coscienza, basata sulla conoscenza della legge che deve guidare la vita: legge positiva per gli Ebrei, legge naturale per i pagani.

26-29. La circoncisione era stata data ad Abramo e ai suoi discendenti come un segno di appartenenza al popolo eletto. Non è però un segno esterno che basta a costituire membro del popolo di Dio, bensì è l'osservanza della sua volontà.

3. - 2. *Le promesse divine*: il complesso della Scrittura, contenente la storia della salvezza: dalla promessa della Genesi a quelle dei profeti.

Affermammo prima, infatti, accusando, che Giudei e Greci sono tutti sotto il dominio del peccato, [10]come sta scritto:

> *Non esiste giusto, neppure uno,*
> [11] *non c'è chi comprende,*
> *non c'è chi cerca Dio;*
> [12] *tutti furono fuorviati, tutti si sono corrotti;*
> *non c'è chi fa il bene, nemmeno*
> *una persona;*
> [13] *sepolcro spalancato è la loro gola,*
> *tramano inganni con la loro lingua,*
> *veleno di aspidi sta sotto le loro labbra;*
> [14] *la loro bocca rigurgita*
> *di maledizioni e di acidità maligna;*
> [15] *i loro piedi corrono veloci a versare*
> *il sangue,*
> [16] *strage e lamento sono sul loro cammino*
> [17] *e non conobbero la via del bene.*
> [18] *Non c'è timore di Dio davanti ai loro occhi.*

[19]Ora noi sappiamo che quanto dice la legge lo afferma per coloro che sono sotto la legge, cosicché ogni bocca ammutolisca e tutto il mondo divenga reo davanti a Dio: [20]poiché dalle opere della legge *nessuna carne* verrà *giustificata dinanzi a lui*. Per mezzo della legge, infatti, si ha la conoscenza del peccato.

La salvezza viene da Dio mediante la fede in Cristo. - [21]Ma ora, a prescindere dalla legge, la giustizia di Dio si è rivelata, testimoniata dalla legge e dai profeti; [22]la giustizia di Dio, per mezzo della fede in Gesù Cristo, per tutti coloro che credono, poiché non c'è distinzione. [23]Tutti infatti peccarono e sono privi della gloria di Dio, [24]e vengono giustificati gratuitamente per suo favore, mediante la redenzione che si trova per mezzo di Gesù Cristo. [25]Dio lo ha esposto pubblicamente come propiziatorio, per mezzo della fede nel suo sangue, per mostrare la sua giustizia nella remissione dei peccati passati, [26]collegata con l'attesa paziente di Dio, per mostrare la sua giustizia nel momento presente, allo scopo di essere giusto e di giustificare chi si basa sulla fede in Gesù.

[27]Dov'è dunque il vanto? Fu eliminato. Attraverso quale legge? Delle opere? Niente affatto, ma per la legge della fede. [28]Pensiamo dunque che l'uomo viene giustificato per mezzo della fede senza le opere della legge. [29]O forse Dio è Dio solo dei Giudei? Non lo è forse anche dei pagani? Sì, certamente, anche dei pagani, [30]poiché vi è un solo Dio, che giustificherà i circoncisi in base alla fede, gli incirconcisi per mezzo della fede. [31]Aboliamo dunque la legge per mezzo della fede? Non sia mai detto! Al contrario diamo una base alla legge.

4 Abramo è padre di tutti i credenti per la sua fede. - [1]Che diremo dunque? Che abbiamo trovato in Abramo il nostro primo padre secondo la carne? [2]Se infatti Abramo fu giustificato in base alle opere, ha un titolo di vanto; ma non davanti a Dio. [3]Che dice, in realtà, la Scrittura? *Credette Abramo a Dio e ciò gli fu computato a giustificazione.* [4]Ora a chi lavora il salario non viene computato a titolo di favore, bensì a titolo di cosa dovuta, [5]mentre a chi non lavora, ma crede in chi giustifica l'empio, il suo credere viene computato a giustificazione, [6]come anche Davide proclama beato l'uomo a cui Dio imputa la giustificazione, a prescindere dalle opere:

> [7] *Beati coloro le cui iniquità*
> *furono rimesse*
> *e i cui peccati furono ricoperti;*
> [8] *beato l'uomo del cui peccato Dio*
> *non tiene conto.*

[9]Questo dichiarare beato riguarda dunque la circoncisione o anche l'incirconcisione? Diciamo infatti: *Ad Abramo la fede fu computata a giustificazione.* [10]Come gli fu dunque computata? Quando era circonciso o incirconciso? Non quando era circonciso, ma quando era incirconciso. [11]E ricevette

---

31. *Diamo una base alla legge*: la legge, anche se praticata, di per sé non poteva giustificare l'uomo, perché la giustificazione viene da Dio; ma se la legge era praticata nell'ordine in cui era stata data, cioè come obbedienza al Dio della promessa, allora aveva valore, perché Dio, pur non dando la giustificazione in forza delle opere fatte secondo la legge, la dava per la fede con cui essa veniva praticata, in virtù di Colui che era l'oggetto della promessa.

4. - 1-5. *Abramo*: per dimostrare che anche l'AT insegnò che l'uomo viene giustificato per mezzo della fede e non dalle opere, Paolo fa vedere che Abramo non ottenne la giustificazione come premio delle sue opere, ma come dono gratuito per la fede mostrata alla parola di Dio che prometteva. Il ragionamento paolino è assai stringato e alla moda rabbinica. Più facile a comprendersi così com'è che in lunghe esposizioni.

il segno della circoncisione come sigillo della giustificazione ottenuta attraverso la fede quando egli era incirconciso, per essere padre di tutti coloro che credono senza essere circoncisi, affinché anche ad essi venga computata la giustizia, [12]e padre dei circoncisi, i quali non solo provengono dalla circoncisione, ma seguono le orme della fede praticata dal nostro padre Abramo incirconciso. [13]Infatti la promessa che egli sarebbe stato erede del mondo non fu fatta ad Abramo e alla sua discendenza in forza della legge, ma in forza della giustificazione dipendente dalla fede. [14]Se infatti gli eredi fossero computati in base alla legge, la fede sarebbe inutile e la promessa resa vana. [15]La legge infatti provoca l'ira, mentre invece dove non c'è legge, neppure c'è trasgressione. [16]Quindi, la promessa dipende dalla fede. In tal modo essa è dono gratuito, assicurato a tutta la discendenza, non solo a quella che si fonda sulla legge, ma anche a quella che si fonda sulla fede di Abramo, che è padre di noi tutti. [17]Infatti sta scritto: *Ti ho costituito padre di molte nazioni*, davanti a Dio, cui egli credette come a colui che dà vita ai morti e chiama all'essere le cose che non sono. [18]Egli credette, al di là di ogni speranza, di divenire *padre di molte nazioni*, secondo quanto gli era stato detto: *Così sarà la tua discendenza*; [19]e senza vacillare nella fede, considerò il suo corpo già privo di vitalità, avendo circa cento anni, e la devitalizzazione del seno materno di Sara. [20]Fondato sulla promessa di Dio, non esitò nell'incredulità, ma si rafforzò nella fede e diede gloria a Dio, [21]fermamente persuaso che egli è anche potente per realizzare quanto ha promesso. [22]Proprio per questo *la fede gli fu computata a giustificazione*. [23]Ma non fu scritto solo per lui che *gli fu computata*, [24]bensì anche per noi, ai quali pure doveva essere computata, che crediamo in Colui che risuscitò da morte Gesù nostro Signore, [25]il quale fu dato per causa dei nostri peccati e fu risuscitato per compiere la nostra giustificazione.

5 La giustificazione vissuta. - [1]Avendo dunque ricevuto la giustificazione per mezzo della fede, abbiamo pace con Dio per mezzo del Signore nostro Gesù Cristo; [2]per mezzo di lui abbiamo anche l'accesso, mediante la fede, a questa grazia nella quale siamo stati stabiliti e ci gloriamo nella speranza della gloria di Dio. [3]Non solo, ma ci gloriamo perfino nelle tribolazioni, ben sapendo che la tribolazione produce la costanza, [4]la costanza una virtù collaudata, la virtù collaudata la speranza. [5]La speranza, poi, non delude, poiché l'amore di Dio è stato riversato nei nostri cuori per mezzo dello Spirito Santo dataci in dono. [6]Infatti, quando eravamo ancora senza forze, Cristo, al tempo stabilito, morì per gli empi. [7]In realtà, a fatica uno è disposto a morire per un giusto, e per una persona dabbene uno oserebbe forse morire. [8]Ma Dio ci dà prova del suo amore per noi nel fatto che, mentre ancora eravamo peccatori, Cristo morì per noi. [9]A maggior ragione, dunque, giustificati come ora siamo per mezzo del suo sangue, saremo da lui salvati dall'ira. [10]Se infatti, quando eravamo nemici, noi fummo riconciliati con Dio in virtù della morte del Figlio suo, quanto più, una volta riconciliati, saremo salvati per mezzo della sua vita. [11]E non solo questo, ma ci gloriamo pure in Dio per mezzo del Signore nostro Gesù Cristo, per mezzo del quale adesso abbiamo ricevuto la riconciliazione.

Adamo e Cristo nella storia umana. - [12]Perciò, come a causa di un solo uomo il peccato entrò nel mondo e attraverso il peccato la morte, e così la morte dilagò su tutti gli uomini per il fatto che tutti peccarono... [13]Fino alla legge infatti c'era il peccato nel mondo, ma un peccato non viene imputato non essendoci legge; [14]la morte esercitò il suo dominio da Adamo fino a Mosè, anche su coloro che non peccarono, a causa di quella loro affinità con la trasgressione di Adamo, il quale è figura del futuro (Adamo). [15]Ma il dono di grazia non è come la caduta: se infatti per la caduta

---

5. - 1. Paolo considera l'uomo nella sua condizione attuale, di giustificato per l'opera redentrice di Gesù. Il primo frutto della giustificazione è la pace con Dio.

12. *Tutti peccarono*: qui è chiaramente enunziato il dogma del peccato originale. Però qui Paolo non parla solo del peccato originale, ma anche dei peccati personali in cui cadono tutti gli uomini. *Il peccato*, di cui si fa menzione qui, è da intendersi come una potenza malefica personificata entrata nel mondo con il peccato di Adamo, che allontana l'uomo da Dio, lo oppone a lui e produce *la morte*, che non è solo quella corporale, ma anche quella spirituale e specialmente quella eterna.

di uno i molti morirono, molto più sovrabbondò la benevolenza di Dio e il dono nella benevolenza di un solo uomo, Gesù Cristo, verso i molti. [16]E non è del dono come per il peccato di uno solo: infatti il giudizio proveniente da uno solo sfocia in condanna, invece il dono di grazia, partendo dai molti peccati, sfocia in giustificazione. [17]Se dunque per la trasgressione di uno solo la morte regnò a causa di quello solo, quanto più coloro che ricevono l'abbondanza della benevolenza e il dono della giustizia regneranno nella vita a causa del solo Gesù Cristo. [18]Dunque, come a causa della colpa di uno solo si ebbe in tutti gli uomini una condanna, così anche attraverso l'atto di giustizia di uno solo si avrà in tutti gli uomini la giustificazione di vita. [19]Come infatti a causa della disobbedienza di un solo uomo i molti furono costituiti peccatori, così anche per l'obbedienza di uno solo i molti saranno costituiti giusti. [20]La legge subentrò affinché si moltiplicasse la trasgressione; ma dove si moltiplicò il peccato, sovrabbondò la grazia, [21]affinché, come regnò il peccato nella morte, così anche la grazia regni mediante la giustificazione per la vita eterna, in grazia di Cristo nostro Signore.

6 La giustificazione esclude il peccato.

[1]Che diremo dunque? Dobbiamo rimanere aderenti al peccato, perché abbondi la grazia? [2]Non sia mai detto! Noi che morimmo al peccato, come vivremo ormai in esso? [3]O ignorate forse che tutti quanti fummo battezzati per unirci a Cristo Gesù, fummo battezzati per unirci alla sua morte? [4]Fummo dunque sepolti con lui per il battesimo per unirci alla sua morte, in modo che, come Cristo è risorto dai morti per la gloria del Padre, così anche noi abbiamo un comportamento di vita del tutto nuovo. [5]Se infatti siamo diventati un medesimo essere insieme con lui per l'affinità con la sua morte, lo saremo pure per l'affinità con la sua risurrezione, [6]ben sapendo questo: il nostro uomo vecchio fu crocifisso insieme con Cristo affinché fosse annullato il corpo del peccato, così da non

essere più noi schiavi del peccato, [7]poiché chi è morto è stato giustificato dal peccato. [8]Se poi morimmo con Cristo, crediamo che anche vivremo con lui, [9]ben sapendo che Cristo, risorto dai morti, non muore più; la morte non eserciterà più alcun dominio su di lui. [10]Egli infatti morì e morì al peccato una volta per sempre; ora invece egli vive, e vive per Dio. [11]Così anche voi, reputate voi stessi come morti al peccato e viventi per Dio in Cristo Gesù. [12]Non regni dunque il peccato nel vostro corpo mortale, portandovi ad obbedire ai suoi impulsi sfrenati, [13]e non presentate le vostre membra come armi di iniquità per il peccato, ma offrite voi stessi a Dio come viventi dopo essere stati morti, e le vostre membra come armi di giustizia per Dio; [14]il peccato infatti non avrà dominio su di voi; infatti non siete sotto l'influsso della legge ma della grazia.

La giustificazione esclude il disimpegno morale. - [15]E allora? Dovremmo peccare, per il fatto che non siamo sotto la legge ma sotto la grazia? Non sia mai detto! [16]Non sapete che se vi fate schiavi, obbedendo, di qualcuno, siete schiavi di quello a cui obbedite, sia del peccato per la morte, sia dell'obbedienza per la giustificazione? [17]Siano rese grazie a Dio perché, già schiavi del peccato, obbediste di cuore a quella forma di dottrina che vi fu tramandata; [18]liberati dal peccato, foste asserviti alla giustificazione. [19]Parlo in termini umani a causa della debolezza della vostra carne. Come infatti offriste le vostre membra in servizio all'immondezza e all'iniquità per l'iniquità, così ora offrite le vostre membra in servizio della giustizia per la santificazione. [20]Quando eravate schiavi del peccato, eravate liberi in rapporto alla giustificazione. [21]Quale frutto raccoglieste allora in quelle cose di cui ora arrossite? Il termine a cui esse conducono è la morte. [22]Ora invece, liberati dal peccato, resi invece schiavi a Dio, raccogliete i vostri frutti per la giustificazione e il termine è la vita eterna. [23]La ricompensa del peccato è la morte, il dono di grazia di Dio è la vita eterna in Cristo Gesù nostro Signore.

7 L'uomo è liberato dalla schiavitù della legge.

[1]O ignorate, fratelli – parlo a gente che conosce la legge –, che la legge

---

7. - 1. Ognuno è soggetto alla legge soltanto finché vive; ora i Giudei col battesimo morivano alla legge di Mosè, quindi non vi erano più soggetti.

ha potere sull'uomo per tutto il tempo che egli vive? [2]Infatti la donna sposata, per legge, è legata all'uomo finché questi vive; ma se l'uomo viene a morire, essa rimane sciolta dalla legge che la lega all'uomo. [3]Perciò, se, essendo vivo l'uomo, si dà a un altro uomo, viene dichiarata adultera. Se invece viene a morire l'uomo, è libera dalla legge, in modo da non essere adultera se si dà a un altro uomo. [4]Così, fratelli miei, anche voi siete stati fatti morire alla legge mediante il corpo di Cristo per essere dati a un altro, a Colui che è risorto da morte, perché portiamo frutti degni di Dio. [5]Quando infatti eravamo in balìa della carne, le passioni che inducono al peccato, attivate dalla legge, agivano nelle nostre membra facendoci portare frutti degni di morte. [6]Adesso, invece, siamo stati sottratti all'effetto della legge, morti a quell'elemento di cui eravamo prigionieri, affinché serviamo a Dio nell'ordine nuovo dello Spirito e non in quello vecchio della lettera.

La legge non è di per sé causa di peccato. - [7]Che diremo allora? La legge è peccato? Non sia mai detto! Ma io non conobbi peccato se non attraverso la legge: non avrei infatti conosciuto il desiderio passionale se la legge non dicesse: *Non desiderare.* [8]E il peccato, trovato un punto di appoggio, mediante il comando ha suscitato in me tutti i desideri passionali; il peccato infatti senza la legge è morto. [9]Ma io un tempo senza la legge vivevo; ma venuto il comando, il peccato si destò a vita, [10]ma io morii; e il precetto che doveva darmi la vita divenne per me causa di morte. [11]Il peccato, infatti, trovato un punto di appoggio, per mezzo del comandamento mi sedusse e per suo mezzo mi uccise. [12]Quindi la legge è santa, il comandamento è santo, giusto e buono.

La legge non è di per sé causa di morte. - [13]Ciò che è buono divenne morte per me? Non sia mai detto: ma il peccato, per manifestarsi peccato, per mezzo di ciò che è buono opera in me la morte, per diventare peccaminoso al massimo per mezzo del comandamento. [14]Sappiamo infatti che la legge è spirituale, io invece sono di carne, venduto schiavo del peccato. [15]Non capisco infatti quello che faccio: non eseguo ciò che voglio, ma faccio quello che odio. [16]E

se faccio ciò che non voglio, riconosco la bontà della legge. [17]Ora non sono già io a farlo, ma il peccato inabitante in me. [18]So infatti che non abita in me, e cioè nella mia carne, il bene: poiché volere è a mia portata, ma compiere il bene, no. [19]Infatti non faccio il bene che voglio, bensì il male che non voglio, questo compio. [20]Ora, se faccio ciò che non voglio, non sono già io a farlo, ma il peccato che abita in me. [21]Trovo infatti questa legge: che quando voglio compiere il bene, è il male che incombe su di me. [22]Mi compiaccio della legge di Dio secondo l'uomo interiore, [23]ma vedo una legge diversa nelle mie membra che osteggia la legge della mia mente e mi rende schiavo alla legge del peccato che sta nelle mie membra. [24]Uomo infelice che sono! Chi mi libererà dal corpo che porta questa morte?

Soluzione finale. - [25]Grazie a Dio per mezzo di Cristo nostro Signore! Dunque allora io stesso, da una parte con la mente servo alla legge di Dio, dall'altra con la carne servo alla legge del peccato.

8 **Carne e Spirito con le rispettive leggi.** - [1]Ma ora non c'è nessun elemento di condanna per coloro che sono in Cristo Gesù. [2]Infatti la legge dello Spirito della vita in Cristo Gesù ti liberò dalla legge del peccato e della morte. [3]Ciò che infatti era impossibile

5-6. Il cristiano, animato dallo Spirito, si trova liberato, in Cristo, non solo dalla legge mosaica in quanto mosaica, ma anche dalla legge in quanto tale: non è più lo schiavo, ma il figlio che vive con libertà nell'amore di Dio Padre.

7. *Non desiderare*: l'espressione indicava, per gli Ebrei, il fondamentale dei peccati e il loro complesso, tanto che i pagani erano chiamati «coloro che desideravano».

9. *Io...*: questo può intendersi di Adamo prima che ricevesse il precetto nel paradiso terrestre. Egli era felice allora, ma poi, venuto il precetto, il demonio prese occasione per suscitare in lui il desiderio e spingerlo alla trasgressione. Ma può intendersi anche dell'uomo senza la grazia, in balìa di se stesso e del peccato, e dell'uomo liberato da Gesù Cristo (v. 25).

8. - 2. *Legge dello Spirito della vita*: per la mentalità ebraica la legge, in quanto espressione della volontà divina, era il mezzo di ogni giustificazione, cosicché gli Ebrei non potevano concepire una liberazione dal peccato senza una legge da osservare. E questa legge, data da Gesù, è la legge della carità.

3. Il Figlio di Dio è venuto e si è rivestito della nostra carne. Però egli non può aver peccato e quindi la sua non *è carne del peccato*; tuttavia, unendosi a noi, contrae un rapporto, un'affinità con quella carne. Quindi potrà, morendo in sacrificio per i peccati nostri, liberarci da essi, in quanto Dio distruggerà il nostro male morale condannandolo *nella carne* di Cristo.

per la legge, ciò in cui essa era debole a causa della carne, è stato reso possibile: Dio, avendo inviato il proprio Figlio in uno stato di affinità con la carne del peccato e per il peccato, condannò il peccato nella carne, ⁴affinché ciò che è giusto nella legge trovasse il suo compimento in noi, che non ci regoliamo secondo la carne ma secondo lo Spirito. ⁵Coloro infatti che sono secondo la carne, pensano e aspirano alle cose della carne, quelli invece che sono secondo lo Spirito, pensano e aspirano alle cose dello Spirito. ⁶Le aspirazioni della carne conducono alla morte, mentre le aspirazioni dello Spirito sono vita e pace. ⁷Poiché i desideri della carne sono in ostilità verso Dio: non si sottomettono alla legge di Dio, né lo possono fare. ⁸Pertanto coloro che sono nella carne non possono piacere a Dio. ⁹Ma voi non siete in relazione con la carne ma con lo Spirito, dal momento che lo Spirito di Dio abita in voi. Se qualcuno non ha lo Spirito di Cristo, non gli appartiene. ¹⁰Se poi Cristo è in voi, il corpo è morto a causa del peccato, ma lo Spirito è vita in vista della giustificazione. ¹¹Or se lo Spirito di Colui che risuscitò Gesù da morte abita in voi, Colui che risuscitò da morte Cristo Gesù darà la vita anche ai vostri corpi mortali, in forza dello Spirito che abita in voi. ¹²Perciò, fratelli, non siamo debitori verso la carne, così da vivere secondo la carne: ¹³poiché se vivrete secondo la carne, morrete; se invece con lo Spirito ucciderete le azioni del corpo, vivrete.

¹⁴Infatti tutti coloro che si lasciano guidare dallo Spirito di Dio sono figli di Dio. ¹⁵Non riceveste infatti uno spirito di schiavitù così da essere di nuovo in stato di timore, ma riceveste lo Spirito di adozione a figli, in unione con il quale gridiamo: Abbà, Padre! ¹⁶Lo Spirito stesso attesta al nostro spirito che siamo figli di Dio. ¹⁷Se figli, anche eredi, eredi di Dio, coeredi di Cristo, purché soffriamo insieme a lui, per poter essere con lui glorificati.

19-21. *La creazione*, avendo ricevuto l'uomo come suo re, rimase umiliata per la condanna di Adamo, che colpì anche tutta la natura. Fu *sottoposta alla caducità*, cioè alla forza di distruzione, alla legge di morte e a continui mutamenti. Ora attende ansiosa *la manifestazione dei figli di Dio*, il che avverrà alla fine del mondo.

22-24. L'*adozione a figli*, il *riscatto del nostro corpo*, cioè la glorificazione dell'anima e del corpo che soddisferà i sospiri di tutta la creazione, ora esiste solo nella *speranza* ed è attesa nella pazienza.

Stato presente e gloria futura. - ¹⁸Penso infatti che le sofferenze del tempo presente non hanno un valore proporzionato alla gloria che si manifesterà in noi. ¹⁹L'attesa spasmodica delle cose create sta infatti in aspettativa della manifestazione dei figli di Dio. ²⁰Le cose create infatti furono sottoposte alla caducità non di loro volontà, ma a causa di colui che ve le sottopose, nella speranza ²¹che la stessa creazione sarà liberata dalla schiavitù della corruzione per ottenere la libertà della gloria dei figli di Dio. ²²Sappiamo infatti che tutta la creazione geme e soffre unitamente le doglie del parto fino al momento presente. ²³Non solo essa, ma anche noi, che abbiamo il primo dono dello Spirito, a nostra volta gemiamo in noi stessi, in attesa dell'adozione a figli, del riscatto del nostro corpo. ²⁴Fummo infatti salvati nella speranza; ma una speranza che si vede non è più speranza: chi infatti spera ciò che vede? ²⁵Ma se noi speriamo ciò che non vediamo, stiamo in attesa mediante la costanza. ²⁶Nello stesso modo anche lo Spirito, coadiuvandoci, viene in aiuto alla nostra debolezza; infatti noi non sappiamo che cosa dobbiamo chiedere convenientemente, ma è lo Spirito stesso che prega per noi con gemiti inespressi. ²⁷Ma Colui che scruta i cuori, sa quali sono i pensieri e le aspirazioni dello Spirito, poiché intercede per i santi secondo Dio. ²⁸Sappiamo poi che per coloro che amano Dio tutto confluisce in bene, per coloro che secondo il piano di Dio si trovano ad essere chiamati. ²⁹Poiché coloro che da sempre egli ha fatto oggetto delle sue premure, li ha anche predeterminati ad essere conformi all'immagine del Figlio suo, affinché egli sia il primogenito tra molti fratelli. ³⁰Coloro che predeterminò, anche chiamò; quelli che chiamò, questi anche giustificò; quelli poi che giustificò, anche glorificò.

Certezza, fiducia, speranza, basate sull'amore di Dio. - ³¹Che diremo riguardo a queste cose? Se Dio è per noi, chi potrebbe essere contro di noi? ³²Lui, che non ha risparmiato il proprio Figlio, ma lo ha dato in sacrificio per noi tutti, come non ci darà in dono insieme a lui tutte le cose?

³³Chi si farà accusatore contro gli eletti di Dio? Dio *che li dichiara giusti?* ³⁴*Chi li condannerà?* Gesù Cristo che è morto, anzi

che è risuscitato, lui che siede alla destra di Dio, lui che intercede in nostro favore? ³⁵Chi ci separerà dall'amore di Cristo? La tribolazione, l'angoscia, la persecuzione, la fame, la nudità, i pericoli, la spada? ³⁶Secondo quanto sta scritto: *per causa tua siamo messi a morte tutto il giorno, fummo reputati come pecore da macello.*

³⁷Ma in tutte queste cose noi stravinciamo in grazia di Colui che ci amò. ³⁸Sono infatti persuaso che né morte né vita, né angeli né potestà, né presente né futuro, ³⁹né altezze né profondità, né qualunque altra cosa creata potrà separarci dall'amore che Dio ha per noi in Cristo Gesù nostro Signore.

9 Il problema dell'incredulità dei Giudei. - ¹Dico la verità in Cristo, non mentisco, e la mia coscienza me lo attesta in unione con lo Spirito Santo: ²ho un grande dolore, un travaglio continuo nel mio cuore. ³Desidererei infatti essere votato alla maledizione divina ed essere, io personalmente, separato da Cristo in favore dei miei fratelli, che sono della mia stessa stirpe secondo la carne. ⁴Essi sono Israeliti, loro è l'adozione a figli, la gloria, le alleanze, a loro è stata data la legge, il culto, le promesse, ⁵i patriarchi, da loro proviene Cristo secondo la sua natura umana, egli che domina tutto, è Dio, benedetto nei secoli, amen! ⁶Non che sia caduta invano la parola di Dio. Infatti non tutti quelli che discendono da Israele sono Israele. ⁷Né per il fatto che discendono da Abramo sono tutti figli suoi, ma: *In Isacco sarà la tua discendenza.* ⁸Cioè: non i figli della carne sono figli di Dio; ma i figli della promessa saranno computati come discendenza.

⁹E la promessa suona così: *In questo tempo ritornerò e Sara avrà un figlio.* ¹⁰Ma non solo: anche Rebecca ebbe prole da uno solo, Isacco padre nostro. ¹¹Quando ancora non erano nati e non avevano compiuto niente di bene o di male – in modo che la predeterminazione di Dio rimanesse secondo la sua scelta ¹²e non dipendesse dalle opere, ma dall'iniziativa di Colui che chiama – fu detto a lei: *Il maggiore servirà al minore.* ¹³Come è stato scritto: *Amai Giacobbe, odiai Esaù.*

Dio non è ingiusto col popolo giudaico. - ¹⁴Che diremo dunque? C'è forse ingiustizia

davanti a Dio? Non sia mai detto! ¹⁵Dice infatti a Mosè: *Farò misericordia a chi voglio fare misericordia, avrò pietà di chi voglio avere pietà.* ¹⁶Cosicché l'iniziativa non è dell'uomo che vuole o che corre, ma di Dio che usa misericordia. ¹⁷Dice infatti la Scrittura al faraone: *Proprio per questo ti ho innalzato, per manifestare in te la mia potenza e affinché il mio nome sia annunziato in tutta la terra.* ¹⁸Dunque usa misericordia con chi vuole e indura chi vuole.

¹⁹Mi dirai allora: «Perché ancora biasima? Chi mai, infatti, si può opporre alla sua volontà?». ²⁰Ma piuttosto: chi sei mai tu, o uomo, che ti metti in contradditorio con Dio? *Dirà forse l'oggetto plasmato a colui che lo plasmò:* perché mi facesti così? ²¹O non ha forse il vasaio piena disponibilità sull'argilla, così da fare della stessa massa argillosa un vaso destinato a un uso onorifico e un vaso destinato a un uso banale? ²²Se Dio, volendo mostrare la sua collera e far conoscere ciò di cui è capace, *sopportò* con molta longanimità *vasi d'ira* approntati per la *perdizione,* ²³allo scopo di far conoscere la ricchezza della sua gloria in vasi di misericordia che preparò per la gloria, ²⁴tra cui ha chiamato anche noi, non solo dal popolo giudaico ma anche dai pagani... [non lo poteva forse fare?] ²⁵Come dice anche in Osea:

Chiamerò quello che non è popolo, popolo mio,
e quella che non è amata, amata,
²⁶ *e avverrà che nel luogo stesso dove fu detto loro:*
voi non siete mio popolo,
là saranno chiamati figli del Dio vivente.

---

9. - 3. *Essere... separato:* Paolo sa che questo è irrealizzabile, poiché Dio non può accettare il sacrificio della salvezza personale. L'espressione, assai forte, sta a indicare il grandissimo amore che egli ha per i suoi connazionali.

13. Paolo vuol dire agli Israeliti che le promesse, come da Esaù passarono a Giacobbe, così da loro sono passate ai gentili, cioè ai pagani divenuti cristiani. *Odiai:* espressione per dire semplicemente: ho amato meno, ho preferito l'uno all'altro.

19. L'obiezione pare sorgere spontanea, ma contiene più insolenza che angustia. Paolo avverte la difficoltà di una risposta diretta e perciò, mentre implicitamente afferma che l'uomo è libero e responsabile, e quindi riprensibile da parte di Dio, dà pure l'unica risposta diretta che si possa dare: richiama all'ordine, situando il problema nella posizione giusta: quella della trascendenza divina, cui non possiamo arrivare.

²⁷E Isaia proclama a proposito di Israele:

Anche se fosse il numero dei figli
  d'Israele
come la sabbia del mare,
solo un resto sarà salvato.
²⁸ *Il Signore infatti realizzerà*
  la sua parola sulla terra,
  facendo giungere il compimento
  e abbreviando il tempo.

²⁹E come ha predetto Isaia:

Se il Dio degli eserciti
non ci avesse lasciato un germe,
saremmo divenuti come Sodoma,
saremmo stati simili a Gomorra.

³⁰Che diremo dunque? Che i pagani che non perseguivano la giustificazione si sono impadroniti della giustificazione, della giustificazione che deriva dalla fede. ³¹Israele, invece, che ha perseguito una legge di giustificazione, non è arrivato alla legge. ³²Perché mai? Perché non l'hanno cercata dalla fede, ma dalle opere. Inciamparono *nella pietra di scandalo,* ³³come sta scritto:

Ecco, pongo in Sion
una pietra d'inciampo
e di scandalo,
e chi crederà in essa
non rimarrà svergognato.

10 Israele non ha raggiunto la giustificazione di Cristo. - ¹Fratelli, il desiderio del mio cuore e la preghiera a Dio per essi tendono alla loro salvezza. ²Do infatti loro atto che hanno zelo per Dio, ma non secondo una retta conoscenza. ³Non volendo infatti riconoscere la giustizia di Dio e cercando di far sussistere la propria, non si sono sottomessi alla giustizia di Dio.

Giustificazione e salvezza. - ⁴Infatti il culmine della legge è Cristo, per portare la giustificazione a ognuno che crede. ⁵Mosè

---

10. - 4-13. Cristo è il punto cui tende tutto l'AT. È lui che offre la salvezza a chi lo accoglie con fede. Perciò l'uomo, se vuole salvarsi, deve dargli il suo assenso sincero, vivendo poi secondo il suo insegnamento.

infatti scrive riguardo alla giustizia quale proviene dalla legge: *L'uomo che la metterà in pratica vivrà in essa.* ⁶La giustizia invece che viene dalla fede dice così:

Non dire in cuor tuo: Chi salirà al cielo?

nel senso di farne scendere Cristo. ⁷Oppure:

Chi scenderà nell'abisso?

nel senso di far risalire Cristo dai morti. ⁸Ma che dice? *La parola è vicino a te, nella tua bocca e nel tuo cuore.* E questa è la parola della fede che noi proclamiamo: ⁹se tu professerai *con la tua bocca* Gesù come Signore, e crederai *nel tuo cuore* che Dio lo ha risuscitato da morte, sarai salvato. ¹⁰Col cuore infatti si crede per ottenere la giustificazione, con la bocca si fa la professione per ottenere la salvezza. ¹¹Dice infatti la Scrittura: *Chiunque crederà in lui non rimarrà confuso.* ¹²Infatti non c'è distinzione tra Giudei e Greci: poiché lo stesso è il Signore di tutti e spande le sue ricchezze su tutti coloro che lo invocano, ¹³e *chiunque avrà invocato il nome del Signore sarà salvato.* ¹⁴Ma come avrebbero potuto invocare uno nel quale non credettero? Come avrebbero potuto credere in uno che non udirono? Come potrebbero aver udito senza uno che annuncia? ¹⁵Come avrebbero potuto annunciare se non fossero stati inviati? Come sta scritto: *Quanto belli sono i piedi di coloro che portano il buon annuncio del bene!* Ma non tutti obbedirono al buon annuncio. ¹⁶Isaia infatti dice: *Signore, chi mai credette alla nostra predicazione?* ¹⁷Ora la fede dipende dalla predicazione, la predicazione si realizza per mezzo della parola di Cristo. ¹⁸Ma io dico: non hanno forse udito? Tutt'altro:

La loro voce ha risuonato su tutta la terra,
le loro parole sono giunte
fino ai confini della terra abitata.

¹⁹Però domando: Israele non ha forse compreso? Mosè per primo dice:

Io provocherò la vostra gelosia
nei riguardi di una non-nazione,
ecciterò il vostro dispetto
nei riguardi di una nazione insensata.

²⁰Isaia, poi, osa aggiungere:

Sono stato trovato da quelli
che non mi cercavano,
sono divenuto manifesto
a quelli che non mi interrogavano.

²¹Invece riguardo a Israele dice:

Per tutto il giorno stesi le mie mani
a un popolo che disubbidiva
e si ribellava.

11 Dio non ha respinto il suo popo- lo. - ¹Mi dico allora: *Dio ripudiò forse il suo popolo?* Non sia mai detto! Infatti io stesso sono un israelita, della discenden- za di Abramo, della tribù di Beniamino. ²*Dio non ripudiò il suo popolo*, da lui eletto nella sua prescienza. O non sapete che cosa dice la Scrittura a proposito di Elia, quando questi interpella Dio contro Israe- le? ³*Signore, uccisero i tuoi profeti, demoli- rono i tuoi altari fin dalle fondamenta; unico superstite sono rimasto io, ed essi cercano di togliermi la vita.* ⁴Ma che cosa dice la risposta divina? *Riservai per me settemila uomini, i quali non piegarono i ginocchi da- vanti a Baal.* ⁵Ugualmente, anche al pre- sente vi è un residuo, scelto per grazia. ⁶Ma se c'è per grazia, non è in forza delle opere, altrimenti la grazia non sarebbe più grazia. ⁷Che dunque? Quello che Israele cerca non l'ha ottenuto; l'hanno ottenuto invece gli eletti. Gli altri furono induriti, ⁸se- condo quanto sta scritto:

Dio diede loro uno spirito di torpore,
occhi tali da non vedere
e orecchi da non udire,
fino al giorno d'oggi.

⁹E Davide dice:

La loro mensa divenga un laccio,
un trabocchetto,
una pietra d'inciampo,
e sia la loro retribuzione.
¹⁰ *I loro occhi siano ottenebrati*
così da non vedere
e fa' curvare loro costantemente
la schiena.

La riprovazione d'Israele utile ai pagani. - ¹¹Mi dico allora: inciamparono in modo da cadere definitivamente? Non sia mai detto! Ma a motivo della loro caduta, la salvezza pervenne ai gentili, in modo da eccitare la loro emulazione. ¹²Ma se la loro caduta è una ricchezza per il mondo e la loro perdi- ta una ricchezza per i gentili, quanto più lo sarà la loro totalità!

¹³A voi, gentili, poi dico: in qualità di aposto- lo dei gentili onoro il mio ministero, ¹⁴nella speranza di poter provocare a emulazione coloro che sono del mio sangue e salvare alcuni di essi. ¹⁵Se infatti la loro ripulsa è riconciliazione per il mondo, che cosa sarà mai la loro riammissione, se non una risurre- zione? ¹⁶Se infatti sono sante le primizie, lo è anche la massa della pasta; e se la radice è santa, lo sono anche i rami. ¹⁷Se ora alcu- ni rami sono stati tagliati via e tu, essendo un olivastro selvatico, sei stato innestato al posto loro, venendo così a partecipare del- la linfa che proviene dalla radice dell'olivo, ¹⁸non ti gloriare a discredito dei rami! Poiché, se tu ti glori, non sei tu a sostenere la radi- ce, ma è la radice che sostiene te. ¹⁹Dirai comunque: i rami furono tagliati via perché io fossi innestato. ²⁰Bene: essi furono taglia- ti via a causa della loro mancanza di fede, mentre tu stai in piedi in forza della fede. Non ti abbandonare all'orgoglio, ma temi. ²¹Se Dio infatti non risparmiò i rami naturali, non risparmierà neppure te. ²²Vedi dunque la bontà e la severità di Dio: la severità nei riguardi di coloro che sono caduti, la bontà di Dio nei riguardi tuoi, se tu rimani aderente a questa bontà; altrimenti tu pure sarai tagliato via. ²³Anch'essi, se non rimarranno nella loro incredulità, saranno innestati: Dio infatti ha la potenza di innestarli di nuovo. ²⁴Se tu, in effetti, sei stato tagliato via da un olivastro che era secondo la tua natura, e contro la tua natura sei stato innestato in una magnifi- ca pianta di olivo, quanto a maggior ragione saranno innestati nel proprio olivo coloro che sono della sua stessa natura!

---

21. *Tutto il giorno*: cioè specialmente da quando il Signore trasse gli Ebrei dall'Egitto fino a Cristo, essi si sono dimo- strati increduli, testardi e ribelli fino a crocifiggere l'inviato di Dio (Is 65,2).
11. - 3ss. Dio non venne meno alle sue promesse: se il po- polo eletto nel suo complesso non volle accettare la sal- vezza, egli si riservò un «resto» di cui parlarono ripetuta- mente gli antichi profeti.

Alla fine anche Israele sarà salvo. - [25]Non voglio infatti che ignoriate, fratelli, il piano misterioso di Dio, in modo che non v'insuperbiate in voi stessi. L'indurimento parziale d'Israele è in atto fino a che la totalità dei gentili sia entrata (nel regno), [26]e così tutto Israele sarà salvato, come sta scritto:

> *Da Sion uscirà il Salvatore.*
> *Egli allontanerà le empietà da Giacobbe;*
> [27] *e questo è il patto mio con loro,*
> *quando toglierò i loro peccati.*

[28]Per quanto riguarda il vangelo, sono nemici a vostro vantaggio; ma per quanto riguarda l'elezione, sono amati a causa dei padri, [29]poiché i doni e la chiamata di Dio sono irrevocabili. [30]Come, infatti, voi una volta disobbediste a Dio ed ora siete stati fatti oggetto di misericordia per la loro disobbedienza, [31]così anch'essi sono ora divenuti disobbedienti in vista della misericordia da usarsi verso di voi, affinché anch'essi ottengano misericordia. [32]Dio infatti ha rinchiuso tutti nella disobbedienza, per usare misericordia a tutti. [33]O profondità della ricchezza, sapienza e conoscenza di Dio! Quanto insindacabili sono i suoi giudizi e incomprensibili le sue vie! [34]*Chi conobbe infatti la mente del Signore? O chi fu suo consigliere?* [35]*O chi gli dette per primo perché ne possa avere il contraccambio?* [36]Poiché tutte le cose provengono da lui, esistono in grazia di lui, tendono a lui. A lui gloria per i secoli. Amen.

PRECETTI DI VITA CRISTIANA

12 **Fondamento della moralità cristiana.** - [1]Vi esorto dunque, fratelli, per la misericordia di Dio, a offrire i vostri corpi come un sacrificio vivente, santo, gradito a Dio, come vostro culto spirituale. [2]Non uniformatevi al mondo presente, ma trasformatevi continuamente nel rinnovamento della vostra coscienza, in modo che possiate discernere che cosa Dio vuole da voi, cos'è buono, a lui gradito e perfetto.

Precetti generali. - [3]Dico infatti, per la grazia a me concessa, a ciascuno che si trova tra voi, di non sovraestimarsi più del giusto, ma di nutrire una stima saggia di sé, secondo la misura di fede che Dio ha assegnato a ciascuno. [4]Come infatti in un solo corpo troviamo molte membra e le varie membra non hanno tutte le stesse funzioni, [5]così noi, pur essendo molti, formiamo in Cristo un unico corpo, ciascun membro degli altri. [6]Siamo in possesso di doni differenti secondo la benevolenza riversata su di noi, sia che si tratti di profezia, secondo la proporzione della fede; [7]sia che si tratti del ministero, per servire; o di chi insegna, per l'insegnamento; [8]o di chi esorta, per l'esortazione. Chi distribuisce elargizioni, lo faccia con semplicità; chi dirige, lo faccia con sollecitudine; chi esercita la misericordia, lo faccia con gioia.

[9]L'amore è incompatibile con l'ipocrisia. Aborrite il male, aderite con tutte le forze al bene. [10]Amatevi cordialmente con l'amore di fratelli, prevenitevi vicendevolmente nella stima; [11]siate solleciti e non pigri, ferventi nello spirito, servite il Signore; [12]abbiate gioia nella speranza, siate costanti nelle avversità, assidui nella preghiera; [13]prendete parte alle necessità dei santi, praticate a gara l'ospitalità. [14]Invocate benedizioni su chi vi perseguita, benedizioni e non maledizioni; [15]prendete parte alla gioia di chi gioisce, al pianto di chi piange; [16]abbiate, gli uni per gli altri, gli stessi pensieri e sollecitudini; non aspirate a cose eccelse, ma lasciatevi attrarre dalle cose umili. *Non siate saggi presso voi stessi,* [17]non restituite a nessuno male per male. *Studiatevi di compiere il bene davanti a tutti gli uomini.* [18]Se è possibile, per quanto dipende da voi, siate in pace con tutti gli uomini. [19]Non vi vendicate, carissimi, ma cedete il posto all'ira divina; sta scritto infatti: *A me la vendetta, io darò ciò che spetta, dice il Signore.* [20]*Se il tuo nemico ha fame, dagli del cibo; se ha sete,*

25-26. Una parte eletta d'Israele è salva e quando sarà compiuto il numero dei gentili, *tutto Israele sarà salvato.* È una rivelazione speciale che Paolo ha ricevuto e ora manifesta.
32. L'espressione è forte (cfr. Gal 3,22). Dio vuole che tutti gli uomini sperimentino la loro incapacità a liberarsi dal peccato e dalle sue conseguenze, per intervenire poi lui con la sua misericordia. Allora l'uomo comprenderà da chi gli viene la salvezza e loderà e ringrazierà Dio. *Ha rinchiuso*: ha lasciato che diventassero schiavi del peccato.
12. - 1. *Come vostro culto spirituale*: cioè un culto quale esige la nostra natura di esseri ragionevoli, che tutto hanno ricevuto dal Creatore, e quindi gli devono un culto che abbracci tutto l'uomo: l'interno, l'esterno e tutta la sua vita.
20. Il tuo nemico dovrà diventar rosso come *carbone acceso* per la vergogna e, vinto dalla tua carità, sarà indotto a pentimento per i mali che ti ha fatto. Tale è il senso della frase semitica.

dagli da bere: facendo così, accumulerai carboni accesi sul suo capo. [21]Non lasciarti vincere dal male, ma vinci il male col bene.

13 Rapporti dei cristiani con le autorità civili. - [1]Ogni persona si sottometta alle autorità che le sono superiori. Non esiste infatti autorità se non proviene da Dio; ora le autorità attuali sono state stabilite e ordinate da Dio. [2]Di modo che, chi si ribella all'autorità, si contrappone a un ordine stabilito da Dio. Coloro poi che si contrappongono, si attireranno da se stessi la condanna che avranno. [3]I magistrati, infatti, non fanno paura a chi opera il bene, ma a chi opera il male. Vuoi allora non avere timore dell'autorità? Fa' il bene e riceverai lode da essa. [4]È infatti a servizio di Dio in tuo favore, perché tu compia il bene. Ma se fai il male, temi, poiché essa non porta invano la spada: infatti è a servizio di Dio, vindice dell'ira divina verso colui che compie il male. [5]Per tutto questo è necessario sottometter si, non solo a motivo dell'ira, ma anche a motivo della coscienza. [6]Per questo dovete anche pagare i contributi: sono infatti servitori pubblici di Dio e si applicano costantemente a questo compito. [7]Date a tutti ciò che è loro dovuto: il contributo a chi è dovuto il contributo, l'imposta a chi è dovuta l'imposta, il rispetto a chi è dovuto il rispetto, l'onore a chi è dovuto l'onore.

La carità pienezza di tutti i comandamenti. - [8]Non abbiate debiti con nessuno, se non quello di amarvi gli uni gli altri. Chi infatti ama l'altro, compie la legge. [9]Infatti: *Non commettere adulterio, non uccidere, non rubare, non desiderare* e qualunque altro comandamento trova il suo culmine in questa espressione: *Amerai il tuo prossimo come te stesso.* [10]L'amore, infatti, non procura del male al prossimo: quindi la pienezza della legge è l'amore.

L'attesa cristiana. - [11]E fate questo, rendendovi conto del tempo nel quale viviamo: è tempo ormai per voi di svegliarvi dal sonno; adesso infatti la nostra salvezza è più vicina che non quando demmo l'assenso della fede. [12]La notte è avanzata nel suo corso, il giorno è imminente. Perciò mettia-

mo da parte le opere proprie delle tenebre e rivestiamoci delle armi della luce. [13]Comportiamoci con la dignità che conviene a chi agisce di giorno: non gozzoviglie od orge, non lussurie o impudicizie, non litigi o gelosie. [14]Ma rivestitevi del Signore Gesù Cristo e non indulgete alla carne, seguendo i suoi impulsi sfrenati.

14 Il caso di coscienza dei deboli e dei forti. - [1]Accogliete amichevolmente chi è debole nella fede, senza mettervi a discutere i suoi pensieri. [2]Chi crede pienamente, pensa di poter mangiare di tutto; colui invece che è debole nella fede mangia solo legumi. [3]Chi mangia non disprezzi chi non mangia, chi non mangia non condanni chi mangia: Dio infatti lo ha accolto amichevolmente. [4]E chi sei tu che giudichi un domestico altrui? Che stia in piedi o cada, riguarda il suo padrone: e starà in piedi, poiché il Signore ha la forza di sostenerlo. [5]C'è chi ritiene un giorno differente dall'altro, c'è chi ritiene uguale ogni giorno: ciascuno approfondisca le proprie convinzioni. [6]Chi si dà pensiero del giorno, si dà pensiero per il Signore; chi mangia, lo fa per il Signore, poiché rende grazie a Dio; e anche chi non mangia, non mangia per il Signore e rende grazie a Dio. [7]In effetti nessuno di noi vive per se stesso, né muore per se stesso. [8]Se viviamo, viviamo per il Signore; se moriamo, moriamo per il Signore: quindi sia che viviamo, sia che moriamo, siamo sempre del Signore; [9]per questo, infatti, Cristo morì e visse, per esercitare il suo dominio sui morti e sui vivi; [10]ma tu, perché giudichi il tuo fratello? O perché disprezzi il tuo fratello? Tutti infatti saremo presentati al tribunale di Dio. [11]Sta scritto infatti:

---

13. - 1-7. Paolo basa su Dio l'obbligo di obbedire all'autorità civile, senza tuttavia voler risolvere tutte le questioni che riguardano i rapporti fra autorità e sudditi. Sottostare a un uomo può apparire cosa assurda, perché in quanto uomini siamo tutti uguali; invece è altissima nobiltà e grande sicurezza obbedire a Dio, che manifesta i suoi voleri anche per mezzo della legittima autorità.

14. - 1-12. I forti nella fede sono coloro che hanno una fede matura, che distingue con sicurezza ciò che le è conforme e ciò che non lo è; i deboli, forse convertiti da poco, non hanno tale sicurezza e possono facilmente scandalizzarsi. Paolo invita a non giudicarsi né disprezzarsi a vicenda, perché solo Cristo (vv. 6-8) ha il diritto di giudicare tutti.

Io vivo, dice il Signore:
davanti a me si piegherà ogni ginocchio,
e ogni lingua riconoscerà Dio.

¹²E allora ciascuno di noi renderà conto a Dio per se stesso.

¹³Non giudichiamoci gli uni gli altri; piuttosto datevi pensiero di una cosa: di non porre al fratello inciampo o scandalo. ¹⁴So con certezza, e ne sono persuaso nel Signore Gesù, che niente è impuro di per se stesso; se non che, per chi giudica che una cosa è impura, per lui lo è. ¹⁵Perciò se tuo fratello è addolorato a causa del cibo, tu non ti comporti più secondo l'amore. Non mandare in rovina per il tuo cibo colui per il quale Cristo è morto. ¹⁶Non sia dunque denigrato ciò che per voi è bene: ¹⁷il regno di Dio, infatti, non è cibo o bevanda, ma giustificazione e pace e gioia nello Spirito Santo.

¹⁸Chi serve a Cristo in queste cose, è gradito a Dio e accetto agli uomini. ¹⁹Perciò diamoci da fare per le cose riguardanti la pace e l'edificazione reciproca.

²⁰Non distruggere, a causa di un cibo, l'opera di Dio! Tutto è puro, ma è male per chi mangia dando scandalo. ²¹Perciò è bene non mangiare carne né bere vino né fare alcunché per cui il tuo fratello possa prendere occasione d'inciampo.

²²Hai la fede: conservala in te stesso davanti a Dio. Beato chi non condanna se stesso in ciò che ha deciso di fare. ²³Chi invece dubita, se mangia è già condannato, poiché fa ciò non guidato dalla fede: ora tutto ciò che non viene dalla fede è peccato.

15 **Seguire l'esempio di Cristo.** - ¹Noi che siamo i forti dobbiamo portare le fragilità dei deboli e non piacere a noi stessi. ²Ciascuno di noi piaccia al prossimo per il suo bene, in vista dell'edificazione. ³Anche Cristo, infatti, non piacque a se stesso, ma, come sta scritto, *gli oltraggi di quelli che ti oltraggiano sono caduti su di me.* ⁴Infatti tutto quanto è stato scritto prima, è stato scritto per nostro ammaestramento, in modo che,

per mezzo della costanza e della consolazione che ci vengono dalla Scrittura, noi abbiamo la speranza. ⁵Il Dio della costanza e della consolazione vi conceda di avere nelle vostre relazioni reciproche le stesse aspirazioni secondo Gesù Cristo, ⁶in modo che con un solo cuore e un'unica bocca glorifichiate Dio e Padre del nostro Signore Gesù Cristo. ⁷Per questo accoglietevi a vicenda, come anche Cristo accolse noi a gloria di Dio. ⁸Dichiaro infatti che Cristo è divenuto servitore dei circoncisi per la veracità di Dio, compiendo le promesse fatte ai padri; ⁹i pagani invece glorificano Dio per la misericordia, secondo quanto sta scritto:

Per questo ti loderò in mezzo ai pagani
e canterò la gloria del tuo nome.

¹⁰E di nuovo dice:

Gioite, nazioni, insieme al suo popolo.

¹¹E inoltre:

Lodate il Signore, o genti tutte,
lo celebrino tutti i popoli.

¹²E ancora Isaia dice:

Verrà il germoglio della radice di Iesse
e colui che sorge a dominare le nazioni:
le genti spereranno in lui.

¹³Il Dio poi della speranza vi ricolmi di ogni gioia e pace nel credere, in modo che voi abbondiate nella speranza in forza dello Spirito Santo.

EPILOGO

Paolo espone ai Romani i suoi progetti. - ¹⁴Io sono persuaso, fratelli miei, a vostro riguardo, che anche voi siete ricolmi di bontà, ripieni di ogni scienza, in grado anche di ammonirvi reciprocamente. ¹⁵Nonostante ciò vi ho scritto con una certa audacia, in parte per richiamarvi alla mente ciò che già sapete: l'ho fatto in forza della benevolenza riversata su di me da Dio, ¹⁶perché io fossi ministro cultuale di Gesù Cristo nei riguardi dei pagani e prestassi il mio

---

14. La coscienza è la regola pratica e decisiva dei nostri atti: se comanda o proibisce, bisogna sempre seguirla, altrimenti si commette peccato; se invece permette o consiglia, si può seguire, ma non si è obbligati.

culto per quanto riguarda il vangelo di Dio, affinché l'offerta sacrificale rappresentata dai pagani diventa accetta, santificata com'è per mezzo dello Spirito Santo. [17]Ho questo titolo di vanto in Gesù Cristo per le cose che riguardano Dio; [18]non oserò infatti dire alcunché di queste cose se non le ha compiute Cristo per mezzo mio, affinché i pagani si sottomettano all'obbedienza in parole e in azioni, [19]con la forza dei segni miracolosi e dei prodigi, con la potenza dello Spirito. E così, partendo da Gèrusalemme e movendomi a largo raggio fino all'Illirico, ho già condotto a termine l'annuncio del vangelo di Cristo, [20]facendomi però un punto d'onore di annunciare il vangelo dove ancora non era giunto il nome di Cristo, in modo da non costruire sul fondamento già posto da un altro, [21]ma come sta scritto:

Lo vedranno quelli ai quali
non era stato annunciato,
e quelli che non ne avevano udito parlare
comprenderanno.

[22]Per questo appunto sono stato impedito molte volte di venire da voi; [23]ora però, non avendo più opportunità di lavoro in questa zona, e avendo da molti anni un desiderio ardente di venire da voi, [24]quando mi recherò in Spagna...; spero infatti di vedervi passando da voi e di essere da voi indirizzato colà, non prima, però, di aver assaporato un po' la vostra presenza.

[25]Per ora mi metto in viaggio verso Gerusalemme per rendere un servizio ai santi. [26]È parso bene, infatti, alla Macedonia e all'Acaia, di fare una colletta per i poveri che si trovano tra i santi in Gerusalemme. [27]È parso loro bene, poiché sono anche debitori verso di essi. Se infatti i gentili sono venuti a far parte dei beni spirituali, devono rendere loro un servizio sacro nelle loro necessità materiali. [28]Quando avrò còndotto a termine tutto questo e presentato loro ufficialmente questo frutto, mi recherò in Spagna, passando da voi. [29]So che, venendo tra voi, verrò con la pienezza della benedizione di Cristo.

[30]Vi esorto poi, fratelli, per Gesù Cristo nostro Signore e per l'amore dello Spirito Santo, a lottare insieme a me, nelle preghiere che per me rivolgete a Dio, [31]affinché io sia liberato dagli increduli della Giudea, e affin-

ché il servizio che io presto a Gerusalemme risulti gradito ai santi; [32]in modo che venendo a voi nella gioia, Dio voglia che possa riposarmi e rinfrancare il mio spirito con voi. [33]Che il Dio della pace sia con tutti voi. Amen.

16 Saluti e ultime raccomandazioni. - [1]Vi raccomando Febe, la nostra sorella, che è diaconessa nella chiesa di Cencre: [2]accoglietela nel nome del Signore, in maniera degna dei santi, e assistetela in qualunque cosa abbia bisogno di voi, poiché anch'essa è stata di aiuto per molti e anche per me stesso.

[3]Salutate Prisca e Aquila, collaboratori miei in Cristo Gesù: [4]essi, per salvare la mia vita, hanno rischiato la testa; non li ringrazio io soltanto, ma tutte le chiese dei gentili. [5]Salutate anche la comunità che si raduna in casa loro. Salutate Epeneto, a me particolarmente caro, che rappresenta le primizie dell'Asia offerte a Cristo. [6]Salutate Maria, che ha molto lavorato per voi. [7]Salutate Andronico e Giunia, della mia stessa stirpe e miei compagni di prigionia; essi si sono segnalati tra gli apostoli e si sono uniti a Cristo prima di me. [8]Salutate Ampliato, a me carissimo nel Signore. [9]Salutate Urbano, nostro collaboratore in Cristo, e il nostro amato Stachi. [10]Salutate Apelle, provetto in Cristo. [11]Salutate quelli della casa di Aristobulo. Salutate Erodione, della mia stessa stirpe; salutate quelli della casa di Narcisso che sono nel Signore. [12]Salutate Trifena e Trifosa, che si danno da fare per il Signore; salutate la carissima Perside, che faticò molto per il Signore. [13]Salutate Rufo, l'eletto del Signore, e la madre sua e mia. [14]Salutate Asincrito, Flegonte, Erme, Patroba, Erma e i fratelli che sono con loro. [15]Salutate Filologo e Giulia, Nereo e sua sorella, Olimpia e tutti i santi che sono con loro. [16]Salutatevi reciprocamente col bacio santo. Vi salutano tutte le chiese di Cristo.

[17]Vi esorto poi, fratelli, a guardarvi dai fautori di discordia e intralci contro la dottrina che voi avete imparato: evitateli! [18]Gente come loro, infatti, non servono a Cristo nostro Signore, ma alla loro cupidigia, e con parole carezzevoli e promesse di benedizioni ingannano l'animo dei semplici.

[19]La fama della vostra obbedienza è giunta

a tutti. Gioisco quindi per causa vostra, ma voglio che voi siate saggi per il bene e immuni dal male. [20]Il Dio della pace schiaccerà Satana sotto i vostri piedi, presto! La benevolenza del Signore nostro Gesù sia con voi. [21]Vi saluta Timoteo, il mio collaboratore; Lucio, Giasone e Sosìpatro, della mia stessa stirpe. [22]Vi saluto nel Signore, io, Terzo, che ho scritto la lettera. [23]Vi saluta Caio, ospite mio e di tutta la comunità. [24]Vi saluta Erasto, tesoriere della città, e il fratello Quarto.

Dossologia finale. - [25]A Colui che può darvi stabilità nella condotta di vita conforme al mio vangelo e all'annuncio di Gesù Cristo – secondo la rivelazione del mistero taciuto per una durata indeterminata, [26]ma reso noto adesso, per mezzo delle Scritture profetiche, secondo l'ordinamento stabilito da Dio eterno, per portare l'obbedienza della fede a tutte le nazioni –, [27]a Dio unico e sapiente, per mezzo di Gesù Cristo, a lui la gloria per tutti i secoli! Amen.

PRIMA LETTERA AI CORINZI

L'evangelizzazione e la fondazione della chiesa di Corinto erano avvenute ad opera di Paolo nel corso della seconda spedizione missionaria (anni 50-52), con l'aiuto di Silvano e Timoteo.

Tra la fondazione della comunità e la presente lettera sono trascorsi circa cinque anni. Durante tale periodo nella comunità erano sorte serie difficoltà di varia natura. L'Apostolo, che al momento in cui scrive si trova a Efeso, nel corso della terza spedizione missionaria (tra il 55 e il 57 d.C.), ne è stato informato da alcuni inviati della stessa comunità di Corinto, che l'hanno messo al corrente di disordini e gli hanno esposto alcuni quesiti per iscritto (7,1). La lettera intende quindi frenare gli abusi segnalati e risolvere le questioni presentate.

Il piano della lettera è quindi semplice. Se si toglie il prologo (1,1-9) e la conclusione (c. 16), il discorso segue in maniera piana il filo delle difficoltà e delle domande che sono state poste. Si parla dunque: delle divisioni tra i fedeli (1,10 - 4,21), dell'inspiegabile condiscendenza verso un cristiano che vive in stato di incesto (5,1-13), del deferimento presso tribunali pagani di liti sorte tra cristiani (6,1-11), di una persistente corrività alla fornicazione (6,12-20). Si passa poi a trattare dei quesiti posti dai Corinzi: scelta tra matrimonio e verginità (7,1-40), le carni immolate agli idoli (8,1 - 11,1), l'ordine nelle assemblee religiose (11,2-34), i carismi e il loro uso (12,1 - 14,40), la risurrezione dei morti (15,1-58).

Vertice dottrinale e poetico della lettera è il celebre inno all'agàpe-carità (c. 13), tanto più significativo a Corinto, che era celebrata come la capitale dell'eros e dell'egoismo.

PROLOGO

1 ¹Paolo, chiamato per volontà di Dio apostolo di Cristo Gesù, e il fratello Sostene, ²alla chiesa di Dio che è a Corinto, ai santificati in Cristo Gesù, chiamati ad essere santi con tutti quelli che in ogni luogo invocano il nome del Signore nostro Gesù Cristo, nostro e loro: ³grazia a voi e pace da Dio nostro Padre e dal Signore Gesù Cristo.

Rendimento di grazie. - ⁴Ringrazio il mio Dio continuamente per voi, per la grazia di Dio che vi è stata data in Cristo Gesù, ⁵perché siete stati arricchiti in lui di ogni cosa, di ogni parola e scienza. ⁶La testimonianza di Cristo si è infatti stabilita fra voi con tale solidità, ⁷che nessun dono più vi manca, mentre aspettate la manifestazione del Signore nostro Gesù Cristo. ⁸Egli vi renderà saldi sino alla fine, irreprensibili nel giorno del Signore nostro Gesù Cristo: ⁹è fedele Dio, dal quale siete stati chiamati alla comunione con il Figlio suo Gesù Cristo Signore nostro!

DIVISIONI E SCANDALI

Divisioni tra i fedeli. - ¹⁰Ora vi esorto, o fratelli, per il nome del Signore nostro Gesù Cristo, ad essere tutti unanimi nel parlare, che non vi siano divisioni tra voi, ma siate in perfetto accordo nella mente e nel pensiero. ¹¹Mi fu segnalato infatti sul conto vostro, o fratelli, dalla gente di Cloe, che vi sono contese tra voi. ¹²Mi riferisco al fatto che ciascuno di voi dice: «Io sono di Paolo», «Io invece sono di Apollo», «E io di Cefa», «E io di Cristo»! ¹³Ma Cristo è diviso? Forse Paolo è stato crocifisso per voi, o è nel nome di

Paolo che siete stati battezzati? [14]Ringrazio Dio di non aver battezzato nessuno di voi, se non Crispo e Gaio, [15]affinché nessuno possa dire che siete stati battezzati nel mio nome. [16]Ho battezzato, è vero, anche la famiglia di Stefana, ma degli altri non so se abbia battezzato alcuno. [17]Cristo non mi ha mandato a battezzare, ma a predicare il vangelo, e non in sapienza di parola, perché non venga resa vana la croce di Cristo.

Sapienza umana e vangelo. - [18]La parola della croce è infatti stoltezza per quelli che vanno in perdizione, ma per quelli che si salvano, per noi, è potenza di Dio. [19]Sta scritto infatti:

> Distruggerò la sapienza dei sapienti,
> e l'intelligenza degli intelligenti
>   riproverò.
> [20] Dov'è il sapiente? Dov'è lo scriba?

Dove l'intellettuale di questo mondo? Non ha forse Dio dimostrato stolta la sapienza di questo mondo? [21]Poiché, infatti, nel disegno sapiente di Dio, il mondo non conobbe Dio con la sapienza, piacque a Dio di salvare quelli che credono con la stoltezza della predicazione. [22]E mentre i Giudei chiedono dei miracoli e i Greci cercano la sapienza, [23]noi predichiamo Cristo crocifisso, scandalo per i Giudei, stoltezza per i pagani; [24]ma per i chiamati, sia Giudei sia Greci, è Cristo, potenza di Dio e sapienza di Dio. [25]Poiché la stoltezza di Dio è più sapiente degli uomini, e la debolezza di Dio è più forte degli uomini. [26]Considerate la vostra chiamata, o fratelli: non sono molti tra voi i sapienti secondo la carne, non molti i potenti, non molti i nobili. [27]Ma Dio ha scelto ciò che è stoltezza del mondo per confondere i sapienti, Dio ha scelto ciò che è debolezza del mondo per confondere i forti, [28]Dio ha scelto ciò che è ignobile nel mondo e ciò che è disprezzato e ciò che è nulla per annientare le cose che sono, [29]affinché nessuno possa gloriarsi davanti a Dio. [30]Ed è per lui che voi siete in Cristo Gesù, il quale è diventato per noi, per opera di Dio, sapienza, giustizia, santificazione e redenzione, [31]affinché, come sta scritto:

> Chi si gloria, si glori nel Signore!

2 Predicazione di Paolo.

[1]Anch'io, o fratelli, quando sono venuto tra voi, non mi sono presentato ad annunziarvi la testimonianza di Dio con sublimità di parola o di sapienza. [2]Mi ero proposto di non sapere altro in mezzo a voi che Gesù Cristo, e lui crocifisso. [3]E fui in mezzo a voi nella debolezza e con molto timore e tremore; [4]e la mia parola e il mio messaggio non ebbero discorsi persuasivi di sapienza, ma conferma di Spirito e di potenza, [5]affinché la vostra fede non si basi su una sapienza umana, ma sulla potenza di Dio.

Vangelo e sapienza divina. - [6]Annunziamo, sì, una sapienza a quelli che sono perfetti, ma una sapienza non di questo mondo, né dei prìncipi di questo mondo che vengono annientati; [7]annunziamo una sapienza divina, avvolta nel mistero, che fu a lungo nascosta, e che Dio ha preordinato prima dei tempi per la nostra gloria. [8]Nessuno dei prìncipi di questo mondo l'ha conosciuta; se l'avessero conosciuta, non avrebbero crocifisso il Signore della gloria. [9]Sta scritto infatti:

> Cosa che occhio non vide,
>   né orecchio udì,
> né mai entrò in cuore di uomo,
> ciò che Dio ha preparato
> per quelli che lo amano.

[10]Ma a noi l'ha rivelato mediante lo Spirito; lo Spirito infatti scruta ogni cosa, anche le profondità di Dio. [11]Chi mai conobbe i segreti dell'uomo se non lo spirito dell'uomo che è in lui? Così pure i segreti di Dio nessuno li* ha mai conosciuti se non lo Spirito di Dio. [12]E noi abbiamo ricevuto non lo spirito del mondo, ma lo Spirito che viene da Dio, per conoscere i doni che egli ci ha

---

1. - 17. La funzione principale di tutti gli apostoli, non solo di Paolo, era di pregare e *predicare* (At 6,2b.4). Dio non ha bisogno d'artifici umani per convertire il mondo: la croce e il vangelo hanno in se stessi la forza di mutare i cuori.

26. Tra i primi fedeli il numero dei sapienti e dei nobili secondo il mondo era ben scarso. Dio, chiamando al vangelo i poveri di sostanze e di scienza, volle dimostrare che la fede è un dono gratuito e nessuno può gloriarsene davanti a lui.

30. Cristo è la *sapienza* che introduce nei segreti di Dio; egli diventa per gli uomini che credono in lui *giustizia* e *santificazione*, liberandoli dal peccato e conferendo loro i doni dello Spirito Santo, e con il suo sangue applica loro piena e duratura *redenzione*.

elargito. ¹³E questi noi li annunziamo, non con insegnamenti di sapienza umana, ma con insegnamenti dello Spirito, esponendo cose spirituali a persone spirituali. ¹⁴L'uomo naturale non comprende le cose dello Spirito di Dio; sono follia per lui, e non è capace di intenderle, perché se ne giudica solo per mezzo dello Spirito. ¹⁵L'uomo spirituale invece giudica ogni cosa, senza poter essere giudicato da nessuno. ¹⁶*Chi, infatti, conobbe la mente del Signore da poterlo dirigere?* Ora noi abbiamo la mente di Cristo.

3 Natura del servizio apostolico. - ¹Ed io, o fratelli, non ho potuto parlare a voi come a degli uomini spirituali, ma come a esseri di carne, come a infanti in Cristo. ²Vi ho dato da bere latte, non cibo, perché non ne eravate capaci. E neanche adesso lo siete; perché siete ancora carnali. ³Quando, infatti, c'è tra voi invidia e discordia, non siete forse carnali e non vi comportate in maniera tutta umana?

⁴Quando uno dice: «Io sono di Paolo», e l'altro: «Io di Apollo», non vi dimostrate semplici uomini? ⁵Ma chi è Apollo, chi è Paolo? Ministri attraverso i quali siete venuti alla fede, ciascuno secondo che il Signore gli ha dato. ⁶Io ho piantato, Apollo ha irrigato, ma è Dio che ha fatto crescere! ⁷Ora, né chi pianta né chi irriga è qualche cosa, ma chi fa crescere: Dio. ⁸Chi pianta e chi irriga sono una sola cosa, ma ciascuno riceverà la sua mercede secondo il proprio lavoro. ⁹Siamo infatti collaboratori di Dio e voi siete il campo di Dio, l'edificio di Dio. ¹⁰Secondo la grazia di Dio che mi è stata data, come un sapiente architetto io ho gettato il fondamento; un altro poi vi costruisce sopra. Ma ciascuno stia attento a come costruisce: ¹¹infatti nessuno può gettare un fondamento diverso da quello già posto, che è Gesù Cristo. ¹²E se, sopra questo fondamento, si costruisce con oro, argento, pietre preziose, legno, fieno, paglia, ¹³l'opera di ciascuno sarà resa palese; la svelerà quel giorno che si manifesterà col fuoco, e il fuoco saggerà quale sia l'opera di ciascuno. ¹⁴Se l'opera costruita resisterà, si riceverà la mercede; ¹⁵ma se l'opera finirà bruciata, si avrà danno: ci si potrà salvare, ma come attraverso il fuoco.

¹⁶Non sapete che siete tempio di Dio e che lo Spirito di Dio abita in voi? ¹⁷Se uno distrugge il tempio di Dio, Dio distruggerà lui. Perché è santo il tempio di Dio, che siete voi. ¹⁸Nessuno si illuda! Se uno pensa di essere sapiente tra di voi in questo mondo, si faccia stolto per diventare sapiente; ¹⁹perché la sapienza di questo mondo è follia davanti a Dio. Sta scritto infatti: *Colui che coglie i sapienti nella loro astuzia.* ²⁰E ancora: *Il Signore sa che i disegni dei sapienti sono vani.* ²¹Quindi nessuno ponga la sua gloria negli uomini; ²²perché tutto è vostro, e Paolo, e Apollo, e Cefa, e il mondo, e la vita, e la morte, e il presente, e il futuro: tutto è vostro! ²³Ma voi siete di Cristo e Cristo è di Dio.

4 L'Apostolo e i Corinzi. - ¹Ognuno ci consideri come ministri di Cristo e amministratori dei misteri di Dio. ²Ora, ciò che si richiede negli amministratori è di essere trovati fedeli. ³Quanto a me, poco m'importa di venire giudicato da voi o da un tribunale umano; anzi, neppur io mi giudico, ⁴perché, anche se non ho consapevolezza di nulla, non per questo sono giustificato. Il mio giudice è il Signore! ⁵Non vogliate perciò giudicare di nulla prima del tempo, fino a quando venga il Signore. Egli metterà in luce i segreti delle tenebre e manifesterà le intenzioni del cuore; e allora ciascuno avrà la sua lode da Dio.

⁶Queste cose, o fratelli, le ho applicate a me e ad Apollo per vostro profitto, affinché in noi apprendiate a «non andare oltre quello che sta scritto» e non continuiate a gonfiarvi in favore dell'uno contro l'altro. ⁷Infatti, chi ti distingue? Che cosa possiedi, che non l'abbia ricevuto? E se l'hai ricevuto, perché te ne vanti come se non l'avessi ricevuto? ⁸Già siete sazi, già siete diventati ricchi; senza di

---

2. - 14-15. *L'uomo naturale*, cioè vivo di sola vita naturale, senza l'aiuto della grazia, non può comprendere la sapienza soprannaturale di Dio. *L'uomo spirituale*, invece, è colui che vive in grazia di Dio e si lascia guidare dallo Spirito Santo nei pensieri e nelle opere.

3. - 1. *Come a esseri di carne*: i Corinzi, avendo accolto la predicazione di Paolo, avrebbero dovuto progredire nella conoscenza e nell'imitazione di Cristo; invece si sono lasciati condurre dalle loro passioni ed egoismi, gelosie e contese, sino a dividersi tra loro. Segno evidente della loro povertà spirituale e di una fede ancora immatura.

8. Gli operai evangelici sono una cosa sola perché collaboratori dell'unico grande Artefice dell'edificio di Dio che è la chiesa. Perciò nessuna distinzione si deve fare tra loro, nessuna adesione alla persona di qualcuno di loro, ma solo alla dottrina da essi insegnata.

noi siete entrati nel regno! Oh, foste davvero entrati, perché anche noi potessimo regnare con voi! [9]Mi sembra in realtà che Dio abbia messo noi, apostoli, all'ultimo posto, come dei condannati a morte, poiché siamo stati resi spettacolo al mondo, agli angeli e agli uomini. [10]Noi stolti a motivo di Cristo, voi sapienti in Cristo; noi deboli, voi forti; noi disprezzati, voi onorati. [11]Fino a questo momento soffriamo la fame, la sete, la nudità, veniamo schiaffeggiati, andiamo erranti [12]e fatichiamo lavorando con le nostre mani. Insultati, benediciamo; perseguitati, sopportiamo; [13]calunniati, confortiamo; fino al presente siamo divenuti come la spazzatura del mondo, il rifiuto di tutti! [14]Non per farvi arrossire vi scrivo questo, ma per ammonirvi, come miei figli carissimi. [15]Potreste infatti avere anche diecimila pedagoghi in Cristo, ma non certo molti padri; io invece vi ho generato in Cristo Gesù, mediante il vangelo. [16]Vi esorto, dunque, fatevi miei imitatori! [17]Per questo appunto ho mandato da voi Timoteo, mio figlio diletto e fedele nel Signore, a ricordarvi le vie che vi ho indicato in Cristo, come insegno dappertutto in ogni chiesa. [18]Come se io non dovessi più venire da voi, alcuni si sono insuperbiti. [19]Ma verrò presto, se piacerà al Signore, e vorrò vedere allora non le parole di quelli che si sono gonfiati, ma ciò che sanno fare. [20]Perché il regno di Dio non consiste in parole, ma in opere. [21]Che volete? Che venga a voi con la verga, o nella carità e con spirito di dolcezza?

5 **Scandalo di un incestuoso.** - [1]Si sente parlare niente di meno che di un'impudicizia tra voi, ed è una impudicizia tale, che non capita neanche tra i pagani, al punto che uno conviva con la moglie di suo padre. [2]E voi siete ricolmi di orgoglio e non vi siete rammaricati, affinché si togliesse da voi chi ha compiuto una tale azione! [3]Orbene, io, assente nel corpo ma presente nello spirito, ho già giudicato, come se fossi presente, l'autore di tale misfatto: [4]nel nome del Signore nostro Gesù, convocati insieme voi, il mio spirito e la potenza del

Signore nostro Gesù, [5]questo individuo sia abbandonato a Satana, per la rovina della sua carne, affinché lo spirito possa ottenere la salvezza nel giorno del Signore. [6]Non è bello il vostro vanto. Non sapete che un po' di lievito fermenta tutta la pasta? [7]Togliete via il lievito vecchio, per essere pasta nuova, poiché siete azzimi. È stata immolata la nostra Pasqua, Cristo! [8]Celebriamo dunque la festa non tra lievito vecchio, né in lievito di malizia e perversità, ma con azzimi di purezza e di verità. [9]Vi ho scritto nella lettera di non immischiarvi con gli impudichi. [10]Non mi riferivo agli impudichi di questo mondo o ai cupidi, ai rapaci o agli idolatri; altrimenti dovreste uscire dal mondo. [11]Ma ora vi scrivo di non immischiarvi con chi si dice fratello, ed è impudico, o cupido, o idolatra, o blasfemo, o ubriacone, o ladro: con questi tali non dovete neanche mettervi a mensa. [12]Tocca forse a me giudicare quelli di fuori? Non sono quelli di dentro che voi giudicate? [13]Quelli di fuori li giudicherà Dio. *Togliete quel perverso di mezzo a voi!*

6 **I processi davanti ai pagani.** - [1]V'è tra di voi chi, avendo una questione con un altro, ha l'ardire di farsi giudicare dagli ingiusti anziché dai santi? [2]O non sapete che i santi giudicheranno il mondo? E se da voi viene giudicato il mondo, sareste dunque incapaci di giudizi da nulla? [3]Non sapete che giudicheremo gli angeli? Quanto più dunque le cose di questa vita! [4]Quando perciò dovest giudicare di affari quotidiani, designate a giudici i più umili della chiesa. [5]Lo dico per farvi arrossire! Cosicché non vi sarebbe nessuno tra di voi saggio da poter fare da intermediario tra i suoi fratelli? [6]Ma un fratello viene chiamato in giudizio dal fratello, e per di più davanti a infedeli! [7]Senza dire che è già una colpa per voi avere liti vicendevoli! Perché non subire piuttosto l'ingiustizia? Perché non lasciarvi piuttosto far torto? [8]Ma voi commettete ingiustizia e recate danno, e ciò ai fratelli! [9]O non sapete che gli ingiusti non erediteranno il regno di Dio? Non illudetevi: né gli impuri, né gli idolatri, né gli adùlteri, né gli effeminati, né i depravati, [10]né i ladri, né i cupidi, né gli ubriaconi, né i maldicenti, né i rapaci erediteranno il regno di Dio. [11]E tali eravate alcuni di voi; ma siete stati lavati, siete stati santificati, siete stati giusti-

---

6. - 4. *I più umili della chiesa*: è ironico, ma vuol dire che anche questi sarebbero adatti a giudicare le cose di questa vita, tanto esse valgono poco in confronto con la grandezza del cristiano.

ficati nel nome del Signore Gesù Cristo e nello Spirito del nostro Dio!

La tentazione dell'impudicizia. - [12]«Tutto mi è lecito»; ma non tutto giova. «Tutto mi è lecito»; ma io non mi lascerò dominare da nulla! [13]«I cibi sono per il ventre e il ventre per i cibi»; ma Dio distruggerà questo e quelli! Il corpo non è per l'impudicizia, bensì per il Signore, e il Signore è per il corpo; [14]e Dio, che ha risuscitato il Signore, risusciterà anche noi con la sua potenza! [15]Non sapete che i vostri corpi sono membra di Cristo? Prenderò dunque le membra di Cristo e ne farò membra di meretrice? Non sia mai! [16]O non sapete che chi si unisce a una meretrice forma un corpo solo? *I due formeranno*, dice, *una sola carne.* [17]Ma chi si unisce al Signore forma con lui un solo spirito. [18]Fuggite l'impudicizia! Qualsiasi peccato l'uomo commetta, sta fuori del corpo; ma chi commette impudicizia pecca contro il proprio corpo. [19]O non sapete che il vostro corpo è santuario dello Spirito Santo che è in voi, che avete da Dio e che non appartenete a voi stessi? [20]Siete stati comprati a prezzo! Glorificate dunque Dio nel vostro corpo!

RISPOSTA AI QUESITI

7 Matrimonio e verginità. - [1]Riguardo poi alle cose di cui mi avete scritto: è cosa buona per l'uomo non avere contatti con donna; [2]tuttavia, a motivo delle impudicizie, ciascuno abbia la sua moglie, e ogni donna il suo marito. [3]Il marito renda alla moglie ciò che le è dovuto; egualmente anche la moglie al marito. [4]La moglie non è padrona del proprio corpo, ma lo è il marito; allo stesso modo il marito non è padrone del proprio corpo, ma lo è la moglie. [5]Non privatevi l'un l'altro, se non di comune accordo, temporaneamente, per attendere alla preghiera, e poi ritornate a stare insieme, perché Satana non vi tenti per la vostra incontinenza. [6]Questo vi dico in spirito di condiscendenza, non di comando. [7]Vorrei che tutti fossero come me; ma ciascuno ha il proprio dono da Dio, chi in un modo, chi in un altro. [8]Ai celibi e alle vedove dico che è cosa buona per loro rimanere come sono io; [9]ma se

non sanno contenersi, si sposino; è meglio sposarsi che ardere! [10]Agli sposati ordino, non io ma il Signore, che la moglie non si separi dal marito – [11]e qualora si separi, rimanga senza sposarsi o si riconcili con il marito – e che il marito non ripudi la moglie. [12]Agli altri dico io, non il Signore: se un fratello ha la moglie pagana, e questa consente a coabitare con lui, non la ripudi; [13]e la donna che abbia il marito pagano, se questi consente ad abitare con lei, non lo ripudi: [14]perché il marito pagano viene reso santo dalla moglie e la moglie pagana viene resa santa dal fratello; altrimenti i figli sarebbero impuri, mentre invece sono santi. [15]Ma se il pagano vuole separarsi, si separi; in questi casi il fratello o la sorella non sono vincolati; Dio vi ha chiamati alla pace! [16]E che sai tu, moglie, se salverai il marito? O che sai tu, marito, se salverai la moglie?

[17]Fuori di questi casi, ciascuno si comporti come gli ha dato il Signore, come era quando fu chiamato da Dio; così ordino in tutte le chiese. [18]È stato chiamato uno circonciso? Non lo nasconda! È stato chiamato uno non circonciso? Non si faccia circoncidere! [19]La circoncisione non conta nulla, e l'incirconcisione non conta nulla; conta l'osservanza dei comandamenti di Dio. [20]Ciascuno rimanga nella condizione in cui era quando fu chiamato. [21]Sei stato chiamato da schiavo? Non ti preoccupare, ma anche se hai la possibilità di renderti libero, profittane! [22]Perché lo schiavo che è stato chiamato nel Signore è liberto del Signore! Similmente, il libero che è stato chiamato è schiavo di Cristo. [23]Siete stati comprati a prezzo; non diventate schiavi di uomini! [24]Ciascuno, o fratelli,

---

13-15. Questi tre motivi: il nostro *corpo* appartiene a Dio creatore, si prepara alla gloria della risurrezione, è membro di Cristo, devono tenere il cristiano lontano dall'impurità.

7. - 1. Evidentemente i Corinzi avevano proposto dei problemi all'apostolo, forse indicando già anche la soluzione pratica da essi adottata. Paolo risponde ora dettagliatamente a ciascuno di tali quesiti: matrimonio, 7,1ss; verginità, 7,25ss; carni immolate agli idoli, 8,1ss; doni dello Spirito Santo, 12,1ss. La risposta è pratica, vivace, definitiva.

12-16. Si ha qui espresso ciò che la tradizione cristiana chiama «privilegio paolino»: se, in un matrimonio misto, il coniuge pagano non accetta di coabitare, quello cristiano resta libero: può anche passare a seconde nozze. Se, invece, il coniuge pagano accetta di coabitare, il legame matrimoniale continua a sussistere.

21. Paolo non approva la schiavitù, ma dice che non è un ostacolo alla vita eterna. *Profittane!*: approfitta della tua condizione per dare testimonianza a Cristo.

rimanga davanti a Dio in quella condizione in cui era quando è stato chiamato.

²⁵Riguardo alla verginità, non ho precetti dal Signore, ma do un consiglio, come uno che merita fiducia per la misericordia del Signore. ²⁶Penso, dunque, che sia bene per l'uomo, a motivo della necessità presente, regolarsi così: ²⁷ti trovi legato a una donna? Non cercare di scioglierti; non ti trovi legato a una donna? Non andare a cercarla. ²⁸Però se ti sposi non fai male; né fa male la vergine che si sposa. Ma costoro avranno tribolazioni nella carne, e io vorrei risparmiarvele. ²⁹Questo vi dico, o fratelli: il tempo ha avuto una svolta; d'ora innanzi quelli che hanno moglie siano come non l'avessero; ³⁰quelli che piangono, come non piangessero; quelli che si rallegrano, come non si rallegrassero; quelli che comprano come non possedessero; ³¹quelli che usano del mondo, come non ne usassero a fondo: perché passa la figura di questo mondo! ³²E io vorrei vedervi senza preoccupazioni: chi non è sposato si preoccupa delle cose del Signore, come piacere al Signore; ³³lo sposato invece si preoccupa delle cose del mondo, come piacere alla moglie, ³⁴e si trova diviso! Così anche la donna non sposata e la vergine si preoccupano delle cose del Signore, per essere sante nel corpo e nello spirito; la sposata invece si preoccupa delle cose del mondo, come piacere al marito. ³⁵Questo dico a vostro vantaggio, non per gettarvi un laccio, ma per indirizzarvi a ciò che è degno e conduce al Signore senza distrazioni.

³⁶Se però qualcuno teme di non comportarsi bene con la sua vergine, quando sia in piena età, e conviene che così avvenga, faccia quello che desidera; non pecca, si sposino. ³⁷Chi invece ha deciso fermamente nel suo cuore, senza esservi costretto, ma è padrone della sua volontà, e ha deliberato in cuor suo di conservare la sua vergine, fa bene. ³⁸In conclusione, colui che

---

36-38. Il passo è particolarmente oscuro. È possibile vedervi gli interrogativi di un padre il quale, secondo le usanze del mondo antico, decideva circa il matrimonio della figlia. Altri suppongono che si alluda qui a una prassi di matrimoni apparenti o di protezione, miranti a tutelare, in un contesto pagano, chi per motivi religiosi non intendeva contrarre matrimonio. L'importante, comunque, è notare come Paolo ritenga buoni ambedue gli stati di vita, il matrimonio e la verginità, con una superiorità di questa su quello in ordine a una migliore e più completa disponibilità per il Signore.

sposa la sua vergine fa bene, e chi non la sposa fa meglio.

³⁹La moglie è vincolata per tutto il tempo in cui vive il marito; ma se il marito muore, è libera di sposare chi vuole, purché ciò avvenga nel Signore. ⁴⁰Ma se rimane così è meglio, a mio avviso; e credo di avere anch'io lo Spirito di Dio.

1Cor

8 Carni immolate agli idoli.
¹Riguardo alle carni immolate agli idoli: noi sappiamo, perché abbiamo tutti la scienza. Ma la scienza gonfia, mentre la carità edifica. ²Se alcuno crede di sapere qualche cosa, non ha ancora appreso come bisogna sapere. ³Chi invece ama Dio, è conosciuto da lui. ⁴Riguardo dunque al mangiare le carni immolate agli idoli, noi sappiamo che un idolo è nulla al mondo, e che non esiste che un Dio solo. ⁵Anche se infatti vi sono delle pretese divinità nel cielo e sulla terra, come di fatto vi sono molti dèi e molti signori, ⁶per noi c'è un solo Dio, il Padre, dal quale tutto proviene, e noi siamo per lui; e un solo Signore, Gesù Cristo, per mezzo del quale sono tutte le cose e noi siamo per mezzo di lui.

⁷Ma non tutti hanno la scienza; anzi alcuni, per la consuetudine avuta fino al presente con gli idoli, mangiano le carni come carni sacre agli idoli, e la loro coscienza, debole com'è, si macchia. ⁸Non sarà certo un alimento a raccomandarci a Dio; né, privandocene, veniamo a mancare di qualche cosa, né mangiandone ne abbiamo di più; ⁹badate però che questa vostra libertà non divenga un inciampo per i deboli. ¹⁰Se uno infatti vedesse te, che hai la scienza, a convito in un tempio di idoli, non ne resterebbe forse la sua coscienza debole spinta a mangiare le carni immolate agli idoli? ¹¹E così per la tua scienza va in rovina il debole, il fratello per il quale Cristo è morto! ¹²E peccando così contro i fratelli, e ferendo la loro coscienza debole, voi peccate contro Cristo. ¹³Per questo, se un cibo scandalizza il mio fratello, non mangerò più carne giammai, per non dare scandalo al mio fratello!

9 Esempio di Paolo.
¹Non sono io forse libero? Non sono io apostolo? Non ho veduto Gesù, nostro Signore? Non siete voi opera mia nel Signore? ²Se per altri

non sono apostolo, per voi almeno lo sono; voi siete il sigillo del mio apostolato nel Signore. ³Questa è la mia difesa contro quelli che mi giudicano. ⁴Non abbiamo il diritto di mangiare e di bere? ⁵Non abbiamo il diritto di condurre con noi una sorella, come fanno gli altri apostoli, e i fratelli del Signore, e Cefa? ⁶O solo io e Barnaba non abbiamo il diritto di non lavorare? ⁷Chi mai milita a proprie spese? Chi pianta una vigna e non ne mangia il frutto? O chi pascola un gregge senza cibarsi del latte del medesimo? ⁸Dico forse questo da un punto di vista umano o non dice così anche la legge? ⁹Sta scritto infatti nella legge di Mosè: *Non metterai la museruola al bue che trebbia.* Forse Dio si dà pensiero dei buoi? ¹⁰O non parla evidentemente per noi? Certamente fu scritto per noi! Poiché è naturale per l'aratore arare nella speranza, come per il trebbiatore trebbiare nella speranza di avere la sua parte. ¹¹Se noi abbiamo seminato in voi le cose spirituali, è gran cosa se mietiamo beni materiali? ¹²Se gli altri hanno tale diritto su di voi, non l'avremmo noi di più? Ma non abbiamo voluto servirci di questo diritto, bensì sopportiamo ogni cosa per non recare intralcio al vangelo di Cristo. ¹³Non sapete che quelli che celebrano il culto traggono il vitto dal tempio, e quelli che attendono all'altare hanno parte dell'altare? ¹⁴Così anche il Signore ha disposto che quelli che annunziano il vangelo vivano del vangelo. ¹⁵Ma io non mi sono avvalso di nessuno di questi diritti, né ve ne scrivo perché ci si regoli in tal modo con me. Preferirei piuttosto morire che… Nessuno mi toglierà questo vanto! ¹⁶Non è infatti per me un vanto predicare il vangelo; necessità mi spinge, e guai a me se non predico il vangelo! ¹⁷Se lo facessi di mia iniziativa, ne avrei ricompensa, ma facendolo senza di essa, come depositario di un mandato. ¹⁸Quale sarà dunque il mio merito? Che, predicando, io offra il vangelo gratuitamente, senza fare uso del diritto che il vangelo mi conferisce. ¹⁹Libero com'ero da tutti, mi sono fatto servo di tutti per guadagnare il maggior numero: ²⁰mi sono fatto giudeo con i Giudei per guadagnare i Giudei; sottomesso alla legge, pur non essendo sotto di essa, con quelli soggetti alla legge, per guadagnare quelli che sono soggetti alla legge; ²¹senza legge, pur non essendo senza legge di Dio, ma nella legge di Cristo, con quelli senza legge, per guadagnare coloro che sono senza legge. ²²Mi sono fatto debole con i deboli, per guadagnare i deboli; mi sono fatto tutto a tutti, per salvare in ogni modo qualcuno. ²³E tutto faccio per il vangelo, per diventarne partecipe con loro.

²⁴Non sapete che i corridori nello stadio corrono tutti, ma uno solo ottiene il premio? Voi dovete correre in modo da guadagnarlo! ²⁵Ed ogni atleta si astiene da tutto; essi lo fanno per ottenere una corona che appassisce, noi invece una indistruttibile. ²⁶E io corro, ma non come chi è senza meta; faccio il pugilato, ma non come chi batte l'aria, ²⁷bensì tratto duramente il mio corpo e lo metto in schiavitù, perché non succeda che mentre predico agli altri, venga riprovato io stesso.

10 Esempio degli Israeliti. - ¹Non voglio infatti che ignoriate, o fratelli, che i nostri padri sono stati tutti sotto la nube, tutti hanno attraversato il mare, ²tutti sono stati battezzati in Mosè nella nube e nel mare, ³tutti hanno mangiato lo stesso cibo spirituale, ⁴tutti hanno bevuto la stessa bevanda spirituale (bevevano infatti da una roccia spirituale che li accompagnava: quella roccia era Cristo): ⁵ma Dio non si compiacque della maggior parte di loro, e *furono atterrati nel deserto.* ⁶Queste cose accaddero come esempi per noi, perché non desiderassimo cose cattive, come essi le desiderarono. ⁷Non divenite idolatri come alcuni di loro, come sta scritto: *Il popolo si sedette a mangiare e a bere, e poi si alzò a divertirsi.* ⁸Né abbandoniamoci alla fornicazione, come si abbandonarono alcuni di essi, e ne caddero in un solo giorno ventitremila. ⁹Né mettiamo alla prova il Signore, come alcuni di essi lo misero, e caddero vittime dei serpenti. ¹⁰Né mormorate, come mormorarono alcuni di essi, e caddero vittime dello sterminatore. ¹¹Ora tutte queste cose accaddero a loro in figura e sono

---

9. - 12. Paolo viveva con il lavoro delle sue mani (At 18,3), e ciò faceva sia per non essere di peso alle giovani comunità cristiane sia per dare loro esempio di laboriosità, cosa allora assai necessaria, dato il disprezzo con cui veniva considerato generalmente il lavoro manuale.

state scritte per ammonimento nostro, di noi per i quali è giunta la fine dei tempi. ¹²Quindi, chi crede di star dritto, guardi di non cadere. ¹³Nessuna tentazione vi ha mai colti se non umana, e Dio è fedele e non permetterà che siate tentati oltre le forze, ma con la tentazione darà anche il mezzo di sopportarla.

Fuggire l'idolatria. - ¹⁴Perciò, o miei cari, fuggite l'idolatria. ¹⁵Parlo come a persone intelligenti; giudicate voi stessi quello che dico: ¹⁶il calice della benedizione che noi benediciamo, non è comunione con il sangue di Cristo? Il pane che spezziamo, non è comunione con il corpo di Cristo? ¹⁷Essendo uno solo il pane, noi siamo un corpo solo sebbene in molti, poiché partecipiamo tutti dello stesso pane. ¹⁸Guardate l'Israele secondo la carne: quelli che mangiano del sacrificio non sono forse in comunione con l'altare? ¹⁹Che dico dunque? Che la carne immolata agli idoli è qualche cosa? O che un idolo è qualche cosa? ²⁰No, anzi, quello che sacrificano, *ai demòni lo sacrificano e non a Dio*. Ora io non voglio che voi entriate in comunione con i demòni; ²¹non potete bere il calice del Signore e il calice dei demòni; non potete partecipare alla *tavola del Signore* e alla tavola dei demòni. ²²O vogliamo provocare la *gelosia del Signore*? Siamo forse più forti di lui?

²³«Tutto è lecito», ma non tutto giova! «Tutto è lecito», ma non tutto edifica! ²⁴Non si cerchi l'utile proprio, ma quello altrui. ²⁵Tutto ciò che è in vendita sul mercato, mangiatelo senza indagare per motivo di coscienza, ²⁶perché *del Signore è la terra e tutto ciò che contiene*.

²⁷Se qualche pagano vi invita e vi piace andare, mangiate tutto quello che vi si presenta, senza indagare per motivi di coscienza. ²⁸Ma se qualcuno vi dicesse: «È carne immolata agli idoli», astenetevi dal mangiare, per riguardo a colui che vi ha avvertito e della coscienza; ²⁹della coscienza, dico, non tua, ma dell'altro. Per qual motivo infatti la mia libertà dovrebbe venir giudicata da un'altra coscienza? ³⁰Se io me ne cibo con rendimento di grazie, perché dovrei essere biasimato di quello per cui rendo grazie? ³¹Sia dunque che mangiate, sia che beviate o qualsiasi cosa facciate, fate tutto per la gloria di Dio. ³²Non date motivo di inciampo

né ai Giudei né ai Greci né alla chiesa di Dio; ³³così come io cerco di piacere a tutti in tutto, senza cercare l'utile mio ma quello dei molti, perché giungano alla salvezza.

11 ¹Fatevi miei imitatori come io lo sono di Cristo.

Il velo delle donne nelle assemblee. - ²Vi lodo poi perché vi ricordate molto di me, e conservate le tradizioni come ve le ho trasmesse. ³Voglio però che sappiate che capo di ogni uomo è Cristo, e capo della donna è l'uomo, e capo di Cristo è Dio. ⁴Ogni uomo che prega o profetizza con il capo coperto, manca di riguardo al suo capo. ⁵Così ogni donna che prega o profetizza senza velo sul capo, manca di riguardo al suo capo, come se fosse rasa; ⁶che se una donna non si copre, si tagli pure i capelli; ma se è vergogna per una donna tagliarsi i capelli o essere rasa, allora si copra. ⁷L'uomo non deve coprirsi il capo, essendo immagine e gloria di Dio, mentre la donna è gloria dell'uomo. ⁸Poiché non l'uomo deriva dalla donna, ma la donna dall'uomo; ⁹né l'uomo fu creato per la donna, ma la donna per l'uomo. ¹⁰Per questo la donna deve portare un segno di dipendenza sul capo, a motivo degli angeli. ¹¹Tuttavia, nel Signore, né la donna è senza l'uomo, né l'uomo è senza la donna; ¹²se infatti la donna deriva dall'uomo, anche l'uomo ha vita dalla donna, e tutto proviene da Dio. ¹³Giudicatene voi stessi: è conveniente che una donna faccia preghiera a Dio col capo scoperto? ¹⁴E non ci insegna la natura stessa che è indecoroso per un uomo lasciarsi crescere i capelli, ¹⁵mentre è onorifico per una donna lasciarseli crescere? La chioma è data a lei a guisa di velo. ¹⁶Che se alcuno vuole contestare, noi non abbiamo questa consuetudine e neanche le chiese di Dio.

Celebrazione eucaristica. - ¹⁷E mentre vi do questi ordini, non posso lodarvi, perché le vostre riunioni non sono per vostro vantaggio, ma per vostro danno. ¹⁸Sento innanzi tutto che, quando vi radunate in assemblea, vi sono divisioni tra voi; e in parte lo credo. ¹⁹È necessario infatti che avvengano anche divisioni tra di voi, affinché si manifestino quelli che sono di virtù provata in mezzo a voi. [20]Quando dunque vi radunate insieme, il vostro non è un mangiare la cena del Signore. [21]Infatti ciascuno, partecipando alla cena, mangia prima il proprio pasto, e così l'uno ha fame e l'altro è ubriaco. [22]Non avete forse le vostre case per mangiare e bere? O volete gettare il disprezzo sulla chiesa di Dio e fare arrossire chi non ha niente? Che debbo dirvi? Devo lodarvi? In questo non vi lodo!

[23]Io ho ricevuto dal Signore quello che vi ho trasmesso: che il Signore Gesù, nella notte in cui fu tradito, prese del pane [24]e, reso grazie, lo spezzò e disse: «Questo è il mio corpo, che è per voi; fate questo in memoria di me». [25]Allo stesso modo, dopo avere cenato, prese anche il calice dicendo: «Questo calice è la nuova alleanza nel mio sangue; fate questo, tutte le volte che ne berrete, in memoria di me». [26]Quindi tutte le volte che voi mangiate questo pane e bevete a questo calice, annunziate la morte del Signore, finché egli venga. [27]Perciò chiunque mangia il pane o beve al calice del Signore indegnamente, è reo del corpo e del sangue del Signore. [28]Ciascuno esamini se stesso e poi mangi il pane e beva il calice; [29]perché chi mangia e beve senza discernere il corpo, mangia e beve la sua condanna. [30]È per questo che tra voi vi sono molti malati e infermi e un buon numero sono morti. [31]Che se ci esaminassimo noi stessi, non verremmo giudicati; [32]ma, messi sull'avviso dal Signore, veniamo corretti, per non essere poi condannati insieme al mondo. [33]Quindi, o miei fratelli, quando vi radunate per la cena, aspettatevi gli uni gli altri. [34]E se qualcuno ha fame, mangi a casa, onde non vi raduniate per vostra condanna. Quanto al resto darò disposizioni quando verrò.

12 Uso dei carismi. - [1]Riguardo ai doni dello Spirito, o fratelli, non voglio che restiate nell'ignoranza. [2]Sapete che quando eravate pagani vi lasciavate trasportare verso gli idoli muti secondo l'ispirazione del momento. [3]Perciò vi dichiaro che nessuno, mosso dallo Spirito di Dio, può dire: «Maledizione a Gesù», e nessuno può dire: «Gesù Signore», se non in virtù dello Spirito Santo.

[4]C'è poi varietà di doni, ma un solo Spirito; [5]c'è varietà di ministeri, ma un solo Signore; [6]c'è varietà di operazioni, ma un solo Dio, che opera tutto in tutti. [7]E a ciascuno è data la manifestazione dello Spirito per l'utilità comune: [8]a uno viene data, dallo Spirito, parola di sapienza; a un altro, invece, mediante lo stesso Spirito, parola di scienza; [9]a uno la fede, per lo stesso Spirito; a un altro il dono delle guarigioni nell'identico Spirito; [10]a uno il potere dei prodigi; a un altro il dono della profezia; a un altro il discernimento degli spiriti; a un altro la varietà delle lingue; a un altro l'interpretazione delle lingue. [11]Ma tutte queste cose le opera il medesimo e identico Spirito, distribuendole a ciascuno come vuole.

[12]Come il corpo, pur essendo uno, ha molte membra, e tutte le membra, pur essendo molte, sono un corpo solo, così anche il Cristo. [13]Siamo stati infatti battezzati tutti in un solo Spirito per formare un corpo solo, sia Giudei sia Greci, sia schiavi sia liberi; e tutti siamo stati abbeverati nel medesimo Spirito. [14]Ora, il corpo non risulta di un membro solo, ma di molte membra. [15]Se il piede dicesse: «Siccome io non sono mano, non appartengo al corpo», non per questo non farebbe parte del corpo. [16]E se l'orecchio dicesse: «Siccome io non sono occhio, non appartengo al corpo», non per questo non farebbe parte del corpo. [17]Se il corpo fosse tutto occhio, dove sarebbe l'udito? Se fosse tutto udito, dove l'odorato? [18]Ma Dio ha disposto le membra in modo distinto nel corpo, come ha voluto. [19]Che se tutto fosse un membro solo, dove sarebbe il corpo? [20]Invece molte sono le membra, ma uno solo è il corpo. [21]E l'occhio non può dire alla mano: «Non ho bisogno di te»; né la testa ai piedi: «Non ho bisogno di voi». [22]Ché, anzi, quelle membra del corpo che sembrano più deboli sono più necessarie; [23]e quelle che riteniamo più ignobili le circondiamo di maggior rispetto, e quelle indecorose ricevono più riguardo, [24]mentre quelle decorose non ne hanno bisogno. Ma Dio ha contemperato il corpo, conferendo maggiore onore a chi ne mancava, [25]perché non vi fosse disunione nel corpo, ma le membra cooperassero al bene vicendevole. [26]Quindi se un membro soffre, tutte le membra ne soffrono; se un membro è onorato, tutte le membra gioiscono con lui. [27]Ora voi siete corpo di Cristo e sue membra, ciascuno in particolare. [28]Alcuni sono stati posti da Dio nella chiesa

al primo grado come apostoli, al secondo come profeti, al terzo come dottori; poi vengono i prodigi, poi i doni di guarigione, quelli che hanno il dono dell'assistenza, del governo, delle lingue. ²⁹Sono forse tutti apostoli? Tutti profeti? Tutti dottori? Tutti operatori di prodigi? ³⁰Tutti possiedono doni di guarigione? Tutti parlano in lingue? Tutti fanno da interpreti? ³¹Voi, però, aspirate ai doni maggiori. Ora io vi addito una via ancora più eccellente.

13 Inno alla carità. - ¹Se anche parlo le lingue degli uomini e degli angeli, ma non ho la carità, sono un bronzo sonante o un cembalo squillante. ²E se anche ho il dono della profezia e conosco tutti i misteri e tutta la scienza; e se anche possiedo tutta la fede, sì da trasportare le montagne, ma non ho la carità, non sono niente. ³E se anche distribuisco tutte le mie sostanze, e se anche do il mio corpo per essere bruciato, ma non ho la carità, non mi giova nulla. ⁴La carità è magnanima, è benigna la carità, non è invidiosa, la carità non si vanta, non si gonfia, ⁵non manca di rispetto, non cerca il suo interesse, non si adira, non tiene conto del male ricevuto, ⁶non gode dell'ingiustizia, ma si compiace della verità; ⁷tutto scusa, tutto crede, tutto spera, tutto sopporta. ⁸La carità non avrà mai fine; le profezie scompariranno; il dono delle lingue cesserà; la scienza svanirà; ⁹conosciamo infatti imperfettamente, e imperfettamente profetizziamo. ¹⁰Ma quando verrà la perfezione, sarà abolito ciò che è imperfetto. ¹¹Quand'ero bambino, parlavo da bambino, pensavo da bambino, ragionavo da bambino. Ma quando mi sono fatto adulto, ho smesso ciò che era da bambino. ¹²Adesso vediamo come in uno specchio, in immagine; ma allora vedremo faccia a faccia. Adesso conosco in parte, ma allora conoscerò perfettamente, come perfettamente sono conosciuto. ¹³Ora esistono queste tre cose: la fede, la speranza e la carità; ma la più grande di esse è la carità.

14 I carismi e l'edificazione della comunità. - ¹Ricercate la carità. Aspirate però anche ai doni dello Spirito, so-

prattutto alla profezia. ²Chi parla in lingue non parla agli uomini, ma a Dio; infatti nessuno capisce, perché dice cose misteriose nello Spirito. ³Invece chi profetizza parla agli uomini a edificazione, a esortazione e conforto. ⁴Chi parla in lingue edifica se stesso, chi profetizza edifica la chiesa. ⁵Vorrei che tutti parlaste in lingue, ma preferisco che abbiate il dono della profezia; poiché è più grande profetare che parlare in lingue, a meno che ci sia l'interpretazione, affinché l'assemblea possa venire edificata. ⁶Io, per esempio, come vi potrei giovare, o fratelli, se venissi a voi parlando in lingue, ma senza la rivelazione o la scienza, o la profezia o la dottrina? ⁷Come negli strumenti da suono, sia flauto sia cetra: se non do una distinzione ai suoni, come si può discernere ciò che si suona col flauto o con la cetra? ⁸E se la tromba emette un suono confuso, chi si preparerà al combattimento? ⁹Così anche voi, se non articolate parole chiare con la lingua, come si potrà comprendere ciò che viene detto? Parlereste al vento! ¹⁰Nel mondo vi sono tante varietà di suoni, e nessuno è senza significato; ¹¹ma se io non conosco il valore del suono, sono come un barbaro per colui che mi parla, e anche per me il parlante è come un barbaro. ¹²Quindi anche voi, poiché desiderate i doni dello Spirito, cercate di averne in abbondanza, ma per l'edificazione della comunità. ¹³Chi parla in lingue, preghi di poterle interpretare. ¹⁴Quando infatti prego in lingue, il mio spirito prega, ma la mia intelligenza rimane senza frutto. ¹⁵Che fare dunque? Pregherò con lo spirito, ma pregherò anche con l'intelligenza; canterò con lo spirito, ma canterò anche con l'intelligenza. ¹⁶Che se tu benedici soltanto con lo spirito, colui che assiste come semplice uditore come potrebbe dire l'«amen» al tuo ringraziamento, dal momento che non capisce quello che dici? ¹⁷Tu puoi fare un bel ringraziamento, ma l'altro non viene edificato. ¹⁸Grazie a Dio, io parlo in lingue molto più di tutti voi; ¹⁹ma in assemblea preferisco dire cinque parole con la mia intelligenza per istruire anche gli altri, che non diecimila parole in lingue. ²⁰Fratelli, non comportatevi da bambini nel giudicare, siate fanciulli quanto a malizia ma adulti nei giudizi. ²¹Sta scritto nella legge:

*Parlerò a questo popolo
con gente di altra lingua
e con labbra di stranieri,
ma neanche così mi ascolteranno,*

dice il Signore. ²²Quindi le lingue non sono un segno per quelli che credono, ma per gli infedeli, mentre la profezia non è per gli infedeli, ma per i credenti. ²³Quando, per esempio, si radunasse tutta la comunità e tutti parlassero in lingue, e sopraggiungessero dei semplici uditori o degli infedeli, non direbbero che siete impazziti? ²⁴Quando invece tutti profetassero, e sopraggiungesse qualche infedele o semplice uditore, verrebbe convinto da tutti, giudicato da tutti; ²⁵sarebbero manifestati i segreti del suo cuore, e prostrandosi a terra adorerebbe Dio, proclamando che *veramente Dio è in voi.*

Norme pratiche sull'uso dei carismi. - ²⁶Che fare dunque, o fratelli? Quando vi radunate e ciascuno ha un salmo, una dottrina, una rivelazione, e l'uno ha il dono delle lingue, l'altro il dono di interpretarle, si faccia tutto per l'edificazione. ²⁷Quando si parla in lingue, siano in due o al massimo in tre a parlare, e per ordine, e uno faccia da interprete. ²⁸Che se non vi è chi interpreta, questi tali tacciano nell'assemblea, e parlino a se stessi e a Dio. ²⁹I profeti parlino in due o tre, e gli altri giudichino; ³⁰ma se uno di quelli che sono seduti riceve una rivelazione, il primo taccia. ³¹Tutti potete profetare, uno per volta, affinché tutti possano apprendere ed essere esortati. ³²Ma le ispirazioni dei profeti devono essere sottomesse ai profeti; ³³perché Dio non è Dio del disordine, ma della pace. ³⁴Come in tutte le chiese dei santi, le donne nelle assemblee tacciano; non si permetta loro di parlare, ma stiano sottomesse, come dice anche la legge. ³⁵Ché se vogliono apprendere qualche cosa, interroghino a casa i loro mariti. È disdicevole per una donna parlare in assemblea. ³⁶O che forse la parola di Dio è partita da voi? O a voi soltanto è giunta? ³⁷Chi ritiene di essere profeta o dotato di doni dello Spirito, deve riconoscere che quello che scrivo è precetto del Signore. ³⁸Se non lo riconosce, neppure lui è riconosciuto. ³⁹Dunque, o miei fratelli, aspirate alla profezia e, quanto al parlare in lingue, non impeditelo. ⁴⁰Ma tutto avvenga nel decoro e nell'ordine.

15 **Risurrezione dei morti.** - ¹Vi richiamo poi, o fratelli, il vangelo che vi ho annunziato e che avete ricevuto, nel quale perseverate ²e dal quale ricevete la salvezza, se lo ritenete nei termini con cui ve l'ho annunziato; altrimenti avreste creduto invano. ³Vi ho dunque trasmesso, anzitutto, quello che ho ricevuto, che Cristo morì per i nostri peccati, secondo le Scritture, ⁴e che fu sepolto, e che fu risuscitato il terzo giorno, secondo le Scritture; ⁵e che apparve a Cefa, e poi ai Dodici. ⁶In seguito apparve a più di cinquecento fratelli in una volta, la maggior parte dei quali vive ancora, mentre alcuni sono morti. ⁷Poi apparve a Giacomo, e quindi a tutti gli apostoli. ⁸Infine apparve anche a me, ultimo di tutti, come a un aborto. ⁹Io infatti sono l'ultimo tra gli apostoli, neanche degno di venire chiamato apostolo, perché ho perseguitato la chiesa di Dio. ¹⁰Per grazia di Dio sono quello che sono, e la sua grazia in me non fu vana; anzi, ho faticato più di tutti loro, non io invero, ma la grazia di Dio con me. ¹¹Sia dunque io sia loro così predichiamo e così avete creduto.

¹²Ora, se si predica che Cristo fu risuscitato dai morti, come possono dire alcuni tra voi che non si dà risurrezione dai morti? ¹³Ché se non si dà risurrezione dai morti, neanche Cristo fu risuscitato! ¹⁴Ma se Cristo non fu risuscitato, è vana la nostra predicazione, vana la vostra fede. ¹⁵E ci troveremmo ad essere falsi testimoni di Dio, perché abbiamo testimoniato di Dio che ha risuscitato il Messia, mentre non l'avrebbe risuscitato, se fosse vero che i morti non risorgono. ¹⁶Se infatti non si dà risurrezione di morti, neanche Cristo è risorto; ¹⁷e se Cristo non è risorto, è inutile la vostra fede e voi siete ancora nei vostri peccati. ¹⁸E anche quelli che si sono addormentati in Cristo sono perduti. ¹⁹Se avessimo speranza in Cristo soltanto in questa vita, saremmo i più miserabili di tutti gli uomini.

---

15. - 12. Gesù è il capo del corpo mistico, e quindi è impossibile credere alla sua risurrezione senza ammettere la risurrezione nostra; è impossibile concepire un capo vivo in eterno con le membra tutte morte e per sempre.

14. Negata la risurrezione di Cristo, la fede rimane senza fondamento perché sia Cristo (Mt 12,39-40; Gv 2,19-22) che gli apostoli (At 1,22; 2,32; 4,10) si appellarono alla risurrezione come prova suprema; e quindi sarebbe vana anche la redenzione, con tutti i beni che ci ha portato.

[20]Ma invece Cristo è stato risuscitato dai morti, primizia di quelli che dormono. [21]Poiché, se per un uomo venne la morte, per un uomo c'è anche la risurrezione dei morti; [22]e come tutti muoiono in Adamo, così tutti saranno vivificati in Cristo. [23]Ma ciascuno al suo posto. Prima Cristo, che è la primizia; poi, alla sua venuta, quelli di Cristo; [24]quindi la fine, quando consegnerà il regno a Dio Padre, dopo aver annientato ogni principato, potestà e potenza. [25]Deve infatti regnare *finché non abbia posto tutti i nemici sotto i suoi piedi.* [26]L'ultimo nemico ad essere annientato sarà la morte, perché *ogni cosa ha sottoposto ai suoi piedi.* [27]Ma quando dice: «ogni cosa è sottoposta», è chiaro che si eccettua Colui che ha sottomesso a lui ogni cosa. [28]E quando tutto gli sarà stato sottomesso, anch'egli, il Figlio, farà atto di sottomissione a Colui che gli ha sottomesso ogni cosa, affinché Dio sia tutto in tutti.

[29]Se così non fosse, che cosa farebbero quelli che si battezzano per i morti? Se assolutamente i morti non risorgono, perché si fanno battezzare per loro? [30]E perché ci esponiamo al pericolo continuamente? [31]Ogni giorno io affronto la morte, com'è vero che voi siete il mio vanto, o fratelli, in Cristo Gesù Signore nostro! [32]Se soltanto per ragioni umane io avessi combattuto a Efeso contro le fiere, a che mi gioverebbe? Se i morti non risorgono, *mangiamo e beviamo, perché domani morremo.* [33]Non lasciatevi ingannare: *Corrompono i buoni costumi i discorsi cattivi.* [34]Ritornate in voi, secondo giustizia, e non peccate. Taluni dimostrano di non conoscere Dio; lo dico a vostra vergogna!

Il modo della risurrezione. - [35]Ma qualcuno dirà: «Come risorgono i morti? Con quale corpo verranno?». [36]Stolto, ciò che tu semini non prende vita se prima non muore; [37]e quello che semini non è il corpo che nascerà, ma un semplice chicco di grano o di altro genere: [38]Dio gli darà un corpo come vuole, a ciascun seme il proprio corpo. [39]Non ogni carne è la medesima carne; altra è la carne di un uomo e altra quella di un animale; altra quella di un uccello e altra quella di un pesce. [40]Vi sono corpi celesti e corpi terrestri; altro è lo splendore dei corpi celesti e altro quello dei corpi terrestri. [41]Altro è lo splendore del sole, altro quello della luna, altro quello delle stelle: ogni astro differisce dall'altro nello splendore. [42]Così anche la risurrezione dei morti: si semina nella corruzione, si risorge nell'incorruttibilità; [43]si semina nello squallore, si risorge nello splendore; si semina nell'infermità, si risorge nella potenza; [44]si semina un corpo naturale, risorge un corpo spirituale. Se infatti c'è un corpo naturale, vi è pure un corpo spirituale. [45]Sta scritto: il primo *uomo, Adamo,* divenne *anima vivente,* ma l'ultimo Adamo divenne spirito vivificante. [46]Non vi fu prima il corpo spirituale, ma il naturale, poi lo spirituale. [47]Il primo uomo tratto dalla terra è di polvere, ma il secondo uomo viene dal cielo. [48]Qual è l'uomo di polvere, così sono quelli di polvere, ma qual è il celeste, così saranno i celesti. [49]E come abbiamo portato l'immagine dell'uomo di polvere, così porteremo l'immagine dell'uomo celeste. [50]Vi dico, o fratelli, che la carne e il sangue non possono ereditare il regno di Dio, né ciò che è corruttibile eredita l'incorruttibilità.

La gloria finale. - [51]Ecco, vi dico un mistero: non tutti morremo, ma tutti saremo trasformati: [52]in un istante, in un batter d'occhio, all'ultima tromba; suonerà infatti la tromba, i morti risorgeranno incorrotti e noi saremo trasformati. [53]Questo corpo corruttibile deve rivestire l'incorruttibilità e questo corpo mortale rivestire l'immortalità. [54]Quando questo corpo corruttibile sarà rivestito d'incorruttibilità e questo corpo mortale d'immortalità, si realizzerà la parola che sta scritta: *La morte è stata ingoiata nella vittoria.* [55]*Dov'è, o morte, la tua vittoria? Dov'è, o morte, il tuo pungiglione?* [56]Il pungiglione della morte è il peccato e la potenza del peccato è la legge. [57]Ma siano rese grazie a Dio che ci concede la vittoria per mezzo del Signore nostro

20. *Cristo è risuscitato*: questa realtà è per Paolo il fondamento di tutta la visione cristiana della vita, presente e futura.
29. Non sappiamo che cosa fosse questo battesimo per i morti, ma lo sapevano i Corinzi (forse una pratica o preghiera di suffragio?). Paolo, senza biasimarlo né approvarlo, prende occasione per far vedere che è assurdo negare la risurrezione e intanto farsi battezzare per i morti.
35ss. Le meraviglie operate quotidianamente da Dio nella riproduzione dei viventi mostrano visibilmente che la risurrezione dei corpi non supera la potenza divina. Chi ha saputo crearli dal nulla, sa pure rimetterli assieme, se disfatti, e trasformarli come ha trasformato il corpo di Cristo.
51ss. Il *mistero* consiste in questo: anche quelli che saranno ancora in vita alla venuta gloriosa di Cristo saranno trasformati, e dovranno esserlo, per entrare con lui nella gloria.

1Cor

Gesù Cristo! [58]Perciò, o fratelli miei carissimi, rimanete saldi, irremovibili, prodigandovi senza sosta nell'opera del Signore, sapendo che la vostra fatica non è vana nel Signore.

EPILOGO

16 **Raccomandazioni, saluti e auguri.** - [1]Riguardo poi alla colletta in corso a favore dei santi, fate anche voi come ho ordinato alle chiese della Galazia. [2]Ogni primo giorno della settimana ciascuno metta in disparte, per conservarlo, quel tanto che gli viene bene, onde non si debbano fare collette quando io venga. [3]Quando verrò, manderò con una mia lettera quelli che voi avrete scelto per portare il dono della vostra benevolenza a Gerusalemme. [4]E se sembrerà bene che vada anch'io, partiranno con me. [5]Verrò da voi dopo aver attraversato la Macedonia; ho infatti intenzione di attraversare la Macedonia, [6]e giunto da voi, mi fermerò, o anche passerò l'inverno, per essere poi congedato da voi, dovunque debba andare. [7]Non voglio assolutamente vedervi solo di passaggio, ma spero di trascorrere un po' di tempo con voi, se il Signore lo permetterà. [8]Mi fermerò tuttavia a Efeso fino a Pentecoste, [9]perché mi si è aperta una porta grande e favorevole, anche se gli avversari sono molti. [10]Se viene Timoteo, fate che non si trovi in soggezione presso di voi: lavora per l'opera del Signore al pari di me. [11]Perciò nessuno gli manchi di riguardo. Accomiatatelo in pace, perché venga da me, che lo aspetto con i fratelli. [12]Quanto al fratello Apollo, io l'ho pregato vivamente di venire da voi con i fratelli, ma non ha voluto saperne di partire adesso; verrà tuttavia quando gli si presenterà l'occasione.

[13]Vigilate, state saldi nella fede, siate uomini, siate forti. [14]Tutto si faccia tra voi nella carità. [15]Una raccomandazione ancora, o fratelli: conoscete la famiglia di Stefana, che è primizia dell'Acaia e hanno votato se stessi a servizio dei santi; [16]siate anche voi obbedienti verso di loro e verso quanti collaborano e si affaticano. [17]Godo della presenza di Stefana, di Fortunato e di Acaico, i quali hanno supplito alla vostra mancanza; [18]hanno allietato il mio spirito e allieteranno il vostro. Sappiate riconoscere queste persone. [19]Le chiese dell'Asia vi salutano. Vi salutano molto nel Signore Aquila e Prisca con la comunità che si raduna nella loro casa. [20]Vi salutano i fratelli tutti. Salutatevi a vicenda con il bacio santo. [21]Il saluto è di mia mano, di Paolo. [22]Se qualcuno non ama il Signore, sia anàtema. *Maràna tha.* [23]La grazia del Signore Gesù sia con voi. [24]Il mio affetto con tutti voi in Cristo Gesù!

SECONDA LETTERA AI CORINZI

La seconda lettera ai Corinzi è la più spontanea e personale di Paolo. Fu scritta dalla Macedonia verso l'autunno del 57 d.C., a meno di un anno dalla prima ai Corinzi. Ma nel frattempo cose incresciose erano accadute a Corinto.

Una grave offesa lanciata contro l'autorità apostolica di Paolo deve aver causato subbuglio nella comunità, per cui egli decise di aggiornare una visita promessa (cfr. 1,23; 2,1-2); mandò invece Tito, il quale calmò gli animi, ristabilì l'autorità di Paolo e, incontratolo in Macedonia, gli riferì che le cose si erano messe per il meglio (7,4-16). A questo punto Paolo decise di scrivere per risolvere definitivamente ogni malinteso.

Dopo il prologo di ringraziamento a Dio per i pericoli superati (1,1-11), Paolo illustra la correttezza e la coerenza nel suo comportamento verso i Corinzi, (1,12 - 2,13). A questo punto inizia la grande sezione dedicata al ministero apostolico, di cui descrive il paradosso, la grandezza, l'incomparabilità rispetto al ministero dell'Antico Testamento, il servizio per la riconciliazione e lo sforzo suo personale per non mancare né alla fiducia di Dio né alle aspettative dei fedeli (2,14 - 7,3).

A un intermezzo dedicato alla colletta in favore della comunità di Gerusalemme (cc. 8-9), segue una seconda parte fortemente polemica contro i suoi avversari. Li definisce pseudo-apostoli, camuffati da persone zelanti, mentre in realtà cercano se stessi, e presenta eloquentemente i titoli del suo apostolato (10,1 - 12,10). Dopo l'annuncio della sua prossima venuta a Corinto, la lettera si conclude con la radiosa formula liturgica: «La grazia del Signore Gesù Cristo, l'amore di Dio e la comunione dello Spirito Santo siano con tutti voi».

PROLOGO

1 Saluto iniziale. - ¹Paolo, apostolo di Gesù Cristo per volontà di Dio, e il fratello Timoteo, alla chiesa di Dio che è a Corinto e a tutti i santi dell'intera Acaia: ²grazia a voi e pace da Dio nostro Padre e dal Signore Gesù Cristo.

Le tribolazioni di Paolo. - ³Sia benedetto Dio, Padre del Signore nostro Gesù Cristo, Padre delle misericordie e Dio di ogni conforto, ⁴il quale ci consola in ogni nostra tribolazione, affinché possiamo consolare quelli che si trovano in qualunque tribolazione con quel conforto con cui siamo confortati noi stessi da Dio. ⁵Infatti, come abbondano le sofferenze di Cristo in noi, così, in virtù di Cristo, abbonda pure il nostro conforto. ⁶E quando siamo tribolati, è per la vostra consolazione e salvezza: quando siamo confortati, è per il vostro conforto, il quale si manifesta nel sopportare con forza le medesime sofferenze che anche noi sopportiamo. ⁷La nostra speranza è ferma a vostro riguardo, convinti che come siete partecipi delle sofferenze lo sarete anche della consolazione. ⁸Non vogliamo infatti che ignorate, o fratelli, la tribolazione che ci è sopravvenuta nell'Asia: siamo stati gravati oltre misura, al di là delle forze, sì da dubitare anche della vita; ⁹ma abbiamo ricevuto su di noi la sentenza di morte affinché non confidassimo in noi, bensì in Dio che risuscita i morti. ¹⁰Da tanta morte egli ci ha liberato e ci libererà, e abbiamo speranza in lui che ci libererà ancora, ¹¹grazie all'aiuto della vostra preghiera per noi, affinché per il favore ottenutoci da molte persone, da parte di molti siano rese grazie per noi.

APOLOGIA VELATA

Paolo non ha mancato di lealtà. - [12]Poiché noi abbiamo un vanto, ed è la testimonianza della coscienza di esserci comportati nel mondo, e particolarmente con voi, con la semplicità e limpidezza di Dio, non con la sapienza della carne, ma con la benevolenza di Dio. [13]Né vi scriviamo in maniera diversa da quello che potete leggere e comprendere; e spero che comprenderete fino in fondo, [14]come ci avete già compreso in parte, che noi siamo il vostro vanto, come voi il nostro, nel giorno del Signore nostro Gesù. [15]E in questa fiducia avevo deciso in un primo tempo di venire, perché riceveste una seconda grazia, [16]e di lì recarmi in Macedonia, per ritornare nuovamente tra voi dalla Macedonia, per essere fatto proseguire da voi verso la Giudea. [17]Forse in questo progetto ci siamo comportati con leggerezza? O quello che decido lo decido secondo la carne, così che si trova in me il «sì, sì» e il «no, no»? [18]Come è vero che Dio è fedele, la nostra parola verso di voi non è «sì» e «no»! [19]Poiché il Figlio di Dio, Gesù Cristo che è stato predicato tra voi da me, da Silvano e Timoteo, non fu «sì» e «no», ma in lui c'è stato il «sì». [20]Tutte le promesse di Dio in lui sono diventate «sì». Per questo, attraverso lui, sale a Dio anche il nostro «amen» per la sua gloria. [21]E Dio stesso ci conferma, insieme a voi, in Cristo, e ci ha conferito l'unzione [22]e ci ha dato il sigillo e la caparra dello Spirito nei nostri cuori.

I motivi del cambiato progetto. - [23]Io però chiamo Dio a testimone sulla mia vita, che non sono venuto a Corinto per risparmiarvi. [24]No, non comandiamo sulla vostra fede, ma siamo i collaboratori della vostra gioia; ché, quanto alla fede, voi state saldi.

2 [1]Ritenni opportuno di non venire di nuovo tra voi nell'afflizione. [2]Perché se io affliggo voi, chi potrà rallegrarmi, tolto colui che viene da me afflitto? [3]Perciò vi ho scritto in quei termini, per non dover poi essere rattristato alla mia venuta da quelli che dovrebbero rendermi lieto, persuaso come sono, riguardo a tutti voi, che la mia gioia è la vostra. [4]Vi ho scritto invero in grande afflizione e col cuore angosciato, tra molte lacrime, non per rattristarvi, ma per farvi conoscere l'affetto immenso che vi porto. [5]Ché se qualcuno mi ha rattristato, non ha rattristato me, ma in parte almeno, per non dir di più, tutti voi; [6]è sufficiente per quel tale il castigo che gli è venuto dalla maggioranza, [7]onde adesso voi dovreste piuttosto usargli benevolenza e confortarlo, perché non soccomba sotto un dolore troppo forte. [8]Vi esorto quindi a prendere una decisione di carità nei suoi riguardi. [9]Anche per questo vi ho scritto, per vedere alla prova la vostra virtù, se siete ubbidienti in tutto. [10]A chi voi perdonate, perdono anch'io; poiché quello che io ho perdonato, se pure ebbi qualcosa da perdonare, l'ho fatto per voi, davanti a Cristo, [11]per non cadere in balìa di Satana, le cui intenzioni sono ben note. [12]Giunto che fui a Troade per annunciare il vangelo di Cristo, sebbene mi fosse aperta una grande porta nel Signore, [13]non ebbi pace nello spirito perché non vi trovai il mio fratello Tito; perciò, congedatomi da loro, partii per la Macedonia.

Apologia del ministero apostolico. - [14]Ma siano rese grazie a Dio, il quale ci fa partecipare in ogni tempo al suo trionfo in Cristo, e diffonde per mezzo di noi il profumo della sua conoscenza nel mondo intero! [15]Noi siamo infatti per Dio il profumo di Cristo tra quelli che si salvano e quelli che vanno in rovina; [16]per gli uni odore di morte per la morte, e per gli altri odore di vita per la vita. E chi è all'altezza di questo compito? [17]Perché noi non siamo come i molti che trafficano la parola di Dio, ma parliamo in Cristo, davanti a Dio, con limpidezza, come inviati di Dio.

3 [1]Cominciamo di nuovo a raccomandare noi stessi? O forse abbiamo bisogno, come altri, di lettere commendatizie per voi

---

2. - 1ss. È difficile comprendere quanto qui dice Paolo, perché non siamo al corrente di tutti gli avvenimenti. Dopo la prima permanenza in Corinto, Paolo vi ritornò forse una seconda volta, brevemente. Ci fu chi l'insultò, non sappiamo chi né come, e in seguito a ciò l'apostolo inviò una lettera severa: la comunità lo ascoltò, l'offensore fu castigato. Queste le notizie che Tito portò a Paolo, a Troade, e che hanno dato occasione alla presente lettera.

5. *Se qualcuno:* è l'offensore di Paolo, a noi sconosciuto, che offendendo lui offese anche i Corinzi. Costui dev'essersi scagliato direttamente contro Paolo e la sua autorità, perciò non può trattarsi dell'incestuoso di cui si parla in 1Cor 5.

o da parte vostra? ²La nostra lettera siete
voi, lettera scritta nei nostri cuori, conosciuta e letta da tutti gli uomini; ³poiché è noto
che voi siete una lettera di Cristo redatta da
noi, vergata non con inchiostro, ma con lo
Spirito del Dio vivo, non su tavole di pietra,
ma su tavole che sono cuori di carne.
⁴Questa è la fiducia che abbiamo in Cristo,
davanti a Dio. ⁵Non che ci crediamo capaci
di pensare qualcosa da noi stessi, ⁶ma la
nostra capacità viene da Dio, che ci ha resi
ministri idonei della nuova alleanza, non
della lettera ma dello Spirito; la lettera uccide, lo Spirito vivifica. ⁷E se il ministero della
morte, inciso in lettere su pietre, era così
glorioso al punto che i figli di Israele non
potevano fissare il volto di Mosè a motivo
della gloria, che pure svaniva, del suo volto, ⁸quanto più non sarà glorioso il ministero
dello Spirito? ⁹Se già il ministero della condanna fu glorioso, molto di più il ministero
della giustizia rifulgerà nella gloria. ¹⁰Ché,
anzi, sotto quest'aspetto, quello che era
glorioso perde il suo splendore a confronto della sovreminenza della gloria attuale.
¹¹Se dunque ciò che era passeggero era
glorioso, molto di più è circonfuso di gloria
ciò che è duraturo.
¹²Forti di tale speranza, ci comportiamo
con molta franchezza ¹³e non facciamo come *Mosè che poneva un velo sul suo volto*,
perché i figli d'Israele non vedessero la fine
di quello che svaniva. ¹⁴Ma le loro menti si
sono accecate; infatti fino ad oggi quel medesimo velo rimane quando si legge l'antica alleanza e non si rende manifesto che
Cristo lo ha abolito. ¹⁵Fino ad oggi, quando
si legge Mosè, un velo pesa sul loro cuore; ¹⁶ma *quando ci sarà la conversione al
Signore*, quel velo sarà tolto. ¹⁷Il Signore è
lo Spirito, e dove c'è lo Spirito del Signore
c'è libertà! ¹⁸Noi, dunque, riflettendo senza
velo sul volto la gloria del Signore, veniamo
trasformati in quella medesima immagine di
gloria in gloria, conforme all'azione del Signore che è Spirito.

---

4. - 5. Parole scultoree che definiscono in maniera splendida
il contenuto e l'oggetto del ministero apostolico e l'attività
della chiesa nel mondo.

10-11. La debolezza degli apostoli in confronto con la grandezza del ministero che debbono compiere fa risaltare la
potenza di Gesù, morto e risorto, e che ora continua ad agire
nei suoi messaggeri, comunicando loro virtù e potere.

4 Oggetto del ministero apostolico. -

¹Perciò, investiti di questo ministero per
la misericordia che ci è stata usata, non ci
perdiamo d'animo, ²ma, rifiutando le dissi-
mulazioni vergognose, senza comportarci con astuzia né falsificando la parola di
Dio, ci presentiamo davanti alla coscienza
di ogni uomo, al cospetto di Dio, con la
manifestazione della verità. ³E se anche il
nostro vangelo è velato, lo è per quelli che
si perdono, ⁴ai quali il dio di questo secolo
ha accecato la mente incredula, perché non
vedano il fulgore del vangelo della gloria di
Cristo, immagine di Dio. ⁵Perché noi non
predichiamo noi stessi, ma Gesù Messia Signore; quanto a noi, siamo i vostri servi in
Cristo. ⁶E Dio che disse: *Brilli la luce dalle
tenebre*, è brillato nei nostri cuori, per far risplendere la conoscenza della gloria divina
che rifulge sul volto di Cristo.

Le tribolazioni e le speranze degli apo-
stoli. - ⁷Ma questo tesoro lo abbiamo in vasi
di creta, affinché appaia che questa potenza straordinaria proviene da Dio e non da
noi. ⁸Siamo tribolati da ogni parte, ma non
schiacciati; incerti, ma non disperati; ⁹cac-
ciati, ma non abbandonati; atterrati ma non
uccisi; ¹⁰portando sempre e dovunque la
morte di Gesù nel nostro corpo, perché anche la vita di Gesù sia manifestata nel nostro
corpo. ¹¹Sempre infatti, pur essendo vivi,
noi veniamo esposti alla morte a motivo di
Gesù, affinché anche la vita di Gesù sia manifestata nella nostra carne mortale. ¹²E così
è la morte ad operare in noi, e la vita in voi.
¹³Animati tuttavia da quello spirito di fede di
cui sta scritto: *Ho creduto, perciò ho parlato*, anche noi crediamo e perciò parliamo,
¹⁴convinti che Colui il quale ha risuscitato
il Signore Gesù risusciterà anche noi con
Gesù e ci metterà accanto a lui insieme con
voi. ¹⁵Ché tutto si compie per voi, affinché
la grazia, abbondando, moltiplichi in molti
l'inno di lode alla gloria di Dio. ¹⁶Per questo non ci perdiamo d'animo, ma se anche
il nostro uomo esteriore cade in sfacelo, il
nostro uomo interiore si rinnovella di giorno
in giorno. ¹⁷Poiché il minimo di sofferenza
attuale ci procura una quantità smisurata
ed eterna di gloria, ¹⁸giacché noi non fis-
siamo lo sguardo sulle cose visibili, ma su
quelle invisibili. Le cose visibili sono d'un
momento, quelle invisibili eterne.

2Cor

5 Speranza della gloria futura. - [1]Sappiamo infatti che quando si smonterà la tenda di questa abitazione terrena, riceveremo una dimora da Dio, abitazione eterna nei cieli, non costruita da mani d'uomo. [2]Perciò sospiriamo in questa tenda, desiderosi di rivestire la nostra dimora celeste, [3]se però saremo trovati spogli, non nudi. [4]E quanti siamo nella tenda, sospiriamo come sotto un peso, non volendo venire spogliati ma sopravvestiti, affinché ciò che è mortale venga assunto dalla vita. [5]È Dio che ci ha fatti per questo e ci ha dato la caparra dello Spirito! [6]Perciò, ripieni sempre di coraggio, e sapendo che finché abitiamo nel corpo siamo esuli dal Signore, [7]poiché camminiamo nella fede e non ancora nella visione, [8]pieni di fiducia preferiamo esulare dal corpo e abitare presso il Signore. [9]Perciò, sia che abitiamo nel corpo sia che ne usciamo, ci studiamo di essere graditi a lui. [10]Poiché tutti dobbiamo comparire davanti al tribunale di Cristo, per ricevere ciascuno la retribuzione delle opere compiute col corpo, premio o castigo.

I princìpi ispiratori del ministero apostolico. - [11]Avendo dunque il timore del Signore, cerchiamo di persuadere gli uomini e siamo chiari davanti a Dio; e spero di esserlo anche davanti alle vostre coscienze. [12]Non che incominciamo di nuovo a raccomandarci a voi, ma è per darvi motivo di vanto per noi, da opporre a quelli il cui vanto è esteriore e non nel cuore. [13]Se infatti siamo stati fuori di senno, lo fu per Dio, e se siamo ragionevoli, è per voi. [14]L'amore di Cristo ci spinge, al pensiero che uno morì per tutti e quindi tutti morirono; [15]e morì per tutti affinché quelli che vivono non vivano più per se stessi, ma per Colui che è morto e risuscitato per loro. [16]Quindi ormai non conosciamo più nessuno secondo la carne; ed anche se abbiamo conosciuto Cristo secondo la carne, ora non lo conosciamo più così. [17]Quindi se uno è in Cristo, è creatura nuova; le vecchie cose sono passate, ne sono nate di nuove! [18]E tutto è da Dio, il quale ci ha riconciliati con sé mediante Cristo, e ha affidato a noi il ministero della riconciliazione; [19]è stato Dio, infatti, a riconciliare con sé il mondo in Cristo, non imputando agli uomini le loro colpe e affidando a noi la parola della riconciliazione. [20]Noi fungiamo quindi da ambascia-

tori per Cristo, ed è come se Dio esortasse per mezzo nostro. Vi supplichiamo in nome di Cristo: riconciliatevi con Dio. [21]Colui che non conobbe peccato, egli lo fece peccato per noi, affinché noi potessimo diventare giustizia di Dio in lui.

6 La forza di Dio è sostegno dell'Apostolo. - [1]E poiché siamo suoi collaboratori, vi esortiamo a non accogliere invano la grazia di Dio. [2]Egli dice infatti:

Al momento favorevole ti ho esaudito
e nel giorno della salvezza ti ho aiutato.

Ecco adesso il momento favorevole, ecco ora il giorno della salvezza! [3]Noi non diamo motivo di scandalo a nessuno, perché non venga biasimato il nostro ministero; [4]ma in ogni cosa ci presentiamo come ministri di Dio, con molta fortezza, nelle tribolazioni, nelle angustie, nelle ansie, [5]nelle percosse, nelle carceri, nelle sommosse, nelle fatiche, nelle veglie, nei digiuni; [6]con purezza, sapienza, longanimità, benevolenza, spirito di santità, amore sincero; [7]con parole di verità, con la potenza di Dio; con le armi della giustizia nella destra e nella sinistra; [8]nella gloria e nel disprezzo, nella cattiva fama e nella buona; ritenuti mendaci e invece veritieri; [9]come ignoti, eppure conosciuti; moribondi, eppure viviamo; castigati, ma non messi a morte; [10]afflitti, eppure sempre lieti; poveri, mentre arricchiamo molti; gente che non ha nulla, mentre possediamo tutto!

Confidenze e ammonimenti. - [11]La nostra bocca vi ha parlato apertamente e il nostro cuore si è dilatato per voi, o Corinzi. [12]Non siete davvero allo stretto in noi; è nei vostri cuori che siete stati allo stretto. [13]Rendeteci il contraccambio! Parlo come a figli, dilatate il cuore anche voi! [14]Non lasciatevi legare al giogo estraneo degli infedeli. Quale rapporto ci può essere tra la giustizia e l'empietà, o quale comunione tra la luce e le tenebre? [15]Quale armonia tra Cristo e Beliar, quale

---

5. - 21. Il culmine dell'amore Dio lo raggiunse sostituendo all'uomo peccatore il suo stesso Unigenito, caricandolo dei peccati dell'uomo affinché soddisfacesse per loro, rendendo possibile, così, non solo la rinnovazione dell'uomo, ma l'amicizia e la figliolanza con Dio.

società tra un fedele e un infedele, [16]quale accordo tra il tempio di Dio e gli idoli? Perché noi siamo il tempio del Dio vivente, come egli ha detto:

> Abiterò e camminerò in mezzo a loro,
> e sarò il loro Dio ed essi il mio popolo.
> [17] Perciò uscite di mezzo a loro
> e mettetevi in disparte, dice il Signore,
> non toccate nulla d'impuro.
> E io vi accoglierò
> [18] e sarò per voi un padre,
> e voi sarete per me figli e figlie,
> dice il Signore onnipotente.

7 Il bene della riconciliazione. - [1]Con tali promesse, o carissimi, purifichiamoci da ogni macchia della carne e dello spirito, portando a compimento la santità, nel timore di Dio.
[2]Dateci accoglienza nei vostri cuori! Non abbiamo leso nessuno, non abbiamo danneggiato nessuno, non abbiamo sfruttato nessuno. [3]Non lo dico per condannare; ho detto sopra che siete nel nostro cuore, per la vita e per la morte. [4]Sono molto franco con voi e ho molto da vantarmi di voi. Sono ricolmo di consolazione, pervaso di gioia, nonostante ogni nostra tribolazione. [5]Infatti, da quando siamo giunti in Macedonia, il nostro corpo non ha avuto requie, da ogni parte siamo tribolati, battaglie all'esterno, timori all'interno. [6]Ma Dio, che consola gli afflitti, ci ha consolati con la venuta di Tito. [7]E non solo con la sua venuta, ma con la consolazione che ha ricevuto da voi. Egli ci ha riferito il vostro desiderio, il vostro rammarico, il vostro affetto per noi; onde la mia gioia si è ancora accresciuta. [8]Ché se vi ho rattristati con quella lettera, non me ne rincresce. E se me ne è dispiaciuto – vedo infatti che quella lettera, anche se per breve tempo soltanto,

vi ha contristati – [9]ora ne godo; non per la vostra tristezza, ma perché vi siete rattristati per convertirvi; vi siete infatti rattristati secondo Dio, per non venire puniti da noi. [10]La tristezza secondo Dio genera ravvedimento che porta a salvezza e di cui non ci si pente; ma la tristezza del mondo genera la morte. [11]Vedete, invece, quella tristezza secondo Dio quanta sollecitudine ha destato in voi; di più, quali scuse, quanta indignazione, quale timore, quale desiderio, quale affetto, quale punizione! Vi siete dimostrati sotto ogni aspetto innocenti in quell'affare. [12]Ché se vi ho scritto non fu tanto a motivo dell'offensore e dell'offeso, ma affinché divenisse manifesta tra voi, dinanzi a Dio, la vostra sollecitudine verso di noi. [13]Ecco quello che ci ha consolati. A questa nostra consolazione si è aggiunta la gioia per la letizia di Tito, per essere stato il suo spirito rinfrancato da tutti voi. [14]Onde se in qualche cosa mi ero gloriato di voi con lui, non ho dovuto arrossirne, ma come abbiamo detto a voi ogni cosa secondo verità, così anche il nostro vanto con Tito si è dimostrato vero. [15]E il suo affetto per voi è cresciuto, ricordando come tutti avete ubbidito e lo avete accolto con timore e trepidazione. [16]Godo di poter contare totalmente su di voi.

COLLETTA PER I POVERI

8 Colletta per la chiesa di Gerusalemme. - [1]Vogliamo poi manifestarvi, o fratelli, la grazia di Dio accordata alle chiese della Macedonia: [2]nonostante la lunga prova della tribolazione, la loro gioia è grande e la profonda povertà in cui si trovano ha traboccato della ricchezza della loro generosità. [3]Posso testimoniare che hanno dato secondo le loro forze e anche più delle loro forze, spontaneamente, [4]chiedendoci con insistenza la grazia di prendere parte a questo servizio a favore dei santi, [5]più di quanto non avremmo osato sperare, offrendosi prima al Signore e poi a noi, conformemente alla volontà di Dio. [6]Onde abbiamo pregato Tito di portare a compimento fra voi quest'opera di benevolenza, lui che l'aveva incominciata. [7]Su, dunque: come vi segnalate in ogni cosa, nella fede e nella parola, nella dottrina e in ogni zelo e nella carità che vi abbiamo insegnato, così distinguetevi an-

---

7. - Questo capitolo, che chiude la prima parte della lettera, invita i Corinzi a mettere una pietra sul passato e a non pensarci più. Ormai il male è passato, l'offesa è stata cancellata con il pentimento, la serenità è ritornata. Avanti, dunque: c'è ancora del bene da compiere, della carità da praticare!
8-9. - Paolo tratta della grande opera di carità che andava organizzando nelle chiese da lui fondate: la colletta a favore dei poveri di Gerusalemme. È interessante notare come l'apostolo la designi con i termini di *grazia, servizio, opera di benevolenza, vostra abbondanza, offerta, largizione, prestazione sacra*: segno anche questo della sublimità dell'opera di carità.

che in quest'opera di benevolenza. [8]Non ve ne faccio un obbligo, ma vorrei provare alla stregua dello zelo degli altri la sincerità della vostra carità. [9]Conoscete la benevolenza del Signore nostro Gesù Cristo: da ricco che era, si è fatto povero per voi, perché voi diventaste ricchi dalla sua povertà. [10]È un consiglio che vi do: si tratta di cosa vantaggiosa per voi, che fin dall'anno passato siete stati i primi non solo a intraprenderla, ma a desiderarla. [11]Ora dunque realizzatela, perché come vi fu la prontezza del volere, così anche vi sia il compimento, secondo i vostri mezzi; [12]se infatti c'è la prontezza del volere, essa riesce gradita secondo quello che si possiede, non secondo quello che non si possiede. [13]Non si tratta invero di disagiare voi per sollevare gli altri, ma perché vi sia eguaglianza; [14]nel momento attuale la vostra abbondanza scenda sulla loro indigenza, affinché anche la loro abbondanza torni a vantaggio della vostra indigenza, onde vi sia eguaglianza, come sta scritto: [15]*Chi aveva molto non ne soverchiò e chi aveva poco non sentì la mancanza.*

Presentazione dei delegati. - [16]Siano rese grazie a Dio che infonde la medesima sollecitudine per voi nel cuore di Tito! [17]Egli ha accolto l'invito e, pieno di zelo, è partito spontaneamente per venire da voi. [18]Abbiamo mandato con lui il fratello che ha lode in tutte le chiese a motivo del vangelo; [19]egli è stato designato dalle chiese come nostro compagno in quest'opera di benevolenza che stiamo realizzando per la gloria del Signore, e per l'impulso del nostro cuore. [20]Vogliamo evitare che qualcuno possa biasimarci per queste somme che vengono amministrate da noi. [21]Ci preoccupiamo infatti di comportarci bene non soltanto *davanti al Signore*, ma *anche* davanti *agli uomini.* [22]Con loro abbiamo inviato anche il nostro fratello di cui abbiamo più volte sperimentato lo zelo in molte circostanze, ed è ora più zelante che mai per la grande fiducia che ha in voi. [23]Tito è dunque mio compagno e collaboratore presso di voi; i nostri fratelli sono delegati delle chiese, gloria di Cristo. [24]Date dunque a loro la prova del vostro affetto e della legittimità del nostro vanto per voi davanti a tutte le chiese.

9 **Motivi della colletta.** - [1]Riguardo poi a questo servizio in favore dei santi, è superfluo che ve ne scriva. [2]Conosco bene la vostra disposizione e ne faccio vanto con i Macedoni, dicendo che l'Acaia è pronta fin dallo scorso anno, e già molti sono stati stimolati dal vostro zelo. [3]Ho mandato i fratelli perché il nostro vanto per voi su questo punto non abbia a dimostrarsi vano, ma siate realmente pronti, come io andavo dicendo; [4]e non avvenga che, venendo con me dei Macedoni, vi trovino impreparati, e noi dobbiamo arrossire, per non dire voi, di questa fiducia. [5]Abbiamo quindi ritenuto necessario invitare i fratelli a precederci presso di voi, per organizzare la vostra offerta già menzionata, affinché sia pronta come una vera largizione e non come un'estorsione.

Vantaggi spirituali della colletta. - [6]Ricordate: chi semina scarsamente, scarsamente raccoglierà; e chi semina con larghezza, con larghezza raccoglierà. [7]Ciascuno dia secondo che ha deciso nel suo cuore, non con tristezza né per forza; *Dio ama il donatore gioioso.* [8]E Dio può riversare su di voi ogni sorta di grazie, così che, avendo ogni autosufficienza in tutto e sempre, possiate compiere generosamente tutte le opere di bene, [9]come sta scritto:

largheggiò, donò ai poveri;
la sua giustizia dura nei secoli.

[10]E colui che somministra *la semente al seminatore e il pane per il nutrimento*, somministrerà e moltiplicherà a voi la semente e farà crescere i *frutti della vostra giustizia.* [11]Allora sarete ricchi per ogni largizione, e questa farà salire a Dio l'inno del ringraziamento per merito vostro. [12]Giacché il servizio di questa prestazione sacra non solo sovviene alla necessità dei santi, ma sarà fecondo di molti ringraziamenti a Dio. [13]Per la bella prova di questo servizio essi ringrazieranno Dio per la vostra ubbidienza e accettazione del vangelo di Cristo, e per la generosità della vostra comunione con loro e con tutti; [14]e pregando in vostro favore proveranno affetto per voi, a motivo della straordinaria grazia di Dio effusa su di voi. [15]Grazie a Dio per questo suo ineffabile dono!

APOLOGIA MANIFESTA

10 **Contro l'accusa di debolezza.** - [1]Sono io, Paolo, che vi esorto con la dolcezza e la mansuetudine di Cristo, io che in presenza sarei umile, ma di lontano prepotente con voi. [2]Vi prego che non avvenga di dovervi mostrare di presenza quella forza che ritengo di dover adoperare contro alcuni che ci giudicano come se ci comportassimo secondo la carne. [3]Giacché se viviamo nella carne, non combattiamo secondo la carne. [4]Non sono carnali le armi della nostra battaglia, ma hanno da Dio la potenza di debellare le fortezze, distruggendo i ragionamenti [5]e ogni altezza orgogliosa che si leva contro la conoscenza di Dio, e rendendo ogni intelligenza prigioniera nell'obbedienza a Cristo. [6]Siamo pronti a punire qualsiasi disobbedienza, non appena la vostra obbedienza sia perfetta. [7]Guardate le cose in faccia: se alcuno ha la persuasione di appartenere a Cristo, si ricordi che se lui è di Cristo lo siamo anche noi; [8]ché se anche mi vantassi di più del nostro potere, che il Signore ci ha dato per vostra edificazione e non per vostra rovina, non avrei proprio da arrossirne. [9]Dico questo per non sembrare di volervi spaventare con le lettere! [10]Perché «le lettere – si dice – sono dure e forti, ma la sua presenza fisica è debole e la parola dimessa». [11]Sappia costui che quali siamo a parole per lettera, assenti, tali anche saremo a fatti, di presenza.

Contro l'accusa di ambizione. - [12]Certo noi non abbiamo l'audacia di eguagliarci o paragonarci a nessuno di quelli che si raccomandano da sé; ma mentre si misurano da sé e si paragonano con se stessi, vanno fuori di senno. [13]Noi invece non ci gloriamo oltre misura, ma secondo la norma della misura che Dio ci ha assegnata, facendoci arrivare fino a voi; [14]né ci innalziamo in maniera indebita, come sarebbe se non fossimo arrivati fino a voi, mentre fino a voi siamo giunti col vangelo di Cristo. [15]Né ci vantiamo indebitamente di fatiche altrui, ma nutriamo la speranza, col crescere della fede in voi, di venire ingranditi ulteriormente nella nostra misura, [16]e di poter annunziare il vangelo a quelli che stanno al di là di voi, senza vantarci di cose già fatte in campo altrui. [17]*Chi si gloria, si glori nel Signore*; [18]perché non colui che si raccomanda da sé viene approvato, ma colui che il Signore raccomanda.

11 **I suoi titoli di apostolato.** - [1]Oh, se voleste sopportare un po' di stoltezza da parte mia! Ma sì, sopportatemi! [2]Io sento per voi una specie di gelosia divina, avendovi fidanzato a uno sposo, per presentarvi qual vergine pura a Cristo. [3]E temo che, come il serpente nella sua malizia ha ingannato Eva, così i vostri pensieri vengano traviati dalla semplicità e dalla purezza che c'è in Cristo. [4]Se infatti il primo venuto vi predica un Gesù diverso da quello che vi abbiamo predicato noi, o si tratta di ricevere uno Spirito diverso da quello che avete ricevuto, o un altro vangelo che non avete ancora sentito, voi sareste capaci di accettarlo.

[5]Ora io ritengo di non essere per nulla inferiore a questi "arciapostoli": [6]se sono un profano nell'eloquenza, non lo sono però nella scienza; e ve l'abbiamo dimostrato dovunque e in ogni modo. [7]Avrei forse commesso una colpa abbassando me stesso per esaltare voi, quando vi ho annunziato gratuitamente il vangelo di Dio? [8]Ho spogliato altre chiese per il mio sostentamento, al fine di servire voi; [9]e quando giunsi da voi, pur trovandomi nel bisogno, non sono stato di aggravio a nessuno. Alle mie necessità vennero incontro i fratelli venuti dalla Macedonia; mi sono guardato in ogni modo dall'esservi a carico, e me ne guarderò. [10]Com'è vero che c'è la verità di Cristo in me, nessuno mi toglierà questo vanto in terra di Acaia! [11]Perché? Perché non vi amo? Lo sa Dio! [12]Ma lo faccio e lo farò ancora per togliere ogni pretesto a quelli che ne cercano uno per essere come noi in quello di cui si vantano. [13]Questi tali sono falsi apostoli, maneggiatori fraudolenti, che si mascherano da apostoli di Cristo. [14]Né fa meraviglia, perché anche Satana si maschera da angelo di luce; [15]è naturale che anche i suoi ministri si mascherino da mini-

---

10. - 1. Ripete in modo ironico le accuse che gli facevano i suoi avversari. Dopo le cordiali parole dei capitoli precedenti, Paolo comincia qui una polemica autodifesa, con una rovente confutazione dei suoi implacabili avversari giudaizzanti, che non può non stupire. Prima di chiudere la lettera, egli vuole anche chiudere la bocca ai suoi denigratori.

stri di giustizia. Ma la loro fine sarà secondo le loro opere.

[16]Nessuno, lo ripeto, mi consideri come insensato; o se no, ritenetemi pure come insensato, affinché possa anch'io vantarmi un poco. [17]Quello che sto per dire, non lo dico secondo il Signore, ma come da stolto, in questa esibizione di vanto. [18]Poiché molti si vantano secondo la carne, anch'io mi vanterò. [19]E voi, sapienti come siete, sopportate facilmente gli insensati; [20]sopportate infatti chi vi asservisce, chi vi divora, chi vi sfrutta, chi è arrogante, chi vi colpisce in volto. [21]Lo dico con vergogna: siamo stati deboli noi! Però in quello di cui altri ardisce vantarsi, lo dico da stolto, ardisco vantarmi anch'io. [22]Sono Ebrei? Anch'io! Sono Israeliti? Anch'io! Sono stirpe di Abramo? Anch'io! [23]Sono ministri di Cristo? Lo dico da stolto, io più di loro! Molto di più per le fatiche, molto di più per la prigionia, infinitamente di più per le percosse. Ho rasentato spesso la morte. [24]Cinque volte dai Giudei ho ricevuto quaranta colpi meno uno; [25]tre volte passato alle verghe, una volta lapidato, tre volte naufragato, ho trascorso un giorno e una notte sull'abisso. [26]Viaggi innumerevoli, pericoli di fiumi, pericoli di ladri, pericoli dai connazionali, pericoli dai pagani, pericoli nella città, pericoli nel deserto, pericoli sul mare, pericoli dai falsi fratelli; [27]fatica e travaglio, veglie senza numero, fame e sete, digiuno frequente, freddo e nudità.

[28]E oltre tutto, il mio peso quotidiano, la preoccupazione di tutte le chiese. [29]Chi è debole, che non lo sia anch'io? Chi riceve scandalo, senza che io ne frema? [30]Se ancora è necessario vantarsi, mi vanterò delle mie infermità. [31]E Dio, Padre del Signore Gesù – sia benedetto nei secoli –, sa che non mentisco. [32]A Damasco, l'etnarca del re Areta montava la guardia alla città di Damasco per catturarmi; [33]ma da una finestra fui calato per il muro in una cesta e così sfuggii dalle sue mani.

12 Le visioni e le rivelazioni del Signore. - [1]Bisogna vantarsi? Non giova a nulla, però. Verrò alle visioni e alle rivelazioni del Signore. [2]Conosco un uomo in Cristo che, quattordici anni fa – non so se col corpo o se fuori del corpo, lo sa Dio –, fu rapito fino al terzo cielo. [3]E

so che quest'uomo – non so se col corpo o senza corpo, lo sa Dio – [4]fu rapito in paradiso e udì parole ineffabili che non è possibile ad un uomo proferire. [5]Di lui mi vanterò, di me invece non mi darò vanto, se non delle mie debolezze.

[6]Certo, se volessi vantarmi, non sarei insensato, perché direi solo la verità; ma evito di farlo, affinché nessuno mi giudichi di più di quello che vede o sente da me. [7]E perché non insuperbissi per la grandezza delle rivelazioni, mi è stato messo un pungiglione nella carne, un emissario di Satana che mi schiaffeggi, perché non insuperbisca. [8]Tre volte ho pregato il Signore che lo allontanasse da me. [9]Mi rispose: «Ti basta la mia grazia; la mia potenza si esprime nella debolezza». Mi vanterò quindi volentieri delle mie debolezze, perché si stenda su di me la potenza di Cristo. [10]Mi compiaccio quindi delle infermità, degli oltraggi, delle necessità, delle persecuzioni, delle angustie, a motivo di Cristo; perché quando sono debole, allora sono forte.

[11]Mi sono mostrato insensato, mi ci avete costretto. Avrei dovuto ricevere l'elogio da voi, perché non sono per nulla inferiore a quegli arciapostoli, anche se sono niente. [12]I segni dell'apostolo li avete veduti in opera in mezzo a voi, in una pazienza a tutta prova, con miracoli, prodigi e portenti. [13]In che cosa siete stati inferiori alle altre chiese, se non che io non ho pesato su di voi? Perdonatemi questa ingiustizia!

Annuncio di una prossima visita. - [14]Questa è la terza volta che sto per venire da voi, e non vi sarò di peso; perché non cerco le cose vostre, ma voi. Non spetta ai figli mettere da parte per i genitori, ma ai genitori per i figli. [15]Ed io prodigherò volentieri e consumerò me stesso per le vostre anime. E se io vi amo tanto, dovrei essere riamato di meno?

[16]Ma sia pure, io non ho gravato su di voi; però, furbo qual sono, vi avrei preso con

---

12. - 2. *Un uomo*: è Paolo. *Quattordici anni fa*: Paolo scrive sul finire del 57 o nei primi mesi del 58, quindi parla dell'a. 44, alla fine del suo lungo ritiro in Cilicia, quando Barnaba andò a prenderlo a Tarso per farlo suo collaboratore (At 11,22-26). *Terzo cielo*: il paradiso.

14. *La terza volta*: dopo la permanenza di un anno e mezzo per la loro evangelizzazione (At 18) e la visita breve menzionata in questa lettera (2,1).

l'inganno. [17]Vi avrei forse sfruttato per mezzo di qualcuno di quelli che ho inviato tra voi? [18]Ho pregato Tito di venire da voi e gli ho mandato assieme quell'altro fratello. Forse Tito vi ha sfruttato in qualche cosa? Non abbiamo camminato nello stesso spirito, sulle medesime tracce? [19]Certo potete aver pensato che stiamo facendo la nostra apologia davanti a voi. Parliamo davanti a Dio, in Cristo, e tutto, o carissimi, per la vostra edificazione. [20]Temo infatti che, venendo, non vi trovi come desidero, e che a mia volta venga trovato da voi come non mi desiderate; temo che vi siano contese, invidie, animosità, dissensi, maldicenze, insinuazioni, superbie, insubordinazioni; [21]e che, ritornando, il mio Dio mi umili davanti a voi e abbia a dolermi di molti che hanno peccato per l'addietro e non si sono convertiti dall'impudicizia, fornicazione e dissolutezza da loro commesse.

13 La prossima venuta. - [1]Questa è la terza volta che vengo da voi: *Ogni questione sarà decisa sulla dichiarazione di due o tre testimoni.* [2]L'ho detto, quand'ero presente la seconda volta, a quelli che hanno peccato, e lo ripeto ora, assente, a tutti gli altri: quando verrò questa volta, non sarò indulgente, [3]dal momento che cercate una prova che Cristo parla in me, lui che non è debole, ma potente in mezzo a voi. [4]Egli fu crocifisso per la sua debolezza, ma vive per la potenza di Dio. E noi che siamo deboli in lui, saremo vivi con lui per la potenza di Dio verso di voi. [5]Esaminate voi stessi se siete nella fede, mettetevi alla prova. O non riconoscete che Cristo abita in voi? A meno che siate dei riprovati? [6]E spero che riconoscerete che noi non siamo riprovati. [7]Preghiamo Dio che non facciate alcun male; non per essere noi approvati, ma perché voi facciate il bene, anche se dovessimo apparire noi come riprovati! [8]Non abbiamo alcun potere contro la verità, ma per la verità; [9]e siamo lieti quando noi siamo deboli e voi forti. Preghiamo anche per la vostra perfezione. [10]E vi scrivo queste cose da lontano per non dovere poi, di presenza, agire severamente con il potere che il Signore mi ha dato per edificare, non per distruggere.

Conclusione. - [11]Per il resto, o fratelli, state lieti, mirate alla perfezione, incoraggiatevi, state uniti, vivete in pace, e il Dio dell'amore e della pace sarà con voi. [12]Salutatevi a vicenda con un bacio santo. Tutti i santi vi salutano. [13]La grazia del Signore Gesù Cristo, l'amore di Dio e la comunione dello Spirito Santo siano con tutti voi.

LETTERA AI GALATI

La lettera è indirizzata alle comunità cristiane della Galazia – regione al centro dell'attuale Turchia – evangelizzate da Paolo durante la seconda e la terza spedizione missionaria (At 16,6 e 18,23), ottenendo un grande numero di adesioni alla fede. Ma dopo la partenza di Paolo si intromisero nella comunità avversari «giudaizzanti», i quali attaccarono l'Apostolo dicendo che egli non era un vero apostolo come i Dodici, e sostenevano che la fede in Cristo da sola non basta per ricevere lo Spirito e ottenere la salvezza, ma erano necessarie la circoncisione e l'osservanza della legge e delle pratiche giudaiche.

L'Apostolo reagì con la presente lettera che si può dividere chiaramente in tre parti. Dopo un esordio dal tono severo e perfino amaro (1,1-10), l'Apostolo passa a difendere l'origine, la natura e le qualifiche del suo apostolato e della sua dottrina in armonia con l'insegnamento dei Dodici e di Cefa-Pietro (1,11 - 2,21). Una seconda parte espone che la giustificazione, cioè la grazia che salva, si ottiene mediante la fede e non con l'osservanza della legge; solo in Cristo si ottiene la liberazione da ogni servitù (3,1 - 4,31). La terza parte della lettera esorta a bene interpretare e conservare il dono della libertà cristiana e a non trasformarla in incentivo di disordine e di egoismo: la libertà è per la carità (5,1 - 6,10). Conclude con una specie di autentificazione autografa dettata da affetto e fede vigilante (6,11-18).

La lettera, scritta con tutta probabilità negli anni 56-57, si può considerare il preannuncio e l'anticipo di quella ai Romani.

AUTODIFESA DI PAOLO

1 **Indirizzo.** - [1]Paolo, apostolo non da uomini né in virtù di un uomo, ma in virtù di Gesù Cristo e di Dio Padre che lo risuscitò da morte, [2]e i fratelli tutti che sono con me, alle chiese della Galazia: [3]grazia a voi e pace da Dio Padre nostro e dal Signore Gesù Cristo, [4]che diede se stesso per i nostri peccati, allo scopo di sottrarci al mondo presente malvagio, secondo il disegno voluto dal nostro Dio e Padre, [5]al quale sia gloria per i secoli dei secoli: amen!

Esiste un solo vangelo, quello annunciato da Paolo. - [6]Mi sorprende che così presto vi siate distaccati da Cristo, che vi aveva chiamati per la sua grazia, aderendo a un altro vangelo: [7]non ne esiste un altro! Ma ci sono alcuni che mettono lo scompiglio fra di voi e vogliono stravolgere il vangelo di Cristo. [8]Ma se noi o un angelo disceso dal cielo annunciasse a voi un vangelo diverso da quello che vi abbiamo annunciato, sia votato alla maledizione divina! [9]Come ho detto prima, anche in questo momento ripeto: se qualcuno vi annuncia un vangelo diverso da quello che voi riceveste, sia votato alla maledizione divina! [10]Adesso infatti cerco di ingannare gli uomini o Dio? Oppure cerco di piacere agli uomini? Se ancora cercassi di piacere agli uomini, non sarei servo di Cristo.

---

1. - 1. Paolo, sapendo che la sua autorità e missione di *apostolo* è minacciata, ne pone subito in risalto il fondamento: poiché essa viene da *Dio Padre* ed è conferita da *Gesù Cristo*, egli è vero apostolo, come gli altri dodici.
4. Nei saluti è molto spiccio in questa lettera. Paolo affronta subito il pericolo, in cui si trovavano i suoi fedeli, di deviare dalla retta fede. Mette perciò in risalto il fondamento della nostra salvezza: *Gesù Cristo, che diede se stesso per i nostri peccati*.

Paolo ha appreso il suo vangelo direttamente da Cristo. - [11]Vi rendo noto infatti, fratelli, che il vangelo annunziato da me non è a misura di uomo: [12]infatti né io l'ho ricevuto da un uomo né da un uomo sono stato ammaestrato, ma da parte di Gesù Cristo, attraverso una rivelazione. [13]Udiste infatti il mio modo di comportarmi un tempo nel giudaismo: perseguitavo oltre ogni limite la chiesa di Dio e cercavo di rovesciarla, [14]e mi ero spinto, nel giudaismo, oltre tutti i miei coetanei appartenenti al mio popolo, difensore fanatico com'ero, in misura maggiore di loro, delle tradizioni dei miei padri. [15]Quando poi piacque a Colui, che mi aveva separato *fin dal seno di mia madre* e mi aveva chiamato in forza della sua grazia, [16]di rivelare il Figlio suo in me, affinché io lo annunziassi ai pagani, subito fin da allora non consultai alcun uomo [17]né partii per Gerusalemme dagli apostoli miei predecessori, ma mi allontanai verso l'Arabia, e di nuovo tornai a Damasco.

Contatti di Paolo con Pietro e dirigenti di Gerusalemme. - [18]In seguito, dopo tre anni, salii a Gerusalemme per prendere contatti con Cefa e mi trattenni presso di lui quindici giorni. [19]Degli apostoli non vidi altri, ma soltanto Giacomo, il fratello del Signore. [20]Queste cose scrivo a voi: ecco, davanti a Dio attesto che non mentisco. [21]In seguito mi recai nelle regioni della Siria e della Cilicia. [22]Personalmente ero sconosciuto alle chiese della Giudea che sono in Cristo; [23]avevano solo sentito dire che «colui che un tempo ci perseguitava adesso annuncia quella fede che allora cercava di sovvertire», [24]e glorificavano Dio in rapporto a me.

2 [1]Quindi, dopo quattordici anni, salii di nuovo a Gerusalemme con Barnaba, dopo aver preso con me anche Tito. [2]Vi salii in seguito a una rivelazione, ed esposi in privato ai notabili il vangelo che proclamo ai pagani, per evitare il rischio di correre o di aver corso invano. [3]Ma neppure Tito che era con me, pur essendo greco, fu obbligato a farsi circoncidere. [4]Ma a causa dei falsi fratelli intrusi, i quali si intrufolarono per spiare la nostra libertà che abbiamo in Gesù Cristo allo scopo di renderci schiavi... [5]Ad essi non cedemmo neppure momentaneamente sottomettendoci, affinché la verità del vangelo rimanga salda in mezzo a voi. [6]Da parte di coloro che sembravano essere qualcosa – quali fossero un tempo non ha per me nessun interesse: Dio infatti non guarda alla persona dell'uomo – ... a me infatti i notabili niente aggiunsero, [7]ma anzi, al contrario, vedendo che a me è stato affidato il vangelo dei non Giudei come a Pietro quello dei Giudei – [8]Colui, infatti, che assisté con la sua forza Pietro nell'apostolato tra i circoncisi assisté anche me tra i pagani – [9]e conosciuta la grazia data a me, Giacomo e Cefa e Giovanni, che erano stimati le colonne, diedero la destra a me e a Barnaba in segno di unione: noi dovevamo annunciare il vangelo presso i pagani, essi invece presso i circoncisi. [10]Solo avremmo dovuto ricordarci dei poveri, ed è ciò che mi diedi premura di fare.

Paolo difende il suo vangelo. - [11]Quando però venne Cefa ad Antiochia, mi opposi a lui affrontandolo direttamente a viso aperto, perché si era messo dalla parte del torto. [12]Infatti prima che sopraggiungessero alcuni da parte di Giacomo, egli prendeva i pasti insieme ai convertiti dal paganesimo; ma quando venne quello, cercava di tirarsi indietro e di appartarsi, timoroso dei Giudei convertiti. [13]Presero il suo atteggiamento falso anche gli altri Giudei, cosicché perfino Barnaba si lasciò indurre alla loro simulazione. [14]Or quando mi accorsi che non camminavano rettamente secondo la verità del vangelo, dissi a Cefa davanti a tutti: Se tu, essendo giudeo, vivi da pagano e non da giudeo, come puoi costringere i gentili a vivere secondo la legge mosaica? [15]Noi, Giudei di nascita e non peccatori di origine pagana, [16]sapendo che non è giustificato alcun uomo per le opere della legge, ma solo in forza della fede in Gesù Cristo, credemmo anche noi in Gesù Cristo, appunto per essere giustificati per la fede di Cristo e non per le opere della legge, poiché per le opere della legge *non sarà giustificato nessun mortale.* [17]Se poi, cercando di essere

Gal

---

2. - 17. Se la legge mosaica valesse ancora qualcosa, abbandonarla significherebbe rendersi peccatori e, per conseguenza, l'adesione a Cristo porterebbe al peccato. L'assurdità di questa conclusione fa risaltare l'assurdità della premessa.

giustificati in Cristo, ci troviamo ad essere peccatori anche noi, Cristo è allora fautore di peccato? Non sia mai detto! ¹⁸Se infatti io costruisco di nuovo ciò che distrussi, mi dimostro colpevole di trasgressione. ¹⁹Io, infatti, attraverso la legge morii alla legge per vivere a Dio. Sono stato crocifisso insieme a Cristo; ²⁰vivo, però non più io, ma vive in me Cristo. La vita che ora io vivo nella carne, la vivo nella fede, quella nel Figlio di Dio che mi amò e diede se stesso per me. ²¹Non rendo vana la grazia di Dio; se infatti la giustizia proviene dalla legge, allora Cristo è morto per nulla.

LA FEDE CHE SALVA

La giustificazione viene dalla fede. - 3 ¹O Galati sciocchi, chi mai vi ha incantato, voi dinanzi ai cui occhi Gesù Cristo fu presentato crocifisso? ²Questo solo desidero sapere da voi: avete ricevuto lo Spirito dalle opere della legge o prestando ascolto al messaggio della fede? ³Così sciocchi siete? Avendo prima iniziato con lo Spirito, ora finite con la carne? ⁴Tante e così grandi cose avete sperimentato invano? Seppure poi invano? ⁵Colui dunque che vi dona con abbondanza lo Spirito e opera miracoli in mezzo a voi, fa tutto questo perché osservate la legge o perché credete alla predicazione? ⁶Così come Abramo *credette a Dio e questo fu per lui un titolo di giustificazione.* ⁷Sappiate allora che quelli che sono dalla fede, costoro sono figli di Abramo. ⁸E la Scrittura, prevedendo che Dio avrebbe giustificato i gentili per mezzo della fede, annunciò in anticipo ad Abramo: *Saranno benedette in te tutte le nazioni.* ⁹Cosicché quelli che si basano sulla fede sono benedetti con Abramo credente. ¹⁰Infatti quanti si basano sulle opere della legge sono soggetti a una maledizione, poiché è scritto: *Maledetto chiunque non persevera nel fare tutte le cose scritte nel libro della legge.* ¹¹Che poi nessuno, rimanendo nell'ambito della legge, venga giustificato, è manifesto, poiché *il giusto vivrà per la fede.* ¹²La legge però non proviene dalla fede, *ma chi farà queste cose vivrà per esse.* ¹³Cristo ci ha riscattati liberandoci dalla maledizione della legge, divenuto per noi maledizione, poiché sta scritto: *Maledetto chiunque è appeso ad un legno,* ¹⁴e ciò affinché la benedizione di Abramo arrivasse ai gentili in Cristo, in modo che ricevessimo lo Spirito, oggetto di promessa, per mezzo della fede.

La benedizione data ad Abramo. - ¹⁵Fratelli, parlo secondo un punto di vista umano. Nessuno invalida o muta con aggiunte un testamento ratificato, anche se è di un uomo. ¹⁶Or ad Abramo *e alla* sua *discendenza* furono fatte le promesse. Non dice: e alle sue discendenze, come se si fosse voluto riferire a molte, ma ad una sola: e alla tua discendenza, che è Cristo. ¹⁷Voglio perciò dire questo: la legge, venuta 430 anni dopo, non annulla il testamento ratificato in precedenza da Dio, rendendo così inoperante la promessa. ¹⁸Ma se l'eredità è legata alla legge, non è più legata ad una promessa; or Dio fece il suo dono di grazia ad Abramo mediante una promessa.

Funzione provvisoria della legge. - ¹⁹E allora, perché la legge? Essa fu aggiunta a motivo delle trasgressioni, finché non giungesse il seme oggetto della promessa, promulgata per mezzo di angeli, tramite un mediatore. ²⁰Ma un mediatore non esiste quando si tratta di una persona sola; e Dio è uno solo. ²¹La legge allora va contro le promesse di Dio? Non sia mai detto! Se

---

18. *Colpevole di trasgressione*: perché se ricostruisco ciò che ho distrutto, ossia se ritorno alla legge che annunziai abolita, riconosco che avevo sbagliato. Era ciò che sembrava fare Pietro, indotto da una falsa prudenza.

3. - 1-5. Paolo fa appello alla stessa esperienza dei Galati: quando hanno beneficiato dei doni dello Spirito Santo? Abbracciando la fede o praticando la legge mosaica? La risposta era chiara, poiché i Galati lo sapevano bene: lo Spirito Santo si era manifestato e aveva operato in loro e in mezzo a loro quando si erano fatti battezzare.

10. Dt 27,26. Per comprendere il ragionamento di Paolo bisogna ricordare quanto egli lascia sospeso, come comunemente accertato: non si possono osservare le prescrizioni della legge senza una grazia che essa non dà. Più diffusamente troviamo la medesima argomentazione in Rm 3,1 - 7,25, a cui rimandiamo per comprendere il presente brano.

19. Paolo fa risaltare il carattere subordinato della legge. Nelle promesse e minacce del Sinai ci fu tra Dio e il popolo un vero contratto, con due mediatori, gli angeli da parte di Dio (secondo una tradizione giudaica), Mosè da parte del popolo, e con impegni bilaterali: le promesse furono condizionate. Ma la promessa fatta da Dio solo ad Abramo è senza mediatori e senza condizioni, quindi essa non dipende dalla fedeltà o meno del popolo, ma solo da quella di Dio, che è assoluta. Quindi la promessa fatta ad Abramo è assai superiore e più ferma della legge, con tutto ciò che essa contiene.

infatti fosse stata data una legge capace di dare la vita, la giustificazione si avrebbe realmente dalla legge. ²²Ma la Scrittura ha chiuso tutte le cose sotto il peccato, affinché la promessa fosse data ai credenti per la fede in Gesù Cristo.

²³Prima che venisse la fede, noi eravamo custoditi come prigionieri sotto il dominio della legge, in attesa della fede che sarebbe stata rivelata. ²⁴Cosicché la legge è divenuta per noi come un pedagogo che ci ha condotti a Cristo, perché fossimo giustificati dalla fede. ²⁵Sopraggiunta poi la fede, non siamo più sotto il dominio del pedagogo. ²⁶Tutti infatti siete figli di Dio in Cristo Gesù mediante la fede; ²⁷infatti, quanti siete stati battezzati in Cristo, vi siete rivestiti di Cristo. ²⁸Non esiste più giudeo né greco, non esiste schiavo né libero, non esiste uomo o donna: tutti voi siete una sola persona in Cristo Gesù. ²⁹Se poi siete di Cristo, allora siete discendenza di Abramo, eredi secondo la promessa.

4 **La filiazione divina realizzata da Dio nello Spirito.** - ¹Ora io dico: per tutto il tempo in cui l'erede è un minorenne, in niente differisce da uno schiavo, pur essendo padrone di tutto, ²ma è sottoposto a tutori e ad amministratori, fino al giorno stabilito dal padre. ³Così anche noi, quando eravamo minorenni, stavamo sottoposti agli elementi del mondo in uno stato permanente di schiavitù. ⁴Ma quando giunse la pienezza del tempo, Dio inviò il Figlio suo, nato da una donna, sottomesso alla legge, ⁵affinché riscattasse coloro che erano sottoposti alla legge, affinché ricevessimo l'adozione a figli. ⁶Poiché siete figli, Dio inviò lo Spirito del Figlio suo nei nostri cuori, il quale grida: «Abbà, Padre!». ⁷E così non sei più schiavo ma figlio; se figlio, sei anche erede in forza di Dio.

Situazione dei Galati. - ⁸Un tempo, non avendo conosciuto Dio, serviste come schiavi a dèi che in realtà non lo sono. ⁹Ora invece, avendo conosciuto Dio, o piuttosto essendo stati conosciuti da Dio, come potete rivolgervi di nuovo verso gli elementi senza forza e meschini ai quali volete di nuovo tornare a sottomettervi come schiavi? ¹⁰Osservate le prescrizioni riguardanti i giorni, i

mesi, le stagioni e gli anni. ¹¹Mi fate temere di essermi affaticato invano in mezzo a voi. ¹²Diventate come me, poiché anch'io sono come voi, fratelli, ve ne supplico. Non mi faceste alcun torto. ¹³Sapete poi che a causa di un'infermità fisica annunciammo il vangelo a voi per la prima volta; ¹⁴e per quello che costituiva per voi una prova nel mio fisico non dimostraste disprezzo né nausea, ma accoglieste me come un inviato di Dio, come Gesù Cristo stesso. ¹⁵Dov'è dunque adesso il vostro entusiasmo di allora? Vi do atto che, se fosse stato possibile, vi sareste strappati gli occhi e me li avreste dati. ¹⁶Vi sono forse diventato nemico dicendovi la verità? ¹⁷Mostrano un interesse acceso per voi, però non rettamente, ma vi vogliono isolare da noi, affinché abbiate interesse per loro. ¹⁸È bello avere un interesse vivo per il bene, sempre, e non solo quando io sono presente tra voi, ¹⁹figli miei, per i quali soffro di nuovo le doglie del parto, fino a che Cristo non sia formato in voi. ²⁰Vorrei proprio essere presso di voi ora, e parlarvi a tu per tu, poiché sono ansioso nei vostri riguardi.

Vita di figli di Dio. - ²¹Ditemi, voi che volete stare sotto la legge: non ascoltate ciò che dice la legge? ²²È stato scritto infatti che Abramo ebbe due figli, uno dalla schiava e uno dalla donna libera. ²³Ma quello avuto dalla schiava è nato secondo la carne, mentre quello avuto dalla donna libera è nato in virtù della promessa. ²⁴Tali cose sono dette in termini simbolici: le due donne sono le due alleanze; una proviene dal monte Sinai, genera i figli per la schiavitù ed è Agar. ²⁵Ma Agar significa il monte Sinai; questo sta in Arabia e corrisponde alla Gerusalemme di adesso, che difatti si trova in stato di schiavitù con i figli suoi. ²⁶La Gerusalemme celeste, invece, è libera: essa è la nostra madre. ²⁷Sta scritto infatti:

Rallegrati, sterile che non partorisci,
prorompi in grida di gioia
tu che non soffri i dolori del parto,
poiché molti sono i figli
della donna che è sola,
più di colei che ha marito.

²⁸Ma voi, fratelli, siete figli della promessa secondo Isacco. ²⁹Ma come allora quello che era nato secondo la carne perseguitava

quello nato secondo lo spirito, così accade anche adesso. ³⁰Ma che dice la Scrittura? *Caccia via la schiava e il figlio di lei; infatti il figlio della schiava non avrà parte all'eredità col figlio della donna libera.* ³¹Perciò, fratelli, non siamo figli della schiava ma della donna libera.

LIBERTÀ CRISTIANA

5 **La libertà deve plasmare la vita dei figli di Dio. -** ¹Per la libertà Cristo ci liberò: state dunque saldi e non lasciatevi sottomettere di nuovo al giogo della schiavitù. ²Ecco, sono io, Paolo, che ve lo dico: se vi lasciate circoncidere, Cristo non vi sarà di utilità alcuna. ³Attesto di nuovo ad ogni uomo che viene circonciso: egli è obbligato a mettere in pratica tutta la legge. ⁴Non avete più niente a che fare con Cristo, voi che cercate di essere giustificati con la legge; siete decaduti dal favore divino. ⁵Infatti noi, sotto l'influsso dello Spirito, aspettiamo la speranza della giustificazione per mezzo della fede. ⁶In Cristo Gesù, infatti, né la circoncisione né l'incirconcisione hanno alcun effetto, ma la fede che si attua mediante la carità. ⁷Correvate bene: chi vi ha ostacolato impedendovi di obbedire alla verità? ⁸Questa persuasione non proviene da Colui che vi chiamò. ⁹Una piccola quantità di lievito fermenta tutta la massa della pasta. ¹⁰Quanto a voi, io sono persuaso nel Signore che voi non penserete affatto diversamente da me; chi poi mette lo scompiglio tra di voi, subirà la condanna, chiunque egli sia. ¹¹E quanto a me, se io predicassi ancora la circoncisione, perché sono ancora perseguitato? Allora lo scandalo della croce sarebbe eliminato! ¹²Si mutilino pure del tutto coloro che mettono scompiglio fra di voi!

La libertà del cristiano lo spinge alla carità. - ¹³Infatti voi, fratelli, siete stati chiamati alla libertà; soltanto non dovete poi servirvi della libertà come un pretesto per la carne, ma per mezzo della carità siate gli uni schiavi degli altri. ¹⁴Poiché la legge trova la sua pienezza in una sola parola e cioè: *Amerai il tuo prossimo come te stesso.* ¹⁵Se poi vi mordete e divorate a vicenda, vedete di non distruggervi gli uni gli altri!

Lo Spirito e la carne. - ¹⁶Ora vi dico: camminate sotto l'influsso dello Spirito e allora non eseguirete le bramosie della carne. ¹⁷La carne infatti ha desideri contro lo Spirito, lo Spirito a sua volta contro la carne, poiché questi due elementi sono contrapposti vicendevolmente, cosicché voi non fate ciò che vorreste. ¹⁸Ma se siete animati dallo Spirito, non siete più sotto la legge. ¹⁹Ora le opere proprie della carne sono manifeste: sono fornicazione, impurità, dissolutezza, ²⁰idolatria, magia, inimicizie, lite, gelosia, ire, ambizioni, discordie, divisioni, ²¹invidie, ubriachezze, orge e opere simili a queste; riguardo ad esse vi metto in guardia in anticipo, come già vi misi in guardia: coloro che compiono tali opere non avranno in eredità il regno di Dio. ²²Invece il frutto dello Spirito è amore, gioia, pace, longanimità, bontà, benevolenza, fiducia, ²³mitezza, padronanza di sé; ²⁴la legge non ha a che fare con cose del genere. Coloro che appartengono al Cristo Gesù crocifissero la carne con le sue passioni e i suoi desideri.

Comportamento pratico secondo lo Spirito. - ²⁵Se viviamo in forza dello Spirito, camminiamo seguendo lo Spirito. ²⁶Non diventiamo avidi di una gloria vuota, sfidandoci a vicenda, invidiandoci gli uni gli altri.

6 ¹Fratelli, anche quando uno sia sorpreso a commettere una colpa, voi, che siete guidati dallo Spirito, correggete costui con spirito di mitezza; e tu abbi cura di te stesso, perché non abbia a soccombere tu pure nella tentazione. ²Portate vicendevolmente i vostri pesi, così compirete la legge di Cristo. ³Infatti, se uno pensa di essere qualcosa mentre non è nulla, inganna se stesso. ⁴Ciascuno esamini invece il suo operato, e allora troverà in se stesso motivo di vanto e non nell'altro. ⁵Ciascuno infatti dovrà portare il proprio fardello. ⁶Colui che viene istruito nella parola partecipi i suoi beni a quello che lo istruisce. ⁷Non v'ingannate: Dio non permette che ci si prenda gioco di lui; l'uomo mieterà ciò che avrà seminato: ⁸chi semina seguendo la carne, dalla carne mieterà rovina; chi invece semina seguendo lo Spirito, dallo Spirito mieterà la vita eterna. ⁹Facendo il bene non lasciamoci prendere da noia o stanchezza: a tempo debito mieteremo, se non allenteremo il nostro impegno. [10]Perciò, finché ne abbiamo l'occasione propizia, pratichiamo il bene verso tutti, ma soprattutto verso coloro che appartengono alla nostra stessa famiglia della fede.

Epilogo. - [11]Notate con che grossi caratteri vi scrivo di mia mano. [12]Quanti vogliono far bella figura seguendo la carne cercano di costringervi a farvi circoncidere, solo per non essere perseguitati a causa della croce di Cristo. [13]Infatti nemmeno coloro che si fanno circoncidere osservano personalmente la legge, ma vogliono che voi vi cir-

concidiate al solo scopo di avere un vanto sulla vostra debolezza. [14]A me non avvenga mai di menar vanto se non nella croce del nostro Signore Gesù Cristo, per mezzo del quale il mondo è stato crocifisso per me e io per il mondo. [15]Infatti né la circoncisione né la mancanza di essa sono alcunché, ma la nuova creazione. [16]E quanti seguiranno questa regola, pace e misericordia su di loro e sull'Israele di Dio. [17]Del resto nessuno mi infastidisca: io infatti porto nel mio corpo i contrassegni di Cristo. [18]La grazia del nostro Signore Gesù Cristo sia col vostro spirito, fratelli! Amen.

Gal

LETTERA AGLI EFESINI

*L*e lettere agli Efesini, ai Filippesi, ai Colossesi e a Filemone vengono dette lettere della prigionia perché in esse Paolo parla delle catene che deve portare e si dichiara «prigioniero di Cristo» (cfr. Ef 3,1; 4,1). L'opinione comune le ascrive al periodo della prima prigionia romana (anni 61-63). Nei manoscritti più antichi e autorevoli all'inizio manca l'indicazione «Efeso», per cui si pensa che potrebbe trattarsi di una lettera circolare, destinata a più comunità dell'Asia Minore (Efeso, Laodicea, Colosse).

Non appare un'occasione precisa che abbia indotto Paolo a stilare questa lettera che espone il grande tema della sovranità universale di Cristo. Certo è che essa contiene la più vasta sintesi e il vertice del suo pensiero.

La lettera si divide in due parti. La prima contempla con stile pacato e solenne il grande disegno divino della salvezza, la rivelazione del mistero di Dio per cui tutti, Ebrei e pagani, sono salvati in Cristo mediante l'inserimento nel suo corpo che è la chiesa, in modo da formare ormai un solo uomo nuovo in lui. Di tale mistero Paolo è l'apostolo e il banditore (1,3 - 3,21). La seconda parte esorta a una pratica di vita che sia degna della nuova vocazione in Cristo Gesù (4,1 - 6,20). Conclude un epilogo con brevi auguri e l'annuncio che Tichico, «fratello diletto e fedele servo nel Signore», porterà maggiori notizie (6,21-24).

Vi sono dubbi sull'autenticità paolina di questa lettera. Ma la costante tradizione della chiesa l'attribuisce a Paolo: è probabile che abbia affidato la redazione della lettera a un discepolo, il quale vi ha impresso anche il suo carisma.

IL MISTERO DELLA CHIESA

1 **Indirizzo.** - [1]Paolo, apostolo di Cristo Gesù per volontà di Dio, ai santi e fedeli in Cristo Gesù. [2]Grazia e pace a voi da Dio, nostro Padre, e dal Signore Gesù Cristo.

L'ammirabile piano salvifico di Dio. - [3]Benedetto Dio e Padre del Signore nostro Gesù Cristo, il quale nei cieli ci ha colmati di ogni sorta di benedizione spirituale in Cristo. [4]Egli ci elesse in lui prima della creazione del mondo, perché fossimo santi e irreprensibili davanti a lui nell'amore, [5]predestinandoci ad essere suoi figli adottivi, tramite Gesù Cristo, secondo il benevolo disegno della sua volontà, [6]a lode dello splendore della sua grazia, con la quale ci ha gratificati nel Diletto. [7]In lui, mediante il suo sangue, otteniamo la redenzione, il perdono dei peccati, secondo la ricchezza della sua grazia, [8]che si è generosamente riversata in noi con ogni sorta di sapienza e intelligenza. [9]Egli ci ha manifestato il mistero della sua volontà secondo il suo benevolo disegno che aveva in lui formato, [10]per realizzarlo nella pienezza dei tempi: accentrare nel Cristo tutti gli esseri, quelli celesti e quelli terrestri. [11]In lui poi siamo stati scelti, essendo stati predestinati secondo il disegno di Colui che tutto compie in conformità del suo volere, [12]per essere noi, i primi che hanno sperato in Cristo, a lode della sua gloria. [13]In lui anche voi, dopo avere udita la parola della verità,

1. - 10. Nella *pienezza dei tempi*: quando furono trascorsi i tempi stabiliti da Dio. *Accentrare nel Cristo*: alla lettera, ricapitolare, riunire sotto un unico capo; verbo assai raro nella lingua greca. Tutta la lettera svilupperà quest'idea di Cristo che rigenera e raggruppa sotto la propria autorità il mondo intero, Giudei e gentili, per ricondurre tutti a Dio.

il vangelo della vostra salvezza, e aver anche creduto, siete stati segnati con lo Spirito Santo che fu promesso; [14]questi è l'anticipo della nostra eredità, per il riscatto della sua proprietà, a lode della sua gloria.

Per una più vasta conoscenza del mistero. - [15]Per questo anch'io, avendo udito parlare della vostra fede nel Signore Gesù e del vostro amore per tutti i santi, [16]non cesso di ringraziare per voi ricordandovi nelle mie preghiere, [17]affinché il Dio del Signore nostro Gesù Cristo, il Padre della gloria, vi doni uno spirito di sapienza e di rivelazione per meglio conoscerlo; [18]illumini gli occhi della mente, perché possiate comprendere quale è la speranza della sua chiamata, quale la ricchezza della sua gloriosa eredità tra i santi, [19]e quale la straordinaria grandezza della potenza verso di noi che crediamo, come attesta l'efficacia della sua forza irresistibile, [20]che dispiegò nel Cristo risuscitandolo dai morti e insediandolo alla sua destra nella sommità dei cieli, [21]al di sopra di ogni principio, autorità, potenza, signoria e di ogni altro nome che viene nominato non solo in questo secolo, ma anche in quello avvenire. [22]Ha *posto tutto sotto i suoi piedi* e lo ha costituito, al di sopra di tutto, capo della chiesa, [23]che è il corpo, la pienezza di lui che tutto, sotto ogni aspetto, riempie.

2 **Salvezza per grazia.** - [1]E voi che eravate morti in seguito ai vostri traviamenti e ai vostri peccati, [2]nei quali una volta vivevate secondo lo spirito di questo mondo, secondo il principe del regno dell'aria, quello spirito che tuttora è all'opera tra gli uomini ribelli... [3]Tra loro vivemmo noi tutti un tempo, presi dai desideri carnali, assecondando gli stimoli della carne e i suoi istinti ed eravamo, per naturale disposizione, oggetto d'ira

come tutti gli altri. [4]Ma Dio, che è ricco di misericordia, per l'immenso amore col quale ci ha amati, [5]per quanto morti in seguito ai traviamenti, ci ha fatto rivivere col Cristo – foste salvati gratuitamente! – [6]e ci ha risuscitati e insediati nella sommità dei cieli in Cristo Gesù, [7]per dimostrare nei secoli futuri, con la sua bontà in Cristo Gesù verso di noi, la traboccante ricchezza della sua grazia. [8]Infatti siete salvi per la grazia, tramite la fede: ciò non proviene da voi, ma è dono di Dio; [9]non dalle opere, perché nessuno se ne vanti. [10]In realtà noi siamo sua opera, creati in Cristo Gesù, per le opere buone che Dio ha predisposto che noi compiamo.

Unità nel Cristo. - [11]Pertanto ricordate che un tempo voi, i gentili nella carne, chiamati incirconcisi da coloro che si dicono circoncisi per un'operazione subita nella carne, [12]eravate in quel tempo senza Cristo, esclusi dal diritto di cittadinanza d'Israele, stranieri all'alleanza promessa, senza speranza e senza Dio in questo mondo. [13]Ora però, in Cristo Gesù, voi, un tempo i lontani, siete divenuti vicini grazie al sangue del Cristo. [14]Egli infatti è la nostra pace, che ha fatto di due popoli una sola unità abbattendo il muro divisorio, annullando nella sua carne l'inimicizia, [15]questa legge dei comandamenti con le sue prescrizioni, per formare in se stesso, pacificandoli, dei due popoli un solo uomo nuovo, [16]e per riconciliare entrambi con Dio in un solo corpo mediante la croce, dopo avere ucciso in se stesso l'inimicizia. [17]E venne *per annunciare pace a voi, i lontani, e pace ai vicini*, [18]perché, per suo mezzo, entrambi abbiamo libero accesso al Padre in un solo spirito. [19]Così dunque non siete più stranieri né pellegrini, ma concittadini dei santi e familiari di Dio. [20]Il vostro edificio ha per fondamento gli apostoli e i profeti, mentre Cristo Gesù stesso è la pietra angolare, [21]sulla quale tutto l'edificio in armoniosa disposizione cresce come tempio santo nel Signore, [22]in cui anche voi siete incorporati nella costruzione come dimora di Dio nello Spirito.

3 **Paolo missionario del mistero di Dio.** - [1]Per questo motivo io, Paolo, il prigioniero di Cristo Gesù a vostro favore, o gentili... [2]Avete certamente sentito parlare del ministero di grazia che Dio mi ha affidato

Ef

22-23. È la dottrina del «corpo mistico» di Cristo: *Pienezza di lui...*: la chiesa può essere detta la pienezza di Cristo, in quanto abbraccia tutto il mondo rinnovato dalla sua azione redentrice. L'espressione *tutto sotto ogni aspetto* vuole indicare una pienezza senza limiti.

2. - 5-6. La vita della grazia ci viene dall'unione con Gesù, con il quale formiamo un solo corpo e per mezzo del quale abbiamo già preso preventivamente possesso del cielo, perché dov'è il capo hanno diritto di essere le membra. Il v. 5 riprende il pensiero rimasto sospeso nei vv. 1-2, mostrando il rovescio della medaglia: prima morti, ora vivificati.

per il vostro bene, [3]cioè per rivelazione mi è stato fatto conoscere il mistero – come ho brevemente già esposto [4]e quindi, leggendo, potete capire quale conoscenza io abbia del mistero di Cristo – [5]che nelle generazioni passate non fu svelato agli uomini come ora è stato rivelato per mezzo dello Spirito ai suoi santi apostoli e profeti: [6]che i gentili sono ammessi alla stessa eredità, sono membri dello stesso corpo e partecipi della stessa promessa in Cristo Gesù mediante il vangelo, [7]del quale sono divenuto ministro, secondo il dono della grazia che Dio mi ha dato in virtù della sua forza operante. [8]A me, il più piccolo di tutti i santi, è stata concessa questa grazia di evangelizzare ai gentili l'inscrutabile ricchezza del Cristo [9]e di illustrare il piano salvifico, il mistero che Dio, creatore dell'universo, ha tenuto in sé nascosto nei secoli passati [10]per svelare ora ai prìncipi e alle autorità celesti, mediante la chiesa, la multiforme sapienza divina, [11]secondo il disegno eterno che ha formulato nel Cristo Gesù, nostro Signore, [12]nel quale, mediante la fede in lui, abbiamo libertà di parola e fiducioso accesso. [13]Vi prego, perciò, di non scoraggiarvi per le mie afflizioni a vostro favore, perché sono la vostra gloria.

Preghiera per conoscere l'amore di Cristo. - [14]Per questa ragione, piego le mie ginocchia davanti al Padre, [15]dal quale ogni famiglia in cielo e sulla terra si denomina, [16]perché vi conceda, secondo i tesori della sua gloria, di irrobustirvi grandemente nell'uomo interiore grazie al suo Spirito, [17]di ospitare il Cristo nei vostri cuori per mezzo della fede, affinché, radicati e fondati nell'amore, [18]riusciate ad afferrare, insieme a tutti i santi, la larghezza, la lunghezza, l'altezza e la profondità, [19]cioè a conoscere l'amore del Cristo che trascende ogni conoscenza, e così vi riempiate della totale pienezza di Dio. [20]A Colui che, per la forza che opera in noi, ha potere di fare molto di più di quanto chiediamo o immaginiamo, [21]a lui la gloria nella chiesa e in Cristo Gesù per tutte le generazioni e per sempre. Amen.

VITA NUOVA IN CRISTO

4 **Unità della fede.** - [1]Perciò io, il prigioniero per il Signore, vi invito a condurre una vita degna della vocazione alla quale siete stati chiamati, [2]con tutta umiltà, dolcezza e longanimità, sopportandovi a vicenda con amore, [3]preoccupati di conservare l'unità dello spirito col vincolo della pace: [4]un solo corpo e un solo spirito, così come siete stati chiamati a una sola speranza, quella della vostra vocazione; [5]un solo Signore, una sola fede, un solo battesimo; [6]un solo Dio e Padre di tutti, che è sopra tutti, agisce per mezzo di tutti e dimora in tutti.

I molteplici doni di Cristo. - [7]A ciascuno di noi è stata concessa la grazia secondo la misura del dono del Cristo. [8]Per questo dice:

> *Salendo verso l'alto,*
> *condusse con sé torme di prigionieri,*
> *distribuì doni agli uomini.*

[9]*È salito* che altro significa se non che era disceso nelle regioni più basse, cioè la terra? [10]Colui che discese è il medesimo che anche salì al di sopra di tutti i cieli per riempire l'universo. [11]È lui che ha donato alcuni come apostoli, altri come profeti, altri come evangelisti, altri come pastori e dottori, [12]per preparare i santi al ministero, per la costruzione del corpo di Cristo, [13]fino a che arriviamo tutti all'unità della fede e della conoscenza del Figlio di Dio, all'uomo perfetto, a quello sviluppo che realizza la pienezza del Cristo, [14]affinché non siamo più dei bambini sballottati e portati qua e là da ogni soffiar di dottrine, succubi dell'impostura di uomini esperti nel trarre nell'errore. [15]Vivendo invece la verità nell'amore, cresciamo sotto ogni aspetto in Colui che è il capo, Cristo, [16]dal quale tutto il corpo, reso compatto ed unito da tutte le articolazioni che alimentano ciascun membro secondo la propria funzione, riceve incremento, edificandosi nell'amore.

Vita nuova in Cristo. - [17]Ora dunque vi dico e vi scongiuro nel Signore: non comportatevi più come si comportano i gentili con i loro

---

3. - 6. Ecco il *mistero* (v. 3) di Dio manifestato apertamente: distrutte tutte le barriere e i particolarismi con cui Dio aveva circondato il popolo ebreo per mantenerlo nella purezza della rivelazione, adesso tutti i popoli sono chiamati con esso a beneficiare dell'unica redenzione portata da Cristo all'umanità.

folli pensieri, [18]ottenebrati come sono nell'intelletto, estranei alla vita di Dio, a causa della loro ignoranza e dell'indurimento del loro cuore. [19]Divenuti insensibili, si sono abbandonati agli stravizi, fino a commettere con insaziabile frenesia ogni genere d'immondezza. [20]Voi però non avete imparato così il Cristo, [21]se realmente lo avete ascoltato e in lui siete stati istruiti com'è verità in Gesù. [22]Spogliatevi dell'uomo vecchio, quello del precedente comportamento che si corrompe inseguendo seducenti brame, [23]rinnovatevi nello spirito della vostra mente [24]e rivestitevi dell'uomo nuovo, creato secondo Dio nella giustizia e nella santità della verità.

Regole per la nuova vita. - [25]Per questa ragione, rinunciando alla menzogna, *ciascuno dica la verità al suo prossimo*, perché siamo membra gli uni degli altri. [26]*Se vi adirate, non peccate*; il sole non tramonti sulla vostra collera; [27]non fate posto al diavolo. [28]Chi era solito rubare, non rubi più; piuttosto si preoccupi di produrre con le sue mani ciò che è buono e così soccorrere chi si trova in necessità. [29]Dalla vostra bocca non escano parole scorrette, ma piuttosto parole buone, di edificazione, secondo la necessità, per fare del bene a chi ascolta. [30]Non contristate lo Spirito Santo di Dio, che vi ha segnato per il giorno della redenzione. [31]Estirpate di mezzo a voi ogni asprezza, animosità, collera, clamore, maldicenza, ogni cattiveria. [32]Siate invece benevoli gli uni verso gli altri, misericordiosi, perdonandovi reciprocamente, come anche Dio vi ha perdonato in Cristo.

5 [1]Imitate Dio, come figli diletti, [2]e camminate nell'amore sull'esempio del Cristo che vi ha amato e ha offerto se stesso per noi, *oblazione e sacrificio di soave odore a Dio*.

La vita cristiana. - [3]Come si conviene tra santi, non si sentano nominare tra voi forni-

cazione e qualsiasi impurità o cupidigia, [4]né oscenità, discorsi frivoli o facezie grasse, tutte cose indecenti, ma piuttosto parole di ringraziamento. [5]Infatti voi lo sapete: nessun fornicatore o depravato o avaro, cioè idolatra, ha parte nel regno del Cristo e di Dio. [6]Nessuno vi inganni con discorsi insipienti: proprio a causa di questi disordini piomba l'ira di Dio sugli uomini ribelli. [7]Quindi non associatevi a loro. [8]Eravate infatti tenebre, ma ora siete luce nel Signore: comportatevi da figli della luce – [9]il frutto della luce è ogni sorta di bontà, di giustizia e di sincerità – [10]scegliendo ciò che Dio gradisce. [11]Non prendete parte alle attività infruttuose delle tenebre, ma piuttosto riprovatele, [12]perché quanto essi fanno in segreto è vergognoso persino a parlarne; [13]ma tutto ciò che è riprovato, viene manifestato dalla luce; [14]infatti quanto è manifestato è luce. Per questo si dice:

Svegliati, tu che dormi,
risorgi dai morti
e Cristo su te risplenderà.

[15]Considerate dunque attentamente il vostro modo di comportarvi, non da stolti, ma da uomini saggi, [16]che colgono le occasioni opportune, perché i giorni sono malvagi. [17]Non siate quindi sconsiderati, ma cercate di capire quale sia la volontà del Signore; [18]*non ubriacatevi di vino*, che è occasione di sregolatezze; lasciatevi invece riempire di Spirito, [19]intrattenendovi tra voi con salmi, inni e canti ispirati, cantando e salmeggiando nel vostro cuore al Signore, [20]ringraziando sempre per tutti il Dio e Padre nel nome del Signore nostro Gesù Cristo.

Mogli e mariti. - [21]Siate soggetti gli uni agli altri nel timore di Cristo. [22]Le donne siano soggette ai loro mariti come al Signore, [23]poiché l'uomo è capo della donna come anche il Cristo è capo della chiesa, lui, il salvatore del corpo. [24]Ora come la chiesa è soggetta al Cristo, così anche le donne ai loro mariti in tutto.

[25]Mariti, amate le (vostre) mogli come il Cristo ha amato la chiesa e si è offerto per lei, [26]per santificarla, purificandola col lavacro dell'acqua unito alla parola, [27]e avere accanto a sé questa chiesa gloriosa, senza macchia o ruga o alcunché di simile, ma

---

18-19. *La larghezza...*: i quattro termini indicano la misura completa di un oggetto, che qui probabilmente è la carità di Cristo di cui parla il v. 19.

5. - 23-32. Questi versetti stabiliscono tra il matrimonio e l'unione di Cristo con la chiesa un parallelo in cui i due termini di paragone s'illuminano a vicenda: Cristo può chiamarsi sposo della chiesa perché è il suo capo e l'ama come suo proprio corpo, così come avviene tra marito e moglie; ammesso questo paragone, esso fornisce a sua volta un modello ideale al matrimonio umano.

santa e irreprensibile. [28]Allo stesso modo i mariti devono amare le loro mogli come i loro propri corpi. Chi ama la propria moglie, ama se stesso: [29]infatti nessuno mai ha odiato la propria carne; al contrario la nutre e la tratta con cura, come anche il Cristo la sua chiesa, [30]poiché siamo membra del suo corpo. [31]*Per questo l'uomo lascerà il padre e la madre e si unirà alla sua donna e i due formeranno una sola carne.* [32]Questo mistero è grande: io lo dico riferendomi al Cristo e alla chiesa. [33]In ogni caso, anche ciascuno di voi ami la propria moglie come se stesso, e la moglie rispetti il marito.

Padri e figli. - [1]Figli, obbedite ai vostri genitori nel Signore, perché ciò è giusto. [2]*Onora tuo padre e tua madre* – è il primo comandamento con promessa – [3]*affinché te ne venga del bene e viva a lungo sulla terra.* [4]E voi, padri, non esasperate i vostri figli, ma educateli, correggendoli ed esortandoli nel Signore.

Schiavi e padroni. - [5]Schiavi, obbedite ai vostri padroni terreni con timore e rispetto, con cuore sincero, come al Signore; [6]non siate solleciti soltanto sotto gli occhi del padrone, come chi intende piacere agli uomini, ma come degli schiavi del Cristo, che fanno con cuore la volontà di Dio; [7]serviteli con premura, come fossero il Signore e non uomini, [8]convinti che ciascuno, schiavo o libero, riavrà dal Signore il bene che avrà fatto. [9]E voi, padroni, comportatevi allo stesso modo verso di loro, smettendo di minacciare, consapevoli che nei cieli c'è il loro e il vostro Signore, che non ha preferenze personali.

Lotta contro il male. - [10]In definitiva, rafforzatevi nel Signore e con la sua potenza. [11]Vestite l'intera armatura di Dio per contrastare le ingegnose macchinazioni del diavolo; [12]infatti non lottiamo contro una natura umana mortale, ma contro i prìncipi, contro le potenze, contro dominatori di questo mondo oscuro, contro gli spiriti maligni delle regioni celesti. [13]Per questo motivo indossate l'armatura di Dio per resistere nel giorno malvagio e, dopo aver tutto predisposto, tenere saldamente il campo. [14]State saldi, dunque, avendo già ai fianchi la cintura della verità, indosso la corazza della giustizia [15]e calzati i piedi con la prontezza che dà il vangelo della pace; [16]in ogni occasione imbracciando lo scudo della fede, col quale potrete spegnere tutti i dardi infuocati del maligno; [17]prendete l'elmo della salvezza e la spada dello Spirito, cioè la parola di Dio. [18]Mossi dallo Spirito pregate incessantemente con ogni sorta di preghiera e di supplica; vegliate e siate assidui nell'orazione per tutti i santi [19]e anche per me, affinché mi sia concessa libertà di parola per annunciare coraggiosamente il mistero del vangelo, [20]per il quale sono un ambasciatore in catene, e per osare di parlarne con franchezza, come è mio dovere.

Epilogo. - [21]Affinché anche voi conosciate quanto mi riguarda e ciò che intendo fare, Tichico, fratello diletto e fedele servo nel Signore, vi informerà su tutto. [22]Ve lo mando proprio perché vi informi sulla nostra situazione e consoli i vostri cuori. [23]Dio Padre e il Signore Gesù Cristo accordino ai fratelli pace e amore con fede. [24]La grazia sia con tutti coloro che amano il Signore nostro Gesù Cristo con sincero amore.

LETTERA AI FILIPPESI

L *a lettera ai cristiani di Filippi appartiene al gruppo delle lettere dette della prigio-*
nia, identificata comunemente con quella romana dell'Apostolo (anni 61-63). Gli
studiosi moderni pensano piuttosto alla prigionia di Cesarea (58-60) o a una possibile
prigionia avvenuta nel lungo e burrascoso soggiorno di Paolo a Efeso (54-57). Ciò
spiegherebbe meglio sia i frequenti scambi e rapporti menzionati nella lettera tra Pa-
olo e i destinatari, sia la polemica contro i «giudaizzanti», che avvicina questa lettera
a quella indirizzata ai Galati.
Paolo aveva fondato la chiesa di Filippi nella seconda spedizione missionaria, nell'an-
no 50 (At 16,11s), e i Filippesi gli dimostrarono sempre un affettuoso attaccamento
inviandogli aiuti e soccorsi a Tessalonica e a Corinto (4,16; 2Cor 11,9). Ora, venuti a
conoscenza della sua prigionia, gli hanno mandato offerte in denaro a mezzo di Epa-
frodito (2,25; 4,10). Questi, tornando a Filippi guarito da una malattia, porta una lettera
di Paolo, nella quale, dopo i saluti e le notizie personali (1,12ss), egli esorta i fedeli
alla vita cristiana sull'esempio di Gesù Cristo (1,27 - 2,18); dà ragione dell'improvvi-
so ritorno di Epafrodito e annuncia la prossima visita di Timoteo (2,19-29); mette in
guardia contro le mene dei «giudaizzanti» che vorrebbero imporre l'osservanza della
legge mosaica (3,1 - 4,1) e conclude ringraziando per le offerte ricevute.
La lettera ha carattere familiare, colloquiale. Sono tuttavia da ricordare il celebre inno
sulla passione e glorificazione di Cristo (2,6-11) e la bella esortazione all'apertura
culturale e all'umanesimo cristiano che accoglie «quanto c'è di vero, nobile, giusto,
puro, amabile, lodevole...» (4,8).

1 **Indirizzo.** - ¹Paolo e Timoteo, servi di Cristo Gesù, a tutti i santi in Cristo Gesù che sono a Filippi, con gli episcopi e i diaconi. ²Grazia a voi e pace da parte di Dio, nostro Padre, e dal Signore Gesù Cristo.

Ringraziamento a Dio e preghiere. - ³Ringrazio il mio Dio ogni volta che vi ricordo; ⁴in ogni mia supplica prego sempre con gioia per tutti voi, ⁵perché avete collaborato al vangelo dal primo giorno fino al presente; ⁶ho la ferma convinzione che Colui che ha iniziato tra voi quest'opera eccellente la porterà a termine fino al giorno di Cristo Gesù. ⁷È giusto che pensi così di tutti voi, perché vi porto nel cuore, essendo voi tutti, e nelle mie catene e nella difesa e consolidamento del vangelo, partecipi con me della grazia. ⁸Sì, mi è testimone Iddio quanto ardentemente ricerchi tutti voi col cuore di Cristo

Gesù. ⁹Questo io chiedo: che il vostro amore cresca sempre più in conoscenza e ogni delicato sentimento, ¹⁰affinché apprezziate le cose migliori e così siate puri e senza macchia per il giorno di Cristo, ¹¹ricolmi del frutto di giustizia, che si ottiene per mezzo di Gesù Cristo, a gloria e lode di Dio.

Notizie personali. - ¹²Ora, fratelli, desidero informarvi che le mie vicende sono risultate di vantaggio al vangelo ¹³a tal punto che le mie catene per Cristo sono famose in tutto il pretorio e altrove, ¹⁴e molti fratelli, fiduciosi nel Signore a motivo della mia prigionia, con più fierezza annunciano, senza timore, la parola di Dio.
¹⁵Alcuni certo predicano il Cristo mossi da invidia e da spirito di parte, altri invece con buona disposizione; ¹⁶gli uni annunciano il Cristo per amore, ben sapendo che io sono

posto a difesa del vangelo, [17]gli altri invece per ambizione, con slealtà, immaginando di aumentare il peso delle mie catene. [18]Che me ne importa? Dopo tutto, o per pretesto o sinceramente, Cristo in ogni modo è annunciato. E di questo godo. Anzi, continuerò a godere: [19]so infatti che, grazie alla vostra preghiera e all'aiuto che mi darà lo Spirito di Gesù Cristo, *questo gioverà alla mia salvezza.* [20]Questo ardentemente attendo e spero: nulla mi farà arrossire, ma con tutta franchezza, anche al presente, come sempre, Cristo sarà glorificato nel mio corpo, sia ch'io viva, sia ch'io muoia. [21]Per me infatti vivere è Cristo e il morire un guadagno. [22]Perché, se continuare a vivere nella carne mi frutta lavoro, non so cosa scegliere. [23]Sono preso da due sentimenti: desidero andarmene ed essere col Cristo, e sarebbe preferibile; [24]ma continuare a vivere nella carne è più necessario per il vostro bene. [25]Persuaso di ciò, so che rimarrò e sarò accanto a tutti voi per il vostro progresso e la vostra gioia nella fede, [26]affinché il vostro vanto per me s'accresca in Cristo Gesù, col mio nuovo ritorno tra voi. [27]Soltanto, comportatevi in maniera degna del vangelo di Cristo; e sia che venga a vedervi, sia che resti lontano, oda dire di voi che persistete in un solo spirito, lottando unanimi per la fede del vangelo, [28]e che gli avversari non vi atterriscono per nulla: questo è un indizio sicuro, per loro di perdizione e per voi di salvezza, e ciò da parte di Dio, [29]poiché per riguardo al Cristo, a voi è stata concessa la grazia non solo di credere, ma anche di soffrire per lui, [30]affrontando la medesima lotta che vedeste da me sostenuta e che, come sapete, è tuttora in corso.

2 **Umiltà del cristiano e umiltà di Cristo.** - [1]Se dunque c'è un appello pressante in Cristo, un incoraggiamento ispirato dall'amore, una comunione di spirito, un cuore compassionevole, [2]ricolmatemi di gioia andando d'accordo, praticando la stessa carità con unanimità d'intenti, nutrendo i medesimi sentimenti. [3]Non fate niente per ambizione né per vanagloria, ma con umiltà ritenete gli altri migliori di voi; [4]non mirando ciascuno ai propri interessi, ma anche a quelli degli altri. [5]Coltivate in voi questi sentimenti che furono anche in Cristo Gesù:

[6] il quale, essendo per natura Dio,
non stimò un bene irrinunciabile
l'essere uguale a Dio,
[7] ma annichilì se stesso
prendendo natura di servo,
diventando simile agli uomini;
e apparso in forma umana
[8] si umiliò facendosi obbediente
fino alla morte
e alla morte in croce.
[9] Per questo Dio lo ha sopraesaltato
ed insignito di quel nome
che è superiore a ogni nome,
[10] affinché, nel nome di Gesù,
si pieghi ogni ginocchio,
degli esseri celesti,
dei terrestri e dei sotterranei
[11] *e ogni lingua proclami,*
che Gesù Cristo è Signore,
a gloria di *Dio* Padre.

Splendere come luci nel mondo. - [12]Così, o miei diletti, essendo stati sempre docili non solo quando ero presente, ma molto più ora che sono lontano da voi, con timore e tremore lavorate alla vostra salvezza. [13]È Dio infatti colui che suscita tra voi il volere e l'agire in vista dei suoi amabili disegni. [14]Fate tutto senza mormorazioni e contestazioni, [15]affinché siate irreprensibili e illibati, *figli di Dio immacolati in mezzo a una generazione tortuosa e sviata,* in seno alla quale voi brillate come astri nell'universo, [16]tenendo alta la parola di vita. Così potrò vantarmi per il giorno di Cristo perché non ho corso né faticato invano. [17]Ma anche se il mio sangue venisse versato sul sacrificio e l'offerta della vostra fede, io gioisco e godo con tutti voi; [18]allo stesso modo gioite anche voi e godete insieme a me.

Missione di Timoteo e di Epafrodito. - [19]Spero intanto nel Signore Gesù di inviarvi

1. - 20. Il cristiano, unito a Cristo con il battesimo e l'eucaristia, gli appartiene in anima e corpo. Ecco perché tutto ciò che riguarda il corpo, come sofferenza, prigionia o malattia, misticamente appartiene a Cristo stesso ed è a sua gloria.
2. - 5. Il più grande esempio lasciatoci da Gesù fu quello di una sublime carità, che lo portò a rinunciare a tutto, pur di poterci salvare.
6-11. Cristo era Dio prima ancora di essere uomo e, pur restando Dio, prese con l'incarnazione l'umile forma di mortale; della maestà di Dio, che gli era comune con il Padre, non se ne valse, come sarebbe stato nei suoi diritti, ma preferì annientarsi fino all'obbedienza della croce, per insegnarci l'umiltà e l'obbedienza.

ben presto Timoteo, affinché anch'io, informato sulla vostra situazione, possa essere di buon animo. [20]Non ho nessuno che abbia gli stessi suoi sentimenti, che realmente si preoccupi della vostra situazione. [21]Tutti infatti badano ai loro interessi e non a quelli di Cristo Gesù. [22]Voi conoscete la sua sperimentata virtù: come un figlio verso il padre, si è dedicato insieme a me al servizio del vangelo. [23]Spero d'inviare lui appena avrò visto la piega che prenderà la mia causa. [24]Ho fiducia nel Signore di venire presto io stesso. [25]Ho ritenuto necessario per ora mandare da voi Epafrodito, mio fratello, collaboratore e compagno d'armi, vostro inviato e assistente nelle mie necessità, [26]perché aveva un gran desiderio di tutti voi ed era afflitto perché avevate saputo della sua infermità. [27]Si ammalò infatti e poco mancò che morisse; ma Dio ebbe pietà di lui, e non solo di lui, ma anche di me; così non si accumularono le mie afflizioni. [28]Perciò ne ho anticipata la partenza, affinché, vedendolo, vi rallegriate di nuovo e io sia meno triste. [29]Accoglietelo dunque nel Signore con grande festa; onorate le persone come lui, [30]perché per l'opera di Cristo rischiò la morte, mettendo a repentaglio la sua vita per supplire al servizio che non potevate prestarmi voi.

La vera via della giustizia. - 3 [1]Infine, fratelli miei, rallegratevi nel Signore. Scrivervi gli stessi avvertimenti a me non dà fastidio, mentre a voi dà sicurezza. [2]Guardatevi dai cani; guardatevi dai cattivi operai; guardatevi dai falsi circoncisi. [3]I veri circoncisi siamo noi, che prestiamo culto secondo lo spirito e, glorificandoci in Cristo Gesù, non riponiamo la nostra fiducia nella carne, [4]quantunque io personalmente abbia di che confidare anche nella carne. Se qualcuno ritiene di riporre la sua fiducia nella carne, io a maggior ragione: [5]circonciso all'ottavo giorno, della stirpe d'Israele, della tribù di Beniamino, ebreo figlio di Ebrei; quanto alla legge, fariseo, [6]quanto a zelo, persecutore

della chiesa, quanto alla giustizia legale, irreprensibile. [7]Ma per il Cristo ho giudicato una perdita tutti questi miei vantaggi. [8]Anzi, li giudico tuttora una perdita a paragone della sublime conoscenza di Cristo Gesù, mio Signore, per il cui amore ho accettato di perderli tutti, valutandoli rifiuti, per guadagnare Cristo [9]ed essere in lui – non con una mia giustizia che viene dalla legge, ma con quella che si ha dalla fede di Cristo, quella giustizia cioè che viene da Dio e si fonda sulla fede – [10]e per conoscere lui con la potenza della sua risurrezione e la partecipazione alle sue sofferenze, trasformandomi in un'immagine della sua morte, [11]per giungere, in qualche modo, a risorgere dai morti.

Esortazione alla perfezione. - [12]Non che io sia già arrivato alla mèta o sia già in uno stato di perfezione, ma mi sforzo nel tentativo di afferrarla, perché anch'io sono stato afferrato da Cristo Gesù. [13]Fratelli, io non pretendo di averla già afferrata; questo dico: dimenticando il passato e protendendomi verso l'avvenire, [14]mi lancio verso la mèta, al premio della celeste chiamata di Dio in Cristo Gesù. [15]Quanti dunque siamo perfetti, coltiviamo questi pensieri; se poi in qualche cosa pensate diversamente, Dio vi rivelerà anche questo. [16]Se non che al punto in cui siamo giunti, continuiamo sulla stessa linea.

Sulla scia dell'Apostolo. - [17]Imitate me, fratelli, e fissate la vostra attenzione su coloro che si comportano secondo il modello che avete in noi. [18]Perché molti, dei quali spesso vi ho parlato e ora ve ne riparlo piangendo, si comportano da nemici della croce di Cristo; [19]la loro fine è la perdizione, il loro dio è il ventre, il loro vanto è il disonore; essi hanno in mente i beni della terra. [20]Noi però siamo cittadini del cielo, da dove attendiamo anche, come salvatore, il Signore Gesù Cristo, [21]che trasformerà il nostro misero corpo per uniformarlo al suo corpo glorioso, in virtù del potere che ha di sottomettere a sé tutto l'universo.

4 [1]Pertanto, miei fratelli diletti e desiderati, mio gaudio e mia corona, perseverate così nel Signore, o diletti.

Ultimi consigli. - [2]Raccomando a Evodia ed esorto Sintiche a vivere in buona armo-

----

3. - 11. *Risorgere dai morti*: parla non della risurrezione universale, ma di quella dei giusti, che li separerà dai cattivi, i veri morti, e li introdurrà alla vera vita, quella eterna, con Cristo Gesù.

13. Dice di non aver toccato la mèta, cioè di non essere arrivato ancora alla perfezione cristiana, ma di sforzarsi continuamente di raggiungere Cristo.

nia nel Signore. ³Prego caldamente anche te, o sincero Sizigo, di aiutarle, perché hanno strenuamente lottato con me, per il vangelo, insieme a Clemente e ai restanti miei collaboratori, i cui nomi sono scritti nel libro della vita.

⁴Siate sempre allegri nel Signore. Ve lo ripeto: siate allegri. ⁵La vostra amabilità sia conosciuta da tutti gli uomini. Il Signore è vicino. ⁶Non angustiatevi in nulla, ma in ogni necessità, con la supplica e con la preghiera di ringraziamento, manifestate le vostre richieste a Dio. ⁷Allora la pace di Dio, che sorpassa ogni preoccupazione umana, veglierà, in Cristo Gesù, sui vostri cuori e sui vostri pensieri.

⁸Per il resto, fratelli, quanto c'è di vero, nobile, giusto, puro, amabile, lodevole; quanto c'è di virtuoso e merita plauso, questo attiri la vostra attenzione. ⁹Mettete in pratica quello che avete imparato, ricevuto, udito e visto in me. E il Dio della pace sarà con voi.

Ringraziamento per gli aiuti ricevuti. - ¹⁰Mi sono molto rallegrato nel Signore a vedere finalmente rifiorire i vostri sentimenti per me; certamente li coltivavate anche prima, ma vi mancava l'occasione. ¹¹Io non parlo spinto dal bisogno: ho imparato infatti a bastare a me stesso in qualunque condizione mi trovi. ¹²So privarmi ed essere nell'abbondanza. In ogni tempo e in tutti i modi, sono stato iniziato ad essere sazio e a soffrire la fame, a vivere nell'agiatezza e nelle privazioni. ¹³Tutto posso in Colui che mi dà forza. ¹⁴Ciò nonostante avete fatto bene a condividere le mie tribolazioni. ¹⁵Proprio voi, Filippesi, sapete che all'inizio dell'evangelizzazione, quando lasciai la Macedonia, nessuna chiesa aprì un conto con me di dare e di ricevere, eccetto voi soli, ¹⁶e che una o due volte, mentre ero a Tessalonica, avete provveduto alle mie necessità. ¹⁷Io non cerco il dono; cerco piuttosto il frutto che si accresce sul vostro conto. ¹⁸Ricevo tutto e sto nell'abbondanza: sono ricolmo avendo avuto da Epafrodito i vostri doni, *profumo soave*, sacrificio gradito, che piace a Dio. ¹⁹Il mio Dio soddisferà ogni vostro bisogno in proporzione della sua ricchezza, in Cristo Gesù. ²⁰A Dio e Padre nostro gloria nei secoli dei secoli. Amen.

Saluti finali ed epilogo. - ²¹Salutate ciascun santo in Cristo Gesù; vi salutano i fratelli che sono con me. ²²Vi salutano tutti i santi, in modo particolare quelli della casa di Cesare. ²³La grazia del Signore Gesù Cristo sia col vostro spirito.

LETTERA AI COLOSSESI

P *robabilmente san Paolo non è mai stato di persona a Colosse, una cittadina non molto distante da Efeso. Il vangelo vi era stato portato da Epafra (Col 1,7; 4,12-13), un collaboratore di Paolo e forse abitante di quella città.*
A Colosse falsi maestri andavano diffondendo dottrine singolari e misteriose. Dai pochi accenni che ne fa la lettera sembra trattarsi dei soliti «giudaizzanti» che propagavano teorie riguardanti potenze celesti, esseri angelici e non meglio definiti elementi del cosmo, inducendo i fedeli a non meglio precisati culti di angeli e a pratiche di tipo giudaico. L'Apostolo nella sua lettera non discute tali speculazioni. Per il cristiano non hanno senso; ora al vertice di tutto sta Cristo: la sua supremazia sull'universo e sulla storia non conosce concorrenti. Egli è l'unico mediatore di salvezza per l'uomo, che non ha bisogno di altre potenze per raggiungerla, ed è il capo della chiesa che coordina e guida come suo corpo.
La lettera non sembra di pugno di Paolo, ma appartiene alla cerchia dei suoi discepoli; si può facilmente ipotizzare la presenza di un discepolo che ne sia stato il redattore.
Il contenuto e la struttura si dispongono in due parti. A un esordio (1,1-14) segue una parte dottrinale (1,15 - 2,23), in cui si enuncia il primato universale di Cristo e si mette in guardia dai falsi maestri. Viene poi una parte esortativa e morale con l'invito a vivere la vita nuova di Cristo, a rivestire l'uomo nuovo, con l'aggiunta di raccomandazioni di vita domestica e altre di carattere generale (3,1 - 4,6); seguono come conclusione notizie personali e alcune raccomandazioni (4,7-18).

CRISTO MEDIATORE UNICO DI SALVEZZA

1 **Indirizzo.** - [1]Paolo, apostolo di Cristo Gesù per volere di Dio, e il fratello Timoteo, [2]ai santi di Colosse, fedeli fratelli in Cristo. Grazia e pace a voi da Dio, Padre nostro.

Ringraziamento a Dio. - [3]Noi ringraziamo costantemente Dio, Padre del Signore nostro Gesù Cristo, pregando per voi, [4]perché siamo stati informati della vostra fede in Cristo Gesù e dell'amore che praticate verso tutti i santi [5]a motivo della speranza che vi è riservata in cielo. Di questa avete udito l'annuncio mediante la parola di verità, il vangelo, [6]a voi giunto, e come in tutto il mondo sta dando frutti e sviluppandosi, così anche tra voi fin dal giorno nel quale udiste e conosceste la grazia di Dio nella verità. [7]Questo apprendeste da Epafra, no-stro diletto compagno di servizio e fedele ministro di Cristo in vece nostra; [8]egli ci ha informati del vostro amore nello Spirito.

Preghiera. - [9]Perciò anche noi, dal giorno in cui ne fummo informati, non tralasciamo di pregare per voi e di chiedere che vi sia concesso di conoscere perfettamente la sua volontà con ogni speranza e intelligenza spirituale, [10]per comportarvi in maniera degna del Signore e piacergli in tutto, dando frutti in ogni genere di opera buona e crescendo nella piena conoscenza di Dio, [11]irrobustiti con ogni vigore, secondo la potenza della sua gloria, per tutto sopportare con perseveranza e magnanimità, [12]ringraziando con gioia il Padre, che ci ha fatti capaci di partecipare alla sorte dei santi nella luce. [13]Egli ci ha strappati dal dominio delle tenebre e ci ha trasferiti nel regno del suo amato Figlio, [14]nel quale abbiamo la redenzione, il perdono dei peccati.

Persona e opera del Cristo

[15] Egli è l'immagine del Dio invisibile,
Primogenito di tutta la creazione;
[16] poiché in lui sono stati creati
tutti gli esseri
nei cieli e sulla terra,
i visibili e gli invisibili:
Troni, Signorie, Prìncipi, Potenze.
Tutte le cose sono state create
per mezzo di lui e in vista di lui;
[17] egli esiste prima di tutti loro
e tutti in lui hanno consistenza.
[18] È anche il capo del corpo,
cioè della chiesa;
egli è principio,
primogenito dei risuscitati,
così da primeggiare in tutto,
[19] poiché piacque a tutta la pienezza
di risiedere in lui
[20] e di riconciliarsi, per suo mezzo,
tutti gli esseri
della terra e del cielo,
facendo la pace
mediante il sangue della sua croce.

[21]E voi, che un tempo con le opere malvagie eravate stranieri e ostili per il modo di pensare, [22]ora, mediante la sua morte, siete stati riconciliati nel suo corpo mortale per presentarvi santi, integri e irreprensibili davanti a lui, [23]purché perseveriate saldamente fondati sulla fede e irremovibili nella speranza del vangelo che avete udito, il quale è predicato a ogni creatura che è sotto il cielo e del quale io, Paolo, sono divenuto ministro.

Ministero di Paolo. - [24]Ora io gioisco nelle sofferenze che sopporto per voi, e completo nel mio corpo ciò che manca dei patimenti del Cristo per il suo corpo, che è la chiesa, [25]della quale sono divenuto ministro, in conformità al compito che Dio mi ha affidato a vostro riguardo, per realizzare la parola di Dio, [26]il mistero che, nascosto ai secoli eterni e alle generazioni passate, ora è svelato ai suoi santi. [27]A questi Dio volle far conoscere quale fosse la splendida ricchezza di questo mistero tra i gentili: Cristo in voi, la speranza della gloria. [28]Lui noi annunciamo, ammonendo ogni uomo e istruendo ognuno in ogni saggezza, per rendere ciascun uomo perfetto in Cristo. [29]A questo scopo mi

affatico, battendomi con quella energia che egli sviluppa con potenza in me.

2 [1]Voglio infatti informarvi di quale dura lotta affronto per voi e per quelli di Laodicea e per quanti non mi hanno visto di persona, [2]affinché i loro cuori siano confortati, uniti strettamente nell'amore e protesi verso una ricca e perfetta intelligenza, verso una profonda conoscenza del mistero di Dio, Cristo, [3]nel quale sono nascosti tutti i tesori della sapienza e conoscenza. [4]Dico questo, affinché nessuno vi seduca con argomenti speciosi. [5]Se infatti con il corpo sono lontano, con lo spirito sono con voi e vedo con gioia la vostra disciplina e la vostra saldezza nella fede per Cristo.

Pienezza di vita in Cristo. - [6]Come dunque avete ricevuto il Cristo Gesù, il Signore, in lui continuate a vivere, [7]radicati e sopraelevati su di lui e consolidati nella fede come siete stati istruiti, abbondando in ringraziamenti. [8]Badate che nessuno vi faccia sua preda con la "filosofia", questo fatuo inganno che si ispira alle tradizioni umane, agli elementi del mondo e non a Cristo, [9]poiché è in lui che dimora corporalmente tutta la pienezza della divinità, [10]e voi siete stati riempiti in lui, che è il capo di ogni principio e potenza; [11]in lui inoltre siete stati circoncisi di una circoncisione non operata dall'uomo, ma nella spoliazione del corpo carnale, nella circoncisione del Cristo. [12]Sepolti con lui nel battesimo, in lui siete stati anche risuscitati in virtù della fede nella potenza di Dio che lo ha ridestato da morte. [13]Proprio voi, che eravate morti per le trasgressioni e l'incirconcisione della vostra carne, Dio ha richiamato in vita con lui condonandoci tutti i falli; e, [14]annullando le nostre obbligazioni dalle clausole a noi

---

1. - 19-20. In Gesù, per l'unione della natura umana con quella divina nell'unica persona del Verbo, abita la *pienezza* dell'essenza divina e di tutti i doni soprannaturali.

2. - 2. *Il mistero di Dio* è il progetto di chiamare tutti gli uomini alla salvezza e alla gloria celeste mediante l'incorporazione a Cristo. Paolo esulta per essere stato chiamato ad annunziare il misericordioso piano di Dio.

14. *Obbligazioni dalle clausole a noi svantaggiose*: era il debito contratto con la giustizia divina, a causa delle prescrizioni (legali o naturali) della legge di Dio non osservate. Dio distrusse questa obbligazione, che equivaleva a un decreto di condanna, inchiodandola alla croce su cui morì per noi il Redentore.

svantaggiose, le ha soppresse inchiodandole alla croce. [15]Egli, spogliati i Prìncipi e le Potenze, ne fece pubblico spettacolo, dopo aver trionfato su di loro per suo tramite.

Falsa ascesi. - [16]Pertanto, nessuno vi recrimini per cibi, bevande o in materia di festa annuale o di novilunio o di settimane, [17]che sono ombra delle cose avvenire, mentre la realtà è il corpo del Cristo. [18]Nessuno arbitrariamente vi defraudi, compiacendosi in pratiche di poco conto e nel culto degli angeli, indagando su ciò che ha visto, scioccamente inorgoglito dalla sua mentalità carnale [19]e staccato dal capo, dal quale tutto il corpo, ricevendo nutrimento e coesione attraverso le giunture e i legamenti, realizza la crescita di Dio. [20]Se siete morti con Cristo agli elementi del mondo, perché, come se viveste nel mondo, vi sottomettete a prescrizioni quali: [21]«Non prendere! Non gustare! Non toccare!»? [22]Sono tutte cose destinate a logorarsi con l'uso, essendo precetti e insegnamenti umani. [23]Hanno reputazione di saggezza a motivo della loro affettata religiosità, umiltà e austerità verso il corpo, ma sono prive di ogni valore, perché saziano la carne.

ORIENTAMENTI DI VITA CRISTIANA

3 **La nuova vita in Cristo.** - [1]Se dunque siete risorti col Cristo, cercate le cose di lassù dove è il Cristo, assiso alla destra di Dio; [2]pensate alle cose di lassù, non a quelle della terra; [3]voi infatti siete morti e la vostra vita è nascosta con Cristo in Dio. [4]Quando il Cristo, nostra vita, apparirà, allora anche voi apparirete con lui rivestiti di gloria.

[5]Fate dunque morire le membra terrene: fornicazione, impurità, libidine, desideri sfrenati e l'avidità di guadagno, che è poi idolatria; [6]per questi vizi piomba l'ira di Dio. [7]Anche voi un tempo li praticaste, quando di loro vivevate. [8]Ora però banditeli tutti anche voi: collera, escandescenze, cattiveria, maldicenza, ingiurie che escono dalla vostra bocca. [9]Non mentitevi a vicenda, poiché vi siete spogliati dell'uomo vecchio e del suo modo di agire [10]e vi siete rivestiti del nuovo, che si rinnova per una più piena conoscenza, a immagine di colui che lo ha creato: [11]in questa condizione non c'è più

greco o giudeo, circonciso o incirconciso, barbaro o scita, schiavo o libero, ma Cristo, tutto e in tutti.

[12]Voi dunque, come eletti di Dio, santi e amati, vestitevi di tenera compassione, di bontà, di umiltà, di mitezza, di longanimità, [13]sopportandovi a vicenda e perdonandovi se avviene che uno si lamenti di un altro: come il Signore vi ha perdonato, così fate anche voi; [14]sopra tutto ciò, rivestitevi di carità, che è il vincolo della perfezione. [15]E la pace del Cristo, alla quale siete stati chiamati in un solo corpo, regni sovrana nei vostri cuori; e siate riconoscenti. [16]La parola del Cristo abiti in voi con tutta la sua ricchezza; istruitevi e consigliatevi reciprocamente con ogni sapienza; con salmi, inni e cantici ispirati cantate a Dio nei vostri cuori con gratitudine; [17]e qualunque cosa possiate dire o fare, agite sempre nel nome del Signore Gesù, ringraziando Dio Padre per mezzo di lui.

Doveri sociali della nuova vita. - [18]Donne, siate sottomesse ai vostri mariti, come conviene nel Signore. [19]Mariti, amate le vostre donne e non siate indisponenti verso di loro. [20]Figli, obbedite ai vostri genitori in tutto, perché è gradito nel Signore. [21]Padri, non provocate i vostri figli, perché non si perdano di coraggio.

[22]Schiavi, obbedite ai vostri padroni terreni in tutto, non solo sotto i loro sguardi, perché volete piacere a uomini, ma con cuore semplice, perché temete il Signore. [23]Qualunque cosa facciate, agite con cuore come per il Signore e non per gli uomini, [24]sapendo che riceverete dal Signore come ricompensa l'eredità. Servite al Signore Cristo! [25]Certo, chi commetterà ingiustizie riceverà la ricompensa della sua ingiustizia, e non c'è riguardo alla persona.

4 [1]Padroni, date ai servi il giusto e l'onesto, sapendo che anche voi avete un padrone in cielo.

Ultime raccomandazioni. - [2]Perseverate nella preghiera e vegliate in essa con riconoscenza; [3]pregate anche per noi, affinché Dio ci apra una porta alla parola, per predicare il mistero del Cristo, a causa del quale sono prigioniero, [4]in modo che lo manifesti predicando come si conviene. [5]Comportatevi saggiamente con gli estranei cogliendo le occasioni opportune. [6]Il vostro discorso sia sempre pieno di grazia, condito con sale, in modo da saper come rispondere a ciascuno.

Notizie e saluti. - [7]Su quanto mi riguarda vi informerà Tichico, diletto fratello, fedele ministro e mio compagno nel Signore. [8]Ve lo mando perché vi metta al corrente della nostra situazione e consoli i vostri cuori, [9]insieme con Onesimo, fedele e diletto fratello, che è dei vostri: vi informeranno di tutte le cose di qua.

[10]Vi salutano Aristarco, mio compagno di prigionia, e Marco, cugino di Barnaba – nei cui riguardi avete ricevuto istruzioni; se venisse da voi, accoglietelo bene –, [11]e Gesù detto Giusto. Di quelli che vengono dalla circoncisione, questi sono gli unici che collaborano con me al regno di Dio: furono loro il mio unico conforto. [12]Vi saluta Epafra, vostro concittadino, servo di Cristo Gesù; egli lotta continuamente per voi nelle sue preghiere affinché stiate saldi, perfetti e sinceramente dediti a compiere la volontà di Dio. [13]Infatti attesto che si preoccupa molto di voi, di quelli di Laodicea e di Gerapoli. [14]Vi salutano Luca, il caro medico, e Dema. [15]Salutate i fratelli di Laodicea, Ninfa con la chiesa che si raduna in casa sua. [16]Quando avrete letto questa lettera, fatela leggere anche nella chiesa di Laodicea; anche voi leggete quella che riceverete da Laodicea. [17]Dite ad Archippo: bada di compiere bene il ministero che hai ricevuto nel Signore.

[18]Il saluto è di mia propria mano, di me, Paolo. Ricordatevi delle mie catene. La grazia sia con voi.

PRIMA LETTERA AI TESSALONICESI

La prima lettera ai Tessalonicesi è quasi certamente lo scritto più antico del Nuovo Testamento, potendosi datare nell'anno 50, pochi mesi dopo che Paolo, Sila e Timoteo avevano portato il vangelo a Tessalonica, durante la seconda spedizione missionaria. La lettura del c. 2 di questa lettera rivela quale tensione spirituale, quanto ardore, delicatezza d'animo e interiore trasporto animassero i primi evangelizzatori. Uno dei pregi maggiori di questa lettera sta proprio nell'essere un documento diretto e immediato, redatto da un protagonista, della prima missione cristiana nel mondo greco-romano.

Paolo ha dovuto interrompere l'evangelizzazione di Tessalonica perché gli Ebrei gli hanno messo contro i politarchi della città (cfr. At 17,5-10). Timoteo, inviato da Paolo a visitare la comunità di Tessalonica, raggiunse l'Apostolo a Corinto recando buone notizie: la comunità aveva retto bene alla prova, la sua fede, carità e speranza – trinomio emblematico dell'essere cristiano, che compare qui per la prima volta e già come dato ovvio e qualificante – si mantengono ben salde. La lettera presenta quindi il carattere di una gioiosa ripresa di contatto, condita da qualche ammonimento. Paolo si congratula per la buona prova di vita cristiana (1,1-10), rievoca il tempo fervido dell'evangelizzazione e delle prove trascorse (2,1-17) e la sua preoccupazione per i suoi figli spirituali (2,17 - 3,13).

A questo punto vengono richiamati alcuni punti di catechesi: la necessaria santificazione della vita (4,1-8), l'amore fraterno (4,9-12), la sorte di quelli che sono morti prima del ritorno di Cristo (4,13 - 5,10) e una sintesi di condotta cristiana (5,11-28).

1

Indirizzo. - [1]Paolo, Silvano e Timoteo alla chiesa dei Tessalonicesi, in Dio Padre e nel Signore Gesù Cristo, grazia a voi e pace.

Elezione e vocazione dei Tessalonicesi. - [2]Rendiamo grazie a Dio sempre per tutti voi, ricordandovi nelle nostre orazioni, [3]avendo incessantemente presente, davanti a Dio e nostro Padre, l'opera della vostra fede, lo sforzo della vostra carità, la fermezza della vostra speranza, nel Signore nostro Gesù Cristo. [4]Conosciamo, o fratelli amati da Dio, la vostra elezione, [5]poiché il nostro vangelo non è giunto a voi soltanto a parole ma anche con potenza, con effusione dello Spirito Santo e con piena convinzione. Sapete infatti come ci siamo comportati in mezzo a voi per il vostro bene. [6]E voi siete diventati imitatori nostri e del Signore, accogliendo la parola in mezzo a molta tribolazione con gioia di Spirito Santo, [7]sì da divenire voi esempio a tutti i credenti in Macedonia e in Acaia. [8]Da voi, infatti, la parola del Signore è risuonata non solo in Macedonia ed in Acaia, ma in ogni luogo si è diffusa la fama della vostra fede in Dio, tanto da non avere noi bisogno di parlare. [9]Gli stessi abitanti, infatti, raccontano di noi, quale accoglienza abbiamo avuto da voi e come vi siete convertiti a Dio dagli idoli, per servire il Dio vivo e vero, [10]e per aspettare dai cieli il suo Figlio, che egli risuscitò dai morti, Gesù, che ci libera dall'ira che viene.

2

Comportamento dei missionari. - [1]Voi stessi sapete, fratelli, che la nostra venuta tra voi non fu vana, [2]ma, dopo aver prima sofferto ed essere stati insultati a Filippi, come siete a conoscenza, abbiamo preso l'ardire in Dio nostro di annunziare a voi il vangelo di Dio in mezzo a molti ostacoli. ³La nostra esortazione non è dettata da errore, né da malafede, né da inganno, ⁴ma, come siamo stati fatti degni da Dio di essere incaricati del vangelo, così parliamo, non per piacere agli uomini, ma a Dio che scruta i nostri cuori. ⁵Giammai, infatti, siamo ricorsi a parole di adulazione, come sapete; né a pretesti ispirati da interesse: Dio è testimone; ⁶neppure abbiamo cercato dagli uomini la gloria, né da voi né da altri; ⁷pur potendo essere di peso, come apostoli di Cristo, siamo stati al contrario affabili con voi: come una madre che cura premurosamente i suoi figli, ⁸così noi, desiderandovi ardentemente, eravamo disposti a comunicarvi non solo il vangelo di Dio ma la nostra stessa vita, tanto ci eravate diventati cari. ⁹Voi ricordate, infatti, o fratelli, le nostre fatiche e i nostri stenti: lavorando giorno e notte per non essere di peso a nessuno di voi, vi abbiamo predicato il vangelo di Dio. ¹⁰Voi siete testimoni, e lo è Dio stesso, come in maniera pura, giusta e irreprensibile siamo stati con voi che avevate creduto, ¹¹così anche sapete che, come un padre fa con ciascuno dei suoi figli, ¹²vi abbiamo esortato, incoraggiato e scongiurato a camminare in maniera degna di Dio, che vi chiama al suo regno e alla sua gloria.

Accoglienza del messaggio evangelico. - ¹³Perciò noi non cessiamo di ringraziare Dio perché, ricevendo dalla nostra voce la parola di Dio, l'avete accolta non come parola di uomini ma come è realmente, parola di Dio, la quale è potenza in voi che credete. ¹⁴Infatti voi, o fratelli, siete diventati imitatori delle chiese di Dio che sono nella Giudea, in Cristo Gesù; poiché voi pure avete sofferto le stesse persecuzioni da parte dei vostri compatrioti, come quelle da parte dei Giudei, ¹⁵i quali uccisero il Signore Gesù e i profeti e perseguitarono noi: essi non piacciono a Dio e sono nemici a tutti gli uomini; ¹⁶e ci impediscono di predicare alle genti affinché si salvino, per riempire sempre più la *misura dei loro peccati.* Ma l'ira è giunta su di essi per la fine.

Nostalgia di Paolo per i Tessalonicesi. - ¹⁷Ma noi, o fratelli, orfani di voi per breve tempo, con la presenza, non con il cuore, ci siamo con estrema premura preoccupati di rivedere il vostro volto. ¹⁸Proprio per questo avevamo deciso di venire da voi, io Paolo una prima e una seconda volta, ma Satana ce lo ha impedito. ¹⁹Chi, infatti, è la nostra speranza, la nostra gioia e la nostra corona di gloria davanti al Signore nostro Gesù Cristo, alla sua parusia, se non proprio voi? ²⁰Voi, certo, siete la gloria e la gioia nostra.

3 Missione di Timoteo. - ¹Perciò, non potendo più resistere, abbiamo preferito rimanere in Atene soli ²e inviare Timoteo, fratello nostro e collaboratore di Dio nel vangelo di Cristo, per confermarvi ed esortarvi nella vostra fede, ³affinché nessuno sia sconvolto in queste tribolazioni. Voi stessi ben sapete che a questo siamo destinati. ⁴Quando, infatti, eravamo fra voi, vi predicevamo che avremmo dovuto subire tribolazioni, come è accaduto e voi sapete. ⁵Perciò, non potendo più resistere, mandai a prendere notizie della vostra fede, nel dubbio che il seduttore vi avesse tentato e che vana fosse stata la nostra fatica. ⁶Proprio ora Timoteo da voi è tornato a noi e ci ha portato buone notizie sulla vostra fede, sulla vostra carità, sul buon ricordo che sempre conservate di noi, desiderando ardentemente di rivederci, come noi desideriamo rivedere voi. ⁷Così, fratelli, abbiamo trovato in voi conforto in ogni avversità e tribolazione, a motivo della vostra fede. ⁸Ora sì che noi viviamo, poiché voi state saldi nel Signore. ⁹Quale azione di grazie, dunque, possiamo rendere a Dio per voi, a motivo di tutta la gioia che godiamo a causa vostra innanzi al nostro Dio? ¹⁰Notte e giorno insistentemente preghiamo di rivedere la vostra faccia e colmare ciò che manca alla vostra fede. ¹¹Che lo stesso Dio e Padre nostro, e il Signore nostro Gesù, ci spianino la via verso di voi. ¹²Il Signore poi vi faccia crescere e sovrabbondare nell'amore scambievole e verso tutti, come anche noi sentiamo verso voi, ¹³affinché confermi i vo-

---

2. - 16. Anche il popolo dell'alleanza con Dio, impedendo e ostacolando l'opera di evangelizzazione, si pone contro i disegni di Dio e si incammina verso la distruzione che si compirà nel 70 d.C.

17. *Orfani*: è una parola che dice tutto l'affetto di Paolo per i suoi figli: come un padre o una madre privati della loro prole, così egli si trova in uno stato di smarrimento e sospira ardentemente di riabbracciare i *fratelli* nella fede.

stri cuori irreprensibili nella santità davanti a Dio nostro Padre, nella venuta del Signore nostro Gesù *con tutti i suoi santi.*

4 **Santità e purezza cristiana.** - [1]Per il resto, fratelli, vi preghiamo e supplichiamo nel Signore Gesù Cristo: come avete appreso da noi il modo di vivere e di piacere a Dio e come già vivete, così progredite sempre più. [2]Voi sapete quali prescrizioni vi abbiamo dato nel Signore Gesù. [3]Questa infatti è la volontà di Dio: la vostra santificazione; che vi asteniate dall'impudicizia, [4]che ciascuno di voi sappia tenere il proprio corpo in santità e onore, [5]non abbandonandosi alle passioni come fanno i pagani *che non conoscono Dio.* [6]Nessuno fuorvii e defraudi, in questa materia, il proprio fratello, poiché il Signore è *vindice* di ciò, come già vi abbiamo detto e testimoniato. [7]Dio infatti non ci ha chiamati all'impurità ma alla santità. [8]Pertanto chi disprezza questi precetti non disprezza un uomo, ma Dio, che *dona a voi il suo Santo Spirito.*

Carità fraterna e laboriosità. - [9]Quanto all'amore fraterno non avete bisogno che ve ne scriviamo, perché voi stessi avete imparato da Dio ad amarvi scambievolmente, [10]e lo fate verso tutti i fratelli dell'intera Macedonia. Vi esortiamo, fratelli, a progredire maggiormente, [11]a studiarvi di vivere tranquilli, ad attendere ai vostri negozi, a lavorare con le vostre mani, come vi abbiamo raccomandato, [12]in modo che vi comportiate con onore di fronte a quelli di fuori e non abbiate bisogno di alcuno.

La sorte dei defunti. - [13]Non vogliamo lasciarvi nell'ignoranza, o fratelli, riguardo a quelli che dormono, affinché voi non siate afflitti come gli altri che non hanno speranza. [14]Se infatti crediamo che Gesù è morto ed è risuscitato, così Dio riunirà con lui anche quanti si sono addormentati in Gesù. [15]Questo infatti vi diciamo sulla parola del Signore: che noi, i viventi, i superstiti, non precederemo nella venuta del Signore quelli che si sono addormentati. [16]Poiché il Signore stes-

so, al segnale dato dalla voce dell'arcangelo, dalla tromba di Dio, discenderà dal cielo e i morti che sono in Cristo risorgeranno per primi. [17]Quindi noi, i viventi, i superstiti, insieme con essi saremo rapiti sulle nubi per incontrare il Signore nell'aria. E così saremo sempre col Signore. [18]Pertanto consolatevi gli uni gli altri con queste parole.

5 **Il tempo della parusia.** - [1]Circa il tempo e l'ora, o fratelli, non avete bisogno che ve ne scriviamo. [2]Voi stessi infatti sapete perfettamente che il giorno del Signore arriva come un ladro di notte. [3]Quando diranno: *Pace e sicurezza*, allora improvvisamente precipiterà su di essi la rovina, come i dolori del parto sulla donna incinta; e non sfuggiranno.

Attesa dell'ora. - [4]Ma voi, fratelli, non siete nelle tenebre, così che quel giorno vi sorprenda come un ladro; [5]infatti voi siete tutti figli della luce e figli del giorno: non siamo né della notte né delle tenebre. [6]Pertanto non dormiamo come gli altri, ma vegliamo e siamo temperanti. [7]Quelli che dormono, dormono di notte e quelli che si inebriano, si inebriano di notte. [8]Noi, invece, che siamo del giorno, siamo sobri, *rivestiti con la corazza* della fede e della carità, avendo per *elmo* la speranza *della salvezza.* [9]Dio non ci ha destinati all'ira, ma all'acquisto della salute per mezzo del Signore nostro Gesù Cristo, [10]il quale è morto per noi, affinché, sia che vegliamo sia che ci addormentiamo, con lui viviamo. [11]Perciò consolatevi gli uni gli altri, edificandovi scambievolmente, come già fate.

Esigenze comunitarie. - [12]Vi preghiamo, fratelli, di apprezzare quelli che faticano in mezzo a voi e vi presiedono nel Signore e vi ammoniscono: [13]stimateli sommamente nella carità, a causa della loro opera. Vivete in pace tra voi stessi. [14]Vi esortiamo, fratelli, correggete gli indisciplinati, incoraggiate i pusillanimi, sostenete i deboli, usate pazienza con tutti. [15]Guardate che nessuno renda a un altro male per male, piuttosto studiate sempre di fare il bene gli uni agli altri e a tutti. [16]Siate sempre lieti. [17]Pregate senza interruzione. [18]Rendete grazie in ogni cosa: questa è la volontà di Dio a vostro riguardo,

---

4. - 4. *Corpo*: proprio o della moglie, secondo il duplice significato che può avere la parola greca qui tradotta con *corpo* e che di per sé significa «vaso».

1Ts

in Gesù Cristo. [19]Non spegnete lo Spirito. [20]Non disprezzate le profezie. [21]Esaminate ogni cosa: ritenete ciò che è buono. [22]Tenetevi lontano da ogni sorta di male.

Conclusione. - [23]Egli stesso, il Dio della pace, vi santifichi totalmente e tutto il vostro essere, spirito, anima e corpo, siano custoditi irreprensibili per la parusia del Signore nostro Gesù Cristo. [24]Fedele è Colui che vi chiama; egli porterà tutto a compimento. [25]Fratelli, pregate anche per noi. [26]Salutate tutti i fratelli con un bacio santo. [27]Vi scongiuro nel Signore che questa lettera sia letta a tutti i fratelli. [28]La grazia del Signore nostro Gesù Cristo sia con voi.

SECONDA LETTERA AI TESSALONICESI

L a seconda lettera ai Tessalonicesi dev'essere stata scritta non molto tempo dopo la prima, con ogni probabilità da Corinto, nell'anno 51. Paolo è stato informato che i cristiani di Tessalonica sono sempre in stato di persecuzione e inoltre ha due motivi di preoccupazione: v'è chi, appellandosi a qualche espressione dell'Apostolo, forse della lettera precedente, ha cominciato a insegnare che la fine della storia è ormai giunta e che la parusia, o venuta di Gesù nella gloria, è imminente; altri, invece di lavorare, secondo l'insegnamento e l'esempio di Paolo, continuano lo stile di vita oziosa e indisciplinata che tenevano prima della conversione, campando di espedienti, sfruttando la carità e la beneficenza dei fratelli di fede. Da qui l'intervento dell'Apostolo, breve ma autorevole e alquanto risentito. Affinità e diversità di tono e di stile tra le due lettere ai Tessalonicesi hanno indotto alcuni studiosi a sollevare obiezioni circa l'autenticità paolina di questa lettera, ma sembrano più forti le ragioni a favore: anche in questo caso la stesura della lettera dev'essere opera d'un discepolo-redattore, ma resta significativo l'intervento autografo che si legge alla fine: «Il saluto è di mia mano, di Paolo… Così io scrivo» (3,17). Il contenuto della lettera si può ripartire nel modo seguente: inizia con un'esortazione a perseverare nella persecuzione (1,3-12); segue un'istruzione, per noi oscura, su ciò che vieta di ritenere che la parusia sia imminente (2,1-12); segue un'esortazione a perseverare (2,13 - 3,5); e infine la nota di biasimo per gli oziosi e gli sregolati (3,6-15).

1

Indirizzo. - ¹Paolo, Silvano e Timoteo alla chiesa dei Tessalonicesi, in Dio nostro Padre e nel Signore Gesù Cristo: ²sia a voi grazia e pace da parte di Dio Padre e del Signore Gesù Cristo.

Il giudizio di Dio conforto nella persecuzione. - ³Dobbiamo rendere grazie a Dio in ogni momento per voi, fratelli, come è giusto, poiché la vostra fede cresce oltremodo e la carità di ciascuno di voi verso gli altri sovrabbonda, ⁴tanto da gloriarci noi stessi di voi davanti alle chiese di Dio, per la vostra perseveranza e la vostra fede in tutte le persecuzioni e tribolazioni che sopportate: ⁵indice del giusto giudizio di Dio in cui siete stimati degni del regno di Dio, per il quale anche soffrite. ⁶È infatti giusto da parte di Dio contraccambiare tribolazioni a quelli che vi affliggono ⁷e sollievo a voi, tribolati insieme a noi, quando verrà la manifestazione del Signore Gesù dal cielo insieme con gli angeli della sua potenza, ⁸*nel fuoco*

ardente, che *farà vendetta* su quanti *non vogliono riconoscere Dio* né *ubbidire* al vangelo del Signore nostro Gesù. ⁹Costoro saranno puniti con una pena eterna, lontani *dalla faccia del Signore* e *dallo splendore della sua potenza*, ¹⁰quando, in quel giorno, verrà per *essere glorificato nei suoi santi* e per essere ammirato in tutti quelli che hanno creduto, poiché la nostra testimonianza tra voi fu accolta.

¹¹A tal fine noi preghiamo sempre per voi, perché il nostro Dio vi faccia degni della vocazione e con la sua potenza dia buon esito a tutta la vostra volontà di bene e a tutta l'opera della vostra fede, ¹²affinché *sia glorificato* in voi *il nome* del *Signore* nostro Gesù e voi in lui, per la grazia del nostro Dio e Signore Gesù Cristo.

2

Parusia del Signore e dell'iniquo. - ¹Vi preghiamo, fratelli, quanto alla venuta del Signore nostro Gesù e alla nostra riunione con lui, [2]a non lasciarvi agitare così facilmente nel vostro animo né spaventare da oracoli dello Spirito, da parola o da lettera come spedita da noi, quasi che il giorno del Signore sia imminente. [3]Nessuno vi inganni in alcun modo. Infatti, se prima non viene l'apostasia e non si rivela l'uomo dell'iniquità, il figlio della perdizione, [4]colui che si oppone e si innalza su tutto ciò che è chiamato Dio o che è oggetto di culto, fino a sedersi egli stesso nel tempio di Dio, dichiarando se stesso Dio… [5]Non vi ricordate che, essendo ancora in mezzo a voi, vi dicevo queste cose? [6]E ora sapete ciò che lo trattiene, in modo che si manifesti nell'ora sua. [7]Infatti il mistero dell'iniquità è già in atto: c'è solo da attendere che chi lo trattiene sia tolto di mezzo. [8]Allora si manifesterà l'iniquo, che il Signore Gesù distruggerà con il soffio della sua bocca e annienterà con la manifestazione della sua parusia. [9]La parusia dell'iniquo avviene per opera di Satana, con ogni genere di potenza, con miracoli e prodigi di menzogna, [10]con tutte le seduzioni dell'iniquità per quelli che si perdono, perché non hanno accolto l'amore della verità per essere salvi. [11]Ecco perché Dio manda ad essi una forza di errore, perché credano alla menzogna, [12]affinché siano condannati tutti quelli che non hanno creduto alla verità ma si sono compiaciuti dell'ingiustizia.

Perseveranza. - [13]Ma noi dobbiamo rendere grazie a Dio sempre per voi, fratelli amati dal Signore, perché Dio vi ha scelti fin da principio per la salvezza nella santificazione dello Spirito e nella fede della verità. [14]Proprio a questo ha chiamato voi per mezzo del nostro vangelo, per il possesso della gloria del Signore nostro Gesù Cristo. [15]Pertanto, fratelli, state forti e conservate le tradizioni nelle quali siete stati istruiti, sia per mezzo della nostra viva voce, sia per mezzo della nostra lettera. [16]Lo stesso Gesù Cristo, Signore nostro, e Dio nostro Padre che ci ha amati e ci ha dato, per sua grazia, una consolazione eterna e una buona speranza, [17]consoli e confermi i vostri cuori in ogni opera e parola buona.

3 **Esortazione finale.** - [1]Per il resto, fratelli, pregate per noi, affinché la parola del Signore continui la sua corsa e sia glorificata come lo è presso di voi, [2]e noi siamo liberati da uomini perversi e malvagi. La fede infatti

non è di tutti. [3]Ma il Signore è fedele: egli vi confermerà e vi custodirà dal maligno. [4]Riguardo a voi abbiamo fiducia nel Signore, che quanto vi comandiamo già lo facciate e lo farete. [5]Il Signore diriga i vostri cuori verso l'amore di Dio e la pazienza di Cristo.

Ammonimento agli oziosi. - [6]Vi ordiniamo, però, fratelli, nel nome del Signore nostro Gesù Cristo, di stare lontani da tutti quei fratelli che vivono indisciplinatamente e non secondo l'insegnamento che ricevettero da noi. [7]Infatti voi stessi sapete in che modo dovete imitarci, poiché non fummo degli oziosi in mezzo a voi, [8]né abbiamo mangiato il pane gratuitamente da alcuno, ma lavorando notte e giorno con fatica e stenti, per non essere di peso a nessuno di voi. [9]Non perché non ne avessimo il diritto, ma per offrirci a voi come modello da imitare. [10]Inoltre, quando eravamo con voi, vi raccomandavamo questo: se uno non vuole lavorare, neanche mangi. [11]Ora siamo venuti a sapere che alcuni vivono in mezzo a voi disordinatamente, non lavorando affatto, ma impicciandosi di tutto. [12]A questi tali comandiamo, e li ammoniamo nel Signore Gesù Cristo, che mangino il proprio pane, lavorando senza chiasso. [13]Voi, però, fratelli, non cessate di fare il bene. [14]Se qualcuno non ubbidisce alle ingiunzioni di questa nostra lettera, notatelo e non conversate più con lui, affinché si vergogni. [15]Tuttavia non ritenetelo come un nemico, ma avvertitelo come un fratello.

Saluto. - [16]Lo stesso Signore della pace vi dia la pace sempre e in ogni maniera. Il Signore sia con tutti voi. [17]Il saluto è di mia mano, di Paolo; questo è il sigillo di tutte le lettere. Così io scrivo. [18]La grazia del Signore nostro Gesù Cristo sia con tutti voi.

---

2. - 2-12. *Il giorno del Signore*: significa la fine del mondo e il giudizio universale. Paolo invita i Tessalonicesi a non turbarsi, perché questi fatti non sono *imminenti*. Paolo afferma che la fine del mondo deve essere preceduta da due grandi avvenimenti: una grande *apostasia* della fede e l'apparire del *figlio della perdizione*, l'anticristo, che non riconoscerà alcun Dio e pretenderà onori divini. I vv. 3-7 sono oscuri per noi, perché si rifanno a un insegnamento orale che non ci è giunto, usano figure e termini del genere apocalittico, e infine perché si tratta di profezia. Ad ogni modo Paolo vuole insegnare che la «parusia» non è vicina, perché non ce ne sono i segni.

3. - 6-13. *Indisciplinatamente*: cioè oziosamente. Paolo chiarisce il suo pensiero richiamandosi al suo stesso comportamento: egli non si sottrasse alla regola del lavoro che incombe a tutti e non mangiò *gratuitamente il pane* di nessuno.

PRIMA LETTERA A TIMOTEO

Timoteo, nativo di Listra in Licaonia, figlio di padre greco e di madre ebrea, si unì a Paolo all'inizio del secondo viaggio missionario (At 16,1-3); rimasto tra i suoi discepoli più fedeli, fu per l'Apostolo come un figlio carissimo e collaboratore impareggiabile (cfr. Fil 2,19-20). La lettera lo presenta come responsabile della chiesa di Efeso, dove Paolo lo ha preposto temporaneamente come vescovo-missionario, con lo scopo di «richiamare alcuni dall'insegnare cose diverse» e aberranti dalle linee della vera fede. Precisamente per incoraggiare il diletto discepolo, ancor giovane e piuttosto timido di temperamento, nelle difficoltà che gli si presentavano agli inizi di un apostolato autonomo e autorevole, Paolo gli indirizzò dalla Macedonia, verso il 65-66, la presente lettera. Non è facile riassumere il contenuto della lettera, perché l'interesse dell'Apostolo passa tranquillamente da un argomento all'altro. Si possono tuttavia delineare alcuni temi: dopo l'indirizzo e il saluto (1,1-2), Timoteo viene esortato a comportarsi come difensore della verità (1,3-20); successivamente gli si indicano i compiti di organizzatore del culto (2,1-15) e di pastore del gregge (3,1 - 6,2): come tale deve avere idee precise circa le cariche ecclesiastiche, episcopi e diaconi (3,1-13), la chiesa e il mistero della pietà (3,14-16), i falsi dottori (4,1-16), i fedeli in generale (5,1-12), le vedove (5,3-16), i presbiteri (5,17-25), gli schiavi (6,1-2). Come conclusione: la contrapposizione tra falsi maestri e Timoteo che deve mostrarsi maestro di verità (6,3-16), un monito ai ricchi (6,17-19), esortazione finale e saluti (6,20-21).

1 Indirizzo.

¹Paolo, apostolo di Cristo Gesù per comando di Dio, nostro Salvatore, e di Gesù Cristo, nostra speranza, a Timoteo, figliolo verace nella fede: ²grazia, misericordia e pace da parte di Dio Padre e di Gesù Cristo, nostro Signore.

Difesa della dottrina dai falsi dottori. - ³Come ti raccomandai di rimanere in Efeso, alla mia partenza per la Macedonia, perché tu richiamassi alcuni dall'insegnare cose diverse ⁴e dall'attendere a favole e a genealogie interminabili, le quali servono piuttosto a far nascere discussioni che a favorire l'economia divina della salvezza basata sulla fede, (così te lo ripeto ora). ⁵Lo scopo del richiamo però è la carità, la quale procede da un cuore puro, da una buona coscienza e da una fede senza simulazioni. ⁶Proprio per aver deviato da queste cose, alcuni si sono perduti in fatue verbosità, ⁷volendo essere dottori della legge, mentre non capiscono né quello che dicono né quello che portano a conferma (del loro insegnamento).

La legge non è per i giusti, ma per gl'iniqui. - ⁸Certo, noi sappiamo che la legge è buona; a condizione però che se ne faccia un uso legittimo, ⁹ben sapendo che la legge non è istituita per chi è giusto, ma per gli iniqui e i ribelli, per gli empi e i peccatori, per i sacrileghi e i profanatori, per i parricidi e i matricidi, per gli omicidi, ¹⁰i fornicatori, gli omosessuali, i mercanti di uomini, i mentitori, gli spergiuri e qualsiasi altro vizio che si opponga alla sana dottrina, ¹¹secondo il vangelo della gloria del beato Dio, che è stato a me affidato.

---

1. - 5. La missione di Timoteo non consisteva solo nel resistere ai falsi maestri, ma specialmente nel far regnare la *carità*, in opposizione a tutte le vane discussioni.

La misericordia di Dio nella conversione di Paolo. - [12]Pertanto io rendo grazie a Cristo Gesù, Signore nostro, che mi ha fortificato, perché mi stimò degno di fiducia ponendomi nel ministero; [13]proprio me che prima ero stato bestemmiatore, persecutore e violento. Però ottenni misericordia avendo fatto ciò nell'ignoranza, quando mi trovavo ancora nell'incredulità: [14]anzi, la grazia del Signore nostro sovrabbondò con la fede e la carità che è in Cristo Gesù.

[15]È questa infatti una parola degna di fede e di ogni accoglienza: Cristo Gesù è venuto nel mondo per salvare i peccatori, dei quali io sono il primo. [16]Ma appunto per questo ho ottenuto misericordia: perché Gesù Cristo mostrasse in me, per primo, tutta la sua longanimità, ad esempio di quelli che avrebbero creduto in lui per la vita eterna. [17]Al Re dei secoli, l'incorruttibile, invisibile ed unico Dio, gloria ed onore per i secoli dei secoli! Amen.

«Combatti la buona battaglia» della fede. - [18]Questo incarico di richiamare io te lo affido, o Timoteo, figlio mio, in accordo alle profezie che già si sono manifestate riguardo a te, affinché, da quelle sostenuto, tu combatta la buona battaglia, [19]conservando la fede e la buona coscienza, poiché, per averla ripudiata, alcuni hanno fatto naufragio nella fede: [20]fra questi sono Imeneo e Alessandro, che ho consegnato a Satana perché imparino a non bestemmiare.

2 Preghiera liturgica. - [1]Raccomando, dunque, prima di tutto, che si facciano suppliche, preghiere, intercessioni e rendimenti di grazie in favore di tutti gli uomini, [2]per i re e per tutti coloro che sono in autorità, affinché possiamo trascorrere una vita tranquilla e serena, con ogni pietà e decoro. [3]Questa infatti è una cosa bella e gradita al cospetto del Salvatore, nostro Dio, [4]il quale vuole che tutti gli uomini si salvino e arrivino alla conoscenza della verità. [5]Unico infatti è Dio, unico anche il mediatore fra Dio e gli uomini, l'uomo Cristo Gesù, [6]che ha dato se stesso in riscatto per tutti, quale testimonianza per i tempi stabiliti, [7]in favore della quale io sono stato costituito araldo e apostolo – dico il vero, non mentisco –, maestro delle genti nella fede e nella verità.

Atteggiamento nelle assemblee liturgiche. - [8]Voglio, pertanto, che gli uomini preghino in ogni luogo, innalzando verso il cielo mani pure, senza collera e spirito di contesa. [9]Alla stessa maniera facciano le donne, vestendosi con abbigliamento decoroso: si adornino secondo verecondia e moderatezza, non con trecce e ornamenti d'oro, oppure con perle o vesti sontuose, [10]ma con opere buone, come conviene a donne che fanno professione di pietà.

[11]La donna impari in silenzio, con perfetta sottomissione. [12]Non permetto alla donna d'insegnare, né di dominare sull'uomo, ma che stia in silenzio. [13]Per primo infatti è stato formato Adamo e quindi Eva. [14]Inoltre, non fu Adamo ad essere sedotto; la donna, invece, fu sedotta e cadde nel peccato. [15]Tuttavia essa si salverà mediante la generazione dei figli, a condizione però di perseverare nella fede, nella carità e nella santità, con saggezza.

3 I ministri della chiesa: l'episcopo. - [1]È degno di fede quanto vi dichiaro: se qualcuno aspira all'episcopato, desidera un nobile lavoro. [2]Bisogna infatti che l'episcopo sia irreprensibile, marito di una sola moglie, sobrio, prudente, dignitoso, ospitale, adatto all'insegnamento, [3]non dedito al vino, non violento ma indulgente, non litigioso, non attaccato al denaro; [4]che sappia ben governare la propria famiglia e tenere con grande dignità i figli in sudditanza. [5]Poiché se uno non sa governare la propria famiglia, come potrà aver cura della chiesa di Dio? [6]Non sia però un neofita, per timore che, gonfiato dall'orgoglio, non incorra nella medesima condanna toccata al diavolo. [7]Bisogna inoltre che abbia una buona testimonianza da quelli di fuori, perché non cada in discredito e nei lacci del diavolo.

---

2. - 15. La più autentica missione della donna, secondo il disegno creatore di Dio, è quello della maternità, che si attua nella generazione ed educazione dei figli. Può darsi che in questa affermazione Paolo abbia presenti i falsi maestri che condannavano il matrimonio (cfr. 4,3).

3. - 1. L'*episcopato* non è da prendersi qui nel preciso significato odierno; era una carica di servizio nel culto e nell'amministrazione della chiesa. Appunto perché era una carica, era meno stimato dei doni carismatici, come quelli di profetare, insegnare, parlare lingue sconosciute. Per questo Paolo loda chi vi aspira.

[8]I diaconi ugualmente siano dignitosi, non doppi nel parlare, non dediti al molto vino, né avidi di turpe guadagno; [9]essi inoltre devono conservare il mistero della fede in una coscienza pura. [10]Anch'essi vengano prima sperimentati e quindi, se sono irreprensibili, esercitino il loro ministero.

[11]Alla stessa maniera le donne siano dignitose, non calunniatrici, sobrie, fedeli in ogni cosa. [12]I diaconi siano mariti di una sola moglie, sappiano governare bene i loro figli e le loro case. [13]Infatti, quelli che avranno ben servito si acquisteranno un grado onorifico e molta sicurezza nella fede che è in Gesù Cristo.

La chiesa e il mistero della pietà. - [14]Pur sperando di venire da te quanto prima, ti scrivo queste cose [15]perché, se per caso io ritardassi, tu sappia come ti devi comportare nella casa di Dio, che è la chiesa del Dio vivente, colonna e sostegno della verità. [16]Senza alcun dubbio, infatti, è grande il mistero della pietà:

Colui che fu manifestato nella carne,
fu giustificato nello Spirito,
apparve agli angeli,
fu predicato alle nazioni,
fu creduto nel mondo,
fu assunto nella gloria.

Contro i falsi dottori. - [1]Lo Spirito però dice espressamente che negli ultimi tempi certuni apostateranno dalla fede, dando credito a spiriti fraudolenti e ad insegnamenti di demòni, [2]sedotti dall'ipocrisia di gente che sparge menzogna, che ha la propria coscienza come bollata da un ferro rovente, [3]proibisce di sposare e (ordina) di astenersi da certi cibi, che invece Dio creò perché fossero presi con animo grato dai fedeli e da quelli che hanno conosciuto la verità. [4]Infatti, ogni cosa creata da Dio è buona, e niente è da spregiare, qualora venga preso con animo grato, [5]giacché viene santificato per mezzo della parola di Dio e della preghiera. [6]Proponendo queste cose ai fratelli, sarai davvero un buon ministro di Cristo Gesù, nutrito come sei delle parole della fede e della buona dottrina che hai diligentemente appreso. [7]Rigetta però le favole profane, cose da vecchierelle. Allenati piuttosto alla pietà, [8]poiché la ginnastica del corpo è

utile a poco, mentre la pietà è utile a tutto, avendo la promessa della vita presente e di quella futura. [9]Quanto ho detto è degno di fede e di ogni accoglienza.

[10]Per questo noi ci affatichiamo e combattiamo, perché abbiamo riposto la speranza nel Dio vivente, che è il Salvatore di tutti gli uomini, soprattutto dei fedeli. [11]Questo proclama ed insegna.

Esempio personale. - [12]Nessuno disprezzi la tua giovinezza! Al contrario, mostrati modello ai fedeli nella parola, nella condotta, nella carità, nella fede, nella castità. [13]Fino alla mia venuta applicati alla lettura, all'esortazione e all'insegnamento. [14]Non trascurare il carisma che è in te e che ti fu dato per mezzo della profezia insieme all'imposizione delle mani dei presbiteri. [15]Abbi premura di queste cose, dedicati ad esse, affinché a tutti sia noto il tuo progresso. [16]Attendi a te stesso e all'insegnamento: persevera in queste cose poiché, così facendo, salverai te stesso e quelli che ti ascoltano.

5 Comportamento con le diverse categorie di persone. - [1]Un uomo anziano non lo riprendere duramente, ma esortalo come fosse tuo padre; i giovani, poi, come fossero tuoi fratelli, [2]le donne anziane come madri, le giovani come sorelle, in tutta castità.

Le vedove. - [3]Onora le vedove che sono veramente vedove. [4]Se però qualche vedova ha dei figli o nipoti, costoro imparino prima ad esercitare la pietà verso la propria famiglia e a rendere il contraccambio ai loro genitori, poiché questo è gradito davanti a Dio. [5]Quella, però, che è veramente vedova ed è rimasta sola, dimostra di aver riposto in Dio la sua speranza e attende con perseveranza alle suppliche e alle orazioni, notte e giorno. [6]Al contrario, la vedova che si abbandona ai piaceri, anche se viva, è già morta. [7]Questo pure tu richiamerai loro: che siano irreprensibili. [8]Se poi qualcuno non ha cura dei suoi, soprattutto di quelli di casa, ha rinnegato la fede ed è peggiore di un infedele.

[9]Una vedova sia scritta nel catalogo (delle vedove), a condizione che non sia inferiore ai sessant'anni, sia stata moglie di un solo marito, [10]abbia in suo favore la testimonianza delle buone opere: se educò i figli, se

1Tm

praticò l'ospitalità, se lavò i piedi dei santi, se venne in soccorso ai tribolati, se si dedicò ad ogni opera buona. [11]Non accettare invece le vedove più giovani, poiché, non appena vengono prese da brame indegne di Cristo, esse vogliono risposarsi, [12]attirandosi addosso un giudizio di condanna per aver rinnegato il loro impegno iniziale. [13]Oltre a ciò, essendo anche oziose, imparano ad andare in giro per le case; e non soltanto sono oziose, ma anche ciarliere e curiose, parlando di ciò che non conviene. [14]Perciò voglio che le più giovani si sposino, abbiano figli, governino la loro casa e non diano all'avversario nessuna occasione di biasimo. [15]Alcune infatti si sono già fuorviate dietro a Satana. [16]Se qualche donna fedele ha con sé delle vedove, provveda al loro sostentamento e non si aggravi la chiesa, affinché essa possa provvedere a quelle che sono veramente vedove.

I presbiteri. - [17]I presbiteri che presiedono bene siano stimati degni di doppio onore, soprattutto quelli che si affaticano nella parola e nell'insegnamento. [18]Dice infatti la Scrittura: *Non metterai la museruola al bue che trebbia.* Ed ancora: *È degno l'operaio della sua mercede.* [19]Non ricevere accuse contro un presbitero, eccetto che *su deposizione di due o tre testimoni.* [20]Quelli poi che avessero peccato, riprendili davanti a tutti, affinché anche i rimanenti ne abbiano timore. [21]Ti scongiuro davanti a Dio e a Cristo Gesù e davanti agli angeli eletti di osservare queste cose senza prevenzione, nulla facendo per favoritismo. [22]Non imporre a nessuno le mani troppo affrettatamente, per non renderti partecipe degli altrui peccati. Conservati puro. [23]Non continuare a bere acqua soltanto, ma fa' moderato uso di vino a causa dello stomaco e delle tue frequenti malattie. [24]I peccati di alcuni uomini sono manifesti e li precedono in giudizio; ad altri invece vengono dietro. [25]Alla stessa maniera, anche le opere buone sono manifeste, e quelle che non lo sono non possono rimanere nascoste.

6 Gli schiavi. - [1]Quanti stanno sotto il giogo come schiavi, stimino degni di ogni onore i loro padroni, affinché non vengano bestemmiati il nome di Dio e la dottrina (evangelica). [2]Quelli poi che hanno padroni credenti, non manchino loro di riguardo per il fatto che sono fratelli, ma li servano meglio proprio perché coloro che ricevono il beneficio dei loro servizi sono credenti e amati (da Dio).

Di nuovo i falsi dottori. - Queste cose insegnale e inculcale. [3]Se poi qualcuno insegna cose diverse e non aderisce alle sane parole, che sono quelle del Signore nostro Gesù Cristo, e alla dottrina secondo pietà, [4]è accecato dall'orgoglio e non sa nulla, pur essendo preso dalla febbre dei cavilli e dei litigi di parole: da tali cose hanno origine le invidie, le contese, le maldicenze, i sospetti maligni, [5]le lotte di uomini guasti nelle loro menti e che si sono privati della verità appunto perché stimano che la pietà sia una fonte di guadagno.

[6]Certo, la pietà è un grande guadagno: congiunta però al sapersi contentare! [7]Niente infatti abbiamo portato in questo mondo, ed è appunto per questo che niente potremo neppure portare via. [8]Avendo però di che nutrirci e il necessario per coprirci, accontentiamoci di queste cose. [9]Coloro, infatti, che vogliono diventar ricchi, incappano nella tentazione, nel laccio (di Satana) e in molteplici desideri insensati e nocivi, i quali sommergono gli uomini nella rovina e nella perdizione. [10]Poiché radice di tutti i mali è l'amore al denaro, per il cui sfrenato desiderio alcuni si sono sviati dalla fede e da se stessi si sono martoriati con molti dolori.

«Combatti il buon combattimento». - [11]Ma tu, o uomo di Dio, fuggi queste cose; ricerca invece la giustizia, la pietà, la fede, la carità, la pazienza, la mansuetudine. [12]Combatti il buon combattimento della fede, cerca di conquistare la vita eterna, alla quale sei stato chiamato e per la quale hai confessato la bella confessione davanti a molti testimoni. [13]Ti scongiuro, davanti a Dio che vivifica tutte le cose, e davanti a Cristo Gesù che testimoniò la bella confessione sotto Ponzio Pilato, [14]di conservare immacolato e irreprensibile il comandamento fino alla manifestazione del Signore nostro Gesù Cristo: [15]manifestazione che, nei tempi stabiliti, opererà

il beato e unico Sovrano,
il Re dei regnanti
e Signore dei signori,
[16] il solo che possiede l'immortalità
e abita una luce inaccessibile,
che nessun uomo mai vide
né potrà vedere.
A lui onore e potenza eterna.
Amen!

Uso delle ricchezze. - [17]Ai ricchi di questo mondo raccomanda di non essere orgogliosi, né di riporre le loro speranze nell'instabilità della ricchezza, ma in Dio che ci provvide abbondantemente di tutto perché ne possiamo godere. [18](Raccomanda) loro anche di far del bene, di arricchirsi di opere buone, di essere generosi nel dare, disposti a partecipare agli altri (i loro beni), [19]mettendosi da parte un bel capitale per il futuro, onde acquistare la vera vita.

Epilogo. - [20]O Timoteo, custodisci il deposito, schivando le profane vacuità di parole e le opposizioni di una scienza di falso nome, [21]professando la quale taluni si sviarono dalla fede.
La grazia sia con voi!

SECONDA LETTERA A TIMOTEO

L a lettera sembra scritta da Roma durante la seconda prigionia, quando Paolo sente ormai vicino il termine della sua esistenza terrena. È considerata unanimemente il testamento spirituale dell'Apostolo e un tono patetico e commosso la pervade da un capo all'altro. S'intrecciano ricordi, rievocazioni, ammonimenti, lucide affermazioni dottrinali, tra cui fondamentale quella sull'ispirazione divina della sacra Scrittura (3,16-17), e notizie di carattere personale. Particolarmente toccante l'invito a Timoteo di venire a Roma «quanto prima» (4,9), possibilmente «prima dell'inverno» (4,21), portandogli il mantello e le pergamene che erano rimaste a Troade (4,13), forse nei momenti concitati dell'arresto.

Non risulta da alcun documento che Timoteo sia giunto a Roma prima della morte dell'Apostolo (67 d.C.), ma sembra assai probabile che gli sia stato vicino nei giorni del martirio. Dopo di che egli dev'essere tornato a Efeso dove, secondo una tardiva tradizione, sarebbe morto martire nel 97 d.C.

Il contenuto della lettera si può delineare schematicamente così: dopo il saluto, al quale fa seguito un commosso ringraziamento a Dio (1,1-5), viene un'esortazione alla fortezza nella predicazione del vangelo (1,6 - 2,2); rievocate poi le sofferenze e le ricompense dell'apostolato (2,3-13), compare un'esortazione a stare in guardia contro i falsi maestri ai quali Timoteo deve contrapporre con forza e pazienza la sana dottrina (2,14 - 4,5); come epilogo, il testamento spirituale dell'Apostolo: «Ho combattuto la buona battaglia» (4,7), e l'esortazione a raggiungerlo presto a Roma (4,21).

1 **Indirizzo e ringraziamento.** - ¹Paolo, apostolo di Cristo Gesù per volontà di Dio, secondo la promessa di vita che è in Cristo Gesù, ²a Timoteo, figlio carissimo: grazia, misericordia e pace da parte di Dio Padre e di Cristo Gesù, Signore nostro.

³Ringrazio Dio, a cui servo con pura coscienza fin dal tempo dei miei antenati, tutte le volte che faccio memoria di te nelle mie preghiere, senza interruzione né di notte né di giorno. ⁴Ricordandomi delle tue lacrime, desidero anche di rivederti, per essere riempito di gioia, ⁵memore di quella fede senza ipocrisia che è in te e che, prima ancora, albergò nel cuore della tua nonna Loide e di tua madre Eunice e, ne sono sicuro, alberga anche in te.

Esortazione alla fortezza nella predicazione del vangelo. - ⁶Per questo motivo, ti esorto a ravvivare il carisma di Dio, che è in

te per l'imposizione delle mie mani. ⁷Dio, infatti, non ci ha dato uno spirito di timidezza, ma di forza, di amore e di saggezza. ⁸Non arrossire dunque della testimonianza del Signore nostro, né di me suo prigioniero, ma soffri piuttosto con me per il vangelo, confidando nella forza di Dio. ⁹È lui, infatti, che ci ha salvati e ci ha chiamati con una vocazione santa, non in virtù delle nostre opere, ma secondo il suo disegno e la sua grazia, che ci fu data in Cristo prima dei tempi eterni, ¹⁰ma che è stata manifestata ora mediante l'apparizione del Salvatore nostro Gesù Cristo, che ha distrutto la morte e ha fatto risplendere la vita e l'immortalità per mezzo

---

1. - 6-10. L'esortazione si fa calda e preoccupata. Alla grazia di Dio è necessario unire la corrispondenza umana e Paolo sa non solo che Timoteo è ancor giovane, ma che si troverà, durante il suo ministero, di fronte a numerose e gravi difficoltà.

del vangelo, [11]del quale io sono stato stabilito araldo, apostolo e maestro.
[12]Anzi, è proprio per questo motivo che sopporto tali cose; ma io non ne arrossisco, perché so a chi ho creduto e sono pienamente convinto che egli ha potere di custodire il mio deposito fino a quel giorno. [13]Prendi per modello le sane parole che hai da me udito, nella fede e nell'amore che è in Cristo Gesù. [14]Custodisci il buon deposito per mezzo dello Spirito Santo che abita in noi.

Notizie personali. - [15]Tu lo sai che tutti quelli dell'Asia, fra i quali Figelo ed Ermogene, mi hanno abbandonato. [16]Il Signore usi misericordia alla casa di Onesiforo, perché spesso egli mi ha rianimato e non è arrossito delle mie catene: [17]anzi, essendo venuto a Roma, mi cercò premurosamente finché non mi ebbe trovato. [18]Il Signore conceda anche a lui di trovare misericordia presso di lui in quel giorno: tutti i servizi che ha reso in Efeso, li conosci meglio di qualsiasi altro.

2 **L'apostolo deve tutto soffrire per Cristo.** - [1]Tu, dunque, figlio mio, rafforzati nella grazia che è in Cristo Gesù, [2]e quelle cose che udisti da me davanti a molti testimoni, affidale a uomini sicuri, i quali siano capaci di ammaestrare anche altri.
[3]Soffri insieme con me da buon soldato di Cristo Gesù. [4]Infatti nessuno che si dà a fare il soldato, si impiccia più degli affari della vita civile, per piacere a colui che lo ha arruolato. [5]Alla stessa maniera, se uno fa l'atleta, non viene coronato se non a condizione che abbia combattuto secondo le regole. [6]L'agricoltore, poi, che lavora duramente, bisogna che per primo riceva i frutti. [7]Poni mente a quanto ti dico; il Signore, infatti, ti darà intelligenza per ogni cosa. [8]Ricordati che Gesù Cristo, della stirpe di Davide, è risuscitato da morte secondo il mio vangelo. [9]Per esso io soffro travagli fino alle catene, come se fossi un malfattore: però la parola di Dio non è incatenata! [10]Perciò io soffro tutte queste cose per gli eletti, affinché anch'essi ottengano la sal-

vezza che è in Cristo Gesù, insieme alla gloria eterna. [11]È degno di fede il detto:

Se siamo morti insieme con lui,
con lui anche vivremo.
[12] Se avremo pazienza,
con lui anche regneremo;
se poi lo rinnegheremo,
anch'egli ci rinnegherà.
[13] Se gli saremo infedeli,
egli però rimane fedele,
poiché non può rinnegare se stesso.

Lotta contro gli errori del suo tempo. - [14]Richiama alla mente queste cose, scongiurando la gente davanti a Dio perché non faccia schermaglie di parole: cose di nessuna utilità, ma piuttosto di rovina per gli ascoltatori! [15]Poni ogni diligenza nel presentarti davanti a Dio come un uomo ben provato, un operaio che non ha da arrossire e che dispensa rettamente la parola della verità. [16]Evita le profane vacuità di parole, giacché i loro autori fanno sempre maggiori progressi verso l'empietà, [17]e la loro parola, come una cancrena, estenderà il raggio della sua devastazione. Di questi tali sono Imeneo e Fileto, [18]i quali hanno deviato dalla verità dicendo che la risurrezione è già avvenuta e sconvolgono in tal modo la fede di certuni.
[19]Tuttavia il solido fondamento di Dio resiste saldamente, avendo questo sigillo: *Dio conosce quelli che sono suoi*, e ancora: *Si allontani dall'iniquità chiunque invoca il nome del Signore*.
[20]In una grande casa, però, non ci sono soltanto vasi d'oro e d'argento, ma anche vasi di legno e di coccio; alcuni poi sono destinati a usi nobili, altri a usi ignobili. [21]Perciò se qualcuno si manterrà puro da costoro, sarà un vaso destinato a usi nobili, santificato, utile al padrone, adatto per ogni opera buona. [22]Cerca di fuggire le voglie giovanili; persegui la giustizia, la fede, l'amore, la pace con quelli che invocano il Signore di cuore puro. [23]Evita, inoltre, le questioni sciocche e non educative, sapendo che generano contese, [24]mentre un servo del Signore non deve contendere, ma essere mansueto con tutti, capace di insegnare e tollerante. [25]Egli deve anche riprendere con dolcezza gli avversari, nella speranza che Dio conceda loro il pentimento per la perfetta conoscen-

---

2. - 10. Cristo ha espiato per tutti, ma nell'economia della salvezza vuole la cooperazione dei suoi ministri non solo per la predicazione, ma anche nell'offerta dei loro patimenti. Vi è qui un'allusione alla comunione dei santi.

za della verità ²⁶e si possano così ravvedere dal laccio di Satana, essendo stati da lui accalappiati per fare la sua volontà.

3 Contro i futuri pericoli d'errore. -

¹Sappi poi che negli ultimi giorni sopravverranno tempi difficili. ²Gli uomini, infatti, saranno egoisti, amanti del denaro, vanagloriosi, arroganti, bestemmiatori, disobbedienti ai genitori, ingrati, empi, ³senz'amore, sleali, calunniatori, intemperanti, spietati, nemici del bene, ⁴traditori, protervi, accecati dall'orgoglio, amanti del piacere più che di Dio; ⁵gente che ha l'apparenza della pietà, ma ne rinnega la forza. Questi pure cerca di evitare. ⁶Di costoro, infatti, fanno parte certuni che s'introducono nelle case ed accalappiano donnicciole, cariche di peccati, sballottate da voglie di ogni sorta, ⁷le quali stanno sempre lì ad imparare, senza mai poter arrivare alla conoscenza perfetta della verità. ⁸Allo stesso modo che Iannes e Iambres si opposero a Mosè, anche questi si oppongono alla verità, da uomini corrotti di mente quali sono, riprovati circa la fede. ⁹Costoro però non andranno molto avanti, dato che la loro stoltezza si farà palese a tutti, come lo fu anche la stoltezza di quelli.

¹⁰Tu però hai seguito da vicino il mio insegnamento, la mia condotta, i miei disegni, la mia fede, la longanimità, la carità, la pazienza, ¹¹le persecuzioni e i patimenti, come quelli che mi capitarono ad Antiochia, a Iconio e a Listra. Quali persecuzioni non ho sofferto! Eppure da tutte mi ha liberato il Signore. ¹²Anche tutti coloro che vogliono vivere pienamente in Cristo Gesù saranno perseguitati. ¹³I malvagi invece e gl'impostori faranno sempre maggiori progressi nel male, ingannando gli altri e venendo ingannati a loro volta.

¹⁴Tu però rimani fedele alle cose che hai imparato e delle quali hai acquistato la certezza, ben sapendo da quali persone le hai imparate ¹⁵e che fin da bambino conosci le sacre Lettere: esse possono procurarti la sapienza che conduce alla salvezza per mezzo della fede in Cristo Gesù. ¹⁶Ogni Scrittura, infatti, è ispirata da Dio e utile a insegnare, a riprendere, a correggere, a educare nella giustizia, ¹⁷affinché l'uomo di Dio sia ben formato, perfettamente attrezzato per ogni opera buona.

4 «Annuncia la parola... adempi il tuo ministero». - ¹Ti scongiuro davanti a

Dio e a Cristo Gesù, che verrà a giudicare i vivi e i morti, per la sua apparizione e il suo regno: ²annuncia la parola, insisti a tempo opportuno e importuno, cerca di convincere, rimprovera, esorta con ogni longanimità e dottrina. ³Verrà un tempo, infatti, in cui gli uomini non sopporteranno più la sana dottrina, ma, secondo le proprie voglie, si circonderanno di una folla di maestri, facendosi solleticare le orecchie, ⁴e storneranno l'udito dalla verità per volgersi alle favole. ⁵Tu, però, sii prudente in tutto, sopporta i travagli, fa' opera di evangelista, adempi il tuo ministero.

«Ho combattuto la buona battaglia». - ⁶Quanto a me, io sono già versato in libagione ed è giunto il momento di sciogliere le vele. ⁷Ho combattuto la buona battaglia, ho terminato la corsa, ho mantenuto la fede. ⁸Per il resto, è già in serbo per me la corona della giustizia, che mi consegnerà in quel giorno il Signore, lui, il giusto giudice; e non soltanto a me, ma anche a tutti quelli che hanno amato la sua apparizione.

Ultime notizie e raccomandazioni. - ⁹Abbi premura di venire da me quanto prima, ¹⁰perché Dema mi ha abbandonato, avendo preferito il secolo presente, e se n'è andato a Tessalonica; Crescente pure se n'è andato in Galazia e Tito in Dalmazia. ¹¹Luca soltanto è con me. Prendi anche Marco e conducilo con te, perché mi è utile per il ministero. ¹²Tichico, poi, l'ho mandato a Efeso. ¹³Quando verrai, portami il mantello che lasciai a Troade presso Carpo, come pure i libri, specialmente le pergamene. ¹⁴Alessandro, il ramaio, mi ha arrecato molto male: *il Signore gli renderà secondo le sue opere.* ¹⁵Anche tu guardati da costui, poiché ha molto avversato le nostre parole.

¹⁶Nella mia prima difesa nessuno mi fu al fianco. Tutti mi abbandonarono. Che non sia loro imputato a colpa! ¹⁷Il Signore, però,

---

3. - 8. *Iannes e Iambres* si chiamavano, secondo la tradizione giudaica, due maghi d'Egitto.
15. *Le sacre Lettere* sono i libri dell'AT. Affinché possano *procurare la sapienza che conduce alla salvezza,* devono essere lette con la fede in Cristo, essendo tutto ordinato a lui, il Salvatore.

mi venne in aiuto e mi diede forza, affinché per mio mezzo la predicazione fosse portata a termine e tutte le nazioni l'ascoltassero: e così *fui liberato dalla bocca del leone*. [18]Il Signore mi libererà ancora da ogni opera cattiva e mi salverà per il suo regno celeste. A lui la gloria per i secoli dei secoli. Amen!

Saluti e auguri. - [19]Saluta Prisca ed Aquila e la famiglia di Onesiforo. [20]Erasto rimase a Corinto; Trofimo invece lo lasciai infermo a Mileto. [21]Affrettati a venire prima dell'inverno. Ti salutano Eubulo, Pudente, Lino, Claudia e i fratelli tutti. [22]Il Signore Gesù sia col tuo spirito. La grazia sia con voi.

2Tm

LETTERA A TITO

Le notizie che abbiamo di Tito ci vengono dalle lettere di san Paolo. Di origine pagana, probabilmente fu battezzato da Paolo, che perciò lo chiama «figliolo verace secondo la fede comune» (1,4). Fu con l'Apostolo al concilio di Gerusalemme (Gal 2,1-3) e svolse compiti fiduciari importanti a Corinto (2Cor 2,13; 7,6.13; 8,6-17). In questa lettera Tito appare ancora come fiduciario di Paolo a Creta per completarvi l'evangelizzazione e l'organizzazione della chiesa (Tt 1,5). Incontrò ancora Paolo (2Tm 4,10) e, secondo una tradizione, morì vescovo di Creta.

Il contenuto della lettera è una serie di consigli e prescrizioni che l'Apostolo dà al suo fedele discepolo, continuatore responsabile della sua opera. Dopo l'indirizzo (1,1-4), che descrive brevemente le finalità della missione apostolica, il corpo della lettera indica le qualità richieste nei ministri del vangelo in ordine all'insegnamento (1,5-16), richiama i doveri particolari di diverse categorie di persone (2,1-15) e i doveri generali di tutti i cristiani (3,1-7). A conclusione, alcuni consigli per individuare e allontanare chi tenta di inquinare la verità cristiana con elementi estranei (3,8-11), e brevi notizie personali (3,12-15). Momenti contemplativi di questa lettera evocano la «grazia (la "filantropia") e la benignità del Salvatore nostro Dio» (3,4), apparse sulla terra per mostrare tutto il suo amore per l'uomo. Tale venuta è l'anticipazione della venuta finale, più luminosa «manifestazione della gloria» (2,13). Il cristiano vive con gratitudine e alacrità la sua giornata terrena nell'intervallo di queste due grandi luci.

1 Indirizzo. - [1]Paolo, servo di Dio, apostolo di Gesù Cristo in favore della fede degli eletti di Dio e della conoscenza della verità conforme alla pietà, [2]in vista della speranza della vita eterna che Dio, il quale non mentisce, ha promesso fin dai tempi eterni [3]e ha manifestato nei tempi stabiliti mediante la sua parola, cioè mediante la predicazione, della quale sono stato incaricato per comando del Salvatore, nostro Dio, [4]a Tito, figliolo verace secondo la fede comune: grazia e pace da Dio Padre e da Cristo Gesù, nostro Salvatore.

Le qualità richieste ai sacri ministri. - [5]Per questo ti ho lasciato a Creta, allo scopo cioè di mettere in ordine quanto rimaneva da completare e di stabilire presbiteri in ogni città secondo le istruzioni da me ricevute. [6]Ognuno di loro sia irreprensibile, sia marito di una sola moglie, abbia figli credenti che non siano accusati di vita dissoluta né siano insubordinati.

[7]Bisogna infatti che l'episcopo, in quanto amministratore di Dio, sia irreprensibile, non arrogante, non collerico, non dedito al vino, non violento, non avido di vile guadagno; [8]al contrario, sia ospitale, amante del bene, saggio, giusto, pio, padrone di sé, [9]attaccato alla parola sicura secondo la dottrina trasmessa, per essere capace sia di esortare nella sana dottrina, sia di confutare quelli che vi si oppongono.

Falsi dottori. - [10]Vi sono infatti molti insubordinati, parolai ed ingannatori, soprattutto quelli che provengono dalla circoncisione: [11]a costoro bisogna tappare la bocca, perché mettono in scompiglio intere famiglie, insegnando quanto non si deve, per amore di sordido

---

1. - 4. Tito era stato convertito da Paolo.

5. *Presbiteri*, qui sono vescovi e sacerdoti, perché il nome non è segno di ordine, ma d'età, volendo dire «anziano», e non ancora indicare il grado.

guadagno. [12]Del resto, uno di loro, proprio un loro profeta, ha detto: «I Cretesi sono sempre bugiardi, male bestie, ventri pigri». [13]E tale testimonianza è verace. Perciò riprendili severamente, perché siano sani nella fede [14]e non si volgano a favole giudaiche e a precetti di uomini che voltano le spalle alla verità. [15]Tutto è puro per i puri; per quelli, invece, che sono contaminati e infedeli, niente è puro: ché, anzi, la loro stessa mente e la loro coscienza sono contaminate. [16]Essi professano bensì di conoscere Dio, ma con le loro opere lo negano, essendo abominevoli, ribelli e inadatti per ogni opera buona.

2 Doveri delle diverse categorie di persone. - [1]Tu, però, insegna ciò che è conforme alla sana dottrina. [2]Che i vecchi siano sobri, dignitosi, prudenti, sani nella fede, nella carità e nella pazienza. [3]Anche le donne anziane abbiano un comportamento quale si addice ai santi; non siano malediche né schiave del molto vino, ma piuttosto maestre di bontà, [4]per insegnare alle giovani ad essere sagge, ad amare i loro mariti e i loro figli, [5]ad essere prudenti, caste, attaccate ai loro doveri domestici, buone, sottomesse ai loro mariti, perché non sia vituperata la parola del Signore.

[6]Esorta anche i più giovani ad essere prudenti in tutto, [7]offrendo te stesso come modello di buone opere: purità nella dottrina, gravità, [8]parola sana e incensurabile, affinché l'avversario sia confuso non trovando niente di male da dire nei nostri riguardi.

[9]Gli schiavi siano sottomessi ai loro padroni in ogni cosa, cercando di piacere a loro, senza contraddirli; [10]non li frodino, ma dimostrino loro la più sincera fedeltà, allo scopo di rendere onore in tutto alla dottrina del Salvatore nostro Dio.

La "scuola" dell'incarnazione. - [11]È apparsa infatti la grazia di Dio, apportatrice di salvezza per tutti gli uomini, [12]insegnandoci a vivere nel secolo presente con saggezza, con giustizia e pietà, rinunciando all'empietà e ai desideri mondani, [13]in attesa della beata speranza e della manifestazione della gloria del grande Dio e Salvatore nostro Gesù Cristo, [14]il quale ha dato se stesso per noi allo scopo di riscattarci da ogni iniquità e purificare per sé un popolo che gli appar-

tenga, zelante nel compiere opere buone. [15]Queste cose predicale ed inculcale, riprendendo con ogni autorità. Nessuno ti disprezzi.

3 Doveri generali dei cristiani. - [1]Ricorda loro di essere sottomessi ai magistrati e alle autorità, di obbedire, di essere pronti per ogni opera buona, [2]di non sparlare di nessuno, di non essere litigiosi ma arrendevoli, dimostrando piena comprensione verso tutti gli uomini.

[3]Anche noi, infatti, siamo stati un tempo insensati, ribelli, fuorviati, asserviti a concupiscenze e voluttà d'ogni genere, vivendo immersi nella malizia e nell'invidia, abominevoli, odiandoci a vicenda. [4]Quando però apparve la benignità del Salvatore nostro Dio e il suo amore per gli uomini, [5]egli ci salvò non in virtù di opere che avessimo fatto nella giustizia, ma secondo la sua misericordia, mediante un lavacro di rigenerazione e di rinnovamento nello Spirito Santo, [6]che egli effuse sopra di noi in abbondanza per mezzo di Gesù Cristo, nostro Salvatore, [7]affinché, giustificati per mezzo della sua grazia, diventassimo eredi della vita eterna secondo la speranza.

Ultimi consigli a Tito. - [8]Queste parole sono degne di fede, e io voglio che tu sia ben fermo riguardo a tali cose, affinché quelli che hanno creduto in Dio si diano premura di eccellere nelle opere buone. Tali cose, infatti, sono buone e utili agli uomini.

[9]Procura, invece, di evitare sciocche investigazioni, genealogie, risse e polemiche riguardo alla legge, perché sono cose inutili e vane. [10]Dopo un primo e un secondo ammonimento evita l'uomo eretico, [11]sapendo che un tale individuo è ormai pervertito e continuerà a peccare condannandosi da se medesimo.

Conclusione. - [12]Quando ti avrò mandato Artema o Tichico, affrettati a raggiungermi a Nicopoli, perché lì ho deciso di passare l'inverno. [13]Provvedi diligentemente di tutto l'occorrente per il viaggio Zena, il giureconsulto, e Apollo, affinché non manchi loro nulla. [14]Anche i nostri devono imparare a eccellere nelle opere buone, per essere di aiuto nelle necessità, affinché non rimangano infruttuosi. [15]Ti salutano tutti coloro che sono con me. Saluta quelli che ci amano nella fede. La grazia sia con tutti voi.

LETTERA A FILEMONE

Questa breve lettera è giustamente ammirata come un gioiello dell'epistolario paolino. È forse l'unica lettera scritta tutta dall'Apostolo di sua mano ed è quella in cui traspaiono più al naturale il cuore e lo spirito dell'autore. Il destinatario è Filemone, ricco cittadino di Colosse già convertito da Paolo alla fede. Ora l'Apostolo gli scrive per annunciargli che gl'invia il suo schiavo Onesimo che era fuggito, forse dopo un furto. Per singolare coincidenza l'Apostolo lo ha incontrato a Roma e lo ha convertito alla fede. Ora Filemone può riceverlo non soltanto senza punizioni, ma come un fratello, anzi come Paolo stesso.

L'importanza storica di questo biglietto, inviato da Roma verso la fine della prigionia di Paolo (anno 62-63), deriva dall'essere un documento di prima mano sull'atteggiamento cristiano verso il fenomeno della schiavitù. San Paolo non aggredisce frontalmente le condizioni sociali e giuridiche dell'epoca, ma vi immette il nuovo spirito della fraternità in Cristo e dell'eguaglianza di fronte a Dio Creatore e Padre. In termini moderni si direbbe che l'attenzione è rivolta non alle strutture ma alle persone e alla loro trasformazione interiore.

La diffusione del messaggio di Cristo farà comprendere l'iniquità dell'istituzione della schiavitù e ne provocherà l'abrogazione che nessuna rivolta di schiavi riuscì a ottenere.

Indirizzo. - [1]Paolo, prigioniero di Cristo Gesù, e il fratello Timoteo, al diletto Filemone e nostro collaboratore, [2]alla sorella Appia, ad Archippo, nostro compagno d'armi, e alla chiesa che si raduna in casa tua; [3]grazia a voi e pace da Dio Padre nostro e da Gesù Cristo Signore.

Ringraziamento a Dio per l'amore e la fede di Filemone. - [4]Ogni volta che mi ricordo di te, nelle mie preghiere ringrazio il mio Dio, [5]sentendo parlare del tuo amore e della fede che hai verso il Signore Gesù e verso tutti i santi, [6]affinché la solidarietà della tua fede sia operante in forza di una più piena conoscenza di tutto il bene che si compie tra noi e per il Cristo. [7]Ho provato infatti una gioia profonda e consolazione per il tuo amore, poiché il cuore dei santi è stato ricreato per merito tuo, fratello.

Un favore per Onesimo. - [8]Pertanto, benché possa liberamente comandarti in Cristo ciò che devi fare, [9]ti supplico piuttosto in nome dell'amore, io, Paolo, vecchio e per di più, ora, prigioniero di Cristo Gesù, [10]ti supplico per il mio figlio, che ho generato nelle catene, Onesimo, [11]quegli che una volta non ti fu utile, ora invece è utile a te e a me. [12]Te lo rimando, proprio lui, cioè il mio cuore. [13]Desideravo tenerlo con me, perché in tua vece servisse a me incatenato per il vangelo, [14]ma non ho voluto decidere a tua insaputa, affinché la tua opera buona non sia imposta, ma spontanea. [15]Probabilmente ti è stato sottratto per un breve periodo di tempo, affinché poi tu lo potessi riavere per sempre, [16]non già come schiavo, ma più che schiavo, fratello a me carissimo e, a maggior ragione, a te, secondo il mondo e secondo il Signore. [17]Se dunque mi ritieni tuo amico, accogli-

---

1. *Filemone* è un ricco cristiano di Colosse, amico di Paolo e padrone di Onesimo, schiavo fuggito da lui, dopo averlo derubato.

lo come fossi io stesso! [18]Se poi ti avesse danneggiato o ti deve qualche cosa, mettilo sul mio conto. [19]Io, Paolo, scrivo ciò di mio proprio pugno: pagherò io personalmente. Ma non ti dico che devi a me anche te stesso. [20]Sì, fratello! Che io possa servirmi di te nel Signore. Ricrea il mio cuore in Cristo. [21]Ti scrivo perché ho fiducia nella tua docilità, sapendo che farai più di quanto chiedo. [22]Preparami inoltre un alloggio, perché spero, grazie alle vostre preghiere, di esservi restituito.

Saluti finali. - [23]Ti salutano Epafra, mio compagno di prigione in Cristo Gesù, [24]Marco, Aristarco, Dema, Luca, miei collaboratori. [25]La grazia del Signore Gesù Cristo sia col vostro spirito.

Fm

LETTERA AGLI EBREI

Q uesta grande lettera, posta sempre in fondo all'elenco delle lettere paoline, non è di Paolo ma di un ignoto autore, probabilmente della cerchia dei discepoli di Paolo, di notevole personalità e cultura. Gli «Ebrei» destinatari sono cristiani provenienti dal giudaismo, probabilmente viventi a Gerusalemme, a contatto del culto e del tempio, cui si fa costante riferimento nella lettera, e tentati di ritornare alla loro fede ebraica. Gerusalemme e il tempio furono distrutti nel 70: la lettera perciò si ritiene scritta verso il 65, non è detto da dove, ma una nota finale dice: «Vi salutano quelli dall'Italia» (13,24).

Il contenuto della lettera verte sul rapporto tra Cristo e l'ordinamento religioso ebraico, tra il suo sacerdozio e quello di Aronne, tra il suo sacrificio redentore e i sacrifici del tempio, tra l'antica e la nuova alleanza. È chiaro dunque che la dottrina cristologica costituisce l'aspetto più rilevante di questa grande lettera. La conseguenza da trarre è che davanti a un «sommo sacerdote» come Cristo, «santo, innocente, senza macchia», mediatore di una «migliore alleanza», è impensabile tornare alle «ombre» dell'Antico Testamento. La lettera si articola perciò spontaneamente in una parte dottrinale-dogmatica (1,1 - 10,18), alla quale fa seguito una parte parenetica, con l'invito a perseverare nella fede abbracciata e a praticare le virtù cristiane (10,19 - 13,16). Seguono, come conclusione, alcuni ammonimenti, notizie e auguri (13,17-25).

PREMINENZA DI CRISTO

1 Prologo. - [1]Dio, che nel tempo antico aveva parlato ai padri nei profeti, in una successione e varietà di modi, [2]in questa fine dei tempi ha parlato a noi nel Figlio, che egli costituì sovrano padrone di tutte le cose e per mezzo del quale creò l'universo. [3]Questi, essendo l'irraggiamento della gloria e l'impronta della sua sostanza, e portando tutte le cose con la parola della sua potenza, dopo aver compiuto la purificazione dei peccati si è assiso alla destra della maestà nei luoghi eccelsi, [4]divenuto tanto superiore agli angeli quanto più eccellente del loro è il nome che egli ha ricevuto in eredità.

Superiorità di Gesù sugli angeli. - [5]A quale angelo infatti disse mai Dio:

*Figlio mio sei tu, io oggi
ti ho generato?*

E di nuovo:

*Io sarò per lui padre
ed egli sarà per me figlio?*

[6]Di nuovo, quando introduce il Primogenito nell'universo, dice:

E lo adorino tutti gli angeli di Dio.

[7]E mentre degli angeli dice:

*Fa i suoi angeli come venti
e i suoi servi come fiamma di fuoco,*

[8]del Figlio invece:

*Il tuo trono, o Dio, è per i secoli
dei secoli*

---

1. - 1-3. Gesù Cristo è il culmine della rivelazione di Dio. Essendo suo *Figlio*, ne è pure l'irraggiamento della gloria e l'impronta della sua sostanza.

> e lo scettro dell'equità è scettro
> del tuo regno.

[9] Hai amato la giustizia
e hai odiato l'iniquità,
perciò, Dio, il tuo Dio
ti ha unto con olio di esultanza
a preferenza dei tuoi compagni.

[10]E ancora:

> Tu, o Signore,
> alle origini hai fondato la terra
> e i cieli sono opere delle tue mani.

[11] Essi periranno, tu invece rimani,
e tutti invecchieranno come un vestito,
[12] come mantello li arrotolerai,
come una veste,
e saranno messi da parte.
Tu, invece, sei lo stesso
e i tuoi anni non finiranno.

[13]E di quale angelo disse mai:

> Siedi alla mia destra,
> fino a che non ponga i tuoi nemici
> come sgabello dei tuoi piedi?

[14]Non sono tutti spiriti servitori, mandati al servizio di quelli che erediteranno la salvezza?

2 Esortazione a non trascurare la salvezza offerta.
- [1]Perciò bisogna rimanere attaccati con grande diligenza alle cose udite, per timore di decadere. [2]Se infatti la parola pronunciata mediante gli angeli fu garantita, e ogni trasgressione e disobbedienza ricevette una giusta retribuzione, [3]come sfuggiremo noi, se trascureremo così grande salvezza? La quale incominciò ad essere annunziata mediante il Signore e fu garantita a noi da quelli che l'ascoltarono, [4]avendo Dio concorso alla loro testimonianza con la sua, mediante segni e prodigi e vari atti di potenza e con distribuzioni di Spirito Santo secondo la sua volontà.

Gesù è Salvatore. - [5]Infatti non agli angeli ha sottomesso il mondo futuro, del quale discorriamo. [6]Ma qualcuno ha dichiarato in qualche luogo:

> Che è l'uomo, perché tu ti ricordi di lui,
> o il figlio dell'uomo, perché tu lo visiti?
> [7] Tu l'hai per poco abbassato
> al di sotto degli angeli,
> lo hai coronato di gloria e d'onore,
> [8] hai messo sotto i suoi piedi tutte le cose.

Infatti nell'aver sottomesso tutto a lui, non ha lasciato nulla che non gli fosse soggetto. Nel tempo presente, però, non vediamo ancora tutte le cose a lui sottomesse. [9]Contempliamo invece Gesù, per poco abbassato al di sotto degli angeli, coronato di gloria e onore attraverso la passione della morte, affinché per la bontà di Dio gustasse la morte per ogni uomo.

Convenienza della passione. - [10]Infatti a Colui per il quale e per mezzo del quale sono tutte le cose, che conduce alla gloria numerosi figli, conveniva perfezionare, per mezzo della passione, il capo della loro salvezza. [11]Infatti colui che santifica e quelli che sono santificati sono tutti da uno; per la qual cosa non ha vergogna di chiamarli fratelli, [12]dicendo:

> Annunzierò il tuo nome ai miei fratelli,
> inneggerò a te in mezzo all'assemblea.

[13]E di nuovo:

> Io confiderò in lui.

E ancora:

> Ecco me e i figlioli che Dio mi ha dato.

[14]Poiché dunque i figlioli avevano in comune sangue e carne, anch'egli nella stessa maniera partecipò di quelle cose, per distruggere con la morte colui che ha il potere sulla morte, cioè il diavolo, [15]e per liberare quelli che erano asserviti per tutta la vita al timore della morte. [16]Infatti non si è congiunto con angeli, ma schiatta di Abramo prese. [17]Perciò dovette essere assimilato in tutto ai fratelli, per diventare pontefice misericordioso e fedele nelle cose che riguardano Dio,

Eb

---

2. - 10. *Conveniva*: entriamo nel mistero della sofferenza cosiddetta vicaria: la sostituzione di Gesù Cristo al nostro posto, nella riparazione dei peccati. Dio Padre scelse questa via per la redenzione dell'uomo, perché maggiormente conforme alla sua misericordia e nel medesimo tempo capace di soddisfare pienamente alle esigenze della sua giustizia.

per espiare i peccati del popolo. [18]Infatti per quanto egli ha sofferto, essendo egli stesso stato provato, è capace di soccorrere quelli che sono tentati.

CARATTERI DI CRISTO SACERDOTE

3 **Fedeltà di Gesù e sua preminenza su Mosè.** - [1]Perciò, fratelli santi, partecipi di una vocazione celeste, fissate lo sguardo su Gesù, l'apostolo e pontefice della nostra confessione di fede, [2]il quale fu fedele a colui che lo fece, come anche Mosè lo fu in tutta la casa di lui. [3]Infatti [Gesù] è stato fatto degno di una gloria tanto maggiore di quella di Mosè, quanto l'onore di chi fabbrica la casa è maggiore di quello della casa. [4]Ogni casa infatti è costruita da qualcuno; ora chi ha fabbricato tutte le cose è Dio. [5]Mosè, sì, fu fedele in tutta la casa di lui, come ministro, a testimonio delle cose che dovevano essere dette; [6]Cristo invece come Figlio nella casa di lui; la cui casa siamo noi, se però conserviamo la sicurezza e il vanto della speranza.

Esortazione alla fedeltà a Cristo. - [7]Perciò, come dice lo Spirito Santo:

Oggi, se udirete la sua voce,
[8] *non indurite i vostri cuori,*
come nell'esasperazione,
nel giorno della tentazione
   nel deserto,
[9] *dove i vostri padri mi tentarono*
mettendomi alla prova,
benché avessero visto le mie opere
[10] *per quarant'anni.*
Perciò mi irritai contro questa
   generazione
e dissi: sempre si sviano nel cuore,
essi non hanno conosciuto le mie vie,
[11] *cosicché ho giurato nella mia collera:*
non entreranno nel mio riposo.

[12]Badate, fratelli, che in nessuno di voi vi sia un cuore cattivo di incredulità nell'allontanarvi dal Dio vivente, [13]ma esortatevi l'un l'altro ogni giorno, finché si può dire «oggi», affinché nessuno di voi sia indurito dalla seduzione del peccato. [14]Siamo infatti divenuti partecipi di Cristo, purché conserviamo solida, sino alla fine, la sicurezza iniziale.

[15]Quando si dice:

Oggi, se udirete la sua voce,
non indurite i vostri cuori
come nell'esasperazione...,

[16]chi furono, infatti, quelli che, avendo udito, esasperarono? Non furono proprio tutti quelli che uscirono dall'Egitto sotto la guida di Mosè? [17]E contro chi Dio fu irritato per quarant'anni? Non forse contro quelli che avevano peccato, i cui cadaveri caddero nel deserto? [18]E a chi giurò che non sarebbero entrati nel suo riposo, se non a quelli che si erano ribellati? [19]E noi vediamo che essi non poterono entrare a causa dell'incredulità.

4 [1]Temiamo dunque che, mentre rimane in vigore la promessa di entrare nel suo riposo, qualcuno di voi risulti mancante. [2]Infatti, anche noi abbiamo udito il lieto annunzio come costoro. Ma non giovò loro il messaggio annunziato, non essendo essi uniti mediante la fede a quelli che ascoltarono. [3]Entriamo nel riposo, infatti, noi che abbiamo creduto, secondo ciò che disse:

Cosicché ho giurato nella mia collera:
non entreranno nel mio riposo,

benché le opere di Dio siano terminate fin dalla creazione del mondo. [4]Ha detto infatti così in qualche luogo, intorno al settimo giorno:

E si riposò Dio nel settimo giorno
da tutte le sue opere.

[5]E in questo salmo di nuovo:

Non entreranno nel mio riposo.

[6]Poiché dunque rimane stabilito che alcuni vi entreranno, e i primi a riceverne il lieto annunzio non entrarono per la loro disobbedienza, [7]Dio fissa nuovamente un giorno, un

---

3. - 1. *Apostolo*: Gesù è l'«inviato» da Dio per annunziare agli uomini la salvezza. *Pontefice*, o sommo sacerdote, della nostra religione da lui istituita.

2. Nella casa di Dio, che è la chiesa, Gesù è *Figlio* (v. 6), mentre Mosè, nel popolo di Dio, era solo *ministro* (v. 5), per quanto fosse *fedele*; perciò Gesù è superiore a Mosè, come l'architetto è superiore alla casa che ha costruito.

«oggi», dicendo per bocca di Davide, dopo tanto tempo, come è stato detto prima:

> Oggi, se udirete la sua voce,
> non indurite i vostri cuori.

[8]Ora, se Giosuè li avesse introdotti nel riposo, Dio non parlerebbe dopo queste cose di un altro giorno. [9]È dunque riservato un riposo sabatico per il popolo di Dio. [10]Chi infatti entra nel riposo di lui, anch'egli si riposa dalle sue opere, come Dio dalle proprie. [11]Applichiamoci dunque con premura a entrare in quel riposo, affinché nessuno cada nello stesso esempio di disobbedienza.

La parola di Dio. - [12]La parola di Dio, infatti, è viva ed energica e più tagliente di ogni spada a doppio taglio; essa penetra fino all'intimo dell'anima e dello spirito, delle giunture e delle midolla, e discerne i sentimenti e i pensieri del cuore. [13]Davanti a lui non vi è creatura che resti invisibile; tutte le cose sono nude e scoperte agli occhi di colui al quale noi renderemo conto.

Esortazione alla fedeltà e alla fiducia. - [14]Avendo dunque un pontefice grande, che ha attraversato i cieli, Gesù Figlio di Dio, teniamoci saldi nella professione della fede. [15]Non abbiamo infatti un pontefice che non possa compatire le nostre infermità, essendo stato tentato in tutto a nostra somiglianza, eccetto il peccato. [16]Avviciniamoci dunque con sicurezza al trono della grazia, per ottenere misericordia e trovare grazia per il momento opportuno.

CRISTO SACERDOTE E VITTIMA

5 Gesù Salvatore. - [1]Infatti ogni pontefice, preso di tra gli uomini, è costituito in favore degli uomini nelle cose che riguardano Dio, perché offra doni e vittime per i peccati, [2]essendo capace di usare indulgenza per gli ignoranti e gli sviati, dal momento che anch'egli è avvolto di debolezza, [3]e a motivo di questa deve offrire sacrifici per i peccati, come per il popolo, così anche per se stesso. [4]E nessuno si prende l'onore da se stesso, ma quando è chiamato da Dio, così come anche Aronne. [5]Così anche Cristo non glorificò se stesso nel divenire gran sacerdote, ma lo fece sacerdote colui che gli disse:

> Mio figlio sei tu, io oggi ti ho generato.

[6]Come anche in altro luogo dice:

> Tu sei sacerdote per l'eternità
> secondo l'ordine di Melchisedek.

[7]Il quale, nei giorni della sua carne, implorò e supplicò con grida veementi e lacrime colui che poteva salvarlo da morte, e fu esaudito per la sua riverenza. [8]E imparò da ciò che soffrì l'obbedienza, pur essendo Figlio. [9]E perfezionato, diventò per tutti quelli che gli prestano obbedienza autore di eterna salvezza, [10]proclamato da Dio sommo sacerdote secondo l'ordine di Melchisedek.

Digressione parenetica. - [11]Intorno a ciò il discorso per noi si fa abbondante e difficile da esporre, perché siete divenuti pigri nell'ascoltare. [12]Infatti, mentre per il tempo dovreste essere maestri, invece avete nuovamente bisogno che uno vi insegni i rudimenti degli oracoli di Dio, e siete diventati bisognosi di latte, non di cibo solido. [13]Infatti, chi prende il latte non ha l'esperienza della dottrina della giustizia, perché è un bambino. [14]Invece il cibo solido è dei perfetti, i quali per la consuetudine hanno i sensi allenati al discernimento del bene e del male.

**6 ** [1]Perciò, lasciando l'insegnamento iniziale su Cristo, eleviamoci alla perfezione, non gettando di nuovo un fondamento di penitenza da opere morte e di fede in Dio, [2]di istruzione sui battesimi e sull'imposizione delle mani, sulla risurrezione dei morti e sul giudizio eterno. [3]Questo faremo se Dio permetterà. [4]Infatti quelli che sono stati una volta illuminati e hanno gustato il dono celeste e sono divenuti partecipi dello Spirito Santo, [5]e hanno gustato la parola bella di Dio e le energie

---

5. - 10. Del personaggio di *Melchisedek* in quanto figura anticipatrice di Cristo si parlerà diffusamente nel c. 7.

6. - 4-6. Quanti hanno ricevuto il battesimo (*illuminati*) e l'eucaristia (*dono celeste*), hanno beneficiato di tutti i mezzi di salvezza offerti da Cristo; ma se poi li hanno disprezzati lasciandosi andare all'apostasia, non possono più trovarne altri per essere nuovamente redenti.

del mondo futuro, [6]e caddero, è impossibile rinnovarli a pentimento, perché per loro conto di nuovo crocifiggono il Figlio di Dio e lo espongono all'ignominia. [7]Infatti la terra che beve la pioggia che frequente cade su di essa e genera erba utile per quelli da cui anche è lavorata, partecipa della benedizione da Dio. [8]Al contrario quella che produce spine e triboli è riprovata e vicina alla maledizione, e la sua fine è bruciare.

[9]Benché parliamo così, carissimi, nutriamo tuttavia fiducia in condizioni migliori per la salvezza per voi. [10]Dio infatti non è ingiusto da dimenticare la vostra opera, la carità che voi avete mostrato verso il nome di lui: avete servito e servite i santi. [11]Desideriamo pertanto che ciascuno di voi mostri la stessa premura per la pienezza della speranza sino alla fine, [12]perché non diventiate fiacchi, al contrario siate imitatori di quelli che ereditano le promesse mediante la fede e la longanimità.

[13]Dio, infatti, nel fare una promessa ad Abramo, poiché non aveva nessuno più grande per cui giurare, giurò per se stesso, [14]dicendo:

*Certamente ti colmerò di benedizioni
e ti moltiplicherò in modo straordinario.*

[15]E così Abramo, dopo avere atteso a lungo con pazienza, conseguì la promessa. [16]Gli uomini infatti giurano per uno più grande, e il giuramento per essi è una garanzia che pone fine ad ogni controversia. [17]Perciò Dio si fece garante con giuramento, volendo fornire agli eredi della promessa una prova più convincente dell'immutabilità della sua decisione, [18]affinché mediante due cose immutabili, nelle quali è impossibile che Dio mentisca, noi, i rifugiati in lui, avessimo un forte incoraggiamento a impadronirci della speranza messa davanti. [19]La quale abbiamo come àncora sicura e solida per l'anima, e penetrante nella parte oltre il velo, [20]dove è già entrato per noi, precursore, Gesù, divenuto sommo sacerdote in eterno, secondo l'ordine di Melchisedek.

7 Gesù superiore ai sacerdoti levitici. - [1]Infatti questo Melchisedek, re di Salem, sacerdote del Dio Altissimo, venne incontro ad Abramo che ritornava dalla sconfitta dei re e lo benedisse. [2]A lui Abramo assegnò come sua parte la decima di tutto. Egli viene interpretato anzitutto re di giustizia, poi re di Salem, cioè re di pace. [3]Presentato senza padre e senza madre, senza genealogia, non avente né principio di giorni né fine di vita, assimilato al Figlio di Dio, rimane sacerdote in eterno.

[4]Considerate quanto grande deve essere colui al quale Abramo diede la decima della parte più eccellente, lui il patriarca. [5]E quelli tra i figli di Levi che ricevono il sacerdozio hanno ordine, secondo la legge, di prelevare le decime dal popolo, cioè dai loro fratelli, usciti come sono dai lombi di Abramo. [6]Costui invece, che pure non è iscritto nelle loro genealogie, ha prelevato la decima su Abramo e ha benedetto colui che aveva le promesse. [7]Ora è fuori di ogni discussione che viene benedetto il più piccolo dal più grande. [8]E qui sono uomini mortali quelli che ricevono le decime, là invece è uno di cui è testificato che vive. [9]E, per modo di dire, in Abramo anche Levi, che pure ora preleva le decime, le ha pagate, [10]perché quando Melchisedek si fece incontro ad Abramo, Levi era ancora nei lombi del padre.

[11]Se, dunque, mediante il sacerdozio levitico si fosse raggiunta la perfezione – infatti sotto di esso il popolo fu sottoposto a una legge –, che bisogno c'era ancora che sorgesse un sacerdote differente, secondo l'ordine di Melchisedek, e non fosse denominato secondo l'ordine di Aronne? [12]Infatti se viene cambiato il sacerdozio, necessariamente avviene anche un cambiamento di legge. [13]Colui infatti del quale queste cose sono dette è partecipe di un'altra tribù, della quale nessuno si è consacrato all'altare. [14]È notorio infatti che il Signore nostro è germinato da Giuda, della quale tribù Mosè non ha detto nulla trattando dei sacerdoti.

[15]E tutto ciò è ancora più evidente, se sorge un sacerdote differente, secondo la somiglianza di Melchisedek, [16]il quale è stato co-

---

7. Il c. 7 è centrale nella lettera: presentato Melchisedek, fa il confronto del suo sacerdozio con quello di Levi, poi dimostra che corre un parallelo tra il sacerdozio di Melchisedek e quello di Gesù.

1-2. *Melchisedek*, nella Bibbia (Gn 14), è personaggio misterioso come un'apparizione. Per il suo nome, «re di giustizia», «re di pace», e per le relazioni che ebbe con Abramo è visto dall'autore ispirato come figura di Cristo, re di giustizia e di pace, senza padre come uomo, senza madre come Dio, senza antenati (*genealogia*) nel suo sacerdozio eterno.

stituito non secondo la legge di prescrizioni carnali, ma secondo una forza di vita indistruttibile. [17]Riceve infatti la testimonianza:

Tu sei sacerdote per l'eternità
secondo l'ordine di Melchisedek.

[18]Infatti il precedente ordinamento è stato abrogato a ragione della sua debolezza e inutilità. [19]La legge infatti non condusse nulla a perfezione. Invece è stata fatta entrare nel mondo una speranza superiore, per la quale ci avviciniamo a Dio.

[20a]E in quanto ha ricevuto il sacerdozio non senza giuramento, [22]in tanto Gesù è divenuto garante di una migliore alleanza, [20b]Gli altri sono divenuti sacerdoti senza giuramento, [21]questi invece col giuramento di colui che gli dice:

Il Signore ha giurato e non se ne pentirà:
Tu sei sacerdote per l'eternità.

[23]E quelli sono divenuti sacerdoti in molti, perché la morte impediva loro di rimanere. [24]Questi invece, per il fatto che rimane in eterno, ha un sacerdozio non trasmissibile. [25]Onde può anche salvare per sempre quelli che, mediante lui, si avvicinano a Dio, essendo sempre vivente per intercedere in loro favore.

[26]A noi occorreva infatti un tale sacerdote: santo, innocente, senza macchia, separato dai peccatori, innalzato più in alto dei cieli. [27]Il quale non ha bisogno, tutti i giorni, di offrire vittime prima per i propri peccati, poi per quelli del popolo, come i sommi sacerdoti, perché questo egli ha fatto una volta per tutte offrendo se stesso. [28]Infatti la legge costituisce sommi sacerdoti uomini soggetti a debolezza, la parola invece del giuramento, posteriore alla legge, costituisce il Figlio, reso perfetto per l'eternità.

8 Perfezione del ministero sacerdotale di Cristo. - [1]Il punto centrale delle cose

che stiamo dicendo è questo: noi abbiamo un tale sommo sacerdote che si è assiso alla destra del trono della maestà nei cieli, [2]ministro del santuario e del tabernacolo vero, che ha fatto il Signore, non un uomo. [3]Ogni sommo sacerdote, infatti, viene stabilito per offrire doni e sacrifici; perciò è necessario che anche questi abbia qualche cosa da offrire. [4]Se dunque fosse sulla terra, non sarebbe neppure sacerdote, essendovi quelli che offrono i doni secondo la legge. [5]I quali servono, in immagine e ombra delle cose celesti, conforme all'oracolo di cui è stato beneficato Mosè, quando stava per compiere il tabernacolo: *Guarda* – dice infatti – *di fare tutto secondo il modello che ti è stato mostrato sul monte.*
[6]Ma ora Cristo ha ricevuto un ministero tanto più eccellente, quanto più eccellente è l'alleanza di cui egli è mediatore, la quale appunto è stata fondata su migliori promesse. [7]Se infatti quella antica fosse stata irreprensibile, non si sarebbe cercato il posto per una seconda. [8]Rimproverandoli infatti dice:

Ecco, vengono i giorni, dice il Signore,
e io concluderò con la casa d'Israele
e con la casa di Giuda
una nuova alleanza.
[9] *Non sarà come l'alleanza*
che ho fatto con i loro antenati,
nel giorno in cui li ho presi per mano,
per trarli fuori dall'Egitto;
poiché essi non rimasero
nella mia alleanza,
anch'io, dice il Signore, li ho trascurati.
[10] *Perché questa è l'alleanza*
che contrarrò con la casa d'Israele:
dopo quei giorni, dice il Signore,
io darò le mie leggi nella loro mente
e le scriverò nei loro cuori
e io sarò il loro Dio
ed essi saranno il mio popolo.
[11] *Essi non avranno più da istruire*
ciascuno il suo concittadino
e ciascuno il proprio fratello,
dicendo: Conosci il Signore!
Perché tutti mi conosceranno,
dal più piccolo al più grande.
[12] *Perché io sarò misericordioso*
verso le loro iniquità
e dei loro peccati
non mi ricorderò mai più.

Eb

---

27. *Una volta per tutte*: il sacrificio di Cristo è posto al centro della storia della salvezza: prima predetto, ora compiuto e fonte di speranza. Esso è valido per sempre e per tutti. Non sarà mai più ripetuto. Se ne fa memoria quotidiana nella messa per applicare i frutti alle anime che ne hanno sempre bisogno, e rimane l'unica speranza e àncora di salvezza per tutti gli uomini che si succedono nel corso dei secoli.

[13]Nel parlare di un'alleanza nuova, Dio ha reso antiquata la precedente. Ora, ogni cosa che viene resa antiquata e che invecchia è vicina a scomparire.

9 Il sacrificio di Cristo e il sacrificio dell'espiazione.

- [1]Certo, anche la prima alleanza aveva ordinamenti cultuali, come pure un santuario, ma terrestre. [2]Infatti fu preparata una tenda, la prima, nella quale vi erano il candelabro e la tavola e i pani esposti, la quale è detta il «Santo». [3]Poi, dietro il secondo velo, vi era una tenda chiamata «Santo dei Santi», [4]contenente l'altare d'oro dell'incenso e l'arca dell'alleanza, d'ogni parte ricoperta d'oro, nella quale vi erano un'urna d'oro, che conteneva manna, e la verga di Aronne, che era fiorita, e le tavole dell'alleanza. [5]Sopra di quella vi erano i cherubini di gloria che facevano ombra sul propiziatorio. Delle quali cose non è ora di discorrere in particolare.

[6]Essendo le cose così disposte, nella prima parte del tabernacolo entrano sempre i sacerdoti, quando hanno da compiere i servizi del culto. [7]Invece nella seconda parte entra solo il sommo sacerdote, una volta l'anno, e non senza sangue, che egli offre per i peccati di ignoranza suoi e del popolo. [8]Così lo Spirito Santo ha voluto mostrare che non era ancora aperta la via al santuario, finché rimaneva in piedi la prima tenda del tabernacolo, [9]la quale è parabola del tempo presente. Secondo essa si offrono doni e sacrifici che non possono rendere perfetto secondo coscienza l'adoratore, [10]consistendo solo in cibi, bevande e molteplici abluzioni: ordinamenti carnali, imposti fino al tempo in cui sarebbero stati riformati.

[11]Cristo invece, apparso come sommo sacerdote dei beni futuri, per una tenda più grande e più perfetta, non manufatta, cioè non di questa creazione, [12]né mediante sangue di capri e di vitelli, ma in virtù del proprio sangue è entrato nel santuario una volta per tutte, perché ha trovato un riscatto eterno. [13]Infatti se il sangue dei capri e dei tori e la cenere di vacca aspersa sui contaminati li santificano, purificandoli nella carne, [14]quanto più il sangue di Cristo, il quale mediante uno spirito eterno ha offerto se stesso senza macchia a Dio, purificherà la vostra coscienza dalle opere morte per servire al Dio vivo!

[15]Perciò egli è il mediatore dell'alleanza nuova, affinché, essendo intervenuta una morte in redenzione delle trasgressioni commesse sotto la prima alleanza, i chiamati ricevessero la promessa dell'eredità eterna. [16]Ove infatti vi è un testamento, è necessario che venga denunziata la morte del testatore, [17]perché il testamento è valido solo in caso di morte, dal momento che non ha nessuna forza finché è in vita il testatore. [18]Di qui deriva che neppure la prima alleanza è stata sancita senza sangue. [19]Infatti, dopo che da Mosè fu proclamato a tutto il popolo ogni comandamento, secondo la legge, egli, preso il sangue dei vitelli e dei capri, con acqua e con lana scarlatta e con issopo asperse il libro stesso e tutto il popolo [20]dicendo: *Questo è il sangue dell'alleanza che Dio ha prescritto per voi.* [21]Nella stessa maniera asperse di sangue anche il tabernacolo e tutti gli utensili del culto. [22]E, secondo la legge, quasi tutte le cose vengono purificate col sangue, e senza effusione di sangue non vi è remissione.

[23]È necessario dunque che le figure delle cose che sono nei cieli siano purificate con queste aspersioni; le cose celesti stesse con sacrifici più perfetti di quelli. [24]Cristo infatti non è entrato in un santuario fatto da mano d'uomo, antitipo del vero, ma nel cielo stesso, allo scopo di presentarsi ora davanti alla faccia di Dio per noi, [25]non per offrire se stesso parecchie volte, come il sommo sacerdote entra nel santuario ogni anno col sangue di un altro, [26]altrimenti egli avrebbe dovuto patire parecchie volte fin dalla creazione del mondo. Ora invece egli una volta sola, nella pienezza dei tempi, si è manifestato col sacrificio di se stesso per l'annullamento del peccato. [27]E come è stabilito per gli uomini di morire una volta sola, dopo di che viene il giudizio, [28]così anche Cristo una volta sola è stato offerto per levar via i peccati di molti, e apparirà una seconda volta, senza peccato, per quelli che lo attendono, per la salvezza.

---

9. - 2ss. L'autore parla di *tenda*, riferendosi a quella preparata da Mosè nel deserto e che servì poi da modello per la costruzione del tempio. La descrizione della tenda mosaica si ha in Es 25-26, quella del tempio di Salomone in 1Re 6. Anche nel tempio la parte più sacra, chiamata tabernacolo, era divisa in due parti da un velo che solo il sommo sacerdote poteva oltrepassare nel Giorno dell'espiazione. Quel velo si spaccò da cima a fondo alla morte di Gesù (Mt 27,51).

10 Impotenza dei sacrifici dell'Antico Testamento. - [1]Infatti la legge, che ha un'ombra dei beni futuri, non l'immagine stessa delle cose, non può con gli stessi sacrifici, che si offrono ogni anno indefinitamente, rendere perfetti quelli che si accostano a Dio. [2]Altrimenti non avrebbero cessato di esser offerti, per la ragione che gli offerenti, purificati una volta, non avrebbero più nessuna coscienza di peccato? [3]Al contrario, in essi, ogni anno si rinnova il ricordo dei peccati. [4]È impossibile infatti che il sangue dei tori e dei capri tolga i peccati. [5]Perciò, entrando nel mondo dice:

Non hai voluto sacrificio, né oblazione,
ma tu mi hai preparato un corpo.
[6] *Non hai gradito olocausti,*
né sacrifici per i peccati.
[7] *Allora io dissi: ecco vengo,*
nel rotolo del libro è stato scritto di me,
o Dio, per fare la tua volontà.

[8]Anzitutto dice: *Non hai voluto né gradito sacrifici né oblazioni né olocausti né sacrifici per il peccato*, che vengono offerti secondo la legge. [9]Poi dice: *Ecco, vengo per fare la tua volontà*: toglie via la prima cosa, per stabilire la seconda. [10]Nella quale volontà siamo stati santificati mediante l'offerta del corpo di Gesù Cristo una volta per sempre.

Efficacia del sacrificio di Cristo. - [11]E ogni sacerdote sta in piedi ogni giorno, officiando e offrendo ripetutamente le stesse vittime, appunto perché non possono in nessun modo far sparire i peccati. [12]Al contrario egli, per avere offerto un unico sacrificio per i peccati, si è assiso per sempre alla destra di Dio, [13]aspettando che i suoi nemici siano posti a sgabello ai suoi piedi. [14]Infatti con unica oblazione ha reso per sempre perfetti quelli che vengono santificati.

[15]Anche lo Spirito Santo lo ha a noi attestato. Infatti, dopo aver detto:

[16] *Questa è l'alleanza*
che io stipulerò con essi
dopo quei giorni, dice il Signore:
darò le mie leggi nel loro cuore
e le scriverò sopra la loro mente,

[17](soggiunge:)

e dei loro peccati e delle loro iniquità
non mi ricorderò mai più.

[18]Ora, dove c'è remissione di questi, non vi è più oblazione per il peccato.

PERSEVERANZA NELLA FEDE

Esortazione alla fedeltà verso Cristo. - [19]Avendo dunque, o fratelli, la confidenza di entrare nel santuario, nel sangue di Gesù, [20]via che egli ha inaugurata per noi nuova e vivente attraverso il velo, cioè la sua carne, [21]e avendo un gran sacerdote sulla casa di Dio, [22]avviciniamoci di vero cuore, in pienezza di fede, purificati nel cuore da cattiva coscienza, lavati nel corpo con l'acqua pura. [23]Manteniamo senza vacillare la professione della speranza, infatti colui che ha promesso è fedele, [24]e facciamo attenzione gli uni agli altri per accenderci a carità e ad opere buone; [25]non disertiamo dalle nostre riunioni come è costume di alcuni, ma incoraggiamoci, tanto più quanto vedete che il giorno sta avvicinandosi.

[26]Infatti se noi volontariamente pecchiamo dopo aver ricevuto la cognizione della verità, non viene più lasciato un sacrificio per i peccati, [27]ma solo un'attesa terribile del giudizio e il furore del fuoco pronto a consumare i ribelli. [28]Se uno rigetta la legge di Mosè, viene messo a morte senza misericordia, sulla parola di due o tre testi. [29]Di quanto peggior castigo pensate che sarà giudicato degno chi avrà calpestato il Figlio di Dio e avrà stimato cosa volgare il sangue dell'alleanza nel quale egli è stato santificato, e avrà oltraggiato lo Spirito della grazia? [30]Noi conosciamo infatti colui che ha detto:

A me la vendetta, io retribuirò!

Ed ancora:

Il Signore giudicherà il suo popolo.

Eb

---

10. - 19-20. Come per entrare nel Santo dei Santi si doveva attraversare il velo, così per entrare in cielo fu necessario che fosse squarciata e trafitta sulla croce la carne del Redentore. Così l'umanità di Cristo è divenuta la *via nuova e vivente* attraverso la quale noi possiamo entrare in relazione con Dio. Questa via non è solo di accesso, ma è lo strumento di cui Cristo si è servito, offrendola in sacrificio, e di cui dobbiamo servirci noi, unendoci a lui con la fede e fidando solo nei suoi meriti, non nelle nostre opere.

³¹È spaventoso cadere nelle mani del Dio vivente!

³²Richiamate alla memoria i giorni passati nei quali, dopo essere stati illuminati, avete sostenuto una grande e dolorosa lotta, ³³da una parte fatti spettacolo con ignominie e tribolazioni, dall'altra divenuti solidali di quelli che vivevano così. ³⁴Infatti voi avete sofferto con i prigionieri e avete accettato la spoliazione delle vostre sostanze con gioia, conoscendo di avere una sostanza migliore e stabile. ³⁵Non fate dunque gettito della vostra sicurezza, la quale ha una grande retribuzione. ³⁶Avete infatti bisogno di pazienza, affinché, avendo fatta la volontà di Dio, raccogliate la promessa.

³⁷ Perché, ancora un poco, appena un poco,
   colui che viene giungerà e non tarderà;
³⁸ il mio giusto vive di fede,
   se invece si sottrae,
   non si compiace in lui l'anima mia.

³⁹Noi però non siamo di quelli che si sottraggono, per la rovina, ma di quelli che credono, per la salvezza dell'anima.

11 L'esempio dei patriarchi. - ¹La fede è garanzia delle cose sperate, prova per le realtà che non si vedono. ²In questa infatti gli antichi hanno ricevuto una testimonianza. ³Per la fede, noi comprendiamo che i mondi furono formati per una parola di Dio, di modo che da cose non visibili è derivato ciò che si vede.

⁴Per la fede Abele offrì a Dio un sacrificio più prezioso di quello di Caino, e per essa ricevette la testimonianza di essere giusto, perché Dio rendeva testimonianza ai doni di lui, e per essa dopo la morte continua a parlare. ⁵Per la fede Enoch fu trasportato in modo da non vedere la morte, e non lo si trovò, perché Dio lo aveva trasportato. Prima infatti del trasferimento ricevette testimonianza che era piaciuto a Dio. ⁶Senza fede è impossibile piacere a Dio. Chi si avvicina a Dio deve credere che egli esiste ed è rimuneratore per quelli che lo cercano. ⁷Per la fede Noè, avvisato di cose che non si vedevano ancora, preso da timore, preparò un'arca per la salvezza della sua famiglia, e per questa fede condannò il mondo e divenne erede della giustizia secondo la fede.

⁸Per la fede Abramo, chiamato, obbedì, per andare verso un paese che egli stava per ricevere in proprietà, e uscì senza sapere dove andava. ⁹Per la fede trasmigrò verso la terra della promessa, come verso una terra d'altri, e abitò in tende, insieme con Isacco e Giacobbe, eredi insieme con lui della medesima promessa. ¹⁰Aspettava infatti la città ben fondata, della quale è stato architetto e costruttore Dio stesso.

¹¹Per la fede anche la stessa Sara ricevette forza per generare, e ciò anche dopo oltrepassato il limite dell'età, perché stimò fedele colui che aveva promesso. ¹²Per questo, da quest'unica coppia, e per di più già morta, nacquero figli numerosi come le stelle del cielo e come l'arena che è sulla riva del mare, che è impossibile numerare.

¹³Secondo la fede tutti questi morirono, pur non avendo ricevuto le promesse, ma avendole viste e salutate da lontano, e riconoscendosi stranieri e pellegrini sulla terra. ¹⁴Quelli infatti che dicono tali cose mostrano chiaramente che cercano una patria. ¹⁵E se avessero avuto nella memoria quella patria da cui erano usciti, avrebbero avuto occasione di ritornarvi. ¹⁶Ora invece essi aspirano a una patria migliore, e cioè alla celeste. Perciò Dio non ha vergogna di essere chiamato il loro Dio. Infatti egli ha preparato loro una città.

¹⁷Per la fede Abramo ha offerto Isacco, quando fu provato. E stava per offrire l'unico figlio, quello che aveva ricevuto le promesse, ¹⁸del quale era stato detto: In Isacco tu avrai una discendenza, ¹⁹perché aveva ritenuto che Dio è potente anche per risuscitare da morte. Onde lo ricevette, e come in figura. ²⁰Pure per la fede Isacco benedisse Giacobbe ed Esaù, riguardo alle cose future. ²¹Per la fede Giacobbe morente benedisse ciascuno dei figli di Giuseppe e si prostrò sull'estremità del suo bastone. ²²Per la fede Giuseppe, in fin di vita, si ricordò dell'esodo dei figli d'Israele e diede ordini riguardo alle sue ossa. ²³Per la fede Mosè alla sua nascita fu dai suoi parenti nascosto per tre mesi, perché vedevano il bambino grazioso e non ebbero paura dell'ordine del re. ²⁴Per la fede Mosè,

---

11. - 1. La *fede* è detta *garanzia*, sia perché su di essa poggia la speranza, sia perché ci rende come presenti le cose future, verso cui essa è completamente orientata; è detta *prova* in quanto è assoluta certezza delle verità, basata su questo argomento che rende razionale la fede: Dio non può che dire il vero; questo l'ha detto Dio, dunque è vero.

fatto adulto, ricusò di essere chiamato figlio della figlia del faraone, [25]preferendo essere maltrattato col popolo di Dio, piuttosto che avere un godimento passeggero ·di peccato, [26]stimando ricchezza maggiore dei tesori d'Egitto l'obbrobrio dell'Unto, perché aveva lo sguardo fisso sulla ricompensa. [27]Per la fede lasciò l'Egitto, non temendo il furore del re; infatti fu costante, perché vedeva l'invisibile. [28]Per la fede fece la Pasqua e l'aspersione del sangue, perché lo sterminatore non toccasse i loro primogeniti. [29]Per la fede essi passarono attraverso il Mar Rosso, come per una terra asciutta, mentre gli Egiziani, avendone tentato il passaggio, vi furono sommersi.

[30]Per la fede le mura di Gerico, circondate per sette giorni, caddero. [31]Per la fede Raab, la meretrice, non perì insieme con quelli che furono disobbedienti, avendo accolto con pace gli esploratori.

[32]E che dirò ancora? Mi mancherà infatti il tempo, se vorrò discorrere di Gedeone, Barak, Sansone, Iefte, di Davide, di Samuele e dei profeti. [33]I quali mediante la fede vinsero i regni, esercitarono la giustizia, conseguirono le promesse, chiusero la bocca dei leoni, [34]estinsero la violenza del fuoco, sfuggirono al filo della spada, furono rinvigoriti dalle infermità, divennero forti in battaglia, misero in fuga eserciti di stranieri. [35]Alcune donne ricevettero i loro morti, per la risurrezione. Altri furono torturati col timpano, non accettando la liberazione, per avere in sorte una risurrezione migliore. [36]Altri sperimentarono trattamenti ignominiosi e frustate e ancora catene e carcere. [37]Furono lapidati, segati, messi alla prova, morirono uccisi da spada. Andarono in giro vestiti di pelli di montone o di capra, bisognosi, oppressi, maltrattati, [38]dei quali il mondo era indegno; andavano errando per i deserti, per i monti e per le spelonche e caverne della terra.

[39]E tutti questi, pur avendo ricevuto, a causa della fede, una testimonianza, non raggiunsero la promessa, [40]avendo Dio predisposto per noi qualcosa di meglio, perché non arrivassero alla perfezione senza di noi.

---

26. *Unto* (greco: Cristo): si tratta del popolo ebreo, alla cui sorte volle partecipare Mosè, invece di godere delle delizie della corte reale egiziana.
33-38. Accenna ad opere compiute e specialmente ai patimenti sopportati da alcuni campioni della fede nel corso della storia ebraica.

12 Imitazione dell'esempio di Cristo. -

[1]Dunque anche noi, dal momento che abbiamo una tale nube di testimoni che ci circonda, con pazienza corriamo la gara che ci viene messa innanzi, dopo aver deposto tutto ciò che appesantisce e il peccato che ci irretisce, [2]avendo lo sguardo fisso su Gesù, autore e consumatore della fede, il quale, in luogo della gioia che gli si proponeva davanti, si sottopose alla croce, sprezzando l'ignominia, e ora siede alla destra del trono di Dio. [3]Infatti ripensate a colui che ha sofferto in se stesso siffatta contraddizione, da parte dei peccatori, per non stancarvi, lasciandovi intorpidire nelle anime vostre. [4]Finora non avete, nella lotta contro il peccato, resistito fino al sangue, [5]e vi siete dimenticati dell'esortazione che si rivolge a voi, come a figli:

> *Figlio mio,*
> *non disprezzare la correzione del Signore*
> *e non ti scoraggiare*
> *quando sei da lui ripreso.*
> [6] *Il Signore infatti corregge colui che ama*
> *e frusta ogni figlio che egli accoglie.*

[7]Per correzione voi soffrite. Dio si presenta a voi come a figli: qual è il figlio che il padre non corregge? [8]Se invece siete senza correzione, della quale tutti sono diventati partecipi, allora siete dei bastardi e non figli. [9]Noi avevamo come correttori i padri della nostra carne e li veneravamo. Non saremo molto di più sottomessi a Dio, padre degli spiriti, per avere la vita? [10]Infatti quelli ci correggevano per pochi giorni, secondo ciò che loro sembrava bene; egli invece per il nostro vantaggio, per farci partecipare alla sua santità. [11]Ogni correzione sul momento, è vero, non appare causa di gioia, ma più tardi porta in cambio un frutto pacifico di giustizia a quelli che sono esercitati da essa. [12]Perciò *raddrizzate le mani inerti e le ginocchia paralizzate,* [13]e *fate dritti i sentieri per i vostri piedi,* perché ciò che è zoppo non abbia a deviare, ma piuttosto sia guarito.

Il frutto pacifico della giustizia. -

[14]Perseguite la pace con tutti e la santificazione, senza la quale nessuno potrà vedere il Signore, [15]vigilando perché nessuno sia mancante alla grazia di Dio, perché non nasca

alcuna radice amara e diventi causa di torbidi, e per mezzo di questa non siano infettati molti. [16]Nessuno sia fornicatore né profanatore, come Esaù, che per una vivanda rinunziò ai suoi diritti di primogenitura. [17]Sapete infatti che in seguito, volendo egli ereditare la benedizione, fu rigettato; infatti non trovò luogo a pentimento, nonostante che con lacrime cercasse di ottenerlo.

[18]Voi infatti non vi siete avvicinati a qualcosa di palpabile e a un fuoco ardente né a oscurità, tenebra e procella, [19]né a squillo di tromba e a suono di parole, tale che quelli che l'udirono supplicarono che non si rivolgesse più loro parola. [20]Essi infatti non riuscivano a sopportare l'ordine: *Anche se un animale tocca la montagna, sia lapidato.* [21]E Mosè, tanto era terribile lo spettacolo, disse: *Io sono spaventato e tremante.* [22]Al contrario vi siete avvicinati al monte Sion, alla città del Dio vivente, alla Gerusalemme celeste e alle miriadi di angeli, ceto trionfante [23]e assemblea dei primogeniti iscritti nei cieli, a Dio giudice di tutti e agli spiriti dei giusti, giunti al perfezionamento, [24]a Gesù, mediatore di una alleanza nuova, e al sangue di aspersione che parla meglio di quello di Abele.

[25]Fate attenzione a non rifiutare colui che parla. Se infatti costoro non sfuggirono per avere rifiutato colui che promulgava oracoli sulla terra, molto meno noi, se ci ritiriamo da colui che ci parla dal cielo, [26]la cui voce allora scosse la terra. Ora invece ha fatto questa promessa: *Ancora una volta io farò tremare non solo la terra, ma anche il cielo.* [27]Quell'*ancora una volta* mostra il cambiamento delle cose che vengono scosse, in quanto create, affinché rimangano quelle che non vengono scosse. [28]Perciò noi, che riceviamo il regno che non può venire scosso, riteniamo la grazia, per mezzo della quale prestiamo a Dio il culto, in modo che piaccia a lui, con rispetto e timore. [29]Infatti il nostro Dio è un fuoco che consuma.

13 Ultime raccomandazioni. - [1]L'amore fraterno sia perseverante. [2]Non dimenticate l'ospitalità: per mezzo di questa infatti alcuni, senza saperlo, ospitarono angeli. [3]Ricordatevi dei prigionieri, come se anche voi foste prigionieri con loro, e di quelli che sono maltrattati, perché anche voi siete ancora nel corpo. [4]Il matrimonio sia tenuto in onore, in tutte le cose. E il talamo sia incontaminato. Dio infatti punirà sia i fornicatori sia gli adùlteri. [5]La condotta sia lontana dall'avarizia, contenti delle cose che abbiamo al presente. Infatti egli ha detto:

*Io non ti lascerò mai
né ti abbandonerò.*

[6]Cosicché possiamo dire con fiducia:

*Il Signore è mio aiuto, non temerò.
Che cosa mi potrà fare l'uomo?*

[7]Ricordatevi dei vostri capi, i quali vi hanno predicato la parola di Dio e, contemplando l'esito della loro maniera di vivere, imitatene la fede. [8]Gesù Cristo è lo stesso ieri e oggi e nei secoli.

[9]Non lasciatevi trasportare da dottrine varie e peregrine. È infatti cosa buona rafforzare il cuore per mezzo della grazia, non nei cibi, che non giovarono mai a quelli che se ne sono serviti. [10]Noi abbiamo un altare, del quale non hanno potere di mangiare quelli che prestano il loro culto al tabernacolo. [11]Infatti i cadaveri degli animali, il cui sangue per il peccato viene portato nel santuario dal sommo sacerdote, vengono bruciati fuori dell'accampamento. [12]Perciò anche Gesù, per santificare il popolo mediante il proprio sangue, ha sofferto fuori della porta. [13]Usciamo dunque verso di lui fuori degli accampamenti, portando il suo obbrobrio. [14]Non abbiamo infatti qui una città permanente, ma tendiamo alla città che deve venire. [15]Dunque offriamo a Dio per mezzo di lui un sacrificio di lode continuamente, cioè un frutto delle labbra che lodano il suo nome. [16]Non dimenticatevi della beneficenza e di mettere in comune i beni: di tali sacrifici infatti Dio si diletta. [17]Lasciatevi persuadere dai vostri capi e siate sottomessi: essi infatti vegliano per le anime vostre, dovendone rendere conto. Possano fare ciò con gioia

---

13. - 11-12. Nel Giorno dell'espiazione (Lv 16,27) il sangue degli animali espiatori era portato dal sommo sacerdote nel Santo dei Santi; i cadaveri venivano poi bruciati fuori dell'accampamento quando il popolo peregrinava nel deserto, fuori delle mura di Gerusalemme dopo la costruzione del tempio e la centralizzazione del culto. Tutto ciò, con i riti annessi, era figura dell'immolazione di Cristo crocifisso sul monte Calvario, *fuori della porta* e delle mura di Gerusalemme.

e non gemendo; questo infatti sarebbe per voi svantaggioso.

Epilogo. - [18]Pregate per noi. Infatti siamo persuasi di avere una buona coscienza, volendo in tutte le cose comportarci bene. [19]Vi esorto con più insistenza a far questo, affinché possa essere reso a voi presto. [20]Il Dio della pace che ha fatto risalire dai morti il grande Pastore delle pecore nel sangue dell'alleanza eterna, il Signore nostro Gesù Cristo, [21]vi renda pronti a ogni opera buona, per fare la volontà sua, operando in noi ciò che piace ai suoi sguardi, per Gesù Cristo, a cui la gloria per tutti i secoli. Amen. [22]Vi prego, fratelli: sopportate il sermone di esortazione; vi ho scritto infatti brevemente. [23]Sappiate che il nostro fratello Timoteo è stato liberato. Con lui, se verrà presto, vi vedrò. [24]Salutate i vostri capi e tutti i santi. Vi salutano quelli dall'Italia. [25]La grazia sia con tutti voi. Così sia.

LETTERE CATTOLICHE

Si chiamano «cattoliche» sette lettere del Nuovo Testamento che non sono indirizzate a nessuna comunità particolare e sono attribuite due a san Pietro, una a san Giacomo, una a san Giuda e tre a san Giovanni. Forse è stata proprio l'assenza di destinatari particolari a suggerire l'appellativo «cattolico», cioè universale, documentato già nell'antichità. Questa piccola raccolta è attestata nel secolo IV, ma la sua collocazione nella lista degli scritti neotestamentari non appare fissa e si trovano differenze anche nell'ordine delle lettere in seno alla stessa raccolta. La Volgata ha imposto la prassi di collocarle tra le lettere di san Paolo e l'Apocalisse; alla Volgata si deve anche l'ordine poi comunemente accettato: lettere di Giacomo, di Pietro, di Giovanni, di Giuda, probabilmente sotto l'influsso di Gal 2,9 che fa menzione delle «colonne» della chiesa, nominando nell'ordine Giacomo, Cefa o Pietro e Giovanni. Nelle moderne edizioni della Bibbia si preferisce porre la lettera di Giuda prima delle tre lettere di Giovanni per unire queste ultime all'Apocalisse, anch'essa di Giovanni. Le più brevi di queste lettere e precisamente la seconda di Pietro, la seconda e terza di Giovanni e quella di Giuda, incontrarono qualche incertezza per entrare nel canone ufficiale della chiesa e ancora Eusebio (prima metà del secolo IV) le collocava tra gli scritti sulla cui autenticità si sollevavano dubbi ai suoi tempi; ma successivamente cessò ogni contestazione.

Ciascuna lettera possiede un suo carattere proprio e una propria finalità; anche la forma e lo stile sono diversi, data la pluralità degli autori e delle cause che ne provocarono la redazione. L'esposizione serena della vita divina donata al mondo dal Redentore che si legge nella prima lettera di Pietro è molto distante dal tono della diatriba che si riscontra nella lettera di Giuda e nella seconda di Pietro; è pure rilevante la diversità di tono tra quest'ultima e la prima lettera di Pietro. Nonostante queste marcate differenze, tutte queste lettere sono come omelie pastorali redatte in forma di lettera per favorirne la diffusione. I temi di catechesi cristiana che vi svolgono vanno oltre l'interesse di un gruppo particolare di lettori e riguardano tutta la comunità cristiana; rappresentano perciò un modello tipico degli insegnamenti cristiani dati alle prime comunità. Di qui la differenza dalle lettere di san Paolo. Anche la forma è molto impersonale e non si diversifica molto da quella ben nota dei rabbini e dei filosofi stoici itineranti. Nel quadro della dottrina neotestamentaria queste lettere rappresentano come il tratto d'unione tra la semplice predicazione evangelica e le ampie esposizioni dottrinali e morali di grande valore che impressionano profondamente il lettore.

LETTERA DI GIACOMO

L' autore di questa lettera si presenta come «Giacomo, servo di Dio e del Signore Gesù Cristo» (1,1). Non si tratta dell'apostolo, ma di Giacomo, stimato una delle colonne della chiesa (Gal 2,9), capo della comunità di Gerusalemme per una trentina d'anni, molto attaccato al giudaismo e assai aderente alle usanze giudaiche, ucciso verso il 62 sotto il sommo sacerdote Anania. A lui la tradizione cristiana attribuisce la lettera; ma vi sono motivi di ritenere che sia opera di qualche discepolo, che può averla scritta prima della fine del secolo.

Quando, dove e a chi sia stata scritta questa lettera rimane storicamente un enigma. La menzione delle «dodici tribù… disseminate nel mondo» (letteralmente:«nella diaspora») si riferisce probabilmente a tutta la chiesa, ma ha certamente presenti Ebrei convertiti al cristianesimo invitati a una più radicale ed effettiva pratica delle virtù cristiane e specialmente della fede, che dev'essere vitale (2,1.5.14-17; 5,15), la carità senza preferenze (2,2-4.13; 5,7), la povertà e la considerazione per i poveri (2,2-13), la fortezza nelle tentazioni (1,12-15; 4,7), la prudenza nel parlare (3,2-11) e la pazienza (5,7-11). Lo scritto raccomanda assai la preghiera individuale e comunitaria (1,5-8; 4,2s; 5,13-15).

Importante per la teologia è l'accenno alla preghiera e all'unzione con olio dell'ammalato, ad opera degli anziani della comunità (5,14s), su cui il Concilio di Trento ha basato la prova scritturistica per il sacramento dell'unzione degl'infermi.

1

¹Giacomo, servo di Dio e del Signore Gesù Cristo, alle dodici tribù che si trovano disseminate nel mondo: salute!

Tentazione, sapienza e vita cristiana. - ²Ritenete tutto una gioia, fratelli miei, quando vi imbattete in tentazioni svariate, ³sapendo che la genuinità provata della vostra fede produce la perseveranza, ⁴la perseveranza poi è quella che deve portare a perfezione l'opera, in modo che siate perfetti, completi, senza che vi manchi niente. ⁵Se a qualcuno di voi manca la sapienza, la chieda a Dio che dona a tutti abbondantemente e non fa rimproveri, e gli sarà data. ⁶Chieda però con fede, senza alcuna esi-

tazione: infatti chi sta esitando assomiglia a un'onda del mare spinta e sbattuta dal vento. ⁷Un uomo del genere non pensi di ricevere alcunché da Dio, ⁸essendo come sdoppiato interiormente, instabile in tutte le sue vie.

⁹Il fratello che è povero si glori nella sua grandezza, ¹⁰il ricco invece nella sua povertà, poiché passerà come un fiore d'erba. ¹¹Sorge infatti il sole con tutto il suo ardore e fa inaridire l'erba, il suo fiore reclina e la bellezza del suo aspetto perisce: così anche il ricco nei suoi affari appassirà. ¹²Beato l'uomo che sostiene la tentazione, poiché, una volta collaudato, riceverà la corona della vita, che Dio promise a quanti lo amano. ¹³Nessuno mentre è tentato dica: «Vengo tentato da Dio!». Dio è infatti immune dal male ed egli non tenta nessuno. ¹⁴Ciascuno invece è tentato, adescato e sedotto dalla sua concupiscenza. ¹⁵E allora la concupiscenza concepisce e dà alla luce il

1. - 2. Appena dato il saluto, Giacomo passa alle raccomandazioni pratiche: le prove, le difficoltà della vita presente devono essere considerate dai cristiani come fonte di gaudio, perché esse sono occasione di manifestare a Dio la propria fedeltà e il proprio amore.

peccato e il peccato, giunto alla sua pienezza, genera la morte.

La parola di Dio nella vita del cristiano. - ¹⁶Non lasciatevi ingannare, fratelli miei carissimi. ¹⁷Ogni donazione buona e ogni dono perfetto viene dall'alto, discendendo dal Padre delle luci, presso il quale non esiste mutazione né ombra di rivolgimento. ¹⁸Per un atto della sua volontà ci generò mediante la parola della verità, perché fossimo come una primizia delle sue opere: ¹⁹voi lo sapete, fratelli miei amati. E ciascuno sia pronto all'ascolto, lento a parlare, lento all'ira.

²⁰L'ira dell'uomo infatti non produce la giustificazione di Dio. ²¹Perciò, deponendo ogni immondezza e l'abbondanza della vostra cattiveria, accogliete con mansuetudine la parola seminata in voi, che ha la forza di salvare le anime vostre.

²²Siate esecutori della parola e non ascoltatori soltanto, ingannando così voi stessi. ²³Poiché chi è ascoltatore della parola e non esecutore, assomiglia a un uomo che considera le fattezze del suo volto in uno specchio. ²⁴Considera se stesso e se ne va via, dimenticando subito com'era. ²⁵Colui invece che considera attentamente la legge perfetta della libertà e vi persevera, divenendo così non un ascoltatore distratto, ma un esecutore concreto, costui sarà beato per il suo agire. ²⁶Se qualcuno pensa di essere religioso, ma non tiene a freno la sua lingua ingannando il suo cuore, la religiosità di costui è vuota. ²⁷Questa è la religiosità pura e senza macchia davanti a Dio Padre: visitare gli orfani e le vedove nella loro afflizione, custodire se stesso immune dal contagio del mondo.

2 **La fede e le sue esigenze concrete.** - ¹Fratelli miei, non potrete mantenere la fede nel nostro Signore glorioso Gesù Cristo, praticando favoritismi di persona. ²Infatti se nella vostra assemblea entra un uomo con anelli d'oro e un vestito di lusso ed entra anche un povero con un vestito logoro, ³e voi vi rivolgete a colui che porta il vestito di lusso e gli dite: «Prego, siediti comodamente qui», e dite al povero: «Tu stai in piedi», oppure: «Siediti là ai miei piedi», ⁴non avete forse fatto preferenza in voi stessi e non siete divenuti giudici con pensieri perversi? ⁵Ascoltate, fratelli carissimi: Dio non ha forse scelto i poveri agli occhi del mondo perché fossero ricchi nella fede ed eredi del regno che egli promise a quelli che lo amano? ⁶Ma voi avete offeso il povero! Ma non sono forse i ricchi a trattarvi dispoticamente e a trascinarvi dinanzi ai tribunali? ⁷Non sono essi a bestemmiare il bel Nome che fu invocato su di voi? ⁸Certamente: se voi adempite la legge regale secondo la Scrittura: *Amerai il tuo prossimo come te stesso*, fate bene. ⁹Se invece avete riguardo alle persone, commettete peccato e siete accusati dalla legge come trasgressori. ¹⁰Se uno infatti osserva tutta la legge, ma inciampa in un solo punto, diventa colpevole di tutto. ¹¹Chi infatti ha detto: *Non commetterai adulterio*, ha anche detto: *Non ucciderai*; e se tu non commetti adulterio, ma uccidi, diventi trasgressore della legge. ¹²Parlate e agite come persone che saranno giudicate in base alla legge della libertà. ¹³Il giudizio senza misericordia è per chi non usa misericordia; la misericordia trionfa sul giudizio.

La fede e le opere. - ¹⁴Fratelli miei, se uno dice di avere fede, ma non ha opere, che utilità ne ricava? Potrà forse la fede salvarlo? ¹⁵Se un fratello o una sorella si trovano senza vestito e mancanti del cibo quotidiano ¹⁶e qualcuno di voi dicesse loro: «Arrivederci: andate in pace, scaldatevi e saziatevi da voi», e non deste loro ciò che è necessario per il corpo, che utilità ne avreste? ¹⁷Così anche la fede, se non ha le opere, di per se stessa è senza vita.

¹⁸Ma qualcuno potrà dire: «Hai tu la fede e io ho le opere». Mostrami la tua fede senza le opere e io ti mostrerò la fede partendo dalle mie opere. ¹⁹Tu credi che esista un solo Dio? Fai bene: anche i demòni credono e rabbrividiscono. ²⁰Ma vuoi conoscere, sciocco che non sei altro, che la fede senza le opere è inerte?

2. - 14. Giacomo non è contro Paolo (cfr. Rm 1,17; 3,20): questi, infatti, parla della fiducia riposta nelle opere della legge mosaica, come se esse di per sé potessero meritare la salvezza che, al contrario, ci è meritata e applicata soltanto da Cristo, a cui noi ci uniamo mediante la fede. Anche Paolo dice, non una sola volta, che la fede per salvare dev'essere vivificata dalla carità (1Cor 13,2; Ef 2,10): tutte le raccomandazioni riguardanti la vita e le virtù cristiane, sparse nelle sue lettere, testimoniano quanto egli mirasse alla pratica.

20. Giacomo completa e spiega la dottrina di Paolo: questi parla della fede come radice delle opere buone che suppone, quegli parla delle opere come frutto della fede.

²¹Abramo, nostro padre, non fu forse giustificato in base alle opere, avendo offerto il proprio figlio Isacco sull'altare? ²²Vedi che la fede agiva insieme alle sue opere e che fu perfezionata in forza delle opere. ²³Si compì così il brano di Scrittura che dice: *Credette Abramo a Dio, e ciò gli fu computato per la giustificazione* e fu chiamato amico di Dio. ²⁴Vedete che l'uomo viene giustificato in base alle opere e non soltanto in base alla fede. ²⁵Similmente anche Raab, la prostituta, non fu forse giustificata in base alle opere, per aver ospitato gli inviati e averli rimandati indietro per un'altra strada? ²⁶Infatti, come il corpo senza lo spirito è morto, così è morta anche la fede senza le opere.

3 Grandezza e limiti della parola umana. - ¹Non siate in molti a farvi maestri, fratelli miei; sappiate che così riceveremo una sentenza più severa. ²Tutti quanti infatti manchiamo in tante cose e se qualcuno non manca nel parlare è un uomo perfetto, in grado di dominare tutto se stesso. ³Se riusciamo a mettere il freno in bocca ai cavalli e ci obbediscono, noi li guidiamo interamente. ⁴Ecco che anche le navi, pur essendo così grandi e spinte da venti impetuosi, sono guidate da un timone minuscolo, a pieno arbitrio del nocchiero. ⁵Così anche la lingua è un membro minuscolo, ma può vantare imprese straordinarie. Ecco quanto piccolo è il fuoco e quanto grande è la foresta che esso incendia! ⁶E il fuoco è la lingua! Questo mondo di malizia, la lingua, è posta tra le nostre membra: essa che contamina tutta la nostra persona, brucia la ruota della nostra vita ed è poi bruciata essa stessa nell'inferno. ⁷Gli animali terrestri, i volatili, i serpenti, gli animali marini sono stati e vengono domati dall'uomo. ⁸Ma nessun uomo può domare la lingua: essa è un male che non dà tregua, è piena di veleno mortale. ⁹Con essa noi lodiamo Dio, Signore e Padre, e, sempre con essa, malediciamo gli uomini, che sono stati fatti a somiglianza di Dio. ¹⁰Dalla medesima bocca viene fuori benedizione e maledizione. No, fratelli miei, le cose non devono andare così. ¹¹Può forse la stessa sorgente far zampillare dalla stessa apertura il dolce e l'amaro?

La vita cristiana si riconosce dai frutti. - ¹²Può forse, fratelli miei, un fico produrre delle olive o una vite fichi? Né una sorgente salata può dare acqua dolce. ¹³Chi è sapiente e maestro tra di voi? Mostri le sue opere, fatte nella mansuetudine propria della sapienza e frutto di una condotta genuina. ¹⁴Se invece avete un'invidia amara e un'ambizione egoistica nei vostri cuori, non vi gloriate: mentireste contro la verità! ¹⁵Una sapienza di questo genere non è quella che viene dall'alto, ma è terrestre, animalesca, demoniaca: ¹⁶dove infatti c'è invidia e ambizione egoistica, là c'è disordine e ogni azione cattiva. ¹⁷Mentre la sapienza che viene dall'alto anzitutto è incontaminata, poi è pacifica, benevola, docile, ricolma di misericordia e di buoni frutti, priva di esitazioni, priva di ipocrisia: ¹⁸il frutto della giustificazione viene seminato nella pace da coloro che operano nella pace.

4 Contro le discordie. - ¹Donde provengono le guerre e le battaglie tra di voi? Non provengono forse dalle vostre bramosie di piacere, che si combattono tra loro nelle vostre membra? ²Bramate e non avete; uccidete e siete invidiosi, eppure non potete ottenere; battagliate e guerreggiate. Non avete perché non chiedete; ³chiedete ma non ricevete, perché chiedete male, con l'intento di dilapidare, seguendo le vostre bramosie. ⁴Adùlteri, non sapete che l'amore del mondo è inimicizia con Dio? Chi dunque vuole essere amico del mondo si fa nemico Dio. ⁵Oppure pensate che la Scrittura parli a vuoto? Lo Spirito che abita in voi vi ama fino alla gelosia. ⁶Ma dà una grazia maggiore; per questo dice: *Dio resiste ai superbi e dà la grazia agli umili.* ⁷Sottomettetevi dunque a Dio; opponetevi al diavolo ed egli fuggirà da voi. ⁸Avvicinatevi a Dio ed egli si avvicinerà a voi. Voi, peccatori, purificatevi le mani; voi, anime indecise, mondate il vostro cuore. ⁹Lamentate la vostra miseria, affliggetevi, piangete: il vostro riso si trasformi in pianto, la vostra esultanza diventi tristezza. ¹⁰Umiliatevi davanti al Signore ed egli vi innalzerà. ¹¹Non dite male gli uni degli altri, fratelli: chi dice male del fratello o giudica il fratello, dice male della legge e giudica la legge; e se tu giudichi la legge, non sei un esecutore della legge, ma ne sei giudice. ¹²Uno solo è legislatore e giudice, colui che ha la possibilità di salvare e di mandare in rovina; ma chi sei tu che giudichi il prossimo?

Gc

Dipendenza da Dio. - [13]Orsù, dunque, voi che dite: «Domani o dopodomani andremo nella tale città, vi passeremo l'anno, faremo affari, guadagneremo». [14]Voi, che non sapete quale sarà la vostra vita domani! Siete infatti un filo di vapore che appare per un po' di tempo e poi si dissolve. [15]Dovreste invece dire: «Se il Signore vorrà, vivremo e faremo questo e quello». [16]Voi invece vi vantate lo stesso dei vostri progetti ambiziosi: un vanto del genere è perverso. [17]Chi sa compiere, dunque, il bene e non lo compie, costui è in peccato.

5 Vanità e immoralità della ricchezza. - [1]Orsù dunque, voi ricchi, piangete e lamentatevi per le sciagure che si abbatteranno su di voi. [2]La vostra ricchezza è putrida e i vostri indumenti sono divenuti preda delle tarme, [3]il vostro oro e il vostro argento si sono arrugginiti: la loro ruggine sarà testimonianza contro di voi e divorerà le vostre carni come fuoco. Avete accumulato tesori per gli ultimi giorni! [4]Ecco che il salario da voi trattenuto dei lavoratori che hanno mietuto i vostri campi, grida, e le urla dei mietitori sono giunte all'orecchio del Signore degli eserciti. [5]Siete vissuti nel lusso sulla terra, vi siete dati ai piaceri: vi siete ingrassati per il giorno del macello! [6]Solete condannare e uccidere il giusto che non può resistervi.

Vita cristiana pratica. - [7]Siate dunque pazienti, fratelli, fino alla venuta del Signore. Ecco che l'agricoltore aspetta il frutto prezioso della terra, attendendo con pazienza che essa riceva le *prime e le ultime piogge.* [8]Siate longanimi anche voi, consolidate il vostro cuore, poiché la venuta del Signore incalza. [9]Non vi lagnate, fratelli, gli uni contro gli altri, perché non siate giudicati: ecco che il giudi-

ce è alle porte. [10]Prendete come esempio di pazienza e sopportazione, fratelli, i profeti, che parlarono nel nome del Signore. [11]Ed ecco: proclamiamo beati quelli che hanno perseverato: avete udito parlare della perseveranza di Giobbe e conoscete l'esito finale, opera del Signore, poiché *il Signore è ricco in bontà e misericordioso.*

[12]Ma soprattutto, fratelli miei, non giurate: né per il cielo né per la terra né con qualunque altra forma di giuramento, ma il vostro sì sia sì, il vostro no sia no, in modo da non cadere nel giudizio.

[13]C'è tra voi qualcuno che sta in difficoltà? Preghi! C'è qualcuno che si sente bene? Canti un inno di lode! [14]C'è qualcuno ammalato? Chiami gli anziani della comunità ed essi preghino su di lui, dopo averlo unto con olio nel nome del Signore. [15]La preghiera della fede lo salverà nella sua difficoltà; il Signore lo solleverà; e se avrà commesso dei peccati, gli saranno rimessi. [16]Confessate dunque i peccati a vicenda e pregate gli uni per gli altri, perché possiate essere guariti: la preghiera del giusto è molto potente nella sua azione. [17]Elia, un uomo che soffriva come noi, pregò insistentemente che non piovesse e non piovve in terra per tre anni e sei mesi. [18]Pregò di nuovo e il cielo mandò la pioggia e la terra germogliò, producendo il suo frutto. [19]Fratelli miei, se uno tra voi traligna dalla verità e qualcuno lo riconduce indietro, [20]sappiate che uno che ha fatto ritornare indietro un peccatore dalla via dell'errore salverà la sua vita dalla morte e coprirà una moltitudine di peccati.

5. - 14-15. Il brano, secondo il Concilio di Trento, parla dell'unzione degl'infermi: indica la materia del sacramento (l'unzione con l'olio), la forma (orazione della fede unita all'unzione), il sacerdote come ministro, l'infermo come soggetto, gli effetti nel sollievo e nella remissione dei peccati.

PRIMA LETTERA DI PIETRO

L a prima lettera di «Pietro, apostolo di Gesù Cristo» è stata scritta da Roma, qualificata come «Babilonia» perché pagana e persecutrice (5,13), verso l'anno 64. Vi è però chi pensa che la lettera sia stata scritta verso gli anni 80, presumibilmente nell'Asia Minore da un anonimo discepolo di Pietro. I destinatari sono cristiani sparsi in varie province dell'Asia Minore, provenienti dal paganesimo, ma anche dal giudaismo, circondati da difficoltà e sofferenze, provenienti dall'ambiente ostile circostante. Il contenuto della lettera è pratico e tocca gli argomenti principali della catechesi primitiva: Dio Padre, misericordioso e giusto (1,3.17; 2,23; 4,5.17); Gesù Cristo preesistente (1,20), Signore (1,3; 2,3; 3,15), salvatore degli uomini mediante il proprio sangue (5,1-4), risuscitato e glorificato (3,21s; 4,11), che verrà a giudicare i vivi e i morti (4,5s.17s); l'uomo peccatore, salvato mediante il battesimo, che lo impegna a una vita nuova (1,13; 2,1-11; 3,13; 4,1.15), in unione a Gesù Cristo, con cui forma il nuovo popolo santo, tempio spirituale (2,4-9). Una caratteristica dei cristiani su cui più volte ritorna la lettera è la partecipazione alle sofferenze di Cristo (1,6s; 2,19-21; 3,14; 4,13s; 5,10), attraverso le quali si diventa collaboratori suoi, tesi verso la felicità e la dimora futura ed eterna. Inoltre, solo in questa lettera troviamo espressa la discesa di Cristo agl'inferi (3,19; 4,6), segno dell'ampiezza della sovranità di Cristo e dell'efficacia universale della redenzione da lui operata.

1 Saluto e indirizzo. - [1]Pietro, apostolo di Gesù Cristo, ai pellegrini della dispersione residenti nel Ponto, Galazia, Cappadocia, Asia e Bitinia, eletti [2]secondo la prescienza di Dio Padre nella santificazione dello Spirito all'obbedienza e alla purificazione del sangue di Gesù Cristo: grazia e pace abbondino per voi!

Elementi fondamentali della vita cristiana. - [3]Benedetto sia Dio e Padre del Signore nostro Gesù Cristo il quale, secondo l'abbondanza della sua benevolenza, ci generò di nuovo per una speranza vivente in forza della risurrezione dai morti di Gesù Cristo, [4]per un'eredità incorruttibile, senza macchia e che non appassisce, conservata nei cieli per voi, [5]che siete conservati dalla potenza di Dio mediante la fede, in vista della salvezza che è pronta a manifestarsi nell'ultimo tempo. [6]In prospettiva di questo gioite, pur soffrendo un poco ora, se è necessario, sotto il peso di prove svariate, [7]affinché la genuinità della vostra fede, molto più preziosa dell'oro che perisce e che pure viene purificato col fuoco, sia verificata come un titolo di lode, di gloria e di onore nella manifestazione di Gesù Cristo. [8]Pur non vedendolo, lo amate; pur non guardandolo ora, ma tuttavia credendo in lui, esultate di una gioia inesprimibile e già pervasa di gloria, [9]mentre state raggiungendo il traguardo della vostra fede, la salvezza delle anime vostre.

[10]Su questa salvezza hanno indagato accuratamente i profeti, che profetarono intorno alla grazia diretta a voi, [11]indagando quale e di quanto valore fosse il tempo che lo Spirito di Cristo in anticipo testimoniava loro, tempo a cui erano riferite le sofferenze per Cristo e l'abbondanza di gloria che sarebbe seguita. [12]Fu loro rivelato che non ren-

---

1. - 2. Il Padre elegge, il Figlio redime, lo Spirito Santo santifica: tre atti attribuiti a ciascuna delle Persone della ss.ma Trinità, ma propri di tutte, eccettuata l'incarnazione, morte e risurrezione proprie del Figlio di Dio fatto uomo.

devano un servizio a se stessi, bensì a voi in tutto questo che ora vi è annunciato da coloro che vi hanno evangelizzato in forza dello Spirito Santo inviato dal cielo: gli angeli bramano vedere tutto questo.

Redenzione e santità. - ¹³Perciò, con i fianchi della vostra mente succinti, in uno stato di sobrietà, sperate completamente nella grazia che vi viene portata nella manifestazione di Gesù Cristo. ¹⁴Animati come siete dallo spirito di obbedienza, non uniformatevi più alle passioni sregolate che prima, nella vostra ignoranza, vi dominavano, ¹⁵ma, in conformità col Santo che vi chiamò, diventate santi anche voi in tutto il vostro comportamento, ¹⁶poiché sta scritto: *Siate santi, poiché io sono santo.*

¹⁷E se invocate come Padre colui che giudica senza favoritismi personali secondo l'operato di ciascuno, comportatevi nel tempo del vostro passaggio sulla terra con un senso di timore religioso, ¹⁸consapevoli che non siete stati riscattati dalla vostra vita insulsa, ereditata dai vostri padri, a prezzo di oro e di argento, elementi corruttibili, ¹⁹ma per mezzo del sangue prezioso di Cristo, che ha svolto la funzione di agnello puro e senza macchia, ²⁰conosciuto prima della fondazione del mondo, ma rivelatosi alla fine dei tempi per voi ²¹che, in forza di lui, siete fedeli a Dio che lo risuscitò dai morti e lo glorificò, così che la vostra fede e la vostra speranza possano essere indirizzate a Dio. ²²Poiché avete purificato la vostra anima obbedendo alla verità che vi porta a un amore fraterno senza ipocrisia, amatevi costantemente gli uni gli altri con cuore puro, ²³dato che siete stati rigenerati, non in forza di un seme mortale, ma in forza di Dio immortale, che vive e rimane in voi in virtù della parola. ²⁴Poiché *ogni mortale è come l'erba e tutta la sua gloria come fiore di erba; l'erba si inaridisce e il fiore reclina; ma la parola di Dio rimane per sempre.* ²⁵E questa è la parola che vi è stata annunciata col vangelo.

2 I cristiani tempio spirituale. - ¹Deponendo dunque ogni cattiveria, ogni inganno, le ipocrisie, le invidie e ogni forma di maldicenza, ²come bambini neonati anelate al latte spirituale e genuino, affinché per mezzo di esso cresciate in vista della salvezza: ³dato *che avete gustato quanto è amabile il Signore.* ⁴Avvicinandovi a lui, la pietra vivente scartata dagli uomini ma scelta da Dio e di valore, ⁵siete costruiti anche voi come pietre viventi in edificio spirituale per formare un organismo sacerdotale santo, che offra sacrifici spirituali bene accetti a Dio per mezzo di Gesù Cristo. ⁶Per questo si trova nella Scrittura: *Ecco, pongo in Sion una pietra scelta, angolare, di valore, e chi crede in essa non rimarrà confuso.* ⁷Il valore quindi è per voi che credete; per coloro che non credono, *la pietra scartata dai costruttori è diventata la pietra angolare,* ⁸*sasso d'inciampo e pietra di scandalo.* Essi inciampano disobbedendo alla parola e a questo inciampo sono destinati. ⁹Ma voi siete una *stirpe scelta, un sacerdozio regale, un popolo santo, un popolo destinato a essere posseduto da Dio,* così da annunziare pubblicamente le opere degne di Colui che dalle tenebre vi chiamò alla sua luce meravigliosa, ¹⁰voi che un tempo eravate *non-popolo,* ora invece siete *popolo di Dio,* eravate non beneficati dalla bontà divina, ora invece siete *beneficati.*

Rapporti con i non cristiani. - ¹¹Carissimi, vi esorto affinché, in qualità di pellegrini e ospiti sulla terra, vi asteniate dagli impulsi passionali della carne, che combattono contro l'anima. ¹²La vostra condotta in mezzo ai pagani sia buona, in modo che, mentre essi sparlano di voi come malfattori, osservando attentamente glorifichino Dio in forza delle vostre opere buone, nel giorno della sua visita.

¹³Sottomettetevi a ogni istituzione umana in grazia del Signore, sia all'imperatore, per la sua autorità suprema, ¹⁴sia ai governatori, perché sono inviati da lui per punire i malfattori e a lode di chi opera il bene. ¹⁵Poiché questo è ciò che Dio vuole: compiendo il bene, voi dovete chiudere la bocca all'ignoranza degli uomini stolti. ¹⁶Perché, sì, siete liberi, ma non servitevi della vostra libertà come di un paravento per il male; al contrario, agite come schiavi di Dio. ¹⁷Rispettate tutti, amate i fratelli, abbiate il senso di Dio, rispettate l'imperatore.

Schiavi e padroni. - ¹⁸Voi, schiavi domestici, siate sottomessi, con tutto il senso di Dio, ai padroni, non solo a quelli onesti e comprensivi, ma anche a quelli che sono perversi. ¹⁹Questo infatti è un titolo di benevolenza divina: sopportare dolori in base alla consapevolezza che uno ha di Dio, soffrendo ingiustamente. ²⁰Che gloria infatti, se voi, comportandovi male e maltrattati per questo, resistete con costanza? Ma se, facendo il bene e soffrendo per questo, resistete con costanza, questo è un titolo di benemerenza presso Dio. ²¹A questo infatti siete stati chiamati, poiché Cristo soffrì per voi, lasciando a voi un modello, così che voi seguiate le sue orme: ²²egli *non commise peccato né fu trovato inganno sulla sua bocca*; ²³insultato, non restituiva l'insulto; soffrendo, non minacciava, ma si affidava a Colui che giudica rettamente. ²⁴Egli *prese su di sé* i nostri *peccati* e li portò nel suo corpo sulla croce, affinché, venendo meno ai peccati, viviamo per la rettitudine morale; *per le percosse da lui ricevute foste guariti.* ²⁵Eravate infatti sbandati come pecore, ma ora siete ritornati al Pastore che vigila sulle anime vostre.

3 **Mariti e mogli.** - ¹Ugualmente le mogli siano sottomesse ai mariti in modo che, se alcuni di essi non obbediscono alla parola, siano guadagnati per mezzo della condotta delle donne anche senza la parola, ²considerando con attenzione la vostra condotta pura, ispirata al senso di Dio. ³Il loro ornamento non sia quello esteriore, consistente nell'intreccio dei capelli, nel portare oggetti d'oro o nel rivestirsi di abiti preziosi, ⁴ma nella loro personalità interiore, basata sull'elemento incorruttibile di uno spirito dolce e tranquillo, che è prezioso al cospetto di Dio. ⁵Così, infatti, un tempo le donne sante che speravano in Dio si adornavano e vivevano sottomesse ai propri mariti, ⁶come Sara che obbedì ad Abramo *chiamandolo signore*: di essa siete divenute figlie, facendo del bene, libere da ogni timore.
⁷Ugualmente voi, uomini, abitando insieme alla donna con intelligenza, rendete il debito onore alla persona più debole della donna, ad essa che partecipa alla vostra stessa eredità di grazia, in modo che le vostre preghiere non vengano respinte.
⁸Infine, siate tutti unanimi, comprensivi, amanti dei fratelli, ben disposti, umili, ⁹senza rendere male per male e offesa per offesa, anzi, al contrario benedicendo, proprio per-

ché a questo foste chiamati, a ereditare la benedizione divina. ¹⁰Chi infatti *vuole amare la vita e vedere giorni lieti, trattenga la sua lingua dal male e le sue labbra dal pronunciare inganno,* ¹¹*si allontani dal male e faccia il bene, cerchi la pace con costanza e forza,* ¹²*poiché gli occhi del Signore si posano sopra i giusti e i suoi orecchi sono protesi all'ascolto delle loro preghiere, mentre la faccia del Signore è rivolta contro chi compie il male.*

Il cristiano in un mondo ostile. - ¹³E chi potrà nuocervi se sarete ferventi nel bene? ¹⁴Ma se anche dovete soffrire a causa della giustizia, beati voi! *Non vi fate prendere dal timore che vogliono incutere costoro; non vi turbate,* ¹⁵ma santificate Cristo Signore nei vostri cuori, pronti sempre a dare una risposta a chi vi chiede il motivo della vostra speranza, ¹⁶con mitezza e rispetto, con una coscienza retta, in modo che coloro che vi calunniano abbiano a vergognarsi di ciò che dicono sparlando di voi, a causa della vostra condotta intemerata in unione con Cristo. ¹⁷È meglio, infatti, se così esige la volontà di Dio, che voi soffriate facendo il bene che facendo il male. ¹⁸Poiché anche Cristo morì una volta per i peccati, egli che era giusto, a favore di non giusti, affinché, messo a morte nella carne, ma vivificato nello Spirito, vi potesse condurre a Dio.
¹⁹In esso andò a portare l'annuncio anche agli spiriti nella prigione, ²⁰a coloro che erano stati un tempo disobbedienti, quando Dio nella sua longanimità attese, nei giorni di Noè, che fosse costruita l'arca, nella quale otto persone, in tutto, trovarono scampo dall'acqua, ²¹figura, questa, del battesimo, che ora salva voi: esso non è un deporre la sordidezza materiale, ma l'impegno preso con Dio di una coscienza retta, in forza della risurrezione di Gesù Cristo, ²²che sta alla destra di Dio, che è salito in cielo sottomettendo a sé gli angeli, le virtù e le potenze celesti.

4 **La sofferenza cristiana.** - ¹Avendo dunque Cristo sofferto nella carne, armatevi anche voi della stessa mentalità, perché chi soffre nella carne ha rotto col peccato, ²per vivere il tempo che gli rimane non secondo gl'impulsi passionali umani, ma secondo la volontà di Dio. ³Basta col tempo trascorso, in cui vi siete abbandonati a soddisfare le passioni dei pagani, vivendo in dissolutezze, desideri sfrenati, orge di vino, banchetti, eccessi nel bere e nel culto illegittimo degli idoli. [4]Per il fatto che essi sono sorpresi che voi non corriate più con loro agli stessi eccessi licenziosi, sparlano di voi; [5]essi ne renderanno conto a Colui che è pronto a giudicare i vivi e i morti. [6]Infatti anche i morti sono stati evangelizzati, così che, anche se giudicati come gli uomini nella carne, vivano secondo Dio nello spirito.

[7]Si è approssimata la fine di tutto; siate dunque saggi e sobri per poter pregare. [8]Ma prima di tutto abbiate un amore costante tra di voi, poiché l'amore ricopre la moltitudine dei peccati; [9]siate ospitali reciprocamente senza lamentele; [10]secondo il dono ricevuto da ciascuno, siate gli uni a servizio degli altri, come buoni amministratori della multiforme grazia divina. [11]Chi parla, parli parole di Dio; chi serve, lo faccia in base a quell'energia che elargisce Dio, in modo che in tutto Dio sia glorificato per mezzo di Gesù Cristo, al quale appartiene la gloria e la potenza per i secoli dei secoli. Amen.

Gioiosi nella prova. - [12]Carissimi: non vi sconcertate per il fuoco che è venuto sopra di voi per mettervi alla prova, come se vi capitasse qualcosa di strano. [13]Ma poiché prendete parte alle sofferenze di Cristo, rallegratevi, in modo che esultiate di gioia anche al momento della sua manifestazione. [14]Se siete scherniti per il nome di Cristo, beati voi, poiché dimora su di voi lo Spirito della gloria di Dio. [15]Nessuno di voi abbia a soffrire come omicida o ladro o malfattore o come spione degli altri. [16]Ma se soffre come cristiano, non se ne vergogni: glorifichi anzi Dio con questo nome.

[17]Poiché è venuto il tempo dell'inizio del giudizio della casa di Dio: se inizia prima da voi, quale sarà l'esito finale di coloro che disobbediscono al vangelo di Dio? [18]E se il *giusto a fatica si salva, dove apparirà l'empio e il peccatore?* [19]Così anche coloro che soffrono secondo la volontà di Dio, presentino le loro vite a Dio creatore fedele, in un contesto di opere buone.

5 Raccomandazioni al popolo di Dio. - [1]Esorto dunque i vostri presbiteri, io con-presbitero, testimone delle sofferenze di Cristo e partecipe della gloria che si manifesterà: [2]pascete il gregge di Dio che vi è stato affidato, sorvegliandolo non per costrizione, ma di cuore secondo Dio, non alla ricerca turpe di denaro, ma con dedizione interiore, [3]e non come se foste voi i padroni nella porzione degli eletti, ma facendovi modello del gregge. [4]E quando il pastore per eccellenza si manifesterà, otterrete la corona incorruttibile di gloria. [5]Parimenti voi, giovani, sottomettetevi ai presbiteri. Tutti rivestitevi di umiltà, poiché *Dio si oppone ai superbi ed elargisce la sua benevolenza agli umili.* [6]Siate umili sotto la mano potente di Dio, affinché egli vi esalti a suo tempo, [7]scaricando su di lui tutte le vostre preoccupazioni, poiché gli state a cuore. [8]Siate sobri, vigilanti. Il vostro nemico, il diavolo, va in giro come un leone ruggente, cercando qualcuno da divorare: [9]resistetegli stando saldi nella fede, sapendo che le stesse sofferenze sono inflitte nel mondo anche ai vostri fratelli. [10]Il Dio di ogni grazia, che vi ha chiamati alla sua gloria eterna in unione con Cristo, perfezionerà voi che per un breve periodo dovrete soffrire, vi consoliderà, vi irrobustirà, vi darà un fondamento. [11]A lui la potenza per tutti i secoli dei secoli. Amen.

Saluto finale. - [12]Per mezzo di Silvano, che ci è fratello fedele, vi ho scritto brevemente, come credo, esortando e testimoniando che questa è vera grazia di Dio: state saldi in essa. [13]Vi abbraccia la comunità radunata in Babilonia e Marco, figlio mio. [14]Salutatevi reciprocamente col bacio di amore. Pace a voi tutti che aderite a Cristo!

SECONDA LETTERA DI PIETRO

Q uesta lettera si presenta scritta da «Simeone Pietro, servo e apostolo di Gesù Cristo» (1,1; cfr. 3,1); ma, mentre la prima fu assai presto conosciuta e riconosciuta come scritta dal principe degli apostoli, questa si fece strada assai lentamente e non senza difficoltà. Del resto nella lettera ci sono elementi che fanno dubitare della sua autenticità. Tuttavia, pur non essendo riconosciuta come di Pietro, questa lettera dovette essere scritta da un suo discepolo che ne interpretò fedelmente il pensiero. Lo scritto, per la ricchezza del suo contenuto e l'opportunità delle sue esortazione morali, fu assai usato nelle comunità cristiane e considerato Scrittura sacra. Probabilmente fu composto verso il 90, nella seconda generazione cristiana (3,4), quando alcuni battezzati defezionavano (2,20-22; 3,17), gli erranti crescevano e s'infiltravano nella comunità, lasciandosi portare dal più lascivo libertinismo (2,2.10.12s.18), dal disprezzo per ogni autorità (2,10), e negavano la divinità di Cristo (2,1). Si desiderava già un'esegesi ufficiale della sacra Scrittura, ispirata da Dio e quindi non soggetta a interpretazioni private (1,20), e già mal interpretata da alcuni (3,16).

L'utilità pratica della lettera è notevole. Essa potrebbe intitolarsi: fede e vita cristiana. A Dio, che chiama e dona abbondantemente (1,3s), il cristiano deve rispondere con la pratica della virtù (1,5-10), l'accettazione dell'insegnamento vero (1,16.19s), non prestando ascolto a falsi profeti e maestri (2,1-3), ma credendo a Dio e vivendo nella speranza (3,5-18).

1 Saluto e indirizzo. - [1]Simeone Pietro, servo e apostolo di Gesù Cristo, a coloro che hanno ricevuto la fede, ugualmente preziosa, che abbiamo ricevuto noi nella giustizia del nostro Dio e salvatore Gesù Cristo. [2]Grazia e pace abbondino per voi, in una conoscenza approfondita di Dio e di Gesù Cristo Signore nostro.

Vocazione ed elezione del cristiano. - [3]È la sua potenza divina che ci ha fatto dono di tutto quello che ci serve per la vita e la pietà, in una conoscenza approfondita di colui che ci ha chiamati in virtù della propria gloria e della propria forza, [4]poiché ci è stato fatto il dono di promesse valide ed eccezionali, in modo che diventaste per mezzo di esse partecipi della natura divina, fuggendo la corruzione che si trova nelle passioni sfrenate del mondo. [5]E proprio per questo, mettendo in atto tutta la vostra diligenza, aggiungete la virtù alla fede, la conoscenza alla virtù,

[6]l'autodominio alla conoscenza, la costanza all'autodominio, la pietà alla costanza, [7]la carità fraterna alla pietà, l'amore alla carità fraterna. [8]Tutte queste qualità, se saranno presenti e abbonderanno in voi, vi permetteranno di non essere inerti e infruttuosi nella conoscenza approfondita del Signore nostro Gesù Cristo. [9]Chi invece è privo di queste qualità è un cieco che sbatte le palpebre, dimentico della purificazione avvenuta dei suoi peccati di un tempo. [10]Perciò ancora di più, fratelli, studiatevi di rendere salda la vocazione e la scelta di cui siete stati fatti oggetto: facendo questo mai subirete un danno. [11]Così infatti vi sarà elargito doviziosamente l'ingresso nel regno eterno del Signore nostro e salvatore Gesù Cristo.

L'sperienza diretta di Cristo. - [12]Perciò non cesserò mai dal richiamarvi alla mente queste cose, anche se voi le sapete e nella verità posseduta vi siete già consolidati tra di voi. [13]Ritengo opportuno, fin quando mi trovo ad abitare in questa tenda, continuare a stimolarvi con la mia esortazione, [14]sapendo che il tempo di levare la mia tenda è vicino, come anche il Signore nostro Gesù Cristo mi manifestò. [15]Mi darò premura che voi possiate in qualunque tempo, dopo la mia partenza, rievocare queste cose. [16]Poiché non abbiamo seguito dei miti sofisticati per manifestarvi la forza e il ritorno del Signore nostro Gesù Cristo: siamo stati invece spettatori oculari della sua grandezza. [17]Poiché egli ricevette onore e gloria da Dio Padre quando, da parte di quella stessa gloria sublime, gli fu rivolta una voce che diceva: «Il Figlio mio, l'amato, è costui e io in lui mi sono compiaciuto». [18]Questa voce noi l'udimmo rivolta dal cielo, quando stavamo con lui sul monte santo. [19]E abbiamo resa così più solida la parola dei profeti cui fate bene ad attenervi: è come una lucerna che brilla in un luogo tenebroso, fino a quando non cominci a splendere il giorno e la stella del mattino spunti nei vostri cuori. [20]Sappiate anzitutto questo: a nessuna profezia della Scrittura compete un'interpretazione soggettiva. [21]La profezia infatti non ci fu portata per iniziativa umana, ma degli uomini parlarono da parte di Dio, sospinti dallo Spirito Santo.

2 Presa di posizione contro i falsi maestri. - [1]Ci furono dei falsi profeti nel popolo: ugualmente anche tra voi ci saranno falsi maestri, i quali introdurranno divisioni perniciose e, rinnegando il loro padrone che li riscattò, attireranno su se stessi una rovina veloce. [2]Molti seguiranno le loro lascivie e per causa loro la via della verità sarà denigrata. [3]Nella loro cupidigia cercheranno di comprarvi con discorsi artefatti: ma il loro giudizio di condanna già da tempo è in azione e la loro perdizione non ritarda. [4]Dio infatti non perdonò agli angeli che avevano peccato, ma, condannandoli al tartaro, li confinò nelle fosse tenebrose perché vi fossero trattenuti fino al giudizio. [5]Non perdonò al mondo antico, ma quando scatenò il diluvio sul mondo degli empi, custodì Noè come ottavo in quanto annunciatore di giustizia; [6]condannò le città di Sodoma e Gomorra, incenerendole, dando un esempio agli empi di quanto accadrà nei tempi futuri;

[7]salvò il giusto Lot, tormentato dalla condotta sfrenata di gente senza legge. [8]Infatti abitando, lui giusto, in mezzo a loro, sentiva la sua anima retta tormentata giorno per giorno da ciò che vedeva e udiva in opere inique: [9]il Signore seppe salvare i buoni dalla prova e conservare i cattivi fino al giorno del giudizio per punirli, [10]specialmente coloro che seguivano la carne nella bramosia di turpitudini e disprezzavano la dignità del Signore. Incoscienti ed egoisti, non tremano davanti alle manifestazioni della gloria, bestemmiando, [11]mentre gli angeli, pur essendo in potenza e forza superiori, non reggono al giudizio di condanna pronunciato presso il Signore su di loro. [12]Questi invece, come bestie irragionevoli, nate proprio per essere catturate e per morire, bestemmiano ciò che non conoscono e periranno della morte loro, [13]subendo a loro danno il contraccambio della malvagità; ritengono delizia il piacere di un giorno; macchiati e luridi, si immergono nel piacere, facendo a voi buon viso con seduzioni ingannevoli. [14]Hanno gli occhi pieni di passione per l'adultera, non cessano di saziarsi di peccato, adescano le persone deboli, hanno il cuore assuefatto alla cupidigia, sono figli di maledizione; [15]abbandonando la via retta si sono smarriti, hanno seguito la via di Balaam, di Bosor, che amò la ricompensa di ingiustizia [16]ed ebbe una lezione per la sua iniquità: un giumento muto, esprimendosi in voce umana, frenò l'idiozia del profeta. [17]Costoro sono sorgenti senz'acqua, nubi in preda al vento della tempesta: è riservato loro il buio delle tenebre. [18]Mediante parole tronfie e vanitose adescano, sollecitando gl'istinti lascivi della carne, coloro che non si distaccano del tutto da quanti stanno vivendo nell'errore. [19]Promettono loro la libertà, mentre sono, essi stessi, schiavi della corruzione: ciascuno infatti rimane schiavo di ciò che lo vince. [20]Se infatti dopo aver fuggito le brutture del mondo mediante la conoscenza approfondita del Signore nostro e salvatore Gesù Cristo, impigliandovisi di nuovo, sono vinti, la loro situazione ultima diventa peggiore di quella iniziale. [21]Sarebbe stato infatti meglio per loro non aver conosciuto la via della giustizia, che, dopo averla conosciuta, tornare indietro dai comandamenti santi loro dati. [22]A loro è accaduto quanto dice un proverbio vero:

Il cane si rivolge verso ciò che ha vomitato e «la scrofa, lavata, ritorna a sguazzare nel fango».

3 Parusìa e comportamento cristiano.

- ¹Questa, carissimi, è già la seconda lettera che vi scrivo: in entrambe cerco di tener desta la vostra coscienza retta mediante il ricordo: ²dovete tenere a mente le parole che vi furono rivolte prima dai profeti santi, e il comandamento del Signore e salvatore trasmessovi dai vostri apostoli. ³Anzitutto dovete sapere questo: negli ultimi giorni verranno schernitori sarcastici, i quali si comporteranno seguendo i propri impulsi peccaminosi ⁴e diranno: «Dov'è andata a finire la promessa del suo ritorno? Da quando i padri si addormentarono, tutto rimane così, come all'inizio della creazione».

⁵A coloro che fanno tali affermazioni arbitrarie sfugge che i cieli, in antico, esistevano e che la terra prese consistenza dall'acqua e per mezzo dell'acqua, in forza della parola di Dio; ⁶è perciò che il mondo di allora andò in rovina sommerso dall'acqua; ⁷mentre i cieli di adesso e la terra sono tenuti in serbo per il fuoco, secondo la sua stessa parola, mantenuti per il giorno del giudizio e della condanna degli uomini empi.

3. - 4. *I padri*: sono fedeli della prima generazione cristiana. Gli eretici, basandosi sul fatto che la seconda venuta di Gesù non si è ancora realizzata, tentano di gettare il discredito su tutta la dottrina cristiana, cui tolgono il fondamento di ogni speranza nella retribuzione.

7-13. Tutto il brano ha un forte sapore escatologico, a cui l'autore si richiama per combattere coloro che si lasciano sedurre dai beni terreni. Per i cristiani, che desiderano il ritorno glorioso di Cristo e il momento felice di potersi riunire a lui, la fine di questo mondo e l'avvento di quello futuro e definitivo è motivo di consolazione e di gioia.

⁸Tenete presente solo una cosa, carissimi: un giorno solo davanti al Signore è come mille anni e mille anni come un giorno solo. ⁹Il Signore, nel mantenere la sua promessa, non ha quella lentezza che alcuni gli attribuiscono, ma è longanime a vostro favore, non volendo che alcuno perisca, ma che tutti giungano al pentimento. ¹⁰Il giorno del Signore, infatti, sopraggiungerà come un ladro: allora i cieli scompariranno in un sibilo e gli elementi si scioglieranno nel fuoco, assieme alla terra e a tutte le opere che in essa saranno trovate.

¹¹Così, dato che tutto questo dovrà dissolversi, come dovete voi vivere una condotta di santità e di pietà, ¹²mentre aspettate e affrettate la venuta del giorno di Dio, quando i cieli, incendiandosi, si scioglieranno e gli elementi si fonderanno nel calore! ¹³Secondo la sua promessa, aspettiamo *cieli nuovi e una terra nuova*, nei quali soggiorni la giustizia.

2Pt

Conclusione. - ¹⁴Perciò, carissimi, nell'attesa di tutto questo, datevi premura di essere trovati da lui senza macchia, senza difetto, in pace. ¹⁵Reputate un'occasione di salvezza la longanimità del Signore nostro, come anche vi scrisse il nostro amato fratello Paolo, secondo la sapienza che gli era stata data: ¹⁶come in tutte quelle lettere in cui parla di questi argomenti, ci sono dei punti difficili a capire, che persone incompetenti e leggère stravolgono, al pari delle altre parti della Scrittura, a propria rovina personale. ¹⁷Voi, quindi, carissimi, avvisati prima, state in guardia perché, trascinati dall'errore di questi uomini iniqui, non decadiate dal vostro livello di solidità. ¹⁸Crescete nella grazia e nella conoscenza del Signore nostro e salvatore Gesù Cristo. A lui la gloria ora e fino al giorno dell'eternità. Amen.

PRIMA LETTERA DI GIOVANNI

Oltre al quarto vangelo, tre lettere ci sono state tramandate con il nome di Giovanni. La prima è particolarmente importante e si avvicina al vangelo per somiglianza di stile, vocabolario e concetti sviluppati. L'autore non si nomina, né indica a chi scrive, ma l'insistenza nel rivolgersi ai lettori chiamandoli *figlioli* lascia intravedere non solo la loro reciproca conoscenza e legame affettivo, ma anche l'autorità del mittente presso i destinatari. La lettera vuole ribadire verità già conosciute (2,21), ma ora messe in pericolo da falsi maestri sorti nella stessa comunità (2,19), chiamati *anticristi*. Costoro negavano principalmente la realtà dell'incarnazione del Figlio di Dio, scalzando così il fondamento stesso della fede in Cristo.

Contro tali errori si scaglia Giovanni, con uno scritto appassionato in cui argomenti, ragioni, richiami e inviti s'intersecano, si accavallano, si ripetono, senza un piano logicamente concepito.

La divinità di Gesù, Figlio di Dio incarnatosi per la salvezza degli uomini (2,1s), è ripetutamente richiamata come base della vera fede (4,2) che unisce con Dio-amore (1,3.6s), e l'unione con Dio-amore si verifica nel mantenere la vera fede e l'amore fattivo ai fratelli. Probabilmente la lettera, come il vangelo, è stata scritta ad Efeso, centro dell'attività apostolica di Giovanni, e, data la loro affinità, si può supporre che i due scritti abbiano visto la luce a poca distanza l'uno dall'altro verso la fine del I secolo.

1

Prologo. - [1]Colui che era fin dal principio, colui che noi abbiamo sentito, colui che abbiamo veduto con i nostri occhi, Colui che abbiamo contemplato e che le nostre mani hanno toccato, cioè il Verbo della vita – [2]poiché la vita si è manifestata e noi l'abbiamo veduta e ne diamo testimonianza e vi annunziamo questa vita eterna che era presso il Padre e che si è manifestata a noi –, [3]Colui che abbiamo veduto e sentito lo annunziamo a voi, affinché anche voi abbiate comunione con noi. La nostra comunione è con il Padre e con il suo Figlio Gesù Cristo. [4]E noi scriviamo queste cose affinché la nostra gioia sia piena.

La comunione con Dio consiste nel camminare nella luce. - [5]Questo è il messaggio che abbiamo sentito da lui e che vi annunziamo: Dio è luce e in lui non si sono affatto tenebre. [6]Se diciamo di essere in comunione con lui e camminiamo nelle tenebre, noi mentiamo e non operiamo la verità. [7]Se invece camminiamo nella luce, come lui è

nella luce, noi siamo in comunione gli uni con gli altri e il sangue di Gesù, suo Figlio, ci purifica da ogni peccato.

Confessione dei peccati e intercessione di Cristo. - [8]Se diciamo di non aver peccato, inganniamo noi stessi e la verità non è in noi. [9]Se confessiamo i nostri peccati, egli è fedele e giusto e così rimette i nostri peccati e ci purifica da ogni ingiustizia. [10]Se noi diciamo di non aver commesso peccato, lo facciamo un mentitore e la sua parola non è in noi.

2

[1]Figli miei, io vi scrivo queste cose affinché voi non pecchiate. Ma se qualcu-

---

1. - 3. Qui è compendiata tutta la dottrina della lettera: il cristiano è chiamato a vivere della vita di Dio, comunicata da Cristo (cfr. Gv 17,21).

6. Dio è in noi come principio di vita, e poiché egli è luce, giustizia, amore, colui che gli è unito deve vivere e comunicare luce, giustizia e amore, osservando i comandamenti di Dio, specialmente la carità fraterna.

no pecca, noi abbiamo come intercessore presso il Padre Gesù Cristo, che è giusto. [2]Egli è la propiziazione per i nostri peccati e non solo per i nostri, ma anche per quelli di tutto il mondo.

Conoscenza di Dio e osservanza dei comandamenti. - [3]Da questo noi sappiamo di conoscerlo: se osserviamo i suoi comandamenti. [4]Chi dice: «Lo conosco», ma non osserva i suoi comandamenti, è un mentitore e la verità non è in lui. [5]Invece se osserva la sua parola, veramente l'amore di Dio in lui è perfetto. Da ciò noi conosciamo di essere in lui. [6]Chi dice di dimorare in lui deve comportarsi come egli si è comportato.

Il comandamento antico e nuovo: amare i fratelli. - [7]Carissimi, scrivendo non vi propongo un comandamento nuovo, ma un comandamento antico, che voi avevate fin dal principio. Il comandamento antico è la parola che voi avete ascoltata. [8]Tuttavia è anche un comandamento nuovo che vi propongo scrivendovi. Ciò è vero in lui e in voi, poiché le tenebre ormai passano e già risplende la vera luce. [9]Chi afferma di essere nella luce e odia suo fratello è ancora nelle tenebre. [10]Chi ama il suo fratello dimora nella luce e in lui non vi è pericolo d'inciampo. [11]Ma chi odia suo fratello è nelle tenebre e cammina nelle tenebre e non sa dove va, perché le tenebre hanno accecato i suoi occhi.

Assicurazioni e monito a non amare il mondo. - [12]Scrivo a voi, o figli, che vi sono rimessi i peccati nel suo nome. [13]Scrivo a voi, o padri, che avete conosciuto Colui che è dal principio. Scrivo a voi, o giovani, che avete vinto il maligno. [14]Scrivo a voi, o figlioli, che avete conosciuto il Padre. Scrivo a voi, o padri, che avete conosciuto Colui che è dal principio. Scrivo a voi, o giovani, che siete forti e la parola di Dio dimora in voi e avete vinto il maligno.

[15]Non amate il mondo né ciò che vi è nel mondo. Se uno ama il mondo, in lui non c'è l'amore del Padre. [16]Poiché tutto ciò che vi è nel mondo, la concupiscenza della carne, la concupiscenza degli occhi, lo sfarzo della ricchezza, non è dal Padre ma dal mondo. [17]Il mondo passa e così la sua concupiscenza; ma chi fa la volontà di Dio rimane in eterno.

È l'ultima ora: operano gli anticristi. - [18]Figlioli, è l'ultima ora. Avete udito che l'anticristo deve venire, e ora molti anticristi sono già sopraggiunti; da ciò sappiamo che è l'ultima ora. [19]Essi sono usciti da noi, ma non erano dei nostri; se infatti fossero stati dei nostri, sarebbero rimasti con noi; ma doveva essere manifestato che tutti loro non sono dei nostri. [20]Ma voi avete l'unzione che viene dal Santo e avete tutti la scienza. [21]Non vi scrivo perché non conoscete la verità, ma perché avete conoscenza di essa e perché nessuna menzogna è dalla verità. [22]E chi è il mentitore se non colui che nega che Gesù è il Cristo? Questi è l'anticristo, colui che nega il Padre e il Figlio. [23]Chiunque nega il Figlio non ha il Padre; chi confessa il Figlio ha il Padre. [24]Quanto a voi, rimanga in voi ciò che avete udito fin dal principio. Se in voi rimane quello che avete udito fin dal principio, anche voi rimarrete nel Figlio e nel Padre. [25]È questa la promessa che egli ha fatto a noi: la vita eterna.

Esortazione a rimanere saldi nella vera fede. - [26]Vi scrivo queste cose riguardo a coloro che tentano di ingannarvi. [27]Quanto a voi, l'unzione che da lui avete ricevuto rimane in voi e non avete bisogno che qualcuno vi istruisca. Anzi, la sua unzione vi istruisce su tutto ed essa è vera e non è menzogna; perciò, siccome egli vi ha istruito, rimanete in lui. [28]E ora, figli, rimanete in lui affinché noi, quando egli si manifesterà, abbiamo piena sicurezza, e alla sua venuta non siamo da lui coperti di vergogna. [29]Se voi conoscete che egli è giusto, sapete anche che chi opera la giustizia è da lui generato.

3 **Santità dei figli di Dio.** - [1]Guardate quale grande amore ha dato a noi il Padre: siamo chiamati figli di Dio, e lo siamo! Per questo il mondo non ci conosce, poiché esso non ha conosciuto lui. [2]Carissimi, fin d'ora siamo figli di Dio e non si è ancora manifestato quel che saremo. Sappiamo

---

2. - 13. *Il maligno* è il demonio, l'eterno tentatore. Ma ora è venuto Gesù, che lo ha vinto e ha comunicato a noi la grazia di vincerlo. Se Gesù dimora in noi, ci comunica la sua luce, con cui possiamo conoscere le insidie del demonio; ci partecipa la sua forza, con cui lo possiamo superare.

che quando ciò si sarà manifestato saremo simili a lui, poiché lo vedremo com'egli è. [3]Chiunque ha questa speranza in lui, diventa puro com'egli è puro. [4]Chiunque commette il peccato commette anche l'iniquità, poiché il peccato è l'iniquità. [5]Voi sapete che egli si è manifestato per togliere i peccati, e in lui non vi è peccato. [6]Chiunque rimane in lui non pecca; chiunque pecca non lo ha veduto né lo ha conosciuto. [7]Figli, nessuno vi inganni: chi compie la giustizia è giusto come egli è giusto. [8]Chi commette il peccato è dal diavolo, poiché il diavolo fin dal principio perpetra il peccato. Per questo il Figlio di Dio si è manifestato, per distruggere le opere del diavolo. [9]Chiunque è generato da Dio non commette peccato, poiché il seme di Dio rimane in lui; egli non può peccare poiché è generato da Dio.

Il messaggio cristiano dell'amore fraterno. - [10]In questo si rendono manifesti i figli di Dio e i figli del diavolo: chiunque non compie la giustizia non è da Dio, come pure chi non ama il proprio fratello. [11]Poiché questo è l'annuncio che avete ascoltato fin dal principio: dobbiamo amarci gli uni gli altri. [12]Non come Caino, il quale era dal maligno e ha ucciso il suo fratello. E per quale motivo lo ha ucciso? Perché le sue opere erano malvagie, mentre quelle del suo fratello erano giuste. [13]Non vi meravigliate, fratelli, se il mondo vi odia. [14]Noi sappiamo di essere passati dalla morte alla vita perché amiamo i fratelli. Chi non ama rimane nella morte. [15]Chiunque odia il proprio fratello è omicida e voi sapete che chi è omicida non ha la vita eterna che rimane in lui. [16]Da ciò noi abbiamo conosciuto l'amore: egli ha dato la sua vita per noi. Quindi anche noi dobbiamo dare la nostra vita per i fratelli. [17]Se uno possiede le ricchezze del mondo e, vedendo il proprio fratello che si trova nel bisogno, gli chiude il cuore, come l'amore di Dio può essere in lui? [18]Figli, non amiamo con le parole e con la lingua, ma con le opere e nella verità.

Fiducia di chi osserva i comandamenti. - [19]Da ciò noi conosceremo che siamo dalla verità e dinanzi a lui rassicureremo il nostro cuore, [20]qualunque cosa il cuore nostro possa rimproverarci, poiché Dio è più grande del nostro cuore e conosce tutto. [21]Carissimi, se il cuore non ci rimprovera,

abbiamo piena sicurezza presso Dio, [22]e qualunque cosa gli chiediamo, la riceviamo da lui, poiché noi osserviamo i suoi comandamenti e facciamo ciò che è gradito davanti a lui. [23]Questo è il suo comandamento: dobbiamo credere nel nome del suo Figlio Gesù Cristo e dobbiamo amarci gli uni gli altri, secondo il comandamento che egli ci ha dato. [24]Chi osserva i suoi comandamenti rimane in Dio e Dio in lui. Da questo noi conosciamo che egli rimane in noi: dallo Spirito che egli ci ha dato.

Discernimento degli spiriti. - [1]Carissimi, non vogliate credere a ogni spirito, ma esaminate gli spiriti per conoscere se sono da Dio, poiché molti falsi profeti sono venuti nel mondo. [2]Da questo voi conoscete lo spirito di Dio: ogni spirito che confessa Gesù Cristo venuto nella carne è da Dio; [3]e ogni spirito che non confessa Gesù non è da Dio. Ma questo è lo spirito dell'anticristo, del quale avete sentito che deve venire, anzi è già nel mondo. [4]Voi, figli, siete da Dio e li avete vinti, poiché chi è in voi è più grande di colui che è nel mondo. [5]Essi sono dal mondo; perciò parlano del mondo e il mondo li ascolta. [6]Noi siamo da Dio. Chi conosce Dio ascolta noi; chi non è da Dio non ascolta noi. Da ciò conosciamo lo spirito della verità e lo spirito dell'errore.

L'amore fraterno viene da Dio e fa rimanere in Dio. - [7]Carissimi, amiamoci gli uni gli altri, poiché l'amore è da Dio e chi ama è generato da Dio e conosce Dio. [8]Chi non ama non ha conosciuto Dio, poiché Dio è amore. [9]L'amore di Dio si è manifestato tra noi in questo: Dio ha inviato il suo Figlio unigenito nel mondo, affinché noi avessimo la vita per mezzo di lui. [10]In questo si è manifestato l'amore: noi non abbiamo amato Dio, ma egli ha amato noi e ha inviato il Figlio suo come propiziazione per i nostri peccati. [11]Carissimi, se così Dio ha amato noi, anche noi dobbiamo amarci gli uni gli altri. [12]Nessuno ha mai visto Dio; se ci amiamo gli uni

---

3. - 6. *Chiunque rimane* in Dio mediante l'amore, *non pecca*, perché chi ama non offende l'amato. Giovanni non considera qui i peccati di fragilità.

9. La grazia santificante è detta *seme*, perché da essa sbocciano la fede, la speranza e la carità, e il suo frutto eterno è la gloria del cielo.

gli altri, Dio rimane in noi e il suo amore in noi è perfetto. ¹³Da questo conosciamo che noi rimaniamo in lui ed egli in noi: che egli ci ha dato del suo Spirito.

¹⁴E noi abbiamo visto e attestiamo che il Padre ha inviato il Figlio come salvatore del mondo. ¹⁵Chi confessa che Gesù è il Figlio di Dio, Dio in lui rimane ed egli in Dio. ¹⁶E noi abbiamo conosciuto e abbiamo creduto all'amore che Dio ha per noi. Dio è amore e chi rimane nell'amore rimane in Dio e Dio rimane in lui.

L'amore non fa temere il giudizio. - ¹⁷In questo l'amore che è in noi è perfetto: noi abbiamo piena sicurezza per il giorno del giudizio, poiché com'egli è, siamo anche noi in questo mondo. Nell'amore non vi è timore; ¹⁸anzi, il perfetto amore scaccia il timore, perché il timore suppone il castigo e chi teme non è perfetto nell'amore.

¹⁹Noi dobbiamo amare, perché lui per primo ci ha amati.

Chi ama Dio ama il fratello. - ²⁰Se uno dice: «Io amo Dio» e poi odia il proprio fratello, è mentitore: chi infatti non ama il proprio fratello che vede, non può amare Dio che non vede. ²¹E noi abbiamo da lui questo comandamento: chi ama Dio ami anche il proprio fratello.

5 **Il comandamento dell'amore di Dio. -** ¹Chi crede che Gesù è il Cristo è nato da Dio; e chi ama colui che ha generato ama anche chi è stato generato da lui. ²Da questo noi conosciamo che amiamo i figli di Dio: se amiamo Dio e compiamo i suoi comandamenti.

³Questo è l'amore di Dio: osservare i suoi comandamenti; i suoi comandamenti non sono pesanti, ⁴poiché chi è nato da Dio vince il mondo e questa è la vittoria che ha vinto il mondo: la nostra fede.

La fede in Cristo datore di vita. - ⁵Ma chi è colui che vince il mondo se non chi crede che Gesù è il Figlio di Dio? ⁶Questi è colui che è venuto con acqua e con sangue: Gesù Cristo; non soltanto con l'acqua, ma con l'acqua e con il sangue. Ed è lo Spirito che ne dà testimonianza, poiché lo Spirito è la verità. ⁷Poiché sono tre quelli che danno testimonianza: ⁸lo Spirito, l'acqua e il sangue, e questi tre sono concordi. ⁹Se noi riceviamo la testimonianza degli uomini, la testimonianza di Dio è più grande. Questa infatti è la testimonianza di Dio: egli ha reso testimonianza a suo Figlio. ¹⁰Chi crede nel Figlio di Dio, ha questa testimonianza in sé. Chi non crede in Dio, fa di lui un mentitore, perché non crede alla testimonianza che Dio ha dato al Figlio suo. ¹¹E questa è la testimonianza: Dio ci ha dato la vita eterna e questa vita è nel Figlio suo. ¹²Chi ha il Figlio, ha la vita; chi non ha il Figlio di Dio, non ha la vita.

Conclusione. - ¹³Io vi ho scritto queste cose affinché sappiate che voi avete la vita eterna, voi che credete nel nome del Figlio di Dio. ¹⁴Questa è la sicurezza che noi abbiamo in lui: se noi chiediamo qualcosa secondo la sua volontà, egli ci ascolta. ¹⁵E se noi sappiamo che egli ci ascolta qualora gli chiediamo qualcosa, sappiamo già di avere da lui tutto ciò che gli abbiamo chiesto.

¹⁶Se uno vede il suo fratello commettere un peccato che non conduce alla morte, preghi e Dio gli darà la vita (come) a coloro che commettono un peccato che non conduce alla morte. Ma vi sono peccati che conducono alla morte; per questi dico di non pregare. ¹⁷Ogni iniquità è peccato; ma vi è peccato che non conduce alla morte.

¹⁸Noi sappiamo che chiunque è generato da Dio non pecca; ma il generato da Dio lo custodisce, così che il maligno non lo tocca. ¹⁹Sappiamo che noi siamo da Dio, mentre il mondo giace tutto in potere del maligno. ²⁰Sappiamo anche che il Figlio di Dio è venuto e ci ha dato l'intelligenza per conoscere Colui che è il Vero. E noi siamo in Colui che è il Vero, nel Figlio suo Gesù Cristo. Questi è il vero Dio e la vita eterna. ²¹Figli, guardatevi dagli idoli.

1Gv

---

5. - 16. Il *peccato che conduce alla morte*, in questo caso, è l'apostasia. Giovanni non proibisce di pregare per gli apostati, ma fa capire che tali preghiere saranno difficilmente esaudite a causa dell'indurimento del cuore: ci vorrebbe un intervento straordinario di Dio, e Giovanni non lo garantisce.

SECONDA LETTERA DI GIOVANNI

È un brevissimo scritto anonimo che un autorevole presbitero indirizza all'«eletta Signora e ai suoi figli», chiaro riferimento a una chiesa locale di cui ignoriamo l'identità. La lettera ricalca nelle preoccupazioni e nello stile la prima di Giovanni: è un appassionato invito ad amarsi a vicenda e a guardarsi da falsi maestri.

Trattandosi d'un testo tanto breve e poco originale nel contenuto, ebbe qualche difficoltà a inserirsi nel canone dei libri ispirati. Ne danno però autorevole testimonianza Ireneo, il Canone muratoriano, Agostino e altri. È ignota la località di provenienza. La data di composizione dovrebbe oscillare intorno alla fine del I secolo.

Saluto iniziale. - ¹Il presbitero all'eletta Signora e ai suoi figli, che io amo nella verità, e non io soltanto, ma anche tutti coloro che hanno conosciuto la verità, ²per quella verità che dimora in noi e che sarà con noi eternamente. ³Con noi siano grazia, misericordia e pace da parte di Dio Padre e da parte di Gesù Cristo, il Figlio del Padre, in verità e amore.

Esortazione all'amore fraterno. - ⁴Ho provato grande gioia nel vedere dei tuoi figli che camminano nella verità, come ne abbiamo ricevuto comandamento dal Padre. ⁵Ed ora, Signora, scrivendoti non già per darti un comandamento nuovo, poiché lo possedevamo già fin dall'inizio, io ti chiedo di amarci gli uni gli altri. ⁶E questo è l'amore: che noi camminiamo secondo i suoi comandamenti. Questo è il comandamento, come l'avete sentito fin dall'inizio, che voi camminiate nell'amore.

Guardarsi dai seduttori. - ⁷Poiché molti seduttori si sono introdotti nel mondo, i quali non confessano che Gesù Cristo è venuto nella carne; questi tali sono il seduttore e l'anticristo.

⁸State bene attenti a voi stessi, perché non abbiate a perdere quello che avete operato, ma al contrario ne riceviate la piena ricompensa. ⁹Chiunque va al di là e non dimora nella dottrina di Cristo, non ha Dio. Chi dimora in questa dottrina ha il Padre e il Figlio. ¹⁰Se qualcuno viene da voi e non porta questa dottrina, non ospitatelo in casa, né dategli il saluto; ¹¹poiché chi gli rivolge il saluto, partecipa alle sue opere malvagie.

Parole di congedo. - ¹²Molte cose avrei da scrivervi, ma non voglio farlo per mezzo di carta e inchiostro; spero invece di venire da voi e di parlarvi a faccia a faccia, affinché la nostra gioia sia piena.

¹³Ti salutano i figli dell'eletta tua sorella.

TERZA LETTERA DI GIOVANNI

Come la seconda di Giovanni, anche questa lettera è indirizzata dall'anonimo presbitero a un non certo Gaio, di cui vengono lodate la fede, la carità e la fedeltà, e al quale vengono raccomandati i cosiddetti apostoli itineranti, «in cammino per il nome di Gesù» e bisognosi di aiuti e d'assistenza da parte dei fedeli. Per contro si biasima un certo Diotrefe che, geloso del suo potere, vuol fare da padrone nella chiesa. Identica nella conclusione alla seconda lettera, questo biglietto ne condivise probabilmente la datazione (fine I secolo), come ne condivise le difficoltà a inserirsi nel canone biblico.

Saluto iniziale. - ¹Il presbitero al caro Gaio, che io amo nella verità.

L'autore elogia Gaio. - ²Carissimo, ti auguro che tutto vada bene e che tu goda buona salute, come va bene la tua anima. ³Ho provato infatti gran gioia quando sono venuti alcuni fratelli e hanno reso testimonianza alla tua verità, come tu cammini nella verità. ⁴Non ho gioia maggiore di questa: sentire che i miei figli camminano nella verità. ⁵Carissimo, tu ti comporti fedelmente in ciò che fai verso i fratelli pur essendo forestieri. ⁶Essi hanno reso testimonianza alla tua carità davanti alla chiesa. Tu farai bene se li provvederai del necessario per il viaggio, in modo degno di Dio. ⁷Infatti si sono messi in cammino per il nome di Gesù, senza ricevere nulla dai pagani. ⁸Noi quindi dobbiamo sostenere tali uomini per mostrarci collaboratori della verità.

Condotta di Diotrefe e raccomandazione di Demetrio. - ⁹Ho scritto qualcosa alla chiesa; ma Diotrefe, che ambisce il primo posto tra loro, non ci riconosce. ¹⁰Per questo, quando verrò, gli rimprovererò le azioni che compie accusandoci ingiustamente con parole malvagie e, non contento di ciò, non vuole accogliere i fratelli e impedisce di farlo a quelli che vogliono accoglierli e li espelle dalla chiesa. ¹¹Carissimo, non imitare il male, ma il bene. Chi fa il bene è da Dio, chi fa il male non ha veduto Dio. ¹²A Demetrio è data testimonianza da tutti, anche dalla stessa verità. Noi pure gli diamo testimonianza e tu sai che la nostra testimonianza è vera.

Parole di congedo. - ¹³Avrei molte cose da scriverti, ma non voglio farlo per mezzo d'inchiostro e di penna. ¹⁴Spero invece di vederti presto e ci parleremo a faccia a faccia. ¹⁵La pace sia con te. Ti salutano gli amici. Saluta gli amici singolarmente.

LETTERA DI GIUDA

L'autore si dichiara «fratello di Giacomo», comunemente indicato come «fratello di Gesù»; era quindi parente di Gesù e come tale dovette godere di grande stima nella chiesa primitiva, per cui poté rivolgere autorevolmente questo breve scritto ai fedeli che certo lo conoscevano e che erano con ogni probabilità palestinesi. Essi erano in pericolo per la loro fede, per l'insorgere di movimenti eretici che negavano la divinità di Cristo e si mostravano piuttosto licenziosi nei costumi (vv. 4.7). La lettera, che considera ormai passata l'epoca degli apostoli e conosce le lettere di san Paolo (17-19), fu scritta verso gli anni 80, prima della Seconda lettera di Pietro, che pare dipendere da questa. La lettera trovò qualche difficoltà a essere accolta come canonica anche per le allusioni a libri apocrifi (7.14s), molto diffusi ai tempi dell'autore. Egli vi ricorre senza attribuire loro particolare autorità, come ricorre all'Antico Testamento, perché utili per l'insegnamento. Lo scritto, composto in buona lingua greca, ha fatto pensare che non sia opera letteraria di un palestinese, quale era Giuda, ma di qualche collaboratore cristiano d'origine ellenistica.

L'autore mira soprattutto a confermare la fede, da conservare come la si è ricevuta dagli apostoli (vv. 3.5.17), da vivere nello Spirito Santo ed esercitare nella carità (20.22s). È pure particolarmente sviluppato l'insegnamento circa gli angeli, chiamati «Glorie», distinti in buoni e cattivi.

Indirizzo e saluto. - ¹Giuda, servo di Gesù Cristo, fratello di Giacomo, ai chiamati, amati in Dio Padre e custoditi per Gesù Cristo: ²abbondi per voi la misericordia, la pace, l'amore.

I falsi maestri. - ³Carissimi, usando ogni sollecitudine nello scrivervi sulla nostra salvezza comune, non posso fare a meno di scrivervi per esortarvi a combattere per quella fede che fu consegnata ai santi una volta per tutte. ⁴Si sono infatti infiltrati tra voi alcuni individui, i quali già da tempo si sono prenotati per questa condanna, empi, che stravolgono la grazia del nostro Dio in dissolutezza e rinnegano il nostro unico padrone e Signore Gesù Cristo. ⁵A voi che una volta per tutte avete imparato tutto voglio ricordare che il Signore, avendo liberato il popolo dalla terra d'Egitto, sterminò in un secondo tempo coloro che non credettero, ⁶e mise sotto custodia con catene eterne nel buio dell'inferno quegli angeli che non seppero conservare la loro dignità primigenia e abbandonarono la propria dimora, riservandoli per il giudizio del grande giorno. ⁷Così come Sodoma e Gomorra e le città circonvicine che, avendo prevaricato nello stesso modo e avendo seguito passionalmente una sessualità diversa da quella naturale, costituiscono un esempio ammonitore, soffrendo la pena del fuoco eterno. ⁸Così sono costoro che, in uno stato di delirio, contaminano il corpo, mettono da parte la Sovranità, bestemmiando le Glorie. ⁹L'arcangelo Michele, quando, disputando col diavolo, discuteva sul corpo di Mosè, non osò proferire contro di lui un giudizio di bestemmia, ma gli disse: «Il Signore ti punirà!». ¹⁰Costoro invece bestemmiano ciò che

---

1. Giuda (Mt 13,55; Mc 6,3) è fratello vero di Giacomo il Minore, vescovo di Gerusalemme.

10. Non possedendo il dono dello Spirito Santo, i falsi maestri ignorano le verità soprannaturali e posseggono solo una conoscenza *istintiva*, di livello naturale, che non può elevarli alla cognizione di fede.

non conoscono. Quello che invece apprendono istintivamente come gli animali bruti, diventa per loro rovina. [11]Guai a loro, perché si sono messi sulla via di Caino, si sono dati al traviamento di Balaam per guadagno, sono periti nella ribellione di Core. [12]Costoro si intrufolarono nelle vostre àgapi senza ritegno come macchie di vergogna, pascendo se stessi, nubi senz'acqua portate qua e là dai venti, alberi autunnali senza frutti, morti due volte e sradicati, [13]onde selvagge del mare che spruzzano la schiuma della loro vergogna, stelle erranti alle quali è riservato il buio delle tenebre eterne!

[14]Enoch, il settimo discendente di Adamo, profetizzò su di loro dicendo: Ecco, sono viene il Signore con le sue sante miriadi [15]per effettuare il giudizio contro tutti e condannare tutti gli empi a causa di tutte le opere che commisero nella loro empietà e di tutte le parole offensive che essi, empi peccatori, proferirono contro di lui. [16]Costoro sono mormoratori, accaniti contro la loro sorte; si comportano secondo le loro passioni, la loro bocca proferisce parole inflazionate, mostrando rispettosa ammirazione per le persone a scopo di interesse.

Esortazione alla comunità. - [17]Ma voi, carissimi, ricordatevi delle parole dette già dagli apostoli del Signore nostro Gesù Cristo. [18]Essi vi dicevano: «Negli ultimi tempi vi saranno schernitori che si comporteranno secondo i loro impulsi sfrenati di empietà». [19]Costoro sono i seminatori di dissidi, istintivi, privi dello Spirito.

[20]Ma voi, carissimi, costruendo voi stessi sulla vostra fede santissima, pregando nello Spirito Santo, [21]mantenetevi nell'amore di Dio, aspettando la benevolenza del Signore nostro Gesù Cristo in vista della vita eterna. [22]Alcuni che sono esitanti, stimolateli; [23]altri salvateli, strappandoli dal fuoco; di altri abbiate pietà, ma con timore, odiando perfino la veste contaminata dal loro corpo.

Dossologia conclusiva. - [24]A colui che ha il potere di conservarvi immuni da cadute e di porvi davanti alla sua gloria senza macchia nella gioia, [25]al Dio unico, nostro salvatore per mezzo di Gesù Cristo Signore nostro, gloria, maestà, forza e potere prima di ogni tempo, ora e per tutti i tempi avvenire. Amen.

APOCALISSE

«*A pocalisse*» *significa rivelazione e designa un genere letterario che presenta la storia passata, come predizione del futuro, sotto forma di visioni, simboli, immagini mitiche e numeri. Il Nuovo Testamento ha accolto nel canone un'Apocalisse, il cui autore dichiara d'essere Giovanni, in esilio nell'isola di Patmos a motivo della fede cristiana (1,9). Una tradizione attestata già nel II secolo lo identifica con l'apostolo Giovanni. Quanto alla data si pensa comunemente all'epoca di Domiziano, verso il 95 d.C. La divisione del libro è chiara nelle grandi linee. Un'introduzione (c. 1) comprende l'intestazione, i destinatari e la grande visione inaugurale. Il corpo del libro si compone di due parti: una sezione pastorale (cc. 2-3) con le lettere alle sette chiese, cioè «le cose riguardanti il presente», e la sezione propriamente apocalittica (4,1 - 22,5), cioè «le cose che accadranno dopo», nelle quali non si devono necessariamente cercare avvenimenti futuri, ma vedere la condizione della chiesa in ogni tempo. L'epilogo (22,6-21) è dominato dall'invocazione: «Vieni, Signore Gesù» con la risposta: «Sì, vengo presto!». L'autore ama presentare le sue visioni in serie di settenari (7 sigilli, 7 trombe, 7 coppe) in cui descrive la situazione della chiesa perseguitata e i giudizi di Dio sui persecutori, fino al giudizio finale che annienterà ogni forza ostile ai suoi fedeli e donerà loro la felicità definitiva. L'Apocalisse appare come la grande epopea della speranza cristiana che anima la chiesa, sempre perseguitata nel mondo, ma sostenuta dal suo Signore: «Abbiate coraggio: io ho vinto il mondo» (Gv 16,33).*

PROLOGO

1 **Intestazione.** - ¹Rivelazione di Gesù Cristo, che gli fu data da Dio affinché mostrasse ai suoi servi *le cose che debbono accadere fra breve*, e che egli comunicò, con l'invio del suo angelo, al suo servo Giovanni, ²il quale attesta la parola di Dio e la testimonianza di Gesù Cristo, secondo quanto vide. ³Beato colui che leggerà e quelli che ascolteranno le parole di questa profezia e metteranno in pratica ciò che in essa è scritto! Sì, il tempo è vicino!

Destinazione, saluto e dossologia. - ⁴Giovanni alle sette chiese dell'Asia. Grazia a voi e pace da parte di Colui *che è*, che era, che viene, e da parte dei sette Spiriti che stanno davanti al trono di Gesù ⁵e da parte di Gesù Cristo, colui che è il *Testimone fedele*, il *Primo-nato* fra i morti, il *Principe dei re della terra*. A lui che ci ama e ci ha prosciolti dai

nostri peccati nel suo sangue ⁶e ha formato di noi *un regno di sacerdoti per il* suo *Dio* e Padre, a lui gloria e impero nei secoli dei secoli. Amen!
⁷Ecco: *viene tra le nubi*; tutti gli uomini lo contempleranno, anche *quelli che l'hanno trafitto*; e *si batteranno per lui il petto tutte le tribù della terra*. Sì, Amen!
⁸Io sono l'Alfa e l'Omega, dice il Signore Dio, Colui che è, che era, che viene, l'Onnipotente.

Visione introduttiva. - ⁹Io, Giovanni, vostro fratello e a voi associato nella tribolazione, nel regno e nella costanza in Gesù, mi trovavo nell'isola chiamata Patmos, a causa della parola di Dio e della testimonianza di

---

1. - 4. Le sette chiese, nominate al v. 11, sono nell'Asia, provincia romana, che aveva Efeso per capitale. I sette Spiriti, rammentati già in Tb 12,15, sono raffigurati nelle sette lampade di 4,5 e ricevono le sette trombe in 8,2.

Gesù. ¹⁰Rapito in estasi nel giorno del Signore, udii dietro a me una voce possente, come di una tromba, che diceva: ¹¹«Ciò che vedrai scrivilo in un libro e invialo alle sette chiese: a Efeso, a Smirne, a Pergamo, a Tiatira, a Sardi, a Filadelfia e a Laodicea». ¹²Mi voltai per vedere chi fosse quello che mi parlava; voltandomi, vidi sette candelabri d'oro ¹³e in mezzo ad essi *uno simile a figlio di uomo*. Indossava una tunica lunga ed era cinto all'altezza del petto con una *fascia dorata*. ¹⁴I capelli della sua testa *erano bianchi, simili a lana candida*, come neve. I *suoi occhi erano come fiamma ardente*. ¹⁵*I suoi piedi avevano l'aspetto del bronzo splendente*, quando è stato purificato nel crogiolo. *La sua voce era come lo scroscio di acque abbondanti*. ¹⁶Nella sua mano destra teneva sette stelle, mentre dalla bocca usciva una spada affilata, a doppio taglio. Il suo aspetto uguagliava il fulgore del sole in pieno meriggio. ¹⁷A vederlo caddi ai suoi piedi come morto. Ma egli, posando la sua destra sopra di me, mi rassicurò: «Non temere! Io sono *il Primo e l'Ultimo*, il Vivente; ¹⁸giacqui morto, infatti; ma ora eccomi vivo per i secoli dei secoli; nelle mie mani sono le chiavi della Morte e dell'Ade. ¹⁹Metti in iscritto le cose che vedrai, sia quelle riguardanti il presente, sia *quelle che accadranno dopo di esse*. ²⁰Quanto al significato delle sette stelle che vedi nella mia mano destra e dei sette candelabri d'oro: le sette stelle simboleggiano gli angeli delle sette chiese e i sette candelabri le sette chiese».

LETTERE ALLE SETTE CHIESE

2 **Alla chiesa di Efeso. -** ¹All'angelo della chiesa di Efeso scrivi: Così parla colui che tiene nella sua destra le sette stelle e cammina in mezzo ai sette candelabri d'oro. ²Mi è nota la tua condotta: la tua fatica, la tua costanza; so che non puoi soffrire i malvagi; infatti hai messo alla prova quelli che si spacciavano per apostoli, e non lo sono, e

li hai trovati bugiardi. ³Hai costanza, avendo sofferto per il mio nome senza venir meno. ⁴Ma debbo rimproverarti che non hai più l'amore di un tempo. ⁵Considera da quale altezza sei caduto e ritorna alla condotta di prima. Altrimenti io verrò a te e, se non ti sarai convertito, rimuoverò il tuo candelabro dal suo posto. ⁶Tuttavia hai questo di buono, che detesti la condotta dei nicolaiti, che anch'io detesto. ⁷Chi ha orecchi ascolti ciò che lo Spirito dice alle chiese: al vittorioso farò mangiare *dall'albero della vita che è nel paradiso* di Dio.

Alla chiesa di Smirne. - ⁸All'angelo della chiesa di Smirne scrivi: Così parla *il Primo e l'Ultimo*, colui che giacque morto e poi risuscitò. ⁹Conosco la tua tribolazione e la tua indigenza – sei però ricco! – e la bestemmia di certuni fra quelli che si professano Giudei e non lo sono, sono invece una sinagoga di Satana! ¹⁰Non aver paura delle sofferenze che ti attendono. Ecco: il diavolo sta per gettare in carcere alcuni di voi, affinché *siate messi alla prova*; avrete una tribolazione di *dieci giorni*. Rimani fedele sino alla morte e ti darò la corona della vita. ¹¹Chi ha orecchi ascolti ciò che lo Spirito dice alle chiese: il vittorioso non sarà colpito dalla morte seconda.

Alla chiesa di Pergamo. - ¹²All'angelo della chiesa di Pergamo scrivi: Così parla colui che tiene la spada affilata a doppio taglio. ¹³So dove abiti, cioè dove Satana ha il suo trono; eppure tieni saldo il mio nome; infatti non rinnegasti la tua fede in me neppure al tempo di Antipa, mio testimone fedele, che fu messo a morte fra voi, là dove Satana ha la sua dimora. ¹⁴Ma debbo rimproverarti per alcune cose, che cioè permetti che taluni costì professino la dottrina di Balaam, quello che suggeriva a Balak di porre un inciampo davanti ai *figli d'Israele, inducendoli a mangiare carne immolata agli idoli e a fornicare*. ¹⁵Così anche tu hai chi professa alla stessa maniera la dottrina dei nicolaiti. ¹⁶Ravvediti, perciò; altrimenti non tarderò a venire a te e combattere contro di loro con la spada della mia bocca. ¹⁷Chi ha orecchi ascolti quello che dice lo Spirito alle chiese: al vittorioso farò mangiare la manna nascosta e gli darò un sassolino

---

2. - 1. *L'angelo* è il vescovo rappresentante la chiesa e responsabile del suo buon andamento.

17. *La manna nascosta* è il cibo dell'eterna felicità. *Un sassolino bianco*: era una pietruzza data al vincitore nei giochi, e serviva ad assolvere nei tribunali, mentre il sassolino nero diceva condanna: quindi vuol dire che Gesù darà il segno della vittoria e sentenza favorevole a chi vince, cioè il biglietto d'entrata al banchetto celeste.

bianco, sul quale c'è scritto un nome nuovo, che nessuno conosce se non chi lo riceve.

Alla chiesa di Tiatira. - [18]All'angelo della chiesa di Tiatira scrivi: Così parla il Figlio di Dio, i cui *occhi sono come fiamma ardente, i cui piedi sono simili al bronzo splendente.* [19]Mi è nota la tua condotta: l'amore, la fede, il servizio, la costanza e le tue opere più recenti che sono più numerose delle prime. [20]Ma debbo rimproverarti che permetti alla donna Gezabele, che si vanta d'essere profetessa, di istigare i miei servi, con i suoi insegnamenti, a *prostituirsi mangiando carne immolata agl'idoli.* [21]Le ho dato tempo per ravvedersi, ma ella si rifiuta di convertirsi dalla sua prostituzione. [22]Ecco: getterò lei su un letto di dolore e quelli che con essa fanno adulterio in una terribile prova, se non cesseranno di seguire la sua condotta. [23]Colpirò con la morte i suoi figli e così tutte le chiese riconosceranno che io sono *colui che scruta i reni e i cuori* e che *a ciascuno* di voi *retribuirà secondo le vostre opere.* [24]Ma a tutti gli altri che, fra voi di Tiatira, non seguono la sua dottrina, che non conoscono la "profondità" di Satana, come essi dicono, dichiaro di non voler imporre su di voi altro peso; [25]ma quello che avete tenetelo saldamente fino a che io venga. [26]Al vittorioso, quello che osserverà sino alla fine i miei precetti, darò potestà *sulle nazioni* [27]*e le governerà con verga di ferro, come i vasi d'argilla le frantumerà,* [28]proprio come io ho ricevuto dal Padre mio. Gli darò, inoltre, la stella del mattino. [29]Chi ha orecchi ascolti quello che lo Spirito dice alle chiese.

3 **Alla chiesa di Sardi.** - [1]All'angelo della chiesa di Sardi scrivi: Così parla colui che possiede i sette Spiriti di Dio e le sette stelle. Mi è nota la tua condotta: porti il nome di vivente e invece sei morto. [2]Sii vigilante e da' vigore a quanto resta, che altrimenti finirebbe per morire; infatti non trovo perfetta la tua condotta al cospetto del mio Dio. [3]Tieni, dunque, in mente come hai ricevuto e udito; conserva e convertiti. Se tu però non sarai vigilante, verrò come un ladro, cioè senza che tu sappia l'ora della mia venuta. [4]Tuttavia hai alcune persone in Sardi che non hanno macchiato le loro vesti; perciò

cammineranno con me in vesti bianche; sì, ne sono degne. [5]Il vittorioso parimenti sarà avvolto in vesti bianche; io non ne cancellerò il nome dal libro della vita; anzi proclamerò il suo nome al cospetto del Padre mio e dei suoi angeli. [6]Chi ha orecchi ascolti quello che lo Spirito dice alle chiese.

Alla chiesa di Filadelfia. - [7]All'angelo della chiesa di Filadelfia scrivi: Così parla il Santo, il Verace, *colui che possiede la chiave di Davide, colui che apre e nessuno chiude, che chiude e nessuno apre.* [8]Mi è nota la tua condotta; ecco: metto davanti a te una porta aperta, che nessuno può chiudere. Per quanto sia poca la forza che hai, pure hai conservato la mia parola e non hai rinnegato il mio nome. [9]Ecco, ti dono alcuni della sinagoga di Satana, di quelli che dicono di essere Giudei e non lo sono, ma mentiscono. Ecco: farò che essi *vengano e si prostrino ai tuoi piedi;* e riconosceranno che *io ti amo.* [10]Poiché hai conservato la mia parola di costanza, anch'io ti preserverò dall'ora della prova che sta per abbattersi su tutto il mondo abitato e affliggerà gli abitanti della terra. [11]Vengo presto: tieni stretto ciò che hai, affinché nessuno prenda la tua corona. [12]Il vittorioso, lo porrò come colonna nel tempio del mio Dio e giammai ne uscirà; vi scriverò il nome del mio Dio e *il nome della città* del mio Dio, la nuova Gerusalemme che discende dal cielo da presso il mio Dio, e inoltre *il mio nome nuovo.* [13]Chi ha orecchi ascolti quello che lo Spirito dice alle chiese.

Alla chiesa di Laodicea. - [14]All'angelo della chiesa di Laodicea scrivi: Così parla l'*Amen, il Testimone fedele* e verace, *il Principio della creazione* di Dio. [15]Mi è nota la tua condotta: che cioè non sei né freddo né caldo; oh, se tu fossi freddo o caldo! [16]Ma così, poi-

---

24. *«Profondità» di Satana*: Gezabele (v. 20) e i suoi pretendevano di manifestare segreti particolari e di emancipare dalla morale. Chiamavano il complesso del loro insegnamento profondità di Dio, o misteri di Dio. Giovanni li bolla dicendo che il loro insegnamento e la loro condotta non erano secondo Dio, ma suggeriti da Satana.

3. - 8. *Porta aperta*: indica occasione e facilità per diffondere il vangelo. La chiesa di Filadelfia, che non fu mai molto importante, per la sua fedeltà ebbe il privilegio di propagare la parola di Cristo verso l'altipiano frigio, di cui era come la porta.

ché tu sei tiepido, cioè né caldo né freddo, io sono sul punto di vomitarti dalla mia bocca. [17]Tu dici: «Sono ricco; sono diventato ricco, non ho bisogno di nulla»; e non ti accorgi che proprio tu sei il più infelice: miserabile, povero, cieco e nudo. [18]Ti esorto ad acquistare da me oro raffinato nel fuoco, con cui arricchirti davvero; di comprarti delle vesti bianche, con cui coprirti e nascondere la tua nudità, e collirio con cui ungerti gli occhi, affinché possa vederci. [19]*Quelli che amo, li rimprovero e li castigo*. Affrettati perciò a convertirti. [20]Ecco: io sto alla porta e busso. Se uno, udendo la mia voce, mi aprirà la porta, io entrerò da lui e cenerò con lui ed egli con me. [21]Il vittorioso, lo farò sedere con me sul mio trono, proprio come io ho vinto e perciò mi sono assiso insieme al Padre mio sul suo trono. [22]Chi ha orecchi ascolti quello che lo Spirito dice alle chiese.

LE VISIONI PROFETICHE

4 La corte celeste. - [1]Poi ebbi una visione. Ecco: una porta si aprì nel cielo e la voce che prima avevo udita parlarmi a somiglianza di tromba disse: «Sali quassù, affinché ti mostri *ciò che dovrà accadere* dopo questo». [2]Improvvisamente mi trovai in estasi; ed ecco: un trono stava eretto nel cielo e *sul trono Uno stava seduto*; [3]ora Colui che sedeva era simile nell'aspetto a diaspro e cornalina, mentre l'arcobaleno, che era intorno al trono, era simile a una visione di smeraldo. [4]Disposti intorno al trono v'erano ventiquattro seggi e sui seggi vidi seduti ventiquattro Seniori: indossavano vesti bianche e sulle loro teste avevano corone d'oro. [5]Dal trono

---

4. - 1. Dopo la parte pastorale inizia qui la parte profetica dell'Apocalisse con la visione preparatoria (cc. 4-5); la voce di Cristo, che già aveva parlato a Giovanni, lo chiama in estasi a contemplarla. In questa visione Dio trasmette all'Agnello il potere di eseguire i suoi decreti contro i persecutori di tutti i tempi del suo popolo: è il gran giorno della collera di Dio che si attua parzialmente lungo la storia e definitivamente alla fine dei tempi.
3. La descrizione di Dio è tutta luce: nessun antropomorfismo. Dante s'ispirerà a queste espressioni quando vorrà descrivere la ss.ma Trinità, che canterà come una sorgente di pura luce.
5. - 6. L'*Agnello* è Gesù: le corna significano l'onnipotenza, gli occhi indicano l'onniscienza, gli Spiriti sono gli esecutori dei suoi ordini. Egli porta ancora i segni del suo supplizio, *come immolato*, ma è *ritto*, vivente dopo la risurrezione.

---

uscivano lampi, voci e tuoni. Sette lampade ardenti bruciavano davanti al trono: sono i sette Spiriti di Dio. [6]Si stendeva davanti al trono un mare vitreo dall'apparenza di cristallo. In mezzo al trono e intorno al trono v'erano quattro Viventi, *pieni di occhi* davanti e dietro. [7]Ora il *primo vivente* era simile a *leone*, il *secondo vivente* era simile a *vitello*, il *terzo vivente* aveva *aspetto d'uomo* e il *quarto vivente* somigliava a *un'aquila* in volo. [8]E i quattro Viventi, muniti di sei ali ciascuno, avevano occhi tutt'intorno e al di dentro. Senza sosta ripetevano notte e giorno:

«Santo, santo, santo
è il Signore Dio, l'Onnipotente,
Colui che era, che è, che viene!».

[9]E quando i Viventi daranno gloria, onore e grazia *a Colui che siede sul trono e che vive per i secoli* dei secoli, [10]i ventiquattro Seniori si prostreranno davanti a Colui che siede sul trono e adoreranno Colui che vive per i secoli dei secoli e getteranno le loro corone davanti al trono dicendo:

[11]«Degno sei, nostro Signore e Dio,
di ricevere gloria, onore e potenza,
tu che hai creato tutte le cose,
le quali non esistevano
e per tuo volere furono create!».

5 Il libro dai sette sigilli. - [1]E vidi nella destra *di Colui che siede sul trono* un *libro scritto dentro e sul retro, sigillato con sette sigilli*. [2]Vidi poi un angelo possente che proclamava a gran voce: «Chi è degno di aprire il libro rompendone i sette sigilli?». [3]E nessuno, né in cielo né in terra né sotto terra, era capace di aprire il libro e leggervi. [4]Io allora cominciai a piangere forte, perché nessuno era stato trovato degno di aprire il libro e leggervi. [5]Ma uno dei Seniori mi disse: «Non piangere; ecco: ha vinto *il Leone della tribù di Giuda, il Rampollo* di Davide, per cui può aprire il libro e i suoi sette sigilli».

L'agnello come immolato. - [6]Vidi infatti in mezzo al trono, con i quattro Viventi e i Seniori, un Agnello ritto, ma come immolato, con sette corna e sette occhi, che sono i sette Spiriti di Dio inviati per tutta la terra. [7]S'appressò e prese il libro dalla destra di Colui

Ap

che siede sul trono. [8]Quando l'ebbe ricevuto, i quattro Viventi e i ventiquattro Seniori
si prostrarono davanti all'Agnello, tenendo
ciascuno un'arpa e coppe d'oro piene di
profumi, che sono le preghiere dei santi, [9]e
cantavano un canto nuovo, dicendo:

«Degno sei tu di prendere il libro
e di aprire i suoi sigilli,
poiché fosti immolato
e acquistasti per Dio con il tuo sangue
uomini di ogni tribù e lingua
e popolo e nazione,
[10] ne facesti per il nostro Dio
un regno di sacerdoti
e regneranno sulla terra!».

[11]Quindi nella visione udii il clamore di una
moltitudine di angeli che circondavano il
trono con i Viventi e i Seniori, in numero di
miriadi di miriadi e di migliaia di migliaia, i
quali dicevano a gran voce:

[12] «Degno è l'Agnello immolato
di ricevere potenza e ricchezza,
sapienza e forza,
onore, gloria e lode!».

[13]Ed ogni creatura, in cielo, in terra, sotto
terra e nel mare, e tutte le cose in essi contenute, udii esclamare:

«A Colui che siede sul trono
e all'Agnello
lode e onore, gloria e impero
nei secoli dei secoli!».

[14]I quattro Viventi dissero: «Amen!». E i ventiquattro Seniori si prostrarono in adorazione.

6 **I sette sigilli.** - [1]Quando l'Agnello aprì il
primo dei sette sigilli, udii in visione il primo dei quattro Viventi dire come con voce di
tuono: «Vieni!». [2]E vidi apparire un *cavallo
bianco*, su cui sedeva un cavaliere con un
arco; fu data a lui una corona; ed egli venne
fuori da vittorioso per vincere ancora.
[3]All'apertura del secondo sigillo, udii il secondo Vivente esclamare: «Vieni!». [4]Allora
uscì un altro *cavallo, rosso-vivo*; a colui che
lo montava era stata data la potestà di to-
glier via dalla terra la pace, in modo che gli
uomini si sgozzassero l'un l'altro; per questo gli fu data una grande spada.

[5]All'apertura del terzo sigillo udii il terzo
Vivente dire: «Vieni!». Apparve allora un
cavallo nero: colui che lo montava aveva
in mano una bilancia. [6]Udii fra i quattro Viventi come una voce dire: «Una misura di
frumento per un denaro e tre misure di orzo
per un denaro! Ma all'olio e al vino non recar
danno!».
[7]All'apertura del quarto sigillo udii il quarto
Vivente dire: «Vieni!». [8]Ed ecco, apparve
un *cavallo verdastro*; colui che lo montava
aveva nome Morte, e l'Ade lo seguiva; fu
data loro potestà di portare lo sterminio sulla quarta parte della terra con la spada, la
fame, la peste e con le fiere della terra.
[9]All'apertura del quinto sigillo, sotto l'altare
apparvero le anime di coloro che sono stati
uccisi a causa della parola di Dio e della
testimonianza da loro data. [10]Essi si misero
a gridare a gran voce dicendo:

«Fino a quando, o Signore,
tu che sei santo e verace,
non farai giustizia
vendicando il nostro sangue
sugli abitanti della terra?».

[11]Ma a ciascuno di essi fu data una veste
bianca e fu detto loro di pazientare ancora
un poco, finché non si completi il numero
dei loro compagni e fratelli che dovranno
essere uccisi come loro.
[12]All'apertura del sesto sigillo apparve ai miei
occhi questa visione: si udì un gran terremoto; il sole si offuscò, da apparire nero come
un sacco di crine; la luna tutta prese il colore
del sangue; [13]*le stelle dal cielo precipitarono
sulla terra come i frutti acerbi di un fico, che
è scosso da un vento gagliardo*; [14]*il cielo si
accartocciò come un rotolo che si ravvolge*;
monti e isole, tutte, scomparvero dai loro posti. [15]*Allora i re della terra, i maggiorenti,* i capitani, i ricchi e i potenti, tutti, schiavi e liberi,
si rifugiarono nelle caverne e fra le rupi delle
montagne, [16]e *dicevano alle montagne e alle
rupi*: «*Cadete sopra di noi e nascondeteci*
dalla presenza di Colui che siede sul trono e
dall'ira dell'Agnello, [17]poiché è giunto *il gran
giorno della loro ira, e chi potrà resistere?*».

7 **I 144.000 segnati.** - [1]Dopo ciò vidi quattro angeli che stavano ritti *sui quattro
angoli della terra* a trattenere i quattro venti

della terra, affinché non soffiasse vento sulla terra né sul mare né su albero alcuno. ²Poi vidi un altro angelo salire dall'oriente, con il sigillo del Dio vivente. Questi gridò a gran voce ai quattro angeli incaricati di recar danno alla terra e al mare: ³«Non recate danno alla terra né al mare né agli alberi, finché non abbiamo segnato sulla fronte i servi del nostro Dio». ⁴Quindi udii il numero dei segnati: centoquarantaquattromila furono segnati da ogni tribù dei figli d'Israele:

⁵ Dalla tribù di Giuda,
   dodicimila segnati,
   dalla tribù di Ruben, dodicimila,
   dalla tribù di Gad, dodicimila,
⁶ dalla tribù di Aser, dodicimila,
   dalla tribù di Neftali, dodicimila,
   dalla tribù di Manasse, dodicimila,
⁷ dalla tribù di Simeone, dodicimila,
   dalla tribù di Levi, dodicimila,
   dalla tribù di Issacar, dodicimila,
⁸ dalla tribù di Zabulon, dodicimila,
   dalla tribù di Giuseppe, dodicimila,
   dalla tribù di Beniamino, dodicimila.

La schiera sterminata degli eletti. - ⁹Dopo ciò apparve una gran folla, che nessuno poteva contare, di ogni nazione, tribù, popolo e lingua; stava ritta davanti al trono e davanti all'Agnello; indossavano vesti bianche e avevano palme nelle loro mani. ¹⁰Tutti gridavano a gran voce:

«La salvezza appartiene al nostro Dio
che siede sul trono e all'Agnello!».

¹¹E tutti gli angeli che circondavano il trono con i Seniori e i quattro Viventi si prostrarono davanti al trono per adorare Dio dicendo:

¹² «Amen! Lode e gloria,
   sapienza e grazie,
   onore, potenza e forza al nostro Dio,
   per i secoli dei secoli. Amen!».

¹³Quindi uno dei Seniori prese la parola e mi disse: «Costoro che sono avvolti in vesti candide, sai tu chi sono e da dove sono venuti?». ¹⁴Io gli risposi: «Signore mio, tu lo sai». Ed egli a me: «Essi sono quelli che vengono dalla grande tribolazione: *hanno lavato le loro vesti* rendendole candide nel sangue dell'Agnello. ¹⁵Per questo si trovano

davanti al trono di Dio e lo servono notte e giorno nel suo tempio. Colui che siede sul trono distenderà la sua tenda sopra di loro:

¹⁶ *non avranno più né fame né sete;*
   non *li colpirà più il sole né calore* alcuno,
¹⁷ poiché l'Agnello,
   che sta in mezzo al trono,
   li pascerà e condurrà
   alle sorgenti d'acqua viva;
   e Dio tergerà ogni lacrima dai loro *occhi*».

8 **Le preghiere dei santi. -** ¹All'apertura del settimo sigillo si fece silenzio in cielo per circa mezz'ora.
²Quindi vidi che ai sette angeli ritti davanti a Dio furono date sette trombe.
³Poi un altro angelo s'appressò con in mano un braciere d'oro e si pose al lato dell'altare. Gli fu data una gran quantità d'incenso, affinché l'offrisse, quale simbolo delle preghiere dei santi, sull'altare d'oro antistante al trono. ⁴Salì verso Dio il fumo dell'incenso, simbolo delle preghiere dei santi, dalla mano dell'angelo. ⁵Poi l'angelo prese il braciere, lo riempì con il fuoco dell'altare e lo gettò sulla terra; ne seguirono tuoni, clamori, lampi e scosse di terremoto.
⁶E i sette angeli con le sette trombe si disposero a dar fiato alle trombe.

I flagelli delle prime quattro trombe. - ⁷Il primo suonò la sua tromba: vi fu grandine con fuoco mescolato a sangue che cadde sulla terra; la terza parte della terra rimase bruciata, la terza parte degli alberi rimase bruciata e ogni specie di piante rimase bruciata. ⁸Il secondo angelo suonò la sua tromba: come una enorme massa incandescente cadde nel mare; la terza parte del mare diventò sangue, ⁹per cui la terza parte degli esseri marini dotati di vita morì e la terza parte delle navi perì.
¹⁰Il terzo angelo suonò la sua tromba: cadde dal cielo una stella enorme, che bruciava come una fiaccola, e cadde sulla terza parte dei fiumi e sulle sorgenti d'acqua. ¹¹Il nome della stella è Assenzio; difatti la terza parte delle acque si mutò in assenzio e molti uomini morirono per l'acqua diventata amara. ¹²Il quarto angelo suonò la sua tromba: fu colpita la terza parte del sole, la terza parte della luna e la terza parte delle stelle, in

Ap

modo che s'offuscò la terza parte di loro e così il giorno non brillava per una sua terza parte e lo stesso la notte.

[13]Udii poi in visione un'aquila, che volava allo zenit, dire a gran voce: «Guai, guai, guai agli abitanti della terra per i rimanenti squilli di tromba dei tre angeli che s'appressano a suonare!».

9 **La quinta tromba.** - [1]Il quinto angelo suonò la sua tromba: vidi un astro caduto dal cielo sulla terra; gli fu consegnata la chiave della voragine dell'Abisso. [2]Egli aprì la voragine dell'Abisso e da essa *salì un fumo come il fumo di una* grande *fornace*; il sole e l'aria si offuscarono per il fumo della voragine. [3]Dal fumo vennero sulla terra delle cavallette; fu dato loro un potere simile a quello degli scorpioni terrestri. [4]Ma fu loro ingiunto di non recar danno né a erba della terra né a pianta né ad albero alcuno; ma solo agli uomini che non avessero sulla fronte il sigillo di Dio. [5]Però fu loro concesso di non farli morire, ma di tormentarli per cinque mesi con un tormento simile a quello dello scorpione quando punge un uomo. [6]In quei giorni gli uomini cercheranno la morte e non la troveranno; brameranno morire, ma la morte fuggirà da loro.

[7]Ora, al vederle, le cavallette somigliavano a cavalli pronti all'assalto: sulle loro teste portavano una specie di corona all'apparenza d'oro; le loro facce erano come facce di uomini. [8]I loro capelli sembravano capelli di donne; *i loro denti somigliavano a quelli dei leoni.* [9]Avevano corazze come corazze di ferro e il frastuono delle loro ali era *come il fragore di carri* con molti cavalli *lanciati all'assalto.* [10]Avevano code simili a quelle degli scorpioni, con pungiglioni: nelle loro code risiedeva il potere di tormentare gli uomini per cinque mesi. [11]Avevano come re l'angelo dell'Abisso, il cui nome in ebraico si chiama Distruzione e in greco Sterminatore. [12]Il primo «guai» è passato; ma ecco: vengono subito gli altri due.

La sesta tromba. - [13]Il sesto angelo suonò la sua tromba: dai quattro angoli dell'altare d'oro, che sta davanti a Dio, udii uscire una voce, [14]la quale al sesto angelo che teneva la tromba diceva: «Sciogli i quattro angeli che sono legati sul grande fiume Eufrate».

[15]Allora furono sciolti i quattro angeli che erano in attesa dell'ora, giorno, mese e anno, pronti a sterminare la terza parte degli uomini. [16]Il numero delle truppe di cavalleria era di duecento milioni; udii il loro numero. [17]Così apparvero nella visione i cavalli e i loro cavalieri: indossavano corazze dall'aspetto di fuoco, giacinto e zolfo, mentre le teste dei cavalli somigliavano a quelle dei leoni; dalle loro bocche uscivano fuoco, fumo e zolfo. [18]Da questi tre flagelli, cioè dal fuoco, fumo e zolfo che uscivano dalle loro bocche, fu sterminata la terza parte degli uomini. [19]Infatti il potere dei cavalli sta nelle loro bocche e nelle code; le loro code infatti, alla maniera dei serpenti, sono munite di teste di cui si servono per nuocere.

[20]Gli uomini restanti, sfuggiti allo sterminio di tali flagelli, non rinunziarono ad adorare le *opere delle loro mani*, cioè *demòni e idoli d'oro, d'argento, di bronzo, di pietra, di legno, incapaci di vedere, udire e camminare,* [21]e non si ravvidero dal commettere omicidi, magie, dissolutezze e furti.

10 **Il castigo finale è imminente.** - [1]Vidi poi un altro angelo, possente, discendere dal cielo: era avvolto in una nube e l'arcobaleno cingeva il suo capo; la sua faccia brillava come il sole; le sue gambe sembravano due colonne di fuoco. [2]Aveva in mano un libriccino aperto. Posto il piede destro sul mare e il sinistro sulla terra, [3]emise un grido fortissimo, simile al ruggito del leone. Al suo grido risposero con le loro voci i sette tuoni. [4]Quando questi ebbero parlato, mi accingevo a scrivere. Ma si fece udire dal cielo una voce che mi disse: «Suggella quanto hanno detto i sette tuoni e non metterlo in iscritto».

[5]Quindi l'angelo che prima avevo visto posarsi sul mare e sulla terra *levò la mano destra verso il cielo* [6]*e giurò nel nome di Colui che vive nei secoli* dei secoli, *Colui che ha creato il cielo e ciò che esso contiene, la terra e quanto essa contiene, il mare e ciò*

---

8. - 11. *Assenzio*, per indicare l'estrema amarezza del castigo divino. La pianta d'assenzio era celebre nell'antichità per il suo sapore, considerato il più amaro di quanti ce ne conoscessero. Essa era pure considerata velenosa: nella mentalità antica l'amarezza coincideva con il veleno, ecco perché *molti uomini morirono.*

9. - 1. *Un astro*: un angelo infedele. *L'abisso* indica il luogo in cui sono detenuti gli angeli ribelli.

che esso contiene: «Non vi sarà più alcun indugio; [7]ma quando il settimo angelo farà udire il suono della sua tromba, allora sarà consumato il mistero di Dio, secondo quanto ha annunciato ai *profeti, suoi servi*».

Il libriccino dolce e amaro.
- [8]Poi la stessa voce che avevo udita dal cielo di nuovo mi parlò e disse: «Va', prendi il libriccino aperto dalla mano dell'angelo che sta posato sul mare e sulla terra». [9]Io allora m'appressai all'angelo pregandolo di darmi il libriccino. Egli mi disse: «Prendilo e inghiottilo: esso sarà amaro al tuo stomaco, nella bocca sarà dolce come il miele». [10]Presi il libriccino dalla mano dell'angelo e *lo inghiottii*: nella bocca era dolce come il miele; ma dopo che l'ebbi inghiottito, le mie viscere si riempirono d'amarezza. [11]Quindi mi fu detto: «È necessario che tu *faccia ancora profezie su popoli, nazioni e re senza numero*».

11 I due Testimoni.
- [1]Mi fu data una canna, simile a verga, con questo comando: «Orsù, prendi le misure del tempio di Dio e dell'altare con quanti ivi fanno adorazione. [2]Ma l'atrio esterno del tempio lascialo fuori, non lo misurare. Infatti è stato concesso ai gentili di calpestare la Città santa per quarantadue mesi. [3]Ma io invierò i due Testimoni a esercitare il loro ministero profetico, vestiti di sacco, per milleduecentosessanta giorni».
[4]Sono essi i *due ulivi* e i due *candelabri che stanno davanti al Signore della terra*. [5]Se per caso qualcuno vorrà far loro del male, uscirà dalla loro bocca un fuoco che divorerà i loro nemici; perciò se qualcuno volesse far loro del male, in quella maniera dovrà morire. [6]Essi avranno potere di chiudere il cielo, in modo che non scenda la pioggia per tutto il tempo del loro ministero profetico. Inoltre avranno facoltà di cambiare l'acqua in sangue e di colpire la terra con ogni specie di flagelli, ogni volta che lo vorranno.
[7]Una volta terminato il tempo della loro testimonianza, *la bestia che sale dall'Abisso* combatterà contro di loro, li vincerà e li ucciderà. [8]Quindi i loro cadaveri rimarranno esposti nella piazza della grande città, che si chiama allegoricamente Sodoma o Egitto, proprio dove il loro Signore fu crocifisso. [9]Contempleranno i loro cadaveri per tre giorni e mezzo uomini di ogni razza, popolo, lingua e nazione, impedendo che essi siano messi nella tomba. [10]Gli abitanti della terra faranno festa su di loro, manifesteranno la loro gioia scambiandosi doni; perché questi due profeti hanno tormentato gli abitanti della terra. [11]Ma dopo tre giorni e mezzo *un soffio vitale*, proveniente da Dio, *entrò in loro e si rizzarono sui loro piedi*, mentre tutti quelli che li guardavano furono presi da grande spavento. [12]Udirono quindi una gran voce dal cielo che disse loro: «Salite quassù!». Essi salirono nel cielo su una nuvola e i loro nemici rimasero a guardarli. [13]In quel momento avvenne un gran terremoto, per cui crollò la decima parte della città. E morirono nel terremoto settemila persone. I superstiti, presi dallo spavento, diedero gloria al Dio del cielo. [14]Il secondo «guai» è passato; ma ecco: il terzo «guai» viene presto.

La settima tromba.
- [15]Finalmente il settimo angelo suonò la sua tromba: si levarono nel cielo grandi clamori:

> «È passata la regalità del mondo
> al nostro Signore e al suo Cristo,
> che *regnerà nei secoli dei secoli*!».

[16]Allora i ventiquattro Seniori, che sedevano davanti a Dio sui loro seggi, si prostrarono davanti a Dio in atto di adorazione dicendo:

[17] «Rendiamo grazie a te,
Signore Dio, Onnipotente,
che sei e che eri,
poiché hai posto mano
alla tua infinita potenza
e hai instaurato il tuo regno.
[18] Sì, *le nazioni si sono adirate*,
ma è giunta la tua ira,

---

10. - 7. *Il mistero di Dio*: riguardante la glorificazione della chiesa, dopo la distruzione dei suoi nemici.
9-10. *Inghiottilo* (cfr. Ger 15,16; Ez 3,13): indica che il profeta deve conservare e meditare le rivelazioni, dolci o amare, secondo che dicono premio ai buoni o castigo agli empi. Il libretto risultò *dolce*, perché conteneva profezie riguardanti i trionfi della chiesa; *amaro*, perché le prediceva pure le persecuzioni e le sofferenze.
11. - 8. *La grande città* era Roma, chiamata *Sodoma* per l'immoralità ed *Egitto* perché persecutrice del popolo di Dio. Le parole: *dove il loro Signore fu crocifisso*, che inclinerebbero a indicare Gerusalemme, possono essere considerate un'aggiunta al testo.

è giunto il tempo di giudicare i morti,
di dare il premio ai tuoi servi,
profeti e santi,
e *a quanti temono il tuo nome*
piccoli e grandi,
e di far perire per sempre
quelli che sconvolgono la terra».

[19]Allora il tempio celeste di Dio s'aprì e in esso apparve l'arca della sua alleanza; vi furono lampi, grida e tuoni insieme a scosse di terremoto e grandine abbondante.

12 La donna e il dragone. - [1]E un segno grandioso apparve nel cielo: una donna vestita di sole, con la luna sotto i suoi piedi e una corona di dodici stelle sul suo capo: [2]era incinta e *gridava in preda alle doglie* e al travaglio *del parto.*
[3]E un altro segno apparve nel cielo; ecco: un grosso dragone, rosso-vivo, con sette teste e dieci corna. Sulle teste vi erano sette diademi; [4]la sua coda si trascinava dietro la terza parte degli *astri del cielo e li precipitava sulla terra.* Il dragone si pose di fronte alla donna che era sul punto di partorire, per divorare il bimbo non appena fosse nato.
[5]Essa quindi *diede alla luce* un figlio, un *maschio,* quello che era destinato a *governare* tutte *le nazioni con verga di ferro.* Subito fu rapito il figlio di lei verso Dio, verso il trono di lui; [6]mentre la donna riparò nel deserto, dove ha un luogo preparato da Dio per esservi nutrita per lo spazio di milleduecentosessanta giorni.

Guerra in cielo. - [7]E vi fu guerra in cielo: Michele con i suoi angeli ingaggiò battaglia con il dragone; e questo combattè insieme ai suoi angeli; [8]ma non prevalsero: il loro posto non si trovò più nel cielo. [9]Fu infatti scacciato il grande dragone, il serpente antico, quello che è chiamato diavolo e Satana; colui che inganna tutta la terra fu precipitato sulla terra e con lui furono precipitati anche i suoi angeli.
[10]Udii allora nel cielo una gran voce che diceva:

«Ora si è attuata la salvezza,
la potenza e la regalità del nostro Dio
e il potere del suo Cristo,
poiché è stato scacciato

l'accusatore dei nostri fratelli,
colui che giorno e notte
li accusava davanti al nostro Dio.
[11]Ma essi lo hanno vinto
mediante il sangue dell'Agnello
e per la parola da loro testimoniata;
non amando la loro vita
fino alla morte!
[12]Per questo rallegratevi, o cieli,
e voi che in essi dimorate.
Guai alla terra e al mare,
ché il diavolo a voi è disceso:
un'ira veemente ha nel cuore,
perché sa che breve è il suo tempo».

Guerra sulla terra. - [13]Il dragone, vistosi scaraventato sulla terra, si accinse a perseguitare la donna, quella che aveva dato alla luce il figlio maschio. [14]Ma furono date alla donna le due ali della grande aquila con cui poter volare nel deserto, nel suo luogo, dove è nutrita per *un tempo,* [due] *tempi e la metà d'un tempo,* al riparo dagli attacchi del serpente. [15]Allora questo vomitò dalla sua bocca un fiume di acqua gettandola contro la donna per sommergerla; [16]ma ad essa venne in soccorso la terra che aprì la sua bocca e assorbì il fiume che il dragone aveva emesso dalla sua bocca. [17]Allora questo s'adirò maggiormente contro la donna e si mise a far guerra contro i rimanenti della discendenza di lei, quelli che osservano i comandamenti di Dio e posseggono la testimonianza di Gesù. [18]Si pose quindi sulla spiaggia del mare.

13 La bestia che sale dal mare. - [1]Vidi poi *una bestia che saliva dal mare;* aveva *dieci corna* e sette teste; sulle corna v'erano dieci diademi e le teste portavano nomi blasfemi. [2]La bestia che vidi

12. - 1. Questa *donna* indica l'immacolata madre di Cristo e degli uomini e la chiesa, madre dei credenti. Perciò molti tratti di questa descrizione sono applicati a Maria e alla chiesa di Cristo. Il *sole* che la riveste è Cristo. Le *stelle* per la Vergine sono le virtù, per la chiesa sono gli apostoli; *la luna sotto i piedi* indica che Maria e la chiesa stanno sopra ogni cosa mutabile. La chiesa, sposa di Cristo, genera alla grazia e alla gloria fra molte persecuzioni milioni di figli per il regno di Dio; Maria generò il capo e coopera a generare le membra: la chiesa genera le membra mediante i sacramenti, con l'aiuto di Maria, proclamata da Paolo VI «madre della Chiesa».
5. Il *figlio maschio* è Gesù, considerato sia nella sua persona fisica sia come capo del nuovo popolo di Dio. *Rapito... verso Dio:* asceso al cielo, completa la redenzione e segna la fine del regno del demonio.

somigliava a una pantera, mentre le zampe sembravano di *orso* e la bocca di *leone*. Il dragone comunicò ad essa la propria potenza e il suo trono con potestà grande. ³Ora una delle teste appariva come colpita a morte, ma la sua ferita mortale fu guarita. Per questo tutta la terra fu presa d'ammirazione per la bestia ⁴e si mise ad adorare il dragone, che aveva dato un tale potere alla bestia; e adorarono la bestia dicendo:

«Chi è simile alla bestia?
E chi può combattere con essa?».

⁵Alla bestia fu data una *bocca che proferiva parole orgogliose e blasfeme* e le fu concesso di operare per lo spazio di quarantadue mesi. ⁶Così aprì la sua bocca blasfema contro Dio, lanciando bestemmie contro il nome e la dimora di lui, contro tutti gli abitanti del cielo. ⁷Le fu dato potere di *far guerra ai santi e vincerli*; e le fu data potestà su ogni tribù, popolo, lingua e nazione. ⁸L'adoreranno tutti gli abitanti della terra, il cui nome non sta scritto nel libro della vita dell'Agnello che è immolato fin dalla creazione del mondo. ⁹Chi ha orecchi, ascolti!

¹⁰*Se uno è destinato alla prigione, vada in prigione. Se uno con la spada uccide, con la spada dev'essere ucciso*. In ciò sta la pazienza e la fede dei santi.

La bestia che sale dalla terra. - ¹¹Poi vidi un'altra bestia salire dalla terra; aveva due corna come un agnello, ma parlava come un dragone. ¹²Esercitava tutta l'autorità della prima bestia per conto di essa; si adoperava, infatti, che la terra e tutti i suoi abitanti si prostrassero davanti alla prima bestia, la cui ferita mortale era stata guarita. ¹³Faceva prodigi strabilianti, al punto da far di-

scendere dal cielo sulla terra il fuoco, e ciò sotto gli occhi degli uomini. ¹⁴Così traeva in inganno gli abitanti della terra con i portenti che aveva il potere di fare a servizio della bestia; spingeva infatti gli abitanti della terra a erigere un'immagine alla bestia che aveva ricevuto la ferita della spada e poi aveva ripreso vita. ¹⁵Quindi fu dato ad essa di infondere lo spirito al simulacro della bestia in modo che questa potesse parlare. *Quanti non avessero voluto adorare l'immagine* della bestia ordinava che fossero uccisi. ¹⁶Si adoperava, inoltre, che a tutti, piccoli e grandi, ricchi e poveri, liberi e schiavi, fosse impresso sulla loro mano destra o sulla fronte un marchio, ¹⁷in modo che nessuno potesse comprare o vendere all'infuori di coloro che portavano il marchio, cioè il nome della bestia o il numero del suo nome.

¹⁸Qui sta la sapienza. Chi ha mente computi il numero della bestia; è un numero d'uomo. Il suo numero è seicentosessantasei.

14 L'Agnello sul monte Sion. - ¹Poi guardai ed ecco l'Agnello stava sul monte Sion circondato da centoquarantaquattromila che portavano scritto sulla loro fronte il nome di lui e il nome del Padre suo. ²Udii una voce dal cielo, simile al fragore di acque copiose e al rimbombo di un tuono possente; mi pareva di udire come il suono di arpisti che arpeggiavano sulle loro arpe. ³*Cantavano*, davanti al trono e ai quattro Viventi e ai Seniori, *come un cantico nuovo*, che nessuno poteva comprendere se non i centoquarantaquattromila, quelli cioè che sono stati riscattati dalla terra. ⁴*Questi sono coloro che non si sono contaminati con donne; sono, infatti, vergini*. Costoro sono quelli che seguono l'Agnello dovunque egli va. Essi sono stati riscattati dagli uomini quali primizia per Dio e per l'Agnello. ⁵Nella loro bocca non s'è trovata menzogna: sono integri.

L'annuncio universale. - ⁶Poi vidi un altro angelo che, volando nel mezzo del cielo, recava un vangelo eterno per annunciarlo agli abitanti della terra: ad ogni nazione, tribù, lingua e popolo. ⁷Diceva a gran voce:

«Temete Dio e dategli gloria,
poiché giunta è l'ora del suo giudizio.

---

13. - 11. La prima *bestia* (v. 1: la potenza politica) esce dal mare, che significa caos, agitazione e sollevamento di popoli; la seconda esce dalla terra, cioè dalla calma, si camufferà da agnello e userà la seduzione; ma sarà a servizio dell'anticristo e del dragone. È probabile che si tratti della falsa scienza, di chi l'insegna e dell'organizzazione da essa richiesta per imporsi al mondo. Si può anche trattare di tutto il progresso umano, che può indurre a dimenticare Dio.

14. - 3-4. Questi *centoquarantaquattromila... riscattati* rappresentano il nuovo Israele di Dio strutturato, come l'antico Israele, sul numero 12, il numero degli apostoli (cfr. 21,14). Secondo la frequente immagine biblica, sono detti vergini perché conservarono pura la loro fede e non si lasciarono andare all'idolatria. Qui tutto il contesto parla di idolatria e di fedeltà al vero Dio.

Adorate Colui che ha fatto
il cielo e la terra,
il mare e le sorgenti d'acqua».

[8] Quindi un altro angelo seguì dicendo:

«*È caduta, è caduta*
Babilonia, la grande,
quella che con il vino dell'ardore
della sua prostituzione
ha abbeverato tutte le genti».

[9] Ancora un altro angelo, un terzo, seguì a loro, dicendo a gran voce:

«Se qualcuno adora la bestia
e la sua immagine
e accetta il marchio
sulla sua fronte o sulla mano,
[10] *berrà* egli *il vino* del furore di Dio,
che puro sta versato nel calice
della sua ira,
e fuoco e zolfo saranno il suo tormento
davanti ai santi angeli
e davanti all'Agnello.
Il fumo del loro tormento
salirà per i secoli dei secoli.
[11] Giorno e notte non avranno riposo
quanti adorano la bestia
e la sua immagine
e chiunque riceve
il marchio del suo nome».

[12] Sta qui la pazienza dei santi, che conservano i divini precetti e la fede di Gesù. [13] Quindi udii una voce dal cielo che diceva: «Scrivi: Beati i morti che muoiono nel Signore, sin da ora. Sì, dice lo Spirito, poiché si riposeranno dalle loro fatiche; li accompagnano, infatti, le opere loro».

Mietitura e vendemmia. - [14] Poi guardai ed ecco una nuvola bianca, e sopra la nuvola uno stava seduto, simile a *figlio d'uomo*, con in capo una corona d'oro e una spada affilata nella mano. [15] Dal tempio uscì un altro angelo che gridò a gran voce a colui che stava sulla nuvola:

«Getta la tua falce e mieti,
ché giunto è il tempo di mietere;
disseccata è la messe della terra».

[16] Allora colui che stava sulla nuvola gettò la falce sulla terra e fu mietuta la terra.

[17] Un altro angelo uscì dal tempio celeste; anch'egli aveva nella mano una falce affilata. [18] E un altro angelo, quello che ha potere sul fuoco, uscì dalla parte dell'altare e gridò a gran voce a colui che aveva la falce affilata:

«Getta la tua falce affilata
e taglia i grappoli
della vigna della terra,
giacché mature sono ormai
le sue uve».

[19] Allora l'angelo gettò la sua falce sulla terra e vendemmiò la vigna della terra, gettandone l'uva nel grande tino del furore di Dio. [20] Il tino fu pigiato fuori della città e ne uscì sangue che salì fino al morso dei cavalli, per una distanza di milleseicento stadi.

15 Il canto di vittoria. - [1] Poi vidi un altro segno grande e mirabile nel cielo: sette angeli con sette flagelli, gli ultimi, perché con essi sarà compiuta l'ira di Dio. [2] Vidi, inoltre, come un mare di cristallo, mescolato a fuoco, su cui stavano, con arpe divine, quelli che avevano riportato vittoria sulla bestia e la sua immagine e il numero del suo nome. [3] *Cantavano il cantico* di Mosè, il servo di Dio, e il cantico dell'Agnello, dicendo:

«*Grandi e mirabili sono le tue opere,*
o Signore Dio, Onnipotente.
Giuste e veraci sono le tue vie,
o Re delle nazioni!
[4] Chi, preso da salutare timore,
non glorificherà il tuo nome,
o Signore?
Poiché tu solo sei santo.
Sì, tutte le nazioni verranno
e davanti a te si prostreranno
quando avrai manifestato
i tuoi giudizi!».

La Tenda della Testimonianza. - [5] Dopo questo, vidi aprirsi nel cielo il santuario della *Tenda della Testimonianza*. [6] Dal tempio uscirono i sette angeli con i sette flagelli; splendevano nelle loro vesti di candido lino,

---

15. - 1. Nell'ultimo dei sette segni vi sono i *sette flagelli*. Il settimo sigillo, la settima tromba, come il settimo segno, non servono che di transizione.

cinti al petto con fasce dorate. [7]Uno dei quattro Viventi consegnò ai sette angeli sette coppe d'oro, piene del furore di Dio, di Colui che vive nei secoli dei secoli.

[8]*E il tempio si riempì di fumo a causa della gloria* di Dio e della sua potenza, in modo che *nessuno vi poteva entrare*, finché non fossero consumati i sette flagelli dei sette angeli.

16 Le sette coppe. - [1]Udii poi dal tempio una gran voce dire ai sette angeli: «Andate e versate sulla terra le sette coppe del furore di Dio».

[2]Il primo andò e versò la sua coppa sulla terra; una *piaga maligna e perniciosa si produsse sugli uomini* che portavano il marchio della bestia e ne adoravano l'immagine.

[3]Il secondo versò la sua coppa sul mare; esso *diventò sangue* come di un morto, per cui tutti gli esseri viventi che si trovavano nel mare morirono.

[4]Il terzo versò la sua coppa sui fiumi e sulle sorgenti di acqua: *diventarono sangue*. [5]Allora udii l'angelo delle acque che diceva:

«Giusto sei, tu che sei e che eri,
o Santo,
se hai inflitto tali castighi!
[6] Poiché versarono il sangue
di santi e profeti,
sangue anche tu desti loro da bere.
Ne sono ben meritevoli!».

[7]Udii quindi una voce dall'altare che diceva:

«Sì, o Signore, Dio Onnipotente,
giusti e veraci sono i tuoi giudizi».

[8]Il quarto versò la sua coppa sul sole, affinché avvampasse gli uomini col fuoco; [9]e questi, tormentati da un calore insopportabile, si

misero a lanciare bestemmie contro il nome di Dio, dal quale provenivano questi flagelli; ma non si piegarono a rendergli gloria. [10]Il quinto versò la sua coppa sul trono della bestia; il suo regno s'offuscò, gli uomini si mordevano la lingua dal dolore; [11]bestemmiavano contro il Dio del cielo a causa dei dolori provocati dalle loro ulcere; ma non si ravvidero dalla loro condotta.

[12]Il sesto versò la sua coppa sul *grande fiume Eufrate*. La sua acqua s'essiccò, in modo da lasciar via libera ai *re dell'Oriente*. [13]Quindi vidi uscire dalla bocca del dragone, della bestia e del falso profeta tre spiriti impuri, che somigliavano a rane. [14]Sono, infatti, spiriti demoniaci che, muniti di poteri taumaturgici, hanno il compito di chiamare a raccolta i re di tutta la terra per la guerra del gran giorno di Dio, l'Onnipotente.

[15]Ecco: io verrò come un ladro; beato colui che è vigilante e conserva le sue vesti; così non camminerà ignudo e non lascerà scorgere la sua vergogna!

[16]E radunarono i re nel luogo chiamato in ebraico Armaghedon.

[17]Infine, il settimo versò la sua coppa nell'aria; dal tempio, dalla parte del trono, uscì una voce che disse: «È compiuto». [18]Vi furono allora *lampi, voci e tuoni* e un terremoto talmente grande, che mai è avvenuto un terremoto così veemente da quando l'umanità è apparsa sulla terra, [19]per cui la grande città si scisse in tre parti e le città delle nazioni crollarono. E fu fatta menzione davanti a Dio della *grande Babilonia*, affinché le fosse dato da bere il calice del vino della sua ira furente. [20]Tutte le isole fuggirono e i monti scomparvero; [21]e dal cielo cadde sugli uomini una grandine così grossa da apparire una pioggia di talenti; e gli uomini bestemmiarono Dio a causa del flagello della grandine, perché oltremodo grande era un tale flagello.

Ap

---

16. - 1. Le *sette coppe*, divise in due gruppi di tre e di quattro per accentuare il simbolismo (4 numero del mondo, 3 numero di Dio), simboleggiano gli ultimi mali del mondo, che assomigliano alle piaghe d'Egitto. Con esse si raggiunge la realizzazione piena e finale dei castighi di Dio.

17. - 3. Questa *donna* non è propriamente né Roma né Babilonia, ma il simbolo di ogni società anticristiana. Forse anche qui, come nel vangelo (rovina di Gerusalemme e fine del mondo), ci sono due profezie: quella che riguarda Roma e l'Impero romano e quella che riguarda la fine del mondo. Ma Roma con i suoi imperatori e con la sua rovina, causata dai barbari, con la sua corruzione, diventa il simbolo e il preannuncio di quanto accadrà al mondo intero, quando verrà la fine.

17 La grande meretrice. - [1]Poi uno dei sette angeli dalle sette coppe s'avvicinò a me e mi disse: «Orsù, voglio mostrarti il castigo della grande meretrice, che *sta assisa su acque copiose*; [2]con essa i re della terra hanno fornicato e col vino della sua prostituzione *si sono inebriati* gli abitanti della terra».

[3]Mi trasportò quindi in spirito nel deserto, dove vidi una donna seduta sopra una be-

stia scarlatta, piena di nomi blasfemi, con sette teste e dieci corna. [4]La donna era vestita di porpora e di scarlatto, tutta adorna di gioielli d'oro, pietre preziose e perle; teneva in mano una coppa d'oro, ricolma di abominazioni e impurità della sua prostituzione. [5]Sulla fronte portava scritto un nome simbolico: «*La grande Babilonia, la madre delle meretrici* e delle *abominazioni della terra*». [6]E potei scorgere come la donna fosse ebbra del sangue dei santi e del sangue dei martiri di Gesù. Al vederla io fui preso da grande meraviglia. [7]Ma l'angelo mi disse: «Perché ti meravigli? Ora ti spiego il mistero della donna e della bestia dalle sette teste e dieci corna, sulla quale ella siede. [8]La bestia, che hai vista, era e non è più; *sta per risalire dall'Abisso*, per poi andarsene in perdizione. Al vedere la bestia che era e non è più e che riapparirà, rimarranno stupiti gli abitanti della terra, il cui nome non si trova scritto, sin dall'origine del mondo, sul libro della vita.

[9]Qui occorre la mente che ha sapienza: le sette teste sono sette colli su cui è adagiata la donna; [10]sono anche sette re, dei quali i primi cinque sono passati, uno c'è e l'altro non è venuto ancora; ma quando apparirà, rimarrà per poco tempo. [11]La bestia che era e non è più è l'ottavo; anch'essa è del numero dei sette, ed è destinata alla perdizione. [12]Le corna che hai viste sono dieci re, i quali non hanno ricevuto ancora un regno; riceveranno la regalità insieme alla bestia per una sola ora. [13]Di comune accordo trasmetteranno la loro potenza e autorità alla bestia. [14]Faranno guerra all'Agnello, ma l'Agnello li sconfiggerà, poiché egli è il *Signore dei signori e Re dei re*, e quelli con lui sono i chiamati, gli eletti e i fedeli».

[15]E aggiunse: «Le acque su cui hai visto assisa la meretrice sono popoli, folle, nazioni e lingue. [16]Le dieci corna che hai visto e la bestia prenderanno in odio la meretrice, la renderanno desolata e nuda, ne divoreranno le carni e la daranno alle fiamme. [17]Dio infatti guiderà le loro menti a portare a compimento il suo piano col far trasmettere di comune accordo alla bestia la loro potestà regale, in modo che si compiano le parole di Dio. [18]La donna che hai vista è la grande città che esercita il suo potere regale sui re della terra».

18 La rovina di Babilonia. - [1]Dopo ciò vidi un altro angelo scendere dal cielo con grande potestà; la terra fu illuminata al suo splendore. [2]Gridò con voce possente:

«È caduta, è caduta
Babilonia, la grande!
È diventata rifugio di dèmoni,
carcere di ogni spirito immondo,
carcere di ogni uccello impuro,
carcere di ogni animale
immondo e detestabile.
[3] Ché dal vino provocante
della sua fornicazione
bevvero tutte le genti;
con essa i re della terra fornicarono,
con il lusso sfarzoso di lei
arricchirono i mercanti della terra».

[4]Udii ancora un'altra voce dal cielo che disse:

«Uscite da essa, o popolo mio,
affinché non vi associate
ai suoi stessi peccati
e non siate colpiti
dai suoi stessi flagelli.
[5] Ché sono giunti fino al cielo
i peccati di lei;
si è ricordato Dio delle sue iniquità.
[6] Come essa v'ha dato, così ripagatela;
rendetele il doppio
in proporzione delle sue opere;
nella coppa in cui lei ha versato
mescete doppia misura per lei.
[7] Per quanto di gloria
e di sfarzo s'è data,
altrettanto a lei date
di lutto e tormento.
Poiché *dice in cuor suo:*
"*Io siedo regina e vedova non sono
e lutto non vedrò giammai*",
[8] per questo in un sol giorno
verranno i suoi flagelli:
morte, lutto e fame;
dalle fiamme sarà divorata.
Sì, forte è il Signore Dio,
è lui che l'ha giudicata».

Lamenti su Babilonia. - [9]*Allora i re della terra che*, abbandonandosi ai piaceri, *avranno fornicato con essa, piangeranno e faranno lamento per lei*, a contemplare il fumo del suo incendio; [10]e da lontano, perché presi dal terrore del suo supplizio, diranno:

«Guai, guai, o città grande,
o Babilonia, città potente,
ché in un momento
è giunto il tuo castigo!».

¹¹E i mercanti della terra piangono e fanno lamento su di lei, perché nessuno compra più la loro merce: ¹²merce d'oro e d'argento, di pietre preziose e perle, di bisso e di porpora, di seta e di scarlatto; ogni specie di legno odorifero, ogni specie di oggetti d'avorio, di oggetti di legno prezioso, di bronzo, ferro e marmo; ¹³cinnamomo e spezie; profumi, mirra e incenso; vino e olio; semola e frumento; bestiame e pecore, cavalli e cocchi; schiavi e vite umane.

¹⁴ «I frutti, anelito della tua anima,
sono fuggiti lontano da te;
e ogni segno di opulenza e fasto
è scomparso lontano da te;
queste cose nessuno più troverà».

¹⁵I mercanti, dunque, che essa aveva arricchito in tale commercio, da lontano, perché presi dal terrore del suo supplizio, piangeranno e faranno lamento dicendo:

¹⁶ «Guai, guai, o città grande,
tu che vestivi di bisso,
di porpora e di scarlatto,
tu che ti ornavi di gioielli d'oro,
di pietre preziose e perle;
¹⁷ ecco: in un sol momento
è andata in fumo tanta ricchezza!».

E ogni nocchiero e tutti quelli che viaggiano in mare, *i marinai e quanti trafficano nel mare,* lontano si fermarono ¹⁸e al vedere il fumo del suo incendio gridano: «Chi uguagliava la grande città?». ¹⁹E gettandosi polvere sulle loro teste gridano piangendo e facendo lamenti:

«Guai, guai, o città grande!
Della sua opulenza si arricchirono
quanti in mare possedevano navi.
Sì, in un sol momento
s'è compiuta la sua rovina!».
²⁰ «Rallegrati per essa, o cielo,
e voi, santi, apostoli e profeti,
perché Dio ha preso
la vostra vendetta su lei!».

²¹Poi un angelo possente sollevò una pietra grande come una mola e la gettò nel mare dicendo:

«Con tale impeto sarà sommersa
Babilonia, la grande città,
e più non apparirà.
²² Armonia di arpisti e musici,
di flautisti e trombettieri
in te più non s'udrà.
Artista in ogni arte esperto
in te più non vi sarà.
Cigolio di mola
in te più non s'udrà;
²³ luce di lampada
in te più non brillerà;
voce di sposo e sposa
in te più non s'udrà.
Sì, erano i tuoi mercanti
i grandi della terra;
sì, dalle tue malie
tutte le genti furono sedotte.
²⁴ In essa s'è trovato
il sangue di profeti e di santi
e di tutti quelli che sulla terra
sono stati immolati».

19 Gioia in cielo. - ¹Dopo questo udii in cielo come il clamore di una folla sterminata che diceva:

«Alleluia!
Salvezza, gloria e forza
sono del nostro Dio!
² Sì, veraci e giusti sono i suoi giudizi!
Sì, egli ha castigato
la grande meretrice
che corrompeva la terra
con la sua prostituzione,
vendicando su di lei
il sangue dei suoi *servi*!».

³E per la seconda volta dissero:

«Alleluia!
Sale il fumo di lei nei secoli dei secoli!».

⁴Allora i ventiquattro Seniori insieme ai quattro Viventi si prostrarono per adorare Dio che sedeva sul trono, dicendo:

«Amen. Alleluia!».

Ap

[5]Uscì quindi dal trono una voce che disse:

«*Innalzate lodi al* nostro *Dio*,
voi tutti, suoi *servi*,
e voi che lo temete,
piccoli e grandi!».

[6]Poi udii come il vocio di una folla immensa, simile al fragore di acque copiose, come il rimbombo di tuoni possenti; dicevano:

«Alleluia! Sì, *ha inaugurato il suo regno il Signore Dio* nostro, *l'Onnipotente!*
[7] Rallegriamoci ed esultiamo,
rendiamo a lui gloria,
ché giunte son le nozze dell'Agnello
e pronta è la sua sposa;
[8] ecco: le hanno dato una veste
di bisso puro, splendente».

Il bisso rappresenta le opere buone dei santi.
[9]Poi l'angelo mi dice: «Scrivi: Beati coloro che sono stati invitati alla cena nuziale dell'Agnello!». E soggiunse: «Queste parole sono veraci, provengono da Dio».
[10]Allora caddi ai suoi piedi in segno di adorazione; ma egli mi disse: «Guardati dal farlo! Io sono servo come te e come i tuoi fratelli, che posseggono la testimonianza di Gesù. È Dio che devi adorare».
Ora la testimonianza di Gesù è lo spirito profetico.

Il Verbo di Dio. - [11]Vidi poi aprirsi il cielo; ed ecco un cavallo bianco; colui che lo cavalcava è chiamato Fedele e Verace; con giustizia giudica e combatte. [12]I suoi occhi sono come fiamma ardente; sul capo numerosi diademi e porta scritto un nome che nessuno, all'infuori di lui, comprende. [13]*Il mantello* che indossa è *intriso di sangue*; il suo nome è: il Verbo di Dio. [14]Lo seguono gli eserciti celesti, montando anch'essi cavalli bianchi, vestiti di puro candido bisso. [15]Dalla sua bocca esce una spada affilata per colpire con essa le genti. È lui che *le governerà con verga di ferro*; è lui che *pigerà il tino* dell'ira furente di Dio, l'Onnipotente. [16]Sul mantello e sul femore porta scritto un nome: «Re dei re e Signore dei signori».
[17]Poi vidi un angelo che stava sul sole, il quale gridò a gran voce agli uccelli volanti nel mezzo del cielo:

«Orsù, radunatevi
per il gran pasto di Dio,
[18] dove carne di re mangerete,
carne di capitani e d'eroi,
carne di cavalli e dei loro cavalieri,
carne di uomini d'ogni condizione:
liberi o schiavi, piccoli o grandi!».

[19]E vidi la bestia insieme ai re della terra e i loro eserciti radunati per combattere contro il Cavaliere e il suo esercito. [20]Ma la bestia venne presa insieme allo pseudo-profeta, quello che per conto di essa aveva fatto prodigi, con i quali aveva sedotto gli uomini, inducendoli a ricevere il marchio della bestia e adorare l'immagine. Vivi furono gettati i due nello stagno di fuoco che brucia con zolfo. [21]Tutti gli altri furono sterminati dalla spada che usciva dalla bocca del Cavaliere; e *tutti gli uccelli si saziarono delle loro carni.*

20 **Il regno millenario.** - [1]Quindi vidi discendere dal cielo un angelo con in mano la chiave dell'Abisso e una grossa catena. [2]Afferrò il dragone, il serpente antico, quello che è chiamato il diavolo o Satana, e l'incatenò per mille anni; [3]quindi, gettatolo nell'Abisso, chiuse e vi pose il sigillo, affinché non potesse più sedurre le genti sino al compimento dei mille anni, quando dovrà essere sciolto, ma per breve tempo.
[4]Apparvero poi dei seggi; a quelli che vi si assisero *fu data potestà di giudicare*; vidi, inoltre, le anime di coloro che sono stati decapitati a causa della testimonianza di Gesù e la parola di Dio, come anche le anime di quelli che non hanno adorato la bestia e la sua immagine, né hanno ricevuto il marchio sulla fronte o sulla mano: risuscitati, entrarono con Cristo nel regno millenario. [5]Ma gli altri morti non risuscitarono prima del compimento dei mille anni.
Questa è la prima risurrezione. [6]Beati e santi coloro che hanno parte alla prima ri-

20. - 1-2. Giovanni riprende la storia anteriore del *dragone*, interrotta al c. 12. Il potere di Satana è limitato da forza superiore per *mille anni* (cifra tonda che indica il tempo che deve correre da Gesù Cristo agli ultimi tempi), poi sarà sciolto per poco tempo e di nuovo rinchiuso eternamente.
6. Tra le due venute di Cristo, i santi, che non adorarono la bestia, avranno *la prima risurrezione* con la gloria dell'anima

surrezione: su di loro la seconda morte non ha potere; saranno sacerdoti di Dio e del Cristo e regneranno con lui per mille anni.

L'estremo combattimento. - [7]Una volta compiuti i mille anni, Satana sarà lasciato libero dal carcere [8]e uscirà ad ingannare le genti *dei quattro angoli della terra, cioè Gog e Magog*, convocandoli per la guerra; il loro numero uguaglia *l'arena del mare.* [9]*Saliti sull'altopiano della terra*, presero d'assalto l'accampamento dei santi e la città *diletta. Ma scese dal cielo* da parte di Dio *un fuoco* che li *divorò.* [10]Il diavolo, loro seduttore, fu gettato nello stagno di fuoco e zolfo, proprio dove si trovano la bestia e lo pseudo-profeta. E saranno tormentati giorno e notte, nei secoli dei secoli.

La risurrezione finale. - [11]Vidi poi un trono bianco, molto grande: *davanti a Colui* che sedeva su di esso, *fuggirono* il cielo e *la terra* e il loro posto non si trovò più. [12]I morti, grandi e piccoli, stavano davanti al trono, mentre *venivano aperti dei libri;* e un altro libro fu aperto, quello della vita. I morti venivano giudicati in base a quanto stava scritto nei libri, *secondo le loro opere.* [13]Infatti, dopo che il mare ebbe dato i suoi morti e la Morte e l'Ade ebbero dato i loro morti, *furono giudicati* singolarmente *secondo le loro opere.* [14]La Morte e l'Ade furono gettati nello stagno del fuoco. Questa è la seconda morte, lo stagno del fuoco. [15]Quindi, chi non *si trovò scritto nel libro della vita* fu gettato nello stagno di fuoco.

21 **La nuova creazione.** - [1]Poi *vidi un cielo nuovo e una terra nuova.* Infatti, il cielo e la terra di prima erano scomparsi; neppure il mare c'era più.

[2]E vidi la *Città santa*, la nuova *Gerusalemme*, discendere dal cielo da presso Dio, *preparata come una sposa adorna per il suo sposo.* [3]E udii dal trono una voce possente che disse:

«*Ecco la dimora* di Dio con gli uomini
e dimorerà con loro
ed essi saranno suo popolo
ed egli sarà il "Dio-con-loro".
[4] *E asciugherà ogni lacrima dai* loro *occhi*;
non vi sarà più morte
né lutto e grida e dolore.
Sì, le cose di prima sono passate».

[5]E Colui che sedeva sul trono disse: «Ecco faccio nuove tutte le cose». E aggiunse: «Scrivi: fedeli e veraci sono queste parole». [6]E ancora:

«È compiuto!
Io sono l'Alfa e l'Omega,
il Principio e la Fine.
A colui che ha sete darò da bere
dalla sorgente *dell'acqua viva*,
gratuitamente.
[7] Solo chi sarà vittorioso
avrà in retaggio queste cose.
Io sarò per lui Dio
ed egli sarà per me figlio.

[8]Ma quanto ai codardi, infedeli, depravati e omicidi, impudichi, venefici e idolatri, a quanti son pieni d'ogni sorta di menzogna, la loro sorte è nello stagno, quello *che brucia con fuoco e con zolfo.* È questa la morte seconda».

La Gerusalemme celeste. - [9]Poi uno dei sette angeli dalle sette coppe piene dei sette estremi flagelli si avvicinò a me e mi disse: «Orsù, voglio mostrarti la fidanzata, la sposa dell'Agnello». [10]E mi trasportò su un monte altissimo, dove mi mostrò *la Città santa, Gerusalemme*, discesa dal cielo da presso Dio, [11]circonfusa della *gloria di Dio.* Il suo splendore è simile a quello di pietre preziosissime, come di diaspro cristallino. [12]Ha un muro di cinta grande e alto, con dodici porte sormontate da dodici angeli e recanti i nomi scritti delle dodici tribù dei figli d'Israele: [13]a oriente tre porte, a settentrione tre porte, a mezzogiorno tre porte, a occidente tre porte. [14]Le mura della città poggiano su

Ap

---

in cielo, mentre i dannati avranno la morte temporale ed eterna. Dopo i detti mille anni, avverrà la seconda risurrezione, che per i santi sarà gloria del corpo e dell'anima, per i dannati vera morte del corpo e dell'anima nelle eterne sofferenze dell'inferno.

8. *Gog* e *Magog* (Ez 38-39) rappresentano tutte le nazioni empie, collegate contro la chiesa, che daranno battaglia finale nella simbolica località detta Armaghedon (16,16).

21. - 1. La perversione dell'uomo nel peccato umiliò la natura visibile, l'assoggettò alla maledizione (Gn 3,17); la glorificazione dell'uomo la rinnoverà e la farà partecipe dell'incorruttibilità degli eletti.

dodici basamenti, su cui sono scritti i dodici nomi dei dodici apostoli dell'Agnello.

[15]Ora colui che parlava con me aveva una canna graduata, d'oro, per misurare la città, le porte e le mura. [16]La città è quadrangolare: la sua lunghezza è quanto la larghezza. Misurò con la canna la città: dodicimila stadi. La lunghezza, la larghezza e l'altezza sono uguali. [17]Misurò le mura: centoquarantaquattro cubiti; misura d'uomo, cioè di angelo. [18]Le mura sono costruite di diaspro e la città è d'oro finissimo, simile a vetro limpido. [19]I basamenti delle mura della città sono ornati d'ogni specie di pietre preziose: il primo basamento, diaspro; il secondo, zaffiro; il terzo, calcedonio; il quarto, smeraldo; [20]il quinto, sardonico; il sesto, corniola; il settimo, crisolito; l'ottavo, berillo; il nono, topazio; il decimo, crisopazio; l'undicesimo, giacinto; il dodicesimo, ametista. [21]Le dodici porte sono dodici perle: per ciascuna delle porte v'era una perla. Infine, la piazza della città è d'oro finissimo, come vetro trasparente.

[22]Ma tempio non vidi in essa: il Signore Dio, l'Onnipotente, insieme all'Agnello, è il suo tempio. [23]E la città non ha bisogno della luce del sole o della luna: la gloria di Dio, infatti, la illumina, e l'Agnello ne è la lampada.

[24] E cammineranno le genti
      alla sua luce
   e i re della terra a lei porteranno
      la loro gloria.
[25] Le sue porte non si chiuderanno
      di giorno
   poiché non vi sarà più notte,
[26] e porteranno a lei la gloria
   e il fasto delle genti.
[27] Ma nulla d'impuro in essa entrerà;
   né chiunque commette
      empietà e menzogna.
   Entrerà soltanto chi sta scritto
      nel libro della vita dell'Agnello.

22 Il fiume d'acqua viva. - [1]Mi mostrò poi un fiume d'acqua viva, limpido come cristallo, che scaturiva dal trono di Dio e dell'Agnello. [2]Fra la piazza e il fiume, di qua e di là, vi sono alberi di vita, che portano frutto dodici volte, una ogni mese, con foglie che hanno virtù medicinale per la guarigione delle genti.

[3] E ogni maledizione non vi sarà più;
   ma il trono di Dio e dell'Agnello
      sarà in mezzo a lei,
   i suoi servi a lui presteranno culto;
[4] contempleranno la sua faccia
   e porteranno sulla fronte il suo nome.
[5] E poiché notte più non vi sarà
   non hanno bisogno di luce di lampada
      né di luce di sole;
   poiché il Signore Dio
   spanderà su loro la sua luce,
   e regneranno nei secoli dei secoli.

EPILOGO

«Ecco: vengo presto!». - [6]E mi disse: «Queste parole sono fedeli e veraci, poiché il Signore Dio, che ispira i profeti, mediante il suo angelo ha voluto indicare ai suoi servi ciò che dovrà accadere fra breve. [7]Ecco: vengo presto! Beato chi osserverà le parole profetiche di questo libro!».

[8]Io, Giovanni, ho udito e veduto queste cose. Ora, quando le audizioni e le visioni ebbero termine, caddi ai piedi dell'angelo in segno di adorazione. [9]Ma egli mi disse: «Guardati dal farlo! Anch'io sono servo come te e come i profeti tuoi fratelli e come quelli che osserveranno le parole di questo libro. Dio solo adorerai!».

[10]E aggiunse: «Non tenere nascoste le parole profetiche di questo libro; il tempo,

---

18-21. Siccome è impossibile descrivere con espressioni umane la bellezza della città celeste, Giovanni usa i nomi delle pietre più preziose conosciute ai suoi tempi per dare una pallida idea di bellezze completamente sconosciute all'uomo. I nomi delle pietre preziose qui nominate corrispondono più o meno a quelle conosciute da noi.

22-23. Nella nuova Gerusalemme non vi sarà un tempio né vi sarà bisogno di luci, perché Dio stesso e l'Agnello saranno tempio e luce. Nel significato simbolico, queste espressioni vogliono indicare che gli eletti godranno sempre della presenza beatificante di Dio, che si mostrerà loro così com'è e li renderà felici della propria felicità senza bisogno di mediazioni.

22. - 1-2. Per questi due vv. cfr. Ez 47,1-12, che ha quasi la medesima descrizione. Il fiume d'acqua viva è simbolo della vita eterna, data da Dio ai suoi eletti nel grado di felicità perfetta. Gli alberi di vita che fruttificano dodici volte all'anno e dei cui frutti tutti possono cibarsi, significano il dono dell'immortalità conservata appunto dai frutti che sempre si rinnovano.

3-5. E ogni maledizione non vi sarà più: nel paradiso terrestre tutto fu maledetto a causa del primo peccato; all'entrata nella terra promessa gl'Israeliti votarono alla distruzione gli abitanti e le loro città a motivo dei loro peccati; nella Gerusalemme celeste, invece, tutto sarà puro e santo, felice e beato.

infatti, è vicino! [11]L'ingiusto commetta pure ingiustizie, l'immondo si faccia sempre più immondo, e il giusto seguiti ad agire secondo giustizia e il santo si santifichi ancor più! [12]Ecco: vengo presto; con me ho la mercede che darò a ciascuno secondo le sue opere. [13]Io sono l'Alfa e l'Omega, *il Primo e l'Ultimo,* il Principio e la Fine. [14]Beati coloro che *lavano le loro vesti,* così da poter mangiare dall'*albero della vita* ed entrare attraverso le porte nella città. [15]Fuori i cani, venefici, impudichi, omicidi, idolatri e chiunque ama e pratica la menzogna!».

«Vieni, o Signore Gesù». - [16]«Io, Gesù, ho inviato il mio angelo che attestasse a voi quanto concerne le chiese. Io sono la radice, la stirpe di Davide, la stella lucente del mattino».
[17]Lo Spirito e la Sposa dicono: «Vieni!»; così chi ascolta dica: «Vieni!». Colui che ha sete venga e chi ne ha desiderio attinga *gratuitamente l'acqua della vita.*
[18]A chi ascolta le parole profetiche di questo libro dichiaro: se qualcuno *farà delle aggiunte ad esse,* Dio farà giungere su di lui i flagelli *descritti in questo libro.* [19]E se uno sottrarrà qualcosa dalle parole di questo libro profetico, Dio sottrarrà la sua sorte dall'*albero della vita* e dalla Città santa, descritte in questo libro. [20]Colui che attesta queste cose dice: «Sì, vengo presto!». Amen. Vieni, o Signore Gesù!

Augurio conclusivo. - [21]La grazia del Signore Gesù sia con tutti i santi. Amen.

---

11. Se nonostante i castighi e i premi uno vuol continuare nel male, continui pure, Dio lo lascerà fare, ma il castigo sarà inesorabile e tremendo. Il piano di Dio non si arresterà davanti alla condotta dell'uomo, qualunque essa sia. Questo v. vuole correggere la possibile interpretazione delle parole precedenti, dalle quali potrebbe dedursi che la venuta di Cristo è ormai imminente, e quindi ridursi a un'attesa inerte e forse viziosa. No, dice l'angelo a Giovanni, c'è ancora tempo, e il cattivo che non vuole convertirsi ha ancora spazio per nuovi peccati, e il giusto può ancora aumentare la corona dei suoi meriti, che accresceranno pure la sua gloria nella celeste Gerusalemme.
12. *Vengo presto:* da intendersi in due modi: nel senso della venuta di Gesù Cristo per il giudizio individuale dopo la morte di ciascuno, e nel senso della venuta finale, della quale può dirsi che sarà presto, poiché di fronte all'eternità gli anni contano poco. Chi parla qui è Gesù Cristo, il quale afferma che avrà con sé la *mercede* per *ciascuno,* poiché alla fine ognuno sarà ricompensato secondo le sue opere.

Ap

APPENDICI

PESI, MONETE, MISURE
nell'Antico e nel Nuovo Testamento

La Bibbia menziona diverse misure: gli studiosi hanno cercato di determinare le equivalenze delle misure di lunghezza, capacità e peso di epoca biblica con quelle odierne ma, poiché i dati in nostro possesso non sono molti (soprattutto per le epoche più antiche), rimane molta incertezza al riguardo e le ipotesi formulate dagli studiosi a volte non concordano; va anche tenuto presente che i racconti biblici coprono un arco temporale molto ampio durante il quale le misure possono essere variate.

Misure di peso

Nell'Antico Testamento la più piccola unità di peso era la *ghera* (0,55 grammi);
10 ghera formavano *una beka* (5,5 grammi);
2 beka costituivano *un siclo* (11 grammi);
vi erano però anche il *siclo reale pesante*, di 13 grammi, e il *siclo del santuario*; 50 sicli equivalevano a *una mina*, ossia 550 grammi (si menziona, però, anche una mina di 60 sicli); 60 mine costituivano *un talento*, cioè 33 kg; vi era anche il *talento doppio pesante*, di 66 kg.

Nel Nuovo Testamento sono conosciuti soltanto due pesi: la *libbra* (327 grammi); il *talento*, il cui peso variava da 20 a 40 kg.

Misure di lunghezza

Nell'Antico Testamento sono usati:
il *dito*, equivalente a un quarto di palmo (18,75 mm);
il *palmo*, o mano, corrispondente a 75 mm;
la *spanna*, uguale a tre palmi (22,5 cm);

il *cubito*, dal gomito all'estremità del dito medio, corrisponde a sei palmi (45 cm);
si menziona anche il *cubito lungo* di sette palmi (52,5 cm);
la *canna*, formata di sei cubiti (315 cm).

Nel Nuovo Testamento troviamo:
il *cubito*, vedi sopra;
il *braccio* (185 cm);
lo *stadio* (185 metri);
il *miglio*, corrispondente a mille passi doppi (1478 metri).
Il cammino permesso in giorno di sabato corrispondeva a 2000 cubiti (quasi 1 km).

Misure di capacità

Nell'Antico Testamento, per liquidi:
il *log* (un decimo di *hin*), corrispondente a 0,75 litri;
l'*hin* (un sesto di *bat*), equivalente a 7,5 litri;
il *bat*, equivalente a 45 litri;
il *kor*, uguale a dieci *bat*, ossia 450 litri (usato anche per i solidi).

Nell'Antico Testamento, per solidi:
l'*omer* (un decimo di *efa*), equivalente a 4,5 litri;
il *sea* (un terzo di *efa*) contenente 15 litri;
l'*efa*, contenente 45 litri;
l'*homer* o *kor* corrispondente a dieci *efa*, ossia 450 litri.

Nel Nuovo Testamento, per solidi:
il *modius*, o moggio, corrispondente a 8,7 litri.

Nel Nuovo Testamento, per liquidi:
il *batos* (termine che riprende l'ebraico *bat*) o *metreta*, corrispondente a 36 litri.

Nel Nuovo Testamento, per solidi:

il *modius*, o moggio, corrispondente a circa 8,7 litri;

il *koros* (termine che riprende l'ebraico *kor*) equivale a 395 litri.

Monete

Le monete coniate cominciarono ad apparire nel VII sec. a.C., prima in Anatolia, poi in Grecia. Prima d'allora si scambiavano metalli e materiali vari, come lana, cereali, frutti, legname, bestiame. I metalli pregiati, come oro e argento, venivano pesati e se ne valutava la qualità. Alcune misure di peso divennero nomi di monete. Per dare un valore odierno alle monete antiche è quindi necessario, più che fissare cifre, sempre imprecise e sempre variabili, indicare il peso delle diverse monete, per tradurlo poi nel valore del giorno.

I valori, però, sono sempre approssimativi.

Le monete più note di cui abbiamo notizia sono le seguenti:

Il *talento*, equivalente a 60 mine, che poteva essere d'oro o d'argento; il talento romano equivaleva a 6000 denari.

La *mina*, ordinariamente d'argento, di 550 grammi, equivalente a 50 sicli (in Ez 45,12 equivale a 60 sicli, 660 grammi); all'epoca di Gesù la mina corrispondeva a cento dracme.

Il *siclo*, di oro o di argento, di 11,4 grammi.

La *ghera*, un ventesimo di siclo, di 0,55 grammi.

La *dracma*, ordinariamente di rame, di 4,36 grammi; durante il regno dei Seleucidi (epoca maccabaica) pesava 3,5 grammi.

Il *denaro*, ordinariamente d'argento, fino al sec. III a.C. equivaleva a 4,55 grammi; dal 216 a.C., sino a Nerone, 3,85 grammi; dopo, 3,41 grammi.

LE ORIGINI DI ISRAELE	
Patriarchi (Gn 12–50): Abramo, Isacco, Giacobbe	Il re Hammurabi in Mesopotamia
Esodo: Mosè Insediamento in Canaan (Giosuè)	Il faraone Ramses II Riferimento ad Israele nella stele di Mernepta
I Giudici (Debora, Gedeone, Sansone…) Samuele	I "Popoli del Mare" (Filistei), respinti dagli Egiziani, si insediano sulla costa della Palestina.

IL PERIODO DELLA MONARCHIA		
1000	Saul, Davide Gerusalemme capitale Salomone	

922	Divisione in due regni (922-721)
	    GIUDA (Sud) ISRAELE (Nord)
	                           Elia
	    Isaia *Amos*
	   Michea *Osea*	

721 622	Caduta di Samaria (regno del Nord) Riforma religiosa del re Giosia	La potenza assira: i re Tiglat-Pileser III e Sargon II Decadenza dell'impero assiro e nascita della potenza babilonese
587 537	Caduta di Gerusalemme, fine del regno Esilio a Babilonia Editto di Ciro: ritorno dall'esilio	Il re babilonese Nabucodonosor (605-562)

GIUDAISMO POST-ESILICO		
520	Ricostruzione del tempio a Gerusalemme Missione di Esdra e Neemia	Potenza persiana: Dario I (522-486) Battaglia di Maratona (490)
323 167-64	Sottomissione della Giudea ai Tolomei e ai Seleucidi Rivolta dei Maccabei La giudea diviene indipendente per un secolo sotto la dinastia Asmonea	Alessandro il Grande (336-323) Periodo della cultura ellenistica (traduzione della Bibbia in greco, la "Settanta") Antioco IV Epifane

ALLE ORIGINI DEL CRISTIANESIMO		
63 a.C. ★ 26-36 30	I Romani conquistano la Palestina (Pompeo) Erode il Grande, re della Giudea (37-4 a.C.) Nascita di Gesù di Nazaret (6/7 a.C.) Ponzio Pilato procuratore della Giudea Ministero pubblico di Gesù Morte e risurrezione di Gesù Cristo Martirio di Stefano, dispersione della comunità cristiana. Assemblea di Gerusalemme: At 15	5/10 d.C.: Paolo di Tarso (nascita) 39: Conversione di Paolo
64-67	Martirio di Pietro e Paolo Diffusione del cristianesimo nelle province dell'impero	66-70: Prima guerra giudaica contro i Romani 70: Distruzione del tempio di Gerusalemme 132-135: Seconda guerra giudaica contro i Romani

LA BIBBIA NEL DIALOGO
Perché tutti siano una cosa sola

Nella Bibbia è attestato il dialogo tra Dio e l'umanità, un dialogo di amore che esprime la volontà di salvezza per tutti gli uomini. Tutto ciò pone le basi perché tutti i cristiani, tutti i credenti di altre religioni e tutti gli uomini di buona volontà, sia pure nelle rispettive diversità, intreccino rapporti di viva collaborazione e di fecondo confronto al fine di superare divisioni, pregiudizi, conflitti e ogni forma di discriminazione.

Dialogo ecumenico

Tutti i cristiani (cattolici, ortodossi o protestanti), nonostante le tristi divisioni verificatesi nella storia, hanno come eredità comune la Sacra Scrittura che, come parola di Dio, illumina e guida la loro vita. Dalla comune fede in Gesù Cristo, sgorga l'urgenza di essere testimoni dell'amore di Dio e della speranza nella storia dell'umanità. La Bibbia è lo strumento di dialogo tra le varie confessioni cristiane affinché, illuminati e protesi all'ascolto dello Spirito Santo, si possano superare le rispettive incomprensioni, per essere fedeli alla preghiera di Gesù Cristo: «Non prego solo per costoro, ma anche per coloro che crederanno in me mediante la loro parola: che tutti siano uno come tu, Padre, in me ed io in te, affinché siano anch'essi in noi, così che il mondo creda che tu mi hai mandato» (Giovanni 17,20-21).

Un luogo di incontro

Non esistono oggi divergenze fra le grandi chiese nell'interpretazione della Scrittura tali da poter giustificare una separazione confessionale, anche se all'interno di tutte le chiese ci sono atteggiamenti diversi nei confronti del metodo storico-critico o di una lettura più ingenua della Scrittura.

La Scrittura è diventata un luogo nel quale i cristiani delle diverse chiese si possono incontrare e collaborano, tanto per lo studio scientifico della Bibbia, quanto per le sue traduzioni e la sua diffusione, mentre a livello di popolo cristiano sono sorti innumerevoli gruppi biblici per favorire la conoscenza e la riflessione sulla parola di Dio.

Dialogo interreligioso

Le tre grandi religioni monoteiste, ebraismo, cristianesimo e islam, credono che Dio si sia rivelato attraverso i profeti e abbia stabilito la sua alleanza con Abramo. Anche se le rispettive fedi presentano notevoli differenze, è pertanto possibile intrecciare salutari relazioni di ascolto, dialogo e collaborazione.

Ebrei e cristiani hanno in comune la prima parte della Bibbia, quella che i cristiani chiamano Antico Testamento. In essi si trovano gli inizi e la radice della stessa fede cristiana. L'interpretazione biblica cristiana è fondata sull'unità dei due testamenti in Gesù, Parola fatta carne. Pertanto, tra cristiani ed Ebrei vi è un grande patrimonio spirituale comune che non può essere ignorato.

L'Islam si basa sugli insegnamenti di Maometto codificati nel Corano. La Bibbia è venerata come preparazione al Corano, scritto verso il 650 d.C. in lingua araba, ritenuta sacra e immutabile, che regola anche la vita civile e sociale (diritto islamico). Lo stesso Corano chiama la *Torah* e il Vangelo «guida e luce». La comunanza di fede nell'unico Dio e creatore, nonostante le peculiarità della fede islamica, non può che portare a promuovere valori comuni di giustizia, pace e libertà.

BIBBIA E SPIRITUALITÀ
Messa, lectio divina, preghiera

La Bibbia non è solo il libro che riporta la parola che Dio rivolge all'uomo, ma è anche il libro che insegna all'uomo come parlare con Dio: riporta infatti molte preghiere (basti pensare ai 150 salmi del Salterio), mostrando come profeti e re, popolani e condottieri, uomini e donne, santi e peccatori, possono rivolgersi a Dio e «pregarlo». Pregare non significa tanto invocare o chiedere grazie – quasi che dovessimo spiegare a Dio quel che deve fare per noi – ma soprattutto disporsi ad ascoltare la sua voce, che parla nel segreto dell'anima o attraverso eventi e persone.

La *lectio divina*

La *lectio divina* è la lettura della Bibbia che, con l'aiuto dello Spirito Santo, nel silenzio, nella riflessione, nella preghiera, dona luce, sapienza e speranza. È impegno, cammino a lasciarsi trasformare dalla parola di Dio perché entri nel cuore e nella vita. La *lectio* trova la sua radice all'interno della Scrittura. Gesù stesso ogni sabato si recava in sinagoga, leggeva le Scritture, le interpretava e attualizzava riconoscendo la portata degli eventi storici e il disegno di Dio profeticamente rivelato in esse (Luca 4,22), suscitando lo stupore di tutti i presenti e la preghiera di lode. Non si tratta di una semplice lettura della Bibbia: per mettersi in ascolto della Parola è richiesto un clima di silenzio, di calma, di raccoglimento, predisponendosi a ciò che lo Spirito suggerisce nell'animo del credente. La tradizione monastica ha sintetizzato la *lectio divina* in quattro momenti fondamentali: *lectio, meditatio, oratio, contemplatio*.

Lectio. Il primo passo è quello della lettura. Esso consiste nel cercare di comprendere il brano biblico secondo ciò che l'autore intendeva comunicare ai suoi lettori o ascoltatori. È un mettersi in sintonia con quel messaggio che all'origine risuonava nello scrittore sacro. Non si tratta di una semplice erudizione, ma di entrare in comunione con il Signore che rivolge la sua Parola.

Meditatio. Il secondo passo è la meditazione. Esso è il momento in cui inizia il dialogo tra il credente e la Parola ascoltata. È un'attività che coinvolge l'intelligenza, la memoria, la fantasia, l'affettività affinché l'esistenza possa essere decifrata alla luce della presenza dello Spirito.

Oratio. Il terzo passo è quello della preghiera. Essa sorge quasi spontanea come risposta alla lettura e alla meditazione. La preghiera può prendere diverse modalità a seconda di ciò che lo Spirito suscita nel cuore del credente: lode, ringraziamento, gioia, silenzio.

Contemplatio. Il quarto passo è quello della contemplazione. È il momento in cui ci si abbandona nelle mani di Dio per vedere con gli occhi della fede la propria storia personale così da individuarne la sua volontà. La contemplazione produce un dinamismo atto a trasformare l'esistenza in un dono come testimonianza della Parola.

La preghiera liturgica

La preghiera ufficiale della Chiesa cristiana è la preghiera liturgica. Il termine "liturgia" indica un'"opera pubblica" che unisce tutti i credenti in Cristo (anche quando si è soli). Forma privilegiata della preghiera liturgica è la celebrazione eucaristica, la Messa, sacrificio della nuova alleanza che rinnova, nel segno del pane e del vino, il sacrificio della croce: la prima parte, o liturgia della Parola (con letture dall'Antico e dal Nuovo Testamento) è fortemente centrata sull'ascolto; la seconda o liturgia eucaristica, si ispira ai gesti e alle parole di Gesù nell'ultima cena. È preghiera liturgica, perciò pubblica e ufficiale, anche la celebrazione dei sacramenti: battesimo, cresima, eucaristia, penitenza o riconciliazione, unzione degli infermi, ordine, matrimonio.

La *Liturgia delle Ore* è, infine, la consacrazione quotidiana del tempo e della vita, cantata integralmente "in coro" dai monaci e, in forma ridotta – *Lodi* al mattino, *Vespri* la sera, *Compieta* prima del riposo notturno – da molti cristiani. È quasi interamente tratta dalla Bibbia: salmi e cantici, letture dall'Antico e dal Nuovo Testamento, testi tratti dalla tradizione ecclesiale.

La preghiera personale

La preghiera personale è quella che ogni cristiano può "inventarsi" a piacere, nella fiducia di potersi rivolgere a Dio come a un Padre. Dice il Vangelo: «Quando vuoi pregare, entra nella tua camera e, serratone l'uscio, prega il Padre tuo che sta nel segreto» (Matteo 6,6). È una preghiera libera e personale, che lascia al cuore lo spazio per esprimere la propria riconoscenza o le proprie necessità e si traduce in uno spazio di ascolto, sobrio e fiducioso. Va particolarmente raccomandata la lettura personale della parola di Dio, nutrimento che plasma l'esistenza conformandola alla volontà di Dio.

Le invocazioni della Messa attinte dalla Bibbia

Nel nome del Padre, del Figlio e dello Spirito Santo. È il "segno di croce". Con tali parole si afferma sinteticamente la fede della Chiesa nella Trinità – un Dio solo in tre persone uguali e distinte – nel cui nome l'assemblea cristiana si riunisce e prega (l'espressione si ritrova in Matteo 28,19 e Colossesi 3,17). Con il gesto a forma di croce si esprime la fede in Gesù, Figlio di Dio morto e risorto per salvarci.

Il Signore sia con voi. Il saluto che il sacerdote rivolge all'assemblea allude al nome simbolico "Emmanuele" (con-noi-è-Dio), attribuito a Gesù (Matteo 1,23), e alla promessa di Gesù: «Ecco, io sono con voi tutti i giorni fino alla fine del mondo» (Matteo 28,20).

Signore pietà (in greco, *Kyrie eléison*). Espressione con la quale chiediamo perdono a Dio; la ritroviamo in Matteo 15,22; 20,30.

Gloria a Dio nell'alto dei cieli… Inno di lode al Signore, il cui inizio è attinto dal canto degli angeli che annunciano ai pastori la nascita di Gesù (Luca 2,14).

Alleluia. Acclamazione ebraica che significa «lodate il Signore». Si trova in diversi Salmi, detti appunto "alleluiatici" (Salmi 111–117).

Credo… La professione di fede riepiloga i fondamentali eventi salvifici rivelati nella Bibbia.

Santo, Santo, Santo. Proclamazione della assoluta trascendenza di Dio, «tre volte santo e degno di ogni lode e benedizione». Riprende un testo di Isaia (6,3).

Osanna. Significa «Salvaci!». Gioiosa accla-mazione con cui fu accolto Gesù quando entrò a Gerusalemme, inaugurando la "grande settimana" della sua Pasqua (Matteo 21,9).

Agnello di Dio. Appellativo simbolico attribuito a Gesù da Giovanni Battista (Giovanni 1,29.36) e dal libro dell'Apocalisse (Apocalisse 5). Gesù è il vero Agnello pasquale che, con il suo sacrificio, cancella i peccati del mondo.

Tre preghiere fondamentali

Padre nostro. È la preghiera che Gesù stesso insegnò quando i suoi discepoli gli dissero «Signore, insegnaci a pregare» (Luca 11,1). Esprime la fede in Dio che ci ama come un padre, e insieme il riconoscimento della condizione umana: siamo tutti figli di Dio. Solo Dio può operare ciò che chiediamo nelle sette invocazioni; a noi è richiesta la partecipazione attiva nel perdono: «come anche noi perdoniamo…». Nei vangeli il *Padre nostro* è riportato in due versioni: una più lunga, forse legata all'uso liturgico nella Chiesa primitiva (Matteo 6,9-13), e una più breve (Luca 11,2-4).

> Padre nostro che sei nei cieli,
> sia santificato il tuo nome,
> venga il tuo regno,
> sia fatta la tua volontà,
> come in cielo, così in terra.
> Dacci oggi il nostro pane quotidiano,
> rimetti a noi i nostri debiti
> come noi li rimettiamo
>   ai nostri debitori,
> e non c'indurre in tentazione,
> ma liberaci dal male.

(Mt 6,9-13)

> Padre,
> sia santificato il tuo nome,
> venga il tuo regno.

> Dacci ogni giorno il nostro pane
>   quotidiano,
> e perdona a noi i nostri peccati,
> perché anche noi perdoniamo
> ad ogni nostro debitore,
> e non farci entrare nella tentazione.

(Lc 11,2-4)

Gloria. È la più semplice preghiera di lode alla Santissima Trinità, una professione di fede molto antica e radicata nella tradizione cristiana. Si ispira ad alcune espressioni del Nuovo Testamento (Romani 16,27; Efesini 3,21; 1Timoteo 1,17; 1Pietro 4,11; Apocalisse 5,13; 19,1): «Gloria al Padre e al Figlio e allo Spirito Santo, come era nel principio, ora e sempre, nei secoli dei secoli. Amen».

Ave Maria. Preghiera che ripete il saluto dell'angelo nell'annunciazione a Maria: «Rallegrati» (in latino, *Ave*), e l'augurio di Elisabetta quando Maria entrò nella sua casa: «Benedetta tu...» (Luca 1,28.42). La seconda parte della preghiera, aggiunta nella forma attuale alla fine del XV secolo, è una supplica a Maria nota come antifona fin dal IV secolo.

Altre preghiere

L'Angelus. Più che una preghiera è un "ripasso" del Vangelo per ribadire la fede nel mistero della redenzione operata da Gesù: si ripetono infatti i versetti che ricordano l'annunciazione dell'angelo a Maria (da qui il titolo latino) e l'incarnazione del Figlio di Dio: «L'Angelo del Signore portò l'annuncio a Maria. Ed ella concepì per opera dello Spirito Santo» (Luca 1,26.35); «Ecco la serva del Signore; si faccia di me come hai detto tu» (Luca 1,38); «E il Verbo si fece carne e dimorò fra noi» (Giovanni 1,14).

Siccome si intercalano i versetti del Vangelo con la preghiera dell'*Ave Maria*, molti pensano che l'*Angelus* sia una preghiera mariana. Più correttamente, essa è una professione di fede in Cristo Gesù, vero Dio e vero uomo, nato da Maria. Tradizionalmente, veniva recitato al tocco di campana che nelle campagne invitava alla preghiera all'alba, a mezzogiorno e al tramonto. Nel tempo pasquale l'*Angelus* è sostituito dal *Regina coeli* («Regina del cielo, rallègrati») che inneggia a Maria testimone della risurrezione di Gesù.

Il *Rosario.* Il *Padre nostro,* l'*Ave Maria,* il *Gloria,* le preghiere popolari che tutti i cristiani sanno a memoria, fin dal XIII secolo hanno composto il "Breviario dei poveri" o Rosario: invece dei 150 salmi del Salterio biblico, si ripete il saluto dell'angelo *Ave Maria,* inter-

calando le quindici "decine" con la preghiera di Gesù, il *Padre nostro,* e con la professione della fede cristiana, il *Gloria.* Al posto delle letture bibliche proposte dalla Liturgia delle Ore si ricordano brevemente i misteri della vita di Gesù. Il Rosario "intero", fino al 2002, era diviso in tre parti che invitavano a ripercorrere la vita di Cristo attraverso i misteri della gioia, del dolore e della gloria; con la lettera apostolica *Il Rosario della Vergine Maria* (16 ottobre 2002), Giovanni Paolo II ha aggiunto una quarta parte, dedicata ai misteri della luce.

Misteri gaudiosi (si dicono il *lunedì* e il *sabato*)
1. L'angelo Gabriele annuncia a Maria l'incarnazione del Figlio di Dio (Luca 1,26-38)
2. Maria visita Elisabetta ed è salutata "Madre del Signore" (Luca 1,39-45)
3. Gesù Figlio di Dio fatto uomo nasce a Betlemme (Luca 2,1-20)
4. Gesù bambino, presentato al tempio, è riconosciuto Messia salvatore (Luca 2,22-38)
5. Gesù perduto e ritrovato nel tempio tra i maestri della legge (Luca 2,41-50)

Misteri luminosi (si dicono il *giovedì*)
1. Il Battesimo nel Giordano (Matteo 3,13-17)
2. Le Nozze di Cana (Giovanni 2,1-12)
3. L'annuncio del Regno di Dio (Marco 1,14-15)
4. La Trasfigurazione (Luca 9,28-35)
5. L'Eucaristia (Luca 22,19-20)

Misteri dolorosi (si dicono il *martedì* e il *venerdì*)
1. Gesù nell'orto di Getsemani è tradito da Giuda (Luca 22,39-53)
2. Gesù riconosciuto innocente è ingiustamente flagellato (Luca 23,13-16)
3. Gesù è incoronato di spine come un re da burla (Marco 15,17)
4. Gesù porta la croce salendo verso il Calvario (Marco 15,21-22)
5. Gesù è crocifisso e muore in croce per la nostra salvezza (Marco 15,25-37)

Misteri gloriosi (si dicono il *mercoledì* e la *domenica*)
1. Gesù risorge dal sepolcro, vincitore del male e della morte (Matteo 28,6)

2. Gesù ascende al cielo nella gloria del Padre (Matteo 16,19; At 1,9-11)

3. Lo Spirito Santo discende sugli apostoli e li rende testimoni della fede (Atti 2,1-4)

4. Maria assunta in cielo partecipa al trionfo di Gesù redentore

5. Gesù re dell'universo incorona Maria regina del cielo e della terra

La *Via crucis* è un modo popolare di rivivere, nella meditazione, il mistero della passione e morte in croce di Gesù. Nata come sacra rappresentazione nel secolo XIII, la *Via crucis* è una pratica devozionale della Quaresima e una celebrazione penitenziale. La sera del Venerdì santo è tradizionalmente guidata dal Papa a Roma, nei pressi del Colosseo. La *Via della croce* si ripercorre seguendo l'itinerario scandito nelle chiese dalle 14 croci o immagini dette "stazioni" (dal latino *statio*, "sosta"), meditando i momenti significativi della passione: nove di questi "quadri" sono attestati nel Vangelo, cinque si rifanno ad antiche tradizioni. Le quattordici "stazioni" tradizionali sono le seguenti:

1ª Gesù è condannato a morte, prima dal sinedrio e poi da Pilato (Matteo 27,22-26)

2ª Gesù, caricato della croce, si incammina verso il Calvario (Giovanni 19,17)

3ª Gesù cade una prima volta sotto il peso della croce

4ª Gesù incontra sua Madre che sale con lui verso il Calvario

5ª Un uomo di Cirene aiuta Gesù a portare la croce (Luca 23,26)

6ª Una donna, detta Veronica, asciuga il volto di Gesù

7ª Gesù cade una seconda volta sotto la croce

8ª Gesù esorta le donne di Gerusalemme a non pianger solo su di lui (Luca 23,28)

9ª Gesù cade una terza volta sotto la croce

10ª Gesù, giunto sul Calvario, è spogliato delle vesti (Matteo 27,28)

11ª Gesù, inchiodato alle mani e ai piedi, è crocifisso tra due malfattori (Luca 23,33)

12ª Gesù muore in croce perdonando i suoi crocifissori (Luca 23,34-46)

13ª Gesù deposto dalla croce è avvolto in un lenzuolo (o sindone) (Luca 23,53)

14ª Gesù è posto nel sepolcro (Giovanni 19,42)

LA BIBBIA IN UN ANNO

La Parola di Dio illumina i passi di ogni cristiano e porta alla piena conoscenza di Cristo. «L'ignoranza della Scrittura – dice san Girolamo – è ignoranza di Cristo».
Queste pagine tracciano uno schema che ti permette di leggere tutta la Bibbia, seguendo il percorso dell'anno liturgico. Sono stati omessi i Salmi che fanno parte della preghiera quotidiana della Chiesa e tralasciati i riferimenti ai testi di Matteo, Marco, Luca e Giovanni che sono offerti alla lettura nella celebrazione eucaristica di ogni giorno.
La Parola di Dio stimola e rallegra, provoca e consola, ma soprattutto è una parola che invita a intraprendere un cammino di speranza.

Tempo di Avvento – I settimana

Sabato	Isaia 1 – 2	☐
Domenica	Isaia 3 – 5	☐
Lunedì	Isaia 6 – 7	☐
Martedì	Isaia 8 – 9	☐
Mercoledì	Isaia 10 – 12	☐
Giovedì	Isaia 13 – 14	☐
Venerdì	Isaia 15 – 17	☐
Sabato	Isaia 18 – 20	☐

Tempo di Avvento – II settimana

Domenica	Isaia 21 – 22	☐
Lunedì	Isaia 23 – 24	☐
Martedì	Isaia 25 – 27	☐
Mercoledì	Isaia 28 – 29	☐
Giovedì	Isaia 30 – 31	☐
Venerdì	Isaia 32 – 33	☐
Sabato	Isaia 34 – 35	☐

Tempo di Avvento – III settimana

Domenica	Isaia 36 – 39	☐
Lunedì	Isaia 40 – 41	☐
Martedì	Isaia 42 – 43	☐
Mercoledì	Isaia 44 – 45	☐
Giovedì	Isaia 46 – 47	☐
Venerdì	Isaia 48 – 49	☐
Sabato	Isaia 50 – 51	☐

Tempo di Avvento – IV settimana

Domenica	Isaia 52 – 54	☐
Lunedì	Isaia 55 – 57	☐
Martedì	Isaia 58 – 59	☐
Mercoledì	Isaia 60 – 61	☐
Giovedì	Isaia 62 – 63	☐
Venerdì	Isaia 64 – 65	☐
Sabato	Isaia 66	☐

Tempo di Natale

Dicembre

25	Romani 1 – 2	☐
26	Romani 3 – 4	☐
27	Romani 5 – 7	☐
28	Romani 8 – 9	☐
29	Romani 10 – 11	☐
30	Romani 12 – 14	☐
31	Romani 15 – 16	☐

Gennaio

1	1Corinti 1 – 3	☐
2	1Corinti 4 – 7	☐
3	1Corinti 8 – 10	☐
4	1Corinti 11 – 13	☐
5	1Corinti 14 – 16	☐
Epifania	2Corinti 1 – 3	☐
7	2Corinti 4 – 7	☐
8	2Corinti 8 – 10	☐
9	2Corinti 11 – 13	☐
10	Galati 1 – 3	☐
11	Galati 4 – 6	☐
12	Efesini 1 – 3	☐
13	Efesini 4 – 6	☐

Tempo Ordinario

Gennaio

14	Filippesi 1 – 2	☐
15	Filippesi 3 – 4	☐
16	Colossesi 1 – 2	☐
17	Colossesi 3 – 4	☐
18	Levitico 1 – 4	☐
19	Levitico 5 – 7	☐
20	Levitico 8 – 10	☐
21	Levitico 11 – 13	☐

22	Levitico 14 – 16	☐
23	Levitico 17 – 19	☐
24	Levitico 20 – 22	☐
25	Levitico 23 – 25	☐
26	Levitico 26 – 27	☐
27	Geremia 1	☐
28	Geremia 2	☐
29	Geremia 3 – 4	☐
30	Geremia 5 – 6	☐
31	Geremia 7 – 8	☐

Febbraio

1	Geremia 9 – 10	☐
2	Geremia 11 – 12	☐
3	Geremia 13 – 14	☐
4	Geremia 15 – 16	☐
5	Geremia 17 – 18	☐
6	Geremia 19 – 20	☐
7	Geremia 21 – 22	☐
8	Geremia 23 – 24	☐
(continua alla 4a di Quaresima)		
9	Genesi 1 – 4	☐
10	Genesi 5 – 8	☐
11	Genesi 9 – 11	☐
12	Genesi 12 – 16	☐
13	Genesi 17 – 20	☐
14	Genesi 24 – 24	☐
15	Genesi 25 – 28	☐
16	Genesi 29 – 31	☐
17	Genesi 32 – 36	☐
18	Genesi 37 – 40	☐
19	Genesi 41 – 43	☐
20	Genesi 44 – 47	☐
21	Genesi 48 – 50	☐
22	Esodo 1 – 4	☐
23	Esodo 5 – 8	☐
24	Esodo 9 – 11	☐
25	Esodo 12 – 14	☐
26	Esodo 15 – 18	☐

Quaresima

Mercoledì	Esodo 19 – 22	☐
Giovedì	Esodo 23 – 25	☐
Venerdì	Esodo 26 – 28	☐
Sabato	Esodo 29 – 31	☐

1ª Quar.	Esodo 32 – 34	☐
Lunedì	Esodo 35 – 37	☐
Martedì	Esodo 38 – 40	☐
Mercoledì	Numeri 1 – 4	☐
Giovedì	Numeri 5 – 8	☐
Venerdì	Numeri 9 – 12	☐
Sabato	Numeri 13 – 15	☐

2ª Quar.	Numeri 16 – 18	☐
Lunedì	Numeri 19 – 21	☐
Martedì	Numeri 22 – 25	☐
Mercoledì	Numeri 26 – 29	☐
Giovedì	Numeri 30 – 32	☐
Venerdì	Numeri 33 – 36	☐
Sabato	Deuteronomio 1 – 3	☐

3ª Quar.	Deuteronomio 4 – 6	☐
Lunedì	Deuteronomio 7 – 10	☐
Martedì	Deuteronomio 11 – 14	☐
Mercoledì	Deuteronomio 15 – 18	☐
Giovedì	Deuteronomio 19 – 22	☐
Venerdì	Deuteronomio 23 – 26	☐
Sabato	Deuteronomio 27 – 29	☐

4ª Quar.	Deuteronomio 30 – 32	☐
Lunedì	Deuteronomio 33 – 34	☐
(continua dall'8 febbraio)		
Martedì	Geremia 25 – 26	☐
Mercoledì	Geremia 27 – 28	☐
Giovedì	Geremia 29 – 30	☐
Venerdì	Geremia 31	☐
Sabato	Geremia 32	☐

5ª Quar.	Geremia 33 – 34	☐
Lunedì	Geremia 35 – 37	☐
Martedì	Geremia 38 – 40	☐
Mercoledì	Geremia 41 – 43	☐
Giovedì	Geremia 44 – 46	☐
Venerdì	Geremia 47 – 48	☐
Sabato	Geremia 49	☐

Settimana Santa

Palme	Geremia 50	☐
Lunedì	Geremia 51	☐
Martedì	Geremia 52	☐
Mercoledì	Lamentazioni 1	☐
Giovedì	Lamentazioni 2	☐
Venerdì	Lamentazioni 3	☐
Sabato	Lamentazioni 4 – 5	☐

Pasqua

Pasqua	Cantico 1 – 2	☐
Lunedì	Cantico 3 – 5	☐
Martedì	Cantico 6 – 8	☐
Mercoledì	Siracide 1 – 2	☐
Giovedì	Siracide 3 – 4	☐
Venerdì	Siracide 5 – 6	☐
(continua al 20 agosto)		
Sabato	Apocalisse 1 – 3	☐

2ª Pasqua	Apocalisse 4 – 5	☐
Lunedì	Apocalisse 6 – 7	☐
Martedì	Apocalisse 8 – 9	☐
Mercoledì	Apocalisse 10 – 12	☐
Giovedì	Apocalisse 13 – 15	☐
Venerdì	Apocalisse 16 – 18	☐
Sabato	Apocalisse 19 – 20	☐

3ª Pasqua	Apocalisse 21 – 22	☐
Lunedì	Esdra 1 – 4	☐
Martedì	Esdra 5 – 7	☐
Mercoledì	Esdra 8 – 10	☐
Giovedì	Neemia 1 – 3	☐
Venerdì	Neemia 4 – 7	☐
Sabato	Neemia 8 – 10	☐

4ª Pasqua	Neemia 11 – 13	☐
Lunedì	1Tessalonicesi 1 – 5	☐
Martedì	2Tessalonicesi 1 – 3	☐
Mercoledì	1Timoteo 1 – 6	☐
Giovedì	2Timoteo 1 – 4	☐
Venerdì	Tito 1 – 3	☐
Sabato	Filemone e Giuda	☐
5ª Pasqua	Giacomo 1 – 5	☐
Lunedì	1Pietro 1 – 2	☐
Martedì	1Pietro 3 – 5	☐
Mercoledì	2Pietro 1 – 3	☐
Giovedì	1Giovanni 1 – 2	☐
Venerdì	1Giovanni 3	☐
Sabato	1Giovanni 4 – 5	☐
6ª Pasqua	Ebrei 1 – 4	☐
Lunedì	Ebrei 5 – 7	☐
Martedì	Ebrei 8 – 10	☐
Mercoledì	Ebrei 11 – 13	☐
Ascensione	Sapienza 1 – 2	☐
Venerdì	Sapienza 3 – 4	☐
Sabato	Sapienza 5 – 6	☐
7ª Pasqua	Sapienza 7 – 8	☐
Lunedì	Sapienza 9 – 10	☐
Martedì	Sapienza 11 – 12	☐
Mercoledì	Sapienza 13 – 14	☐
Giovedì	Sapienza 15 – 16	☐
Venerdì	Sapienza 17 – 19	☐
Sabato	Atti 1 – 3	☐
Pentecoste	Atti 4 – 7	☐
Lunedì	Atti 8 – 10	☐
Martedì	Atti 11 – 13	☐
Mercoledì	Atti 14 – 16	☐
Giovedì	Atti 17 – 20	☐
Venerdì	Atti 21 – 25	☐
Sabato	Atti 26 – 28	☐
Trinità	2 e 3Giovanni	☐
Lunedì	Giosuè 1 – 4	☐
Martedì	Giosuè 5 – 8	☐
Mercoledì	Giosuè 9 – 12	☐
Giovedì	Giosuè 13 – 16	☐
Venerdì	Giosuè 17 – 19	☐
Sabato	Giosuè 20 – 24	☐

Tempo ordinario

Giugno

1	Giudici 1 – 3	☐
2	Giudici 4 – 6	☐
3	Giudici 7 – 9	☐
4	Giudici 10 – 12	☐
5	Giudici 13 – 16	☐
6	Giudici 17 – 18	☐
7	Giudici 19 – 21	☐
8	Rut 1 – 4	☐
9	1Samuele 1 – 3	☐
10	1Samuele 4 – 7	☐
11	1Samuele 8 – 10	☐
12	1Samuele 11 – 13	☐

13	1Samuele 14 – 15	☐
14	1Samuele 16 – 19	☐
15	1Samuele 20 – 22	☐
16	1Samuele 23 – 25	☐
17	1Samuele 26 – 28	☐
18	1Samuele 29 – 31	☐
19	2Samuele 1 – 4	☐
20	2Samuele 5 – 9	☐
21	2Samuele 10 – 12	☐
22	2Samuele 13 – 14	☐
23	2Samuele 15 – 17	☐
24	2Samuele 18 – 20	☐
25	2Samuele 21 – 24	☐
26	1Re 1 – 3	☐
27	1Re 4 – 6	☐
28	1Re 7 – 8	☐
29	1Re 9 – 11	☐
30	1Re 12 – 13	☐

Luglio

1	1Re 14 – 16	☐
2	1Re 17 – 19	☐
3	1Re 20 – 22	☐
4	2Re 1 – 4	☐
5	2Re 5 – 8	☐
6	2Re 9 – 11	☐
7	2Re 12 – 14	☐
8	2Re 15 – 17	☐
9	2Re 18 – 20	☐
10	2Re 21 – 22	☐
11	2Re 23 – 25	☐
12	Baruc 1 – 2	☐
13	Baruc 3 – 5	☐
14	Baruc 6	☐
15	1Cronache 1 – 4	☐
16	1Cronache 5 – 8	☐
17	1Cronache 9 – 12	☐
18	1Cronache 13 – 16	☐
19	1Cronache 17 – 21	☐
20	1Cronache 22 – 25	☐
21	1Cronache 26 – 29	☐
22	2Cronache 1 – 4	☐
23	2Cronache 5 – 7	☐
24	2Cronache 8 – 9	☐
25	2Cronache 10 – 13	☐
26	2Cronache 14 – 17	☐
27	2Cronache 18 – 21	☐
28	2Cronache 22 – 25	☐
29	2Cronache 26 – 29	☐
30	2Cronache 30 – 33	☐
31	2Cronache 34 – 36	☐

Agosto

1	Proverbi 1 – 2	☐
2	Proverbi 3 – 4	☐
3	Proverbi 5 – 6	☐
4	Proverbi 7 – 9	☐
5	Proverbi 10 – 11	☐
6	Proverbi 12 – 13	☐
7	Proverbi 14 – 15	☐
8	Proverbi 16 – 17	☐
9	Proverbi 18 – 20	☐

10	Proverbi 21 – 22	☐	3	1Maccabei 5 – 6	☐
11	Proverbi 23 – 24	☐	4	1Maccabei 7 – 8	☐
12	Proverbi 25 – 27	☐	5	1Maccabei 9	☐
13	Proverbi 28 – 29	☐	6	1Maccabei 10	☐
14	Proverbi 30 – 31	☐	7	1Maccabei 11 – 12	☐
15	Qoèlet 1 – 2	☐	8	1Maccabei 13 – 14	☐
16	Qoèlet 3 – 4	☐	9	1Maccabei 15 – 16	☐
17	Qoèlet 5 – 7	☐	10	2Maccabei 1 – 3	☐
18	Qoèlet 8 – 9	☐	11	2Maccabei 4 – 5	☐
19	Qoèlet 10 – 12	☐	12	2Maccabei 6 – 8	☐

(continua dalla 1a di Pasqua)

20	Siracide 7 – 8	☐	13	2Maccabei 8 – 11	☐
21	Siracide 9 – 11	☐	14	2Maccabei 12 – 13	☐
22	Siracide 12 – 15	☐	15	2Maccabei 14 – 15	☐
23	Siracide 16 – 17	☐	16	Ezechiele 1 – 3	☐
24	Siracide 18 – 19	☐	17	Ezechiele 4 – 6	☐
25	Siracide 20 – 21	☐	18	Ezechiele 7 – 9	☐
26	Siracide 22 – 23	☐	19	Ezechiele 10 – 12	☐
27	Siracide 24	☐	20	Ezechiele 13 – 15	☐
28	Siracide 25 – 26	☐	21	Ezechiele 16	☐
29	Siracide 27 – 29	☐	22	Ezechiele 17 – 18	☐
30	Siracide 30 – 32	☐	23	Ezechiele 19 – 20	☐
31	Siracide 34	☐	24	Ezechiele 21 – 22	☐

(continua al 23 settembre)

25	Ezechiele 23	☐
26	Ezechiele 24 – 25	☐
27	Ezechiele 26 – 27	☐

Settembre

			28	Ezechiele 28 – 29	☐
1	Giobbe 1 – 4	☐	29	Ezechiele 30 – 31	☐
2	Giobbe 5 – 8	☐	30	Ezechiele 32	☐
3	Giobbe 9 – 12	☐	31	Ezechiele 33 – 34	☐
4	Giobbe 13 – 15	☐			
5	Giobbe 16 – 19	☐			
6	Giobbe 20 – 22	☐	**Novembre**		
7	Giobbe 23 – 26	☐			
8	Giobbe 27 – 30	☐	1	Ezechiele 35 – 36	☐
9	Giobbe 31 – 34	☐	2	Ezechiele 37	☐
10	Giobbe 35 – 38	☐	3	Ezechiele 38 – 38	☐
11	Giobbe 39 – 42	☐	4	Ezechiele 40	☐
12	Tobia 1 – 5	☐	5	Ezechiele 41 – 43	☐
13	Tobia 6 – 10	☐	6	Ezechiele 44 – 45	☐
14	Tobia 11 – 14	☐	7	Ezechiele 46 – 48	☐
15	Giuditta 1 – 4	☐	8	Daniele 1 – 2	☐
16	Giuditta 5 – 8	☐	9	Daniele 3	☐
17	Giuditta 9 – 12	☐	10	Daniele 4 – 6	☐
18	Giuditta 13 – 16	☐	11	Daniele 7 – 9	☐
19	Ester 1 – 3	☐	12	Daniele 10 – 12	☐
20	Ester 4 – 5	☐	13	Daniele 13 – 14	☐
21	Ester 6 – 8	☐	14	Osea 1 – 4	☐
22	Ester 9 – 10	☐	15	Osea 5 – 8	☐

(continua dal 31 agosto)

23	Siracide 35 – 37	☐	16	Osea 9 – 11	☐
24	Siracide 38	☐	17	Osea 12 – 14	☐
25	Siracide 39	☐	18	Gioele 1 – 4	☐
26	Siracide 40 – 41	☐	19	Amos 1 – 4	☐
27	Siracide 42 – 43	☐	20	Amos 5 – 9	☐
28	Siracide 44 – 46	☐	21	Abdia+Giona 1+4	☐
29	Siracide 47 – 49	☐	22	Michea 1 – 4	☐
30	Siracide 50 – 51	☐	23	Michea 5 – 7	☐
			24	Naum 1 – 3	☐
			25	Abacuc 1 – 3	☐

Ottobre

			26	Sofonia 1 – 3	☐
			27	Aggeo 1 – 2	☐
1	1Maccabei 1 – 2	☐	28	Zaccaria 1 – 8	☐
2	1Maccabei 3 – 4	☐	29	Zaccaria 9 – 14	☐
			30	Malachia 1 – 3	☐

INDICE GENERALE

NUOVO TESTAMENTO

APPENDICI

LA BIBBIA
NELLA CATECHESI

LA BIBBIA

NUTRIMENTO E ANIMA
DELL'ANNUNCIO

Il "Documento di base" *Il rinnovamento della catechesi*, che nel 2015 compirà mezzo secolo, ereditò dal Concilio Vaticano II un'attenzione molto accurata alla Scrittura come fonte, anima e «libro» della catechesi: «La Scrittura è il "Libro"; non un sussidio, fosse pure il primo. Per comprenderne il messaggio, occorre anche conoscere i modi storicamente diversi di cui Dio si è servito per rivelarsi. L'interpretazione sicura può essere fatta solo tenendo presente l'unità di tutte le Scritture e ricorrendo alla fede e alla mente della Chiesa, che sono manifeste nella sua Tradizione e nell'insegnamento vivo del magistero. Né va mai dimenticato che la Scrittura deve essere letta e interpretata con l'aiuto dello Spirito Santo, che l'ha ispirata e fa ancora risuonare la viva voce del Vangelo nella Chiesa» (n. 107). Il testo, peraltro, è molto citato perché compendia molto bene quanto afferma la *Dei Verbum* sul rapporto tra Scrittura, Tradizione e Magistero; nello stesso tempo, ricordando l'unità delle Scritture, indica in modo chiaro che la catechesi fa riferimento alla Bibbia all'interno di una riflessione teologica costituendo, per così dire, un ponte tra la Scrittura e la sua sempre maggiore comprensione per la vita cristiana.

Questo paragrafo del "Documento di base", tuttavia, preso a sé stante, si limita a descrivere un rapporto discendente: da Dio all'uomo, passando per la vita ecclesiale. Il recente testo CEI *Incontriamo Gesù. Orientamenti per l'annuncio e la catechesi in Italia*, facendo sintesi del magistero successivo al Concilio, soprattutto *Verbum Domini* di Benedetto XVI e *Evangelii gaudium* di Francesco, insieme con la "via discendente" mette in evidenza anche tutta una dinamica "ascendente". Vi si legge: «La formazione permanente di giovani e adulti riceve un apporto fondamentale dall'educazione all'ascolto, alla lettura ecclesiale e personale della Scrittura. Va sottolineato come tale approccio alla Parola di Dio avvenga in primo luogo nella proclamazione liturgica del testo biblico, ma anche, di riflesso, nei diversi linguaggi della celebrazione. In questo contesto il cristiano si nutre di quella Parola che, sostenuta e attualizzata dall'omelia, diviene sorgente ispiratrice della sua preghiera, bussola della sua vita ed esperienza vissuta nell'annuncio missionario. Così, la prima e autentica *lettura ecclesiale* dà origine all'ascolto comunitario e personale, il quale avviene anche in altri contesti, quali i gruppi di ascolto, la formazione biblica, la stessa catechesi. La Scrittura, insieme alla Tradizione, è "regola suprema" della fede. Essa riecheggia negli scritti dei Padri della Chiesa e nella vita dei Santi. Attraverso l'assidua frequentazione orante, lo studio e l'approfondimento comunitario, la Scrittura è veramente "nutrimento" e "anima" dell'annuncio, "libro" della catechesi» (n. 17).

È la stessa Scrittura, d'altra parte, a testimoniare questo tragitto dell'uomo verso Dio: i Salmi, per esempio, sono parola di Dio in bocca all'uomo, che ritorna a Dio come invocazione. La Scrittura, pertanto, non sarà solo una "miniera" di narrazioni su Dio e su Gesù. Ad essa, piuttosto, la catechesi chiederà la possibilità di formare nel credente una "grammatica interiore" per annunciare Dio e il Figlio suo Gesù Cristo attraverso parole ispirate e per dire anche la realtà dell'uomo così come risplende in quel meraviglioso progetto di amore del Padre, che il Figlio ci ha rivelato. In tal senso la Bibbia dona alla così detta "scelta antropologica" della catechesi la sua doverosa dimensione verticale. Essa, cioè, insegna a guardare all'uomo destinatario del messaggio di salvezza non solo con gli occhi di chi conosce la realtà e se ne fa carico, ma anche con la fiducia di chi sa che quella realtà umana è *capax Dei* e vuole essere riempita dal suo amore in vista della sua piena realizzazione. Dopo aver esplicitato il modo in cui la catechesi guarda alla Scrittura mettendo al centro Gesù Cristo verso il quale "convergono" le Scritture (così come accade ai due discepoli lungo il cammino verso Emmaus, in Lc 24) il *Documento di base* dice chiaramente: «Dei fatti divini, esposti nella Scrittura, si deve ricercare la portata religiosa, mettendo in evidenza come in essi Dio rivela Se stesso e il suo amore per gli uomini che vuole salvare. Questi fatti non possono essere usati solo come illustrazione o esempio, quasi fossero semplici fatti umani. Nei personaggi, si deve vedere la scelta che Dio ha fatto perché divenissero suoi collaboratori, sia nel preparare la venuta del Salvatore, sia nel prolungarne la missione. Va messa in risalto la loro corrispondenza alla sua chiamata, l'orientamento verso Cristo, l'atteggiamento religioso di fronte a Dio. Le figure e i simboli vanno usati rispettando l'esegesi accolta nella Chiesa, per non svisare ciò che Dio rivela per mezzo di essi o per non correre il rischio di vederli dove non sono. Altrettanto si deve dire riguardo ai generi letterari. Tutta la Scrittura è pervasa da un vivo senso di Dio, è ricca di sapienza per la vita dell'uomo e contiene mirabili tesori di preghiere». Conclude con sorprendente attualità: «Accostarsi così alla Scrittura, induce a poco a poco a impregnarsi del suo linguaggio e del suo spirito. È perciò necessario che anche nella catechesi l'accostamento alla sacra Scrittura avvenga in clima di preghiera, affinché il colloquio tra Dio e l'uomo possa svolgersi nella luce e nella grazia dello Spirito Santo» (n. 108).

✠ Marcello Semeraro
Vescovo di Albano
Presidente della Commissione Episcopale CEI
per la dottrina della fede, l'annuncio e la catechesi

INDICARE
IN ATTESA DI VEDERE DIO

Spesso, gli adolescenti, sono un po' distratti. Sono capaci di passare davanti a una chiesa meravigliosa, un quadro famosissimo, sentire un brano musicale da brivido e rimanere "assenti", fuori da quel contesto, chiusi nel loro mondo. Tuttavia, il valore di quell'arte o di quella musica non diminuisce. Sono loro a perdere un'occasione. E, in effetti, quando se ne rendono conto, recuperano. Quel quadro è come se fosse, ai loro occhi, invisibile e quel concerto eseguito lontano dalle loro orecchie. Questo vale per tutti, davanti alla Parola di Dio.

La catechesi e l'annuncio della Parola hanno il dovere di far brillare ciò che vale perché diversamente, i più giovani, ma anche tanti adulti, perdono il bene più grande. Evidenziare e sottolineare ciò che di buono, vero e grande Dio vuole dirci. E, un po' come i ragazzi, si rischia, alla fine di una preghiera, di una Messa, forse anche della vita, di dire: «Non abbiamo visto nulla d'interessante».

La Parola di Dio a volte si fatica ad ascoltarla e a interiorizzarla, ma non per questo perde la sua bellezza. Al contrario la catechesi, l'omelia, le indicazioni dei Pastori, la conoscenza della Bibbia indirizzano l'uomo a scoprirne tutta la bellezza. Essa non è un reperto – seppur molto prezioso – da museo! La Bibbia, attraverso la voce della Chiesa, è la Parola viva di Dio che ancora parla perché è vivo e operante. Mentre l'uomo vede ancora «come in uno specchio» antico, in modo confuso (cfr. 1Corinzi 13,12), cammina nella speranza di poter vedere Dio «così come Egli è», faccia a faccia (cfr. 1Giovanni 3,2). Questa gioia, per ora non completa, è abitata dalla Parola che spinge ad amare, ad andare, a fare come ci ha detto, dopo aver ascoltato (cfr. Luca 10,37). Trovare il coraggio di fidarsi della Parola apre la vita a nuovi segni e riempie le reti vuote (cfr. Luca 5,5-6), dopo una notte infruttuosa senza aver preso nulla.

PREPARARSI
CREARE FAMILIARITÀ

*A*ttorno alla Parola si formano, da una parte, gruppi biblici d'interesse, giovani e adulti che pregano con la *Lectio divina*, centri di ascolto nelle case. Dall'altra si dice che la "Parola di Dio è difficile, parole", come ripeteva il poverello d'Assisi. Raccontare il testo biblico, significa, anzitutto, avere familiarità con esso. Frequentarlo, "farlo girare continuamente" nel cuore e nella mente, come racco-

san Paolo non lo si capisce fino in fondo, le due letture della Messa sono lunghe e complicate…", come se il testo della Scrittura sia riservato a specialisti che lo debbano spiegare. Gli studiosi possono aiutare, ma ciascuno è chiamato a farsi "vaso accogliente", luogo che la Parola/Presenza di Dio può e vuole visitare, abitare, fecondare (cfr. Luca 1,30). Gli autori sacri hanno scritto quel testo, nelle varie epoche della storia, perché fosse annunciato come vivo. E per vivere ha bisogno di testimoni e profeti che, ancora oggi, lo predichino specialmente con la vita. "Qualche volta anche con le mandavano i rabbini. La Sacra Scrittura è viva perché continua a passare nella mente, viene ri-cordata, cioè posta vicino al cuore e alle decisioni, facendola risuonare nella vita quotidiana. La Parola ascoltata, accolta e pregata diventa, a poco a poco, familiare della comunità cristiana. Quell'espressione, quel segno compiuto dal profeta o dal Cristo, è vero anche per ciascuno, ed è vero adesso, non ieri o tanto tempo fa. È vero per noi. Non insegniamo ciò che non sappiamo e non impariamo solo una volta. Stare ai piedi del Maestro per ascoltarlo e imparare da Lui è già catechesi (cfr. Luca 10,39).

ISTRUZIONI PER L'USO
COME APRIRE LA BIBBIA

La Bibbia non è un libro qualunque, ma è Parola di Dio. E quel "di Dio" dice che è Parola grazie alla quale Dio ci parla, scritta da Lui, attraverso il suo Spirito. Cosa fare, dunque, davanti al testo?

1. Mettiti alla presenza di Dio pregando, ad esempio, con un versetto di un salmo: «Con tutto il mio cuore ti cerco: non lasciarmi deviare dai tuoi comandi» (Sal 119,10); oppure con un'invocazione spontanea: "Signore, il tuo Spirito ispiri la mia mente nel leggere, le mie parole per spiegare, il mio cuore per amarti e renderti testimonianza".

2. Leggi con attenzione il testo biblico e non solo una volta. Non presumere di sapere, in anticipo, ciò che il testo ti dirà nella preghiera e nella meditazione.

3. Apri la mente, il cuore e la volontà ad accogliere ciò che il Signore annuncia in quel brano e non essere preoccupato di "cosa" o "come" dirlo ai ragazzi.

4. Accogli la totalità della Parola e non fermarti semplicemente su un versetto rendendolo assoluto, o su un'immagine che ti piace ma diventa esclusiva.

5. Cerca, nel testo ascoltato, i tratti dell'amore di Dio per l'uomo e per te, la sua opera di misericordia, le parole di salvezza che rivolge continuamente. La Bibbia è la storia della salvezza che ancora salva noi.

6. "Rumina", cioè medita la parabola, la pagina, il capitolo, il libro biblico letti. Lascia che quella Parola ti legga dentro. Evita di leggerla e spiegarla agli altri senza preghiera e riflessione. È Parola di Dio, non tua o mia. Se possibile, annota ciò che la Parola ti annuncia per poterla, un domani, riprendere.

7. Privilegia – accanto a quella personale – una lettura comunitaria della Bibbia (nella liturgia, nella preghiera in fa-

miglia, nei gruppi biblici, nei centri di ascolto nelle case…). È bello che tu ascolti e condivida le risonanze della Parola con altre voci ed esperienze diverse dalla tua. Insegnalo anche ai ragazzi e ai più giovani: dal loro cuore escono sottolineature evangeliche.

ziare, commentare, sulla quale tornare per verificare che cosa il Signore, in quell'occasione, aveva ispirato al tuo cuore.

10. Termina la tua lettura biblica con una preghiera che sgorghi dal testo biblico. Non pregare solo con la testa,

8. Accosta sempre l'Antico al Nuovo Testamento perché Dio «ha ispirato i libri dell'uno e dell'altro Testamento e ne è l'autore, ha sapientemente disposto che il Nuovo fosse nascosto nel Vecchio e il Vecchio fosse svelato nel Nuovo» (*Dei Verbum*, n. 16).

9. Usa un testo biblico "da combattimento", un'edizione come questa da poter sottolineare, colorare, eviden-

prega col cuore e con le parole che la Parola stessa ti ha suggerito. Prega con le parole della Parola, come ha fatto Gesù. Ringrazia il Signore di averti parlato; invoca il suo Spirito perché guidi i tuoi passi nei solchi della Parola ascoltata e faccia crescere in te e nei ragazzi che ti sono affidati il seme di quella Parola (cfr. Marco 4,8).

MANEGGIARE CON CURA
QUALI RISCHI EVITARE

Il testo biblico è Parola di Dio e va usato con cura. Qualche avvertimento per ricordare che siamo davanti a un testo meraviglioso, un lungo racconto della storia della salvezza operata da Dio a favore di chi la legge.

1. Evita di fare tagli alla Parola leggendo, per esempio, solamente il Nuovo Testamento e non l'Antico "perché Gesù non c'è ancora"; oppure privilegiare i profeti e tralasciare i libri storici (Giudici, Giosuè, Samuele e Re) "perché ci sono troppo guerre e morti"; oppure, nel Nuovo Testamento, scegliere solo qualche parabola (il samaritano, il figliol prodigo, il buon pastore) escludendo l'apostolo Paolo o l'Apocalisse "perché troppo difficili per i ragazzi".

2. Se un brano, un libro, una serie di testi è difficile (per esempio, le pagine di violenza, le richieste più esigenti di Dio o di Gesù, «se uno non odia suo padre e sua madre non può essere mio discepolo», alcune riflessioni teologiche della comunità apostolica) prima di "scartare i testi" fatti aiutare da qualche sussidio, da qualcuno che possa spiegare con correttezza il testo biblico; senti il bisogno, come catechista, della formazione biblica.

3. Non usare la Bibbia per "darti ragione" a conferma di alcune posizioni ideologiche che ci sono nella tua testa. La Bibbia non sta dalla "tua" parte e non ha bisogno di difensori. Se la cava benissimo da sola.

4. Non fare riassunti personali delle pagine bibliche e non affidare semplicemente a un video la sintesi della storia biblica. Tutto può essere utile, ma nulla può sostituire la lettura orante e meditata della Bibbia.

5. Non leggere, del resto, testi biblici troppo lunghi – tieni sempre conto dell'età dei ragazzi che hai davanti – che possano stancare o far disamorare dal prendere in mano, quotidianamente, il testo biblico. Non devi dare l'occasione di pensare che la Bibbia annoi perché "lunga, difficile e barbosa".

6. Non aprire la Bibbia a caso e non insegnare questo metodo ai ragazzi. La Parola non è un "ricettario" di

soluzioni immediate, ma un dialogo di Dio con l'uomo. È un dialogo costante, non saltuario, nella fede, non improvvisato o casuale.

7. Non partire dalla domanda: "Cosa mi chiede Dio attraverso questo brano?" (al massimo questo potrà essere il punto di arrivo), non cercare spasmodicamente una soluzione nel testo che hai davanti. Nel testo non c'è, anzitutto, ciò che devi fare tu, ma ciò che Dio ha già fatto e, nella sua fedeltà, ancora potrà fare. Su quella fedeltà puoi scommettere le tue risposte.

8. La Bibbia non risponde alle domande mal poste e non si schiera per nessuno: non usare, quindi, la Bibbia per puntare il dito, né su te stesso, né sui ragazzi o sugli altri. La Parola non è stata scritta per aumentare i sensi di colpa; al contrario ti attira continuamente a Dio e il parlare con Lui, il sentirti amato, genera nel cuore conversione (cfr. Atti 2,37-38).

9. Non trattare la Bibbia come un libro di storia, di geografia o di scienze. La Parola di Dio guida la vita, non le conoscenze sull'universo. E non preoccuparti solo di trasmettere nozioni: non sei un professore di religione, chiamato a spiegare tutto quanto. Sei un catechista, cioè un annunciatore della Parola che salva e strappa la tristezza, ridonando gioia, luce e sapore all'esistenza (cfr. Matteo 5,13-14).

10. Non limitarti a far disegnare o colorare le scene bibliche durante le ore di catechismo. I quaderni attivi sono strumenti di lavoro, ma non devono esaurire tutto il tempo. Per conoscere quanto i tuoi genitori ti vogliono bene non fai solamente disegni su di loro, ma li ascolti, vuoi loro bene e stai con loro.

PREDISPORSI
PRONTI A CAMMINARE

La catechesi è un cammino che dura tutta la vita. Sempre l'uomo ha bisogno di nutrirsi, di bere e riposare per poter vivere. La stessa cosa avviene per la Parola di Dio, acqua che disseta e rinfranca la stanchezza dell'uomo e fa compagnia, soprattutto nel momento del buio, della tenebra, quando l'uomo si sente da solo (cfr. Salmo 23).

La Parola è anche pane che nutre, compassione del Figlio di Dio che vede le folle affamate e stanche del cammino e spiega (cfr. Marco 6,34), in tutte le Scritture, ciò che si riferisce a Lui, anche se il cuore sfiduciato si fa prendere dalla tristezza (cfr. Luca 24,27). Come il Risorto accompagna i due di Emmaus così la Chiesa, nell'episodio del diacono Filippo (cfr. Atti 8), accompagna l'uomo di sempre, vicino e lontano alla fede, attento o distratto ma pur sempre disposto a capire e a farsi raggiungere dalla Parola di salvezza.

La Parola di Dio, anche se spiegata splendidamente, non è un corso di aggiornamento, ma è sempre una proposta di vita che chiede conversione, un annuncio che libera e strappa dalla condizione precedente. La Parola è sempre trasformante: dalle tenebre alla luce, dal peccato al perdono, dalla tristezza alla gioia. Mai da soli. Sempre accompagnati dalla Parola di un Dio fedele e misericordioso che sale sul carro della nostra vita e ci conduce, con pazienza e amore.

ACCOGLIERE
OSPITARE LA PAROLA

a storia biblica, sequenza di eventi o di nomi, da Abramo a Zaccaria «ucciso tra il santuario e l'altare» (cfr. Matteo 23,35), è stata messa alla prova, negli ultimi anni, da alcune discipline come l'archeologia, la storia, la geografia e le stesse scienze che seguono un loro statuto epistemologico.

I 73 libri biblici non sono la cronaca del mondo antico e nemmeno hanno la forma degli *Annales* romani nei quali, evento dopo evento, anno per anno, si raccontavano tutte le imprese, per esempio, dalla fondazione di Roma fino ad oggi.

Davanti ad alcuni dati insufficienti si conclude, in modo sommario, che la Bibbia non dice il vero. E, in reazione, si afferma che tutto quello che c'è scritto nei testi sacri è avvenuto esattamente come viene raccontato. Da una parte e dall'altra, quando si cavalca l'estremismo, si rischia di sottolineare il limite rispetto al pregio. Per valorizzare la Bibbia, nella catechesi, nel dialogo, nell'insegnamento scolastico, vale la pena leggerla tenendo presente il contesto globale della narrazione. Meglio ancora: lasciare che il testo ci legga dentro. Non esiste miglior metodo per conoscere la Bibbia se non quello di ascoltarla. Siamo anche in un momento culturale nel quale non mancano mezzi e tecnologia di ogni genere per ascoltare la Parola. È il metodo che Dio stesso, nell'Antico Testamento, ha insegnato al suo popolo. L'imperativo che risuona con forza, in molte pagine bibliche, è semplicemente questo: «Ascolta, Israele» (cfr. Deuteronomio 6). Ascoltare, voce del verbo "ospitare", perché l'ascolto, secondo la tradizione, entra nell'orecchio, mezzo per aprirsi alla Parola udita. Poi scende nel cuore, luogo delle decisioni.

Quella Parola, proprio perché "di Dio", impegna. Non dipinge l'universo e le sue leggi, non rivela il segreto della scienza. No, parla al cuore dell'uomo e gli chiede di ascoltare. Per vivere.

IMPARARE
COME LA "PENSA" DIO

Se la Bibbia va presa come un libro, scritto in più riprese, da molte mani, con un unico intento, per un solo fine, sarebbe interessante considerarlo come un libro di *storia delle idee*. Perché questo, fondamentalmente, la Bibbia trasmette. Idee. Condivisibili o no, con pretesa di assoluta adesione o meno, ma idee. Ciò che Dio pensa sul mondo, sul creato, sull'uomo, sul perdono, sul rispetto, sul peccato, sulla salvezza, sul dare la vita.

La parola "idea" deriva dal verbo greco "vedere". Chi legge la Bibbia, con Israele prima, con Gesù poi, diviene attore nel vedere le meraviglie che Dio, nuovamente, compie. Il Maestro, per esempio, nelle parabole fa così: non dice che cosa debba fare l'uomo, ma racconta, anzitutto, com'è fatto Dio, come la pensi a proposito del perdono e della misericordia.

Quel padre che attende, nella casa (cfr. Luca 15) che i due figli rientrino, il Pastore che va in cerca della pecora perduta, la donna che smobilita la casa e la spazza per ritrovare la moneta non hanno forse il sapore di ciò che Dio fa e pensa continuamente? Senza dimenticare la porta chiusa davanti alle cinque vergini sprovvedute che non hanno l'olio (cfr. Matteo 25,10) o le parole di biasimo nei confronti del servo che non ha fatto fruttare il talento (cfr. Matteo 25,26). Forse Dio fa il tifo perché le porte si chiudano e noi rimaniamo fuori? O spera che il talento seminato in noi non fruttifichi? O non spera, con tutti i suoi sentimenti, che ciascuno raddoppi, ami, impari a perdonare?

Se la Parola è accolta e interiorizzata, proviamo l'ebbrezza di pensare e agire "come Dio".

PREGARE
COSA DIRE A DIO

Sarebbe bello, come indicato nel percorso di lettura proposto in questa edizione, riuscire a leggere alcune pagine della Bibbia ogni giorno. Più la si accosta più si acquista la consapevolezza di essere accompagnati da Dio. Quello Spirito che ha ispirato il testo è il medesimo che ha guidato Gesù nel suo ministero e, oggi, conduce la Chiesa e la testa, il cuore e l'azione di chi sta leggendo.

Opera e trasforma, non senza la volontà personale, la vita di ciascuno nell'immagine del Figlio, obbediente al Padre in tutto. La preghiera stessa, nutrita dalla Parola, personale e comunitaria, diventa vita. E si evita il ritornello: "Non so mai cosa dire a Dio" perché il cuore è arido, la tristezza e il dolore lo tengono stretto, la mente è vuota. Proprio per questo le parole umane, insufficienti e incapaci di esprimersi, hanno bisogno di altre parole.

Si deve tornare a "pregare la Parola" anzitutto nel silenzio. La vita contemporanea è vissuta nel rumore, nell'isolamento, sul treno, in auto, ma tutto questo non impedisce allo Spirito di raggiungere il cuore, anche nei sotterranei della metropolitana. Se il cuore è pronto ad ascoltare, è raggiunto nel suo centro.

Prega con e nella riconoscenza! Dio parla sempre all'uomo, ma troppo spesso lo si dà per scontato: "Tanto Dio parla!". Essere gli interlocutori di Dio, i suoi partner è un grande privilegio. Una grazia. In Gesù l'uomo, nonostante le sue cadute, è tornato a poter parlare e capi-

re Dio. Gesù è il dizionario che traduce per noi l'amore divino e porta a Dio i bisogni più profondi dell'uomo.

APRIRE LE GIUSTE PORTE
L'ARTE DEI 5 SENSI

Il catechista è chiamato dalla comunità cristiana a vivere il ministero di annunciare e spiegare ciò che Dio ci ha comunicato nella sua Parola e ciò che la Tradizione della Chiesa ha valorizzato e messo in evidenza. Quali sono le sue caratteristiche principali? Potrebbero essere dei requisiti (se li hai, puoi fare il catechista) o delle mete (comincia e lavora per ottenerli).

Lascia, attraverso i tuoi cinque sensi, che la Parola ti abiti.

1. Sii un *atleta dell'ascolto*, come il diacono Filippo: prima ascolta ciò che l'angelo gli dice, poi si alza e va (Atti 8,26), addirittura corre e sale sul carro del funzionario della regina Candace (8,30) per spiegargli il rotolo del profeta Isaia. Solamente ascoltando, come viene chiesto continuamente da Dio a Israele (Deuteronomio 6,4) si entra nel cuore di Dio, si beve alla sorgente della Parola (Giovanni 4,14), si cammina alla sua luce (Esodo 14,20).

2. Sii un *osservatore meravigliato* dell'opera di Dio (Salmo 118,23): ciò che il Signore compie, dalla creazione alla salvezza, dalla liberazione alla redenzione, è sempre "una meraviglia ai nostri occhi". Se sei in grado di sorprenderti, se ti disponi a lasciarti raggiungere dalla Parola di Dio che ancora compie segni e prodigi, potrai essere, per coloro che ti sono affidati, un richiamo, un'eco di quella stessa Parola che ha raggiunto

te. Sii un umile discepolo di ciò che vedi, racconta la misericordia che Dio ha usato con te (Marco 5,19), aiuta gli altri a scoprire il bello di ciò che il Signore compie.

3. Sii un *esperto della Parola*, mangiala come il profeta Ezechiele (3,1) in modo che ti scenda nella vita e lascia che si depositi in modo che tu possa confrontarti continuamente, nelle tue scelte, con essa. Sei esper-

to perché fai esperienza della Parola di Dio che è da gustare, per vedere quanto è buono il Signore. Rifugiati sempre in Lui (Salmo 34,9): questo è l'annuncio che la Parola ti chiede di fare. Non preoccuparti di insegnare concetti e teoremi. Aiuta a fare l'esperienza di Dio che salva, conforta e cammina accanto all'uomo.

4. Sii un *buon profumo di Cristo* (2Corinzi 2,15) davanti a Dio e davanti ai fratelli, come lo sono stati tutti i chiamati, da Abramo a Davide, da Maria a Giuseppe, dagli apostoli fino ad oggi. La Parola che scende in te e trova casa, come seme gettato nella terra, marcito e speranza di molti frutti (Giovanni 12,24), ti rende, per la sua grazia e la tua collaborazione, profu-

mo, cioè annuncio di bene e testimone di amore e davanti a Dio e davanti a coloro che ti sono affidati. Sii una benedizione per chi ti incontra. A tua volta una parola che Dio dice.

5. Sii un *testimone fedele dell'opera di Dio,* una persona che «ha toccato il Verbo della vita» (1Giovanni 1,1) e sente l'urgenza di annunciarlo, perché la gioia di tutti sia piena. Non trascurare di avere la fortezza di Elia nell'annunciare il Dio della vita, la coerenza di Stefano che cade, sotto le pietre, pur di offrire la sua testimonianza di fede (Atti 7,59-60), l'amore dell'apostolo Pietro che, solamente alla fine del Vangelo, si lascia amare dal Risorto e lo ama con tutto se stesso (Giovanni 21,17).

FARE CATECHESI CON LA BIBBIA
STRUMENTI NECESSARI

*I*niziare, coltivare e intensificare il ministero della catechesi assomiglia, per certi aspetti, ad un esempio di Gesù: «Chi di voi, volendo costruire una torre, non siede prima a calcolare la spesa e a vedere se ha i mezzi per portarla a termine?» (Lc 14,28). Ogni catechista deve mettere nella cassetta dei ferri gli attrezzi del mestiere. Qui vengono suggeriti i fondamentali, che vanno personalizzati, aggiornati e adattati continuamente.

1. Il testo della Bibbia così come la traduzione ufficiale italiana (CEI, 2008) lo consegna alla Chiesa e a te. Accanto ad esso procura almeno un'altra traduzione (per esempio, la Nuovissima versione dei testi antichi della San Paolo) per un utile confronto che può aiutarti a chiarire un passaggio difficile. Non tralasciare di leggere le introduzioni o le note esplicative.

2. Usa matita, pastelli, evidenziatori, segnalibri che possano aiutarti a sostare sul testo biblico. A dire: "Qui ci sono passato e mi sono fermato". I patriarchi costruivano steli e altari e ricordavano ciò che Dio aveva detto o fatto per loro. Non aver paura di rovinare il testo cartaceo. È tuo ed è lo strumento primo su cui pregare e riflettere. Vedere, da parte dei giovani o degli adulti, che tu usi il testo biblico, è la prima forma di catechesi.

3. Intensifica l'uso della Bibbia nella catechesi. Portala con te, avanti e indietro. Lo si fa per i testi scolastici, a maggior ragione per uno strumento di navigazione della vita. Preoccupati di dare suggerimenti pratici e indicazioni perché a casa si usi il testo biblico (un sussidio per la preghiera, un sms o una mail che ricordi il brano da leggere, una spiegazione su YouTube da vedere insieme...).

4. Vinci la tentazione di buttarti – prima del testo – sui sussidi che propongono sintesi, riassunti, rivisitazioni, disegni, animazioni sul testo. Non abusare di film o cartoni animati biblici, utili, ma non esclusivi. Soprattutto non sostitutivi. Ricorda sempre che il testo ha una forza d'impatto che va dritta al cuore e chiede conversione .

5. Per usare correttamente gli altri strumenti, a contorno del testo, devi prima entrare nel testo biblico stesso. Non scambiare mai, per bella che sia, la cornice col quadro. Diversamente annunci ciò che dicono gli uomini, anche con fantasia e creatività, ma tralasci ciò che Dio pensa e chiede. La catechesi o l'omelia non sono ricerca di ciò che nessuno ha ancora detto sul testo biblico, ma sedimentazione, lenta e paziente, degli eterni desideri di Dio in noi stessi. Evita di far fiorire nuovi testi apocrifi, quando hai davanti il testo che Dio ha ispirato.

6. È proprio dopo aver meditato il testo, personalmente o in gruppo, che puoi creare anche tu qualche strumento tuo: il luogo dove ci si ritrova per ascoltare la Parola di Dio (un leggio, un fiore, una lampada che arde e fa luce ai passi del credente), una musica appropriata, un cartellone, un libro digitale, un pezzo teatrale scaturito dall'ascolto. Potresti, inoltre – ma solo alla fine – ridare anche il titolo a quel brano su cui si è fatta la catechesi, proprio perché lo si è compreso e soprattutto far scaturire da esso le domande per te, per il tuo gruppo che non è quello di tre anni fa. Interrogativi per ciascuno, perché si cammini nella fede.

7. Un piccolo atlante biblico è necessario per l'orientamento. È importante comprendere e far comprendere dove ci troviamo nel testo biblico, quali sono gli spostamenti del popolo di Israele, di un profeta, di Gesù stesso, dell'apostolo Paolo. Aiutare a ricostruire luoghi geografici e città (il mar Rosso, il lago di Galilea, il Giordano, Gerusalemme…).

8. Un dizionario biblico, anche sintetico, ti aiuterà a far chiarezza sui termini, soprattutto quelli difficili e poco usati nella nostra lingua, offrendo anche piccoli ritratti sui personaggi biblici e ricostruendone, seppur brevemente, le vicende. Se vuoi è utile anche fare una rubrica (cartacea o digitale) sulla quale fissare i termini discussi, frutto di ricerca, i termini significativi che hanno lasciato traccia nella vita del gruppo di catechismo.

9. Al termine dell'incontro di catechesi, dopo aver ascoltato e riflettuto sul testo biblico, aiuta a pregarci sopra: escano dal cuore preghiere fatte e impastate con la farina, il sale e il lievito della Parola (Mt 5,13-14). Dio riconosce le sue parole e le accoglie. Così insegni anche a pregare con la Parola. Se puoi raccogli le preghiere che escono dal cuore, soprattutto dei ragazzi e fissale da qualche parte. Nel tempo, rileggendole, ciascuno potrà notare sottolineature che lo Spirito aveva suggerito e indicazioni utili per un confronto spirituale e per scoprire i passi sui quali la Parola insiste.

VIVERE
MAI DA SOLI

Nella catechesi, nell'accompagnamento spirituale, nei segni sacramentali è significativo scorgere come, la vita credente, trovi il suo senso pieno e le sue sfaccettature multiformi nella Parola di Dio. I sacramenti non sono definizioni: sono azioni che Dio ha compiuto e ancora compie. E la Bibbia ce ne racconta ampi stralci. Dio salva attraverso l'acqua, ordina quando crea, santifica e purifica Noè sull'arca, il popolo nel Mar Rosso; Gesù stesso si definisce «acqua viva» ed è immerso nelle acque del Giordano, segno di vita e salvezza, come la ferita dal suo fianco, sulla croce.

E che dire di Dio che nutre il popolo con la manna, il re Davide e i suoi compagni o il profeta Elia con un po' di pane per quaranta giorni di cammino? E delle folle sfamate da Gesù con la Parola, con pochi pani e pesci?

E le nozze tra l'Altissimo e la sua Sposa, il popolo santo dell'Alleanza, la vigna lavorata dai profeti con la Parola di Dio e spesso lasciata senza cura dai re? Non vogliono forse ricordare che Dio non potrà mai abbandonare l'uomo?

E la cura della malattia, il desiderio di togliere il peccato che abbruttisce, l'annuncio di un anno di grazia e la salvezza operata sui malati e sui peccatori? Forse non vogliono aprire squarci di speranza che nuovamente risuonano quando la Parola, celebrazione della forza di Dio, viene annunciata?

Dio, il Pastore che cura, soccorre, dà la vita, si offre, cerca la centesima pecora che si era smarrita, non ha forse qualcosa d'importante da dire riguardo al ministero e al servizio che si vuole compiere nel popolo di Dio? Ogni volta, l'annuncio della Parola salva chi si lascia salvare, unisce, accompagna, risana e conforta. È un appello da parte di Dio. Ascoltare Dio e fidarsi di Lui è un'esperienza di vita, di cui ringraziare senza sosta insieme, come Chiesa.

LA BIBBIA

CHIEDE PIEDI BELLI DI NUOVI MESSAGGERI

Un messaggio di pace e di salvezza

Gli autori biblici, tutti quanti, sono apostoli gioiosi del Vangelo. I loro piedi, in ogni versetto, si affrettano a portare, oggi, per ciascuno, messaggi di pace e di salvezza (cfr. Isaia 52,7). Messaggi che non rimangano impacchettati, ma da aprire, conoscere, interiorizzare e possano essere annunciati ancora da nuovi apostoli, con nuove tecnologie e risorse, al mondo di oggi.

Dio, nella storia, non ha avuto paura dei cambiamenti. Li ha accolti e resi fruttuosi per parlare "nuove lingue". Lo Spirito, autore dei testi biblici, non è cambiato, mentre gli interlocutori (Ebrei 1,1), le generazioni dall'Egitto alla terra di Canaan, i messaggeri e le situazioni, sono profondamente mutati. Poiché unico è l'ispiratore, la Bibbia, così come la Chiesa ce la consegna, è un tutt'uno coerente. Una coerenza altissima, da capire, interpretare, sulla quale pregare e riflettere, farsi guidare. La lettura delle Sante Scritture è un compito progressivo che dura tutta la vita perché da essa, la vita credente, si lascia guidare. Chi sa ascoltare, sa anche annunciare e chi accoglie la gioia del Vangelo, ne diventa apostolo coerente.

La Bibbia è fiaccola da tener viva perché Dio parla ancora in quel testo che riaccende la vita. Ogni generazione di credenti è testimone della Verità che Dio dice dentro la storia particolare e universale. Ogni generazione diviene staffetta per passare, fedelmente, quel messaggio che ha ricevuto perché la gioia di tutti sia piena (cfr. 1Giovanni 1,3-4).

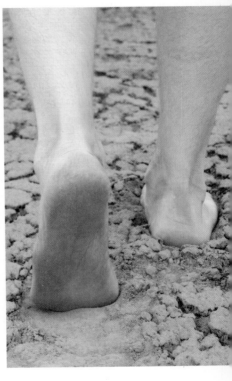

Dio vuole parlare ancora. Non ha altre cose da dire: sono sempre le stesse, perché sempre vere, sempre "parole di vita" che non passano e non vogliono passare (cfr. Marco 13,31), ma chiedono di essere incarnate, capite e amate. Soprattutto vissute. Il testo biblico ricorda semplicemente questo: la fedeltà di Dio alla sua alleanza, a se stesso, alla sua misericordia, suscitando in noi amore, davanti al potente Dio del Sinai che si fa piccolo Bambino, nella stalla di Betlemme e al Signore degli eserciti che, sulla croce, non si vergogna di essere annoverato tra i malfattori.

Un Dio che vuole dialogare, non spaventare.

Un Dio che indica una strada nuova, una via santa e non vuole obbligare.

Un Dio che sogna un mondo come il suo cuore l'aveva ordinato e, attraverso il suo Spirito, lo attira, pian piano, a Sé.

Ogni volta che si riapre la Bibbia pensiamo alla nostra vocazione più alta: ascoltare e accogliere il dono di un Dio che parla.

Non siamo avari nello spezzare questa mensa, ma generosi nel preparare la tavola.

La nostra fede si alimenta se Cristo, via e verità, viene annunciato.

E se, nutrendoci di Lui, parola di vita eterna, possiamo camminare per altri quaranta giorni nel deserto della vita (1Re 19,8).

Un seme che germoglia e cresce

La Parola di Dio è un mistero di misericordia e un dono straordinario del quale Dio ci fa partecipi. Lasciamo che, dalla lettura, da ciò che comprendiamo, Dio possa parlare ancora. Come la Parola lavori dentro di noi, Gesù stesso lo ha detto: «Così è il regno di Dio: come un uomo che abbia gettato il seme in terra, e poi dorme e veglia, di notte e di giorno, mentre il seme germina e si sviluppa, senza che egli sappia come» (Marco 4,26-27).

a. La Bibbia è L'ECO di ciò che c'è nel cuore di Dio. Per questo non è un libro qualsiasi: è la Parola di Dio che il credente attende, ascolta, accoglie con amore.

b. La Bibbia è la PALESTRA del credente. Dio parla e questo impegna l'uomo ad allenarsi, ad esercitarsi, a farsi guidare dal Maestro. Dalla Parola il credente può attingere forza e luce per la sua fede.

c. La Bibbia è PAROLA ISPIRATA, cioè viene dalla volontà di Dio che è l'autore principale dei testi. Come si è servito degli autori per scrivere materialmente, oggi si serve di noi per continuare a scrivere quella stessa storia sulle righe del mondo.

d. La Parola è EFFICACE, cioè va al di là della ricezione del singolo o della Chiesa stessa. Lo Spirito parla sempre, ma la mediazione di questa Parola sarà più limpida se chi la riceve (in questo caso la comunità cristiana che la legge) è puro nel ritrasmetterne il contenuto.

e. La Parola rimane, sempre e comunque, PAROLA DI DIO, anche se ad annunciarla ci fossero un ministro o una comunità poco trasparenti. La comunità è chiamata ad assumere, via via, l'atteggiamento di Betania: «Una sola è la cosa necessaria. Maria ha scelto la parte migliore, che non le sarà tolta» (Luca 10,42). La Parola, ascoltata ai piedi del Maestro, dà la dimensione al servizio che la stessa Parola invia a compiere.

f. La Bibbia è una PAROLA VERA nell'oggi, perché eterno è il Verbo in essa contenuto che parla ancora e attesta con verità l'operare continuo di Dio non ad altri, ma qui, oggi, per noi.

g. La Parola di Dio è TESTIMONIANZA della Chiesa, ma non è testimonianza sulla Chiesa, non è sua invenzione: solamente riposa nel suo grembo. Se la Scrittura è testimonianza della Chiesa allora la Chiesa di ogni tempo è chiamata a tener viva questa testimonianza.

h. La Parola RIAPRE IL CAMMINO, ogni volta. Sulla tavola della vita Dio imbandisce, quotidianamente, una mensa ricca. C'è solo da aver fame e sete, nutrirsi, secondo l'antica espressione contenuta nell'*Imitazione di Cristo*: «Due cose mi sono necessarie in questa esistenza e senza queste due non potrei vivere: la Parola di Dio è la luce e il tuo sacramento è il pane di vita per la mia anima» (VI,11).

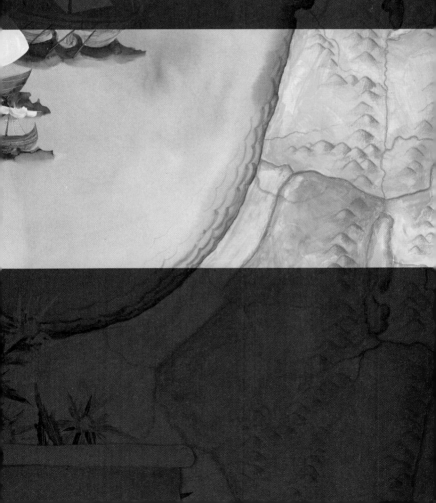

ATLANTE
BIBLICO

Le vie dell'esodo

DELTA DEL NILO

GOSEN

Ramses

Mig

Pitom

Su

Passaggio d
Mar Rosso

Menfi

Nilo

Beni-Hassan

Localizzazioni ipotizzate
per il Monte Sinai

Percorso tradizionale

Via dei Filistei (via Maris)

Altri percorsi proposti

ar Grande

Gerico

Giordano

Chesbon

Monte Nebo

Gaza

Mar
Morto

SERTO
SUR

Kades-Barnea   Har Kar kom

DESERTO
DI ZIN

Makelot   Timna

DESERTO
DI PARAN   Ezion-Gheber (Elat)

Cazerot

Mar
osso

DESERTO
DEL SINAI   Sinai di Gal 4, 25

Gebel Serbal

Gebel Musa

SINAI

La Palestina dell'Antico Testamento e le città dei prof

Sidone
Zarepta
Leonte
Damasco
FENICIA
Tiro
ARAM
Kades
Dan
Cazor
L. di Hule
Chinarot
Mar
Mediterraneo
Lago di Genesaret
Iarmuk
Dor
Meghiddo
Izreel
Ramot-Galaad
Taanach
Bet-Sean
Abel-Mecola
ISRAELE
Tisbe
Samaria
Tirza
Giordano
Penuel
Labboc
Giaffa
Adama
Ghezer
Betel
Iazer
Rabba-Amm
Accaron
Rama
Gerico
Asdod
Madaba
Anatot
Ascalon
Gerusalemme
Lachis
Tekòa
Gat-Morèset
Dibon
Gaza
Gerar
Ebron
Mar Morto
MOAB
Arnon
FILISTEA
Rabba-Moab
Bersabea
Arad
Kir-Careset

GIUDA

Zered

NEGHEB

Kades-Barnea

EDOM

ARABIA

Profeta	Tempo	Città di origine
'Elia	IX sec. a.C.	Tisbe
Eliseo	IX sec. a.C.	Abel-Mecola
Amos	760 a.C.	Tekòa
Osea	760-722 a.C.	
Michea	742-687 a.C.	Gat-Morèset
Isaia 1-39	740-700 a.C.	Gerusalemme
Naum	664-612 a.C.	Elcos (in Giuda)
Sofonia	639-622 a.C. circa	Gerusalemme?
Geremia	626-587 a.C.	Anatot
Abacuc	605 a.C. circa	?
Ezechiele	593-570 a.C.	Gerusalemme
Abdia	587 a.C. circa	?
Isaia 40-55	Esilio	Gerusalemme?Babilonia?
Isaia 56-66	538-520 a.C.	Gerusalemme
Aggeo	520-515 a.C.	Gerusalemme?
Zaccaria	520 a.C. e oltre	Gerusalemme
Malachia	433 a.C. circa	?
Gioele	V-IV sec.?	?

La Palestina ai tempi di Gesù

Mar Mediterraneo

Tiro

ITUREA
Cesarea di Filippo
ULATA
BATANEA
TRACONITIDE

GALILEA
Cafarnao
Betsaida
Magdala
Lago di Genesaret
Tolemaide
Tiberiade
Canatha
Sefforis
Cana
AURANITIDE
Nàzaret Monte Tabor
Nain
Scitopoli
DECAPOLI

Cesarea

SAMARIA
Giordano
Sebaste
Sicar

Giaffa
Filadelfia
Betel
PEREA
Lidda
Gerico
Gerusalemme
Betfage
Betania
Ain-Karim
Betlemme
Ascalon
Macheronte
GIUDEA
Ebron
Mar Morto
Gaza
IDUMEA
Bersabea

Regno di Erode il Grande

Territori della Decapoli

Territorio a statuto speciale nella provincia di Siria

La regione del Lago di Tiberiade

MONTE DELLE
BEATITUDINI

Corazin

Betsaida Julia

Cafarnao

Dalmanuta (Tabga)

Betsaida

a (Magdala)

Gergesa
(Gerasa)

Tiberiade

Hippos

Sennabris

Giordano

Fortezza Antonia

Piscina Probatica o di Betesda

Portici

Atrio dei sac

Santuario

Ponte (arco di Wilson)

NTE DEGLI ULIVI

Il Tempio di Gerusalemme

SEMANI

Portico di Salomone

Portico reale (Basilica)

Pinnacolo del Tempio

Cortile dei gentili

Porte di Culda

austra per impedire l'accesso
ai gentili nei luoghi sacri

Scalinata (arco di Robinson)

Monte degli Uli

Getsen

Fortezza Antonia

Tempio

Santo dei S.

Piscina Probatica

Sined

Golgota o Calvario

Palazzo di Erode e Preto

Gerusalemme nel I secolo d.C.

Piscina di Siloe

Cenacolo

MACEDONIA

Roma
Tre Taverne
Foro Appio
Pozzuoli

ACAIA

Tessalo

Reggio

Corinto
Cencre

Siracusa

Malta

Tempesta

F

Il primo viaggio missionario di Paolo (At 13, 1 – 14, 28)
Il secondo viaggio missionario di Paolo (At 15, 36 – 18, 22)

MACEDONIA
Filippi — Neapoli
Anfipoli
Tessalonica Apollonia   Samotracia
Berea   Troade
ACAIA   Pergamo

BITINIA

FRIGIA   GALAZIA
MISIA
ASIA

Antiochia di Pisidia
Listri   Iconio
Derbe   Tarso
Perge   CILICIA
PANFILIA   Antiochia
LICIA   Attalia   Seleucia

Corinto   Atene
Cencre

Efeso

Rodi

CIPRO   Salamina   SIRIA

Pafo

CRETA

Cesarea

Mar Mediterraneo

Gerusalemme

Il terzo viaggio missionario di Paolo (At 18,23 — 21,14)
Il viaggio di Paolo verso Roma (At 27,1 — 28,16)

BITINIA

PONTO

TRACIA

GALAZIA

ASIA

COMMAGENE

Adramitto

Pergamo

Sardi

Antiochia di Pisidia

Laodicea

Iconio

Listri

Efeso

Derbe

Tarso

Colossi

Perge

CILICIA

Mileto

Attalia

PANFILIA

Antiochia

Cnido

LICIA

Patara

SIRIA

Cos

Rodi

Mira

Salmone

Pafo

CIPRO

Tiro

Sidone

Tolemaide

Cesarea

Antipatride

diterraneo

Gerusalemme

ITALIA

Roma
Ostia

Pozzuoli

Edessa

Filippi

Tessalonica

Berea

Cartagine

Siracusa

Corinto

Atene

Mar Mediterraneo

CR

Instanbul

CR

TURCHIA

Cirene

Pergamo
Lesbo

Tiatira

Sardi

Mar Egeo

Smirne

Filadelfia

Chio

Efeso
Samo

Laodicea

Le sette Chiese menzionate
in Apocalisse 2 e 3

Rodi

💬 Le comunità cristiane all'inizio del II secolo

Finito di stampare nel mese di gennaio 2019
presso Rotolito S.p.A. - Seggiano di Pioltello (MI)
Printed in Italy